LE *Grand* LAROUSSE GASTRONOMIQUE

LE *Grand* LAROUSSE GASTRONOMIQUE

Avec le concours
du Comité gastronomique présidé
par Joël Robuchon

LAROUSSE

21 rue du Montparnasse 75283 Paris cedex o6

POUR LA PRÉCÉDENTE ÉDITION

DIRECTION DE PUBLICATION
Isabelle Jeuge-Maynart

DIRECTION ÉDITORIALE
Colette Hanicotte

ÉDITION
Aude Mantoux
avec la collaboration de Laurence Alvado et Rupert Hasterok

DIRECTION ARTISTIQUE
Emmanuel Chaspoul,
assisté de Martine Debrais

MISE EN PAGES
Sophie Compagne,
aidée de Laurence Lebot

INFORMATIQUE ÉDITORIALE
Philippe Cazabet et Marie-Noëlle Tilliette

LECTURE-CORRECTION
Chantal Pagès,
assistée de Madeleine Biaujeaud, Christine Jost et Édith Zha

INDEX
Marie-Thérèse Ménager

CRÉDITS PHOTOGRAPHIQUES
Voir en fin d'ouvrage

ILLUSTRATIONS, CARTOGRAPHIE DES CÉPAGES DE FRANCE
ET ADAPTATION DES AUTRES CARTES VITICOLES
Laurent Blondel

POUR LA PRÉSENTE ÉDITION

DIRECTION DE PUBLICATION
Isabelle Jeuge-Maynart et Ghislaine Stora

DIRECTION ÉDITORIALE
Delphine Blétry et Catherine Maillet

ÉDITION
Julie Tallet

DIRECTION ARTISTIQUE
Emmanuel Chaspoul,
assisté de Claire Mieyeville

MISE EN PAGES DU CAHIER GESTES ET SAVOIR-FAIRE
Les PAOistes

COUVERTURE
Emmanuel Chaspoul

FABRICATION
Annie Botrel

L'Éditeur remercie chaleureusement Emmanuelle d'Harcourt, Ewa Lochet et Marion Pipart pour leur collaboration aux dossiers photos,
et Valérie Katzaros et Giovanni Picci pour leurs traductions.
L'Éditeur remercie également pour leur aide efficace Delphine Chen, Julie Gerbet, Alice Gouget, Stéphanie Junique,
Stéphanie Ouezman et Camille Plessis.

ISBN 978-2-03-588459-6

PRÉFACE

PROLÉGOMÈNES POUR UNE GASTRONOMIE UNIVERSELLE...

Voici enfin, après plusieurs mois de labeur, de refonte intensive, de discussions acharnées, de notices remises à jour, de biographies créées, de recettes actualisées et largement complétées, la nouvelle édition du *Grand Larousse gastronomique*. La sixième seulement depuis 1938 : soit plus de dix ans entre chaque version ! C'est dire l'importance du travail soumis à votre lecture minutieuse.

S'imagine-t-on les discussions souvent passionnées et ardentes qui ont pu naître entre les membres d'un Comité gastronomique d'une vingtaine de « sages », professeurs, sociologue, cuisiniers, pâtissiers, ingénieur, journaliste, rassemblés d'abord pour le plaisir, dans le but de se demander s'il fallait garder, supprimer ou modifier telle formulation, telle recette, tel éclairage sur telle tradition. Une terrine de ris de veau, une sauce Choron, un beurre blanc, un koulibiac ou un équipement nouveau : voilà quelques-unes des données essentielles sur lesquelles a planché le dit comité présidé par Joël Robuchon.

Place a été faite, cette année, avec 90 nouvelles biographies, aux grands chefs du monde entier qui ont marqué l'époque de leur empreinte, et pas uniquement les français, titulaires ou non de trois étoiles au Guide Michelin. Et, parallèlement, une importance considérable a été donnée aux techniques neuves qui fondent la cuisine du XXIᵉ siècle. Pas seulement le mijotage, le braisage, la cuisson au four, à la vapeur ou au gril, mais aussi les nouvelles voies de la chimie, les conceptions moléculaires et les gelées ou émulsions mises à la mode par Ferran Adrià ou Heston Blumenthal. Ainsi, les nouvelles techniques en vogue, comme l'induction, la plancha, le sous vide, l'emploi du siphon ou de l'azote liquide, occupent une position déterminante.

D'Auguste Escoffier à Pascal Barbot, de Jules Gouffé à Jean-Georges Klein, de Sergio Herman à Régis Marcon, toutes les « tendances », les régions, les pays, les terroirs, les traditions ont été rassemblés, disséqués, étudiés, commentés. Et les recettes des uns et des autres sont devenues ici la permanence de la cuisine mondiale. Que celle-ci se montre bourgeoise, rustique, ménagère, créative, régionalisante ou internationale, elle se trouve détaillée par le menu et dans ses grandes largeurs, comme dans ses moindres recoins.

Parmi les nouveautés de cette sixième édition, on notera la découverte de produits largement utilisés désormais (tels le yuzu, le combava, les perles Japon, la bresaola, la fève tonka ou le sucre muscovado), mais aussi l'insistance portée à l'illustration photographique des fruits, légumes, viandes, poissons, coquillages, etc. Là encore, les apports des gastronomies de différents pays prévalent. D'Autriche, d'Allemagne, de Chine, d'Italie, du Japon viennent des lumières qui éclairent la gourmandise universelle d'un regard neuf.

La pâtisserie, enfin, avec ses nouvelles et anciennes stars, qu'elles se nomment Gabriel Paillasson, Lucien Peltier, Pierre Hermé, Philippe Gobet ou Philippe Conticini, y occupe une place de choix, indiquant qu'elle est à la fois un art à part entière, mais encore et surtout, depuis les origines, non seulement la partie sucrée du repas, mais bien une « cuisine sucrée » véritable, avec ses créations, ses codes, ses références obligées, ses traditions propres, bref, sa manière d'être.

Nous parlions plus haut des techniques neuves, du matériel moderne qui fondent ce passage à un nouveau siècle pour plusieurs générations de chefs ayant su s'adapter. De ce passage témoignent à la fois la refonte en profondeur des contenus du livre, la mise en avant des chefs les plus connus du moment et l'introduction de nombreuses recettes très actuelles, parfois très innovantes, sans renier les recettes classiques qui ont été remises au goût du jour avec sagacité.

Pas moins de 4 000 articles, 2 500 recettes dont 500 réalisées par les grands chefs de toutes les époques, de toutes les générations, 1 000 photos de produits, 200 photos de gestes techniques expliqués étape par étape, 500 photos de reportages présentant le quotidien des brigades de cuisine : voilà de quelle manière, à la fois dynamique, précise et statistique, on pourrait résumer ce formidable travail d'auteur(s).

Car il s'agit bien là d'un travail d'écriture ouvragée, de rédaction fournie et forcenée, de ciselage de mots : à la manière des enlumineurs des manuscrits du Moyen Âge, les divers contributeurs de ce grand ouvrage se sont regroupés sous une seule et même bannière pour donner un tour pédagogique et clair à ce que chacun peut chercher à savoir de l'histoire des mets, des chefs, des produits et de l'art de la table à travers âges et modes.

Ce qui ressort de la lecture, et surtout de la relecture, d'un tel travail d'importance, c'est que la cuisine mondiale n'a cessé d'évoluer, qu'elle progresse, sans jamais renier ses bases. Que, au nom des émulsions, mousses et gelées, on n'oublie pas la mayonnaise, la gribiche, la hollandaise, la béarnaise ; que les fritures et le cru, les grillades et les marinades constituent des chapitres particuliers de ce grand livre mondial qu'écrit la cuisine en mouvement lorsqu'elle se vit au quotidien.

Ouvrage pédagogique qui a d'abord pour buts d'enseigner avec précision, d'éclairer avec raison, de simplifier sans simplisme et de codifier sans rigidité, ce nouveau *Grand Larousse gastronomique* aura atteint son objectif s'il donne à voir et à démontrer que la cuisine universelle n'est ni grande ni petite, qu'elle n'appartient pas à une mode et surtout pas à un seul pays. Bref, qu'elle est plurielle, rassemblant les hommes et les passions au-delà de leurs frontières et de leurs habitudes. Qu'elle est riche de sa diversité, qu'elle change en s'enrichissant et que, si l'idée de progrès ne lui est pas étrangère, c'est bien qu'elle est d'abord un art possédant ses artistes qui sont aussi, eh oui, des humanistes.

Gilles PUDLOWSKI,
membre du Comité gastronomique

LES AUTEURS DE L'ÉDITION 1996

Marie-Paule BERNARDIN, documentaliste

Geneviève BEULLAC, rédactrice

Jean BILLAULT, Maison de la boucherie

Christophe BLIGNY, École de Paris des métiers de la table

Thierry BORGHÈSE, inspecteur de la concurrence, de la consommation et de la répression des fraudes

Francis BOUCHER, chocolatier, confiseur CET

Pascal CHAMPAGNE, barman de l'hôtel Lutetia, Association des barmen de France

Frédéric CHESNEAU, attaché de direction

Marcel COTTENCEAU, Meilleur Ouvrier de France, ancien directeur technique de l'École supérieure des charcutiers-traiteurs

Robert COURTINE (†), président du prix Marco-Polo

Michel CREIGNOU, journaliste

Philippe DARDONVILLE, secrétaire général de l'Union nationale des producteurs de jus de fruits

Bertrand DEBATTE, boulangerie de la centrale Auchamps

Jean DEHILLERIN, P-DG, S.A. E. Dehillerin (matériel de cuisine)

Jean DELAVEYNE (†), chef de cuisine, créateur du restaurant *Le Camélia*, Bougival

Gilbert DELOS, journaliste, écrivain

Christian FLACELIÈRE, journaliste

Jean-Louis FLANDRIN (†), professeur émérite à l'université Paris-VIII, directeur d'études à l'EHESS (École des hautes études en sciences sociales)

André FOUREL, docteur en économie

Éric FRACHON, président d'honneur, S.A. Eaux minérales, Évian

Dominique FRANCESCHI, journaliste

Jacques FRICKER, nutritionniste, docteur en médecine et en sciences

Jean-Pierre GABRIEL, journaliste

Thierry GAUDILLÈRE, directeur de publication, *Bourgogne Aujourd'hui*

Ismène GIACHETTI, directrice de recherche au CNRS (Centre national de la recherche scientifique)

Sylvie GIRARD, écrivain gastronomique

Catherine GOAVEC-BOUVARD, consultante en économie agroalimentaire, B.G. Conseil

Jo GOLDENBERG, restaurateur

Catherine GOMY, responsable certification agroalimentaire, AFNOR (Association française de normalisation)

Bruno GOUSSAULT, directeur scientifique du CREA (Centre de recherche et d'études pour l'alimentation)

Michel GUÉRARD, chef de cuisine, restaurant *Les Prés d'Eugénie*, Eugénie-les-Bains

Jacques GUINBERTEAU, mycologue, ingénieur d'études à l'INRA (Institut national de la recherche agronomique)

Pierre HERMÉ, pâtissier-chocolatier, Paris

Joseph HOSSENLOPP, directeur de recherche au Cemagref (institut de recherche pour l'ingénierie de l'agriculture et de l'environnement)

Françoise KAYLER, critique gastronomique

Jacques LACOURSIÈRE, écrivain

Josette LE REUN-GAUDICHEAU, formatrice en produits de la mer

Robert LINXE, créateur de *La Maison du chocolat*, Paris et New York

Paul MAINDIAUX, service du développement, ministère de l'Agriculture

Laurent MAIRET, œnologue

Jukka MANNERKORPI, chroniqueur gastronomique

Élisabeth DE MEURVILLE, journaliste

Pascal ORAIN, responsable du restaurant *Bertie's*

Philippe PILLIOT, secrétaire général de la Fédération des épiciers de France, rédacteur du mensuel *le Nouvel Épicier*

Georges POUVEL, professeur de cuisine, conseiller technique en gastronomie

Jean-François REVEL, écrivain

Jean-Claude RIBAUT, chroniqueur gastronomique, *le Monde*

Isabelle RICHARD, licenciée ès lettres

Michel RIGO, délégué général de la Fédération nationale des eaux-de-vie de fruits

Françoise SABBAN, maître de conférences à l'EHESS (École des hautes études en sciences sociales)

Jacques SALLÉ, journaliste

Jean-Louis TAILLEBAUD, chef de cuisine Ritz-Escoffier (école de gastronomie française), hôtel Ritz, Paris

Pierre TROISGROS, chef de cuisine, maison *Troisgros*, Roanne

Claude VIFIAN, chef de cuisine et professeur à l'école hôtelière de Lausanne

Leda VIGLIARDI PARAVIA, écrivain, journaliste

Alain WEILL, expert en art, membre du CNAC (Conseil national des arts culinaires)

Jean-Marc WOLFF, école hôtelière de Paris

Rémy YVERNEAU, secrétaire général de la Fédération nationale des crémiers-fromagers

ABAISSE Nom d'un morceau de pâte (brisée, sablée, feuilletée, etc.) étendu à l'aide d'un rouleau ou d'un laminoir sur un plan de travail fariné – un marbre de préférence – afin de lui donner l'épaisseur et la forme correspondant à sa destination : tarte, tourte, pâté, pizza, viennoiseries, etc.

On appelle aussi « abaisse » une tranche de génoise ou de biscuit, coupée en hauteur, sur laquelle on déposera une garniture : marmelade, crème.

ABATS Éléments comestibles d'un animal abattu, distincts de la carcasse. Ils font partie du « cinquième quartier », sous la dénomination d'« abats blancs » (consommables en l'état ou ne nécessitant pas de préparation préalable importante) ou d'« abats rouges » (devant subir une préparation importante, en général réalisée par un tripier) [**voir** tableau des abats page 10]. Cette classification a évolué dans le temps. En 1996, certains morceaux ont été retirés de la chaîne alimentaire humaine en raison des risques de transmission à l'homme de la maladie de la « vache folle » ; de même pour le mouton et la maladie de la tremblante (**voir** MATÉRIEL À RISQUES SPÉCIFIÉS [MRS]).

Les abats sont très appréciés des gastronomes : les rognons, le foie et les ris de veau, ainsi que les animelles (testicules) et la cervelle d'agneau, jouissent depuis toujours d'une réelle réputation gastronomique. Les abats servent à préparer des plats savoureux, souvent d'origine régionale, en France (tripes, gras-double, fressure, gogues, pieds et paquets, tripous, etc.) comme à l'étranger (haggis écossais, choesels – ou animelles – à Bruxelles, busecca milanaise).

Les abats sont riches en protéines et en fer.

▶ Recette : BLANC DE CUISSON.

ABATTIS Bas morceaux des volailles, comprenant la tête, le cou, les ailerons et les pattes, le gésier, le cœur et le foie, ainsi que les rognons et la crête du coq.

Les abattis externes des grosses volailles (poulet fermier, dinde, oie), vendus séparément, peuvent servir à préparer des ragoûts. En fricassée ou en pot-au-feu, ils constituent des plats traditionnels. Les abattis internes s'utilisent dans des farces, garnitures, terrines.

• ABATTIS DE CANARD OU D'OIE. On prépare le cou, le gésier, le foie et le cœur, mais pas les pattes, et les ailerons ne sont pas séparés du corps, sauf quand ils sont mis à confire dans la graisse de la volaille.

• ABATTIS DE POULET, DE DINDE OU DE DINDONNEAU. Ils se préparent de la même façon. Dans le poulet, on cuisine les pattes et la tête ; dans la dinde, on ne consomme que les ailerons, le cœur, le foie, le gésier et le cou.

abattis Babylas

Nettoyer et flamber 1 kg d'abattis ; éplucher et hacher 3 oignons moyens. Dorer les abattis dans une sauteuse avec 40 g de beurre ; y mettre les oignons hachés, remuer, laisser blondir ; ajouter un petit bol de bouillon de volaille et un bouquet garni, amener à ébullition, couvrir ; faire mijoter de 25 à 30 min. Pendant ce temps, nettoyer 250 g de champignons de Paris, les émincer, les citronner. Les ajouter dans la sauteuse avec 10 cl de crème fraîche ; remuer et cuire pendant encore 10 min, à découvert. Délayer alors 2 cuillerées à soupe de moutarde dans un peu du bouillon de cuisson, verser dans la sauteuse et remuer. Avant de servir, parsemer de persil ciselé.

abattis bonne femme

Couper en dés 100 g de poitrine demi-sel ; les blanchir 5 min, puis les rafraîchir et les égoutter. Préparer 800 g d'abattis de dinde ou de poulet ; éplucher 100 g de petits oignons, 300 g de pommes de terre nouvelles et 1 gousse d'ail. Chauffer dans une sauteuse 25 g de beurre, de saindoux ou de graisse d'oie ; y mettre les lardons à rissoler, puis les égoutter ; faire blondir les oignons dans la même matière grasse, puis les égoutter. Dorer les abattis, sans le foie. Ajouter l'ail écrasé ; bien remuer ; parsemer de 1 cuillerée de farine et mélanger pour faire colorer. Verser 10 cl de vin blanc sec et laisser réduire quelques minutes. Poivrer, saler légèrement. Ajouter le bouquet garni, les lardons, les petits oignons, les pommes de terre et mouiller à hauteur avec de l'eau ou du bouillon de volaille. Couvrir, amener à ébullition, puis réduire le feu pour entretenir une cuisson modérée pendant 30 min. Ajouter le foie et poursuivre la cuisson pendant une dizaine de minutes. Dresser dans un plat creux les abattis et la garniture ; napper de sauce.

abattis chasseur

Préparer de 800 g à 1 kg d'abattis de dinde ou de poulet, poivrer et saler ; les faire sauter avec 1 cuillerée à soupe d'huile et autant de beurre ; les égoutter, les tenir au chaud. Dans la même sauteuse, dorer à feu vif 125 g de champignons de Paris nettoyés et émincés et 2 échalotes épluchées et hachées. Mouiller de 20 cl de vin blanc sec et faire légèrement réduire. Ajouter 10 cl de sauce tomate et 20 cl de jus brun de veau lié. Réchauffer les abattis. Avant de servir, parsemer de persil et de cerfeuil ciselés.

Caractéristiques des différents abats

NOM	ANIMAL	CONSISTANCE	SAVEUR	PRÉPARATIONS
abats blancs				
fraise	veau	ferme	de tripes	cuite d'abord au blanc pour préserver sa blancheur ; froide, coupée en carrés ; chaude, en ragoût ou frite
gras-double	bœuf	assez ferme	de tripes	en ragoût (gras-double aux oignons), ou pané et frit (tablier de sapeur)
oreilles	porc, veau	croquante, peu grasse	délicate	cuites longuement en terrine, ou confites et émincées en salade
pansette	agneau, veau	élastique et grasse	de tripes	cuite longuement (tripous de veau, pieds et paquets d'agneau)
pieds	agneau et mouton, bœuf, porc, veau	gélatineuse	fine (veau), délicate (agneau)	source de gélatine et en bouillon chaud ou froid (veau), dans les tripes (bœuf), à la sauce « poulette » (agneau), ou panés et grillés (porc), ou dans les pieds et paquets
tête	veau, porc	onctueuse et ferme	marquée	« en tortue », ou cuite au blanc et servie chaude ou froide, avec une sauce
tripes	bœuf, mouton	ferme, élastique et grasse	marquée	à la mode de Caen, à la provençale, etc. ; braisées et servies très chaudes
abats rouges				
amourettes* (moelle épinière)	veau	proche de celle de la cervelle	proche de celle de la cervelle	comme la cervelle ; dans les farces et les sauces ; sur canapés ou frites
animelles, ou rognons blancs (testicules)	agneau et mouton, bélier, taureau	ferme	fine, douce	ébouillantées, dégorgées ; escalopées ou sautées ; pochées et servies avec un beurre noir ou une sauce tomate
cervelle*	agneau, porc, veau	fragile	douce, délicate (agneau)	dégorgée à l'eau vinaigrée, nettoyée, pochée au court-bouillon ; poêlée, frite
cœur	agneau, bœuf, génisse, porc, veau	ferme (bœuf), tendre (agneau, génisse)	légère (agneau) ou prononcée (bœuf)	découpé en tranches, poêlé ou grillé, meilleur rose et tendre (pas trop cuit) ; entier, farci ou braisé
foie	agneau, bœuf (dit de génisse), porc, veau	fine (bœuf), très fine (veau), tendre (mouton)	assez fine (bœuf), délicate (veau)	découpé en tranches, poêlé ou grillé ; entier, rôti (pas trop cuit)
joue	agneau et mouton, bœuf, porc, veau	onctueuse, très tendre, soyeuse	très fine, bien marquée	en ragoût, en daube, en terrine, ou braisée au vin (jus riche et savoureux)
langue	agneau et mouton, bœuf, veau	assez ferme, assez onctueuse	forte (bœuf), très fine (veau), délicieuse (agneau)	débarrassée de sa peau ; confite ou braisée (agneau), cuite en pot-au-feu (bœuf), ou comme une tête (veau), servie chaude ou froide avec une sauce gribiche
museau	bœuf, porc	croquante	délicate	prêt à être consommé, découpé en tranches accompagnées d'une vinaigrette
queue	agneau, bœuf, porc, veau	très tendre après une cuisson longue	très marquée (bœuf)	en terrine, dans un pot-au-feu (veau), braisée au vin, découpée en tranches, relevées de vinaigrette, ou rôtie avec le gigot (agneau)
ris (thymus)	agneau, veau	souple et fondante	délicate, typée, raffinée	entiers, braisés ; en tranches, poêlés ou frits ; en morceaux, cuisinés en sauce
rognons	agneau et mouton, bœuf, porc, veau	tendre, selon l'âge de l'animal	forte (bœuf), fine (agneau), très fine (veau)	entiers, rôtis dans leur graisse (veau) ; découpés en tranches, poêlés ; en morceaux, grillés en brochettes
tête	porc	onctueuse et ferme	marquée	nombreux apprêts de charcuterie, notamment le fromage de tête

* *Les amourettes et la cervelle du bœuf et du mouton sont interdites à la consommation (voir MATÉRIEL À RISQUES SPÉCIFIÉS [MRS]).*

abattis en ragoût

POUR 4 PERSONNES – PRÉPARATION : 20 min – CUISSON : 50 min

Parer 300 g d'ailerons et 200 g de gésiers. Découper 300 g de cous en tronçons. Éplucher, laver, détailler en cubes 1 gros oignon et 2 carottes moyennes. Écraser 2 gousses d'ail, confectionner un bouquet garni. Dans une sauteuse ou une cocotte, faire chauffer 1 cuillerée à soupe d'huile et 1 noix de beurre, et faire rissoler les abattis. Ajouter les légumes et les faire revenir. Déglacer avec 10 cl de vin blanc sec, réduire puis ajouter 1,5 litre de fond de volaille et 10 cl de sauce tomate, l'ail, le bouquet garni. Assaisonner de sel et poivre. Porter à ébullition et laisser mijoter 45 min. Dans une poêle, faire chauffer 30 g de beurre et faire sauter 200 g de foies de volaille en les tenant rosés. Décanter les abattis dans une autre sauteuse. Passer la sauce au chinois sur les abattis, puis porter à ébullition. Vérifier l'assaisonnement, ajouter les foies et laisser frémir 2 min. Dresser dans un plat creux et saupoudrer de 1 cuillerée à café de persil haché.

bouillon d'abattis ▶ BOUILLON

maïs en soso aux abattis de poulet ▶ MAÏS

ABATTOIR Établissement classé, privé ou public, où les animaux de boucherie sont réceptionnés, abattus pour être transformés en produits consommables (viande, abats) et en sous-produits (cuir, poils, crin, corne).

Depuis 1972, pour des raisons d'hygiène et de fraude, et pour la classification de la qualité des carcasses, l'abattage doit obligatoirement se faire dans un abattoir bénéficiant d'un agrément. Les abattoirs ont été édifiés dans les régions d'élevage car il est plus facile de transporter les carcasses et les quartiers que les animaux vivants. Jusqu'au milieu du XIXe siècle, les bœufs normands, limousins ou nivernais couvraient à pied, lentement, plusieurs dizaines de kilomètres avant d'être abattus dans les grandes villes.

■ **Réglementation.** L'inspection sanitaire vétérinaire intervient sur les animaux vivants, sur les viscères et sur la carcasse ; elle peut entraîner la saisie totale ou partielle. Quand tous les avis sont favorables, la carcasse reçoit une estampille vétérinaire légale : si l'abattoir est agréé par l'Union européenne, la viande sera destinée à la consommation intracommunautaire ; dans le cas contraire, elle restera en France. Le classement de la qualité de la carcasse est indiqué par une série de lettres et de chiffres. Un estampillage religieux peut être ajouté pour certifier que la viande a été préparée selon le rite judaïque (viande kascher) ou musulman (viande halal).

Les abattoirs actuels sont complétés par des ateliers de découpe (éventuellement d'emballage) ou/et par des équipements de surgélation et, dans le cas des porcs, par un atelier de découpe, charcuterie et salaison.

ABIGNADES « Tripes » d'oie landaises préparées avec le sang de l'animal. Les abignades (ou abegnades) ne se font pratiquement qu'en Chalosse, où on les déguste sur du pain frit au préalable dans de la graisse d'oie.

RECETTE D'ALAIN DUTOURNIER

abignades

« La veille, dégraisser les tripes de 6 oies, les détailler en morceaux de 15 cm et les vider par pression ; les fendre avec des ciseaux dans le sens de la longueur et finir de les nettoyer avec du gros sel sous un filet d'eau. Détailler les morceaux en trois et les faire dégorger 24 heures au frais dans de l'eau, du vinaigre, du sel et du sucre. Le lendemain, les rincer, les blanchir et les égoutter. Détailler 150 g de ventrèche (lard) séchée en petits lardons, lever la chair restante des 6 carcasses d'oie et les ris à l'intérieur du croupion. Faire revenir les lardons dans une cocotte, dans leur propre graisse, puis y mettre les morceaux de viande découpés et les morceaux de tripes. Ajouter 2 oignons épluchés et taillés en mirepoix, 8 blancs de poireau coupés en grosses rondelles et 1 pied de porc cuit, désossé et détaillé en dés. Mouiller de 2 bouteilles de madiran et de 1 litre de fond blanc de volaille ; ajouter 1 bouquet garni et 4 gousses d'ail écrasées avec leur peau. Saler et poivrer, porter

---

à ébullition et écumer plusieurs fois. Couvrir et cuire 6 heures à feu doux. Au moment de servir, lier avec 10 cl de sang frais de volaille, parfumer avec une pointe de vieil armagnac et rehausser d'un trait de bon vinaigre. »

ABLETTE Petit poisson allongé mesurant une quinzaine de centimètres, de la famille des cyprinidés, abondant dans les lacs et les cours d'eau tranquilles. Ses écailles argentées sont minces et se détachent facilement. L'ablette d'eau courante est assez bonne. Elle se prépare toujours en friture.

ABLUTIONS DE TABLE Usage consistant à se rincer les doigts au cours d'un repas. En Europe, depuis que la fourchette s'est imposée, on ne se sert plus de l'aquamanile, bassin dans lequel on se lavait jadis les mains, et les rince-doigts n'apparaissent sur la table qu'avec les asperges, les artichauts, les fruits de mer et certains petits volatiles quand ils sont servis entiers.

ABONDANCE Fromage savoyard AOC de lait de vache cru (48 % de matières grasses au minimum), à pâte pressée demi-cuite et à croûte frottée de sel. Fabriqué depuis le XIVe siècle, l'abondance (**voir** tableau des fromages français page 390) porte le nom de sa vallée et de la race de vaches laitières sélectionnée à partir de la race pie rouge de l'Est. Il se présente sous la forme d'une meule de 7 à 8 cm d'épaisseur, d'une couleur variant de l'ocre au brun, et pèse de 7 à 12 kg ; il a un goût subtil de noisette. Les fromages issus des laits d'alpage sont les meilleurs.

ABOUKIR Entremets de pâtisserie, fait d'une génoise cuite dans un moule à charlotte, puis coupée horizontalement en tranches, entre lesquelles on intercale de la crème de marron. Le gâteau est glacé au fondant au café, puis décoré de pistaches hachées.

ABOUKIR (AMANDES) Petits-fours glacés, faits de pâte d'amande verte ou rose dans laquelle on enfonce une amande mondée, en la laissant dépasser ou non, et glacés (au caramel, au sucre cuit au grand cassé ou au sucre candi) à l'aide d'une broche à tremper. Traditionnellement, ils sont présentés dans des caissettes en papier lisses ou plissées.

ABOYEUR Cuisinier (chef ou sous-chef) se tenant au « passe » pendant le service. Il a la responsabilité du bon déroulement de celui-ci : il annonce à voix haute les plats, les réclame au besoin et vérifie la bonne exécution des commandes.

ABRICOT Fruit de l'abricotier, arbre de la famille des rosacées (**voir** tableau des abricots page 13 et planche page 12). Il est de forme arrondie, jaune-orangé, à peau veloutée. La chair, tendre et peu juteuse, est sucrée et parfumée. Le noyau, lisse, se détache facilement ; l'amande qu'il renferme, comestible, s'emploie pour parfumer les confitures d'abricot. Son nom vient du catalan *abercoc,* qui dérive lui-même du latin *praecoquus,* « précoce ».

L'abricotier poussait à l'état sauvage en Chine il y a plusieurs millénaires ; il passa en Inde, puis en Perse et en Arménie (d'où son nom latin de *Prunus armeniaca*).

Les premiers abricots commercialisés en France vers la mi-mars viennent de Tunisie, d'Italie, d'Espagne ou de Grèce ; ceux qui sont produits en France sont plus tardifs.

Riche surtout en carotène (provitamine A), mais aussi en sels minéraux (potassium, magnésium, calcium, phosphore, fer, sodium, fluor), l'abricot contient des sucres facilement assimilables.

■ **Emplois.** Parce qu'il est très fragile, l'abricot est souvent mis rapidement en conserve (abricots au naturel ou au sirop, entiers ou en moitiés – « oreillons » – ou encore en dés dans les macédoines) ; on en fait également des jus de fruits et de l'alcool.

Mais l'abricot se déguste aussi frais, nature. Il doit être acheté à point, car, une fois cueilli, il ne mûrit plus. Si on le passe à l'eau, il faut le sécher soigneusement pour en apprécier toutes les qualités. Il est très employé en cuisine, en pâtisserie (entremets chauds et froids, gâteaux divers, salades de fruits, glaces) et en confiserie (fruits confits, marmelades, confitures). Mixé en purée ou en coulis, l'abricot s'intègre aux glaces et aux sorbets.

■ **Abricot sec.** En France, les abricots secs sont tous importés, de Turquie pour les meilleurs d'entre eux, mais aussi d'Iran, de Californie et d'Australie. Comme pour tous les fruits secs, la perte d'eau due au séchage entraîne une augmentation de la valeur énergétique (à poids égal, l'abricot sec apporte plus de calories que l'abricot frais). Les abricots secs se dégustent tels quels, mais ils doivent être réhydratés dans de l'eau tiède pendant 2 heures au minimum avant d'être cuisinés.

abricots Bourdaloue

Pocher 16 oreillons d'abricot dans un sirop léger parfumé à la vanille. Les égoutter, les éponger. Emplir aux deux tiers de semoule au lait un plat en porcelaine ou en verre à feu. Y dresser les demi-abricots. Les recouvrir d'une couche légère de semoule ; les poudrer de 2 macarons écrasés et de 1 cuillerée de sucre en poudre ; glacer à four très chaud (280 °C). Servir en même temps une sauce à l'abricot. On peut remplacer la semoule par du riz au lait (voir page 747). Poires, pêches et bananes Bourdaloue se préparent de la même façon.

abricots Condé

POUR 8 PERSONNES – PRÉPARATION : 25 min – CUISSON : 40 min
Réaliser un riz au lait (voir page 747). Mouler le riz encore tiède dans un moule à bordure beurré (en forme de couronne). Laisser prendre 10 min, puis démouler sur un plat rond de service. Égoutter 16 oreillons d'abricot pochés dans un sirop et les dresser sur la couronne de riz. Napper de 200 g de confiture d'abricot bien chaude aromatisée de 4 cl de kirsch. Décorer avec 8 demi-cerises confites et 10 g d'angélique coupée en petits losanges. Servir tiède. Dresser le restant de sauce abricot en saucière.

abricots confits à l'eau-de-vie

Choisir de petits abricots mûrs et fermes. Les blanchir. Les égoutter dès qu'ils remontent à la surface, puis les mettre 12 heures dans de l'eau froide en changeant l'eau toutes les 2 heures. Les éponger. Les plonger dans un sirop bouillant (densité : 1,2095) et les y laisser 4 jours. Les égoutter, les ranger dans des bocaux de verre, les recouvrir d'un mélange fait, en parts égales, d'alcool neutre à 90 % Vol. et du sirop ayant servi à confire. Ajouter 1 gousse de vanille, du rhum ou du kirsch (10 cl pour 2 litres de liquide). Couvrir et garder un mois au frais et au sec, à l'abri de la lumière.

ABRICOTS

bebeco (Grèce)

berger rouge

jumbocot

rouge du Roussillon

bergeron

tardif de Tain

bulida (Espagne)

Caractéristiques des principales variétés d'abricots

VARIÉTÉ	PROVENANCE	ÉPOQUE	ASPECT	CONSISTANCE	SAVEUR
bergeron	Ardèche, Drôme	fin juill.- mi-août	gros, allongé, une face rouge, l'autre orangée	ferme	acidulée, parfumée
early blush	sud de la France, Rhône-Alpes	fin mai- début juin	toutes les nuances d'orange	ferme	juteux et sucré
hargrand	Gard, Drôme	fin juin- mi-juill.	très gros, quadrangulaire, orangé	ferme	excellente, parfumée
jumbocot, ou goldrich	Gard	fin juin- début juill.	très gros, orangé	très ferme	à tendance acide
orangé de Provence, ou polonais	Bouches-du-Rhône, Gard, Vaucluse	fin juill.- début août	gros, orangé panaché de rouge	ferme	acidulée
orangered	Gard, Drôme	fin juin	gros, orangé, cuivré avec une face souvent rouge	moyennement ferme	bonne
rouge du Roussillon	Pyrénées-Orientales	fin juin- mi-juill.	moyen, orangé ponctué de rouge	à tendance ferme	délicieuse

abricots au sirop

Choisir des fruits sains et juste mûrs. Les dénoyauter. Les piquer avec la pointe d'un couteau, les mettre dans une terrine et les recouvrir de sirop froid (densité : 1,2850). Les laisser macérer ainsi 3 heures. Pendant ce temps, préparer un autre sirop (densité : 1,2197), le clarifier au blanc d'œuf, le laisser refroidir. Égoutter les abricots et les ranger dans des bocaux à conserve. Les recouvrir largement du sirop clarifié bouillant. Boucher les bocaux et les stériliser en comptant 10 min après la grosse ébullition. Les laisser refroidir dans l'eau, puis les essuyer et les entreposer dans un endroit frais et sec, à l'abri de la lumière. On peut aussi conserver des demi-abricots, mais en utilisant un sirop plus concentré (densité : 1,3199).

barquettes aux abricots ▶ BARQUETTE
compote d'abricots étuvés ▶ COMPOTE
confiture d'abricot ▶ CONFITURE
croquettes aux abricots ▶ CROQUETTE
dartois à la confiture d'abricot ▶ DARTOIS
glace à l'abricot ▶ GLACE ET CRÈME GLACÉE
jalousies à l'abricot ▶ JALOUSIE
pannequets aux abricots ▶ PANNEQUET
pâte d'abricot ▶ PÂTE DE FRUITS
tarte aux abricots ▶ TARTE

ABRICOTER Recouvrir d'une mince couche de marmelade d'abricot tamisée, ou d'autres nappages (à la fraise, à la framboise, par exemple), la surface d'un entremets ou d'un gâteau, pour lui donner un aspect brillant. Un abricotage préalable facilite l'application d'un glaçage au fondant.

ABRICOT-PAYS Fruit d'un arbre des Antilles, de la famille des clusiacées, de la taille d'un petit melon. L'abricot-pays, malgré son nom, ne ressemble à l'abricot que par la couleur de sa chair, qui est en outre plus ferme. Sa pulpe, débarrassée de la peau épaisse qui la recouvre et des parties blanches les plus dures, sert à faire des confitures, des sorbets et des jus de fruits.

ABSINTHE Boisson fortement anisée obtenue à partir d'une plante aromatique contenant un alcaloïde connu depuis l'Antiquité pour ses vertus toniques et fébrifuges.

Au XVIIIe siècle, un médecin français élabora une liqueur verte, titrant de 60 à 70 % Vol., à partir de cette plante, d'anis, de fenouil et d'hysope, et en vendit la recette à Henri Louis Pernod, qui la commercialisa en 1797.

La « muse verte », comme la nommaient les poètes, devint très populaire à la fin du XIXe siècle. On mettait tout d'abord une dose d'absinthe au fond d'un verre, puis on versait de l'eau tout doucement sur un morceau de sucre placé dans une petite cuillère plate percée de trous et reposant sur le bord du verre. Or c'était un véritable stupéfiant, qui avait des conséquences dramatiques sur le système nerveux ; sa fabrication et sa vente furent interdites en France par la loi du 16 mars 1915.

L'absinthe est aujourd'hui de nouveau commercialisée sous le nom de « boisson spiritueuse aux extraits d'absinthe », qui titre de 45 à 70 % Vol. Les substances nocives qui avaient occasionné l'interdiction de cette boisson en 1915 sont maintenant réduites à d'infimes proportions.

ACACIA Nom courant, mais impropre, du robinier, ou faux acacia, de la famille des fabacées. Ses fleurs, dont les grappes s'épanouissent en mai, s'accommodent en beignets, décorent les salades et servent à fabriquer des liqueurs.

beignets de fleurs d'acacia

Choisir des grappes de fleurs d'acacia très fraîches (ou de fleurs de courgette, sureau, menthe ou citronnier) et, au besoin, retirer les fleurs flétries. Poudrer de sucre glace, arroser de rhum ou de cognac et laisser macérer 30 min. Préparer une pâte à frire et faire chauffer l'huile de friture. Tremper rapidement les grappes entières dans la pâte, puis les plonger par petites quantités dans l'huile bien chaude et les faire frire quelques minutes. Égoutter sur du papier absorbant et poudrer de sucre.

ACADÉMIES CULINAIRES ▶ VOIR **CONFRÉRIES** ET **ASSOCIATIONS**

ACCOLADE (EN) Mode de dressage sur le même plat de deux pièces de même nature, adossées l'une contre l'autre. Ce sont surtout les volailles et le gibier à plume que l'on met ainsi en valeur, mais, dans la cuisine ancienne, cette présentation était courante pour les viandes de boucherie et les poissons.

ACCOMMODER Préparer un mets en effectuant les transformations qui précèdent sa cuisson, l'assaisonner et le faire cuire.

ACHARD (FRANZ KARL) Chimiste allemand (Berlin 1753 - Kunern, Silésie, 1821), né dans une famille d'origine française, émigrée après la révocation de l'édit de Nantes. Poursuivant des recherches sur un produit de remplacement du sucre de canne, il mit au point, en 1796, le premier procédé industriel d'extraction du sucre de betterave.

Cette invention, que l'Institut de France déclara sans intérêt, reçut l'appui du roi de Prusse Frédéric-Guillaume III ; en 1802, le souverain accorda une subvention à Achard pour établir une sucrerie en Silésie. L'entreprise échoua, car, à l'époque, ce sucre revenait trop cher, et le chimiste mourut dans la misère.

ACHARD OU ACHAR Terme d'origine malaise désignant un condiment d'usage courant à La Réunion, en Inde, en Indonésie et aux Antilles. Ce mélange de légumes ou de fruits, ou des deux, hachés et macérés dans une sauce épicée au vinaigre et souvent sucrée fut introduit en Europe au XVIIIe siècle par les Anglais. Les achards exotiques sont constitués de bourgeons de chou palmiste ou de bambou macérés. En France, ils peuvent être à base de câpres, champignons, choufleur, citrons, cornichons, dattes, petits melons, oignons, oranges, piments, potiron. Au Canada, ils accompagnent les viandes froides et, traditionnellement, le gibier à plume, qui est servi sans sauce pour mieux préserver son goût sauvage.

achards de légumes au citron

Diviser en quartiers des citrons à écorce très fine et retirer les pépins. Couper en lamelles minces de 4 cm de long environ des carottes, des poivrons et des concombres débarrassés de leurs graines et, en petits morceaux, des haricots verts fins et des feuilles de chou. Séparer un chou-fleur en tout petits bouquets. Faire macérer avec du gros sel les citrons et, à part, les légumes. Au bout de 12 heures, laver les citrons et les laisser tremper dans l'eau froide pendant 24 heures en changeant l'eau plusieurs fois, puis les faire bouillir jusqu'à ce que les quartiers soient souples. Les égoutter et les sécher. Au bout de 36 heures, égoutter et sécher les légumes. Passer au hachoir électrique, puis au mixeur, de l'oignon et du gingembre frais. Ajouter du poivre de Cayenne, du vinaigre et du safran, puis de l'huile d'olive première pression à froid. Mettre dans un bocal les quartiers de citron et les morceaux de légumes ; les recouvrir avec de l'huile aromatisée. Fermer et conserver au frais jusqu'au moment de les déguster.

ACHE DES MARAIS Plante sauvage de la famille des apiacées dont est issu le céleri (**voir** planche des herbes aromatiques pages 451 à 454). Les Grecs et les Romains l'utilisaient déjà comme condiment. L'ache peut s'associer à des salades ; elle entre dans la composition de sirops apéritifs et de tisanes.

ACHE DES MONTAGNES OU LIVÈCHE Plante herbacée de la famille des apiacées, au fort goût de céleri. Les racines sèches servent de poivre, les feuilles entrent dans les ingrédients des potées ou des soupes, les fruits (dits « akènes ») accompagnent les fromages, les poissons ou les viandes marinées et sont proposés aussi en pickles.

ACIDE Terme exprimant une fonction chimique et une sensation gustative.
■ **Chimie.** Pour les chimistes, une substance est acide si, quand elle est mise en solution dans l'eau, elle libère des ions hydrogène. Le degré d'acidité se définit par le potentiel hydrogène (pH), dont l'échelle varie de 0 (très acide) à 14 (très alcalin) ; l'eau pure et à 23 °C est neutre, avec un pH de 7.

Certains aliments renferment des acides organiques, dits « faibles » (par rapport aux acides minéraux, dits « forts », comme l'acide sulfurique) : acides citrique et malique dans les fruits, acide phosphorique dans les fromages, la viande et le poisson, acide tartrique dans le vin. En outre, ils contiennent des substances assimilables, dont la formule comporte aussi la fonction acide : acide ascorbique, acides aminés, acides gras.
■ **Gastronomie.** Lors de la consommation d'un mets, l'acide est une sensation gustative, et on parle d'acidité pour la saveur. Notre bouche ne perçoit pas bien l'acidité réelle, car cette sensation est modifiée par la présence de sel, de sucre, etc. Ce sont essentiellement la langue et les papilles tapissant la bouche qui sont sensibles à cette saveur.

On la qualifie aussi de sure (*sauer* en allemand et *sour* en anglais), d'aigre, d'acidulée ou de verte (le verjus, mot formé à partir de « vert » et « jus », était un condiment utilisé par les Anciens).
■ **Emplois.** Les produits acides et ceux auxquels on ajoute un acide (tel l'acide acétique, ou vinaigre) se conservent mieux, car les microorganismes se développent moins facilement quand le pH est bas. La teneur en vitamine C est, par ailleurs, mieux préservée.

Un acide faible, comme le jus de citron, empêche le noircissement par oxydation des avocats, bananes, endives, fonds d'artichaut, pommes, pommes de terre. Les acides aident à la coagulation des protéines ; c'est pourquoi on met un peu de vinaigre ou de citron dans un court-bouillon et dans la cuisson de la blanquette.

L'acidification est un phénomène de dégradation : quand le lactose se transforme en acide lactique, on dit que le lait a « suri ». En cuisine, on a parfois besoin de crème « aigre » : on obtient celle-ci en ajoutant quelques gouttes de citron dans de la crème fraîche.

ACIDE AMINÉ OU AMINOACIDE Élément de base des protéines. On connaît une vingtaine d'acides aminés naturels. Selon ses besoins, l'organisme humain est capable de synthétiser la plupart d'entre eux. Neuf lui sont indispensables : l'isoleucine, l'histidine, la leucine, la lysine, la méthionine, la phénylalanine, la thréonine, le tryptophane et la valine ; aucune synthèse de la lysine et de la thréonine n'étant possible, ces deux acides aminés doivent donc être fournis par l'alimentation. La carence d'un seul acide aminé empêche l'organisme d'utiliser les éléments protéiques qui auraient dû lui être associés.

La valeur biologique des protéines dépend de leur bon équilibre en acides aminés : elle est plus élevée dans les produits animaux que dans les végétaux. Dans les œufs, la répartition est pratiquement idéale, alors que certaines farines, par exemple, doivent être enrichies en lysine. Pour avoir un bon équilibre en acides aminés dans les régimes végétariens, il faut associer au cours de chaque repas des céréales, pauvres en lysine et riches en méthionine, et des légumes secs, riches en lysine et pauvres en méthionine.

Quelques acides aminés, comme la méthionine, sont fabriqués industriellement.

ACIDE ASCORBIQUE ▶ VOIR VITAMINE

ACIDE FOLIQUE ▶ VOIR VITAMINE

ACIDE GRAS Élément de base des lipides, qui, pour la plupart, sont des triglycérides, composés à partir de glycérol et de trois acides gras.

Il existe une vingtaine d'acides gras courants, que l'on distingue par leur capacité à s'associer, ou non, entre eux : ils sont saturés (pas de liaison possible) ou insaturés (admettant une double liaison pour les mono-insaturés, plusieurs doubles liaisons pour les polyinsaturés). Plus une graisse est riche en acides gras saturés, plus elle est dure et fige rapidement après cuisson. À l'inverse, plus elle est riche en insaturés, plus elle est fluide (huiles).

Tous les acides gras présents dans les aliments ne sont pas utilisés de la même façon par l'organisme. Les saturés participent à l'apport énergétique, mais, pris en excès, ils peuvent être à l'origine de maladies de surcharge (maladies cardio-vasculaires, taux de cholestérol élevé, etc.). Les acides gras insaturés protègent le système cardiovasculaire et ont un rôle essentiel dans le bon fonctionnement du cerveau et du système immunitaire.

Les saturés se trouvent essentiellement dans les viandes, la charcuterie, les fromages, le beurre et les corps gras d'origine animale, les œufs, la Végétaline. On les retrouve aussi dans la plupart des viennoiseries et biscuits industriels, et dans des produits comme les frites surgelées (sous forme d'huile hydrogénée ou d'huile de palme).

Les mono-insaturés sont présents dans l'avocat, le canard, la graisse d'oie, les huiles d'arachide, de colza et d'olive surtout ; les polyinsaturés dans le poisson, les margarines végétales, les huiles de maïs, de noix, de tournesol, de pépins de raisin et de soja.

ACIDE GRAS ESSENTIEL Certains acides gras polyinsaturés sont dit « essentiels », car ils ne sont apportés à l'organisme que par l'alimentation. Ils participent au bon fonctionnement du système immunitaire, permettent d'abaisser le taux de mauvais cholestérol et de réduire les risques d'accidents cardiaques.

Les acides gras essentiels comprennent : les oméga-3, présents principalement dans les huiles de colza, de soja et de noix, les poissons gras et semi-gras, la mâche, le pourpier, les épinards ; les oméga-6, que l'on trouve dans les huiles de carthame, de maïs, de pépins de raisin, de soja et de tournesol, les abats, les œufs, le poisson et la viande.

L'industrialisation et l'alimentation animale avec des farines animales ont contribué à augmenter les apports en oméga-6 (il faudrait plutôt nourrir les animaux avec des graines de lin). Pour rétablir un équilibre entre oméga-3 et oméga-6, il est donc conseillé de consommer régulièrement des aliments riches en oméga-3.

ACIDULER Rendre une préparation plus acide, aigre ou piquante en lui ajoutant un peu de jus de citron, de vinaigre ou de verjus (on dit aussi « aigrir »).

ACIER Métal très résistant, fait d'un mélange de fer et de carbone, utilisé en équipement ménager pour fabriquer certaines lames de couteau et divers ustensiles (lardoire, vide-pomme). Il présente cependant l'inconvénient de s'oxyder, et il est de plus en plus remplacé par l'acier inoxydable.
• **Tôle d'acier.** Bon conducteur, elle absorbe bien la chaleur. Elle est souvent noire et mate pour les poêles, les plaques à pâtisserie et certaines bassines à friture, et émaillée pour les casseroles et les faitouts (mais ceux-ci ne sont résistants que si la tôle est épaisse).
• **Acier inoxydable.** Mélange de chrome et d'acier, et parfois de nickel pour les qualités supérieures.

L'acier inoxydable (Inox) ne rouille pas et n'est attaqué ni par les acides ni par les alcalis ; il ne retient ni le calcaire ni les odeurs, et il est très facile d'entretien. Lorsque son épaisseur est suffisante (de 0,8 à 2 mm pour les casseroles), il résiste aux chocs et à la surchauffe, mais il est mauvais conducteur thermique ; en outre, il répartit mal la chaleur, et les aliments attachent.

Pour y remédier, les fabricants ont mis au point le fond « sandwich » (cuivre ou aluminium pris entre deux couches d'acier inoxydable), le trimétal (deux épaisseurs d'acier inoxydable autour d'une « âme diffusante » en acier doux), le dépôt électrolytique de cuivre, etc.

ACRA Beignet salé, fait d'une boulette épicée de purée de légumes ou de poisson, mélangée avec de la pâte à beignets. On le sert brûlant en hors-d'œuvre ou comme amuse-gueule avec un punch.

Très populaires dans toutes les îles des Antilles, les acras (accras, akras ou akkras) s'appellent aussi « marinades », « bonbons à l'huile », *stamp and go* à la Jamaïque et *surullitos* à Porto Rico. Ils sont le plus souvent préparés avec de la morue, mais on utilise également des alevins, des maquereaux, des écrevisses, du fruit de l'arbre à pain, de l'aubergine, des cœurs de palmier, du chou caraïbe, du giraumon, etc.

acras de morue

Dessaler à l'eau froide, pendant 24 heures, 500 g de morue salée, en changeant l'eau plusieurs fois. Laisser reposer 1 heure une pâte à beignets faite avec 200 g de farine, 1 pincée de sel et juste assez d'eau pour obtenir une pâte épaisse. Mettre la morue dessalée dans une casserole d'eau froide, porter sur le feu et la faire pocher tout doucement avec 1 feuille de laurier pendant 10 min, puis l'égoutter, l'effeuiller et la mélanger avec 2 cuillerées à soupe d'huile d'olive, du sel et du poivre de Cayenne. Hacher 2 échalotes épluchées et 4 ou 5 brins de cive, et les ajouter à la morue ainsi que la pâte. Battre 2 ou 3 blancs d'œuf en neige ferme et les incorporer délicatement au mélange. Chauffer de l'huile à friture ; prendre la pâte, cuillerée à dessert par cuillerée à dessert, et la faire glisser dans la friture chaude. Laisser dorer, retourner, égoutter ; servir brûlant.

ÂCRE Qualificatif exprimant une sensation piquante et très irritante au goût ou à l'odorat, souvent persistante et désagréable. On peut trouver âcres une charcuterie trop longtemps ou mal fumée, un toast ou un gigot brûlé, ou un yaourt qui a tourné.

ADDITIF ALIMENTAIRE « Toute substance qui n'est pas normalement consommée en tant que denrée alimentaire [...], qu'elle ait ou non une valeur nutritive, et dont l'addition intentionnelle, dans un but technologique ou organoleptique [...], entraîne son incorporation dans la denrée » *(Codex alimentaire).*

La recherche du goût, de la couleur et de la conservation, en particulier, a incité de tout temps à incorporer aux aliments du sel ou du

Codes de quelques additifs alimentaires

CATÉGORIE		CODE	NOM
colorants	rouge	E 120	cochenille, carmins
	vert	E 140	chlorophylles et chlorophyllines
	brun	E 150	caramels
	rouge	E 162	rouge de betterave, bétanine
conservateurs		E 220	anhydride sulfureux
		E 222	sulfite acide de sodium
		E 236	acide formique
		E 250	nitrite de sodium
		E 252	nitrate de potassium
		E 270	acide lactique
agents antioxygène et acidifiants, antioxydants naturels		E 300	acide ascorbique, ou vitamine C
		E 330	acide citrique (et ses sels)
		E 360	tocophérols (extraits naturels), ou vitamine E
antioxydants de synthèse		E 307	alpha-tocophérol de synthèse
		E 312	gallate de dodécyle
		E 320	BHA (buthyl-hydroxyanisol)
		E 321	BHT (buthyl-hydroxytoluène)
agents de texture gélifiants		E 400	acide alginique
		E 406	agar-agar
		E 407	carraghénanes
		E 420	sorbitol
		E 440	pectine et pectine amidée
exhausteurs de goût		E 621	monosodium de glutamate (MSG)
agents de séparation, substances de traitement de surface		E 900	huile de silicone (anti-mousse artificiel)
édulcorants et autres		E 950	acésulfame de potassium
		E 951	aspartame
		E 954	saccharine

sucre, des épices ou du vinaigre, des produits tels que le carmin, le vert d'épinard ou le caramel. Mais l'industrialisation de l'alimentation a considérablement modifié la nature et les conditions d'emploi des additifs. Précisons que les arômes alimentaires ne sont pas considérés comme des additifs.

■ **Réglementation.** Au sein de l'Union européenne, aucun additif ne peut être utilisé sans une directive européenne, après avis du Groupe scientifique sur les additifs alimentaires, les arômes, les auxiliaires technologiques et les matériaux en contact avec les aliments (AFC Panel) placé auprès des instances communautaires. L'autorisation est donnée pour des produits bien définis et mentionne toujours les doses maximales.

Ce système offre, certes, un maximum de garanties, mais on peut penser que tous les additifs ne sont pas indispensables, en particulier les colorants, dont le rôle est de donner aux produits un aspect plus flatteur. Certains ont des effets secondaires néfastes : réaction allergique à la tartrazine (E 102), un colorant jaune ; destruction de la vitamine B1 par l'anhydride sulfureux (E 220), un conservateur.

Plusieurs directives européennes harmonisent les réglementations concernant les additifs alimentaires dans les États membres de l'Union européenne. Ces dispositions sont reprises dans les législations nationales. Depuis 1973, en France, l'étiquette d'un produit conditionné doit porter mention de la nature de l'additif (**voir** tableau des additifs alimentaires page 15), soit en clair (par exemple, « poudre à lever : bicarbonate de sodium »), soit à l'aide du nom de la catégorie suivi d'un code (E comme Europe, suivi d'un chiffre ; par exemple, « colorant E102 »). Un décret de 1994 a réorganisé la situation des additifs alimentaires en établissant 22 catégories : colorants, conservateurs, antioxydants, gélifiants, édulcorants, émulsifiants, épaississants, stabilisants, exhausteurs de goût, etc.

Les produits diététiques, réglementés depuis 1975, renferment certains additifs et d'autres substances destinées à les enrichir.

ADOUCIR Atténuer l'âcreté, l'âpreté, l'amertume, l'aigreur, l'acidité ou l'excès d'assaisonnement d'un mets en lui ajoutant un peu d'eau, de lait, de crème fraîche, de sucre, etc., ou en prolongeant sa cuisson. Une pincée de sucre adoucit la tomate concassée. On adoucit une sauce en faisant bouillir le vin utilisé pour le déglaçage et en lui imposant une réduction.

ADRIÀ (FERRAN) Cuisinier espagnol (Barcelone 1962). Né dans un quartier populaire de Barcelone, hésitant à suivre des études de commerce, il découvre la cuisine comme plongeur dans un hôtel à Ibiza. En 1983, il fait un stage chez *El Bulli* (« le Taureau »), une table panoramique sur la côte catalane, près de Rosas, non loin de Cadaqués. Il en deviendra le chef et propriétaire en 1990. Il se passionne pour les techniques modernes, utilise le siphon, pour élaborer des écumes (**voir** ce mot), la pipette, pour réaliser des gelées, des mousses, des glaces, des mélanges étranges et savoureux : une cuisine virtuelle qui fera école. En 1997, il est le troisième chef espagnol auquel le Guide Michelin accorde ses trois étoiles. La cuisine d'*El Bulli* n'est pas incompréhensible, mais différente. Les artisans de celle-ci : Juli Soler, le gestionnaire, maître d'hôtel et chargé des relations publiques, et, bien sûr, Ferran Adrià, créateur génial, qui connaît Michel Bras, Olivier Roellinger, Marc Veyrat, Alain Passard, Pierre Gagnaire et les autres cuisiniers français « marchant » à l'inspiration. Ferran Adrià a décidé de créer son propre style. Il provoque, même s'il ne cherche qu'à être lui-même. Cet autodidacte surdoué, qui tient du chimiste et de l'alchimiste, est un formidable marieur de saveurs. Mousseline de pommes de terre aux truffes ou faux « pouces-pieds » en gelée jouent l'illusion à merveille. Il y a, sous sa houlette, une révolution *El Bulli* dont les conséquences n'ont pas cessé de porter leurs fruits.

ADVOCAAT Liqueur onctueuse, d'origine hollandaise, faite de jaunes d'œuf battus, de sucre et d'alcool, et aromatisée à la vanille. Elle titre environ 15 % Vol. On boit l'advocaat en apéritif, soit nature dans un verre à porto, soit avec de la crème fouettée dans un grand verre, à la cuillère.

ÆGLE Arbuste tropical, de la famille des rutacées, voisin du citronnier. Ses fruits, qui ressemblent à des oranges moyennes, sont assez parfumés. Les Indiens les font cuire sous la cendre car ils sont coriaces, puis les mangent avec du sucre. On en fait également des confitures.

AFFICHAGE Indication lisible, sur un panneau, un écriteau ou une affichette, de renseignements concernant les produits alimentaires proposés à la vente. L'affichage doit fournir notamment la dénomination de vente (nature, variété ou catégorie, provenance), le prix unitaire et, pour les produits préemballés, le prix à la pièce et le prix rapporté au kilo ou au litre. Suivant le type de produit, d'autres mentions doivent figurer (pour les fruits et légumes, la catégorie ; pour le pain, une éventuelle congélation, etc.).

Pour les produits préemballés, l'étiquette précise en outre, de façon générale, la liste des ingrédients, la quantité nette, la date limite de vente ou de conservation, le nom ou la raison sociale du fabricant, le lieu de fabrication ou d'origine, et le lot de fabrication.

AFFINAGE Dernière étape de la fabrication d'un fromage (à l'exclusion des fromages frais ou fondus), au cours de laquelle celui-ci va s'assécher, former sa croûte et acquérir sa texture, son arôme et sa saveur. L'affinage, opération délicate qui nécessite un grand savoir-faire, s'effectue en cave (ou dans un local reproduisant les mêmes conditions), plus ou moins vaste et aérée, à une température précise et à un degré hygrométrique déterminé, parfois en présence d'une flore bactérienne.

Pendant l'affinage, le fromage évolue sous l'action de micro-organismes, ambiants ou introduits dans sa pâte. Pour la majorité des fromages, la maturation se fait de la croûte vers le centre ; pour la plupart des bleus, au contraire, elle se fait de l'intérieur vers l'extérieur. Chaque fromage reçoit des soins spécifiques : brossage ou lavage de la croûte, macération, retournements réguliers, enrobage de cendre, d'herbe, etc. Au terme de cet affinage, qui peut demander plusieurs mois, le fromage est « fait à cœur » ou « à point » ; un excès d'affinage donne des saveurs désagréables.

On affine les saucissons, ainsi que les jambons : ils sont soumis à une période de maturation et de dessiccation qui assure leur stabilité, leur goût et leur arôme.

AFNOR Sigle de l'Association française de normalisation, organisme privé créé en 1926 et reconnu d'utilité publique en 1943, qui centralise et coordonne les travaux de normalisation en France. Chaque année, quelque 1 600 normes, nouvelles ou révisées, sont publiées. En 1994, il en existait près de 16 000 concernant des normes fondamentales (terminologie, métrologie, etc.), des normes de méthodes d'essais et d'analyses, des normes de spécifications et de procédés, des normes d'organisation et de service.

La marque NF (normes françaises) signifie que l'Afnor certifie la conformité d'un produit avec les normes qui le concernent. Elle s'applique à de nombreux biens intermédiaires et produits de consommation ; on la connaît surtout dans l'équipement domestique et l'électroménager. Elle concerne depuis 1994 les produits agro-alimentaires et les services.

Au niveau européen, l'Afnor participe aux travaux du CEN (Comité européen de normalisation) et, au niveau international, à ceux de l'ISO (Organisation internationale de normalisation). Au Canada, les travaux de normalisation relèvent du Conseil canadien des normes, en Suisse de l'Association suisse de normalisation et, en Belgique, de l'Institut belge de normalisation.

AFRICAINE (À L') Se dit d'une garniture de pommes château et de deux légumes (concombre, aubergine ou courgette) tournés en gousses, sautés à l'huile ou cuits à la vapeur. Elle accompagne les grosses pièces de mouton rôti, que l'on peut parfumer de boutons de roses moulus (comme en Tunisie) ou d'aromates (trois, choisis parmi le thym, le laurier, le cumin, le girofle et la coriandre). La sauce s'obtient par déglaçage à la demi-glace tomatée.

AFRIQUE NOIRE La cuisine des pays d'Afrique noire est peu connue en Europe, bien que l'on trouve aujourd'hui dans les grandes villes de nombreux produits auxquels elle fait appel : viandes (traditionnellement buffle, zébu, chameau, serpent, singe), poissons (tiof – proche du mérou –, capitaine, manvi des rivières) ou végétaux (pain de singe, feuilles du n'dole, manioc, fonio, karité, sorgho). Plus diversifiée dans l'ouest du continent que dans l'est (sauf en Éthiopie, où elle est très raffinée, comme en témoigne le *went*, une sauce à la viande richement élaborée), la cuisine africaine a conservé une certaine rusticité (cuisson lente au feu de bois, utilisation du mortier et de la marmite où tous les ingrédients sont cuits ensemble). À Madagascar et à La Réunion, l'influence indienne est sensible (achards, cari, rougails).

■ **Une cuisine parfumée.** Les plats africains les plus courants sont apprêtés en ragoût ou cuits sans eau dans un ustensile en terre (canari), mais toujours relevés par un extraordinaire assortiment de condiments. Outre les épices traditionnelles comme le poivre, le gingembre, l'ail *(thoum)*, le piment (pili pili) et la muscade, on utilise l'*atokiko* (noyaux de mangue), le tamarin, le *tô* (pâte de mil), le *lalo* (poudre de feuilles de baobab) et le *soumbala* (gousses d'un fruit séchées et pilées), ainsi que des larves d'insectes et des sauterelles séchées.

L'arachide, l'huile de palme et la noix de coco apportent leur saveur aux préparations de viande et de poisson. Le manioc est le féculent de base, et le sorgho, la céréale la plus répandue.

■ **Soupes, légumes et plats uniques.** Salades et crudités sont absents des menus africains, mais les soupes sont nombreuses et variées : *nkui* du Cameroun (aux gombos et écorces, avec des boulettes de maïs) ; *pepe supi* de Guinée (où la viande se mêle au poisson) ; soupe « des relevailles » du Mali (à la poule et aux tripes) ; *caïdou* du Sénégal (au poisson et au riz).

La tradition du plat unique est encore largement respectée. Celui-ci constitue alors le « plat national » : *zegeni* d'Érythrée (mouton à la pâte de piment et aux légumes, servi avec des galettes de farine sans levain) ; *cosidou* du Bénin (sorte de pot-au-feu proche du cocido portugais) ; *dou louf* du Tchad (jarret et pied de bœuf aux gombos) ; *vary amin* de Madagascar (pot-au-feu de zébu aux chayotes, tomates et gingembre) ; yassa du Sénégal ; mafé de l'Afrique occidentale (bœuf aux arachides et au mil) ; *kourkouri* du Burkina (pot-au-feu de porc) ; *bosaka* de Côte d'Ivoire (coquelet frit à l'huile de palme) ; *massalé* de La Réunion (cabri au cari) ; etc.

Le couscous s'est répandu dans toute l'Afrique, mais il se compose plus souvent de mil que de blé, comme le *bassi salté* du Sénégal ; il se fait aussi avec du maïs (au Cameroun) et du blé complet (au Tchad). Selon les ressources locales, la garniture de légumes varie : chou vert et arachides crues au Mali ; dattes, raisins secs et fonds d'artichaut au Niger ; citrouille et aubergines au Burkina.

Le plat de base de la cuisine africaine, celui qui fait son originalité, repose sur l'association de deux éléments essentiels : d'une part, un féculent (manioc, igname, patate douce, taro ou plantain) ou une céréale (riz, fonio, sorgho ou mil), réduits en pâte ou en bouillie, et, d'autre part, une sauce-ragoût très consistante, associant légumes (épinards, graines de palme, tomates, gombos), viande et/ou poisson, pistaches, arachides, mangues vertes, etc. Suivant le pays, ce plat s'appelle foutou (ou foufou), *placali, gari* ou *aitïou* (à base de maïs).

Les courges et les tubercules constituent l'essentiel des légumes, avec les « feuilles vertes » (de citrouille, d'aubergine ou de haricot) et toutes les variétés de bananes (consommées en pâte, en croquettes, sautées – pour le *dop* du Cameroun – ou frites).

■ **Viandes et poissons.** Intimement liée aux ressources locales (ragoût de vipère au Cameroun, queue de crocodile au Burkina, brochettes de singe en Casamance, chameau aux ignames au Mali), la cuisine africaine propose néanmoins des mets moins insolites : le poulet, en particulier, est accommodé de façons très diverses (à la noix de coco, au gingembre, aux bananes vertes, aux arachides), tandis que le bœuf et le porc sont le plus souvent braisés ou cuits en pot-au-feu et que le mouton se mange grillé.

Sur le littoral, les ressources de la pêche permettent de varier agréablement les menus, en particulier au Bénin (*ago glain,* ragoût de crabe au riz), au Sénégal (tié bou diéné, darnes de poisson maigre cuites sur un lit de légumes), en Guinée et au Togo (bar au gingembre, mulet farci). On fait frire les huîtres géantes, ainsi que les crevettes. Le thon aux achards est typique de La Réunion, et la morue, en salade ou en gratin, est une spécialité de la Guinée.

■ **Desserts et boissons.** Le lait de chèvre se consomme caillé, mais l'Afrique ne produit presque pas de fromage, en dehors du fromage au henné (Mali, Niger et Bénin) que l'on émiette dans les sauces.

Les fruits, en revanche, sont nombreux, diversifiés à l'extrême et souvent d'une remarquable richesse alimentaire, comme la papaye. On en fait des compotes et des crèmes (de corossol, d'avocat). Ils accompagnent également le riz au lait et les semoules sucrées, tandis que les bananes font de délicieux beignets et que la patate douce sert à préparer des gâteaux (avec de la noix de coco) et des crêpes. Les fruits donnent aussi des boissons (lait de coco ou de corossol, jus de banane, cidre d'ananas).

Des breuvages alcoolisés typiques sont très consommés : le *mengrokom* (alcool de maïs et de manioc) au Gabon, la bière de mil au Togo, l'alcool et le vin de palme, la *babine* (boisson fermentée aux feuilles d'avocatier).

Enfin, de nombreuses infusions et macérations associent des vertus médicinales à leur action rafraîchissante : infusion de kinkéliba, eau de citron au gingembre, boisson au miel et au citron vert.

AFRIQUE DU SUD La cuisine sud-africaine, héritée des colons anglais et hollandais, se caractérise essentiellement par la place prépondérante faite à la tradition ; elle associe surtout viande (bœuf, agneau) et riz, tandis que les coquillages et crustacés (langoustes, moules, huîtres) sont moins appréciés et que le poisson est consommé fumé ou frais (le *kinglip* a une chair ferme et savoureuse).

La spécialité la plus typique est le *biltong* (viande de bœuf, d'autruche ou d'antilope, séchée, salée et parfois sucrée) ; on prépare aussi les *beoerewors* (saucisses de bœuf), le *sosatie* (mouton mariné et grillé en brochettes) et le *boboti* (bœuf haché et épicé, mêlé d'oignons et d'amandes, cuit au four avec des œufs battus).

Chutneys et sauces piquantes sont très répandus. On mange beaucoup de maïs (en farine dans le pain, *kakou,* ou en semoule sucrée, dans certaines ethnies), peu de légumes mais énormément de fruits. Tartes, puddings, gaufres et confitures terminent les repas. La production de vin est importante, mais on boit aussi beaucoup de bière et de jus de fruits.

■ **Vins.** La tradition viticole de l'Afrique du Sud est ancienne : les premières vignes plantées par les émigrants hollandais datent de 1655. Le vignoble, regroupé dans la province du Cap, se répartit en deux grandes zones, elles-mêmes divisées en treize régions de production, selon le principe des appellations d'origine contrôlée, en vigueur depuis 1972.

La première zone, ou « coastal » (secteur côtier au sud-ouest du Cap), comprend les régions de Paarl, Durbanville, Stellenbosch, Tulbagh, Swartland, et la vallée de Constantia, dont les vins de dessert ont eu leur heure de gloire en Europe à la fin du XVIIIe et au début du XIXe siècle. La seconde zone, dite « Breede River Valley », s'étend à l'est du Cap dans la vallée de la Breede et regroupe les régions d'appellation de Worcester, Robertson et Swellendam. Les autres grandes régions viticoles sont Klein Karroo, Olifantsriver, Overberg et Piketberg.

Profitant d'un climat de type souvent méditerranéen, les principaux cépages, qui donnent généralement leur nom aux vins, sont les cabernet-sauvignon, pinotage (croisement entre le pinot noir et le cinsault), merlot, pinot noir, cabernet franc, cinsault et tinta barroca pour les vins rouges, les chardonnay, sauvignon blanc, chenin blanc ou *steen* (29 % de la surface plantée), riesling, colombard et muscat d'Alexandrie pour les vins blancs. Pour les mousseux, on utilise les chardonnay, pinot noir et chenin blanc.

La région du Klein Karroo produit des vins de dessert du type porto selon la méthode portugaise, des muscats et, depuis une quarantaine d'années, des vins du type xérès selon la tradition espagnole.

La région du Cap produit des vins légers, rouges et blancs, et des vins corsés. Depuis quelques années, la production des vins rosés connaît un succès croissant. Les fabrications de vins mousseux se développent aussi. La production totale est de 6,5 millions d'hectolitres, malgré des rendements à l'hectare très faibles. Une bonne partie est encore distillée pour l'obtention d'alcools, dont le plus réputé est le van den hum, parfumé à l'écorce de mandarine. L'Afrique du Sud exporte principalement en Grande-Bretagne.

« Difficile d'imaginer les sous-sols de la capitale abritant les fromages les plus délicats…
C'est pourtant dans les caves de sa boutique parisienne que le maître fromager ALLÉOSSE
sélectionne et affine amoureusement ses produits. »

AFSSA Sigle de l'Agence française de sécurité sanitaire des aliments. Créé en 1999, cet établissement public de l'État français est chargé de l'évaluation des risques sanitaires et nutritionnels des aliments destinés à l'homme et à l'animal en France, de la production à la consommation. Au niveau européen, il collabore avec l'Autorité européenne de sécurité des aliments (AESA/EFSA). En Belgique, cette mission de veille sanitaire relève de l'Agence fédérale pour la sécurité de la chaîne alimentaire (AFSCA), en Suisse, de l'Office fédéral de santé publique, et, au Canada, de l'Agence canadienne d'inspection des aliments.

AGAR-AGAR Substance mucilagineuse, également connue sous le nom de « mousse du Japon » ou « de Ceylan ». Extrait d'algues très abondantes dans l'océan Indien et dans le Pacifique, l'agar-agar se présente soit sous la forme de petites lanières translucides de couleurs variées, soit sous celle de pains ou de poudre.

Quand on le fait fondre dans l'eau à petit feu, le mucilage se délaye, se concentre en bouillant, puis prend, en refroidissant, la consistance d'une gelée. Les Japonais l'incorporent à des potages, mais c'est dans l'industrie alimentaire (entremets, crèmes glacées, sauces et soupes en conserve) que l'agar-agar trouve ses principales utilisations en tant qu'agent épaississant et gélifiant.

AGARIC Nom collectif désignant toutes les espèces de champignons à lamelles rosées devenant brunes avec l'âge. Ces champignons, des bois, des prairies ou cultivés, ont un pied sans volve à la base, mais généralement pourvu d'un anneau. Ils sont pour la plupart comestibles ; le meilleur exemple en est *Agaricus bisporus,* le champignon de couche ou de Paris (**voir** ce mot).

Certains rougissent à l'air, d'autres jaunissent. Les rougissants ou rosissants (agaric champêtre, ou rosé-des-prés) et les jaunissants (agaric des bois, ou boule-de-neige), sont tous deux comestibles.

AGASTACHE Plante herbacée vivace de la famille des lamiacées, ornementale, aromatique et condimentaire (**voir** planche des herbes aromatiques pages 451 à 454). D'origine extrême-orientale, les différentes espèces d'agastache sont très cultivées au Royaume-Uni, aux États-Unis, au Canada et en Chine, pour leurs arômes puissants et complexes d'anis, de réglisse, de menthe et de bergamote. Elles servent à confectionner des apéritifs et des pâtisseries.

AGAVE Grande plante aux feuilles charnues, de la famille des agavacées, originaire du Mexique. La sève, abondante et sucrée, sert, en Amérique latine, à fabriquer des boissons très appréciées : le pulque, obtenu par fermentation du suc et qui ressemble un peu au cidre ; le mescal, au goût d'amande amère, et la tequila, tous deux issus de la seconde distillation mais produits dans des régions différentes.

AGENAIS ▶ VOIR **QUERCY** ET **AGENAIS**

AGENT DE TEXTURE Additif alimentaire (**voir** ce mot) conçu pour donner une structure et une consistance déterminées à certains aliments. Les agents de texture (de E 400 à E 499) influent à la fois sur les propriétés physiques du produit (densité, fluidité, viscosité) et sur les sensations gustatives qui y sont liées (moelleux, onctueux, crémeux, etc.).

AGNEAU Jeune mouton dont la carcasse pèse entre 16 et 22 kg (**voir** tableaux des familles et des types d'agneaux page 21). Il existe en France de nombreux agneaux issus d'élevages biologiques ou bénéficiant d'un label rouge (environ 17), comme les agneaux de l'Aveyron, du Bourbonnais et du Quercy. Le long de la Manche, on trouve aussi l'agneau de pré-salé (**voir** ce mot) qui pâture des herbages imprégnés de sel marin.

L'agneau se découpe comme le mouton (**voir** planche de la découpe de l'agneau page 22) et se consomme rôti, grillé et sauté. Les côtelettes grillées sont parfois appelées, à l'anglaise, *lamb chops.*

Il est de tradition de servir l'agneau le jour de Pâques.

agneau de lait farci

Préparer l'agneau pour pouvoir le farcir et l'embrocher. Détailler en très petites escalopes le foie, le cœur, les ris et les rognons, les faire sauter vivement au beurre et les assaisonner de sel et de poivre. Les ajouter à du riz pilaf à moitié cuit et farcir l'agneau de ce mélange. Coudre les ouvertures et brider l'animal. L'embrocher, le saler, le poivrer et le cuire à feu vif (20 min par kilo). Déglacer la lèchefrite avec quelques cuillerées de bouillon. Tenir ce jus au chaud. Retirer l'agneau de la broche, le débrider, le dresser sur un plat long, entouré de cresson et de quartiers de citron. Servir le jus en saucière.

agneau aux pruneaux, au thé et aux amandes

Couper en gros dés 1 kg d'épaule d'agneau désossée et dégraissée. Poudrer régulièrement les morceaux de viande de sel fin et les faire revenir dans une cocotte avec du beurre ; les égoutter quand ils sont bien dorés. Ajouter dans le beurre de cuisson 25 cl d'eau, 1 bâton de cannelle en morceaux, 1/2 bol d'amandes mondées, 200 g de sucre en poudre et 2 cuillerées à soupe d'eau de fleur d'oranger. Amener ce mélange à ébullition sur feu vif, en remuant, puis remettre les morceaux de viande, couvrir et laisser mijoter 45 min. Pendant ce temps, faire tremper 350 g de pruneaux dénoyautés dans du thé vert très fort. Les ajouter non égouttés dans la cocotte et cuire encore 10 min.

attereaux de cervelles d'agneau
  à la Villeroi ▶ ATTEREAU (BROCHETTE)
ballottine d'agneau braisée ▶ BALLOTTINE
blanquette d'agneau aux haricots
  et pieds d'agneau ▶ BLANQUETTE
brochettes de ris d'agneau ▶ BROCHETTE
cari d'agneau ▶ CARI

carré d'agneau à la bordelaise

Tourner en gousses 250 g de pommes de terre. Nettoyer des cèpes et les dorer à l'huile d'olive. Faire colorer dans une cocotte, dans un mélange de beurre et d'huile, un carré d'agneau paré et raccourci. Ajouter les champignons et les pommes de terre ; saler et poivrer ; couvrir. Cuire 1 heure dans le four préchauffé à 180 °C. Quelques minutes avant de servir, ajouter une petite gousse d'ail écrasée et 3 ou 4 cuillerées à soupe de fond brun tomaté.

carré d'agneau aux herbes fraîches en salade
  (cuisson sous vide) ▶ SOUS VIDE

carré d'agneau à la languedocienne

Dorer à la graisse d'oie un carré d'agneau paré et raccourci. Ajouter 12 petits oignons épluchés et passés au beurre avec 12 dés de jambon cru, 6 gousses d'ail pelées et blanchies et 200 g de petits cèpes nettoyés et sautés à l'huile dans une poêle. Saler et poivrer. Disposer la viande et sa garniture dans un plat en terre à feu. Cuire au four en arrosant souvent. Parsemer de persil ciselé. Servir dans le plat.

carré d'agneau à la niçoise

Dorer au beurre, dans une cocotte, un carré d'agneau paré et raccourci. Ajouter 1 courgette pelée, coupée en gros dés et passée à l'huile d'olive, 1 grosse tomate pelée, épépinée, coupée en morceaux et passée à l'huile d'olive, et une vingtaine de petites pommes de terre nouvelles pelées, passées aussi à l'huile. Saler et poivrer. Cuire au four préchauffé à 230 °C. Parsemer de persil ciselé. Servir dans la cocotte de cuisson.

carré d'agneau rôti

POUR 4 PERSONNES – PRÉPARATION : 10 min – CUISSON : de 28 à 30 min
Préchauffer le four à 240 °C. Préparer un carré d'agneau de 8 côtes (5 premières et 3 secondes), le ficeler. Badigeonner d'huile, saler et poivrer. Mettre les parures dans un plat à rôtir, placer le carré dessus et cuire dans le four pendant 10 min. Le retourner, baisser la température à 220 °C et finir de rôtir pendant 8 à 10 min. Sortir le carré et le laisser reposer sur une grille placée dans un plat pendant 10 min. Faire le jus de rôti : mettre le plat de cuisson sur feu moyen, laisser caraméliser les sucs pendant 3 min, dégraisser partiellement, ajouter 20 cl d'eau, 1 gousse d'ail écrasée, 1 brindille de thym, 1/2 feuille de laurier et 3 queues de

persil. Porter à ébullition et laisser réduire de moitié. Assaisonner et passer au chinois. Dresser le carré d'agneau sur un plat de service et le napper de 1 cuillerée de jus. Servir le reste du jus en saucière.

RECETTE DE MARC VEYRAT

carrés d'agneau au pimpiolet

« Faire suer 100 g de lard maigre dans un sautoir. Y mettre ensuite 3 carrés d'agneau de Sisteron (de 6 à 8 côtes), parés à vif mais en gardant les côtes accrochées au filet. Les saisir 4 ou 5 min, les saler et les poivrer. Les retirer, dégraisser le sautoir et ôter le lard. Déglacer avec 500 g de bouillon de légumes ; faire réduire au quart. Placer les carrés dans une cocotte en fonte, les recouvrir d'un gros bouquet de pimpiolet ou de thym vert, et du lard détaillé en petits dés pour nourrir la chair. Couvrir. Faire un long boudin avec 200 g de pâte morte et le disposer sur le bord de la cocotte pour la fermer hermétiquement. Cuire 10 min au four préchauffé à 250 °C. Passer le jus, vérifier l'assaisonnement. Avant de découper les carrés, ouvrir la cocotte devant les convives. »

cœurs d'agneau à l'anglaise ▶ CŒUR

côtes d'agneau à l'anversoise

Dorer au beurre des côtelettes d'agneau. Les dresser en couronne dans un plat rond, en alternance avec des croûtons frits au beurre. Garnir le centre de jets de houblon liés de sauce crème (10 cl de béchamel avec 5 cl de crème fraîche). Déglacer au vin blanc sec les sucs de cuisson et en arroser les côtelettes.

côtes d'agneau grillées

POUR 4 PERSONNES – PRÉPARATION : 15 min – CUISSON : 4 min

Découper, parer et manchonner 8 côtes. Nettoyer 1/4 de botte de cresson et former un bouquet. Préchauffer le gril à 200 °C. Le nettoyer et l'huiler à l'aide d'un papier absorbant. Saler et poivrer les côtes, les disposer sur le gril. Au bout de 1 min, retourner les côtes et les laisser cuire encore 1 min. De nouveau, les retourner mais en les faisant pivoter d'un quart de tour, pour obtenir un quadrillage, et laisser cuire encore 1 min.

Selon la cuisson désirée (rosé, à point ou bien cuit), quadriller ou non la seconde face et faire dorer le bord gras des côtes en les posant sur la tranche, adossées les unes aux autres pendant 30 secondes. Les retirer, les resaler et poivrer sur les deux faces. Les laisser reposer 1 min pour permettre aux sucs de se diffuser dans la viande. Les dresser en couronne sur un plat rond et disposer le bouquet de cresson au centre.

épaule d'agneau braisée et ses garnitures

Désosser une épaule d'agneau, la parer, la saler, la poivrer, la rouler et la ficeler. Dégraisser des couennes de lard et en garnir une braisière. Éplucher et émincer finement 2 carottes et 1 oignon, les passer au beurre. Les ajouter dans la braisière. Faire suer à couvert 10 min. Placer l'épaule dans la braisière, la saler, la poivrer. Mouiller de 15 cl de vin blanc et faire réduire ; ajouter 25 cl de jus brun lié (ou de consommé très concentré), 10 cl de purée de tomate, 1 bouquet garni et les os et parures. Couvrir et cuire au four préchauffé à 220 °C de 1 h à 1 h 30 suivant la grosseur de l'épaule. Égoutter celle-ci. La glacer au four, la dresser sur un plat. Les garnitures habituelles de l'épaule d'agneau braisée sont les haricots, verts ou blancs, et les purées de légumes, mais aussi les fonds d'artichaut et la purée de haricot à la bretonne. On peut aussi la servir avec des cèpes à la bordelaise et le jus de cuisson déglacé au vin et à la demi-glace avec échalote, thym et laurier.

épaule d'agneau farcie à l'albigeoise

Désosser une épaule d'agneau, la saler et la poivrer. Mélanger 350 g de chair à saucisse avec 350 g de foie de porc haché, 2 ou 3 gousses d'ail épluchées et 1 petit bouquet de persil, hachés, du sel et du poivre. Masquer l'épaule avec cette farce, la rouler et la ficeler en ballottine. Éplucher 750 g de pommes de terre et les couper en quartiers. Peler 12 gousses d'ail et les blanchir 1 min à l'eau bouillante. Chauffer dans une cocotte 2 cuillerées à soupe de graisse d'oie. Y dorer la ballottine sur toutes ses faces, puis ajouter les pommes de terre et l'ail en les roulant dans la graisse. Saler et poivrer. Cuire au four préchauffé à 230 °C 50 min au moins. Parsemer l'épaule de persil ciselé et la servir dans son récipient de cuisson.

épigrammes d'agneau ▶ ÉPIGRAMME
foie d'agneau persillé ▶ FOIE
fricassée d'agneau ▶ FRICASSÉE

Les 5 grandes familles d'agneaux de boucherie (environ 30 races)

FAMILLE	PROVENANCE	ÉPOQUE	ÉLEVAGE
races d'herbage (dont les agneaux d'herbe et de pré-salé)	Vendée, Maine, Charolais, Avranchin, Cotentin	mi-avr.-déc.	en plein air, sous l'influence océanique
races laitières	sud du Massif central, Pyrénées-Atlantiques, Corse	toute l'année	en plein air ; plutôt réservées à la production fromagère
races mérinos	Arles (Bouches-du-Rhône)	août-sept.	en plein air (transhumance)
races précoces (issues de trois races portant le nom des régions ci-contre)	Île-de-France, Cher, Suffolk	toute l'année	en bergerie
races rustiques	Massif central, Préalpes du Sud, Limousin	toute l'année	naissance en hiver et au printemps ; séjour dans les alpages en été

Caractéristiques des 3 types d'agneaux déterminés par l'âge

TYPE	PROVENANCE	ÉPOQUE	POIDS ET ÂGE	ASPECT	SAVEUR
agneau de lait, ou laiton, ou agnelet (selon les régions)	Sud-Ouest, Pyrénées-Atlantiques	fin déc.-mi-avr.	5-10 kg, 20-60 jours	chair blanche	délicate, tendre, de noisette
agneau de boucherie (d'herbe et de bergerie)	toute la France	toute l'année	16-25 kg, 80-130 jours	chair colorée très intense	plus marquée, fine, élégante
agneau gris d'herbe broutant	toute la France	toute l'année	20-30 kg, 150-300 jours	pigments accentués par la présence du gras et des muscles	assez marquée, boisée

DÉCOUPE DE L'AGNEAU

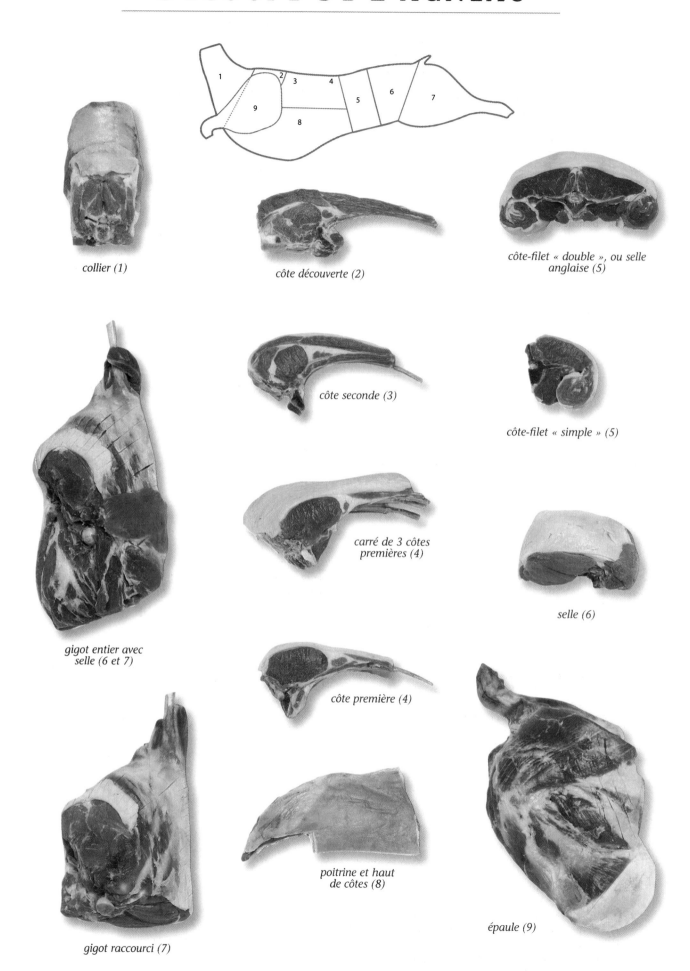

collier (1)

côte découverte (2)

côte-filet « double », ou selle anglaise (5)

côte seconde (3)

côte-filet « simple » (5)

carré de 3 côtes premières (4)

selle (6)

gigot entier avec selle (6 et 7)

côte première (4)

poitrine et haut de côtes (8)

épaule (9)

gigot raccourci (7)

gigot bouilli à l'anglaise

Saler et poivrer un gigot raccourci, l'envelopper dans une serviette beurrée et légèrement farinée, le ficeler. Le plonger dans de l'eau bouillante salée (8 g de sel par litre), additionnée de 2 carottes coupées en quartiers, de 2 oignons moyens, dont un piqué de 1 clou de girofle, de 1 bouquet garni et de 1 gousse d'ail pelée. Cuire le gigot à pleine ébullition en comptant 30 min par kilo. L'égoutter, le déballer, le dresser sur un plat long, accompagné d'une purée de navet ou de céleri-rave cuits avec le gigot. Servir avec une sauce au beurre à l'anglaise, additionnée de 2 cuillerées à soupe de câpres. En Provence, le gigot est aussi bouilli, mais dans une cuisson réduite et bien corsée, et servi avec ses légumes et un aïoli. En Normandie, du côté d'Yvetot, on le cuit 15 min par livre dans un bouillon de légumes aromatisé de 1 cuillerée de calvados, et on le sert avec ses légumes, accompagné d'une sauce blanche aux câpres.

gigot à la boulangère

Saler et poivrer un gigot de 2,5 kg, le piquer d'ail, le beurrer et le cuire 30 min au four préchauffé à 275 °C. Émincer de 600 à 750 g de pommes de terre et 300 g d'oignons. Les disposer autour du gigot. Arroser avec le jus de cuisson et 50 g environ de beurre fondu. Saler et poivrer les garnitures. Réduire la température du four à 250 °C et cuire 30 min encore en arrosant quatre ou cinq fois. Poser une feuille d'aluminium sur le plat et laisser reposer un bon quart d'heure à l'entrée du four pour homogénéiser la cuisson du gigot.

gigot rôti en chevreuil

Enlever toute la peau du gigot ; le piquer de lard fin, comme un cuissot de chevreuil, puis le mettre dans une marinade cuite pour viande en chevreuil (voir page 526), plus ou moins longtemps selon son degré de tendreté et la température (2 jours en été, 3 ou 4 jours en hiver). Éponger soigneusement le gigot. Le faire rôtir au four. Accompagner d'une sauce chevreuil ou d'une sauce poivrade.

RECETTE DE LÉA BIDAUT

gigot rôti de Léa

« Délayer 4 filets d'anchois écrasés dans 4 cuillerées à soupe d'huile d'olive, avec 2 grosses cuillerées de moutarde, de la sauge, du basilic, du romarin et de l'ail pilé. Faire mariner le gigot dans cette préparation pendant 2 heures, en le retournant de temps en temps. L'égoutter, le rôtir à four chaud. Faire réduire la marinade, au beurre, en ajoutant petit à petit 1/2 bouteille de champagne. Passer. Lier au beurre manié. »

---

gigot rôti persillé

Rôtir un gigot d'agneau (de pré-salé ou de lait). Avant la fin de la cuisson, le couvrir d'une couche de mie de pain fraîche, mélangée avec du persil ciselé, de l'ail haché, du thym et du laurier pulvérisé : elle doit bien adhérer à la pièce. Terminer la cuisson de façon à obtenir une viande bien dorée. Dresser sur un plat long ; garnir de cresson. Servir le jus à part en saucière. Traditionnellement, le gigot est accompagné de haricots verts au beurre, de haricots blancs au jus ou d'une jardinière de légumes.

gigot rôti aux quarante gousses d'ail

Dessaler des filets d'anchois au sel. Parer un gigot en désossant le quasi, le piquer d'ail (2 ou 3 gousses pelées) et des filets d'anchois détaillés en fragments. Le badigeonner d'un mélange d'huile, de thym et de romarin en poudre ainsi que de poivre fraîchement moulu. Le cuire à la broche, en l'enduisant régulièrement d'un peu de l'huile aromatisée. Pendant ce temps, jeter dans de l'eau bouillante 250 g de gousses d'ail non épluchées ; les blanchir 5 min, puis les égoutter et les mettre dans une casserole avec 20 cl de bouillon ; cuire à petits frémissements pendant 20 min. Trier du cresson, le laver plusieurs fois à grande eau, le hacher grossièrement. Ajouter une tasse de l'eau de cuisson de l'ail au jus qui s'écoule du gigot et en arroser celui-ci ; terminer la cuisson. Dresser le gigot sur le plat de service, entouré des gousses d'ail et du cresson haché. Servir le jus en saucière.

RECETTE DE REINE SAMMUT

langues d'agneau confites panées aux herbes, pourpier et échalotes

POUR 4 PERSONNES – PRÉPARATION : 30 min – CUISSON : 1 h 30

« La veille, mettre 8 langues d'agneau dans une casserole, couvrir d'eau froide et porter à ébullition. Laisser cuire 15 min, puis égoutter et rafraîchir. Éplucher les langues et les placer dans 2 bocaux de 1 litre. Saler et poivrer. Faire fondre 1 kg de graisse d'oie et en recouvrir les langues. Ajouter 1 branche de thym par bocal. Les fermer et les placer dans une casserole haute de manière à pouvoir les recouvrir d'eau. Mettre celle-ci sur le feu et porter à ébullition. Baisser le feu et laisser confire 1 heure, puis laisser refroidir les bocaux dans l'eau. Le jour même, hacher finement 1 bouquet de persil, 1 bouquet de cerfeuil et 1 bouquet de ciboulette, et les mélanger à 50 g de chapelure. Retirer les langues de la graisse et les couper en trois dans l'épaisseur. Battre 2 œufs avec 1 cuillerée à café d'eau, saler. Tremper les morceaux de langue dans les œufs, puis dans les herbes hachées. Faire chauffer 25 cl d'huile d'olive dans une poêle et frire les langues 5 min de chaque côté. Égoutter sur du papier absorbant. Éplucher et ciseler 12 échalotes grises et les faire fondre dans 20 g de beurre sans coloration. Réserver. Préparer la vinaigrette en mélangeant 1 cuillerée à soupe de vinaigre balsamique, du sel, du poivre, les échalotes fondues et 3 cuillerées à soupe d'huile d'olive. Laver et essorer 200 g de pourpier, quelques feuilles de cresson d'Inde ou, à défaut, une douzaine de fleurs de capucine. Les assaisonner et en disposer un bouquet par assiette, puis placer les langues confites panées en éventail. »

navarin d'agneau ▶ NAVARIN

---

noisettes d'agneau à la turque

Préparer du riz pilaf. Détailler une belle aubergine en dés et les faire sauter à l'huile. Poêler des noisettes d'agneau au beurre ; les dresser dans le plat de service, garnir avec les dés d'aubergine et le riz pilaf moulé dans des moules à dariole ; tenir au chaud. Déglacer la poêle avec du fond de veau tomaté et en napper les noisettes.

---

poitrine d'agneau farcie

Ouvrir une poitrine d'agneau (ou de mouton) et retirer les côtes en veillant à ne pas percer la poche. Frotter d'ail l'intérieur de celle-ci ; la saler et la poivrer. Préparer une farce en mélangeant 300 g de mie de pain rassis, trempée dans du lait et bien essorée, 2 œufs battus, 150 g de jambon coupé en petits dés, 150 g de champignons (sauvages de préférence), nettoyés et émincés, du persil et de l'ail hachés, du sel et du poivre. En garnir la poche et la coudre. Beurrer légèrement une cocotte, la tapisser de couennes dégraissées et parsemer de 2 oignons et de 2 carottes épluchés et émincés. Placer la poitrine dans la cocotte, ajouter 1 bouquet garni, puis couvrir et cuire doucement sur le feu pendant une vingtaine de minutes. Ajouter alors 20 cl de vin blanc sec et faire réduire, puis 10 cl de fondue de tomate aromatisée à l'ail et bien réduite, délayée avec 20 cl de bouillon. Couvrir, enfourner à 220 °C et laisser cuire 45 min environ. Dorer à la graisse d'oie des pommes de terre émincées. Dresser la poitrine dans le plat de service, après avoir ôté les fils ; l'entourer de paupiettes de chou et de pommes de terre. Tenir au chaud. Dégraisser le jus de cuisson, le faire réduire et en napper la poitrine farcie. Servir brûlant.

ris d'agneau : préparation ▶ RIS
ris et pieds d'agneau à la dijonnaise ▶ PIED
rognons d'agneau à l'anglaise ▶ ROGNON
sauté d'agneau aux aubergines ▶ SAUTÉ
sauté d'agneau chasseur ▶ SAUTÉ

RECETTE D'ALEX HUMBERT

selle d'agneau Callas

« Désosser une selle de 2,750 kg ; la dégraisser, la saler, la poivrer. Préparer une julienne de champignons, la cuire au beurre et la laisser refroidir. Préparer une julienne de truffe fraîche. En garnir le milieu de la selle ; farcir de champignons les filets mignons et l'intérieur des panoufles. Rouler et ficeler la selle. La faire rôtir au four préchauffé à 240 °C en comptant 12 min par livre. Déglacer le plat avec un peu de bouillon de veau et de xérès. Servir avec des pointes d'asperge au beurre. »

RECETTE DE GÉRALD PASSÉDAT

selle d'agneau de lait en carpaccio au pistou

« Dégraisser une selle d'agneau de lait de Sisteron, saler et poivrer. Disposer dans une sauteuse en cuivre, avec 1 échalote épluchée et coupée en morceaux, 2 ou 3 brins de thym, un peu d'huile et de beurre. Mettre de 8 à 10 min à four chaud ; arroser de temps en temps pendant la cuisson. Préparer le pistou. Ôter les feuilles de 1 pied de basilic et les écraser dans un mortier avec 3 gousses d'ail épluchées. Monter cette pommade avec 20 cl d'huile d'olive. Sortir la selle, en la tenant bien rosée, et réserver pour faire reposer la chair. Désosser les filets mignons et les trancher en fines et longues lamelles. Concasser finement l'os. Déglacer la sauteuse avec 12 cl de vin blanc sec et un peu d'eau. Faire réduire et ajouter du poivre mignonnette (10 g de noir et 10 g de blanc), 1 tomate concassée en dés, 3 gousses d'ail hachées et la moitié du pistou. Passer ce jus sirupeux au tamis et rectifier l'assaisonnement. Disposer les lamelles d'agneau tout autour de grandes assiettes. Cuire 200 g de nouilles fraîches et les lier avec 10 g de beurre salé, 5 cl de crème double et le reste du pistou. Enduire au pinceau les lamelles d'agneau du jus sirupeux. Réchauffer sur la porte du four. Mettre un nid de nouilles au centre de l'assiette et en saupoudrer le bord de parmesan. »

tagine d'agneau aux coings ► TAGINE
tagine d'agneau aux fèves ► TAGINE

AGNÈS SOREL Nom d'une garniture composée essentiellement de champignons de Paris, de blanc de volaille et de langue écarlate, diversement détaillés selon le mets à compléter (omelette, veau poêlé ou braisé, suprême de volaille) ; dans la crème Agnès Sorel (un potage lié), la garniture est en julienne.

Favorite du roi Charles VII, Agnès Sorel, qui a laissé son nom à plusieurs apprêts, avait une table réputée : « Pour attirer et retenir Charles VII, elle engage les meilleurs cuisiniers de l'époque. Elle-même ne craint pas de descendre personnellement aux cuisines. Deux de ses créations vont passer à la postérité : le salmis de bécasses et les petites timbales » (Christian Guy, *Une histoire de la cuisine française*, éd. Les Productions de Paris 1962).
► Recette : TIMBALE.

AGRAZ Granité à base d'amandes, de verjus et de sucre, que l'on prépare dans le Maghreb et en Espagne (son nom signifie « verjus » en castillan). L'agraz, à la saveur acidulée, se sert dans de grands verres à sorbet, éventuellement arrosé de kirsch.

AGRICULTURE BIOLOGIQUE Mode de production agricole excluant l'emploi des produits chimiques de synthèse. L'agriculture biologique, reconnue et réglementée en France par la loi du 10 mars 1981, fait l'objet d'une réglementation européenne précisée par étapes depuis 1991. L'élevage en agriculture biologique et l'apiculture sont régis par une directive de 1999. Il existe une réglementation comparable en Suisse et au Québec. En France, la production animale relève d'un cahier des charges plus contraignant (arrêté de 2000). La réglementation spécifie également les modalités de transformation (par exemple, interdiction de traitement par rayons ionisants) et de transport des produits.

L'agriculture biologique se fonde sur quelques grands principes :
– une fertilisation grâce à des matières organiques (fumier, compost, engrais verts) et à des minéraux naturels (roches broyées, cendres de bois) ;
– la rotation des cultures, qui fait alterner les végétaux exigeants (céréales, plantes sarclées) avec ceux qui enrichissent le sol (légumineuses) ;
– des labours superficiels pour ne pas bouleverser la structure du sol ;
– l'emploi exclusif d'insecticides à base de plantes et de fongicides non rémanents. Le travail est plus exigeant, mais la productivité ne semble pas plus faible.

Si rien ne prouve de façon indiscutable la supériorité nutritive des produits biologiques, nombre d'entre eux présentent de meilleures teneurs en vitamines et en matière sèche, un meilleur équilibre entre le sucre et l'acidité, et un meilleur goût. Pour la plupart, ils ne renferment pas de résidus dangereux et participent à la préservation de l'environnement. Cependant, ils restent relativement chers par rapport aux autres produits.

La dénomination de vente ne peut faire référence au mode de production biologique que si le produit, transformé ou non, contient au moins 95 % d'ingrédients issus de ce mode de production ; jusqu'à 5 % des ingrédients peut provenir de la production conventionnelle (produits non disponibles ou non disponibles en quantité suffisante sur le marché communautaire). L'étiquette doit mentionner de façon obligatoire le nom de l'organisme certificateur. Les produits transformés contenant au moins 70 % d'ingrédients d'origine agricole biologique peuvent porter la mention « X % des ingrédients d'origine agricole ont été obtenus selon les règles de la production biologique », à condition de préciser clairement les ingrédients concernés.

AGRUMES Fruits du genre *Citrus* (bergamote, bigarade, cédrat, citron, citron vert, clémentine, limette, mandarine, orange douce, pamplemousse, pomelo), d'hybrides de ce genre (citrange, tangerine) et de genres voisins (kumquat).

Cultivés dans les zones tempérées chaudes, ces fruits riches en vitamine C, en acide citrique et en potassium ont une saveur plus ou moins acide. Ils contiennent des huiles essentielles très aromatiques.
■ **Emplois.** Les agrumes sont largement consommés crus. Certaines recettes les associent à des viandes et des volailles (porc, canard).

Ils sont aussi très employés en pâtisserie et en confiserie (fruits confits, en particulier le cédrat et la bergamote, confitures et bonbons), ainsi qu'en distillerie (curaçao). Ils occupent également une place de premier plan dans l'industrie des jus de fruits.

Sont aussi très utilisées en industrie alimentaire : les huiles essentielles aromatiques et la pectine extraites de l'écorce ; l'eau de fleur d'oranger obtenue à partir des fleurs du bigaradier ; les huiles de pépins.

PAS À PAS ► *Détailler une orange en segments, cahier central p. XXX*

AÏDA Nom d'un apprêt de filets de poisson plat, barbue ou turbot, qui se distingue de la dénomination « à la florentine » par l'adjonction de paprika dans la sauce Mornay et les épinards.

AÏGO BOULIDO Soupe provençale faite à partir d'eau bouillie (d'où son nom, qui s'orthographie aussi « bouïdo » ou « bullido ») et d'ail.

C'est l'un des plus anciens plats traditionnels de Provence où, comme l'affirme le dicton, *l'aïgo boulido sauvo lo vito* (« la soupe à l'ail sauve la vie »).

aïgo boulido

Porter à ébullition 1 litre d'eau. Assaisonner avec 1 cuillerée à café de sel et 6 gousses d'ail écrasées ; laisser bouillir une dizaine de minutes, puis ajouter 1 branche de sauge, fraîche de préférence, 1/4 de feuille de laurier et 1 petite branche de thym. Retirer du feu et laisser infuser quelques minutes. Ôter les herbes et lier avec 1 jaune d'œuf. Verser sur des tranches de pain de campagne arrosées d'huile d'olive, sur lesquelles on peut poser 1 œuf poché dans le bouillon. On peut ajouter à ce bouillon 2 tomates épépinées et hachées, 1 petite branche de fenouil, 1 pincée de safran, 1 morceau d'écorce d'orange séchée et 4 pommes de terre émincées.

AIGRE Qualificatif exprimant une sensation d'acidité quand elle est anormale (une sauce, un lait ou un vin deviennent aigres quand ils ont tourné) ou quand elle paraît peu plaisante (les cerises aigres, qui ne sont pas consommables à l'état naturel, le deviennent quand elles ont été conservées dans de l'alcool).

Ce mot qualifie aussi une perception complexe en bouche, piquante, due à la combinaison d'une saveur acide et d'arômes. L'acide lactique rend ainsi agréablement aigres les produits laitiers, et l'acide acétique, le vinaigre ; d'autres molécules aromatiques donnent une note « aigrelette » et souvent rafraîchissante à certains aliments (fromages frais, laguiole, yaourts, etc.).

AIGRE-DOUX Qualificatif exprimant l'association de deux saveurs contrastées : l'acide et le sucré. Ce mélange est une pratique culinaire très ancienne, encore courante. Le miel allié au vinaigre et au verjus figurait parmi les ingrédients de base des apprêts de la cuisine romaine et surtout de la cuisine médiévale, avec ses sauces et ses ragoûts.

De très nombreuses préparations cuites au vin ou à la bière, marinées (qu'il s'agisse de viande de boucherie, de gibier ou de poisson, principalement de rivière) ou bouillies, font intervenir des fruits secs (dans la sauce) ou des gelées de fruits rouges (pour l'accompagnement) : l'aigre-doux est l'un des traits marquants des cuisines allemande, alsacienne, flamande, juive, russe et scandinave.

Les conserves de fruits au vinaigre (airelles, cerises, prunes) sont un exemple typique d'aigre-doux, de même que les condiments cuisinés (achards, chutneys, moutardes douces), dont certains sont d'inspiration exotique (Antilles, Inde) et furent adoptés en Europe sous l'influence britannique. Mais c'est probablement en Chine que la cuisine à l'aigre-doux est la plus raffinée, en particulier pour le canard, le porc et le poulet.

▶ Recettes : MARCASSIN, SAUCE.

AIGUILLAT Petit requin de la famille des squalidés, appelé « chien de mer » en France, de Boulogne aux Sables-d'Olonne, mais aussi au Canada, et « aiguiat » en Méditerranée (**voir** planche des poissons de mer pages 674 à 677). Il peut mesurer 1,20 m et se caractérise par une peau de couleur grise, un aiguillon venimeux à l'avant de chaque dorsale et par l'absence de nageoire anale.

Proche cousin de la roussette, il est, comme elle, généralement vendu dépouillé sous le nom de « saumonette » et se trouve sur les marchés d'octobre à décembre et d'avril à juin. N'ayant guère de saveur, il se consomme en matelote, ou froid avec une vinaigrette bien relevée.

AIGUILLE À BRIDER Tige d'acier inoxydable, de 15 à 30 cm de long et de 1 à 3 mm de diamètre, pointue à une extrémité et percée d'un chas à l'autre. Elle sert à maintenir les abattis d'une volaille ou d'un gibier à plume le long du corps, en passant au travers de celui-ci une ou deux brides de ficelle. Les aiguilles à brider sont souvent présentées dans un étui contenant un assortiment de différentes grosseurs.

AIGUILLE À PIQUER Tige d'acier inoxydable légèrement conique, très fine et pointue à une extrémité, creuse à l'autre : on glisse dans la partie creuse les petits bâtonnets de lard gras, de jambon, de truffe ou de langue qui seront piqués dans un morceau de viande (**voir** LARDOIRE).

AIGUILLETTE Tranche de chair étroite et longue, levée de chaque côté du bréchet des volailles (surtout du canard) et des gibiers à plume. Par extension, l'aiguillette est aussi une mince tranche de viande.

En boucherie, on distingue l'aiguillette baronne, morceau de forme pyramidale allongée qui adhère au rumsteck, et l'aiguillette de rumsteck, située sur la zone externe de ce morceau (**voir** planche de la découpe du bœuf pages 108 et 109).

▶ Recettes : BŒUF, CANARD.

AIGUISOIR OU **AIGUISEUR** Ustensile fait de deux roulettes d'acier accolées, montées sur un manche en bois, et entre lesquelles on fait glisser la lame d'un couteau pour lui redonner du tranchant. Cet outil est efficace mais il use rapidement la lame, de même que les aiguiseurs électriques à meule, qui affûtent selon l'angle approprié les couteaux à lame droite ou dentée ainsi que les ciseaux.

AIL Plante à bulbe de la famille des liliacées, originaire d'Asie centrale et connue depuis les temps les plus reculés pour ses vertus médicinales (**voir** tableau et planche des ails page 26). Hippocrate classait l'ail parmi les médicaments sudorifiques, assurant qu'il était « chaud, laxatif et diurétique ». Grâce aux croisés, il fut considéré comme la panacée en Europe, même contre la peste et les possessions démoniaques.

L'une des sauces médiévales les plus appréciées était la « sauce d'aulx », qui alliait l'ail pilé au persil et à l'oseille, pour accompagner les poissons, ou au vinaigre et à la mie de pain, pour les grillades.

■ **Emplois.** Les gousses doivent être bien sèches. Les têtes, étalées à plat sur des claies ou suspendues en bottes, peuvent être conservées dans un local froid (de – 0,5 à + 1 °C) ou tempéré (18 °C). L'apparition de taches ou le ramollissement des gousses les rendent inutilisables. Généralement, l'ail blanc se garde 6 mois, l'ail rose près d'un an. Dans le Nord, à Arleux, on le fume pour mieux le conserver et lui donner une saveur particulière.

– Gousses crues, entières et épluchées : frottées sur du pain (« frottée à l'ail », aillade, chapons frits) ; pour parfumer les parois d'un saladier, d'un poêlon.

– Ail cru haché ou pilé : assaisonnement des crudités ; aïoli ; tapenade ; pistou ; beurre d'ail ; purée d'ail.

– Ail cru pressé : huiles aromatisées.

– Éclats piqués : gigot et épaule d'agneau.

– Ail émincé ou haché et cuit : apprêts sautés (poissons, viandes, grenouilles, escargots, tomates, champignons, pommes de terre, salsifis) ; introduire l'ail en fin de cuisson, car, trop rissolé, il rend la préparation âcre.

– Gousses entières cuites (parfois avec la peau, « en chemise ») : ragoûts et braisés (cassoulet) ; rôtis (retirer les gousses avant le service) ; soupes.

Caractéristiques des principales variétés d'ails

VARIÉTÉ	PROVENANCE	ÉPOQUE	ASPECT DES GOUSSES
ail blanc			
d'Arleux	Nord	juill.	blanches
messidrôme	Sud-Est, Sud-Ouest	juin	blanches
sauvage de Lomagne (corail, jolimon)	Sud-Ouest	juin	blanches
sauvage des ours	commun en sous-bois	avril	blanches, petites
thermidrôme	Sud-Est, Sud-Ouest	juin	blanches
ail rose			
de Lautrec* (goulurose, ibérose)	Sud-Ouest, Tarn	juill.	rosées, légèrement striées
printanor	Auvergne	juill.	rose pâle
du Var	Provence, Sud-Ouest	juill.	rose pâle
ail violet			
de Cadours	Sud-Ouest	juin	violettes
germidour	Sud-Est, Sud-Ouest	juin	violettes

* *L'ail de Lautrec bénéficie d'un label rouge.*

AILS

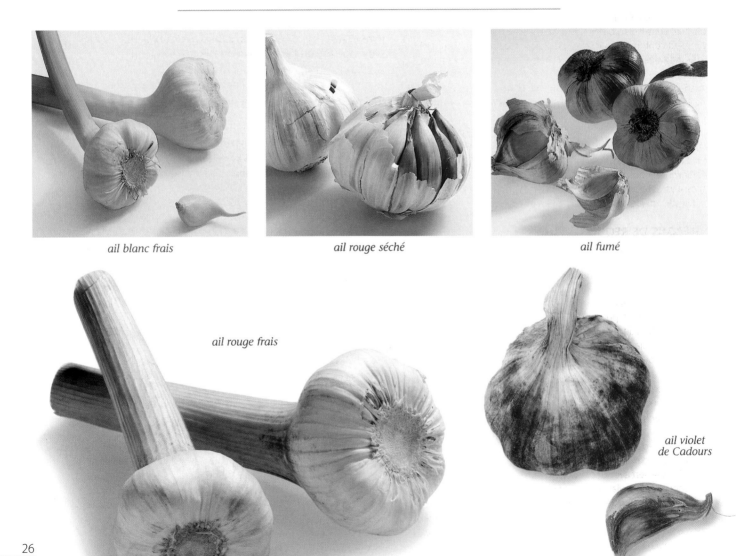

ail blanc frais

ail rouge séché

ail fumé

ail rouge frais

ail violet
de Cadours

beurre d'ail ▶ BEURRE COMPOSÉ
essence d'ail ▶ ESSENCE
gigot rôti aux quarante gousses d'ail ▶ AGNEAU
grenouilles à la purée d'ail et au jus de persil ▶ GRENOUILLE
haricots verts sautés à l'ail ▶ WOK
huile d'ail ▶ HUILE

petits flans d'ail, crème de persil

POUR 4 PERSONNES – PRÉPARATION : 20 min – CUISSON : 40 min
Laver 200 g de persil plat et ôter les tiges. Plonger le persil 2 min dans de l'eau bouillante légèrement salée. Le sortir et le tremper aussitôt dans de l'eau glacée. L'essorer dans un torchon et le laisser sécher sur du papier absorbant. Couper 40 g de gousses d'ail épluchées en deux et retirer le germe. Les ébouillanter 2 min, puis les égoutter. Renouveler deux fois l'opération. Écraser grossièrement les gousses et les mixer 2 ou 3 min avec 5 cl de crème liquide et 20 cl de lait demi-écrémé. Ajouter 1 œuf entier et 2 jaunes d'œuf battus en omelette ; saler, poivrer et mélanger. Préchauffer le four à 150 °C. Répartir la crème d'ail dans 4 petits ramequins légèrement huilés, placer ceux-ci dans un plat à gratin et verser de l'eau chaude à mi-hauteur. Enfourner et faire cuire 40 min, jusqu'à ce que les flans soient fermes. Pour la crème de persil, faire bouillir 15 cl de lait demi-écrémé, ajouter le persil et laisser cuire 2 min. Hors du feu, ajouter 1 cuillerée à soupe de lait écrémé en poudre et mixer 2 ou 3 min pour obtenir une crème lisse. Saler et poivrer. Démouler les flans et les servir chauds, en entrée, entourés de crème de persil.

poivrons à la catalane, à l'huile et aux lamelles d'ail ▶ POIVRON
poulet sauté aux gousses d'ail en chemise ▶ POULET
purée d'ail ▶ PURÉE

AIL DES OURS Plante sauvage de la famille des liliacées, poussant dans les sous-bois à partir d'avril-mai. Elle possède deux feuilles que l'on peut confondre avec celles du muguet ; elle est très parfumée et très appréciée aujourd'hui par les chefs cuisiniers d'avant-garde.

AILE Membre antérieur des volailles, formé des muscles pectoraux (appelés « blanc »). Lorsqu'elle est entière, l'aile se nomme « suprême ».

AILERON Extrémité de l'aile d'une volaille, faisant partie des abattis. L'aileron est composé d'os et de muscles rouges savoureux. Partiellement désossé, mariné, puis sauté ou braisé, farci s'il est assez gros, il est servi en amuse-gueule ou utilisé pour des consommés.
▶ Recette : DINDE, DINDON ET DINDONNEAU.

AILERONS DE REQUIN Nageoires et extrémités cartilagineuses de la queue des squales, vendues séchées, sous forme de longues aiguilles d'un blanc jaunâtre. Ce produit rare et coûteux, réputé aphrodisiaque, entre dans la composition d'un potage chinois renommé, que les mandarins faisaient traditionnellement servir au milieu des banquets. Les ailerons doivent tremper une nuit dans du bouillon de poulet, puis bouillir durant près de 3 heures. Le potage, fait de crevettes, de champignons parfumés, de gingembre, d'oignons et de sauce soja, est garni, outre les ailerons, de jambon émincé, de lamelles de bambou et de chair de crabe.

AILLÉE Condiment, fait de mie de pain et d'amandes pilées avec de l'ail et délayées dans du bouillon. Cette préparation aurait été créée à Paris, qui comptait, au XIIIᵉ siècle, neuf marchands d'aillée.

AÏOLI Sorte de mayonnaise provençale, dont le nom est formé de « ail » et de « oli » (huile, en provençal), qui entrent dans sa préparation. L'aïoli se sert avec de la bourride, des œufs durs, de la salade, des escargots ou de la viande ou du poisson froids.
Mais, quand on parle du « grand aïoli », qui se déguste deux ou trois fois l'an, il s'agit d'un plat de fête, qui rassemble, autour de la sauce, morue pochée, bœuf et mouton bouillis, légumes cuits à l'eau, escargots et œufs durs.

aïoli

POUR 4 PERSONNES
Éplucher et dégermer 4 gousses d'ail. Les écraser, puis les broyer dans un mortier ou un saladier. Ajouter 1 pincée de sel fin, quelques tours de moulin à poivre, ainsi que 1 jaune d'œuf. Mélanger le tout pour obtenir une pommade. Incorporer en versant progressivement et en petit filet 25 cl d'huile d'olive (l'huile d'olive mélangée en proportion égale avec de l'huile d'arachide peut être utilisée également). En fin de préparation, ajouter 1 cuillerée à café de jus de citron. Vérifier l'assaisonnement en sel et poivre. On peut aussi ajouter à l'ail broyé 1 cuillerée à soupe de pulpe de pomme de terre cuite à l'eau et écrasée.

AIRELLE Baie rouge d'un arbrisseau, de la famille des éricacées, originaire des régions froides et montagneuses (**voir** planche des fruits rouges pages 406 et 407). Très acide, elle est riche en vitamine C et en pectine.
■ **Emplois.** L'airelle sert à faire des compotes et des gelées sucrées, ainsi que des sauces et des condiments qui accompagnent les plats salés. Ainsi, au Danemark, l'oie du dîner de Noël est servie avec du chou rouge et une compote d'airelles.
Les airelles au naturel accompagnent le gibier (râble de lièvre ou de lapin) et la viande bouillie et servent à préparer des mousses glacées (Kissel) et des puddings.

compote d'airelle ▶ COMPOTE

gelée d'airelle

Nettoyer et égrapper 2 kg d'airelles et 1 kg de groseilles. Presser les baies pour en extraire le jus (avec un tamis à gelée ou, à défaut, un moulin à légumes avec la grille fine). Verser ce jus dans une bassine à confiture, ajouter 3 kg de sucre à confiture et mélanger. Porter à ébullition, écumer, puis laisser cuire 5 min environ : le sirop doit être cuit « au filé » (**voir** page 820). Retirer aussitôt du feu et procéder à la mise en pots.

sauce aux airelles (cranberry sauce) ▶ SAUCE

AISY CENDRÉ Fromage bourguignon de lait de vache cru (45 % de matières grasses au minimum), à pâte molle et à croûte lavée (**voir** tableau des fromages français page 389). Fabriqué en Côte-d'Or, dans des fermes de la région de Montbard, ce disque de 10 cm de diamètre et de 3 à 6 cm d'épaisseur pèse environ 250 g. L'aisy cendré est couvert de charbon de bois pulvérulent avant son affinage.

AJACCIO Vins AOC de Corse, à l'ouest de l'île. Les rouges et les rosés sont issus des cépages sciacarello, barbarossa, nielluccio, cinsault, grenache et carignan, et les blancs des cépages vermentino et ugni blanc. C'est le sciacarello, très majoritaire, qui confère aux vins rouges leurs arômes épicés et une richesse veloutée. Les rosés et les blancs (15 % de la production pour ces derniers) sont parfumés et vifs.

AJOWAN Plante aromatique annuelle de la famille des apiacées, qui ressemble dans sa forme au persil, mais dont les graines ont une saveur proche de celle du thym dès qu'elles sont pilées. Elle est notamment utilisée comme condiment dans la cuisine indienne ou pour parfumer les pains et les galettes.

ALAJMO (MASSIMILIANO) Cuisinier italien (Padoue 1974). Il est le plus jeune chef de l'histoire à avoir reçu les trois étoiles au Guide Michelin. À vingt-huit ans, ce technicien zélé reçoit l'onction suprême dans la demeure familiale, sous une façade moderne sans apprêt, à la porte de Padoue dans le faubourg de Rubano, qu'il anime avec son frère Raffaele en salle. Formé chez Michel Guérard et Marc Veyrat, Massimiliano Alajmo applique à la tradition italienne les bonnes leçons techniques reçues en France. Les *involtini de scampi* avec coulis de laitue et légumes en tempura, les sardines en escabèche avec une polenta frite comme les pâtes intégrales au romarin et crème de pois chiches sont les signes d'une cuisine italienne allégée, modernisée, mais qui, sous la conduite de ce jeune chef, ne perd pas ses racines.

ALAMBIC Appareil servant à distiller l'alcool. Le mot vient de l'arabe *al 'inbiq*, « vase à distiller ». L'alambic traditionnel, en cuivre, se compose d'une chaudière (cucurbite) dans laquelle est chauffé le mélange à distiller, d'un chapiteau où se concentrent les vapeurs et d'un col de cygne conduisant les vapeurs vers le serpentin ; ce dernier est plongé dans un bain réfrigérant, où les vapeurs se condensent. Ce type d'alambic, dit « charentais », « discontinu » ou « à repasse » (car l'alcool y passe deux fois), sert à la distillation de la plupart des grandes eaux-de-vie, mais on utilise également des alambics à distillation continue (pour l'armagnac, par exemple) et des alambics à deux colonnes, qui évitent la repasse, pour les fabrications industrielles.

ALBACORE Thon, de la famille des scombridés, à chair un peu plus rosée que celle du germon (**voir** tableau des thons page 848). Il s'en distingue aussi par une nageoire pectorale moyenne se rapprochant de l'anale, toutes deux jaunes, par les nageoires dorsale et anale en forme de croissant et les pinnules jaune citron de la nageoire caudale. Pouvant atteindre 2 m et peser 200 kg, il se pêche toute l'année dans les eaux tropicales de l'Atlantique, au large des côtes africaines.

Sa chair, très appréciée, est surtout destinée à la conserverie de poisson, dont elle représente la part la plus importante. L'albacore a une chair maigre contrairement à celle du thon rouge, riche en lipides.

ALBERGE Fruit de l'albergier, de la famille des rosacées, qui tient de la pêche et de l'abricot. L'alberge a une peau rugueuse et une chair fondante, acidulée. Pour l'écrivain Honoré de Balzac, au XIXe siècle, les confitures d'« alleberge » étaient sans rivale.

ALBERT Nom d'une sauce de la cuisine anglaise, dédiée au prince consort Albert de Saxe-Cobourg-Gotha, époux de la reine Victoria, et qui se prépare à partir d'un consommé blanc relevé de raifort râpé, lié à de la mie de pain, puis additionné de crème fraîche et de jaunes d'œuf ; le piquant final est apporté par de la moutarde détendue de vinaigre ou de jus de citron. Cette sauce chaude accompagne les pièces de bœuf braisées et certaines viandes dites « bouillies ».

Le prénom Albert est également attaché à un apprêt de sole, dédié à Albert Blazer, maître d'hôtel du restaurant *Maxim's*, à Paris, dans les années 1930.

ALBIGEOISE (À L') Se dit d'une garniture composée de tomates farcies et de pommes croquettes, qui accompagne traditionnellement les grosses et les petites pièces de boucherie.

Cette dénomination qualifie également des apprêts où entrent des produits spécifiques du Sud-Ouest.

▶ Recettes : AGNEAU, SOUPE.

ALBUFERA (D') Se dit de divers apprêts de grande cuisine (notamment une poularde nappée de sauce et un canard). L'appellation est d'origine incertaine, mais elle fut utilisée par Antonin Carême au début du XIXe siècle en l'honneur du maréchal Suchet, duc d'Albufera (du nom de la lagune de Valence près de laquelle il remporta une victoire sur les Anglais). Elle fut reprise par Adolphe Dugléré après 1866, alors qu'il dirigeait les cuisines du *Café Anglais*.

▶ Recettes : POULARDE, SAUCE.

ALCAZAR Entremets de pâtisserie, fait d'un fond de pâte sucrée, recouvert de marmelade d'abricot, sur lequel on verse une pâte à financier. Le dessus est ensuite décoré de croisillons de pâte d'amande et de marmelade d'abricot. Ce gâteau peut se conserver 2 ou 3 jours.

▶ Recette : GÂTEAU.

ALCOOL Boisson résultant de la distillation de substances sucrées après leur fermentation. Au Moyen Âge, l'alcool était considéré comme un élixir de longue vie (d'où son nom d'« eau-de-vie ») et réservé à des usages thérapeutiques. Il devint « alcool de bouche »

vers la fin du XVe siècle, et l'on y associa alors toutes sortes de plantes pour le parfumer. Enfin, l'invention de la rectification (redistillation qui ôte le goût de l'alcool brut et le rend plus pur, plus fort, apte à acquérir bouquet et finesse) en fit un produit de consommation courante.

La teneur en alcool d'une boisson a longtemps été mesurée en degrés. Dans la plus grande partie de l'Europe, on exprime désormais la présence d'alcool en proportion du volume de liquide, soit « % Vol. ».

■ **Emplois.** Seuls intéressent le cuisinier et le gourmet les alcools dits « éthyliques », propres à la consommation, obtenus par la fermentation, sous l'action de levures, d'éléments très divers ; lorsque la matière première est noble, on ne rectifie pas la boisson et on élabore une eau-de-vie.

Les fruits (raisin, poires, pommes, fruits à noyau, baies, etc.) donnent, outre le vin, le cidre et le poiré, la gamme des marcs, eaux-de-vie (armagnac, calvados, cognac) et alcools blancs (framboise, kirsch, mirabelle, prune, etc.).

Les céréales et les graines (riz, orge, blé, seigle, maïs, etc.) sont, elles aussi, très employées (bière, gin, whisky, vodka, etc.), ainsi que des racines (essentiellement de la pomme de terre et de la betterave) et des plantes exotiques (palme, mil, canne à sucre, agave), qui donnent le rhum, la tequila et divers alcools consommés localement.

En cuisine et en pâtisserie, on emploie des eaux-de-vie dans les glaces, sorbets et soufflés, mais aussi pour diverses opérations culinaires : déglaçage, flambage, imbibage, marinage. L'alcool possède des propriétés antiseptiques, utiles pour les conserves de fruits.

■ **Diététique.** L'alcool est calorique (7 Kcal ou 29 kJ par gramme). Il devient toxique quand son taux dépasse 0,50 g par litre de sang. Il est recommandé de ne pas boire plus de deux verres (d'une contenance de 15 cl environ) par jour pour une femme, quatre pour un homme. La consommation d'alcool est fortement déconseillée aux femmes enceintes et interdite aux enfants et aux adolescents.

ALCOOLAT Produit obtenu par distillation d'une macération d'éléments aromatiques (graines, fleurs, fruits, tiges, noyaux, écorces) dans de l'alcool. Les distillats, incolores et parfumés, sont très employés dans la fabrication des liqueurs.

ALDÉHYDE Groupement et composé organique dont un atome de carbone est lié par une double liaison à un atome d'oxygène et à un atome d'hydrogène. Des aldéhydes sont utilisés pour donner une odeur à certains produits alimentaires ; l'acétaldéhyde, ou éthanal, découvert en 1774 par le chimiste suédois Carl Wilhelm Scheele, a une odeur de pomme verte caractéristique.

AL DENTE Expression italienne (littéralement, « à la dent ») désignant le juste degré de cuisson des pâtes alimentaires. Celles-ci doivent être retirées du feu et égouttées alors qu'elles sont encore fermes sous la dent.

On emploie aussi cette locution pour certains légumes (haricots verts) servis croquants. Ce stade de cuisson est recommandé pour les légumineuses et les céréales afin d'éviter que l'amidon qu'elles contiennent ne se transforme en sucre à assimilation rapide ; le temps de cuisson conseillé est souvent indiqué sur les emballages.

ALE Appellation générique des bières anglaises traditionnelles de fermentation haute. La *pale ale*, couleur d'ambre pâle, piquante et rafraîchissante, a une mousse riche ; la *N° 1* (la *bitter*), moins alcoolisée, est cuivrée, avec un goût de houblon marqué ; la *brown ale*, plus douce, brune, a un goût de caramel.

ALEXANDRA Nom donné à plusieurs apprêts (consommé de volaille, potage Parmentier garni de fine brunoise, filets de sole, poulet sauté, cailles en cocotte, noisettes et tournedos), pourtant très différents. Ces mets, nappés de sauce, sont ainsi baptisés parce qu'ils sont tous garnis, en plus d'une lame de truffe, soit de pointes d'asperge si cette sauce est blanche, soit de quartiers de fonds d'artichaut si elle est brune.

▶ Recette : POULET.

ALEXANDRA (COCKTAIL) Cocktail très moelleux, appelé aussi « brandy alexander », composé de crème fraîche (ou de crème UHT liquide), de crème de cacao brune et de cognac (que certains barmen remplacent par du gin, ce cocktail devenant alors un alexander). Il se sert après le dîner.
▶ Recette : COCKTAIL.

ALGÉRIE La gastronomie algérienne témoigne tout autant de l'histoire du pays que de sa géographie. Cette « province africaine » fut, comme la Tunisie et le Maroc, le grenier de la Rome impériale, avant de connaître l'influence des Turcs, qui y firent aimer les pâtisseries, et celle des juifs, dont les prescriptions religieuses rejoignent souvent celles des musulmans, avec notamment l'interdiction du porc comme viande de boucherie, la pratique du jeûne et le respect des fêtes rituelles. La présence française a plus tard marqué aussi bien les traditions ancestrales de la « cuisine du désert » – à base de céréales, de légumes, de fruits secs et de viandes rôties (méchoui ou mouton farci) – que la gastronomie citadine.

■ **Viandes et légumes.** Les plats algériens sont toujours copieux, colorés et relevés par une purée pimentée d'épices simples ou composées, la harissa. Les soupes, très épaisses, réunissent légumes ou céréales et viande (côtelettes de mouton pour la chorba). Leur composition est souvent liée à des impératifs religieux : le *mesfouf*, couscous sans viande, accompagné soit de fèves fraîches soit de raisins secs, est proposé au repas de l'aube pendant le ramadan ; le plat typique du sabbat juif, la tfina au blé, qui mijote près de 24 heures, est une variante de la tfina traditionnelle, mais avec du blé et sans œufs et sans pommes de terre.

Le plat national est le couscous, traditionnellement graissé de *smeun* (sorte de beurre clarifié). Il en existe de nombreuses variantes, au mouton, au poulet, au bœuf, servies avec des légumes (carottes, céleri, courgettes, haricots, pois chiches, potiron, navets, tomates), des raisins secs, des œufs durs, etc., et du bouillon *(marga)*. Dans le Sud saharien, le couscous est servi sans bouillon ni légumes. Autres spécialités, les tagines sont des ragoûts de viande ou de volaille, de légumes et même de fruits, souvent mélangés.

La viande est aussi souvent présentée en brochettes (kebabs) accompagnées de légumes cuits au bouillon ou en ratatouille *(chakhchoukha)*.

■ **Desserts.** La pâte feuilletée *(dioul)* s'utilise aussi bien en cuisine, pour faire des chaussons salés, qu'en pâtisserie, pour confectionner des gâteaux gorgés de miel et de sirop, comme le baklava, que l'on retrouve dans tout le bassin méditerranéen.

■ **Vins.** Jusqu'à la fin du XIXᵉ siècle, l'Algérie ne produisait que des raisins secs, dans le respect des lois coraniques qui proscrivent le vin. Les ravages du phylloxéra en métropole (où il arrive en 1865 avec des plants américains) encouragent les colons français à développer la production de vins algériens. À la veille de la Seconde Guerre mondiale, le vignoble atteint, avec 400 000 ha, son extension maximale. Il donne alors essentiellement des vins de coupage à fort degré qui sont exportés pour bonifier les petits vins du Languedoc et du Roussillon.

Depuis l'indépendance, en 1963, l'Algérie a dû trouver de nouveaux débouchés (elle avait notamment signé des accords privilégiés avec les régimes communistes de l'ex-URSS) et produire des vins de qualité. Elle a créé l'Institut de la vigne et du vin (IVV), qui a classé les vignobles selon le principe des appellations d'origine, garantie (VAOG) ou simple (VAO).

Les meilleurs vins algériens proviennent des régions de coteaux avoisinant Oran (coteaux-de-mascara et coteaux-de-tlemcen) et Alger (miliala, médéa, dahra, mostaganem).

Les rouges, généreux et très bouquetés, sont produits par les cépages carignan, cinsault, grenache, mourvèdre, pinot, syrah et morrastel ; les blancs, moins connus, mais fins et fruités, sont dus à la clairette, au listan, au maccabeo et à l'ugni blanc. Tous sont fortement alcoolisés (la plupart titrent au moins 12,5 % Vol.), accompagnent bien la cuisine nord-africaine, notamment le couscous et le mouton, et gagnent à être servis frais (à 7 ou 8 °C pour les blancs et les rosés, à 13 ou 14 °C pour les rouges).

ALGÉRIENNE (À L') Se dit d'une garniture composée de croquettes de patates douces, en forme de bouchon, et de petites tomates pelées, épépinées ou non, et étuvées avec un filet d'huile. Elle accompagne les grosses et petites pièces de boucherie (paupiettes), ainsi que le poulet sauté.

Cette dénomination désigne également un potage (crème ou velouté) préparé à base de patates douces et d'avelines torréfiées et broyées ; on ajoute de la crème en fin de préparation.

ALGINATE Additif alimentaire (**voir** ce mot) extrait des algues brunes, notamment des laminaires, nombreuses sur les côtes européennes. L'alginate est utilisé pour ses propriétés épaississantes, gélifiantes ou stabilisantes dans divers produits agroalimentaires comme les crèmes pâtissières et les sauces instantanées, et les viandes et les charcuteries restructurées.

ALGUES Végétaux marins utilisés en cuisine, en garniture ou en salade. Les algues sont présentes sous toutes les latitudes, mais leur extension est toutefois limitée au proche littoral. Variées à l'extrême, elles sont riches en protéines, en minéraux, en cellulose, en oligo-éléments (dont l'iode) et en vitamines (**voir** PLANTES MARINES).
▶ Recette : BAR (POISSON).

ALHAGI Petit arbrisseau des pays méditerranéens, de la famille des fabacées, aux graines comestibles, qui sécrète, par forte chaleur, un suc sucré, qui pourrait être la manne (de l'hébreu *mânhu*, « qu'est-ce que c'est ? ») de la Bible.

ALI-BAB Pseudonyme d'Henri Babinsky (Paris 1855 - id. 1931). Ingénieur des Mines, il publia sous ce nom, en 1907, une *Gastronomie pratique*. Au cours de ses voyages professionnels à travers le monde (à la recherche de gisements aurifères et diamantifères), il recueillit nombre de recettes et il cuisinait lui-même pour ses compagnons de route. Son livre fut réédité plusieurs fois, avec des ajouts divers, entre autres une intéressante étude sur le traitement de l'obésité chez les gourmands (1923). Cet ouvrage très documenté, dont l'humour n'est pas absent, reste d'un grand intérêt historique et gastronomique, mais ne mérite plus son qualificatif de « pratique ».

Le nom de « Ali-Bab » a été donné à plusieurs apprêts.
▶ Recette : SALADE.

ALIGOT Préparation à base de pommes de terre, d'ail et de laguiole dans le Rouergue (Aveyron) ou de cantal en Auvergne, où elle porte le nom de « truffade ». Le fromage ne doit pas être affiné, aussi utilise-t-on de la tomme fraîche (la meilleure provient de Planèze). Toutefois, il est courant de dire que l'aligot est fait avec l'un ou l'autre fromage. Pour réussir l'aligot, il faut incorporer parfaitement le fromage aux pommes de terre cuites jusqu'à ce que la pâte « file ».

On prépare aussi un aligot sucré : versé dans un plat à gratin, il est arrosé de rhum et flambé.

RECETTE D'ANGÈLE BRAS

aligot

POUR 6 PERSONNES

« Cuire à la vapeur 1 kg de pommes de terre avec leur peau (bintje, beauvais). Lorsqu'elles sont suffisamment cuites, retirer la peau et confectionner une purée en ajoutant 150 g de beurre, 15 cl de crème fraîche et 30 cl de lait chaud. La quantité de lait peut varier en fonction de la qualité des pommes de terre. Bien battre la purée afin de la rendre légère et onctueuse. Assaisonner de sel selon le goût. Chauffer la purée obtenue dans une casserole et ajouter de la tomme fraîche de Laguiole tranchée en fines lamelles. Mélanger à l'aide d'une spatule de bois : la tomme va fondre progressivement et le mélange va se mettre à filer et à former un ruban au bout de la spatule. Ne pas continuer trop longtemps à chauffer l'aligot, car il se déstructurerait et ne filerait plus. Au dernier moment, y ajouter éventuellement une pointe d'ail haché. Servir immédiatement. »

ALIGOTÉ Bourgogne blanc de qualité courante, issu du cépage aligoté. Ce vin frais et léger est traditionnellement utilisé pour confectionner le vin blanc cassis bu en apéritif.
▶ Recette : NAGE.

ALIMENT Substance brute ou transformée servant à se nourrir. Les techniques modernes de production, de conservation et de distribution ont permis de diversifier l'alimentation par la création de produits nouveaux. Cependant, dans chaque nation ou région, l'alimentation quotidienne, dépendant bien sûr des richesses agricoles, reste aussi marquée par des traditions sociales, religieuses et familiales. Les goûts individuels et le mode de vie (travail de bureau ou de force, activité sportive, etc.) interviennent également, ainsi que les contraintes d'un éventuel régime.

On classe les aliments en trois grands groupes, en fonction de leur apport principal. Ce sont les glucides (féculents, légumes secs, produits sucrés), les lipides (huiles, beurre, fromages) et les protides (viandes, poissons, œufs, produits laitiers).

Il n'existe pas d'aliment complet ; il faut donc varier la composition des repas pour éviter les carences. Il faut également apprendre à bien lire les étiquettes des produits de l'industrie alimentaire, car le traitement d'un aliment peut changer ses caractéristiques nutritionnelles ; les céréales, par exemple, lorsqu'elles sont soufflées, comportent des sucres à assimilation rapide.

ALISE Baie écarlate d'un arbre de montagne, l'alisier, de la famille des rosacées, qui est une variété de sorbier. De la grosseur d'une petite cerise, l'alise se récolte en automne et a une saveur aigrelette. On utilise les alises presque blettes, pour faire des confitures et des gelées, ainsi qu'une eau-de-vie artisanale.

ALKÉKENGE ▶ voir PHYSALIS

ALLÉGÉ Qualificatif signalant que les proportions de certains éléments d'un produit ont été diminuées. La consommation de produits allégés permet d'adapter les apports en glucides et en lipides aux besoins énergétiques.

La réglementation européenne est stricte sur l'utilisation de la mention « allégé » (ou « léger » ou « light »), qui ne peut figurer que si la nature de la denrée n'a pas été fondamentalement changée, et qui doit obligatoirement préciser le nom du ou des éléments qui ont été modifiés.

Les produits laitiers (pâte à tartiner, beurre, certains fromages) ont été les premiers à être allégés en matières grasses, facilement éliminées au cours de la fabrication ; avec l'arrivée des édulcorants intenses, les produits sucrés (jus de fruits, glaces, confiseries) ont suivi. Le recours à ces édulcorants est aujourd'hui contesté, car ils entretiennent le goût pour le sucré ; il faut donc éviter de boire trop de boissons « light », car cela excite l'envie de sucre. En revanche, l'intérêt des produits allégés en matières grasses est d'autant plus indéniable qu'ils contiennent la même teneur en protéines et en calcium.

ALLEMAGNE Connue pour être copieuse, la cuisine allemande l'est moins pour sa réelle diversité. Dans le Nord, humide et froid, où se mêlent les influences hollandaise, scandinave et polonaise, on aime les soupes consistantes, les viandes et les poissons fumés ; dans le Centre, où l'on honore la trilogie « bière-pain de seigle-jambon », on apprécie également les ragoûts, les légumes frais et la pâtisserie slave ; dans le Sud et à l'Ouest, la cuisine est plus légère, en particulier dans le pays de Bade et en Rhénanie, terre du vin, où le gibier est roi ; en Bavière, ce sont surtout les viandes et les pâtisseries qui prédominent.

La cuisine allemande est issue d'une vieille tradition : l'oie rôtie farcie aux pommes et le lièvre au poivre sont des recettes qui datent de l'empereur Charlemagne. Dans chaque État, les cours princières ont cultivé le goût de la haute gastronomie, souvent en s'assurant les services de cuisiniers français. Les plats rustiques n'en ont pas moins toujours été à l'honneur, tel le populaire *Himmel und Erde* (« ciel et terre »), une purée faite de pommes de terre et de pommes acides, couronnée d'une saucisse grillée.

Cette cuisine se caractérise par ses mélanges sucré-salé, qui se manifestent aussi bien dans la soupe aux cerises ou la soupe à l'anguille de Hambourg (avec carottes, petits pois, asperges, pruneaux et abricots séchés) que dans la selle de chevreuil de la Forêt-Noire (aux pommes farcies d'airelles).

■**Charcuterie.** La Souabe, la Westphalie et la Bavière sont particulièrement riches avec leurs jambons renommés, tout comme le Holstein et la Saxe ; la gamme des saucisses, froides ou chaudes, est étonnante : à tartiner (au foie, au paprika, au porc fumé), à

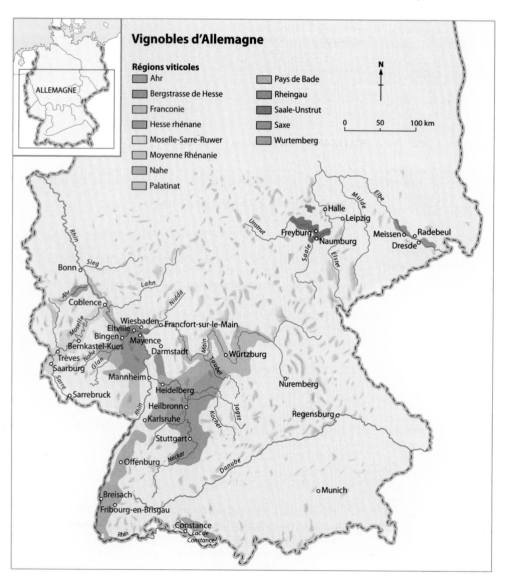

Vignobles d'Allemagne

Régions viticoles
- Ahr
- Bergstrasse de Hesse
- Franconie
- Hesse rhénane
- Moselle-Sarre-Ruwer
- Moyenne Rhénanie
- Nahe
- Palatinat
- Pays de Bade
- Rheingau
- Saale-Unstrut
- Saxe
- Wurtemberg

griller (fumées ou farcies aux herbes, en particulier à Nuremberg), à pocher (plus ou moins aromatisées), notamment la délicieuse *Weisswurst* blanche (de veau, de bœuf et de persil) ou la grosse *Bockwurst*, craquante et juteuse, et, bien sûr, la *Frankfurter*, que l'on mange en toute occasion avec un petit pain rond et de la moutarde, sans oublier les cervelas, les fromages de tête et les boudins.

■ **Produits laitiers.** Ils sont également diversifiés : le *Quark* (fromage frais de vache), aux nombreuses variantes et très consommé, est mélangé avec de l'oignon, du paprika ou des fines herbes ; les fromages à pâte dure, de même que les fromages fondus, peuvent être fumés ou encore additionnés de jambon. Parmi les spécialités régionales, on compte l'*Allgäuer Emmentaler*, fromage de vache à pâte cuite ; le *Mainzer Handkäse*, fromage de vache à pâte molle, et le *Nieheimer Käse* (« fromage de houblon »), fromage de vache à pâte dure. Le *Tilsiter*, fromage de vache à pâte dure, est fait partout.

■ **Pain.** Il se présente sous des aspects très variés. Il peut être au blé complet, au froment ou au seigle, parfumé de graines de lin, de sésame ou de cumin (*Pumpernickel, Knäckebrot, Vollkornbrot*, le pain aux trois grains).

■ **Viandes et poissons.** Les plats de viande tiennent partout la vedette, avec deux condiments majeurs : le raifort et l'oignon. Il s'agit d'une potée ou d'un ragoût, en général assez épicé et souvent cuisiné à la crème aigre : jarret de porc bouilli de Berlin ; ragoût aux quatre viandes (bœuf, agneau, porc et veau) du traditionnel *Pichelsteiner Fleisch* ; échine de porc fumée à la mode de Kassel, sur un lit de choucroute. Mais on apprécie aussi les paupiettes de bœuf farcies aux cornichons en sauce piquante, les boulettes aux câpres, le Labskaus et la viande hachée à la mode de Berlin ou de Hambourg (qui devint « hamburger » en émigrant aux États-Unis).

La volaille tient aussi une bonne place dans la cuisine allemande, notamment les poulets, rôtis à la broche par milliers lors de la fête de la Bière de Munich, ou cuisinés en fricassée à Berlin, avec des asperges et des champignons. Certaines régions de production ont un renom particulier : la poularde de Hambourg (que l'on cuisine en ragoût, avec du vin blanc, des champignons et des huîtres ou des moules) et ses « poussins » (qui sont, en fait, des poulets tendres et savoureux) sont aussi réputés que l'oie de Poméranie, dont on prélève les blancs pour les fumer.

Le gibier fournit des plats de grande classe, comme le faisan farci du Rhin ou les côtelettes de chevreuil aux champignons.

Le poisson de mer est roi dans le Nord, surtout le hareng aux innombrables préparations (fumé, mariné, frit, en sauce, au raifort, à la moutarde, à la bière, en rollmops) et le turbot ; les crustacés et les huîtres sont fréquents, mais aussi l'anguille, le brochet de la Moselle et les truites de la Forêt-Noire (en papillotes).

■ **Légumes, fruits et desserts.** Dans le domaine des légumes, le chou est omniprésent – blanc, rouge ou vert, mariné, cru, en salade ou en choucroute –, comme la pomme de terre, que les Allemands savent apprêter avec une ingéniosité sans pareille : purée, croquettes, crêpes, mais surtout quenelles (Klösse et Knödel), servies en sauce ou comme garniture de potage. Certaines régions sont très réputées pour leurs légumes frais : petits navets de Teltow (Berlin), haricots verts et blancs de Westphalie, macédoine de Leipzig (petits pois, carottes et asperges) ou asperges du Brunswick. Les fruits du verger allemand, célèbre pour ses pommes, ses cerises et ses quetsches, sont souvent mis à sécher ou conservés à l'aigre-doux. Les gelées de baies sauvages et les eaux-de-vie blanches sont excellentes.

La pâtisserie est moins prestigieuse que celle de Vienne, mais elle est très appréciée par les Allemands, qui en consomment à toute heure du jour dans les *Konditoreien*, pâtisseries aussi nombreuses et aussi fréquentées que les *Bierstuben* (débits de bière). Le répertoire des tartes et des biscuits fourrés est vaste, et il faut noter aussi les pains d'épice de Nuremberg, les massepains de Lübeck, traditionnels à Noël, ainsi que le *Stollen* aux fruits confits de Dresde, le gâteau de la Forêt-Noire et le *Baumkuchen* de Berlin (gigantesque gâteau en forme de tronc d'arbre). La pâtisserie familiale fait un large emploi de cannelle, de fruits secs, de citrons et d'amandes, ainsi que de graines de pavot.

■ **Vins.** La situation très septentrionale de l'Allemagne explique que la vigne y mûrisse très difficilement. Cependant, certaines années connaissent un été très ensoleillé, et quelques zones de vignobles produisent alors de grands millésimes. Lors de ces millésimes favorables, sont élaborés les mythiques vins de glace (**voir** ce mot).

La réglementation viticole allemande a défini onze régions spécifiques de production de vin.

• **AHR-MOYENNE RHÉNANIE.** Vins rouges très réputés (cépages spätburgunder et portugieser), grands vins blancs (riesling et müller-thurgau) ; l'une des spécialités est ici le Weissherbst, un vin rosé très fruité.

• **MOSELLE-SARRE-RUWER.** Sublimes vins blancs, très subtils (riesling, parfois même de qualité Auslese), ou plus courants (müller-thurgau), et quelques vins rouges (spätburgunder – le pinot noir, le fameux cépage de Bourgogne, d'Alsace et de Champagne).

• **RHEINGAU.** Vins blancs parmi les plus grands du pays (riesling), notamment le Schloss Johannisberg.

• **NAHE.** Vins blancs vigoureux (riesling, müller-thurgau, weissburgunder, sylvaner).

• **HESSE RHÉNANE.** Vins blancs souvent de très grande qualité et peu chers (müller-thurgau, sylvaner, kerner, scheurebe, bacchus, riesling, faberrebe, portugieser).

• **PALATINAT.** Vins blancs rustiques (müller-thurgau, riesling, kerner), parfois très aromatiques (gewurztraminer, pinot blanc), vins rouges fruités (dornfelder).

• **BERGSTRASSE DE HESSE.** Grands vins blancs assez rares (riesling, müller-thurgau, sylvaner).

• **FRANCONIE.** Vins blancs de terroir (sylvaner, pinots, riesling, müller-thurgau), et quelques vins rouges.

• **SAALE-UNSTRUT ET SAXE.** Vins blancs secs méconnus (essentiellement müller-thurgau).

• **BADE.** Vins blancs (müller-thurgau, spätburgunder, rülander, riesling, pinot blanc, sylvaner).

• **WURTEMBERG.** Vins rouges légers presque rosés, très appréciés dans les cafés (trollinger, schwarzriesling, kerner, müller-thurgau, lemberger – le meilleur).

Il faut enfin signaler le sekt, un vin mousseux sec élaboré à partir de vins étrangers, les vins allemands étant en effet trop chers pour cette transformation.

ALLEMANDE Sauce blanche réalisée avec un fond de veau ou de volaille (elle accompagne alors abats, volailles pochées, légumes et œufs), ou avec un fumet de poisson ou de champignon (elle se sert avec le poisson). Elle est ainsi dénommée par opposition à l'espagnole, une sauce brune, alors que ces deux préparations fondamentales sont d'origine française.

▶ Recette : SAUCE.

ALLEMANDE (À L') Se dit d'un apprêt où intervient la sauce allemande, et aussi d'une façon d'accommoder le gibier mariné inspirée de la cuisine allemande : cuissot ou selle de chevreuil, râble de lièvre ou de lapin rôti sur les légumes de la marinade ; la sauce d'accompagnement est déglacée avec la marinade, de la crème et du vinaigre.

▶ Recettes : CERISE, SALADE.

ALLERGÈNE ALIMENTAIRE Substance contenue dans les aliments entraînant une réaction immunitaire anormale (éruption cutanée, réaction asthmatique, voire choc anaphylactique) chez les personnes prédisposées. Les aliments le plus souvent incriminés sont, outre l'arachide, l'œuf, le lait, le poisson, les crustacés, le soja et la noisette. Le meilleur traitement consiste à éviter, dans la mesure du possible, tout contact avec l'allergène en question.

La mention des allergènes alimentaires et de certains de leurs dérivés est obligatoire sur l'étiquette des produits préemballés.

ALLONGER Ajouter un liquide à une préparation trop liée ou trop réduite. L'opération rend celle-ci plus fluide, mais en atténue la saveur.

Le terme « allonger » désigne également l'action au cours de laquelle le boulanger donne au pâton sa longueur définitive ; elle est réalisée manuellement ou à l'aide d'une façonneuse.

ALLUMETTE Bâtonnet de pâte feuilletée, diversement garni et cuit au four.

Si la pâte est salée, pour une entrée chaude, l'appareil ou l'élément principal de la garniture (fromage, anchois, crevettes, farces de volaille, de poisson ou de légumes, épices, etc.) est parfois placé entre deux abaisses. Si la pâte est sucrée, il s'agit de l'allumette glacée, petit gâteau individuel dont la création serait due, selon Lacam, à un pâtissier de Dinard, d'origine suisse, nommé Planta, qui disposait d'un reste inutilisé de « glace à décorer ».

Les pommes allumettes sont des pommes de terre détaillées en bâtonnets réguliers de 3 mm de section sur 6 à 7 cm de longueur, puis frites (**voir** tableau des apprêts de pommes de terre page 691).

allumettes glacées

Abaisser du feuilletage sur une épaisseur de 4 mm. Tailler des bandes de 8 cm de large. Y étendre une couche légère de glace royale. Tronçonner ces bandes en morceaux de 2,5 à 3 cm et ranger ceux-ci sur une plaque à pâtisserie. Cuire à four moyen jusqu'à ce que la glace soit de couleur crème (10 min environ).

allumettes à la toscane

Détailler du feuilletage en bandes de 8 cm de large sur 5 mm d'épaisseur. Préparer un mélange avec, en proportions égales, du jambon cuit coupé en salpicon et de la farce de volaille ; l'assaisonner et l'additionner d'un peu de truffe hachée. Masquer entièrement les bandes de feuilletage de cette farce ; recouvrir de très peu de béchamel, poudrer de parmesan râpé et faire cuire de 12 à 15 min dans le four préchauffé à 240 °C.

ALOSE Poisson migrateur, de la famille des clupéidés, qui vit en mer et remonte les fleuves pour pondre (**voir** planche des poissons d'eau douce pages 672 et 673).

• GRANDE ALOSE. Elle se pêche en France dans le Rhône, la Garonne, la Loire et l'Adour, en Angleterre et au Canada. Pouvant atteindre 60 cm, la grande alose possède un opercule strié, une ou deux taches noires en arrière de la tête. Sa chair, très fine, un peu grasse, s'altère vite et est pleine d'arêtes. La friture les rend cassantes, et par conséquent moins gênantes.

À Bordeaux, on la mange grillée ; à Nantes, on la cuisine à l'oseille, mais on peut aussi la frire en darnes ou la farcir. Ce plat était déjà très apprécié du temps des Romains et au Moyen Âge.

• ALOSE FEINTE. Elle remonte peu les fleuves et se pêche surtout dans les estuaires et en mer. Une variété, fixée en eau douce, vit dans les lacs italiens. Plus petite que la grande alose (de 25 à 40 cm), elle possède un opercule strié et a de huit à douze taches noires le long du corps. L'alose feinte s'apprête surtout en soupe.

alose : préparation

Écailler soigneusement l'alose, puis la vider en conservant la laitance ou les œufs. Bien laver le poisson à l'eau froide et l'essuyer avec du papier absorbant.

alose grillée à l'oseille

Vider, écailler, laver et essuyer une alose de 1 kg environ. La ciseler régulièrement sur la partie charnue du dos, des deux côtés. Saler, poivrer et faire mariner 1 heure avec de l'huile, du jus de citron, du persil ciselé, du thym et du laurier. Griller à feu moyen pendant 30 min. Dresser le poisson sur un plat long, entouré de quartiers de citron. Servir avec un beurre maître d'hôtel et une garniture d'oseille braisée.

alose au plat

Vider, écailler, laver et essuyer une alose de 700 à 800 g. La garnir intérieurement de 50 g de beurre pétri avec 1 cuillerée de persil haché, 1/2 cuillerée d'échalote hachée, du sel et du poivre. Disposer l'alose dans un plat long allant au feu, beurré. Saler et poivrer, arroser de 10 cl de vin blanc sec, parsemer de petits morceaux de beurre et cuire au four préchauffé à 200 °C pendant 15 à 20 min. Arroser souvent en cours de cuisson. Si le mouillement réduit trop vite, ajouter un peu d'eau.

ALOUETTE Petit passereau de la famille des alaudidés, à la chair délicate, dont il existe plusieurs espèces, notamment le cochevis et l'alouette des champs. En cuisine, les alouettes prennent le nom de « mauviettes ». Il en faut de 2 à 4 par personne si on les prépare rôties ou en caisse, mais elles ne sont guère, selon Grimod de La Reynière (*Almanach des gourmands*), « qu'un petit faisceau de cure-dents, plus propre à nettoyer la bouche qu'à la remplir ». Aussi les emploie-t-on surtout en pâtés, mais on peut aussi accommoder l'alouette à la bonne femme, en caisse, à la Lucullus, et minute.

Le pâté de Pithiviers, en forme de pâté pantin, est réputé depuis des siècles. La tradition veut que, rançonné en forêt d'Orléans, puis délivré, Charles IX ait promis la vie sauve à ses agresseurs s'ils lui révélaient d'où venait le délicieux pâté d'alouettes qu'ils avaient partagé avec lui : c'est ainsi que s'établit le renom d'un pâtissier de Pithiviers, Margeolet, dit Provenchère.

alouettes en brochettes

Saler et poivrer l'intérieur des alouettes. Ramener pattes et ailes le long du corps pour donner aux oiseaux une forme ramassée. Entourer ceux-ci d'une petite barde de lard – ou, mieux, les arroser de beurre fondu – et les ficeler. Les enfiler sur des brochettes et les faire griller, soit au barbecue, soit dans un gril vertical, à distance suffisante pour que les oiseaux cuisent à l'intérieur sans brûler à l'extérieur.

alouettes en croûte

Désosser les alouettes en les fendant par le dos. Saler et poivrer. Les garnir d'une farce à gratin, enrichie en son milieu de 1 dé de foie gras et 1 dé de truffe. Refermer les oiseaux, les ranger bien serrés les uns contre les autres dans une sauteuse beurrée, les arroser de beurre fondu et les cuire à four très chaud (250° C) pendant 9 ou 10 min. Évider un pain rond, enduire l'intérieur d'une fine couche de beurre et faire dorer au four, puis tapisser d'une bonne épaisseur de farce à gratin. Égoutter les alouettes et les disposer dans la croûte. Achever la cuisson dans le four 7 ou 8 min. Pendant ce temps, ajouter du madère au jus rendu par les alouettes et faire réduire. Napper les oiseaux avec cette sauce.

ALOUETTE SANS TÊTE ▸ voir OISEAU SANS TÊTE

ALOXE-CORTON Commune de Bourgogne située sur la côte de Beaune, au pied de la fameuse colline de Corton, réputée pour ses grands crus, en blanc le corton charlemagne (issu du cépage chardonnay), en rouge le corton (issu du cépage pinot noir). Le nom des meilleures parcelles peut également figurer sur l'étiquette : les renardes, les bressandes, le clos du roi.

L'appellation communale « aloxe-corton » s'applique à des rouges et des blancs de grande qualité, mais qui n'ont pas la classe des précédents (**voir** BOURGOGNE).

ALOYAU Morceau du bœuf correspondant à la région lombaire et à la croupe de l'animal. L'aloyau est composé du filet, du faux-filet (ou contre-filet), du rumsteck et de la bavette d'aloyau (**voir** planche de la découpe du bœuf pages 108 et 109). Il peut parfois comporter les entrecôtes et devient l'aloyau milieu de train (de côtes). À l'abattoir, les corps vertébraux voisins du canal médullaire (talons) sont amputés car classés parmi les matériels à risques spécifiés (**voir** ce mot). Plat d'apparat quand il est cuisiné en entier, l'aloyau est plus souvent détaillé en rôtis ou en grillades.

aloyau rôti

PRÉPARATION : 15 min – CUISSON : en fonction du poids de la pièce
Raccourcir, parer et retirer la membrane graisseuse qui recouvre l'aloyau. Dégraisser partiellement la partie extérieure de l'aloyau ainsi qu'une partie de la graisse qui entoure le filet. Supprimer les parties nerveuses et sectionner à intervalles réguliers le ligament qui court le long de l'échine. Laisser cette pièce à température ambiante mais recouverte d'un linge pendant au moins 1 heure avant la mise en cuisson. Peser l'aloyau, calculer le temps de cuisson : compter 10 à 12 min par livre pour une cuisson saignante à cœur. Préchauffer le four à 240 °C. Frotter

entièrement l'aloyau avec du gros sel et du poivre du moulin. Dans une plaque à rôtir adaptée, faire chauffer un peu d'huile d'arachide, y placer l'aloyau et l'asperger d'un peu de beurre clarifié. Rôtir dans le four à 240 °C pendant 15 à 20 min. Baisser la température du four à 220 °C, retourner l'aloyau et continuer à le rôtir en l'arrosant. Puis poursuivre la cuisson en le retournant toutes les 20 min. À mi-cuisson, répartir les parures de bœuf autour de la pièce. En fin de cuisson, sortir l'aloyau, l'assaisonner de nouveau avec gros sel et poivre, et le réserver sur une grille placée dans une plaque. Laisser reposer à l'entrée du four éteint la moitié de son temps de cuisson avant de le trancher. Pendant ce temps de repos, réaliser le jus de rôti (voir page 752).

ALSACE La cuisine alsacienne repose sur une forte tradition paysanne, enrichie des influences de l'Allemagne toute proche ainsi que de l'Europe de l'Est et de sa communauté juive, notamment en ce qui concerne la façon d'utiliser des épices et de préparer les poissons. Les plats alsaciens sont toujours accompagnés de vin ou de bière.

Le plat symbole de la région est la choucroute, garnie de diverses façons (charcuterie, volaille, gibier, poisson, légumes, avec épices et condiments). Son âme est, bien entendu, le chou, que l'on fait fermenter en fût dans du gros sel avec des grains de genièvre. Légume roi en Alsace, le chou blanc (quintal) ou rouge, ou chou-rave, apparaît dans de nombreux apprêts, tout comme le navet, salé et mariné comme le chou, qui accompagne le schieffala (palette fumée), les pommes de terre, servies seules (quenelles, galettes, Knepfles, floutes) ou en accompagnement de plats uniques, tel le baekenofe. Les oignons, eux aussi incontournables, garnissent, entre autres, le ziwelküche (un gâteau à l'oignon).

Qui dit choucroute dit nécessairement charcuterie. L'Alsace compte quelques dizaines de spécialités charcutières : saucisses (dont les knacks), saucisses à tartiner (Mettwurst), lard, filet de porc, Presskopf (fromage de tête), et un large éventail de produits fumés. Épices et condiments viennent relever l'ensemble de ces mets : cumin, raifort, genièvre et moutarde (la seule à être fabriquée à partir de graines blanches).

Quant aux foies gras de Strasbourg, très réputés déjà au XVIIIe siècle, ils provenaient d'élevages présents en ville ; leur existence est liée à l'influente diaspora juive, grande consommatrice de plats fins. L'oie, que ce soit pour son foie ou pour sa chair, fait partie des menus de fête.

Le gibier, abondant et de qualité, se prépare au chou ou aux fruits rouges.

Le poisson de rivière est aussi fort bien traité dans cette région : en matelote (tanche, brème, anguille), farci, rôti ou frit (carpe) ou simplement au bleu (truite).

Généralement, pour accompagner ces plats, la cuisinière alsacienne confectionne elle-même des pâtes ou des préparations à base de farine comme les typiques Spätzles.

Enfin, frais, secs ou confits, entiers ou en marmelade, les fruits (pommes, prunes, cerises) entrent dans la composition de multiples desserts et sont également à la base de liqueurs et d'eaux-de-vie (mirabelle, kirsch, williamine, etc.).

■ **Soupes.**

● **CONSOMMÉ AUX QUENELLES DE MOELLE, SOUPE AUX ABATS.** Les soupes figurent au déjeuner comme au dîner, parfois en plat unique ou principal, comme le consommé aux quenelles de moelle. La soupe aux abats d'oie rassemble cous, ailerons et gésiers d'oie, légumes et riz, parfumés de muscade et de girofle.

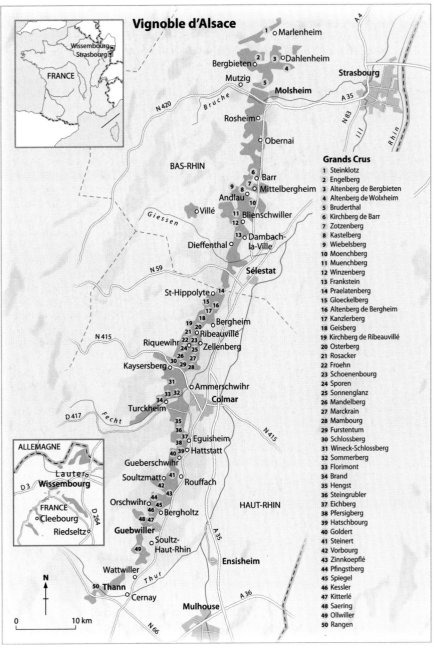

■ **Entrées.**

● **EIERKÜCKAS.** L'eierkückas, ou « gâteau aux œufs », est une crêpe faite avec une pâte enrichie de crème fraîche.

● **FLAMMENKÜCHE.** La flammenküche, ou « gâteau à la flamme », est traditionnellement préparée par le boulanger. Il s'agit d'un rectangle de pâte à pain garni d'oignons émincés, rissolés, mélangés à de la crème fraîche. Parsemé de petits lardons de poitrine fumée saisis à la poêle, il est arrosé d'un filet d'huile. La flammenküche peut également être garnie de fromage blanc, de crème et de jaunes d'œuf sur lesquels sont disposés oignons et lardons. Particulièrement délicieux avec du munster, cet apprêt doit cuire très rapidement, dans un four très chaud.

● **ZEWELEWAÏ.** Cette tarte à l'oignon, servie elle aussi brûlante, est préparée dans une tourtière foncée de pâte brisée, garnie d'oignons émincés, « confits » au beurre ou au saindoux, auxquels on ajoute de la crème fraîche, des œufs battus, salés, poivrés et muscadés.

■ **Poissons.**

● **CARPE FRITE DU SUNDGAU.** Les morceaux de carpe trempés dans du lait et roulés dans la farine salée et poivrée sont frits environ 5 minutes à 180 °C, puis égouttés et replongés dans l'huile (à 200 °C) pour être dorés. Ils sont servis très chaud avec une mayonnaise ou une rémoulade.

■ **Viandes.**

• **PORC : TOURTE ALSACIENNE.** Le porc est cuisiné frais, en abats ou en morceaux nobles. Il est aussi la base de tourtes et de ragoûts. La tourte alsacienne est une croûte de pâte feuilletée garnie de lanières de filet mignon de porc et de veau, marinées dans le riesling ou le sylvaner.

• **VOLAILLES : COU D'OIE FARCI AU FOIE GRAS.** L'oie peut être braisée, rôtie ou en salmis, farcie de marrons, de pommes reinettes ou de pommes de terre. Le cou d'oie farci au foie gras reste toujours l'un des fleurons de la gastronomie alsacienne. La farce est faite d'échine de porc et d'épaule de veau hachées, de foie gras d'oie frais, de truffe et de cognac.

• **GIBIER : GIGOT DE CHEVREUIL AUX AIRELLES.** La viande de chevreuil acquiert une saveur incomparable après avoir mariné de 1 à 3 jours dans un mélange de vin rouge, de légumes, d'ail et de bouquet garni. Flambée au cognac ou au kirsch, cuite, elle est servie avec des airelles.

■ **Fromages.**

• **MUNSTER.** Doté d'une appellation d'origine, le munster-géromé tire son nom de deux villes, Munster et Gérardmer. Il permet de parfumer des préparations alsaciennes typiques comme la tourte au munster. Les meilleurs fromages sont produits par de grandes fermes, les « marcairies ».

■ **Pâtisseries.**

• **BETTELMAN.** Bettelman signifie « mendiant ». Il s'agit d'un pain au lait rassis, dont la croûte est râpée en chapelure. La mie, trempée dans du lait bouilli vanillé, est écrasée et mêlée à du sucre, des jaunes d'œuf, des dés d'orange confite, des cerises noires, du kirsch, de la cannelle et des blancs en neige. L'appareil est versé dans un moule beurré, puis saupoudré de chapelure et parsemé de noisettes.

• **BRETZEL.** Le bretzel est devenu l'emblème des corporations de boulangers-pâtissiers. Sa pâte est pochée dans l'eau bouillante, saupoudrée de gros sel et de grains de cumin puis durcie au four. Le bretzel se croque à l'apéritif, ou accompagné d'une bonne bière blonde.

■ **Vins.**

Le vignoble d'Alsace se distingue par deux grandes particularités : les vins qu'il produit sont en majorité des blancs d'une formidable puissance aromatique, et ceux-ci sont vendus sous le nom de leur cépage : riesling, gewurztraminer, etc.

• **RÉGIONS, CÉPAGES, APPELLATIONS.** Le vignoble s'étire sur une centaine de kilomètres, presque sans discontinuer, entre Mulhouse et Strasbourg. Quelques parcelles se trouvent bien plus au nord, à la frontière avec l'Allemagne (région viticole de Wissembourg).

Plus qu'ailleurs, le terroir prend ici toute son importance. Un mélange remarquable de sols et un climat très favorable – des étés chauds et secs, des automnes longs et doux, des hivers froids – expliquent la richesse et la diversité d'une région qui ne compte pas moins de cinquante AOC grands crus.

Les cépages sont généralement divisés en deux groupes : courants et nobles. Parmi les premiers, on compte le sylvaner, qui se veut sans prétention, pour un vin fruité et gouleyant, le pinot blanc, frais et délicat, le chasselas et, enfin, l'auxerrois, qui tend à disparaître. Le mélange de ces cépages donne l'edelzwicker, vin d'assemblage léger et agréable. Les cépages nobles font la grandeur de l'Alsace. Le plus prestigieux d'entre eux demeure le riesling, qui présente un nez de fleurs et de notes minérales, un bel équilibre entre l'acidité et le corps. Le pinot gris offre des vins généreux, corsés, qui vieillissent superbement, et le muscat, des blancs secs aux arômes délicatement musqués. Enfin, le gewurztraminer produit des vins exhalant des arômes complexes de fruits et d'épices, révélant noblesse et élégance. Seul cépage pour vin rouge alsacien, le pinot noir donne des vins soit fruités et agréables, soit corsés, vieillissant bien et sentant bon la cerise.

Les grandes années, les cépages nobles alsaciens peuvent être récoltés en surmaturité. Ils donnent alors des « vendanges tardives » ou des « sélections de grains nobles », appellations soumises à des conditions de production rigoureuses, surtout en ce qui concerne la teneur en sucre des raisins. Gewurztraminer, riesling, pinot gris et muscat « vendange tardive » ou « sélection grain noble » sont de loin la meilleure expression du vignoble alsacien.

• **CRÉMANT.** Comme tous les autres crémants, le crémant d'Alsace est un vin d'appellation d'origine contrôlée, vinifié selon la méthode traditionnelle. Les crémants sont blancs, quelquefois rosés, issus de pinot blanc.

ALSACIENNE (À L') Se dit d'apprêts dressés avec de la choucroute, du jambon, de la poitrine salée, des saucisses de Strasbourg, etc. Cette garniture accompagne le porc rôti ou braisé, le faisan poêlé, le canard braisé et l'oie. Sont dits également « à l'alsacienne » les timbales, pâtés en croûte et terrines où intervient le foie gras, la carpe garnie de farce à poisson, braisée et dressée sur un lit de choucroute, ainsi que les tartes aux fruits recouvertes d'un appareil aux œufs.

▶ **Recettes :** CHOUCROUTE, CROISSANT ALSACIEN, FAISAN, LANGUE, NOQUE, OIE, PORC.

ALUMINIUM Métal blanc, léger et malléable, largement utilisé pour l'équipement de cuisine et la conserverie. Bon conducteur et bon répartiteur de la chaleur, l'aluminium permet, en raison de son faible poids, de fabriquer des ustensiles de cuisson de grande taille (bain-marie, poissonnière, couscoussier, etc.). Dans les sauteuses, braisières et casseroles en aluminium, les aliments ont tendance à attacher si le milieu de cuisson est pauvre en liquide ou en corps gras ; on remédie à ce défaut en durcissant l'intérieur des récipients (aluminium anodisé), mais surtout grâce à un revêtement antiadhésif (**voir** PTFE).

La feuille d'aluminium s'utilise pour les emballages et la congélation. Opaque, imperméable à l'eau, aux graisses et aux gaz, cet aluminium « ménager » supporte très bien les hautes températures (cuisson en papillotes) et laisse passer le froid. L'aluminium laminé sert aussi à fabriquer des plats à four jetables et des barquettes avec ou sans couvercle, qui peuvent passer directement du congélateur au four.

En revanche, l'usage de l'aluminium est déconseillé en contact direct avec des aliments légèrement acides (jus de citron, tomate, etc.) ou des aliments salés, comme la charcuterie, car cela risque de provoquer une réaction chimique qui peut se révéler toxique pour les cellules nerveuses.

AMANDE Fruit de l'amandier, de la famille des rosacées ; par extension, toute graine contenue dans le noyau d'un fruit. Ovoïde, verte et veloutée au toucher, l'amande est une sorte de noix dont la coque épaisse (amandon) renferme une ou deux graines, également appelées « amandes » (**voir** tableau des amandes ci-contre et planche des noix, noisettes, autres fruits secs et châtaignes page 572).

Originaire d'Asie, connue des Romains sous le nom de « noix grecque », elle fut très utilisée au Moyen Âge, pour préparer aussi bien des potages que des entremets sucrés (**voir** BLANC-MANGER).

■ **Emplois.** Les amandes vertes désignent un fruit qui n'est pas mûr, récolté en juin et juillet, d'aspect tendre et laiteux, et de saveur délicate. Les premières amandes douces fraîches de la saison se dégustent en dessert, comme les amandes vertes. Séchées (entières, effilées, pilées, en pâte ou en crème), elles entrent dans la préparation de nombreux gâteaux, biscuits, bonbons et confiseries ; elles accompagnent le poisson (truite), la viande (poulet, pigeon) et diverses préparations (couscous, farces, beurres composés). On les fait souvent griller avant de les intégrer à la préparation. De l'amande douce, on extrait une huile employée surtout en confiserie et en pâtisserie.

Les amandes amères séchées, toxiques en grande quantité car elles contiennent de l'acide cyanhydrique, s'utilisent cependant à faible dose en pâtisserie et en confiserie, auxquelles elles apportent leur arôme très particulier.

L'amande est très riche en lipides (dont des acides gras essentiels) et en vitamine E.

agneau aux pruneaux,
au thé et aux amandes ▶ AGNEAU

---

amandes mondées

Mettre des amandes sèches dans une passoire. Les plonger dans une casserole d'eau bouillante, puis retirer la casserole du feu. Dès que la peau cède sous le doigt, égoutter quelques amandes, les éplucher aussitôt, les plonger dans de l'eau froide. Faire de même, petite quantité

Caractéristiques des principales variétés d'amandes

VARIÉTÉ	PROVENANCE	ÉPOQUE	ASPECT DE L'AMANDON	SAVEUR
aï	Provence	mi-fin sept.	brun, large, sillonné	très marquée
californiennes (nonpareil, california, neplus, mission, carmel)	Californie	août-oct.	variable	moins marquée que celle des amandes européennes
ferraduel	Provence, Corse	mi-fin sept.	large, pointu, mi-épais	très parfumée
ferragnès	Provence, Corse	mi-fin sept.	clair, légèrement bombé	agréable, très marquée
ferrastar	Provence, Corse	fin sept.	plat, ridé	musquée
lauranne	Provence, Corse	début-mi-sept.	lisse, régulier, légèrement veiné	équilibrée
marcona	Espagne	fin sept.	gros, arrondi, assez épais	subtile, légèrement amère, peu grasse
planeta	Espagne	fin sept.	plat, peau fine et claire	très typique

par petite quantité, avec le reste des amandes. Les égoutter, les éponger et les faire sécher à feu très doux (elles ne doivent pas jaunir) dans un tamis. Les conserver dans une boîte hermétique ou un bocal bien clos, à l'abri de la lumière.

beurre d'amande ▶ BEURRE COMPOSÉ
biscuit aux amandes ▶ BISCUIT
cerises confites fourrées
à la pâte d'amande ▶ CERISE
crème d'amande dite frangipane ▶ CRÈMES DE PÂTISSERIE
croissants aux amandes ▶ CROISSANT

gaspacho blanc aux raisins
POUR 4 PERSONNES – PRÉPARATION : 20 min – RÉFRIGÉRATION : 1 h
Faire tremper 60 g de mie de pain pendant 5 min dans un petit bol d'eau froide. Peler et dégermer 3 gousses d'ail. Plonger rapidement 250 g de raisin blanc à gros grains dans de l'eau bouillante, les égoutter aussitôt, puis les égrapper. Peler les grains, les épépiner et les réserver. Broyer finement 150 g d'amandes mondées au mixeur avec l'ail, 1/2 cuillerée à café de sel et 1 cuillerée à soupe d'huile d'olive, jusqu'à l'obtention d'une pâte épaisse. Égoutter la mie de pain, la presser entre les doigts pour l'essorer, puis l'ajouter aux amandes et mixer de nouveau. Transvaser le mélange dans une soupière, puis verser progressivement 90 cl d'eau glacée, sans cesser de remuer. Goûter, rectifier l'assaisonnement et mettre au réfrigérateur pendant au moins 1 heure. Au dernier moment, verser le gaspacho dans des assiettes creuses ou des bols et garnir avec des grains de raisin. Servir très frais.

glace aux amandes
POUR 1 LITRE DE GLACE – PRÉPARATION : 20 min
Faire légèrement griller 70 g d'amandes douces en les passant au four à 170 °C pendant 15 à 20 min. Les laisser refroidir et les hacher finement sur une planche. Chauffer 50 cl de lait entier jusqu'à ébullition et délayer les amandes grillées. Dans une casserole, fouetter légèrement 4 jaunes d'œuf avec 150 g de sucre, puis verser dessus le lait aux amandes. Remettre la casserole sur le feu jusqu'à ce que la préparation soit bien homogène. Tamiser ce mélange et y faire infuser 1 gousse de vanille fendue et grattée pendant environ 30 min. Mettre à glacer.

lait d'amande ▶ LAIT D'AMANDE

lait d'amande aux framboises
POUR 4 PERSONNES – PRÉPARATION : 25 min – RÉFRIGÉRATION : 1 h
Faire tremper 4 feuilles de gélatine dans un bol d'eau froide. Broyer 150 g d'amandes mondées au mixeur et les mettre dans une casserole avec 70 cl de lait demi-écrémé et 1 gousse de vanille fendue en deux. Porter à ébullition, puis retirer du feu, couvrir et laisser infuser pendant 10 min. Transvaser le contenu de la casserole dans un saladier en le filtrant à travers une passoire fine. Égoutter les feuilles de gélatine, bien les presser entre les doigts, puis les mettre dans le lait d'amande chaud

et remuer jusqu'à ce qu'elles soient complètement fondues. Ajouter 3 cuillerées à soupe de lait en poudre et 1 goutte d'extrait d'amande amère ; mélanger. Fouetter 3 jaunes d'œuf avec 4 cuillerées à soupe de fructose jusqu'à ce qu'ils blanchissent et augmentent de volume, puis verser le lait d'amande encore chaud sur le mélange en fouettant toujours vivement. Laisser refroidir. Prendre 200 g de framboises. Les trier et en réserver 12 pour le décor ; écraser le reste à la fourchette. Répartir la purée de framboise dans 4 verres ou coupelles, verser le lait d'amande à peine tiède dessus et mettre au réfrigérateur pendant au moins 1 heure. Décorer avec les framboises entières et servir frais.

pâte d'amande ▶ PÂTE D'AMANDE
pudding aux amandes à l'anglaise ▶ PUDDING

AMANDE DE MER Petit mollusque bivalve des fonds sableux, de la famille des glycyméridés, mesurant 5 cm environ (**voir** tableau des coquillages page 250 et planche pages 252 et 253). Sa coquille aux stries concentriques est crème, piquetée de brun, au bord velouté marron foncé ; la charnière montre de nombreuses petites dents parallèles.

L'amande de mer se mange crue avec du citron, mais surtout farcie, comme le pétoncle.

AMANDINE Pâtisserie moelleuse à base d'amandes. Il s'agit d'une tarte ou de tartelettes, en pâte sucrée, garnies d'un mélange d'œufs, de sucre, d'amandes en poudre, de farine et de beurre fondu, aromatisé au rhum et parsemé d'amandes effilées. Après cuisson, le dessus est abricoté et décoré de bigarreaux confits.

Une autre préparation classique consiste à réaliser une pâte à biscuit avec du sucre, des jaunes d'œuf, de la vanille, des amandes en poudre, de la farine, des blancs en neige et du beurre. Le mélange est versé dans un moule à savarin et glacé, après cuisson, au fondant blanc.

amandines à la duchesse
Faire une pâte avec 150 g de farine, 80 g de beurre ramolli, 45 g de sucre en poudre, 1 pincée de sel, 1 jaune d'œuf et 2 cl d'eau ; la rouler en boule et la mettre dans le réfrigérateur. Travailler 100 g de beurre en pommade et lui incorporer 100 g de sucre en poudre et 2 œufs, l'un après l'autre, en fouettant. Incorporer ensuite 100 g de poudre d'amande, puis 50 g de fécule. Bien mélanger ; ajouter 10 cl de kirsch. Faire chauffer le four à 200 °C. Abaisser au rouleau sur 2 mm d'épaisseur la pâte refroidie et la découper en 8 disques à l'aide d'un emporte-pièce. En foncer 8 moules à tartelette beurrés et piquer le fond avec une fourchette. Répartir 300 g de groseilles au sirop dans les moules, recouvrir de crème d'amande. Cuire 20 min au four. Laisser refroidir complètement les amandines avant de les démouler. Chauffer doucement 100 g de gelée de groseille sans la laisser bouillir et en badigeonner les amandines. Décorer avec quelques groseilles au sirop et réserver au frais.

petits choux amandines en beignets ▶ CHOU

AMANITE DES CÉSARS OU **ORONGE VRAIE** Champignon sauvage comestible, baptisé « roi des champignons » en raison de la finesse de sa chair et de son parfum (**voir** planche des champignons pages 188 et 189). L'amanite des Césars à chapeau orange (d'où son autre nom) et à chair jaune aime la chaleur et supporte même une certaine sécheresse. Elle pousse dans les bois de l'été à l'automne, notamment dans les chênaies claires et bien exposées, dans les taillis et les futaies de châtaigniers. Quand elle est récoltée au stade juvénile, il faut veiller à ne pas la confondre avec une amanite blanche, mortelle, ou avec une amanite tue-mouches, ou fausse oronge, très toxique. La couleur très jaune d'or des lames et du pied permet de la distinguer de cette dernière. De plus, l'amanite des Césars possède à la base du pied une volve charnue, ample, très blanche, contrastant sur sa couleur (ce qui n'est pas le cas de l'amanite tue-mouches, qui a un bulbe, et non une volve).

AMARANTE Plante annuelle de la famille des amarantacées, de couleur verte ou rouge bordeaux, cultivée pour ses graines riches en fécule et ses feuilles, dégustées crues en salade ou cuites comme celles des épinards (**voir** planche des céréales et produits dérivés pages 178 et 179). Une variété verte est consommée en Gascogne, d'autres sont très populaires au Mexique, en Martinique, en Inde et en Chine.

AMARETTO Liqueur italienne au goût d'amande amère (d'où son nom, diminutif de l'italien *amaro*, « amer »), fabriquée à partir d'amandes d'abricot et d'extraits aromatiques. Elle est utilisée en pâtisserie pour aromatiser de petits gâteaux.

AMBASSADEUR OU **AMBASSADRICE** Se dit d'apprêts caractérisés par une présentation recherchée typique de la « grande » cuisine classique. Pour les grosses pièces, cette garniture comporte des fonds d'artichaut farcis de duxelles et des pommes duchesse dressées en rosace et dorées au four ; l'apprêt est accompagné de raifort râpé servi à part. Le potage ambassadeur est à base de pois frais.

Le soufflé ambassadrice est fait de crème pâtissière et de macarons écrasés.

soufflé ambassadrice

Préparer une crème pâtissière avec 1 litre de lait, 8 jaunes d'œuf, 1 grosse pincée de sel, 120 g de farine (ou 4 cuillerées à soupe rases de fécule de maïs ou de pomme de terre) et 300 g de sucre. Ajouter 1 cuillerée à café de vanille liquide, 8 macarons écrasés et 6 cuillerées à soupe d'amandes fraîches, effilées et macérées dans du rhum. Incorporer 12 blancs battus en neige très ferme et cuire 30 min au four préchauffé à 200 °C.

AMBRE Gâteau à base de crème mousseline pralinée et de crème mousseline au chocolat enrichies de noix caramélisées. Les mousselines sont disposées en alternance sur un biscuit au chocolat, et le dessus est nappé d'un glaçage marbré et décoré de cônes en chocolat. Carré ou rectangulaire, selon ses dimensions, l'ambre est devenu un classique dès sa création, en 1986, par le pâtissier français Lucien Peltier.

AMBROISIE Nourriture des dieux, dans la mythologie grecque, qui leur conférait l'immortalité. Les textes anciens, assez obscurs quant à la nature de l'ambroisie, permettent tout au plus de supposer que celle-ci était solide, alors que le nectar était liquide. Le goût de cette substance mystérieuse est décrit par le poète Ibicus comme « neuf fois plus doux que le miel ».

Le nom d'« ambroisie » fut donné à une liqueur apéritive dont le *Larousse ménager* donnait la recette (faire macérer pendant un mois, dans 10 litres d'eau-de-vie vieille, 80 g de coriandre, 20 g de girofle et 20 g d'anis vert ; on décante, on filtre, puis on ajoute 5 litres de vin blanc et, enfin, un sirop fait de 5 kg de sucre dans 6 litres d'eau).

On appelle aussi ambroisie l'infusion des feuilles et des fleurs de l'ambroisie du Mexique, qui donne une boisson agréablement amère et forte.

AMER Qualificatif désignant des saveurs variées dues à des produits contenant de la quinine, de la théobromine, de la caféine, etc. On nomme souvent amère une saveur qui n'est ni salée, ni sucrée, ni acide. Celle-ci ne doit pas être confondue avec l'astringence.

Certains végétaux amers sont utilisés en cuisine : amande amère, chicorée, gingembre, laurier, orange, rhubarbe, etc. D'autres, dont les principes amers sont extraits par infusion ou distillation, s'emploient surtout dans la fabrication de boissons : absinthe, camomille, centaurée, gentiane, houblon, quinquina, etc.

On appelle « amer » une boisson tonique et apéritive à base d'orange amère et de diverses plantes aromatiques (**voir** BITTER).

AMÉRICAINE (À L') Se dit d'un apprêt classique des crustacés et particulièrement du homard, créé par Pierre Fraisse, dit Peters, chef français qui s'installa à Paris vers 1860 après avoir travaillé aux États-Unis.

Le qualificatif s'applique aussi à des garnitures de poisson où l'on retrouve lamelles de queue de homard et sauce américaine. Il concerne en outre des apprêts d'œufs et de volailles ou de viandes grillées (poulet, entrecôte, rognons) ; la garniture comporte alors tomates et bacon.

L'appellation « à l'américaine » appliquée au homard est souvent controversée, beaucoup tenant « à l'armoricaine » pour la seule valable.

▶ Recettes : AVOCAT, FARCE, HOMARD, LOTTE DE MER, POULET, PUDDING, SALADE, SALPICON.

AMIDON Polysaccharide formant des grains dans de nombreux végétaux (céréales, châtaigne, légumineuses, maïs, manioc, pomme de terre, sagou, etc.). Dans un liquide chaud, l'amidon gonfle et forme un empois gélatineux (**voir** FÉCULE, LIAISON). L'industrie alimentaire l'utilise comme produit enrobant (confiserie), liant (charcuterie) ou épaississant (desserts instantanés, glaces, soupes).

Principal constituant de la farine de blé, il sert de « nourriture » à la levure lors de la fermentation de la pâte.

AMIRAL (À L') Se dit d'une garniture de poissons (sole ou filets de sole pochés, turbot farci, saumon braisé), dont les éléments sont choisis parmi les suivants : huîtres et moules frites, queues d'écrevisse ou écrevisses troussées, têtes de champignon tournées, lames de truffe. L'apprêt est nappé d'une sauce Nantua.

AMOURETTES Moelle épinière du veau, du bœuf et du mouton. En raison de la suspicion de transmission à l'homme de maladies (**voir** MATÉRIEL À RISQUES SPÉCIFIÉS [MRS]), seules les amourettes de veau peuvent être consommées, celles du bœuf et du mouton étant interdites à la vente (**voir** tableau des abats page 10).

Les amourettes de veau se préparent et s'accommodent comme la cervelle de veau. Détaillées en petits morceaux, elles forment des éléments de garniture pour les diverses croûtes, timbales, tourtes et pour les vol-au-vent, ou complètent certaines salades composées.

amourettes : préparation

Faire dégorger les amourettes de veau à l'eau froide, les débarrasser de leurs membranes, les laver, les faire pocher au court-bouillon et les laisser refroidir.

amourettes en fritots

Faire macérer les amourettes de veau dans de l'huile d'olive additionnée de jus de citron, de persil haché, de sel et de poivre ; les égoutter, les tremper dans de la pâte à frire et les plonger dans de la friture chaude (160 °C). Égoutter, éponger, poudrer de sel fin et dresser sur une serviette avec du persil frit. Servir en même temps une sauce tomate bien relevée.

AMPHITRYON Personne qui reçoit des convives à sa table. Grimod de La Reynière fut l'un des premiers à indiquer, dans son *Manuel des amphitryons* (1808), les règles de la politesse gourmande. Il faut, selon lui, posséder du tact, de la générosité, de l'organisation, un bon cuisinier, et surtout l'« expression de la vraie gourmandise ».

« La confection des amuse-gueule se pratique comme un art chez POTEL ET CHABOT. La main est légère, le geste, toujours précis. Chaque détail a son importance pour ce traiteur de prestige, qui joue autant sur le plaisir des yeux que sur celui des papilles. »

Plus près de nous, Auguste Michel, dans le *Manuel des amphitryons*, au début du XXe siècle, et Maurice des Ombiaux, dans l'*Amphitryon d'aujourd'hui* (1936), ont mis ces règles au goût du jour. Si le terme n'est plus guère utilisé, une règle, édictée par Brillat-Savarin, reste immuable : « Convier quelqu'un, c'est se charger de son bonheur pendant tout le temps qu'il est sous notre toit. »

AMPHOUX (MADAME) Distillatrice française du XIXe siècle. Propriétaire d'une distillerie à la Martinique, elle attacha son nom aux « liqueurs des Îles » (de vanille, de thé, de cacao, de café, etc.), très en vogue sous le Consulat et l'Empire.

AMUNATEGUI (FRANCIS) Chroniqueur gastronomique français (Santiago du Chili 1898 - Paris 1972). Il abandonna sa carrière d'ingénieur en 1947 pour créer, dans le périodique *Aux écoutes*, l'une des premières rubriques consacrées aux restaurants, qui retrouvaient leur éclat après les années de l'Occupation. Il a publié l'*Art des mets* (1959), *le Plaisir des mets* (1964), *Gastronomiquement vôtre* (1971) et plusieurs éditions des « 52 week-ends autour de Paris », dont il créa la formule chez Albin Michel. Un prix, décerné chaque année à un chroniqueur gastronomique, porte désormais son nom.

AMUSE-GUEULE Petit mets salé que l'on sert avec l'apéritif. Selon le caractère intime ou cérémonieux de la réunion, les amuse-gueule (dans certains restaurants de haut niveau, on dit « amuse-bouche ») comprennent un éventail plus ou moins varié de menus hors-d'œuvre chauds ou froids, faciles à manger en une ou deux bouchées : olives farcies ou non, cacahouètes et amandes salées, noix de cajou, petites pizzas ou petites quiches, choux farcis, allumettes salées, légumes crus émincés accompagnés de condiments (**voir** CANAPÉ, MEZZE, TAPAS, ZAKOUSKI).

fingers au foie gras ▶ FOIE GRAS

RECETTE DE JEAN CHAUVEL
sandwich jambon-beurre à boire
POUR 10 PERSONNES – PRÉPARATION : 30 min – CUISSON : 3 h
« Faire un beurre noisette avec 75 g de beurre, puis le déglacer avec 25 cl de crème liquide et 25 cl de lait entier. Ajouter 6 g de sel, 30 g de beurre Mycryo (beurre de cacao désodorisé en poudre), 3 feuilles de gélatine (préalablement trempées dans l'eau froide, puis égouttées). Griller ensuite 8 petites tartines de pain (d'environ 10 cm de long), frotter le pain grillé à l'aide d'une râpe. Mixer le tout et passer au chinois étamine. Verser dans un siphon et réserver au chaud. Pour la crème de jambon, faire bouillir 25 cl de crème liquide et 25 cl de lait entier. Retirer du feu et ajouter 300 g de jambon à l'os haché et 6 petites tartines de pain grillé. Fermer hermétiquement la casserole et cuire pendant 3 heures, puis tamiser le tout. Tenir au chaud à environ 40 °C. Verser la crème de jambon dans une pipe à alcool en verre ou simplement un petit verre, ajouter le beurre noisette contenu dans le siphon et, pour finir, 10 g de pain grillé râpé sur le dessus. »

saumon KKO ▶ SAUMON

ANANAS Plante tropicale américaine de la famille des broméliacées, dont le fruit, parfumé, à chair jaune et juteuse, pèse de 1 à 2,5 kg (**voir** planche des ananas ci-contre).

Découvert en Guadeloupe par Christophe Colomb en 1493, l'ananas fut introduit en Europe (Angleterre, Belgique, France), mais surtout très rapidement exporté dans les différents pays tropicaux, en particulier par les navigateurs portugais. Il fut précocement cultivé en serre en Belgique. Charles Ier d'Angleterre (en 1672), puis Louis XV (en 1733) furent parmi les premiers à avoir goûté des fruits produits en Europe.

Encore rare au début du XIXe siècle, ce fruit, parfaitement acclimaté aux Antilles, en Afrique et en Asie, est aujourd'hui courant en toutes saisons sur le marché français.

La variété cayenne lisse, de la Guyane française, fut longtemps dominante. Depuis, les fruits très parfumés de la variété victoria de La Réunion l'ont détrônée. On privilégie actuellement des cultivars très adaptés au transport comme extra sweet. L'ananas mûr transporté par avion est de qualité supérieure.

Assez riche en sucres (12 %), en potassium et en vitamines (carotènes et vitamine C), l'ananas frais apporte 50 Kcal ou 209 kJ pour 100 g. Il contient une enzyme protéolytique (broméline) qui peut avoir un intérêt diététique et qui est utilisée dans les marinades pour attendrir les viandes.

■ **Emplois.** L'ananas permet d'accommoder des viandes grasses (recettes antillaises, créoles et asiatiques de porc et de canard), en associant les goûts sucrés et salés, ou encore des crustacés en cocktails. Il se consomme aussi en conserve, notamment en desserts et en entremets.

L'ananas frais supporte mal le froid. Quand on le sert nature, il est préférable de le couper dans le sens de la longueur, car il est plus sucré à la base. Les tranches rondes sont toujours évidées au centre. La chair peut aussi se découper selon les losanges de l'écorce.

ananas glacé à la bavaroise
Choisir un gros ananas très frais d'une forme bien régulière, avec un panache de feuilles. L'araser à 1,5 cm au-dessous de la couronne et conserver celle-ci. Retirer la pulpe en en laissant uniformément une épaisseur de 1 cm environ. Garnir intérieurement d'un appareil à bavarois à l'ananas, additionné d'un salpicon d'ananas macéré dans du rhum blanc. Faire prendre au frais. Servir l'écorce garnie coiffée de sa calotte.

ananas glacé à la créole
Araser le haut d'un ananas et conserver la partie supérieure au frais, bien emballée pour que les feuilles ne se fanent pas. Évider l'ananas, mettre l'écorce dans le congélateur et préparer avec la pulpe une glace à l'ananas. Faire macérer dans du rhum un salpicon de fruits confits. Quand la glace est prise, en garnir l'ananas, en répartissant les fruits confits entre deux couches de glace. Refermer l'ananas avec sa calotte et remettre dans le congélateur. Dresser sur de la glace pilée.

RECETTE DE PIERRE HERMÉ
ananas rôtis
POUR 8 PERSONNES – PRÉPARATION : 30 min (la veille) + 10 min – CUISSON : 30 min
« La veille, préparer le sirop à la vanille caramélisé. Éplucher 5 bananes bien mûres et les réduire en purée à l'aide d'un mixeur. Presser 1 citron. Éplucher 1 petit rhizome de gingembre frais et le couper en lamelles. Écraser 10 grains de piment de la Jamaïque. Fendre et gratter 2 gousses de vanille de Tahiti. Mettre une casserole vide à chauffer. Dès qu'elle est bien chaude, verser 300 g de sucre en poudre en plusieurs fois. Le laisser caraméliser à feu doux, sans ajouter d'eau. Ne pas craindre de poursuivre la cuisson jusqu'à ce qu'il prenne une couleur ambre foncé et que de la fumée se dégage. C'est la seule façon d'obtenir un caramel qui ait du goût et qui ne soit pas sucré, mais il ne faut pas qu'il brûle car il deviendrait amer. Hors du feu, ajouter les gousses de vanille et les graines, les lamelles de gingembre et les grains de piment écrasés. Verser, en trois fois, 50 cl d'eau minérale sur le caramel pour le « décuire » (l'allonger et arrêter sa cuisson). Porter à ébullition le sirop obtenu, puis ajouter la purée de banane, 4 cl de rhum agricole brun et le jus de citron. Mélanger et réserver. Le lendemain, préchauffer le four à 230 °C. Éplucher 2 ananas de 1,5 kg (voir sorbet ananas page 39). Une fois les 2 fruits coupés en quatre, disposer les morceaux dans un plat à rôtir. Les napper de sirop, puis enfourner. Cuire pendant 10 min environ, arroser les 8 morceaux d'ananas et les retourner. Renouveler deux fois ces deux opérations, puis sortir du four et laisser refroidir. Couper les morceaux rôtis en tranches d'environ 1 cm d'épaisseur. Servir à l'assiette. On peut servir ces ananas rôtis avec de la glace à la vanille ou en accompagnement d'un baba. »

ananas en surprise

Araser un bel ananas et l'évider délicatement, en veillant à ne pas crever l'écorce. Détailler la pulpe en dés réguliers et la faire macérer avec 100 g de sucre en poudre et 5 cl de rhum pendant 2 heures. Faire bouillir 65 cl de lait avec 1 gousse de vanille fendue en deux. Battre dans un grand saladier 1 œuf entier avec 3 jaunes et 100 g de sucre en poudre ; quand le mélange est blanc et mousseux, y incorporer 60 g de farine et mélanger pour obtenir une pâte homogène et très lisse. Verser sur celle-ci le lait chaud, mais assez lentement pour éviter de cuire les jaunes, qui feraient alors des grumeaux, tout en fouettant très vivement, puis remettre sur feu doux et remuer jusqu'à ce que la crème ait épaissi. Retirer alors du feu et ajouter le jus de macération de l'ananas. Laisser refroidir complètement cette crème dans le réfrigérateur, puis y ajouter les dés d'ananas, 3 blancs d'œuf battus en neige très ferme et 10 cl de crème fraîche. Mélanger délicatement. Remplir largement l'ananas de cette préparation, le couvrir de sa calotte et le mettre dans le réfrigérateur jusqu'au moment de servir.

attereaux d'ananas ▶ ATTEREAU (BROCHETTE)
beignets d'ananas sauce pinacolada ▶ BEIGNET
canard à l'ananas ▶ CANARD
chutney à l'ananas ▶ CHUTNEY
poivron, ananas Victoria,
comme une soupe de fruits ▶ POIVRON

poulet créole à l'ananas et au rhum ▶ POULET
tarte au chocolat au lait et à l'ananas rôti ▶ TARTE

RECETTE DE PIERRE HERMÉ
sorbet ananas

**POUR 6 PERSONNES – PRÉPARATION : 30 min (la veille) –
CONSERVATION : 6 semaines au congélateur**

« Retirer la touffe de feuilles d'un ananas de 2 kg (mûr mais ferme) en la faisant tourner d'un demi-tour sur elle-même. À l'aide d'un couteau-scie, couper les extrémités du fruit, puis enlever l'écorce en suivant la courbe et en veillant à ôter le maximum d'"yeux". Avec la pointe d'un couteau d'office, éliminer ceux qui restent. Couper d'abord l'ananas en quatre pour enlever le cœur ligneux, puis en morceaux. Réduire ceux-ci en purée à l'aide d'un mixeur. Presser 2 citrons et filtrer le jus. Dans une casserole, faire bouillir 12 cl d'eau minérale avec 250 g de sucre en poudre et laisser refroidir. Mélanger le sirop obtenu avec la purée d'ananas (1 kg) et 6 cl de jus de citron. Laisser macérer 24 heures au réfrigérateur. Le lendemain, ajouter 2 cl de kirsch et faire prendre en glace dans une sorbetière. »

ANANAS

amazonas (Amérique du Sud)

babyananas (Afrique du Sud)

*smooth Cayenne
(Afrique du Sud)*

victoria (Côte d'Ivoire)

ANCHOIS Petit poisson de mer, de la famille des engraulidés, mesurant 20 cm au maximum, au dos vert-bleu et aux flancs argentés, très abondant en Méditerranée, en mer Noire, dans l'Atlantique et dans le Pacifique (**voir** planche des poissons de mer pages 674 à 677).

L'anchois vit en bancs compacts et fait l'objet d'une pêche destinée à la conservation. Il se prépare aussi frais, frit ou mariné, comme la sardine. Il est riche en oméga-3.

Les anchois sont vendus soit frais, soit salés, entiers ou en filets, en bocaux, ou encore sous forme de filets à l'huile en boîte. Leur conservation étant limitée, ils doivent être entreposés dans le réfrigérateur, de même que les pâtes, crèmes et beurres d'anchois.

Dans l'Antiquité, les anchois macérés servaient de condiment (*garum*). Aujourd'hui, ils sont surtout utilisés dans la cuisine méridionale, mais le beurre d'anchois et l'*anchovy sauce* anglaise les associent à des apprêts traditionnels. La « tentation de Jansson », elle, est un plat suédois populaire ; il s'agit d'un gratin d'anchois et de pommes de terre.

anchois frits

Prendre des anchois frais, détacher la tête et retirer les intestins en pressant avec le pouce. Ne pas laver les poissons, car leur chair est très fragile ; les essuyer, les baigner dans du lait, les égoutter et les rouler un par un dans de la farine. Les plonger dans de la friture très chaude ; les égoutter, les poudrer de sel fin et les dresser en pyramide sur une serviette. Garnir de persil frit et de quartiers de citron.

anchois marinés

Prendre 500 g d'anchois frais, les étêter et retirer les intestins en pressant avec le pouce. Les essuyer sans les laver, leur chair étant très fragile. Les étaler dans un plat, les poudrer de sel et les laisser macérer pendant 2 heures. Les faire alors raidir à l'huile brûlante, les égoutter, les ranger dans une terrine et les recouvrir de la marinade suivante : additionner de 5 ou 6 cuillerées à soupe d'huile fraîche l'huile dans laquelle les anchois ont raidi ; y frire 1 oignon moyen et 1 carotte, pelés et émincés finement ; ajouter 3 gousses d'ail non épluchées, 10 cl de vinaigre et 10 cl d'eau. Assaisonner de sel fin, ajouter 1 brin de thym, 1/2 feuille de laurier, quelques queues de persil et 1 petite cuillerée à café de poivre en grains écrasé. Faire bouillir 10 min, verser bouillant sur les anchois. Laisser mariner pendant 24 heures. Servir en ravier avec des rondelles de citron.

anchoïade ▶ SAUCE
beurre d'anchois ▶ BEURRE COMPOSÉ
brioches aux anchois ▶ BRIOCHE
canapés aux anchois ▶ CANAPÉ
dartois aux anchois ▶ DARTOIS
entrecôte au beurre d'anchois ▶ BŒUF

filets d'anchois à la suédoise

Détailler en fines lanières des filets d'anchois, après les avoir fait bien dessaler. Les dresser sur une couche de pommes reinettes et de betteraves rouges, épluchées, coupées en dés et assaisonnées de vinaigrette. Garnir tout autour de bouquets de persil, de blancs et de jaunes d'œuf dur hachés séparément. Arroser de la même vinaigrette.

pannequets aux anchois ▶ PANNEQUET
purée d'anchois froide ▶ PURÉE
salade aux anchois à la suédoise ▶ SALADE

ANCIENNE (À L') Se dit de certains mets traités soit en fricassée, soit en blanquette, dont la garniture comporte des petits oignons et des champignons de Paris (**voir** BONNE FEMME).

Cette appellation typique de la cuisine bourgeoise s'applique aussi à des apprêts braisés. Certaines préparations sont dites « à l'ancienne » parce qu'elles appartiennent à un répertoire désuet, qu'il s'agisse des éléments (truffes, plus courantes autrefois, crêtes de coq) ou du décor (socle de riz), même quand les apprêts concernent des mets simples (œufs).

▶ Recettes : FEUILLETON, JAMBON, SUCRE D'ORGE, TALMOUSE.

ANDALOUSE (À L') Se dit d'une garniture composée de poivron (farci ou sauté), de tomate (en moitiés étuvées, concassée ou en sauce), de riz (pilaf ou risotto aux poivrons), de rondelles d'aubergines frites, parfois de chipolatas ou de chorizo. Elle accompagne les grosses pièces de viande, mais s'applique aussi à un consommé ou à des filets de sole.
▶ Recette : SAUCE.

ANDOUILLE Charcuterie cuite et souvent fumée, préparée avec l'appareil digestif du porc, parfois du cheval, auquel on ajoute généralement d'autres organes (viande maigre, gorge, poitrine, tête, cœur, couennes, etc.), et emballée dans un boyau de porc (**voir** tableau des andouilles ci-contre). Dans *Pantagruel,* Rabelais cite l'andouille comme l'un des mets préférés de ses contemporains et la met en scène dans « la guerre des Andoyles contre Quaresmeprenant ».

Diverses charcuteries, portant le nom de la région où sont nées les recettes, se prévalent aujourd'hui du titre d'« andouille », les plus célèbres étant celles de Vire (Normandie) et de Guémené-sur-Scorff (Bretagne). Actuellement, on propose au consommateur des andouilles à base d'autruche. L'andouille se mange froide, en hors-d'œuvre, coupée en rondelles fines, ou chaude avec des pommes de terre, ou en garniture de galettes de sarrasin (blé noir).

ANDOUILLETTE Charcuterie cuite, faite d'intestins de porc (chaudins), souvent additionnés d'estomac de porc et de fraise de veau, précuits dans un bouillon ou dans du lait et embossés – introduits – dans un boyau (**voir** tableau des andouillettes ci-contre). L'andouillette, fabriquée dans plusieurs régions et vendue en portions de 10 à 15 cm de long, est parfois enrobée de chapelure, de gelée ou de saindoux. Elle se mange grillée ou poêlée, traditionnellement avec de la moutarde, mais aussi froide, en rondelles.

Une association gastronomique fondée par F. Amunategui, l'AAAAA (Association amicale des amateurs d'authentiques andouillettes), en défend la tradition.

andouillette grillée

Ciseler l'andouillette dans les deux sens. La griller de préférence sur des braises, doucement, pour qu'elle soit chaude jusqu'au centre.

RECETTE DE CHRISTOPHE CUSSAC

andouillettes à la chablisienne

« Faire fondre dans un sautoir en cuivre ou dans une poêle 1 petite cuillerée de saindoux. Quand il est chaud, dorer 4 andouillettes "filées à la ficelle" assaisonnées, jusqu'à belle coloration. Les retirer et jeter l'excès de gras. Faire suer doucement dans le sautoir 1/2 échalote épluchée et ciselée, et déglacer avec 10 cl de chablis. Réduire le jus et lier avec 1 petite cuillerée de moutarde de Dijon. Rectifier l'assaisonnement et arrêter l'ébullition. Servir bien chaud. »

andouillettes à la lyonnaise

Piquer légèrement les andouillettes. Faire fondre dans du beurre des rondelles d'oignon épluché, sans les colorer. Dorer les andouillettes à la poêle avec un peu de saindoux ; ajouter l'oignon fondu 5 min avant la fin de la cuisson. Déglacer la poêle au vinaigre (1 cuillerée à soupe pour 2 portions d'andouillette), parsemer de persil ciselé et servir les andouillettes brûlantes avec leur jus de cuisson.

ÂNE Mammifère, de la famille des équidés, dont la viande est un produit de consommation annexe. Dans certains pays d'Orient, la chair d'ânon est très appréciée, comme elle le fut en France à la Renaissance. Aujourd'hui, les ânes de grande taille (race du Poitou), animaux de trait ou de bât, sont assimilés au cheval en boucherie. Dans le Midi, où les ânes sont plus petits, leur chair, plus ferme et de fumet plus relevé, est surtout utilisée dans la fabrication de saucissons secs, comme le saucisson d'Arles. Le lait d'ânesse, qui est proche par sa composition de celui de la femme, a longtemps servi à l'allaitement des nourrissons ; on lui attribuait aussi des vertus reconstituantes. Dans les Balkans, on en fait un fromage frais.

Caractéristiques des différentes andouilles

NOM	PROVENANCE	DESCRIPTION	FLAVEUR
andouille d'Aire-sur-la-Lys	Artois	andouille blanche ou marron (fumée), de forme cylindrique, composée de 20 à 30 % de chaudins et de 70 à 80 % de viandes de porc (dont 20 % de gras), sel, poivre, aromates, sauge. Dimensions : 30 x 5 cm. Poids : 500 g	odeur et saveur de sauge
andouille de Bretagne ou bretonne supérieure	Bretagne	type d'andouille de Vire avec chaudins (30 % min.), gorge ou poitrine (5 % max.), oignons, épices, sel, sel nitrité	relevée, parfois un peu grasse
andouille de Cambrai (label rouge)	Cambrésis	andouille assez claire, composée exclusivement de boyaux hachés de porc emballés en baudruche, et aromatisée (sel, sel nitrité, poivre, sauge, etc.). Dimensions : 30 x 10 cm. Poids : 1 kg	ferme, aromatisée par le bouillon de cuisson, odeur et saveur de sauge
andouille de couennes	Sud-Ouest	andouille composée avec un tiers de chaudins, des estomacs de porc et une forte proportion de couennes. Poids : environ 600 g	croquante, souvent fumée, relevée
andouille de Guémené	Morbihan (Guémené-sur-Scorff)	andouille brun foncé, avec chaudins de porc enfilés les uns sur les autres à la ficelle (extrémités ficelées), fumée à froid au bois de hêtre ou de chêne, cuite au bouillon parfumé au foin, puis séchée jusqu'à 9 mois	fine, souvent assez salée et fumée
andouille de Jargeau	Loiret (Jargeau)	andouille avec un tiers de poitrine et deux tiers d'épaule de porc, oignons, persil, aromates, parfois fumée	proche d'une grosse saucisse
andouille de pays	toute la France	type d'andouille de Vire avec tête non découennée et cœur de porc en proportions variables	proche de la Vire
andouille de Revin	Ardennes	andouille rustique, claire, de forme bosselée, avec chaudins (40 %) et viande de porc salée. Couleur beige et rose à la coupe. Dimensions : 20 x 4 à 6 cm. Poids : 500 g	épicée
andouille rouge, ou sabardin	Loire	grosse andouille composée de boyaux, d'estomacs, de poitrine, de cœur et de gorge de porc, aromatisés au vin rouge, puis emballés en chaudin avant cuisson	puissante, marquée par le vin
andouille de viande	Massif central	grosse saucisse, composée d'épaule triée maigre, de chaudins de porc hachés et de lard gras emballés et cuits	assez maigre, non fumée
andouille de Vire supérieure	toute la France	andouille fumée, parfois colorée, composée de boyaux dégraissés, d'estomac de porc (50 % de chaudins) et de gorge (5 %), souvent précuits, embossés, ficelés et cuits. Poids : 600 g	proche de la Vire tradition
andouille de Vire tradition, ou véritable andouille de Vire	Calvados (Vire et sa région)	andouille cylindrique (25-30 cm de long et 4-6 cm de diamètre), composée de gros intestin, de menus et d'estomacs de porc sans gras ni liants, découpés et emballés en boyau naturel, fumés à froid au bois de hêtre (ce qui lui donne une couleur noire naturelle), puis ficelés et cuits à l'eau et au court-bouillon	franche, souvent marquée par la longue fumaison
grenier médocain	Médoc	andouille claire, non fumée, composée d'estomac de porc assaisonné et roulé	assez relevée

Caractéristiques des différentes andouillettes

NOM	PROVENANCE	DESCRIPTION	FLAVEUR
andouillette de Cambrai	Cambrésis	avec fraise de veau précuite, emballée en boyau de porc ou de bœuf, cuite en bouillon aromatisé (persil, échalote ou oignon), portionnée (coupe ou clippage)	spécifique des aromates
andouillette de Jargeau	Loiret	avec chaudins de porc précuits et maigre de porc (20-40 %)	entre andouillette et saucisse
andouillette lyonnaise	Rhône	avec fraise de veau et parfois un peu d'estomac de porc et de veau	plutôt douce
andouillette du Périgord	Périgord	avec chaudins et estomacs de porc, parfois gorge non découennée (10-15 %)	légèrement croquante
andouillette provençale	Provence	avec chaudins, estomacs et menus de porc blanchis, gorge non découennée (15 % max.) de porc, découpée en lanières, portionnée et panée	de l'assaisonnement (ail, persil, etc.)
andouillette à la rouennaise	Basse-Normandie	avec moitié boyaux de porc (sans estomac) et moitié fraise de veau	légèrement marquée
andouillette de Troyes	toute la France	cylindre (12-15 cm de long et 3-4 cm de diamètre) pur porc : chaudins et estomacs, découpés en lanières et assemblés en portions, dressés à la main ou embossés	bien marquée de pur porc

ANETH Plante aromatique, de la famille des apiacées, originaire d'Orient et introduite dès l'Antiquité en Europe, nommée aussi « faux anis » (**voir** planche des herbes aromatiques pages 451 à 454). L'aneth était, à Rome, le symbole de la vitalité. Il est aujourd'hui apprécié des gastronomes tant pour ses graines aromatiques que pour ses feuilles riches en essences, proches par le goût des brins de fenouil frais.

L'aneth est employé sous l'une ou l'autre de ses formes dans les cuisines d'Europe centrale, du Nord et de l'Est. C'est l'aromate principal du *gravlax* suédois (saumon cru mariné). On l'ajoute au vinaigre des cornichons à la russe (malossol). Indispensable à la préparation des terrines de poisson, l'aneth accompagne salade de pommes de terre, concombre ou fromage blanc.

ANGE DE MER Poisson de la famille des squatinidés, mesurant de 90 cm à 1,20 m, mais pouvant atteindre 2 m et peser plus de 60 kg. Ses nageoires pectorales en forme d'aile le font ressembler à une raie. Il en existe plusieurs espèces, répandues sur les côtes européennes tempérées et dans les mers tropicales. La peau est rugueuse, le dos vert-brun, tacheté de gris, le ventre blanc crème. La chair, assez appréciée, quoique moins savoureuse que celle de la raie, s'apprête de la même façon.

ANGÉLIQUE Plante aromatique de la famille des apiacées, originaire des pays nordiques, introduite en France par les Vikings et dès lors cultivée par les moines. Ses tiges vertes, confites dans du sucre, sont utilisées par les pâtissiers (cakes, pains d'épice, puddings, soufflés) ; l'angélique confite est une spécialité de la ville de Niort.

Les liquoristes utilisent l'angélique, dont ils font macérer les tiges et les racines (eau de mélisse, Chartreuse, vespetro, gin) [**voir** LIQUEUR].

angélique confite

Couper des tiges d'angélique en morceaux de 15 à 20 cm ; les faire tremper 3 ou 4 heures dans de l'eau froide. Les plonger dans de l'eau bouillante jusqu'à ce que la pulpe cède sous le doigt ; les rafraîchir, les égoutter, les peler avec soin pour supprimer toutes les filandres dures. Les mettre 24 heures dans un sirop de densité 1,1425 ; les égoutter. Cuire le sirop pour obtenir une densité de 1,2624 et le verser sur les morceaux d'angélique. Renouveler cette opération une fois par jour pendant 3 jours, avec un nouveau sirop. Le quatrième jour, cuire le sirop « au perlé », y mettre l'angélique et faire bouillir quelques instants. Retirer du feu et laisser reposer. Égoutter l'angélique sur un tamis fin. Ranger les morceaux sur un marbre, les poudrer de sucre fin et les faire sécher à l'entrée d'un four doux. Conserver dans des boîtes hermétiques.

homard breton aux angéliques ▶ HOMARD
vichyssoise de champignons
à l'angélique ▶ CHAMPIGNON DE PARIS

ANGLAISE (À L') Se dit de légumes, de viandes ou de poissons traités selon divers modes de cuisson.

• LÉGUMES À L'ANGLAISE. Ils sont cuits à l'eau et servis nature, avec du persil haché, du beurre fondu ou frais, une sauce aux fines herbes, etc.

• VIANDES ET VOLAILLES À L'ANGLAISE. Elles sont pochées, bouillies ou cuites dans un fond blanc. Suivant le cas, les légumes sont cuits en même temps ou séparément, à l'eau ou à la vapeur.

• POISSONS ET MORCEAUX DE VIANDE PANÉS À L'ANGLAISE. Ils sont enrobés d'une panure anglaise, puis sautés ou frits.

• POISSONS GRILLÉS À L'ANGLAISE. Il faut les couper en darnes s'ils sont gros, les ciseler s'ils sont petits. Leur cuisson doit s'opérer à feu doux, après qu'ils ont été badigeonnés d'huile ou de beurre fondu (et farinés s'ils ont une chair délicate). Ils s'accompagnent de beurre fondu ou de beurre maître d'hôtel.

• APPRÊTS DE LA CUISINE BRITANNIQUE « À L'ANGLAISE ». Il s'agit aussi bien de sauces, d'entremets, de pies que de préparations aux œufs.

• CRÈME DITE « ANGLAISE ». C'est une préparation de base de la cuisine classique.

• SERVICE « À L'ANGLAISE ». Le serveur sert lui-même chaque convive en utilisant une fourchette et une cuillère pour pincer les mets.

▶ Recettes : AGNEAU, ANGUILLE, ARTICHAUT, BROCHETTE, CERVELLE, CHAMPIGNON DE PARIS, CŒUR, CRÈMES D'ENTREMETS, FOIE, PANURE, PETIT POIS, PUDDING, ROGNON, TOPINAMBOUR, VEAU.

ANGOSTURA Bitter concentré, à base de rhum et du suc de l'écorce d'un arbuste d'Amérique du Sud, aux propriétés toniques et fébrifuges, créé à Angostura (aujourd'hui Ciudad Bolívar, Venezuela), au début du XIXe siècle, par un chirurgien de l'armée de Bolívar, pour combattre les effets du climat tropical. Fabriqué dans l'île de la Trinité, de couleur brun-rouge, titrant 44,7 % Vol., l'angostura est surtout utilisé pour aromatiser les cocktails, à raison de quelques gouttes, mais aussi en pâtisserie.

ANGUILLE Poisson de la famille des anguillidés, mesurant de 50 cm (mâle) à 1 m (femelle), à peau visqueuse, qui a la forme d'un serpent (**voir** tableau des poissons de mer pages 674 à 677.

Les anguilles naissent toutes dans la mer des Sargasses, près des Bermudes, puis les larves (leptocéphales) sont entraînées pendant 2 ou 3 ans par les courants marins vers les côtes d'Amérique ou d'Europe. À la naissance, les anguilles ont les deux sexes, mais elles ne se reproduisent qu'avec un seul, après une accentuation progressive soit de l'un, soit de l'autre. Lorsqu'elles pénètrent dans les estuaires, elles sont transparentes et mesurent de 6 à 9 cm de long : ce sont les civelles, ou pibales, dont on fait des fritures réputées tant à Nantes qu'à La Rochelle, à Bordeaux et au Pays basque. Victimes d'une pêche intensive, les civelles sont désormais un plat de luxe. Elles sont aussi très recherchées pour l'élevage, surtout par les pays asiatiques qui achètent à prix d'or les juvéniles des côtes européennes. Il existe de « fausses civelles », produites à partir de surimi.

Les larves rescapées grossissent dans les rivières et se pigmentent. À ce stade du développement, l'anguille dite « jaune » a de petits yeux, un museau large, le dos brun, le ventre et les flancs jaunâtres. Vers l'âge de 6-7 ans, les yeux s'agrandissent, la tête devient pointue, le dos est plus foncé, le ventre argenté. Elles deviennent les anguilles argentées et commencent lentement leur retour en direction de la mer.

Vendue vivante, l'anguille doit être dépouillée au dernier moment. Son sang est toxique sur une coupure ou dans les yeux. Sa chair est très grasse, mais savoureuse et riche en azote. Les arêtes, attachées à l'épine dorsale, se retirent assez facilement.

■ **Emplois.** Mets succulent pour les Romains, l'anguille était aussi largement consommée au Moyen Âge. Elle figure encore dans de nombreux apprêts régionaux. L'anguille fumée est très estimée en Scandinavie et en Allemagne du Nord ; elle doit avoir une peau brillante, presque noire, et se sert en hors-d'œuvre, avec du pain de seigle et du citron. Elle est aussi très appréciée en Belgique, poêlée, grillée ou préparée à l'étouffée, à l'escabèche et surtout « au vert ». Au Québec, la pêche à l'anguille est une activité importante ; sur les berges du Saint-Laurent, elle se pratique encore « à la fascine », avec des poteaux qui retiennent les filets (fascines). L'anguille se vend vivante, ainsi qu'en filets, fumée, marinée, en gelée ou en conserve.

anguille : préparation

Après avoir assommé l'anguille, pratiquer une incision avec des ciseaux à partir de l'orifice anal jusqu'à l'arrière de la tête. Vider le poisson. Couper la colonne vertébrale et la chair derrière la gorge sans inciser la peau. Dégager le haut de la chair avec une main et, de l'autre, en se servant de la tête comme prise, faire glisser la peau en la tirant tout le long d'un geste régulier et continu, dans le prolongement du corps. Les petites anguilles se coupent entières en tronçons, car la cuisson permet de retirer facilement la peau.

anguille à l'anglaise en brochettes

Détailler en tronçons réguliers une anguille désossée. Faire mariner ceux-ci 1 heure avec de l'huile, du jus de citron, du poivre, du sel et du persil ciselé. Égoutter les tronçons, les rouler dans de la farine et les paner à l'anglaise. Les embrocher en les séparant par des tranches de bacon un peu gras. Griller sur feu doux. Dresser sur un plat long ; garnir de persil frais, entourer de demi-tranches de citron cannelé. Accompagner d'une sauce tartare.

anguille pochée du Québec

Nettoyer 1,750 kg d'anguilles et les détailler en tronçons réguliers. Les mettre dans une casserole avec 70 cl d'eau, 15 cl de vinaigre et 120 g d'oignons épluchés et hachés. Cuire 10 min. Jeter l'eau et rincer les tronçons à l'eau chaude. Les remettre dans la casserole avec 60 cl d'eau, du sel au goût, 5 g de persil haché, 15 g d'échalote épluchée et hachée et 50 g de beurre. Cuire 15 min environ. Préparer un beurre manié avec 60 g de beurre et 80 g de farine. Sortir le poisson. Lier le court-bouillon avec le beurre manié. Ajouter 10 cl de jus de citron, quelques gouttes de Worcestershire sauce et 15 cl de crème. Dresser l'anguille sur un plat et la napper de sauce. On prépare en France, selon une recette proche, une anguille dite traditionnellement, mais improprement, « au court-bouillon ».

anguille à la provençale

Étuver doucement à l'huile d'olive 2 cuillerées à soupe d'oignon épluché et haché. Détailler une anguille moyenne en tronçons réguliers. Faire raidir ceux-ci dans le hachis d'oignon. Saler, poivrer, ajouter 4 tomates concassées, 1 bouquet garni et 1 gousse d'ail pelée et écrasée. Mouiller avec 10 cl de vin blanc sec. Cuire doucement, à couvert, de 25 à 30 min ; 10 min avant de servir, ajouter une douzaine d'olives noires dénoyautées. Dresser en timbale et parsemer de persil ciselé.

anguille au vert

Nettoyer 1,5 kg de petites anguilles et les couper en quatre dans le sens de la longueur. Faire raidir ces tronçons dans une sauteuse avec 150 g de beurre. Laver et hacher 100 g d'épinards et 100 g de feuilles d'oseille, et les mettre dans la sauteuse ; les faire fondre à feu doux. Ajouter 30 cl de vin blanc sec, 1 bouquet garni, 2 cuillerées à soupe de persil, 1 cuillerée à dessert d'estragon et 1 cuillerée à dessert de sauge, hachés. Bien assaisonner et laisser mijoter 10 min. Dorer au beurre 6 tranches de pain de mie rassis. Ajouter dans la sauteuse 2 ou 3 jaunes d'œuf délayés avec 2 cuillerées à soupe de jus de citron et lier sans laisser bouillir. Disposer les tronçons d'anguille sur les canapés et napper de la sauce. On peut aussi servir les anguilles au vert froides, sans les dresser sur canapés.

ballottine chaude d'anguille
à la bourguignonne ▶ BALLOTTINE
canapés à l'anguille fumée ▶ CANAPÉ
matelote d'anguille
à la meunière ▶ MATELOTE
pâté d'anguille ou eel pie ▶ PÂTÉ

ANIMELLES Testicules des animaux de boucherie, plus spécialement du bélier, de l'agneau et du taureau (**voir** tableau des abats page 10). Les animelles étaient très appréciées autrefois en Orient, dans les pays méditerranéens, et en France sous Louis XV ; elles le sont encore aujourd'hui en Italie et en Espagne (*criadillas* de taureau frites).

On les accommode comme les ris, ou encore à la vinaigrette bien relevée.

animelles : préparation

Faire dégorger les animelles 2 heures dans de l'eau froide. Les égoutter, les mettre dans une casserole, couvrir d'eau. Porter à ébullition et cuire 2 min. Les égoutter, les rafraîchir, ôter les peaux. Les mettre sous presse 3 ou 4 heures dans le réfrigérateur.

animelles à la crème

Détailler des animelles en escalopes de 1 cm d'épaisseur, saler et poivrer ; les cuire au beurre 6 ou 7 min, puis mouiller de quelques cuillerées de sauce crème (10 cl de béchamel avec 5 cl de crème fraîche) et terminer doucement la cuisson. Ajouter un peu de beurre au moment de servir et rectifier l'assaisonnement. On peut ajouter des champignons émincés, cuits à blanc ou sautés sans coloration.

ANIS Plante aromatique, de la famille des apiacées, originaire d'Orient (Inde, Égypte), déjà connue dans la Chine ancienne, où elle était une plante sacrée, et appréciée des Romains (**voir** planche des épices pages 338 et 339). En Europe, les grains d'anis vert ont été utilisés très tôt en boulangerie (bretzel, fougasse, *Knäckebrot*) et parfument également biscuits et gâteaux (pain d'épice et soufflé, en particulier).

L'anis sert aussi en confiserie (dragées de Flavigny) et en distillerie (pastis, anisette). Les feuilles, hachées, peuvent relever les légumes marinés, les salades et les soupes de poisson dans le Midi.

On appelle également « faux anis » l'aneth (**voir** ce mot).
▶ Recette : BISCUIT.

ANIS ÉTOILÉ ▶ VOIR BADIANE

ANISETTE Liqueur de fabrication industrielle obtenue par mélange d'alcool, d'eau, de sucre, d'alcoolat et de grains d'anis vert. En France, on connaît notamment l'anisette de Bordeaux (Marie Brizard), qu'il ne faut pas confondre avec les anis incolores ou teintés (contenant plus ou moins de réglisse), les anisettes étant sucrées alors que les autres produits (anis, pastis) le sont peu (**voir** OUZO, PASTIS, RAKI, SAMBUCA).

Les anis se boivent plus ou moins étendus d'eau, parfois avec un filet de sirop de grenadine (« tomate ») ou de menthe (« perroquet »), qui les adoucit.

ANJOU ET MAINE La cuisine de l'Anjou est raffinée, sans contrastes violents. Toute préparation « à l'angevine » est ainsi agrémentée d'une bonne quantité de crème pour… « arrondir les angles ».

Les terres angevines offrent à la fois des légumes variés, des fruits de qualité (dont les poires belle angevine ou doyenné du Comice) et des champignons de Paris, cultivés dans les caves de tuffeau et que l'on trouve souvent dans la préparation « à l'angevine ».

Gardons, goujons et ablettes ont rendu célèbre la friture de Loire. Plus rare aujourd'hui, le poisson continue d'être accommodé de mille et une façons, surtout au vin : brochet au beurre blanc ou farci aux herbes, alose farcie à l'oseille, lamproie étuvée à l'angevine, sans oublier la bouilleture d'anguilles (matelote d'anguille au vin rouge, avec pruneaux, eau-de-vie, huile de noix, champignons).

Les animaux de boucherie sont de première qualité, comme le mouton dit « bleu du Maine » et le bœuf de race mancelle. Le porc est à la base de charcuteries réputées : jambon, saucisses, rillettes du Mans, ou de la Sarthe, et, surtout, les gogues (gros boudins riches en feuilles de bettes et d'épinards). La préparation des abats participe aussi à la réputation culinaire : andouillette, piquerette (gras-double mijoté au vin rouge) ou encore langue de bœuf en gelée. Les poulets de Loué et poulardes du Mans bénéficient d'un label rouge fermier.

L'Anjou s'illustre encore par la qualité de ses desserts : beignets (bottereaux), tartes, fruits cuits en pâte ou au vin, sans oublier les macarons et les confiseries, que l'on pourra déguster avec le guignolet, une liqueur à base de cerise inspirée du ratafia. À Turquant, on perpétue la tradition des pommes tapées qu'on savoure tièdes, mijotées dans du vin avec sucre, cannelle et une infusion de grains de poivre.

■ **Soupes.**
• BIJANE, SOUPE D'ANGUILLE. La bijane est une soupe servie froide, faite de mie de pain trempée dans du vin rouge. Plus élaborée, la soupe à l'anguille réunit morceaux d'anguille, oseille, fines herbes, oignons, jaunes d'œuf, crème et croûtons.

■ **Poissons.**
• PÂTÉ D'ANGUILLE. L'anguille se retrouve dans de nombreux apprêts. Pour le pâté d'anguille, elle est détaillée en escalopes qui sont blanchies, puis disposées dans un moule, en alternance avec des rondelles d'œuf dur. Le tout est parsemé de muscade râpée, de persil ciselé, mouillé de vin blanc et garni de morceaux de beurre. Une abaisse de feuilletage couvre l'ensemble. Une fois cuit, au moment de servir, il est arrosé d'un peu de demi-glace maigre. Ce pâté se mange chaud ou froid.
• SANDRE À LA SAUMUROISE. Le sandre à la saumuroise est cuisiné au vin de Saumur et s'accompagne de queues d'écrevisse, de pointes d'asperge et de champignons.

■ **Viandes.**
• PORC : RILLAUDS. Ce sont de gros cubes de poitrine (ou d'épaule) de porc frais dont on a gardé la couenne, entrelardés, macérés au sel et cuits lentement dans du saindoux. Ils sont servis brûlants ou froids, avec une salade verte.
• VOLAILLES : AILERONS DE DINDE, CANETON FARCI, POULARDE. Les ailerons de dinde sont désossés puis farcis de filet mignon de porc, de lard frais, de foie de volaille ou de foie gras, de marrons et, au choix, de boudin grillé. Débarrassé de l'os principal de sa carcasse, le caneton est farci d'échalotes, de viande de porc, de lard gras, de foie gras, de son foie, de marrons cuits, de rillettes, auxquels on ajoute du marc du pays. Bardé, il mijote avec carottes et

43

oignons, et s'accompagne de marrons entiers ou en purée. La poularde à l'angevine, coupée en morceaux, est cuite dans du vin blanc d'Anjou sec et du bouillon de volaille, avec des tomates pelées, de l'échalote, de l'oignon, de l'ail, des champignons et de la crème.

■ **Desserts.**

• CRÉMETS, MILLIÈRE, FOUÉE, GUILLARETS, BISCUITS, POIRIER. Fins et légers, les crémets d'Angers ou de Saumur sont des fromages frais additionnés de blancs d'œuf en neige et de crème fouettée. Le mélange ferme égoutte au frais dans des faisselles tapissées d'une mousseline. On sert les crémets avec de la crème fraîche, du sucre et des fraises, et on les accompagne de croquants d'Anjou, biscuits ronds très fins, parfumés à l'anis. Très anciennes, la millière, bouillie de riz au lait, et la fouée, galette de pâte à pain recouverte de beurre frais, voisinent avec les guillarets (petites pâtisseries croquantes). Les biscuits sont variés : sablés, croquets aux amandes, biscuits à l'anis, boulettes aux noisettes. Le poirier est une poire cuite en pâte et arrosée de sirop de groseille.

■ **Vins.**

• ANJOU ET SAUMUROIS. Entre la Touraine et le vignoble nantais, l'Anjou compte de nombreuses appellations qui découlent de l'infinie variété des sols. La majorité des vins de la région sont regroupés sous les appellations générales d'Anjou et de Saumur.

Si l'Anjou proprement dit est surtout célèbre pour ses grands vins blancs produits autour de la rivière du Layon, le Saumurois est connu pour ses vins rouges et ses mousseux.

Les grands vins blancs d'Anjou proviennent du cépage chenin qui, selon les années, donne des vins secs, moelleux ou liquoreux. Ainsi, les coteaux-du-layon offrent des vins délicats et subtils qui atteignent leur meilleure expression avec le quarts-de-chaume, un vin racé et séducteur, et le bonnezeaux, aromatique et plein de sève, un vin de première classe. Tout près, sur la rive nord de la Loire, le savennières, avec ses crus, roche-aux-moines et coulée-de-serrant, développe un style tout à fait différent qui s'équilibre entre la nervosité, l'ampleur et la fraîcheur.

À l'est, le Saumurois produit toutes les variétés de vins, des rouges pleins et chatoyants, à base de cabernet ou de gamay, et des blancs, à base de chenin. Mais Saumur est aussi la capitale des vins mousseux, obtenus par la méthode traditionnelle et conservés dans les caves de tuffeau le long de la Loire. Vendus sous le nom de « saumur », ils se remarquent par leur bouquet fruité et leur finesse. Toutefois, la vedette de ce terroir demeure le saumur-champigny, élaboré à partir de cabernet franc ou breton. Produit dans neuf communes près de Saint-Cyr-en-Bourg et de Champigny, ce vin rouge, fruité, léger, vif et friand, connaît un grand succès.

ANNA Nom d'un apprêt de pommes de terre créé par le cuisinier Adolphe Dugléré et dédié à Anna Deslions, une « lionne » du second Empire (**voir** tableau des apprêts de pommes de terre page 691). Lorsque les pommes de terre sont coupées en julienne et non en rondelles, l'apprêt s'appelle « pommes Annette ».

▶ Recette : POMME DE TERRE.

ANONE Fruit d'un arbre de la famille des annonacées, originaire du Pérou, et qui pousse dans divers pays tropicaux (**voir** planche des fruits exotiques pages 404 et 405). Il en existe plusieurs espèces, dont le corossol, le cachimentier (ou cœur-de-bœuf), la pomme-cannelle et la chérimole ; c'est cette dernière qui est connue en France sous le nom d'« anone ».

Importée du Proche-Orient, d'Amérique centrale ou du sud de l'Espagne, et vendue d'octobre à février, l'anone a la taille d'une orange, un aspect bosselé et une teinte verte virant au brun noirâtre quand elle est bien mûre. Elle se sert fraîche, coupée en deux ; sa pulpe, blanche et juteuse, que l'on débarrasse de ses graines noires pour la manger à la petite cuillère, a une saveur aigre-douce et un parfum de rose. On en fait aussi des sorbets et des salades de fruits.

ANSÉRINE Plante de la famille des chénopodiacées. L'ansérine bonhenri est depuis toujours consommée comme les épinards. L'ansérine quinoa, d'origine andine, est utilisée pour ses graines très nutritives que l'on trouve maintenant en Europe.

ANTIBOISE (À L') Se dit de divers apprêts de la cuisine provençale particuliers à la ville d'Antibes : œufs cuits au four avec des nonnats rissolés, de l'ail écrasé et du persil haché ; gratin d'œufs brouillés disposés en couches alternées avec des courgettes sautées et des tomates fondues à l'huile ; tomates garnies de filets d'anchois, de miettes de thon et de mie de pain pilés avec de l'ail, et grillées au four ; tomates froides farcies.

▶ Recette : ŒUF BROUILLÉ.

ANTILLAISE (À L') Se dit de nombreux apprêts de poissons, de crustacés et de volailles, généralement accompagnés de riz nappé d'une fondue de petits légumes à la tomate, mais aussi d'ananas ou de banane. Les desserts à l'antillaise associent les fruits exotiques avec le rhum ou la vanille. Les apprêts à la créole en sont tous très voisins.

ANTILLES FRANÇAISES Cet archipel américain, peuplé par les Carib, ou Caraïbes, fut colonisé par la France dès 1635. La canne à sucre, introduite depuis le Brésil, devint rapidement une source de richesse pour les colons qui l'exploitèrent dans de vastes plantations grâce à des esclaves amenés d'Afrique, puis en recourant à une main-d'œuvre bon marché originaire de l'Inde. Avec elle apparut aussi le rhum, eau-de-vie emblématique des Antilles. Dès le XVIIIe siècle, le confisage de fruits – ananas (originaire de Guyane), citron vert, orange et pamplemousse caraïbes, et chadeck, agrume ressemblant au pamplemousse (tous originaires de Chine, de Malaisie ou d'Indonésie) – contribua à l'essor économique de ces îles.

Mais le sucre n'est qu'un élément parmi d'autres dans la gastronomie des Antilles. Les plantes déjà consommées par les Carib, dont le très violent piment (d'origine andine et mexicaine), le manioc et la patate douce, continuent d'être largement employées dans la cuisine créole. Les Africains amenèrent avec eux, entre autres, le pois d'Angola. Ils firent connaître l'acra, et les Indiens, le colombo. Quant aux produits français, boudins, pains et gâteaux de froment, ils furent adaptés aux exigences climatiques de chaque île et au goût de ses habitants. Les différentes communautés ont, en effet, fondu leurs cuisines en une seule : celle de l'île sur laquelle elles étaient installées.

Fournis en abondance par la mer et de nombreux cours d'eau, poissons et fruits de mer sont préparés de multiples façons : blaff (courtbouillon de poissons blancs ou de crustacés), brochettes ou fricassée de lambis (gros mollusques jadis abondants, appréciés pour la saveur de leur chair et pour leur coquillage rose saumon), matoutou (grosses crevettes d'eau douce cuites à la nage), etc. La coryphène, ou daurade coryphène – poisson des mers chaudes aux couleurs métalliques, mesurant environ 1 m –, se consomme frite, en daube ou en blaff. Le crabe terrestre des Antilles, qui vit en terrier, ne rejoint la mer qu'en période de reproduction. Selon son espèce, son âge, sa taille et le lieu de sa capture, il est appelé crabe blanc, « boku », crabe soleil, dos rouge, « krab a bab » ou « touloulou ». Jadis complément de nourriture pour les esclaves ou réserve vivante en période de disette, ce crabe se mange de nos jours surtout lors des repas traditionnels des lundis de Pâques et de Pentecôte, préparé farci ou selon différentes recettes créoles.

La patate douce est servie en légume ou en dessert. Le calalou donne une « soupe d'herbage » très épaisse. D'autres racines, tubercules et légumes-fruits servent d'aliments de base, tels la banane plantain, qui remplace la pomme de terre, le migan (ou fruit à pain), la christophine, le giraumon, sorte de potiron d'une grande finesse, ou encore les ignames, dont celui de Noël, ou cousse-couche.

Enfin, la cuisine créole, brûlante et parfumée, n'existerait pas sans ses épices : bois d'Inde, cannelle, roucou, safran, quatre-épices et, surtout, colombo, mélange d'épices qui donne son nom à des ragoûts typiques faits avec du cabri, du porc et du poulet.

Au pays des fruits et de la canne à sucre, les douceurs, surtout confites, sont nombreuses. La noix de coco entre dans la composition de nombreuses confiseries : doucelette à base de lait de coco, cratché (caramel enrobant des lamelles de coco), « tablettes coco » et, rappelant de loin le flan à la noix de coco, le « blanc-manger », très apprécié comme dessert. Elle parfume aussi les sorbets, et sa confiture coco est souvent utilisée pour fourrer des gâteaux. La banane, elle aussi très présente, est préparée notamment en beignet. Certains fruits, trop acides pour être consommés nature, sont transformés en pâtes, sirops, sorbets ou confitures, tel le citron vert, ou lime, ingrédient indispensable du ti-punch.

■ **Soupes.**

• CALALOU. Cette « soupe d'herbage » très épaisse est agrémentée de gombos, de lardons et de jus de citron vert.

■ **Viandes.**

• JAMBON GLACÉ CRÉOLE, RAGOÛT DE COCHON. Décoré de rondelles d'ananas dorées au beurre, le jambon glacé est d'abord cuit dans un bouillon aromatisé d'un bouquet garni, de vin blanc sec, de girofle, de poivre et de piment entier, puis enfourné, débarrassé de sa couenne mais avec son gras. Parfois, on le passe au tisonnier rouge pour le marquer de croisillons. Pour confectionner le ragoût de cochon, on fait dorer dans une cocotte une échine de porc coupée en gros dés, des oignons et de la cive, puis on prépare un roux et on fait mijoter le tout avec un bouquet garni, de l'ail écrasé et du piment entier, avant de le manger avec une gousse d'ail écrasée et du jus de citron vert.

■ **Volailles.**

• POULET AU CITRON VERT. Des morceaux de poulet farinés sont dorés dans une sauteuse, puis mijotent dans du jus de citron vert coupé avec un peu d'eau et aromatisé d'ail, de thym, de bois d'Inde, de girofle et de persil haché.

■ **Poissons et fruits de mer.**

• ACRAS DE MORUE, FÉROCE DE MORUE, VIVANEAU GRILLÉ À LA SAUCE CHIEN, TOUFFÉ DE REQUIN AU CITRON VERT. Importée d'Europe, la morue est accommodée en beignet, appelé « acra », en « chiquetaille », en « féroce » (avec de l'avocat) ou encore en brandade aux pommes de terre. Le vivaneau, poisson rouge d'une longueur d'environ 50 cm, est consommé mariné et grillé, accompagné d'une sauce à base d'oignons, d'oignons nouveaux, d'ail, de piment et d'herbes ainsi que de riz à la créole. Pour le touffé de requin, les morceaux de poisson marinés au jus de citron vert et au bois d'Inde sont dorés dans une cocotte, puis mijotent avec des dés de tomate.

■ **Pâtisseries.**

• TOURMENT D'AMOUR. Inventé, dit-on, par les femmes de pêcheurs de la Guadeloupe pour tromper leur attente, le tourment d'amour est un gâteau composé d'une pâte brisée recouverte d'une pâte à biscuit et fourrée de crème pâtissière mélangée avec de la confiture de coco, puis parsemée de noix de coco fraîche. Il est servi tiède ou froid.

■ **Rhum.**

Le rhum agricole est fait à partir du vesou (moût de canne obtenu par pressurage de la canne), qui est fermenté puis distillé. Incolore, il titre de 50 à 59 % Vol. Vieilli (au moins 3 ans) et ajusté à l'eau, le rhum « vieux », de couleur foncée, titre 40 % Vol. Le rhum dit « de sucrerie » est, lui, obtenu à partir des mélasses qui lui confèrent un goût marqué. Il est plus acide et parfois vieilli en fût.

ANTILOPE Mammifère ruminant de la famille des bovidés, dont la chair est comparable à celle des cervidés d'Europe, bien qu'elle soit plus ferme et ait un goût parfois très fort. Il existe, surtout en Afrique, plus de cent espèces d'antilopes, dont la taille varie de celle d'un agneau à celle d'un cheval. Les populations autochtones la consomment rôtie, braisée ou bouillie, après qu'elle a parfois mariné ou subi une maturation au soleil. La gazelle, une antilope de petite taille, à chair estimée, s'apprête comme le chevreuil.

ANTIOXYDANT OU **ANTIOXYGÈNE** Additif alimentaire (**voir** ce mot) utilisé par l'industrie agroalimentaire pour prévenir les phénomènes d'oxydation qui peuvent altérer un aliment (noircissement, rancissement par exemple). La législation en autorise quarante. Le plus courant est l'acide ascorbique, ou vitamine C, utilisé dans les bières, les sirops, les limonades et les salaisons. En cuisine, l'acide ascorbique est employé, à la place du jus de citron, pour éviter le brunissement des végétaux que l'on découpe (avocat, banane, céleri, poire, pomme, etc.).

La vitamine C, la vitamine E, la provitamine A, le sélénium, le zinc et les acides gras essentiels sont des antioxydants qui permettent au corps humain de lutter contre l'oxydation, processus d'altération des cellules. Mais ils ne peuvent être apportés que par l'alimentation ; manger régulièrement des aliments contenant ces antioxydants protège donc l'organisme confronté au stress, à la pollution, voire à la prise de certains médicaments.

ANTIPASTO Hors-d'œuvre froid italien. Le terme associe au mot italien *pasto*, « repas », le préfixe latin *ante*, « avant ». Un antipasto peut se composer de jambon de Parme aux figues ou au melon, ou d'une fondue piémontaise (crudités accompagnées de condiments et d'une sauce au fromage fondu additionné de lait – ou d'œufs – aromatisé avec de la truffe blanche), mais il s'agit plus généralement d'un assortiment coloré et abondant, servi en amuse-gueule avec l'apéritif ou en début de repas, souvent à la place des pâtes. Les antipasti sont alors accompagnés de gressins et rassemblent marinades de légumes et de poissons, fruits de mer citronnés, olives, charcuterie fine, salade de cèpes, artichauts, etc.

ANVERSOISE (À L') Se dit d'une garniture composée essentiellement de jeunes pousses (ou jets) de houblon étuvées, au beurre ou à la crème. Destinée aux œufs (mollets, pochés ou sur le plat), elle est parfois associée à des pommes de terre (à l'anglaise ou rissolées) pour accompagner le contre-filet rôti, les paupiettes de veau, etc. Les jets de houblon peuvent aussi être dressés sur des tartelettes ou sur des fonds d'artichaut.

▶ Recettes : AGNEAU, ESCALOPE.

APÉRITIF Boisson que l'on consomme en attendant le déjeuner ou le dîner. Son nom vient d'un adjectif issu du verbe latin *aperire* et désignant ce qui « ouvre » ou stimule l'appétit. De tout temps, certaines plantes ont été reconnues pour cette qualité ; on en faisait autrefois des boissons dites « apéritives », mais celles-ci étaient plus thérapeutiques que gastronomiques, et on ne les consommait pas avant de passer à table.

Les Romains appréciaient le vin au miel ; au Moyen Âge, on croyait aux vertus des vins herbés ou épicés, puis apparurent les hypocras, les vermouths, les amers et les vins doux.

Ce n'est qu'au XXe siècle que se généralisa le goût des boissons alcoolisées avant le repas. Le mot « apéritif » n'est d'ailleurs employé comme substantif qu'à partir de 1888. Il s'applique à des préparations à base de vin (vermouth, quinquina) ou d'alcool (anis, amer, americano, gentiane), aux vins de liqueur et à des eaux-de-vie et liqueurs (cocktail, whisky).

APICIUS Nom de trois Romains réputés pour leur goût de la bonne chère. Le premier, contemporain de Sylla (IIe-Ier siècle av. J.-C.), n'est connu que pour sa goinfrerie. Le troisième, qui vécut au IIe siècle apr. J.-C., mérite d'être mentionné pour avoir découvert un moyen de conserver les huîtres fraîches. Le plus célèbre, le deuxième, Marcus Gavius Apicius, qui aurait vécu sous Tibère (14-35 apr. J.-C.), serait l'auteur d'un livre de recettes, *De re coquinaria libri decem* (« les Dix Livres de la cuisine »), qui demeura un livre de base pendant plusieurs siècles. L'« Apicius » reste de nos jours la somme la plus technique de notre connaissance de la cuisine romaine impériale. Une fameuse recette de canard aigre-douce, créée en son hommage par Alain Senderens, porte son nom.

APLATIR Frapper une petite pièce de boucherie (entrecôte, escalope) ou un filet de poisson avec le plat d'une batte à côtelette, pour l'amincir uniformément. Cette opération permettant de rompre certaines fibres musculaires, la chair devient plus tendre et plus facile à cuire.

APPAREIL Mélange d'éléments divers, servant à réaliser une préparation de cuisine, à confectionner un mets. (On dit aussi « masse ».) Les appareils sont surtout nombreux en pâtisserie.

▶ Recettes : BOMBE, CHARLOTTE, MAINTENON, MATIGNON.

APPELLATION D'ORIGINE CONTRÔLÉE (AOC) « Dénomination d'un pays, d'une région ou d'une localité servant à désigner un produit qui en est originaire et dont la qualité ou les caractères sont dus au milieu géographique, comprenant des facteurs naturels et des facteurs humains », selon les termes officiels. En France, la législation des appellations d'origine est l'héritière d'une suite de dispositions depuis l'arrêt du parlement de Toulouse, en l'an 1666, protégeant le roquefort. En 1935, un décret-loi fondamental créant l'INAO (Institut national des appellations d'origine) fixe le cadre actuel.

D'abord appliquée au secteur viticole pour protéger les producteurs après la destruction des vignobles par le phylloxéra, elle s'est progressivement étendue à divers produits : eaux-de-vie, fromages, lentilles vertes du Puy, volailles de Bresse, noix de Grenoble, olives noires de Nyons, beurre Charentes-Poitou, etc., mais elle s'exerce encore surtout dans le domaine des vins.

Les AOC garantissent une protection juridique contre tout risque d'imitation. Respectant scrupuleusement la définition légale, elles donnent aux produits qui en bénéficient une véritable identité culturelle. L'INAO est chargé de veiller aux conditions d'obtention et de maintien des AOC. Toutes les AOC françaises ont été reconduites par la Commission européenne. Depuis le 14 juillet 1992, une directive communautaire a créé un système d'appellation d'origine protégée, système proche des AOC à l'échelle européenne.

APPELLATION D'ORIGINE PROTÉGÉE (AOP) « Dénomination d'un produit dont la production, la transformation et l'élaboration doivent avoir lieu dans une aire géographique déterminée, avec un savoir-faire reconnu et constaté. » C'est la transposition à l'Union européenne des AOC. Ce droit de propriété intellectuelle, créé le 14 juillet 1992, ouvert à des États tiers, est reconnu dans 150 pays. L'enregistrement de tout signe national d'identification de l'origine équivalent reconnu par un État membre de l'Union est obligatoire, sauf pour les vins et spiritueux.

APPENZELLER Fromage suisse de lait de vache (50 % de matières grasses), à pâte pressée cuite et à croûte brossée (**voir** tableau des fromages étrangers page 396). Originaire du canton d'Appenzell, il se présente en meules de 6 à 12 kg montrant quelques rares trous gros comme des lentilles. Fruité sans être piquant, il se déguste en fin de repas. On l'utilise pour préparer une spécialité, les *chäshappen,* spirales de pâte (faite de fromage fondu, de lait, de farine, de levure et d'œufs) formées avec une poche à douille et frites à la poêle. On les sert égouttées et brûlantes, avec une salade.

APPERT (NICOLAS) Inventeur français (Châlons-sur-Marne 1749 - Massy 1841). Il apprit la cuisine chez son père, hôtelier. Placé au service du duc de Deux-Ponts, puis officier de bouche de la princesse de Forbach, il se mit à son compte en 1780, comme confiseur, rue des Lombards, à Paris. Le gouvernement du Directoire ayant offert un prix de 12 000 francs pour la découverte d'un procédé de conservation des aliments destinés à l'armée, Appert mit au point la méthode de stérilisation qui porte son nom : l'appertisation. En 1810, il publia *l'Art de conserver pendant plusieurs années toutes les substances animales et végétales,* qui, généreusement, mettait le procédé à la portée de tous. Son ouvrage fut d'ailleurs réédité en 1811 et 1813 sous le titre *Livre de tous les ménages.* La chute de l'Empire le ruina ; il continua cependant diverses recherches, mais mourut dans la misère.

APPERTISATION Technique de conservation de longue durée (de quelques mois à plusieurs années) qui porte le nom de son inventeur, Nicolas Appert. Elle consiste en la stérilisation d'une denrée à plus de 100 °C, dans un emballage étanche en métal, en verre ou en plastique. Des barèmes de stérilisation (temps/température) ont été mis au point par les industriels selon les catégories d'aliments concernés (légumes, fruits, produits carnés, poissons, etc.). L'appertisation détruit tous les micro-organismes et leurs toxines et permet la conservation à température ambiante des produits, dont la qualité nutritionnelle s'est d'ailleurs beaucoup améliorée ces dernières années. Elle entraîne cependant parfois une légère altération du goût. L'emballage des produits appertisés indique toujours une DLUO (date limite d'utilisation optimale) et, une fois ouverts, ces produits doivent être consommés rapidement.

APPÉTIT Désir de manger un aliment ou des aliments quand on a faim. La vue et l'odorat peuvent susciter ou stimuler l'appétit, mais aussi le souvenir et même l'imagination, à la lecture d'une recette. Un appétit spécifique, c'est-à-dire une attirance pour un aliment particulier, est en général lié à une carence : son ingestion procure du plaisir, car il rétablit l'équilibre intérieur des différents nutriments, vitamines, minéraux, etc.

Dans certaines régions, on appelle « appétits », d'une manière générique, l'ail, la ciboule, la ciboulette, l'échalote, le persil et les petits oignons utilisés comme assaisonnement, car ils excitent l'appétit.

APPRÊT Ensemble des diverses opérations culinaires concourant à la confection d'un plat. En boulangerie, l'apprêt correspond à la période de fermentation comprise entre le façonnage de la pâte à pain et sa cuisson ; au cours de cette fermentation, la pâte double de volume.

ÂPRE Qualifif désignant une sensation en bouche d'aspérité (qui a la même origine étymologique). Cette dernière exprime donc une notion de texture, de rugosité, et combine des effets à la fois tactile (astringence), sapide (acidité) et aromatique ressentis comme agressifs, intenses et plutôt persistants. Ainsi, une poire verte peut paraître âpre : on en perçoit parfaitement le grain et le manque de sucre ; la bouche reste sèche comme si elle ne secrétait plus de salive. Il en va de même pour un vin rouge trop tannique.

AQUAVIT OU **AKVAVIT** Alcool à base de pomme de terre et de grain additionné de substances aromatiques (anis, cari, cumin, fenouil), fabriqué et consommé dans le nord de l'Europe, notamment en Scandinavie, depuis le XVᵉ siècle. Son nom vient du latin *aqua vitae,* « eau de vie ». Il titre 45 % Vol. environ et se boit sec, frappé.

ARACHIDE Plante subtropicale, de la famille des fabacées, cultivée pour ses graines souterraines dont on extrait de l'huile (**voir** planche des noix, noisettes, autres fruits secs et châtaignes page 572). Originaire d'Amérique du Sud, elle fut introduite en Afrique au XVIᵉ siècle par les Portugais, puis largement exportée à l'époque coloniale. On la cultive aussi en Inde et aux États-Unis. Une gousse renferme de deux à quatre graines, appelées « cacahouètes » (mot d'origine aztèque) ou, plus rarement, « pistaches de terre ».
■ **Emplois.** Dans sa région d'origine et en Afrique, l'arachide est une plante vivrière : réduites en pâte ou grillées, les graines accompagnent sauces et ragoûts ; en Égypte, on en fait des gâteaux.

Elle est aussi une culture oléagineuse. L'huile d'arachide est l'une des plus répandues (après le colza et le tournesol), car elle supporte de fortes températures ; de plus, sa saveur neutre convient bien aux assaisonnements (**voir** tableau des huiles page 462). Elle joue un rôle important en conserverie et pour la fabrication de la margarine. L'arachide séchée est hautement énergétique (560 Kcal ou 2 341 kJ pour 100 g). Elle est assez riche en vitamine B3.

Grillées et salées, les cacahouètes se servent en amuse-gueule. Elles peuvent remplacer les pignons dans les salades, les amandes ou les pistaches en pâtisserie. Aux États-Unis, on en fait un « beurre » *(peanut butter)* très nourrissant, que l'on tartine.

ARAIGNÉE Nom de quatre muscles plats du bœuf, du veau, du mouton et du porc, qui tapissent de part et d'autre le trou ovale de l'os coxal (bassin). Le muscle dit « obturateur interne » est la « vraie araignée », celui contre la cuisse (ou « obturateur externe ») est la « fausse araignée ». Ces muscles sont sillonnés de fibres aponévrotiques disposées en éventail, comme celles de la toile d'une araignée (**voir** planche de la découpe du bœuf pages 108 et 109). L'araignée est un petit morceau, dit « du boucher ». Très juteuse une fois dénervée, elle est savourée en grillade.

ARAIGNÉE (USTENSILE) Grande écumoire en fil de fer étamé ou en fil inoxydable, utilisée pour sortir des aliments d'un bain de friture et les égoutter.

ARAIGNÉE DE MER Nom usuel du crabe maïa, de la famille des majidés, à carapace épineuse, à pattes grêles et velues et à pinces

« Casseroles aux finitions design pour l'HÔTEL DE CRILLON, kyrielle de fourchettes chez HÉLÈNE DARROZE, trio de cloches au FOUR SEASONS GEORGE V ou "marée" de couvre-plats dans les cuisines du RITZ PARIS… à chaque lieu, son argenterie. Elle contribue à la signature d'un restaurant et magnifie de son éclat le caractère unique d'une cuisine. »

allongées (**voir** tableau des crustacés marins page 285 et planche pages 286 et 287). En France, elle est commune sur les côtes de l'Atlantique, où elle ne dépasse pas une vingtaine de centimètres, alors que le géant de la famille, qui vit sur les côtes du Japon, a un corps de 40 cm et une envergure de près de 3 m. Considérée par certains comme le plus fin de tous les crustacés, l'araignée de mer se prépare au court-bouillon et se sert, traditionnellement, froide, sur le plateau de fruits de mer, accompagnée de mayonnaise.

ARAK Alcool très fort, généralement aromatisé à l'anis, consommé dans les pays d'Orient. Son nom vient de l'arabe *'araq*, « jus », « sève ». Il est produit par distillation de dattes (Égypte, Moyen-Orient), de raisins, de grains (Grèce), de sève de palmier (Inde) ou de jus de canne à sucre (Java).

ARBELLOT DE VACQUEUR (Simon) Journaliste, romancier et historien français (Limoges 1897 - Saint-Sulpice-d'Excideuil 1965). Membre de l'Académie des gastronomes, il fut l'un des derniers témoins de la Belle Époque. Outre *J'ai vu mourir le Boulevard* et *Un gastronome se penche sur son passé*, il écrivit *Tel plat, tel vin* (1963) et signa, en 1965, la biographie de son maître et ami Curnonsky. Il a laissé un grand nombre de chroniques (en particulier dans *Cuisine et Vins de France*) et s'attacha à décrire minutieusement la vie gourmande de Paris.

ARBOIS Vin AOC du Jura, issu des cépages poulsard, trousseau, pinot noir et gris (pour les rouges et rosés), chardonnay, savagnin et pinot blanc (pour les blancs et les mousseux). La qualité de ce vin a fait de la commune qui le produit l'un des deux grands centres de la viticulture franc-comtoise (avec Château-Chalon). Deux hommes ont beaucoup fait pour la notoriété des vins d'Arbois : le gastronome Anthelme Brillat-Savarin d'abord, puis le chimiste Louis Pasteur, qui, né à Dole en 1822, commença dans la région ses études sur la vinification, dont le retentissement fut mondial (**voir** FRANCHE-COMTÉ, VIN JAUNE).

ARBOLADE, ARBOULASTRE OU **HERBOLADE** Omelette sucrée ou salée, du Moyen Âge à la fin du XVIIe siècle. L'arboulastre du *Ménagier de Paris* (1393) est une omelette épaisse aux herbes (ache, bettes, épinards, laitue, menthe, sauge et tanaisie, mêlés et hachés), poudrée de fromage râpé.

L'arbolade dont La Varenne donne la recette dans *le Cuisinier français* (1651) est un entremets sucré.

RECETTE DE FRANÇOIS PIERRE DE LA VARENNE

arbolade

« Faire fondre un peu de beurre et prendre de la crème, des jaunes d'œuf, du jus de poire, du sucre et fort peu de sel ; faire cuire le tout ensemble, sucrer avec des eaux de fleurs et servir verte (peu cuite). »

ARBOUSE Fruit d'un arbrisseau, de la famille des éricacées, des forêts de l'Amérique du Nord et de l'Europe méridionale, cultivé en France dans le Midi (**voir** planche des fruits rouges pages 406 et 407). L'arbousier, ou arbre à fraises, produit des baies un peu aigrelettes, rouges, pulpeuses et sucrées. Elles servent à préparer un vin de fruits, de l'eau-de-vie et une liqueur, ainsi que des gelées et des confitures. L'arbouse est riche en glucides et en fibres.

ARBRE À PAIN Nom usuel de l'artocarpus, de la famille des moracées, arbre de 15 à 20 m de haut qui pousse dans les îles de la Sonde, en Polynésie, aux Antilles et en Inde. Son fruit ovoïde, à la peau verdâtre marquée d'un dessin en damier, pèse de 300 g à 3 kg et constitue une nourriture de base dans les régions chaudes. Sa pulpe, blanche et charnue, a une saveur proche de celle de l'artichaut ; elle est très riche en amidon, et sa valeur nutritive est voisine de celle du pain de froment. Le « fruit à pain » ou « pain-bois », une fois pelé et épépiné, se mange cuit à l'eau salée, ou rôti, ou encore mijoté en potée. Ses graines, également comestibles, sont grosses comme des châtaignes, dont elles ont presque le goût.

ARCHESTRATE Poète grec, voyageur infatigable et gastronome du IVe siècle av. J.-C., originaire de Gela (Sicile). Il écrivit un long poème intitulé *la Gastronomie* (connu également sous les noms de *Gastrologie, Déipnologie* ou *Hédypathie*). Il n'en reste que quelques fragments, cités par Athénée (IIe-IIIe siècle apr. J.-C.), qui se présentent comme une suite de conseils d'esthète et de gourmet.
▶ Recette : SALADE.

ARCHIDUC Se dit d'apprêts inspirés de la cuisine austro-hongroise, datant de la Belle Époque. Œufs, soles et volailles sont cuisinés à l'oignon et au paprika et nappés de sauce hongroise. Le déglaçage (au fumet de poisson ou à la demi-glace selon les cas) est parfumé de cognac, de whisky, de madère ou de porto.
▶ Recettes : BOMBE, POULET.

ARDENNAISE (À L') Se dit de plusieurs apprêts de gibier, à plume (grive) ou à poil (lièvre, sanglier marinés), dans lesquels intervient le genièvre (sous forme d'eau-de-vie ou de baies).
▶ Recette : GRIVE.

ARDENNES ▶ voir CHAMPAGNE ET ARDENNES

ARGAN Fruit de l'arganier, arbre épineux cultivé dans le Sud marocain, dont on extrait une huile à la suite d'opérations artisanales complexes. L'huile d'argan, à l'arôme musqué, s'emploie à petite dose dans des mélanges sucrés-salés à base de viande, de légumes ou de fruits. Elle sert aussi en cosmétologie.

ARGENTERIE Ensemble des objets et ustensiles de table en argent, argent doré (vermeil) ou métal argenté : les couverts et la vaisselle dite « plate » (c'est-à-dire faite sans soudure, dans une seule lame de métal [« plate »]), ainsi que les accessoires et pièces décoratives (candélabre, dessous-de-plat, clochette, salière, porte-couteaux, etc.).

La vaisselle d'argent existait déjà dans l'Antiquité. Dans la France médiévale, elle se répandit parmi les nobles et les riches marchands et, malgré l'interdiction de sa fabrication par le roi Philippe le Bel en 1310, son utilisation ne cessa de se développer jusqu'à la Révolution. C'est sous le Consulat (1799-1804) que les titres légaux (proportion d'argent et de cuivre dans l'alliage de l'argenterie), encore en vigueur de nos jours, furent fixés. En France, depuis 1260, elle doit être poinçonnée par l'orfèvre, qui imprime sa marque de fabrique et sa garantie. Pour l'argent, ce poinçon est obligatoirement en forme de losange (depuis 1838). Le métal argenté (laiton ou maillechort argenté) porte son poinçon de marque (ou poinçon de maître) inscrit dans un carré.

ARGENTEUIL Nom des apprêts caractérisés par la présence d'asperges (en purée ou en pointes) dans la sauce ou la garniture. Argenteuil, dans le Val-d'Oise, est en effet réputée pour la culture de ce légume depuis le XVIIe siècle (il existe même une confrérie baptisée les Compagnons de l'asperge d'Argenteuil). L'appellation s'applique en général à des mets « blancs » : œufs pochés ou mollets, sole ou filets de sole, poularde pochée.

œufs brouillés Argenteuil ▶ ŒUF BROUILLÉ

salade Argenteuil

POUR 4 PERSONNES – PRÉPARATION : 45 min + 15 min de finition – CUISSON : 30 min
Cuire en robe des champs 400 g de pommes de terre à chair ferme. Laver et botteler 300 g de pointes d'asperge, puis les cuire à l'eau bouillante salée, les égoutter et les laisser refroidir. Durcir 2 œufs, les écaler et les couper en quartiers. Détailler 1 cœur de laitue en chiffonnade. Confectionner 25 cl de mayonnaise, la détendre avec le jus de 1 citron et 2 cuillerées à soupe d'eau froide, puis l'aromatiser avec 1 cuillerée à soupe d'estragon haché. Éplucher et détailler les pommes de terre en dés, les lier avec cette sauce. Répartir sur un plat de service la chiffonnade de laitue, au centre, placer en dôme la salade de pommes de terre et positionner en couronne les pointes d'asperge. Terminer le décor avec les quartiers d'œufs durs. Servir frais.

ARGENTINE La cuisine de ce pays, grand producteur de viande, de blé, de maïs, de haricots et, plus récemment, de soja, a connu une évolution bien distincte de celle des autres pays de l'Amérique latine, notamment grâce à de fortes influences européennes, surtout italiennes. Du fait d'une économie essentiellement fondée sur l'élevage, les Argentins consomment beaucoup de viande. Les différences gastronomiques reposent donc en partie sur sa préparation, et en particulier sur celle du bœuf, que l'on apprécie en gros quartiers rôtis *(asados)* ou grillés *(churrascos)*, accompagnés de haricots rouges, de riz, de maïs ou de pâtes fraîches, un héritage de la colonisation italienne.

À côté de ces préparations simples, on trouve aussi une cuisine plus élaborée, tel le pot-au-feu garni de potiron et d'épis de maïs, ou le *matambre* (« coupe-faim »), un plat de bœuf mariné, farci de légumes et d'œufs durs, rôti et bouilli, servi froid au début des repas, ou encore la *carbonara criolla* (un ragoût mijoté dans une écorce de courge).

Les régions présentent aussi quelques particularités. Au nord-ouest par exemple, la cuisine, influencée par les traditions espagnole et précolombienne d'avant la grande vague d'immigration de la fin du XIXᵉ siècle et du début du XXᵉ siècle, est très marquée par l'utilisation du maïs *(locro, humita)*, tandis que les habitants de la Patagonie consomment davantage de viande ovine et caprine que bovine.

L'Argentine est également un pays producteur de fromages, souvent d'inspiration européenne, tel le *tafi* (de type cantal), et d'une spécialité bien connue dans tous les pays d'Amérique du Sud, le *dulce de leche* (lait concentré sucré et aromatisé).

La consommation du maté (**voir** ce mot) est courante en Argentine et très populaire.

■ **Vins.** Le vignoble argentin a été créé par des missionnaires, en 1557, près de Santiago del Estero. Il a pris avec le temps une importance telle que l'Argentine est aujourd'hui le premier producteur de vin du continent sud-américain (plus de 15 millions d'hectolitres) et qu'elle occupe le 8ᵉ rang mondial de la consommation par habitant.

De nos jours, la viticulture est gérée comme une industrie à grande échelle, et les vignes sont cultivées en parcelles de taille imposante.

La plus grande partie du vignoble est située dans l'État de Mendoza, au pied de la cordillère des Andes, où la fonte des neiges permet une irrigation constante. La région de San Juan, plus au nord, est la deuxième grande région de production du pays. Le cépage indigène qui servait essentiellement à l'élaboration de vins ordinaires, le criolla, cède de plus en plus la place au malbec, cépage bien connu du Bordelais, qui donne ici des vins concentrés et puissants. Les deux cabernets et la syrah, récemment implantés, semblent être susceptibles d'assurer l'avenir des vins rouges de qualité.

En revanche, la plupart des vins blancs manquent d'intérêt, car le climat chaud et sec dessert leurs qualités principales : la fraîcheur et le fruit. Ils sont élaborés à partir de cépages comme le chenin, le pedro ximénez, le sauvignon et le sémillon. Seule exception, le torrontés donne des vins vifs et aromatiques, parfois agréablement épicés. La région de Rio Negro offre des raisins pour la réalisation de mousseux. Plusieurs maisons de Champagne, dont Moët et Chandon, Piper-Heidsieck et Mumm, se partagent la majeure partie de cette production.

Depuis 1999, la réglementation distingue trois niveaux d'appellation : indication de provenance, indication géographique et dénomination d'origine contrôlée (DOC).

ARIÉGEOISE (À L') Se dit de divers apprêts typiques de la cuisine du Sud-Ouest, en particulier de la poule et de la poitrine de mouton désossée, toutes deux farcies de la même façon. La volaille est pochée dans une potée, avec des feuilles de chou vert farcies, du petit salé et des pommes de terre.
▶ Recette : MOUTON.

ARLEQUIN Assortiment de restes de plats récupérés auprès des restaurants et des grandes maisons, puis parés et revendus à bas prix sur certains marchés ou dans des gargotes. Ce mot du langage populaire du XIXᵉ siècle serait aujourd'hui remplacé par « rogatons ».

ARLÉSIENNE (À L') Se dit d'une garniture composée pour l'essentiel de tomates (soit en tranches sautées, soit concassées) assez relevées d'ail, de lames d'aubergines frites à l'huile d'olive, parfois de courgettes étuvées, et de rondelles d'oignon farinées et frites.

ARMAGNAC Eau-de-vie de vin d'une région précise de la Gascogne (située essentiellement dans le département du Gers, mais aussi dans ceux des Landes et du Lot-et-Garonne), protégée par une appellation d'origine contrôlée. L'armagnac marie son arôme à de nombreux plats de gibier, à des sauces et à des soufflés, mais il se déguste surtout dans un verre ventru à paroi mince.

■ **Régions de production.** La première zone de production (50 % du total), le bas Armagnac (à l'ouest, autour de Gabarret, La Bastide-d'Armagnac, Cazaubon, Eauze et Nogaro, jusqu'à Villeneuve-de-Marsan et Aire-sur-l'Adour), donne des armagnacs d'une grande finesse et d'un bouquet particulier, à classer parmi les meilleures eaux-de-vie. La Ténarèze complète cette zone à l'est (autour de Nérac, Condom, Vic-Fezensac, Aignan) et produit des eaux-de-vie fortement parfumées et souples (40 %).

Le haut Armagnac, qui s'étend plus à l'est et au sud, autour de Mirande, Auch et Lectoure, n'entre que pour 5 % dans la production globale, avec des eaux-de-vie moins typées.

L'armagnac, né au XVIIᵉ siècle, provient de vins locaux issus de cépages blancs, notamment colombard, ugni blanc, folle blanche et baco (supprimé en 2000), produits aussitôt après la vendange et distillés le plus tôt possible, pour éviter les risques sanitaires liés à l'absence de dioxyde de soufre (SO_2), dans des alambics à coulée continue ou, plus rarement, à repasse. La jeune eau-de-vie, transparente à l'origine, est mise à vieillir en fût de chêne, où elle acquiert sa coloration et son arôme, puis elle est commercialisée directement ou assemblée à d'autres armagnacs (l'âge du mélange étant celui de l'élément le plus jeune). L'armagnac est souvent vendu en bouteilles plates dites « basquaises ».

■ **Réglementation.** Plusieurs dénominations sont utilisées pour qualifier l'âge d'un armagnac : « monopole », « sélection », « trois étoiles » correspondent à un an au moins, et jusqu'à 3 ans, de vieillissement sous bois ; « VO » (Very Old), « VSOP » (Very Superior Old Pale) et « réserve » indiquent un vieillissement minimal de 4 ans ; « extra », « Napoléon », « vieille réserve » et « hors d'âge » garantissent un vieillissement de plus de 5 ans. Sont également commercialisés des millésimes ayant dépassé 20 ans.

ARMENONVILLE Se dit d'une garniture qui porte le nom d'un restaurant du bois de Boulogne, à Paris. Elle se compose au moins de pommes Anna (ou cocotte) et de morilles à la crème, et accompagne noisettes d'agneau et tournedos, poulet sauté ou en cocotte, œufs mollets ou pochés. Les éléments sont déglacés au cognac ou au madère et nappés de sauce demi-glace. L'appellation désigne aussi un apprêt de sole ou de filets de sole.
▶ Recette : SOLE.

ARMOISE Plante aromatique de la famille des astéracées, à odeur légèrement camphrée (**voir** planche des herbes aromatiques pages 451 à 454). Son parfum rappelle celui de l'absinthe, notamment pour la variété dite « citronnelle », utilisée en distillerie. L'armoise fraîche parfume viandes et poissons gras (porc, anguille) et aromatise les marinades. On l'emploie surtout en Allemagne, dans les Balkans et en Italie.

ARMORICAINE (À L') Se dit d'un apprêt en sauce de crustacés à base d'ail, de tomate et d'huile qui, malgré son nom, n'a rien de breton. Il s'agit en réalité de la préparation « à l'américaine », créée à Paris, au siècle dernier, par un chef d'origine méridionale (d'où la présence significative d'ail, de tomate et d'huile), de retour des États-Unis.

AROMATE Substance odorante servant de condiment et provenant d'une plante, dont on peut employer différentes parties (**voir** HERBES AROMATIQUES).
– Feuilles (basilic, cerfeuil, estragon, marjolaine, menthe, persil).
– Fleurs (câprier, capucine).

– Graines (aneth, anis, carvi, coriandre, moutarde).
– Fruits (genévrier, piment).
– Racines (raifort).
– Tiges (angélique, ciboulette, fenouil, sarriette, serpolet).
– Bulbes (ail, échalote, oignon).

Certains légumes (carotte, céleri, panais, poireau) jouent également un rôle aromatique. Les aromates se distinguent des épices, qui sont plus spécialement d'origine exotique (bétel, muscade, poivre, safran, vanille, etc.). Si ces dernières sont nécessairement aromatiques, elles peuvent aussi être très piquantes, alors que les aromates sont utilisés essentiellement pour leur parfum.

Épicer signifie « donner du goût », tandis qu'aromatiser veut dire « parfumer » (**voir** ÉPICE).

■ **Emplois.** Les aromates n'ont pas de valeur nutritive, mais ils constituent un élément indispensable de la cuisine, qu'ils soient utilisés directement dans les préparations, selon certains accords de saveurs et d'arômes (basilic et tomate ; thym et mouton ; estragon et poulet ; etc.), ou par le biais des vinaigres et des huiles aromatisées, des moutardes, des condiments, des farces, des courts-bouillons, marinades, fumets et macérations. L'industrie des boissons, alcoolisées ou non, et la confiserie y font largement appel.

Les aromates sont employés frais ou conservés par réfrigération, congélation ou dessiccation ; dans ce dernier cas, ils sont préservés, entiers ou pulvérisés, dans des pots opaques et bien bouchés, à tenir au sec.

ARÔME Senteur d'un aromate, c'est-à-dire d'une plante d'odeur agréable (plante « aromatique »). Un arôme est dû à un mélange de molécules odorantes, parfois appelées « composés d'arômes ».

Dans la bouche, l'aliment est réchauffé, mastiqué et agité, ce qui libère davantage de molécules volatiles et très différentes qui arrivent au nez. Mais l'arôme ne se développe pas aussitôt en bouche, et sa perception peut changer. C'est pourquoi on parle de notes aromatiques dominantes de tête, de corps ou de queue.

• **ARÔMES NATURELS.** Ils sont extraits de plantes : fruits, menthe, vanille, zestes d'agrumes, etc. Certains procédés, comme l'affinage (favorisant l'action spontanée de micro-organismes), le fumage ou la macération dans un alcool, enrichissent les produits alimentaires d'arômes qu'ils ne renferment pas naturellement.

• **ARÔMES ARTIFICIELS.** On nomme également « arôme » un extrait ou une préparation composée par l'industrie alimentaire. Ces arômes sont chimiques (mais de formule très proche de celle des arômes naturels, comme le menthol ou la vanilline) ou synthétiques (leur formule n'existe pas dans la nature ; c'est le cas de l'acétate d'amyle, à l'odeur de banane, utilisé dans les liqueurs et les fromages fondus, du diacétyle, employé dans la margarine, et des valérianates, appréciés en confiserie pour leur odeur fruitée).

Les arômes ne sont pas considérés comme des additifs, et leur emploi est soumis à une réglementation spécifique qui porte sur les teneurs maximales en substances présentes et susceptibles de poser des problèmes de santé publique, et sur les exigences en matière d'étiquetage. Sont obligatoires pour les denrées alimentaires la mention « arôme naturel », « arôme identique au naturel », « arôme artificiel » ou encore « arôme renforcé » (mélange de catégories d'arômes), selon le cas.

Une nouvelle législation européenne devrait modifier ce cadre général. Entre autres, seules les substances autorisées pourront être utilisées dans les denrées alimentaires.

ARÔME DE LYON OU **LYONNAIS** Fromage fait à partir de fromages à pâte molle de lait de chèvre, de vache ou de mélange (saint-marcellin, picodons, pélardons, etc.), qui est ensuite affiné en pot ou en fût avec du marc ou des rafles de raisin. Son goût est puissant.

ARQUEBUSE Boisson ancienne, qui passait pour posséder des vertus thérapeutiques en cas de blessure par coup de feu. La recette de l'« eau d'arquebuse » (ou « d'arquebusade ») fut fixée au XIXe siècle par un frère mariste de l'abbaye de l'Hermitage (Loire). Plus de vingt plantes, dont l'aigremoine et la gentiane, la composent. L'arquebuse est utilisée pour les cocktails et se boit aussi en digestif, en Savoie notamment.

ARROCHE Plante de la famille des amarantacées, dont on utilise les feuilles vertes, charnues et triangulaires comme celle des épinards ou pour confectionner des potages et des bouillons.

ARROSER Mouiller légèrement, à l'aide d'une petite louche ou d'une cuillère, un mets en cours de cuisson au four ou à la rôtissoire, en utilisant la graisse fondue ou le jus qui s'en écoule ; cette opération, répétée plusieurs fois, évite que le mets ne se dessèche en surface et apporte du moelleux à la chair.

ARROW-ROOT Fécule extraite des rhizomes d'une plante tropicale de la famille des marantacées. Fine, brillante, digeste et riche en amidon, cette fécule s'utilise pour lier des sauces et des potages ou préparer des bouillies pour nourrissons et des entremets.

ARTAGNAN (D') Se dit d'une garniture composée de cèpes à la béarnaise, de petites tomates farcies et de pommes croquettes, qui accompagne volailles et pièces de boucherie.

ARTICHAUT Plante potagère vivace de la famille des astéracées, dont la tête (« capitule ») est formée d'un réceptacle (« fond ») entouré de feuilles (« bractées »). Le fond, charnu et tendre, se mange une fois débarrassé de son « foin » ; la base des bractées et la tige sont aussi comestibles. Toujours très utilisé dans la cuisine italienne, l'artichaut fut introduit en France par Catherine de Médicis (**voir** tableau et planche des artichauts ci-contre).

L'artichaut étant le bouton d'une fleur, des bractées ouvertes indiquent qu'il est trop mûr, donc dur. On peut le garder frais pendant quelques jours en plongeant sa tige dans l'eau, comme une fleur. Peu énergétique (63 Kcal ou 263 kJ pour 100 g), il est diurétique par son potassium. Il est recommandé pour les traitements de maladies de peau (eczéma).

■ **Emplois.** Jeunes et tendres, les artichauts peuvent s'utiliser en gratin, en omelette, en beignets. Les fonds se servent surtout farcis, en salade ou comme garniture de plats chauds ou froids. Plus gros, cuits à l'eau ou à la vapeur, ils sont présentés entiers, froids ou tièdes (**voir** BARIGOULE [À LA]).

Les artichauts (en conserve au naturel) sont formés par le cœur et les bractées de petits artichauts dont le haut est coupé. Ils entrent dans la composition de garnitures et de salades.

PAS À PAS ▶ *Tourner des fonds d'artichaut, cahier central p. XIX*

---

artichauts : préparation

Avec un couteau bien tranchant, épointer les artichauts aux deux tiers de leur hauteur ; les laver à grande eau. Casser la queue au ras des feuilles (ne pas la couper) ; les parties filandreuses viendront avec la tige. Ficeler les artichauts pour que la pomme reste bien formée pendant la cuisson et les blanchir 5 min à l'eau bouillante. Les rafraîchir, les égoutter, retirer les petites feuilles centrales et le foin, saler et poivrer.

---

artichauts à l'anglaise

POUR 4 PERSONNES – PRÉPARATION : 15 min – CUISSON : 30 min
À l'aide d'une paire de ciseaux, épointer les feuilles de 4 artichauts aux deux tiers de leur hauteur. Les laver soigneusement à grande eau. Casser les queues des artichauts en les arrachant au ras des feuilles (ne pas les couper). Les parties filandreuses viendront avec la tige. Placer une rondelle de citron à l'emplacement de la queue et ficeler les artichauts pour maintenir leur pomme bien formée. Plonger les artichauts dans l'eau bouillante salée et les cuire en maintenant une ébullition constante. Le temps de cuisson d'environ 30 min dépend surtout de la variété, de l'état de fraîcheur et aussi de leur grosseur. Pour s'assurer de la cuisson des artichauts, il suffit de vérifier que les feuilles de l'extérieur se détachent en tirant dessus. À l'aide d'une écumoire, sortir les artichauts et les mettre à refroidir dans de l'eau glacée. Les égoutter en les retournant à l'envers sur une passoire ou une grille. Au moment de les servir, retirer la ficelle et la tranche de citron. Éliminer délicatement les premières feuilles du milieu qui cachent le foin, que l'on retire ensuite à l'aide d'une petite cuillère ou avec les doigts. Les artichauts cuits à l'anglaise peuvent aussi se consommer chauds ou tièdes.

ARTICHAUTS

camus de Bretagne

macau

blanc d'Espagne

romanesco

poivrade

violet de Provence

Caractéristiques des principales variétés d'artichauts

VARIÉTÉ	PROVENANCE	ÉPOQUE	ASPECT
blanc d'Espagne	Espagne	oct.-avr.	capitules vert pâle, moyens, coniques
blanc hyérois, ou macau	Sud-Est	mars-mai	capitules vert pâle, plus petits que le camus
camus de Bretagne	Bretagne	début mai-fin nov.	capitules verts, gros, arrondis, serrés, chair abondante, gros fond charnu
castel	Bretagne	mi-mai-fin nov.	capitules vert pâle, plus coniques, fond plus gros que le camus
petit violet, ou violet de Provence*	Sud-Est	mars-juin, sept.-nov.	capitules violets, moyens, allongés, coniques, fond moins charnu que le camus
	Bretagne	mai-nov.	
rond de Naples	Italie	oct.-avril	violet clair, gros, globuleux, conique

* Les jeunes portent le nom de « poivrade » et se consomment crus.

artichauts à la barigoule

Préparer les artichauts et les blanchir. Nettoyer et émincer 80 g de champignons par artichaut, hacher du lard gras (1/4 du volume des champignons) et autant de jambon. Mélanger ces éléments avec du persil haché, du sel et du poivre. Emplir les artichauts avec ce mélange, les barder, les ficeler et les braiser avec du vin blanc et un peu d'huile d'olive.

artichauts Clamart

Nettoyer 1 laitue, la couper en chiffonnade. Laver 12 petits artichauts nouveaux, les parer en cassant la queue et en tranchant les grosses feuilles ; beurrer une cocotte et y disposer les artichauts. Ajouter 300 g de petits pois frais écossés, la chiffonnade de laitue, du sel, 1 cuillerée à café de sucre en poudre et 3 cuillerées à soupe d'eau. Couvrir et cuire tout doucement. Servir dans le plat de cuisson, en ajoutant 1 cuillerée à soupe de beurre frais.

RECETTE DE PAUL BOCUSE

artichauts à la lyonnaise

« Choisir des artichauts moyens, à feuilles longues et écartées, verts ou violets de Provence par exemple. Casser la queue, couper les artichauts en quatre, écourter les feuilles aux deux tiers de leur hauteur et ôter le foin. Les plonger dans une casserole d'eau bouillante et les faire cuire à moitié. Les égoutter. Faire chauffer dans un poêlon en terre ou en porcelaine à feu un mélange à parts égales d'huile et de beurre. Y faire fondre un oignon haché. Ajouter les artichauts, saler, poivrer et laisser cuire à feu modéré jusqu'à ce que les légumes prennent couleur. Poudrer alors de 1 cuillerée de farine et ajouter 20 cl de bouillon. Lorsque les artichauts sont cuits, les dresser dans un plat et les tenir au chaud. Ajouter un peu de bouillon dans le poêlon et faire réduire la cuisson. Ajouter du persil ciselé, puis, en tournant, un beau morceau de beurre frais et le jus de 1/2 citron. Verser sur les artichauts et servir. »

artichauts à la rennaise

POUR 4 PERSONNES – PRÉPARATION : 25 min – CUISSON : 1 h

Casser la queue de 6 gros artichauts camus, puis recouper la base au couteau. Ôter une ou deux rangées de feuilles et couper les autres horizontalement, le plus près possible du fond. Retirer le foin et couper chaque artichaut en quatre. Les plonger dans de l'eau citronnée (avec le jus de 1 citron). Mettre 400 g de lard maigre demi-sel dans une casserole, le couvrir d'eau froide à hauteur et porter à ébullition. Cuire 2 min à petits bouillons, puis l'égoutter. Le couper en fines tranches. Éplucher et émincer finement 200 g d'oignons et 200 g de carottes. Les faire revenir à feu doux dans une cocotte avec 50 g de beurre demi-sel pendant une dizaine de minutes, en remuant de temps en temps. Retirer les légumes avec une écumoire. Tapisser le fond de la cocotte avec les tranches de lard. Remettre les légumes, puis ajouter les artichauts et 1 bouquet garni, et verser 25 cl de vin blanc sec (muscadet) et 25 cl de bouillon. Saler légèrement et poivrer. Couvrir et cuire à feu doux pendant 1 heure. Retirer le bouquet garni, sortir les quartiers d'artichaut avec une écumoire et les mettre dans un plat creux bien chaud, répartir les légumes et les lamelles de lard, et verser le jus de cuisson dessus. Parsemer de persil haché et servir immédiatement.

crème d'artichaut ▶ CRÈME (POTAGE)

fonds d'artichaut à la duxelles

POUR 4 PERSONNES – PRÉPARATION : 60 min – CUISSON : 30 min

Dans une sauteuse, faire fondre 40 g de beurre et étuver 4 fonds d'artichaut à couvert pendant 12 à 15 min (voir fonds d'artichaut étuvés au beurre page 53). Réaliser une duxelles avec 400 g de champignons (voir page 324). Finir la cuisson de la duxelles en incorporant 1 cuillerée à soupe de crème fraîche double. Vérifier l'assaisonnement. Garnir les fonds d'artichaut avec la duxelles et les saupoudrer de 40 g de fromage râpé. Arroser légèrement de beurre fondu et faire gratiner quelques minutes sous le gril.

fonds d'artichaut étuvés au beurre

Parer et tourner les fonds, les citronner et les blanchir 10 min dans de l'eau salée, additionnée de quelques gouttes de jus de citron pour leur éviter de noircir. Les égoutter, les ranger dans une sauteuse bien beurrée, saler et poivrer, arroser de beurre fondu, et les cuire, à couvert, de 18 à 25 min suivant leur grosseur. On peut ensuite les accommoder en les couvrant, sitôt cuits, de crème fraîche bouillante, que l'on fera réduire de moitié. Des fonds très gros seront escalopés.

fonds d'artichaut à la florentine

Faire étuver séparément dans du beurre des fonds d'artichaut et des épinards en branches. Garnir chaque fond d'artichaut de 1 grosse cuillerée à soupe d'épinards. Napper de sauce Mornay. Parsemer de fromage râpé et faire gratiner au four préchauffé à 275 °C.

fonds d'artichaut à la niçoise

POUR 4 PERSONNES – PRÉPARATION : 1 h – CUISSON : 30 min

Dans une sauteuse, faire chauffer 5 cl d'huile d'olive et étuver 4 fonds d'artichaut à couvert pendant 12 à 15 min (voir fonds d'artichaut étuvés au beurre ci-dessus). Avec 750 g de tomates, réaliser une fondue de tomate (voir page 377) bien réduite. Garnir les fonds d'artichaut avec la fondue de tomate et les saupoudrer de 25 g de parmesan râpé. Arroser d'un filet d'huile d'olive et faire gratiner quelques minutes sous le gril.

fonds d'artichaut Soubise

Faire blanchir des fonds d'artichaut et les étuver au beurre. Les garnir de purée Soubise. Poudrer de parmesan et faire gratiner.

raviolis aux artichauts ▶ RAVIOLIS
risotto aux artichauts ▶ RISOTTO

RECETTE DE GUY MARTIN

terrine de beaufort aux artichauts, œuf poché à la moutarde

POUR 10 PERSONNES – PRÉPARATION : 5 min (l'avant-veille) + 40 min – CUISSON : 1 h 15

« Deux jours avant, couper 500 g de beaufort jeune en petits dés de 5 mm de côté, les mettre dans un saladier, arroser avec 10 cl de crépy. Réserver au frais. Le lendemain, chemiser une terrine de 30 x 10 cm avec 40 tranches de pancetta (ou 10 tranches fines de jambon cru). Mélanger 25 cl de lait, 25 cl de crème et 6 jaunes d'œuf. Assaisonner en salant légèrement, car le fromage est déjà salé. Préchauffer le four à 160 °C. Égoutter le beaufort, puis le mélanger avec le lait, la crème et les œufs. Disposer au fond de la terrine un tiers des morceaux de beaufort et une petite louche de la préparation. Ajouter 3 fonds d'artichaut coupés en tranches épaisses. Répéter l'opération une fois. Finir avec le beaufort et le reste de la préparation. Cuire 1 h 15, laisser refroidir, puis réserver au frais jusqu'au lendemain. Pour servir, sortir la terrine du réfrigérateur 2 heures à l'avance, afin de la remettre en température. Couper des tranches de bonne épaisseur, les mettre sur une plaque et les passer sous le gril du four pour les tiédir. Pocher 10 œufs 3 min dans une eau bouillante légèrement vinaigrée. Chauffer 30 cl de fond de veau, le retirer du feu avant d'incorporer 40 g de moutarde. Disposer dans chaque assiette une tranche de terrine. À côté, poser quelques feuilles de salade (de la mâche ou du pourpier), l'œuf poché par-dessus. Servir la sauce moutarde en saucière. »

velouté d'artichaut ▶ VELOUTÉ

ARTOIS ▶ VOIR FLANDRE, ARTOIS ET PLAINES DU NORD

ARTOIS (D') Se dit, en souvenir du comte d'Artois, futur Charles X, d'un potage de haricots blancs et d'une garniture du baron d'agneau rôti, faite de petites croustades en pommes de terre, emplies de petits pois et accompagnées d'une sauce madère.

ARTUSI (PELLEGRINO) Banquier, homme de lettres et gastronome italien (Formimpopoli 1820 - Florence 1911), auteur de *La scienza in cucina e l'arte di mangiar bene*. Cet ouvrage, publié à compte d'auteur en 1891, connut, avec quatorze éditions différentes, un succès sans précédent en Italie. L'« Artusi », avec ses sept cent quatre-vingt-dix recettes, est toujours le grand classique de la cuisine italienne et se lit en outre avec un vif plaisir. Son style original allie précision technique, fantaisie littéraire, pédagogie hygiéniste et témoignages ethnographiques ou historiques.

ARZAK (JUAN MARI) Cuisinier espagnol (Saint-Sébastien 1942). Il est le précurseur de la grande cuisine moderne en Espagne. Leader de la cuisine basque, premier chef trois étoiles au Guide Michelin de son pays, il tient une maison centenaire sur une grande avenue de sa ville natale. Son grand-père José Maria l'a fondée en 1897, son père Juan Ramon lui succède, mais décède trop jeune en 1951. Il est remplacé par Francisca, la mère de Juan Mari, que celui-ci remplace à son tour en 1967. Il allège le style maison, accomplit des stages chez Paul Bocuse, Jean et Pierre Troisgros, Alain Senderens, Gérard Boyer, Firmin Arrambide, et retravaille à sa manière « le goût basque », la sauce verte, la morue pil pil ou les cocochas (les bajoues du poisson). Il joue aussi des textures et des idées neuves, et réussit la fleur d'œuf aux truffes. Il reçoit une étoile en 1974, deux en 1977, trois en 1989. Ce sont les plus anciennes d'Espagne. Il est aujourd'hui relayé par sa fille Elena (née en 1969) qui a accompli des stages chez Pierre Gagnaire, Ferran Adrià et Alain Dutournier.

ASA FŒTIDA OU **ASE FÉTIDE** Résine extraite de la racine d'une plante de la famille des apiacées et poussant en Orient. Séchée et concassée, elle est vendue en poudre en Iran, en Inde et en Afghanistan, où on l'utilise comme condiment. Aujourd'hui, son parfum très âcre et son goût d'ail prononcé ne sont guère appréciés en Europe (les Allemands l'ont baptisée *Teufelsdreck*, « fiente du diable »). Les Romains en consommaient beaucoup, mais elle fut ensuite considérée comme un produit pharmaceutique.

ASIAGO Fromage italien AOP de lait de vache (48 % de matières grasses), à pâte pressée mi-dure et à croûte brossée (voir tableau des fromages étrangers page 396). Fabriqué autrefois avec du lait de brebis, à Asiago (province de Vicence), il a une saveur légèrement piquante et se présente en meules de 7 à 10 kg. Selon son degré d'affinage (de 1 à 6 mois), il se déguste frais, moyen ou vieux (on peut alors le râper).

ASPARTAME Édulcorant de synthèse à très fort pouvoir sucrant (180 à 200 fois celui du saccharose) et n'apportant quasiment aucune calorie, contrairement aux polyols. De tous les édulcorants, l'aspartame est celui dont le goût se rapproche le plus de celui du sucre courant, ce qui en fait l'un des composants de milliers de produits allégés. L'aspartame est peu stable à la chaleur (voir ADDITIF ALIMENTAIRE).

ASPERGE Plante vivace de la famille des liliacées, dont le rhizome souterrain, ou griffe, émet des pousses appelées « turions » ou « asperges » (voir tableau et planche des asperges page 54). Déjà appréciée des Anciens, l'asperge commença à être cultivée en France à la Renaissance. Louis XIV aimait beaucoup ce légume, et l'architecte jardinier, Jean de La Quintinie, approvisionnait la cour dès le mois de janvier. Les sables de la Loire et du Cher devinrent un terrain d'élection pour l'asperge vers 1875, grâce à Charles Depezay, qui importa des griffes prélevées près d'Argenteuil et se consacra à sa culture. L'asperge est cultivée dans tous les terrains meubles et sablonneux de France (Landes, Touraine, Anjou, Nantes).

Il existe quatre types d'asperges selon leur coloration. La fausse verte n'est commercialisée que dans le Languedoc et la région toulousaine, où elle reste une tradition culinaire. On cultivait autrefois une asperge pourpre dans la région niçoise, qu'on ne trouve qu'en Italie et confidentiellement en France. Une fois cuite, elle devient blanche et peut être plus sucrée. En haute Provence, dans les Pyrénées, les Cévennes et le Maghreb, on peut encore cueillir des asperges sauvages au goût

53

Caractéristiques des principaux types d'asperges

TYPE	PROVENANCE	ÉPOQUE	ASPECT	SAVEUR
type blanche	Centre, Sologne, Val de Loire, Alsace, Champagne, Sud-Est, Sud-Ouest	début mars-fin juin	pointe et turion blancs	tendre, puissante
*type violette**	même provenance que la blanche	fin mars-fin juin	pointe violette, turion blanc	tendre, goût prononcé
type violette/verte	Sud-Est, Sud-Ouest (Landes)	fin mars-fin juin	pointe violet et vert, turion blanc	tendre, goût prononcé
*type verte***				
fausse verte	Sud-Est, Sud-Ouest, Espagne	mi-janv.-mi-juill.	pointe et haut du turion verts	puissante, végétale
vraie verte	Beauce, région de Blois	févr.-juill.	verte sur toute sa longueur	goût prononcé

* Les asperges violettes sont des asperges blanches cueillies juste après leur apparition au jour.
** Les asperges vertes sont des asperges blanches qui ont poussé hors de terre.

corsé, amer, mais très parfumé. Il ne faut pas confondre ces asperges sauvages avec l'ornithogale (**voir** ce mot), ou aspergette.

L'asperge fraîche doit être rigide, cassante avec une section brillante. Entourée d'un torchon humide, elle peut se conserver 3 jours au maximum, mais elle durcit. On trouve des conserves d'asperges au naturel, entières, en morceaux, ou miniatures (dites « pique-nique »), ou de pointes uniquement. Il faut les rincer à l'eau avant tout emploi.

Ce légume peu nourrissant (25 Kcal ou 104 kJ pour 100 g) est riche en eau, en fibres, en potassium et en vitamine C. Il faut compter 300 g par personne pour une entrée. Quel que soit son emploi, elle est toujours cuite d'abord à l'eau ou à la vapeur, mais il est inutile de la blanchir avant de la congeler. Elle doit être servie tiède.

asperges : préparation

Couper les asperges à la même longueur sur une planche pour ne pas les casser. Les peler de la pointe vers le pied, avec un couteau économe. Laver rapidement les asperges à grande eau. Les égoutter et les lier en bottes.

asperges : cuisson à l'eau

ASPERGES ENTIÈRES. Cuire les bottes d'asperges dans de l'eau bouillante salée pendant 15 min environ suivant leur grosseur. Les mettre à égoutter sur un plat garni d'une serviette ou sur la grille d'un plat à asperges. On peut aussi les cuire à la vapeur dans une casserole spéciale : les pointes, maintenues hors de l'eau, seront plus tendres.

POINTES D'ASPERGE. Couper les pointes et les lier en bottes. Détailler les queues en dés et les cuire 5 min environ dans de l'eau bouillante salée. Ajouter les pointes d'asperge, les cuire entre 7 et 8 min, les sortir et les rafraîchir.

asperges congelées

Nettoyer soigneusement des asperges et les blanchir de 2 à 4 min, selon leur grosseur, dans une grande quantité d'eau bouillante salée. Les passer sous l'eau froide, les égoutter et bien les éponger. Les emballer par petites quantités dans des sacs à congélation, eux-mêmes enfermés dans des sacs plus grands ou dans des boîtes à congélation. Fermer,

ASPERGES ET ORNITHOGALE

ornithogale

type violette

type blanche

type violette/verte

vraie verte

étiqueter et congeler. Pour utiliser ces asperges, les plonger encore gelées dans de l'eau bouillante et les laisser terminer leur cuisson de 12 à 16 min. Elles peuvent être apprêtées comme les asperges fraîches.

asperges à la flamande

Cuire des asperges dans une grande quantité d'eau bouillante salée et les servir aussitôt, très chaudes, avec du beurre clarifié enrichi de jaunes d'œuf dur écrasés et poudrés de persil ciselé.

asperges au gratin

Cuire des asperges dans une grande quantité d'eau bouillante salée ; les égoutter soigneusement et les dresser sur un plat allant au four, en décalant les couches, de manière à présenter les pointes et à masquer les tiges. Recouvrir les pointes d'une sauce Mornay. Placer une bande de papier sulfurisé beurré sur les parties non saucées. Saupoudrer de parmesan râpé, arroser de beurre fondu et gratiner quelques minutes sous le gril, jusqu'à ce que les pointes soient bien dorées. Enlever le papier juste avant de servir.

asperges à la polonaise

Éplucher des asperges et les couper toutes à la même longueur ; les lier en bottillons et les plonger dans une grande quantité d'eau bouillante salée. Les cuire, puis les égoutter soigneusement. Beurrer un plat long et y dresser les asperges par rangées échelonnées, de manière à faire apparaître toutes les pointes. Parsemer celles-ci d'œuf dur haché et de persil ciselé. Faire blondir de la mie de pain dans du beurre noisette et la disposer sur les asperges. Servir aussitôt.

asperges servies chaudes

Pour des asperges cuites à l'eau bouillante salée, préparer une sauce d'accompagnement qui peut être du beurre fondu clarifié et, éventuellement, citronné, du beurre noisette ou de la sauce Chantilly, hollandaise, maltaise ou mousseline.

asperges servies tièdes

Elles sont meilleures que froides. Les accompagner d'une mayonnaise, d'une sauce moutarde ou tartare, d'une vinaigrette simple ou aromatisée, d'une sauce émulsionnée chaude.

aspic d'asperge ▶ ASPIC
barquettes aux œufs brouillés et aux asperges ▶ BARQUETTE
fines feuilles de pâtes vertes
  aux asperges ▶ PÂTES ALIMENTAIRES
omble chevalier aux asperges vertes
  et aux morilles ▶ OMBLE CHEVALIER

pointes d'asperge au beurre et à la crème

Les dresser en légumier, ou les utiliser en garniture pour des œufs pochés, brouillés ou mollets, pour des apprêts de poisson, pour des petites pièces de boucherie, pour des ris de veau, pour une poularde ou un gibier.

royale d'asperge ▶ ROYALE
sardines aux asperges vertes et au citron
  de Menton confit ▶ SARDINE

ASPHODÈLE Plante annuelle vivace de la famille des liliacées, consommée depuis Apicius pour ses racines charnues sucrées. On les apprête au Maghreb comme les salsifis ou les scorsonères ; elles accompagnent bien le lapin et les tagines. On peut en faire de l'alcool par fermentation du saccharose contenu dans les racines.

ASPIC Mode de dressage de préparations cuites et refroidies (viande, volaille, foie gras, poisson, crustacés, légumes, voire fruits), prises dans une gelée moulée, aromatisée et décorée.

Le terme « aspic » vient du latin *aspis*, qui désignait un serpent ; il s'appliquait également à un bouclier représentant un reptile lové ; on l'a donné, par analogie, à certains moules de cuisine spiralés.

Aujourd'hui, les aspics sont dressés dans des moules soit unis (moule à charlotte, à savarin [pour plusieurs parts], ramequin, dariole [moule individuel]), soit cannelés ou historiés.

La gelée (de viande, de volaille, de poisson ou à base de pectine pour les fruits) varie selon la nature de l'élément principal (escalope de volaille, filet de sole, foie gras en médaillon, légumes frais émincés, fruits en morceaux, etc.) utilisé pour préparer l'aspic. On parfume cette gelée en conséquence avec du porto, du madère, du marsala ou du xérès.

aspic : préparation

Mettre le moule choisi dans le réfrigérateur pour qu'il soit bien froid, puis y verser de la gelée à aspic juste refroidie, mais non prise. Faire tourner rapidement le moule pour chemiser régulièrement le fond et les parois. Remettre le moule au froid pour faire prendre la gelée mais sans vraiment la durcir, puis appliquer sur le fond et le tour les éléments du décor. Celui-ci, établi en fonction du mets principal, doit être simple, avec un nombre limité d'ingrédients diversement détaillés, choisis parmi les suivants : lames de truffe, œuf dur en rondelles, maigre de jambon, langue écarlate, feuilles d'estragon, saumon fumé, etc. (Il faut également penser, lors de cette mise en place, à l'aspect extérieur de la préparation lorsqu'elle sera démoulée.) Mettre à nouveau le moule ainsi garni dans le réfrigérateur pour permettre au décor de faire corps avec la gelée. Emplir le moule avec la préparation de base, tasser délicatement, puis égaliser le dessus avec de la gelée. Cette préparation est soit disposée par couches, entre lesquelles la gelée doit refroidir, soit disposée en une fois et recouverte d'une seule couche de gelée. Mettre alors le moule empli de sa préparation dans le réfrigérateur jusqu'au moment de servir. Le démoulage de l'aspic se fait en plongeant le moule pendant quelques secondes dans de l'eau bouillante ; on le retourne sur un plat froid, que l'on remet quelques instants dans le réfrigérateur avant de servir.

aspic d'asperge

Chemiser de gelée le fond et les parois de ramequins. Tailler des pointes d'asperge cuites à la hauteur des ramequins et les ranger debout, tête en bas, sur le pourtour, bien serrées les unes contre les autres. Garnir l'intérieur de purée de foie gras. Masquer le tout de gelée et mettre dans le réfrigérateur quelques heures avant de démouler et de servir.

aspic de crabe (de crevette, de homard ou de langouste)

Préparer un fumet de poisson avec 500 g de parures de poisson blanc, 30 cl de vin blanc sec, 1 oignon piqué de 2 clous de girofle, 1 bouquet garni, 1 petit bouquet d'herbes et 5 ou 6 grains de poivre ; ne pas saler ; ajouter 1 litre d'eau, couvrir, porter à ébullition et cuire doucement 30 min. Faire durcir 2 œufs, les rafraîchir et les écaler. Passer le fumet de poisson à travers un tamis ; le laisser tiédir ; en utiliser un peu pour délayer 2 feuilles de gélatine. Battre 3 blancs d'œuf et verser dessus le reste du fumet, en battant toujours au fouet ; ajouter la gélatine délayée et mélanger ; porter à ébullition, toujours en fouettant le mélange, puis rectifier l'assaisonnement, retirer du feu et faire reposer 10 min ; passer alors le fumet à travers un tamis ou un linge fin et laisser refroidir. Couper en très fines rondelles les œufs durs et 3 petites tomates ; laver et éponger quelques feuilles d'estragon. Chemiser le moule de gelée et répartir sur cette gelée les rondelles de tomate et d'œuf dur et les feuilles d'estragon ; couler un peu de gelée sur ce décor et faire prendre dans le réfrigérateur. Pour un aspic de homard ou de langouste, couper la queue en tranches et décortiquer pinces et pattes ; pour un aspic de crabe, décortiquer pinces et pattes et retirer la chair du corps ; pour un aspic de crevette, utiliser des crevettes décortiquées mais entières. Dans les trois cas, disposer les crustacés dans le moule et compléter avec de la mousse de crevette, en tassant. Verser le reste de la gelée et mettre au réfrigérateur 5 ou 6 heures. Démouler et servir sur un plat décoré de pointes d'asperge ou de feuilles de laitue.

aspic de foie gras

Préparer une gelée aromatisée au madère ou au xérès. En chemiser le moule ; y disposer des escalopes de foie gras et des lames de truffe. Emplir le moule de gelée à moitié prise et mettre dans la partie la plus froide du réfrigérateur. Démouler au moment de servir.

aspic de jambon et de veau (ou de volaille)

Préparer une gelée aromatisée. En chemiser le moule. Détailler du jambon d'York en dés et du veau (ou de la volaille) cuit en cocotte en escalopes régulières ; en garnir le moule. Emplir le centre d'une couche de mousse de jambon, et de petits dés de légumes cuits. Compléter avec de la gelée. Faire prendre au réfrigérateur. Démouler au moment de servir.

aspic de poisson

Il se prépare comme l'aspic de crabe, mais les crustacés sont remplacés par des filets ou des escalopes de poisson, et la mousse de crevette par de la mousse de poisson.

aspic de saumon fumé

Préparer une gelée aromatisée. Chemiser le moule. Déposer de la salade russe sur des tranches de saumon fumé et rouler celles-ci. Les ranger dans le moule en alternant une couche de saumon garni et une couche de mousse de saumon. Compléter avec de la gelée. Faire prendre dans le réfrigérateur et démouler.

ASSAISONNEMENT Apport d'ingrédients (épices, sel, poivre, aromates, condiments, huile, vinaigre), en quantités variables, pour relever une préparation, lui donner un goût particulier ou augmenter sa sapidité sans dénaturer les différents aliments qui la composent. L'assaisonnement est un art délicat, car il faut une connaissance précise des éléments de base et de leur goût pour mettre en valeur plusieurs saveurs en les associant.

Le verbe « assaisonner » signifiait, à l'origine, laisser mûrir un fruit pour qu'il arrive à bonne « saison ».

ASSEMBLAGE Opération qui consiste à mélanger les différentes cuvées de la même origine (Champagne, Bordeaux, vallée du Rhône, Languedoc, Provence, Armagnac, etc.) dans le but d'améliorer la qualité ou la typicité d'un vin ou d'une eau-de-vie.

Le terme d'assemblage est aussi utilisé en cuisine (**voir** CUISINE D'ASSEMBLAGE).

ASSIETTE Pièce de vaisselle individuelle servant à contenir les aliments, de dimension et de forme variables. L'assiette doit son nom au fait qu'elle marque la place où est assis le convive.

Dans l'Antiquité, les assiettes, plates ou creuses, étaient faites de terre cuite, de bois ou de métal plus ou moins précieux. Les Romains en moulèrent aussi en pâte de verre.

À la fin du XVe siècle, l'assiette d'argent devint un symbole d'aisance et, jusqu'au XVIIe siècle, les tables des riches bourgeois se couvrirent de magnifiques pièces d'orfèvrerie.

Mais, à la suite des guerres ruineuses de Louis XIV, la faïence et la porcelaine remplacèrent, dans les maisons aisées, le métal précieux.

Aujourd'hui, d'autres matériaux sont venus s'ajouter : métal inoxydable ou émaillé, verre traité, matières plastiques, carton enduit, etc.
■ **Usages.** Le centre de l'assiette, plus ou moins creux, se nomme « ombilic ». Le bord est appelé « marli » (ou « talus ») ; certaines assiettes modernes en sont dépourvues. Un service de table complet comprend, par ordre de taille décroissant, des assiettes plates, creuses, à fromage, à dessert, à fruits, à lunch et à pain. L'assiette à salade peut être en forme de demi-lune. D'autres assiettes plus spéciales complètent le service : assiettes à escargots et à huîtres (avec emplacements pour la douzaine ou la demi-douzaine), à fondue bourguignonne (avec compartiments pour les sauces), coupelles à avocat, à maïs, à artichaut ; les assiettes-égouttoirs sont utilisées pour servir les fraises ou les asperges.

Les règles du savoir-vivre voudraient que jamais deux assiettes ne soient placées l'une sur l'autre. Leur changement est indispensable après le poisson, ainsi que pour le fromage. Enfin, il est recommandé de prévoir des assiettes chaudes pour servir les mets exigeant une certaine température de dégustation.

Si l'emploi de l'assiette est répandu dans la plupart des pays occidentaux, il est cependant loin d'être la seule manière de consommer les mets. L'Extrême-Orient n'utilise pratiquement que des bols et des coupelles (mais de petites assiettes servent à recueillir les déchets) ; en

Afrique, il est souvent d'usage de manger avec ses doigts à même le plat principal et, au Moyen-Orient, ce sont parfois des galettes plates qui servent de support aux aliments.

ASSIETTE ANGLAISE Assortiment de viandes froides, dressé sur une assiette. L'assiette anglaise peut comprendre du jambon, du rosbif, de la langue écarlate, de la galantine, etc. Garnie de cornichons et de câpres, elle est servie avec moutarde, mayonnaise et condiments. On emploie aussi l'expression « assiette froide ».

ASSOCIATIONS ▶ **VOIR** **CONFRÉRIES** ET **ASSOCIATIONS**

ASSUJETTIR Maintenir les membres d'une volaille ou d'un gibier à plume contre le corps, à l'aide d'une ficelle à rôti, pour faciliter la cuisson et favoriser la présentation (**voir** BRIDER).

ASTER MARITIME Plante sauvage vivace de la famille des astéracées, vivant dans les prés et les marais maritimes. Iodée et succulente, elle se consomme comme la salicorne (en salades, en pickles ou cuite) ; elle est très appréciée par les Belges et les Néerlandais.

ASTI Vin italien du Piémont. La ville d'Asti, au sud de Turin, est le centre d'une importante région viticole, produisant des vins rouges réputés, mais surtout un vin blanc issu du muscat, dit « moscatello ».

La plus grande partie de ce vin est vinifiée en mousseux dès la première fermentation, ce qui lui conserve un excellent goût de fruit. Vendu sous le nom d'asti spumante, cet excellent muscat mousseux est mondialement apprécié.

ASTRINGENT Qualificatif désignant une sensation âpre et râpeuse en bouche. L'astringence devient désagréable quand elle entraîne une impression d'assèchement, telle celle produite par un kaki insuffisamment mûr. En revanche, elle paraît naturelle quand elle demeure faible et harmonieuse, comme lors de la dégustation de prunelles, de nèfles fraîches ou de vins rouges tanniques.

ATHÉNÉE Écrivain et grammairien grec, né à Naucratis (Basse-Égypte) au IIIe siècle de notre ère. Son ouvrage de compilation, *Deipnosophistai* (« Banquet des Savants »), est une mine de renseignements sur la vie quotidienne et culturelle de la Grèce antique.

ATHÉNIENNE (À L') Se dit d'apprêts divers (volaille, agneau, brochettes) préparés avec de l'huile d'olive et de l'oignon fondu, et, généralement, garnis d'aubergines (frites, sautées ou farcies), de tomates (sautées ou farcies), de poivrons (sautés ou farcis) et de riz pilaf à la grecque.

ATTENDRIR Rendre une viande plus tendre grâce à différentes techniques : la « rassir » en la stockant 7 jours à basse température (entre 0 et + 2 °C) ; l'aplatir à l'aide d'une batte à côtelettes ou d'un marteau attendrisseur à pointes de diamant ; la hacher finement ; la laisser quelques heures dans une marinade ou une saumure ; la cuire longtemps en milieu aqueux (eau ou vin).

ATTEREAU Hachis de foie et de gorge de porc, enrobé d'une crépine, préparé surtout en Bourgogne. Les attereaux, en forme de grosses boulettes, sont cuits au four, rangés côte à côte dans un plat en terre et dégustés froids.

ATTEREAU (BROCHETTE) Préparation faite de divers éléments cuits ou crus, enfilés sur une brochette, trempés dans une sauce réduite, panés à l'anglaise et frits (à la différence des simples brochettes, grillées à cru).

Un attereau est le plus souvent constitué d'abats (taillés en morceaux ou escalopés), mais aussi de fruits de mer, de légumes, etc. On peut ajouter des ingrédients (champignons, langue, jambon) et un enrobage de sauce. L'attereau est aussi un entremets chaud : il est alors fait de fruits et de rondelles de pâtisserie, trempés dans un appareil à crème frite et panés.

« Empilées et rangées, les assiettes de toutes formes se côtoient dans les cuisines de POTEL ET CHABOT et les restaurants HÉLÈNE DARROZE et KAISEKI. Qu'elles soient sobres et sans décor, rehaussées d'or ou de motifs floraux, elles doivent se faire oublier pour mettre en valeur le plat qu'elles présentent. »

attereaux d'ananas

Éplucher un ananas frais. Couper la chair en cubes. Enfiler ces cubes sur des brochettes. Les tremper dans un appareil à crème frite, les paner à l'anglaise et les plonger dans la friture.

attereaux de cervelles d'agneau à la Villeroi

Cuire au blanc des cervelles d'agneau, les laisser refroidir sous presse, puis les couper en morceaux ; les faire macérer 30 min dans de l'huile additionnée de quelques gouttes de jus de citron, avec du persil haché, du sel et du poivre. Les enfiler sur des brochettes et les enrober de sauce Villeroi ; les paner à l'anglaise et les frire à 180 °C.

attereaux de foies de volaille à la mirepoix

Faire sauter des foies de volaille au beurre, les égoutter et les laisser refroidir. Couper du jambon cuit en dés. Nettoyer de petits champignons de Paris. Composer les attereaux en faisant alterner ces trois éléments, et les rouler dans une mirepoix. Les paner à l'anglaise et les frire vivement. Égoutter, saler et poivrer. Présenter avec du persil frit.

attereaux d'huîtres

Pocher de grosses huîtres dans leur eau filtrée puis les égoutter. Couper des champignons en lamelles épaisses et les cuire à blanc. Composer les attereaux en alternant ces éléments. Les tremper dans de la sauce Villeroi au fumet de poisson, les paner à l'anglaise et les plonger dans de la friture très chaude. Servir avec du persil frit et des demi-citrons.

attereaux de moules

Préparer des moules à la marinière et les décoquiller. Les égoutter et les rouler dans de la moutarde. Les enfiler sur des brochettes en les alternant avec des petits champignons de Paris. Les paner à l'anglaise et terminer comme pour les attereaux d'huîtres.

attereaux à la niçoise

Composer des attereaux avec de grosses olives dénoyautées, des champignons, des morceaux de thon (mariné à l'huile d'olive et au citron) et des filets d'anchois. Les tremper dans une sauce Villeroi additionnée de 1 cuillerée de purée de tomate réduite et d'estragon haché. Les paner à l'anglaise et les faire frire.

attereaux à la piémontaise

Préparer 400 g de polenta, la saler et la poivrer. L'étaler dans un plat carré légèrement huilé et la laisser refroidir. La découper en carrés de 4 cm de côté et enfiler ceux-ci sur des brochettes. Les frire dans de l'huile à 180 °C. Les égoutter sur du papier absorbant et les dresser dans un plat avec du persil frit.

ATTRIAU Crépinette en forme de boulette aplatie, faite d'un hachis de foie de porc, de viande de veau, de fines herbes et d'oignon (**voir** tableau des pâtés page 628). En Suisse romande, le terme s'écrit « atriau ».

AUBÉPINE Arbuste épineux, de la famille des rosacées, fréquent dans les haies vives d'Europe (**voir** planche des fruits rouges pages 406 et 407). Ses feuilles et ses rameaux fleuris sont utilisés en tisane pour leur action calmante sur le cœur. Mais, surtout, les fruits rouges et charnus d'une de ses variétés, l'azérolier, très répandu dans le midi de la France et en Espagne, servent à confectionner des gelées et des confitures à saveur acidulée.

AUBERGINE Fruit allongé ou arrondi d'une espèce de la famille des solanacées (**voir** tableau et planche des aubergines ci-contre). Les variétés cultivées en Europe ont généralement des fruits de taille moyenne, à l'épiderme pourpre foncé, presque noir, lisse et brillant, qui recouvre une chair claire et ferme. Le fruit est consommé immature. À maturité, sa couleur tourne au jaune ou au brun, les graines deviennent brunes et dures, et la chair, fibreuse. Originaire de la région indo-birmane, l'aubergine était déjà cultivée en Italie au XVᵉ siècle, mais elle ne fut diffusée dans le midi de la France qu'au XVIIᵉ siècle ;

ce sont les Méridionaux qui la firent connaître au nord de la Loire lors de la Révolution. C'est un légume peu calorique (30 Kcal ou 125 kJ pour 100 g), riche en potassium ainsi qu'en calcium.

■ **Emplois.** De saveur affirmée, l'aubergine participe à de nombreux apprêts orientaux et méditerranéens, qui la marient à la tomate, à la courgette, à l'ail et à l'olive (**voir** IMAM BAYILDI, MOUSSAKA, RATATOUILLE, TIAN) ; elle accompagne bien le mouton, ainsi que les viandes blanches. Elle se mange chaude, en plat (farcie, en soufflé) ou en garniture (sautée, en beignets, en purée), ou bien froide (en purée ou en salade, mais toujours cuite).

aubergine : préparation

Autrefois, il était d'usage de peler l'aubergine, quel que soit son emploi. Cette pratique est aujourd'hui abandonnée, sauf pour certaines préparations, dites « blanches ». Pour quelques apprêts ou si elle est trop amère, on la fait dégorger 30 min en parsemant la pulpe de gros sel, puis on l'éponge longuement dans du papier absorbant. Pour farcir l'aubergine, on peut, selon sa forme et sa grosseur, la couper en deux et évider les moitiés en forme de barquettes, ou bien la décalotter et la creuser pour obtenir une seule calotte plus profonde. Passer un couteau à 5 ou 6 mm du bord, tout autour, pour achever de détacher la pulpe du fond avec un couteau à pamplemousse. Citronner l'intérieur et la pulpe pour les empêcher de noircir.

aubergines à la crème

Couper 3 aubergines bien fermes en rondelles de 5 mm d'épaisseur. Les faire dégorger, les éponger, les étuver au beurre dans une sauteuse. Juste avant de servir, ajouter 15 cl de sauce crème préparée avec 10 cl de béchamel et 5 cl de crème fraîche. Mélanger sans briser les légumes. Dresser dans un légumier. On peut aussi étuver les aubergines au beurre, les mettre dans un plat, déglacer la sauteuse avec 30 cl de crème fraîche, faire réduire de moitié et ajouter hors du feu 50 g de beurre frais ; passer cette sauce et la verser sur les aubergines.

aubergines au cumin

Préparer un court-bouillon avec 50 cl d'eau, le jus de 1 gros citron, 10 cl d'huile d'olive, 1 cuillerée à café de graines de coriandre, 1 cuillerée à dessert de graines de cumin, une douzaine de grains de poivre, 1 gros bouquet garni riche en thym et 3 g de sel. Peler 4 grosses aubergines, les tailler en petits cubes réguliers et les citronner. Plonger ces cubes dans le court-bouillon, les faire bouillir vivement pendant une dizaine de minutes et les égoutter. Jeter le bouquet garni, filtrer le court-bouillon, le faire réduire de moitié, en arroser les aubergines et laisser refroidir. Mettre au réfrigérateur. (On peut ajouter au court-bouillon 2 cuillerées à soupe de concentré de tomate.)

aubergines farcies à la catalane

Couper de belles aubergines en deux pour former des barquettes. Les creuser à 1 cm du bord et retirer la pulpe sans crever la peau. Hacher cette pulpe en même temps que 1 œuf dur, de l'ail (1 petite gousse par aubergine) et du persil. Faire fondre à l'huile d'olive de l'oignon haché (1 gros oignon par aubergine) et ajouter au mélange pulpe-œuf dur ; en garnir les demi-aubergines. Dresser dans un plat huilé, parsemer de chapelure fraîche, arroser d'huile et cuire au four préchauffé à 225 °C.

aubergines farcies à l'italienne

Évider des aubergines comme pour les aubergines farcies à la catalane et les ranger dans un plat huilé. Additionner la pulpe hachée d'une quantité égale de risotto, relevée de persil et d'ail hachés. Garnir les aubergines de cette préparation. Parsemer de chapelure. Arroser d'huile d'olive et gratiner.

aubergines au gratin à la toulousaine

Couper les aubergines en tranches épaisses, transversalement ou dans la longueur ; les faire dégorger avec du sel, les éponger soigneusement et les dorer à l'huile d'olive dans une poêle. Faire également sauter dans de l'huile des demi-tomates. Garnir un plat à gratin avec les tomates et les aubergines en les alternant et parsemer largement de mie de pain mélangée d'ail et de persil hachés. Arroser d'un peu d'huile et gratiner au four.

Caractéristiques des principales variétés d'aubergines

VARIÉTÉ	PROVENANCE	ÉPOQUE	ASPECT
berinda	Sud-Ouest	fin mai-fin oct.	mi-longue, mi-ovoïde, violet foncé
black bell	Italie, Sicile	toute l'année	globuleuse, violette
cava	Espagne	oct.-fin mars	oblongue, violette
dobrix	Sud-Est	mi-avr.-fin nov.	mi-longue, légèrement piriforme, noire
dourga	Sud-Est	juill.-oct.	assez courte, blanche
estival	Sud-Ouest	fin mai-fin oct.	globuleuse, violette
telar	Sud-Est	mi-mai-fin oct.	longue, violette
vernal	Sud-Est	mi-mai-fin oct.	oblongue, violette
violette ou noire de Barbentane	Provence	juill.-oct.	longue, violette ou noire

AUBERGINES

violette et blanche

violette de Barbentane

mini-aubergine

aubergine-œuf blanche (Asie)

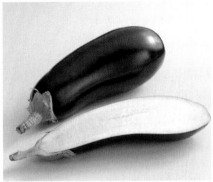

aubergine-pois (Thaïlande)

verte (Thaïlande)

jaune (Thaïlande)

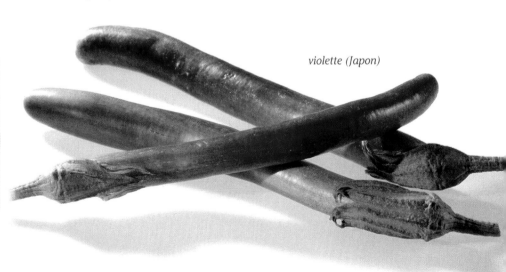

violette (Japon)

aubergines « imam bayildi »

Faire tremper 200 g de raisins de Corinthe dans un peu de thé tiède. Essuyer 4 aubergines longues, sans les peler, les fendre en deux et inciser la pulpe à 1 cm du bord, en veillant à ne pas percer la peau. Retirer la pulpe, la couper en petits dés et les citronner pour leur éviter de noircir. Éplucher et hacher 4 gros oignons ; laver, peler, épépiner et concasser 8 grosses tomates ; hacher finement 1 petit bouquet de persil. Faire bien revenir dans 4 cuillerées à soupe d'huile d'olive la pulpe de tomate, les dés d'aubergine, le hachis d'oignon et de persil ; saler, poivrer, ajouter 1 branche de thym et 1 feuille de laurier, couvrir et laisser fondre pendant une vingtaine de minutes. Ajouter alors 2 gousses d'ail écrasées et les raisins égouttés ; bien mélanger le tout et cuire encore 5 min. Huiler un plat allant au four ; retirer le thym et le laurier. Placer les demi-aubergines évidées dans le plat graissé et les garnir de farce. Verser de l'huile d'olive tout autour et ajouter un peu de thym frais et de laurier émiettés ; cuire 2 heures au moins au four préchauffé à 160 °C.

aubergines sautées

Détailler des aubergines en cubes de 2 cm de côté. Les faire dégorger avec du sel, les éponger, les fariner et les faire sauter à l'huile d'olive dans une poêle. Dresser en légumier et parsemer de persil ciselé.

aubergines soufflées

Évider les aubergines comme pour les farcir. Passer la pulpe au tamis ou au mixeur. Lui ajouter une quantité égale de béchamel réduite. Lier avec des jaunes d'œuf, assaisonner de sel, de poivre et de muscade râpée. Incorporer au dernier moment des blancs d'œuf battus en neige très ferme. Remplir de cette composition les aubergines évidées, les ranger dans un plat à gratin. Les cuire au four préchauffé à 200 °C pendant une dizaine de minutes, en les recouvrant éventuellement de parmesan. Pour préparer les aubergines soufflées à la hongroise, on ajoute à la farce 2 cuillerées d'oignon haché fondu au beurre et assaisonné de paprika.

beignets d'aubergine ▶ BEIGNET

caviar d'aubergine

Cuire 3 belles aubergines au four préchauffé à 200 °C pendant 15 à 20 min. Faire durcir 4 œufs, puis les rafraîchir et les écaler. Peler et épépiner 2 tomates, hacher la pulpe. Éplucher et hacher 1 oignon. Fendre les aubergines, retirer la pulpe et la hacher au couteau. Mélanger dans un saladier tomates, oignon et pulpe d'aubergine ; saler et poivrer ; verser, en tournant comme pour une mayonnaise (on peut utiliser un mixeur), 1 petit verre d'huile d'olive. Mettre dans le réfrigérateur jusqu'au moment de servir. Décorer avec les œufs durs coupés en quartiers et des rondelles de tomate.

hachis de bœuf en gratin aux aubergines ▶ HACHIS
papeton d'aubergine ▶ PAPETON
sauté d'agneau aux aubergines ▶ SAUTÉ

AUBRAC ▶ VOIR ROUERGUE, AUBRAC ET GÉVAUDAN

AUBRAC (VIANDE) Race bovine rustique du sud du Massif central, qui donne une excellente viande rouge assez foncée (**voir** tableau des races de bœufs page 106).

AUMALE (D') Se dit d'un apprêt de la poularde, farcie et braisée, dû au chef des cuisines d'Henri d'Orléans, duc d'Aumale, quatrième fils de Louis-Philippe. La garniture, particulièrement élaborée, est composée de croustades garnies de concombre tourné cuit au beurre et de demi-oignons évidés, fourrés d'un salpicon de langue et de foie gras liés à la sauce madère.

Les œufs brouillés d'Aumale, quant à eux, sont additionnés de tomate concassée et de dés de rognon sautés vivement au madère.

AUMÔNIÈRE (EN) Se dit de la présentation d'un dessert confectionné avec des abricots : les fruits, dont le noyau est remplacé par un morceau de sucre, sont enfermés dans des triangles de pâte brisée ; on réunit ensuite les pointes en soudant les bords. Ces « aumônières », ainsi appelées en raison de leur forme, sont cuites au four

PLISSAGE EN AUMÔNIÈRE

1. *Garnir de la préparation le centre d'une petite crêpe fine (15 cm de diamètre environ) pas trop cuite.*

2. *Refermer la crêpe pour lui donner une forme d'aumônière et répartir les plis régulièrement. En maintenant l'aumônière d'une main, faire un nœud avec un brin de ciboulette blanchi à l'eau bouillante.*

et accompagnées d'une sauce à l'abricot chaude, garnie d'amandes hachées et grillées.

Le terme s'applique aussi à une préparation salée ou sucrée qui est disposée au centre d'une petite crêpe peu cuite, que l'on referme en la cintrant pour lui donner une forme d'aumônière, avant de la cuire au four.
▶ Recette : MORILLE.

AURICULAIRE OREILLE-DE-JUDAS Champignon noirâtre de la famille des auriculariées, en forme de coupe puis de cloche ou « d'oreille », mi-gélatineux mi-cartilagineux, qui pousse en groupe sur les vieux troncs d'arbres. Consommé, à l'origine, cru en salade, il porte le nom, dans les restaurants chinois, de « champignon noir ».

AURORE Se dit des mets additionnés de sauce tomate ou de purée de tomate. La sauce aurore détermine l'appellation des mets qu'elle nappe.
▶ Recette : SAUCE.

AUSLESE Mot allemand (qui signifie « sélection ») désignant une catégorie de vins allemands ou encore autrichiens élaborés avec des raisins de vendanges tardives, affectés, dans les meilleures années, par la pourriture noble. Ces vins, à la forte concentration en sucre, peuvent être secs *(trocken)* ou plus sucrés *(halbtrocken, süss)*.

AUSONE Poète latin (Burdigala [Bordeaux] v. 310 - *id.* v. 395) qui fut le précepteur du futur empereur Gratien. Une de ses *Idylles* est consacrée à *la Moselle* et aux nombreux poissons que l'on y pêchait alors. Nommé consul en 379, il se retira en 383 près de l'actuelle Saint-Émilion. « Heureux, écrivait-il, les Bordelais, pour qui vivre et boire sont une même chose ! » Le souvenir du vin qu'il récoltait survit dans le cru château-ausone. Il a laissé une étude sur l'élevage des huîtres.

AUSTRALIE La cuisine de ce pays est profondément marquée par les produits et les habitudes alimentaires importés par les colons britanniques et danois. Le kangourou, qui entrait dans la préparation de nombreux plats populaires (*kangaroo tail soup,* soupe de queue de kangourou ; *kangaroo fillet in szechwan crust,* filet de kangourou en croûte), est désormais protégé.

Les Australiens sont de gros consommateurs de viande de bœuf et, surtout, de mouton, qu'ils mangent grillée au barbecue, ou en saumure, comme le jambon de mouton parfumé de girofle et de genièvre. Les poussins de Sydney, marinés à l'ananas et au vin, puis rôtis, sont plus originaux. Le lapin, surabondant, est aussi très apprécié, comme les coquillages et les poissons, de taille imposante mais cuisinés sans recherche. Légumes et fruits tropicaux, comme la chérimole et le fruit de la Passion, sont produits en grandes quantités.

■ **Vins.** La viticulture australienne est assez récente, puisqu'on date au 26 janvier 1788 la plantation du premier cep, dans la région de Sydney. Aujourd'hui, le vignoble se compose à la fois de grands domaines viticoles et de petits « arpents de vigne », propriétés d'agriculteurs vinifiant pour eux-mêmes ou vendant leur vendange aux grandes caves.

Avant la Seconde Guerre mondiale, le vignoble produisait principalement des vins doux – le « sherry » australien eut son heure de gloire en Angleterre jusqu'en 1925 –, mais les progrès de la vinification ont permis aux vignerons de produire d'excellents vins de table.

Le sud du pays bénéficie d'un climat comparable à celui des pays méditerranéens, très propice à la culture de la vigne ; le nord est beaucoup plus chaud.

• **NOUVELLE-GALLES DU SUD.** La célèbre Hunter Valley, proche de Sydney, donne des vins blancs, issus de sémillon et parmi les meilleurs du monde pour ce cépage, mais aussi de chardonnay, et des vins rouges veloutés et très aromatiques (shiraz – en fait le syrah, très connu des viticulteurs du Rhône – et cabernet-sauvignon) ; le Mudgee et le Murrumbidgee produisent des vins plus courants, mais de bonne tenue.

• **VICTORIA.** Dans cet État, où la température est très variable (élevée à fraîche), la Murray River Valley propose des vins mutés de la meilleure qualité et de grandes quantités de vins blancs vendus en fûts ; le reste de la région donne aussi de bons vins, qui ne cessent de s'améliorer (essentiellement pinot noir et chardonnay).

• **AUSTRALIE-MÉRIDIONALE.** La Barossa Valley produit des vins très recherchés faits avec des raisins noirs de vieux ceps de shiraz ; la Clare Valley se consacre largement au riesling, à l'origine de vins blancs typiques, très différents de ceux d'Allemagne ou d'Autriche ; les autres régions de l'État assurent des rendements importants (shiraz, cabernet-sauvignon).

• **AUSTRALIE-OCCIDENTALE.** La Swan Valley a gardé jusqu'en 1960 le monopole des vignobles ; leur superficie a beaucoup diminué, mais ils produisent encore le célèbre Houghton White Burgundy (connu à l'étranger sous le nom de « Houghton Supreme »).

Aujourd'hui, le souci de la qualité pousse de plus en plus les producteurs à utiliser les cépages nobles pour améliorer leur production. Le succès ne se fait pas attendre : sur les 10 millions d'hectolitres produits, l'Australie en exporte près de quatre.

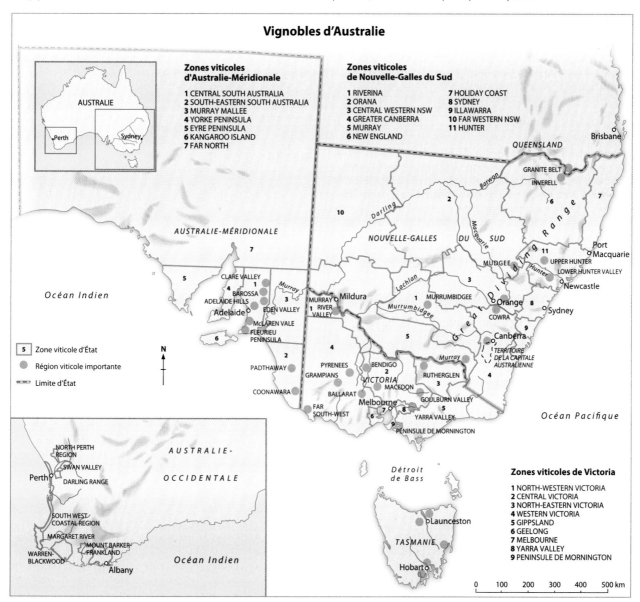

Vignobles d'Australie

Zones viticoles d'Australie-Méridionale
1 CENTRAL SOUTH AUSTRALIA
2 SOUTH-EASTERN SOUTH AUSTRALIA
3 MURRAY MALLEE
4 YORKE PENINSULA
5 EYRE PENINSULA
6 KANGAROO ISLAND
7 FAR NORTH

Zones viticoles de Nouvelle-Galles du Sud
1 RIVERINA
2 ORANA
3 CENTRAL WESTERN NSW
4 GREATER CANBERRA
5 MURRAY
6 NEW ENGLAND
7 HOLIDAY COAST
8 SYDNEY
9 ILLAWARRA
10 FAR WESTERN NSW
11 HUNTER

Zones viticoles de Victoria
1 NORTH-WESTERN VICTORIA
2 CENTRAL VICTORIA
3 NORTH-EASTERN VICTORIA
4 WESTERN VICTORIA
5 GIPPSLAND
6 GEELONG
7 MELBOURNE
8 YARRA VALLEY
9 PÉNINSULE DE MORNINGTON

5 Zone viticole d'État
● Région viticole importante
--- Limite d'État

AUTOCLAVE Récipient à fermeture hermétique, permettant de stériliser par la vapeur sous pression. Les denrées y sont plongées dans de l'eau qui est chauffée sous pression ; la température intérieure atteint de 120 à 180 °C, l'appareil étant muni d'une soupape de sûreté réglable.

AUTOCUISEUR Marmite à fermeture hermétique, où les aliments cuisent à température plus élevée, et donc plus rapidement que dans une marmite ordinaire (entre 112 et 125 °C, au lieu de 100 °C au maximum).

L'autocuiseur est conçu pour la cuisson à l'étuvée, à la vapeur, à l'eau ou au bouillon (avec du liquide en quantité réduite). Ses avantages résident dans le gain de temps, dans la conservation des sels minéraux, dans une utilisation réduite de matières grasses, ainsi que dans une meilleure dispersion des graisses. Quelques inconvénients, pourtant, font qu'il ne remplace pas le mijotage à l'ancienne : les viandes ont tendance à être plus fades et plus molles, et les ingrédients mélangent indistinctement leurs saveurs.

AUTOLYSE En boulangerie, méthode de pétrissage qui consiste à mélanger, le plus souvent mécaniquement, la farine et l'eau pendant 4 ou 5 minutes. On laisse ensuite reposer la pâte pendant 15 à 60 minutes afin d'obtenir une meilleure plasticité et de faciliter ainsi le travail de panification.

AUTRICHE La cuisine autrichienne est moins une cuisine nationale qu'une synthèse des traditions culinaires des divers peuples (Allemands, Italiens, Tchèques et Hongrois), qui constituaient l'Empire des Habsbourg. On y trouve ainsi le chou, les ragoûts et la charcuterie, mais aussi les pâtes fraîches (aux graines de pavot) et le goût de l'oignon, du paprika (car le goulache est aussi un plat autrichien) et de certains fruits (cerises, pommes, prunes, noix, etc.). La gastronomie est à l'honneur à Vienne, où les fastes de l'Empire survivent dans des lieux comme l'hôtel *Sacher*, la pâtisserie *Demel*, les vieux cafés *(Hawelka, Landtmann)*, bastions de la tradition, et le Naschmarkt, le plus ancien des marchés viennois.

■ **Grands classiques.** Les ressources des rivières ont inspiré de remarquables apprêts de poisson : truite au bleu, brochet farci, carpe frite (mets traditionnel des fêtes de Noël), queues d'écrevisse au fenouil.

Le *Tafelspitz* (viande bouillie très mortifiée), aux nombreuses variantes, accompagnées de salades et de compotes, est l'orgueil des cuisiniers, bien que le plat le plus connu à l'étranger soit l'escalope viennoise *(Wiener Schnitzel)*, qui peut aussi bien être de bœuf que de porc ou de veau. La panure occupe d'ailleurs une place importante dans cette cuisine. La volaille a toujours été à l'honneur, notamment le poulet (rôti, pané et frit au saindoux, à la crème aigre, au paprika ou au chou).

■ **Plats régionaux.** C'est dans les petits restaurants traditionnels *(Gasthof* ou *Heuriger)* que l'on déguste, accompagnés des meilleurs vins, des plats régionaux comme le lièvre rôti, l'oie au chou rouge, les quenelles de porc, le goulache, les crêpes fourrées *(Palatschinken)*, les raviolis *(Nudln)* de Carinthie, le bœuf aux oignons et au cumin *(Zwiebelfleisch)* et les ragoûts épicés de Styrie, suivis de salades à l'huile de graines de potiron. Soupes et ragoûts sont des classiques : aux pommes de terre et aux champignons, accompagnés de *Knödel* au pain ou au foie. Le Tyrol est réputé pour sa charcuterie. La choucroute est populaire, de même que les quenelles au lard et le foie de veau aux oignons. Quant aux *Nockerln*, c'est la version autrichienne des gnocchis italiens (le mot désigne également un soufflé sucré salzbourgeois).

■ **Fromages.** Outre le *Topfen*, fromage de vache frais maigre en pot, on citera deux fromages de vache, le *Vorarlberger Bergkäse*, à pâte cuite, et le *Mondseer*, à pâte pressée.

■ **Pâtisseries.** L'Autriche est avant tout le pays de la pâtisserie, que l'on sert, comme le café, empanachée de crème fouettée *(Schlagobers)*. Les trois grands classiques – Sachertorte, Strudel et Linzertorte – ne doivent pas faire oublier les feuilletés aux fruits secs ou à la crème de pavot, les meringues, les tartes aux fruits confits, au fromage blanc ou aux cerises, le *Kaiserschmarrn* (crêpe épaisse et sucrée), les *Krapfen* (beignets), les *Zwetschenknödel* (pruneaux dénoyautés, enrobés de pâte et frits), les *Tascherln* et les *Buchteln* (brioches roulées ou fourrées à la confiture).

■ **Vins.** L'Autriche a une tradition viticole qui date de l'époque romaine. Sur les 2,5 millions d'hectolitres produits, 500 000 hectolitres sont aujourd'hui exportés.

Le vignoble se situe à l'extrême est du pays, non loin de Vienne ; la plus grande région, le Weinviertel, se trouve au nord de la ville. Les autres, Carnuntum et Thermenregion, s'étirent le long du Danube ; la plus réputée, le Burgenland, se trouve plus au sud.

Les vins blancs légers et fruités sont réputés ; les plus originaux proviennent d'un cépage local, le Grüner Veltliner ; d'autres s'inspirent de leurs voisins allemands avec le riesling, le pinot blanc, le müllerthurgau, le ruländer et le traminer. Parmi les vins les plus réputés, le Ruster Ausbruch, liquoreux, comparable au tokay de Hongrie produit dans le Burgenland.

Certains de ces vins blancs sont issus, comme en Allemagne, de vendanges tardives et de sélections de grains nobles (Auslese), ou de grappes congelées sur pied (Eiswein). Enfin, le vignoble produit quelques vins rouges (pinot noir, lamberger, portugieser, etc.), de qualité moins reconnue.

AUTRICHIENNE (À L') Se dit de différentes préparations caractérisées par un assaisonnement au paprika et quelquefois par un appoint d'oignon fondu, de fenouil ou de crème aigre.

AUTRUCHE Oiseau ratite africain de grande taille (jusqu'à 2,50 m), de la famille des struthionidés, maintenant élevé en Europe et abattu vers 13 ou 14 mois, quand il pèse 100 kg environ. Son alimentation, composée de luzerne, d'herbe et de céréales, confère à sa chair des caractéristiques particulières de goût et une tendreté remarquable. Bien rouge, la viande d'autruche vient essentiellement de la cuisse.

Les œufs, excellents, furent à la mode au XIXe siècle. Pesant en moyenne 1,5 kg, chaque œuf permet de préparer une omelette pour 8 à 10 convives.

Le cuir est utilisé en maroquinerie.

AUVERGNATE (À L') Se dit de nombreuses préparations réalisées avec des produits d'Auvergne : le petit salé, le lard et le jambon (que l'on retrouve dans la potée, le chou farci et les apprêts de lentilles et de pommes de terre), ainsi que les fromages, tels le bleu (pour la soupe) et le cantal (pour l'aligot et la truffade, à base de tomme fraîche).

AUVERGNE ET VELAY (MONTS D') Ce pays de moyenne montagne offre une cuisine saine, honnête et « droite en goût », selon Curnonsky. Il en est ainsi des légumes : choux, navets, raves, carottes, etc., à l'origine de succulentes soupes, de généreux choux farcis ou braisés, de « pountis » et de la potée au chou. La lentille verte du Puy (AOC) se déguste le plus souvent en salade tiède ou avec le petit salé. La pomme de terre est reine : on la prépare sautée à la poêle avec un hachis de lard maigre, en galette, en gratin ou agrémentée de tomme fraîche.

Quant aux vergers de la Limagne, ils fournissent de beaux fruits parfois transformés en confitures, fruits confits et pâtes de fruits ou utilisés dans une pâtisserie souvent rustique.

Les porcs d'Auvergne sont renommés, et les charcuteries (jambons secs et fumés, saucisses sèches, saucissons), de grande qualité. Comme ailleurs, les bas morceaux ont donné des recettes originales : galantine de cochon de lait, tripous et fricandeau. Le bœuf de Salers produit des viandes de boucherie parfois comparées à celles du Limousin voisin.

Parmi les autres richesses naturelles, on trouve les grenouilles, une spécialité de la ville de Riom, et les escargots préparés « à l'auvergnate », donc au chou. Les forêts regorgent de myrtilles et de framboises, de champignons qui donnent des préparations originales (cèpes farcis, salade de lépiotes ou russules en fricassée au jambon). Les châtaignes enrichissent les soupes, servies avec du jambon rôti (à la clermontoise), farcissent le boudin ou entrent dans la composition de desserts : le gâteau de Saint-Flour, qui marie le chocolat au fruit du châtaignier. Gentiane et verveine servent à la fabrication des liqueurs. Le gibier, plus rare, permet de préparer l'estouffat de perdrix aux lentilles et le lièvre à l'auvergnate.

■ **Soupes.**

• SOUPE AU FARCI, OULADE ET COUSINAT. La soupe au chou prend en Auvergne plus d'importance qu'ailleurs. On y découvre la soupe au farci, une potée dans laquelle on fait cuire un chou rempli de chair à saucisse, et le bouillon gras garni de feuilles de chou farcies. L'oulade, soupe au chou, au lard et aux légumes, tire son nom de la marmite en cuivre étamé (l'oule) dans laquelle elle est préparée. Le cousinat est une soupe aux marrons agrémentée de céleri-rave, d'oignons et de blancs de poireau.

■ **Poissons.**

Les poissons d'eau douce, tels que carpes, tanches et anguilles, sont succulents en matelote. Les truites sont cuites au bleu ou à la meunière, la perche du lac Pavin est farcie de champignons et cuite au vin blanc.

■ **Viandes.**

• PORC : MOURTAYROL, PICAUSSEL ET POUNTI. Le mourtayrol, délicat plat de fête (notamment de Pâques), est un pot-au-feu dans lequel on réunit du jambon, du bœuf, une poule, toutes sortes de légumes et du safran. Mijotant dans une marmite tapissée de tranches de pain rassis, ce plat est aussi appelé « mortier ». Quant au picaussel, c'est un hachis de porc cuit en cocotte, accompagné de feuilles vertes, de lard, de jambon et d'aromates. Enfin, le pounti est un flan rustique fait d'un hachis de lard, d'oignons et de bettes, enrichi à volonté de pruneaux et de raisins secs.

• BŒUF : COUFIDOU. La viande de bœuf se présente le plus souvent en ragoût de queue de bœuf ou en gras-double, mais surtout en coufidou, un ragoût de bœuf braisé au vin rouge et au marc, accompagné de pommes de terre, de carottes et d'oignons.

• MOUTON : GIGOT BRAYAUDE. Ce gigot, piqué d'ail, est longuement braisé au vin blanc, avec des pommes de terre confites dans le jus de cuisson et servi accompagné de haricots rouges aux petits oignons et de choux braisés. Ce mets, dont on retrouve l'appellation pour d'autres plats de la région, tirerait son nom des « braies » (sorte de pantalon ample) portées par les Gaulois.

• VOLAILLES : ALICOT. Les spécialités de volailles (certaines bénéficient d'un label rouge) sont remarquables : les poussins aux morilles ou le poulet en vessie, le canard en salmis ou farci de boudin noir, et, querelles de clocher mises à part, le coq au vin. L'alicot, plat emblématique de la région, est composé d'abattis d'oie, de dinde ou autres volailles et servi garni de cèpes et de marrons.

■ **Fromages.**

• TRUFFADES ET GÂTIS. Les fromages constituent le fleuron des produits d'Auvergne : bleu d'Auvergne, fourme d'Ambert (pâtes persillées) ; cantal, murol, saint-nectaire et salers (pâtes pressées non cuites) ; gaperon (pâte molle).

Tous ces fromages ont inspiré des recettes, en particulier la truffade – dont le nom vient de « truffe » ou « troufle » qui désignait jadis la pomme de terre dans les campagnes –, une épaisse galette rissolée associant tomme fraîche de cantal, lardons et ail.

Entre fromage et dessert, les gâtis de Floirac sont des brioches fourrées de cantal et de roquefort.

■ **Pâtisseries.**

• PICOUSSEL, POMPE ET FLÔNES. Les desserts aux fruits sont l'occasion de confectionner des spécialités telles que le picoussel de Mur-de-Barrez, un flan au sarrasin garni de prunes, ou la pompe aux pommes de Riom, chausson fourré dégusté à Pâques et à Noël. Plus sophistiqués, les cornets fourrés de chantilly, spécialité de Murat, les puy-de-dôme, génoises garnies de glace et de meringue, et les soufflés à la verveine ou aux marrons complètent ce panorama.

■ **Vins.**

Cinquante-trois communes de l'AOVDQS côtes-d'auvergne proposent surtout des rouges, comme le chanturgue, le châteauguay et le médargues. Le corent et le boudes sont rosés. En Rouergue, les vins d'Estaing et l'entraygues-et-du-fel sont classés AOVDQS ; les vins de Marcillac sont des AOC.

AUXEY-DURESSES Village de Bourgogne, situé sur la côte de Beaune, non loin de Meursault, et dont le vignoble produit des vins rouges (cépage pinot noir) et blancs (cépage chardonnay) de grande finesse (**voir** BOURGOGNE).

AUXILIAIRES TECHNOLOGIQUES Substances ou préparations utilisées pour des raisons d'ordre technologique lors de la transformation de matières premières, de produits intermédiaires ou de denrées alimentaires, et qui doivent être retirées, dans la mesure où la technique le permet, au cours du processus de transformation. Les résidus ou dérivés inévitables ne doivent présenter aucun risque pour la santé, ni avoir d'effets sur le produit fini. La législation distingue plusieurs catégories d'auxiliaires technologiques : les antimousses, les agents décolorants, les agents de lavage et de pelage/épluchage, les agents de démoulage, etc.

AVELINE Fruit de l'avelinier, arbrisseau de la famille des bétulacées, que l'on nomme en épicerie « amande franche ». Il doit son nom à la ville d'Avellino, en Campanie. C'est une sorte d'amande très plate à coque dure recouverte d'une enveloppe foliacée. Il en existe plusieurs espèces, dont les plus connues viennent du Piémont et de Sicile. L'aveline se consomme fraîche ou sèche. Elle donne une huile (peu employée) et entre dans la confection des dragées dites « avelines ».

AVICE (JEAN) Pâtissier français du début du XIXe siècle. Chef chez Bailly, à Paris, la meilleure pâtisserie de son époque, il fut le fournisseur de Talleyrand. Il forma le jeune Antonin Carême, qui, devenu célèbre, salua l'« illustre Avice, maître de la pâte à choux », souvent considéré comme le créateur de la madeleine.

AVOCAT Fruit piriforme d'un arbre tropical, de la famille des lauracées, originaire du Guatemala (**voir** planche des légumes exotiques pages 496 et 497). Sa « peau » grenue et terne (avocats d'Israël), ou lisse et brillante (avocats d'Amérique centrale), est vert foncé ou brun violacé ; sa chair vert-jaune, entourant un gros noyau oblong, a la consistance du beurre et un léger goût de noisette.

L'avocat mûr est souple sous le doigt ; il peut se conserver dans le bas du réfrigérateur. Il est riche en lipides insaturés (22 %), en potassium, en vitamines E et C. Sa valeur énergétique est voisine de 240 Kcal ou 1 003 kJ pour 100 g.

■ **Emplois.** L'avocat se sert en hors-d'œuvre, coupé en deux, nature, ou garni de multiples façons. Il entre dans des salades, des mousses glacées, des soufflés. Il noircit à l'air : il faut le préparer au dernier moment et enduire la surface de coupe avec du jus de citron.

Au Mexique, il est très populaire : le guacamole (**voir** ce mot) accompagne tortillas et petits pains. À la Martinique, c'est la base du « féroce ». Dans toute l'Amérique du Sud, il garnit les potages et les ragoûts. En Afrique, ses feuilles servent à préparer une boisson pétillante et légèrement alcoolisée, la babine.

RECETTE D'ALAIN PASSARD

avocat soufflé au chocolat

« Préchauffer le four à 180 °C. Couper 1 avocat bien mûr en deux, retirer le noyau. Extraire la chair et conserver la peau des demi-avocats. Mixer la chair avec 1 pointe de couteau de pâte à pistache jusqu'à obtention d'une purée bien lisse. Avec la pointe d'un couteau, découper un rond dans le fond des demi-avocats afin qu'ils puissent tenir droits sur une assiette. Monter 3 blancs d'œuf en neige ferme, en ajoutant petit à petit 35 g de sucre en poudre. Mélanger doucement les blancs montés à la purée d'avocat-pistache. Remplir la moitié des demi-avocats avec la moitié de la préparation. Disposer au centre de chacun un carré de chocolat noir. Recouvrir du reste de la préparation. Enfourner les avocats et les faire cuire 8 min environ. Les sortir du four dès qu'ils commencent à dorer. Saupoudrer de sucre glace et servir très chaud. »

avocats farcis à l'américaine

Ouvrir des avocats en deux ; retirer la pulpe avec une cuillère parisienne ; citronner, saler et poivrer la pulpe et l'intérieur des fruits. Couper en petits cubes de l'ananas frais ou en conserve. Ébouillanter et rafraîchir des germes de soja. Mélanger ananas et soja avec une mayonnaise légère et bien relevée, puis ajouter les dés d'avocat. Remplir les « peaux » d'avocat en dôme et garnir d'une rondelle de tomate. Parsemer de persil ciselé. Mettre dans le réfrigérateur jusqu'au moment de servir.

avocats farcis au crabe

Préparer une mayonnaise bien moutardée et relevée de poivre de Cayenne. Émietter de la chair de crabe (fraîche, en boîte ou surgelée) en éliminant les cartilages. Ouvrir des avocats, retirer la pulpe avec une cuillère parisienne ou en la coupant en cubes réguliers. Saler, poivrer, citronner la pulpe et l'intérieur des fruits. Mélanger mayonnaise et chair de crabe, puis ajouter délicatement la pulpe. Remplir les avocats en dôme. Décorer de mayonnaise tomatée à la poche à douille cannelée. Poudrer de paprika.

cocktail d'avocat aux crevettes

POUR 4 personnes – **PRÉPARATION : 30 min**

Préparer une sauce cocktail avec 50 cl de mayonnaise (**voir** page 532), ajouter 1 cl de cognac, 1 cuillerée à soupe de ketchup et quelques gouttes de Worcestershire sauce et de Tabasco. Émincer 100 g de crevettes roses décortiquées en petits tronçons. Ouvrir 4 avocats dans la longueur, retirer la chair avec une cuillère parisienne ou en la coupant en petits dés réguliers. Citronner la chair et l'intérieur des fruits. Mélanger délicatement les crevettes émincées, les deux tiers de la sauce cocktail puis la chair d'avocat. Vérifier l'assaisonnement. Remplir les demi-avocats avec le mélange, napper du restant de sauce. Décorer avec 100 g de queues de crevettes décortiquées, 1 tomate coupée en quartiers et quelques pluches de cerfeuil.

RECETTE DU RESTAURANT *LE MARAIS-CAGE*, À PARIS

féroce martiniquais

« Mélanger dans un robot 1 gousse d'ail et 1 gros oignon épluchés, 2 cuillerées à soupe de persil haché, 1 cuillerée à café de piment oiseau, et hacher très fin. Ajouter 250 g de morue salée cuite à l'eau et émiettée, bien hacher, incorporer 1 cuillerée à soupe de farine de manioc et émulsionner avec 10 cl d'huile d'arachide. Éplucher et écraser les avocats en purée, y mettre 2 pincées de piment de Cayenne moulu et 1 cuillerée à soupe de farine de manioc, puis ajouter la chiquetaille de morue. Travailler à la fourchette 2 ou 3 min. Servir aussitôt pour que le féroce ne noircisse pas à l'air. »

RECETTE DE PASCAL BARBOT

fines lamelles d'avocat et chair de crabe

POUR 4 PERSONNES

« Assaisonner 400 g de chair de crabe fraîchement cuit avec de la fleur de sel, ajouter les zestes de 1 citron vert et de 1/2 orange, 2 cuillerées à café de ciboulette finement ciselée, 3 cuillerées à soupe d'huile d'amande douce et la moitié du jus de 1/2 citron vert. Poivrer au moulin. Mélanger délicatement et réserver. À l'aide d'une mandoline, couper 2 avocats bien mûrs non pelés (noyau compris) en tranches fines, dans la longueur. On obtient des tranches non pelées, avec ou sans noyau. Retirer la peau de chaque lamelle et le noyau. Dresser sur chaque assiette plate individuelle 3 grandes lamelles d'avocat trouées les unes à côté des autres. Répartir dans les trous la chair de crabe assaisonnée, puis recouvrir d'autres lamelles d'avocat plus petites, non trouées de préférence. Assaisonner délicatement l'avocat avec de la fleur de sel, du poivre du moulin, quelques gouttes de jus de citron vert et un filet d'huile d'amande douce avant de servir. »

guacamole ▶ GUACAMOLE
salade d'avocat Archestrate ▶ SALADE
velouté glacé à l'avocat ▶ VELOUTÉ

AVOINE Céréale de la famille des poacées, originaire d'Europe, qui est utilisée dans l'alimentation humaine pour ses vertus tonifiantes et énergétiques (**voir** tableau des céréales page 179 et planche pages 178 et 179).

Cultivée par les Romains, largement consommée en bouillies par les Germains et les Gaulois, l'avoine est restée jusqu'au XIXe siècle une des bases de l'alimentation en Écosse, en Scandinavie, en Allemagne et en Bretagne, qui tous en gardent aujourd'hui encore la tradition. Elle est en effet très riche en protéines, en matières grasses, en éléments minéraux et en vitamines, et donc bien adaptée aux climats froids et humides.

L'avoine sert surtout à confectionner des potages et des bouillies salées ou sucrées, et intervient dans la préparation de certains pains. Les flocons d'avoine se consomment au petit déjeuner, souvent avec du lait ; ils entrent aussi dans la fabrication de biscuits et de galettes, surtout dans les pays anglo-saxons. Aux États-Unis, la pâtisserie familiale des quakers l'utilise largement (**voir** BIRCHERMÜESLI, PORRIDGE).

AZOTE LIQUIDE À l'état liquide (– 196 °C), l'azote congèle rapidement les aliments. Cette propriété est utilisée en cuisine moléculaire pour obtenir des glaces et des sorbets de texture très fine en raison de l'extrême petitesse des cristaux qui se forment.

AZYME Qualificatif (du grec *zumê*, « levain », et *a* privatif) désignant un pain sans levain. C'est le pain rituel des juifs, absolument pur, par opposition au pain profane, fermenté, et donc putrescible.

La composition des pains azymes doit être scrupuleusement respectée : eau et farine de froment (provenant d'une moisson effectuée d'une façon déterminée), sans sel, ni sucre, ni matière grasse ; on emploie éventuellement de l'orge, de l'épeautre, de l'avoine ou du seigle.

Parfois, la pâte est parfumée avec du vin ou des fruits, mais seule la *matza* « pure » est consommée le premier soir de la Pâque juive.

Toute une gastronomie s'est créée à partir de la farine azyme (beignet, boulette, soupe, gâteau), mais les juifs tiennent à garder l'idée essentielle pour eux de pureté du pain azyme, que les kabbalistes – spécialistes des commentaires des textes bibliques – appelaient « pain céleste ».

B

BABA Gâteau de pâte levée, parfois additionnée de raisins secs et imbibée, après cuisson et séchage, d'un sirop au rhum (ou au kirsch). La création du baba serait due à la gourmandise du roi de Pologne Stanislas Leszczynski (1677-1766), exilé en Lorraine : trouvant le kouglof trop sec, il imagina de l'arroser de rhum. Lecteur assidu des *Mille et Une Nuits,* il aurait baptisé cet apprêt du nom de son héros favori, Ali Baba. Le gâteau eut un grand succès à la cour de Nancy.

Le pâtissier Stohrer, qui y avait séjourné, perfectionna la recette et en fit la spécialité de sa maison de la rue Montorgueil, à Paris, sous le simple nom de « baba ». Vers 1850, des pâtissiers s'inspirèrent du baba pour créer le « fribourg » à Bordeaux, le « brillat-savarin » (qui devint le savarin) à Paris et le « gorenflot ».

babas au rhum

La veille, faire macérer 100 g de raisins secs avec 30 cl de rhum. Délayer 10 g de levure de boulanger avec 2 cuillerées à soupe d'eau tiède. Disposer 250 g de farine tamisée en fontaine. Mettre au centre 25 g de sucre, le sel et 2 œufs entiers, ainsi que la levure ; travailler le mélange à la spatule de bois jusqu'à ce qu'il devienne élastique, puis ajouter 1 œuf ; travailler, ajouter 1 autre œuf et travailler encore. Mettre enfin 100 g de beurre ramolli, travailler la pâte jusqu'à ce qu'il soit parfaitement incorporé, puis ajouter les raisins égouttés. Beurrer l'intérieur de 16 moules à baba avec 50 g de beurre fondu. Diviser la pâte en 16 petites masses et les disposer dans les moules ; les placer dans un endroit chaud (30 °C au maximum). Préchauffer le four à 200 °C. Quand la pâte a doublé de volume, enfourner les moules et cuire de 15 à 20 min. Démouler aussitôt les babas sur une grille et les laisser refroidir. Préparer le sirop avec 500 g de sucre, 1 litre d'eau, 1 zeste de citron, 1 zeste d'orange et 1 gousse de vanille ; quand il atteint une densité de 1,120 au pèse-sirop, le retirer du feu. Ajouter 10 cl de rhum brun agricole. Plonger chaque baba dans le sirop bouillant jusqu'à ce qu'il ne dégage plus de bulles d'air, l'égoutter et le poser dans un plat creux. Lorsque les babas sont un peu refroidis, les imbiber de rhum brun agricole en récupérant le sirop qui s'écoule pour les en arroser plusieurs fois.

BABEURRE Liquide résiduel obtenu après le barattage de la crème lors de la fabrication du beurre. Riche en azote et en lactose, et pauvre en lipides, il se boit couramment dans tous les pays nordiques. En France, il est utilisé dans l'industrie alimentaire comme émulsifiant (boulangerie, pâtisserie, desserts et crèmes glacées). Il entre dans la fabrication de certains fromages.

BACCHUS Dieu de la Vigne et du Vin, dans la mythologie romaine, correspondant à la divinité grecque Dionysos. Il préside à la Végétation (symbolisée par sa baguette terminée par une pomme de pin et entourée de lierre et de feuilles de vigne). Il est aussi le « père » de la viticulture, car il apprit aux hommes à cultiver la vigne et à fabriquer le vin ; incarnation de la fertilité, il est devenu le dieu de la Génération, souvent symbolisé par un bouc ou un taureau.

BACON Poitrine de porc maigre fumée, salée, généralement présentée en tranches fines (**voir** planche de charcuterie pages 193 et 194). On les mange frites ou grillées, le plus souvent avec des œufs (**voir** BREAKFAST).

En France, on appelle également « bacon » le filet traité en salaison, séché, étuvé et fumé.

▶ Recettes : ŒUF SUR LE PLAT, PRUNEAU.

BADÈCHE ROUGE Poisson de mer, voisin du mérou, de la famille des serranidés, mesurant de 50 à 80 cm, au corps brun rougeâtre avec des taches jaunes et au museau pointu. La badèche rouge fréquente le littoral atlantique (du Portugal à l'Angola) et la Méditerranée. Sa chair est ferme. Une autre espèce, le mérou badèche, présente des caractéristiques similaires.

BADIANE Arbuste originaire d'Extrême-Orient, de la famille des magnoliacées, dont le fruit est appelé « anis étoilé » (**voir** planche des épices pages 338 et 339). En forme d'étoile à huit branches, il contient des graines au goût anisé, un peu poivré. Importée en Europe par les Anglais à l'époque de la Renaissance, la badiane est surtout utilisée en infusion et dans certaines liqueurs (anisette), mais les pays nordiques l'emploient aussi en pâtisserie et en biscuiterie.

Dans la cuisine orientale, c'est une épice courante : en Chine, elle relève surtout les viandes grasses (porc, canard) et parfume quelquefois le thé ; en Inde, elle fait partie des mélanges d'épices ; on la mâche aussi pour se parfumer l'haleine.

BAEKENOFE Ragoût alsacien de viandes diverses. En partant aux champs le matin, les paysans déposaient chez le boulanger du village la terrine préparée par leur épouse, pour qu'il la lute avec de la pâte à pain et qu'il la fasse cuire (*baeken*) dans son four (*Ofen*) après la fournée de pain. Le baekenofe, qui se prépare toujours en Alsace, nécessite une cuisson au four longue et régulière.

baekenofe

La veille, couper en gros cubes 500 g d'épaule de mouton, 500 g d'épaule de porc et 500 g de bœuf. Les mettre à mariner dans un plat creux avec 50 cl de vin blanc d'Alsace, 1 gros oignon épluché et émincé, 1 oignon épluché et piqué de 2 ou 3 clous de girofle, 2 gousses d'ail écrasées, 1 bouquet garni, un peu de sel et du poivre. Le lendemain, éplucher et couper en rondelles 1 kg de pommes de terre et 250 g d'oignons. Graisser une cocotte avec du saindoux, puis y disposer une couche de pommes de terre, une couche de viandes mêlées, une couche d'oignons et recommencer jusqu'à épuisement des ingrédients. Terminer par une couche de pommes de terre. Retirer le bouquet garni et l'oignon piqué de girofle de la marinade, puis verser celle-ci dans la cocotte. Le liquide doit affleurer la dernière couche ; sinon, ajouter un peu d'eau. Luter le couvercle et cuire 4 heures au four préchauffé à 160 °C.

BAGNES Fromage suisse (vallée de Bagnes, dans le Valais) de lait de vache (45 % de matières grasses), à pâte pressée cuite et à croûte brossée (**voir** tableau des fromages étrangers page 396). Ferme au doigt, mais élastique, il se présente sous forme de meules aplaties de 7 kg environ. Sa saveur fruitée le fait apprécier comme fromage de table, mais il est surtout connu comme fromage à raclette. Certains amateurs le préfèrent plus affiné que la normale (jusqu'à 6 mois au lieu de 3), ce qui le rend assez fort.

BAGRATION Nom de divers apprêts inspirés de recettes dédiées par Antonin Carême à la princesse Bagration, au service de laquelle il entra à son retour de Russie, en août 1819.

Certains de ces apprêts ont en commun les macaronis, la salade russe, la purée de volaille ou un salpicon de truffes et de langue écarlate, mais les garnitures ont été modifiées et simplifiées par rapport aux recettes originales.

BAGUETTE DE LAON Fromage picard de lait de vache (45 % de matières grasses), à pâte molle et à croûte lavée, qui se présente sous forme de pain, pesant environ 500 g, ou de demi-pain (**voir** tableau des fromages français page 389). Sa couleur brun-rouge et sa saveur prononcée l'apparentent au maroilles. Créée après la Seconde Guerre mondiale, la baguette de Laon, dite aussi « baguette de Thiérache », est fabriquée industriellement ; sa meilleure période va de fin juin à fin mars.

BAGUETTES Bâtonnets utilisés en Extrême-Orient pour saisir les aliments dans les plats ou dans les bols individuels et les porter à la bouche, éventuellement après les avoir trempés dans une sauce. (Même pour la soupe, on ne se sert pas de cuillère : on saisit le solide, puis on boit le liquide.) Selon le savoir-vivre chinois, il faut tenir les baguettes par le milieu : trop haut, c'est un signe d'arrogance ; trop bas, un manque d'élégance.

Des baguettes plus longues sont utilisées lors de la préparation du repas, pour trier les ingrédients, les mélanger en cours de cuisson ou les transvaser.

BAHUT Récipient cylindrique plus haut que large, sans couvercle et muni de deux poignées spéciales appelées « goussets », en fer-blanc, en acier inoxydable ou en aluminium. En restauration, il est destiné à réserver les aliments cuits, les sauces et divers mélanges pour des préparations culinaires que l'on utilisera ultérieurement.

BAIE Petit fruit charnu, sans noyau, contenant une seule ou plusieurs graines. Lorsque les baies sont groupées en grappe (raisin, groseille) ou en bouquet (sureau), on les appelle « grains ». Les baies sauvages (airelle, arbouse, aubépine, épine-vinette, fraise des bois, framboise, merise, mûre, myrtille), qui se consomment crues ou en confiture, sont très riches en vitamines, particulièrement en vitamine C.

BAIE ROSE DE BOURBON OU **FAUX POIVRE** Baie très aromatique produite en grappes par un arbrisseau de la famille des anacardiacées (**voir** planche des épices pages 338 et 339). Les baies roses portent aussi le nom de « poivre rouge » ou « mollé ». Elles servent à épicer les marinades de poisson par leur flaveur sucrée de poivre, d'anis et de térébenthine, et accompagnent très bien le foie gras mi-cuit, les steaks grillés, le saumon et les sushis.

BAILEYS Mélange de crème fraîche, de vieux whiskey irlandais, de chocolat et d'extraits aromatiques divers. Cette liqueur est née en Irlande en 1974. À partir de 1980, elle est commercialisée aux États-Unis ; deux ans plus tard, elle arrive en France, où elle connaît un accueil favorable. On la sert, après l'avoir rafraîchie, dans un verre à dégustation avec glace.

▶ **Recette** : GLACE ET CRÈME GLACÉE.

BAIN-MARIE Procédé culinaire destiné soit à tenir au chaud une sauce, un potage ou un appareil, soit à faire fondre des éléments sans risque de les brûler, soit à cuire très doucement des mets à la chaleur de l'eau bouillante. Son principe consiste à placer le récipient dans lequel se trouve la préparation dans un autre récipient plus grand, contenant de l'eau en ébullition. Dans tous les cas, il faut éviter que l'eau ne bouillonne trop fort, car elle risquerait de pénétrer dans la préparation.

Le mot désigne aussi un ustensile de cuisson. Les cuisiniers utilisent ainsi le bain-marie à potage, le bain-marie à sauce, etc.

BAISER Petit-four fait de deux pièces de pâtisserie, généralement des meringues, soudées par une crème au beurre ou une composition glacée.

BAISURE En boulangerie, une baisure est la partie d'un pain, pâle et moins cuite, qui était en contact avec le pain voisin pendant la cuisson dans le four.

BAKLAVA Pâtisserie orientale, composée d'une superposition de très fines feuilles de pâte fourrée d'amandes, de pistaches ou de noix de cajou. La forme du baklava dépend de sa garniture : en losange pour les pistaches, en rouleau pour les noix de cajou, en carré pour les pignons.

RECETTE DU RESTAURANT *AL DIWAN*, À PARIS

baklavas aux pistaches

« Mélanger 600 g de farine, 25 g de sel et suffisamment d'eau pour obtenir une pâte solide et élastique. Modeler 12 boules d'égale grosseur. Aplatir une première boule à la main. Y étaler une pincée d'amidon de maïs, qui lui évitera de coller. Poser par-dessus une deuxième boule, l'écraser du plat de la main et y étaler une pincée d'amidon de maïs. Recommencer avec les 10 autres boules ; on obtient une pâte constituée de 12 couches. Abaisser régulièrement cette pâte à l'aide d'un rouleau à pâtisserie, sans l'écraser ni la déchirer, en étirant ses bords au maximum pour obtenir un cercle de 30 cm environ. Recouvrir la pâte d'un linge et laisser reposer 1 heure. Enlever alors la première feuille de pâte, la retourner, y étaler une pincée d'amidon ; recommencer avec toutes les autres feuilles, dont les deux côtés seront alors imprégnés d'amidon, et les empiler de nouveau. Jeter quelques poignées d'amidon sur une table en marbre et y étaler la pâte avec les mains pour obtenir un cercle de 50 cm de diamètre, épais de 3 à 4 cm. Le dessus s'élargissant davantage que la base, la retourner pour la travailler de l'autre côté. L'abaisser ensuite uniformément avec un très long rouleau à pâtisserie pour obtenir un cercle de 80 cm de diamètre. Poser le rouleau au milieu de la pâte ; y enrouler 6 feuilles, une à une, en les amidonnant, puis les retourner sur la table ; recommencer avec un second rouleau pour les 6 feuilles restantes. Rassembler enfin les 12 feuilles, qui sont devenues d'une extrême finesse. Hacher des pistaches décortiquées. Poser la pâte sur un plateau à feu de 70 cm de diamètre ; les bords doivent dépasser de 20 cm environ ; découper le rond de pâte et le réserver. Détailler le reste en 4 à 6 losanges. Les séparer en deux (6 feuilles). Les garnir des pistaches et les recouvrir avec l'autre moitié (6 feuilles).

« Chez POTEL ET CHABOT, maison fondée en 1820, la préparation du baba se fait avec doigté. Les gestes du pâtissier sont attentifs lorsqu'il imbibe les babas encore tièdes de sirop de rhum ou qu'il leur apporte une touche décorative bienvenue. »

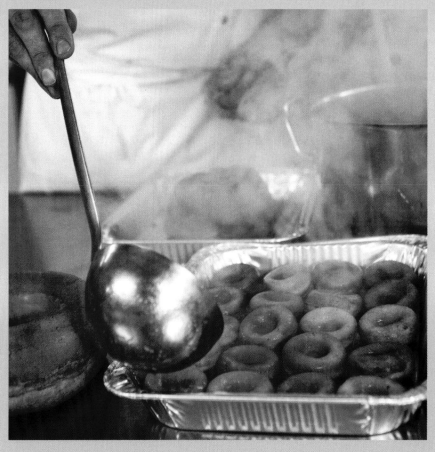

> « Recouvrir les losanges du cercle de pâte et refermer hermétiquement les bords. Faire fondre 1,5 kg de beurre et en arroser petit à petit la pâte. Laisser reposer 30 min. Mettre au four préchauffé à 175 °C de 20 à 30 min. Sortir les baklavas et les laisser refroidir. Mélanger 7 parts de sucre, 2 parts d'eau et 2 cuillerées à soupe d'eau de fleur d'oranger, et cuire doucement 5 min. Arroser les baklavas de ce sirop encore chaud. Laisser refroidir. »

BALANCE Instrument de mesure des masses, indispensable pour respecter des proportions exactes et très utile pour peser des ingrédients d'un certain volume. Dans la pratique ménagère, on utilise surtout des balances automatiques, où la pression se transmet à une aiguille mobile. Compactes, d'une portée de 2 à 5 kg, ces balances comportent un bol ou une boîte amovible et lavable, permettant de peser aussi les liquides. De plus en plus, les balances sont électroniques, comme c'est le cas en restauration.

BALEINE Grand mammifère marin de l'ordre des cétacés, chassé pour sa graisse et sa chair dans certaines régions du monde (Grand Nord, Japon), malgré des mesures de protection de plus en plus strictes.

Pendant tout le Moyen Âge, lorsque la baleine fréquentait encore les côtes d'Europe, notamment le golfe de Gascogne, elle était chassée pour son huile (qui servait à l'éclairage) et pour sa chair, qui, provenant d'un « poisson », était considérée comme une nourriture de carême. La graisse était la principale nourriture des pauvres pendant le temps pascal, tandis que la queue et la langue constituaient des mets de choix.

La chair de la baleine, très rouge, plus riche en protéines que celle du bœuf, est consommée séchée par les Esquimaux et grillée par les Norvégiens. L'un des plats traditionnels de la cuisine islandaise est fait de lard de baleine cuit, conservé au vinaigre. C'est au Japon que la viande de baleine est le plus consommée, crue, au gingembre ou marinée ; la graisse se mange coupée en fines lamelles, à l'apéritif, avec du saké, et sert à fabriquer de nombreuses conserves.

BALISIER Plante vivace de la famille des cannacées, poussant dans les régions tropicales, dont la tige souterraine, épaisse et charnue, se consomme comme légume. Certaines espèces fournissent une fécule alimentaire, utilisée surtout en Australie, où elle est baptisée « arrowroot du Queensland ».

BALISTE Poisson des mers chaudes, de la famille des balistidés, au corps aplati, en forme de losange. Son nom, qui est celui d'une machine de guerre romaine, vient de son aiguillon dorsal qui se dresse en cas de danger. On connaît surtout le baliste de la Méditerranée (dit « fanfré » à Nice), qui se prépare comme le thon, dont il a un peu le goût.

BALLOTTINE Préparation à base de volaille, de viande, de gibier à plume, de poisson, servie chaude ou froide, en gelée. La chair est désossée, farcie, roulée et ficelée, souvent dans un linge (ou dans la peau de la volaille), puis braisée ou pochée (**voir** GALANTINE).

ballottine d'agneau braisée

Désosser une épaule d'agneau. Hacher 1 bouquet de persil et 2 gousses d'ail pelées ; émincer 3 gros oignons épluchés et les faire fondre dans 20 g de beurre ; mélanger 500 g de chair à saucisse, le hachis ail-persil et les oignons ; saler et poivrer ; bien pétrir le tout. Placer l'épaule à plat sur la table, y étaler la farce, la rouler et la ficeler. Couper en mirepoix 125 g de carottes pelées, 3 oignons épluchés, 1 branche de céleri et 100 g de jambon. Chauffer 25 g de beurre dans une cocotte ; y faire fondre la mirepoix ; ajouter une petite branche de thym, puis y placer l'épaule farcie et la dorer. Ajouter 20 cl de vin blanc sec, 20 cl de bouillon ou de jus de viande, 1 bouquet garni, du sel et du poivre. Porter à ébullition et cuire à découvert 5 min ; retourner l'épaule dans la mirepoix, puis couvrir la cocotte et la mettre au four préchauffé à 200 °C pendant 1 h 30. Retirer le bouquet garni. Déficeler la ballottine et la servir chaude. On peut préparer cette ballottine avec du veau ou du porc.

ballottine de caneton

Désosser un caneton de 2,5 kg environ ; retirer toute la chair et réserver les parures. Dénerver les chairs ; détailler les filets en dés et hacher le reste avec un poids égal de lard gras frais et avec la moitié de ce poids de viande maigre de veau. Hacher le tout au mixeur en ajoutant 4 jaunes d'œuf. Assaisonner de sel, de poivre et de quatre-épices. Incorporer à cette farce 150 g de foie gras frais coupé en gros dés et vivement passé au beurre, ainsi qu'une truffe et les filets coupés en dés. Ajouter 2 cuillerées de cognac et bien mélanger. Mouiller et essorer un linge fin ; l'étaler sur une table. Y placer la peau du canard, bien étirée ; la garnir régulièrement avec la farce. Rouler en *ballottine. Ficeler aux deux extrémités et au milieu. Cuire en cocotte 1 h 20, avec une mirepoix, les parures, du vin, du bouillon (1,5 litre en tout) et des aromates. Égoutter la ballottine, la déballer, la dresser sur le plat de service et l'entourer de la garniture choisie. La napper de cuillerées du fond de braisage réduit et passé, et servir à part le reste de ce fond. Pour une ballottine froide, il faut ajouter à la farce davantage de foie gras (au moins 200 g). Une fois qu'elle est cuite et déballée, l'emballer de nouveau, bien serrée dans le même linge, et la laisser refroidir sous presse. Lustrer à la gelée avant de servir.

ballottine chaude d'anguille à la bourguignonne

Additionner de persil haché du godiveau lyonnais ou de la farce de merlan et en farcir une anguille. La pocher dans un court-bouillon au vin rouge ; l'égoutter et la tenir au chaud. Préparer une sauce bourguignonne avec la cuisson et en napper l'anguille.

ballottine chaude de lièvre à la périgourdine

Dépouiller et désosser un lièvre trois-quarts et un jeune lapin de garenne. Hacher la chair du lapin. Étaler le lièvre sur un linge fin recouvert de bardes de lard ; le poudrer de sel épicé et l'arroser de cognac (on peut le faire mariner aussi avant de le désosser). Recouvrir le lièvre d'une couche de farce enrichie de la chair du lapereau et de truffe hachées. Poser sur cette farce, en les alternant, des languettes de lièvre prises sur la chair des cuisses et raidies au beurre, des languettes de foie gras et des morceaux de truffe, tous ces éléments étant assaisonnés et arrosés de cognac ; recouvrir avec une couche de farce. Former le lièvre en ballottine et ficeler. Braiser dans un fond au madère, préparé avec du jarret de veau, les os et les parures du lièvre et du lapereau, ainsi qu'une garniture aromatique. Cuire 1 h 30. Égoutter la ballottine, la déballer ; la glacer au four et la dresser sur un plat long. La napper de son fond de braisage passé et réduit ; la décorer de lames de truffe.

ballottine de poularde à brun

Couper les pattes et les ailerons de la poularde. Pour la désosser, commencer par fendre le milieu du dos, du cou au croupion, puis, avec un petit couteau bien tranchant, détacher la chair de la carcasse ; retirer celle-ci, ôter délicatement les os des cuisses et des ailes. Étaler la poularde bien à plat sur la table. Retirer les filets de la poitrine et l'essentiel de la chair des ailes et des cuisses, et détailler le tout en dés. Préparer une farce d'un poids égal à la chair de la volaille et composée d'un fin hachis de porc et de veau (250 g de chaque environ), mélangé à 100 g de jambon d'York, 2 œufs, 10 cl de cognac, une grosse pincée de quatre-épices, du sel et du poivre. Procéder ensuite comme pour la ballottine d'agneau braisée. On peut préparer de même des ballottines de dindonneau, de pigeon ou de pintade, en ajoutant à la farce des quantités variables de foie gras et de truffes.

ballottine de poularde en chaud-froid

Préparer la ballottine comme pour la servir en gelée, mais la napper de sauce chaud-froid blanche pour volailles (**voir** page 781).

BALTHAZAR Mot qui désigne aussi bien un festin magnifique que, depuis 1800, une grosse bouteille de champagne.

Dans les deux cas, il fait allusion à une scène de l'Ancien Testament : Balthazar, le dernier roi de Babylone, offre à mille de ses dignitaires un banquet somptueux, au cours duquel il fait servir le vin dans les vases sacrés que son père, Nabuchodonosor, a volés dans le Temple de Jérusalem. La nuit même, le sacrilège est puni par la main de Dieu.

MONTER UNE BALLOTTINE DE CANETON

1. *Poser sur un linge la peau du canard à plat, la recouvrir de farce et ajouter les bâtonnets ou les dés de foie gras.*

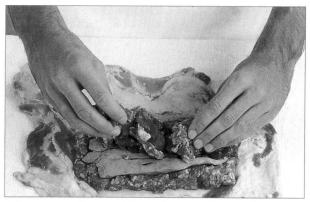

2. *Poser une nouvelle couche de farce mélangée avec les dés de filet de canard.*

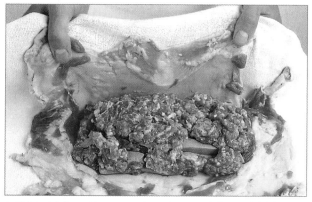

3. *Maintenir le linge et la peau et rabattre le tout sur la farce, qui doit être recouverte par la peau.*

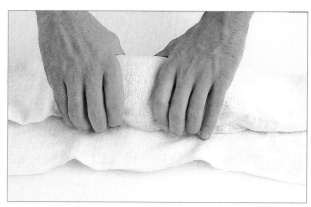

4. *Rouler le linge et donner à la ballottine une forme régulière afin qu'elle cuise uniformément.*

5. *Tordre les extrémités du linge pour enfermer la ballottine et les ficeler.*

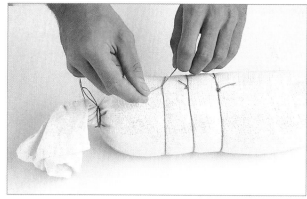

6. *Ficeler toute la ballottine à partir du milieu, à intervalles réguliers et sans trop serrer.*

Le mot « balthazar » a pris un sens ironique lorsqu'il désigne un banquet ; en revanche, il demeure l'appellation de la bouteille de champagne d'une contenance de seize bouteilles ordinaires, la taille supérieure, d'une contenance de vingt bouteilles, étant appelée « nabuchodonosor ».

BALZAC (HONORÉ DE) Écrivain français (Tours 1799 - Paris 1850). Dans ses romans, Balzac met en scène plusieurs gourmets, tel le cousin Pons, amateur de cailles au gratin et de bœuf miroton, et prend souvent pour décor des tables célèbres du Paris des années 1830.

L'écrivain édita aussi un recueil de textes gourmands (*le Gastronome français ou l'Art de bien vivre*, 1828) et fit paraître une *Physiologie gastronomique* (1830). Il publia un *Traité des excitants modernes* (1833) et se consacra au même sujet en annexe à une réédition de 1839 de la *Physiologie du goût* d'Anthelme Brillat-Savarin.

BAMBOCHE (EN) Se dit d'un apprêt de morue frite, accompagné d'œufs frits. Le mot vient de l'italien *bamboccio*, « pantin », peut-être par allusion aux tressautements des morceaux de poisson dans la friture.
▶ Recette : ŒUF FRIT.

BAMBOU Plante de la famille des poacées, commune dans toute l'Asie tropicale, dont les jeunes pousses, tendres et légèrement croquantes, sont consommées comme légume (**voir** planche des légumes exotiques pages 496 et 497). Les Japonais apprécient également les graines de bambou, très rares, assez farineuses, tandis que les feuilles servent à cuire des mets à la vapeur au Viêt Nam et en Chine ; au Cambodge, ce sont les cannes elles-mêmes qui sont utilisées comme récipients pour cuisiner de la viande hachée. En Europe, on trouve les pousses de bambou séchées ou en conserve, au naturel ou au vinaigre. Elles contiennent beaucoup d'eau et sont faiblement caloriques, mais riches en vitamine B et en phosphore.

Très populaires en Chine et dans toute l'Asie des moussons, les pousses de bambou, au naturel ou séchées, détaillées en lamelles ou en bâtonnets, entrent dans la composition de nombreux hors-d'œuvre et soupes. Émincées et bouillies, sautées ou braisées, elles accompagnent viandes et poissons. Au Viêt Nam, les pousses de bambou sont associées aux repas de fête ou du Têt (Nouvel An lunaire) ; elles sont proposées, par exemple, sous forme de potage de pousses de bambou séchées et de pieds de porc. Au Japon, c'est le légume de printemps par excellence : elles sont indispensables pour confectionner le sukiyaki. Toute l'année, les pousses de bambou figurent dans les potées familiales et dans les apprêts raffinés de la cérémonie du thé.

BANANA SPLIT Coupe glacée, créée aux États-Unis, dont l'élément principal est une banane fendue dans le sens de la longueur (*split* signifie « fente »). Celle-ci est surmontée de trois boules de glace (d'un seul ou de différents parfums : vanille, chocolat), nappées de sauce au chocolat, puis décorées de crème fouettée et d'amandes effilées grillées. On peut remplacer le chocolat par un coulis de fraise, préférer en décor des noisettes concassées ou des coques de meringue de chaque côté.
▶ Recette : GLACE ET CRÈME GLACÉE.

BANANE Fruit du bananier, plante herbacée de grande dimension, de la famille des musacées, originaire de l'Asie du Sud-Est (de l'Inde jusqu'aux Philippines), cultivée dans les régions tropicales et subtropicales de tous les continents. Il en existe plus de 500 variétés. Chaque plante porte un régime allant de quelques fruits à plus de 200, à la pulpe plus ou moins blanche, charnue et plus ou moins sucrée à maturité.

On distingue deux grandes catégories de bananes : les bananes fruits, que l'on consomme surtout comme fruits, crues ou cuites, mais aussi en apprêts salés, et les bananes « à cuire », dont le groupe des bananes plantains qui sont utilisées cuites comme un légume (**voir** tableau des bananes ci-dessous et planche des fruits exotiques pages 404 et 405).

■ **Banane fruit.** Encore rare à l'époque de la Renaissance, la banane, introduite en France par les Portugais, est devenue courante à partir du XVIIIᵉ siècle.

Bien protégée par sa peau épaisse, elle continue à mûrir après l'achat et peut se conserver plusieurs jours. (On évitera de la mettre dans le réfrigérateur, car elle noircit au froid.) Quel que soit son apprêt, on la débarrasse toujours de sa peau et des filaments blancs qui adhèrent à sa chair.

Nourrissante, énergétique (83 Kcal ou 347 kJ pour 100 g), riche en potassium, en provitamine A, en vitamines C et K, en glucides (environ 19 g pour 100 g), la banane crue est un bon aliment de croissance. Elle contient également des pectines, qui contribuent à son onctuosité, et de l'acide malique, qui la rend rafraîchissante quand on la mange crue. Ses apprêts cuits révèlent pleinement son arôme ; enrichis de sucre, de beurre ou d'alcool, ils donnent des desserts savoureux. Elle peut aussi servir de légume cuit pour accompagner les mets « à la créole » ou « à l'antillaise ».

La banane séchée, encore plus énergétique que la banane fraîche (285 Kcal ou 1 191 kJ pour 100 g) et beaucoup plus riche en minéraux (potassium notamment), est un aliment de sportif, mais on l'utilise également dans des compotes et des salades de fruits secs.

■ **Banane plantain.** Dotée d'une peau plus anguleuse, verte avant maturité et jaune à maturité, et d'une chair plus ou moins rosée, assez ferme, la banane plantain est souvent plus grosse et plus longue que la banane fruit. Elle est plus nourrissante et énergétique (122 Kcal ou 510 kJ pour 100 g), car elle contient davantage d'amidon et moins de sucre à maturité (environ 29 g de glucides pour 100 g) ; elle est aussi plus riche en potassium et en provitamine A et vitamine C.

Verte ou mûre, en ragoût, bouillie, frite ou réduite en purée, la banane plantain accompagne de nombreux plats de la cuisine antillaise, latino-américaine ou africaine.

bananes Beauharnais

Peler 6 bananes et ôter les filandres, les ranger dans un plat à feu beurré, les poudrer de sucre en poudre et les arroser de 4 cuillerées à soupe de rhum blanc. Faire partir sur le feu, puis cuire 5 min dans le four préchauffé à 220 °C. Arroser de crème fraîche épaisse, parsemer de macaron écrasé, verser un peu de beurre fondu, puis faire glacer à four très chaud.

bananes à la créole gratinées

Choisir des bananes bien fermes ; ôter une languette de peau assez large sur toute la longueur ; extraire la chair d'un seul tenant, sans l'écraser, et la citronner. Blanchir les seules peaux 2 min à l'eau bouillante non salée, les rafraîchir, les éponger. Couper les chairs en rondelles et les faire macérer 30 min avec du jus de citron, du sucre et du rhum. Garnir chaque peau d'une couche de riz à entremets additionné d'un salpicon de fruits confits. Disposer dessus, verticalement, les rondelles de bananes. Poudrer de macarons finement écrasés. Arroser de beurre fondu. Faire gratiner à four très chaud (300 °C environ).

bananes flambées

Peler des bananes fermes et ôter les filandres ; les cuire 15 min avec du beurre au four préchauffé à 200 °C ou dans un sirop vanillé sans les laisser ramollir. Les égoutter. Faire chauffer du rhum, de l'armagnac ou du cognac et en arroser les bananes. Flamber au moment de servir.

beignets de banane ▶ BEIGNET

RECETTE DE PHILIPPE CONTICINI

croque-monsieur à la banane

POUR 2 PERSONNES

« Beurrer légèrement une face de 4 tranches de pain de mie et saupoudrer chacune d'elles de 2 pincées de sucre cassonade. Étaler sur la face non beurrée de deux tranches 1/2 grosse banane bien mûre et sucrée, taillée en très fines rondelles. Verser dessus 1 bonne cuillerée à soupe de lait concentré

Caractéristiques des principales variétés de bananes

VARIÉTÉ	PROVENANCE	ASPECT	SAVEUR
banane plantain	Amérique centrale, Amérique du Sud, Antilles, Afrique	grosse, longue, arête marquée	farineuse, peu sucrée
figue rose	Côte d'Ivoire, Antilles	moyenne, peau saumonée	fruitée, assez sucrée
figue sucrée, ou freysinette	Amérique du Sud, Antilles, Côte d'Ivoire	très courte (6-8 cm), peau fine, chair ferme	très sucrée, plaisante
grande naine, ou giant cavendish	Amérique centrale, Amérique du Sud, Antilles, Afrique	longue, assez courbée	fondante, très parfumée
petite naine, ou dwarf cavendish	Canaries	moyennement longue, courbée, boudinée	fondante, très parfumée
poyo	Afrique, Amérique centrale, Amérique du Sud	longue, assez droite	fondante, très parfumée

sucré, puis saupoudrer 1 pincée de gingembre en poudre, 2 bonnes pincées de cannelle en poudre et quelques grains de fleur de sel. Recouvrir chaque tranche à la banane avec une tranche de pain de mie beurrée, la face non beurrée au-dessus. Mettre à cuire les croque-monsieur dans l'appareil à croque jusqu'à belle coloration dorée. »

petites mousses de banane au gingembre

POUR 4 PERSONNES – PRÉPARATION : 10 min – RÉFRIGÉRATION : 1 h
Presser 1 citron vert. Éplucher 4 grosses bananes bien mûres, les couper en rondelles dans un saladier et les arroser aussitôt avec le jus de citron. Mixer le tout avec 3 ou 4 cuillerées à soupe de lait de coco pour obtenir une purée fine. Ajouter 1 petite cuillerée à café de gingembre en poudre et 2 cuillerées à soupe de fructose, et mélanger. Dans un grand bol, fouetter 3 blancs d'œuf en neige avec 1 pincée de sel. Les incorporer délicatement à la purée de banane, en soulevant bien la masse pour ne pas les briser. Répartir la mousse dans des coupelles individuelles et mettre au réfrigérateur pendant 1 heure. Servir ces petites mousses très froides, seules ou, selon la saison, avec une salade de fruits exotiques ou un mélange de fruits rouges.

poulet sauté aux plantains ▶ POULET
tarte tiède au chocolat et à la banane ▶ TARTE

BANDOL Vin AOC, puissant et généreux, apte au vieillissement, issu à 50 % au moins du cépage mourvèdre, produit dans la région de Bandol, petit port de Provence situé entre Toulon et La Ciotat (**voir** PROVENCE).

BANON Fromage provençal AOC de lait de chèvre (40 % de matières grasses), à pâte molle et à croûte naturelle (**voir** tableau des fromages français page 389). Il porte le nom d'un village de haute Provence et se présente sous la forme d'un petit cylindre de 7,5 à 8,5 cm de diamètre, de 2 à 3 cm d'épaisseur, emballé dans des feuilles de châtaignier brunes ficelées avec du raphia. Le banon a une saveur relevée. Un fromage proche du banon est aromatisé avec des brindilles de sarriette et s'appelle le pèbre d'aï (« poivre d'âne »), du nom provençal de cette herbe aromatique.

BANQUET Repas fastueux ou solennel, réunissant un grand nombre de convives à l'occasion d'une fête ou d'un événement marquant de la vie sociale ou politique. Le mot, qui date du début du XIVᵉ siècle, vient de l'italien *banchetto,* « petit banc » sur lequel s'asseyaient les invités.

■ **Fonction sacrée et vertus civiques.** Très tôt dans l'histoire de l'homme, la notion de repas en commun s'est confondue avec un rite magique : l'individu devait se concilier les forces mystérieuses de la nature pour être heureux à la chasse ; en mangeant avec ses compagnons l'animal qu'ils avaient tué, il reconstituait ses forces physiques et mentales. Les sacrifices grecs étaient suivis d'un banquet : la viande était rôtie, partagée entre les assistants et mangée sur place, non loin de l'autel. Dans ce contexte, le banquet était un acte de communion très significatif, sens que l'on retrouve dans les agapes des premiers chrétiens. Il y avait aussi, dans la Grèce antique, des banquets entre hommes, où comptaient surtout la discussion philosophique, les jeux de société et les chansons ; Platon en donne une évocation dans le *Banquet.*

Le banquet civique est également né chez les Grecs dans le but d'honorer la mémoire des Anciens : ces « repas de la cité », à caractère cérémoniel, réunissaient dans l'enceinte du prytanée des citoyens élus, vêtus de blanc et couronnés de fleurs.

■ **Faste et réjouissances publiques.** C'est avec les Romains que le banquet devint l'occasion d'étaler un luxe ostentatoire. Puis, à partir de l'époque de Charlemagne, la coutume voulait que le vassal offrît un banquet à son seigneur au moins une fois par an. La parade et le décor y étaient de règle. Les municipalités organisaient des banquets chaque fois qu'un événement mettait en présence le peuple et son souverain. En 1571, la ville de Paris fêta l'entrée d'Élisabeth d'Autriche dans la capitale par un banquet somptueux, au menu duquel figurait, entre autres, de la baleine.

■ **Pouvoir et politique.** Les banquets se doublèrent inévitablement de visées politiques. Quand Louis XIV traitait des centaines de courtisans dans les jardins de Versailles, il cherchait avant tout à montrer sa puissance ; plus tard, Talleyrand, qui mit l'art culinaire au service de la diplomatie, disait à Louis XVIII : « Sire, j'ai plus besoin de casseroles que d'instructions. » Le banquet devint un instrument de politique intérieure. Sous Louis-Philippe, Guizot supprima le droit de tenir des réunions publiques à des fins politiques. Les électeurs se réunirent alors dans des banquets. Le ministre finit par les interdire, mais trop tard. On dit que le roi, confiant, aurait déclaré : « Les Parisiens ne troqueront pas un trône pour un banquet. »

■ **Banquets et république.** Le 14 juillet 1889, un banquet offert par le gouvernement de la République, sous la présidence de Sadi Carnot, réunit tous les maires de France au palais de l'Industrie, à Paris, pour fêter le centenaire de la prise de la Bastille. Cette idée fut reprise par Émile Loubet pour le fameux « banquet des maires » du 22 septembre 1900. Filets de bœuf en Bellevue, pains de caneton de Rouen, poulardes de Bresse et ballottines de faisan figuraient au menu, prévu pour ranimer l'esprit républicain des édiles de la nation : 22 295 maires furent conviés dans le jardin des Tuileries, sous des tentes dressées pour l'occasion, et servis par les garçons de Potel et Chabot, qui circulaient à bicyclette le long des 7 km de tables. Aujourd'hui, le 14 Juillet, ont encore lieu en France de nombreux banquets républicains.

BANQUIÈRE (À LA) Se dit d'une garniture « riche » (d'où son nom), faite de quenelles de volaille, de champignons et de lames de truffe, qui accompagne notamment la volaille et les ris de veau, et garnit les croûtes, les timbales et les vol-au-vent, avec une sauce banquière.

BANYULS Vin AOC doux naturel français, qui doit son nom à l'une des quatre communes du Roussillon sur le territoire desquelles il est produit (Banyuls, Cerbère, Collioure et Port-Vendres). Le vignoble, dont le cépage est le grenache noir, occupe des coteaux exposés à la tramontane et aux sols très arides, sur lesquels le travail est particulièrement pénible. Le banyuls étant muté (sa fermentation est interrompue) à l'alcool, il conserve l'arôme du raisin et une partie de son sucre, plus importante si le mutage est précoce. L'appellation d'origine contrôlée impose que celui-ci ait lieu avant la fin de l'année de récolte et que le vin reste en cellier jusqu'au 1ᵉʳ septembre de l'année suivante.

Le « banyuls grand cru » aux arômes de rancio et de fruits secs doit subir un vieillissement en fût de bois de 30 mois au moins avant d'être commercialisé ; il est qualifié de « sec » (ou « dry », ou « brut ») lorsqu'il contient moins de 54 g de sucre naturel par litre.

BAR Débit de boissons où l'on consomme en principe debout (ou assis sur un haut tabouret) devant un comptoir. Mais la plupart des débits de boissons de quartier sont des « cafés-bars » ou des « bars-cafés-tabacs », où l'on peut consommer toute la journée des boissons, alcoolisées ou non, et quelques plats.

Le bar est le descendant du « saloon », terme apparu au début du XIXᵉ siècle, qui différencie le lieu où l'on boit du lieu où l'on mange. Le mot bar désigne alors le meuble où l'on prépare les boissons, souvent équipé d'une barre (*bar* en anglais) de cuivre ou de bois.

À l'occasion des expositions universelles de la fin du XIXᵉ siècle, les barmen américains font découvrir à l'Europe la mode des cocktails. Si bien que, lorsque les premiers bars à cocktails ouvrent en France, en Angleterre et en Allemagne, on les appelle tout naturellement « American bar ».

BAR (POISSON) Poisson de mer, de la famille des moronidés, pêché surtout en Méditerranée et baptisé « loup » en Provence (**voir** planche des poissons de mer pages 674 à 677). Le bar est un prédateur vorace, long de 35 à 80 cm, qui aime les eaux agitées et les milieux rocheux. Il est considéré comme le roi des poissons et son aspect représente le poisson type. Il est relativement rare, et donc coûteux. On élève couramment le bar aujourd'hui, vendu à la taille « portion » de 400 g environ. Il est plus gras, mais se conserve mieux que le poisson sauvage. Le bar a une chair fine et serrée, très maigre et délicate, et peu d'arêtes. Il permet des apprêts raffinés.

bar : préparation

Vider le poisson par les ouïes et par une petite incision à la base du ventre. L'écailler en remontant de la queue vers la tête, sauf s'il doit être poché, car les écailles maintiennent la chair, très fragile. Laver et essuyer le poisson. Pour le griller, ciseler la partie charnue du dos.

RECETTE DE GÉRARD LOUIS

bar en croûte de sel

POUR 4 PERSONNES

« Vider et nettoyer 1 bar de 1,8 kg sans l'écailler. Remplir le ventre du poisson avec du thym, du romarin, du fenouil, de l'estragon et quelques grains de poivre aux cinq baies. Dans un plat allant au four, placer le poisson sur un lit de 3 kg de gros sel de Guérande en le recouvrant de sel sur une épaisseur de 1 cm. Bien tasser le sel et l'humidifier au brumisateur. Enfourner à 250 °C pendant 30 à 35 min. Dans une cocotte avec un couvercle, mettre 12 pommes de terre de Noirmoutier préalablement lavées. Ajouter 1 pincée de gros sel et 2 branches de thym et de romarin. Cuire à feu doux pendant 30 min. Sortir le plat du four et décorer avec du goémon. Servir et découper la croûte à table. Celle-ci doit se briser net avec un couteau. Prélever les filets. Accompagner d'un beurre blanc et des pommes de terre à la diable. »

bar grillé

Habiller un bar de 1 kg au maximum ; le badigeonner d'huile d'olive salée et poivrée ; le cuire doucement, dans un gril double, pour le retourner pendant la cuisson sans risquer de le briser. Dans le Midi, on fait griller les petits bars sur la braise, en les posant sur des branches de fenouil sec, qui les parfument. Servir avec un beurre d'anchois, un beurre maître d'hôtel ou flamber le poisson avec une boisson alcoolisée anisée.

RECETTE DE CHRISTOPHE QUANTIN

filet de bar à la vapeur d'algues, légumes et coquillages mêlés

POUR 4 PERSONNES – PRÉPARATION : 1 h – CUISSON : de 5 à 8 min pour le poisson

« Habiller un bar de 1,5 kg et lever les filets. Désarêter, lever la peau, puis portionner et réserver à froid. Rincer, puis réserver 60 g de laitue de mer et 60 g de nori. Mettre à dégorger 400 g de coques et 400 g de bigorneaux. Éplucher, laver puis tailler en jardinière 250 g de carottes et 250 g de courgettes. Équeuter et laver 1/2 botte de radis roses. Tailler en losange 250 g de fenouil. Préparer 250 g de bouquets de brocoli. Cuire tous ces légumes séparément à l'anglaise. Éplucher, laver et ciseler 1 belle échalote. Gratter et ébarber 400 g de moules de bouchot. Cuire les bigorneaux à l'eau bouillante. Cuire à la marinière et séparément les coques et les moules. Au terme des cuissons, décoquiller coques, moules et bigorneaux. Filtrer puis réserver le jus des coques et des moules. Faire bouillir 2,5 l d'eau dans un cuit-vapeur, saler avec 8 g de grain de mer ou de gros sel gris, ajouter les algues et laisser frémir pendant 10 min. Assaisonner les filets de bar de sel fin et de poivre. Les placer dans le panier du cuit-vapeur, placer le panier sur la vapeur, couvrir et cuire de 5 à 8 min selon l'épaisseur des portions. Porter à ébullition 10 cl de jus des coquillages, émulsionner avec 160 g de beurre très froid en petits dés, en fouettant vivement. Assaisonner et tenir au chaud. Ciseler 10 g de laitue de mer, la rincer puis la blanchir fortement avant de l'ajouter dans la sauce. Faire chauffer rapidement les légumes et les coquillages dans la vapeur. Placer le filet de bar au centre de l'assiette, répartir les coquillages et les légumes autour. Napper la garniture de sauce. Parsemer le filet de bar de quelques cristaux de fleur de sel. »

filet de loup au caviar ▶ LOUP
loup au céleri-rave ▶ PLANCHA
loup en croûte sauce Choron ▶ LOUP

RECETTE DE JACQUES MAXIMIN

loup « demi-deuil »

POUR 4 PERSONNES – PRÉPARATION : 30 min – CUISSON : 15 min

« Détailler 1 filet de loup sans peau ni arêtes de 600 g en 4 morceaux égaux. Effeuiller 4 endives et les détailler en julienne moyenne (3 cm sur 0,5 cm). Émincer finement en lames 1 belle truffe fraîche brossée de 40 g. Disposer sans ordre de préférence loup, endives et truffe dans un sautoir. Saler, poivrer et répartir 200 g de beurre en morceaux. Ajouter 1 cuillerée à soupe de vermouth, puis 25 cl d'eau. Couvrir d'une feuille d'aluminium et mettre à cuire à feu doux 15 min, en ayant soin de retourner le loup en cours de cuisson. Égoutter le tout délicatement à l'aide d'une écumoire. Garder le jus au chaud. Répartir les endives dans le fond de chaque assiette et disposer sur chaque lit de légume un morceau de loup et le surmonter de lames de truffe. Faire bouillir le jus de cuisson, rectifier l'assaisonnement et en napper le poisson. »

mariné de loup de mer, saumon et noix de saint-jacques ▶ COQUILLE SAINT-JACQUES

RECETTE DE GEORGES POUVEL

suprême de blanc de bar en surprise printanière

POUR 4 PERSONNES – PRÉPARATION : 40 min – CUISSON : de 25 à 30 min

« Lever les filets de bar et détailler 4 suprêmes de 160 à 180 g chacun. Réaliser un fumet de poisson avec les arêtes et parures. Émincer finement 50 g d'oignon nouveau, 100 g de bulbe de fenouil en julienne, 100 g d'oseille en chiffonnade. Tailler 100 g de champignons de Paris en petits bâtonnets. Dans une sauteuse, mettre 5 cl d'huile d'olive et faire suer l'oignon sans coloration. Ajouter le fenouil et les champignons. Faire suer 3 min, puis ajouter la chiffonnade d'oseille. Assaisonner de sel de Guérande et poivre du moulin. Laisser compoter jusqu'à évaporation totale de l'eau de constitution (environ 10 à 12 min). Pendant ce temps, blanchir puis rafraîchir rapidement 4 grandes feuilles de laitue très verte, les égoutter et les éponger. Tapisser le centre des feuilles de laitue avec la fondue de légumes. Assaisonner de sel et poivre les suprêmes de bar, puis les placer sur la fondue de légumes et les enfermer complètement dans la feuille de laitue. Beurrer une sauteuse et y mettre 25 g d'échalotes finement ciselées. Placer dessus les suprêmes de bar, ajouter 5 cl de vin blanc sec et 20 cl de fumet de poisson refroidi. Porter doucement à ébullition ; couvrir avec une feuille de papier sulfurisé beurrée et laisser frémir 6 min. Retirer les suprêmes de leur cuisson et les réserver au chaud. Faire réduire vivement la cuisson de moitié, puis ajouter 10 cl de crème fraîche. De nouveau, faire réduire de moitié jusqu'à obtenir une sauce nappante. Hors du feu, monter la sauce avec 40 g de beurre. Vérifier l'assaisonnement en sel et poivre. Napper de cette sauce le plat de service chaud, puis disposer harmonieusement les suprêmes. Avec un pinceau, les lustrer délicatement et décorer de quelques pluches de cerfeuil sur la sauce. »

tresse de loup et saumon au caviar ▶ LOUP
tronçon de loup comme l'aimait Lucie Passédat ▶ LOUP

BAR TACHETÉ Poisson de mer, de la famille des moronidés, aussi appelé « loubine » ou « perche de mer ». Pouvant atteindre 60 cm, il se distingue du bar par de nombreuses taches noires. Le bar tacheté vit sur les côtes de l'Atlantique, du golfe de Gascogne au Sénégal, mais il préfère les eaux saumâtres des estuaires. Il se cuisine souvent au gros sel.

BARATTE Appareil dans lequel on bat la crème pour fabriquer le beurre. La baratte traditionnelle est une sorte de tonneau en teck, tournant autour d'un axe horizontal ; les battes fixées aux parois favorisent l'« agitation » (sens original de l'ancien français *barate*, lui-même dérivé du scandinave *baratta*, « combat »). Les barattes industrielles modernes, en acier inoxydable, sont « continues ». Équipées de batteurs et de malaxeurs, elles sont maintenues à une température de 10 à 13 °C et leur vitesse de rotation va de 25 à 50 tours par minute.

BARBADINE Plante grimpante, de la famille des passifloracées, originaire d'Amérique du Sud, introduite aux Antilles au XIXe siècle.

Ses fruits ovoïdes mesurent 25 cm de long. Verts, ils s'utilisent en légumes. En mûrissant, ils deviennent jaunâtres ; leur pulpe, blanchâtre, acidulée, sert alors à préparer des boissons, des confitures et des sorbets. On fait également une gelée avec l'écorce. La pulpe des fruits bien mûrs se mange à la petite cuillère, arrosée de madère.

BARBARESCO Vin rouge italien du Piémont, issu du cépage nebbiolo, comme le barolo, mais plus léger. Très aromatique, il provient des communes de Barbaresco et de Neive, et se caractérise par son fruité et sa finesse.

BARBE À PAPA Friandise faite de sucre cuit en poudre, coloré ou non, que l'on projette sur les parois de la cuve d'une machine électrique tournant à grande vitesse ; en chauffant, le sucre forme des cheveux d'ange que l'on enroule autour d'un bâtonnet. La première machine, française, fonctionnant à la manivelle, apparut à l'Exposition universelle de 1900.

BARBECUE Appareil de cuisson à l'air libre, destiné à griller ou rôtir à la broche de la viande ou du poisson, et fonctionnant généralement au charbon de bois.

La cuisson sur la braise est le plus ancien des procédés de cuisine. La pratique du barbecue, d'origine américaine, est liée au souvenir de la conquête de l'Ouest. Aujourd'hui, cette pratique est typique des États américains du Sud et du Sud-Ouest, où elle prend parfois des proportions considérables : des pièces de viande énormes ou des animaux entiers cuisent sur des grilles très résistantes, au-dessus de fosses creusées dans le sol, et se mangent avec des haricots rouges et des épis de maïs.

Le barbecue fait surtout partie de la vie familiale ; hamburgers, petits poulets, saucisses et steaks restent les éléments de base, mais le poisson, les huîtres et le homard peuvent aussi être grillés.

Une autre tradition du barbecue est arrivée du Japon : le *hibachi*, ou barbecue de table. Ce petit foyer rond, en fonte, est équipé d'une grille sur laquelle chaque convive dispose et fait cuire lui-même des brochettes ou des mets crus découpés à l'avance.

■ **Matériel.** Tous les appareils de cuisson à l'air libre doivent répondre à des normes, qui sont définies, en France, par l'Afnor.

La taille des barbecues varie selon que l'on dispose d'un jardin, d'une terrasse ou d'une simple table. Le foyer est soit en fonte (indéformable, mais lourde et cassante), soit en tôle (il faut alors que celle-ci soit assez épaisse). Il bascule parfois à la verticale, ce qui réduit la nocivité de la cuisson au charbon. Autre avantage : la graisse des aliments ne produit ni flamme, ni fumée. La grille, rectangulaire ou circulaire, est en acier et souvent réglable en hauteur.

Le combustible est généralement du charbon de bois, éventuellement carbo-épuré, ce qui prolonge sensiblement l'intensité de la braise. Mais certains barbecues fonctionnent avec des pierres de lave chauffées au gaz butane, voire à l'énergie solaire.

Divers accessoires facilitent leur utilisation : tisonnier, pincettes, soufflet, gants de cuisine, cuillère et fourchette à long manche, broche à panier pour les poissons, brochettes, etc.

■ **Cuisson.** On peut tout faire griller ou rôtir au barbecue, sauf le veau et les poissons trop délicats. La feuille d'aluminium permet en outre d'y faire cuire en papillotes certains légumes (pommes de terre) et même des fruits (bananes) ; épis de maïs, poivrons, tomates, grosses têtes de champignon peuvent se cuire directement sur la grille, badigeonnés d'huile ou de beurre fondu. Certaines viandes seront plus savoureuses si elles ont mariné.

Pour commencer la cuisson, il faut attendre que le charbon de bois se soit suffisamment consumé pour être réduit à l'état de braise.

• **BROCHE.** Les viandes doivent être bien équilibrées sur leur support, puis rissolées près de la braise pour former une croûte qui empêchera l'écoulement des sucs, avant d'en être éloignées pour laisser la chaleur pénétrer à cœur.

• **GRIL.** Les poissons ou les viandes sont badigeonnés d'huile afin qu'ils ne se collent pas au métal chaud. Un poisson doit être vidé mais pas écaillé (la chair restera moelleuse) ; un petit poulet est fendu en deux, vidé et aplati pour cuire à la diable ; les gambas et les huîtres (en coquille) se posent directement sur la grille.

• **BROCHETTES.** Les éléments sont huilés, et les plus fragiles (coquillages, par exemple), enveloppés d'une fine tranche de lard maigre.

Quant aux sauces d'accompagnement, ce sont les mêmes que celles qui se servent traditionnellement avec les grillades et la fondue bourguignonne (au poivre, béarnaise, tartare).

BARBERA Cépage italien qui donne son nom à un vin rouge produit en grande quantité dans le Piémont. Le barbera a une couleur foncée et est très riche en fruit. Il se boit jeune et peut produire une seconde fermentation en bouteille, qui donne au vin une fraîcheur légèrement pétillante, inattendue pour un rouge.

BARBUE Poisson de mer plat, de la famille des scophthalmidés, proche de celle des pleuronectidés, mesurant de 30 à 75 cm et pesant de 1 à 2 kg, voire 3 (**voir** planche des poissons de mer pages 674 à 677). Les yeux sont du côté gauche ; le dessus du corps est lisse, gris ou beige avec de petites taches nacrées ; le dessous est blanc crème. La barbue se pêche sur les grands fonds sableux de l'Atlantique, mais elle devient rare. Ressemblant au turbot, elle en a la chair fine, maigre, blanche et nutritive ; mais, contrairement à lui, elle possède des écailles.

On apprête la barbue de très nombreuses façons, en particulier au vin rouge ou blanc, au champagne et au cidre. On peut également la faire griller entière ou la rôtir. Pochée, elle admet toutes les garnitures de crevettes, de moules, d'huîtres ou d'écrevisses. Froide, elle s'accompagne de sauces variées.

barbue : préparation

Si le poisson doit être cuit entier, braisé ou poché, l'inciser en longueur du côté pigmenté, au centre. Décoller légèrement les filets et briser l'arête en deux ou trois endroits pour que la chair ne se déforme pas à la cuisson. Pour lever des filets à cru, placer la barbue sur la table, côté pigmenté vers soi. Faire une longue incision en son milieu : y glisser la lame du couteau à plat et la passer sous les filets en les soulevant ; les détacher au niveau de la tête (en contournant celle-ci) et de la queue. Retourner le poisson et faire de même pour l'autre côté. Enlever la peau des filets à l'aide d'un couteau de cuisine appelé « à filets de sole » (à lame longue et flexible, pointue).

barbue bonne femme

Habiller une barbue. Beurrer un plat à feu, le parsemer d'échalote pelée et hachée, de persil haché et de 250 g de champignons de Paris nettoyés et émincés. Poser dessus la barbue. Mouiller de 10 cl de vin blanc sec et de 10 cl de fumet de poisson. Parsemer de toutes petites noisettes de beurre. Faire partir l'ébullition sur le feu, puis mettre au four préchauffé à 220 °C de 15 à 20 min, en arrosant le poisson deux ou trois fois. Couvrir d'une feuille d'aluminium en fin de cuisson pour l'empêcher de sécher.

barbue braisée

Habiller une barbue entière. Émincer et dorer au beurre quelques carottes pelées, 1 ou 2 oignons épluchés, 1 côte de céleri lavée ; ajouter des queues de persil avec du thym et du laurier. Beurrer une turbotière et en masquer le fond avec les légumes. Poser la barbue sur la grille et la mouiller à hauteur avec un fumet de poisson refroidi ; faire partir l'ébullition sur le feu, puis mettre au four préchauffé à 220 °C de 15 à 20 min, en arrosant plusieurs fois. Égoutter le poisson ; retirer sa peau. Écarter les filets, ôter l'arête, refermer les filets. Retourner la barbue désossée sur le plat de service beurré pour qu'elle présente son côté blanc. Passer, faire réduire et beurrer le fond de braisage ; en napper le poisson. On peut aussi le mouiller avec un mélange à parts égales de fumet de poisson et de vin.

barbue au chambertin

Habiller une barbue entière ; l'entourer de 24 petits champignons nettoyés et mélanger à parts égales du fumet de poisson et du chambertin. Mouiller à hauteur. Cuire comme la barbue braisée. Dresser le poisson sur le plat de service, peau blanche dessus ; l'entourer des champignons ; le tenir au chaud à l'entrée du four. Faire réduire la cuisson de moitié. La lier avec 1 bonne cuillerée à soupe de beurre manié, à petits bouillons. Ajouter 50 g de beurre frais, mélanger, passer. Retirer la peau blanche de la barbue ; napper de sauce. On peut ajouter une garniture de petits oignons glacés « à la bourguignonne ».

barbue à la dieppoise

POUR 4 PERSONNES – PRÉPARATION : 40 min – CUISSON : 30 min
Habiller une barbue de 1 kg environ. Nettoyer 1 kg de moules, les cuire à la marinière (**voir** page 556), les égoutter puis les décortiquer, les ébarber et les réserver dans un peu de leur jus de cuisson filtré. Nettoyer, tourner et cuire 4 grosses pièces de champignons de Paris (**voir** page 190). Faire suer dans 10 g de beurre mousseux 100 g de crevettes décortiquées. Badigeonner au pinceau un plat de cuisson avec 20 g de beurre. Saler, poivrer et parsemer 1 échalote ciselée. Disposer la barbue, côté peau noire dessus, l'assaisonner de sel et de poivre. Ajouter 10 cl de vin blanc sec, 20 cl de jus de moules filtré et refroidi, et 10 cl de jus de cuisson des champignons. Recouvrir d'une feuille de papier sulfurisé beurré. Démarrer doucement la cuisson sur le feu et la terminer au four à 160 °C pendant 8 à 10 min. Retirer délicatement la peau noire de la barbue et disposer celle-ci sur un plat de service beurré. Remettre le papier sulfurisé dessus et réserver au chaud. Verser le jus de cuisson dans une sauteuse et le faire réduire de moitié. Ajouter 20 cl de crème fraîche et faire réduire de nouveau pour obtenir une sauce nappante. Hors du feu, ajouter 30 g de beurre coupé en petits dés et l'émulsionner à l'aide d'un fouet. Ajouter les moules égouttées ainsi que les crevettes. Retirer le liquide qui s'est écoulé de la barbue et l'ajouter à la sauce. Vérifier l'assaisonnement en sel et poivre. Ajouter quelques gouttes de jus de citron si nécessaire. Chauffer la sauce sans la faire bouillir. Placer les 4 champignons tournés sur la barbue et napper le tout avec la sauce dieppoise.

filets de barbue à la créole

Lever les filets d'une barbue, les nettoyer et les assaisonner de sel, de poivre et d'un soupçon de poivre de Cayenne. Les fariner et les cuire dans une poêle huilée. Les arroser de jus de citron et les disposer sur le plat de service chauffé. Ajouter dans la poêle un hachis d'ail et de persil (1 cuillerée à soupe pour 6 filets), faire revenir et verser quelques gouttes d'huile aromatisée au piment. Napper les filets de barbue. Garnir le plat de demi-tomates revenues à l'huile, farcies de riz pilaf, et de dés de poivrons étuvés à l'huile.

BARDER UNE VOLAILLE

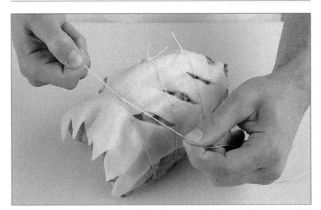

Brider les ailes de la volaille. Découper la barde à la taille souhaitée, la poser sur la volaille et la maintenir en place par un double nœud de ficelle de cuisine. Le renforcer par un troisième nœud.

filets de barbue Véron

Partager des filets de barbue en deux dans le sens de la longueur ; les saler, les poivrer, puis les paner au beurre et à la mie de pain. Les arroser de beurre fondu et les faire griller à feu doux. Les dresser sur un plat de service chaud et les masquer de sauce Véron (**voir** page 785).

BARDANE Grande plante herbacée, de la famille des astéracées, commune dans les terrains incultes. Connue sous les noms de « teigne », « herbe aux teigneux », « gratteron », « glouteron », etc., la bardane a des racines charnues qui s'accommodent soit comme des salsifis, soit comme des asperges ; ses jeunes pousses et ses feuilles, à la saveur rafraîchissante et un peu amère, servent à préparer des soupes ou se mangent braisées, en particulier dans le Midi et en Italie.

Les grandes feuilles sont utilisées, dans certaines régions, pour emballer le beurre ou des fromages frais. Demeurée sauvage en Europe, la bardane n'est consommée que localement comme légume.

BARDE Mince bande de 1 mm d'épaisseur taillée dans la bardière du porc (gras dorsal), entourant parfois les rôtis de bœuf et de veau, certains gibiers à plume et volailles, les paupiettes et même quelques poissons (rôtis en une seule pièce) pour les protéger d'une chaleur trop vive ; sa graisse empêche la chair de se dessécher. La barde est aussi utilisée pour améliorer la présentation. Elle dénature toujours le goût de la viande qu'elle recouvre. Elle ne doit pas dépasser 10 % en poids des grosses pièces et 13 % des pièces individuelles. La barde doit être retirée avant de servir (on dit que l'on « débarde »), sauf dans le cas du perdreau et des autres gibiers.

On « fonce » aussi de bardes de lard les parois du récipient de cuisson des ragoûts et des braisés ainsi que les moules ou les croûtes des terrines et pâtés.

BARIGOULE (À LA) Se dit d'artichauts farcis et braisés. La barigoule est le nom provençal d'un champignon du genre lactaire. À l'origine, la recette paysanne consistait à faire cuire les artichauts comme ces champignons, c'est-à-dire coupés au ras de la queue, arrosés d'huile et grillés. Les cuisiniers provençaux ont ensuite élaboré une farce de jambon et de champignons hachés pour garnir les artichauts.
▶ Recette : ARTICHAUT.

BARMAN OU BARTENDER Mot anglais désignant un homme (on dit « barmaid » lorsque c'est une femme) qui sert au comptoir du café, de la bière, des alcools, des cocktails, etc.

Spécialiste des cocktails, il sert les boissons qu'il prépare et parfois invente, comme un chef crée un nouveau plat. Les barmen renommés, connus traditionnellement par leur prénom, font des carrières internationales. L'apprentissage peut se faire dans certaines écoles hôtelières, mais la meilleure formation est celle que l'on peut acquérir au fil du temps. Ainsi se perpétue l'esprit du bar et des barmen : un service de qualité, un contact courtois avec les consommateurs, et une grande discrétion, car les confidences sont fréquentes.

BAROLO Vin rouge italien produit dans les collines du Piémont, autour du village de Barolo. Provenant du cépage nebbiolo, il est assez puissant et gagne à vieillir en fût avant d'être mis en bouteilles. Sombre de couleur, il peut acquérir beaucoup de finesse.

BARON Pièce de mouton ou d'agneau comprenant la selle anglaise et les deux gigots (**voir** planche de la découpe de l'agneau page 22). Le terme s'appliquait à l'origine au bœuf, mais ce morceau, trop important, n'est pratiquement jamais cuisiné.

Le baron d'agneau, rôti au four ou à la broche (**voir** MÉCHOUI), accompagné de légumes (endives braisées, haricots verts, flageolets, pommes de terre) arrosés du jus de cuisson, est l'une des pièces les plus spectaculaires de la cuisine française.

On raconte qu'un jour Henri VIII d'Angleterre, impressionné par un double aloyau rôti à la broche, le baptisa *Sir loin, Baron of beef*, ce qui signifie littéralement : « Messire dos, seigneur du bœuf » (en anglais moderne, *sirloin* désigne toujours l'aloyau ou le faux-filet, et *loin*, la longe).

BARQUETTE Petite croûte de forme ovale, destinée à recevoir diverses garnitures salées ou sucrées. (Selon l'apprêt, la barquette est soit cuite à blanc puis garnie, soit garnie à cru puis cuite.) Salée, elle se sert froide ou chaude, en hors-d'œuvre ou en entrée ; sucrée et garnie de fruits ou de crème, c'est une pâtisserie.

Ce mot désigne également divers récipients, avec ou sans couvercle, en plastique (compatible avec un four à micro-ondes) ou en aluminium, utilisés pour le conditionnement, la conservation ou la cuisson des aliments.

barquette : préparation

POUR 15 À 18 BARQUETTES INDIVIDUELLES

Confectionner une pâte à foncer avec 250 g de farine tamisée, 5 g de sel, 1 jaune d'œuf, 125 g de beurre et 10 cl d'eau (**voir** pour la méthode page 632). Rajouter 10 g de sucre pour des barquettes sucrées. Avec un rouleau à pâtisserie, abaisser la pâte sur 3 mm, puis, avec un emporte-pièce ovale cannelé et au format des moules à barquette, la découper et en tapisser ceux-ci. Piquer avec une fourchette chaque fond de pâte et les cuire dans un four préchauffé à 200-220 °C pendant 8 à 10 min.

BARQUETTES SALÉES

barquettes aux anchois

Dessaler complètement des anchois et lever les filets. Couper en dés des champignons et des oignons épluchés, les faire sauter au beurre, les lier d'un peu de béchamel. Faire frire de la mie de pain rassis. Couper les filets d'anchois en dés et les ajouter à la béchamel garnie. Emplir des barquettes cuites à blanc avec ce mélange, parsemer de mie de pain et passer au four.

barquettes aux champignons

Préparer des œufs brouillés et une duxelles de champignons. Étaler dans des barquettes cuites à blanc une couche d'œufs brouillés, puis une couche de duxelles. Faire frire de la mie de pain et en parsemer les barquettes. Passer quelques minutes à four chaud.

barquettes au fromage

Émincer des champignons et les dorer au beurre. Préparer une béchamel, y ajouter du gruyère, puis les champignons sautés. Remplir les barquettes de ce mélange, parsemer de chapelure, arroser de beurre fondu et faire gratiner à four chaud.

barquettes aux laitances

Pocher des laitances. Nettoyer, émincer et faire sauter des champignons. Préparer une béchamel. Emplir de champignons le fond des barquettes. Déposer une laitance dans chaque barquette. Napper de béchamel, parsemer de gruyère râpé et faire gratiner.

barquettes aux œufs brouillés et aux asperges

Préparer des œufs brouillés et des pointes (ou des tronçons) d'asperge. Emplir les barquettes d'œufs brouillés. Décorer avec les pointes d'asperge. Arroser de beurre fondu et réchauffer dans le four.

BARQUETTES SUCRÉES

barquettes aux abricots

Pour une quinzaine de pièces, préparer une pâte à foncer avec 250 g de farine tamisée, 5 g de sel, 10 g de sucre, 1 jaune d'œuf, 125 g de beurre et 10 cl d'eau environ. L'étaler sur 3 à 4 mm, la découper avec un emporte-pièce ovale cannelé ; en tapisser les moules à barquettes ; piquer chaque fond, puis le poudrer d'une légère pincée de sucre en poudre. Dénoyauter des abricots et les couper en quatre. Ranger les quartiers dans les barquettes, peau en dessous et dans le sens de la longueur. Cuire 20 min au four préchauffé à 200 °C. Démouler et laisser refroidir sur une grille. Napper chaque barquette avec de la marmelade d'abricot passée au tamis et la garnir de 2 demi-amandes mondées.

barquettes aux framboises

Cuire à blanc des barquettes en pâte brisée ; les laisser refroidir. Étaler au fond un peu de crème pâtissière. Disposer les framboises au-dessus. Faire tiédir de la gelée de groseille (ou de framboise) et en napper les fruits.

barquettes aux marrons

Cuire à blanc des croûtes à barquette et les emplir de crème de marron. On peut les décorer de crème Chantilly posée à la poche à douille et d'une violette en sucre, ou façonner la crème en dôme à deux pans, glacés l'un au café, l'autre au chocolat, et coiffés d'un liseré de crème au beurre à la vanille.

BARRACUDA Poisson des mers tropicales, de la famille des sphyraénidés, courant sur les côtes africaines, où il est parfois vendu sous le nom de « faux brochet ». Il en existe plusieurs espèces, toutes avec un corps allongé, une tête longue et large et un museau pointu, mais le plus connu est le petit barracuda à bande dorée sur les flancs, qui ne dépasse guère 1 m de long. Il est vendu frais sur les marchés français, et sa chair, excellente et facile à cuisiner, se consomme grillée ou en carpaccio.

BARRIER (CHARLES) Cuisinier français (Saint-Mars-la-Pile 1916). Fils de cultivateur, apprenti pâtissier, puis cuisinier en maison bourgeoise, il devient le phare gourmand du Val de Loire au restaurant *le Nègre* (à partir de 1944), avenue de la Tranchée à Tours, où il obtient deux étoiles au Guide Michelin (l'une en 1955, l'autre en 1960). Il le rebaptise à son nom et obtient la troisième étoile en 1968. Meilleur Ouvrier de France en 1958, il témoignera d'une étonnante jeunesse, réalisant des plats classico-modernes qui feront école : la terrine aux trois poissons, la mousse de foies blonds aux raisins ou le pied de porc farci de foie gras. Il fut l'un des premiers chefs de cuisine à faire son propre pain.

BARSAC Commune de la région bordelaise qui a donné son nom à des vins moelleux, aux arômes intenses d'abricot et de miel, issus de cépages sémillon, sauvignon et muscadelle, sensiblement moins liquoreux que les sauternes (**voir** BORDELAIS).

BAS DE CARRÉ Morceau de veau comprenant l'ensemble (non séparé) du collier et des côtes découvertes (**voir** planche de la découpe du veau page 879). Le bas de carré est généralement désossé pour être vendu en rôtis à cuire à la cocotte, souvent roulés, bardés et ficelés. Coupé en petits morceaux, il est utilisé pour des blanquettes ou des sautés. Quand il n'est pas désossé, il est détaillé en côtelettes « découvertes », un peu plus moelleuses que le collier, et moins chères que les côtelettes premières ou le filet.

BAS MORCEAUX Morceaux de boucherie situés à la partie inférieure de l'animal considéré en position debout. Ces muscles travaillent beaucoup et sont durs, ils doivent donc être cuits en milieu aqueux (eau, jus, fond). Les bas morceaux du bœuf comprennent les jarrets (gîte avant et arrière), le flanchet, la bavette à pot-au-feu, le gros bout de poitrine, le plat de côtes; chez le veau : le gîte avant, le jarret, le flanchet, le tendron et la poitrine ; chez le mouton et le porc : le jarret et la poitrine. Les bas morceaux à cuisson lente (braisé, ragoût, pot-au-feu, daube, bourguignon, navarin) sont onctueux et savoureux, car ils sont riches en collagène et en lipides, et parfumés par les aromates longtemps mijotés.

BASELLE Plante herbacée de la famille des basellacées, pouvant s'acclimater dans les régions tempérées bien ensoleillées. Sa tige volubile porte des feuilles qui, récoltées au fur et à mesure de la croissance, s'apprêtent comme les épinards. Aux Antilles, les baselles s'accommodent comme les brèdes.

BASELLE TUBÉREUSE ▸ VOIR ULLUCO

BASILIC Plante aromatique, de la famille des lamiacées, originaire de l'Inde (**voir** planche des herbes aromatiques pages 451 à 454). Son nom, dérivé du grec *basilikon phuton* (plante royale), témoigne du prix qu'on lui attachait dès l'Antiquité.

Il existe une soixantaine de variétés de basilic de tailles très différentes. Le grand vert est le plus cultivé. Légèrement épicé, il échauffe le palais, mais sa saveur reste fraîche et légèrement anisée. Il est indispensable à la soupe au pistou, au minestrone ; se mariant bien à l'huile d'olive, il aromatise les pâtes sous toutes leurs formes, mais aussi les salades de tomate et de poivron.

▶ Recettes : HUILE, LANGOUSTE, ROUGET-BARBET, WOK.

BASQUAISE (À LA) Se dit de divers apprêts où interviennent la tomate, le poivron, l'ail et, souvent, le jambon de Bayonne. On retrouve ce dernier, avec des cèpes sautés et des pommes Anna, dans la garniture basquaise destinée aux grosses pièces de boucherie.

▶ Recettes : CALMAR, POULET.

BASQUE (PAYS) Le Pays basque possède une identité culinaire originale. Ses produits sont réputés : jambon de Bayonne, piment d'Espelette, fromage de brebis, thon du golfe de Biscaye, pibales de l'Adour et de la Nivelle, chocolat. Mais son originalité tient surtout à la tonalité de ses préparations, dites « à la basquaise » : des apprêts où figurent tomate, poivron, ail et oignon, avec ou sans jambon de Bayonne, avec le piment bien entendu, dont le plus connu est celui d'Espelette. Frais ou séché, rouge ou vert, pulvérisé ou haché, mariné ou farci, en purée ou au vinaigre, le piment remplace volontiers le poivre et parfume même le jambon lors de sa conservation. On le retrouve dans la piperade, une fondue de piments verts doux, et il accommode des œufs brouillés, ou en omelette, avec des tranches de jambon cru poêlées ou des morceaux de poulet, ou encore du thon.

Autre légume souvent utilisé, le chou, que l'on cuisine en soupe, en gratin ou en fricassée avec une garniture de saucisses et de lard.

Le maïs, présent dans des recettes anciennes comme la mesture (pain de maïs), cède peu à peu la place au riz, que l'on trouve dans les farces (poivrons farcis) ou en plat unique comme le riz gachucha, avec lardons, chorizo, piments, oignons et coulis de tomate.

La viande est cuisinée le plus souvent en ragoût ou grillée. Agneau et mouton sont à la base de plats comme l'agneau tchilindron (aux poivrons et à la tomate), l'épaule farcie, le tripotxa (boudin de mouton épicé) ou le zikiro (mouton grillé). Le porc fournit avant tout le jambon de Bayonne, mais aussi des charcuteries originales comme les louquenkas, petites saucisses au piment et à l'ail, et la ventrèche.

Le thon, rouge ou blanc, piqué d'ail et grillé ou mijoté en cocotte, tient la vedette, suivi de près par la morue, préparée à la biskaïna ou en soupe, et le merlu, en cocotte à la koskera (avec des légumes). Les crustacés (langoustes, crabes ou araignées) se dégustent nature ou farcis. Les chipirons (calmars) sont cuisinés avec ou sans encre, poêlés aux oignons, ou farcis et braisés.

Les fromages du Pays basque sont peu nombreux mais excellents, comme l'ossau-iraty-brebis-pyrénées (AOC).

Les desserts sont rustiques, souvent à base de maïs (flans et bouillies sucrées comme le morokil, galettes ou beignets comme les kruxpetas), mais le fleuron de la pâtisserie est le gâteau basque, fourré aux cerises d'Itxassou. Le Pays basque offre aussi d'excellents chocolats (Bayonne) et tourons aux amandes.

■ **Soupes.**
• SOUPE À L'AIL, ELZEKARIA, SOUPE AU CHOU, TTORO. Les soupes font partie des traditions : la soupe à l'ail, l'elzekaria qui réunit chou, oignon et haricots, ail et vinaigre, la salda (soupe) au chou blanc. La plus célèbre est celle des pêcheurs de Saint-Jean-de-Luz, ou ttoro, qui existe sous de nombreuses variantes : de la plus simple (à la morue et aux légumes) à la plus riche, avec un vaste assortiment de poissons comme le grondin, le congre, la lotte et une tête de merlu, que complètent langoustines, moules et même langouste; le tout assaisonné d'aromates, de piments doux et forts. À Biarritz, elle est confectionnée avec des poissons blancs, de l'oseille et liée à l'œuf.

■ **Poissons et fruits de mer.**
• BESUGO, MARMITAKO, TRUITE AU JAMBON. Les recettes de poissons sont souvent simples, à base d'ail et de piment, mais originales comme les cocochas (bajoues de colin) ou les pibales (alevins d'anguille). Certaines sont de facture plus traditionnelle, comme le besugo, une dorade cuite au four avec oignons, ail et piment (plat de Noël), et

le marmitako, un ragoût de thon aux pommes de terre, tomates, piments et ail.

La truite au jambon se cuisine à la poêle : le poisson, nettoyé, assaisonné et fariné, est sauté puis accompagné de jambon préparé avec ail et vinaigre, et parsemé de persil.

■ **Viandes.**
• HACHUA. Il est fait de petits morceaux de bœuf ou de veau sautés et mijotés avec oignons, ail et piments. On cuisine aussi le bœuf aux anchois, en estouffade au vin rouge ou en ragoût avec des poivrons.
• GRAS-DOUBLE. Le gras-double à la mode basque, au lard, aux aromates et au vin blanc, se sert avec des poivrons sautés dans du saindoux.
• ÉPAULE DE VEAU. Farcie de tranches de jambon de Bayonne, elle est mijotée en cocotte avec des petits oignons, et garnie de riz.
• VOLAILLES : POULET BASQUAISE. Sautés avec de l'oignon, les morceaux de poulet mijotent ensuite en cocotte avec tomates, piments, dés de jambon de Bayonne, le tout étant agrémenté d'ail et de piment et accompagné en général de riz blanc nature.

■ **Pâtisseries.**
• CATALAMBROCA. Ce gâteau traditionnel des mariages à base de farine, d'œufs, de sucre, parfumé d'amandes, de zestes d'agrumes et parfois de rhum est cuit sur une broche verticale garnie d'un moule en forme de cône. La pâte est versée petit à petit et chaque nouvelle couche de pâte adhère à la précédente, au fur et à mesure de la cuisson.
• KOKAS. Ce sont de simples flans, agrémentés ou non de fruits (cerises, pruneaux, etc.).

■ **Vins et liqueurs.**
• IROULÉGUY. Seule appellation du vignoble basque, l'irouléguy est issu principalement du cépage tannat mais aussi du cabernet franc et du cabernet-sauvignon. Les vins rouges composent les deux tiers de la production, les rosés sont nombreux et les blancs, très rares.
• IZARRA. Le goût inimitable de cette liqueur tient à son élaboration complexe : 48 plantes pour l'Izarra verte et 32 pour l'Izarra jaune, distillées dans de l'alcool, fruits macérés dans de l'armagnac, miel d'acacia, infusion de safran, etc.

BASSES CÔTES Muscles du garrot entourant les cinq premières vertèbres dorsales du bœuf (**voir** planche de la découpe du bœuf pages 108 et 109). Désossées, les basses côtes permettent des préparations savoureuses de pot-au-feu, de bœuf braisé ou de bourguignon. Tranchées, elles fournissent des grillades, ou « entrecôtes parisiennes », grasses, très appréciées des gourmets.

BASSINE Large récipient de forme circulaire, généralement muni de deux poignées, utilisé pour préparer, cuire ou réserver des aliments.
• BASSINE À BLANCS D'ŒUF. En cuivre non étamé, elle est hémisphérique et munie d'un anneau permettant de la tenir avec le pouce (**voir** CUL-DE-POULE).
• BASSINE À LÉGUMES (SANS POIGNÉE). En fer-blanc ou en plastique, grande, elle sert à laver les légumes.
• BASSINE À BLANCHIR. En cuivre non étamé, elle est cylindrique et sert à la cuisson à grande eau des légumes verts.
• BASSINE À FRITURE. En aluminium, en acier inoxydable ou en tôle noire (elle porte alors le nom imagé de « négresse »), elle est équipée d'un panier-égouttoir (**voir** FRITEUSE).
• BASSINE À RAGOÛT (OU RONDEAU HAUT). En aluminium renforcé, en acier inoxydable ou en cuivre, elle est cylindrique, profonde et munie d'un couvercle ; elle sert aussi à faire cuire les légumes et les potages.
• BASSINE À SUCRE. En cuivre non étamé, elle est hémisphérique et réservée à la cuisson du sucre.
• BASSINE À CONFITURE. En cuivre rouge, elle a des rebords arrondis.
• BASSINE-CALOTTE. En fer-blanc ou en acier inoxydable, elle sert (en restauration) à mélanger des appareils ou des crèmes, ou à les réserver.

BA-TA-CLAN Gâteau fait d'amandes fraîches pilées au mortier, auxquelles on incorpore des œufs un par un, puis du sucre, du rhum et enfin de la farine. Cuit dans un moule plat et cannelé, le ba-ta-clan est nappé d'un fondant aromatisé à la vanille.

Son nom vient d'un célèbre café-concert parisien de la fin du XIXᵉ siècle, et sa recette est attribuée au pâtissier Lacam.

« Vêtus de blanc au bar Hemingway du RITZ PARIS ou de noir au bar du FOUR SEASONS GEORGE V, ces barmen sont des virtuoses. Leur parfaite connaissance des alcools, des associations subtiles et des dosages délicats fait de chaque dégustation de cocktail un moment unique. »

BATELIÈRE (À LA) Se dit d'une garniture de poisson composée de champignons de Paris pochés, de petits oignons glacés, d'œufs frits et d'écrevisses troussées. Cet apprêt concerne aussi une préparation de filets de sole dressés en barquettes – d'où son nom – sur un salpicon de queues d'écrevisse et de moules, nappés d'une sauce au vin blanc et aux fines herbes. Quant au maquereau à la batelière, il est simplement grillé et servi avec une sauce verte à part.

BÂTON OU **BÂTONNET** Petite pièce de pâtisserie de forme allongée, en feuilletage ou en pâte d'amande, qui entre dans la catégorie des petits-fours secs. Il accompagne les entremets et constitue des assortiments pour les buffets. En cuisine, les légumes taillés « en bâtonnets » ont la forme de parallélépipèdes plus ou moins allongés.

bâtonnets au cumin

Préparer une pâte à foncer fine sucrée. L'abaisser au rouleau, tout en la parsemant de graines de cumin, et la détailler en petits bâtonnets. Les rouler et les ranger sur une tôle de four beurrée. Dorer à l'œuf et cuire dans le four préchauffé à 240 °C pendant 10 min.

bâtons feuilletés glacés

Abaisser une pâte feuilletée sur 3 mm d'épaisseur. La détailler en bandes de 8 cm de large. Glacer à la glace royale. Couper ces bandes en deux dans le sens de la longueur. Les placer sur une tôle beurrée et les cuire au four préchauffé à 200 ou 210 °C.

bâtons glacés à la vanille

Mélanger 250 g de poudre d'amande et 250 g de sucre, puis lier la pâte avec 3 blancs d'œuf. Parfumer avec 1 cuillerée à café de vanille en poudre. Huiler un marbre ; y étaler la pâte au rouleau sur 1 cm. Recouvrir cette abaisse d'une couche de glace royale parfumée à la vanille. Détailler en languettes de 2 cm de large sur 10 cm de long. Beurrer et fariner une tôle de four, et y disposer les bâtons. Mettre au four préchauffé à 160 °C et cuire 10 min.

BÂTONNAGE Technique consistant à remuer à l'aide d'un bâton le vin contenu dans une barrique afin de remonter les lies fines qui se sont déposées au fond. Le vin acquiert ainsi davantage de gras et d'ampleur. Cette pratique s'est développée dans l'élevage des meilleurs vins blancs.

BATTE À CÔTELETTE Instrument servant à aplatir les côtelettes, les escalopes, les entrecôtes, les filets de poisson. En acier inoxydable, carrée et plate, avec une face unie et l'autre à deux pans inclinés, et munie d'un manche, cette batte est relativement lourde pour sa taille (900 g environ).

BATTERIE DE CUISINE Ensemble du gros matériel de cuisson, des ustensiles et des accessoires employés pour préparer et faire cuire les aliments.

■ **Histoire.** Les premiers pots et coupes étaient en terre et en bois, puis apparut l'airain. Les Hébreux se servaient de marmites métalliques et de fourchettes rudimentaires à deux dents pour piquer les aliments. Ces ustensiles connurent un net perfectionnement avec les Grecs : outre la poterie d'argile, ceux-ci employaient des vases de bronze, de fer et d'argent, la plupart du temps coniques et assez profonds, et des poêles, ancêtres des nôtres, qu'ils posaient sur des trépieds, au-dessus des braises. Les Romains héritèrent de ce matériel et le perfectionnèrent, tout en inventant des accessoires à vocation très précise. Les cuisines romaines disposaient d'un four maçonné et d'un évier à écoulement d'eau. Les ustensiles gaulois étaient plus rudimentaires (chaudrons, crémaillères et écuelles), mais des formes nouvelles apparurent avec les Mérovingiens, qui travaillaient le bronze avec art.

Il faut attendre l'époque des croisades pour que l'Europe découvre les aiguières, les plateaux et les « vaisseaux » richement ouvragés. Au Moyen Âge, le fer forgé sert à fabriquer tous les accessoires de la cheminée, et de multiples objets spécialisés se révèlent indispensables.

La plupart des ustensiles de base dont nous nous servons existaient déjà sous la Renaissance, mais le perfectionnement technique et l'apparition de nouveaux matériaux – sans parler de l'imagination des fabricants – ont beaucoup diversifié la batterie de cuisine moderne.

■ **Batterie de cuisine classique.**

• **USTENSILES POUR LA PRÉPARATION.** Ils sont pratiquement tous indispensables :
– une planche à découper, la coutellerie de cuisine, un fusil, une lardoire, une aiguille à brider ;
– une râpe, une passoire, un chinois, une essoreuse à salade, un fouet, un moulin à légumes ;
– des spatules et des cuillères en bois, une louche, une écumoire, un entonnoir, un ouvre-boîtes, un tire-bouchon, un décapsuleur ;
– un presse-agrumes, un bol à mélange, un rouleau à pâtisserie, une poche à douille et ses douilles, une roulette à pâte ;
– des boîtes de rangement en plastique, du papier sulfurisé, de la feuille d'aluminium, du film alimentaire.

• **USTENSILES POUR LA CUISSON.** Certains d'entre eux sont interchangeables ou remplaçables :
– une grande marmite, éventuellement deux de tailles différentes ;
– un faitout et une cocotte (grande et ovale pour cuire les volailles) ;
– un autocuiseur ;
– une plaque de cuisson, éventuellement à revêtement antiadhésif ;
– une sauteuse et deux poêles (une grande et une petite) ;
– une bassine à friture ou une friteuse électrique ;
– une série de cinq casseroles (de 12 à 24 cm) et leurs couvercles ;
– un plat à gratin et un plat à four ovale ;
– des ramequins et des plats à œufs en porcelaine à feu ;
– deux terrines à pâté (une grande et une petite) ;
– des moules à pâtisserie (au minimum un cercle à tarte et des moules à cake, à manqué, à charlotte et à savarin) ;
– une bassine à confitures et son écumoire ;
– un couscoussier ou un cuit-vapeur ;
– un réchaud à fondue et son caquelon.

• **PETITS APPAREILS ÉLECTROMÉNAGERS.** Ils facilitent le travail en cuisine :
– un batteur-mixeur et ses accessoires (voire un robot multifonction) ;
– un hachoir ;
– un moulin à café ;
– éventuellement, une sorbetière.

• **USTENSILES NOUVEAUX ET USTENSILES OUBLIÉS.** La cuisine venue d'ailleurs a fait connaître les premiers, les seconds sont de moins en moins utilisés.

La découverte de certains plats étrangers a introduit dans la batterie de cuisine des ustensiles nouveaux, tels le tagine marocain, le wok chinois et le *hibachi* (barbecue de table) japonais, sans en oublier d'autres, moins exotiques (plat à paella, poêle à blinis, machine à pâtes, machine à pain). Inversement, des objets traditionnels des campagnes ont tendance à disparaître (poterie de terre, claies, faisselles).

BATTEUR Ustensile de préparation muni d'accessoires rotatifs servant à battre, à mélanger ou à émulsionner. Le batteur simple peut être mécanique : c'est alors une sorte de fouet pour monter les blancs en neige. Le batteur est aujourd'hui plus souvent un appareil électrique (batteur-mixeur), fonctionnant à plusieurs vitesses (trois au maximum : rapide pour les blancs ; moyenne pour les crèmes, la mayonnaise, les veloutés et les potages ; lente pour les sauces, les purées mousselines et les bouillies légères). La gamme de ses accessoires, en plastique ou en métal, est étendue :
– fouets en fil métallique formant des anneaux fermés, pour monter les blancs d'œuf en neige et fouetter la chantilly ;
– fouets en fil métallique formant des rectangles fermés, pour les sauces émulsionnées, la mayonnaise ;
– fouets à spirales ou à crochets, pour mélanger des pâtes assez fluides, pétrir le beurre en pommade ;
– couteaux rotatifs, pour préparer des purées, des veloutés, des bouillies.

Le batteur est très souvent lui-même un accessoire du robot ménager.

BATTRE Travailler énergiquement un élément ou une préparation pour en modifier la consistance, l'aspect ou la couleur. Pour donner du corps à une pâte levée, on la bat avec les mains sur un marbre à pâtisserie ; pour monter des œufs en neige, on les bat avec un fouet dans un bol ; pour les mélanger dans une terrine, on les bat en omelette avec une fourchette.

BAU (CHRISTIAN) Cuisinier allemand (Offenburg 1966). Il a été commis puis sous-chef à la fameuse Schwarzwaldstube de l'hôtel *Traube Tonbach* en Forêt-Noire pour Harald Wohlfahrt, sous les ordres de qui il obtient le prix Taittinger à Paris en 1996. À partir de 1998, il exerce en Sarre, sur les bords de la Moselle, et en lisière du Luxembourg, au *Schlossberg* à Perl-Nennig, un château moyenâgeux auquel on a associé un casino et un hôtel de bon confort. Il y obtient trois étoiles au Guide Michelin en 2005. Classique, esthétique, inspiré de la grande cuisine française de tradition, son style séduit sans provoquer. Petites ravioles d'épinard au bouillon de châtaigne, carpaccio de saint-jacques avec son œuf de caille croustillant ou foie gras en trois bouchées sont représentatifs de sa manière.

BAUDRUCHE Partie du gros intestin correspondant au cæcum des diverses espèces animales et constituée d'une fine membrane extensible plus ou moins transparente. La baudruche de bœuf, la plus importante, servait d'enveloppe, après préparation, à divers produits de charcuterie (certains salamis, andouillettes et boudins, langue écarlate, mortadelle, etc.). Aujourd'hui, elle est classée comme matériel à risques spécifiés (**voir** ce mot) chez les bovins.

BAUME-COQ Plante vivace de la famille des astéracées, appelée aussi « menthe coq » ou « grande balsamique ». Ses feuilles sont utilisées pour parfumer des salades, des taboulés, des liqueurs ou certaines bières « ale » anglaises.

BAUMKUCHEN Pièce montée creuse cuite à la broche. D'origine autrichienne, ce curieux gâteau est devenu au XIXᵉ siècle un élément indispensable des fêtes de famille luxembourgeoises et allemandes. Il se prépare à partir d'une pâte à biscuit, souvent parfumée de cardamome et d'autres épices, de citron râpé, de vanille et de rhum. Cette pâte liquide est versée couche par couche sur un rouleau de forme généralement conique qui tourne à feu ouvert autour de rampes à gaz ou électriques. Les couches restent visibles après la cuisson, donnant au gâteau l'aspect d'un tronc d'arbre coupé, d'où son nom (littéralement « gâteau arbre »). Le baumkuchen doit rester moelleux et se sert dressé verticalement et décoré. Il peut atteindre 1 m de hauteur.

BAUX-DE-PROVENCE (LES) Vin de Provence AOC. Pratiquement tous des vins rouges (80 % de la production) et rosés (20 % de la production), les baux-de-provence, issus des cépages grenache, syrah, mourvèdre et carignan, allient finesse et richesse, souplesse et caractère.

BAVAROIS Entremets froid, fait d'une crème anglaise ou d'une purée de fruit collée à la gélatine, que l'on additionne de crème fouettée et/ou de meringue italienne, et que l'on moule. Des manuels culinaires ont confondu le bavarois avec un entremets assez proche, le moscovite. De nombreux gâteaux contemporains sont composés de bavarois diversement aromatisés, ce qui permet d'alléger certaines de ces pâtisseries.

Les bavarois rubanés se font avec des compositions de couleurs et de parfums différents, que l'on superpose par couches alternées.

bavarois à la crème : préparation

Mettre 35 cl de crème liquide et 15 cl de lait dans le réfrigérateur. Dissoudre de 5 à 7 feuilles de gélatine (de 2 g) dans de l'eau froide. Faire bouillir 65 cl de lait avec 1 gousse de vanille. Mélanger 8 jaunes d'œuf avec 250 g de sucre en poudre. Verser le lait (sans la gousse de vanille) et mélanger à nouveau. Sur feu doux, remuer sans discontinuer et sans laisser bouillir, jusqu'à ce que la préparation nappe la cuillère.

Puis la verser dans une jatte et la laisser refroidir, mais sans cesser de remuer. Ajouter la gélatine préalablement égouttée. Fouetter la crème liquide et le lait froids. Dès que la crème commence à adhérer au fouet, l'incorporer au mélange refroidi. Huiler légèrement un moule à bavarois (ou à savarin). L'emplir à ras bord du mélange obtenu. Recouvrir d'un papier sulfurisé et mettre 2 heures au moins au réfrigérateur. Pour démouler le bavarois, passer le fond du moule sous l'eau chaude ; placer la coupe ou le compotier de service sur le dessus et, d'un geste rapide, retourner le tout. Pour parfumer le bavarois, on peut aussi utiliser du café, du chocolat, du zeste de citron ou d'orange, de la liqueur, du praliné, etc.

bavarois à la cévenole

Additionner un bavarois à la crème d'un volume égal de purée de marrons glacés parfumée au kirsch. Huilez légèrement un moule rond et y tasser la préparation. Faire prendre dans le réfrigérateur, puis démouler sur le plat de service. Garnir à la poche à douille de crème Chantilly et décorer de demi-marrons glacés.

bavarois à la créole

Huiler légèrement un moule à manqué. Le remplir de couches alternées de bavarois à la crème parfumé au rhum et de bavarois à l'ananas, en les séparant par des petits dés de banane macérés au rhum. Faire prendre dans le compartiment à glaçons du réfrigérateur pendant 3 heures. Démouler le bavarois sur un plat rond et le décorer de chantilly à la poche à douille. Parsemer de pistaches effilées.

bavarois aux fruits

Faire tremper 15 feuilles de gélatine (de 2 g) dans de l'eau froide ; chauffer 50 cl de sirop (densité 1,26) et y incorporer la gélatine dissoute. Laisser refroidir dans une jatte. Presser 3 citrons et ajouter le jus dans la jatte, ainsi que 50 cl de purée de fruits (abricot, ananas, cassis, fraise, framboise, etc.). Fouetter 35 cl de crème fraîche épaisse et 15 cl de lait, froids ; dès que la crème commence à adhérer au fouet, y incorporer 50 g de sucre. Achever le bavarois aux fruits comme le bavarois à la crème. Le napper éventuellement d'une sauce au fruit (le même que celui qui le parfume).

bavarois à la normande

Tapisser un moule à bavarois d'une couche de bavarois à la crème parfumé au calvados. Préparer une marmelade de pomme et y incorporer de la gélatine dissoute dans de l'eau. Fouetter de la crème épaisse froide avec du lait et du sucre. Mélanger la marmelade de pomme et la crème fouettée ; en emplir le moule. Achever comme le bavarois à la crème.

bavarois de poivrons doux sur coulis de tomates acidulées ▶ POIVRON

bavarois rubané au chocolat et à la vanille

Commencer par préparer un bavarois peu aromatisé et le diviser en deux parts égales avant d'incorporer la crème fouettée. Ramollir à feu très doux 50 g de chocolat et l'ajouter à l'une des moitiés ; mélanger. Terminer séparément chacune des deux préparations en les mélangeant à la crème fouettée. Huiler légèrement une poche à douille. La remplir, par couches alternées, avec les deux préparations, en ayant soin de ne verser une nouvelle couche que lorsque la précédente est bien prise.

BAVETTE Terme de boucherie désignant les muscles plats de l'abdomen des bovins (**voir** planche de la découpe du bœuf pages 108 et 109). La « bavette d'aloyau » est composée de fibres longues dont les faisceaux sont peu serrés ; elle donne des biftecks savoureux et juteux. La « bavette de flanchet » a des fibres plus serrées et est en général moins tendre. La « bavette à pot-au-feu » convient aussi pour les bouillis et les daubes ; elle ne figure plus dans les dénominations officielles.
▶ Recette : BŒUF.

BAZINE Semoule additionnée de levain, cuite à l'eau bouillante avec de l'huile. Dans les pays arabes, cette bouillie, qui a l'aspect d'une pâte élastique, constitue le repas traditionnel du matin pendant le ramadan ; servie avant le lever du soleil, elle est accompagnée de beurre, de miel et de jus de citron.

On l'arrose d'une soupe de poisson ou on lui ajoute des raisins secs et des morceaux de viande sautés. On peut aussi cuire la semoule sans levain, dans un bouillon de volaille, et l'accompagner d'œufs brouillés, ou la façonner en boulettes à cuire dans un bouillon.

BEARD (JAMES) Cuisinier américain et écrivain (1903-1985). Ses parents tenaient un petit hôtel sur la côte pacifique. Il décide de monter à New York et, après des essais infructueux dans le théâtre, il crée une maison de traiteur qui connaît le succès et écrit son premier

CONFECTIONNER UNE BÉARNAISE

1. Dans une sauteuse, faire réduire très lentement les échalotes finement ciselées, le vinaigre, la mignonnette et l'estragon haché. La réduction doit rester humide. La laisser refroidir. Ajouter les jaunes d'œuf.

2. Bien mélanger au fouet. Amener progressivement cette préparation à 60-65 °C en fouettant constamment.

3. Hors du feu, incorporer petit à petit à l'aide du fouet le beurre clarifié et décanté. Passer la sauce au chinois ou à l'étamine et ajouter un peu d'estragon haché.

livre, *Hors-d'œuvre & canapés*, tout en lançant, en 1946, sa première émission télévisée sur NBC, « I love to eat ». Il sera reconnu comme le père de la cuisine américaine. Après sa mort, Julia Child a l'idée de transformer sa maison new-yorkaise en lieu de mémoire et Peter Kump, son élève, qui dirige un Institut culinaire, de créer une fondation portant son nom. Chaque année, les James Beard Foundation Awards récompensent les meilleurs professionnels du monde de la cuisine outre-atlantique.

BÉARNAISE Sauce faite de jaunes d'œuf montés à chaud sur une réduction de vin, de vinaigre, d'échalote ciselée, d'estragon concassé, poivre mignonnette et d'une pincée de sel fin, puis émulsionnée au beurre et additionnée d'estragon. Il est possible de monter les jaunes d'œuf dans un bain-marie sur un feu frémissant.

Elle accompagne surtout les viandes et les poissons grillés. L'ajout d'autres éléments donne des sauces dérivées (Choron, Foyot, paloise, tyrolienne, Valois).

Pour remonter une béarnaise qui a tourné, on lui incorpore petit à petit une cuillerée d'eau chaude (si la sauce est froide) ou froide (si la sauce est chaude).

Certains apprêts sont dits « à la béarnaise » bien qu'ils ne soient pas accompagnés de cette sauce : ils sont simplement inspirés de la cuisine du Béarn.

▶ Recettes : BOUDIN NOIR, CÈPE, GARBURE, POULE AU POT, SAUCE.

BÉATRIX Nom d'une garniture printanière pour grosses pièces de boucherie, comprenant des morilles fraîches étuvées, des petites carottes tournées glacées, des fonds d'artichaut sautés en quartiers et des pommes de terre nouvelles rissolées ou fondantes.

Cette appellation s'applique aussi à une salade composée, associant blancs de volaille, pommes de terre et pointes d'asperge assaisonnée par une mayonnaise légère et décorée d'une lame de truffe.

BEAUCAIRE Nom donné à diverses préparations qui rappellent la cuisine provençale et où le céleri est présent. Ce céleri figure encore à Beaucaire dans la salade traditionnelle du souper de Noël : céleri en branche et céleri-rave en julienne, avec endives, jambon et pommes acides, puis betteraves et pommes de terre en bordure.

La soupe Beaucaire se compose de chou, de poireau et de céleri (que l'on fait suer au beurre et qui sont ensuite mouillés d'un fond blanc de volaille parfumé au basilic et à la marjolaine) ; on la garnit d'orge perlé et de dés de foie de volaille, et on la sert avec du fromage râpé.

Quant à l'anguille Beaucaire, elle est désarêtée, garnie d'une farce de poisson, placée sur un lit d'échalotes, d'oignons et de champignons, et braisée dans un peu de vin blanc et de cognac.

Typique de la basse vallée du Rhône, le pain de Beaucaire est obtenu par une série de pliages très particuliers. Une fois façonné pour lui donner une forme rectangulaire, le pâton est fendu en son milieu.

BEAUCE ▶ VOIR ORLÉANAIS, BEAUCE ET SOLOGNE

BEAUFORT Fromage AOC de lait cru de vache (de 48 à 55 % de matières grasses), à pâte pressée cuite et à croûte naturelle brossée (**voir** tableau des fromages français page 390). Sans trous, mais offrant parfois quelques « lainures » (minces fentes horizontales), le beaufort se présente en meules à talon concave pesant de 20 à 70 kg pour 35 à 75 cm de diamètre sur 11 à 16 cm d'épaisseur. Sa saveur fine et fruitée lui vient du lait des vaches de race tarine paissant sur un territoire qui s'étend sur la Maurienne, le Beaufortin, la Tarentaise, en Savoie.

▶ Recette : ARTICHAUT.

BEAUHARNAIS Nom d'une garniture pour petites pièces de boucherie, faite de champignons farcis et de quartiers d'artichaut sautés ou étuvés. On appelle aussi « Beauharnais » un apprêt d'œufs mollets sur fonds d'artichaut.

Quant aux apprêts sucrés baptisés « Beauharnais » (à base de banane et de rhum), ils sont un souvenir direct des origines créoles de la première femme de Napoléon.

▶ Recettes : BANANE, TRUITE, VOLAILLE.

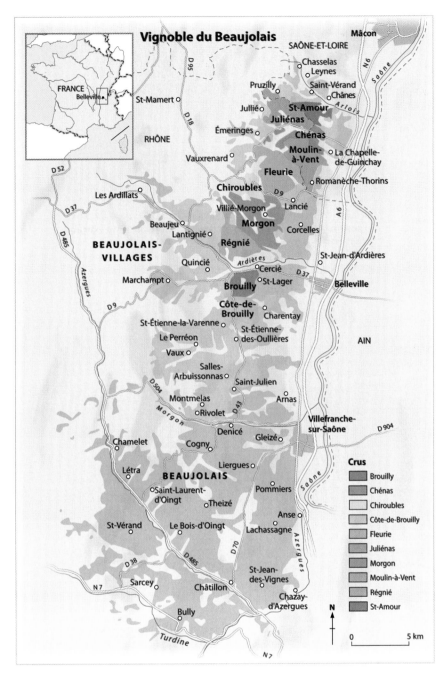

Vignoble du Beaujolais

Crus
- Brouilly
- Chénas
- Chiroubles
- Côte-de-Brouilly
- Fleurie
- Juliénas
- Morgon
- Moulin-à-vent
- Régnié
- St-Amour

0   5 km

Au nord de Villefranche, le haut Beaujolais est le pays des crus. La terre du bas des coteaux est argileuse, d'aspect « cendreux » : c'est le sol type du chiroubles ou du fleurie, alors que les schistes donnent les terres lourdes du morgon.

À Brouilly, elles sont plus pierreuses et chargées d'oxydes métalliques, de débris calcaires ; enfin, celles du moulin-à-vent sont influencées par la présence de manganèse.

Ces sols si variés sont pourtant encépagés presque exclusivement en gamay (à 98 %), un gamay noir à jus blanc, qui débourre (c'est-à-dire qui s'ouvre en parlant d'un bourgeon) précocement, craint les gelées mais peut repousser après le gel.

■ **Vinification et vins.** Le cépage gamay, fruité et juteux, se prête particulièrement bien à la technique tout à fait singulière de vinification du beaujolais. On pratique ici en effet une variante locale de la macération carbonique, appelée « méthode du Beaujolais », utilisant des grappes entières de raisin, qui ne sont donc pas vendangées à la machine.

Celles-ci sont versées dans la cuve, qui est ensuite scellée. Le gaz carbonique dégagé se condense au-dessus des grains en fermentation, ce qui ralentit le processus et agit comme un antiseptique. Les grappes du dessus écrasent celles du dessous, et la fermentation se fait dans le jus accumulé au fond de la cuve. Une fois cette première étape terminée, les raisins sont pressés et entament une nouvelle fermentation avec levurage sélectionné et contrôle thermique. Cette technique permet d'extraire le maximum de couleur et d'arômes. Pour les primeurs, la fermentation est réduite au minimum.

En revanche, pour les crus, elle est plus longue et s'effectue à des températures plus élevées, qui facilitent la concentration des tanins. Ainsi, certaines années, le vin fermente lentement dans les cuves jusqu'à une date avancée dans l'hiver ; il est ensuite élevé en fût durant le printemps et l'été, puis mis en bouteilles au mois de septembre de l'année suivante.

L'ensemble de la région a droit à l'AOC beaujolais, ou à la mention « beaujolais supérieur » si le degré d'alcool est plus élevé.

L'AOC beaujolais-villages couvre toute la partie nord du Beaujolais et comprend trente-neuf communes. Les vins qui sont regroupés sous cette appellation sont donc de styles très différents ; généralement, ils n'ont pas les qualités de garde des crus et se consomment entre 1 et 2 ans.

Les crus sont situés dans le nord du Beaujolais, sur les monts qui dominent la vallée de la Saône ; seuls dix villages sont autorisés à donner leur nom à leur vin : brouilly, chenas, chiroubles, côtes-de-brouilly, fleurie, juliénas, morgon, moulin-à-vent, régnié et saint-amour. Ce sont eux qui font la véritable renommée du beaujolais.

BEAUJOLAIS Région viticole située au sud de la Bourgogne et réputée pour ses vins rouges. Leur notoriété est principalement due au beaujolais primeur (beaujolais nouveau) qui, chaque année, au début du mois de novembre, inonde le marché. L'engouement pour ce vin jeune, léger et très fruité, que l'on servait à l'origine dans les traditionnels bouchons lyonnais quelques semaines après les vendanges, a désormais gagné toutes les grandes capitales mondiales.

Issu du cépage gamay, le beaujolais tire son nom de la cité médiévale de Beaujeu, mais, aujourd'hui, Villefranche-sur-Saône et Belleville sont devenues ses véritables capitales.

■ **Zones viticoles et cépages.** Le Beaujolais s'étend sur une zone allant du sud de Mâcon jusqu'à la banlieue lyonnaise, limitée à l'est par la vallée de la Saône. Les vignobles couvrent environ 22 900 ha, du pied des coteaux jusqu'au sommet boisé des collines. Sous un climat plutôt chaud et sec, les vignes, protégées par ces collines contre les vents d'ouest, montent jusqu'à une altitude de 500 m.

La diversité géologique de la région entraîne des différences sensibles de terroir à terroir.

Dans le bas Beaujolais, entre Villefranche-sur-Saône et la vallée de l'Azergues, les terrains sédimentaires argileux et argilo-calcaires conviennent bien aux vins de primeur.

BEAUJOLAIS (VIN) Vin léger, issu du cépage gamay, désaltérant, bien fruité, le plus souvent rouge, qui se boit jeune et frais. Il trouve son terroir d'élection sur le sol granitique du Beaujolais (**voir** BEAUJOLAIS).

BEAUJOLAIS-VILLAGES Vin fruité, issu du cépage gamay, plus charnu et plus corsé que le beaujolais (**voir** BEAUJOLAIS).

BEAUNE Ville de résidence des anciens ducs de Bourgogne, située au cœur de la côte de Beaune, et mondialement connue pour la vente annuelle du vin de ses « hospices ».

Les hospices de Beaune furent édifiés en 1443 par le chancelier de Bourgogne, Nicolas Rolin, et son épouse, Guigone de Salin, afin d'accueillir les malades de la région.

Cette œuvre charitable reçut, au cours des siècles, de nombreuses donations, qui représentent aujourd'hui 43 ha de vignes d'appellations réputées (aloxe-corton, savigny-lès-beaune, beaune, pommard, monthélie, auxey-duresses, meursault, etc.).

Les vins sont rentrés chaque année dans les cuveries de l'hôtel-Dieu, mais ils ne sont pas distribués par les hospices : ils sont vendus aux enchères le troisième dimanche de novembre, au cours de l'une des plus importantes ventes de charité du monde (**voir** BOURGOGNE).

BEAUVILLIERS (ANTOINE) Cuisinier français (Paris 1754 - *id.* 1817). Il débuta en 1782 en fondant, rue de Richelieu, *la Grande Taverne de Londres,* qui fut le premier véritable restaurant de Paris. Le succès fut tel que Beauvilliers, à la veille de la Révolution, ouvrit un autre restaurant, à son nom, dans la galerie de Valois du Palais-Royal. Son renom, après une brève éclipse sous la Terreur, se maintint sous l'Empire et la Restauration, et l'établissement ne ferma ses portes qu'en 1825.

Ayant été chef de cuisine du comte de Provence, Beauvilliers recevait ses clients l'épée au côté, en uniforme d'« officier de bouche de réserve ». Il écrivit en 1814 *l'Art du cuisinier* et collabora avec Antonin Carême à la rédaction de la *Cuisine ordinaire.*

BEAUVILLIERS Nom donné, en l'honneur du célèbre restaurateur du Palais-Royal, à une garniture pour grosses pièces de boucherie braisées, faite de salsifis étuvés avec du beurre, de petites tomates évidées, garnies de purée de cervelle et gratinées, et de cromesquis aux épinards. La sauce d'accompagnement est constituée par le fond de braisage.

▶ Recette : CROÛTE.

BEAUVILLIERS (GÂTEAU) Gâteau très consistant fait d'amandes pilées et de sucre mélangés avec du beurre, des œufs et beaucoup de farine (de froment et de riz). Après cuisson, le beauvilliers est enveloppé dans du papier d'étain, qui lui assure une bonne conservation : c'est le plus ancien des gâteaux dits « de voyage ».

Un autre biscuit de voyage comparable, le bonvalet, porte, lui aussi, le nom d'un célèbre pâtissier et restaurateur.

BÉCASSE Échassier migrateur de 60 cm d'envergure, de la famille des scolopacidés, au bec long. La bécasse, gibier très estimé, se chasse en mars-avril et d'octobre à novembre (époque où elle est la plus grasse et la plus tendre). Assez rare et difficile à repérer, car elle a un plumage feuille-morte, elle jouit depuis longtemps d'une grande réputation gastronomique ; toutefois, sa commercialisation est interdite.

Dans la cuisine classique, on la laisse faisander de 4 à 8 jours, et on en fait des salmis, des terrines ou des mousses. Dans les apprêts modernes, on la préfère fraîche et on la cuisine le plus souvent rôtie.

bécasse : préparation

La bécasse ne se bride pas, elle se trousse : le long bec pointu traverse les deux cuisses, et les pattes sont relevées et maintenues ensemble. Il est de coutume de lui retirer les yeux et de ne pas la vider, sauf le gésier ; les intestins, après cuisson, servent éventuellement à tartiner un canapé ou à faire une sauce.

bécasse en casserole à la périgourdine

Garnir l'intérieur d'une bécasse d'une farce composée de ses intestins hachés, de foie gras et de truffe coupés en dés, le tout additionné de sel, de poivre, de quatre-épices et d'un filet d'armagnac. Trousser l'oiseau, le raidir au beurre dans une cocotte, l'assaisonner, l'arroser d'un petit verre d'armagnac et le mettre au four préchauffé à 275 °C, à couvert, de 15 à 18 min. Le retirer de la cocotte et déglacer celle-ci avec très peu de fumet de gibier ou de bouillon. Réchauffer et servir la bécasse dans son récipient de cuisson, après avoir ajouté de petites truffes.

bécasse en cocotte à la crème

Préparer et cuire une bécasse comme dans la recette précédente. L'arroser d'un filet de cognac, d'armagnac ou de calvados et de quelques cuillerées de crème fraîche. La mettre dans le four chaud et laisser réchauffer.

RECETTE DE LÉOPOLD MOURIER

bécasse froide à la Diane

« Faire rôtir la bécasse en la tenant saignante, puis la découper en filets. Piler la carcasse et l'intérieur avec une noix de foie gras et une noisette de beurre, muscade et fine champagne. Passer le tout au tamis, assaisonner de haut goût. Dresser cette farce sur de larges lames de truffe crue macérées à la fine champagne. Reformer la bécasse en soudant les tranches avec les lames de truffe farcies et napper le tout avec une gelée de gibier très corsée. Refroidir au réfrigérateur avant de servir. »

bécasse truffée rôtie

Mélanger à de la farce à volaille de petits dés de truffe passés au beurre. En farcir une bécasse vidée. Glisser quelques fines lames de truffe entre la peau et la chair de l'oiseau. Le trousser, le ficeler et le mettre au frais pendant 24 heures. Assaisonner alors la bécasse et la mettre au four préchauffé à 250 °C de 18 à 20 min. Beurrer et colorer au four une tranche de pain, la tartiner avec les intestins et y dresser la bécasse. Déglacer le plat de cuisson d'un filet de cognac ou d'armagnac et verser sur la bécasse.

RECETTE DE JEAN COUSSEAU

bécasses à la ficelle

POUR 4 PERSONNES – CUISSON : 20 min

« Prendre des bécasses et les laisser au réfrigérateur pendant 5 jours (elles ne doivent être ni trop fraîches, ni trop faisandées). Les plumer en conservant la tête et ne pas les vider. Les saler et les suspendre par la tête, au moyen d'une ficelle, au-dessus des braises d'un feu de bois. Faire rôtir doucement pendant 20 min environ, en tournant les ficelles une fois à l'endroit, une fois à l'envers. Récupérer dans un plat en fonte les sucs de cuisson qui s'écoulent pour arroser le rôti. Détacher chacune des bécasses, enlever le foie, les entrailles et hacher le tout avec 60 g de foie gras, du sel, du poivre et 2 cl d'armagnac. Faire griller de grosses tranches de pain et tartiner la farce. Réserver ces tartines au chaud. Chauffer le capucin (sorte d'entonnoir en fer muni d'un long manche avec une poignée en bois) dans les braises. Couper les bécasses en deux et les dresser sur les rôties. Plisser 100 g de jambon dans le capucin et arroser les oiseaux de cette graisse en fusion. Servir avec des châtaignes cuites dans les cendres fumantes. »

bécasses à la fine champagne

Cuire des bécasses à la casserole ou en cocotte, les découper et tenir les morceaux au chaud dans le plat de service. Presser complètement les carcasses et les piler aussi fortement que possible ; hacher très finement les parures (intestins, foies, cœurs, etc.). Déglacer à la fine champagne le plat de cuisson ; y verser le jus des carcasses pilées et passées au tamis, et le hachis de parures. Ajouter 1 filet de jus de citron et un soupçon de poivre de Cayenne. Verser sur les bécasses et servir chaud.

RECETTE DU RESTAURANT *LUCAS-CARTON*, À PARIS

bécasses rôties

POUR 5 PERSONNES – PRÉPARATION : 1 h – CUISSON : 15 min

« Plumer, flamber et ficeler 10 bécasses, retirer les yeux et assaisonner. Dans un sautoir, réduire 3 litres de vin rouge espagnol au miroir. Faire colorer les bécasses sur toutes leurs faces, puis finir de les cuire 8 min au four à 240 °C. Lever les cuisses et récupérer tous les intestins (sauf le gésier), puis lever les filets très saignants et les réserver. Garder les têtes de côté et les parer légèrement pour une jolie présentation. Concasser le reste des carcasses. Les ajouter au miroir, verser 10 cl de fond de veau et faire cuire 30 à 40 min tout doucement, puis fouler la sauce au chinois. Vérifier l'assaisonnement et réserver au chaud. Passer tous les intestins au tamis, ainsi que 100 g de foie gras. Ajouter un trait de cognac, de sel et de poivre (recuire cette farce à la casserole si elle n'est pas assez cuite). Vérifier l'assaisonnement. Poêler 10 croûtons de pain d'une épaisseur de 1 cm dans la graisse des bécasses ou dans de la graisse d'oie. Beurrer les toasts avec la moitié de la farce. Lier la sauce avec le reste de farce. Finir la cuisson des filets et des cuisses, et les assaisonner. Au fond de l'assiette, déposer 4 filets de bécasse et 4 cuisses par personne. Disposer en haut de l'assiette 2 toasts par personne. Saucer l'assiette et poser à cheval sur les toasts les 2 têtes de bécasse. »

RECETTE DE PAUL BOCUSE ET LOUIS PERRIER

bécasses rôties sur canapé

POUR 4 PERSONNES

« Choisir 2 bécasses bien grosses, les plumer au dernier moment et les préparer pour la cuisson. Préchauffer le four à 240 °C. Nettoyer 1/2 botte de cresson et préparer 2 bouquets. Saler et poivrer les bécasses, les badigeonner de beurre clarifié. Dans une cocotte, les rôtir au four pendant 15 à 18 min, les retourner et les arroser fréquemment. Dans 1 pain de mie, détailler 2 canapés de 16 cm de longueur sur 8 cm de largeur et 3 cm d'épaisseur. Évider partiellement ces canapés pour leur donner une forme de caissette. Dans une poêle, les dorer avec du beurre clarifié. Après cuisson des bécasses, retirer délicatement les intestins et les hacher finement puis les malaxer avec 40 g de beurre et 40 g de foie gras. Ajouter quelques gouttes d'armagnac. Rectifier l'assaisonnement et compléter avec 2 ou 3 gouttes de jus de citron (certains chasseurs apprécient le goût de 1/2 cuillerée à café de moutarde blanche dans cette farce, mais cet apport reste facultatif). Garnir la cavité des canapés avec cette farce et les mettre dans le four quelques instants pour les gratiner. Dégraisser partiellement la cocotte, la déglacer avec 1 cuillerée à soupe d'armagnac et 2 cuillerées à soupe d'eau. Porter à ébullition et passer ce jus au chinois. Dresser les bécasses sur les canapés et les entourer de cresson. Servir à part le jus de rôti en saucière. »

salmis de bécasse ▶ SALMIS

RECETTE DE JEAN-PAUL LESPINASSE

terrine de bécasse

« Préchauffer le four à 150 °C. Couper 420 g de suprêmes de bécasse en grosses lanières. Passer 600 g de gorge de porc et 150 g de viande de bécasse dénervée à la grille moyenne. Faire revenir des échalotes dans du beurre jusqu'à ce qu'elles soient translucides et, au dernier moment, y ajouter 150 g de foies de poulet coupés en cube. Ajouter à la farce (gorge de porc et viande de bécasse) 1 œuf, 10 cl de cognac, 10 g de sel nitrité, 1 pincée de quatre-épices. Goûter et rectifier l'assaisonnement. Ajouter ensuite 200 g de cubes de foie gras cuit très froids et 120 g de fond de gibier. Chemiser la terrine avec de la crépine, puis tapisser le fond de la terrine avec 1 bande de lard très fine en y faisant deux incisions au couteau. Monter la terrine en alternant les couches de farce et les suprêmes de bécasse et en ajoutant petit à petit 150 g de cubes de truffe. Enfourner la terrine, placée dans un bain-marie, faire cuire pendant 20 min à 150 °C, puis baisser la température du four à 120 °C. Sonder à cœur jusqu'à ce que la température atteigne 62 °C. »

BÉCASSINE Échassier migrateur de la famille des scolopacidés, un peu plus petit que la bécasse, qui séjourne dans les marais, les étangs et les prés humides. On chasse la bécassine d'août à avril (mais elle est meilleure en automne). Son plumage est brun-noir sur la tête et le dos, blanc dessous. Ses apprêts sont les mêmes que ceux de la bécasse.
▶ Recette : PÂTÉ.

BECFIGUE Nom donné à divers petits passereaux du type fauvette (famille des sylviidés). Au cours de leur migration d'automne, les becfigues traversent la France vers le sud au moment où les figues sont mûres (d'où leur nom), de même que le raisin, dont ils sont très friands.

Anthelme Brillat-Savarin fut leur chantre, mais ils étaient déjà très appréciés des Romains. Chassés abusivement, ils sont aujourd'hui protégés.

BÉCHAMEIL (LOUIS DE) Financier français (1630-1703). Fermier général, surintendant de la maison du duc d'Orléans, et en outre intendant de Bretagne, Louis de Béchameil, marquis de Nointel, acquit la charge de maître d'hôtel de Louis XIV. Il est peu vraisemblable qu'il ait créé lui-même la sauce qui porte son nom, déformé en « béchamel » ; elle est sans doute le perfectionnement d'une recette ancienne apportée par un cuisinier de bouche du roi, qui dédia sa découverte au financier. Michel Guérard a créé en son honneur un fameux gâteau mollet du marquis de Béchamel avec sa glace fondue à la rhubarbe.

BÉCHAMEL Sauce blanche faite avec un roux et du lait, qui fut d'abord une réduction d'un velouté très crémé et qui doit son nom au marquis de Béchameil. Elle est largement utilisée pour les apprêts d'œufs, de légumes, de coquilles garnies, de gratins. L'ajout d'autres ingrédients donne des sauces dérivées (**voir** AURORE, MORNAY, SOUBISE).
▶ Recettes : BETTE, MAÏS, SAUCE.

BECK (HEINZ) Cuisinier allemand (Bavière 1963). Formé à l'école hôtelière de Passau, au *Colombi* à Fribourg, chez *Käfer*, puis au *Tantris* de Munich aux côtés d'Heinz Winkler, il suivra ce dernier dans sa *Residenz* trois étoiles d'Aschau. Il exerce également ses talents à la Présidence allemande à Berlin. En 1994, il quitte l'Allemagne pour l'Italie, s'installe à *la Pergola* du Hilton-Cavalieri à Rome, au dernier étage d'un vaste immeuble moderne avec vue sur la ville aux sept collines. Il y exerce son amour de la cuisine italienne (sa femme Teresa est sicilienne), rédige des livres sur les pâtes et les saveurs méditerranéennes. Il obtient la consécration des trois étoiles au Guide Michelin en 2006.

BECQUETER Terme de fauconnerie, signifiant « frapper avec le bec », qui a pris le sens populaire de « manger », par simplification de son orthographe en « becter ». Familièrement, il veut dire aussi « manger du bout des dents », « chipoter », à la manière des oiseaux qui picorent.

BEIGLI Pâtisserie hongroise, faite d'une pâte légèrement briochée et garnie de cerneaux de noix ou de graines de pavot. Cette spécialité typique se prépare surtout lors des fêtes de Noël et de Pâques.

BEIGNE Pâtisserie québécoise traditionnelle, à base de pâte levée (farine, œufs, lait et beurre), souvent en forme d'anneau, que l'on cuit à grande friture. Le beigne se mange chaud ou à température ambiante, nature ou saupoudré de sucre glace. Le beigne soufflé, ou croquignole, est fait de pâte à choux. Le terme « beigne » désigne aussi le doughnut glacé au sucre, de fabrication industrielle, qui fait partie du fast-food en Amérique du Nord.

BEIGNET Préparation composée d'une pâte, renfermant ou non un ingrédient cuit ou cru, que l'on fait frire dans de l'huile. Selon sa composition, le beignet se sert en hors-d'œuvre, en entrée ou en entremets, presque toujours chaud, voire brûlant, et poudré de sel fin ou de sucre. La pâte utilisée diffère selon la nature de l'aliment à enrober. Le bain de friture doit toujours être abondant, car les éléments commencent par tomber au fond de la bassine, puis remontent à la surface sous l'action de la chaleur, qui allège et fait gonfler la pâte. Les beignets se retournent à mi-cuisson. Le principe du beignet est simple, mais les apprêts varient beaucoup en goût et en forme.

• **BEIGNETS EN PÂTE À FRIRE.** Certains aliments riches en eau ont besoin, pour être frits, d'un enrobage. Il peut s'agir d'un simple farinage ou d'une panure anglaise, mais il faut de la pâte à frire pour obtenir des beignets. L'apprêt, salé ou sucré, se fait avec de très nombreux éléments crus (mais taillés menu et de cuisson rapide) ou cuits (marinés ou non).

« Profusion de casseroles, de poêles, de marmites et d'accessoires de toutes tailles.
Si l'activité d'une cuisine se mesure au nombre de ses ustensiles, à n'en pas douter celles de l'école FERRANDI PARIS,
du traiteur POTEL ET CHABOT et des restaurants GARNIER et HÉLÈNE DARROZE débordent de vitalité. »

Les beignets aux fleurs étaient particulièrement appréciés au Moyen Âge (violette, sureau, lis) ; aujourd'hui, on n'utilise pratiquement plus que les fleurs d'acacia et les fleurs de courge.

• BEIGNETS EN PÂTE À CHOUX. Selon qu'elle est salée ou sucrée, la pâte à choux permet de préparer les beignets en hors-d'œuvre ou en entremets, qui sont alors dits « soufflés ». Salée, la pâte à choux peut être additionnée de fromage râpé, de dés de jambon, d'amandes, etc. ; sucrée, elle donne les pets-de-nonne.

• BEIGNETS EN PÂTE À BRIOCHE ORDINAIRE. Ils sont dits « viennois » ou « dauphine », et se composent de rondelles de pâte, éventuellement fourrées de confiture, plongées dans de l'huile très chaude (180 °C). Une fois bien gonflés et dorés, les beignets sont poudrés de sucre.

• BEIGNETS EN PÂTE À GAUFRE. Ils sont moulés dans des gaufriers de formes diverses (en étoile, en barquette, en cœur, en rose), emmanchés sur une longue tige. Ces beignets se consomment alors tels quels, mais servent surtout de croustades à garnir.

Les beignets figurent parmi les plus anciens des entremets régionaux. Réalisés dans une pâte spéciale aromatisée, ils sont souvent associés à une fête : bugnes lyonnaises, oreillettes de Montpellier, beugnons du Berry, bignes d'Auvergne, roussettes de Strasbourg, tourtisseaux d'Anjou, bottereaux nantais, etc.

pâte à beignets : préparation

Dans une terrine, disposer en fontaine 250 g de farine tamisée. Ajouter 3 jaunes d'œuf, 5 g de sel fin et 25 cl de bière. Bien mélanger pour obtenir une pâte lisse. Couvrir de 1 cuillerée à café d'huile en fine pellicule et laisser reposer 1 heure environ. Au moment de l'emploi, incorporer à la spatule 3 blancs d'œuf battus en neige très ferme et 30 g de sucre pour les pâtes à dessert.

BEIGNETS SALÉS

RECETTE DE GÉRALD PASSÉDAT

beignets d'anémone de mer

POUR 4 PERSONNES – PRÉPARATION : 2 h

« Blanchir 1 bouquet de persil frisé, le rafraîchir, puis le mixer avec 12 cl de fumet de poisson, le passer au chinois étamine. Assaisonner et ajouter 1 cuillerée à soupe d'huile d'olive, réserver ce jus de persil. Nettoyer 1 calmar de 250 g et le tailler en lanières, réserver au frais. Verser 10 cl de vinaigre de xérès dans un cul-de-poule, y plonger rapidement 8 pièces d'anémones de mer afin de neutraliser l'urticant. Les égoutter, couper chacune en quatre parties égales et les égoutter de nouveau. Faire bouillir 12 cl de lait, ajouter 0,5 g d'agar-agar, assaisonner, laisser refroidir, puis répartir dans 4 bols les morceaux d'anémone, couler le lait à hauteur. Mettre au frais et filmer. Pour la pâte à beignet, verser dans un cul-de-poule 100 g de farine, autant de fécule de maïs, 15 g de levure chimique et du sel, ajouter 1 jaune d'œuf et incorporer délicatement 10 cl d'eau et 15 cl de bière. Travailler la pâte et la laisser reposer 2 heures. Tailler à l'aide d'un emporte-pièce 16 cercles de 5 cm de diamètre dans 3 feuilles de brick, y disposer au centre de 8 d'entre eux les anémones et les refermer avec un autre cercle préalablement humidifié. Tremper les 8 disques dans la pâte et les mettre à cuire dans 1 litre d'huile de pépins de raisin préalablement chauffée à 180 °C. Égoutter, assaisonner et citronner. Pendant ce temps, faire chauffer 3 bols au four à vapeur à 70 °C, ainsi que le jus de persil dans une première sauteuse et 50 cl de lait avec 0,5 g de lécithine de soja dans une seconde sauteuse. Rectifier l'assaisonnement. Faire sauter le calmar dans l'huile d'olive, déglacer avec le jus de 1 citron pressé. Faire mousser le lait au mixeur. Mélanger 4 très fines tranches de bulbe de fenouil avec quelques filaments de radis noir et quelques pousses de microvégétaux "rock chives". Assaisonner d'un trait d'huile d'olive, saler et poivrer. Sortir les bols du four à vapeur ; verser le lait mousseux et 15 g de caviar d'Aquitaine dans un premier bol ; dresser les lanières de calmar sur le jus de persil et rajouter la salade dessus dans le deuxième et les beignets citronnés dans le troisième. »

beignets d'aubergine

Peler des aubergines, les détailler en rondelles, les faire mariner 1 heure avec de l'huile, du jus de citron, du persil haché, du sel et du poivre. Les écraser. Mélanger à la fourchette ou au mixeur des jaunes d'œuf durs, un peu de beurre et du persil haché. Incorporer cette préparation aux aubergines et rouler le tout en paupiettes. Les tremper dans de la pâte à frire. Plonger dans de la friture chaude. Dresser sur une serviette. (On procède de même avec les brocolis, les cardons, le céleri, les courgettes, le chou-fleur, les fleurs de courge, les salsifis, les tomates, les topinambours et les vrilles de vigne.)

beignets de cervelle

Pocher des cervelles d'agneau ou de veau dans un court-bouillon ; les escaloper. Les faire mariner avec de l'huile, du persil haché et du jus de citron. Les tremper dans de la pâte à frire et procéder comme pour les beignets d'aubergine. (La fraise de veau, préalablement cuite dans un blanc, et les amourettes s'accommodent de la même façon.)

beignets à la florentine

Préparer une purée d'épinard et la faire dessécher doucement en la tournant sur le feu à la spatule de bois ; en mélanger 250 g à 20 cl de béchamel bien réduite. Incorporer 50 g de gruyère râpé et laisser refroidir complètement. Diviser l'appareil en une quinzaine de portions, les rouler dans de la farine, puis dans de la pâte à frire. Plonger en pleine friture chauffée à 180 °C ; laisser dorer. Égoutter, éponger sur du papier absorbant, poudrer de sel fin et servir brûlant.

RECETTE DE MARC MENEAU

beignets de foie gras (cromesquis)

« La veille, préparer la sauce Villeroy. Faire réduire dans une casserole à feu vif, en deux temps, 25 cl de porto rouge ; ajouter 75 cl de crème liquide et porter à frémissement. Ramollir 8 feuilles de gélatine dans de l'eau froide de 4 à 5 min, puis les égoutter. Hors du feu, les incorporer à la crème frémissante avec 100 g de foie gras cuit passé en purée. Saler, poivrer ; réserver au réfrigérateur. Tapisser de film alimentaire une plaque creuse de 20 cm sur 15 environ, puis y étaler la moitié de la sauce Villeroy sur une épaisseur de 0,5 cm. Faire prendre 20 min au froid. Saupoudrer ensuite de 100 g de foie gras taillé en petits dés et de 20 g de truffes hachées. Recouvrir du reste de sauce Villeroy et réserver toute la nuit au réfrigérateur. Le lendemain, renverser la plaque de sauce sur une planche. À l'aide d'un couteau dont la lame a été trempée dans l'eau chaude, tailler des petits cubes de 1,5 cm de côté : ce sont les cromesquis. Les rouler dans 25 g de farine, puis les secouer pour en enlever l'excès. Battre 3 œufs entiers, y tremper les cromesquis, puis les rouler dans 100 g de chapelure. Recommencer l'opération pour obtenir un double panage. Au dernier moment, chauffer à feu vif 75 cl d'huile dans une casserole. Sortir les cromesquis du réfrigérateur et les passer une nouvelle fois dans la chapelure fine. Les plonger deux par deux dans la friture et cuire de 2 à 3 min. Les égoutter, les sécher sur du papier absorbant et les tenir au chaud sur la porte du four. Quand ils sont tous prêts, servir aussitôt. Il ne faut pas les croquer, mais les presser avec la langue sur le palais. »

beignets de foie de raie

Pocher le foie de raie au court-bouillon pendant 6 min, puis l'égoutter et le laisser refroidir. Préparer une pâte à frire. Escaloper le foie, puis le faire mariner avec du sel, du poivre, de l'huile et un peu de jus de citron pendant 30 min à 1 heure. Égoutter les escalopes, les passer dans la pâte et les plonger en pleine friture (180 °C). Les égoutter, les éponger, les poudrer de sel fin et les servir avec des demi-citrons cannelés.

beignets d'huître

Pocher des huîtres dans leur eau (à peine frémissante), les laisser refroidir dans leur cuisson, puis les égoutter et les éponger. Les faire macérer 30 min dans un mélange d'huile, de jus de citron, de sel et de poivre, puis les tremper dans de la pâte à frire. Les plonger dans de l'huile très chaude. Les égoutter, les éponger sur du papier absorbant ; poudrer de sel fin et servir avec des quartiers de citron et du persil frit.

beignets de langoustine

Décortiquer les queues de 12 langoustines moyennes. Les faire mariner 30 min dans un mélange composé de 3 cuillerées à soupe d'huile d'olive, de 1,5 cuillerée à soupe de jus de citron, de 1 cuillerée à soupe de persil haché, de 1 gousse d'ail épluchée et hachée, de 1 cuillerée à café d'herbes de Provence, de sel, de poivre et d'un soupçon de poivre de Cayenne. Préparer de la pâte à frire. Y tremper les queues de langoustine et les dorer en pleine friture. Les égoutter, les éponger sur du papier absorbant ; les servir avec des 1/2 citrons historiés et de la sauce tartare.

beignets de ris de veau

Escaloper des ris de veau blanchis, parés et refroidis sous presse ; les fariner, les tremper dans une pâte à frire légère et les plonger dans un bain de friture à 180 °C ; les dorer sur les deux faces, les égoutter et les éponger ; les servir avec des quartiers de citron et une fondue de tomate ou une mayonnaise aux herbes.

beignets de salsifis

Détailler en tronçons des salsifis cuits (frais ou en conserve, s'ils sont assez fermes). Les éponger, les fariner, les tremper dans de la pâte à frire. Terminer comme pour les beignets d'aubergine.

beignets soufflés

Préparer 250 g de pâte à choux sans sucre. À l'aide d'une cuillère, diviser cette pâte en boules de la grosseur d'une noix. Plonger dans de la friture chaude et cuire jusqu'à ce que les beignets soient bien dorés. Égoutter, assaisonner et dresser en buisson sur une serviette. Les beignets soufflés salés peuvent être aromatisés à l'anchois, au fromage, à l'oignon.

beignets soufflés à la toscane

Mélanger avec 300 g de pâte à choux un peu de noix de muscade râpée, 50 g de parmesan, 50 g de jambon cuit coupé en salpicon et un peu de truffe hachée. Façonner en boulettes. Cuire les beignets dans une friture bouillante et les servir très chauds en entrée.

BEIGNETS SUCRÉS

RECETTE D'ALAIN SENDERENS

beignets d'ananas sauce pinacolada

« Préparer une pâte à frire avec 25 cl de bière, 200 g de farine, 15 à 20 g de levure de boulanger et 1 pincée de sel ; la laisser reposer 1 heure à la température ambiante. Éplucher 1/2 ananas, le couper en tranches, et détailler celles-ci en trois. Éponger chaque morceau sur du papier absorbant. Dans un cul-de-poule, fouetter 25 à 50 g de sucre avec 6 jaunes d'œuf jusqu'à ce qu'ils blanchissent. Verser 25 cl de pulpe d'ananas et 25 cl de lait de coco chaud. Cuire cette pinacolada comme une crème anglaise. Ajouter 5 cl de rhum et laisser refroidir. Préparer un sorbet en mélangeant 50 cl de pulpe d'ananas avec 150 à 300 g de sirop à la densité de 1,2624 (50 cl d'eau pour 500 g de sucre). Faire turbiner. Passer les morceaux d'ananas dans la pâte à frire, puis les plonger dans de l'huile très chaude. Les glacer au sucre glace avec un chalumeau. Dresser la pinacolada dans des assiettes, mettre une boule de sorbet au centre et les beignets autour. »

beignets de banane

Peler des bananes et les couper en longueur ; les faire macérer 1 heure dans du rhum additionné de sucre. Les tremper dans de la pâte à frire et les plonger en pleine friture chaude. Égoutter, éponger, poudrer de sucre fin et dresser sur une serviette.

beignets de fleurs d'acacia ► ACACIA

beignets à l'imbrucciata

Disposer 500 g de farine tamisée en fontaine dans une terrine. Incorporer 3 œufs, 1 pincée de sel, 1 petit paquet de levure chimique et 2 cuillerées à soupe d'huile d'olive. Ajouter 1 bol d'eau et mélanger pour obtenir une pâte lisse. Couvrir d'un linge et laisser reposer 3 heures à température ambiante. Couper du brocciu frais en tranches. Enrober celles-ci d'un peu de pâte, puis les plonger dans une huile très chaude (180 °C) ; les égoutter et les poudrer de sucre.

beignets Nanette

Détailler en tranches rondes une brioche rassise. Préparer une crème pâtissière et l'additionner d'un salpicon de fruits confits macérés au kirsch ou au rhum. Masquer les tranches de brioche d'un peu de cette préparation et les coller deux à deux. Les arroser d'un peu de sirop de sucre parfumé de la même eau-de-vie. Les tremper dans de la pâte à frire et procéder comme pour les beignets à l'ananas.

beignets de pomme

Évider des pommes avec un vide-pomme, les éplucher et les détailler en rondelles épaisses de 4 mm. Les citronner et les faire macérer 30 min dans du cognac ou du calvados. Les égoutter, les tremper dans de la pâte à frire et les plonger dans de l'huile bien chaude. Les sortir et les éponger. Les poudrer de sucre fin.

beignets soufflés fourrés aux cerises

Équeuter et dénoyauter des cerises et les cuire au sirop. Les égoutter et faire réduire le sirop jusqu'à ce qu'il nappe la spatule de bois. Le parfumer au kirsch. Remettre les cerises dans le sirop réduit pour bien les enrober. Préparer des pets-de-nonne (voir page 644), les fendre tout chauds sur un côté et les garnir de cerises. Les dresser dans une coupe ou dans un compotier en les poudrant de sucre glace.

beignets viennois

Tamiser 500 g de farine, en disposer le quart en fontaine. Mettre 20 g de levure de boulanger au centre, la délayer avec un peu de lait, puis ajouter suffisamment d'eau tiède pour obtenir, en pétrissant, une pâte un peu molle. Façonner ce levain en boule, l'inciser en croix sur le dessus, la mettre dans une terrine, la couvrir et la placer dans un endroit tiède. Disposer le reste de la farine en fontaine sur le plan de travail. Mettre au centre 4 œufs et 2 cuillerées d'eau tiède. Travailler la pâte en la rompant plusieurs fois. Dissoudre 25 g de sucre et 15 g de sel dans très peu d'eau et les mélanger à la pâte. Ramollir 200 g de beurre et l'incorporer à son tour. Ajouter 2 œufs, l'un après l'autre, sans cesser de mélanger. Rompre la pâte plusieurs fois, puis l'étaler sur le plan de travail. Placer le levain au centre et mélanger le tout en travaillant bien. Mettre cette pâte dans une terrine, la couvrir d'un linge et la laisser lever 5 ou 6 heures dans un endroit tiède. La rompre à nouveau et attendre encore un peu. La diviser alors en deux moitiés et les abaisser sur 0,5 cm. Disposer sur une des abaisses, à intervalles réguliers, des petites masses de confiture d'abricot. Mouiller d'eau la pâte autour de ces masses et recouvrir le tout avec la seconde abaisse. Bien appuyer sur les bords et découper avec un emporte-pièce uni de 5 cm. Étaler un linge sur une plaque, le parsemer de farine, y ranger les beignets et laisser lever 30 min. Plonger les beignets dans de la friture très chaude (180 °C). Lorsqu'ils ont gonflé et blondi sur un côté, les retourner. Les égoutter, les dresser sur une serviette et les poudrer de sucre glace.

crème frite en beignets ► CRÈMES DE PÂTISSERIE
petits choux amandines en beignets ► CHOU

BEL PAESE Fromage italien de lait de vache (45 % de matières grasses). Fabriqué industriellement en Lombardie, le Bel Paese se présente en feuille d'aluminium, sous la forme de meules de 20 cm de diamètre. Doux et moelleux, jaune crème, le Bel Paese (« beau pays », en italien) est apprécié dans le monde entier.

BELGIQUE Terre réputée pour ses bières, la Belgique peut être divisée en trois régions d'un point de vue gastronomique : Bruxelles, la capitale, et les régions flamande et wallonne, où les charcuteries et les pâtisseries occupent une place d'égale importance.

Bruxelles, dont les Belges disent volontiers qu'elle compte davantage d'étoiles culinaires que Lyon, est aussi ville de contrastes. Partout, les échoppes proposent des cornets de frites, des caricoles (bigorneaux), des ballotins de pralines ou des gaufres sucrées.

■ **Grands classiques.** Sur ce territoire réduit, les particularités locales, voire familiales, sont légion (flamiche dinantaise, tarte *al djote* brabançonne, tarte au sucre et à la cannelle wallonne, genièvre liégeois, élixir anversois).

Mais la cuisine belge a aussi ses grands classiques, comme le hochepot, le waterzoi et les *vogels zonder kop* (littéralement, « oiseaux sans tête »).

Les pommes de terre et les endives *(witloof)* dominent le répertoire des légumes, sans oublier les asperges, les jets de houblon du printemps, denrée rare particulièrement prisée dans les meilleurs restaurants, et les choux de Bruxelles.

Les poissons sont très appréciés, notamment les anguilles (« au vert », mais aussi en pâté, en meurette, en matelote, en daube), le merlan, en papillote ou au vin blanc, et le hareng sous toutes ses formes.

■ **Influences étrangères.** Les vicissitudes de l'histoire ont laissé leur empreinte dans la gastronomie, comme en témoignent le poisson à l'escabèche et l'oie à l'instar de Visé (cuite au pot, puis découpée en morceaux enrobés de chapelure et rôtis, servis avec une sauce à l'ail et à la crème), apprêts inspirés de la cuisine espagnole du XVIᵉ siècle.

Quant au fameux jambon des Ardennes, il se vendait déjà du temps de l'Empire romain sur les marchés de Lugdunum (Lyon), d'où les Flamands auraient rapporté les couques, inspirées, peut-être, d'une recette gallo-romaine.

■ **Fromages.** On notera en particulier deux fromages de vache à pâte molle, le limbourg (**voir** ce mot) et le Brusselse kaas, très puissant.

■ **Pâtisseries.** Elles sont aussi riches que le reste de la gastronomie : gaufres de Namur et de Bruxelles, brioches de Verviers au sucre candi, cramiques aux raisins secs, spéculos, moques de Gand, pains d'amande et pains d'épice, et la célèbre flamiche de Dinant, ruisselante de beurre fondu.

■ **Bières.** Avec 115 brasseries encore en activité, la Belgique est bien le pays de la bière et des boissons fermentées apparentées, aux goûts particulièrement variés.

Parmi les boissons fermentées à base de céréales aromatisées (fruits, etc.), la gueuze reste la plus populaire ; elle est obtenue après plusieurs années de vieillissement du lambic. Celui-ci est une boisson non moussante préparée en hiver par ensemencement d'une levure spécifique de la région de Bruxelles. La kriek et la framboise sont respectivement élaborées grâce à la macération de ce même lambic sur un lit de cerises ou de framboises.

Quant aux bières trappistes, qui portent le nom de leur abbaye d'origine, (Chimay, Orval, Rochefort, Westmalle et West-Vleteren), elles ne doivent pas être confondues avec les bières d'abbaye, comme la Leffe ou la Maredsous, souvent moins caractéristiques. D'autres encore, blondes, ambrées ou brunes, sont tout aussi intéressantes.

La bière, parfois concurrencée par les vins français, sert aussi à cuisiner plusieurs spécialités : les carbonades, le lapin aux pruneaux, les choesels, le brochet à la gueuze, les filets de sole à la bière ou le ris de veau des trappistes.

BELLE-HÉLÈNE Nom donné vers 1864 à divers apprêts par plusieurs chefs de restaurant des Grands Boulevards, d'après le titre d'une célèbre opérette d'Offenbach.

Les tournedos grillés Belle-Hélène sont garnis de pommes paille, de bouquets de cresson et de fonds d'artichaut emplis de béarnaise. Les suprêmes de volaille sautés Belle-Hélène sont dressés sur des croquettes de pointes d'asperge, surmontées d'une lame de truffe. Les grosses pièces sautées Belle-Hélène sont entourées de champignons grillés garnis de tomate concassée, de petits pois frais au beurre, de carottes tournées et glacées, et de pommes

croquettes. Enfin, l'entremets Belle-Hélène se compose de fruits – classiquement, des poires williams – pochés au sirop, refroidis, égouttés, dressés sur de la glace à la vanille et nappés de sauce au chocolat chaude.

BELLET Vin niçois, provenant des collines qui dominent la vallée du Var, regroupant des rouges délicats et des rosés légers issus des cépages braquet, folle noire et cinsault, mais aussi des blancs nerveux au parfum très frais, issus des cépages rolle, roussan et mayorquin.

BELLEVUE (EN) Se dit de divers apprêts froids où la chair du crustacé, du poisson ou de la volaille cuisinés est mise en valeur par un lustrage de gelée.

La chair du homard et de la langouste est escalopée en médaillons, qui sont décorés et lustrés, puis disposés sur la carapace.

Les petits oiseaux (bécasse, caille, grive) sont désossés, farcis, pochés dans un fond de gibier, refroidis, nappés de sauce chaud-froid brune, décorés et lustrés à la gelée.

BÉNÉDICTINE Liqueur de plantes, de couleur jaune ambré, titrant 43 % Vol. Elle dérive d'un très vieil élixir dont la recette, attribuée à un bénédictin italien, fut retrouvée en 1863 par le négociant Alexandre Le Grand. Celui-ci mit au point la formule et commercialisa la liqueur, qu'il baptisa Bénédictine en inscrivant sur la bouteille la devise des bénédictins, D.O.M. *(Deo Optimo Maximo)*.

Le cycle de fabrication de la Bénédictine s'étend sur trois années. Il fait appel à cinq préparations de base, utilisant 27 plantes différentes (dont l'hysope, la mélisse, l'angélique, la coriandre, le clou de girofle, la noix de muscade, le thé, la myrrhe). Celles-ci sont vieillies séparément, puis mélangées, édulcorées avec du sucre et du miel, et enfin colorées au safran.

BÉNÉDICTINE (À LA) Se dit de divers apprêts où intervient soit une purée de morue et de pomme de terre, soit de la brandade. La morue est, par tradition, un poisson de carême, mais l'allusion « monastique » de l'appellation n'est souvent plus justifiée, plusieurs de ces apprêts étant enrichis de truffe.

▶ Recettes : BOUCHÉE (SALÉE), MORUE.

BÉNINCASE Plante d'Extrême-Orient, de la famille des cucurbitacées, dont le fruit ressemble à une courge. Son goût, qui rappelle un peu celui du concombre, en fait un légume très apprécié en Asie du Sud-Est et en Chine. La bénincase se cuit à l'eau et se conserve dans du vinaigre.

BENTO Terme japonais désignant un repas rapide pris hors de chez soi, contenu dans une boîte *(bento bako)*. Ce mode de restauration est apparu au XIIᵉ siècle. De nos jours, le bento le plus populaire représente le drapeau japonais *(hinomaru bento)* : il contient du riz, une umeboshi (prune) au centre, des *tsukemono* (légumes conservés dans le sel), quelques légumes. Traditionnellement en bois laqué, le *bento bako* se décline aujourd'hui en résine synthétique ou en barquette à usage unique.

BERASATEGUI (MARTIN) Cuisinier espagnol (Saint-Sébastien 1960). Formé chez son père, dans la taverne familiale de *Bodegon Alejandro*, au cœur du vieux Donostia (Saint-Sébastien en basque), il accomplit des stages en France chez Alain Ducasse au *Louis XV* de Monaco, puis chez Didier Oudill à Grenade-sur-l'Adour, avant de reprendre la maison paternelle, puis de créer son domaine moderne à Lasarte, à 15 km au sud de sa ville natale. Son évolution est foudroyante, à force de créativité contrôlée : une étoile au Guide Michelin en 1995, deux en 1997, trois en 2001. Il conseille en plus de nombreuses tables, à Bilbao, au musée Guggenheim, ou à Tenerife, à l'hôtel *Abama*. Il joue le sucré-salé, les mini-portions genre tapas, les alliances étonnantes avec une réussite constante. Ce moderniste sage qui travaille sa manière cisèle des plats légers comme des jus, translucides comme des gelées, trouve un style qui lui appartient en propre. Le mille-feuille caramélisé d'anguille fumée au foie gras, petits oignons, pommes vertes, l'infusion de tomate à la morue et crème montée aux pommes de terre, les huîtres avec crème de chou-fleur et jus mousseux aux betteraves ou la gélatine chaude de fruits de mer sont quelques-uns de ses chefs-d'œuvre.

BERCHOUX (JOSEPH) Avocat français (Saint-Symphorien-de-Lay 1765 - Marcigny 1839). Son nom reste attaché à un long poème en quatre chants, intitulé *Gastronomie ou l'Homme des champs à table*, publié en 1801, qui connut un immense succès.

Toute la philosophie de l'auteur tient dans ces vers : « Un poème jamais ne valut un dîner » et « Rien ne doit déranger l'honnête homme qui dîne. » C'est lui qui introduisit le mot « gastronomie » dans le vocabulaire français. Plusieurs recettes, qui n'ont guère de points communs, lui ont été dédiées.

BERCY Nom donné à divers apprêts à base de vin et d'échalote. Le quartier de Bercy, à Paris, qui abrita longtemps le plus vaste marché de vins d'Europe, a donné son nom à des plats cuisinés en sauce au vin dans les petits restaurants qui se multiplièrent, dès 1820, dans les parages ; on y mangeait fritures, matelotes et grillades préparées ainsi (comme la fameuse « entrecôte Bercy »).
▶ Recettes : BEURRE COMPOSÉ, BŒUF, SAUCE, SOLE.

BERGAMOTE Fruit du bergamotier, agrume de la famille des rutacées, surtout cultivé en Calabre, en Corse et en Chine. Ressemblant à une petite orange jaune, à saveur acide, la bergamote a une écorce contenant une huile essentielle, qui est utilisée en parfumerie et en confiserie ; son zeste s'emploie en pâtisserie.

La bergamote est aussi un sucre d'orge carré, couleur de miel, aromatisé à l'essence naturelle de bergamote. Spécialité de la ville de Nancy depuis 1850, elle a été la première confiserie française à recevoir un label.

La bergamote est enfin une variété de poire, presque ronde, à peau jaunâtre et à chair fondante, très sucrée et parfumée.

BERGERAC Commune de Dordogne, réputée depuis le Moyen Âge pour son vignoble, dont les vins (blancs, rosés et rouges) ont un air de cousinage avec ceux, voisins, du Bordelais. Les cépages sont les mêmes dans les deux appellations (**voir** PÉRIGORD).

BERLINGOT Bonbon de sucre aromatisé (le plus souvent à la menthe, parfois aux fruits), en forme de tétraèdre, rayé de bandes alternativement cristallines et opaques.

La formule actuelle fut mise au point sous Louis XVI, par une certaine Mme Couet, qui la transmit à ses descendants. En 1851, à Carpentras, Gustave Eysséric reprit la recette en utilisant comme arôme la menthe poivrée cultivée dans le Vaucluse. C'est elle qui donne au berlingot de cette ville sa saveur particulière, avec l'utilisation de sirops de sucre ayant servi à la préparation des fruits confits. Nantes (depuis 1780), Saint-Quentin et Caen sont également connues pour leurs berlingots.

La fabrication des berlingots consiste à enfermer un boudin de sucre cuit, aromatisé et coloré, dans un réseau continu faisant alterner des bandes de sucre transparent et des bandes de sucre battu. Le boudin est ensuite étiré, puis taillé dans une berlingotière (machine rotative à quatre couteaux) ou une presse à couronne.

Par extension, le mot désigne aussi un emballage en carton et de forme tétraédrique pour le lait.

BERNIQUE Mollusque marin, de la famille des patellidés, mesurant de 3 à 7 cm de diamètre, dont l'épaisse coquille conique est gris terne à l'extérieur et jaune-orangé à l'intérieur (**voir** tableau des coquillages page 250 et planche pages 252 et 253). La bernique abonde sur les rochers du littoral atlantique, où on l'appelle aussi « chapeau chinois », « patelle », « bernicle ». L'intérieur de la coquille est bleu irisé en Méditerranée, où le mollusque porte le nom d'« arapède ».

On consomme les berniques après avoir ôté au couteau la masse viscérale noire et décollé le pied. Elles se mangent crues, avec du jus de citron ou de la vinaigrette ; grillées, avec un peu de beurre ; cuisinées en cocotte, avec une sauce tomate relevée ; hachées, elles s'utilisent comme farce.

BERNIS (PIERRE DE) Diplomate français (Saint-Marcel-d'Ardèche 1715 - Rome 1794). Ce protégé de Mme de Pompadour, devenu cardinal, fut aussi ambassadeur à Venise, puis à Rome auprès du Saint-Siège. Dans tous ses postes, il se montra un remarquable défenseur de la cuisine française. Les cuisiniers ont donné son nom à divers apprêts d'œufs, où interviennent les asperges.
▶ Recette : ŒUF MOLLET.

BERNY Nom d'un apprêt de pommes de terre en croquettes, panées avec des amandes effilées, puis frites. La garniture du même nom comprend, en plus de ces croquettes, des tartelettes emplies de purée de lentilles ; elle accompagne le gibier.

BERRICHONNE (À LA) Se dit d'apprêts régionaux du Berry. Les grosses pièces de boucherie garnies à la berrichonne sont servies avec des choux verts braisés (farcis ou non), des marrons pochés, des petits oignons glacés et des tranches de lard maigre ; le jus est légèrement lié. La fricassée de poulet à la berrichonne est accompagnée de carottes nouvelles, et les pommes de terre à la berrichonne sont cuites avec des oignons et des lardons.

BERRY La cuisine berrichonne est influencée par l'élevage du porc, des volailles et surtout du mouton, comme le prouvent ses apprêts de viande les plus typiques : gigot braisé à la sept-heures, pot-au-feu berriaud (associant jarret de veau, bœuf et épaule de mouton), veau à la berrichonne (cuit dans une sauce au vin rouge parfois enrichie d'œufs mollets), poulet en barbouille. La gastronomie de cette ancienne province française se caractérise par la simplicité savoureuse et parfois rustique de ses préparations à cuisson lente. Les abats ont inspiré les rognons de mouton à la mode de Bourges, la tête de veau aux fines herbes, le foie de veau farci ou les amourettes à la crème.

Soupes, veloutés et potées (aux fritons, dits « grignaudes », de lentilles vertes ou de haricots rouges) jouent un grand rôle, avec les légumes du potager, les « tartouffes » (pommes de terre) et la citrouille (utilisée aussi en gâteau).

Dans cette région vinicole, qui produit des vins d'appellation (châteaumeillant, reuilly, sancerre, quincy, ménetou-salon) et des vins gris, le vin est largement utilisé en cuisine : œufs au vin rouge, daubes et matelotes.

La plupart des fromages sont des chèvres (valençay, pouligny, chavignol, selles-sur-cher).

La culture des arbres fruitiers – cerisiers (production de kirsch), poiriers, noyers et noisetiers – explique la présence des fruits dans les entremets sucrés (poirat, citrouillat, sanciaux, beignets) et les « lichouneries » (confiseries) : Forestine de Bourges (aux noisettes), massepain d'Issoudun, sucres d'orge et croquets.

BÉRUDGE Petite prune rouge fardée de violet. Ce fruit, essentiellement destiné à la distillation, donne une délicieuse eau-de-vie.

BÉRYX Poisson plat, de la famille des bérycidés. De couleur rouge-orangé, il possède de gros yeux. On distingue le béryx long, mesurant 35 cm environ, et le béryx commun, au corps plus épais et atteignant 40 cm. Ils se pêchent dans l'Atlantique nord, de l'Irlande à la Norvège, à 600 m de profondeur, et sont essentiellement vendus en filets, plus rarement entiers, frais ou congelés, sous le nom de « dorade rose ». Leur chair est très appréciée.

BESSET (JULES) Auteur albigeois (1813-1893) d'un *Art culinaire* qui connut un grand succès, et pour lequel il reçut un diplôme d'honneur de l'Académie de cuisine. Il s'adresse aussi bien aux professionnels qu'aux amateurs, et fait une large place à l'emploi de l'huile d'olive, particularités rares à l'époque.

BÊTACAROTÈNE ▶ VOIR VITAMINE

BÊTISE Bonbon de sucre cuit, parfumé à la menthe, dont la fabrication remonte à 1850. Bien que la maison Afchain, de Cambrai, se soit longtemps déclarée « seul inventeur » des bêtises, on ne connaît pas les circonstances exactes de leur mise au point.

La petite histoire a retenu la maladresse d'un apprenti qui aurait mal dosé les ingrédients (sucre, glucose et menthe), mais peut-être s'agit-il du trait de génie d'un confiseur qui eut l'idée d'insuffler de l'air dans la pâte : c'est en effet l'air incorporé en bulles microscopiques dans la masse encore chaude de sucre cuit qui donne au bonbon sa légèreté, tout en le rendant opaque.

Les bêtises, qui restent une spécialité de Cambrai, ont été imitées par les « sottises » de Valenciennes.

BETTE Plante potagère de la même espèce que la betterave (famille des chénopodiacées), mais dont on ne consomme que les feuilles. La bette est également connue sous les noms de « blette », « poirée » ou « joutte ». Les parties vertes ont un goût moins prononcé que les épinards et se préparent comme eux ; les nervures principales, larges et tendres, nommées « côtes » ou « cardes » (**voir** ce mot), constituent un légume délicat, s'apprêtant comme les cardons.

■ **Emplois.** Contenant autant de fer que l'épinard, très riche en potassium, en bêtacarotène et en fibres, la bette est un légume tonique et rafraîchissant. Elle figure dans divers apprêts familiaux et surtout régionaux (notamment dans le Lyonnais et en Corse) : tartes, farces, soupes pour les feuilles vertes ; gratins, garnitures au jus pour les cardes. La tourte aux feuilles de bette est un dessert niçois.

bettes : préparation

Retirer la partie verte des bettes, puis casser les côtes (sans les couper au couteau) pour ôter les filandres. Diviser ces cardes en tronçons de 6 à 8 cm de long. Les cuire à l'eau salée ou, mieux, dans un blanc pour légumes (**voir** page 102). Pour les parties vertes, les laver, les blanchir 5 min à l'eau bouillante, salée ou non, les égoutter, les passer sous l'eau froide, les égoutter et les éponger.

bettes à la béchamel

Égoutter 750 g de cardes de bette cuites au blanc. Les mettre dans une sauteuse avec 40 cl de béchamel fluide et étuver à couvert pendant 5 min. Ajouter 50 g de beurre, mélanger et dresser en légumier.

bettes au beurre

Cuire complètement 1 kg de cardes, au blanc ou à l'eau salée. Les égoutter, les mettre dans une sauteuse avec 75 g de beurre frais et laisser étuver de 15 à 20 min sur feu doux, à couvert. Les dresser en légumier, les arroser de leur beurre de cuisson et les parsemer de persil ciselé. On peut aussi blanchir des cardes 5 min à l'eau salée, puis les égoutter, les rafraîchir et terminer leur cuisson dans une sauteuse avec 75 g de beurre et 20 cl d'eau. Les dresser en légumier et les arroser de leur cuisson.

bettes à la crème

Égoutter 750 g de cardes de bette cuites au blanc. Les faire étuver 5 min avec 25 g de beurre. Les mouiller de 30 cl de crème fraîche chaude et laisser cuire jusqu'à réduction de moitié. Dresser en légumier et napper avec la cuisson.

bettes à l'italienne

Égoutter 750 g de cardes de bette cuites au blanc. Préparer suffisamment de sauce italienne pour en recouvrir presque à hauteur les tronçons de bette. Mettre les bettes et la sauce dans une sauteuse, laisser mijoter, mélanger, rectifier éventuellement l'assaisonnement. Au moment de servir, parsemer de beaucoup de basilic frais ciselé.

bettes au jus

Égoutter 750 g de cardes de bette cuites au blanc. Les mettre dans une sauteuse avec 30 cl de jus brun de veau ou de bouillon et laisser mijoter à couvert pendant 10 min au moins. Ajouter 80 g de beurre découpé en petits morceaux. Dresser les bettes en légumier et arroser avec le jus.

gratin de bettes au verjus ▶ GRATIN
jarret de veau poché et bettes mijotées ▶ VEAU
tourte aux feuilles de bette niçoise ▶ TOURTE

BETTERAVE Plante à racine charnue, de la famille des chénopodiacées. La betterave potagère, ou « carotte rouge » (dans le Lyonnais) ou racine rouge, dont la chair est fine et fortement colorée en rouge violacé ou en jaune-orangé, est utilisée comme légume (**voir** tableau ci-dessous et planche des légumes-racines pages 498 et 499). Des variétés sont cultivées pour l'industrie sucrière, la distillerie et pour l'alimentation animale.

■ **Emplois.** La betterave rouge légumière est pauvre en calories (30 Kcal ou 125 kJ pour 100 g) apportées par 7 g de glucides (la betterave sucrière, elle, peut contenir plus de 22 % de sucre). La racine se mange crue (râpée), mais surtout cuite, le plus souvent froide (en hors-d'œuvre ou en salade avec des pommes de terre et de la mâche, par exemple), parfois chaude (en garniture de sanglier ou de faisan, ou dans des soupes). Elle est représentative des cuisines flamande et slave (**voir** BORCHTCH, BOTVINIA).

Les variétés à racine allongée sont plus parfumées et plus sucrées que les variétés à racine ronde. Elles sont vendues cuites, mais on peut aussi les cuire soi-même (au four ou pendant 2 h 30 dans de l'eau salée, ou 30 minutes en autocuiseur). Pour diminuer le goût de terre de la betterave, on peut la détailler en dés et la faire tremper dans de l'eau vinaigrée une nuit avant de la cuire.

Les toutes petites betteraves, de la taille d'un radis, se conservent également au vinaigre (surtout en Allemagne, où elles accompagnent les viandes bouillies). Les pétales de betterave rouge, séchés ou frits, servent notamment de garniture aux poissons.

▶ Recettes : CRÈME (POTAGE), POTAGE, SALADE.

RECETTE D'ALAIN PASSARD

betterave rouge en croûte de sel

« Préchauffer le four à 150 °C. Verser la moitié de 1,5 kg de gros sel gris de Guérande sur une plaque de four pour créer un socle de sel d'une épaisseur de 4 cm. Déposer dessus 1 betterave crue entière avec la peau d'environ 450 g. La recouvrir entièrement avec la moitié de sel restant. La cuire pendant 2 heures, puis laisser reposer au moins 30 min. Une fois cuite, présenter la croûte de sel devant vos convives et la casser. Découper la betterave en parts égales, en prenant soin de retirer sa peau. Arroser la betterave de vinaigre balsamique de 12 ans d'âge et servir chaud. »

Caractéristiques des principaux types de betteraves rouges

TYPE	PROVENANCE	ÉPOQUE	SAVEUR
ronde (action, bolivar, globe, kestrel, monopoly, noire ronde hâtive, tardel, red ace, warrior)	Loiret	juin-mi-nov.	moins parfumée, moins sucrée
	Nord-Pas-de-Calais	mi-mai-mi-nov.	
	Bretagne	mi-juill.-mi-nov.	
plate (noire d'Égypte)	Val de Loire	été	parfumée
tronconique (crapaudine)	toute la France	juin-nov.	parfumée, sucrée
cylindrique (cylindra)	Europe	nov.	parfumée, sucrée

betteraves glacées

POUR 4 PERSONNES – PRÉPARATION : 25 min – CUISSON : de 5 à 10 min

Peler, laver 800 g de betterave rouge crue. Tourner les betteraves ou les lever à la cuillère parisienne, laver à nouveau. Placer les betteraves sur une seule épaisseur dans une sauteuse de diamètre approprié. Mouiller avec de l'eau, à hauteur des betteraves. Ajouter 40 g de beurre en petits dés, 20 g de sucre et 1 pincée de sel. Couvrir la sauteuse d'une feuille de papier sulfurisé de même diamètre, puis cuire doucement jusqu'à évaporation complète de l'eau de cuisson. Surveiller attentivement. Enrober régulièrement les betteraves en les faisant rouler dans la sauteuse, sans les faire colorer. Tenir au chaud pour servir.

RECETTE DE FRÉDÉRIC ANTON

fines lamelles de betterave parfumées à la muscade, vieux comté préparé en fins copeaux, jus gras

POUR 4 PERSONNES – PRÉPARATION : 20 min – CUISSON : 2 min

« Éplucher 280 g de betterave cuite en fines lamelles à l'aide d'une mandoline. Les prendre une à une et les détailler avec un emporte-pièce rond de 6 cm de diamètre. Frotter l'intérieur d'un plat avec 1 gousse d'ail épluchée. Badigeonner le fond avec 5 cl d'huile d'olive. Ajouter quelques tours de moulin à poivre et de la noix de muscade râpée. Déposer dans le plat les rondelles de betterave côte à côte. Répéter l'opération avec l'huile d'olive et la noix de muscade. Réserver la marinade au réfrigérateur. Enlever la croûte de 200 g de comté. Le tailler en fines lamelles, détailler celles-ci à l'emporte-pièce et réserver au frais. Déposer dans une assiette les rondelles de betterave, intercaler avec les rondelles de comté. Passer le tout sous la salamandre. Ajouter 2 cl de jus de volaille et décorer chaque assiette avec 8 pluches de mouron des oiseaux (plante sauvage à fleurs blanches). »

RECETTE DE PIERRE HERMÉ

fraises gariguettes aux agrumes et au jus de betterave rouge

POUR 4 À 6 PERSONNES – PRÉPARATION : 40 min – SÉCHAGE : de 1 h à 1 h 30 – CUISSON : 1 h 20 – MACÉRATION : 3 h

« Prévoir 50 cl de sorbet à la fraise. Préchauffer le four à 120 °C. Trancher une betterave rouge cuite en fines lamelles et les poser sur une plaque recouverte de papier sulfurisé. Saupoudrer de sucre glace, recouvrir d'une feuille de papier sulfurisé, puis d'une grille. Cuire au four de 1 h à 1 h 30. Au bout de 45 min, retirer la grille et la seconde feuille de papier. À la sortie du four, réserver dans un endroit sec. Laver et équeuter 1,5 kg de fraises gariguettes. En mettre 600 g dans un récipient en verre à feu, les couvrir d'un film alimentaire et les cuire au bain-marie de 45 à 60 min. Filtrer pour extraire le jus. Égoutter le contenu d'un bocal de betteraves en conserve et garder le liquide. Les cuire dans le jus de fraise à feu très doux pendant 20 min environ. Ajouter 1 zeste d'orange, le jus de 1 citron et du poivre noir du moulin. Laisser macérer pendant au moins 3 heures. Égoutter les betteraves, les couper en quatre et les mettre sur une assiette. Dans le jus de cuisson betteraves-fraises, ajouter 1/4 du liquide du bocal et mettre le tout au frais. Préparer la crème : dans un saladier, fouetter 15 cl de crème fraîche épaisse pour la rendre mousseuse, ajouter 60 g de sucre en poudre et la garder au frais. Peler 4 oranges à vif (en retirant aussi la peau blanche) et les séparer en quartiers. Couper en deux les 900 g de fraises restantes et les répartir dans des assiettes creuses ainsi que les quartiers de betterave et d'orange. Y verser le jus. Disposer dans chaque assiette une quenelle de sorbet à la fraise et une autre de crème fouettée et planter une lamelle de betterave séchée entre les deux quenelles. Servir aussitôt. »

BEUCHELLE Tourte tourangelle créée au début du XXe siècle par Édouard Nignon et faite de rognons et de ris de veau mélangés, additionnés de champignons (morilles, cèpes, shiitakes), de crème et de beurre.

RECETTE DE JEAN BARDET

beuchelle à la tourangelle

« La veille, mettre 1 pomme de ris de veau de 200 g environ à dégorger dans de l'eau froide au réfrigérateur. Le jour même, l'égoutter, la dépouiller et la débarrasser soigneusement des nerfs et des graisses qui l'entourent, puis l'éponger. Éplucher 1 carotte moyenne, 1 oignon moyen et 1 branche de céleri, et les détailler en dés. Dans une sauteuse, chauffer 2 cuillerées à soupe d'huile et 1 noix de beurre. Saler et poivrer le ris de veau, le dorer vivement sur chaque face et l'égoutter. Faire suer les dés de légumes dans la sauteuse. Remettre le ris de veau avec 1 brin de thym, 1/2 feuille de laurier, 1 gousse d'ail écrasée avec la peau ; bien mélanger ; verser 10 cl de vin blanc sec (vouvray) et 20 cl de bouillon de volaille. Saler, poivrer et cuire à couvert 20 min environ. Égoutter le ris de veau et le tenir au chaud entre deux assiettes. Tamiser le jus de braisage au-dessus d'une petite casserole. Porter sur le feu, ajouter 20 cl de crème fraîche épaisse et laisser réduire jusqu'à consistance d'une sauce onctueuse. La lier enfin avec 1 noix de beurre en parcelles, et y remettre le ris de veau ; ajouter une pointe d'ail écrasée. Éliminer la queue des shiitakes et les essuyer soigneusement. Couper le chapeau en tranches de 3 mm. Les dorer dans une poêle au beurre moussant, les saler et les poivrer. Les égoutter et les mettre dans la casserole. Enlever la partie grasse et nerveuse d'un rognon de veau et le couper cru en tranches de 3 mm. Mettre une noix de beurre dans une poêle ; quand il mousse, y jeter les tranches de rognon, les saler et les poivrer ; les retourner une par une, les assaisonner de nouveau. Éteindre le feu aussitôt et les égoutter. Couper le ris de veau en tranches de 3 mm, les disposer harmonieusement avec les tranches de rognon et napper de la sauce aux shiitakes. »

BEURRE Substance grasse (82 % de matières grasses) obtenue par barattage de la crème du lait, puis lavée et malaxée pour la rendre onctueuse. Le beurre durcit au froid et se liquéfie à la chaleur (**voir** tableaux des catégories de beurre et des comportements du beurre à la cuisson page 92). Sa couleur varie du blanc crème au jaune d'or, selon l'alimentation des vaches laitières (riche en carotène dans les herbages). De nos jours, en France, on trouve également du beurre de brebis et de chèvre.

■ **Histoire.** Le beurre était connu des Anciens, et les Scythes l'auraient fait découvrir aux Grecs. Ces derniers, comme plus tard les Romains, le considéraient cependant surtout comme un remède (cicatrisant, en particulier) et consommaient essentiellement de l'huile. Les Gaulois fabriquaient du beurre, ainsi que les Germains.

Au Moyen Âge, la fabrication fermière et artisanale du beurre était devenue pratique courante. Les grosses mottes, parfois enveloppées de feuilles d'oseille ou de verdure, étaient vendues sur les marchés, puis conservées dans des pots de grès, recouvertes d'eau salée.

La réputation du beurre des Charentes date des années 1880. Cette région, originellement vouée à la culture de la vigne, fut ravagée par le phylloxéra, et certains agriculteurs entreprenants décidèrent de remplacer les vignobles par des herbages. La qualité du beurre charentais devint aussi renommée que celle du beurre normand. À cette époque, les grands crus en Charentes étaient Saint-Varent, Échiré et Surgères (dont on vantait le goût de « violette ») et, en Normandie, Isigny, Gournay, Sainte-Mère-Église, Neufchâtel-en-Bray et Valognes. Aujourd'hui, les beurres Charentes-Poitou, d'Isigny, des Charentes et des Deux-Sèvres bénéficient d'une AOC.

La pratique de l'élevage des bovins explique la répartition géographique du beurre en Europe. Très apprécié dans les pays scandinaves, aux Pays-Bas, en Allemagne, en Angleterre et en France, il est progressivement remplacé par l'huile (ou par le saindoux, ou par la graisse

Caractéristiques des différentes catégories de beurre

CATÉGORIE	TAUX DE MATIÈRES GRASSES	COMPOSITION	DURÉE ET TEMPÉRATURE DE CONSERVATION	UTILISATIONS
cru ou de crème crue	82 %	crème ou lait cru	DLC* : 30 j max. à 3-4 ℃	sauces émulsionnées stables (il est plus acide)
extra-fin	82 %	crème fraîche pasteurisée (non congelée, non surgelée)	DLUO** : 24 mois à – 14 ℃	tel quel, pour pâtes, crèmes, sauces, liaisons, beurres composés, caramélisation des fruits, gratins minute
fin	82 %	crème fraîche pasteurisée et crème congelée ou surgelée (30 % max.)	DLUO : 60 j à 3-4 ℃ DLC : 24 mois à – 14 ℃	en parcelles, sur sauces et crèmes en attente, pour éviter le « croûtage » ; clarifié, pour graisser les moules
de cuisine, ou de cuisinier	96 %	crème pasteurisée, avec traces de vanilline ou de carotène	DLUO : 60 j à 3-4 ℃	professionnelle : brioche, quatre-quarts, madeleine, car son point de fusion est bas (30-32 ℃)
concentré	99,8 %	crème pasteurisée, avec traces de vanilline ou de carotène	DLUO : 9 mois à 15-20 ℃ (idéal 18 ℃)	professionnelle : pâtisserie (feuilletage, croissants, crème au beurre) ou graissage des moules ; remplace le beurre 82 % clarifié
allégé léger	60-65 % 39-41 %	crème pasteurisée, avec amidon, fécule ou autre additif	DLUO : 7-8 semaines à 0-6 ℃	tel quel, pour sandwichs, toasts, canapés, plats chauds (purées, sauces, potages) ; cuit, pour poêlées, pâtisseries
spécialité laitière à tartiner	20-40 %	suivant la laiterie, précisée sur l'emballage	DLUO : 7-8 semaines à 0-6 ℃	tel quel, froid pour sandwichs, toasts, canapés ; chaud et juste fondu (temps de cuisson et d'émulsion plus courts que ceux du beurre 82 %)

* DLC : date limite de consommation.
** DLUO : date limite d'utilisation optimale, cette indication a valeur de conseil pour préserver les qualités organoleptiques du produit.

Comportements du beurre à la cuisson

CUISSON	40 ℃	56 ℃	100 ℃	165 ℃	200 ℃
phénomène physico-chimique	rupture de l'émulsion ; goût proche de celui du beurre non chauffé	coagulation des protéines ; développement du goût et texture onctueuse, coloration laiteuse	hydrolysation des protéines	condensation des acides et des sucres ; coloration et goût du beurre noisette	destruction des molécules qui font le goût du beurre
applications culinaires	beurre clarifié : sauce béarnaise ; graissage des moules ; solvant pour herbes, épices, aromates	beurre blanc et dérivés ; sauces émulsionnées chaudes	stade transitoire avant le beurre noisette	beurre noisette : accompagnement des poissons, légumes, abats blancs ; pâtisserie	autrefois beurre noir, interdit
conseils d'utilisation	pour les sauces émulsionnées, incorporer le beurre lentement	finition des sauces pour plus de légèreté, de moelleux	stade à ne pas dépasser, pour éviter une coloration trop rapide des aliments	filtrage possible pour l'utiliser comme un beurre « clarifié », dont le goût noisette sera accentué	interdit

d'oie) au fur et à mesure que l'on descend vers le sud. (Notons néanmoins l'emploi du smeun dans les pays d'Afrique du Nord.)

■ **Diététique.** Le beurre possède toutes les propriétés nutritionnelles de la matière grasse laitière.

– Consommé cru, il est particulièrement digeste en raison de sa teneur élevée en acides gras à chaînes courtes et moyennes ; en revanche, il supporte mal un chauffage prolongé.

– Il participe à la construction du cerveau chez l'enfant.

– Il est riche en vitamine A : une ration journalière de 20 g couvre 20 % des besoins de l'adulte.

– Il est riche en vitamine D : une ration journalière de 25 g couvre 10 % des besoins de l'adulte.

– Il est aussi riche en cholestérol et apporte des graisses saturées.

– Il n'est pas plus gras que la margarine (82 % de matières grasses) et moins que l'huile (100 %).

– Le beurre allégé et le beurre léger ne supportent que les chaleurs douces ; leur emploi est donc déconseillé en pâtisserie.

– Les spécialités laitières, ou « faux beurre » (20 à 40 % de matières grasses) ne doivent pas être chauffées.

■ **Beurre et autres produits.** En Europe, le beurre est quasi exclusivement fait avec du lait de vache ; en Afrique et en Asie, il est préparé avec du lait de bufflonne, de chamelle, de chèvre, de yack, de brebis, de jument ou d'ânesse.

L'industrie alimentaire a par ailleurs mis au point des produits de substitution, notamment la margarine, mais aussi le *bregott* suédois (crème et huile végétale) et la *butterine* australienne (beurre et huile végétale). Mais, légalement, le beurre est un « produit laitier de type émulsion d'eau dans la matière grasse, obtenu par des procédés physiques et dont les constituants sont d'origine animale ».

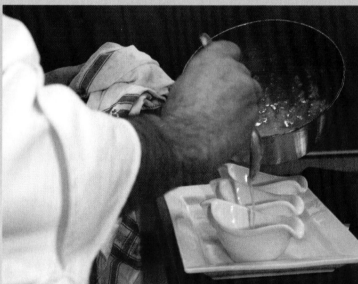

« Le beurre dans tous ses états. Au restaurant GARNIER, comme à l'école FERRANDI PARIS, l'utilisation du beurre fait partie des bases du quotidien, mais cela n'empêche pas de faire montre d'un certain raffinement lorsqu'il s'agit de le présenter à table. »

■ **Fabrication et conservation.** Le lait est d'abord écrémé, puis la crème crue ou pasteurisée est mise dans une cuve de maturation avec des levains sélectionnés (qui donneront au beurre son arôme). Le barattage agglomère ensuite les globules gras et élimine le babeurre. Le beurre est enfin lavé, puis malaxé.

À température ambiante, un bon beurre ne doit être ni cassant, ni grumeleux, ni collant. Son arôme est délicat, dit « de noisette » ou « noiseté ».

Il existe du beurre salé : de 0,5 à 3 % de sel pour le beurre demi-sel, plus de 3 % pour le beurre salé. Le beurre doux a une teneur en sel minimum.

Le conditionnement du beurre est très variable : mottes de beurre parfois fermier, détaillé à la demande ; mottillons, paniers ou bassets de 1 kg ; rouleaux ou plaquettes de 500 g, 250 g ou 125 g ; mini-doses individuelles de 7 à 30 g.

L'emballage se fait dans du papier sulfurisé, sous une feuille doublée d'aluminium, qui le protège bien de la lumière, ou en boîte de matière plastique.

Le beurre se conserve très bien au réfrigérateur : il faut cependant le placer dans un compartiment spécial ou dans un beurrier hermétique, car il est très perméable aux odeurs. Autrefois, on le conservait dans un beurrier spécial en grès empli d'eau salée.

Il se garde bien dans une feuille d'aluminium.

■ **Emplois.** Frais et cru, le beurre se tartine sur toasts, canapés et sandwichs ; il accompagne la charcuterie, les fruits de mer et les fromages. On le présente alors en petits beurriers individuels.

Découpé à l'aide d'un couteau coquilleur (frise-beurre) ou en petites rondelles, il se sert avec les viandes et les poissons grillés, les légumes « à l'anglaise », les pâtes et le riz. Il permet de préparer des beurres composés.

Il est surtout un ingrédient de base de la cuisine. Corps gras utilisé pour les poêlages, les sautés, les rôtis, voire les braisés, il est cependant plus délicat à utiliser que l'huile ou le saindoux, car il brûle plus facilement (**voir** tableau des comportements du beurre à la cuisson page 92), sauf le beurre de cuisson (**voir** BEURRE CLARIFIÉ). Il capte et fixe les saveurs. Il est indispensable pour les sauces émulsionnées chaudes (béarnaise, hollandaise) et les roux, ainsi que pour beurrer les potages et effectuer les liaisons. Il est à la base de la pâtisserie (qualifiée de « pur beurre » lorsqu'elle n'emploie pas d'autre matière grasse), en particulier pour les brioches, croissants, sablés, pâtes à biscuit et à chou, gâteaux secs et mokas, tartes, ainsi que pour les crèmes au beurre qui servent de fourrage. Clarifié ou fondu, il sert à beurrer les moules, à badigeonner ou à arroser divers apprêts. Il intervient en outre en confiserie pour la confection des truffes, fudges, caramels, beurre de pomme et lemon curd.

■ **Conseils d'utilisation.** Ils doivent être respectés pour garder au beurre ses qualités culinaires.

– Un beurre très froid, râpé en copeaux, s'amalgame mieux à la pâte à tarte.

– Le beurre sucré, pour la pâtisserie, se conserve encore mieux que le beurre salé (le pétrir avec 20 à 25 % de sucre en poudre).

– Un beurre qui grésille ne fera pas de projections si l'on a mis d'abord du sel dans la poêle.

beurre à la broche

Additionner 250 g de beurre en pommade, de cerfeuil, d'estragon et de ciboulette, hachés, et de jus de citron ; le façonner en forme de ballottine, le piquer sur une broche en bois et le mettre au réfrigérateur ; lorsqu'il est bien pris, le paner à l'anglaise à trois reprises, et le mettre devant un feu très vif en l'arrosant de beurre fondu ; cuire de 8 à 10 min en le tournant régulièrement jusqu'à ce que la croûte soit bien colorée, et servir aussitôt. Cette façon originale de présenter le beurre fondu avec un poisson ou des légumes était très employée autrefois.

beurre Chivry

Blanchir 3 min dans de l'eau bouillante 150 g de feuilles de persil, d'estragon, de cerfeuil, de ciboulette et, si possible, de pimprenelle, ainsi que 20 g d'échalote épluchée et ciselée. Égoutter, rafraîchir aussitôt sous l'eau froide, éponger. Hacher très finement (ou piler au mortier), ajouter 200 g de beurre, malaxer, saler, poivrer et passer au tamis.

beurre fondu (sauce au beurre fondu)

POUR 4 PERSONNES – PRÉPARATION : 5 min – CUISSON : 10 min
Couper 125 g de beurre frais en petits cubes. Dans une petite casserole, réunir 2 cuillerées à soupe d'eau, le jus de 1/2 citron, 1 pincée de sel fin et 1 pointe de couteau de piment de Cayenne. Porter à ébullition, ajouter 1/4 du beurre coupé en cubes. Fouetter vivement. Dès que le beurre est fondu, ajouter de nouveau la moitié du beurre restant et fouetter jusqu'à la reprise d'ébullition. Retirer la casserole du feu, ajouter le reste du beurre tout en continuant de fouetter vivement. Cette sauce au beurre fondu doit être bien liée, nappante et d'un aspect laiteux. La conserver au tiède entre 40 et 50 °C. Elle accompagne parfaitement un poisson poché, grillé, des légumes, etc.

beurre maître d'hôtel

Travailler 200 g de beurre à la spatule en bois jusqu'à ce qu'il soit réduit en pommade ; y ajouter 6 g de sel fin, 1 pincée de poivre fraîchement moulu, un filet de jus de citron et 1 cuillerée à soupe de persil ciselé. Le beurre maître d'hôtel accompagne parfaitement les viandes grillées, les poissons grillés, ainsi que les poissons frits ou panés et poêlés (sautés) et les crustacés. Sans oublier les légumes frais cuits à l'anglaise (haricots verts, etc.) ou en finition de certains légumes secs.

beurre manié

Mélanger en parties égales du beurre travaillé en pommade à la spatule de bois et de la farine. Le beurre manié, incorporé au fouet en petites noisettes à certaines préparations (les matelotes, par exemple) et sauces, permet de les lier.

beurre marchand de vin

Éplucher et hacher finement des échalotes. En ajouter 30 g à 30 cl de vin rouge et laisser réduire de moitié. Ajouter 30 cl de consommé de bœuf et faire réduire presque à sec. Travailler 150 g de beurre en pommade et y incorporer la réduction. Ajouter 1 cuillerée à dessert de persil finement ciselé et le jus de 1/4 de citron. Saler et poivrer. Mettre au réfrigérateur.

beurre noisette

Chauffer doucement du beurre dans une poêle jusqu'à ce qu'il soit doré et dégage une odeur de noisette, sans noircir. Servi mousseux, il accompagne cervelle d'agneau ou de veau, laitances de poisson, légumes (cuits à l'eau et bien égouttés), œufs, raie pochée au court-bouillon, etc.

BEURRE BLANC Sauce obtenue par réduction de vinaigre et d'échalotes, puis par émulsification de beurre. C'est l'accompagnement classique des brochets et des aloses. Le pays nantais et l'Anjou se disputent la paternité de cette sauce réputée. On rapporte qu'une cuisinière nantaise, nommée Clémence, voulant un jour faire une béarnaise pour accommoder le brochet de son maître, le marquis de Goulaine, aurait oublié d'y mettre des œufs. Ce fut néanmoins une réussite. Clémence ouvrit par la suite un petit restaurant à La Chebuette, près de Nantes ; c'est là que la « mère Michel » apprit le secret du beurre blanc, avant d'ouvrir son célèbre restaurant de la rue Rennequin, à Paris.

PAS À PAS ▶ *Beurre blanc, cahier central p. III*

beurre blanc

Éplucher et hacher 5 ou 6 échalotes. Les mettre dans une casserole avec 25 cl de vinaigre de vin, 35 cl de bouillon de poisson et du poivre moulu ; laisser réduire des deux tiers. Couper 250 g de beurre très froid, et de préférence demi-sel, en petits morceaux. Écarter la casserole du feu, y jeter le beurre d'un seul coup et fouetter énergiquement avec un fouet à main jusqu'à obtention d'une pommade lisse et non mousseuse. Saler et poivrer. (On stabilise l'émulsion en ajoutant au beurre blanc 1 cuillerée à soupe de crème double ; on obtient alors un « beurre nantais ».)

brochet au beurre blanc ▶ BROCHET

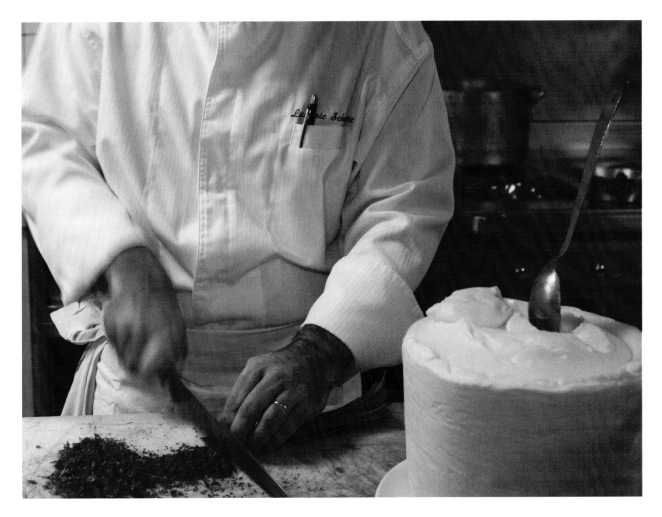

BEURRE CLARIFIÉ Beurre auquel on a retiré, en le faisant fondre à feu très doux, l'eau et quelques matières sèches non grasses qui provoquent le rancissement et ne lui permettent pas de supporter des températures élevées. On clarifie le beurre pour certaines utilisations, en particulier pour réaliser des sauces émulsionnées chaudes, pour arroser un gratin ou pour cuire les aliments à la poêle ou au four. Il existe dans le commerce un beurre de cuisson qui a les mêmes propriétés que le beurre clarifié.

La cuisine indienne emploie couramment une graisse clarifiée en pâtisserie, comme graisse de cuisson, pour condimenter les purées de légumes secs, le riz, etc. La meilleure est à base de beurre de lait de bufflonne (**voir** GHEE).

beurre clarifié

Laisser fondre 125 g de beurre doucement et complètement dans une casserole placée dans un bain-marie, puis le laisser reposer 15 min à température ambiante. À l'aide d'une écumoire, retirer en surface la mousse qui s'est formée en écume. Ensuite, à l'aide d'une petite louche, retirer délicatement la matière grasse pure. Au fond de la casserole reste une eau d'un aspect laiteux qui est à éliminer.

BEURRE COMPOSÉ Beurre additionné, à froid ou à chaud, d'aromates et de divers ingrédients. On obtient ainsi des préparations de couleurs et de goûts variés ; froides, elles accompagnent viandes et poissons grillés, et servent à réaliser allumettes, canapés, etc. ; chaudes, elles interviennent surtout dans la finition de certaines sauces.

Les beurres composés, modelés en rouleaux et enveloppés dans du papier sulfurisé ou dans une feuille d'aluminium, se conservent plusieurs jours au réfrigérateur ; ils seront détaillés en rondelles de 1 cm d'épaisseur au fur et à mesure des besoins.

– Beurre composé froid avec ingrédients crus : ceux-ci sont tamisés, pilés, hachés, ciselés, râpés ou réduits en purée, puis incorporés au beurre en pommade.

– Beurre composé froid avec ingrédients cuits : ceux-ci sont cuits, réduits et refroidis, puis incorporés au beurre en pommade.
– Beurre composé chaud : des carapaces de crustacés sont pilées puis incorporées au beurre, qui est fondu au bain-marie, puis écumé, tamisé et solidifié.

beurre composé : préparation

Quelle que soit la composition envisagée, il faut commencer par travailler le beurre en pommade à la spatule de bois. On peut aussi utiliser un appareil électrique, mais celui-ci exige que l'on traite une quantité plus importante de produits. Les ingrédients de complément figurant dans les recettes suivantes correspondent à une base de 250 g de beurre.

beurre d'ail

Éplucher 100 g de gousses d'ail et les blanchir dans l'eau 7 ou 8 min ; les éponger, les réduire en purée. Les ajouter au beurre ramolli. Le beurre d'ail complète certaines sauces et parfait la garniture de hors-d'œuvre froids. On prépare de la même façon le beurre d'échalote et le beurre de raifort.

beurre d'amande

Monder 125 g d'amandes douces et les réduire en pâte au mortier ou au mixeur, en ajoutant 1 cuillerée à soupe d'eau froide. Ajouter au beurre ramolli et passer au tamis. Ce beurre entre dans la préparation de petits-fours et de gâteaux.

beurre d'anchois

Dessaler complètement 125 g d'anchois, lever les filets et les réduire en purée, au mortier ou au mixeur. Assaisonner, ajouter éventuellement un filet de citron et incorporer au beurre ramolli. Ce beurre entre dans la préparation de bouchées, de canapés, de hors-d'œuvre, et accompagne des poissons et des viandes grillées, ou des viandes blanches froides.

beurre Bercy

POUR 4 PERSONNES – PRÉPARATION : 15 min – CUISSON : 8 min
Pocher à l'eau salée 50 g de moelle de bœuf coupée en dés, l'égoutter, réserver. Dans une sauteuse, réunir 1 cuillerée à soupe d'échalote ciselée et 20 cl de vin blanc sec et réduire de moitié. Laisser tiédir. Ramollir 160 g de beurre en pommade et y incorporer la réduction ainsi que la moelle, 1 cuillerée à soupe de persil haché, le jus de 1/2 citron, 6 g de sel fin et un bon tour de poivre du moulin. Ce beurre sert à napper des viandes ou des poissons grillés ; il peut aussi être servi en saucière.

beurre de citron

Blanchir le zeste d'un citron, le hacher le plus finement possible et l'ajouter à du beurre ramolli, en même temps qu'un filet de son jus, du sel et du poivre. Ce beurre sert à garnir des hors-d'œuvre froids.

beurre Colbert ▶ SAUCE

beurre de crabe ou de crevette

Piler finement au mortier ou passer au mixeur 250 g de crevettes décortiquées ou de chair de crabe (cuit au court-bouillon et débarrassé de ses cartilages). Ajouter au beurre ramolli. Ce beurre sert à garnir des canapés, des hors-d'œuvre ou des poissons froids, et à achever des sauces de poisson ou de crustacés. On prépare de la même façon le beurre de homard, avec les parties crémeuses, le corail et les œufs de l'animal.

beurre de cresson

Blanchir 150 g de feuilles de cresson, les rafraîchir, les éponger et les réduire finement en purée. Ajouter au beurre ramolli ; saler et poivrer. Ce beurre sert essentiellement à garnir des canapés ou des sandwichs. On prépare de la même façon le beurre d'estragon.

beurre d'écrevisse

Prendre 250 g de coffres, de carapaces et de parures d'écrevisses cuites à la bordelaise. Les piler très finement dans un mortier et ajouter la même quantité de beurre ramolli. Placer le tout dans une casserole au bain-marie et faire fondre doucement. Laisser reposer 30 min à température ambiante, puis passer au chinois et filtrer à travers une étamine. Laisser figer ce beurre au froid. Ce beurre d'écrevisse entre dans la préparation des canapés, dans la finition de sauces, de potages, de farces, etc.

beurre pour escargots

Hacher 25 g d'échalote et 2 cuillerées à soupe de persil ; écraser 3 gousses d'ail épluchées. Ajouter au beurre ramolli avec 5 g de sel et 1 g de poivre.

beurre hôtelier

Additionner du beurre ramolli de 2 cuillerées à soupe de persil haché, de jus de 1/2 citron et de 100 g de duxelles de champignons. Ce beurre accompagne des poissons et des viandes grillés.

beurre de laitance

Réduire en purée, au tamis ou au mixeur, 150 g de laitance de hareng saur ou de laitance de carpe pochée, refroidie et égouttée. Ajouter au beurre ramolli avec du sel et du poivre. Ce beurre sert à achever la préparation de certaines sauces maigres, destinées à des poissons grillés ou pochés.

beurre de Montpellier

Laver et blanchir à l'eau salée 10 g de feuilles de persil plat, 10 g de feuilles de cerfeuil, 10 g de feuilles de cresson, 10 g de feuilles d'estragon, 10 g de brins de ciboulette, 10 g de feuilles d'épinard et 20 g d'échalote. Rafraîchir, éponger. Passer le tout au mixeur avec 1 cornichon, 1 cuillerée à café de câpres, 1 filet d'anchois dessalé, 1 petite gousse d'ail et 1 jaune d'œuf dur. Ajouter au beurre ramolli, saler et poivrer largement. Ce beurre sert à accompagner de gros poissons froids. On y ajoute parfois, pour le rendre plus souple, 1 jaune d'œuf cru très frais et 8 cl d'huile d'olive.

beurre de piment

Épépiner un gros poivron vert ou rouge, le couper en dés et le faire étuver tout doucement dans du beurre, jusqu'à ce qu'il puisse se réduire en purée. Incorporer au beurre ramolli, saler, poivrer, ajouter une pointe de poivre de Cayenne et passer au tamis. Ce beurre s'emploie pour compléter certaines sauces ou garnir des hors-d'œuvre.

beurre de roquefort

Réduire 150 g de roquefort en purée avec 1 cuillerée à soupe de cognac ou de marc, et éventuellement 1 cuillerée à dessert de moutarde blanche. Ajouter au beurre ramolli. Ce beurre sert à garnir des canapés, des bouchées, des feuilletés, ou à accompagner des légumes crus.

endives braisées au beurre de spéculos,
  banane-citron vert ▶ ENDIVE
entrecôte au beurre d'anchois ▶ BŒUF
langouste grillée au beurre de basilic ▶ LANGOUSTE
médaillons de lotte au beurre
  de poivron rouge ▶ LOTTE DE MER

BEURRE DE GASCOGNE Mélange de graisse fine de veau fondue et assaisonnée, et de purée d'ail. Ce condiment, qui porte mal son nom puisqu'il ne comporte pas de beurre, accompagne les grillades, les apprêts panés, les légumes à l'anglaise.

BEURRECK Beignet turc au fromage, servi en amuse-gueule. Les beurrecks sont réalisés avec une béchamel bien serrée additionnée de *katschkawalj*, un fromage de lait de brebis commun à tout l'Orient, qui peut être remplacé par du gruyère ou de l'emmental (en petits dés ou râpé). Le mélange est façonné à froid en fines quenelles, que l'on enroule dans de la pâte à nouilles abaissée sur 2 mm et découpée à l'emporte-pièce en ovales de 10 cm sur 5 environ. Ces petits cigares sont soudés à l'œuf et plongés dans un bain de friture pendant 8 à 10 minutes ; lorsqu'ils sont cuits, ils remontent à la surface.

BEURRER Terme désignant trois opérations.
– Incorporer du beurre à une préparation. En ajoutant de petits morceaux de beurre au moment de la finition à une sauce ou un potage, on l'assaisonne en corps gras ; en beurrant une pâte, on la rend plus riche ; en incorporant du beurre dans une détrempe, on obtient, après une série de pliages, une pâte qui permettra de préparer des produits feuilletés (croissants, par exemple) ; en beurrant une ganache, on la rend plus moelleuse.
– Enduire de beurre fondu. En beurrant, à l'aide d'un pinceau, le fond d'un plat, l'intérieur d'un moule ou la surface d'une plaque à pâtisserie ou d'une feuille de papier sulfurisé, on empêche les éléments d'attacher pendant la cuisson et on facilite le démoulage.
– Étaler du beurre sur du pain.

BEURRIER Récipient en verre, en faïence ou en acier inoxydable, destiné à conserver le beurre (dans ce cas, il comporte un couvercle) ou à le servir à table. Les beurres composés se servent plutôt dans des saucières ou dans des raviers.

BHUJIA Beignet indien de légumes (pomme de terre, aubergine, chou-fleur, oignon), qui sont frits dans une pâte à base de farine de pois chiches.

BIARROTE (À LA) Se dit de petites pièces de boucherie dressées sur des galettes en appareil à pommes duchesse et entourées de cèpes grillés. Cette dénomination s'applique également à une recette de poulet sauté au vin blanc.

BICARBONATE DE SOUDE Ancien nom de l'hydrogénocarbonate de sodium. Ce composé alcalin s'utilise sous la forme de poudre destinée à adoucir l'eau en vue de la cuisson des légumes secs ou des légumes verts (ce qui permet aussi de conserver leur couleur verte). Le bicarbonate de soude est enfin un agent levant dans les levures chimiques.

BICHOF Boisson ancienne, préparée avec du vin, des agrumes et des épices, que l'on servait chaude ou glacée. Le bichof a aujourd'hui été remplacé par la sangria et par les cocktails aux fruits.

bichof au vin du Rhin

Cuire 5 min sur le feu, dans 30 cl d'eau, 250 g de sucre en poudre, les zestes de 1 orange et de 1 citron, 2 clous de girofle et 1 bâton de cannelle. Ajouter 75 cl de vin du Rhin. Chauffer jusqu'à ce qu'une légère mousse blanche se forme à la surface du liquide. Passer au chinois. Servir en pot ou dans un grand bol à punch.

BIÈRE Boisson alcoolisée, obtenue par la fermentation d'un moût sucré, à base de céréales germées (orge principalement), additionné de houblon.

Les lois française et belge autorisent un pourcentage plus ou moins important de maïs et de riz, alors que l'Allemagne, régie plus sévèrement dans ce domaine par la « loi de pureté » (qui date de 1516), interdit cette pratique.

■ **Histoire.** La bière est la boisson la plus répandue dans le monde et la plus ancienne connue. C'est à Jéricho (Jordanie) qu'ont été retrouvées les premières traces de la fabrication d'une boisson fermentée à partir de céréales, 8 000 ans av. J.-C.

Les Mésopotamiens et les Égyptiens furent les plus gros consommateurs de « bière » de l'Antiquité ; ils la buvaient tiède. Elle provenait de la macération de pain d'orge émietté dans l'eau, fermenté dans du jus de datte aromatisé de cumin, de myrte, de gingembre et de miel.

Les Gaulois, les Celtes et les Saxons fabriquaient la cervoise, qui ne comportait pas encore de houblon : celui-ci ne fut introduit qu'au XIIIᵉ siècle, par des moines bavarois.

L'ancienneté de la fabrication de la bière en Europe (essentiellement dans le Nord et dans l'Est, tandis que le Sud, y compris la France, découvrait le vin), puis sa diffusion dans le monde sont liées à la valeur de ses matières premières : pureté de l'eau, qualité de l'orge (Moravie et Alsace étaient les meilleurs « crus ») et finesse du houblon.

■ **Fabrication.** L'orge est une céréale riche en amidon, mais qui ne fermente pas naturellement quand il est en présence de levure (au contraire du sucre contenu dans les pommes ou le raisin). Il faut donc obtenir un moût, en faisant subir à l'orge plusieurs transformations successives.

• MALTAGE. Les grains sont trempés et mis à germer, puis séchés (touraillage), chauffés et broyés.

• BRASSAGE. Ce malt subit une mouture puis est mélangé à de l'eau chaude ; ses enzymes libèrent le sucre de l'amidon, puis le moût est chauffé jusqu'à ébullition, additionné des fleurs de houblon qui donnent à la bière son amertume et une partie de son arôme. Après refroidissement, on ajoute la levure.

La fermentation détermine ainsi trois types de bière.
– La fermentation basse (7 jours, à une température de 7 à 8 °C) donne les bières les plus courantes (pils ou lager), désaltérantes et où prédominent les arômes de malt et de houblon.
– La fermentation haute (3 jours, à une température de 14 à 25 °C) donne des bières plus fruitées, aux arômes souvent complexes. Ce sont les bières trappistes ou d'abbaye belges, les bières de garde du nord de la France, les ales et les stouts britanniques, ou encore les Weizenbier, ou Weissbier, et les Altbier allemandes.
– La fermentation spontanée (plusieurs semaines, voire plusieurs mois, en fûts) est une technique archaïque (sans adjonction de levure), encore pratiquée dans la région de Bruxelles, en Belgique, pour obtenir le lambic et la gueuze. La réglementation en France désigne ces boissons sous le nom de « bières de fermentation lactique ».

Après la fermentation, la bière jeune (dite aussi « bière verte ») va faire l'objet d'une maturation, la garde, pendant une période allant de 2 à 3 semaines à plusieurs mois. Puis elle sera filtrée et conditionnée (en bouteilles, en boîtes ou en fûts), et souvent pasteurisée.

■ **Couleur et degré.** La couleur, indépendante de la durée de fabrication, est liée au chauffage plus ou moins intensif du malt, qui fait apparaître des caramels ; ceux-ci colorent la bière en brun et lui donnent un goût spécial. Les bières blondes, plus ou moins pâles, se distinguent par leur amertume.

Le degré, pour la bière, est un rapport de quantité, exprimant le pourcentage d'extraits que contenait le malt avant sa fermentation (degré Plato). Le taux d'alcool définitif n'est plus que le tiers ou le quart de ce chiffre : de 2 à 3 % Vol. pour les bières « de table » ; de 4 à 5 % Vol. pour les bières « de luxe » ; de 5 à 7 % Vol. pour les bières « spéciales ».

La bière contient du sucre non fermentescible (que l'on élimine dans les bières « allégées » à basses calories), des matières azotées, des sels minéraux et des vitamines. Un litre de bière apporte 500 Kcal ou 2 090 kJ environ.

■ **Bières françaises et étrangères.** Le type de fabrication et les traditions locales ont engendré de nombreux styles de bière.
– En France, la majorité de la production est dominée par les bières blondes de fermentation basse, produites industriellement en Alsace-Lorraine (Mützig, Kronenbourg, Kanterbräu, Heineken) et dans le Nord (33 Export, Pelforth). Plutôt neutres de goût, ce sont avant tout des bières de désaltération. Les bières spéciales (1664, Gold, Old Lager) se caractérisent par un arôme plus intense et un degré d'alcool supérieur.

À côté de ces industries survivent et se développent des brasseries artisanales, produisant des bières beaucoup plus typées : bières de garde du nord de la France (Jenlain, Ch'ti, Trois Monts, Épi de Facon, etc.) et bières de spécialités d'Alsace (Schützenberger, Adelshoffen, Météor, etc.).
– La Belgique offre le plus large choix : aux côtés des pils classiques (Stella, Jupiter, Maës), on trouve lambics et gueuzes (dont la célèbre Mort Subite) à l'acidité particulière, et leurs variantes aux fruits (kriek, framboise) ; bières trappistes (toutes élaborées par des moines) et d'abbaye, souvent fortes et très aromatiques ; bières blanches désaltérantes, à base de froment et d'épices ; bières denses de fermentation haute (Duvel, Martin's, De Koninck) ; bières rouges comme la Rodenbach, vieillie 2 ans en fût de chêne.
– En Grande-Bretagne, c'est dans les pubs que l'on découvre les ales traditionnelles, refermentées en fût (Bass, Burton, Newcastle, Fuller's, Youngs), offrant de grandes variations aromatiques. Mais il existe aussi des stouts et des porters qui se conservent très bien en bouteilles, parfois pendant plusieurs années (Thomas Hardy). L'Irlande, avec la Guinness et la Murphy's, a popularisé les stouts complètement noires, à forte amertume mais moyennement alcoolisées.
– En Allemagne, les bières blondes amères, produites par des centaines de brasseries dans le pays, ne doivent pas faire oublier d'autres types plus originaux : Munich de Bavière, rondes et douces ; Altbier, de fermentation haute (Cologne, Düsseldorf) ; Weizenbier de Bavière et de Berlin, à base de froment ; bière fumée de Bamberg.
– En Suisse, si le style allemand est le plus représenté (Hürlimann, Feldschlösschen), coexistent à la fois les plus anciennes bières sans alcool et la bière la plus forte du monde, la Samichlaus (14 % Vol.), brassée une fois par an le jour de la Saint-Nicolas.
– C'est de Tchécoslovaquie que proviennent les pils les plus authentiques (Pilsen Urquell, Staropramen), obtenues grâce à la grande qualité des orges, des houblons, et à une composition chimique particulière de l'eau de brassage. Elles sont aujourd'hui imitées dans le monde entier.
– Au Canada, aux côtés de grands groupes à l'américaine (Molson, Labatt), sont apparus de petits brasseurs indépendants, comme Unibroue (« Fin du Monde ») qui collabore avec le chanteur Robert Charlebois.

Dans le reste du monde, où la bière blonde de fermentation basse exerce une domination presque sans partage, on appréciera la finesse et l'amertume des bières danoises (Carlsberg, Tuborg) ou néerlandaises (Amstel), mais aussi la grande qualité de fabrication des bières japonaises (Sapporo, Kirin).

Aux États-Unis, où dominent les bières légères, peu aromatiques et peu amères (Budweiser, Miller), se développent depuis quelques années des bières artisanales de grande qualité (San Francisco Steam Beer, Samuel Adams, Brooklyn, Chicago Legacy).

■ **Emplois.** La bière est une boisson de table, et elle sert en outre à préparer des cocktails et à cuisiner de nombreux mets (soupes, poissons, telle la carpe, ragoûts et carbonades), auxquels elle donne de l'onctuosité et une certaine amertume. Elle peut également accompagner certains fromages (gouda, maroilles) et entre dans la préparation des pâtes à crêpes et à beignets, où elle remplace la levure.

■ **Dégustation.** Une bière est caractérisée par plusieurs facteurs : son amertume (qui ne doit jamais aller jusqu'à l'âcreté), produite par les tanins et le houblon ; sa brillance, résultant de sa limpidité et de sa transparence, qui prouve qu'elle a été bien travaillée et bien filtrée ; et enfin sa mousse (que les Allemands appellent la « fleur »), qui doit être stable et de bonne tenue, son corps, sa pétillance et, bien sûr, son goût.

En dehors des repas, la bière se boit selon un cérémonial de dégustation que respectent les connaisseurs. La bière blonde se sert entre 7 et 9 °C : pour apprécier pleinement sa « mâche », il ne faut jamais la boire glacée ; la bière brune se boit chambrée. Les bouteilles doivent être conservées debout ; lorsqu'elles sont ouvertes, la bière s'évente très rapidement.

Les verres ballons à pied et les gobelets cylindriques conviennent bien aux bières courantes. Les bières mousseuses s'apprécient dans des verres tulipes, ou dans des flûtes. Les chopes en grès gardent la fraîcheur des bières allemandes. Pour la contenance, on distingue le bock (12,5 cl), le demi (25 cl), le distingué (50 cl), le parfait (1 litre), le sérieux (2 litres) et le formidable (3 litres). Les chopes contiennent en général 33 cl.

La bière à déguster se sert en dirigeant le jet vers le fond du verre, pour former de la mousse, puis en versant le long d'un côté, pour éviter l'excès de mousse, et enfin en redressant le verre, pour former le « faux col ».

▶ Recettes : CARPE, SOUPE.

BIFIDUS Nom public du *bifidobacterium*, une bactérie spécifique de l'intestin des enfants nourris au lait maternel. Ce ferment lactique appartient à la famille des lactobacilles. Il a donné naissance, seul ou en association avec d'autres bactéries, à de nouveaux produits laitiers : lait fermenté, yaourt (**voir** ce mot) ou fromages au bifidus, qui seraient bons pour la santé.

BIFTECK Tranche de viande de bœuf – et, par extension, de cheval – peu épaisse, pesant de 100 à 200 g, que l'on cuit au gril ou à la poêle (**voir** planche de la découpe du bœuf pages 108 et 109). Par abréviation, on l'appelle aussi steak. Si le filet est souvent préparé en tournedos, le faux-filet, le rumsteck et l'aiguillette fournissent des biftecks de premier choix. Les biftecks que l'on tire de la tende-de-tranche, ainsi que de la poire et du merlan, sont presque aussi tendres, tout comme ceux de l'araignée. La bavette, la hampe, la macreuse, la tranche sont des morceaux particulièrement « goûteux », alors que l'onglet est réputé saignant.

BIGARADE Fruit du bigaradier, agrume de la famille des rutacées, cultivé localement dans le Midi. Cette orange amère à l'écorce verte rugueuse sert essentiellement à faire des marmelades, des gelées et des confitures. La fleur du bigaradier permet d'obtenir l'eau de fleur d'oranger.

La substance très parfumée que renferme l'épaisse écorce des bigarades est utilisée en distillerie dans la fabrication du curaçao, du Cointreau et du Grand Marnier, et c'est traditionnellement « à la bigarade » que l'on apprête le canard ou le caneton poêlé nappé d'une sauce à l'orange amère.

▶ Recette : CANETON.

BIGARREAU ▶ **VOIR CERISE**

BIGNON (LOUIS) Restaurateur français (Hérisson 1816 - Macau 1906). Ayant débuté à Paris comme garçon au *Café d'Orsay*, puis au *Café de Foy*, il devient propriétaire de ce dernier, qu'il cède à son frère en 1847. Louis Bignon prend alors la direction du *Café Riche*, dont il fait l'une des premières tables de Paris. Ses activités s'étendent à la viticulture et à l'agriculture. Membre fondateur de la Société des agriculteurs de France, il fut le premier restaurateur à porter la rosette de la Légion d'honneur.

BIGORNEAU Petit gastéropode marin, mesurant de 2 à 3 cm, que l'on ramasse sur les côtes normandes et bretonnes (**voir** tableau des coquillages page 250 et planche pages 252 et 253). Il a une coquille brune ou noire, à spire régulière finement striée. Selon les régions, on l'appelle « vignot » (ou « vigneau »), « brelin », « littorine », « escargot de mer » ou « guignette ».

Le bigorneau se mange froid après avoir été rincé à l'eau froide et poché 5 minutes dans de l'eau salée ou dans un court-bouillon relevé avec du piment d'Espelette. On l'extrait entier de sa coquille à l'aide d'une épingle (d'où une courte cuisson pour qu'il ne casse pas). On sert les bigorneaux en amuse-gueule, avec du pain de seigle et du beurre salé, ou en salade.

BIGOS Plat polonais, appelé aussi « ragoût du chasseur », fait de couches alternées de choucroute et de viandes cuites. Le bigos se sert avec des petites saucisses grillées ; on le présente avant le potage.

_____

bigos

Laver 4 kg de choucroute crue en changeant l'eau plusieurs fois. La mettre dans un faitout et la couvrir d'eau froide. Porter à ébullition. Peler, épépiner et couper en dés 4 pommes ; les citronner. Hacher 2 gros oignons épluchés. Égoutter la choucroute, y ajouter les pommes et les oignons. Faire fondre 4 cuillerées à soupe de saindoux dans une marmite et y mettre une couche de choucroute assez épaisse, puis une couche de viandes cuites (canard, bœuf, jambon, agneau, petit salé, voire chevreuil) coupées en morceaux. Continuer de remplir la marmite en alternant viandes et choucroute, en terminant par celle-ci et en rajoutant un peu de saindoux de temps à autre. Mouiller de bouillon à hauteur, couvrir et cuire sur feu doux 1 h 30. Préparer alors un roux blanc mouillé avec du jus de cuisson. Verser sur le bigos et cuire encore 30 min.

BILLOT Bloc de bois massif, à dessus plan, qui sert de support pour détailler les viandes au couperet. Autrefois, le billot était posé sur trois pieds de bois ; aujourd'hui, il est encastré dans un châssis fixe. Le polyéthylène, matériau blanc très résistant qui remplace le bois, ne craint ni l'humidité ni les écarts de température.

BILLY BY Potage composé de moules cuites au vin blanc avec des oignons, du persil, du céleri et du fumet de poisson. Il est servi lié avec de la crème fraîche, chaud ou glacé, accompagné de moules et de paillettes au parmesan. Il aurait été créé par le chef de *Maxim's*, Barthe, à l'intention d'un habitué, amateur de moules, surnommé Billy. Selon d'autres sources, le billy by, ou bilibi, serait né en Normandie à l'époque du débarquement, en 1944, à l'occasion d'un dîner d'adieu offert à un officier américain prénommé Bill, d'où l'appellation *Billy, bye bye*, devenue « billy by ».

BIOTECHNOLOGIE Ensemble des techniques utilisant des micro-organismes vivants pour transformer une substance organique en une ou plusieurs autres. Le procédé peut être naturel, telle la fermentation de la bière, du pain, du fromage, du vin ou de la choucroute.

Mais, de nos jours, la biotechnologie s'appuie de plus en plus sur le génie génétique. Ainsi, on récolte aujourd'hui des tomates (dont le génome a été modifié) qui, au lieu d'être cueillies vertes, mûrissent sur le plant sans ramollir. De même, la modification des caractères agronomiques des plantes (colza, maïs, soja, etc.) renforce leur résistance aux agressions. Une hormone de croissance, la STB (somatropine bovine), augmente désormais la production de lait des vaches.

Toute la biotechnologie fait l'objet d'une surveillance étroite des pouvoirs publics et des associations de consommateurs.

BIRCHER-BENNER (MAXIMILIAN OSKAR) Médecin suisse (Aarau 1867 - Zurich 1939), promoteur du régime qui porte son nom et dont l'élément le plus connu est le Birchermüesli. Dans sa clinique, il proposa à ses patients une alimentation strictement végétarienne. À une époque où les malades mis à la diète consommaient des aliments cuits et des bouillons de viande, Bircher-Benner insistait sur la nécessité de consommer des fruits et des légumes crus (sans toutefois rejeter les laitages et les œufs) pour retrouver une bonne santé et la conserver. Sa méthode connut un grand succès dans le monde entier.

BIRCHERMÜESLI Mélange de céréales, de fruits secs et de fruits frais, que l'on arrose de lait et de sucre. Il est riche en nutriments, en vitamines et en oligoéléments. Mis au point au début du XIXᵉ siècle par un nutritionniste suisse du nom de Bircher-Benner (*Müesli* signifie « mélange »), il a ensuite été popularisé comme petit déjeuner nutritif en Suisse, en Allemagne et dans les pays anglo-saxons, où il a été commercialisé sous diverses marques, mais toutes les variantes sont possibles. Une formule classique consiste à mélanger flocons d'avoine, germes de blé, amandes, raisins secs et pommes crues râpées, que l'on arrose de lait sucré et de jus de citron.

On peut ajouter à volonté rondelles de banane, voire carottes râpées, noix et noisettes, lait concentré ou yaourt liquide, jus d'orange ou de pamplemousse, miel et extrait de malt. Dans tous les cas, il est préférable de préparer le Birchermüesli à l'avance, pour qu'il soit bien gonflé.

BIRDSEYE (CLARENCE) Homme d'affaires et inventeur américain (New York 1886 - *id.* 1956). Au cours d'un voyage au Labrador en 1920, il avait observé que le poisson pêché par les Esquimaux, exposé à l'air libre, se congelait rapidement et restait ainsi comestible pendant plusieurs mois. De retour aux États-Unis, Clarence Birdseye réussit à mettre au point une technique mécanique de congélation ultra-rapide. Cependant, la grande crise économique de 1929 le contraignit à vendre son procédé et son propre nom à une firme alimentaire.

BIREWECK Gâteau alsacien, également appelé « pain de fruits », fait de pâte levée parfumée au kirsch, à laquelle on incorpore des fruits séchés et des fruits confits. De forme oblongue, il est cuit en une seule grosse pièce et consommé en tranches très fines.

bireweck

Éplucher, épépiner ou dénoyauter 500 g de poires, 250 g de pommes, 250 g de pêches, 250 g de figues sèches et 250 g de pruneaux ; mélanger 1 kg de farine tamisée et 30 g de levure de boulanger avec un peu d'eau de cuisson des fruits, pour obtenir une pâte souple ; laisser lever 2 heures. Pendant ce temps, détailler en petits dés 100 g de cédrat et 50 g d'angélique confits. Quand la pâte a levé, la rompre ; y ajouter les dés de fruits confits, 250 g de raisins de Málaga, 125 g de noisettes, 125 g d'amandes, 125 g de cerneaux de noix, tous décortiqués, 50 g de julienne de zeste d'orange blanchi, 125 g de dattes dénoyautées et les fruits cuits égouttés. Mélanger. Ajouter 20 cl de kirsch et bien mélanger. Diviser la pâte en portions de 200 g (une vingtaine). Les façonner en forme de petits pains et lisser la surface à l'eau. Mettre au four préchauffé à 160 °C et cuire 1 h 45 environ.

BIRIANI OU BYRIANI Plat de riz basmati aromatisé au safran, cuit avec des épices, des raisins secs et des noix de cajou. Cette spécialité très populaire des régions de l'Inde du Nord est le plus souvent préparée avec des œufs, du poulet, de l'agneau, des légumes, et parfois des crevettes.

BISCÔME Pain d'épice qui se mange traditionnellement à Lucerne (Suisse) le jour de la Saint-Nicolas, célébrée le 6 décembre.

Le point culminant de la fête est la traversée de la ville par un grand cortège. Précédés de deux hérauts s'avancent saint Nicolas, chargé d'une immense hotte pleine de biscômes, et les pères Fouettard, censés punir les enfants qui n'ont pas été sages dans l'année.

BISCOTTE Tranche d'un pain spécial, dont la pâte à base de farine, d'eau, de sel et de levure est enrichie en sucre pour mieux griller ensuite, et en matières grasses qui resserrent la mie. Ce produit de panification industrielle est un aliment de consommation courante typiquement français, mais certaines spécialités étrangères, comme le *Zwieback* allemand ou le toast rond hollandais, lui sont apparentées. Le pain est d'abord cuit en moule, puis découpé en tranches, lesquelles, une fois rassises, sont grillées au four, ce qui leur donne une coloration dorée. Elles doivent avoir une texture friable et finement alvéolée.

À l'origine, la biscotte, spécialité artisanale de la ville de Bruxelles, fut considérée comme un produit de luxe, puis de régime. Aujourd'hui, elle est consommée couramment au petit déjeuner et aux repas. Les biscottes sont parfois utilisées en cuisine, imbibées de lait pour une farce, ou réduites en chapelure.

■ **Diététique.** Les biscottes fournissent cinq fois plus de lipides que le pain et environ 30 % de calories supplémentaires. Leur composition nutritionnelle peut être modifiée en fonction de certains régimes (biscottes sans sel, enrichies en gluten, en son). La biscotterie moderne a également mis sur le marché du « pain grillé », en tranches oblongues, moins riche en matières grasses et en sucre que les biscottes, ainsi que du « pain braisé » et divers produits pour le petit déjeuner. On conseille les biscottes aux personnes qui mangent trop vite car on est obligé de les mastiquer.

BISCOTTE PARISIENNE Pâtisserie légère, cuite (une seule fois et non pas deux comme les biscottes proprement dites) au four. La pâte, faite d'amandes, de jaunes d'œuf, de blancs en neige et de fécule, est aromatisée au kirsch, puis couchée à la poche sur une plaque beurrée.

BISCUIT Pâtisserie généralement allégée par de la levure chimique ou des blancs d'œuf battus en neige. Il s'agit à l'origine d'une pâte de farine spéciale très dure, peu levée et très cuite, présentée sous diverses formes et destinée à être conservée. Il en existe de nombreuses variantes, les plus connues étant la génoise, le biscuit de Savoie, le biscuit roulé, le manqué et le quatre-quarts.

Ces pâtisseries sont souvent enrichies d'amandes, parfumées de zeste de citron, de vanille, de liqueur, etc., et peuvent se garnir de confiture ou d'une crème au beurre.

Aujourd'hui, le biscuit est également un produit de biscuiterie, c'est-à-dire un gâteau sec, salé ou sucré, à haute valeur calorique (de 420 à 510 Kcal ou 1 755 à 2 130 kJ pour 100 g).

En principe, le biscuit, comme son nom l'indique, devrait être cuit deux fois ; il est seulement cuit de manière plus complète que le pain.

■ **Histoire.** Si l'on ignore la date de la création du biscuit, on sait que les Romains le connaissaient, mais aussi les armées vénitiennes et les Turcs. Il fut pendant des siècles l'aliment de base du soldat et du marin. Le biscuit fut ainsi le pain spécial dont faisaient provision les navigateurs, d'où l'expression « ne pas s'embarquer sans biscuits » lorsqu'on se lance dans une entreprise longue et périlleuse. Chateaubriand écrit dans ses souvenirs de voyage : « Toujours réduit à une existence solitaire, je soupais d'un biscuit de vaisseau, d'un peu de sucre et de citron. »

C'est dans ce sens que l'on parla, jusqu'au XIXᵉ siècle, des biscuits « de garde » ou « de voyage », pâtisseries consistantes, que l'on enveloppait de papier d'étain et qui se conservaient assez longtemps, comme le beauvilliers et le bonvalet.

En France, le biscuit ne commença à être fabriqué que sous le règne de Louis XIV (1643-1715). En 1894, le biscuit de troupe – ou pain de pierre – fut remplacé par le pain de guerre, à base d'amidon, de sucre, d'eau, de matières azotées, de cendres et de cellulose ; l'appellation « biscuit de soldat » ne disparut que lorsque les troupes, même en campagne, furent approvisionnées en pain.

Jadis, on préparait des biscuits « animalisés », au jus de viande, dits reconstituants ; la Seconde Guerre mondiale vit apparaître des biscuits vitaminés, distribués dans les écoles.

Aujourd'hui, certains produits diététiques ou de régime se présentent sous forme de biscuits enrichis en vitamines, diversement aromatisés.

pâte à biscuit : préparation

Travailler à la spatule, dans une terrine, 500 g sucre en poudre, 25 g de sucre vanillé et 10 jaunes d'œuf jusqu'à ce que le mélange fasse le ruban. Battre 10 blancs d'œuf en neige ferme avec 1 pincée de sel. Les incorporer au mélange avec 125 g farine tamisée et 125 g fécule de maïs. (On peut réaliser une pâte à biscuit moins fine avec 250 g de sucre en poudre, 8 œufs, 125 g de farine tamisée et 1 pincée de sel.)

biscuit aux amandes

Incorporer à une pâte à biscuit 200 g d'amandes mondées (et éventuellement 4 ou 5 amandes amères), pilées avec 2 blancs d'œuf, ainsi que quelques gouttes d'eau de fleur d'oranger. Beurrer un moule à biscuit, le poudrer de sucre en poudre. Y verser la pâte sur les deux tiers de sa hauteur. Cuire au four préchauffé à 180 °C. Démouler sur une grille et laisser refroidir. Couper le biscuit en 3 disques de même épaisseur. Garnir le disque inférieur de marmelade d'abricot, le disque intermédiaire de gelée de framboise. Reformer le biscuit et abricoter le dessus et le tour. Le glacer de fondant parfumé à la vanille et le garnir d'amandes hachées.

biscuit de chocolat « coulant » aux arômes de cacao, sirop chocolaté au thé d'Aubrac ▶ CHOCOLAT

biscuit à l'italienne

Travailler à la spatule, dans une terrine, 500 g de sucre en poudre et 10 g de sucre vanillé avec 10 jaunes d'œuf. Battre les blancs en neige très ferme avec 1 pincée de sel et les incorporer délicatement à la préparation. Ajouter rapidement en pluie 125 g de farine et 125 g de fécule tamisées ensemble. Beurrer puis poudrer de sucre en poudre et de fécule un moule à charlotte. Y verser le mélange ; il ne doit emplir le moule qu'aux deux tiers. Cuire au four préchauffé à 175 °C.

biscuit mousseline à l'orange

Préparer une pâte à biscuit. Beurrer (avec du beurre clarifié chaud) un moule à charlotte et le poudrer largement de sucre glace. Verser la pâte dans le moule : elle ne doit l'emplir qu'aux deux tiers. Cuire dans le four préchauffé à 180 °C. Démouler sur une grille et laisser tiédir. Couper le biscuit en 2 disques d'égale épaisseur. Verser un peu de curaçao sur le disque inférieur et le recouvrir d'une bonne couche de marmelade d'orange. Recouvrir avec le second disque. Glacer avec du fondant légèrement parfumé au curaçao. Décorer de motifs en écorce d'orange confite et servir avec un coulis de cassis et de framboise.

biscuit roulé

Préparer une pâte à biscuit en divisant par deux les quantités de la recette de base. Tapisser la plaque du four de papier sulfurisé et enduire celui-ci au pinceau à pâtisserie de beurre clarifié. Étaler régulièrement la pâte avec une spatule métallique, sur 1 cm environ. Cuire 10 min au four préchauffé à 180 °C : le dessus du biscuit doit juste blondir. Pendant ce temps, préparer un sirop avec 100 g de sucre et 10 cl d'eau, y ajouter 1 cuillerée à café de rhum. Griller légèrement 125 g d'amandes effilées. Sortir le biscuit du four, le retourner sur un torchon et l'arroser de sirop. Y étaler de la marmelade d'abricot ou de la gelée de framboise, selon le goût. En s'aidant du torchon, rouler le biscuit. Trancher les deux extrémités, en biais ; abricoter tout le gâteau et le décorer éventuellement d'amandes grillées.

RECETTE DU RESTAURANT *FELLINI*, À PARIS

biscuits à l'anis

« Mélanger 600 g de farine tamisée avec 350 g de sucre, 5 g de bicarbonate de soude, 5 œufs entiers, 200 g d'amandes mondées et 50 g d'anis vert. Étaler cette pâte sur une plaque à pâtisserie légèrement graissée et dorer quelques minutes au four préchauffé à 160 °C. Couper en morceaux et repasser au four pour faire sécher. Ces biscuits doivent être très durs. »

RECETTE DE PHILIPPE BERZANE

biscuits au gingembre

« Blanchir 110 g de beurre fondu et 110 g de sucre. Incorporer 110 g de golden sirop (sirop de sucre de canne), 110 g de farine et 4 g de gingembre. Bien mélanger ; coucher la préparation à la poche sur une plaque, en petites masses espacées. Mettre au four préchauffé à 180 °C de 7 à 8 min. Sortir les biscuits et les tourner autour d'un petit bâton en appuyant sur la jonction pour qu'ils ne se déroulent pas. »

RECETTE DE *LA MAISON RIGUIDEL*, À QUIBERON

galettes bretonnes

« Dans une terrine, mélanger 1 jaune d'œuf et 3 œufs entiers avec 600 g de sucre parfumé de cannelle. Ajouter 750 g de beurre breton demi-sel à température ambiante et en morceaux, et mélanger longuement pour obtenir une préparation homogène. En cours d'opération, mettre un peu de rhum brun agricole, d'extrait de vanille et d'huile essentielle de bergamote. Tamiser 1 kg de farine de froment et une bonne pincée de levure chimique, et commencer à les mélanger avec la préparation au beurre, puis verser le tout sur un linge fariné. Pétrir à l'aide du linge pendant 3 min, en farinant de temps en temps. Réserver toute la nuit la pâte dans son linge, au frais mais pas au réfrigérateur, car le froid durcirait le beurre. Le lendemain, diviser la pâte en 5 pâtons de 500 g environ, les aplatir dans des plats à tarte, les dorer à l'œuf battu avec un peu de lait et les décorer de quelques motifs tracés à coups de fourchette. Cuire au four préchauffé à 210 °C pendant 20 min environ, en surveillant la couleur et l'odeur, qui ne doit pas devenir acide. »

BISCUIT ANGLAIS Biscuit sec et peu sucré largement exporté par les Anglais à partir de 1860. Les biscuits anglais gagnèrent rapidement les colonies britanniques, mais aussi la France, et toutes les régions où l'on apprécie le thé. C'est en 1862 qu'Honoré-Jean Olibet, fils d'un boulanger de Bordeaux, importa dans son pays les procédés de la fabrication anglaise.

BISCUIT AU CHOCOLAT SANS FARINE Biscuit composé d'œufs, de sucre et de chocolat fondu, enrichi éventuellement de poudre de cacao, de pâte d'amande et de beurre. Il se consomme nature ou sert de base d'entremets ; cuit à four moyen, il se distingue par sa texture assez humide et très moelleuse.

BISCUIT À LA CUILLÈRE Petit biscuit en forme de languette bombée, fait avec une pâte semblable à celle du biscuit de Savoie, mais encore plus légère. Ces biscuits servent souvent à chemiser des moules à entremets froids ou glacés. Ils se conservent de deux à trois semaines dans une boîte métallique.

BISCUIT DACQUOISE Biscuit composé notamment de blancs d'œuf et d'un mélange de sucre glace et de sucre en poudre, sec à l'intérieur, moelleux à l'extérieur, comme un macaron lisse (macaron gerbet). Traditionnellement enrichi d'amandes, il peut l'être aussi de noisettes, de pistaches, de noix de coco ou d'épices. Ce biscuit est très utilisé aujourd'hui, notamment comme support d'entremets pâtissiers.

BISCUIT GLACÉ Entremets glacé de couches alternées de glaces à plusieurs parfums et d'un appareil à bombe, mis à glacer dans un moule en forme de briquette (**voir** TRANCHE NAPOLITAINE).

Le biscuit glacé est aussi un gâteau composé d'un fond de biscuit ou de meringue et de crème glacée (ou encore de sorbet, de parfait ou d'appareil à bombe). On le sert décoré de crème Chantilly, de fruits confits ou au sirop, de vermicelles en chocolat.

Le biscuit comtesse-Marie se fait dans un moule spécial carré, du même nom, chemisé de glace à la fraise ; l'intérieur est garni de chantilly vanillée.

BISCUIT À L'HUILE Biscuit italien onctueux, préparé avec de l'huile d'olive et non pas du beurre. De saveur très douce, il est souvent utilisé comme base d'entremets ; il se consomme également sous forme de gâteau aux fruits ou de gâteau au chocolat.

BISCUIT JOCONDE Biscuit composé de farine, de sucre, de beurre, de jaunes d'œuf, de blancs montés en neige et de poudre d'amande. Facile à étaler en fines couches, il est très utilisé en pâtisserie comme base ou comme entourage de nombreux gâteaux, comme l'opéra.

BISCUIT DE REIMS Petit biscuit rectangulaire léger et croquant, poudré de sucre. À l'origine, il était blanc ; plus tard seulement, les biscuitiers imaginèrent de le teinter de carmin et de le parfumer à la vanille. Le biscuit de Reims a été créé pour accompagner la dégustation du champagne, autrefois très sucré.

BISCUIT DE SAVOIE Gâteau à base de pâte à biscuit, très léger grâce aux nombreux œufs battus en neige qu'il contient. Il aurait été réalisé pour la première fois par le maître queux d'Amédée VI de Savoie, vers 1348. Depuis, la petite ville d'Yenne, près du lac du Bourget, s'est faite la gardienne de cette spécialité.

Ce biscuit ne doit pas être confondu avec le gâteau de Savoie, nom que l'on donne parfois à la brioche de Saint-Genix, autre spécialité savoyarde.

biscuit de Savoie

PRÉPARATION : 15 min – CUISSON : 45 min
Casser 14 œufs en séparant les blancs et les jaunes. Préchauffer le four à 170 °C. Dans une terrine, mettre 500 g de sucre en poudre, 1 sachet de sucre vanillé et les jaunes, puis mélanger jusqu'à ce que la préparation soit bien lisse et blanchisse. Battre les blancs en neige très ferme avec une pincée de sel. Les incorporer au mélange précédent avec 185 g de farine tamisée et 185 g de fécule et continuer de remuer en tournant toujours dans le même sens jusqu'à ce que la pâte soit homogène. Beurrer un moule à biscuit de Savoie (ou un moule à génoise) de 28 cm, puis le poudrer de fécule. Y verser la pâte : le moule ne doit être rempli qu'aux deux tiers. Cuire au four pendant 45 min. Démouler à la sortie du four. Servir froid.

BISCUITERIE Fabrication industrielle des biscuits et gâteaux secs, d'origine britannique (**voir** BISCUIT ANGLAIS). Devenue très active, la biscuiterie, s'inspirant des recettes traditionnelles, utilise des farines diverses, des matières grasses végétales – sauf pour les spécialités « pur beurre » –, du sucre (saccharose, mais aussi glucose et maltose), de la fécule, du lait, des œufs, de la poudre levante. La fabrication est entièrement automatisée. Cependant, en France, certaines spécialités régionales sont encore fabriquées d'une façon artisanale (croquets, macarons, biscuits à l'anis, bretzels).

Salés ou sucrés, les différents biscuits sont généralement classés en trois grandes catégories, en prenant en compte la consistance de leur pâte.
• PÂTES DURES OU SEMI-DURES. Elles comprennent les petits-beurre, les biscuits pour goûters (fourrés ou non) et pour petits déjeuners, les sablés et les galettes, ainsi que tous les crackers et biscuits à apéritif, salés et aromatisés. Ces biscuits, les plus consommés, contiennent environ 70 % de farine et pas d'œufs.
• PÂTES MOLLES. Elles donnent des biscuits soit secs (boudoirs, cigarettes, tuiles, palets, langues-de-chat, palmiers), soit moelleux (biscuits à la cuillère, nonnettes, madeleines, macarons, rochers, petits-fours, congolais, croquignoles).
• PÂTES LIQUIDES. Elles donnent les gaufrettes. La teneur en liquide (eau ou lait) de ces biscuits est forte, tandis que les matières grasses sont réduites, de même que la proportion de farine.
■ **Emplois.** Les biscuits et les gâteaux secs se servent généralement avec une boisson, un entremets ou une glace, et leur choix dépend de ce qu'ils accompagnent. Certains d'entre eux s'utilisent pour confectionner des gâteaux (charlotte, moka, etc.). Les biscuits sont particulièrement consommés dans les pays anglo-saxons et en Europe du Nord.

BISE (MARIUS) Restaurateur français (Annecy 1894 - Talloires 1969). Son père, ancien maître d'hôtel sur les bateaux du lac d'Annecy, achète, en 1902, un petit restaurant à Talloires, sur l'une des rives du lac. L'établissement s'appelle alors _le Petit Chalet,_ et l'on y sert de la friture, du lavaret et de l'omble chevalier. Un jour, Paul Cézanne offre de payer son repas avec une toile, ce qui lui fut refusé. Au lendemain de la Première Guerre mondiale, Marius, après avoir fait ses classes à Paris, succède à son père. Il confie les fourneaux à sa femme, Marguerite, remarquable cuisinière, qui travaille ensuite avec leur fils François à partir de 1951, année où la maison obtient trois étoiles au Guide Michelin. En 1928, _le Petit Chalet,_ agrandi, fut rebaptisé _la Petite Auberge_ et devint un haut lieu gastronomique, connu sous le nom d'_Auberge du Père Bise._ Sophie, fille de François, petite-fille de Marius, est désormais aux fourneaux de la maison.

BISE Se dit d'une farine dont le taux d'extraction est de 80 à 82 kg pour 100 kg de blé propre écrasé. Le pain préparé avec une telle farine a une mie de couleur grise (bise) ; il est appelé « pain bis ».

BISON Grand ruminant sauvage des prairies d'Amérique du Nord, de la famille des bovidés. Symbole d'abondance et de prospérité pour les Indiens (qui utilisaient sa viande, sa graisse, son cuir, ses cornes, etc.), il fut l'objet de massacres systématiques à partir de la fin du XIXe siècle. Des troupeaux vivent aujourd'hui dans les prairies en vue du maintien de l'espèce, d'autres sont élevés dans des ranchs pour la boucherie. Il existe encore une sous-espèce très réduite : le bison américain de la forêt.

En Europe, l'espèce sauvage a disparu en 1925, il ne reste que quelques spécimens dans des zoos. En France, un millier de bisons d'Amérique vivent dans des parcs clôturés. On importe aussi de la viande de bison du Canada et de Pologne ; elle est apprêtée comme du bœuf ou du gibier.
■ **Emplois.** La chair du bison, maigre et juteuse, a un goût marqué ; elle est surtout consommée dans l'ouest des États-Unis et du Canada. La bosse et la langue ont toujours été des morceaux de choix. Le bison n'a pas beaucoup de viande sur les membres postérieurs, il a été donc été croisé avec la vache afin d'obtenir des carcasses plus charnues, le _buffalo._

Les Indiens et les métis réduisent la chair séchée en poudre, puis la mélangent à de la moelle, de la graisse et des baies ; ils compressent le tout pour obtenir le _pemmican,_ qui est très savoureux. La viande de bison, ou _buffalo_ aux États-Unis, est encore vendue congelée ou séchée.

BISQUE Coulis de crustacés condimenté, relevé de vin blanc et de cognac, et additionné de crème fraîche, qui se sert en potage. La chair de l'élément principal est taillée en salpicon pour la garniture, et la carapace participe à la confection de la purée initiale.

Ce terme n'est employé dans son sens culinaire que depuis le milieu du XVIIe siècle. À l'origine, la bisque était très différente ; il s'agissait d'un potage de pigeonneau, relevé de champignons, ris de veau, crêtes de coq, fonds d'artichaut et jus de mouton, cuits séparément, tamisés et liés. Ce plat fut servi, le 25 août 1690, chez le ministre Louvois, qui recevait Louis XIV pour la Saint-Louis.

bisque d'écrevisse

Faire fondre 5 ou 6 cuillerées à soupe de mirepoix dans 40 g de beurre. Préparer 1,25 litre de consommé (ou de fumet de poisson). Cuire 75 g de riz rond dans 50 cl de consommé. Châtrer 18 belles écrevisses, les laver. Les ajouter à la mirepoix avec du sel, du poivre du moulin, un beau bouquet garni, et les faire sauter jusqu'à ce qu'elles aient rougi. Chauffer 3 cuillerées à soupe de cognac dans une petite louche, le verser brûlant sur les écrevisses et flamber en remuant bien. Ajouter 10 cl de bon vin blanc sec et laisser réduire des deux tiers. Mouiller de 15 cl de consommé, laisser cuire doucement pendant 10 min. Décortiquer les écrevisses refroidies ; couper la chair des queues en petits dés et les réserver pour la garniture. Piler au mortier (ou broyer dans un robot ménager) les carapaces, le riz cuit et le fond de cuisson des écrevisses. Passer le tout au tamis très fin, en pressant bien. Mettre cette purée dans une casserole avec le reste de consommé et faire bouillir 5 ou 6 min. Au moment de servir, ajouter une pointe de poivre de Cayenne, 15 cl de crème fraîche, puis, en une seule fois, 60 g de beurre divisé en petites parcelles. Vanner la bisque. Ajouter les dés de queue et servir brûlant.

BITTER Boisson aromatisée, de saveur amère, alcoolisée ou non. (L'adjectif *bitter*, en anglais comme en allemand, signifie « amer ».) La plupart des bitters viennent d'Italie (Campari, Fernet-Branca). À base de vin ou d'alcool, ils sont généralement parfumés avec des extraits de plantes (racine d'anis, badiane, camomille, gentiane, hysope, écorce d'orange ou de citron, quinquina, etc.).

BITTERS Amer concentré dont on n'utilise que quelques gouttes pour aromatiser un cocktail.

Avant 1900, il existait plus d'une dizaine de marques de bitters ; les plus connus aujourd'hui sont l'Angostura bitters, le Peychaud's bitters et le Riemerschmidt (orange bitters).

BLAGNY Vin AOC rouge, de la côte de Beaune, issu du cépage pinot noir, produit sur les communes de Meursault et de Puligny-Montrachet, et assez léger et parfumé (**voir** BOURGOGNE).

BLANC (ÉLISA, DITE LA MÈRE BLANC) Cuisinière française (Vonnas 1882 - *id.* 1949). En 1902, Élisa Gervais épouse Adolphe, fils de Jean-Louis et Virginie Blanc, qui avaient créé en 1872 une bonne et simple auberge à Vonnas (Ain), bourg bressan baigné par le cours de la Veyle. Avec les beaux produits de la région, elle transforme le frichti maison en sources de merveille. Ses grenouilles, son poulet à la crème, ses crêpes vonnasiennes aux pommes de terre obtiennent une étoile au Guide Michelin en 1929, deux en 1931. « Tout est délicieux chez elle ! » note Curnonsky, qui voit en elle « l'honneur de la Bresse » et qui la baptise « meilleure cuisinière du monde ». Sa belle-fille, Paulette, lui succède à la tête de la maison de Vonnas en 1934, puis son petit-fils Georges en 1965.

BLANC (GEORGES) Cuisinier français (Bourg-en-Bresse 1943), dont l'arrière-grand-père créa, en 1872, une auberge à Vonnas (Ain), près du champ de foire. Le fils de celui-ci, Adolphe, s'y installe en 1902 avec sa femme Élisa, surnommée la Mère Blanc. En 1934, elle est remplacée par son fils aîné Jean et sa femme Paulette. Puis c'est Georges, leur fils, qui prend la direction de la maison familiale en 1965, après de brillantes études à l'école hôtelière de Thonon-les-Bains. En 1981, il obtint une troisième étoile au Guide Michelin, s'attache à moderniser la demeure devenue un hôtel de grand luxe, avec sa piscine et son héliport, s'enrichit de plusieurs bistrots annexes, à Bourg-en-Bresse, Saint-Laurent-sur-Saône et dans le village même où il reconstitue *l'Ancienne Auberge* de sa grand-mère. Défenseur de la volaille de Bresse, il est également le président de cette appellation et la promeut sur sa carte avec éclat.

BLANC (À) Se dit de la cuisson d'une croûte vide, faite de pâte brisée ou à foncer, destinée à être garnie d'un appareil qui risquerait de détremper le fond, ou de fruits délicats qui ne subissent pas de cuisson. Le mot désigne aussi une cuisson sans coloration.

▶ Recettes : CROÛTE, RIS, SUPRÊME.

BLANC (AU) Se dit de la cuisson d'éléments dans un court-bouillon d'eau et de farine (**voir** BLANC DE CUISSON) ou dans un fond blanc, en particulier lorsqu'il s'agit d'une volaille ou de veau.

▶ Recettes : BOUILLON, FOND, FRAISE DE VEAU, POULARDE, RIZ.

BLANC (VIN) Vin élaboré à partir de raisins blancs ou rouges, toujours pressés et débarrassés avant fermentation de leurs peaux, qui sont les agents de coloration. L'un des plus grands vins blancs secs est issu du cépage chardonnay en Bourgogne, tandis que le chenin blanc ou le sémillon donnent des vins plus ou moins secs selon la maturité du raisin et la concentration des jus due à l'attaque de « pourriture noble » (*Botrytis cinerea*). Il en est de même pour les riesling et gewurztraminer.

Certains raisins noirs (pinot noir, meunier) donnent d'excellents vins blancs servant de base au champagne.

BLANC DE BLANCS Désignation de vins blancs issus exclusivement de raisins blancs comme le chardonnay, le sauvignon, le chenin blanc.

BLANC DE CUISSON Mélange d'eau et de farine, additionné de jus de citron (ou de vinaigre blanc lorsque les quantités sont importantes). Il est utilisé pour faire cuire certains abats blancs (tête et pieds de veau principalement) et les légumes qui ont tendance à noircir pendant leur cuisson (cardons, fonds d'artichaut, salsifis, etc.).

blanc pour abats et viandes

POUR 1 KG D'ÉLÉMENTS À CUIRE – PRÉPARATION : 15 min

Il est employé pour la cuisson de certains abats, tels que les langues et les pieds de mouton, la tête de veau, etc., ainsi que pour les crêtes et les rognons de coq. Dans une grande casserole ou une marmite, porter 1 litre d'eau à ébullition. Ajouter 10 g de gros sel, 5 cl de vinaigre, 20 à 30 g de graisse de rognon de bœuf ou de veau, 1 carotte coupée en long, 1 gros oignon piqué de 1 clou de girofle et 1 bouquet garni. Dans une calotte, délayer au fouet 30 g de farine avec 50 cl d'eau froide. Les verser dans l'eau bouillante. Attendre la reprise d'ébullition pour y plonger les éléments à cuire. Couvrir la surface avec un papier sulfurisé.

blanc pour légumes

POUR 1 KG DE LÉGUMES À CUIRE – PRÉPARATION : 5 min

Il est employé pour la cuisson des cardes, cardons, fonds d'artichaut, salsifis. Dans une grande casserole ou une marmite, porter 1 litre d'eau à ébullition. Ajouter 10 g de gros sel, le jus de 1 citron et 1,5 cl d'huile d'arachide. Dans une calotte, délayer au fouet 30 g de farine avec 50 cl d'eau froide. Les verser dans l'eau bouillante. Attendre la reprise d'ébullition pour y plonger les légumes. Couvrir la surface avec un papier sulfurisé. Si le légume doit être refroidi, en fin de cuisson le laisser immergé dans le blanc. Le jus de citron peut être avantageusement remplacé par 2 g d'acide ascorbique qui a le même rôle antioxydant.

BLANCHE Qualificatif désignant une bière qui comporte une certaine quantité de froment, voire d'avoine. Peu alcoolisée et acidulée, la bière blanche est apéritive et désaltérante. En Belgique, et notamment dans le Brabant, elle est trouble, car non filtrée, et aromatisée. En Allemagne, les Weissenbier, pour leur part filtrées, viennent de Bavière, mais aussi de Berlin.

BLANCHIR Terme désignant trois opérations.
– Soumettre des aliments crus à l'action de l'eau bouillante, nature, salée ou vinaigrée, puis les rafraîchir et les égoutter, ou simplement les égoutter, avant de les cuire vraiment. Ce blanchiment a des buts différents : raffermir, épurer, éliminer l'excès de sel, enlever de l'âcreté, faciliter l'épluchage, réduire le volume de légumes. Dans certains cas, les éléments sont immergés dans de l'eau froide et amenés à ébullition : pommes de terre, lardons, abats blancs préalablement dégorgés, volaille, viande et os, riz (par exemple pour éliminer l'amidon et faciliter la cuisson, du riz au lait). Dans d'autres cas, ils sont plongés directement dans l'eau bouillante : chou vert et laitue notamment.
– Travailler vigoureusement au fouet un mélange de jaunes d'œuf et de sucre en poudre, jusqu'à ce qu'il devienne mousseux et clair.
– Plonger dans un premier bain de friture certains apprêts de la pomme de terre afin d'obtenir une cuisson sans coloration. La consistance croustillante et la couleur dorée se réalisent au cours d'un deuxième passage en friture, à une température plus élevée.

BLANC-MANGER Sorte de gelée aux amandes, qui est l'un des plus anciens entremets sucrés. Au Moyen Âge, ce nom désignait soit une gelée de viande blanche, faite avec de la chair de chapon ou de veau pilée, soit un entremets sucré au miel et aux amandes.

RECETTE DE JEAN-PIERRE VIGATO

blanc-manger

« Ramollir 10 feuilles de gélatine dans de l'eau glacée. Les mettre dans 1 litre de lait d'amande chauffé. Laisser refroidir. Incorporer 100 g d'ananas et 100 g de fraises, tous deux taillés en brunoise, 10 belles feuilles de menthe hachées, puis 1 litre de crème liquide fouettée à la spatule. Disposer dans de petits moules à savarin individuels et mettre au réfrigérateur de 2 à 3 heures. Démouler les blancs-mangers sur des assiettes ; mettre au centre du coulis d'abricot et autour du coulis de framboise. Décorer de feuilles de menthe, de fruits et d'amandes glacées. »

blanc à manger d'œuf, truffe noire ▶ ŒUF MOULÉ

BLANC DE NOIRS Désignation de vins blancs issus de raisins noirs comme le pinot noir. Les raisins sont pressés très tôt pour que les jus puissent fermenter sans les peaux, agents de coloration.

BLANC DE VOLAILLE Morceau de chair blanche attenant au bréchet sur une volaille cuite et découpée. Le blanc se présente sous une forme allongée, sans os, dans le prolongement de l'aile. Lorsqu'il est truffé, servi en chaud-froid ou nappé d'une sauce, il prend le nom de « suprême ». Les blancs de volaille sont surtout utilisés détaillés en dés ou émincés.

BLANQUETTE Apprêt de viandes blanches (veau, volaille, lapin, agneau), mais aussi de poissons, voire de légumes, cuits dans un fond blanc ou simplement à l'eau avec une garniture aromatique.

blanquette : préparation

Détailler la viande ou le poisson en cubes de 5 cm de côté environ. Les raidir dans du beurre, sans les laisser colorer. Les mouiller à hauteur de fond blanc ou de bouillon, assaisonner, faire partir à plein feu, écumer. Ajouter alors 1 ou 2 oignons épluchés, dont 1 piqué de girofle, 1 ou 2 carottes moyennes pelées et coupées en quatre et 1 bouquet garni. Cuire à petite ébullition (15 min pour la lotte, 45 min pour la volaille, 1 h 15 pour le veau). Égoutter les morceaux, les parer, les mettre dans un plat à sauter, au chaud, avec des petits oignons et des champignons cuits au blanc. Au dernier moment, lier la cuisson avec de la crème et des jaunes d'œuf. Aciduler d'un peu de jus de citron. Dresser en timbale. Servir en garniture du riz à la créole.

RECETTE DE ROGER VERGÉ

blanquette d'agneau aux haricots et pieds d'agneau

« Découper en gros cubes une épaule d'agneau. Couvrir d'eau glacée et conserver 12 heures dans le réfrigérateur en changeant l'eau une ou deux fois. Faire tremper des haricots (flageolets, cocos, lingots, pamiers, au choix) une douzaine d'heures à l'eau froide avec 1 oignon piqué de girofle, 4 carottes entières, 1 poireau et 1 bouquet garni ; les mettre à cuire en écumant fréquemment et saler après 15 min. Frotter 3 pieds d'agneau au jus de citron, les blanchir 10 min à l'eau bouillante, les rafraîchir sous l'eau froide, les parer. Les faire cuire pendant 2 heures environ à l'eau bouillante citronnée, avec une cuillerée à soupe de farine délayée (blanc de cuisson), 2 carottes, 1 oignon, 1 bouquet garni et du poivre en grains. Égoutter les morceaux d'agneau. Les mettre à cuire à l'eau froide. Ajouter alors 1 cube de bouillon de bœuf, 2 carottes, 1 oignon, 1 bouquet garni, du poivre en grains et un peu de sel. Quand les pieds sont cuits, les égoutter, les débarrasser de leurs cartilages, couper la chair en dés. Égoutter les morceaux d'agneau, les disposer dans un plat de service, faire réduire leur cuisson à 1 litre. À part, délayer 30 cl de crème double avec 3 cuillerées à soupe de moutarde de Dijon et 4 jaunes d'œuf. Verser la cuisson réduite sur ce mélange après l'avoir passée au chinois. Faire chauffer doucement, en remuant sans arrêt. Saler et poivrer. Au premier bouillon, passer le mélange et en napper les morceaux d'agneau. Égoutter les flageolets, les mélanger à la blanquette ainsi que les dés de chair de pieds. »

BLANQUETTE DE LIMOUX Vin AOC blanc effervescent, produit dans le département de l'Aude, aux environs de la ville de Limoux, près de Carcassonne (**voir** LANGUEDOC).

BLAYAIS Vignoble situé sur la rive droite de la Gironde, en face du Médoc, connu pour les appellations côtes-de-blaye et premières côtes-de-blaye et produisant des vins rouges charnus et aromatiques (**voir** BORDELAIS).

BLÉ Céréale annuelle de la famille des poacées (ou graminées), dont les grains, riches en amidon, servent à fabriquer la farine et la semoule, mais se mangent aussi cuits, germés, concassés, etc. (**voir** tableau des céréales page 179 et planche pages 178 et 179). Les grains de blé sont formés d'une double enveloppe, le tégument, garnie de fibres dures et serrées, le son, et d'une amande renfermant un germe, riche en protéines et en graisse. Ils contiennent du phosphore, du calcium et d'autres sels minéraux, ainsi que de nombreuses vitamines. Le blé germé est plus riche en protéines et en vitamines B. Le blé contient du gluten, que certaines personnes ne tolèrent pas.

■ **Histoire.** Le blé est cultivé depuis le néolithique (IXe-IVe millénaire av. J.-C.). Il a d'abord été consommé sous forme de galettes et de bouillies. Les Égyptiens, puis les Grecs et les Romains en firent une céréale panifiable, et c'est surtout sous la forme de pain qu'il a été utilisé en Europe septentrionale et occidentale. Aujourd'hui, les préoccupations diététiques lui ont redonné son rôle d'aliment naturel.

■ **Emplois.** On distingue deux grands types de blé. Le blé tendre (froment) est moulu pour donner des farines, avec lesquelles on fait du pain, des biscottes, des pâtisseries, des viennoiseries, etc. Les farines « complètes » sont riches en son. Le blé dur est concassé et réduit en semoule pour donner les pâtes alimentaires et le couscous.

Les grains de blé moulus servent encore à préparer des bouillies, des boulettes, des croquettes, des biscuits, etc. Le blé germé est riche en acides aminés, en sels minéraux et en vitamines B et C (**voir** BOULGHOUR, PILPIL).

Le « blé noir » désigne le sarrasin ; le « blé turc » désignait autrefois le maïs.

Le « blé légume » désigne des grains de blé dur calibrés et précuits qu'il suffit de cuire dans l'eau bouillante. Il accompagne des plats en sauce, des viandes, des poissons et même des gâteaux.

Le « blé cueilli tendre », récolté selon une pratique orientale alors qu'il est encore vert, est commercialisé prêt à être consommé. Il se présente entier, cuit sans son germe et sans son enveloppe, ni séché ni concassé.

blé germé

Mettre les grains de blé dans un récipient plat et les laisser tremper 24 heures dans de l'eau. Les rincer puis les remettre 24 heures dans le récipient, mais sans eau ; ils ne doivent cependant pas se dessécher. Les laver de nouveau. Les grains présentent alors un petit point blanc (le germe) et sont prêts à l'emploi, le jour même. On les consomme nature, ou séchés et moulus puis incorporés aux aliments (potages, salades).

BLÉ D'INDE Nom québécois du maïs (**voir** ce mot), que les Européens découvrirent quand ils mirent pied en Amérique et qu'ils nommèrent, se croyant en Asie, blé d'Inde. L'« épluchette de blé d'Inde » est une réunion entre amis, au moment de la récolte, pour déguster, avec du beurre et du sel, des épis de maïs cuits à l'eau bouillante sur un feu de camp. Chez les Acadiens, le blé d'Inde lessivé se prépare avec des grains séchés ; ils sont trempés dans l'eau froide, puis bouillis avec de la perlache (bicarbonate de soude) pour faire éclater leur enveloppe, puis attendris dans plusieurs eaux. L'expression blé d'Inde est devenue quelque peu archaïque, même si elle est encore en usage au Québec.

RECETTE D'ANNE DESJARDINS

soupe mousseuse au blé d'Inde (maïs) et champignons

POUR 6 PERSONNES – PRÉPARATION : 10 min – CUISSON : 50 min

« Éplucher 2 épis de maïs frais (ou utiliser 500 g de maïs congelé) ; couper les grains au ras des épis, réserver séparément les épis et les grains. Retirer les tiges de 10 champignons de couche (ou autres, shiitake, champignons sauvages, etc.), émincer les têtes et réserver. Blondir dans 3 cl d'huile d'olive 1 oignon moyen émincé avec 1 cuillerée à soupe de gingembre frais râpé, 1 tranche de bacon en dés, les tiges des champignons, le quart des grains de maïs. Déglacer avec 1 cuillerée à soupe de vinaigre de cidre et 12,5 cl de cidre sec. Laisser mijoter 3 min, ajouter les épis de maïs réservés, 60 cl de bouillon de volaille et 20 cl de crème double (à 35 % de matières grasses). Mijoter pendant 45 min. Passer ce liquide au chinois, le remettre dans la casserole, goûter et ajuster l'assaisonnement avec sel et piment d'Espelette en poudre. Au moment de servir, réchauffer ce liquide et faire revenir vivement sur feu vif avec 1 cuillerée à soupe d'huile d'olive, 1 tranche de bacon émincé, les champignons émincés et le reste de grains de maïs, goûter et saler au besoin. Faire mousser le liquide à l'aide d'un mixeur plongeant. Verser dans des assiettes creuses chaudes, ajouter le mélange de bacon, champignons et maïs sautés. Parsemer de ciboulette émincée. »

BLENDER Appareil électrique créé aux États-Unis en 1922 (pendant la période de la prohibition, qui dura de 1919 à 1933) pour mélanger des boissons à base de lait chaud et sans alcool. Il permet aujourd'hui de mélanger les différents éléments de certains cocktails. Le barman y met de la glace concassée, les différents ingrédients (généralement des morceaux de fruits), l'alcool de base et les jus de fruits. Il le fait ensuite fonctionner à petite ou grande vitesse selon la consistance désirée. Le cocktail ainsi obtenu est plus homogène, et la mousse légère qui le coiffe est très agréable à la dégustation.

Un blender peut également servir à la préparation de coulis, de potages, de jus de fruits, d'une crème anglaise, etc.

BLENNIE Petit poisson de rivière, de la famille des blenniidés, à la peau épaisse et visqueuse, sans écailles, de couleur fauve. Pouvant atteindre 15 cm, la blennie est bien connue dans le Midi, où on la mange en friture sous le nom de « caguette ».

BLETTE ▶ VOIR BETTE

BLEU OU PERSILLÉ Nom générique des fromages à pâte fleurie dite « persillée » provenant des régions montagneuses (Jura, Massif central, Alpes) [**voir** tableau ci-dessous]. Ils sont tous fabriqués sur le même principe. Le caillé est découpé en cubes, égoutté et moulé ; au cours de la coagulation ou, parfois, du moulage, on incorpore (sauf dans le bleu de Termignon) des spores de *Penicillium roqueforti,* plus rarement de *P. glaucum.* Ces moisissures couvrent les cavités de la pâte ou forment des veinures bleuâtres après le piquage du fromage avec de grandes aiguilles qui font pénétrer l'air nécessaire au développement de ce *Penicillium.* Les bleus sont souvent crémeux et humides et ont une pâte de couleur ivoire à crème. Ils présentent une croûte sèche et naturelle ou sont enveloppés dans de l'aluminium.

Hors de France, on trouve également de nombreux fromages à moisissures internes, tels le gorgonzola italien, le danablu danois, le gammelost norvégien, l'Edelpilz allemand, le stilton, le blue cheshire et le blue cheddar en Grande-Bretagne, sans compter les imitations américaines de bleus français et anglais.

Caractéristiques des principaux bleus

NOM	PROVENANCE	TAUX DE MATIÈRES GRASSES	DIAMÈTRE, ÉPAISSEUR	ASPECT ET SAVEUR
bleu d'Auvergne (AOC)	Cantal, Puy-de-Dôme, Haute-Loire	50 %	10-20 cm, 8-10 cm	pâte ferme, grasse, bien persillée, à forte odeur, à saveur un peu piquante
bleu de Bresse	Ain	50 %	10 cm, 4,5-6,5 cm	croûte fine, lisse, bleutée et pâte souple, à saveur moyenne à prononcée
bleu des Causses (AOC)	Rouergue	45 %	20 cm, 8-10 cm	pâte ferme et grasse, à odeur forte, à saveur affirmée
bleu de Corse	Corse	45 %	20 cm, 10 cm	pâte persillée, claire, ferme, à odeur forte, à saveur prononcée, voire piquante
bleu de Gex, ou du haut Jura (AOC)	Ain, Jura	50 %	30 cm, 8-9 cm	pâte souple à veinures denses, à saveur légèrement amère et prononcée
bleu de Laqueuille	Auvergne	45 %	20-22 cm, 8-10 cm	pâte tendre, à odeur pénétrante, à saveur relevée
bleu de Loudes, ou bleu du Velay	Auvergne	25-33 %	12 cm, 12-15 cm	pâte ferme à cassante avec l'âge, à saveur très prononcée
bleu du Quercy	Aquitaine	45 %	18-20 cm, 9-10 cm	pâte ferme et grasse, à odeur forte, à saveur affirmée
bleu de Sainte-Foy	Savoie	40-45 %	16-20 cm, 8-10 cm	pâte lisse et cassante, à saveur très prononcée
bleu de Thiézac	Cantal	45 %	18-20 cm, 9-10 cm	pâte grasse et odorante, à saveur forte, due au salage à chaud
bleu du Vercors-Sassenage (AOC)	Vercors	48 %	30 cm, 8-9 cm	pâte souple, croûte claire, à odeur fine, à saveur relevée, un peu amère

■ **Emplois.** Les bleus se servent en fin de repas, seuls ou après les autres fromages, pour que leur saveur soit mieux appréciée. Ils sont fréquemment employés comme garniture de canapés (avec du beurre, des noix hachées, du céleri, etc.) et constituent les ingrédients de salades composées et de soupes régionales ou de fondues. Ils condimentent certains plats de viande (bifteck haché, paupiettes, lapin) et sont utilisés dans des soufflés, des feuilletés ou des croustades.

BLEU (AU) Se dit de la cuisson d'un poisson (truite, carpe ou brochet) plongé, sinon vivant, du moins rigoureusement frais, dans un court-bouillon vinaigré, salé et aromatisé. Le mucus qui enrobe le poisson (très abondant sur la truite) lui donne un aspect bleuté en présence du vinaigre.

On parle de cuisson « bleu » en matière de viande quand celle-ci est peu cuite (**voir** POINT [À]).
▶ Recette : TRUITE.

BLEUET Fruit d'une airelle, de la famille des éricacées, dont la couleur rappelle celle de la myrtille. Au Québec, la culture en est très répandue, mais les bleuets sauvages ont un goût plus délicat. Ils se consomment volontiers frais en saison, ou cuits, dans des tartes, des gâteaux ou des puddings.
▶ Recette : CARIBOU.

BLINI Petite crêpe salée épaisse, faite d'une pâte levée associant, en principe, de la farine de froment et de la farine de sarrasin. Dans la cuisine russe, les blinis se servent avec de la crème aigre et du beurre fondu pour accompagner hors-d'œuvre, caviar ou poisson fumé. On les cuit dans une petite poêle spéciale à fond épais et à bord haut. Il existe plusieurs variantes de blinis : à la crème de riz (avec un mélange de farine de gruau et de farine de riz), aux œufs (on ajoute des œufs durs hachés à la pâte classique), à la semoule et au lait (à la place du sarrasin et de l'eau), aux carottes en purée incorporées à la pâte.

blinis à la française

Délayer 20 g de levure de boulanger et 50 g de farine de froment tamisée dans 50 cl de lait et laisser lever 20 min dans un endroit tiède. Ajouter 250 g de farine tamisée, 4 jaunes d'œuf, 30 cl de lait tiède et 1 grosse pincée de sel. Mélanger sans trop lisser. Incorporer au dernier moment 4 blancs d'œuf battus en neige ferme et 10 cl de crème fouettée. Laisser reposer la pâte pendant 1 heure, puis cuire les blinis.

BLONDE Qualificatif désignant, en raison de sa couleur, la bière la plus répandue dans le monde, de type « pils » et généralement de fermentation basse, donc assez légère et très désaltérante. Mais il existe aussi des blondes de fermentation haute. Elles peuvent être sans alcool ou atteindre 12 % Vol. (bière du Démon). Leur brillance, signe de qualité, est garantie si on les maintient à l'abri de la chaleur et de la lumière.

BLONDE D'AQUITAINE Race bovine à viande, de robe blonde, produite dans le sud-ouest de la France (**voir** tableau des races de bœufs page 106) et dans les régions des Pays de la Loire et du Poitou-Charentes. Cette race est appréciée pour sa viande rouge, qui est très goûteuse ; elle présente un bon rendement en carcasse (car son squelette est fin) et une grande finesse de grain de viande.

BLONDIR Colorer légèrement une substance en la faisant rissoler doucement dans un corps gras. L'opération concerne surtout les oignons et les échalotes, mais on « blondit » également la farine dans du beurre fondu pour confectionner un roux blond.

BLOODY MARY Cocktail long drink composé de vodka, de jus de tomate, de jus de citron et d'assaisonnement (Worcestershire sauce, Tabasco rouge, sel de céleri) et servi avec de la glace. D'origine mystérieuse, il fut rebaptisé à plusieurs reprises : mary rose en 1939, red snapper en 1944 puis bloody mary en 1946.
▶ Recette : COCKTAIL.

BLUMENTHAL (HESTON) Cuisinier anglais (Londres 1966). Il éblouit le monde dans un pub rénové, au sein d'un village gourmand, à 35 km à l'est de Londres, sur les bords de la Tamise. Autodidacte complet, il a le choc de la cuisine, adolescent, alors qu'il accompagne ses parents à l'*Oustau de Baumanière*. Il revient en Angleterre, se frotte aux grands de son époque, Raymond Blanc au *Manoir aux Quat'Saisons* près d'Oxford, Marco Pierre White, premier trois étoiles britannique, sans oublier Michel Roux du *Waterside Inn*, qui veille d'un œil protecteur sur son jeune voisin. Sa progression est fulgurante. Il ouvre sa demeure en 1995. Il sert des plats de cuisine bourgeoise à la française, puis se décide à innover, grâce à ses rencontres avec le physicien anglais Nicolas Kurti et à des échanges avec le chimiste français Hervé This. Il obtient une étoile en 1998, deux en 2002, trois en 2004 : le Guide Michelin n'a pas tardé à couronner cet homme qui n'oublie pas de cuisiner au quotidien. Il y a l'époustouflant « début de menu » qui vous nettoie le palais en vous glissant de la fumée par les narines : un incroyable mélange d'azote, de thé vert, de citron, de vodka, qu'on avale comme un bonbon détonnant et qui vous met les idées au net. Puis c'est une succession de plats fantasques : gelées de betterave jaune et d'orange rouge, huître baroque avec gelée de Passion et parfum de lavande, glace à la moutarde ancienne et chou rouge en gaspacho, gelée de caille avec purée de pois, crème de langoustine et parfait de foie gras. Classique sans le savoir, Heston Blumenthal explore la magie des saveurs en revendiquant la nostalgie de l'enfance. Son porridge d'escargots au persil et jambon Jabugo ou sa sardine en sorbet toasté sont des révérences détournées au « mauvais goût » des années 1960. Transmuer les mariages impossibles en délices contemporains, voilà son style, qui fait des clins d'œil à son alter ego de Catalogne, Ferran Adrià.

BOCAL Récipient en verre à goulot large, fermé hermétiquement par un couvercle métallique vissé ou par un couvercle en verre muni d'un joint de caoutchouc et maintenu par une agrafe métallique. Les bocaux servent à la conservation des aliments stérilisés et des fruits au sirop, au vinaigre ou à l'alcool ; on entrepose les produits en bocaux de préférence dans l'obscurité.

Pour les confitures de fabrication ménagère, on peut fermer les bocaux en utilisant un couvercle métallique muni d'un joint en plastique, ou un carré de cellophane avec un élastique, ou encore une pellicule de paraffine, coulée à chaud à la surface de la confiture et protégée par une coiffe de papier sulfurisé.

BOCK Verre à bière parfois muni d'une anse, généralement d'une contenance de 1,25 dl.

En France et en Belgique, la « bière bock » est une bière légère et de densité moyenne. Dans les pays anglo-saxons et en Allemagne, en revanche, elle est très forte, souvent brune. La *Bockbier*, originaire de la ville d'Einbeck, en Basse-Saxe, fut autrefois exportée en Bavière. Le Bavarois prononçait Einbeck « Oanbock », d'où *Bock*, qui signifie par ailleurs « bouc », animal qui illustra bientôt les étiquettes. La « double bock » désigne, en Bavière notamment, une bière encore plus forte en alcool.

BOCUSE (PAUL) Cuisinier français (Collonges-au-Mont-d'Or 1926), descendant d'une lignée de restaurateurs installés sur les bords de la Saône depuis 1765. C'est son père, Georges Bocuse, qui acheta l'*hôtel-restaurant du Pont* à Collonges ; le jeune homme, après un apprentissage chez Fernand Point, à Vienne, puis chez *Lucas-Carton* et *Lapérouse*, à Paris, débute en 1942 dans un établissement lyonnais, et s'installe enfin en 1959 dans le restaurant familial, dont il fait un haut lieu de la gastronomie. Il renouvelle les spécialités culinaires de sa région sans pour autant adhérer aux nouvelles modes. Il devient bientôt, grâce à des conférences et des cours de cuisine à l'étranger, un des ambassadeurs de la gastronomie française. Fameux autant pour ses grands plats (soupe aux truffes VGE, loup en croûte sauce Choron) que pour son charisme, il a véritablement fait sortir le cuisinier moderne de ses fourneaux. Un prix international de cuisine est décerné tous les deux ans à Lyon sous son parrainage, portant le nom de Bocuse d'or. Il est également le créateur de l'École de cuisine d'Écully, près de Lyon.

BŒR (JONNIE) Cuisinier néerlandais (Giethoorn 1966). Ce jeune cuisinier du nord de la Hollande est le deuxième (après Cees Helder du *Parkheuvel*) à avoir reçu les trois étoiles au Guide Michelin dans son pays. Autodidacte, gagné à l'amour de la cuisine marine par un grand-père passionné de pêche, qui lui apprend tout sur le hareng, l'anguille ou le saumon, il bâtit un domaine à sa mesure dans une ancienne bibliothèque dépendant d'une abbaye et datant du XVe siècle (*De Librije* à Zwolle). Des plats comme les cuisses de grenouille avec salade de champignons, amourette fumée et jus de veau ou le filet de cabillaud à la crème de topinambour sont d'un moderne qui a parfaitement assimilé ses classiques, au cours de ses fréquents voyages dans les grandes tables françaises.

BŒUF En boucherie, le terme s'applique à la viande de tous les gros bovins : génisse, vache, bœuf et bouvillon, taureau et taurillon de la famille des bovidés. Le bœuf de travail, mâle castré pour le rendre docile, a pratiquement disparu.

Nos ancêtres de la préhistoire chassaient déjà l'aurochs et son descendant, le bœuf, domestiqué depuis plus de quarante siècles, est devenu l'animal de boucherie par excellence. Sous Charles V (1338-1380), le défilé du bœuf gras était une belle fête de Paris. Cette tradition se perpétue encore dans certaines régions de France.

En France, on abat chaque année 4 millions environ de gros bovins, soit une production de 1,4 million de tonnes de carcasses. Cette quantité suffirait largement aux besoins – en moyenne 22 à 23 kg par personne et par an (poids en carcasse) – si les consommateurs n'étaient, en majorité, attirés par les morceaux dits « nobles » à cuisson rapide.

Une demi-carcasse comporte un quartier avant (AV5) et un quartier arrière (AR8), dont la viande doit être rouge vif et brillante, ferme et juteuse, maturée pour être tendre et goûteuse ; la graisse intramusculaire, blanche ou légèrement jaune, forme un réseau plus ou moins serré (le « persillé ») ; entre les muscles, les noix de graisse constituent le « marbré ». Le quartier arrière fournit la plupart des pièces « nobles » à cuisson rapide et les morceaux les plus tendres (**voir** planche de la découpe du bœuf pages 108 et 109).

La viande parée de bœuf est riche en protéines animales (24 à 28 g pour 100 g), en fer assimilable, en zinc et en vitamines PP et B12.

Certains bœufs bénéficient d'une AOC, d'une IGP ou d'un label rouge.

aiguillette de bœuf en gelée

Mettre 1 pied et quelques os de veau dans une casserole avec de l'eau, les porter à ébullition, puis les rafraîchir et les éponger. Éplucher 750 g de carottes nouvelles et 1 gros oignon, les détailler en rondelles. Couper 2 tomates en quartiers. Éplucher 2 petites gousses d'ail. Préchauffer le four à 180 °C. Dans une cocotte, dorer de tous les côtés, avec 3 cuillerées à soupe d'huile, 1,250 kg d'aiguillette de bœuf lardée, puis ajouter les rondelles de carotte et d'oignon, le pied et les os de veau ; les faire blondir. Retirer l'huile avec une petite louche, puis ajouter les quartiers de tomate, 1 bouquet garni, 1 petit morceau d'écorce d'orange, 1 pincée de gros sel, du poivre du moulin, un soupçon de poivre de Cayenne, 25 cl de vin blanc sec et 50 cl d'eau ; couvrir ; porter à ébullition, puis enfourner la cocotte pour 2 h 30 environ, en retournant la viande au moins une fois. Peler 30 petits oignons grelots et les mettre dans une sauteuse avec 20 g de beurre, 1 cuillerée à dessert rase de sucre en poudre, 1 pincée de sel et juste assez d'eau pour recouvrir les oignons. Cuire à découvert et rouler les petits oignons dans le caramel qui s'est formé. Quand l'aiguillette est cuite, la disposer dans un plat creux ou une terrine avec les rondelles de carotte et les petits oignons, et la laisser refroidir. Passer au chinois la cuisson, ajouter le pied de veau désossé et coupé en cubes, et faire bouillir 10 min. Mettre la viande dans le réfrigérateur. Délayer 1/2 paquet de gelée en poudre avec très peu d'eau, verser le jus de cuisson et 10 cl de madère. Laisser la gelée prendre un peu. Napper l'aiguillette de gelée et remettre dans le réfrigérateur.

bavette à l'échalote

POUR 4 PERSONNES – PRÉPARATION : 15 min – CUISSON : 8 min

Parer 4 tranches de bavette d'aloyau de 160 à 180 g chacune. Émincer finement 4 à 6 échalotes grises (selon la grosseur). Hacher 2 cuillerées à soupe de persil. Dans une poêle, faire chauffer 1 cuillerée à café d'huile d'arachide et 20 g de beurre. Assaisonner les bavettes de sel et poivre puis les faire sauter dans la poêle. Laisser cuire 2 min de chaque côté. Les retirer et les réserver sur une grille placée dans une plaque. Ajouter les échalotes dans la poêle et les faire suer sur feu doux en remuant constamment. Lorsqu'elles deviennent légèrement translucides, déglacer avec 10 cl de vinaigre de vin et laisser réduire 30 secondes. Hors du feu, ajouter 40 g de beurre et l'incorporer à la sauce. Vérifier l'assaisonnement et ne pas faire bouillir cette sauce. Dresser les bavettes sur un plat de service et les napper de sauce à l'échalote, puis saupoudrer de persil haché.

Caractéristiques des principales races de bœufs

RACE	PROVENANCE	COULEUR DE LA ROBE	ASPECT DE LA CHAIR
races bouchères			
blonde d'Aquitaine	Sud-Ouest	blond froment	grain très fin, tendre, très rouge
charolaise	Centre	blanche	un peu ferme, mais au goût intense
limousine	Limousin	blonc foncé, décolorée dessous et autour des yeux	persillée, grain fin, savoureuse
normande	Normandie, Bretagne, pays de Loire	tricolore : pie, rouge, bringée de noir	marbrée de gras jaune, tendre, très goûteuse
parthenaise (ancienne race laitière reconvertie)	Centre-Ouest	marron moyen, muqueuses noires	viande savoureuse
rouge des prés (Maine-Anjou)	pays de Loire, Sarthe, Mayenne	rouge et blanc	beau persillé, belle couleur, grosses pièces
races rustiques			
Aubrac	sud du Massif central	blond foncé, froment, muqueuses noires	rouge assez foncé
gasconne	Pyrénées	blanc-gris	rouge assez foncé
Salers	Massif central	rouge acajou foncé	persillée, rouge foncé

bavette grillée

POUR 4 PERSONNES – PRÉPARATION : 10 min – CUISSON : de 8 à 10 min

Découper, parer 4 bavettes d'aloyau de 160 à 180 g chacune. Préchauffer le four à 240 °C. Nettoyer et huiler légèrement le gril avec un papier absorbant. Assaisonner de sel fin et de poivre du moulin chaque face des bavettes, puis les badigeonner d'une fine pellicule d'huile d'arachide. Les poser en diagonale sur le gril et cuire 2 min puis les faire pivoter d'un quart de tour pour obtenir un quadrillage et les laisser cuire de nouveau 2 min. Les retourner et effectuer la même opération. Ne pas piquer ni appuyer sur la viande pendant la cuisson. Le temps de cuisson sera plus ou moins long en fonction de l'épaisseur de la bavette et du point de cuisson souhaité (bleu, saignant, à point ou bien cuit).

RECETTE DE MICHEL BRAS

bœuf de l'Aubrac

POUR 6 PERSONNES

« Préparer longtemps à l'avance du lard. Mis au sel dans un cellier, il est parfumé de maints aromates qui vont diffuser dans le gras lors de sa longue maturation. Refendre 2 pièces taillées dans la tête du filet de bœuf dans le sens de la longueur, en laissant le talon attaché. Tailler 2 incisions. Débiter des tranches de lard de 3 mm d'épaisseur à l'aide d'une trancheuse. Déposer les tranches de lard dans les incisions de la viande. Brider sans trop serrer. Peler et nettoyer 3 grosses pommes de terre. Les couper le plus finement possible sans les laver. Sur une feuille de papier sulfurisé, étaler des bandes de pomme de terre de 6 cm de large sur 20 cm de long en superposant les rondelles les unes sur les autres de un tiers. Après les avoir salées et badigeonnées de beurre clarifié, faire sécher au four à 130 °C. Éplucher et laver 12 échalotes, les blanchir fortement à l'eau bouillante salée. Dans une cocotte, glisser 150 g de beurre et les échalotes. Conduire au confisage lent. Réserver au chaud. Saisir les pièces de bœuf à la rôtissoire. Conduire une cuisson plutôt vive au départ pour saisir la viande, puis plus douce en jouant sur la distance braise et filet. Privilégier une cuisson « bleu ». À la sortie de la rôtissoire, laisser reposer la viande 20 min dans un endroit tiède, recouverte d'une feuille de papier sulfurisé. Sur l'assiette, déposer le filet de bœuf taillé, que vous aurez assaisonné de fleur de sel et de poivre du moulin. Agrémenter de chips posées verticalement. Glisser çà et là les échalotes confites au beurre et tacher l'assiette de quelques gouttes du beurre de confisage. »

bœuf bourguignon

Détailler 150 g de poitrine de porc fraîche en gros lardons ; les faire revenir à l'huile dans une cocotte, puis les retirer. Couper 1 kg de bœuf à braiser en cubes de 5 cm de côté et les dorer dans la cocotte sur toutes les faces. Ajouter 2 carottes et 2 gros oignons pelés et émincés, les faire suer et dégraisser au maximum. Saupoudrer d'un peu de farine et faire pincer au four quelques minutes. Mouiller à hauteur de 60 cl de vin de Bourgogne et de fond de veau. Ajouter 1 gousse d'ail pelée et écrasée, 1 cuillerée à soupe de concentré de tomate, 1 bouquet garni, et cuire à couvert, tout doucement, de 2 h 15 à 2 h 30. Sortir les morceaux de bœuf, dégraisser, faire éventuellement réduire le fond et le passer au chinois sur la viande. Ajouter les lardons, 12 petits oignons grelots glacés à brun et 200 g de champignons de Paris poêlés. Réchauffer et servir, comme en Bourgogne, avec des tranches de pain poêlées à l'ail.

bœuf braisé porte-maillot

Tailler 100 g de lard gras en bâtonnets fins et les faire mariner 12 heures dans un mélange composé de 2/3 d'huile et 1/3 de cognac, de fines herbes et d'ail hachés, de sel et de poivre ; en piquer 1,5 kg d'aiguillette de bœuf parée. Braiser la viande dans une cocotte avec 20 cl de vin blanc et autant de bouillon, en ajoutant les éléments de la marinade. Faire glacer 250 g de petits oignons, 250 g de petits navets et 500 g de carottes nouvelles après les avoir épluchés. Cuire des haricots verts en les gardant un peu fermes, puis les égoutter. Après 2 h 45 de cuisson du bœuf, ajouter dans la cocotte oignons, carottes et navets, et cuire encore 10 min. Dresser la viande dans un plat long chauffé et disposer la garniture autour, en bouquets. Tenir au chaud. Dégraisser le fond de cuisson, le passer et le faire réduire. Parsemer la garniture de persil ciselé et présenter la sauce à part, en saucière.

bœuf à la ficelle

POUR 6 PERSONNES – PRÉPARATION : 30 min – CUISSON : de 15 à 25 min

Peler et laver 2 blancs de poireau, 4 carottes, 1 petite branche de céleri, 1/4 de céleri-rave. Fendre les poireaux en deux dans la longueur, couper les carottes en rondelles et le céleri en cubes. Verser 2 litres de bouillon de bœuf dans un petit faitout et porter à ébullition à feu moyen. Ajouter les légumes et les cuire de 10 à 15 min pour qu'ils restent fermes. Ficeler la viande en laissant 1 ou 2 boucles sur le dessus pour pouvoir l'accrocher. Glisser une cuillère en bois dans ces boucles et la poser sur la marmite de manière à ce que la viande soit immergée dans le bouillon sans toucher le fond du faitout. Cuire à petits frémissements 15 à 25 min selon l'épaisseur du morceau. Couper la viande en tranches et la disposer sur un plat de service mis à chauffer, entourée des légumes. Servir très chaud avec des moutardes variées, des cornichons, des câpres et du gros sel.

bœuf gros sel ou bœuf bouilli

Mettre 750 g d'os de bœuf ou de veau dans un faitout avec 2,5 litres d'eau et porter à ébullition. Ôter l'écume à la surface du bouillon et sur la paroi du récipient, et laisser bouillir 1 heure. Ajouter de 1,250 à 2 kg de bœuf suivant les morceaux (gîte, joue, macreuse, paleron, plat de côtes, queue) et leur proportion d'os ; porter de nouveau à ébullition et écumer. Ajouter alors les légumes épluchés : 6 carottes et 3 navets moyens, 6 petits poireaux liés en botte, 2 branches de céleri coupées en tronçons et liées en botte, 1 morceau de panais, 2 oignons dont 1 piqué de 2 clous de girofle, 1 beau bouquet garni et, éventuellement, 1 ou 2 gousses d'ail. Saler, poivrer, couvrir et cuire 3 heures à petit feu. Égoutter la viande, la découper en morceaux réguliers et la servir entourée des légumes, également égouttés. Accompagner de gros sel, d'oignons et de cornichons au vinaigre, et de moutarde. On peut cuire un os à moelle, enveloppé dans une mousseline, 15 min dans le faitout. Au moment de servir, extraire la moelle et en tartiner des croûtons de pain grillé.

bœuf miroton

Faire suer une dizaine de cuillerées à soupe d'oignon épluché et finement émincé dans 125 g de beurre ; poudrer régulièrement de 1 cuillerée à soupe de farine. Faire blondir en remuant sans arrêt, puis ajouter 2 cuillerées à soupe de vinaigre et autant de bouillon (ou de vin blanc). Porter à ébullition, puis retirer du feu. Verser la moitié de cette sauce dans un plat à gratin long. Couper 500 g de bœuf bouilli refroidi en tranches minces ; les ranger dans le plat, sur la sauce, en les faisant légèrement se chevaucher ; napper du reste de la sauce ; poudrer largement de chapelure, arroser de beurre fondu (ou de graisse de rôti). Mettre au four préchauffé à 230 °C et faire gratiner doucement, sans laisser bouillir. Parsemer de persil ciselé et servir brûlant.

bœuf à la mode

Couper 250 g de lard gras en gros bâtonnets et les faire macérer de 5 à 6 heures avec 10 cl de cognac et des épices. En larder un morceau de culotte de bœuf de 2 kg ; le saler et le poivrer généreusement, et le faire macérer de 5 à 6 heures (en le retournant plusieurs fois pour qu'il s'imprègne des différents parfums) dans le cognac de macération des lardons, avec 1 litre au moins d'excellent vin rouge, 10 cl d'huile d'olive, 250 g d'oignons épluchés et émincés, 1 kg de carottes moyennes pelées et détaillées en rondelles, 2 ou 3 gousses d'ail pelées, 1 bouquet garni, quelques grains de poivre. Blanchir à l'eau bouillante 1 pied de veau désossé et quelques couennes de porc partiellement dégraissées. Sortir la viande et l'éponger soigneusement. Égoutter à part les éléments de la marinade. Dorer la viande de tous les côtés à l'huile d'olive, dans une cocotte à fond épais ; y ajouter les éléments de la marinade, puis les couennes et le pied de veau égouttés. Mouiller avec la marinade et environ 75 cl de bouillon. Saler, couvrir, porter à ébullition sur le feu, puis mettre dans le four préchauffé à 200 °C et cuire 2 h 30 environ. Couper le bœuf en tranches régulières et l'entourer de carottes et du pied de veau coupé en dés. Passer le fond de braisage au chinois au-dessus de la viande.

DÉCOUPE DU BŒUF

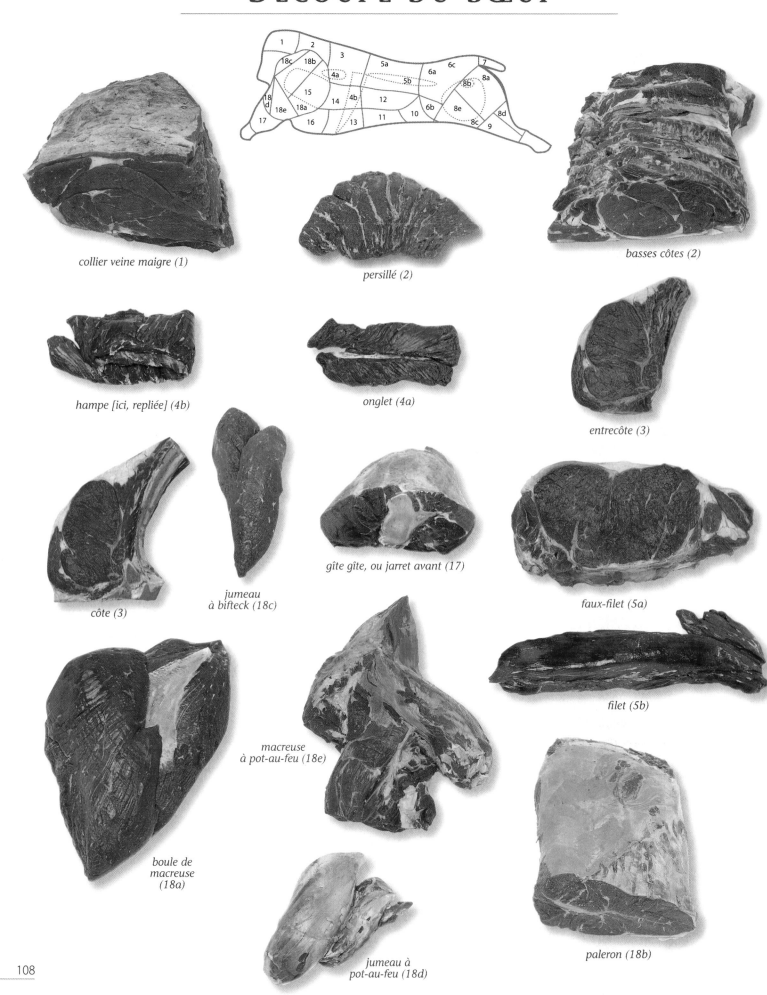

collier veine maigre (1)

persillé (2)

basses côtes (2)

hampe [ici, repliée] (4b)

onglet (4a)

entrecôte (3)

côte (3)

jumeau
à bifteck (18c)

gîte gîte, ou jarret avant (17)

faux-filet (5a)

macreuse
à pot-au-feu (18e)

filet (5b)

boule de
macreuse
(18a)

jumeau à
pot-au-feu (18d)

paleron (18b)

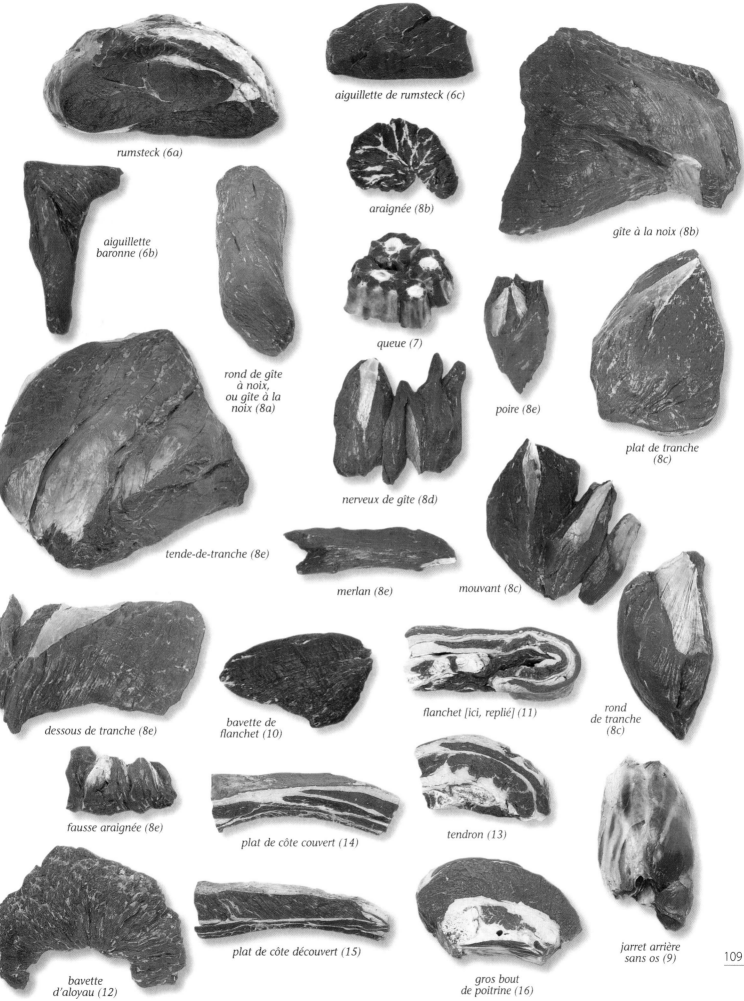

rumsteck (6a)

aiguillette de rumsteck (6c)

araignée (8b)

gîte à la noix (8b)

aiguillette
baronne (6b)

rond de gîte
à noix,
ou gîte à la
noix (8a)

queue (7)

poire (8e)

plat de tranche
(8c)

nerveux de gîte (8d)

tende-de-tranche (8e)

merlan (8e)

mouvant (8c)

rond
de tranche
(8c)

dessous de tranche (8e)

bavette de
flanchet (10)

flanchet [ici, replié] (11)

fausse araignée (8e)

plat de côte couvert (14)

tendron (13)

bavette
d'aloyau (12)

plat de côte découvert (15)

gros bout
de poitrine (16)

jarret arrière
sans os (9)

bœuf salé

Placer en saumure de la poitrine de bœuf, ou éventuellement de la pointe de culotte et du paleron (de 6 à 8 jours en été, de 8 à 10 jours en hiver). Mettre ensuite la viande à dessaler et la cuire à l'eau non assaisonnée à raison de 30 min par kilo. Le bœuf salé se sert chaud, avec des légumes divers (chou rouge ou vert braisé, choucroute et, en général, tous les légumes accompagnant le bœuf bouilli). Il s'emploie aussi comme élément de potée. Servi froid, il doit refroidir sous presse.

bœuf Stroganov

Couper 750 g de filet de bœuf en lamelles de 2,5 cm de longueur ; les saler, les poivrer et les mettre dans une petite terrine avec 4 oignons et 3 échalotes épluchés et ciselés, 1 grosse carotte pelée et coupée en rondelles, 1 feuille de laurier en fragments et 1 petite branche de thym frais émiettée ; mouiller à hauteur de vin blanc. Laisser mariner au moins 12 heures au frais, à couvert. Égoutter les lamelles de viande et les éponger ; faire réduire la marinade de moitié. Dorer 200 g de champignons nettoyés et émincés dans une sauteuse avec 30 g de beurre, puis les réserver au chaud. Essuyer la sauteuse et y chauffer 50 g de beurre ; ajouter la viande et la faire sauter 5 min à feu vif, en la retournant sans arrêt pour qu'elle ne brûle pas ; l'arroser avec 1 petit verre de cognac préalablement chauffé et flamber. La disposer dans un plat tenu au chaud. Mettre les champignons dans la sauteuse, ajouter la marinade réduite et passée, ainsi que 15 cl de crème fraîche épaisse ; remuer sur feu vif pour faire épaissir la sauce, rectifier l'assaisonnement et napper la viande. Parsemer de persil plat ciselé et servir très chaud.

bouillon de bœuf ou *marmite de bœuf* ▶ BOUILLON
brochettes de filet de bœuf mariné ▶ BROCHETTE

côte de bœuf rôtie bouquetière de légumes

Saler et poivrer une tranche épaisse de côte de bœuf (avec 2 os), l'arroser de beurre fondu et la cuire au four préchauffé à 250 °C (18 min environ par kilo) ; l'égoutter et la tenir 30 min dans le four éteint (porte entrouverte), recouverte d'une feuille d'aluminium, pour que la chaleur se répartisse uniformément à l'intérieur. Préparer une garniture bouquetière : cuire à l'eau salée des petites carottes et des petits navets tournés en gousses, des haricots verts fins, des fonds d'artichaut et des bouquets de chou-fleur ; les égoutter et les passer au beurre clarifié. Cuire des petits pois à la française, en garnir les fonds d'artichaut. Dorer au beurre des petites pommes de terre nouvelles. Dresser la côte sur le plat de service, entourée de tous les légumes en bouquets et de cresson. Déglacer au bouillon le plat de cuisson, faire réduire pour rendre le jus onctueux et servir à part.

crème de mozzarella de bufflonne
  avec tartare de bœuf, raifort et câpres ▶ MOZZARELLA
croquettes de bœuf ▶ CROQUETTE

entrecôte Bercy

POUR 4 PERSONNES – PRÉPARATION : 20 min – CUISSON : de 5 à 10 min
Préchauffer le gril à 240 °C. Réaliser 160 g de beurre Bercy (voir page 96), le dresser en saucière et le garder souple. Assaisonner puis griller 2 entrecôtes de 350 à 400 g. Napper chacune de 1 cuillerée à soupe de glace de viande blonde et dresser sur le plat de service. Servir le beurre Bercy sur les entrecôtes devant les convives.

entrecôte au beurre d'anchois

POUR 4 PERSONNES – PRÉPARATION : 10 min – CUISSON : de 5 à 10 min
Préchauffer le gril à 240 °C. Réaliser 120 g de beurre d'anchois (voir page 96), le dresser en saucière et le garder souple. Assaisonner puis griller 2 entrecôtes de 350 à 400 g. Les dresser sur le plat de service, puis les lustrer au beurre clarifié. Servir le beurre d'anchois sur les entrecôtes devant les convives.

entrecôte bordelaise

POUR 4 PERSONNES – PRÉPARATION : 40 min – CUISSON : de 5 à 10 min
Détailler 250 g de moelle en 8 belles lames et le reste en petits dés. Laisser dégorger dans de l'eau glacée vinaigrée. Réaliser 20 cl de sauce bordelaise (voir page 781) et la réserver au chaud au bain-marie. Dans un sautoir, faire chauffer 2 cl d'huile et 20 g de beurre. Y faire sauter 2 entrecôtes de 350 à 400 g, les placer sur une grille dans un plat et réserver au chaud. Dégraisser le sautoir de cuisson, déglacer avec 5 cl de vin rouge et réduire de moitié. Pocher la moelle sans ébullition dans de l'eau salée. Verser la sauce bordelaise dans le sautoir, vérifier l'assaisonnement. Monter avec 10 g de beurre, égoutter la moelle et l'ajouter. Dresser les entrecôtes sur le plat de service, les lustrer au beurre clarifié, disposer 2 lames de moelle sur chacune, surmonter d'une pointe de persil haché. Verser un cordon de sauce bordelaise autour des entrecôtes. Servir aussitôt.

entrecôte grand-mère

Préparer 12 petits oignons glacés, 12 têtes de champignon blanchies et 50 g de petits lardons de poitrine maigre de porc blanchis. Dorer l'entrecôte, complètement sur une face et à moitié sur l'autre, à feu très vif, puis ajouter les 3 garnitures dans la poêle jusqu'à ce que la seconde face de l'entrecôte soit cuite à point. La dresser dans le plat de service chaud avec ses garnitures et tenir au chaud. Déglacer la poêle avec un peu de bouillon et napper l'entrecôte. Parsemer de persil ciselé, et servir avec des pommes de terre rissolées.

entrecôte grillée

POUR 4 PERSONNES – PRÉPARATION : 10 min – CUISSON : de 8 à 10 min
Nettoyer 1/2 botte de cresson, former 2 bouquets et réserver au frais. Préchauffer le gril à 200 °C. Nettoyer la grille et l'huiler légèrement à l'aide d'un papier absorbant. Assaisonner de sel fin et de poivre du moulin chaque face des entrecôtes puis les badigeonner d'une fine pellicule d'huile d'arachide. Les poser en diagonale sur le gril et cuire 2 min puis les faire pivoter d'un quart de tour pour obtenir un quadrillage et les laisser cuire de nouveau 2 min. Les retourner et effectuer la même opération. Ne pas piquer ni appuyer sur la viande pendant la cuisson. Le temps de cuisson sera plus ou moins long en fonction de l'épaisseur de la bavette et du point de cuisson souhaité (bleu, saignant, à point ou bien cuit). Les disposer sur une grille au-dessus d'un plat. Les laisser reposer 3 min pour permettre aux sucs de se diffuser. Les dresser au centre d'un plat ovale et disposer un bouquet de cresson à côté de chacune.

entrecôte marchand de vin

POUR 4 PERSONNES – PRÉPARATION : 20 min – CUISSON : de 5 à 10 min
Préchauffer le gril à 240 °C. Réaliser 120 g de beurre marchand de vin (voir page 94), le dresser en saucière et le garder souple. Assaisonner puis griller 2 entrecôtes de 350 à 400 g. Les dresser sur le plat de service, les lustrer au beurre clarifié. Servir le beurre marchand de vin sur les entrecôtes devant les convives.

entrecôte Mirabeau

Dénoyauter une quinzaine d'olives vertes et les blanchir à l'eau bouillante. Préparer 2 cuillerées à dessert de beurre d'anchois. Blanchir quelques feuilles d'estragon. Griller 2 entrecôtes minces. Les quadriller de filets d'anchois, en lanières, et les garnir de feuilles d'estragon blanchies, d'olives vertes et de toutes petites coquilles de beurre d'anchois.

entrecôte poêlée (sautée)

POUR 4 PERSONNES – PRÉPARATION : 5 min – CUISSON : de 6 à 8 min
Chauffer 15 g de beurre dans un sautoir ou une poêle. Saler et poivrer 2 entrecôtes de 350 à 400 g. Saisir fortement les entrecôtes dans le beurre très chaud. Cuire pendant 3 min jusqu'à ce qu'elles soient bien dorées. Les retourner puis cuire encore 3 min. Arroser la face cuite avec le beurre de cuisson. Selon la cuisson désirée (bleue, saignante, à point ou bien cuite), ajuster le temps sur chaque face. Les déposer sur une grille au-dessus d'un plat et les laisser reposer 3 min pour permettre aux sucs de se diffuser. Les dresser au centre d'un plat ovale. Les sucs contenus dans le sautoir de cuisson peuvent servir à confectionner une sauce qui accompagnera les entrecôtes.

entrecôte poêlée à la bourguignonne

Poêler au beurre une entrecôte de 400 à 500 g, puis l'égoutter et la tenir au chaud sur le plat de service. Verser dans la poêle ou le sautoir 10 cl de vin rouge de bourgogne, le faire réduire à glace, puis ajouter

10 cl de fond de veau. Porter à ébullition et, hors du feu, ajouter 30 g de beurre. L'incorporer puis vérifier l'assaisonnement et napper l'entrecôte de cette sauce.

entrecôte poêlée à la lyonnaise

Éplucher 2 gros oignons, les émincer, les faire fondre au beurre. Poêler au beurre dans un plat à sauter une entrecôte de 400 à 500 g, en ajoutant les oignons aux trois quarts de la cuisson. Égoutter le tout dans le plat de service. Tenir au chaud. Déglacer le plat à sauter avec 2 cuillerées à soupe de vinaigre et 10 cl de demi-glace ; faire réduire, ajouter 1 cuillerée à dessert de persil haché, mélanger et verser sur l'entrecôte.

entrecôte vert-pré

POUR 4 PERSONNES – PRÉPARATION : 30 min – CUISSON : 10 min

Réaliser 120 g de beurre maître d'hôtel (voir page 94), le dresser en saucière et le garder souple. Préchauffer la friteuse à 170 °C. Tailler 800 g de pommes de terre bintje en pommes paille, les laver, les égoutter puis les frire. Saler et tenir au chaud. Préchauffer le gril à 240 °C. Préparer 1/4 de botte de cresson et former 2 bouquets. Réserver au froid. Assaisonner puis griller 2 entrecôtes de 350 à 400 g. Dresser les entrecôtes au centre du plat de service, les lustrer au beurre clarifié, disposer 1 buisson de pommes paille et 1 bouquet de cresson à chaque extrémité. Servir le beurre maître d'hôtel sur les entrecôtes devant les convives.

estouffade de bœuf ▶ ESTOUFFADE

faux-filet braisé

Détailler du lard gras en fins bâtonnets et les faire macérer 30 min environ avec du cognac, du sel, du poivre et un peu de quatre-épices ; en larder le faux-filet. Saler, poivrer et laisser mariner 12 heures avec du vin blanc (ou rouge), du thym, du laurier, du persil haché et 1 gousse d'ail pelée et écrasée. Égoutter la viande et la dorer au beurre ou à l'huile. Faire revenir au beurre 2 gros oignons et 2 grosses carottes épluchés et coupés en dés ou en rouelles, et faire colorer au four quelques os de veau concassés. Étaler les légumes dans une braisière et y disposer le faux-filet. Ajouter les os colorés, 1 ou 2 pieds de veau blanchis et désossés, la marinade, 2 ou 3 cuillerées à soupe de concentré de tomate, du bouillon à hauteur de la viande, 1 bouquet garni, du sel et du poivre. Couvrir, porter à ébullition sur le feu, puis mettre au four préchauffé à 200 °C et cuire 2 h 30. Tourner de petites carottes en gousses, les ajouter dans la braisière et poursuivre la cuisson 1 heure. Préparer des petits oignons glacés. Quand la viande est cuite, l'égoutter et la garder au chaud dans un plat creux. Dégraisser la cuisson, la réduire et la lier très légèrement en incorporant un peu d'arrow-root dilué dans une petite quantité d'eau. Tailler la chair des pieds de veau en dés, les disposer avec les carottes et les petits oignons autour de la viande, et napper du fond de cuisson.

filet de bœuf en brioche

Préparer de la pâte à brioche sans sucre avec 500 g de farine tamisée, 20 g de levure de boulanger, 10 cl d'eau, 10 g de sel fin, 6 œufs entiers moyens et 250 g de beurre. Chauffer dans une cocotte 25 g de beurre et 3 cuillerées à soupe d'huile, et y dorer, à feu vif, sur toutes les faces, un morceau de filet de bœuf ficelé, sans barde, de 1,5 kg. Mettre au four préchauffé à 260 °C, à découvert, et cuire 10 min en arrosant la viande deux ou trois fois. L'égoutter, la saler, la poivrer et la laisser refroidir complètement. Régler le four à 220 °C. Abaisser la pâte à brioche en formant un rectangle assez grand pour envelopper le filet. Déficeler celui-ci, le poser au centre de la pâte, dans le sens de la longueur, le badigeonner d'œuf battu et le recouvrir d'un des grands côtés du rectangle de pâte. Badigeonner d'œuf battu l'intérieur de l'autre côté de la pâte pour la faire adhérer à la viande et rouler le filet déjà à demi enveloppé dans cette pâte. Bien appuyer. Trancher les deux extrémités de la pâte un peu au-delà de la viande et les souder. Badigeonner tout le dessus d'œuf battu. Tailler des motifs à l'emporte-pièce dans le reste de la pâte, en décorer le dessus de la croûte et la dorer à l'œuf. Fariner la tôle du four et y déposer le filet en brioche. Enfourner, cuire 30 min et servir avec une sauce Périgueux.

filet de bœuf à la Frascati

Préparer une sauce demi-glace aromatisée au porto. Étuver au beurre ou cuire au four les têtes de très gros champignons de Paris. Cuire également au beurre des pointes d'asperges vertes très courtes. Détailler en escalopes fines du foie gras frais, de canard de préférence, et les faire sauter vivement au beurre clarifié. Tenir tous ces éléments au chaud. Rôtir un filet de bœuf. Garnir les deux tiers des têtes de champignon avec les asperges, et les autres avec un salpicon ou une julienne de truffes étuvées au madère. Mettre le rôti dans le plat de service et disposer autour les champignons et les escalopes de foie gras. Napper légèrement de la demi-glace au porto.

filet de bœuf à la matignon

Piquer un filet de bœuf de langue écarlate et de truffe. Le masquer de matignon et l'envelopper de bardes très fines, maintenues avec quelques tours de ficelle. Le braiser en le mouillant de madère au tiers de sa hauteur, au four et à couvert, pendant 1 heure, puis déficeler et retirer les bardes, ainsi que la matignon. Dégraisser le fond de cuisson et le passer au chinois, puis en napper le filet et le faire glacer au four. L'entourer d'une garniture matignon et servir dans une saucière le reste du fond de braisage.

filet de bœuf Prince-Albert

Faire macérer au frais, pendant 24 heures, un foie gras d'oie cru, clouté de truffe, dans un peu de cognac, avec du sel et du poivre. Piquer de lard fin le milieu d'un filet de bœuf. L'ouvrir par le centre dans le sens de la longueur, sans séparer les deux moitiés ; y placer le foie égoutté, refermer le filet et le ficeler serré. Le dorer à feu vif au beurre dans une braisière sur toutes les faces, puis le masquer de matignon et le recouvrir de bardes très fines. Le ficeler une seconde fois. Préparer un fond de braisage avec un pied de veau et une garniture aromatique ; lui ajouter la macération du foie ; verser le tout dans la braisière et y déposer le filet. Mouiller de porto, couvrir, porter à ébullition sur le feu, puis mettre au four préchauffé à 250 °C et cuire 1 heure. Déficeler le filet sans le dérouler, retirer les bardes et la matignon. Filtrer le fond de braisage, en arroser le rôti et faire glacer vivement dans le four porté à 290 °C. Finir de déficeler la pièce, la dresser dans le plat de service et garnir de truffes entières, cuites au beurre à l'étuvée ou pochées au madère. Servir dans une saucière le fond de braisage dégraissé et de nouveau passé au tamis fin.

RECETTE DE GÉRARD VIÉ

fondants de bœuf au chambertin

« Parer 2 kg de noix de joue de bœuf, bien les assaisonner de sel et de poivre et les dorer à l'huile dans une grande cocotte. Détailler en mirepoix 2 carottes, 1 poireau, 1 oignon, 1 branche de céleri et 1/2 botte de cerfeuil ; les ajouter dans le récipient. Mouiller avec 2 litres de vin rouge de Chambertin et 1 litre de fond de veau. Cuire 3 heures les légumes à feu doux. Égoutter la viande en gardant le jus de cuisson, la laisser refroidir et l'émietter grossièrement. Chemiser 6 tasses à thé de crépine de porc, en la laissant largement dépasser tout autour. Y verser une partie du mélange de viande et de légumes, jusqu'à mi-hauteur, poser dessus une petite escalope de foie gras frais de canard poêlé, les remplir complètement de mélange de viande et de légumes, et recouvrir enfin le tout avec la crépine, en l'appliquant étroitement. Réserver au frais. Préparer une purée avec 1,5 kg de pommes de terre, 200 g de beurre et 20 cl de crème liquide. Laisser réduire le jus de cuisson de moitié. Démouler les fondants et les disposer dans un sautoir ; les recouvrir de leur jus de cuisson et les cuire 15 min à four doux. Faire suer 1 courgette et 1 carotte, pelées et taillées en brunoise. Dresser les fondants sur les assiettes de service chaudes, les napper de sauce et disposer tout autour la brunoise de légumes et quelques pluches de cerfeuil. Servir accompagné de la purée. »

gras-double de bœuf à la bourgeoise ▶ GRAS-DOUBLE
gras-double de bœuf à la lyonnaise ▶ GRAS-DOUBLE
hachis de bœuf en gratin aux aubergines ▶ HACHIS
hachis de bœuf à l'italienne ▶ HACHIS

111

hochepot de queue de bœuf ▶ HOCHEPOT
joues de bœuf en daube ▶ JOUE
langue de bœuf à l'alsacienne ▶ LANGUE
paupiettes de bœuf Sainte-Menehould ▶ PAUPIETTE
queue de bœuf braisée en crépine ▶ QUEUE
salade de bœuf ▶ SALADE
steak and kidney pie ▶ STEAK AND KIDNEY PIE

RECETTE DE ROGER LALLEMAND

steak au poivre

« Découper un steak assez épais, dans le rumsteck de préférence ; le parsemer copieusement de poivre en grains écrasé (mignonnette) ; saisir le steak dans une sauteuse où l'on aura fait chauffer du beurre clarifié ou de l'huile. À mi-cuisson, le saler. Après cuisson, le retirer et le conserver au chaud. Dégraisser la sauteuse et la déglacer avec vin blanc et cognac ; après une courte réduction, ajouter 2 cuillerées à soupe de demi-glace ou de fond de veau lié ; laisser réduire encore pour que la sauce devienne onctueuse ; terminer avec du beurre frais ; rectifier l'assaisonnement en sel. Servir en nappant le steak de sa sauce. Certains le font préalablement flamber au cognac, à l'armagnac, au whisky ou à la fine champagne, et il est courant de mettre un point final à la sauce avec de la crème. Précisons enfin que, depuis quelques années, le poivre vert est couramment utilisé pour préparer le steak au poivre. »

steak tartare

Hacher de 150 à 200 g de viande de bœuf (rumsteck, contre-filet ou tranche grasse). Saler et poivrer ; ajouter un soupçon de poivre de Cayenne et quelques gouttes de Worcestershire sauce ou de Tabasco. Façonner la viande en boule, la dresser sur une assiette et creuser le centre ; y faire glisser 1 jaune d'œuf cru. Disposer autour de la viande 1 cuillerée à dessert rase d'oignon haché, 1 cuillerée à café de câpres égouttées, 1 grosse pincée de persil ciselé et de l'échalote hachée. Servir avec du tomato ketchup, de l'huile d'olive et de la Worcestershire sauce.

tournedos Henri IV

POUR 4 PERSONNES – PRÉPARATION : 45 min – CUISSON : de 6 à 10 min
Tourner les fonds de 4 petits artichauts (voir page 52) et les cuire dans un blanc pour légumes (voir page 102). Lorsque les fonds sont cuits, enlever soigneusement tout le foin. Les placer dans un sautoir beurré, déposer dans chacun 5 g de beurre et 1 petite pincée de sel fin, couvrir et tenir au chaud. Éplucher et laver 800 g de pommes de terre. Lever les pommes noisettes à l'aide d'une cuillère à racines. Les blanchir puis les faire rissoler dans 4 cl d'huile d'arachide et 20 g de beurre. Les égoutter, saler et tenir au chaud avec 10 g de beurre. Préchauffer le gril à 240 °C. Monter une sauce béarnaise avec 125 g de beurre clarifié (voir page 95), la tenir au chaud, sans plus. Assaisonner puis griller 4 tournedos de 160 à 180 g chacun. Pendant ce temps, garnir les fonds d'artichaut avec les pommes noisettes. Dresser les tournedos sur le plat de service. Sur la bordure de chaque tournedos, disposer un cordon de sauce béarnaise (à l'aide d'une poche à douille par exemple), puis placer au milieu un fond d'artichaut. Servir aussitôt. Servir le reste de sauce béarnaise à part.

tournedos Masséna

Étuver au beurre des fonds d'artichaut moyens et pocher dans un court-bouillon 2 lames de moelle par tournedos. Préparer une sauce Périgueux légère. Faire sauter les tournedos dans du beurre et les disposer sur un plat en les alternant avec les fonds d'artichaut. Garnir les tournedos de lames de moelle et les fonds d'artichaut de sauce Périgueux. Servir dans une saucière le reste de la sauce.

tournedos Rossini

Faire sauter au beurre 1 escalope de foie gras et 2 lames de truffe, et frire 1 croûton rond. Poêler le tournedos au beurre et le dresser sur le croûton. Disposer dessus l'escalope de foie gras, puis les lames de truffe. Déglacer au madère les sucs de cuisson et napper le tournedos.

BŒUF À LA MODE (LE) Restaurant fondé en 1792 près du Palais-Royal, à Paris, par deux frères marseillais. Il fut racheté sous le Directoire par Tissot, qui en fit un lieu élégant et réputé pour sa cuisine méridionale ; la nouvelle enseigne – un bœuf habillé en « merveilleuse » – contribua à son succès. Sous la Restauration, Tissot habilla le bœuf « à la mode du jour », avec un châle et un chapeau à brides. L'établissement disparut en 1936. Son livre d'or porte cette amusante appréciation, signée par Berthe Bovy et Pierre Fresnay : « J'aime mieux ta cuisine, ô Bœuf, que celle d'en face ; c'est moins vache… » En face, c'était le Théâtre-Français.

BOGUE Poisson de la famille des sparidés, abondant dans le golfe de Gascogne et en Méditerranée (voir planche des poissons de mer pages 674 à 677). Fuselé, long de 20 à 30 cm, le bogue porte des épines sur le dos. Il est surtout utilisé dans les soupes de poissons.

BOHÉMIENNE (À LA) Se dit de divers apprêts (œufs mollets, salpicon) ainsi que d'une sauce d'accompagnement de mets froids à base de béchamel froide, qui permet de lier une émulsion de jaunes d'œuf et d'huile relevée de vinaigre d'estragon.

Quant au poulet sauté à la bohémienne, ses ingrédients (ail, fenouil, poivron, tomate) l'apparentent à un apprêt provençal, la *boumanio* (« bohémienne »), ou ratatouille niçoise. Il est accompagné de riz nature, qu'on retrouve également, avec de la tomate concassée et des rondelles d'oignon frites, pour garnir les noisettes d'agneau à la bohémienne.

▶ Recettes : POULET, SALPICON.

BOISSON Liquide que l'on boit pour se désaltérer et pour maintenir la proportion normale d'eau dans l'organisme. La boisson la plus naturelle et la plus simple, la seule qui soit indispensable à tout être vivant, est l'eau. La consommation conseillée de boisson sous un climat tempéré est de 1 à 1,5 litre par jour (le reste des besoins du corps étant fourni par les aliments), mais ceux-ci varient en fonction de la chaleur et de l'alimentation. Les viandes, les mets salés, épicés ou sucrés augmentent la soif.

■ **Préparations.** Les préparations à base d'eau (gazeuse ou non, froide ou chaude) comprennent limonades, sodas et sirops, bouillons, infusions et tisanes, thé, café, chocolat, chicorée. Les boissons d'origine végétale sont fermentées ou non : vin, cidre, bière, poiré, hydromel, jus de fruits et de légumes ; elles peuvent être transformées par la distillation (eaux-de-vie, liqueurs, alcools). Le lait, d'origine animale, peut se boire seul ou en mélange (milk-shake, képhir).

■ **Consommation.** Les habitudes de consommation sont très variables selon les civilisations et les latitudes. En règle générale, les Orientaux et les Russes ne boivent pas en mangeant, mais prennent du thé à la fin du repas. Le thé est d'ailleurs, après l'eau, la boisson la plus consommée dans le monde.

En France, l'eau, plate ou gazeuse, la bière et le vin accompagnent traditionnellement les repas. Certains vins, d'ailleurs, relèvent de la gastronomie. En dehors des repas, chaque circonstance obéit à un savoir-vivre différent. On peut proposer des rafraîchissements, inviter à prendre le thé, servir l'apéritif, offrir un vin d'honneur, prendre un « pot ».

Autrefois, la plupart des boissons étaient de fabrication ménagère ou artisanale (bières et liqueurs de ménage, sirop d'orgeat, bichof, etc.) ; aujourd'hui, les boissons industrielles, dont le marché s'est considérablement développé (notamment dans le domaine des jus de fruits), se présentent sous les conditionnements (bouteilles, boîtes, briques) et les traitements (jus concentrés, poudres, surgelés) les plus divers.

■ **Réglementation.** En France, les boissons sont classées en cinq groupes : boissons sans alcool (eau, jus de fruits, boissons aux fruits – au moins 10 % de jus de fruits –, limonades, etc.) ; boissons fermentées non distillées (vin, bière, cidre, vins doux naturels jusqu'à 30 % Vol., etc.) ; vins doux naturels au-dessus de 30 % Vol., apéritifs à base de vin et liqueurs de fruits rouges titrant moins de 18 % Vol. ; rhums, tafias et alcools provenant de la distillation ; toutes les autres boissons alcooliques.

BOLÉE Petit bol sans oreilles, parfois avec anse, souvent en faïence ou en terre vernissée, de contenance variable, dans lequel on sert traditionnellement le cidre. Dans le Cotentin, il prend le nom de « moque ». Le mot désigne aussi le contenu du bol.

BOLET Champignon des bois de la famille des bolétacées, vivant en symbiose avec les arbres (espèces mycorhiziennes), reconnaissable aux tubes (appelés « foin ») qui garnissent le dessous du « chapeau ». Son pied est le plus souvent ventru. De nombreuses espèces sont comestibles, les plus connues étant les cèpes (**voir** ce mot).

BOLIVIE Pays d'origine de la pomme de terre (avec le Pérou), la Bolivie se flatte d'en produire plus de trois cents variétés.

On y apprécie beaucoup les *chuños*, pommes de terre gelées puis séchées, très légères, que l'on fait tremper avant de les cuisiner. Outre les soupes pimentées et les petites fritures cuites en plein air, la cuisine bolivienne possède une spécialité : le *conejo estirado*, un lapin étiré au maximum dont la chair devient extrêmement fine.

BOLLITO MISTO Pot-au-feu du centre de l'Italie. Les viandes sont longuement cuites dans un bouillon, avec oignons, carottes et côtes de céleri ; les légumes complémentaires (carottes, navets, céleri-rave, etc.) sont cuits ensuite dans un peu de bouillon passé.

bollito misto alla piemontese

Mettre dans un faitout rempli d'eau froide 500 g de plat de côtes couvert et découvert, 500 g de queue de bœuf et 500 g de macreuse (ou de gîte). Porter lentement à ébullition en écumant souvent. Ajouter 2 oignons épluchés, 3 branches de céleri nettoyées, 3 gousses d'ail pelées, 5 brins de persil plat, 1 brin de romarin, 10 grains de poivre noir et un peu de sel de mer. Couvrir et cuire de 1 h à 1 h 30. Ôter les morceaux au fur et à mesure, quand ils sont tendres. Dans un autre faitout, cuire 1 langue de veau, la peler soigneusement et la réserver. Après avoir piqué le *cotechino* (saucisson à cuire), le cuire dans un peu de bouillon. Cuire enfin 1 tête et 1 pied de veau dans de l'eau aromatisée de 1 oignon et de 1 branche de céleri. Servir sur un plateau les viandes très chaudes, accompagnées des sauces traditionnelles (la verte, la rose et la *pearà*), de petits oignons, de moutarde de Vérone (sorte de moutarde de purée de pomme) et de moutarde de Crémone (faite de plusieurs sortes de fruits cuits dans un sirop moutardé très piquant).

BOLOGNAISE (À LA) Se dit de divers apprêts inspirés de la cuisine italienne, de Bologne en particulier, accompagnés d'une sauce épaisse, à base de légumes et de viande de bœuf. En Italie, la sauce « bolognaise » qui accompagne les pâtes porte le nom de *ragù*, déformation du français « ragoût ».
▶ Recettes : LASAGNES, SAUCE, TIMBALE.

BOMBE GLACÉE Entremets glacé, fait d'un appareil à bombe enrichi d'ingrédients divers pour en faire un parfait glacé, qui prend au froid dans un moule chemisé de glace ou de sorbet.

appareil à bombe : préparation

Mettre 32 jaunes d'œuf et 1 litre de sirop de densité 1,2850 dans une casserole, placer celle-ci dans un bain-marie sur le feu. Fouetter le mélange jusqu'à ce qu'il devienne épais et mousseux. Le passer dans un chinois très fin. Le fouetter à nouveau jusqu'à ce qu'il ait complètement refroidi et qu'il soit devenu léger, mousseux et blanchâtre. Y incorporer enfin un volume égal de crème fouettée et le parfum choisi.

chemiser un moule de glace : méthode

Placer dans le réfrigérateur pendant 20 min le moule pour qu'il soit très froid et la glace choisie pour le chemisage, afin qu'elle s'y assouplisse. L'étaler grossièrement sur le fond et le bord du moule avec une spatule ; faire durcir au congélateur pendant 15 min environ, puis lisser la glace avec la spatule. Remettre le moule pendant 1 heure dans le congélateur avant de l'emplir avec l'appareil à bombe, sauf si celui-ci est un parfait : dans ce cas, verser aussitôt la préparation dans le moule contre

les parois de glace bien lissées et placer le moule dans le congélateur pendant 5 ou 6 heures.

bombe Alhambra
Chemise : glace à la vanille. Intérieur : appareil à bombe à la fraise (mélange de purée de fraise, de meringue italienne et de chantilly). Après démoulage, décorer de grosses fraises macérées dans du kirsch.

bombe archiduc
Chemise : glace à la fraise. Intérieur : appareil à bombe pralinée.

bombe Bourdaloue
Chemise : glace à la vanille. Intérieur : appareil à bombe à l'anisette. Après démoulage, décorer de petites violettes candies.

bombe Chateaubriand
Chemise : glace à l'abricot. Intérieur : appareil à bombe à la vanille, mélangée de dés d'abricot confit, macérés dans du kirsch.

bombe diplomate
Chemise : glace à la vanille. Intérieur : appareil à bombe au marasquin, mélangée de fruits confits coupés en dés et macérés dans du marasquin.

bombe Doria
Chemise : glace à la pistache. Intérieur : appareil à bombe à la vanille, mélangée de fragments de marrons glacés macérés dans du rhum. Décorer éventuellement de feuilles en chocolat.

bombe duchesse
Chemise : glace à l'ananas. Intérieur : appareil à bombe à la poire.

CHEMISER UN MOULE DE GLACE

1. Garnir de glace le fond d'un moule à bombe bien froid et tapoter avec une spatule pour éliminer les bulles d'air. Faire remonter la glace sur les parois.

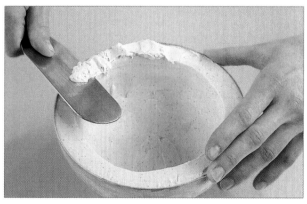

2. L'épaisseur de la glace doit être régulière. Terminer en arasant la glace pour obtenir un bord net.

bombe Monselet

Chemise : glace à la mandarine. Intérieur : appareil à bombe au porto, mélangée de dés de zestes d'orange confits macérés dans de la fine champagne.

bombe Montmorency

Chemise : glace au kirsch. Intérieur : appareil à bombe au cherry brandy.

BONBON Produit de confiserie à base de sucre, à sucer ou à croquer.

■ **Histoire.** Les Anciens fabriquaient déjà des friandises, mais c'est à partir du XIIᵉ siècle que le véritable bonbon apparaît, avec la canne à sucre que les croisés rapportent d'Orient. Le XIVᵉ siècle est la grande époque des pâtes d'amande et de fruit, du sucre de pomme, des confitures, du massepain et du pignolat. Dragées et pralines datent de la Renaissance, dont la mode est entretenue par François Iᵉʳ et Henri IV. Mais si le bonbon se démocratise, il restera néanmoins toujours citadin. Au XVIIᵉ et au XVIIIᵉ siècle, les confiseries de Paris deviennent le rendez-vous des riches bourgeois. Marrons glacés, pastilles, papillotes, fruits confits et sucettes se multiplient. Enfin, avec l'apparition du sucre de betterave, les bonbons se popularisent et se diversifient à l'extrême, sous les appellations les plus fantaisistes.

C'est vers la fin du XIXᵉ siècle que sont créées les premières usines. Aujourd'hui, le bonbon est une branche importante de la confiserie, où les traditions régionales jouent toujours un grand rôle. On peut citer comme exemples : la bergamote de Nancy, la bêtise de Cambrai, le berlingot de Nantes, ou de Carpentras, la pastille de Vichy, le négus de Nevers, la violette de Toulouse. Les principales matières premières utilisées sont le sucre, le sirop de glucose, le lait (entier ou écrémé), la gomme arabique, les amandes et les noisettes, la graisse végétale, les fruits, le miel et le beurre. L'aromatisation artificielle est autorisée, de même que l'acidulation et la coloration (**voir** ADDITIF ALIMENTAIRE). Parmi les principaux produits de confiserie fabriqués aujourd'hui, les bonbons de sucre cuit occupent la première place ; viennent ensuite les chewing-gums, les pâtes à mâcher, les caramels et les toffees, les fruits confits et les pâtes de fruit, les dragées et les produits gélifiés, les gommes et les réglisses, les fondants et les papillotes, les bonbons à la liqueur et les bonbons à base de gel d'amidon.

■ **Fabrication.** Le procédé de fabrication classique des bonbons consiste à cuire une masse de saccharose et de glucose, aromatisée et colorée par la suite. On forme alors un boudin, qui est partiellement refroidi, puis mis en forme (pour les bonbons pleins) ou coulé (pour les bonbons fourrés).

● **BONBONS PLEINS.** Ils comprennent les berlingots, bêtises, bonbons acidulés aux fruits, à la menthe, au miel, aux plantes, coquelicots, sucres d'orge, sucres de pomme, sucettes, etc., et sont formés entre deux cylindres, au pilulier (bonbons ronds) ou sous une presse. Les rocks sont des bonbons cylindriques dans lesquels sont représentés des dessins de fruits, fleurs, lettres, etc., obtenus par assemblage de bandes et de boudins de sucre de couleurs différentes.

● **BONBONS FOURRÉS.** Ils sont constitués d'une enveloppe de sucre cuit enfermant de façon étanche un fourrage de composition différente. Ce fourrage pâteux ou liquide peut être de la pulpe de fruit, du pralin, une pâte au café, de la liqueur, du miel, etc.

La nature de l'arôme compte pour beaucoup dans la qualité d'un bonbon : un bonbon « fourré pur fruit » ne contient que la pulpe du seul fruit indiqué. S'il est « fourré fruit », il contient de la pulpe provenant de divers fruits et de l'arôme naturel. S'il est « fourré arôme fruit », il est composé de sirop additionné d'un arôme naturel ou renforcé.

Parmi les autres variétés de sucre cuit, on compte les bonbons feuilletés (couches de sucre alternant avec du praliné), le sucre tors, le miel des Vosges (en pavés aromatisés), etc.

Une autre catégorie de bonbons est constituée par les fondants (bonbons et bouchées au chocolat). Il existe encore les papillotes, les bonbons à la liqueur (chardons, grains de café, œufs à la liqueur, etc.) et les bonbons à base de gel d'amidon (sujets fantaisie, colorés et aromatisés, souvent vendus en vrac).

BONDELLE Poisson d'eau douce, de la famille des salmonidés, d'une taille moyenne de 25 cm, pêché dans les lacs de Neuchâtel et de Constance. On confond souvent la bondelle avec la féra, le lavaret, le peled ou le vendace, espèces du même genre, communes en Europe, qui se préparent de la même manière. Les filets de bondelle fumée sont très appréciés en hors-d'œuvre.

filets de bondelle à la neuchâteloise

Rincer et éponger 800 g de filets de bondelle après en avoir retiré la peau. Les citronner, les saler et les poivrer sur les deux faces. Les rouler en paupiettes et les disposer dans un plat beurré. Mouiller avec 40 cl de vin rosé neuchâtelois. Couvrir et pocher doucement. Réserver au chaud. Réduire le fond de cuisson ; hors du feu, le lier avec 2 jaunes d'œuf et 10 cl de crème. Ajouter un peu de jus de citron et incorporer 20 g de ciboulette ciselée. Rectifier l'assaisonnement et napper les filets.

BONITE Poisson de mer migrateur, voisin du thon, de la famille des scombridés, d'une taille moyenne de 60 cm, pouvant atteindre 1 m (**voir** planche des poissons de mer pages 674 à 677 et tableau des thons page 848). La bonite à dos rayé fréquente les eaux tempérées et chaudes de l'Atlantique (du nord de l'Écosse aux zones tropicales), de la Méditerranée et de la mer Noire. La bonite à ventre rayé se trouve surtout dans les zones tropicales et subtropicales de l'Atlantique, du Pacifique et de l'océan Indien. Ce poisson gras se prépare comme le thon.

BONNE FEMME Se dit des apprêts évoquant une cuisine mijotée, familiale ou rustique (que l'on retrouve dans les appellations « à la ménagère » et « à la paysanne »), souvent servie dans le récipient de cuisson.

abattis bonne femme ▶ ABATTIS
barbue bonne femme ▶ BARBUE
cœur de veau en casserole bonne femme ▶ CŒUR
cromesquis bonne femme ▶ CROMESQUI
grives bonne femme ▶ GRIVE
petits pois bonne femme ▶ PETIT POIS

potage bonne femme

POUR 4 PERSONNES – PRÉPARATION : 20 min – CUISSON : 30 min

Éplucher, laver 200 g de blancs de poireau et 500 g de pommes de terre. Émincer les blancs de poireau en paysanne. Dans une casserole, faire fondre 20 g de beurre et y faire suer doucement les blancs de poireau. Mouiller avec 12,5 cl d'eau froide ou de consommé. Porter à ébullition, saler légèrement. Émincer les pommes de terre en paysanne pendant ce temps, puis les ajouter dans le potage. Cuire à petite ébullition pendant 8 à 10 min. Écumer si cela est nécessaire. Trancher 1 flûte en fines rondelles et les faire sécher au four. Au terme de la cuisson du potage, vérifier l'assaisonnement et le dresser dans la soupière. Au moment de servir, ajouter 40 g de beurre en petits dés. Proposer les rondelles de pain à part.

tomates farcies chaudes bonne femme ▶ TOMATE

BONNEFONS (NICOLAS DE) Écrivain français du XVIIᵉ siècle. Valet de chambre à la cour de Louis XIV, il publia, en 1651, *le Jardinier français*, et, en 1654, *les Délices de la campagne*. Ce livre marque un tournant dans l'histoire de l'art culinaire, encore influencé par les conceptions du Moyen Âge. Bonnefons recommande la propreté dans l'exécution des plats, la diversité dans les menus et surtout la simplicité.

BONNEFOY Nom donné, d'après celui d'un restaurant parisien des années 1850, à une sauce servie avec certains poissons et filets de poisson préparés à la meunière. Il s'agit d'une sauce bordelaise, où la réduction d'échalotes, mouillée au vin blanc, n'est pas passée.

BONNES-MARES Vin AOC rouge de Bourgogne, issu du cépage pinot noir, l'un des grands crus de la côte de Nuits, produit sur les deux communes de Chambolle et de Morey-Saint-Denis. Les vins sont à la fois riches et délicats (**voir** BOURGOGNE).

BONNET Deuxième partie de l'estomac des ruminants, située entre la panse (ou rumen) et le feuillet, et appelée aussi « réseau » ou « réticulum ». Chez le bœuf, le bonnet entre dans la composition du gras-double et des tripes. Après avoir été vidé des matières en digestion, il est échaudé, gratté, puis lavé avant d'être longuement cuit et apprêté. Chez l'agneau, il enveloppe les tripous.

BONNET D'ÉVÊQUE Surnom du croupion de certaines volailles, en particulier de celui de la dinde, à cause de la forme de mitre qu'il a quand il est dressé. Le terme s'applique également à une serviette de table pliée en forme de mitre.

BONNEZEAUX Vin AOC blanc d'Anjou, moelleux et liquoreux, issu du cépage chenin blanc, aromatique, vigoureux et complexe (**voir** ANJOU).

BONTEMPS Nom d'une sauce au cidre et à la moutarde, qui accompagne viandes et volailles grillées.
▶ Recette : SAUCE.

BORASSUS Palmier d'Asie et d'Afrique, de la famille des arécacées, communément appelé « rônier », dont les jeunes pousses et les bourgeons sont comestibles. La pulpe des fruits produit une farine utilisée dans de nombreuses préparations culinaires locales ; au Sri Lanka, on en fait une confiture estimée. Les fruits se consomment aussi crus ou torréfiés. Quant à la sève, elle s'emploie pour préparer des boissons fermentées.

BORCHTCH Potage d'Europe orientale, aussi répandu en Pologne, en Ukraine qu'en Russie, qui fut l'un des premiers plats de ces pays à connaître une large diffusion en France dans les années 1920, avec l'arrivée des émigrés russes.

Il existe d'innombrables variantes de ce plat très populaire, plus ou moins richement garni selon les occasions. Ce qui le caractérise et lui donne sa couleur, ce sont les betteraves, accompagnées d'autres légumes en quantités diverses.

La formule classique est à base de viande de pot-au-feu. Le borchtch est traditionnellement servi avec de la crème aigre et additionné, à volonté, de viande coupée en dés. En Roumanie, le borchtch a un goût aigre car on y ajoute en bonne quantité un ferment à base d'épi de maïs dégrainé.

Mais il est courant de ne déguster que le potage aux betteraves, avec des champignons et des haricots blancs (borchtch maigre, typiquement polonais), en conservant la viande cuite dans le bouillon pour un autre usage. Il existe aussi un borchtch au poisson et un borchtch « vert » fait avec des épinards, de l'oseille et de l'échine de porc (ou éventuellement de la queue de bœuf).

RECETTE DE Mᵐᵉ WITWICKA ET DE S. SOSKINE

borchtch ukrainien

« Faire revenir au saindoux 2 oignons épluchés et hachés et 200 g de betterave crue coupée en lamelles ; laisser mijoter. Porter à ébullition 1 kg de plat de côtes de bœuf avec 2,5 litres d'eau. Écumer. Ajouter 500 g de chou blanc rincé à l'eau vinaigrée et coupé en lanières, 3 carottes, 1 branche de persil, des branches de céleri effilé, ainsi que les betteraves et les oignons. Saler. Cuire dans très peu d'eau 4 tomates mûres, les passer, les ajouter au potage et laisser cuire 2 heures. Ajouter alors quelques pommes de terre en quartiers. Préparer un roux au saindoux et à la farine, le délayer avec un peu de bouillon, le verser dans le borchtch avec 2 cuillerées de fenouil haché. Laisser bouillir encore 15 min et servir. Ce borchtch "à l'ukrainienne" est accompagné de crème fraîche, présentée dans un bol, de gousses d'ail, que l'on croque entre deux cuillerées de potage, de kacha de sarrasin aux lardons et de pirojki à la viande, au riz et au chou. »

BORDEAUX Appellation désignant des vins rouges, rosés, clairets, blancs (secs ou liquoreux) ou mousseux, produits dans le département de la Gironde, dont certains crus sont connus dans le monde entier (**voir** BORDELAIS).

BORDEAUX CLAIRET Vin rouge AOC, issu des cépages cabernet-sauvignon, cabernet franc, merlot et malbec, à la robe légèrement colorée se rapprochant du rosé. Il se sert frais et présente une fine structure tannique, un bouquet fruité et une excellente fraîcheur. Il doit être consommé dans les 3 ans.

BORDEAUX-CÔTES-DE-FRANCS Vignoble situé à l'est de Saint-Émilion et produisant principalement un vin rouge AOC, issu des cépages merlot, cabernet franc et cabernet-sauvignon, coloré, corsé et aromatique. Il existe toutefois quelques vins blancs issus des cépages sauvignon et sémillon.

BORDEAUX ROSÉ Vin rouge AOC issu des cépages cabernet-sauvignon, merlot, cabernet franc et malbec. Ce sont d'abord le fruit et la fraîcheur qui sont recherchés dans ce type de vin qu'il faut boire jeune (2 ans).

BORDELAIS Le Bordelais est plus connu pour ses vins que pour sa cuisine, pourtant haute en couleur et en saveurs, et servie par des produits de qualité : agneau de Pauillac, bœuf de Bazas et d'Aquitaine, foie gras des Landes, gibier à plume et à poil. Bécasses, ortolans, grives, palombes, cailles sauvages ne sont plus en vente aujourd'hui. Restent les canards sauvages, les lièvres, les lapins de garenne, les chevreuils. Le porc produit des spécialités charcutières comme les grattons ou le grenier médocain (sorte de saucisse de tripes très relevées).

Le vin, qui accompagne des casse-croûte rustiques, est aussi à la base de la préparation dite « à la bordelaise » évoquant les apprêts typiques de l'entrecôte, du foie de veau, des écrevisses ou de la lamproie. Et, bien que les recettes soient différentes, on y retrouve toujours des ingrédients tels que la moelle de bœuf, le vin et l'échalote. Parmi les richesses de la région, il ne faut pas non plus oublier l'artichaut de Macau, les petits légumes, tels le poireau sauvage ou l'aillet (ail nouveau), ainsi que les cèpes, surtout le bolet brun et le rare « tête-de-nègre », servis seuls ou accompagnant viandes et volailles.

La cuisine bordelaise accorde une large place au poisson, à laquelle l'océan tout proche, l'immense estuaire de la Gironde et les cours d'eau arrosant la région offrent un choix exceptionnel : sardines, mulets, morues, maigres, etc., mais surtout des poissons amphihalins, comme l'anguille (dont l'alevin est ici appelé pibale), l'alose, cuite entière au four sur un lit d'oseille ou découpée en darnes, grillée et servie avec une sauce bordelaise, et la lamproie. Le caviar de l'esturgeon, presque disparu, provient désormais de l'aquaculture.

Enfin, la finesse se retrouve dans la pâtisserie, à commencer par le macaron de Saint-Émilion ou le cannelé de Bordeaux.

▪ Soupes.

● TOURIN, CHAUDEAU. Un repas du ban des vendanges débute par le tourin, cette soupe à l'oignon relevée d'ail, liée aux œufs avec un filet de vinaigre et versée sur du pain. On la prépare aussi sans ail mais avec de la crème et du lait. Plus rustique, le chaudeau est un mi-bouillon, mi-lait de poule au vin blanc et au bouillon de volaille relevé d'épices et d'aromates.

▪ Coquillages.

● HUÎTRES, MOULES. Les huîtres d'Arcachon se dégustent en même temps que des crépinettes grillées, parfois truffées, le tout accompagné de vin blanc d'entre-deux-mers. Des saucisses grillées, du pâté ou des grattons peuvent se substituer aux crépinettes. Quant aux moules à la bordelaise, elles sont encore plus savoureuses lorsque leur cuisson à la marinière est liée de velouté ou de purée de tomate.

▪ Poissons.

● ALOSE GRILLÉE À LA SAUCE VERTE, LAMPROIE À LA BORDELAISE. L'alose vidée mais avec ses écailles est enduite avec un mélange de sel marin et de poivre, puis grillée, de préférence sur un feu de sarments de vigne. Elle est servie avec une sauce verte faite avec de l'échalote marinée dans du vinaigre de vin à laquelle on ajoute de la ciboulette, de l'estragon et de l'œuf dur. Accommodée à la bordelaise, la lamproie mijote avec des poireaux, dans une sauce au vin rouge liée avec le sang presque noir du poisson.

■ Viandes.

• PORC : GRATTON BORDELAIS, TRICANDILLES. Spécialité girondine, le gratton bordelais est préparé à partir de cubes de gras dur que l'on fait fondre et de tranches de viande maigre, mélangés en quantités égales. Après une cuisson de 12 heures environ, le mélange est égoutté et moulé en grosses mottes de 12 à 20 kg. Le gratton se mange froid, en entrée, mais surtout en casse-croûte avec du pain. On apprécie aussi les tricandilles (tripes de porc grillées) accompagnées de pommes de terre en robe des champs.

• AGNEAU : GIGOT. Le gigot d'agneau de Pauillac, rôti, est enrobé de mie de pain persillée et garni de pommes de terre rissolées et, parfois, de fines lamelles de truffe. Dans le Sauternais, l'agneau cuit en gibelotte avec un vin du cru.

• VEAU À LA FANCHETTE. Pour cette recette bordelaise, le morceau de longe de veau mariné et braisé est recouvert d'une préparation faite de mie de pain, de lard gras, d'échalote et de persil, le tout lié à l'œuf.

■ Pâtisseries.

• NINICHES, FANCHONNETTES, GÂTEAU DES ROIS. Les niniches sont des caramels mous, brun foncé, parfumés au chocolat, les fanchonnettes, des feuilletés aux amandes agrémentés d'une meringue au citron. La couronne bordelaise est faite d'une pâte au citron, à l'orange, à la fleur d'oranger, arrosée à l'armagnac et décorée de tranches de cédrat ou de melon confit. Pâtisserie traditionnelle des fêtes de Noël et de l'Épiphanie, le gâteau des Rois a la forme d'une couronne en pâte dorée, dont les pierres précieuses sont de gros grains de sucre et de fines lamelles de cédrat confit.

■ Vins.

Le vignoble girondin raconte la longue histoire de vins nés à l'époque gallo-romaine, affinés au Moyen Âge et reconnus internationalement dès le XIXe siècle.

• RÉGIONS, CÉPAGES, APPELLATIONS. Le vignoble bordelais compte 57 appellations d'origine contrôlée pour près de 118 000 ha. Rivières et fleuves ont délimité quatre grandes zones.

La rive gauche de la Gironde et de la Garonne commence au nord avec le Médoc puis se poursuit par les Graves qui englobent les appellations pessac-léognan et sauternes. Entre la Dordogne et la Garonne, l'Entre-deux-Mers géographique rassemble des appellations de vins rouges et blancs mais produit surtout les « bordeaux » et les « bordeaux supérieurs ». À l'est du département, le Libournais regroupe les appellations saint-émilion, pomerol et fronsac. Près de la Charente enfin, le Blayais et le Bourgeais produisent des vins rouges (les meilleurs) et quelques blancs.

La personnalité et l'originalité des vins de Bordeaux reposent sur l'assemblage, le mélange des cépages. Les rouges tirent leur caractère du cabernet-sauvignon, charpenté et tannique, du cabernet franc, fruité et élégant, et du merlot, souple et aromatique, auxquels s'ajoutent parfois le petit verdot et le malbec. Pour les blancs, les vignerons font appel à l'aromatique et distingué sémillon, au vigoureux sauvignon et à la délicate muscadelle.

• LES VINS.

• MÉDOC. Les grands vins rouges du Médoc présentent un caractère affirmé et se reconnaissent par un style commun donné par la personnalité du cabernet-sauvignon, qui domine. Ils sont droits, tanniques et vieillissent bien. Du nord au sud, tout au long de la Gironde et de la Garonne, chaque commune apporte les nuances de son terroir.

Saint-Estèphe. Les vins de cette appellation, qui compte 5 crus classés et d'excellents crus bourgeois, se reconnaissent notamment à leur couleur soutenue, leur richesse en tanins et leur puissance.

Pauillac. Nés sur deux plateaux séparés par un ruisseau, les vins de Pauillac peuvent être corsés, denses, charpentés et puissants ou, au contraire, délicats, fins et racés. Ces vins de garde n'expriment leurs qualités qu'après un long vieillissement. L'appellation compte 18 crus classés dont trois prestigieux « premiers » : lafite-rothschild, latour et mouton-rothschild.

Saint-Julien. L'appellation la plus homogène du Médoc est connue pour ses rouges séveux, harmonieux et élégants qui déclinent toutes les nuances entre la puissance des pauillacs et le velouté des margaux.

Margaux. L'appellation la plus méridionale, qui rassemble le tiers des crus classés de 1855, produit des vins souples, fins et distingués qui vieillissent parfaitement. Margaux a une réputation internationale grâce notamment à son fameux château, premier cru du même nom.

• GRAVES. Le vaste ensemble des Graves, qui s'étend sur la rive gauche de la Garonne de Bordeaux à Langon, produit des vins rouges pleins et

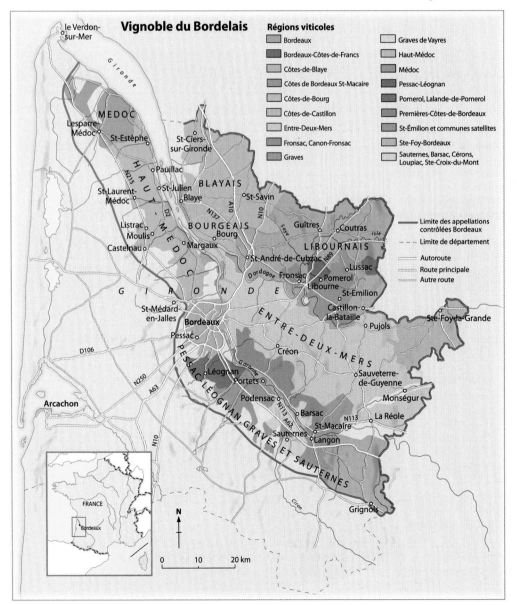

Vignoble du Bordelais

Régions viticoles
- Bordeaux
- Bordeaux-Côtes-de-Francs
- Côtes-de-Blaye
- Côtes de Bordeaux St-Macaire
- Côtes-de-Bourg
- Côtes-de-Castillon
- Entre-Deux-Mers
- Fronsac, Canon-Fronsac
- Graves
- Graves de Vayres
- Haut-Médoc
- Médoc
- Pessac-Léognan
- Pomerol, Lalande-de-Pomerol
- Premières-Côtes-de-Bordeaux
- St-Émilion et communes satellites
- Ste-Foy-Bordeaux
- Sauternes, Barsac, Cérons, Loupiac, Ste-Croix-du-Mont

— Limite des appellations contrôlées Bordeaux
-- Limite de département
Autoroute
Route principale
Autre route

0   10   20 km

FRANCE
Bordeaux

généreux, mais aussi des vins blancs dont le moelleux « graves supérieur ». L'appellation pessac-léognan a pris son indépendance, regroupant les meilleurs domaines, le château haut-brion notamment, premier cru classé de bordeaux. Depuis 1959, un classement des graves regroupe les crus classés reconnus pour la qualité de leurs vins.

• **SAUTERNAIS.** Riches, opulents, développant des arômes de miel, d'épices et de fruits exotiques, les vins liquoreux du Sauternais (qui comprennent aussi une appellation barsac) naissent de raisins surmûris, parfois couverts de « pourriture noble ». Si le sauternes se fait puissant et riche, le barsac évolue dans un registre plus délicat.

• **ENTRE-DEUX-MERS.** Cette vaste région produit la majorité des « bordeaux » et « bordeaux supérieurs » ainsi que le blanc sec « entre-deux-mers », issu des cépages sauvignon et sémillon. Sur les coteaux dominant la Garonne, les appellations sainte-croix-du-mont, loupiac et cadillac produisent des vins moelleux et liquoreux, tandis que les premières côtes de Bordeaux élaborent les meilleurs vins rouges de cette zone vinicole.

• **LIBOURNAIS.** Sur la rive droite de la Dordogne, le Libournais trouve sa personnalité dans le cépage merlot, qui donne des vins soyeux et charmeurs portant le nom d'appellations prestigieuses.

Saint-Émilion. Ce vignoble possède un classement révisé régulièrement, qui compte 15 premiers grands crus (château l'angélus, château ausone, château cheval-blanc, château canon, château pavie, etc.), et 46 grands crus classés. Il produit des vins de caractère différent, soit puissants et charpentés, soit fins et délicats, selon la nature des sols. L'appellation saint-émilion est aussi connue par ses « satellites » : lussac-saint-émilion, montagne-saint-émilion, puisseguin-saint-émilion et saint-georges-saint-émilion.

Pomerol. Sur ses 800 ha, ce vignoble compte d'excellents crus, comme le pétrus, le plus cher des vins de Bordeaux. Les pomerols sont des vins séduisants présentant un nez généreux et chatoyant, de la rondeur, de la souplesse.

Lalande-de-Pomerol. De même style que les pomerols, les vins sont cependant sensiblement plus légers.

Fronsadais. Fronsac produit des vins à forte personnalité, denses, structurés, tanniques, et canon-fronsac des vins dans le même registre, avec souvent encore plus de puissance.

• **BLAYAIS-BOURGEAIS.** Près de la frontière charentaise, le vignoble du Blayais et du Bourgeais occupe les coteaux de la rive droite de la Gironde.

L'AOC côtes-de-bourg, la plus petite des deux zones, paraît plus homogène avec des rouges fruités et solides qui vieillissent bien et quelques blancs charnus et équilibrés. Le Blayais se répartit entre les appellations côtes-de-blaye, qui correspond à des vins blancs, et premières-côtes-de-blaye, pour des vins blancs et rouges. Celles de blaye (ou blayais) sont de plus en plus appréciées.

BORDELAISE (À LA) Se dit de préparations à base d'éléments très divers (œufs, poissons, crustacés, rognons, entrecôtes, etc.), ayant souvent en commun des éléments tels que la moelle et les échalotes, mais surtout la présence d'une sauce au vin (vin blanc pour les poissons et les viandes blanches, vin rouge pour la viande rouge).

▶ Recettes : AGNEAU, BŒUF, BRIOCHE, CÈPE, CROQUET, ÉCREVISSE, FLAN, LAMPROIE, PÂTÉ, PÊCHE, ROGNON, SAUCE.

BORDURE Apprêt façonné, moulé ou taillé, dressé en couronne sur le bord d'un plat pour agrémenter sa présentation ou soutenir certaines préparations. Les appareils utilisés sont toujours à la température du plat qu'ils accueillent.

Simples ou composés, ils diffèrent selon que le mets est chaud ou froid, sucré ou salé.

– Pour les plats chauds : riz, semoule, farce à quenelles, pommes de terre duchesse.

– Pour les plats froids : œufs durs, gelée (détaillée en triangles, en croissants, en cubes, etc.), tomates (en rondelles ou en quartiers), citrons et oranges (cannelés ou non, en demi-tranches fines).

– Pour les entremets : crèmes moulées, riz impératrice, semoule.

Pour dresser les bordures moulées, on utilise des moules spéciaux ronds, cannelés ou unis, ou des moules à savarin.

On appelle également « bordures », ou « bords-de-plat », des cercles ou des ovales de métal, parfois historiés, que l'on place dans le bassin du plat pour contenir les éléments de la garniture.

BOTHEREL (MARIE, VICOMTE DE) Financier et homme politique français (La Chapelle-du-Lou 1790 - Dinan 1859). En 1839, il eut l'idée de créer des « omnibus restaurants » entre Paris et la banlieue. Pour les ravitailler en victuailles chaudes et froides, il fit édifier à grands frais d'énormes cuisines industrielles dont les dimensions et le modernisme suscitèrent l'admiration du Tout-Paris, mais l'entreprise se solda par un échec.

BOTTEREAU Beignet de forme géométrique que l'on prépare pour la mi-carême dans les Charentes et en Anjou, et qui se mange chaud ou froid.

bottereaux

Mélanger intimement 400 g de farine, 1 pincée de sel, 2 cuillerées à soupe de sucre en poudre, 2 œufs entiers battus en omelette, 2 cuillerées à soupe de rhum et 20 g de levure de boulanger délayée dans 10 cl de lait à peine tiédi. Bien travailler cette pâte et l'abaisser au rouleau sur 5 mm d'épaisseur. Répartir à la surface 125 g de beurre divisé en petites parcelles. Replier la pâte en deux et l'aplatir régulièrement avec le rouleau, puis la travailler de nouveau pour bien incorporer le beurre. Former une boule, l'écraser, remettre la pâte en boule. La laisser lever pendant 3 heures. L'abaisser sur 3 mm d'épaisseur. Découper à l'emporte-pièce des losanges et des cercles, les plonger dans de l'huile très chaude, les égoutter, les éponger sur du papier absorbant et les poudrer de sucre glace.

BOTVINIA Soupe froide aigre-douce de la cuisine russe, à base de feuilles de betterave, d'épinards et d'oseille, garnie de concombre ou de poisson fumé.

BOUCAGE OU **BOUCAGE SAXIFRAGE** Plante condimentaire herbacée de la famille des apiacées, dont les jeunes feuilles sont utilisées en salade et en tisane.

BOUCANAGE L'un des premiers procédés inventés pour la conservation des matières animales, le boucanage est connu depuis longtemps des indigènes de l'Amérique et de l'Océanie. Il consiste à conserver la viande par séchage à la fumée (copeaux de bois neuf de hêtre ou de chêne), en général après saumurage. La fumée du bois humidifié se dépose en gouttelettes sur la surface des viandes, elle est riche en arômes et en substances cancérigènes (3-4 benzopyrène), que l'on peut éviter avec une température limitée à 29 °C.

Le boucanage produit le « brési » (à base de bœuf) en Franche-Comté, le *charqui* (à base de bœuf, de mouton ou de lama) en Amérique du Sud, le filet d'Anvers (à base de bœuf) en Belgique et le *pemmican* au Canada et aux États-Unis. Il s'applique aussi à des poissons semi-gras ou gras (anchois, hareng, maquereau, etc.).

BOUCANÉ Viande de certains mammifères, oiseaux ou poissons, séchée au soleil et fumée. Le mot désigne encore un plat de la cuisine créole de plein air. Il s'agit d'un mouton entier, farci avec de la chair de canard et d'oiseaux sauvages, des oignons et des épices. Il est placé dans une grande fosse creusée dans le sol et chauffée avec du charbon de bois, puis recouvert de braises et de sable brûlant, sous lesquels il cuit 2 heures environ.

BOUCHE DU ROI Ensemble du personnel des services de la cuisine royale, sous l'Ancien Régime. La plus ancienne ordonnance qui en définit les attributions date de 1281. À cette époque, l'« hostel du roi » comprend dix personnes pour la paneterie, autant pour l'échansonnerie, trente-deux pour la cuisine proprement dite et quatre pour la fruiterie (voir ÉCHANSON, ÉCUYER TRANCHANT, SOMMELIER).

Sous Louis XIV, la bouche du roi ne comprenait pas moins de cinq cents personnes et était devenue un corps très hiérarchisé, dirigé par les plus hauts dignitaires et divisé en sept offices, qualifiés de

« bouche » s'ils touchaient le service exclusif du roi, de « commun » s'ils concernaient le reste de la cour : gobelet (paneterie-bouche et échansonnerie-bouche), complété par la cuisine-bouche ; paneterie-commun, échansonnerie-commun et cuisine-commun ; fruiterie ; fourrière (intendance). Ces services furent complétés par un huitième : la cuisine du petit commun.

■ **La cuisine-bouche.** Le service le plus important était celui de la cuisine du roi, avec une brigade de quatre maîtres queux, quatre hâteurs (rôtisseurs), quatre potagers et quatre pâtissiers, complétée par trois galopins (garçons de cuisine), dix écuyers, des garde-vaisselle et des lavandiers. On y trouvait également des porte-fauteuils et des porte-tables, ainsi que des avertisseurs, qui accompagnaient le roi dans tous ses déplacements et prévenaient à temps les cuisiniers du moment où celui-ci voulait passer à table. Le coureur de vin suivait le souverain à la chasse, portant sur son cheval un en-cas frugal.

■ **Des charges payantes.** Tous les offices de la bouche du roi, donnant droit au port de l'épée, se payaient fort cher, mais rapportaient peu. Vers la fin du règne de Louis XIV, néanmoins, de riches bourgeois se portèrent acquéreurs de ces charges, qui leur donnaient l'honneur d'avoir « bouche à la cour ». La « bouche » fut définitivement supprimée en 1830 par Louis-Philippe.

BOUCHÉE (SALÉE) Petite entrée individuelle, que l'on mange d'une bouchée, faite d'une croûte ronde en pâte feuilletée diversement garnie.

bouchées salées : préparation

Sur un plan de travail fariné, abaisser une pâte feuilletée sur 5 mm d'épaisseur environ. Passer un chiffon humide sur une plaque à pâtisserie. Avec un emporte-pièce rond et cannelé de 8 à 10 cm de diamètre, découper des cercles et en poser la moitié sur la plaque en les retournant pour que les bords un peu obliques ne se rétractent pas à la cuisson. Dorer à l'œuf battu. Avec un coupe-pâte rond de 8 à 10 cm, découper dans la même pâte des couronnes. Les poser sur les cercles. Laisser reposer 30 min, puis glisser la plaque dans le four préchauffé à 180 °C et cuire de 12 à 15 min. Avec la pointe d'un couteau d'office, détacher avec précaution le couvercle de chaque bouchée et retirer éventuellement l'excédent de pâte molle resté à l'intérieur. Emplir les bouchées de la garniture choisie.

bouchées à la bénédictine

Additionner de la brandade de morue de truffes coupées en dés. En garnir de petites croûtes feuilletées. Décorer chaque bouchée d'une lame de truffe. Passer au four.

bouchées aux champignons

Garnir de petites croûtes de morilles à la crème ou d'un salpicon de champignons de Paris lié d'une sauce crème (10 cl de béchamel avec 5 cl de crème fraîche).

bouchées aux crevettes

Garnir les croûtes avec un ragoût de queues de crevette lié d'une sauce crevette.

bouchées aux fruits de mer

Préparer un ragoût de fruits de mer. En garnir des croûtes feuilletées chaudes, les recouvrir de leur couvercle et servir aussitôt.

bouchées aux laitances

Pocher doucement des laitances dans un court-bouillon bien relevé. Égoutter et détailler en salpicon. Lier à la crème ou au velouté. En garnir de petites croûtes et les décorer éventuellement de grosses crevettes roses.

bouchées au ris de veau

Garnir des croûtes feuilletées de petits dés de ris de veau braisés à blanc, liés d'un velouté léger et crémé, réalisé à partir d'un fond de braisage.

CONFECTIONNER DES BOUCHÉES

1. Découper le fond de pâte à l'emporte-pièce et le retourner. L'enduire au pinceau à pâtisserie de jaune d'œuf non battu.

2. Poser la seconde collerette sur la première et dorer l'ensemble à l'œuf battu, en veillant à ce qu'il n'y ait pas de coulure sur les côtés.

BOUCHÉE (SUCRÉE) Petit-four fait de coques en pâte à biscuit à la cuillère, cuites et évidées, puis garnies de crème pâtissière ou de confiture, assemblées deux par deux et recouvertes d'un fondant coloré.

bouchées à l'abricot

Battre au fouet sur feu doux, dans un récipient à fond rond, 250 g de sucre en poudre et 8 œufs entiers ; quand l'appareil est mousseux et devient blanc, ajouter délicatement 200 g de farine tamisée et 200 g de beurre fondu additionné d'un petit verre de rhum. Garnir de cette pâte, et aux trois quarts seulement, de petits moules à croustade. Cuire 20 min environ dans le four préchauffé à 180 °C. Démouler sur une grille et laisser refroidir. Partager l'abaisse en deux épaisseurs. Garnir celle du dessous de marmelade d'abricot parfumée au rhum, puis poser celle du dessus. Faire réduire de la marmelade d'abricot, la parfumer au rhum, en masquer le dessus et le tour des bouchées. Garnir d'amandes effilées et grillées et d'une cerise confite.

BOUCHÉE AU CHOCOLAT Confiserie à base de chocolat ou enrobée de chocolat (**voir** ROCHER, TRUFFE EN CHOCOLAT).
• BOUCHÉES FOURRÉES. Très variées, elles se composent d'un intérieur (fondant coloré et parfumé, praliné, pâte d'amande, caramel mou, nougat, liqueur, fruit à la liqueur, ganaches diverses, pâte de fruits, etc.) enrobé d'une couverture en chocolat, très fluide à chaud et riche en beurre de cacao.
• BOUCHÉES MOULÉES. Elles se composent d'une couverture de chocolat coulée dans un moule qui est immédiatement retourné pour ne laisser qu'une mince pellicule. L'intérieur est versé dans cette forme délicate, qui est aussitôt fermée par une mince couche de chocolat.

BOUCHÉE À LA REINE Entrée chaude, composée d'une croûte en feuilletage garnie d'un salpicon. Elle doit son nom à la reine Marie Leszczynska, femme de Louis XV, qui aurait eu, la première, l'idée de ce petit vol-au-vent individuel. On peut au moins supposer que la reine en lança la mode, comme celle d'autres apprêts et gourmandises, car tous les chroniqueurs s'accordent à reconnaître son appétit.

bouchées à la reine

Cuire des croûtes à bouchée. Préparer d'autre part le salpicon à la reine : tailler en petits dés des blancs de poularde pochée au bouillon bien aromatisé ; couper de la truffe en dés et pocher ceux-ci au vin blanc ; nettoyer des champignons de Paris très frais, en raccourcissant les pieds, les couper en quatre, les citronner et les faire étuver dans du beurre, sans laisser colorer ; préparer une sauce blanche avec le bouillon de la poule, ajouter de la crème et du jaune d'œuf (pour 50 cl de bouillon : 40 g de beurre, 40 g de farine, 10 cl de crème et 1 jaune d'œuf) ; lier tous les éléments solides avec cette sauce. Réchauffer les croûtes 10 min au four préchauffé à 180 °C. Les garnir avec la préparation chaude. Poser le couvercle. On peut ajouter à la garniture un salpicon de ris de veau, de quenelles et de cervelle, braisé au blanc (voir vol-au-vent financière page 907).

BOUCHÈRE (À LA) Se dit de divers apprêts qui ont en commun une garniture de moelle.

L'appellation concerne également des côtes de veau macérées dans l'huile, avec du sel, du poivre et du persil haché, puis grillées pendant 15 min et garnies de légumes de saison persillés.

BOUCHERIE Ensemble des activités liées à la transformation et à la commercialisation des animaux d'élevage destinés à la consommation humaine. Le mot désigne aussi le magasin de vente des viandes crues de bœuf, veau, agneau, mouton, porc, ainsi que des abats, volailles et gibier. Quand il s'agit d'équidés (cheval, âne, mulet), on parle de boucherie « hippophagique » ou « chevaline ».

■ **Histoire.** Dès la Rome antique, la profession de boucher fut réglementée, diversifiée et dotée de privilèges. En s'inspirant du corps des maîtres bouchers romains, la Gaule transmit au Moyen Âge la tradition des charges héréditaires. C'est en 1096 que fut créé le premier commerce de boucherie de Paris (sur l'actuelle place du Châtelet).

Peu à peu se constitua la riche et puissante caste de la Grande-Boucherie, qui fut longtemps gouvernée par quelques familles et dont le rôle politique alla grandissant. Elle dut cependant, au XVIe siècle, abandonner aux charcutiers le commerce du porc, et les statuts enregistrés en 1589 fixèrent les droits et les obligations des bouchers – notamment l'obligation de vendre la viande après l'avoir pesée sur une balance, et non plus à l'estime.

Jusqu'à la Révolution, la corporation des bouchers resta entre les mains d'une vingtaine de familles. Celles-ci organisaient chaque année deux grandes manifestations : leur fête votive (la Saint-Nicolas), le 6 décembre, et le « défilé du bœuf gras », qui avait lieu au moment du carnaval, et notamment le Mardi gras, juste avant le carême (voir BŒUF).

■ **Temps modernes.** Autrefois, de nombreuses boucheries assuraient l'ensemble des activités de transformation, depuis l'achat de l'animal sur pied jusqu'à la vente au détail.

Aujourd'hui, elles se consacrent essentiellement à la préparation des carcasses, des quartiers et des morceaux de demi-gros : découpage, désossage, parage et présentation. La boucherie est encore l'un des métiers de l'alimentation où le travail demeure en grande partie manuel.

Cependant, les exigences commerciales ont amené nombre de bouchers à proposer des produits de charcuterie et des plats préparés.

Les magasins de grande surface – supermarchés et hypermarchés – commercialisent près de 80 % de la viande vendue aux particuliers. Celle-ci est découpée en totalité ou en partie sur place, ou livrée de l'extérieur ; elle peut être préparée à la demande ou proposée en libre-service. Les conditionnements sont réalisés dans des ateliers généralement visibles par la clientèle et très contrôlés par les services vétérinaires.

BOUCHON Pièce de liège, de verre ou de caoutchouc, le plus souvent cylindrique ou tronconique, que l'on introduit dans le goulot d'une bouteille, d'une carafe ou d'un flacon pour le clore plus ou moins hermétiquement.

À l'origine, le vin était protégé grâce à une couche d'huile, puis à l'aide d'une cheville de bois enrobée de chanvre imprégné d'huile. Le bouchon de liège fut utilisé par dom Pérignon, pour maintenir le champagne sous pression dans la bouteille. Élastique, souple et imputrescible, le liège est irremplaçable pour le vin, qui doit continuer de respirer. Pour le cidre bouché et le champagne, le bouchon est maintenu par une attache métallique.

Différents autres bouchons permettent de fermer les bouteilles entamées (bouchon-capsule) ou de mesurer les doses servies (bouchon verseur ou doseur).

BOUCHON (ÉTABLISSEMENT) À Lyon, petit bistrot où se perpétuent deux traditions gastronomiques de cette ville : le plantureux « mâchon » (casse-croûte) et le « pot » (bouteille de 45 cl destinée à la dégustation du beaujolais).

Le mot vient du vieux français bousche, « touffe de foin, de paille ou de feuillage servant de tampon », enseigne des cabarets où les charretiers pouvaient s'arrêter pour bouchonner leurs chevaux… avant de se désaltérer et de se restaurer.

BOUDIN ANTILLAIS Spécialité très épicée de la cuisine créole, appelée aussi localement « boudin cochon », qui se mange grillée, poêlée avec du saindoux ou simplement pochée.

Le boudin antillais (voir tableau des boudins page 120) se consomme souvent à l'apéritif avec du punch ; la pâte est assez fluide, et on peut l'aspirer en tenant le boudin par l'une des extrémités du boyau.

boudin antillais

Mélanger 2 cuillerées à soupe de vinaigre à 1,5 litre de sang de porc frais pour l'empêcher de coaguler. Émietter 250 g de pain de mie rassis et l'arroser de 1/2 verre de lait. Nettoyer et gratter des boyaux de porc, les retourner, les laver, les éponger, les frotter au jus de citron, les retourner de nouveau. Hacher finement 250 g d'oignons, les dorer de 7 à 8 min dans 100 g de saindoux. Passer au mixeur la mie de pain et le sang et les mélanger dans une terrine avec les oignons égouttés. Hacher finement 4 ou 5 gousses d'ail et 1 petit piment oiseau. Ciseler une vingtaine de brins de ciboulette. Ajouter dans la terrine ail, piment et ciboulette, ainsi que du sel, du poivre et 1 cuillerée à soupe de farine. Bien travailler le tout à la main ou à la spatule de bois, goûter et rectifier l'assaisonnement : la préparation doit être très relevée. Nouer l'extrémité d'un boyau. Avec un entonnoir, remplir le boyau, tasser en pressant vers l'extrémité nouée ; quand le boudin atteint 10 cm environ, tourner plusieurs fois le boyau pour le fermer ; façonner les autres boudins de la même manière. Les plonger en une fois dans de l'eau bouillante aromatisée (ciboulette, laurier, piments et bois d'Inde) et les laisser pocher 15 min à l'eau juste frémissante. Les égoutter et les laisser refroidir.

BOUDIN BLANC Préparation de charcuterie faite d'un hachis très fin, mis dans des boyaux, de viande blanche additionnée de gras de porc ou de veau, parfois de poisson, de crème, de lait, d'œufs, de farine (ou de mie de pain) et d'épices (voir tableau des boudins page 120 et planche de charcuterie pages 193 et 194).

boudin blanc

Retirer la peau d'une poularde, la désosser et passer la chair au hachoir fin en même temps que 250 g de jambon d'York. Tamiser 150 g de mie de pain fraîche, y ajouter juste assez de lait pour la détremper, et la travailler sur feu doux pour l'épaissir. Laisser refroidir. Préparer une duxelles blonde avec 400 g de champignons de Paris, le jus de 1/2 citron et 4 échalotes finement hachées ; quand elle est bien sèche, la laisser refroidir. Mélanger intimement la panade, le hachis de poularde et de jambon, la duxelles, 2 jaunes d'œuf, 100 g de poudre d'amande, 20 cl de crème fraîche épaisse, 1 verre de madère ou de xérès, 1 grosse pincée de paprika, du sel, du poivre, une pointe de poivre de Cayenne, 2 cuillerées à soupe de persil haché, 1 grosse pincée de thym en poudre et éventuellement le contenu d'une petite boîte de pelures de truffe. Battre 2 blancs en neige, les ajouter à ce mélange. Préparer et emplir ensuite les boyaux comme pour le boudin antillais. Faire pocher de la même façon, puis laisser refroidir.

Caractéristiques des principaux boudins

NOM	PROVENANCE	DESCRIPTION	FLAVEUR
boudins blancs			
boudin blanc catalan	Pyrénées-Orient.	grosse saucisse blanc-gris, riche en œufs, sans produit amylacé	bien relevée d'herbes
boudin blanc classique	toute la France	viande blanche maigre et gras de porc, veau ou volaille, lait et œufs, embossé en boyau de porc, portionné (12-15 cm)	onctueuse et douce de volailles, très équilibrée
boudin blanc havrais	Normandie	origine très ancienne, jaune clair, avec gras de porc (sans viande maigre), lait, œufs, mie de pain, fécule ou farine de riz	assez grasse, souvent peu relevée, fade
boudin blanc au foie gras à la toulousaine	Sud-Ouest	recette très ancienne, viande blanche de volaille, gras de porc, lait et œufs, additionné de 20 % de foie gras d'oie ou de canard	très savoureuse
boudin blanc de Rethel (IGP)	Ardennes	classique, avec viande maigre et lard de porc, lait, œufs, sans produit amylacé	onctueuse et goûteuse grâce à son maigre
boudin blanc truffé	toute la France	viande blanche maigre et gras de porc, veau ou volaille, lait et œufs, et truffé à 3 % au moins.	belle flaveur de truffes ; c'est le boudin blanc festif classique de Noël
boudin à la Richelieu	toute la France	viande de volaille, parfois des truffes, divisé en boulettes parallélépipédiques, mis en crépine de porc	ferme mais onctueuse, saveur de truffes
bougnette de Castres	Sud-Ouest	recette voisine du malsat, mais en crépine de porc	croustillante (avec une cuisson au four)
coudenou	Tarn	couennes et panade aux œufs pour moitié, embossé et poché à l'eau	un peu croquante et onctueuse, relevée
malsat, boudin blanc de pays	Sud-Ouest	poitrine de porc et panade aux œufs en proportion équivalente, aromatisé aux herbes, emballé sous boyaux de bœuf autorisés	goût de saucisse herbacée, car riche en viande maigre
boudins noirs			
bloedpens	nord de la Belgique	avec abats, dont poumons, et lard gras, embossé en baudruche ou en menu de cheval	assez grasse et molle
boudin antillais, ou boudin créole	toute la France	boudin en chapelet, à « pâte » lisse, uniforme, foncée, avec sang de porc, mie de pain, lait, cive, piment frais	très typique, bien pimentée et très aromatique
boudin audois	Aude	tête (40 %), gorge, couennes, pieds et sang de porc	croquante et moelleuse apportée par les couennes
boudin d'Auvergne	Auvergne	avec lait et tête de porc, cuite non découennée	onctueuse et variée selon les charcutiers
boudin de Bourgogne	Bourgogne	avec lait frais et riz	moelleuse
boudin de langue, ou *Zungenwurst*	Alsace	avec langues de porc ou de bœuf (35 à 45 %), embossé en baudruche de bœuf ou de veau, fumé	de langue (forte) et onctueuse, et saveur fumée
boudin de Lyon	Rhône	avec oignons crus, crème, bettes ou épinards	très marquée d'oignon, saveur terreuse de bette
boudin noir de Saint-Romain	région du Havre	sang de porc, oignons crus, crème (10 %)	moelleuse, saveur d'oignons
boudin de Paris	Île-de-France	tiers sang de porc, tiers gras de porc, tiers oignons cuits avec ou sans lait et/ou crème, embossé en boyau de porc (30-35 mm)	onctueuse, plus ou moins relevée
boudin du Poitou	Poitou-Charentes	sans gras de porc, avec épinards, crème, œufs, lait, sucre, semoule ou mie de pain	légère, onctueuse, parfumée d'herbes et d'épinards
boudin de Strasbourg, ou boudin alsacien	Alsace	avec couennes de porc cuites et pain (10 %) trempé dans du lait, fumé à froid	particulière de fumé et croquante
boudin du Sud-Ouest, ou galabart	région de Bordeaux	gros boudin avec tête de porc entière (langue et couenne), poumons, cœur hachés et cuits, et parfois mie de pain (signalée)	très typée, croquante, peu grasse
boutifar, ou boutifaron	Roussillon	galabart sans mie de pain, avec piment rouge	puissante et piquante apportée par les piments
coutançais	Manche	gros boudin avec sang (35 %), oignons crus (30 %), gras, embossé en gros intestin de porc	assez grasse, marquée par l'oignon, croustillant si cuit au gril
gogue d'Anjou	Anjou	gros boudin avec oignons cuits, viande de porc et sang, épinards, bettes	parfumée de légumes, d'herbes
saucisson noir, ou *Schwarzwurst*	Alsace	fumé, avec sang de porc, couennes, oreilles, tête et pieds désossés, lard en dés et intestin de bœuf	nettement fumée, onctueuse, croustillante et croquante

BOUDIN NOIR Préparation de charcuterie à base de sang défibriné et de gras de porc assaisonnés et mis en boyau, que l'on vend « au mètre » ou par portions fermées aux extrémités (**voir** tableau des boudins ci-contre et planche de charcuterie pages 193 et 194). Il contient parfois de l'oignon, des châtaignes, etc. selon les régions, et il est servi avec des pommes cuites ou de la purée de pomme de terre. Dans le Sud-Ouest (le Béarn notamment), le boudin noir est également vendu en bocal ou en boîte, sans boyau. En France, il existe autant de types de boudin noir que de charcutiers.

Le boudin noir est gras et très riche en fer.

RECETTE DE CHRISTIAN PARRA

boudin noir béarnais

« Cuire doucement 30 min dans un rondeau 1 kg de goula (gorge) haché. Éplucher 1 kg d'oignons et 250 g d'ail et les ajouter, avec 40 g de thym haché et 1 bouquet de persil ciselé. Laisser mijoter 1 h 30. Cuire à grande eau salée au gros sel 1/2 tête de porc avec 1 kg de poireaux, 500 g d'oignons piqués de clous de girofle, 4 piments rouges et 500 g de carottes entières. Après cuisson, désosser la tête et hacher sa viande avec les poireaux, et mettre le tout dans le rondeau. Rectifier l'assaisonnement et relever d'un peu de quatre-épices. Ajouter 5 litres de sang. Bien remuer. Mettre en boîtes ou en bocaux et stériliser 2 heures. Servir froid ou grillé en tranches. »

boudin noir à la normande

Peler 750 g de pommes acidulées, les émincer, les citronner, les dorer au beurre. Couper en tronçons réguliers 1 kg de boudin noir poché et les laisser rissoler au beurre dans une poêle. Ajouter les pommes et faire sauter le tout quelques instants. Servir brûlant.

BOUGON Fromage de lait de chèvre (46 % de matières grasses), à pâte molle et à croûte fleurie. Fabriqué exclusivement par la coopérative de La Mothe-Bougon, le Bougon se présente en boîte, sous la forme d'un cylindre de 11 cm de diamètre et de 2,5 cm d'épaisseur, pesant 250 g. Sa saveur affirmée est très agréable de mai à septembre, période de meilleure qualité du lait de chèvre.

BOUILLABAISSE Plat de poissons bouillis et aromatisés de la cuisine provençale, en particulier de Marseille, mais dont il existe de nombreuses variantes.

À l'origine, la bouillabaisse était un plat de pêcheurs, cuisiné sur la plage au retour de la pêche, dans un grand chaudron posé sur un feu de bois, et composé des poissons qui ne pouvaient être vendus sur le marché, comme la rascasse (indispensable à une authentique bouillabaisse), qui ne se consomme pratiquement que de cette façon. On y ajoute souvent quelques crustacés et coquillages : cigales de mer, moules, petits crabes (la langouste est un raffinement de citadin). Outre l'huile d'olive, poivre et safran parfument cette préparation, ainsi qu'un morceau d'écorce d'orange séchée.

La vraie bouillabaisse doit se préparer avec des poissons de roche, pêchés à la ligne (plus savoureux que s'ils sont dragués au chalut) juste avant la cuisson. Poisson et bouillon sont servis séparément. Celui-ci est versé sur des tranches de pain de ménage séché ; à Marseille, c'est un pain spécial, appelé « marette ».

Mais on peut accompagner la bouillabaisse de croûtons frottés d'ail, de sauce rouille, de parmesan, et même de tomates séchées et d'une salade de roquette. La cuisine provençale propose d'autres soupes de poissons. À Martigues, où la bouillabaisse est servie avec des pommes de terre (cuites à part), on prépare une bouillabaisse « noire » (avec des seiches et leur encre).

Les bouillabaisses de sardines et de morue sont également typiques, de même que la bourride sétoise et le revesset toulonnais. Parfois, on ajoute du vin blanc au bouillon. Diverses régions du littoral français ont, elles aussi, leur apprêt de poissons en soupe : la bouillinada roussillonnaise, la cotriade bretonne, la chaudrée charentaise (qui a donné le *chowder* américain), la marmite dieppoise, le waterzoï flamand ou le *ttoro* basque.

bouillabaisse de Marseille

Écailler, vider et étêter 2 kg de poissons variés entiers (congre, daurade, grondin, lotte, merlan, rascasse, saint-pierre) ; les tronçonner. Dorer dans 10 cl d'huile 1 oignon, 1 gousse d'ail, 2 poireaux et 3 branches de céleri, épluchés et hachés menu ; saler et poivrer. Ajouter les têtes et les parures de poisson. Couvrir d'eau, porter à ébullition et laisser mijoter 20 min. Passer le mélange dans un tamis et presser pour obtenir le jus de cuisson. Concasser 3 tomates pelées. Dans une marmite, dorer à l'huile 1 oignon, 2 gousses d'ail et 1 bulbe de fenouil, pelés et hachés. Verser le bouillon, les tomates et un bouquet garni. Ajouter la rascasse, puis le grondin, la lotte, le congre, la daurade, 10 étrilles brossées et quelques filaments de safran. Cuire 8 min sur feu vif. Mettre alors le saint-pierre et le merlan. Cuire 5 ou 6 min. Mouiller une tranche de pain de mie avec le bouillon et la presser. La piler avec 3 gousses d'ail et 1 piment rouge haché. Ajouter 1 jaune d'œuf, puis 25 cl d'huile d'olive, en montant cette rouille comme une mayonnaise. Couper 1 baguette en rondelles ; les griller au four. Disposer les poissons et les étrilles dans un grand plat, verser le bouillon dans une soupière, et servir accompagné de la rouille et des croûtons.

BOUILLEUR DE CRU Propriétaire, fermier, métayer ou vigneron qui distille ou fait distiller des vins, cidres, poirés, marcs ou lies provenant uniquement de sa récolte. Jusqu'en 1916, producteurs et distillateurs étaient confondus sous le nom de « bouilleurs de cru ». Aujourd'hui, celui-ci ne s'applique plus qu'aux premiers, les seconds s'appelant « bouilleurs ambulants ».

Officiellement baptisés « loueurs d'alambic », ils proposent leur machine et leur savoir-faire. Ils installent leur alambic dans un lieu appelé « atelier public », où les producteurs apportent leurs produits, et leur rétribution est calculée au litre d'alcool obtenu.

Les bouilleurs de cru bénéficient d'un « privilège », qui leur permet de faire distiller chaque année, pour leur usage personnel, l'équivalent de 10 litres d'alcool pur, exonérés de toute taxe. Une loi votée en 2004 prévoit la disparition de ce privilège historique à la fin de l'année 2007, mais, jusqu'à présent, les bouilleurs de cru continuent de bénéficier d'un régime de taxes réduites.

BOUILLI Abréviation désignant le morceau de bœuf ayant servi à la préparation d'un pot-au-feu, d'un bouillon ou d'un consommé. Le bouilli de desserte se mange froid, en salade, ou chaud, en tranches réchauffées ou grillées, ou en gros dés rissolés ou mouillés d'une sauce relevée. Haché, il s'apprête en boulettes, en cromesquis, en fritots, ou entre dans la composition de tomates farcies ou du hachis Parmentier.

▶ Recette : BŒUF.

BOUILLIR Porter un liquide (eau, fond, court-bouillon) à ébullition et l'y maintenir, afin de cuire les aliments qui y sont plongés (**voir** tableau des modes de cuisson page 295). Pour chaque liquide, l'ébullition se produit à une température fixe et constante (100 °C pour l'eau). La cuisson « à gros bouillons » ne demande donc pas moins de temps, mais provoque un brassage qui évite aux éléments de coller entre eux ou au fond du récipient. On fait aussi bouillir un liquide de cuisson pour le concentrer.

Les huiles et autres corps gras de friture ont des températures d'ébullition qui atteignent 200 °C. Quant aux sirops de sucre, ils arrivent à ébullition en fonction de leur concentration.

BOUILLON Liquide de cuisson des viandes ou des légumes bouillis, utilisé pour cuire (à la place de l'eau) certains mets et réaliser des sauces et des potages. Il existe aujourd'hui des extraits, liquides ou solides, à délayer dans l'eau.

Le bouillon américain, également appelé « marmite américaine », « bouillon à la bouteille » ou « thé de bœuf » *(beef tea)*, est une préparation anglo-saxonne qui consiste à cuire au bain-marie, dans un récipient spécial fermant hermétiquement, des morceaux de viande et des légumes, sans eau ; on obtient ainsi un jus concentré d'une grande valeur nutritive.

Dans les pays anglo-saxons, on consomme aussi l'essence *of mutton*, un extrait liquide de viande de mouton généralement préparé en Australie.

bouillon d'abattis

Plonger la totalité des abattis de 4 poulets dans 2 litres d'eau froide et porter à ébullition. Éplucher et émincer 4 carottes moyennes, 2 navets, 3 blancs de poireau, 2 branches de céleri et un petit morceau de panais. Écumer le bouillon, ajouter les légumes ainsi que 1 oignon piqué de clous de girofle, 1 bouquet garni, 2 gousses d'ail écrasées, du sel et du poivre. Maintenir une ébullition douce pendant 1 h 30 environ. Au moment de servir, désosser les abattis et ajouter les chairs au bouillon, ainsi que le jus de 1/2 citron et du persil ciselé. Rectifier l'assaisonnement. On peut, à la manière grecque, cuire 2 poignées de riz dans le bouillon et lier d'un jaune d'œuf ou, mieux, d'un œuf entier en omelette.

bouillon de bœuf ou marmite de bœuf

Dégraisser, désosser et ficeler la viande de bœuf (macreuse, gîte-gîte, paleron, jumeau, plat de côtes, etc.). Concasser les os. Réunir ces éléments dans une marmite et mouiller d'eau à hauteur. Saler. Porter à ébullition, dégraisser et écumer. Faire colorer fortement à sec des oignons coupés en deux ; les ajouter dans la marmite avec des poireaux, des carottes, du céleri-branche, des gousses d'ail, 1 bouquet garni et des clous de girofle. Cuire doucement 3 h 30 à découvert. Écumer et dégraisser complètement. Filtrer. Cette marmite de bœuf permet notamment de réaliser des consommés.

RECETTE ANCIENNE

bouillon d'escargot

« Préparer 36 escargots. Les décoquiller et les mettre dans une casserole avec 3 litres d'eau. Ajouter 400 g de tête de veau, 1 laitue nettoyée et coupée en quatre, 1 poignée de feuilles de pourpier et un peu de sel. Faire chauffer, écumer. Dès qu'une bonne ébullition est atteinte, réduire le feu pour que l'eau frémisse à peine et cuire ainsi 2 heures. Rectifier l'assaisonnement et passer au tamis. »

RECETTE DU CODEX DE 1884

bouillon aux herbes

« Feuilles fraîches d'oseille : 40 g ; feuilles fraîches de laitue : 20 g ; feuilles fraîches de cerfeuil : 10 g ; sel marin : 2 g ; beurre frais : 5 g ; eau : 1 litre. Laver les feuilles, les faire cuire jusqu'à cuisson complète, ajouter le sel et le beurre. Passer. » La formule reste valable. On peut ajouter à la cuisson des feuilles de bette ou d'épinard et, au moment de servir, du persil et du jus de citron.

---

bouillon de légumes

Réunir dans une casserole des poireaux, des carottes, des branches de céleri, éventuellement des navets et des tomates fraîches, et 1 petite branche de persil. Écumer et cuire 40 min. Filtrer sans écraser les légumes.

---

bouillon de veau ou fond blanc de veau

Dégraisser, désosser et ficeler les viandes (jarret, bas morceaux et parures de veau). Concasser finement les os. Réunir ces éléments dans une marmite et mouiller d'eau à hauteur. Porter à ébullition, écumer et dégraisser. Ajouter des poireaux, des carottes, des branches de céleri, 1 oignon piqué de 2 clous de girofle, et 1 bouquet garni. Cuire doucement à découvert 2 h 30. Écumer et dégraisser complètement. Filtrer au chinois. Ce fond blanc permet de réaliser du velouté de veau, des jus et des sauces, de cuire certains légumes braisés et de mouiller des crèmes-potages de légumes.

crabes en bouillon ▶ CRABE

BOUILLON (ÉTABLISSEMENT) Restaurant bon marché à prix fixe, créé au XIXᵉ siècle (voir DUVAL). On y servait à l'origine du bœuf bouilli et son bouillon. Ce menu, copieux mais économique, s'accrut ensuite de quelques autres plats. À Paris, plusieurs chaînes de restaurants à grand débit furent ainsi créées, comme les bouillons *Boulant* ou *Chartier*, dont l'un est toujours en activité, avec son décor 1900, la sciure de bois sur le sol, le mobilier Thonet et la carte écrite à l'encre violette.

BOUKHA OU **BOUKHRA** Eau-de-vie de figue titrant 36 % Vol. environ, fabriquée en Tunisie et consommée en digestif dans tout le nord de l'Afrique du Nord. Les figues, surtout des « hordas » de Turquie, sont séchées, puis mises à fermenter, et enfin distillées dans un alambic à colonne.

BOULANGER Cafetier parisien, établi rue des Poulies (aujourd'hui rue du Louvre), et premier « restaurateur » de la capitale. N'appartenant pas à la corporation des traiteurs (qui pouvaient vendre sauces, plats et ragoûts), il n'avait le droit de proposer à ses clients, outre des consommations, que des « bouillons restaurants ». Un jour de 1765, il servit des pieds de mouton à la sauce blanche, mais gagna son procès contre les traiteurs, le parlement ayant décrété que les pieds de mouton n'étaient pas du ragoût. Le succès était acquis, et Boulanger, qui avait ceint l'épée – attribut de la noblesse –, ajouta à sa carte des volailles au gros sel.

BOULANGÈRE (À LA) Se dit de certaines grosses pièces, essentiellement d'agneau, mais aussi de poisson, cuites au four (du boulanger, à l'origine) et garnies de pommes de terre et d'oignons émincés, puis, éventuellement, passés au beurre.

▶ Recettes : AGNEAU, COLIN, POMME DE TERRE.

BOULANGERIE Lieu où se fabrique et se vend le pain. En France, où la fabrication domestique du pain n'a disparu qu'après la Première Guerre mondiale, la profession est restée en grande partie encore artisanale.

■ **Des Égyptiens aux « tamisiers ».** Des boulangeries déjà bien organisées sont représentées sur les fresques des tombeaux égyptiens. On y fabriquait des galettes non levées et des pains levés à la levure de bière. Hérodote rapporte que c'est des Égyptiens que les Grecs apprirent les secrets du pain levé. En 168 av. J.-C., après la victoire contre Persée, roi de Macédoine, les Romains emmenèrent en esclavage des boulangers grecs.

En 100 apr. J.-C., Trajan créa une corporation de boulangers dotée de nombreux privilèges. Pour éviter les émeutes, le pain était distribué gratuitement aux citoyens les plus pauvres de Rome.

Sous le règne d'Auguste, Rome comptait trois cent vingt-six boulangeries pour un million d'habitants. On en vint bientôt à une étatisation des boulangers, payés directement par l'État et n'ayant pas le droit de vendre leur fonds de commerce. Après la conquête romaine, les boulangers gaulois furent regroupés en corporations. Dès le début du Moyen Âge, dans les campagnes, les seigneurs féodaux, pour percevoir des taxes, exigeaient de leurs serfs qu'ils viennent moudre leur blé au moulin seigneurial et cuire la pâte au four banal.

C'est au XIIᵉ siècle que naquit véritablement la corporation des tamisiers, ou tameliers, ainsi nommés parce qu'ils devaient passer au tamis la farine qui leur était livrée. Philippe Auguste leur octroya le monopole de la fabrication du pain dans l'enceinte de Paris (où ils étaient alors au nombre de soixante-deux).

■ **Ordonnances royales.** Le mot « boulanger », qui avait remplacé au XIIIᵉ siècle celui de « tamisier », vient du picard *boulenc*, « faiseur de pain en boule ». Des ordonnances fixaient avec précision la qualité, le poids et le prix du pain ; tout pain de poids insuffisant était confisqué au profit des pauvres. Philippe le Bel réforma cette législation, et l'amende fut dès lors proportionnée au délit. Il réduisit les privilèges des boulangers et autorisa les particuliers à acheter du grain. Charles V, quant à lui, réglementa les lieux et les heures de vente du pain, ainsi que son prix, variable selon la farine utilisée.

Le XVIIᵉ siècle fait date dans l'histoire de la boulangerie parisienne : la fabrication se perfectionna, la farine sans son fut livrée plus abondamment aux boulangers, la levure de bière fut introduite, mais son emploi réglementé, et le nombre des marchés augmenta. Au tout début du siècle, Marie de Médicis amena à sa suite des boulangers italiens, qui mirent à la mode des produits nouveaux. Les Parisiens se montrèrent de plus en plus friands de pain blanc et léger, à la pure farine de froment.

■ **De la Révolution à la boulangerie moderne.** Au XVIIIe siècle, la culture et la production du blé firent des progrès réels, et le spectre de la famine s'estompa peu à peu. Mais l'administration royale, prévoyante, accumulait de grosses quantités de grains.

C'est le contrôleur général des Finances Turgot qui, en 1774, décida la liberté du commerce des grains à travers tout le royaume. Cette décision était cependant prématurée, l'agriculture étant encore dominée par la petite exploitation. Les émeutes et les pillages des dépôts de blé marquèrent l'année 1775. C'est ce que l'on appela la « guerre des farines ».

Au lendemain de la prise de la Bastille, la disette toujours présente devenait exaspérante. Paris vint à manquer de pain, et c'est au cri de « Allons chercher le boulanger, la boulangère et le petit mitron » que le peuple, conduit par les femmes de la halle, prit la route de Versailles. Le 2 mars 1791, la Constituante supprima les jurandes et les maîtrises : désormais, la boulangerie était « libre », tout en restant soumise à une réglementation des pouvoirs publics. Les produits de la boulangerie continuèrent d'évoluer. À partir de 1840, le pain viennois devint très à la mode à Paris.

Aujourd'hui, la boulangerie reste très présente (plus de trente mille boulangeries artisanales), même si elle est frappée par la baisse de la consommation de pain chez les Français. La grande distribution, elle, investit des moyens considérables pour améliorer la qualité du pain industriel, dont la part de marché s'est stabilisée. Et les variétés de pain se sont multipliées.

À la demande de la profession, l'appellation « boulangerie » a été réglementée par la loi du 25 mai 1998 (**voir** PAIN).

■ **Le matériel de boulangerie.** De l'Antiquité au début du XXe siècle, le matériel de boulangerie n'a pratiquement pas évolué : des fresques romaines représentent des pétrins actionnés par des animaux. Le pétrin mécanique ne date que de 1920. Le four, autrefois alimenté au bois, puis au charbon, est aujourd'hui chauffé à l'électricité, au gaz ou au mazout. Dans les terminaux de cuisson et les usines à pain, il s'agit le plus souvent d'un four rotatif, où pénètre un chariot vertical. Dans les boulangeries artisanales, le four à sole est le plus fréquent.

Diverses autres améliorations sont intervenues. Le pétrin à vitesse accélérée permet de blanchir la pâte en l'oxygénant. La chambre de fermentation contrôlée (ou chambre de pousse contrôlée) offre au boulanger plus de souplesse car c'est une enceinte qui peut générer du froid ou du chaud : elle lui permet donc de ralentir ou d'accélérer la fermentation de la pâte selon ses besoins et son organisation. Le dernier apport technique est celui de la congélation. En France, elle est devenue une pratique courante, surtout en boulangerie industrielle.

BOULE DE BÂLE Petite saucisse courte et trapue, composée d'un mélange fin de viande de porc et de lard et mise en boyau synthétique droit. Après avoir été légèrement fumée à chaud, la boule de Bâle est échaudée à 70-75 °C et rapidement refroidie. Elle se consomme froide avec du pain et de la moutarde, en salade, grillée ou en croûte.

BOULE DE CUISSON Ustensile métallique de taille variable, formé de deux coques qui s'ouvrent pour permettre d'immerger ensuite des plantes séchées destinées à une infusion ou d'enfermer un aliment devant être cuit à l'eau bouillante.

– La boule à thé, ronde ou ovale, grosse comme un œuf, est en aluminium ou en acier inoxydable perforé de petits trous. Elle évite la dispersion des feuilles séchées dans l'eau frémissante.

– La boule à riz est une sphère en aluminium d'un diamètre de 14 cm environ, perforée de trous un peu plus gros que ceux de la boule à thé. Il ne faut la remplir qu'à moitié, car le riz peut doubler de volume à la cuisson. On s'en sert, en particulier, pour faire cuire du riz dans le bouillon d'une volaille qu'il doit accompagner.

– La boule à légumes est un panier ovale en fil de fer étamé. Ses deux demi-sphères, reliées par un crochet, permettent de retirer d'un fond blanc les légumes que l'on y a fait cuire sans avoir à décanter le fond.

BOULE DE LILLE ▶ **VOIR MIMOLETTE**

BOULE-DE-NEIGE Pâtisserie sphérique, masquée de crème Chantilly, constituée d'abaisses de génoise taillées en disques de diamètre décroissant et garnies de crème au beurre, puis superposées. La boule-de-neige est également un entremets glacé, préparé avec un appareil à bombe frappé dans un moule « à melon » et enrobé de chantilly. On donne aussi ce nom à un petit-four gros comme une bille, fait de deux petites meringues soudées avec une crème ou de pâte à baba sans raisins, fourrée de crème parfumée au kirsch et glacée au fondant blanc.

BOULETTE Apprêt en forme de petite boule, façonné avec une farce, un hachis ou une purée, et servi avec une sauce brune ou une sauce tomate. En général panées à l'anglaise, les boulettes se cuisent en friture, mais sont aussi sautées ou pochées. Elles servent souvent à utiliser des restes de viande ou de poisson (**voir** FRICADELLE, KLÖSSE, KNÖDEL).

BOULETTE D'AVESNES Préparation fromagère fabriquée à partir de maroilles frais, de persil, d'estragon et d'épices (**voir** tableau des fromages français page 389). Sa croûte rougeâtre est obtenue par un saupoudrage de poudre de paprika rouge (piment hongrois). Spécialité de la Thiérache, la boulette d'Avesnes est modelée à la main en forme de poire pointue de 8 cm de diamètre à la base et de 10 cm de hauteur. Elle a une saveur très forte et piquante.

BOULEY (DAVID) Cuisinier américain (Storrs, Connecticut, 1953). Influencé par une grand-mère française, il étudie à la Sorbonne, tout en effectuant des stages chez les grands d'Europe (Paul Bocuse, Frédy Girardet, etc). Il travaille sous les ordres de Roger Vergé à San Francisco, mais aussi au Nouveau-Mexique à Santa Fe et à Cape Cod, puis à New York au *Cirque*, au *Périgord* et à *la Côte Basque*. Son établissement de Tribeca est porté aux nues par le *Zagat Survey* qui lui accorde la note exceptionnelle de 29 sur 30. Ses plus récentes aventures (*Bouley Bakery*, version bistrot contemporain, *Danube*, avec des influences de la Mitteleuropa, qui obtient deux étoiles dans le premier Guide Michelin New York) témoignent de l'éclectisme de ce technicien zélé.

BOULGHOUR OU **BULGHUR** Blé germé, séché et concassé, très utilisé dans la cuisine des pays du Moyen-Orient. Le boulghour est cuit dans trois fois son volume d'eau jusqu'à ce que celle-ci soit évaporée ; on ajoute alors du beurre, qu'on laisse fondre (ou du smeun déjà fondu). Il peut également être cuit dans de l'eau vinaigrée ou additionnée de sauce tomate, de bouillon de viande ou d'oignons émincés. On l'agrémente ensuite de raisins secs, de pois chiches ou de boulettes de viande hachée. On peut aussi le faire cuire avec des fèves ou des saucisses aux abats. Enfin, il entre dans la farce de saucisses aux herbes et au foie de mouton, et dans le taboulé.

BOULUD (DANIEL) Cuisinier français (Lyon 1955). Lyonnais, élevé en milieu paysan (ses grands-parents tenaient le *Café Boulud* à Saint-Pierre-de-Chandieu), élève de Michel Guérard, Georges Blanc et Roger Vergé, il part pour Copenhague, avant de découvrir New York où il devient l'un des chefs français de référence. D'abord au *Cirque*, avec Sirio Maccione, ensuite à son compte chez *Daniel*. Il publie de nombreux ouvrages et ouvre *DB*, un bistrot moderne, et le *Café Boulud* comme un juste hommage à ses grands-parents. Il est l'apôtre d'une cuisine française néoclassique, moderne et légère, revisitée à l'aune du produit nord-américain. Il a obtenu deux étoiles dans le premier Guide Michelin New York, mais quatre étoiles au *New York Times*.

BOUQUET Ensemble des arômes tertiaires (non dus à la fermentation) qui se développent au cours du vieillissement d'un vin et qui s'expriment lorsque celui-ci, arrivé à maturité, est en contact avec l'oxygène de l'air. Les arômes sont dus aux peaux (ou pellicules) du raisin.

BOUQUET (CREVETTE) Crevette rose mesurant de 5 à 10 cm, que l'on pêche surtout sur les côtes normandes et bretonnes (**voir** tableau des crustacés marins page 285 et planche pages 286 et 287). Rose grisé quand il est cru, le bouquet devient rouge une fois cuit. Très rare sur les étals, il est coûteux.

BOUQUET GARNI Choix de plantes aromatiques, ficelées en petit fagot ou enveloppées dans une mousseline, qui donnent du goût aux préparations. Généralement, le bouquet garni se compose de deux ou trois tiges de persil, d'une brindille de thym et d'une ou deux feuilles de laurier (séchées), mais sa composition varie en fonction des ressources locales : on peut y ajouter du céleri en branche, du poireau, de la sarriette, de la sauge, etc. ; en Provence, le romarin est de règle.

BOUQUETIÈRE (À LA) Se dit d'une garniture faite de légumes disposés en « bouquets » de couleurs autour de viandes, de volailles ou de tournedos. Le mot désigne aussi une macédoine liée à la béchamel.

▶ Recette : BŒUF.

BOUQUETIN Petit ruminant sauvage, à allure de bouc, de la famille des capridés, vivant en abondance dans les montagnes d'Asie et d'Europe (Italie, Suisse). La population alpine française est de plusieurs milliers. Une sous-espèce plus menue se multiplie en Corse et dans les Pyrénées. La régulation cynégétique des populations de bouquetins est très réglementée.

BOURBON Whiskey américain, portant le nom du comté du Kentucky où furent fabriqués les premiers whiskies d'outre-Atlantique à la fin du XVIIIe siècle (**voir** tableau des whiskeys et whiskies page 909). Le bourbon est distillé principalement à partir du maïs, auquel on ajoute du seigle et de l'orge maltée en proportions variables.

BOURBONNAIS La cuisine de ce pays, qui correspond à peu près au département de l'Allier, repose sur une solide tradition paysanne. Outre les soupes, une place de choix revient à la pomme de terre qui est préparée de nombreuses façons : en truffiat, comme dans le Berry voisin, en gratin, râpée, « à la patte » (écrasée et assaisonnée) et, surtout, en pâté (les pommes de terre sont coupées en rondelles, mélangées à des lardons et des oignons puis enveloppées de pâte brisée ou feuilletée). La pompe aux grattons est, elle, une pâte à brioche enrichie de lardons. Les sanciaux sont des petites crêpes épaisses garnies, ou non, de dés de jambon, de fromage blanc, de pommes sautées au beurre ou encore de confiture.

Mais c'est la saveur des volailles qui attire l'attention : le poulet en particulier, cuisiné au vin rouge avec une liaison au sang, ou au vin blanc, le canard en sauce, à la Duchambais par exemple, avec de la crème, du bouillon et des pommes sautées au beurre, et les plats traditionnels que sont le civet de jaud (coq), l'oyonnade et le civet d'oie. Le fricassin est fait d'abats de chevreau cuits à l'eau puis poêlés au beurre.

En dessert, on sert le gargouillau (sorte de flan enrichi de poires et de pommes) ou le piquenchâgne (tourte aux poires avec de la crème pâtissière).

BOURDALOUE Nom d'un entremets créé par un pâtissier de la Belle Époque, installé rue Bourdaloue, à Paris, et composé de demi-poires williams pochées, noyées dans une crème frangipane vanillée, recouvertes de macarons écrasés, et glacées au four. La tarte Bourdaloue est faite avec la même garniture sur un fond de tarte. L'apprêt Bourdaloue, fait de semoule ou de riz à entremets, sert à accommoder d'autres fruits pochés (abricots, pêches, ananas, etc.). Quant à la bombe Bourdaloue, elle est parfumée à l'anisette.

▶ Recettes : ABRICOT, BOMBE.

BOURGEAIS Vignoble bordelais situé sur la rive droite de la Gironde, en face du Médoc, qui produit des vins rouges et blancs structurés sous le nom de côtes-de-bourg (**voir** BORDELAIS).

BOURGEOISE (À LA) Se dit de viandes braisées typiques d'une cuisine familiale sans faste. La garniture bourgeoise associe carottes tournées, petits oignons et lardons, que l'on peut disposer en bouquets.

▶ Recettes : DINDE, DINDON ET DINDONNEAU, GRAS-DOUBLE.

BOURGOGNE Depuis l'époque des fastes des ducs de Bourgogne, cette région, aux vins de grand renom, s'affirme au sein de la gastronomie française. À juste titre, tant elle est riche en produits de qualité : bœufs du Charolais, volailles de la Bresse, jambons et gibier du Morvan, poissons de la Saône, etc., tous les mets cuisinés étant rehaussés par le vin, blanc ou rouge. Le vin caractérise d'ailleurs les préparations dites « à la bourguignonne », complétées par les petits oignons blancs, les lardons et les champignons. L'exemple type en est le bœuf bourguignon, devenu le modèle des ragoûts mijotés au vin. Cependant, la véritable spécialité de la cuisine régionale semble plutôt être la meurette, une matelote au vin rouge reprenant les ingrédients du bœuf bourguignon, mais s'appliquant aux œufs, aux poissons, aux volailles, aux abats, etc.

Aux belles récoltes de champignons et, en moindre quantité, de truffes s'ajoutent des légumes assez variés, cuisinés souvent avec imagination : haricots blancs en potée accompagnés d'andouille, chou émincé aux lardons, navets à la crème, poireaux en matelote ou laitue en vinaigrette à la crème avec une pointe de moutarde.

Les sauces de la cuisine bourguignonne présentent d'infinies nuances : à la chablisienne (au chablis), à la dijonnaise (à la moutarde), à la nivernaise (vin blanc, ail et échalotes), à la mâconnaise (petits oignons et fines herbes) ou à la morvandelle (au jambon).

La vocation charcutière de la région repose sur le saucisson (judru, rosette, saucisson cendré, etc.), mais aussi sur le jambon persillé du Morvan, la tourte morvandelle, les andouilles et les andouillettes. Le jambon persillé est une des spécialités de Dijon.

La préparation des volailles exploite au mieux les ressources du vignoble, comme en témoigne le coq au vin. Dans le Morvan, le poulet est cuit avec du jambon cru et des pommes de terre.

Les deux plats de poissons les plus typiques sont la pochouse et la meurette. Écrevisses (en tourte ou en quiche) et grenouilles (fricassées à la crème) perpétuent la gastronomie de la région, tout comme l'escargot de Bourgogne, ou gros blanc, farci au beurre d'ail et de persil.

Les liqueurs de cassis et autres petits fruits ont valu à la ville de Dijon un privilège exclusif en ce domaine. Si la moutarde et le pain d'épices sont des spécialités dijonnaises, la flamusse (un flan aux pommes) et le raisiné (une confiture à base de raisins mûrs et d'autres fruits) sont les douceurs rustiques.

■ Poissons.
• CARPE, ANGUILLE, BROCHET. La carpe est farcie de pâte à gougère, puis cuite au vin blanc sur un lit d'échalotes, ou encore braisée au vin rouge avec des oignons. L'anguille cuite au court-bouillon est tronçonnée, frite et servie avec une mayonnaise à la moutarde. Le brochet, lardé, est rôti ou braisé, ou sert encore à la confection des quenelles.

■ Viandes.
• POTÉE BOURGUIGNONNE, BEURSAUDES, SAUPIQUET. La potée bourguignonne associe palette, jarret et lard mijotant avec des légumes de saison. Les rustiques beursaudes sont faites avec les résidus de la cuisson de la panne de porc et garnissent omelettes et salades. Le saupiquet du Morvan, ou des Amognes, est constitué d'épaisses tranches de jambon cru poêlées et recouvertes d'une sauce au vin avec échalotes, poivre, baies de genièvre et estragon.
• FILET DE CHAROLAIS, ABATS. Le filet de charolais aux morilles est une pièce de bœuf poêlée, servie avec une légère sauce au vin et des morilles sautées. On prépare fort bien les abats, comme le cœur de bœuf cuit au vin rouge ou la queue de bœuf aux petits lardons à la vigneronne.

■ Volailles et gibier.
• POULARDE À LA BOURGEOISE ET LIÈVRE À LA PIRON. La poularde à la bourgeoise se cuisine à l'étouffée, avec des lardons et des carottes. Le lièvre à la Piron est piqué de lard, mariné et servi avec une sauce à la crème.

■ Fromages.
Ils sont nombreux et variés : époisses, ami du chambertin et aisy cendré, pour les amateurs de saveurs fortes, soumaintrain et saint-florentin, dans un registre plus doux, mais aussi chèvres, tel le charolais, parfois conservés au marc de raisin, fromages d'abbaye comme le cîteaux et la pierre-qui-vire.

« Dans la cave du FOUR SEASONS GEORGE V, les vins attendent d'être dégustés et les bouteilles sont empilées. En salle, dans le restaurant HÉLÈNE DARROZE, les clients sont accueillis par une impressionnante collection de bouteilles d'armagnac ; à l'HÔTEL DE CRILLON, liqueurs et eaux-de-vie leur sont proposées en carafes. »

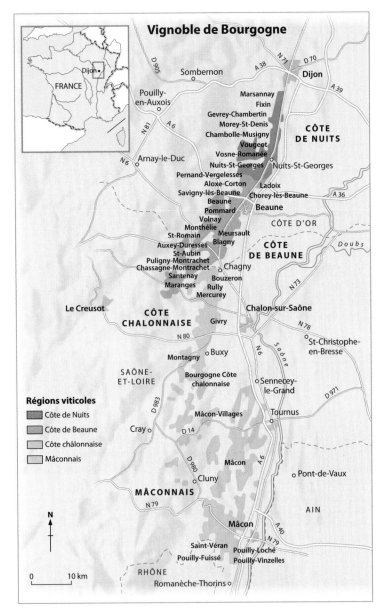

Vignoble de Bourgogne

Régions viticoles
- Côte de Nuits
- Côte de Beaune
- Côte châlonnaise
- Mâconnais

chablis, les principales appellations de l'Yonne sont le bourgogne rouge et le bourgogne blanc, généralement suivis du nom du village. L'appellation Côtes-d'auxerre couvre surtout les vignobles de Saint-Bris-le-Vineux, d'Auxerre et de quelques villages alentour. Vézelay produit des rouges et blancs. Le saint-bris est un blanc issu du seul sauvignon blanc planté en Bourgogne. Élaboré dans l'Yonne, le crémant de Bourgogne est rouge, blanc ou rosé.

• **Côte d'Or.** Les vignobles sont implantés sur des coteaux situés entre la plaine et les collines boisées. Le sous-sol stratifié riche concourt à une qualité exceptionnelle des vins.

Côte de Nuits. Le vignoble, planté presque exclusivement de pinot noir, commence à la pointe sud de Dijon et s'étend sur 22 km jusqu'à Corgoloin. Chaque village ou commune possède une AOC. La côte de Nuits possède ses meilleurs 5 premiers crus avec l'appellation fixin.

Celle de Gevrey-Chambertin fournit 9 grands crus et 28 premiers crus. Morey-Saint-Denis compte 5 grands crus de garde. Les somptueux chambolle-musigny offrent des premiers crus et 2 grands crus : le puissant bonnes-mares et musigny, plus raffiné.

Les clos-de-vougeot ont un goût puissant et riche, presque doux. Quant à Flagey-Échezeaux, il abrite le grand cru échezeaux. Vosne-Romanée dispose de premiers crus à l'opulence épicée ; parmi ses 6 grands crus, richebourg, la tâche et romanée-conti sont les plus connus.

Au nord de Nuits-Saint-Georges, les premiers crus sont plutôt parfumés et opulents, alors qu'au sud de la ville ils sont très aromatiques et robustes.

Côte de Beaune. Le vignoble s'étire sur 25 km environ et comprend une vingtaine de villages possédant chacun sa propre AOC. Les vins y sont essentiellement rouges, à base de pinot noir, sauf vers les communes de Meursault et de Puligny-Montrachet, connues pour leurs grands vins blancs (issus de chardonnay).

Pernand-Vergelesses est réputé pour son vin rouge premier cru, île des vergelesses, et pour ses vins blancs. Aloxe-Corton possède 2 grands crus : corton, un vin rouge très aromatique, et corton-charlemagne, vin blanc au bouquet distingué et épicé, au goût de noisette. Les premiers crus rouges de Savigny-lès-Beaune se caractérisent par leurs arômes séduisants, un goût vif et fruité. Pommard ne produit que des vins rouges avec des premiers crus célèbres (epenots, clos de la commeraine, etc.). Les premiers crus de Volnay sont des vins rouges délicats. Les vins rouges de Monthélie sont aromatiques, pleins de caractère et bien structurés. À Auxey-Duresses, les premiers crus révèlent parfois des vins rouges au parfum de framboise. Les meilleurs blancs ont un délicieux goût de pain grillé et de noisette. Les blancs de Saint-Romain sont frais et les rouges, fermes. Meursault comprend de nombreux premiers crus à l'arôme puissant et persistant. Si Blagny se cantonne au vin rouge, Puligny-Montrachet se concentre sur le vin blanc avec une foison de premiers crus et 5 grands crus. Chassagne-Montrachet partage avec Puligny le grand cru montrachet.

À Santenay, plusieurs premiers crus donnent de bons vins d'une certaine structure. Tout au sud de la côte de Beaune, Maranges propose des vins blancs et rouges réputés pour leur finesse.

• **Hautes Côtes.** À l'ouest de la Côte d'Or s'étend une zone de collines boisées. Chardonnay, aligoté et pinot noir y sont cultivés. Il s'agit des appellations bourgogne-hautes-côtes-de-nuits ou bourgogne-hautes-côtes-de-beaune, qui comprennent aussi des villages de Saône-et-Loire.

• **Côte chalonnaise.** Cette zone bénéficie d'affleurements de calcaire et de marne, et de quelques bons sites escarpés et bien exposés. Les vins ont droit aux appellations générales et régionales de Bourgogne ainsi qu'à l'AOC bourgogne-côte chalonnaise. Plus abondants, les vins rouges proviennent de pinot noir parfois assemblé au gamay (bourgogne passetoutgrain). Les vins blancs, issus de chardonnay, sont vifs et charmants. Cinq villages ont le droit d'utiliser leur nom. Bouzeron est réputé pour son aligoté. Les 19 premiers crus de Rully sont des vins rouges, mais les blancs sont majoritaires. À Mercurey, les rouges dominent, ainsi qu'à Givry. Montagny ne produit que des blancs.

■ **Desserts.**

• **Confiseries, tartouillats, cacou, rigodons.** Nombreuses sont les localités dont le nom est attaché à une douceur, corniottes de Tournus, cassissines de Dijon, cabaches de Chalon-sur-Saône, nougatines et négus de Nevers, ou anis de Flavigny. On trouve d'autres desserts traditionnels plus rustiques : les tartouillats (pâte à crêpes, agrémentée ou non de fruits, cuite au four dans des feuilles de chou), le cacou (clafoutis aux cerises noires) ou les rigodons. Les fruits sont très présents, en particulier les cerises, les merises et le cassis.

■ **Vins.**

Présente déjà au temps des Gaulois, encouragée par les moines du Moyen Âge, puis par les ducs de Bourgogne (XIVe et XVe siècles), la culture de la vigne se développe sur une vaste région qui s'étend sur l'Yonne, la Saône-et-Loire, le Rhône et la Côte-d'Or. La diversité des climats et des sols ainsi que le morcellement en petites parcelles déterminent une mosaïque de vins aux personnalités très différentes.

• **Régions et cépages.** La Bourgogne se divise, du nord au sud, en 5 régions viticoles : Chablis et Yonne, Côte d'Or, Hautes Côtes, Côte chalonnaise, Mâconnais, essentiellement encépagées de pinot noir et de chardonnay.

• **Chablis et Yonne.** Le chablis provient de la ville de Chablis et de 19 localités. Le cépage chardonnay s'y rencontre dans un climat continental avec des hivers rigoureux et des étés chauds.

Chablis possède 4 appellations : chablis village, petit chablis, premier cru et grand cru, ces derniers étant au nombre de 7. Outre

• MÂCONNAIS. Plus méridionale, cette région possède un climat moins rude. Le sous-sol est favorable au gamay et surtout au chardonnay, dont les meilleurs coteaux sont regroupés au sud.

Le Mâconnais produit du rouge et, surtout, du blanc sous l'AOC mâcon supérieur, l'AOC mâcon étant plus rare. Le rouge est parfois issu de pinot noir et peut aussi porter l'étiquette bourgogne ou celle de passetoutgrain, mais il provient le plus souvent de gamay. Le blanc donne des vins aux noms célèbres comme le pouilly-fuissé et le saint-véran.

■ **Appellations régionales.**

Les vins de la région reçoivent l'appellation bourgogne. Les étiquettes peuvent mentionner les cépages. Bourgogne-grand-ordinaire recense des vins provenant de toute la région, pour lesquels les cépages gamay et aligoté sont autorisés. Le bourgogne aligoté est un vin blanc sec et vif. Bourgogne passetoutgrain désigne du vin rouge à base de cépages gamay et, pour au moins un tiers, de pinot noir. Les principaux villages de la Côte d'Or et des autres régions sont dotés de leur propre appellation. Cependant, les limites de l'AOC et celles de la commune ne coïncident pas forcément. De plus, certains vignobles d'une même commune n'ont pas droit à l'AOC du village, mais à l'AOC bourgogne ou à une appellation générique. Lorsque des vignobles (côte-d'or, chablis) ont le statut de premier cru ou de grand cru, l'étiquette doit mentionner le village, le vignoble, et premier cru (ou 1er cru) ou grand cru.

BOURGOGNE ALIGOTÉ Vin blanc sec AOC de Bourgogne, issu du cépage aligoté. Fruité, charnu, très vigoureux et à boire jeune, le vin s'est enrichi depuis 2001 de l'appellation village bouzeron (**voir** ce mot).

BOURGOGNE-CÔTE-CHALONNAISE Vin AOC produit dans la Côte chalonnaise qui s'étend sur 40 km à l'ouest de Châlon-sur-Saône et au sud de la Côte d'Or. Les vins rouges, issus du pinot noir, et les vins blancs, issus du chardonnay, plus légers que ceux produits en Côte d'Or, ne manquent ni de charme, ni de caractère.

BOURGOGNE-GRAND-ORDINAIRE Sans origine déterminée, ce vin AOC peut être issu de toute l'appellation bourgogne et n'utilise que les cépages locaux : en rouge et en rosé, le gamay et le pinot noir (le césar dans l'Yonne) et, en blanc, le chardonnay et l'aligoté (le sacy dans l'Yonne).

BOURGOGNE-HAUTES-CÔTES-DE-BEAUNE Vins de Bourgogne AOC, situés à l'ouest de la Côte d'Or, dans une zone de collines boisées où sont cultivés les cépages chardonnay, aligoté et pinot noir. Plus légers que ceux de la proche côte de Beaune, ces vins présentent souvent une très agréable alternative.

BOURGOGNE-HAUTES-CÔTES-DE-NUITS Vins de Bourgogne AOC, situés à l'ouest de la Côte d'Or, dans une zone de collines boisées où sont cultivés les cépages chardonnay, aligoté et pinot noir. Ils représentent une très attractive alternative aux vins de la côte de Nuits, dans la mesure où l'on recherche les vignobles les mieux exposés.

BOURGOGNE PASSETOUTGRAIN Exclusivement rouge ou rosé (cépages pinot noir et gamay), ce vin AOC doit comporter dans son assemblage au moins un tiers de pinot noir. Les vins, friands, parfumés et désaltérants, doivent se consommer dans les 3 ans.

BOURGUEIL Vin AOC de Touraine, issu du cépage cabernet franc, qui peut être soit rouge, puissant, tannique et vieillissant bien, soit rosé, fruité et ample (**voir** TOURAINE).

BOURGUIGNONNE (À LA) Se dit de divers apprêts cuisinés au vin rouge, dont le plus connu est le bœuf bourguignon. Ils sont généralement accompagnés d'une garniture portant le même nom, composée de petits oignons, de champignons de Paris et de lardons.

L'appellation s'applique aussi à des préparations inspirées plus ou moins directement de la cuisine régionale de la Bourgogne (meurette, escargots, potée).

▶ **Recettes :** BALLOTTINE, BŒUF, CERISE, HARICOT ROUGE, SAUCE, TRUITE.

BOURRACHE Plante aromatique à fleurs bleues, blanches ou rouges de la famille des boraginacées (**voir** planche des fleurs comestibles pages 369 et 370 et des herbes aromatiques pages 451 à 454). Son nom, dérivé de l'arabe *abu rach*, « père de la sueur », vient des qualités sudorifiques de la tisane que l'on en tire. La bourrache a une odeur légère et une saveur plus prononcée de concombre et d'huître. On utilise les jeunes feuilles hachées pour parfumer les salades, les sauces et les vinaigrettes. Les Allemands les utilisent dans les potées et les courts-bouillons, les Espagnols les accommodent en légumes, et les Orientaux les farcissent comme les feuilles de vigne.

Les fleurs servent à faire des beignets ou, confites, à décorer la pâtisserie.

BOURRICHE Panier allongé, autrefois en osier, destiné à l'expédition des coquillages, surtout des huîtres, et également à celle du gibier et du poisson. Aujourd'hui, des lamelles de bois ont remplacé l'osier. Les ostréiculteurs distinguent le panier, rectangulaire, pour expédier les huîtres creuses, et la bourriche, ronde, pour les huîtres plates.

BOURRIDE Soupe de poisson typiquement provençale, dont le bouillon est passé en fin de cuisson et lié avec de l'aïoli. L'authentique bourride sétoise se fait avec de la lotte. Ailleurs qu'à Sète, on mêle parfois merlan, loup, mulet et daurade.

bourride sétoise

Couper 1 kg de queues de lotte, sans la peau, en tronçons ; les cuire 20 min à gros bouillons dans un mélange de 1 litre d'eau et de 1 litre de vin blanc, avec 1 blanc de poireau, 2 oignons et 2 carottes, épluchés et émincés, 2 gousses d'ail pelées et hachées, 1 bouquet garni, un peu d'écorce d'orange séchée, du sel et du poivre. Disposer les morceaux de poisson dans des assiettes contenant chacune une tranche de pain rassis ; poudrer légèrement de safran. Passer le court-bouillon au tamis ou à l'étamine ; le faire réduire de moitié sur feu assez vif et y délayer, hors du feu, un aïoli très ferme. Napper le poisson de cette sauce.

BOUTEFAS Gros saucisson d'origine vaudoise très apprécié en Suisse romande, préparé avec de la chair de porc et du lard hachés grossièrement et poussés dans une baudruche. Le boutefas est longuement et délicatement poché pour accompagner la choucroute et les légumes d'hiver.

BOUTEILLE Récipient à goulot étroit, destiné à contenir et à conserver un liquide. Les eaux minérales et les jus de fruits, le cidre et la bière (canette), les alcools, les huiles et les vinaigres sont commercialisés dans des bouteilles de formes, de contenances et de matériaux divers (**voir** planche des bouteilles page 128). Les bouteilles de champagne portent des noms spécifiques en fonction de leur contenance : magnum, jéroboam, nabuchodonosor, etc. (**voir** CHAMPAGNE).

■ **Amphores, tonneaux, bouteilles.** Dans l'Antiquité, le vin, conservé et transporté dans des amphores, finissait par se dénaturer. L'invention du tonneau, probablement due aux Gaulois, fut un progrès notable. Au Moyen Âge, le service du vin, à table, se faisait dans des vases ou des pots en étain. Ce n'est qu'au XVIIIe siècle que la conservation en bouteilles de verre se généralisa. Jusqu'au milieu du XIXe siècle, les bouteilles étaient encore soufflées une par une ; leur forme et leur contenance variaient donc d'un atelier à l'autre, et parfois même d'un exemplaire à l'autre. Avec le développement du commerce des vins, les formes se régionalisèrent, sans pour autant s'uniformiser.

Les premières bouteilles « mécaniques » furent employées à Cognac en 1878. Dès lors, le moulage automatique instaura une standardisation qui fut bientôt légalisée. L'heure est à la mode des bouteilles « spéciales », et chaque cru prétend avoir la sienne ; mais les plus classiques sont aussi les plus appréciées.

127

■ **Service du vin.** La pratique courante consiste à servir le vin dans sa bouteille d'origine ; selon les œnologues, seuls peuvent être couchés dans un panier les très vieux vins qui ont un dépôt et qu'on ne veut pas décanter.

BOUTEILLES (MISE EN) Opération de transvasement du vin dans des bouteilles. Sur les étiquettes, la mention « mise en bouteilles au château » (surtout dans le Bordelais) ou « à la propriété » atteste que le vin a été mis en bouteilles sur le lieu de production.

BOUTIFAR Sorte de gros boudin noir de Catalogne, où le sang alterne avec des morceaux de gras et de viande. Le boutifar mesure de 8 à 10 cm de diamètre et se consomme froid (**voir** BOUDIN NOIR).

BOUTON-DE-CULOTTE Fromage de lait de chèvre (45 % de matières grasses), à pâte molle et à croûte gris-brun, mais qui se consomme très sec et cassant (**voir** tableau des fromages français page 392). En forme de cône tronqué, de la taille d'une grosse bouchée, il a une saveur forte et piquante, et accompagne les dégustations de vins du Beaujolais.

BOUZERON Vin de Bourgogne, issu du cépage aligoté. Depuis 2001, le village Bouzeron a été promu au rang d'AOC. Sur un terrain fortement calcaire, ce vin blanc révèle à la fois vivacité et souplesse.

BOUZOURATE Boisson rafraîchissante, consommée au Moyen-Orient, faite de graines de melon séchées, grillées et broyées, que l'on fait tremper dans de l'eau en les pressant dans des sachets d'étoffe fine. Le liquide obtenu est sucré et servi très froid.

BOUZY Commune de la Montagne de Reims, qui a donné son nom à une appellation de vin rouge issu du cépage pinot noir, tranquille et délicat, aux arômes de fruits (**voir** CHAMPAGNE).

BOYAU Intestin vidé, retourné, lavé et gratté d'un animal, employé à usage de protection de certaines charcuteries et salaisons. Les boyaux les plus petits (appelés « menus ») correspondent à l'intestin grêle (de petit diamètre), les plus gros au gros intestin et portent souvent le nom de « chaudin ». On n'utilise plus l'intestin du bœuf qui est un matériel à risques spécifiés (**voir** ce mot) pour les saucissons et le cervelas ; celui du mouton embosse les merguez et les chipolatas ; celui du porc entoure les saucisses, les saucissons et les boudins. Le rectum du porc (fuseau) emballe les gros saucissons, la « rosette », ainsi nommée car l'anus est conservé, et les salamis. Les boyaux comme l'estomac du porc constituent la matière première de la plupart des andouillettes et andouilles. Il existe aussi des boyaux synthétiques.

BRAGANCE Garniture pour tournedos ou noisette d'agneau, composée de pommes croquettes et de petites tomates étuvées, emplies de sauce béarnaise ; elle porte le nom de la dernière dynastie du Portugal, qui régna jusqu'à la révolution de 1910.

Le bragance est également un entremets de pâtisserie fait d'une génoise ronde, coupée en deux et imbibée de sirop à la liqueur d'orange ; on étale sur l'abaisse inférieure une crème anglaise additionnée de liqueur d'orange, de beurre et d'écorces d'orange confites hachées ; le gâteau reconstitué est masqué de cette crème et décoré d'écorces d'orange confites.

BRAISER Cuire à couvert, avec plus ou moins de liquide, longtemps, à feu doux, éventuellement au four, des aliments qui nécessitent d'être

BOUTEILLES

clavelin du Jura

bordeaux, verte

bordeaux, blanche

bourgogne

champagne, verte

champagne, blanche

provence

côtes-de-provence

alsace

côtes-du-rhône

anjou

attendris : viandes de deuxième et de troisième catégorie, légumes (chou, endive, artichaut, laitue), grosses volailles (**voir** tableau des modes de cuisson page 295).

Le terme « braiser » est aussi employé pour la cuisson, plus courte, de certains poissons à chair ferme (anguille, carpe, lotte, saumon, thon).

■ **Cuisson.** Une viande à braiser peut être préalablement lardée, ou piquée et marinée. La cuisson s'effectue généralement en deux temps. On fait d'abord revenir, pour la saisir, la viande dans une matière grasse, jusqu'à obtenir une belle coloration. Ce rissolage concentre tous les sucs. Ceux-ci seront ensuite libérés après l'ajout d'une garniture aromatique (ail, échalote, oignon, carotte, etc.) et d'un liquide de mouillement (eau, bouillon, vin) plus ou moins abondant. Sous l'action prolongée de la chaleur, ils donneront une sauce concentrée et savoureuse.

En fin de cuisson, le jus, plus ou moins abondant, peut être passé, puis dégraissé, et éventuellement réduit. On peut aussi lui donner de la consistance grâce à une liaison.

Lorsque l'aliment à braiser contient beaucoup d'eau (légumes surtout), la cuisson se fait avec très peu de liquide.

Pour un poisson, la cuisson s'effectue dans un liquide de mouillement (vin, fumet, bouillon) peu abondant avec une garniture aromatique préalablement revenue dans une matière grasse. Un poisson en tranches, un mollusque détaillé en lanières voire un crustacé en tronçons doivent être saisis de tous côtés (dans de l'huile ou du beurre) avant de finir de cuire avec la garniture. On arrose en cours de cuisson.

BRAISIÈRE Ustensile de cuisson rectangulaire, aux angles arrondis, muni d'un couvercle emboîtant, parfois creux afin de recevoir de l'eau pour les cuissons à l'étouffée, et de poignées.

En aluminium ou en cuivre étamé, la braisière est utilisée en restauration pour les préparations mijotant longtemps. En cuisine ménagère, elle est généralement remplacée par la cocotte en fonte.

Autrefois en terre, la braisière était placée directement dans les braises, dont on garnissait son couvercle pour assurer une cuisson régulière.

Le mot désigne aussi un fond brun, cuisiné avec des os de veau et de bœuf préalablement « pincés », des carottes, des oignons et de l'ail longuement mijotés dans de l'eau avec des aromates, puis dégraissé et passé (ce fond sert à préparer les grandes sauces brunes).

BRANCAS Nom d'une garniture pour petites pièces de boucherie, viandes blanches et volailles, composée de pommes Anna et de chiffonnade de laitue à la crème. Ce mot désigne aussi un apprêt de la barbue et un consommé.

BRANDADE Purée de chair de morue émulsionnée à l'huile d'olive et au lait. Cette spécialité languedocienne et provençale se sert avec des croûtons, aillés (à Nîmes) ou non (à Marseille ou à Toulon).

La cuisine familiale lui incorpore souvent, pour des raisons d'économie et bien que ce ne soit pas traditionnel, de la purée de pomme de terre.

Adolphe Thiers était connu pour sa passion de la brandade, que son ami l'historien Mignet lui expédiait en pots de Nîmes, et qu'il dégustait en solitaire dans sa bibliothèque.

brandade de morue nîmoise

Dessaler 1 kg de morue en changeant l'eau plusieurs fois ; la couper en morceaux et la pocher 8 min à l'eau, à tout petits frémissements. L'égoutter, retirer les peaux et les arêtes, et l'effeuiller. Chauffer assez vivement dans une casserole à fond plat et épais 20 cl d'huile d'olive. Ajouter la morue et travailler sur le feu, à chaleur douce, avec une cuillère de bois. Quand la pâte est bien fine, retirer la casserole du feu et continuer à mélanger en ajoutant petit à petit, sans cesser de remuer, 40 ou 50 cl d'huile d'olive, en alternant avec 25 cl de lait bouilli (ou de crème fraîche). Assaisonner de sel et de poivre blanc. La pâte blanche homogène doit avoir la consistance d'une purée de pomme de terre. Dresser la brandade dans une timbale ou un plat creux, en la montant en dôme.

La garnir de croûtons de pain de mie aillés coupés en triangles et frits dans de l'huile.

BRANDY Terme anglais désignant l'eau-de-vie dans les pays anglo-saxons. Employé seul, le terme « brandy » s'applique aux eaux-de-vie de vin comme le cognac et le pisco ; associé au nom d'un fruit, il qualifie l'alcool tiré de ce fruit ou une liqueur additionnée d'eau-de-vie. « Apple brandy » désigne, par exemple, le calvados.

BRAS (MICHEL) Cuisinier français (Gabriac, 1946). Fils d'un forgeron et d'une cuisinière, il rachète d'abord la demeure familiale, *Lou Mazuc*, à Laguiole, Aveyron, où il obtient les deux étoiles au Guide Michelin (en 1982, puis en 1987), avant de s'installer en 1992 dans un vaste espace moderne sur le plateau de l'Aubrac, à plus de 1 000 m d'altitude. Il y recevra les trois étoiles en 1999. Sa cuisine des herbes et des chemins exerce une grande influence sur ses pairs. Des plats emblématiques comme le gargouillou de légumes ou le biscuit de chocolat « coulant » ont largement été copiés par d'autres. Créatif, mais fidèle à son terroir, solitaire, mais homme d'équipe, il est soutenu par son épouse Ginette qui l'aide à composer la carte des vins. Il est aujourd'hui épaulé par son fils Sébastien (né à Laguiole en 1971).

BRASSERIE Établissement où l'on consomme de la bière. Avant 1850, ce mot désignait une usine où l'on fabriquait cette boisson. Aujourd'hui, la brasserie se confond souvent avec le « café-restaurant », bien qu'on y serve à toute heure de la journée et souvent tard le soir, car si les bocks, demis, choucroutes garnies, plateaux d'huîtres et vins d'Alsace restent ses pierres angulaires, tous les plats chauds et froids de la restauration classique y sont aussi proposés.

La brasserie traditionnelle est bavaroise ; à Munich, l'une des plus anciennes, créée en 1589, existe toujours. À Paris, ce fut l'installation de réfugiés alsaciens et lorrains, après la guerre de 1870, qui lança la mode des brasseries ; celles-ci devinrent des lieux élégants, aussi décorés que les grands cafés de la capitale.

De 1870 à 1940, écrivains, artistes, journalistes et hommes politiques firent la fortune des brasseries ; ils pouvaient y discuter, y boire, y écrire et y manger. Parmi les établissements qui ont disparu, la brasserie Pousset était le rendez-vous d'écrivains et de journalistes, et celle de la rue des Martyrs, celui des artistes. Depuis quelques années, un regain d'intérêt pour la bière a incité plusieurs cafés et des brasseries à se spécialiser dans les bières françaises et étrangères : certains « bars belges » ou « académies de la bière » proposent jusqu'à trois cents marques, servies le plus souvent avec de la charcuterie, du fromage, voire des moules.

BRAZIER (EUGÉNIE, DITE LA MÈRE BRAZIER) Cuisinière française (Bourg-en-Bresse 1895 - Le Mas-Rillier 1977). Fille de paysans de la Bresse, elle est la première chef et la première femme, en 1933, à avoir cumulé les trois étoiles au Guide Michelin dans ses deux établissements, rue Royale à Lyon à son enseigne *(la Mère Brazier)* et au col de la Luère. Elle fait son apprentissage chez la Mère Filloux qui lui apprend l'art de faire simple à partir de produits de grande qualité. Elle s'installe à son compte modestement en 1921, proposant les langoustines mayonnaise, le pigeon aux petits pois et les pommes flambées. Les médecins lui conseillent de prendre l'air des hauteurs, elle s'installe alors dans une guinguette qui fera sa gloire, à 680 m d'altitude et 20 km de Lyon. Elle sera relayée en ville par son fils Gaston, formé par elle. La guinguette deviendra un bel établissement en bois qui fera accourir les gourmets du monde entier. Si elle perd ses étoiles au col en 1961, elle en retrouvera une en 1962, puis les trois directement – un phénomène unique – en 1963. Fonds d'artichaut au foie gras, quenelles en gratin et volaille demi-deuil restent ses chefs-d'œuvre d'époque.

BREAD SAUCE Sauce blanche anglaise, à base de lait, de mie de pain, d'oignon haché et de clous de girofle, liés à la mie de pain, qui accompagne le gibier à plume et les volailles rôtis (**voir** SAUCE). Elle se sert souvent accompagnée de *bread crumbs* (chapelure dorée au beurre).

BREAKFAST Petit déjeuner à l'anglaise. Apparu au XIXᵉ siècle, il se composait de viande froide, de bière, de pâté et de fromage, et concernait alors essentiellement les hommes. La société victorienne, soucieuse de resserrer les liens familiaux, en fit le repas le plus important de la journée. Le breakfast durait longtemps tant il était abondant (jambon, galantine, omelette, langue de bœuf, kedgeree, voire perdrix rôtie, suivis de fruits et de compotes, accompagnés de thé, de miel et de biscuits divers).

Aujourd'hui, il est rituellement précédé d'une tasse de thé (ou de café) prise au saut du lit, et se compose de jus de fruits, de céréales (porridge ou corn flakes), d'œufs poêlés avec du bacon ou de saucisses grillées, parfois de harengs fumés (grillés ou pochés). Toujours accompagné de toasts grillés, avec beurre et marmelade d'orange, il est servi avec du thé (ou du café), très souvent au lait. Il est parfois complété par des scones, des *oatcakes* (galettes d'avoine), des buns et des pains mollets. Des traditions régionales subsistent : bouillie d'avoine au babeurre dans le pays de Galles, boudin grillé dans le Lancashire. Moins copieux que par le passé, le breakfast anglais, largement adopté par les Allemands, les Scandinaves et les Hollandais, reste beaucoup plus substantiel que le petit déjeuner « continental » (à la française) [**voir** BRUNCH].

BRÉBANT-VACHETTE Restaurant parisien du boulevard Poissonnière, qui fut célèbre sous le second Empire. Créé en 1780, il changea plusieurs fois de propriétaire, fut transformé par Vachette (le père de l'écrivain Eugène Chavette), puis fut géré par Paul Brébant, restaurateur et amateur d'art. C'est dans cette grande brasserie qu'avaient lieu les dîners du *Bœuf nature*, réunissant Zola, Daudet, Flaubert, etc., les dîners Bixio, où la finance et l'industrie côtoyaient la littérature, et, enfin, les dîners Magny (animés par Sainte-Beuve). Ces habitués quittèrent le restaurant pour tenir désormais leurs réunions au *Brébant*.

BREBIS Animal femelle du mouton, dont on consomme le lait, le plus souvent sous forme de fromage, et, à la fin de la période de reproduction, entre 4 et 6 ans, la viande. Celle-ci, souvent plus grasse que celle de l'agneau ou du mouton, rouge et ferme, de goût assez prononcé, demande une cuisson particulière. L'essentiel des morceaux est vendu en boucherie sous le nom de « mouton ». Le lait de brebis contient davantage de matières grasses (64 %), de protéines (56 %) et de matières minérales (8,5 %) que le lait de vache, mais la proportion de lactose est légèrement plus faible (42 %), ce qui peut le rendre plus digeste. On en fait des fromages, traditionnellement fabriqués dans des régions de plateaux et de montagnes : à Roquefort, en Corse avec le brocciu et le niolo, dans le Béarn avec l'oloron et le laruns, et au Pays basque avec l'esbareich, l'arnéguy et l'ossau-iraty.

Dans plusieurs pays, on trouve de nombreux fromages à base de lait de brebis tels que le manchego et le serra en Espagne, les rabaçal et serpa au Portugal, le pecorino en Italie; la feta en Grèce ou encore les divers kaschkaval dans les Balkans.

Le fromage de brebis frais se consomme avec du sucre ou de la crème fraîche ; il sert à confectionner des tartes ou à fourrer des chaussons.

BRÈDE Ensemble de plantes herbacées consommées comme les épinards : amarante, ansérines, cresson de Pará, ou brède mafane, tétragone, etc.

BRÉHAN Nom d'une garniture pour grosses pièces de boucherie, composée de fonds d'artichaut garnis d'une purée de fèves, de bouquets de chou-fleur nappés de sauce hollandaise et de pommes de terre persillées.

BRÈME Poisson plat d'eau douce, de la famille des cyprinidés, pouvant atteindre 60 cm pour 3 kg, voire 80 cm pour 9 kg. La brème a un dos brun verdâtre, des flancs et un ventre gris aux reflets dorés.

Seule la brème de plus de 1 kg a un intérêt culinaire. Pour éliminer son goût de vase, il faut la faire dégorger. On peut la préparer en goujonnettes (les arêtes sont alors coupées en petits morceaux) dans de la pâte à beignet ou la cuisiner comme la carpe.

BRESAOLA DE LA VALTELLINA Salaison sèche de Lombardie, obtenue à partir de cuisse de bœuf séchée devant la braise et aromatisée. Comparable à la viande des Grisons, la bresaola se consomme nature, en tranches fines, ou se prépare en carpaccio.

BRÉSIL La cuisine brésilienne, fortement marquée par l'influence portugaise, est l'une des plus variées et des plus raffinées d'Amérique du Sud. Les Indiens l'ont enrichie de farine de manioc, de cacao, de patate douce et d'arachide, et les Noirs d'igname, de banane, de noix de coco et d'huile de palme *(dende)*. Le plat national est la feijoada (ragoût à base de haricots noirs et de viandes demi-sel), traditionnellement précédée d'une *batida* (cocktail à l'eau-de-vie de canne et au citron vert).

Dans le Nord-Est, on apprécie beaucoup les poissons et les fruits de mer, notamment dans la *fritada de mariscos* (moules, huîtres et morceaux de crabe enrobés de pâte à beignets et frits), ainsi que les grosses crevettes, à la noix de coco pour la *vatapa*, en boulettes ou frites avec des haricots rouges, et que l'on retrouve encore dans le *xinxin de galinha* (fricassée de poulet à l'arachide et au manioc).

La pâtisserie de cette région est très réputée : crèmes parfumées, gâteaux à la noix de coco, aux pruneaux, jaunes d'œuf battus avec du sucre et baptisés de noms imagés (bajoues d'ange, salive de jeune fille, œil de belle-mère, etc.).

Dans le Centre, comme en Argentine, le plat typique est le *churrasco* (viande grillée), et le fromage frais avec de la confiture de goyave se déguste à tout moment.

Dans le Sud, la cuisine est plus plantureuse : abats et tripes en ragoûts, volailles farcies de fruits, et surtout une purée de haricots noirs, de manioc et de lardons, qui est le plat de base.

Quant aux fruits tropicaux, innombrables, ils sont consommés dans tout le pays.

BRESSANE Galette plate, faite de pâte à brioche, que l'on parsème avant cuisson de quelques noisettes de beurre et de sucre en poudre. Elle peut être ensuite garnie de crème pâtissière et d'oreillons d'abricot.

BRESSANE (À LA) Se dit de plusieurs préparations où la volaille de Bresse tient une place prépondérante : poularde farcie de foie gras et de champignons (avec, éventuellement, des lames de truffe glissées sous la peau), braisée ou poêlée ; flan ou gâteau de foies blonds de volaille ; feuilletés et salades composées.

BRESSE ET DOMBES La région de l'Ain se caractérise par trois grandes traditions gastronomiques. La réputation des volailles de la Bresse n'est plus à faire : des recettes classiques simples (poularde à la crème) ou élaborées (poulet aux écrevisses, gâteau de foies blonds) en témoignent. La Dombes, première région productrice de poissons d'étang de France, est connue à travers les carpes frites ou farcies et braisées au four, les grenouilles sautées en persillade, les écrevisses à la nage ou à la crème, mais aussi ses canards (colverts rôtis aux navets), les rares grives ayant cédé la place aux cailles d'élevage préparées « à la vigneronne », farcies de raisins et enveloppées de feuilles de vigne et de bardes de lard. Le Bugey est surtout connu comme la patrie de l'auteur de la *Physiologie du goût*, Jean-Anthelme Brillat-Savarin.

À côté de ces spécialités, mises en valeur en particulier par les grands chefs lyonnais, la tradition paysanne offre des préparations simples : savoureuses petites crêpes de maïs accompagnant rôtis et volailles, galettes de Pérouge ou de Villers-les-Dombes, faites aujourd'hui de feuilletage ou de brioche, petits pâtés de Belley ou salé du Bugey, galette brûlante de pâte à pain aux oignons et aux noix que l'on consomme avec du vin local.

■ **Vins.** Le vignoble du Bugey est constitué de petites parcelles qui produisent du vin dans les trois couleurs. Les plus réputés sont le bugey effervescent et le bugey-cerdon.

BRESTOIS Gâteau consistant et de bonne conservation, spécialité de Brest, fait avec de la pâte à génoise additionnée d'amandes mondées et pilées, d'essence de citron et de liqueur d'orange. Cuits dans de petits moules à brioche, les brestois sont, une fois refroidis sur une grille, enveloppés dans une feuille d'aluminium où ils se conservent plusieurs jours. Le gâteau peut aussi être cuit dans un moule à manqué ; il est alors coupé en deux abaisses, fourré de marmelade d'abricot, puis abricoté et décoré d'amandes effilées, grillées ou non.

BRETAGNE Sobre et naturelle, la cuisine bretonne possède une forte personnalité liée à la richesse de ses produits : poulet de Janzé, andouille de Guéméné, huîtres de Cancale, sardines à l'huile, beurre salé ou demi-sel, cidre de Fouesnant, fraises de Plougastel, etc. Il ne faut pas oublier que, en Bretagne intérieure, on élève plus de la moitié des porcs français, les trois quarts des poulets et presque le tiers des vaches laitières ! Si l'Armor porte le nom de « ceinture dorée », c'est pour le nombre et la qualité de ses cultures maraîchères : carotte, navet, mâche, pomme de terre, petits pois et artichaut (celui dit « gros camus » s'illustre dans les artichauts à la bretonne).

Le chou-fleur prospère dans le Léon depuis plusieurs siècles, et on l'utilise dans des recettes dites « à la roscovite ». La Bretagne est aussi réputée pour ses haricots blancs, notamment les cocos paimpolais, servis seuls, sans accompagnement, ou avec le gigot. Les meilleurs gigots sont d'ailleurs fournis par l'agneau de pré salé, dont on apprécie aussi les côtelettes ou même l'épaule. Le veau, lui, sert surtout à confectionner les recettes des repas de fête (rouelle ou fricandeau) et ses abats sont très appréciés. Quant au porc, il est omniprésent dans le répertoire gastronomique ; le lard est en effet de toutes les recettes, mais on l'aime surtout cuisiné avec du chou, des pommes de terre ou des oignons. L'embossage donne, outre les boudins noirs parfois relevés de panade ou de chou, la fameuse andouille de Guéméné ou le pâté breton.

Pourtant, ce sont surtout les ressources de la mer qui retiennent l'attention, qu'il s'agisse de la pêche côtière ou lointaine, d'ostréiculture ou de mytiliculture. Les crevettes au cidre, les palourdes farcies, les sardines au plat, les rougets au gros sel, les maquereaux au vin blanc témoignent d'une cuisine simple et fraîche. Sur le plateau de fruits de mer, l'huître, et notamment la belon, tient bien sûr la vedette, mais, du splendide homard bleu au modeste bigorneau, la Bretagne possède toutes les espèces de coquillages et crustacés : homards, crabes (tourteaux, araignées de mer) et langoustines, auxquelles s'ajoute l'ormeau. Les moules se cuisinent à la marinière, en gratin, en soupe ou à la sauce bretonne. La pêche côtière fournit des poissons d'une qualité et d'une fraîcheur exceptionnelles : bars de ligne, merlans, turbots, rougets, saint-pierre, etc.

La renommée des crêpes, de froment ou de sarrasin, garnies de préparations salées ou sucrées, a largement dépassé le terroir d'origine, de même que celle des crêpes dentelles et des galettes bretonnes. Quant aux fraises et aux pommes, elles font figure de fruits bretons par excellence, tant leur production est ancienne et importante.

■ **Soupes et légumes.**
• MITONNÉE, SOUPE DE SARRASIN, GODAILLE. Au chapitre des soupes traditionnelles, il faut citer la mitonnée au lait et la soupe de sarrasin (dont on faisait jadis des bouillies parfois enrichies de fruits secs ou de lardons). Bien entendu, les Bretons excellent dans la préparation des soupes de poisson et chaque localité possède sa spécialité, comme la soupe de sardines de Douarnenez, la godaille de Lorient (soupe de têtes de poisson avec herbes, aromates, vinaigre et pain rassis), la soupe de Saint-Jacut aux moules, herbes et pommes de terre, celle du Morbihan avec tomates et oseille, ou celle de Cornouaille, au safran.
• CHOU EN DARÉE, EN BARDATTE, PATATEZ FRIKEZ, SAUCISSES. Le chou vert, à la base des soupes et des potées, est particulièrement bon « en darée », c'est-à-dire tout simplement garni d'une bonne dose de beurre demi-sel. Plus complet, le chou en bardatte est farci de lapin et de porc.

À Trébeurden, les pommes de terre deviennent les patatez frikez, avec lardons et oignons, écrasées en fin de cuisson et mélangées avec du beurre fondu. Elles peuvent aussi se transformer « en saucisse », c'est-à-dire en boulettes de purée, assaisonnées d'herbes et liées avec des œufs, que l'on fait frire à l'huile.

■ **Poissons.**
• COTRIADE, THON, BARBUE ET ANGUILLE. On cuisine les sardines, les dorades, les maquereaux, la lotte, etc. La cotriade est une soupe préparée avec des poissons communs (congre, maquereau, vieille, merlan, lieu), au beurre ou au saindoux, à l'oignon et à la pomme de terre. On apprécie également le ragoût de thon aux pruneaux, la barbue de Cancale, ainsi que l'anguille de Ploërmel marinée et grillée.
■ **Viandes.**
• PORC ET CHARCUTERIE : KIG HA FARS, CHOTEN, PORCHÉ. Le lard figure dans de nombreuses recettes, dont la plus ancienne est le kig ha fars (du lard cuit avec de la semoule et des légumes dans un sac en toile). On aime aussi le choten bigouden, à base de tête de porc, tandis que la casse de Rennes ou le porché de Dol réunissent divers abats (tête et pieds de porc, pieds de veau, fraise de veau avec lard, couennes et aromates). À part le jambon cuit à l'os (comme à Morlaix), on aime cuisiner les côtes de porc aux pommes ou le jambonneau au chou et aux marrons. Citons aussi les tripes de Saint-Malo au cidre ou à la mode de Vannes, au vin blanc.
• BŒUF, AGNEAU ET VEAU : RAGOÛTS ET RÔTIS. Les ragoûts bretons ont beaucoup de caractère, tel celui de Brest servi avec de la purée de sarrasin.
• POULET ET LAPIN. Dans ce domaine, les deux fleurons gastronomiques sont la poularde de Rennes (cuite au vin blanc et garnie de pruneaux) et le poulet de Janzé, un petit poulet à griller. Citons aussi le lapin au muscadet et le poulet aux artichauts. Le garenne aux châtaignes appartient à la cuisine du gibier tout comme le canard sauvage cuisiné au cidre.
■ **Desserts.**
• PÂTISSERIES ET CHOUCHEN. Le kouign-amann, riche en beurre et en sucre, le far aux pruneaux et les craquelins illustrent à merveille la pâtisserie bretonne. Mais on peut aussi déguster en dessert le chocart, un gros chausson feuilleté fourré de marmelade de pommes, parfumé de cannelle et de citron et servi chaud, ou encore le gâteau à la fleur d'oranger, le bigouden aux amandes, le pouloudig à base de sarrasin, de lait et parfumé au rhum, le gâteau de Sainte-Anne-d'Auray, parfumé à la bergamote, ou le gâteau aux figues fraîches de Saint-Briac-sur-Mer. S'il peut être bu pur, l'hydromel breton, le chouchen (ou suchenn), aromatise aussi des fruits.

BRETON Sorte de pièce montée faite de biscuits aux amandes, glacés de fondants diversement colorés et décorés, superposés en pyramide, servant autrefois surtout de décor pour les grands buffets. Le gâteau breton est également un biscuit rond assez épais, riche en beurre demi-sel et en jaunes d'œuf, doré à l'œuf et rayé de croisillons. Il peut se mouler en forme de navette.
▶ Recettes : BISCUIT, FAR BRETON.

BRETONNE (À LA) Se dit de divers mets garnis de haricots blancs, entiers ou en purée, dont la Bretagne est une productrice renommée et qui accompagnent bien le mouton et l'agneau (gigot, épaule). La sauce dont on nappe les œufs (mollets, pochés ou sur le plat) et les filets de poisson dits « à la bretonne » se compose de légumes, de velouté et de crème.
▶ Recettes : ARTICHAUT, CRABE, HOMARD, SAUCE.

BRETZEL Pâtisserie alsacienne – et allemande – croquante, qui accompagne la bière. En forme de nœud non serré, le bretzel est fait de pâte pochée dans de l'eau bouillante, poudrée de gros sel et de grains de cumin, et durcie au four. Il semble qu'il ait d'abord eu la forme d'un anneau encerclant une croix ; trop fragile, il aurait évolué vers son aspect actuel.

De nos jours, on façonne aussi la pâte à bretzel sous forme de mini-sandwichs appelés « mauricettes ».

BRICELET Gaufre suisse très fine, cuite dans un « fer à bricelets » carré ou rond, aux reliefs très variables. Chaque région de Suisse propose sa recette de bricelets à pâte épaisse ou claire, souvent sucrée pour accompagner les glaces, les crèmes ou le café. Des variantes salées, parfumées de graines de cumin pilées ou de fromage, se dégustent à l'apéritif. La pâte cuit en quelques secondes. Les bricelets sont

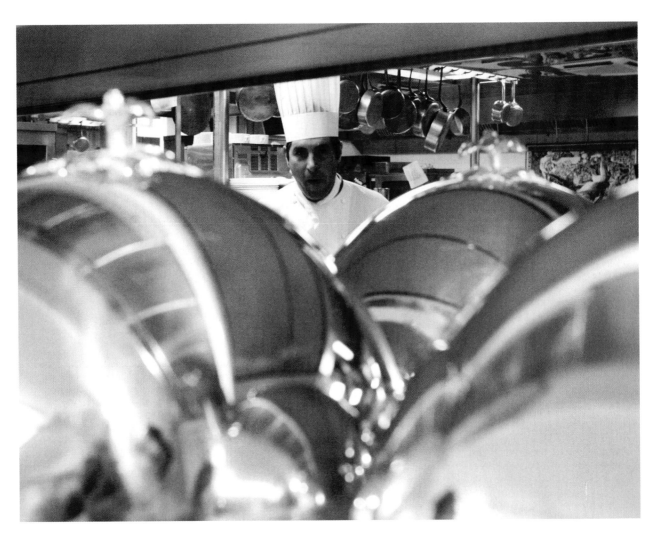

immédiatement roulés ou pliés en quatre ; ils peuvent aussi adopter une forme de cornet, et sont alors fourrés de crème fouettée très légèrement sucrée.

bricelets vaudois

Faire mousser 60 g de beurre avec 100 g de sucre. Ajouter 1 œuf entier plus un jaune, 25 cl de crème fraîche et 1 pincée de sel. Râper le zeste d'un citron, mélanger, puis ajouter 200 g de farine tamisée. Travailler rapidement la pâte, puis en verser de petites parts sur le fer à l'aide d'une louche ou d'une cuillère. Exercer une pression plus ou moins forte selon l'épaisseur souhaitée.

BRICK Fromage américain (Wisconsin) de lait de vache (45 % de matières grasses), d'autant plus intéressant qu'aux États-Unis la plupart des fromages sont des imitations ou des importations de produits européens (**voir** tableau des fromages étrangers page 400). Sa pâte élastique est percée de trous, et sa saveur douce rappelle celle du cheddar, plus fort. Le brick se présente sous la forme d'un bloc de 25 cm de long sur 12,5 cm de large et 7 cm d'épaisseur. Il permet de préparer des sandwichs, des canapés, des hamburgers, etc.

BRICQUEBEC OU PROVIDENCE DE LA TRAPPE DE BRICQUE-BEC Fromage d'abbaye au lait de vache (45 % de matières grasses), à pâte pressée non cuite et à croûte lavée (**voir** tableau des fromages français page 392). Fabriqué de nos jours par une coopérative du Cotentin, il se présente sous la forme d'un disque plat de 22 cm de diamètre sur 4 cm d'épaisseur. Le bricquebec, à la saveur douce et à la bonne odeur de cave, est excellent en toutes saisons.

BRIDER Passer, à l'aide d'une aiguille à brider, une ou deux brides de ficelle à rôti à travers le corps d'une volaille (ou d'un gibier à plume) pour maintenir les pattes et les ailes le long du corps pendant la cuisson. Cette opération s'effectue après l'habillage et le troussage. La volaille est toujours débridée avant l'apprêt et le dressage, ce qui permet de vérifier – et d'achever – la cuisson des côtés protégés par les pattes.

• BRIDAGE D'UNE VOLAILLE « EN ENTRÉE ». Quand la volaille doit être braisée, pochée ou poêlée entière (c'est-à-dire quand elle doit être manipulée plusieurs fois, ou pour certaines présentations décoratives, les pattes sont d'abord rentrées par une petite incision dans la peau du dos avant le bridage, ce qui les maintient encore davantage.

PAS À PAS ▶ *Brider une volaille à rôtir, cahier central p. VIII*

BRIE Fromage de lait de vache (45 % de matières grasses), originaire de l'Île-de-France, à pâte molle et à croûte fleurie blanche pigmentée de rouge (**voir** tableaux des bries ci-contre et des fromages français page 389). Le brie se présente sous la forme d'un grand disque de diamètre variable, souvent posé sur un paillon. La pâte, jaune clair, paille ou or, a une saveur fruitée.

■ **Histoire.** Le nom de la Brie est associé depuis les XVIIᵉ et XVIIIᵉ siècles à des grands fromages à pâte molle produits dans le Bassin parisien notamment pour la capitale, mais leur description – « liquide » en pot, affiné de « couleur or » ou gras et de « première qualité » – indique qu'ils étaient loin du brie connu aujourd'hui et ne fait guère état des variantes de Meaux, de Melun, etc. Les élites appréciaient le « Meaux » affiné ou frais (et donc blanc) ; plus « fini », après le transport, il ressemblait au maroilles ou à l'époisses. En 1878, celui de Coulommiers fut présenté indépendamment des autres bries à l'Exposition universelle de Paris.

Cette diversité des fromages de la Seine-et-Marne, produits en grandes quantités, mais reposant sur une même technique, a donné naissance à la corporation des affineurs responsables du suivi des produits et de leur mise sur le marché ainsi que de la création d'autres fromages de type brie.

■ **Emplois.** On sert le brie en fin de repas, mais il permet aussi de préparer des bouchées, des croquettes et des canapés. Autrefois, il était également utilisé pour confectionner des pâtes à tourte (et des brioches, ajoute Alexandre Dumas, qui explique ainsi l'étymologie de la brioche, à base de brie !).

Le brie jouit toujours du même prestige, même s'il est aujourd'hui souvent fabriqué en laiterie et non à la ferme. Les nombreux bries que nous savourons encore, ceux de Meaux et de Melun (protégés par une appellation d'origine), de Montereau, de Coulommiers et de Nangis, sont à base de lait de vache cru ou pasteurisé.

RECETTE DE ROLAND BARTHÉLEMY

brie aux truffes

« Écroûter soigneusement un brie de Meaux à l'aide d'une spatule. Étaler à la surface 50 g de truffe hachée ou de pelures de truffe, et recouvrir de 250 g de mascarpone. Faire prendre au réfrigérateur 12 heures au moins. Couper le fromage en deux et rabattre les moitiés l'une sur l'autre. Servir découpé en fines tranches. »

BRIGADE DE CUISINE Équipe formée, dans les restaurants d'une certaine importance, des cuisiniers et du personnel des services annexes. Elle est placée sous l'autorité d'un chef de cuisine appelé, dans le jargon professionnel, « gros bonnet ». Il est secondé par un (ou plusieurs) sous-chef qui dirige les « chefs de partie » (chef saucier, chef entremétier, etc.). Selon l'importance de l'établissement, ceux-ci peuvent être aidés par des commis et, éventuellement, des apprentis.

Une brigade de cuisine complète se compose :
– d'un chef garde-manger, responsable de la réception des marchandises, du stockage dans les chambres frigorifiques, de la surveillance des stocks, de la confection des préparations froides (buffets, hors-d'œuvre, sauces, terrines, etc.), de la découpe des viandes et des poissons ;
– d'un chef saucier, qui a la charge des cuissons suivantes : sauter-déglacer, poêler, pocher (viandes et volailles). Il confectionne ses fonds et ses sauces (sauf pour le poisson) ;
– d'un chef rôtisseur, responsable des autres cuissons : rôtir, griller, frire. Il s'occupe aussi de la préparation de tous les légumes (principalement les pommes de terre) qui sont frits ou grillés. Il confectionne ses beurres composés pour les grillades. Autrefois, il pouvait être aidé par un grillardin, voire par un friturier ;
– d'un chef poissonnier, qui s'occupe de la cuisson de tous les poissons, coquillages, crustacés (sauf lorsqu'ils sont grillés ou frits) ainsi que de leurs fonds et de leurs sauces. Dans les brigades de petite taille, ces fonctions sont assurées par le chef saucier ;
– d'un chef entremétier, qui prépare toutes les garnitures de légumes, sauf celles qui sont grillées ou frites. Il réalise les potages, certaines entrées chaudes et, éventuellement, les entremets sucrés lorsqu'il n'y a pas de pâtissier. Il a aussi à sa charge la cuisson des œufs (omelettes, œufs brouillés, etc.) ;
– d'un tournant, personne qui remplace les cuisiniers absents pour repos ou vacances ;
– d'un communard, qui s'occupe du repas du personnel. Dans les petites brigades, cette fonction est remplie par le rôtisseur ;

Caractéristiques des principaux bries

NOM	ÉPOQUE	DIAMÈTRE, ÉPAISSEUR	AFFINAGE
brie de Meaux (AOC)	mai-oct.	35-37 cm, 2,5 cm	1 mois
brie de Melun (AOC)	juin-oct.	27-28 cm, 3 cm	≥ 1 mois
brie de Montereau	mai-oct.	18 cm, 2,5 cm	1-2 mois
coulommiers	oct.-avr.	25 cm, 3 cm	1 mois

– d'un pâtissier, chargé de toutes les préparations de pâtisserie, desserts, viennoiseries, pâtes. Il pouvait autrefois être aidé par un glacier, voire par un confiseur.

Les services annexes (lavage de la vaisselle et des accessoires) sont composés par le plongeur de batterie (qui peut s'occuper aussi de l'habillage du poisson), l'argentier, le vaisselier, les garçons de cuisine et, éventuellement, le légumier, chargé uniquement de l'épluchage des légumes.

Ce type d'organisation est aujourd'hui de moins en moins pratiqué : la simplification des cartes, l'utilisation de matériels performants et l'emploi de produits semi-élaborés permettent de réduire le nombre de cuisiniers. Désormais, la cuisine s'articule autour de trois axes : la cuisine chaude (poste poisson et poste viande confectionnant bien souvent chacun leurs garnitures) ; la cuisine froide, qui s'occupe de toutes les préparations froides ; la pâtisserie.

BRIGNOLES Prune brune, portant le nom de sa ville d'origine, dans le Var, qui s'utilise, séchée et dénoyautée, dans les pâtisseries traditionnelles de la région. La brignoles est alors jaune clair et baptisée « pistole ».

BRIK Crêpe des pays du Maghreb de pâte très fine, garnie de maigre de mouton haché avec des oignons et de la menthe, sur laquelle on dépose un œuf. Le brik est ensuite plié, puis frit à l'huile dans une poêle. La pâte, de consistance élastique, est faite de farine, d'eau et de sel. Elle est ensuite cuite à l'huile d'olive selon une technique particulièrement délicate : on trempe la paume de la main dans de l'eau froide, puis dans la pâte, que l'on étale dans la poêle d'un mouvement circulaire ; très vite, on décolle la feuille de brik au couteau, sans la trouer, et on la dépose sur un torchon sec.

On trouve aujourd'hui en France, dans le commerce, des feuilles de brik toutes prêtes au rayon frais, à garnir au choix de préparations salées (œuf, viande, fromage, etc.) ou sucrées (amandes et miel, fruits, etc.).

---

brik à l'œuf

Casser 1 œuf sur une feuille de brik, saler, poivrer ; ajouter 1 pincée de persil et de coriandre frais hachés. Plier la feuille en deux suivant la diagonale, puis les deux côtés et enfin la pointe pour enfermer l'œuf. Plonger aussitôt dans la friture bouillante. Dorer en arrosant d'huile pour faire gonfler. Déposer le brik sur du papier absorbant et servir brûlant.

BRILLAT-SAVARIN (JEAN-ANTHELME) Magistrat et gastronome français (Belley 1755 - Saint-Denis 1826) qui passa sa jeunesse dans le Bugey, où il prit goût à la cuisine. Il accola à son patronyme celui d'une de ses tantes, nommée Savarin, qui lui légua sa fortune à condition qu'il portât son nom.

Après des études de droit à Dijon, Brillat-Savarin, jeune avocat, fut élu député à l'Assemblée constituante, puis président du tribunal civil de l'Ain, maire et commandant de la garde nationale. La chute des Girondins le contraignit à s'exiler en Suisse. Brillat-Savarin finit par s'embarquer pour les États-Unis, où il allait vivre de leçons de français et d'un emploi de violon. Il y découvrit le dindon, le *welsh rarebit*, enseigna l'art des œufs brouillés à un chef français de Boston, apprécia l'« oie daubée », le *korn beef* (bœuf mi-sel) et le punch.

■ **Retour en France.** En 1796, il obtint l'autorisation de regagner la France, mais il fut dépouillé de ses biens. En 1800, on le nomma conseiller à la Cour de cassation, fonction qu'il occupera jusqu'à sa mort.

Célibataire, il se consacra alors à l'archéologie, à l'astronomie, à la chimie et, bien sûr, à la gastronomie, appréciant les bons restaurants et recevant beaucoup chez lui de nombreux amis pour lesquels il faisait lui-même la cuisine. Le 8 décembre 1825, deux mois avant son décès, parut en librairie, sans nom d'auteur, le livre qui devait le rendre célèbre : *Physiologie du goût ou Méditations de gastronomie transcendante, ouvrage théorique, historique et à l'ordre du jour, dédié aux gastronomes parisiens par un professeur, membre de plusieurs sociétés littéraires et savantes.*

■ **Méditations gastronomiques.** L'ouvrage connut immédiatement le succès. L'ambition de Brillat-Savarin était de porter l'art culinaire au rang de véritable science, faisant appel à la chimie, à la physique, à la médecine et à l'anatomie. Ainsi, il distingue trois espèces de soif (latente, factice et adurante), parle de l'« esculence » (pour la succulence), découvre trois mouvements de la langue lorsque l'homme mange (spication, rotation et verrition) et se livre à une analyse très poussée de la « mécanique » du goût.

Il discourt sur la maigreur et l'obésité, sur l'influence de la diète sur le repos, sur le jeûne, l'épuisement et la mort ! Son esprit didactique le pousse à traiter son sujet comme une science exacte, en remontant des effets aux causes. Mais, chez Brillat-Savarin, il y a aussi le conteur aux innombrables anecdotes, le défenseur de la gourmandise. Son œuvre n'a pas cessé d'être rééditée. Elle venait à son heure pour l'éducation d'une bourgeoisie éclairée et prospère, respectueuse du passé et admirative du progrès, soucieuse de bien-vivre et de bienséance.

Les meilleures pages de la *Physiologie* concernent les observations de Brillat-Savarin sur certains aliments et préparations : le pot-au-feu et le bouilli, la volaille et le gibier, les truffes, le sucre, le café et le chocolat. Son *Histoire philosophique de la cuisine* est à la fois érudite et humoristique, allant de la découverte du feu jusqu'à la fin du siècle de Louis XVI ; elle finit par une évocation des restaurants de Paris dans les années 1810-1820.

Le nom de Brillat-Savarin a été donné à de nombreux apprêts de tartelettes et à une garniture de croustade ou d'omelette faite d'un salpicon de foie gras et de truffes. Une autre garniture du même nom, à base de pointes d'asperge, accompagne les œufs mollets.

BRILLAT-SAVARIN (FROMAGE) Nom de fantaisie d'un fromage au lait de vache (72 % de matières grasses), à pâte molle, triple crème, et à croûte fleurie (**voir** tableau des fromages français page 389), fabriqué en Marne et Haute-Marne. Il se présente sous la forme d'un disque de diamètre très variable sur 3,5 cm d'épaisseur, et a une saveur douce et une odeur de crème.

BRIMONT Nom donné, en cuisine classique, à des apprêts décoratifs, sans doute dédiés par un cuisinier à son maître, comme il était d'usage autrefois.
▶ Recettes : ESTURGEON, ŒUF MOLLET.

BRINDAMOUR Fromage corse de lait de brebis (45 % de matières grasses), à pâte molle et à croûte habillée de thym et de sarriette. Le brindamour se présente sous la forme d'un gros carré à angles arrondis de 600 à 800 g. Appelé aussi « fleur du maquis », il a un goût doux et parfumé.

BRIOCHE Pâtisserie en pâte levée, légère et gonflée, plus ou moins fine selon la proportion de beurre et d'œufs. Cette pâte est un mélange de farine, de levure, d'eau ou de lait, de sucre et de sel, d'œufs et de beurre. En incorporant du beurre dans une pâte à brioche selon la technique du feuilletage, c'est-à-dire en effectuant une série de pliages, on obtient une brioche feuilletée.

La brioche se moule de diverses façons. La brioche à tête, dite « parisienne », est faite de deux boules superposées, une petite sur une plus grosse. Les brioches de Nanterre se moulent en parallélépipèdes, avec des sections marquées. La brioche mousseline, haute et cylindrique, est la plus délicate.

La brioche est l'une des pâtisseries régionales les plus répandues : brioche coulante de Normandie (fallue), brioche de Saint-Genix aux pralines, gâteau des Rois de Bordeaux (tortillon), gâtis de la mariée en Vendée (qui peut atteindre 1,30 m de diamètre), brioche vosgienne, farcie de noisettes, de raisins secs et de poires séchées, brioche de Gannat, au fromage blanc ou au gruyère, sans oublier les fouaces, les pompes, les couques et les cramiques, le koeckbotteram de Dunkerque, les campanilis corses et le pastis béarnais.
■ **Emplois.** La brioche se déguste au dessert ou avec le thé, mais elle a aussi de nombreux emplois en cuisine. La pâte à brioche ordinaire convient au koulibiac et au filet de bœuf en croûte. La brioche mousseline enrobe le foie gras, le saucisson, le cervelas lyonnais ; les rissoles se font aussi en pâte à brioche, mais cuites dans la friture. Les brioches individuelles servent de croûtes pour divers salpicons salés ou sucrés, proposées en entrées chaudes ou en entremets.

pâte à brioche fine : préparation
Pétrir dans un robot 500 g de farine, 14 g de levure de boulanger et 50 g de sucre en poudre. Incorporer 4 œufs et 2 cuillerées à café rases de fleur de sel. Régler ensuite l'appareil sur la vitesse moyenne et ajouter 3 autres œufs, un par un. Lorsque la pâte se détache de la paroi, ajouter 400 g de beurre en morceaux et pétrir jusqu'à ce que la pâte ne colle plus. La mettre dans un récipient, couvrir de film alimentaire et la laisser « pointer » (doubler de volume) de 2 à 3 heures au chaud (22 °C). La rabattre en l'écrasant avec le poing pour lui redonner son volume initial, la couvrir et la mettre au réfrigérateur pour un second pointage de 1 h à 1 h 15, puis la rabattre de nouveau. Détailler la pâte, la façonner, la faire lever une dernière fois et la cuire. La pâte à brioche commune se prépare de la même façon, mais avec 175 g de beurre seulement.

brioche bordelaise
Aplatir 300 g de pâte à brioche (fine ou commune) pour lui donner la forme d'un disque épais. Hacher finement 65 g de fruits confits et les répartir à la surface. Rabattre le tour de la pâte vers le centre pour former une boule. La poser sur la plaque du four beurrée et la laisser reposer 10 min. Y faire un trou avec les pouces et étirer la pâte délicatement tout autour en couronne. Lorsque le trou mesure 10 cm environ de diamètre, laisser reposer 1 h 30. Battre 1 œuf à la fourchette et en badigeonner la couronne. Mettre 30 g de sucre en morceaux dans un torchon et les écraser au rouleau à pâtisserie. À l'aide de ciseaux humides, inciser la surface de la couronne d'entailles obliques de 5 mm de profondeur. Cuire au four préchauffé à 200 °C pendant 30 min au moins, puis sortir la brioche du four et la décorer de fruits confits entiers et de sucre concassé.

brioche aux fruits
Préparer de la frangipane et de la pâte à brioche. Couper en gros dés des fruits de saison (prunes et abricots, ou pêches et poires, ou prunes et poires), les faire macérer dans un alcool de fruit avec du sucre et du jus de citron. Beurrer un moule rond à bord peu élevé, et le foncer de pâte à brioche. Garnir le fond de frangipane. Égoutter les fruits, les mettre dans le moule. Recouvrir de pâte à brioche, souder les bords, puis laisser lever pendant 1 heure. Dorer à l'œuf battu et cuire au four. Poudrer de sucre glace et servir brûlant.

une nouvelle présentation de la brioche lyonnaise aux pralines de Saint-Genix ▶ PRALINE

brioche parisienne
Partager 280 g de pâte à brioche en deux boules, l'une de 240 g pour le corps de la brioche, l'autre de 40 g pour la tête. Rouler la grosse boule entre les mains farinées pour qu'elle soit parfaitement ronde. La mettre dans un moule à côtes beurré de 1/2 litre. Donner à la petite boule une forme de poire. Creuser le haut de la grosse boule et y enfoncer la partie pointue de la petite ; appuyer légèrement. Laisser doubler de volume à température ambiante pendant 1 h 30. À l'aide de ciseaux humides, faire de petites incisions dans la grosse boule, du bord vers la tête, et la dorer à l'œuf battu. Cuire 30 min au four préchauffé à 200 °C et démouler la brioche encore tiède.

brioche polonaise
Préparer une brioche à tête de 800 g environ. Couper 200 g de fruits confits en salpicon et les faire macérer dans du kirsch. Préparer d'une part un sirop avec 200 g de sucre, 25 cl d'eau et 1 verre à liqueur de kirsch, d'autre part, une crème pâtissière avec 60 g de farine, 4 jaunes d'œuf, 100 g de sucre en poudre, 1 paquet de sucre vanillé et 50 cl de lait. Ajouter à la crème 40 g de beurre ; mélanger, puis incorporer les fruits confits égouttés. Couper la brioche en tranches transversales, après avoir ôté la tête ; les passer dans le sirop et tartiner chaque tranche d'une épaisse couche de crème aux fruits. Reconstituer la brioche et replacer la tête. Monter 4 blancs d'œuf en neige très ferme, en y incorporant 60 g de sucre en poudre. En masquer la brioche, puis la poudrer de sucre glace (2 cuillerées à soupe au maximum). La parsemer d'amandes effilées (100 g environ) et faire dorer 5 min au four préchauffé à 260 °C. Laisser refroidir complètement avant de servir.

brioche praluline

« Verser dans le bol d'un robot ménager 500 g de farine, 10 g de sel marin, 20 g de levure de bière et 20 g de sucre. Mettre l'appareil en marche et ajouter 5 œufs et 20 cl d'eau. Laisser tourner de 5 à 10 min, puis incorporer 250 g de beurre en morceaux. Laisser reposer une nuit au réfrigérateur. Couper la pâte en trois parties égales et en faire des abaisses de 30 cm de diamètre. Verser au centre 200 g de pralines concassées. Replier les abaisses comme une enveloppe. Donner deux tours au rouleau comme pour une pâte feuilletée, puis replier les angles et former une boule. Laisser lever 1 heure dans une étuve de 60 °C, puis cuire 30 min au four préchauffé à 180 °C. »

brioche roulée aux raisins

Mettre à gonfler 70 g de raisins secs dans 4 cuillerées à soupe de rhum. Beurrer un moule à génoise de 22 cm de diamètre. Le garnir d'une abaisse de 140 g de pâte à brioche. Recouvrir d'une couche de crème pâtissière de 3 mm. Aplatir au rouleau 160 g de pâte en un rectangle de 12 cm de large et 20 cm de long. Recouvrir ce rectangle de crème pâtissière, puis y étaler les raisins égouttés. Rouler le rectangle pour obtenir un boudin de 20 cm de long et le couper en 6 tronçons d'épaisseur égale. Disposer ces tronçons à plat dans le moule garni et laisser lever pendant 2 heures dans un endroit tiède. Dorer à l'œuf battu. Cuire 30 min au four préchauffé à 200 °C. Sortir la brioche et l'arroser de sirop à la vanille ou au rhum ; la démouler tiède. Lorsqu'elle est froide, la badigeonner au pinceau trempé dans un sirop fait de 60 g de sucre glace délayé dans 2 cuillerées d'eau chaude.

brioche de Saint-Genix

Mélanger 500 g de levain avec 3/4 de verre d'eau de fleur d'oranger. Ajouter 10 g de sel et 4 œufs entiers, un par un. Incorporer 600 g de farine, puis 4 autres œufs entiers, un par un. Ajouter 300 g de sucre en deux fois. Lorsque la pâte ne colle plus, incorporer 350 g de beurre ramolli. Bien mélanger le tout. Faire des boules avec la pâte ; les dorer à l'œuf battu. Enfoncer dans chacune d'elles quelques pralines rouges et les cuire au four préchauffé à 180 °C.

brioches aux anchois

Avec de la pâte à brioche commune, sans sucre, préparer dans des moules cannelés de toutes petites brioches à tête. Les cuire, puis les laisser refroidir complètement ; les envelopper dans une feuille d'aluminium et les mettre 1 heure dans le réfrigérateur. Retirer alors les têtes, évider les brioches avec précaution et émietter très finement la mie retirée. Ajouter celle-ci au même volume de beurre d'anchois ramolli. Emplir les brioches avec ce mélange et replacer les têtes. Mettre au frais jusqu'au moment de servir. On peut alléger le mélange en lui ajoutant un peu de crème fouettée.

filet de bœuf en brioche ▶ BŒUF
saucisson en brioche à la lyonnaise ▶ SAUCISSON

BRIQUE DU FOREZ Fromage de lait de chèvre, appelé « chèvreton », ou de chèvre et de vache (de 40 à 45 % de matières grasses), à pâte molle et à croûte naturelle, qui se présente sous la forme d'une brique de 250 à 400 g (voir tableau des fromages français page 392). Fabriqué en Forez (région Rhône-Alpes), il a une saveur noisetée, particulièrement agréable de mai à octobre.

BRIQUE DU LIVRADOIS Fromage au lait de chèvre, fabriqué en Auvergne, qui ressemble à la brique du Forez (voir ce mot).

BRISSE (BARON LÉON) Journaliste français (Gémenos 1813 - Fontenay-aux-Roses 1876) qui, après avoir abandonné les services des Eaux et Forêts, se spécialisa dans les chroniques gastronomiques et eut l'idée de proposer chaque jour, dans le journal *la Liberté*, un menu différent. Ces recettes furent réunies en 1868 dans un recueil, *les Trois Cent Soixante-Six Menus du baron Brisse*. Il publia d'autres ouvrages comme *Recettes à l'usage des ménages bourgeois et des petits ménages* (1868). On lui a souvent reproché de ne pas savoir cuisiner, et

ses recettes sont parfois fantaisistes. Mais il explique parfaitement la préparation de la terrine de foie gras et de la garbure.

Son nom a été donné à une garniture pour grosses pièces de boucherie, composée d'oignons garnis de farce de volaille et de tartelettes aux olives farcies.

BRISTOL Nom d'une garniture accompagnant les grosses pièces de boucherie (bœuf ou agneau) rôties, ainsi que les noisettes d'agneau et les tournedos. Composée de petites croquettes de risotto, de flageolets au beurre et de pommes château, elle emprunte sans doute son nom au grand hôtel parisien.

BROCCIU OU **BROCCIU CORSE** Fromage frais corse AOC à pâte fraîche fabriqué avec du lactosérum de tous les laits (brebis, chèvre ou vache, pur ou en mélange), parfois enrichi de lait entier (40 % de matières grasses) [voir tableau des fromages français page 389]. Le mélange mis à bouillir assure la précipitation des protéines qui sont récupérées et mises en moule. Le brocciu se consomme frais en hiver et au printemps. Il peut aussi être salé, puis enveloppé dans des feuilles sèches d'asphodèle et affiné au frais. Il entre dans la préparation de nombreux plats et pâtisseries corses (imbrucciata, fiadone, galettes fourrées, légumes farcis).

fiadone

POUR 4 PERSONNES – ÉGOUTTAGE : 3 h – PRÉPARATION : 20 min – CUISSON : 35 min

Envelopper 250 g de brocciu frais dans une mousseline et le mettre à égoutter dans une passoire. Prélever 1 zeste de 1/2 citron de 7 à 8 cm de long et le blanchir pendant 3 min dans de l'eau bouillante (ou utiliser 1 cuillerée à soupe d'acquavita). L'égoutter et le hacher finement. Casser 3 œufs en séparant les blancs des jaunes. Mettre les jaunes dans une jatte, ajouter 100 g de sucre et mélanger jusqu'à ce que la préparation soit lisse et crémeuse. Ajouter le brocciu et le zeste. Battre les blancs en neige avec 1 pincée de sel, puis très délicatement les incorporer au mélange, en tournant toujours dans le même sens. Beurrer un moule à manqué, y verser la préparation, égaliser la surface et cuire 35 min au four préchauffé à 180 °C. Laisser refroidir avant de démouler.

BROCHE À RÔTIR Tige métallique pointue sur laquelle on embroche une pièce de viande, ou un animal entier (mouton, gibier ou volaille), pour la faire rôtir, horizontalement ou verticalement, devant le feu (voir BARBECUE, BROCHETTE, RÔTISSOIRE, TOURNEBROCHE).

Ce mode de cuisson assure un rôtissage parfait. La première phase, rapide et à température élevée, a pour but de coaguler les sucs en surface et de rissoler la surface du rôti (en particulier pour les viandes rouges et les gibiers riches en sucs, qui doivent être bien saisis avant la cuisson) ; la seconde phase, à feu plus réduit, amène l'intérieur de la pièce au degré de cuisson désiré.

BROCHE À TREMPER Petit ustensile de confiserie formé d'une tige en acier inoxydable montée sur un manche de bois et terminée en spirale, en anneau ou en pique à deux ou trois dents. La broche (ou anneau) à tremper sert à plonger un bonbon dans du fondant ou dans du chocolat fondu, pour former sa couverture, ou bien à immerger un petit-four ou un fruit déguisé dans du sucre cuit, pour le glacer.

BROCHET Poisson carnassier d'eau douce, de la famille des ésocidés, à tête allongée et aux fortes mâchoires garnies de petites dents acérées (voir planche des poissons d'eau douce pages 672 et 673). Mesurant de 50 (taille minimale de capture) à 70 cm, le brochet a un corps fuselé, marbré de vert ou de brun, avec un ventre argenté. Les brochets de la Loire et du Bugey, qui vivent dans les rivières, sont réputés pour la finesse de leur chair, ferme, blanche et savoureuse.

Au Canada, le grand brochet (ou brochet du Nord) est très répandu, mais c'est le maskinongé, encore plus grand, qui est le plus apprécié.

On prépare le brochet en quenelles à cause de ses nombreuses arêtes. Sa chair se prête aux terrines de poisson. Outre l'apprêt classique au beurre blanc, le brochet se cuisine aussi au vin blanc ou rouge, à la juive, rôti, à l'escabèche, et même farci à la viande de porc.

135

« Indissociable de l'image que l'on se fait de la vie des cuisines, la brigade s'affaire avec énergie. Que ce soit à l'HÔTEL DE CRILLON, au RITZ PARIS ou chez le traiteur POTEL ET CHABOT, chacun joue sa partition avec application, sous le regard vigilant du chef de cuisine. »

brochet au beurre blanc

Vider le brochet, le nettoyer, couper les nageoires et la queue. Préparer un court-bouillon dans une poissonnière, le cuire 30 min environ et le laisser refroidir. Y plonger le brochet, amener de nouveau à ébullition et laisser frémir de 12 à 20 min, puis retirer la poissonnière du feu. Préparer un beurre blanc (voir page 95). Égoutter le brochet ; le dresser sur un plat long et le napper de beurre blanc, ou présenter celui-ci en saucière, additionné de pluches de persil frais.

RECETTE D'ANDRÉ GUILLOT

brochet du meunier

« Écailler, ébarber, vider, étêter et laver 3 brochetons de 700 à 800 g. Les tronçonner ; saler et poivrer les morceaux, puis les passer dans du lait et dans de la farine. Mettre le poisson à cuire doucement dans un plat à sauter avec 200 g de beurre et 1 cuillerée d'huile. Faire fondre d'autre part au beurre 4 oignons moyens émincés. Lorsque les morceaux de brochet sont un peu colorés, ajouter ces oignons et 5 cl de très bon vinaigre de vin blanc. Faire réduire de moitié. Saler, poivrer et servir avec 2 croûtons cuits au beurre par convive. »

---

godiveau lyonnais ou farce de brochet
   à la lyonnaise ▶ GODIVEAU
quenelles de brochet : préparation ▶ QUENELLE
quenelles de brochet à la lyonnaise ▶ QUENELLE
quenelles de brochet mousseline ▶ QUENELLE
quenelles Nantua ▶ QUENELLE

BROCHETTE Grosse aiguille, généralement en acier inoxydable, servant à embrocher des éléments taillés en morceaux, pour les cuire au gril ou sur des braises. La brochette en bois est à usage unique.

Le mot désigne aussi l'apprêt lui-même, c'est-à-dire les éléments principaux embrochés, éventuellement intercalés avec des ingrédients complémentaires. Les brochettes sont plus tendres si les ingrédients ont macéré ou mariné avec de l'huile assaisonnée, parfois parfumée d'herbes, d'ail ou d'eau-de-vie.

Les mets, présentés enfilés sur la brochette où ils ont cuit, sont servis en hors-d'œuvre chaud ou comme plat principal. Les brochettes sont très appréciées dans certains pays (voir ATTEREAU [BROCHETTE], CHACHLIK, HÂTELET, KEBAB).

alouettes en brochettes ▶ ALOUETTE
anguille à l'anglaise en brochettes ▶ ANGUILLE

brochettes de coquilles Saint-Jacques et d'huîtres à la Villeroi

Pocher des noix et des coraux de saint-jacques, puis, dans leur eau, des huîtres décoquillées ; les laisser refroidir. Les égoutter et les embrocher en les alternant ; les enrober de sauce Villeroi (voir page 785), les paner, les frire et les servir comme les attereaux de cervelle à la Villeroi.

brochettes de filet de bœuf mariné

Préparer une marinade avec 15 cl d'huile d'olive, du sel, du poivre et des fines herbes hachées. Y mettre 500 g de filet de bœuf détaillé en cubes de 3 cm de côté et 150 à 200 g de poitrine fumée coupée en lardons. Laisser macérer 30 min. Épépiner 1 poivron vert, couper la pulpe en carrés de 3 cm de côté. Trancher 8 gros champignons de Paris au ras du chapeau et les citronner ; les faire sauter à l'huile avec les morceaux de poivron ; les sortir et les égoutter dès que le poivron est assoupli. Enfiler deux fois sur chaque brochette 1 champignon, 1 oignon nouveau, 1 tomate cerise, 1 morceau de poivron, 1 lardon, 1 morceau de filet ; terminer par 1 oignon. Griller à feu très vif de 7 à 8 min.

brochettes de fruits de mer

Préparer une marinade avec de l'huile d'olive, beaucoup de jus de citron, des fines herbes et de l'ail hachés, du thym frais émietté, du sel et du poivre. Y faire macérer 30 min des fruits de mer : huîtres pochées 1 min dans leur eau, moules ouvertes à la chaleur du four, noix de Saint-Jacques crues, queues de langoustine, grosses crevettes, gambas, etc. Enfiler les fruits de mer sur des brochettes sans les égoutter, en les alternant avec des petits champignons très frais, piqués dans le sens de la longueur. Griller à feu vif.

brochettes d'huîtres à l'anglaise

Décoquiller des huîtres bien charnues. Les poudrer avec un peu de poivre blanc fraîchement moulu, les envelopper une par une dans de fines tranches de bacon, embrocher et griller 2 min. Dresser les brochettes sur des toasts de pain de mie chaud.

RECETTE D'OLYMPE VERSINI

brochettes de moules

« Faire ouvrir des moules à feu vif. Les décoquiller et les enfiler sur des brochettes, en alternance avec de fins morceaux de lard fumé et de tomate. Poivrer. Cuire 1 min sous le gril du four. »

---

brochettes de ris d'agneau ou de veau

Blanchir les ris, les nettoyer, les couper en cubes. Blanchir également des lardons de poitrine fraîche. Faire macérer le tout. Couper en deux ou en quatre de très petites tomates rondes. Garnir les brochettes avec ces éléments et griller à feu vif.

brochettes de rognons

Retirer la membrane des rognons d'agneau, puis les ouvrir en deux et retirer la graisse du centre. Les huiler, les saler et les poivrer, puis les enfiler sur des brochettes et les griller à feu très vif. On peut aussi, après les avoir assaisonnés, les rouler dans du beurre fondu, puis de la chapelure blanche, les enfiler sur des brochettes en les alternant avec des lardons blanchis, les arroser à nouveau de beurre fondu et les griller à feu vif. Présenter les rognons avec des rondelles de beurre maître d'hôtel. (On peut accommoder ainsi des escalopes de ris de veau ou d'agneau, de petits morceaux de bœuf ou de mouton, des foies de volaille, etc.)

cigales de mer au safran
   en brochettes ▶ CIGALE DE MER

BROCOLI Type de chou de la famille des brassicacées, cultivé pour ses pousses florales charnues, longues d'une quinzaine de centimètres (voir planche des choux page 215). Les tiges et les bouquets (débarrassés des feuilles) se consomment comme des asperges, en purée, en gratin, ou en accompagnement de viandes.

brocolis à la crème

Nettoyer soigneusement 1 kg de brocolis, en enlevant les plus gros pédoncules, pour ne garder que les bouquets ; les jeter dans 2 litres d'eau bouillante salée, additionnée de 2 gousses d'ail écrasées, et les cuire à bonne ébullition : ils doivent être juste tendres. Les égoutter, les hacher très grossièrement. Faire blondir 50 g de beurre dans une sauteuse, avec 15 à 20 cl de crème ; quand celle-ci a pris couleur, ajouter les brocolis. Poivrer et rajouter éventuellement un peu de sel. Laisser mijoter 5 min ; servir très chaud.

poulet farci à la vapeur, ragoût de brocolis ▶ POULET

BROODKAAS Fromage néerlandais de lait de vache pasteurisé (40 % de matières grasses), à pâte pressée semi-dure et à croûte paraffinée jaune ou rouge. Présenté en pains de 2 à 4 kg, le broodkaas possède toutes les caractéristiques de l'édam.

BROSME Poisson de mer, de la famille des gadidés, vivant dans les eaux profondes du nord-ouest de l'Écosse, du nord de l'Europe et de la côte est du Canada. D'une taille moyenne de 60 à 80 cm, pouvant atteindre 1,10 m, le brosme possède un barbillon et une tête volumineuse, et sa nageoire dorsale est unique. On l'appelle « loquette » à Boulogne et « pousse-morue » à Saint-Malo. Il se pêche surtout d'avril à juillet. On le cuisine de la même façon que le cabillaud, mais on le trouve surtout sous forme de filet fumé appelé « torsk ».

BROU DE NOIX Liqueur traditionnelle du Quercy, du Dauphiné et des régions du Centre, fabriquée à partir de noix vertes ou de cerneaux. Les coques, encore tendres, sont évidées, broyées, additionnées de cannelle et de muscade, et mises à macérer dans de l'alcool. On ajoute au mélange du sirop de sucre, puis on filtre. Le brou de noix se sert en digestif.

BROUET Mauvais ragoût, soupe grossière et légère, dans son sens actuel ; mais, au Moyen Âge, le mot désignait toute une série de potages, de plats ou de sauces.

BROUFADO Spécialité provençale faite de bœuf mariné, cuit avec des aromates, des cornichons ou des câpres et des filets d'anchois. Proche de la daube, elle serait une très vieille recette de mariniers.

_____

broufado

Couper 800 g de culotte de bœuf en cubes de 5 cm. Les laisser macérer 24 heures au frais en les retournant trois fois, dans une marinade composée de 1/2 verre de vinaigre de vin rouge, 3 cuillerées à soupe d'huile d'olive, 1 verre à liqueur d'eau-de-vie, 1 gros bouquet garni, 1 gros oignon épluché et coupé en rouelles et du poivre. Faire dessaler 6 anchois. Égoutter la viande et la dorer dans une cocotte avec 2 cuillerées à soupe d'huile d'olive. Ajouter 1 gros oignon pelé et haché, puis la marinade et 1 verre de vin (blanc ou rouge). Porter à ébullition, puis couvrir et cuire 2 heures au four préchauffé à 200 °C. Ajouter quelques petits oignons au vinaigre et 3 ou 4 cornichons détaillés en rondelles. Cuire encore 15 min. Laver les anchois dessalés, lever les filets, les couper en morceaux, les mélanger avec 1 cuillerée à dessert de beurre manié et les ajouter dans la cocotte. Bien remuer et servir brûlant avec des pommes de terre en robe des champs.

BROUILLY Vin AOC du Beaujolais, issu du cépage gamay, aux arômes de mûre et de myrtille, fruité et ferme (**voir** BEAUJOLAIS).

BROUSSE Fromage frais obtenu comme le brocciu (**voir** ce mot) à partir de lait de chèvre (brousse du Rove) ou de brebis (brousse du Var) [**voir** tableau des fromages français page 389]. Blanche et de saveur douce, elle se consomme avec du sucre et de la crème fraîche, ou avec des fruits, ou encore à la vinaigrette, avec des fines herbes, de l'ail et des oignons hachés.

BROUTARD Jeune bovin mâle (peu de femelles) de race bouchère, abattu entre 9 et 12 mois, alimenté au lait maternel, pâturant et recevant du foin et des céréales en finition. Sa viande maigre, tendre, de couleur intermédiaire entre celle du veau et celle du bœuf, est aussi moins goûteuse.

BROWNIE Gâteau traditionnel d'Amérique du Nord, dont le nom fait référence à sa couleur brune. Le brownie est en effet un biscuit au chocolat, garni de noix de pecan et cuit au four sur une plaque. Sa teneur très importante en sucre et en beurre, et le fait qu'il soit peu cuit lui confèrent une texture particulière : croustillante dessus, très moelleuse à l'intérieur. Il se sert découpé en carrés et peut s'accompagner de crème fraîche ou de crème anglaise.

BRUGNON Fruit à épiderme lisse, à noyau, qui a une flaveur de pêche. Il résulte d'une greffe de prunier sur un pêcher ; sa chair adhère au noyau (**voir** NECTARINE ET BRUGNON).

BRÛLER Noircir sous l'action d'une chaleur excessive, au point de devenir impropre à la consommation.
Une pâte est dite « brûlée » quand, le malaxage de la farine et de la graisse étant trop lent, le mélange devient huileux (cela se produit aussi pour la pâte à brioche quand la température ambiante est trop élevée).
Lorsqu'on laisse des jaunes d'œuf avec du sucre en poudre sans les travailler, on voit apparaître des petites particules jaune vif qui s'incorporent mal aux crèmes et aux pâtes : on dit que les jaunes sont « brûlés ».

BRÛLOT Eau-de-vie que l'on fait flamber soit avant de la boire, soit après l'avoir versée dans une boisson, ou avant de l'ajouter à une préparation (omelette flambée, par exemple).
Le brûlot désigne familièrement un morceau de sucre imbibé d'eau-de-vie, que l'on enflamme dans une cuillère posée sur une tasse avant de le faire tomber dans le café.
Le « café-brûlot » est une boisson typique de la Louisiane. Sa recette consiste à faire chauffer du rhum avec du sucre, de la cannelle, une orange piquée de girofle et du zeste de citron ; lorsque le sucre est fondu, on verse sur le mélange du café brûlant et on sert le liquide obtenu, filtré, dans des tasses ébouillantées. En Italie, on prépare une boisson en versant de l'anisette flambée sur des grains de café (**voir** SAMBUCA).

BRUNCH Repas, d'origine américaine, qui fait office à la fois de petit déjeuner et de déjeuner, et dont le nom vient de la contraction de *breakfast* et de *lunch*. Le brunch se pratique généralement le dimanche, entre 10 heures et midi. Le menu associe les mets traditionnels du petit déjeuner à l'anglaise et ceux d'un repas froid : œufs au bacon ou brouillés, corn flakes et laitages, salades de fruits et de légumes verts, pancakes tartinés de marmelade ou de sirop d'érable, milk-shakes, jus de fruits, thé et café, et même pies et charcuterie. La maîtresse de maison prépare souvent des pains aux raisins, du pain de maïs ou des *french toasts* (pain perdu).

BRUNE Couleur, allant de l'ambre clair au noir le plus opaque, que prend la bière lors de la transformation de l'orge en malt. Plus le malt est cuit longuement, plus il se colore.

BRUNEAU (**JEAN-PIERRE**) Cuisinier belge (Namur 1943). Il compte parmi les chefs de file de la restauration bruxelloise dans le quartier de Ganshoren. Il reçoit la première étoile au Guide Michelin en 1977, la deuxième en 1982 et la troisième en 1988. Il pratique une cuisine française légère, de haute finesse.

BRUNOISE Mode de découpe des légumes en dés minuscules, de 1 ou 2 mm de côté, et résultat de cette opération, que ce soit un mélange de légumes divers (carottes, navets, céleri-rave, etc.) ou une certaine quantité d'un seul légume. Souvent étuvée au beurre, la brunoise est utilisée comme garniture de potages, de sauces et de farces, et aromatise certains éléments ou plats (écrevisses, osso-buco, etc.).
La brunoise est généralement utilisée aussitôt prête, mais on peut la conserver quelques instants sous un linge humide.

BRUXELLOISE (À LA) Se dit d'une garniture associant choux de Bruxelles étuvés, endives braisées et pommes château, qui accompagne les petites et grosses pièces de boucherie, sautées ou rôties. Quant aux apprêts d'œufs « à la bruxelloise », ils sont garnis soit de choux de Bruxelles, soit d'endives.
▶ Recette : CHOESELS.

BRUYÈRE (**SERGE**) Cuisinier franco-québécois (Saint-Galmier 1951 - Québec 1994) qui fit son apprentissage chez Paul Bocuse et les frères Jean et Pierre Troisgros. En 1976, il émigre à Montréal et, quatre ans plus tard, ouvre à Québec son restaurant, *À la table de Serge Bruyère*. En 1988, une agence américaine consacre celui-ci meilleure table de l'année à travers le monde. À l'origine de la « nouvelle cuisine » au Québec, Serge Bruyère a réussi un excellent mariage entre cette nouvelle orientation de la gastronomie française et les produits typiquement québécois.

BÛCHE DE NOËL Gâteau en forme de bûche qui se prépare traditionnellement pour les fêtes de Noël. La bûche de Noël est généralement composée de pâtes à génoise, rectangulaires, superposées et façonnées après avoir été garnies de crème, et enrobées d'une crème au beurre au chocolat, appliquée avec une poche à douille cannelée pour simuler l'écorce. Elle est décorée de feuilles de houx en pâte d'amande, de champignons en meringue et de petits personnages.

RECETTE DE PIERRE HERMÉ

bûche au chocolat et à la framboise

POUR 8 À 10 PERSONNES – PRÉPARATION : 45 min (2 ou 3 jours à l'avance) + 20 min (le lendemain) – CUISSON : 10 min – RÉFRIGÉRATION : 1 ou 2 jours

« Le premier jour, préparer 400 g de pâte à biscuit. Mélanger 100 g de farine avec 100 g de cacao en poudre. Les tamiser. Faire fondre 45 g de beurre sur feu doux, puis le laisser tiédir. Monter 3 blancs d'œuf en neige ferme et y incorporer en deux fois et à mi-parcours 50 g de sucre en poudre. Fouetter 50 g de sucre en poudre avec 5 jaunes d'œuf. Prélever 2 cuillerées à soupe du mélange jaunes-sucre et les ajouter dans le beurre fondu encore tiède. Mélanger, puis incorporer les blancs en neige à cette préparation en la soulevant délicatement avec une spatule. Dès que la pâte est homogène, ajouter délicatement le mélange farine-cacao. Ajouter le reste du mélange jaunes-sucre en procédant de la même façon. Préchauffer le four à 240 °C. Étaler la pâte en un rectangle de 30 cm sur 40 cm et de 1 cm d'épaisseur sur une plaque recouverte d'une feuille de papier sulfurisé. Faire cuire de 8 à 10 min. Laisser refroidir. Retourner le biscuit sur une feuille de papier sulfurisé et décoller le papier. Préparer le sirop : porter à ébullition 8 cl d'eau avec 80 g de sucre en poudre ; retirer du feu, laisser refroidir, puis incorporer 6 cl d'eau-de-vie de framboise. Préparer 320 g de ganache au chocolat noir (**voir** page 410). La mélanger avec 160 g de beurre mou. Ajouter 300 g de confiture de framboise. À l'aide d'un pinceau, imbiber le biscuit de sirop. Étaler la ganache sur toute la surface. Rouler la bûche sur elle-même. L'envelopper de film alimentaire. La garder au réfrigérateur. Le lendemain, hacher 150 g de chocolat noir à 70 % de cacao. Tamiser 10 g de cacao en poudre. Verser 15 cl de crème fraîche liquide dans une casserole. Ajouter le cacao. Fouetter pour mélanger. Porter la crème à ébullition, puis retirer du feu. En verser un petit peu au milieu du chocolat haché. Mélanger doucement. Verser peu à peu le reste de crème tout en continuant de mélanger. Dès que le chocolat est lisse, le mixer 2 min. Laisser la nouvelle ganache refroidir. Dès qu'elle a une consistance crémeuse, en enrober la bûche. La strier avec les dents d'une fourchette. La garder au réfrigérateur 1 ou 2 jours. La sortir 1 heure avant de la déguster. Décorer de framboises fraîches. »

bûche aux marrons

Préchauffer le four à 220 °C. Préparer une pâte à génoise (**voir** page 418). L'étaler en rectangle sur une plaque recouverte de papier sulfurisé et la cuire au four 10 à 15 min. Faire mousser 70 g de beurre, sans le chauffer, au fouet ou dans un robot. Ajouter 260 g de pâte de marron et 280 g de purée de marron, puis fouetter. Ramollir 3 feuilles de gélatine (de 2 g) dans l'eau froide, les égoutter. Les mélanger avec 2 cl de crème liquide bouillie et verser le tout dans la préparation sans arrêter de fouetter. Ajouter 3,5 cl de rhum, de cognac ou de whisky, puis incorporer délicatement 30 cl de crème fouettée. Étaler aussitôt sur la génoise imbibée d'un sirop de densité 1,26, additionné de 10 cl de l'alcool choisi et de 2 cl d'eau. Parsemer de débris de marrons confits ou de marrons glacés, et rouler la génoise dans le sens de la longueur. L'envelopper du papier sur lequel elle a cuit, en serrant bien. Mettre au réfrigérateur pour plusieurs heures. Pour la finition, mélanger 30 cl de crème au beurre nature et 80 g de pâte de marron. En enduire tout le tour de la bûche. Couper en biais les extrémités et les poser sur la bûche pour figurer les nœuds du bois.

BUCHTELN Entremets aux prunes, très apprécié en Autriche. Les buchteln se composent de carrés de pâte levée, repliés sur de la confiture de prune, du fromage blanc ou de la noisette hachée, mis à gonfler au chaud, puis cuits à four doux et servis aussitôt avec de la compote de pruneau ou avec de la crème anglaise.

BUFFALO Nom donné à la viande de bison aux États-Unis (**voir** BISON).

BUFFET Grande table nappée, garnie de boissons et de mets sucrés et salés destinés aux invités d'une réception (**voir** COCKTAIL, LUNCH).

• **METS SALÉS.** Ils sont généralement présentés en portions d'une « bouchée » (néanmoins, galantines, pâtés en croûte, poissons en gelée, viandes et volailles en chaud-froid, œufs en gelée figurent sur un buffet classique) :
– sandwichs et canapés, sur pain de mie ou de seigle, découpés géométriquement, garnis et décorés ;
– petits pains miniatures fourrés ;
– cubes de fromage, olives, jambon, etc., piqués sur des bâtonnets et présentés en « hérisson » ;
– barquettes et tartelettes garnies d'appareils froids à la mayonnaise ou à la rémoulade ;
– pains-surprises en pain de seigle, garnis de purées aromatisées, noix hachées, fromage, jambon, etc. ;
– toasts chauds diversement garnis ;
– petites réductions salées servies chaudes : pizzas, quiches, allumettes, bouchées aux anchois, au fromage, pruneaux au bacon, feuilletés salés, saucisses cocktail, beignets salés.

• **METS SUCRÉS.** Tout aussi variés, ils sont proposés simultanément, également en portions réduites :
– tartelettes et barquettes ;
– petits choux, mille-feuilles, biscuits fourrés, pavés et mokas en bouchées ;
– petits-fours glacés, fruits déguisés ;
– corbeilles de fruits, salades de fruits, pots de crème.

Le buffet campagnard est moins classique et moins formel. Les jambons crus ou cuits, les assortiments de charcuterie et de viande froide sont accompagnés de condiments divers. Des légumes crus émincés sont présentés en corbeille, avec des sauces froides. Les salades composées variées sont proposées à côté de plateaux de fromages. Les boissons sont souvent présentées en tonnelet (vin, bière). Corbeilles de fruits et tartes complètent le buffet, avec un assortiment de pains de campagne et de seigle.

BUFFLE Ruminant de la famille des bovidés, sauvage en Afrique et domestiqué en Inde. La viande des jeunes buffles, surtout femelles, est tendre, avec un goût très proche de celui du bœuf. Le lait de bufflonne (appelée aussi bufflesse), plus riche en lipides que celui de vache, contient 7 % de matières grasses ; il sert à fabriquer des fromages comme, en Inde, le surati, ou, en Italie, la mozzarella (**voir** ce mot) ou le burriello, dont on dit qu'il est le plus fin du sud du pays.

BUGLOSSE Plante herbacée de la famille des boraginacées, commune en Europe, à feuilles assez charnues et un peu râpeuses. Elle s'emploie comme la bourrache, dont elle est proche. Les fleurs de buglosse servent à préparer une boisson rafraîchissante.

BUGNE Gros beignet du Lyonnais, traditionnellement consommé les jours de fête, en particulier le Mardi gras (beignets de carnaval).

Au Moyen Âge, les « frituriers » vendaient les bugnes en plein air, d'Arles à Dijon. À l'origine, la pâte à bugnes était faite de farine, d'eau, de levure et de fleur d'oranger. Avec l'autorisation de « faire gras » jusqu'au mercredi saint, elle s'est enrichie de lait, de beurre et d'œufs, et les bugnes sont devenues de véritables pâtisseries. Découpées à la roulette en rubans que l'on noue, elles sont meilleures chaudes que froides.

bugnes lyonnaises

Mettre en fontaine 250 g de farine tamisée, ajouter 50 g de beurre ramolli, 30 g de sucre en poudre, 1 grosse pincée de sel, 2 gros œufs battus en omelette et 1 verre à liqueur de rhum, d'eau-de-vie ou d'eau de fleur d'oranger. Bien mélanger et pétrir longuement, puis former une boule et laisser reposer 5 ou 6 heures au frais. Abaisser la pâte sur une épaisseur de 5 mm. La détailler en bandelettes de 10 cm de long sur 4 cm de large ; pratiquer au centre une fente de 5 cm. Y passer une extrémité de la pâte : on obtient ainsi une sorte de « nœud ». Frire les bugnes dans de l'huile chaude en les retournant une fois, les égoutter ; les placer sur du papier absorbant et les poudrer de sucre glace.

BUISSON Mode de dressage traditionnel en pyramide, autrefois très employé pour les légumes (asperges) et les crustacés, et encore utilisé de nos jours pour les écrevisses. Le mot désigne aussi les fritures d'éperlan et les goujonnettes de sole dressées en dôme, avec une garniture de persil frit.

buisson d'écrevisses

Cuire des écrevisses à la nage, puis les égoutter. Placer sur le plat rond de service une serviette roulée en cornet, en repliant le bas à plat pour qu'elle soit stable. Trousser les écrevisses en piquant l'extrémité des deux pinces sur le dessus de la queue. Les disposer le long de la serviette, la queue en l'air.

BULGARIE La cuisine bulgare a été profondément marquée par les Turcs et les Arabes. Au cours de leur domination (à partir du XIVᵉ siècle), ceux-ci ont transmis le goût des mezze (assortiment d'amuse-gueule avec feuilles de vigne farcies) et du halva (confiserie aux graines de sésame) arrosé de rakia. Ingrédient de base, le yaourt s'utilise volontiers dans les ragoûts, dans le *ghiuvetch* (viandes et légumes en terrine, mijotés avec des épices, couronnés d'œufs et de yaourt) ou avec les crudités, comme le *tarator* (concombre mêlé de yaourt et de noix hachées).

Le plat populaire par excellence est la plantureuse *tchorba* (soupe) au poulet, aux abats d'agneau ou aux tripes, mais on apprécie aussi la viande séchée et salée *(pasterma)*, les *kebabcheta* (boulettes de viande allongées et grillées), les *chichtcheta* (brochettes de viande) et les *baniztsa* (feuilletés au fromage et aux légumes).

Le sirene est un fromage blanc de brebis renommé.

■ **Vins.** La viticulture bulgare est relativement récente, bien qu'en Thrace, ancienne Bulgarie, on cultivait déjà la vigne il y a 3 000 ans.

Elle ne s'est vraiment développée que sous le régime communiste, soucieux d'exporter pour obtenir des devises. C'est aujourd'hui une nette volonté de qualité qui préside à la production des vins bulgares. Depuis les années 1990, le vin bulgare (rouge en particulier) s'ouvre aux amateurs allemands, anglais et polonais.

Certains cépages locaux (gamza, surtout au nord, mavrud, surtout au sud, ou melnik, au sud-ouest, près de la frontière grecque) donnent d'excellents vins rouges à vieillir. Cependant, les trois quarts de la surface (110 000 ha) ont été replantés en cabernet-sauvignon, en merlot, en pinot noir, en gamay et en chardonnay, tous appréciés des amateurs du monde entier, et qui donnent à présent des vins de grande qualité. Actuellement, la culture et la vinification sont encore assurées par des complexes agro-industriels, avec plus ou moins de bonheur. Les vins blancs, souvent de cépage rkatsiteli, vinifiés à l'ancienne, sans contrôle de température, sont moins intéressants.

BULOT Gastéropode marin, de la famille des buccinidés, mesurant de 6 à 10 cm, très courant sur les côtes de la Manche et de l'Atlantique (**voir** tableau des coquillages page 250 et planche pages 252 et 253). Sa coquille verdâtre est spiralée, en forme de fuseau et non épineuse. On appelle aussi le bulot « ran », « buccin » ou « escargot de mer ». En Méditerranée, on trouve sur les étals un autre escargot de mer, le murex, à coquille épineuse.

Il est préférable de faire dégorger les bulots pas trop gros dans du gros sel durant 2 heures, puis de bien les rincer. Cuits de 8 à 10 minutes (pour éviter de les durcir) dans un court-bouillon épicé, ils se mangent avec du pain beurré et, éventuellement, de la mayonnaise.

BUN Petit pain rond en pâte levée, farci de raisins secs, que l'on sert en Grande-Bretagne au petit déjeuner ou pour le thé. C'était jadis la pâtisserie du vendredi saint, et on la déguste encore à Pâques. Lorsque les buns sont fendus sur la tranche, beurrés intérieurement et servis brûlants, gorgés de beurre fondu, ce sont des *bath buns*. Quant aux *cross buns,* ils sont fendus en croix sur le dessus avant la cuisson, et des cordonnets de pâte, ou des morceaux d'écorce d'orange confite, sont disposés à cheval sur les fentes. La pâte est souvent aromatisée à la cannelle.

buns

Émietter 25 g de levure de boulanger dans un bol et la délayer avec une tasse de lait ; la laisser à température ambiante. Battre 1 œuf avec 1 cuillerée à café de sel fin. Râper le zeste de 1 citron lavé, le mettre dans une terrine avec 50 cl de lait, 125 g de beurre ramolli, 100 g de sucre et 125 g de raisins secs. Bien mélanger, ajouter l'œuf battu, puis la levure, et incorporer 650 g de farine. Travailler pour obtenir une pâte élastique. Laisser reposer 5 heures jusqu'à ce que la pâte ait doublé de volume. La diviser alors en boules de la grosseur d'une mandarine. Beurrer une grande boîte métallique, y mettre les boules de pâte, les badigeonner de beurre, fermer et laisser gonfler 5 heures ; on peut aussi disposer les boules sur une plaque de four et mettre celle-ci dans un placard à l'abri des courants d'air. Cuire les buns 20 min au four préchauffé à 200 °C. Quelques minutes avant de les sortir, mélanger 1 tasse de lait avec 1 cuillerée à soupe de sucre et en badigeonner les buns.

BUSECCA Potage du Tessin (Suisse), influencé par les traditions de la Lombardie voisine, qui se compose d'une grande variété d'ingrédients : légumes, tomates, tripes ou fraise de veau, et dont il existe de très nombreuses variantes.

La busecca est parfumée avec une purée de marjolaine, de sauge et de basilic frais, et se sert toujours accompagnée de fromage râpé.

BUTTERNUT SQUASH Nom anglais désignant la courge musquée, de la famille des cucurbitacées, à chair onctueuse, à saveur de beurre et à pépins bien circonscrits à la base. Le butternut squash se développe aujourd'hui en Europe.

RECETTE DE CHRISTOPHE QUANTIN

crème de courge « butternut »

POUR 4 PERSONNES – PRÉPARATION : 45 min – CUISSON : 20 min
« Émincer 80 g de blanc de poireau, puis le faire suer dans une grande casserole avec 40 g de beurre. Mouiller avec 1 litre d'eau froide, porter à ébullition et saler. Peler et laver 100 g de pommes de terre type bintje et 400 g de courge "butternut", puis les couper en gros cubes. Ajouter les pommes de terre et la courge dans le potage. Porter à ébullition, saler puis cuire doucement à couvert et écumer si nécessaire pendant environ 20 min. Passer le potage au moulin à légume ou au mixeur, puis au chinois fin. Ajouter 10 cl de crème double, porter rapidement à ébullition et rectifier l'assaisonnement. Dresser en soupière et décorer de quelques pluches de cerfeuil. »

BUZET Vignoble situé sur la rive gauche de la Garonne entre Agen et Tonneins, produisant des vins AOC rouges et rosés, issu des cépages merlot, cabernet franc, cabernet-sauvignon et malbec, et des blancs, issus des cépages sémillon, sauvignon et muscadelle. Très majoritairement rouges, les vins ne manquent ni de finesse, ni d'une belle aptitude au vieillissement (**voir** GASCOGNE).

BYZANTINE (À LA) Se dit d'une garniture pour pièces de boucherie, surtout de bœuf, composée de croustades de pommes de terre dorées au four, garnies de purée de chou-fleur à la crème, et de demi-laitues farcies d'une duxelles de champignon et braisées au four sur un lit d'herbes.

La même garniture est aussi dite « à la bisontine » (le terme pouvant venir de Besançon).

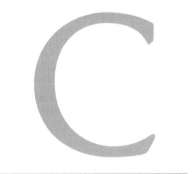

CABARDÈS Vin rouge et rosé, fin et bouqueté, issu des cépages cinsault, grenache, mourvèdre, syrah et carignan. Il est produit dans le département de l'Aude, au nord de Carcassonne, par un vignoble jouxtant le Minervois (**voir** LANGUEDOC).

CABARET Modeste débit de boissons qui, autrefois, servait essentiellement du vin. Le mot désigne aujourd'hui, plus généralement, un établissement où l'on consomme en assistant à un spectacle.

La distinction entre « taverne » et « cabaret » fut précise jusqu'au XVIIᵉ siècle environ. Le second innova en vendant du vin « à l'assiette », et non pas « au pot », c'est-à-dire en le servant sur une table à laquelle le consommateur pouvait s'asseoir et éventuellement manger quelque chose.

Au XIIIᵉ siècle, les « escholiers » de la Sorbonne menaient grand tapage au cabaret des *Trois Mailletz*. Au XVIᵉ siècle, le poète Ronsard était un visiteur assidu du *Sabot* (faubourg Saint-Marcel) ; au XVIIᵉ siècle, l'avocat et érudit Ménage avait pratiquement élu domicile à l'*Écu d'argent,* près de la place Maubert, et un peu plus tard, les écrivains Racine, La Fontaine et Boileau se réunissaient fréquemment à l'*Épée de bois* et au *Mouton blanc* (rue de la Verrerie).

Le cabaret devint alors un lieu de rendez-vous à la mode, surtout fréquenté par les écrivains et les artistes, rôle qu'assumeront plus tard les cafés, puis les restaurants et les brasseries. Au XIXᵉ siècle, les cabarets de basse catégorie attiraient encore les romantiques. Certains étaient alors de vrais bouges ; c'est à la grille du *Chat blanc* que l'on retrouva pendu l'écrivain Gérard de Nerval.

CABÉCOU Petit fromage de chèvre qui porte plusieurs noms selon son origine : cabécou d'Entraygues, de Fel, de Quercy-Rouergue, du Périgord. Le mot « cabécou » est donné à la chèvre dans le Sud-Ouest. Le cabécou est un fromage à pâte molle et se présente sous la forme d'un disque de 5 à 7 cm de diamètre et de 2 à 3 cm de haut, pesant 80 g. Sa croûte est de couleur blanc à crème, parfois piquée de bleu. Le cabécou de Rocamadour (**voir** ROCAMADOUR) est plus petit (35 g) et provient du Lot, de l'Aveyron, de la Corrèze, de la Dordogne et du Tarn-et-Garonne.

CABERNET D'ANJOU Issu des cabernets sauvignon et franc, ce vin AOC rosé est tendre, presque moelleux, d'une grande finesse aromatique ; il est parfait servi à l'apéritif ou avec un melon.

CABERNET FRANC Cépage d'origine bordelaise, cultivé en France sur 27 000 ha. Selon les régions, il est connu sous le nom de bouchet, carbouet ou plant des sables (dans le Bordelais), bouchy (dans les Pyrénées), breton ou véron (dans le Val de Loire). Ses grappes, peu volumineuses et lâches, présentent des petites baies noires bleutées avec une pellicule fine qui les rend moins résistantes à la pourriture grise.

Le cabernet franc entre dans la fabrication de la majorité des AOC rouges du Bordelais, où il est souvent associé au cabernet-sauvignon, au merlot et au malbec.

Vinifié seul en Val de Loire (chinon, bourgueil, saint-nicolas-de-bourgueil, saumur-champigny), il donne des vins aux arômes de framboise et de violette, qui doivent se boire assez rapidement.

CABERNET DE SAUMUR Modeste production de vin AOC rosé, issu des cépages cabernets franc et sauvignon, frais, fruité et tendre.

CABERNET-SAUVIGNON Cépage d'origine bordelaise, l'un des plus nobles, cultivé en France sur plus de 31 000 ha (rendement limité à 40 hl/ha), qui trouve son terroir de prédilection sur des sols maigres et secs. Ses grappes peu volumineuses présentent des petits grains noirs à peau épaisse, croquants.

Il entre en grande proportion dans la fabrication de la majorité des AOC rouges du Bordelais ; il donne des vins colorés, tanniques, aux arômes de violette et de poivron, qui doivent vieillir plusieurs années en tonneau pour parvenir à leur expression optimale. Vinifié seul, il produit un vin âpre, pratiquement imbuvable quand il est jeune.

CABILLAUD Poisson de la famille des gadidés, qui n'est autre que la morue fraîche (**voir** planche des poissons de mer pages 674 à 677). Pouvant mesurer jusqu'à 1,50 m, le cabillaud a un corps puissant et allongé, avec des nageoires très marquées et une tête importante, à large bouche dentée. Sa couleur varie du gris-vert au brun, avec des points sombres sur le dos et les flancs, et un abdomen blanchâtre. Il est abondant dans les mers froides (de 0 à 10 °C). La femelle peut pondre jusqu'à 5 millions d'œufs ; fumés, ces derniers sont vendus sous le nom de « fausse poutargue ». Le cabillaud est le poisson maigre par excellence (68 Kcal ou 284 kJ pour 100 g ; 1 % de lipides) ; il est riche en sels minéraux.

■ **Emplois.** Le cabillaud possède une chair délicate, blanche et feuilletée, qui se prête à de nombreuses préparations. Les poissons les plus petits (appelés « moruettes »), de 1 à 3 kg, très souvent vendus en filets car le pourcentage de déchets est de 50 %, sont rôtis au four, braisés au vin blanc, pochés dans un court-bouillon aromatisé, servis froids ou chauds avec une sauce. Les gros poissons, plus répandus, sont détaillés en filets, en darnes ou en tronçons. Les darnes se préparent « à l'anglaise » ou « à la meunière », les tronçons se cuisent surtout au four ou au court-bouillon, souvent dans du vin blanc.

Le cabillaud est rarement grillé, car sa chair trop délicate s'effeuille. La queue donne un très beau morceau (à rôtir ou à braiser), tandis que la partie proche de la tête a un goût très fin, bien qu'elle soit moins présentable. Le cabillaud sert en outre à confectionner des croquettes, des pains, des gratins, des coquilles et des mousses. Surgelé, il se présente en filets, nature, ou en carrés et croquettes panés, prêts à frire. Les œufs de cabillaud fumés servent à la fabrication du tarama.

cabillaud braisé à la flamande

Détailler des pavés dans des filets de cabillaud, saler et poivrer. Beurrer un plat allant au four, le parsemer d'échalotes et de persil hachés. Y disposer les pavés et les couvrir à peine de vin blanc sec. Poser sur chaque pavé une rondelle de citron pelée à vif. Faire partir l'ébullition sur le feu, puis cuire 10 min au four préchauffé à 200 °C. Égoutter le poisson et le dresser sur le plat de service. Faire bouillir le fond de cuisson, le lier avec de la biscotte écrasée, puis verser sur le cabillaud. Parsemer de persil ciselé.

cabillaud étuvé à la crème

Détailler 800 g de filets de cabillaud en cubes de 5 cm de côté. Saler et poivrer. Fondre au beurre 150 g d'oignons épluchés et hachés, puis y raidir les carrés de poisson. Les mouiller de 20 cl de vin blanc sec et faire réduire des trois quarts. Ajouter 20 cl de crème fraîche et achever la cuisson à couvert. Découvrir pour faire réduire la crème sur feu vif.

RECETTE DE JEAN-PIERRE VIGATO

cabillaud fraîcheur

« Hacher grossièrement 1/2 botte de persil plat, 1/2 botte de coriandre et 1/2 botte de menthe fraîche. Ciseler finement 2 oignons blancs. Mélanger le tout. Préparer la sauce avec 8 cl de jus de citron, 5 cl d'huile d'arachide, 5 cl d'eau, 2 cl de sauce soja, du sel et du poivre. Monder les tomates, les couper en quartiers, vider l'intérieur et les détailler en losanges. Les disposer autour de 4 assiettes et mettre au centre de chacune d'elles 30 g de pousses d'épinard. Cuire à la vapeur 4 pavés de cabillaud de 200 g. Imbiber de sauce le mélange d'herbes. Disposer le poisson sur les épinards et napper de la sauce aux herbes. »

cabillaud à l'indienne

Saler et poivrer 4 darnes (ou 2 filets) de cabillaud. Éplucher et hacher 3 gros oignons. Monder, épépiner et concasser 4 tomates. Hacher 2 gousses d'ail pelées et 1 petit bouquet de persil. Chauffer 4 cuillerées à soupe d'huile dans une sauteuse, y faire revenir les oignons et les tomates, puis couvrir et laisser fondre pendant une vingtaine de minutes. Saler, poivrer, ajouter ail et persil hachés, et cuire encore 10 min. Étaler cette préparation dans une cocotte, poser le cabillaud dessus. Poudrer avec 1 grosse cuillerée à soupe de cari, arroser de 2 cuillerées à soupe d'huile et de 15 cl de vin blanc sec. Faire partir l'ébullition sur le feu, puis mettre 20 min au four préchauffé à 220 °C, en arrosant le poisson trois ou quatre fois. Servir avec du riz à l'indienne.

cabillaud rôti

Habiller un cabillaud de 1,5 kg. Le saler, le poivrer, l'arroser d'huile et de jus de citron, et le laisser macérer pendant 30 min. L'égoutter, l'embrocher, le badigeonner au pinceau à pâtisserie de beurre fondu et le faire rôtir à feu vif, en l'arrosant plusieurs fois de beurre fondu ou d'huile. Le dresser sur un plat de service et le tenir au chaud. Déglacer la lèchefrite avec du vin blanc sec, faire réduire le jus et en arroser le poisson. On peut aussi cuire le cabillaud au four, à condition de le placer sur une grille pour qu'il ne baigne pas dans le jus de cuisson.

cabillaud sauté à la crème

Saler et poivrer 4 tranches de cabillaud ; les dorer vivement au beurre dans une sauteuse. Les mouiller à mi-hauteur de crème fraîche épaisse, couvrir et achever la cuisson. Égoutter le poisson et le dresser sur un plat de service. Réserver au chaud. Faire réduire la crème, y ajouter 2 cuillerées rases de beurre frais et en napper le cabillaud.

CABINET PARTICULIER Salon privé, mis à la disposition des clients soucieux de discrétion et d'intimité dans certains restaurants de luxe. Très en vogue à Paris dans la seconde moitié du XIXe siècle et au tout début du XXe, sous le second Empire et à la Belle Époque, les cabinets particuliers (du *Café Anglais*, de *Prunier* ou de *Lapérouse*) se rattachent plus à l'histoire galante et aux « lionnes » de la Belle Époque qu'à celle de la gastronomie.

CABOULOT Petit café de banlieue ou de campagne, ou restaurant d'apparence modeste, pratiquant une cuisine de guinguette.

CACAHOUÈTE OU **CACAHUÈTE** Fruit de l'arachide, plante de la famille des fabacées, cultivée en très grande quantité pour fabriquer de l'huile. On l'appelle également « pistache de terre ». Environ 20 % de la production provenant de variétés « de bouche » est réservée à la consommation des cacahouètes entières, qui sont torréfiées et vendues en vrac, dans leur gousse, ou décortiquées et salées (**voir** planche des noix, noisettes, autres fruits secs et châtaignes page 572).
■ **Emplois.** Nature, la cacahouète peut remplacer les pignons dans les salades, les amandes ou les pistaches en pâtisserie. Salée, elle se sert à l'apéritif. Aux États-Unis, les cacahouètes permettent aussi de fabriquer un « beurre » *(peanut butter)* très nutritif, que l'on consomme en tartines ou en canapés avec des crudités. En Afrique, on les utilise pour relever des sauces.
■ **Diététique.** Très énergétiques (environ 560 Kcal ou 2 341 kJ pour 100 g), les cacahouètes sont riches en lipides mono- et polyinsaturés, en calcium, en fer et en vitamine E.

CACAO Produit extrait des fruits du cacaoyer, arbre tropical de 4 à 12 m de haut, de la famille des malvacées. Les fruits, appelés « cabosses », contiennent de 25 à 40 graines, ou « fèves », plus ou moins grosses, aplaties ou bombées, grises, violacées ou bleuâtres. Ces fèves, extraites quand elles sont mûres, c'est-à-dire jaune foncé, sont entassées pour que la fermentation développe leur arôme, puis elles subissent divers traitements pour donner le chocolat (**voir** ce mot).
■ **Histoire.** Le cacaoyer était, selon la croyance des Aztèques, le plus bel arbre du paradis, et ceux-ci lui attribuaient de multiples vertus : apaiser la faim et la soif, donner la science universelle et guérir les maladies. Grâce à la découverte du Nouveau Monde, la première cargaison de cacao parvint en Espagne en 1524.
■ **Variétés.** On distingue plusieurs variétés de cacao.
– Les forasteros (80 % de la production mondiale) sont les plus courants, avec une saveur amère et des arômes acides.
– Les criollos (à peine 1 % de la production), très délicats, ont une saveur douce malgré une légère amertume.
– Les trinitarios (19 % de la production), hybrides obtenus à partir des deux précédents, sont assez fins et riches en matières grasses.

Le cacao le plus coté, qui vient du Venezuela, très fin, aromatique et fondant, est connu sous le nom de « caraque ». Le cacao brésilien, dit « maragnan », possède une amertume agréable, de même que ceux de l'Équateur et des Antilles, dont la saveur franche permet de relever d'autres saveurs, plus faibles.

Les cacaos africains, d'un bon rendement mais de qualité ordinaire, sont destinés à des préparations industrielles. Enfin, on utilise aussi des cacaos du Sri Lanka et de Java.
■ **Emplois.** Ils sont très variés selon la forme d'utilisation du cacao.
● PÂTE DE CACAO. C'est la matière première de tous les produits à base de cacao ou de chocolat. Cette masse onctueuse et amère s'obtient par broyage – dont la technique conditionne la finesse et la fluidité – des fèves fermentées, triées, lavées, dégermées, décortiquées (elle ne doit pas contenir plus de 5 % de débris écrasés) et torréfiées, mais avec leur matière grasse naturelle (de 45 à 60 %, selon les variétés).

• **BEURRE DE CACAO.** Matière grasse naturelle que l'on extrait de la pâte de cacao. Inodore et incolore, le beurre de cacao donne au chocolat sa fluidité permettant ainsi d'enrober les pâtisseries et les confiseries. Il est riche en acides gras saturés. Quant au beurre Mycryo, c'est un beurre de cacao pur cryogénisé, de saveur neutre. Il permet un travail extrêmement rapide du chocolat de couverture. Il s'utilise aussi en substitut de la gélatine dans les crèmes bavaroises, les mousses, etc. On ne le trouve que dans les circuits spécialisés.

• **POUDRE DE CACAO.** Inventée par le Hollandais Van Houten en 1828, elle est obtenue par pulvérisation du tourteau, c'est-à-dire de la pâte de cacao débarrassée de la plupart de sa matière grasse. Elle en contient encore 20 %, mais peut aussi être dégraissée (8 %).

• **GRUÉ DE CACAO.** Éclats de fèves de cacao torréfiés, débarrassés de leur coque et concassés. Le grué de cacao, qui entre dans la confection de pâtisseries et de confiseries, est apprécié pour sa texture croquante et son arôme de cacao grillé. On l'utilise également pour la préparation de certains plats salés (foie gras, par exemple).

• **AMANDE DE CACAO.** Non broyée, elle permet de parfumer certains apéritifs ou liqueurs, notamment la crème de cacao.

▶ Recette : SORBET.

CACCIOCAVALLO Fromage italien de lait de vache (44 % de matières grasses), à pâte pressée filée et à croûte jaune paille, obtenue souvent par fumage (**voir** tableau des fromages étrangers page 400). Le cacciocavallo existe en plusieurs tailles et poids (de 200 à 300 g). Il a une saveur prononcée, parfois même piquante. Servi en fin de repas, il se consomme également râpé lorsqu'il a durci après un long affinage, qui peut durer un an.

CACHETER Assurer l'étanchéité d'une bouteille à l'aide d'une cire spéciale, dite « cire à cacheter ». Le bouchon de liège est enfoncé au ras du goulot, et ce dernier est plongé dans la cire liquéfiée au bain-marie, qui durcit en une vingtaine de minutes.

CACTUS Plante grasse de la famille des cactées, du genre opuntia. Ses « feuilles » charnues, appelées « nopales » au Mexique, sont consommées en salade une fois débarrassées de leurs épines. Ses fruits sont également comestibles ; ils portent le nom de « figues de Barbarie ».

CADILLAC Vin AOC blanc liquoreux du Bordelais, issu des cépages sémillon, sauvignon et muscadelle. Obtenu après surmaturation du raisin, il se déguste en vin de dessert, ou avec le foie gras, ou encore à l'apéritif (**voir** BORDELAIS).

CAFÉ Graine du caféier, arbuste de la famille des rubiacées originaire d'Éthiopie, qui porte des fruits en forme de petites cerises rouges (**voir** tableau ci-dessous).

■ **Histoire.** L'invention de la boisson qui porte le nom de café et la découverte de ses propriétés ont donné lieu à de nombreuses légendes, souvent fantaisistes. En revanche, il est attesté que l'on buvait du café à Aden (actuellement au Yémen du Sud) en 1420 ; la coutume passa en Syrie, puis à Constantinople (1550) ; les Vénitiens furent les premiers Occidentaux à en importer en 1615, et le café fut introduit en France en 1669, à la cour de Louis XIV.

D'abord considéré comme un produit étrange, plutôt thérapeutique, l'« arôme nouveau », comme on l'appelait, devint une boisson à la mode à la cour et parmi les nobles. L'invention du moulin à café, en 1687, fit beaucoup pour sa diffusion.

En 1690, un plant de café fut mis en terre au Jardin des Plantes, à Paris, mais le caféier reste une plante essentiellement tropicale, dont la culture se répandit en Afrique, en Amérique du Sud et dans les Antilles, puis en Inde, au Pakistan et en Chine. Aujourd'hui, deux espèces de caféier assurent 95 % de la production mondiale : *Coffea arabica*, considérée comme la meilleure, et *Coffea canephora* (dont le robusta est la variété la plus connue).

■ **Variétés.** Tous les pays producteurs de café sont situés en zone tropicale. La production mondiale (plus de 100 millions de sacs par an) se répartit ainsi : environ 2/3 d'arabica et 1/3 de robusta. Ce dernier est en progression en Asie (Inde, Indonésie, Viêt Nam). Le Brésil, premier exportateur mondial, produit majoritairement de l'arabica. En France, si le robusta provenant des anciennes colonies africaines (la Côte d'Ivoire est le premier producteur africain) s'est longtemps imposé, l'arabica, aux arômes plus subtils, l'a aujourd'hui supplanté. L'arabica provient d'une plante fragile qui pousse surtout en altitude. Tous les grands « crus » sont des arabicas, en provenance d'Amérique latine (Supremo de Colombie, Tournon du Costa Rica, Antigua du Guatemala, etc.) et d'Afrique de l'Est (Sidamo d'Éthiopie, par exemple). Dans le commerce, la gamme proposée s'étend des simples mélanges arabica/robusta aux crus des meilleures origines en passant par des assemblages d'arabicas de diverses provenances.

■ **Fabrication.** Après la récolte, il existe deux traitements différents pour extraire les 2 grains que contient chaque « cerise ». La méthode humide, qui nécessite beaucoup d'eau, donne des « grains lavés », de qualité supérieure. La méthode sèche, moins onéreuse, donne des grains moins réguliers. Ce café « vert », qui est alors trié, vendu et exporté, n'a encore ni saveur ni arôme. C'est la torréfaction, pratiquée essentiellement dans les pays consommateurs, qui, sous l'action de la chaleur, va donner au grain sa couleur définitive et développer tous ses parfums et ses arômes. À une température qui va de 180 à 250 °C, le grain, soumis à un mouvement constant, augmente de volume et sa pigmentation évolue : du blond ambré au brun presque noir en passant par la couleur « robe de moine », la plus habituelle en France. Plus la torréfaction est poussée, plus le café gagne en amertume et perd en acidité. L'art du torréfacteur consiste à proposer des assemblages adaptés aux goûts des consommateurs et d'une qualité constante malgré l'irrégularité des récoltes.

La fluctuation des cours mondiaux peut engendrer des désastres économiques chez les petits producteurs. La notion de café « équitable » tend à leur garantir une juste rétribution, qui ne se répercute que faiblement sur le prix de vente au consommateur.

■ **Emplois.** Le café, généralement conditionné sous vide, est vendu moulu (plus ou moins finement), mais également en grains. Il perd rapidement son arôme et rancit à l'air libre ; il faut le conserver au frais, à l'abri de l'humidité et le consommer rapidement une fois le paquet ouvert. Les grains doivent être moulus au fur et à mesure des besoins, et au dernier moment. Avec la vogue des machines à expresso est apparu le café moulu, conditionné, en « dosettes » individuelles.

On trouve aussi (depuis les années 1930) du café décaféiné, à la teneur en caféine inférieure à 0,1 %. À partir des années 1960, l'industrie a mis au point le café soluble directement dans l'eau chaude, soit atomisé, soit lyophilisé (aux qualités aromatiques supérieures), qui existe aussi en décaféiné. Aujourd'hui, 20 % du café consommé en France est soluble.

Enfin, on trouve dans le commerce de l'extrait de café liquide, très utilisé comme arôme en pâtisserie et en confiserie.

Caractéristiques des principales variétés de cafés

VARIÉTÉ	PROVENANCE	ASPECT DES GRAINS	SAVEUR
arabica	Amérique centrale et du Sud, Afrique (Éthiopie, Kenya)	moyens, ronds aux extrémités, sillon central sinueux	riche, fine, douce, parfumée, tonique, subtilités selon la provenance
robusta	Afrique (Côte d'Ivoire, Angola, Congo), Indonésie, Viêt Nam, Brésil	petits, irréguliers, sillon central droit	plus chargée en caféine, puissante, corsée
Le moka désigne un arabica provenant d'Éthiopie et du Yémen, à transparence ambrée et verdâtre, grains moyens, saveur fine et parfumée.			

CAFÉ (BOISSON) Infusion obtenue avec des grains de café moulus. En France, les goûts vont du café noir ou du café au lait du petit déjeuner (ou encore du café crème servi au comptoir) au décaféiné du dîner, en passant par l'express de la « pause-café » ou par celui du déjeuner.

Le café est une institution dans presque tous les pays du monde, comme rite de bienvenue, moment privilégié de la vie sociale et plaisir gastronomique.

■ **Cafés de tous les pays.** En France, c'est à la fin du XVIIᵉ siècle que l'on prit l'habitude, dans la haute société, de servir le café à la fin du repas.

Selon les pays et les régions, en fonction de sa force et de son arôme, on le sert très concentré, avec un verre d'eau froide (en Grèce, en Turquie et dans les pays arabes), plus ou moins sucré (le sucre de canne est souvent apprécié), avec une bouchée de chocolat (en Suisse, en Allemagne, en Hollande) ou un petit biscuit (en Belgique, en Angleterre) et, très souvent dans le Nord, avec un petit pot de crème liquide. En Éthiopie, berceau de *Coffea arabica*, le café fait toujours l'objet d'un véritable cérémonial.

Si les États-Unis sont les premiers importateurs, on y consomme beaucoup moins de café (4,5 kg par habitant et par an) qu'en Finlande (13 kg) ou en Norvège (11 kg). Les Belges se bornent à 8 kg et les Français à 6 kg.

■ **À la turque ou à la française.** La préparation du café peut se faire selon deux méthodes de base.

• PROCÉDÉ TURC. Le café à la turque est, en fait, une décoction. Le procédé consiste à verser le café, réduit en poudre extrêmement fine, dans de l'eau bouillante, avec une quantité presque égale de sucre en poudre, puis à remettre le mélange sur le feu jusqu'à ébullition ; on répète trois fois l'opération, qui se fait dans une petite casserole à base large et de forme conique ; après quoi, on verse quelques gouttes d'eau froide pour faire déposer le marc, et l'on sert aussitôt le café brûlant, souvent dans de petits verres. Le « café turc » se boit dans les pays méditerranéens et au Moyen-Orient. En Arabie, on y ajoute souvent deux grains (ou de la poudre) de cardamome ; en Grèce, on ne le connaît que sous le nom de « café grec ».

• PROCÉDÉ FRANÇAIS. C'est en France qu'est née l'idée d'infuser le café, au lieu de le faire bouillir. Le procédé consiste à verser l'eau bouillante sur le café moulu (moins finement que pour un café turc), à travers un filtre. Selon les époques et les usages, les ustensiles ont évolué de la cafetière en porcelaine (composée de deux parties superposées) et du percolateur (bardé de robinets et de manomètres), à la cafetière à piston et enfin à la cafetière filtre électrique. Le café à la française ne doit jamais bouillir et encore moins être réchauffé. Les puristes recommandent l'emploi d'une eau peu minéralisée et peu chlorée.

■ **Variantes.** L'expresso (*espresso* en italien) est un café noir à l'italienne, également très répandu en Autriche, où il porte couramment le nom de « moka », même s'il ne s'agit pas de cette variété de graines de caféier ; il est obtenu par passage d'eau frémissante sous pression à travers la mouture, bien tassée dans le filtre. En France, depuis longtemps, la machine à expresso à pompe a remplacé le percolateur derrière le comptoir des cafés et, sous sa forme réduite, s'est installée dans les cuisines (**voir** EXPRESSO [MACHINE À]). Là encore, l'eau du robinet est déconseillée, à moins d'être filtrée.

Les Italiens ont également fait connaître le *cappuccino* (ainsi appelé à cause de sa couleur brun pâle, qui évoque la robe des frères capucins) ; il s'agit d'une tasse de café fort, additionné de crème mousseuse ou de lait passé à la pression, et servi avec une pincée de chocolat en poudre (en Autriche, il porte le nom de *Kapuziner*). Le café crème, lui, a été introduit par les Viennois : le vrai café crème autrichien s'obtient en déposant une cuillerée de crème fouettée ou de crème fraîche double à la surface du café, sans remuer ; en France, le café est servi déjà mélangé avec du lait.

En Amérique du Sud, où la culture du café fut introduite en 1720, les meilleures variétés sont exportées, mais on consomme sur place beaucoup de *tinto* (café noir fort et très sucré). En Argentine et au Mexique, on boit aussi un café torréfié avec du sucre, qui a un goût accentué de caramel. Aux Antilles, on parfume le café à la vanille, à la cannelle, au gingembre, etc.

■ **Diététique.** Le café est peu calorique, à condition qu'il soit consommé sans sucre. C'est à la caféine, son principal constituant, que l'on attribue différentes vertus. Si son action contre le sommeil est très variable selon les individus (à noter qu'un arabica est moins caféiné qu'un robusta), il est établi que la caféine stimule le système nerveux, aux plans intellectuel et physique, et accroît la vigilance. Son effet sur les vaisseaux sanguins peut être efficace contre la migraine et certaines maladies de cœur. Par contre, une consommation excessive de café peut provoquer des troubles nerveux plus ou moins graves. Quant au café au lait, il est indigeste pour certaines personnes.

café champignon ▶ CHAMPIGNON

café glacé

Préparer 1 litre de café très fort. Mettre dans une terrine 500 g de sucre en morceaux et verser dessus le café chaud. Couvrir et laisser complètement refroidir. Ajouter alors 1 litre de crème épaisse et travailler le mélange dans une sorbetière, en tenant la composition très souple.

café irlandais : irish coffee

Chauffer 1 verre, y verser du sucre et 1 mesure de whisky ; remplir le verre avec du café noir brûlant. Remuer, compléter avec un peu de crème fraîche. Servir aussitôt. (La crème doit rester à la surface du café. Pour l'empêcher de tomber au fond du verre, la diluer avec un peu de lait et la verser doucement le long d'une cuillère.)

café d'Italie : cappuccino

Préparer un expresso très serré. Y ajouter une quantité égale de lait passé à la vapeur, mais non bouilli. Servir dans de grandes tasses, saupoudré de chocolat en poudre.

café de Java : moka

Mélanger 1 tasse de café noir et 1 tasse de chocolat chaud. Ne pas laisser bouillir. Sucrer à volonté.

café liégeois ▶ CAFÉ LIÉGEOIS

café turc

Verser dans une casserole une tasse et demie d'eau. Y jeter 6 cuillerées à café de sucre en poudre. Porter à ébullition. Ajouter 3 cuillerées à soupe bombées de café moulu très finement. Faire bouillir trois fois. Retirer du feu et ajouter quelques gouttes d'eau froide. À l'aide d'une cuillère, mettre dans 4 petites tasses un peu de la mousse qui s'est formée à la surface du café. Remplir ensuite de café, très lentement.

café viennois

Préparer un café fort et le napper d'une couche de chantilly épaisse.

caramels durs au café ▶ CARAMEL (BONBON)
choux au café ▶ CHOU
choux à la crème Chiboust au café ▶ CHOU
dacquoise au café ▶ DACQUOISE
essence de café ▶ ESSENCE
glace au café ▶ GLACE ET CRÈME GLACÉE
progrès au café ▶ PROGRÈS
tartelettes au café ▶ TARTELETTE

CAFÉ (ÉTABLISSEMENT) Débit de boissons (café, mais aussi bière, vin, apéritifs et jus de fruits), où sont également proposés quelques plats rapides (croque-monsieur, sandwichs, salades garnies, assiette anglaise).

Le tout premier café du monde fut ouvert à Constantinople en 1550. À Paris, c'est en 1672 qu'un Arménien, nommé Pascal, installa, à l'occasion de la foire Saint-Germain, une petite échoppe où il vendait du café à la tasse, mais dont le succès fut éphémère.

■ **Cafés de Paris :** Palais-Royal, Grands Boulevards, Rive gauche et « bougnats ». Le premier café, au sens moderne, fut le *Procope*, créé en 1686 par un Italien. Dès 1696 se constitua la corporation des « limonadiers et marchands d'eau-de-vie ».

Bientôt, un mode de vie nouveau s'attache à ces établissements : on y lit les nouvelles, on y joue aux échecs ou aux cartes, on y échange des idées, on y fume. L'esprit contestataire y fermente déjà. Les cafés « cénacles » se partagent la clientèle des artistes lyriques, des officiers ou des écrivains.

Au XVIIᵉ et surtout au XVIIIᵉ siècle, le café devient le creuset de la littérature et de la critique littéraire : La Fontaine, Crébillon, Fontenelle, les Encyclopédistes en sont les habitués.

Les cafés des galeries du Palais-Royal – les « portiques de la Révolution » – vont alors connaître une grande vogue. On y discute politique, on y écoute les premiers orateurs, mais c'est aussi le rendez-vous de l'élégance et des modes.

Après la tourmente révolutionnaire s'ouvrent, au début du XIXᵉ siècle, les cafés champêtres, cafés chantants et jardins de plaisir, mais le retour des Bourbons remet à la mode le café politique. Les romantiques ont déserté le Palais-Royal, et la vie littéraire se réfugie dans les salons, où l'on boit plutôt du thé.

Bientôt, lorsque les Grands Boulevards deviennent le pôle d'attraction de la capitale, ce sont le glacier et le restaurateur qui drainent les foules ; le café prend alors plutôt figure de club, de cercle, tandis qu'aux terrasses à la mode on rencontre artistes et chanteurs, écrivains, dandys, grisettes et jeunes lions. Les cafés de la Rive gauche commencent à prendre de l'importance ; c'est le domaine des écrivains, des poètes et des intellectuels.

Dans les années 1900, ce sont les cafés de Montmartre qui voient à leur tour affluer les artistes ; plus tard, Montparnasse prend la vedette. Jusqu'à nos jours, la tradition parisienne de la vie de café a survécu.

Depuis l'arrivée, au siècle dernier, des Auvergnats, marchands de vin et de charbon (les « bougnats »), le « café du coin » entretient, dans tous les quartiers, les rites solidement établis du « petit noir », du « ballon de rouge » ou du pastis pris « sur le zinc », de la partie de cartes et des conversations de « café du Commerce », sur fond sonore de machines à sous ; c'est l'image stéréotypée du « café-bar-tabac », solidement ancrée à Paris comme en province.

■ **Cafés européens.** En Angleterre, où émigra l'Arménien Pascal, le café fit d'abord figure de panacée contre l'alcoolisme, et les maisons de café furent, à la fin du XVIIᵉ siècle, le lieu des réunions publiques des partis. Mais l'opposition du syndicat des brasseurs de bière eut raison de ces maisons de café. De nos jours, le *coffee-shop* est une petite boutique à sandwichs qui vend du café et du thé à la tasse, ainsi que des sodas.

En Allemagne, le café s'installa à Hambourg, à Berlin et surtout à Leipzig, ville d'imprimeurs que fréquentaient les écrivains et les « beaux esprits ». À Berlin, le café se doubla d'une tradition de cabaret de chansonniers. Mais les Allemands consomment surtout du café en famille, avec beaucoup de pâtisseries ; c'est d'ailleurs plutôt une boisson « de dame », les hommes buvant de la bière.

À Vienne, en Autriche, le café est solidement établi depuis que les Turcs, en 1683, abandonnèrent un butin de guerre de 500 sacs de café dont hérita Kolschitzky, héros de la victoire contre les envahisseurs. C'est lui qui transforma le café à la turque en café à la viennoise (filtré, parfumé au miel et additionné de crème), que l'on dégustait avec des croissants.

Le Viennois a toujours considéré le café comme le prolongement naturel de son foyer et de son bureau : il y passe de longues heures le matin pour lire les nouvelles, l'après-midi pour traiter des affaires, le soir pour discuter, recevoir, jouer au billard. Et c'est à Vienne qu'est né le café-concert.

Les grands cafés viennois, qui continuent de perpétuer la tradition, avec leurs tentures, leurs lumières tamisées et leurs boiseries, sont le *Landtmann*, le *Hawelka* (de tradition littéraire et artistique) et le *Sacher*, véritable institution nationale. On retrouve cette même conception du grand café, à la fois salon de thé, haut lieu politique et cercle littéraire, à Lisbonne et à Budapest.

En Italie, les cafés ont existé dès le XVIIᵉ siècle (avant que les premiers ne s'ouvrent en France), notamment à Venise, où la « boutique de café » fit très tôt partie du décor quotidien. Mais les plus célèbres datent du XVIIIᵉ siècle : le *Greco*, à Rome, et surtout le *Florian*, à Venise, avec ses concerts publics offerts sous les arcades de la place Saint-Marc et ses nombreux salons raffinés.

CAFÉ ANGLAIS Établissement créé boulevard des Italiens, à Paris, en 1802. À la mode anglaise, on y servait des « déjeuners à la fourchette » (**voir** CAFÉ HARDY). Il eut d'abord une clientèle de cochers et de domestiques. En 1822, son nouveau propriétaire, Paul Chevreuil, en fit un restaurant à la mode, réputé pour ses rôtis et ses grillades.

Mais c'est avec l'arrivée d'Adolphe Dugléré (1805-1884) que le *Café Anglais* acquit une haute réputation gastronomique et fut dès lors fréquenté par le monde de la finance et le Tout-Paris élégant et fortuné.

La maison fut démolie en 1913, mais sa cave et les boiseries du Grand Seize, cabinet particulier où soupèrent les grands de ce monde, furent rachetées par André Terrail, propriétaire de *La Tour d'Argent*, qui avait épousé la fille du dernier propriétaire.

CAFÉ HARDY Établissement ouvert en 1799, boulevard des Italiens, à Paris, qui devint célèbre à partir de 1804, lorsque Mᵐᵉ Hardy lança les « déjeuners à la fourchette », pourtant fort chers. Les clients choisissaient leur viande sur un buffet, puis un maître d'hôtel piquait celle-ci avec une fourchette et la faisait griller sur un gril d'argent disposé dans une cheminée de marbre blanc.

Cambacérès affirma un jour : « Il faut être bien riche pour aller chez Hardy et bien hardi pour aller chez Riche » (autre café célèbre du boulevard).

La maison périclita vers 1836, puis l'immeuble fut démoli, pour être remplacé, quatre ans plus tard, par *La Maison dorée*.

CAFÉ AU LAIT Infusion de café additionnée de lait, qui constitue le petit déjeuner le plus répandu en France. Sa vogue, venue de Vienne, remonte à la fin du XVIIᵉ siècle, et ce fut la boisson favorite de Marie-Antoinette. Les avis ont toujours été partagés sur cette boisson, accusée d'être indigeste et peu raffinée, et qui pourtant, au XVIIᵉ siècle, était recommandée pour ses qualités nutritives. Et dans les campagnes du Nord et de l'Est, le repas du soir resta longtemps un bol de café au lait, avec des tartines et du fromage.

CAFÉ LIÉGEOIS Coupe glacée au café, d'origine viennoise, que l'on apprécie aujourd'hui dans toute l'Europe.

────────

café liégeois

Dans une coupe à glace, verser 2 tasses de café froid très fort, ajouter 3 boules de glace à la vanille (ou au café). Couronner de crème Chantilly, joliment disposée à l'aide d'une poche à douille cannelée. Décorer avec des grains de café au chocolat ou, à défaut, avec des vermicelles de chocolat.

CAFÉ DE LA PAIX Établissement ouvert en 1862, boulevard des Capucines, à Paris, au rez-de-chaussée du *Grand Hôtel*, et décoré par Garnier, où, à la Belle Époque, les snobs venaient, dans les salons éclairés au gaz, « déjeuner à la fourchette » (**voir** CAFÉ HARDY) ou souper après l'opéra, pour goûter les spécialités de chefs réputés de l'hôtel (dont Nignon et Escoffier au début du XXᵉ siècle). Massenet, Zola et Maupassant, puis Truman, Leclerc, la Callas et Chagall comptèrent parmi les habitués du *Café de la Paix*, rendez-vous international artistique et mondain.

CAFÉ DE PARIS Établissement ouvert à Paris en 1822, boulevard des Italiens, et considéré jusqu'à sa disparition, en 1856, comme le « temple de l'Élégance ». Être admis parmi les dandies et les élégantes qui le fréquentaient, avec les écrivains Musset, Balzac, Dumas, Gautier et Véron, donnait un brevet de parisianisme. La cuisine y était spectaculaire mais interdite aux noctambules : la propriétaire, la marquise de Hertford, avait en effet spécifié dans le bail que le café fermerait ses portes, en toute saison, à 10 h du soir.

Un autre *Café de Paris*, aussi brillant, aussi élégant et aussi cher que le premier, a existé dans la capitale de 1878 à 1953, avenue de l'Opéra. Il fut fréquenté à la fin du siècle par les Goncourt, leurs amis et le prince de Galles, le futur Édouard VII, et accueillit des chefs réputés dont les créations ont fait date.

CAFÉINE Alcaloïde présent dans le café (de 1 à 2 %), le thé (de 1,5 à 3 %) et la noix de kola (de 2 à 3 %), qui possède des propriétés stimulantes, toniques et diurétiques. La caféine peut engendrer une accoutumance. Chez certaines personnes, elle provoque, même à des doses modérées, des palpitations, une plus grande nervosité, des troubles du sommeil, des maux de tête, des problèmes digestifs, etc.

La quantité de caféine contenue dans une tasse de café varie selon l'origine des grains (le robusta en apporte deux fois et demie plus que l'arabica) ; c'est aussi le cas pour les thés. Il existe aujourd'hui des cafés décaféinés et des thés déthéinés, ainsi que des boissons au kola sans caféine.

CAFETIÈRE Ustensile ménager servant à faire ou à servir le café. Lié en France à l'introduction du café, l'usage de la cafetière se répandit au XVIIIᵉ siècle, sous Louis XV ; celle-ci était alors munie d'un réchaud et d'une lampe à alcool. Pendant longtemps, il n'exista que deux modèles de cafetières : l'infusoir (où le café est retenu dans une chausse, ou chaussette) et la cafetière « à la Dubelloy », apparue après 1850, où le café est filtré et qui reste le type de la « cafetière de grand-mère », en terre à feu et à panse renflée. Un autre principe se répandit entre les deux guerres ; il se fonde sur deux boules de verre trempé (type « Cona »), superposées et chauffées par une lampe à alcool : sous l'effet de la chaleur, l'eau placée dans la boule du bas monte, traverse le café qui se trouve dans la boule du haut, redescend, puis remonte deux ou trois fois. Il faut attendre les années 1950 et l'influence italienne pour voir apparaître d'autres modèles, que l'on pose directement sur le feu, l'eau et le café étant placés dans des compartiments séparés. Apparaissent également la cafetière à filtre de papier spécial et la cafetière à piston filtrant (**voir** PERCOLATEUR).

Les cafetières électriques, qui ont conservé le principe de la mouture très fine, fonctionnent à la pression (*espresso*) ou avec un filtre (goutte à goutte, à la vapeur) ; certaines permettent de doser la force de l'infusion par un passage plus ou moins rapide de l'eau.

La cafetière de service, qui peut être en matériaux très divers, est moins utilisée aujourd'hui, sauf dans le service hôtelier, depuis la diffusion des cafetières électriques, dont le bol sert aussi de verseuse.

CAHORS Vin AOC rouge du Sud-Ouest, très charpenté et coloré, issu de vignobles poussant sur le causse. Le cépage principal (70 %) est le côt, ou malbec. Ce vin a un beau potentiel de garde.

CAILLE Petit oiseau migrateur de la famille des phasianidés, proche de la perdrix, qui séjourne en France, dans les régions de plaine, d'avril à octobre, mais qui devient très rare ; au Canada, son équivalent sauvage porte le nom de « colin de Virginie ». Une race originaire d'Extrême-Orient est maintenant élevée comme volaille (**voir** tableau des volailles et lapins pages 905 et 906 et planche page 904). Délicate et savoureuse, la « caille de fusil », grasse et ronde en automne, ne doit jamais être faisandée ; elle s'apprête comme la caille engraissée en captivité, qui est moins parfumée, mais assez fine. Toujours vidées et le plus souvent bardées, les cailles, qui pèsent de 150 à 200 g, sont rôties et grillées (notamment en brochettes), sautées, braisées (avec des raisins) ou farcies et présentées sur canapé, mais également apprêtées en pâté, en chaud-froid ou en terrine. Les œufs de caille, gros comme des mirabelles, jaune-vert et tachetés de brun, se servent durs, en cocotte ou en gelée.

cailles en casserole Cinq-Mars

Plumer, vider, flamber et brider les cailles. Préparer une julienne de rouge de carotte, d'oignon et de céleri en branche. La faire fondre au beurre, saler, poivrer. Dorer les cailles au beurre, puis les saler, les poivrer, les napper de la moitié de la julienne, ajouter 2 ou 3 cuillerées à soupe de xérès, couvrir et cuire 10 min au four préchauffé à 250 °C. Débrider les cailles, les ranger dans un poêlon ou une jolie cocotte. Les parsemer d'une julienne de champignons (sauvages si possible) et de truffes ou de pelures de truffe. Les napper du reste de julienne, ajouter le fond de cuisson, 2 cuillerées à soupe de cognac et quelques noisettes de beurre. Couvrir la cocotte et luter le couvercle avec de la farine et de l'eau. Mettre la cocotte dans un bain-marie, faire partir l'ébullition sur le feu, puis placer le tout dans le four baissé à 210 °C et cuire encore 30 min. Retirer le couvercle et servir brûlant.

cailles aux cerises

Équeuter et dénoyauter 1 kg de griottes. Les mettre dans une casserole avec 250 g de sucre et 10 cl d'eau, les pocher de 8 à 10 min, puis ajouter 3 cuillerées à soupe de gelée de groseille et cuire encore 5 min. Rôtir des cailles. Quand elles sont cuites, ajouter les cerises et un peu de leur jus dans le plat de cuisson et réchauffer. Servir les cailles entourées des cerises.

RECETTE ANCIENNE

cailles en chemise

« Nettoyer du boyau de porc. Garnir des cailles de farce à gratin, les trousser, les saler et les poivrer, les enfermer séparément dans un petit morceau de boyau. Ficeler chaque extrémité. Plonger les cailles dans un fond clair bouillant. Les laisser pocher une vingtaine de minutes. Égoutter, sortir les cailles du boyau, faire réduire le fond et en napper les cailles. On peut remplacer le fond par un consommé de volaille bien aromatisé et fortement réduit. »

---

cailles farcies en caisses

Plumer, vider et désosser 8 cailles. Ajouter à 175 g de farce à gratin 3 ou 4 foies de poulet hachés et 1 cuillerée à soupe de pelures de truffe ciselées. Garnir chaque oiseau d'un huitième de cette farce. Remettre les cailles en forme. Les entourer d'une bande de papier beurré. Les placer, bien serrées les unes contre les autres, dans une cocotte beurrée. Arroser d'un peu de beurre fondu, saler, poivrer ; cuire à couvert de 18 à 20 min dans le four préchauffé à 250 °C. Sortir les cailles du récipient de cuisson, les débarrasser de leur papier et les mettre dans des caisses ovales en papier. Les arroser avec la cuisson déglacée au madère. Remettre les caisses 5 min au four et les dresser dans le plat de service. Selon la même méthode, on peut aussi préparer des cailles en caisses à l'italienne (avec sauce italienne) ; des cailles Lamballe (sur julienne de champignons et de truffes liés à la crème) ; des cailles Lucullus (garnies de morceaux de foie gras et de truffe) ; des cailles à la mirepoix (nappées du fond de cuisson additionné de fondue de légumes à la mirepoix) ; des cailles Mont-Bry (garnies d'une farce de volaille truffée, arrosées de leur cuisson déglacée au champagne et accompagnées de crêtes et de rognons de coq) ; des cailles à la Périgueux (couronnées de lames de truffe et nappées de sauce Périgueux) ; des cailles à la strasbourgeoise (farcies de foie gras de Strasbourg), etc.

cailles farcies Monselet

Plumer, vider et désosser à moitié les cailles. Les farcir d'un salpicon de truffes et de foie gras. Les envelopper séparément dans un morceau de mousseline et les pocher 15 min dans un fond de gibier au madère, préparé avec les carcasses et les parures. Égoutter les oiseaux, les déballer, les mettre dans une cocotte en terre avec une garniture composée de fonds d'artichaut escalopés et dorés au beurre, de champignons de couche et d'épaisses lames de truffe. Passer au tamis le fond de cuisson, y ajouter une quantité égale de crème fraîche épaisse et faire réduire. Arroser les cailles de cette préparation. Couvrir et mettre 10 min au four préchauffé à 180 °C. Servir dans le récipient de cuisson.

cailles farcies à la périgourdine en gelée

Préparer et farcir des cailles, en ajoutant à la farce de volaille (**voir** page 353) des dés de foie gras. Les remettre en forme et les envelopper séparément dans une mousseline. Les faire pocher de 20 à 25 min dans un fond de gelée de viande au madère. Les laisser refroidir dans la gelée, les égoutter avant que celle-ci ne soit prise, les déballer, les éponger. Les ranger dans une terrine ronde, assez basse. Clarifier la gelée, puis en recouvrir les cailles. Mettre dans le réfrigérateur jusqu'au moment de servir.

cailles en feuilles de vigne

Laver et sécher 4 grandes feuilles de vigne fraîches. (Si elles sont en conserve, les rincer abondamment, les éponger et ôter les pétioles.) Vider 4 cailles, les saler et les poivrer. Beurrer largement les poitrines et les cuisses. Appliquer une feuille de vigne sur la poitrine de chaque caille et replier les bords par-dessous. Enrouler tout autour 2 fines bardes de lard et ficeler les cailles. Les envelopper étroitement une par une dans une feuille d'aluminium. Cuire les papillotes 20 min au four chaud ou dans les cendres d'un feu de bois, ou les rôtir 15 min à la broche. Servir les oiseaux, déficelés et sans les bardes, coupés en deux dans la longueur. Accompagner de chips et de cresson ou de petites brochettes de champignons.

cailles grillées petit-duc

Faire griller des cailles enduites de beurre fondu et de mie de pain. Les dresser sur des pommes Anna. Poser sur chaque caille un gros champignon grillé. Arroser de quelques cuillerées de fumet de gibier additionné de madère réduit et de beurre.

cailles à la romaine

Éplucher et hacher une douzaine de petits oignons nouveaux. Couper en petits dés 100 g de jambon cuit. Écosser des petits pois frais pour en avoir 1 kg à faire cuire. Dorer les oignons et le jambon dans une cocotte avec 30 g de beurre. Ajouter les petits pois, 1 pincée de sel, 1 pincée de sucre et 1 petit bouquet garni ; couvrir et laisser mijoter 20 min. Parer et trousser 8 cailles, puis les faire raidir au beurre à feu vif dans une autre cocotte. Ajouter les légumes, couvrir et cuire 20 min au four préchauffé à 230 °C. Servir dans le récipient de cuisson.

cailles rôties

Envelopper les cailles dans une feuille de vigne, puis dans une fine barde de lard ; les brider et les cuire à la broche, devant un feu vif, ou au four, de 15 à 20 min. Les dresser sur des canapés toastés ou frits au beurre, puis masqués de farce à gratin (voir page 353). Garnir de cresson et servir à part le jus déglacé.

RECETTE DE FERRAN ADRIÀ

œufs de caille caramélisés

POUR 10 PERSONNES

« Pour élaborer des lamelles de caramel neutre, faire fondre 200 g de fondant et 100 g de glucose. Mélanger. Faire cuire à feu moyen jusqu'à 160 °C. Étaler sur du papier sulfurisé sur 1 ou 2 cm d'épaisseur. Couper en pastilles de 5 x 5 cm, qu'on réservera. Préchauffer le four à 170 °C. Préparer une plaque de four avec 2 papiers sulfurisés "spécial cuisson" et placer entre les deux une pastille de caramel. Faire cuire 5 min, jusqu'à dissolution du caramel. Étaler celui-ci avec un rouleau sur du papier sulfurisé jusqu'à ce qu'il soit bien fin. Couper en carrés de 2,5 cm de côté. Répéter l'opération avec les pastilles suivantes. Casser les coquilles des œufs de caille sans abîmer les jaunes. Faire bouillir 1 litre d'eau avec 1 cl de vinaigre de vin blanc. Provoquer un léger tourbillon avec un batteur et ajouter les œufs. Retirer avec une écumoire les blancs qui sont restés en surface et, au bout de 10 secondes, enlever les œufs très peu pochés. Les rafraîchir avec de l'eau glacée et salée. Les rincer et les répartir sur un tissu. Avec la pointe d'un couteau, retirer l'excédent de blanc. Pour finir, étaler un papier sulfurisé sur une plaque métallique, y placer les œufs pochés et disposer un carré de caramel sur chaque œuf. Introduire sous la salamandre jusqu'à ce que le caramel adhère à l'œuf. Retourner et placer un autre carré de caramel par-dessus. Refaire la même opération. Saupoudrer l'œuf avec un peu de noix muscade et du poivre noir. Disposer les œufs caramélisés sur des cuillères à dessert, avec un peu de sel gris au-dessus. »

œufs de caille en coque d'oursin ▶ ŒUF À LA COQUE

CAILLÉ État insolubilisé de la caséine du lait qui résulte de la coagulation de celui-ci. Le caillé peut être acide (apport de ferments lactiques) ou doux (ajout de présure animale, chymosine, ou végétale, enzyme du figuier, d'ananas, d'artichaut, etc.). Si le caillé, maillon initial de la fabrication d'un fromage, est consommé frais, il peut servir à diverses préparations : cervelle de canut lyonnaise, caillé doux, caillé fumé des Landes ou encore caillé enrichi de crème battue donnant un crémet, etc. S'il est fermenté, il peut donner plusieurs spécialités, notamment les fromages forts.

CAILLEBOTTE Fromage de lait de vache en Aunis et en Saintonge, de lait de chèvre en Saintonge et en Poitou (taux de matières grasses variable), à pâte fraîche (**voir** tableau des fromages français page 389). La caillebotte, de divers poids et formes, est fabriquée à la ferme ; le lait est souvent caillé par adjonction d'une pincée de chardonnette, la fleur de l'artichaut sauvage. On l'appelle aussi « jonchée », du nom des vanneries dans lesquelles elle est mise à égoutter.

caillebottes poitevines

Faire macérer une pincée de chardonnette dans très peu d'eau pendant 5 ou 6 heures. Verser le jus dans 1 litre de lait frais et laisser reposer jusqu'à coagulation. Diviser la masse obtenue en carrés et porter à ébullition sur feu doux : les morceaux sont cuits quand ils se séparent et nagent dans le petit-lait. Laisser refroidir, enlever le petit-lait et le remplacer par du lait frais. Coiffer de crème fraîche et sucrer à volonté.

CAILLETTE Crépinette à base de hachis de porc et de verdure, cuite au four et mangée froide ou réchauffée (**voir** tableau des pâtés page 623). L'Ardèche revendique la paternité des caillettes, mais on en prépare dans tout le Sud-Est. Selon les régions, ou même les villages, l'assaisonnement et les éléments secondaires varient : caillettes tricastines aux truffes de Pierrelatte, aux épinards de Soyans, aux légumes verts de Chabeuil (où fut créée, en 1967, la Confrérie des chevaliers du Taste-Caillette), au foie de porc et aux bettes de Valence, au foie de porc à la pugétoise de Puget-Théniers. Quant aux caillettes de Cornouailles, elles sont servies avec une sauce à la moutarde et une purée de pomme de terre.

Le mot « caillette » désigne aussi la quatrième et la dernière poche de l'estomac du veau, du chevreau et du bœuf. Cette poche sert chez l'animal vivant à faire coaguler le lait (d'où son nom). L'extrait de caillette est utilisé dans certaines préparations fromagères.

caillettes ardéchoises

Faire blanchir 250 g de feuilles de bettes, autant d'épinards et une grosse poignée de pissenlit, d'orties et de coquelicots. Les égoutter et les hacher. Hacher d'autre part 250 g de foie de porc et autant de mou avec un peu de lard gras. Dorer au saindoux 1 oignon haché. Ajouter la viande, les herbes et 1 pointe d'ail ; saler et poivrer ; laisser cuire 5 min en remuant. Avec cette farce, modeler 8 boulettes de la grosseur d'une mandarine. Les envelopper de crépine de porc et les disposer, serrées, dans un plat en terre. Poser sur chaque caillette 1 lame de lard gras et cuire 10 min au four préchauffé à 220 °C. Laisser refroidir. Ces caillettes se conservent dans des pots de grès, recouvertes de saindoux. On les sert chaudes, revenues dans du saindoux, ou froides, avec une salade de pissenlit.

CAISSE ET CAISSETTE Apprêts de cuisine ou de pâtisserie-confiserie. Les préparations salées en « caisse » ou « en caissette » sont des hors-d'œuvre chauds ou des petites entrées ; elles sont servies dans de petits récipients ronds ou ovales, en différents matériaux.

Les petits-fours et certaines confiseries ou pâtisseries sont présentés dans des caissettes en papier plissé. Les caisses de Wassy sont une confiserie réputée de la Champagne, faite de meringue aux amandes.

Le mot « caisse » désigne également certains ustensiles de cuisine : caisse (ou moule) à génoise, caisse de cuisson à asperges, caisse à bain-marie.

CAKE Pâtisserie qui, en France, se prépare selon une recette bien définie. En forme de parallélépipède, le cake est fait de pâte additionnée de levure chimique, garnie de fruits confits et de raisins secs, parsemée d'amandes effilées et cuite dans un moule spécial à bords hauts, chemisé de papier sulfurisé.

La réussite d'un cake exige un respect scrupuleux des proportions de sucre et de farine pour que les fruits restent répartis uniformément dans la pâte, sans tomber au fond ; la cuisson doit également être bien conduite : à chaleur assez vive au début, puis progressivement réduite. Enveloppé d'aluminium ménager et placé dans une boîte étanche, le cake se conserve bien ; il se sert en tranches, souvent avec le thé.

En Grande-Bretagne et aux États-Unis, le mot *cake,* précédé d'un qualificatif ou d'un nom de ville, s'applique à des pâtisseries du genre biscuit ou pudding : spécialités régionales *(Dundee cake, Eccles cake),* gâteaux de fête *(wedding cake* [mariage]*, christmas cake* [Noël]*, birthday cake* [anniversaire]*),* préparations familiales *(sponge cake* [biscuit mousseline]*, almond cake* [aux amandes]*, plum cake* [aux prunes]*, chocolate cake, pound cake* [quatre-quarts]*,* etc.) ou de petits biscuits *(oatcakes* [à l'avoine]*, shortcakes* [sablés]*,* etc.).

cake

Faire ramollir d'une part 125 g de beurre à température ambiante. Mélanger dans une terrine 125 g de beurre ramolli, 125 g de sucre en poudre et 1 pincée de sel ; incorporer 3 œufs, un par un. Mélanger d'autre part 180 g de farine avec 1 sachet de levure chimique ; rincer et éponger 250 g de raisins de Corinthe, les mettre dans la farine et bien mélanger à la cuillère de bois. Incorporer cette préparation à la précédente et laisser reposer 30 min dans le réfrigérateur. Beurrer un moule à cake de 23 cm de long à la base, le garnir de papier sulfurisé, beurrer celui-ci, emplir avec la pâte. Cuire 10 min au four préchauffé à 240 °C, puis réduire la température à 180 °C et poursuivre la cuisson 45 min. Vérifier que le cake est à point en le piquant avec la pointe d'un couteau, qui doit ressortir nette. Laisser tiédir avant de démouler et faire refroidir sur une grille.

cake au miel et aux cerises confites

Mélanger 100 g de sucre en poudre, 100 g de beurre ramolli en parcelles et 1 grosse pincée de sel, ajouter 2 cuillerées à soupe de miel liquide, 1 sachet de levure chimique et 200 g de farine tamisée en pluie, et enfin 3 œufs, un par un. Parfumer avec 2 cuillerées à soupe de rhum. Couper en deux des cerises confites (125 g) et les ajouter à la pâte. Verser aussitôt celle-ci dans un moule à cake beurré et cuire 45 min au four préchauffé à 190 °C. Si le cake se colore trop vite, le couvrir d'une feuille d'aluminium. Quand le cake est cuit, le laisser tiédir, le démouler, le faire refroidir sur une grille et le décorer de cerises confites et de bâtonnets d'angélique.

petits cakes du Yorkshire

Délayer 15 g de levure de boulanger dans 1/3 de verre de lait tiède. Ajouter 125 g de farine tamisée et travailler le mélange pour obtenir une pâte molle qui colle aux doigts. Rouler la pâte en boule et laisser reposer ce levain sous un torchon, jusqu'à ce qu'il ait doublé de volume. Mélanger intimement 75 g de sucre en poudre et 100 g de beurre ramolli. Incorporer 125 g de farine tamisée et 2 œufs, un par un. Couper en petits dés 125 g de fruits et un morceau de gingembre, confits, et les ajouter à cette préparation. Incorporer le levain en rompant la pâte plusieurs fois. Diviser alors celle-ci en 8 portions et les façonner en cylindres. Dorer ces cakes à l'œuf battu dans un peu de lait, les disposer, bien espacés, sur la tôle beurrée du four et laisser lever encore 2 heures. Cuire de 30 à 35 min au four préchauffé à 180 °C : les gâteaux doivent être blonds.

CALCIUM Élément minéral indispensable à l'organisme humain, stocké presque uniquement dans les os. Son rôle est essentiel dans la constitution et l'entretien du capital osseux, pour le contrôle du rythme cardiaque, la coagulation sanguine, etc. Le besoin quotidien de calcium, chez l'adulte, est de 800 mg (1 000 mg en période de croissance ou de grossesse, 1 200 mg pendant l'allaitement et chez

les personnes âgées). La vitamine D joue un rôle primordial dans l'absorption et la fixation du calcium.

Les principales sources de calcium sont le lait (1 250 mg pour 1 litre), le yaourt (même taux) et les fromages (de 75 à 1 200 mg pour 100 g). Mais il y en a également dans les œufs, le tofu, les sardines en boîte, les amandes, les noisettes, les oranges et les légumes. Certaines eaux minérales ont un taux de calcium assez important (indiqué sur les étiquettes), mais leur consommation doit rester modérée.

CALDEIRADA Bouillon portugais épais à base de mollusques et de poissons au vin blanc, versé sur des tranches de pain dorées à l'huile d'olive.

caldeirada

Mélanger 1 oignon finement haché, 1/4 de poivron haché, 2 petites tomates pelées, épépinées et concassées, 1/2 cuillerée à café d'ail pilé, du sel et du poivre noir du moulin. Mettre dans une cocotte épaisse 12 palourdes avec 5 cl d'huile d'olive, couvrir avec la moitié du mélange de légumes, puis 400 g de tronçons de poisson débarrassés de leur peau et de leurs arêtes, et 300 g de calmars nettoyés et coupés en lanières. Couvrir avec le reste des légumes. Arroser de 20 cl de vin blanc, porter à ébullition, couvrir et laisser mijoter 20 min. Chauffer dans un poêlon 5 cl d'huile d'olive et y dorer 4 tranches de pain de mie, des deux côtés. Les égoutter sur du papier absorbant. Poser sur chaque assiette une tranche de pain. L'arroser d'une louche de bouillon, puis disposer dessus poissons, palourdes et calmars. Poudrer généreusement de persil ciselé.

CALDO VERDE Plat national portugais, consistant en un potage préparé à l'huile d'olive avec des pommes de terre et du chou vert, garni de rondelles de saucisson à l'ail, que l'on accompagne de pain de maïs et de vin rouge. Le chou frisé portugais, vert foncé et très parfumé, doit être taillé en très fines lanières.

CALEBASSE Nom générique des fruits de diverses plantes de la famille des cucurbitacées. La calebasse douce provient d'un arbrisseau rampant d'Amérique et d'Afrique ; sa pulpe blanche et délicate se mange crue, en salade, cuite au four ou bouillie, voire en daube, avec du lard et des fines herbes (Martinique), ou en cari, avec du bœuf (Sri Lanka). Au Japon, la chair de certaines variétés, séchée et découpée en fines lamelles, est utilisée pour garnir des soupes. En séchant, la calebasse devient dure et ligneuse ; vidée, elle sert alors à fabriquer des ustensiles de cuisine, des gourdes, des petits récipients.

En Amérique du Sud, on tire de la pulpe un liquide dont on fait un sirop réputé.

CALENDAIRE (CUISINE) Inventaire des plats cuisinés et des pâtisseries préparés traditionnellement à l'occasion d'une fête, le plus souvent religieuse, ou lors des événements qui rythment la vie rurale (vendanges, moissons, etc.). Ces mets avaient en commun deux particularités : une valeur alimentaire exceptionnelle, pour rompre avec un ordinaire frugal ou peu varié, et surtout une signification magique ou symbolique.

CALISSON Friandise en forme de navette, de fabrication artisanale et sans doute très ancienne, qui est la spécialité d'Aix-en-Provence. Les calissons sont généralement faits d'un mélange d'amandes mondées et de fruits confits (du melon avec un peu d'orange), additionné de sirop et d'eau de fleur d'oranger. Cette préparation est posée sur un fond de pain azyme et recouverte de glace royale.

CALMAR Mollusque marin, de l'ordre des décapodes, voisin de la seiche, appelé aussi « calamar » ou « encornet » (encornet désigne également une autre espèce animale). On nomme « chipiron » sur la côte basque et « supion » dans le Midi indistinctement des petits calmars ou des petites seiches. Mesurant 50 cm environ, le calmar a un corps fusiforme recouvert de membranes noirâtres, avec deux nageoires triangulaires à l'arrière ; sa tête, petite et globuleuse, porte dix tentacules, dont deux très longs. Comme la seiche, il possède une poche à encre. Vendu entier, on doit retirer son bec corné et sa plume, la coquille transparente interne qui donne de la rigidité au corps. Elle est en forme de plume d'oie, d'où son nom. Les calmars sont aussi commercialisés nettoyés, parfois séchés.

Dans les pays méditerranéens, on cuisine les calmars farcis à la tomate, cuits en sauce à l'américaine ou au vin blanc, froids avec un aïoli, ou encore frits. Leur apprêt le plus traditionnel est espagnol : ils sont cuits *en su tinta*, dans une sauce noire faite avec leur encre (préparation que l'on retrouve à Venise, où elle accompagne la polenta).

RECETTE DE BRUNO CIRINO

calmars farcis

POUR 4 PERSONNES

« Séparer les tentacules des poches de 8 petits calmars de 10 cm de long ; retirer les plumes et les peaux des poches et les rincer abondamment. Les essuyer, les saler et les poivrer fortement. Hacher les tentacules et les faire revenir dans 10 cl d'huile d'olive dans une casserole à fond épais. Ajouter 80 g d'oignons nouveaux épluchés et hachés, cuire doucement 10 min jusqu'à évaporation de l'eau, ajouter 2 cuillerées à soupe de persil haché, 40 g de petits cubes de pain de mie frits, 1 gousse d'ail dégermée et 1 pincée de piment d'Espelette. Farcir de cette préparation les poches de calmar et les fermer aux deux bouts avec des bâtonnets en bois. Les colorer à l'huile d'olive. Passer 200 g de poivrons sous le gril, les évider et les peler ; ébouillanter 500 g de tomates, les peler et les épépiner ; dénoyauter 24 olives noires. Mettre les légumes et les olives dans le fond d'une petite braisière et poser dessus les calmars farcis. Couvrir et cuire 1 h 30 au four préchauffé à 200 °C, en arrosant souvent. Rectifier l'assaisonnement et servir saupoudré de persil haché. »

---

calmars sautés à la basquaise

Laver 500 g de blancs de calmar, les éponger et les couper en lanières. Épépiner 4 ou 5 poivrons rouges et verts, et les tailler en languettes. Émincer 4 oignons. Peler et concasser 500 g de tomates fraîches. Faire revenir dans de l'huile les poivrons, puis les oignons, les calmars et 1 ou 2 gousses d'ail écrasées. Après 15 min, ajouter les tomates et 1 bouquet garni. Saler et poivrer. Laisser mijoter 10 min en couvrant à moitié le récipient. Servir parsemé de persil ciselé.

CALORIE Nom donné couramment à la grande calorie (Cal) ou kilocalorie (Kcal), la « vraie » calorie (cal) des physiciens étant mille fois plus petite. Une calorie représente la quantité de chaleur nécessaire pour faire passer 1 litre d'eau de 15 à 16 °C (sous pression atmosphérique normale). C'est aussi l'unité utilisée en nutrition pour mesurer l'apport énergétique des aliments et les besoins de l'organisme. L'unité internationale adoptée pour exprimer cet apport est le kilojoule (kJ) : 1 kJ = 0,24 Kcal ; 1 Kcal = 4,18 kJ.

Les besoins énergétiques sont déterminés par l'âge, le sexe, la taille, le poids, le climat, l'activité individuelle. Depuis quelques années, du fait notamment de la sédentarisation, les dépenses énergétiques ont diminué. Selon les *Apports nutritionnels conseillés pour la population française* (publiés par le CNERNA), on estime qu'un homme doit absorber entre 2 100 et 3 000 Kcal par jour, selon que son activité physique est réduite ou importante, et une femme entre 1 800 et 2 200 Kcal. La croissance peut accroître les besoins de 50 % et l'activité physique augmente les besoins de 200 à 400 Kcal par heure.

La richesse énergétique des divers aliments dépend de leur teneur en protides (1 g = 4,1 Kcal), en lipides (1 g = 9,3 Kcal) et en glucides (1 g = 4,1 Kcal) ; les sels minéraux, les oligoéléments, les vitamines et l'eau n'apportent pas de calories ; l'alcool fournit sept calories par gramme (soit de 600 [vin] à 3 000 [cognac] Kcal par litre). Pour un bon équilibre alimentaire, les calories doivent provenir des protides (de 12 à 15 %), des lipides (de 30 à 35 %) et des glucides (de 50 à 55 %). Un excès peut entraîner une obésité ou une maladie cardiovasculaire.

CALVADOS Eau-de-vie de cidre normande distillée selon une très ancienne tradition, titrant 40 % Vol. Le calvados a obtenu sa première appellation d'origine en 1942.

■ **Fabrication.** Des réglementations précisent les conditions de production et délimitent trois zones. L'aire de production du calvados AOC s'étend sur une grande partie de la Basse-Normandie, avec quelques communes de Mayenne, de Sarthe, et sur le pays de Bray, en Seine-Maritime. Le calvados Pays d'Auge AOC est essentiellement produit dans le département du Calvados. Quant au calvados Domfrontais AOC, il est produit dans la région de Domfront, dans le département de l'Orne.

Pour la fabrication des calvados AOC, plusieurs dizaines d'espèces de pommes sont autorisées, classées en catégories : amère, douceamère, douce et acidulée. Le calvados Pays d'Auge AOC doit être soumis à une double distillation et séjourner 2 ans au minimum en fût de chêne. Le calvados Domfrontais AOC a la particularité de contenir au moins 30 % de jus de poire et doit vieillir au moins 3 ans.

Le calvados vieilli en fût de chêne est commercialisé sous différentes dénominations correspondant à la durée minimale de vieillissement : « trois étoiles » ou « trois pommes » (deux ans) ; « vieux » ou « réserve » (trois ans) ; « VO » ou « vieille réserve » (quatre ans) ; « VSOP » (cinq ans) ; « extra », « Napoléon », « hors d'âge » ou « âge inconnu » (six ans).

■ **Emplois.** Soumis à une réglementation stricte, le calvados est devenu l'un des grands alcools français, très apprécié à l'étranger (*apple jack* aux États-Unis et *apple brandy* en Grande-Bretagne). Quand il est vieux, il se déguste en digestif dans un verre tulipe. Les Normands et les Bretons apprécient le « café calva » : l'eau-de-vie est servie avec le café, ou versée dans la tasse vide encore chaude (**voir** TROU NORMAND).

Le calvados s'emploie en cuisine et en pâtisserie, surtout dans les spécialités normandes (poulet ou gigot à la crème et au calvados, entremets aux pommes, omelettes et crêpes flambées).

▶ Recette : SORBET.

CAMBACÉRÈS (JEAN-JACQUES RÉGIS DE) Juriste, homme politique et gastronome français (Montpellier 1754 - Paris 1824). Il sut mener sa carrière avec adresse, accumulant les charges et les dignités, et se révéla aussi compétent en cuisine. Sa table passait pour la plus fastueuse de Paris, avec celle de Talleyrand. Il choisissait lui-même les mets, et son goût faisait loi.

Cambacérès était souvent accompagné du marquis d'Aigrefeuille, son goûteur et son commensal assidu. Il présida aussi, à partir de 1805, le « Jury dégustateur » de Grimod de La Reynière. Gros mangeur, chargé de recevoir à la place de Napoléon les invités de marque, il mourut d'apoplexie à l'âge de soixante-dix ans, après que Louis XVIII lui eut permis de rentrer d'exil. Son nom a été attribué à trois plats très élaborés : un potage-crème de volaille, de pigeon et d'écrevisse, garni de quenelles des mêmes éléments ; une timbale de macaronis et de foie gras ; une truite saumonée aux écrevisses et aux truffes.

CAMBODGE La cuisine cambodgienne se fonde essentiellement sur les produits agricoles, et la population tire ses ressources alimentaires de la riziculture, des cultures maraîchère et fruitière, et de la pêche.

■ **Légumes et poissons.** Les repas se composent souvent de soupes, comme le *kâko*, soupe de légumes variés avec viande, poisson ou poulet, accompagnée de citron, de citronnelle et d'herbes aromatiques. Les salades sont aussi très répandues et variées, comme le *nhoam*, salade de légumes au poulet (assaisonné avec de la sauce de poisson, du jus de citron, de la menthe et du piment), ou la salade de mangues vertes au poisson séché ou salé. Le poisson se consomme également frais ou sauté avec des légumes. Fumé, il sert à confectionner le *prahoc*, une pâte très salée à l'odeur forte qui est préparée et conservée d'année en année. Le *prahoc* cuit entre aussi dans la composition d'une sauce, le *anluok teuk kroeung* (mélange de poisson grillé, de citron, de piments), qui accompagne souvent légumes, cuits et crus, mais aussi plantes, fleurs et fruits.

■ **Desserts.** Après le repas, les Cambodgiens ne mangent en général que des fruits : mangues, bananes, papayes, oranges, litchis ou longanes. Les pâtisseries sont faites avec des œufs, du sucre et du lait de coco ; les plus populaires portent le nom de *yeup*, de *vôy*, de *kroapkhnor*, de *san-khyas*. Certaines sont faites à partir de riz gluant *(ansâmchrouk, tréap-bay)* ou de gelée d'algue *(chahuoy-ktiset)*.

CAMBRIDGE Nom d'une sauce émulsionnée de la cuisine anglaise, à base d'anchois, de jaunes d'œuf et de moutarde, qui accompagne les viandes froides.

▶ Recette : SAUCE.

CAMEMBERT Fromage de lait cru de vache partiellement écrémé, le camembert se présente en forme de cylindre plat de 10,5 à 11 cm de diamètre et de 3 cm d'épaisseur, pesant environ 250 g. Sa croûte fine est fleurie en blanc par *Penicillium candidum*, parsemée de pigments rouges (ferment du rouge) [**voir** tableau des fromages français page 389].

Alors que la légende veut que ce fromage ait été « inventé » à la fin du XVIIIe siècle, il voit le jour, en réalité, un siècle plus tard, à la fin du second Empire. À cette époque, le chemin de fer est mis en place jusqu'à Vimoutiers et toute la région est rattachée aux grandes villes. Pendant les travaux, les fromageries se développent au point que, entre 1850 et 1950, 1 380 ateliers sont créés, dont plus de la moitié fabriquent du camembert, qui est encore très loin du produit actuel. C'est toujours une sorte de petit livarot qui nécessite 2 litres de lait entier, souvent moulé en blocs de caillé, égoutté naturellement et affiné durant des semaines. Il est emballé sous un papier et mis par 6 en rouleaux de paille de seigle ou de blé, les « paillots », pour les expéditions. C'est ce « livarot » qui deviendra camembert par le jeu d'un changement biochimique du lait. Grâce au train qui permet une rapide distribution, la consommation augmente, ce qui oblige à parcourir, en carrioles, de longues distances journalières pour rapporter la matière nécessaire à la fabrication quotidienne de milliers de fromages. Or, en une journée, le lait a le temps de changer en s'acidifiant. Dès lors, sous l'effet du développement bactérien, il change de « nature » pour devenir une sorte de « yaourt » liquide. Il ne reste plus qu'à ajouter la présure, et c'est ainsi que naît ce fromage.

■ **Fabrication.** Le lait de la veille (J-1) reçoit des ferments lactiques et du chlorure de calcium, ce qui facilite la coagulation. Le lendemain, le lait est chauffé à 34 °C, puis mis en bassines et coagulé à la présure. Après 50 minutes, le caillé obtenu est moulé à la louche en cinq couches, sans qu'il soit brisé. L'égouttage est spontané. Depuis une vingtaine d'années, le moulage peut aussi être réalisé à l'aide d'un robot loucheur qui dépose le caillé dans 8 à 10 moules en même temps. Rarement fabriqué à la forme, car cette procédure est trop difficile à maîtriser, le camembert est produit par une dizaine d'ateliers en Basse-Normandie.

Depuis août 1983, l'appellation d'origine contrôlée « camembert de Normandie » est réservée à des fromages au lait cru de vache moulé à la louche, « fabriqués, fleuris, affinés et conditionnés » dans les cinq départements normands (Calvados, Eure, Manche, Orne, Seine-Maritime).

À côté de ce fromage d'appellation, il existe un camembert générique fait de lait pasteurisé, à croûte très feutrée et au goût moins subtil.

Quand un camembert est de qualité moyenne, on peut l'écroûter et le pétrir avec du beurre pour confectionner des canapés, des soufflés, des croquettes.

CAMERANI (BARTHÉLEMY-ANDRÉ) Comédien d'origine italienne et gastronome (Ferrare v. 1735 - Paris 1816). Sa carrière débuta en France, en 1767. Il fut également administrateur des théâtres Favart et Feydeau, mais il se rendit surtout célèbre par sa gourmandise. Membre du « Jury dégustateur » de Grimod de La Reynière, il a laissé son nom à un potage qu'il créa, à base de macaronis et de foies de volailles, etc. électrocutées (l'électricité était à l'époque une grande nouveauté).

En cuisine classique, le mot « Camerani » désigne une garniture pour volailles et ris de veau pochés, faite de petites tartelettes remplies de purée de foie gras (surmontée de lames de truffe et de langue écarlate taillée en crêtes de coq) et de macaronis à l'italienne, le tout étant lié de sauce suprême.

CAMOMILLE ROMAINE Plante herbacée médicinale de la famille des astéracées (**voir** planche des fleurs comestibles pages 369 et 370). La camomille est utilisée en infusion pour calmer les nausées, les migraines et les digestions difficiles et pour stimuler l'appétit.

CAMPANULE RAIPONCE Plante herbacée de la famille des campanulacées. Ses feuilles sont consommées en salade ; ses racines sont dégustées crues et râpées, ou cuites à l'eau. Les fleurs de campanule en forme de clochettes bleues sont utilisées pour décorer des salades.

CANADA Les quatre cinquièmes du territoire canadien sont constitués d'étendues d'eau et de forêts, riches en gibier à poil (grands cervidés et petits mammifères) et à plume (oies, canards et perdrix), ainsi qu'en poissons de mer et d'eau douce (saumons, truites, brochets). Ces produits délicieux sont généralement interdits à la vente et réservés à la consommation personnelle.

Cependant, malgré ces richesses, la cuisine quotidienne du Canada diffère peu de celle des États-Unis, les origines ethniques et les conditions de vie de ces deux pays étant très proches.

■ **Spécialités régionales.** À l'ouest, la Colombie-Britannique fait face au Pacifique. Le quartier chinois de Vancouver est le plus important d'Amérique, après celui de San Francisco. La tradition britannique demeure cependant bien vivante (on sert encore le très traditionnel *high tea*). La cuisine fine s'appuie ici sur les produits de la mer et des vergers de la vallée de l'Okanagan. Le *sourdough* (pain au levain) date de la ruée vers l'or.

Dans les provinces des Prairies, les traditions culinaires sont héritées des juifs d'Europe centrale, des Scandinaves, des Islandais, des mennonites, mais l'influence ukrainienne prédomine (borchtch, pirojki et pétales de roses confits).

Le *saskatoon*, baie sauvage locale, entre dans la composition du *pie* du même nom. Le miel de la rivière de la Paix, au nord, a une réputation mondiale et le riz sauvage (ou zizanie) accompagne merveilleusement le gibier à plume.

La province de l'Ontario, dont les traditions sont britanniques (steak and kidney pie, Yorkshire pudding et trifle) mais aussi allemandes (charcuterie variée, gâteau aux carottes) et mennonites (*shoofly pie*, biscuit à la mélasse), a également adopté quelques plats de récents immigrants arrivés de Hongrie et d'Italie. On y déguste encore deux plats originaux : le *spiced beef* (pièce de bœuf marinée, braisée, puis pressée pour être servie froide en tranches fines) et les filets de porc farcis de fruits.

Les provinces de l'Atlantique exploitent les ressources de la mer. La morue, dont la langue et les joues constituent des mets de choix, se cuisine simplement : fraîche ou salée, souvent avec des pommes de terre et des herbes salées, et sans sauce.

Il en va de même pour le hareng, le maquereau, l'éperlan, la plie ou le flétan.

Longtemps repliée sur elle-même, la cuisine acadienne a évolué de façon originale, tout en gardant le souvenir de la France (fricots, pots-en-pots, râpures). À base de pommes de terre, de poissons et de coquillages, certains plats traditionnels atteignent une grande finesse (blé d'Inde lessivé et poutine à trou, sorte de petit gâteau fourré).

■ **Cuisine du Québec.** Elle marie avec bonheur et chaleur les traditions anglo-saxonnes et les vieilles recettes du terroir normand.

Pâtés de viande et de gibier (tourtières, cipâtes) – en réalité tourtes salées –, et plats mijotés à base de viande (ragoût de pattes) ou de légumineuses (fèves au lard, soupe aux pois) ont longtemps dominé une alimentation campagnarde et riche en calories.

Depuis, cette cuisine s'est raffinée, au point que Montréal et Québec sont devenues des hauts lieux de la gastronomie en Amérique du Nord.

S'inspirant de la cuisine classique française et de la « nouvelle cuisine », elles savent admirablement utiliser certaines denrées comme la pomme et le sirop d'érable pour apprêter des mets de choix tels le canard du lac Brome ou le rôti de jambon fumé. Cueillies au début du printemps, les crosses de violon (jeunes pousses de fougère) accompagnent à ravir l'orignal, le caribou ou encore le saumon de la Gaspésie. De nouveaux arrivants ont influencé les habitudes alimentaires québécoises avec des spécialités grecques, italiennes, libanaises, vietnamiennes, etc.

■ **Vins.** Presque tous les vins canadiens proviennent de l'étroite bande de terre qui s'étend entre le lac Ontario et le lac Érié.
Depuis 1988, la Vintners Quality Alliance (VQA), s'inspirant du système d'appellation d'origine contrôlée (AOC), a réparti le vignoble canadien (9 000 ha) en trois régions.
• ONTARIO. Avec 80 % du vignoble national, c'est la plus importante région de production.
• COLOMBIE-BRITANNIQUE. Cette région représente 15 % du vignoble canadien.
• QUÉBEC. Cette province produit peu, essentiellement des blancs issus d'un cépage hybride, le seyval, capable de résister au climat vigoureux.

Le vignoble, qui date du début du XIXe siècle, est principalement planté de cépages américains : concord, carawba, niagara et agarvan. Les vins de table, rouges, rosés ou blancs, ont tous un goût caractéristique, dit « de renard » *(fox)*. Ils sont souvent chaptalisés pour compenser le manque d'ensoleillement. Les vins de liqueur, lourds et très sucrés, sont en revanche de piètres imitations des portos, xérès et vermouths européens. Les *icewines* (vins de glace) sont faits avec des raisins demeurant sur la vigne jusqu'à ce que le froid les transforme en glaçons ; quand on enlève leur glace, donc leur eau, on obtient un jus exceptionnellement concentré. Aujourd'hui, ces vins connaissent un succès mondial.

CANAPÉ Tranche de pain de forme et d'épaisseur variables, garnie d'un appareil ou d'une préparation. On distingue les canapés froids, destinés aux buffets, lunchs, cocktails ou apéritifs, des canapés chauds, servis en entrée ou utilisés pour présenter les apprêts dits « sur canapé ».

Quand ils accompagnent des gibiers à plume, les canapés sont généralement frits dans du beurre et masqués soit de farce à gratin, soit des viscères de l'oiseau (cuit non vidé) réduits en purée, ou de foie gras ; on les appelle aussi « rôties ».

bécasses rôties sur canapé ▶ BÉCASSE

canapés : préparation

Préparer les canapés, contrairement aux sandwichs, avec une seule tranche, rectangulaire, ronde ou triangulaire, de pain de mie écroûté ou de seigle, parfois légèrement grillée, pour les canapés froids, de pain de campagne, de mie ou complet pour les canapés chauds. Les préparer au dernier moment, pour qu'ils ne sèchent pas, et les protéger éventuellement sous un linge humide. Quant aux garnitures, elles sont innombrables : beurres composés, mousses ou salpicon de poisson ou de volaille, fines tranches de viande, etc.

canapés aux anchois

Masquer de beurre de Montpellier des tranches rectangulaires de pain de mie, légèrement grillées et de la longueur des filets d'anchois. Poser sur chacune 2 filets, séparés par du jaune et du blanc d'œuf hachés séparément, et saupoudrer de persil haché.

canapés à l'anguille fumée

Masquer de beurre de moutarde ou de beurre de raifort des tranches rondes de pain de mie. Les garnir de 2 ou 3 fines tranches d'anguille fumée légèrement décalées en rosace. Entourer d'un double cordon de jaune d'œuf dur et de ciboulette hachée. Arroser d'un peu de jus de citron.

canapés à la bayonnaise

Masquer de beurre aux fines herbes des tranches de pain de mie. Les garnir de tranches très fines de jambon de Bayonne, taillées juste à la dimension du pain. Lustrer à la gelée.

canapés aux crevettes (ou au homard, à la langouste)

Masquer de beurre de crevette (de homard, de langouste) des tranches rondes de pain de mie. Garnir de quelques queues de crevette disposées en rosace (ou d'un médaillon de queue de homard ou de langouste). Entourer de persil ciselé ou d'un cordon de beurre de crevette.

canapés aux laitances

Cuire délicatement à la meunière des laitances de hareng, de carpe ou, à la rigueur, de maquereau. Beurrer des tranches de pain grillées. Y disposer les laitances. Arroser d'un peu de jus de citron. Décorer d'une rondelle de citron cannelé.

canapés à la parisienne

Masquer de beurre de cerfeuil des rectangles de pain de mie écroûtés. Y poser des escalopes très minces de blanc de volaille (cuites au blanc), un motif de truffe et de feuilles d'estragon, et napper légèrement de mayonnaise. Entourer les canapés d'une bordure de gelée hachée.

canapés au saumon fumé

Beurrer des tranches de pain de mie et les garnir de tranches de saumon découpées exactement aux mêmes dimensions. Décorer de 1/2 rondelle de citron cannelé.

CANARD Oiseau palmipède de la famille des anatidés, domestiqué en Chine depuis plus de 2 000 ans. C'est aujourd'hui une volaille d'élevage (**voir** tableau des volailles et lapins pages 905 et 906 et planche page 904), dont les deux races les plus courantes en France sont le canard nantais et le canard de Barbarie, lequel représente la majorité de la production. Le mulard, issu d'un croisement entre ces deux derniers, est surtout élevé dans le Sud-Ouest, et il est engraissé pour la production du foie gras. L'excellent canard de Rouen, et en particulier le duclair (du nom d'un village normand), est plutôt commercialisé localement. Enfin, il existe un « croisé sauvage » (mâle colvert et femelle domestique), très apprécié des gourmets. Quelle que soit sa race, le canard tué doit être consommé dans les trois jours.
■ **Cuisson.** Très tendre : rôti à la broche ; tendre : rôti au four (tenir la chair rosée) ; moins tendre : braisé ou rôti (farci), garni d'oignons, de navets, d'olives, de fruits acides ; très gros : pâtés et ballottines, cassoulet.

Il est préférable de prendre une volaille assez jeune (**voir** CANETON ET CANETTE), mais pas trop, car, dans ce cas, le bréchet, insuffisamment ossifié, est mou, la chair n'est pas faite, et le rendement de la viande est insuffisant.

En restauration, la tendance actuelle est de s'en tenir au caneton, bien que certaines préparations (farcies, braisées) nécessitent des canards dont la chair est faite. Le canard est présenté découpé (cuisses et filets) ou en rôti farci.

RECETTE DE CHRISTIANE MASSIA

aiguillettes de canard au vinaigre de miel

« Compter 2 ou 3 aiguillettes de caneton (il y en a deux par caneton) par convive. Les saler, les poivrer. Faire fondre doucement au beurre 4 échalotes hachées. Lorsqu'elles commencent à dorer, ajouter 4 cuillerées à dessert de miel liquide (d'acacia, de préférence) ; laisser bouillonner et épaissir pendant 2 min environ. Ajouter 4 cuillerées à dessert de vinaigre de vin rouge et laisser bouillir encore 1 min. Faire griller les aiguillettes à part. Les poser sur un plat chaud. Les arroser de la sauce et servir immédiatement. Accompagner de pommes paille légères, de riz blanc, ou encore d'un mélange de carottes et de navets sautés. »

canard à l'agenaise

Flamber un canard de 2 kg environ. Saler et poivrer l'intérieur et y glisser une dizaine de pruneaux à l'armagnac dénoyautés ; refermer en cousant. Dorer le canard à la cocotte dans 25 g de beurre, l'arroser d'un petit verre d'armagnac, le flamber. Couvrir et poursuivre la cuisson 40 min. Râper le zeste de 1/2 orange et le pocher 5 min dans une demi-bouteille de bordeaux avec 2 clous de girofle, un peu de muscade râpée, 5 ou 6 grains de poivre écrasés, 1 branchette de thym et 1 feuille de laurier. Faire rissoler ensemble 100 g de très petits lardons de poitrine fumée, 2 cuillerées à soupe de dés de rouge de carotte, 1 cuillerée à soupe de dés de céleri et 1 gros oignon épluché et haché. Ajouter éventuellement un soupçon de beurre. Poudrer de 1 cuillerée à dessert de farine, puis ajouter le vin aromatisé en le passant dans un tamis. Saler, poivrer, bien remuer et cuire doucement 20 min. Sortir le canard, l'égoutter et le tenir au chaud. Déglacer la cocotte avec la sauce au vin. Ajouter 1 petit verre d'armagnac et une vingtaine de pruneaux dénoyautés. Réchauffer le tout. Entourer le canard de pruneaux et le napper de sauce.

canard à l'ananas

Trousser un jeune canard en mettant à l'intérieur le foie salé et poivré ; le dorer 20 min au beurre dans une cocotte, saler et poivrer, puis flamber au rhum. Ajouter quelques cuillerées de sirop d'ananas en boîte, 1 cuillerée à soupe de jus de citron et 1 cuillerée à soupe de poivre vert. Couvrir et poursuivre la cuisson 30 min. Faire revenir au beurre des tranches d'ananas et les ajouter dans la cocotte ; laisser mijoter encore 5 min. Rectifier l'assaisonnement. Découper le canard, disposer les morceaux dans un plat chaud, garnir avec l'ananas et arroser avec le jus de cuisson.

RECETTE D'ALAIN SENDERENS

canard Apicius

POUR 2 PERSONNES – PRÉPARATION : 45 MIN – CUISSON : 30 MIN

« Flamber et vider un canard de 2 kg, le pocher 10 secondes dans une eau bouillante avec 1 pincée d'aneth séché. Le faire colorer dans une poêle. Éplucher 100 g de dattes et les blanchir à l'eau bouillante salée, les égoutter dans un torchon, les passer au moulin à légumes et deux fois au tamis ; réserver au frais. Éplucher 1 pomme granny smith, la vider et la couper en gros quartiers. Les faire blanchir à l'eau. Les rafraîchir, faire fondre 5 g de beurre dans une sauteuse, y ajouter les quartiers de pomme, 1 pistil de safran et 10 g de marmelade de coing. Laisser cuire à couvert de 10 à 15 min à feu moyen. Les retirer et les écraser légèrement à l'aide d'une fourchette. Couper 2 lamelles d'une épaisseur de 1 cm dans un long navet. Les détailler en 2 belles rondelles avec un emporte-pièce. Les cuire à l'anglaise et les refroidir dans de l'eau glacée. Faire un caramel avec 5 g de miel et 10 g d'épices Apicius (mélange de 2 cuillerées à soupe de graines de coriandre, 2 de poivre mignonnette, 3 d'origan, 1/2 de graines de carvi), déglacer avec 1 cl de vinaigre de vieux vin réduit. Ajouter du fond de canard réduit. Laisser infuser. Saler et ajouter une pointe de vinaigre. Passer au chinois. Enfourner le canard à environ 230 °C, laisser cuire 15 min et faire reposer autant de temps. Lever les cuisses, les manchons et les repasser au four 5 min environ. Lever les magrets. Préparer un caramel avec 20 g de sucre en poudre, le détendre à l'eau et y faire chauffer les navets. Préparer un autre caramel avec 10 g de miel et 5 g d'épices Apicius. L'étaler sur une feuille sulfurisée au terme de sa cuisson. Le laisser refroidir et détailler de fines lamelles de 5 mm d'épaisseur. Chauffer la purée de pomme. La saler, ajouter une pointe de vinaigre. Chauffer la purée de datte, terminer l'assaisonnement en y ajoutant 5 g de menthe ciselée et 5 g de gingembre haché. Ajouter aussi une pointe de vinaigre et saler. Réchauffer les magrets 5 min au four. Pendant ce temps, dans une sauteuse, réchauffer délicatement les cuisses dans un peu de sauce pour les enrober. Sur une longue assiette, faire une quenelle de purée de pomme en haut à gauche, disposer à côté une rondelle de navet, puis une quenelle de purée de datte. Disposer le magret coupé en 6 tranches juste en dessous, avec 6 bâtonnets de caramel dessus. À droite de l'assiette, disposer 5 g de mesclun assaisonné de vinaigrette de truffe. Poser la cuisse légèrement enrobée dans la sauce. Dresser la sauce Apicius dans une saucière. »

RECETTE DE RAYMOND OLIVER

canard farci à la rouennaise

« Vider, flamber, brider 1 canard de 1,5 kg. Dans une cocotte, mettre à chauffer un peu de beurre et d'huile et faire revenir 25 g d'oignons hachés, 2 foies de canard, quelques petites branches de persil, 100 g de lard frais haché. Lorsque le tout est doré, retirer du feu et laisser refroidir. Avec cette préparation, farcir le canard, saler, poivrer et les barder. Le mettre à rôtir dans une cocotte avec un peu de beurre et des légumes (1 oignon, 2 carottes, 1 branche de céleri) coupés grossièrement. Il faut environ 30 min de cuisson à feu vif (250 °C). En fin de cuisson, retirer la barde. Lorsque le canard est rôti, l'enlever et le réserver au chaud. Passer le jus de cuisson au chinois, le dégraisser. Remettre le canard dans la cocotte, l'arroser de madère, faire prendre un bouillon, remettre le jus de cuisson, faire prendre un autre bouillon, couvrir la cocotte et laisser étuver quelques minutes. Dresser le canard sur un plat chaud et servir à part en saucière une sauce rouennaise ou tout simplement le jus de cuisson passé au chinois et lié avec un peu de beurre manié. »

RECETTE DE RAYMOND OLIVER

canard aux mangues

« Choisir des mangues pas trop mûres, les éplucher, retirer le noyau et recueillir le jus. Mettre les fruits dans une casserole avec leur jus, un peu de liqueur à l'abricot ou à la pêche, couvrir et laisser étuver à feu doux. Plumer, vider, flamber et brider un canard ; le saler, le poivrer et l'enduire d'une légère couche de saindoux. Le faire rôtir au four dans un plat garni d'oignons, de carottes et de céleri-branche coupés en mirepoix moyenne, de thym, de laurier et de 2 cuillerées à soupe d'eau. Lorsque le canard est rosé (environ 35 min pour un rouennais de 1,2 kg), verser dans le plat le jus qui s'en écoule et tenir la volaille sur une assiette chaude. Lever les cuisses, les réserver, et terminer la cuisson à four doux avec 1/2 verre de vin blanc ou de bouillon. Faire un caramel à sec avec 2 cuillerées à soupe de sucre en poudre, en remuant à la spatule. Ajouter à ce caramel 1 cuillerée à soupe de vinaigre, le jus des mangues et le jus passé du canard. Laisser cuire doucement. Finir de découper le canard, le garnir de mangues chaudes escalopées en lamelles un peu épaisses, et arroser le tout de sauce. »

RECETTE DU RESTAURANT GILL, À ROUEN

canard aux navets confits et au cidre

« Préparer un fond avec les abattis rôtis d'un canard de 2 kg, 1 oignon et 1 carotte en rondelles. Mouiller avec 1 litre de cidre et y ajouter 1 pomme et 2 gros navets, épluchés et coupés en morceaux. Quand le cidre est réduit de moitié, ajouter 1 litre de fond clair et cuire doucement 20 min. Passer le jus au chinois. Rôtir le canard au four, 10 min sur chaque cuisse et 5 min sur le dos. Le sortir et le laisser reposer. Dans un sautoir, chauffer 50 g de beurre, ajouter une pincée de sucre, 24 petits navets, et faire blondir le tout. Déglacer avec le jus et cuire aux trois quarts. Mettre le canard dans une cocotte en fonte avec les navets et le jus. Laisser mijoter 10 min. Monter la sauce avec 50 g de beurre, ajouter 1 botte de coriandre fraîche ciselée et un trait de cidre cru. »

canard à l'orange Lasserre

« Couper à vif, avec un couteau bien aiguisé, les quartiers de 6 belles oranges. Dans une braisière, dorer dans 200 g de beurre un caneton nantais de 2 kg environ, couvrir et cuire doucement 45 min. L'arroser avec 10 cl de Grand Marnier, poursuivre la cuisson 5 min, et tenir le caneton au chaud sous un papier. Passer la cuisson au-dessus d'une casserole, y ajouter 1 cuillerée à soupe de vinaigre, autant de sucre en poudre, 1 petite louche de jus d'orange et 15 cl de fond brun. Laisser dépouiller la sauce 10 min à très petite ébullition ; écumer, dégraisser, passer au chinois. Assaisonner à point, puis verser 5 cl de Mandarin. Finir éventuellement la liaison avec 20 g de beurre manié. Mettre les quartiers d'orange dans une petite sauteuse, mouiller avec 4 ou 5 cuillerées à soupe de sauce, chauffer et retirer du feu à la première ébullition. Découper le caneton, dresser les morceaux sur un plat long, les border avec les quartiers d'orange à vif, et les napper de sauce. Servir le reste de la sauce en saucière. »

canard rouennais en chemise

Enlever le bréchet d'un canard rouennais. Faire revenir sans coloration une bonne cuillerée d'oignon haché avec 125 g de lard haché. Ajouter un foie entier de canard et 2 ou 3 foies (de canard ou de poulet) supplémentaires, détaillés en fines escalopes, du sel et du poivre, 1 pincée de quatre-épices et du persil haché. Faire raidir au beurre, puis laisser refroidir et passer le tout au mixeur. En farcir le canard, le brider et le rôtir très vivement (275 °C au moins) de 8 à 12 min. Quand il est froid, le placer, la tête vers le fond, dans une grande vessie de porc préalablement trempée dans de l'eau froide. Ficeler l'ouverture. Pocher 45 min dans un fond de braisage clair. Dresser sur un plat le canard dans sa vessie, tel quel. Servir à part une sauce rouennaise (**voir** page 784).

canard Voisin

Rôtir un caneton rouennais en le tenant un peu rosé (30 min environ à 230 °C) ; laisser refroidir, puis lever les filets. Concasser la carcasse et les parures ; préparer avec ces éléments une sauce salmis ; la passer et la dégraisser, y ajouter une quantité égale de gelée de viande ; la faire réduire et passer. Mettre une couche de cette sauce dans une timbale ; lorsqu'elle est prise, disposer dessus une rangée de filets de caneton escalopés. Les napper de la même sauce, en les alternant avec des lames de truffe. Achever de remplir la timbale en nappant chaque rangée d'un peu de gelée à demi prise. Terminer par une couche de gelée. Mettre dans le réfrigérateur et servir très frais.

filets de canard rouennais glacés à l'orange

Cuire 35 min au four préchauffé à 240 °C un canard de 2 kg environ, en le tenant un peu rosé. Détacher les cuisses. Détailler les filets en aiguillettes minces et les napper de sauce chaud-froid brune à l'orange, décorer de truffe et de zeste d'orange détaillés en petits chevrons ; lustrer à la gelée et mettre au réfrigérateur. Avec la chair des cuisses, préparer une mousse additionnée de dés de truffe. Garnir de cette mousse un moule en forme de dôme (ou un moule à parfait) et faire prendre au réfrigérateur. Tailler une tranche de pain de mie au diamètre du moule et la beurrer. Démouler la mousse dessus, sur un plat. Disposer les aiguillettes contre la mousse en les serrant bien les unes contre les autres. Couler dans le plat, tout autour, quelques cuillerées de gelée mi-prise. Mettre à côté des aiguillettes de canard des quartiers d'orange pelés à vif. Éventuellement, ajouter des oranges évidées en forme de petits paniers, à demi remplies de gelée au porto.

rôti de canard du lac Brome à l'érable

Éplucher 2 poires williams, les couper en deux et enlever le cœur. Dans un poêlon, mélanger 50 g de sucre, le jus de 2 citrons et de 2 oranges, et 25 cl de vin blanc sec. Porter à ébullition. Ajouter les poires, 25 cl de sirop d'érable pur et 1 pincée de poivre de la Jamaïque. Laisser mijoter. Lorsque les poires ramollissent, les retirer du jus et réserver au chaud. Laver 2 canards du lac Brome (Canada). Piquer la peau de la poitrine à la fourchette, assaisonner. Les mettre dans un plat à feu et rôtir 15 min dans le four préchauffé à 200 °C. Éplucher 2 carottes, 2 oignons, 3 branches de céleri, 1 salsifis et 2 gousses d'ail ; les hacher et les ajouter avec 2 clous de girofle, 2 feuilles de laurier, 1 touffe de thym haché. Baisser le four à 150 °C. Dégraisser le plat et arroser les canards toutes les 10 min avec le jus de sirop d'érable. Dès que les légumes commencent à roussir, verser 50 cl de bouillon de poulet. Poursuivre la cuisson (1 h 30 en tout) en continuant d'arroser. Lorsque les canards sont cuits, les retirer du plat et les garder au chaud. Enlever du plat un maximum de graisse. Mettre les légumes et le jus dans un poêlon plus petit et chauffer sur le feu. Ajouter 1 cuillerée à soupe de purée de tomate, et faire sauter de 2 à 3 min. Verser de nouveau 50 cl de bouillon de poulet. Laisser mijoter 15 min et égoutter. Désosser les canards. Disposer les morceaux sur un plat, décorer avec des tranches de poire en éventail. Arroser avec le jus au bouillon et au sirop d'érable.

CANARD LAQUÉ Apprêt traditionnel de la cuisine chinoise, qui consiste à enduire un canard d'une « sauce à laquer » aigre-douce, à le faire rôtir et à le servir chaud ou froid, découpé en petits morceaux.

■ **Préparation.** La sauce est un mélange de sauce soja, de cinq-épices, de miel liquide, d'huile, d'ail, de vinaigre, de farine, de gingembre, de glutamate, de colorant rouge, d'alcool de riz, d'huile de piment et de levure chimique. (On peut la remplacer par la sauce hoisin, condiment épais, un peu sucré et épicé.)

Le canard est vidé, piqué en plusieurs endroits avec une aiguille, mis à mariner pendant une nuit dans la sauce, puis suspendu. Il faut ensuite le badigeonner au pinceau à plusieurs reprises, en laissant sécher entre chaque opération, condition indispensable pour l'obtention d'une peau dorée et croustillante. Rôti ensuite à la broche, il doit être arrosé plusieurs fois avec son jus et la sauce à laquer. Le succès de l'apprêt dépend du degré d'absorption de la sauce par le canard. La volaille est découpée perpendiculairement au sens des fibres, en petits morceaux, que l'on sert avec des feuilles de laitue fraîche et des têtes de poireau à l'aigre-doux ou des cornichons. Le canard laqué est préparé par dizaines dans les échoppes de rue et les petits restaurants de la Chine et de l'Extrême-Orient.

CANARD « À LA PÉKINOISE » Plat de prestige de la cuisine classique des mandarins en Chine.

■ **Préparation.** Le canard est vidé, lavé, ébouillanté rapidement et essuyé. À l'aide d'une pompe à air, on décolle la peau de la chair, de façon qu'elle soit bien gonflée. La volaille est farcie d'un mélange de ciboule, d'anis, de gingembre, de céleri et d'huile de sésame, puis cousue et suspendue dans un courant d'air, où on l'enduit toutes les demi-heures d'un mélange de miel et de farine. Au bout de 3 heures, on la fait rôtir au four, en l'arrosant de son jus et d'un peu d'huile de sésame.

■ **Service.** Il fait l'objet d'un rituel précis : la peau, et elle seule, est découpée en rectangles de 3 x 4 cm. Le convive, avec ses baguettes, place un rectangle de peau sur une petite crêpe salée chaude, y ajoute un tronçon de ciboule qu'il trempe dans une sauce à base de prunes aigres, relève le tout avec un peu de sucre et d'ail, puis enroule la crêpe sur elle-même et déguste le petit rouleau, toujours en le manipulant avec ses baguettes. La tradition exige non seulement que l'on ne serve que la peau, la viande étant réservée pour d'autres usages, mais aussi que l'on présente auparavant aux convives le canard découpé et reconstitué.

CANARD À LA PRESSE Recette créée au début du XIXe siècle par un restaurateur de Rouen nommé Méchenet, qui dut une grande part de son succès au duc de Chartres, qui en vanta les mérites à Paris.

Lorsque le célèbre cuisinier Frédéric prit en main le restaurant *la Tour d'Argent*, il imagina, vers 1890, de numéroter tous les « canards à la presse » dont il entendait faire la spécialité de son établissement. À la fin de l'année 1996, le million est atteint. L'un de ces canards fut servi à Édouard VII, alors prince de Galles (le n° 328, en 1890), d'autres à Theodore Roosevelt (n° 33 642), à la princesse Élisabeth (n° 185 387), à Charlie Chaplin (n° 253 652), etc.

La préparation du canard à la presse se fait par le chef canardier, dans le « théâtre du canard », devant le client. Les aiguillettes de la volaille, levées à cru, sont saisies, sur un réchaud de table, dans une réduction de vin rouge. Le reste du canard, sauf les cuisses, qui seront servies grillées, est pressé dans une presse spéciale à vis ; le jus obtenu est additionné de cognac, monté au beurre et versé sur les aiguillettes, qui achèvent de cuire dans la sauce.

CANARD SAUVAGE Oiseau aquatique à partir duquel a été obtenu le canard domestique. Le colvert, l'espèce la plus répandue en France, est le plus volumineux (**voir** COLVERT) ; le mâle a un plumage vert et gris, rehaussé de marron et de blanc ; la femelle est brune. Très sédentaire d'octobre à mars, le colvert ne descend vers le sud que s'il fait très froid. Il est aujourd'hui l'objet d'un élevage, et on le voit couramment sur les plans d'eau des grandes villes.

D'autres canards sauvages sont réputés sur le plan de la gastronomie : le souchet, au bec spatulé ; le chipeau, gris et blanc, aux ailes bordées de marron (dans l'Est) ; le siffleur (plus petit, qui séjourne sur les côtes) et le pilet, qui sont moins appréciés. Le tadorne et le harle sont désormais protégés.

On ne mange généralement que les cuisses et les filets des canards sauvages (il faut donc un oiseau pour deux personnes). Ce gibier n'est jamais faisandé ; sa chair exquise se consomme fraîche, rôtie à la broche ou au four pour les sujets les plus jeunes et les plus tendres, en salmis ou en fricassée pour les plus âgés. Les préparations du canard domestique sont applicables au canard sauvage.

canard sauvage au porto

Rôtir un canard 20 min dans le four préchauffé à 250 °C. Lever les cuisses et tenir le reste au chaud. Ciseler légèrement les cuisses, les saler et les poivrer, puis les badigeonner de beurre clarifié et les griller. Mettre dans le plat de cuisson 15 cl de porto rouge et faire réduire de moitié. Détailler les filets de la poitrine en aiguillettes minces, les disposer dans un plat long chauffé et ajouter les cuisses grillées ; tenir au chaud. Concasser la carcasse, la presser en l'arrosant du porto réduit et ajouter au jus 50 g de beurre en parcelles, en fouettant. Verser cette sauce sur la viande.

RECETTE DU RESTAURANT *LAPÉROUSE*, À PARIS

colvert au poivre vert

« Saler et poivrer l'intérieur et l'extérieur d'un colvert de 1,4 kg environ ; le déposer dans un plat à rôtir. L'arroser de 3 cuillerées à soupe d'huile et le faire cuire 30 min à four moyen (200 °C environ). À la fin de la cuisson, recouvrir le plat d'une feuille d'aluminium, de façon à garder le canard au chaud. Peler 2 belles pommes granny, les couper en deux, les débarrasser de leurs pépins et de la partie centrale ligneuse ; les faire cuire à four moyen pendant 10 min environ. Pour la sauce, verser dans une casserole 8 cl de vin blanc et 2 cl d'armagnac, et faire réduire d'environ deux tiers. Ajouter le jus d'une boîte de poivre vert et 6 cl de bouillon (de canard ou d'une autre volaille) ; laisser réduire de nouveau pendant 2 à 3 min ; ajouter 20 cl de crème fraîche, saler légèrement et finir la cuisson de la sauce jusqu'à liaison. Rectifier l'assaisonnement et, au dernier moment, ajouter 2 cl de porto et 15 g de grains de poivre vert. Découper les filets du colvert et les disposer sur le plat de service. Napper avec la sauce et garnir avec les quartiers de pomme. »

poitrine de colvert rôtie et cuisses poêlées au vin de Bourgogne

POUR 4 PERSONNES – PRÉPARATION : 1 h 30 (avec la cuisson du fond) – CUISSON : 30 min

Habiller 2 canards colverts. Séparer les cuisses du corps. Séparer l'os de la colonne vertébrale de la poitrine en la conservant entière sur le bréchet. Parer les cuisses et désosser le gras de cuisse. Frotter le tout avec un peu de mignonnette de poivre. Réserver au frais. Concasser les carcasses, les os et mettre en cuisson. Couvrir les os en mouillant avec un vin de Bourgogne corsé et tannique. Laisser cuire à frémissements 1 heure. Préchauffer le four à 200 °C. Faire poêler les cuisses 20 min environ sur une fine brunoise de légumes. Les retirer et les réserver au chaud. Dégraisser le fond de poêlage et déglacer avec 10 cl de porto. Faire réduire quelques minutes. Passer au chinois le fond brun de gibier et l'ajouter au fond de poêlage des cuisses. Réduire de moitié, puis passer au chinois étamine ; ajouter une bonne noix de beurre. Vérifier l'assaisonnement et réserver au chaud sans faire bouillir. Assaisonner les 2 poitrines avec du gros sel et les faire rôtir au four environ 10 min pour les conserver « à la goutte de sang ». Les retirer et les laisser reposer 5 ou 6 min. Dresser les cuisses sur le plat de service. Détailler les filets de la poitrine en aiguillettes et les disposer en éventail. Napper le fond du plat et les cuisses d'une fine pellicule de sauce et servir le reste en saucière. Accompagner avec des betteraves glacées au beurre, des navets glacés, des petits oignons glacés, des quenelles de pommes de terre ou de la purée de figues et de grains de raisin.

CANCALAISE (À LA) Se dit de plusieurs apprêts de poisson où interviennent, en principe, les huîtres de Cancale. Merlans, soles ou barbues à la cancalaise sont garnis d'huîtres pochées et de queues de crevette, et l'ensemble est nappé de sauce normande (bien que Cancale soit en Bretagne) ou de sauce au vin blanc.

Le consommé de poisson à la cancalaise, au tapioca, est garni d'huîtres pochées. On y ajoute parfois des filets de sole en julienne ou des quenelles de brochet.

▶ Recettes : ORMEAU, SALPICON, SOLE.

CANCOILLOTTE Spécialité franc-comtoise, à base de « metton », fromage de lait de vache écrémé, longuement affiné, qui se présente sous la forme de grains durs très odorants, de la taille d'une noisette. Le metton est mélangé avec de l'eau salée et du beurre frais, pour former la cancoillotte, une pâte homogène jaune clair, très fruitée, parfumée au vin blanc et que l'on consomme tiède. Quant à la cancoillotte lorraine, connue en Meuse sous le nom de « mégin », elle est fabriquée à partir de caillé frais, simple fromage blanc. Celui-ci est mis à sécher puis, après découpage, poivré et salé pour un affinage poussé durant des mois. La cancoillotte lorraine est aromatisée avec du fenouil, le goût anisé restant un « marqueur » gustatif de cette région.

CANDI Adjectif qualifiant un sucre épuré et cristallisé (**voir** tableau des présentations du sucre page 823). Le sucre candi se présente sous forme de cristaux blancs ou bruns, irréguliers, obtenus par cristallisation lente d'un sirop de sucre concentré.

Il est utilisé pour la préparation du champagne, la confection des fruits à l'eau-de-vie et des liqueurs ménagères. En confiserie, on met au candi des fondants, des fruits déguisés, des pâtes d'amande, etc.

Le sucre candi se prépare avec 1 kg de sucre et 40 cl d'eau. On fait bouillir une minute et on laisse refroidir. On pose les éléments à candir sur une grille dans une candissoire, on recouvre d'une autre grille et on verse le sucre pour les enrober complètement. On les protège sous du papier sulfurisé, on laisse reposer 12 heures avant de retirer le sirop. De cette façon, une couche de sucre cristallisé se forme sur les éléments.

CANDISSOIRE Ustensile plat et rectangulaire en fer-blanc, à bords peu élevés et légèrement évasés. Le fond est garni d'une grille amovible en fil de fer étamé. La candissoire sert à laisser reposer les articles candis (fruits, petits-fours frais) après glaçage au sucre fondu. On y fait égoutter aussi les petites pièces de pâtisserie imbibées d'alcool (les babas individuels, en particulier).

CANE Femelle du canard, plus petite mais plus dodue que le mâle. Sa chair est plus fine et plus savoureuse, aussi la préfère-t-on pour les rôtis.

L'œuf de cane, à coquille blanc verdâtre, pèse de 80 à 120 g. Très apprécié en Extrême-Orient, il ne doit être consommé que dur ou cuisiné, car il est souvent porteur de germes.

CANETON ET **CANETTE** Petits du canard qui sont appelés ainsi lorsqu'ils ont moins de 2 mois, mais dont la chair reste tendre jusqu'à 4 mois.

Par commodité, les restaurateurs présentent aujourd'hui leurs recettes à base de caneton sous l'intitulé générique de « canard ».

aiguillettes de caneton au poivre vert ▶ POIVRE
ballottine de caneton ▶ BALLOTTINE

caneton à la bigarade

Détailler en julienne les zestes d'une bigarade et de 1/2 citron, les blanchir, les rafraîchir et les égoutter. Poêler un caneton 45 min au beurre, en le tenant un peu rosé ; l'égoutter, le débrider, le dresser sur un plat. Déglacer le fond de cuisson avec 10 cl de vin blanc. Mouiller de 30 cl de fond de veau ou de demi-glace un peu claire ou, à défaut, de bouillon de volaille bien réduit. Ajouter à ce déglaçage un caramel au vinaigre préparé avec 2 morceaux de sucre fondus dans 2 cuillerées à soupe de vinaigre. Donner quelques bouillons. Verser le jus de l'orange et du demi-citron, faire réduire, passer, ajouter les zestes de bigarade et de citron. Napper le caneton de cette sauce.

RECETTE DU RESTAURANT LAPÉROUSE, À PARIS

caneton de Colette

« Vider, flamber et brider un beau canard nantais de 2,2 kg. Enlever l'os de la fourchette pour faciliter le découpage. Rôtir le canard 25 min. Faire sauter le foie du canard (il doit rester saignant), puis l'écraser à la fourchette, ajouter sel, poivre, quatre-épices, 1/2 verre de fine champagne et 1/2 verre de porto. Flamber et laisser réduire à plein feu. Retirer les cuisses du canard et lever les aiguillettes. Dresser sur un plat long. Repasser les cuisses qui sont très rosées au beurre et tenir le tout à l'étuve. Couper la carcasse du canard en deux et passer à la presse pour obtenir le maximum de sang. Mélanger celui-ci à la réduction du foie de canard. Porter le tout à ébullition. Passer au chinois très fin sur les aiguillettes et les cuisses du canard. »

RECETTE DE PIERRE ET JANY GLEIZE

caneton au miel de lavande et au citron

« Faire fondre dans une sauteuse 2 cuillerées à soupe de mirepoix. Ajouter les abattis de 2 canetons de 1,5 kg et les retourner dans la mirepoix pour obtenir une belle couleur dorée. Mouiller presque à hauteur avec moitié vin blanc et moitié eau. Couvrir et laisser cuire doucement 30 min environ. Passer. Saler et poivrer les canetons. Les poêler au beurre pendant 20 min, puis les retirer : ils doivent rester rosés. Jeter le beurre de cuisson et déglacer l'ustensile avec le jus de 2 citrons et 1 petite cuillerée à café de miel de lavande. Laisser réduire presque complètement. Mouiller ensuite de 2 cuillerées à soupe de jus de canard passé, ajouter 1 noix de beurre, en vannant. Découper la poitrine des canetons en fines aiguillettes, passer les cuisses quelques instants sur le gril, des deux côtés, napper de la sauce assaisonnée. »

RECETTE DU RESTAURANT LA TOUR D'ARGENT, À PARIS

caneton Tour d'Argent

« Rôtir à four chaud, de 25 à 30 min, 2 beaux canards (étouffés) de 1,6 kg chacun. Passer les foies au mixeur et les mettre sur un plat creux en argent. Ajouter une mesure de vieux madère, un petit verre de cognac et un filet de citron. Détacher les cuisses des volailles et les mettre à griller. Enlever la peau des filets et les trancher très fin et aussi large que possible. Les ajouter dans le plat au mélange à base de foie. Donner quelques coups de sécateur à la carcasse afin de la presser pour en extraire tout le sang. Ajouter au cours du pressage un bon verre de consommé bien épicé. Arroser les filets de ce jus. Mettre le plat sur un réchaud et cuire 25 min sans cesser de remuer ; la sauce réduite à point doit être très onctueuse. Dresser les filets sur une assiette chaude et napper largement de sauce. Accompagner de pommes soufflées. Un deuxième service est constitué par les cuisses grillées servies avec une petite salade. »

terrine de caneton ▶ TERRINE

CANNE À SUCRE Plante de la famille des poacées, originaire des Indes et de Java, dont la tige contient une moelle riche en sucre (14 % de saccharose). La culture de la canne à sucre ne se développa qu'après la découverte de l'Amérique, quand les plantations se firent à grande échelle. La canne à sucre est aujourd'hui cultivée dans toutes les régions chaudes et humides du globe. Mais, localement, aux Antilles surtout, on récolte une canne dite « de bouche », que l'on mâche, après en avoir retiré l'écorce, pour en savourer le jus sucré.

Le jus de la canne industrielle, ou « vesou », obtenu par broyage des tiges, sert à fabriquer du sucre. En outre, il fermente spontanément et produit, par distillation, divers alcools, comme le tafia et le rhum agricole.

CANNEBERGE Petite baie rouge, de la famille des éricacées, au goût acidulé, qui pousse à l'état sauvage dans les tourbières d'Amérique du Nord (**voir** planche des fruits rouges pages 406 et 407). La canneberge fait partie des traditions culinaires du Québec (où elle est appelée aussi « atoca »), des provinces atlantiques du Canada (« pomme-de-pré ») et des États-Unis *(cranberry)*, où elle est toujours servie avec la dinde rôtie, en sauce, en confiture ou en gelée pour la fête de Thanksgiving. Sa culture, en terrain déboisé, remonte aux débuts de la colonisation anglaise (milieu du XVIIIe siècle). La récolte, en octobre, est un spectacle pittoresque : on inonde le terrain et les petites baies rouges forment un tapis à la surface avant d'être sarclées puis cueillies par aspiration.

Le jus de canneberge *(cranberry juice)*, au goût acidulé et astringent, entre dans la composition de nombreux cocktails.
▶ Recette : CARIBOU.

CANNELÉ Petit gâteau bordelais fait de farine et de lait, parfumé à la vanille. En forme de cône et de couleur brune, cette pâtisserie, cuite traditionnellement dans des « moules à cannelés », offre un contraste délicieux entre le croustillant de la croûte et le moelleux d'une pâte parfumée au rhum et à la vanille.

RECETTE DE FRÉDÉRICK E. GRASSER

cannelés

« Fendre 2 gousses de vanille, les gratter avec un petit couteau et mettre les graines et les gousses dans 50 cl de lait à porter à ébullition. Laisser infuser 8 heures au moins. Retirer les gousses. Tamiser séparément 250 g de sucre glace et 100 g de farine type 45. Faire fondre 50 g de beurre dans une casserole ; le laisser refroidir. Dans une terrine, battre au fouet 2 œufs entiers et 2 jaunes d'œuf ; incorporer le sucre glace, puis le rhum, le beurre, la farine et enfin le lait froid, sans cesser de remuer. Couvrir et réserver la pâte au réfrigérateur 24 heures avant de l'utiliser. (On peut la conserver 4 jours à 4 °C et n'en faire cuire qu'une partie, car les cannelés doivent être dégustés le jour même. Tourner la pâte avant chaque utilisation et la travailler 2 min au fouet.) Réserver les moules à cannelés au réfrigérateur, puis les beurrer au pinceau. Les remplir de pâte à 1 cm du bord. Faire cuire 1 heure au four préchauffé à 210 °C. Démouler les cannelés encore chauds et les laisser refroidir sur une grille. Les déguster à température ambiante. »

« Très apprécié en nappage ou en sauce, le caramel exige pour sa préparation une attention soutenue. Dans les cuisines des restaurants GARNIER et HÉLÈNE DARROZE ou à l'école FERRANDI PARIS, le sucre est caramélisé au chalumeau ou, plus traditionnellement, dans un poêlon à sucre en cuivre. »

CANNELER Creuser des petits sillons en V, parallèles et peu profonds, à la surface d'un légume (carotte, champignon) ou d'un fruit (citron, orange), à l'aide d'un canneleur (ou couteau à canneler), voire d'un couteau d'office.

On peut aussi canneler la surface d'une purée ou d'une mousse, à l'aide d'une spatule ou d'une fourchette.

Les abaisses de pâte sont dites « cannelées » lorsqu'elles sont découpées avec un coupe-pâte dentelé ; une douille « cannelée » est une douille dentée.

CANNELLE Écorce de divers arbustes exotiques, de la famille des lauracées, qui est utilisée comme aromate (**voir** planche des épices pages 338 et 339). Dépouillée de son épiderme et séchée, cette écorce s'enroule sur elle-même en formant un tuyau (*cannella* en italien) de couleur fauve clair ou gris foncé selon l'espèce. La cannelle dégage une odeur suave et pénétrante, et possède une saveur chaude et piquante ; on la trouve également en poudre et en extrait. Les canneliers (ou cinnamomes) les plus appréciés sont ceux de Ceylan et de Chine.
■ **Emplois.** Les Anciens utilisaient déjà de la cannelle pour parfumer le vin. En France et en Belgique, cette dernière aromatise surtout les compotes et les entremets, ainsi que le vin chaud. En Europe de l'Est et en Asie, ses emplois sont beaucoup plus nombreux, tant en pâtisserie que dans les soupes et les viandes.
▶ Recettes : SUCRE, VIN CHAUD.

CANNELLONIS Pâtes alimentaires qui ont donné leur nom à une spécialité italienne (le mot italien signifie « gros tuyaux »). Ces rectangles de pâte à la semoule de blé dur sont pochés à l'eau, garnis au centre d'une noix de farce à la viande, puis roulés en cylindres. Les cannellonis sont souvent nappés de sauce tomate, de béchamel ou de parmesan, et gratinés. On trouve dans le commerce des cannellonis séchés prêts à farcir.

pâte à cannellonis : préparation

Mélanger 200 g de farine tamisée, une grosse pincée de sel, 2 œufs battus et suffisamment d'eau pour obtenir une pâte souple et lisse. La rouler en boule, l'envelopper dans un linge humide et la mettre au frais pendant 1 heure au moins. Fariner le plan de travail et abaisser la pâte au rouleau sur une épaisseur de 3 mm environ. Avec une roulette, découper des rectangles de 6 cm de large sur 8 de long et laisser sécher 1 heure. Porter à ébullition une grande quantité d'eau salée ; y plonger les rectangles de pâte et les cuire 4 min environ. Égoutter, puis les mettre dans de l'eau froide. Égoutter de nouveau et les étaler sur un torchon humide.

cannellonis à la florentine

POUR 4 PERSONNES – PRÉPARATION : 1 h – SÉCHAGE : 1 h – CUISSON : 40 min
Confectionner la pâte à cannellonis avec 200 g de farine. Abaisser à 3 mm d'épaisseur et découper la pâte en 8 rectangles de 10 cm de longueur sur 6 cm de largeur. Les laisser sécher à température ambiante pendant 1 heure en les retournant de temps en temps. Cuire 1 kg d'épinards à l'anglaise (**voir** épinards : préparation et cuisson page 340). Les rafraîchir rapidement, les égoutter et les presser. Plonger 2 œufs dans une casserole d'eau bouillante salée et les faire cuire 10 min environ pour qu'ils soient durs. Hacher grossièrement les épinards et les réchauffer dans 40 g de beurre mousseux. Écraser les œufs durs entiers et les ajouter aux épinards avec 2 jaunes d'œuf crus, 10 cl de crème fraîche épaisse, 40 g de parmesan râpé, du sel fin, du poivre du moulin et quelques râpures de noix de muscade. Réchauffer le tout doucement sans porter à ébullition. Laisser refroidir. Préchauffer le four à 275 °C. Préparer 50 cl de sauce Béchamel (**voir** page 780). Dans une grande quantité d'eau bouillante salée, plonger les rectangles de pâte et les laisser cuire 4 min. Les retirer et les rafraîchir rapidement dans de l'eau froide. Les égoutter et les étaler sur un torchon humide. Garnir chaque rectangle avec la préparation aux épinards et les rouler en cylindre sur eux-mêmes pour les souder. Les disposer dans un plat beurré (la soudure en dessous), les napper de sauce Béchamel tiède, puis les saupoudrer de 20 g de parmesan râpé et ajouter 3 ou 4 noisettes de beurre. Les faire gratiner au four pendant 12 à 15 min.

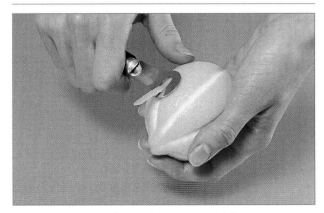

Canneler un citron. Tenir le citron dans une main et, de l'autre, creuser des cannelures bien proches.

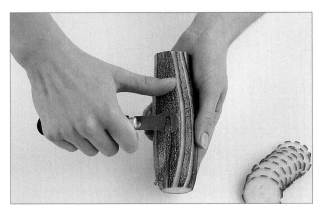

Canneler une courgette. Couper net les extrémités de la courgette et la canneler régulièrement.

cannellonis à la viande

Rôtir à l'huile d'olive un morceau de viande de veau de 600 g sur une brunoise de carotte, d'oignon et de céleri. Hacher la viande, ajouter 1 œuf entier, 60 g de parmesan râpé, 5 branches de persil hachées, 2 tranches de pain de mie cuit dans du lait, du sel, du poivre et de la noix de muscade râpée. Garnir les rectangles de pâte avec cette farce. Les rouler et les disposer dans un plat beurré. Napper de sauce bolognaise, d'un peu de béchamel et parsemer de noisettes de beurre. Mettre 20 min au four préchauffé à 275 °C.

CANOLE Petit gâteau sec et doré, spécialité de Rochechouart (Haute-Vienne), et dont la création remonte à 1371 : pendant la guerre de Cent Ans, les habitants assiégés furent délivrés par du Guesclin et pillèrent le camp anglais ; ils y trouvèrent du froment et des œufs frais, avec lesquels ils préparèrent ces petits gâteaux, auxquels ils donnèrent le nom du capitaine des troupes ennemies, sir Robert Canolles (ou Knolles).

CANOTIÈRE (À LA) Se dit en général de poissons de rivière pochés, nappés de sauce bâtarde, mais aussi de matelotes et d'un apprêt de la carpe, farcie d'une mousse de poisson, cuite au four dans un fumet au vin blanc, puis disposée dans un plat à gratin (avec échalotes ciselées, champignons émincés et jus de citron) et poudrée de chapelure ; la sauce, faite avec le fond de cuisson réduit, est montée au beurre.
▶ Recette : MATELOTE.

CANTAL OU **FOURME DE CANTAL** Fromage auvergnat AOC de lait de vache (45 % minimum de matières grasses), à pâte pressée non cuite et à croûte naturelle brossée (**voir** tableau des fromages français page 390). Il se présente sous la forme d'un cylindre de 35 à 45 cm de diamètre et de 35 à 40 cm d'épaisseur, pesant de 35 à 45 kg.

Selon son degré d'affinage, le cantal, de couleur ivoire et finement granulé, est souple et d'une saveur douce et noisetée, ou un peu plus ferme et d'une saveur plus relevée. Son appellation d'origine contrôlée délimite son aire de production.

Le cantal laitier est produit toute l'année. Le cantal fermier provient des burons des monts du Cantal ; il est alors meilleur en été et en automne. Les amateurs l'apprécient affiné 3 mois, lorsque la croûte, très épaisse, s'enfonce dans la pâte en formant des taches brunes ; il possède alors un goût assez âpre. Servi en fin de repas avec un vin léger et fruité, le cantal est aussi largement utilisé en gratins, croûtes, soupes et soufflés, ainsi que dans des apprêts typiquement régionaux (patranque, truffade).

CANTONAISE (À LA) Se dit d'un plat de riz garni, dont les grains doivent rester parfaitement détachés les uns des autres. Le riz est cuit la veille, au naturel, puis mis à reposer au froid quelques heures, durant lesquelles il est aéré plusieurs fois. On fait frire du saindoux avec du sel, du lard fumé en fines lamelles, des branches de céleri émincées et des crevettes, puis on ajoute le riz et, lorsqu'il est chaud, des œufs, et on remue juste le temps de les cuire. Le plat peut aussi comprendre de la chair de crabe, des fruits de mer, des pousses de bambou et des petits pois. L'assaisonnement se fait à la sauce soja et à l'alcool de riz.

CAPELAN Poisson de mer, de la famille des gadidés, qui se trouve surtout en Méditerranée. Ressemblant à un petit merlan, le capelan mesure 15 cm environ, mais il est beaucoup plus fragile. Il possède trois nageoires dorsales et deux anales ou ventrales séparées. Son corps est assez trapu, brun-jaune sur le dos, gris argent sur les flancs et blanc sur le ventre, et sa tête est importante. On le confond très souvent avec le tacaud. Sa chair, qui se défait facilement, est surtout utilisée dans les soupes de poisson.

Au Québec, les capelans sont de petits poissons argentés qui ressemblent à l'éperlan. En mai, les femelles déferlent en grands bancs sur les plages du golfe du Saint-Laurent pour pondre, suivies quelques jours plus tard par les mâles qui viennent déposer leur laitance. Le capelan se cuit tel quel sur un feu de camp ou en friture.

CAPILLAIRE Variété de fougère de la famille des filicinées, dont les feuilles, aromatiques et mucilagineuses, servent à la préparation d'infusions et de sirops pectoraux. Le sirop était autrefois utilisé pour sucrer des boissons chaudes, notamment la bavaroise.

Le *capilè*, boisson très consommée au Portugal, surtout à Lisbonne, est fait de sirop de capillaire, de zeste de citron râpé et d'eau fraîche.

CAPILOTADE Ragoût de la cuisine ancienne, préparé avec des restes de viande (volaille, bœuf ou veau) déjà cuits, que l'on remettait à mijoter jusqu'à ce qu'ils s'effilochent. Dans le langage familier, l'expression « en capilotade » signifie en menus morceaux, en bouillie, et elle s'utilise toujours en cuisine.

CAPITAINE Poisson de mer, de la famille des sciénidés, qui vit sur les côtes de l'Afrique occidentale, où il pénètre dans les estuaires. Il en existe plusieurs espèces très proches (ombrine, courbine, maigre, corb). Mesurant de 50 cm à 1 m, 2 m au maximum pour 50 kg, le capitaine est argenté, avec des points en oblique et une ligne latérale. Très frais, il peut se confondre avec le bar. Sa chair blanc rosé, d'un goût très fin, ne se défait pas à la cuisson.

On le prépare à la vapeur, grillé à l'unilatérale, comme le saumon, en papillote et haché en tartare avec des herbes et du citron. Au Sénégal, il entre souvent dans la composition du tié bou diéné (**voir** ce mot).

capitaine en feuille de bananier

Laver 4 feuilles de bananier de taille moyenne, enlever la nervure centrale, puis les ébouillanter rapidement pour les assouplir. Les étaler et déposer sur chacune d'elles 1 filet de capitaine. Ébouillanter 2 tomates, les peler, les épépiner et les concasser. Hacher grossièrement 1 oignon épluché. Saler et poivrer les filets de capitaine ; répartir les tomates et l'oignon dessus. Replier les feuilles de bananier en papillotes et les fermer à l'aide de pique-olives. Les cuire 30 min à la vapeur dans un couscoussier, ou en disposant un panier sur une grande casserole. Servir accompagné de gombos en sauce.

CAPONATA Spécialité sicilienne, composée d'aubergines, de céleri-branche et de tomates, émincés et frits à l'huile d'olive ; diversement condimentée, la caponata se sert froide, en hors-d'œuvre.

caponata

Laver 4 aubergines ; les couper en dés et les frire à l'huile d'olive. Les sortir et les égoutter. Dorer par ailleurs à l'huile un oignon haché très fin, ajouter 500 g de sauce tomate. Dans un autre récipient, laisser mijoter dans du vinaigre bien sucré 100 g de câpres au sel rincées à l'eau froide, des olives vertes dénoyautées et un cœur de céleri haché grossièrement. Quand ils sont al dente, les jeter dans la sauce tomate et cuire 10 min. Baisser le feu et ajouter les aubergines et poursuivre la cuisson 15 min en remuant. Mettre au réfrigérateur. Le lendemain, servir la caponata couverte d'œufs durs hachés, d'œufs de thon, de petits poulpes bouillis et hachés, de sardines à l'huile, de fruits de mer, de persil haché, etc.

CÂPRE Bouton floral du câprier, de la famille des capparacées, originaire de l'Asie orientale et répandu dans les régions chaudes, notamment dans toute la Provence. Les câpres, toutes petites, sont récoltées très jeunes (moins de trois jours). À Rome, elles servaient déjà à relever les sauces pour les plats de poisson. Confites dans du vinaigre ou conservées dans de la saumure, elles sont utilisées comme condiment et comme garniture dans les pizzas. Elles aromatisent également le riz et les boulettes de viande (mouton et veau) et se marient bien avec la moutarde et le raifort.

Pour préserver leur arôme, il ne faut pas cuire les câpres, mais les ajouter au dernier moment à une préparation. Le fruit du câprier, gros comme une olive, se prépare de la même façon et porte le nom de « cornichon du câprier ».

CAPUCIN Tartelette salée, garnie de pâte à choux au gruyère et servie en entrée chaude.

capucins

Préparer une pâte fine avec 200 g de farine, 100 g de beurre bien ramolli, 1 grosse pincée de sel et 3 ou 4 cuillerées à soupe d'eau très froide ; en garnir 8 moules à tartelette. Préparer d'autre part une pâte à choux avec 25 cl d'eau, 50 g de beurre, 1 grosse pincée de sel, 125 g de farine, puis, hors du feu, 3 œufs entiers, un par un, et enfin 75 g de gruyère râpé. Placer une boule de pâte à choux au gruyère dans chaque tartelette et cuire au four préchauffé à 190 °C. Servir brûlant.

CAPUCINE Plante ornementale, de la famille des tropéolacées, dont les feuilles et les fleurs sont parfois accommodées en salade ; elles sont aussi utilisées pour décorer d'autres salades et comme condiment (**voir** planche des fleurs comestibles pages 369 et 370). Les boutons floraux et les graines encore tendres, confits dans du vinaigre à l'estragon, peuvent remplacer les câpres : ils sont un peu plus coriaces mais plus aromatiques.

La capucine tubéreuse, originaire du Pérou, fournit des tubercules qui, confits comme les pickles, accompagnent hors-d'œuvre et viandes froides.

CAQUELON Poêlon en terre cuite ou en fonte, à intérieur vernissé, utilisé pour cuire des mets qui doivent mijoter. Autrefois, le caquelon était placé dans la cendre chaude ; lorsqu'on l'utilise sur une cuisinière, il faut l'isoler de la flamme du gaz ou de la plaque chauffante en intercalant un diffuseur. Il est d'usage, la première fois qu'on l'emploie, de frotter l'intérieur avec une gousse d'ail, pour qu'il n'éclate pas.

CONFECTIONNER DU CARAMEL

1. Mélanger le sucre en poudre et l'eau et porter sur le feu, en nettoyant régulièrement le bord de la casserole avec un pinceau humide.

2. Dès que l'ébullition est atteinte, nettoyer de nouveau le bord de la casserole avec le pinceau. Vérifier la couleur du caramel en y plongeant une spatule.

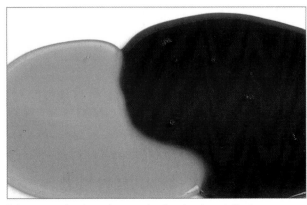

3. Interrompre la cuisson du caramel en fonction de son utilisation. Blond clair, il sert aux décorations ; foncé, il aromatise.

CARAFE Récipient de verre ou de cristal, à base large et à col étroit, pouvant être fermé par un bouchon de même matière. La carafe est employée pour servir l'eau (elle peut alors prendre le nom d'« aiguière ») et le vin (**voir** DÉCANTER) ; les liqueurs et les alcools se conservent aussi dans des carafes ou des carafons bouchés.

Les vins dits « de carafe » sont des vins de pays légers et frais, jeunes et bon marché, que l'on sert au restaurant en carafe (ou en pichet) et non en bouteille.

CARAMBOLE Fruit du carambolier, de la famille des oxalidacées, originaire de la péninsule malaise, cultivé aux Antilles, en Indonésie et au Brésil (**voir** planche des fruits exotiques pages 404 et 405). Jaune d'or, de forme allongée, marquée de côtes saillantes, la carambole a une chair juteuse et acidulée, et se consomme fraîche, en tranches, avec de la crème et du sucre pour le dessert, ou à la vinaigrette, comme l'avocat.

CARAMEL Sucre cuit, plus ou moins coloré en brun par la chaleur. Chauffé à plus de 150 °C (**voir** SUCRE), le sirop de sucre change de couleur, perd peu à peu son pouvoir sucrant, tandis que son odeur de brûlé, d'abord discrète et légère, devient de plus en plus forte ; au stade ultime de cuisson, il est si âcre qu'il devient inconsommable.

Selon l'emploi auquel on destine le caramel, on obtient le résultat souhaité en contrôlant la cuisson, de façon à l'arrêter à un point précis.

■ **Préparation.** Quelques étapes incontournables sont les clés de la réussite d'un caramel : prendre une petite casserole en acier inoxydable, en aluminium épais ou en cuivre non étamé, qui assure une bonne répartition de la chaleur (proscrire tout récipient émaillé ou étamé) ; choisir un sucre bien blanc (le peser sur une balance ou savoir qu'un morceau n° 4 = 5 g) ; imbiber le sucre avec de l'eau en passant vivement la casserole sous le robinet ; ajouter quelques gouttes de jus de citron, de vinaigre ou quelques grammes de glucose ; chauffer à feu moyen en agitant la casserole d'avant en arrière pour répartir la chaleur ; bien surveiller la coloration progressive du sirop.

● **CARAMEL TRÈS CLAIR.** Presque blanc, il sert à glacer les petits-fours et les fruits déguisés ; arrêter la cuisson dès que le sirop commence à jaunir sur les bords de la casserole ; une cuillerée à café de vinaigre lui conserve plus longtemps sa fluidité.

● **CARAMEL BLOND.** Jaune doré, il sert à caraméliser les choux, à napper des tranches d'agrume, à souder des meringues, à assembler des pièces montées ; procéder par petites quantités (de 200 à 300 g de sucre au maximum), car le caramel durcit et change de couleur si on le réchauffe pour le liquéfier à nouveau.

● **CARAMEL MOYEN.** Acajou clair, il sert à chemiser les moules, à préparer la nougatine, à napper puddings, crèmes, compotes, glaces, gâteaux de riz, œufs à la neige, etc. ; ne jamais préparer le caramel directement dans le moule à gâteau.

● **CARAMEL ÉTEINT.** Additionné d'une petite quantité d'eau froide ou de jus d'orange (pour les crêpes Suzette), versé avec précaution quand il est couleur acajou (pour arrêter la cuisson), il se solidifie en partie, est remis sur feu doux pour se dissoudre de nouveau et sert alors à parfumer.

● **CARAMEL BRUN.** Brun ambré, il sert à colorer consommés, sauces et ragoûts. Au-delà de 190 °C, le sucre brûle et devient inutilisable.

Le caramel peut aussi être cuit à sec, sans eau, pour la réalisation de certaines recettes (nougatine, glace).

On le trouve enfin dans le commerce prêt à l'emploi, en flacon ou en sachet, pour aromatiser des desserts, caraméliser des moules ou napper des entremets.

Le caramel est également un colorant industriel (E 150), utilisé en particulier pour les liqueurs et les apéritifs, ainsi que pour certaines sauces toutes prêtes.

_____

caramel

Faire fondre du sucre en poudre, le mouiller d'un peu d'eau et le laisser colorer lentement sur feu doux. Lorsqu'il est devenu d'un brun ambré, le décuire avec un verre d'eau et augmenter le feu ; après quelques minutes d'ébullition, on obtient un caramel d'une belle couleur qui ne ressemble en rien, comme le disait ironiquement Antonin Carême, « à ce caramel amer que l'on fait noircir à grand feu et que l'on appelle vulgairement "jus de singe" ».

_____

caramel à napper

Faire fondre à feu moyen dans une casserole 100 g de sucre, à sec et en le versant par petites quantités. Laisser caraméliser et ajouter 20 g de beurre et 8 cl de crème liquide bouillie. Porter de nouveau à ébullition, puis laisser refroidir avant l'emploi. L'utilisation d'un beurre demi-sel permet d'équilibrer le goût très sucré du caramel, qui irrite parfois les papilles.

CARAMEL (BONBON) Bonbon, souvent carré, fait d'un mélange de sucre et de sirop de glucose ou de sucre inverti cuit, auquel on incorpore des produits laitiers (lait frais, en poudre ou concentré, beurre, crème), des matières grasses végétales et des parfums (cacao, café, vanille, noisette). La variété des dénominations (caramel dur ou mou, fudge, *hopje*, toffee) dépend de la composition, du degré de cuisson, de la forme du produit fini et de son parfum ; mais c'est du lait que provient essentiellement sa saveur. En France, dans la ville d'Isigny, célèbre pour son lait, on fabrique des caramels réputés.

caramels durs au café

Dans une casserole épaisse, mélanger 250 g de sucre en poudre, 10 cl de crème fraîche, 2 cl d'extrait de café et une douzaine de gouttes de jus de citron. Chauffer en remuant à la cuillère de bois jusqu'à ce que la température atteigne 142 °C. Huiler un marbre et un cadre à caramels, verser le caramel au milieu du cadre et laisser durcir, mais non pas refroidir complètement. Retirer le cadre et passer une spatule métallique souple sous la plaque de caramel pour la décoller du marbre. Découper le caramel en carrés de 2 cm de côté.

caramels mous au beurre salé

Dans une casserole épaisse, mélanger 250 g de sucre en poudre, 10 cl de lait et 80 g de miel ou de glucose. Ajouter 1 gousse de vanille fendue en deux et porter à ébullition en remuant à la cuillère de bois. Incorporer 150 g de beurre demi-sel par petites quantités et réduire le feu. Continuer la cuisson en remuant jusqu'à ce que la température atteigne 120 °C. Huiler un marbre et quatre règles à caramel ou un cercle à tarte de 18 cm de diamètre. Retirer la gousse de vanille et verser le caramel sur le marbre, dans le cercle ou entre les règles. Laisser refroidir complètement pendant 2 ou 3 heures avant de découper les caramels.

RECETTE D'HENRI LE ROUX

caramels mous au chocolat noir et au beurre salé

POUR 35 PIÈCES ENVIRON

« La veille, mélanger 100 g de beurre demi-sel et 3 g de sel fin. Partager cette préparation en deux parts, l'une de 15 g, l'autre de 85 g. Hacher au couteau 50 g de chocolat à 99 % de cacao et le faire fondre dans une casserole au bain-marie. Dans une autre casserole, faire chauffer à feu doux 100 g de glucose avec de l'eau. Ajouter 250 g de sucre en poudre et mélanger jusqu'à obtenir un caramel blond. Hors du feu, ajouter les 15 g de beurre pour "casser" la cuisson du sucre. Faire tiédir 20 cl de crème fraîche liquide et la verser lentement sur le caramel tout en remuant. Poursuivre la cuisson et ajouter les 85 g de beurre restants. Quand le thermomètre de cuisson affiche 118 °C, retirer du feu. Ajouter le chocolat fondu et remuer délicatement pour obtenir un mélange lisse. Contrôler la consistance du caramel en déposant quelques gouttes sur une assiette sortant du réfrigérateur : elles doivent être molles. Tapisser le fond d'un plat à gratin de 32 x 15 cm d'un papier sulfurisé et verser le caramel au chocolat. Il doit atteindre 1,5 cm d'épaisseur. Réserver à température ambiante jusqu'au lendemain. Le jour même, sortir le caramel au chocolat du plat, enlever le papier sulfurisé et le poser sur une planche à découper. Badigeonner la lame d'un couteau d'huile de pépins de raisin et découper des carrés de 2 cm de côté. Envelopper chaque caramel de papier Cellophane. »

CARAMÉLISER Transformer du sucre en caramel en le chauffant à feu doux. Cette manipulation culinaire, qui demande de la précision, intervient surtout en pâtisserie et signifie « enduire de caramel » (caraméliser un ramequin), « parfumer avec du caramel » (caraméliser un riz au lait) ou « glacer de sucre cuit au caramel » (caraméliser des fruits déguisés, des choux, etc.).

« Caraméliser » veut dire aussi faire colorer sous le gril le dessus d'une pâtisserie poudrée de sucre, pour lui faire prendre couleur. De même, certains légumes tournés, et dits « glacés », sont légèrement caramélisés dans une casserole à fond plat, avec du sucre et

CONFECTIONNER UNE CAGE EN CARAMEL

1. Sur une louche préalablement huilée, laisser couler le caramel liquide en effectuant des allers et retours avec la fourchette.

2. Croiser les fils de caramel de manière à obtenir un quadrillage assez serré.

3. Ébarber les fils qui dépassent de la louche et soulever délicatement la cage pour la séparer de son support sans la briser.

une petite quantité d'eau ou de beurre. « Caraméliser » signifie aussi faire adhérer et colorer les sucs de viande au fond d'un récipient de cuisson avant de dégraisser puis de déglacer ; cette opération permet de concentrer un jus, une sauce ou un fond. « Caramélisé » se dit de ce qui a l'apparence, le goût ou la couleur du caramel.

caraméliser un moule

Utiliser un caramel à napper encore chaud. Le verser dans le moule qui servira pour la cuisson au bain-marie d'un appareil. Faire tourner rapidement le moule, jusqu'à ce que le caramel ne coule plus, de façon à en enduire le fond et les bords d'une épaisseur égale.

compote poire-pomme caramélisée ▶ COMPOTE
crème caramélisée à la cassonade ▶ CRÈME BRÛLÉE OU CARAMÉLISÉE
œufs de caille caramélisés ▶ CAILLE

DÉCOUPE DE GROS DU BŒUF

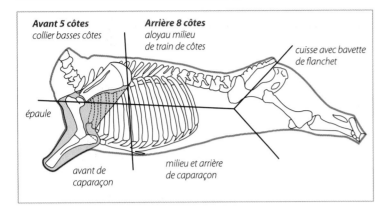

Avant 5 côtes
collier basses côtes

Arrière 8 côtes
aloyau milieu
de train de côtes

cuisse avec bavette
de flanchet

épaule

avant de
caparaçon

milieu et arrière
de caparaçon

CARBONADE Spécialité flamande, faite de tranches de bœuf d'abord rissolées, puis cuites avec des oignons et de la bière. On donne aussi le nom de carbonade (ou carbonnade) aux grillades de porc (dans la bavette ou dans l'échine), ainsi qu'à certaines daubes de bœuf au vin rouge préparées dans le Midi (**voir** CHARBONNÉE).

carbonade à la flamande

Émincer 250 g d'oignons. Détailler en morceaux ou en tranches minces 750 g de hampe de bœuf ou de paleron, les faire colorer vivement dans une poêle avec 40 g de saindoux, puis les égoutter. Faire dorer les oignons dans la même graisse. Disposer des couches de viande et d'oignon dans une petite cocotte en les alternant ; saler et poivrer à chaque fois. Ajouter 1 bouquet garni. Déglacer la poêle avec 60 cl de bière et 1/2 verre de bouillon de bœuf. Préparer un roux brun avec 25 g de beurre et 25 g de farine, l'arroser avec le mélange à la bière, ajouter 1/2 cuillerée à café de cassonade. Rectifier l'assaisonnement. Verser cette préparation dans la cocotte, couvrir et laisser mijoter 2 h 30 à feu très doux. Servir dans la cocotte de cuisson.

CARCASSE La carcasse est composée du squelette d'un animal abattu, saigné, éviscéré, dépouillé (sauf le porc) sur lequel sont insérés les muscles par l'intermédiaire des tendons et des aponévroses.

La carcasse de bovin est sciée en deux parties au milieu de la colonne vertébrale. La moelle est aspirée, le canal médullaire et les talons des vertèbres sont retirés (**voir** MATÉRIEL À RISQUES SPÉCIFIÉS [MRS]). La demi-carcasse froide de gros bovin est ensuite coupée perpendiculairement entre la 5e et la 6e côte : on obtient deux quartiers avant à cinq côtes (ou AV5) et deux quartiers arrière à huit côtes (ou AR8). On sépare ainsi les morceaux à cuisson lente des muscles à cuisson rapide qui demandent un temps de maturation (**voir** illustration ci-dessus et planche de la découpe du bœuf pages 108 et 109). Les carcasses de veau et de mouton, elles, restent entières.

Les carcasses sont inspectées dès la chaîne d'abattage par les services vétérinaires et le bulbe rachidien est prélevé pour recherche d'encéphalopathie spongiforme bovine (ESB).

Afin de faciliter les échanges commerciaux en Europe, les carcasses et les morceaux de gros et de demi-gros reçoivent une estampille (Grille S-EUROP) codant leur conformation, leur état d'engraissement et leur couleur (uniquement pour le veau).

CARDAMOME Plante aromatique de la famille des zingibéracées, originaire de la côte de Malabar, en Inde, et dont les capsules renferment des graines qui, séchées, sont employées comme épice en Orient, notamment en Inde, où elles parfument le riz, les gâteaux, les omelettes, les boulettes de viande et les nouilles (**voir** planche des épices pages 338 et 339).

Dans les pays d'Europe du Nord, la cardamome aromatise les vins chauds, les compotes, les tartes et certaines charcuteries.

CARDE Côte comestible de la poirée, communément appelée bette. Les cardes constituent un légume apprécié en Provence et dans la vallée du Rhône. Cuites à l'eau ou dans un blanc, elles s'apprêtent au jus, avec une sauce tomate ou une sauce blanche bien condimentée, pour relever leur goût un peu neutre.

CARDINAL Se dit d'un apprêt de poisson de mer garni d'escalopes de homard (parfois avec des lames de truffe) ou nappé d'une sauce blanche additionnée d'un coulis de homard. « Cardinaliser » signifie cuire au court-bouillon des crustacés, dont la carapace devient rouge (comme la robe d'un cardinal).

On qualifie aussi de « cardinal » des entremets glacés aux fruits rouges (bombe cardinal) ou des desserts aux fruits, froids, crus ou pochés, parfois dressés sur de la glace à la vanille et nappés d'un coulis de fraise ou de framboise, ou tièdes, pochés et nappés du sirop de cuisson réduit, additionné de crème de cassis (poires cardinal, en particulier).

▶ **Recettes :** CROÛTE, HOMARD, SAUCE.

CARDINE Poisson de mer plat, assez allongé, de la famille des scophthalmidés, aussi appelé « limande sloop ». La cardine blanche et la cardine à quatre taches ont les mêmes caractéristiques : les yeux sur le côté gauche brun clair, l'autre face du corps blanc grisâtre, une grande bouche et des nageoires à longs filaments. Mesurant 40 cm en moyenne, la cardine se pêche sur toutes les côtes françaises, ainsi qu'au Canada, où elle porte le nom de « cardeau d'été ». Ses écailles se détachent facilement et sa chair est fragile.

Ce poisson maigre se prête à de nombreuses préparations, surtout quand il est détaillé en filets, comme la sole.

CARDON Plante potagère de la famille des astéracées, comme l'artichaut, dont il a un peu le goût. Disponibles à la fin de l'automne et en hiver, les cardons du Lyonnais sont réputés ; dans le Midi, ils étaient de tradition au repas de Noël ; à Tours, on les cuisine en gratin.

À l'achat, les côtes de cardons – les cardes – doivent être bien fermes, d'un blanc crémeux, larges et charnues ; vendues avec la partie feuillue et le haut de la racine, elles peuvent se conserver quelques jours si on les met à tremper dans de l'eau froide salée. Les cardons sont surtout appréciés frits et à la moelle, mais aussi froids, à la vinaigrette. Au jus, au beurre, à la béchamel, à la crème, aux fines herbes, etc., ils accompagnent souvent des viandes blanches ou rouges.

cardons : cuisson

Nettoyer le pied des cardons en supprimant les côtes dures. Défaire les branches tendres, les effiler, les couper en tronçons de 8 cm, les citronner pour éviter le noircissement. Couper le cœur en quatre. Plonger le tout dans un blanc bouillant. Porter de nouveau à petite ébullition, couvrir et cuire doucement 2 heures.

cardons à la moelle

Égoutter les cardons blanchis et les dresser dans un légumier. Les garnir avec le cœur, coupé en tranches rondes, et des lames de moelle pochées à l'eau salée. Napper de sauce crème. Parsemer de persil ciselé.

sandre grillé aux cardons,
  filet d'huile d'olive et citron ▶ SANDRE
tagine de bœuf aux cardons ▶ TAGINE

CARÊME Période de quarante jours d'abstinence – les repas gras étant autorisés le dimanche –, prévue dans la religion catholique comme temps de pénitence avant Pâques. La rigueur originelle du carême imposait de ne manger ni viande, ni graisse, ni œufs. L'ordinaire se composait donc de légumes, souvent secs. Mais on finit par trouver divers arrangements : ainsi, moyennant une aumône au clergé, on pouvait consommer, sans excès toutefois, du beurre et des œufs, et certains gibiers d'eau, comme le castor, furent assimilés à des poissons et donc autorisés. En cuisine, les liaisons à l'œuf se faisaient à la chair de carpe, et la pâtisserie sut tourner la difficulté avec les croquants, les craquelins, les échaudés, les gâteaux de farine au miel et la bouillie aux amandes.

La règle de l'abstinence a beaucoup fait pour développer l'imagination des cuisiniers ; ainsi, la morue, servie sur bien des tables pendant plusieurs semaines d'affilée, est l'un des poissons qui connaît les apprêts les plus variés.

CARÊME (MARIE-ANTOINE, DIT ANTONIN) Cuisinier et pâtissier français (Paris 1784 - *id.* 1833). Né dans une famille nombreuse et très pauvre, il se retrouva dans la rue dès l'âge de dix ans. Recueilli par un gargotier de la barrière du Maine, il apprit les rudiments de la cuisine. À seize ans, il entra comme apprenti chez Bailly, rue Vivienne, l'un des meilleurs pâtissiers de Paris, qui l'aida dans ses études. Carême rencontra aussi Jean Avice, excellent praticien, qui le conseilla et l'encouragea. Doué et travailleur, le jeune homme se fit bientôt remarquer, et Talleyrand, qui se fournissait chez Bailly, lui proposa d'entrer à son service.

■ **Au service des grands de ce monde.** Carême dirigea pendant douze ans les cuisines de Talleyrand. Il servit aussi le prince régent d'Angleterre, le futur George IV, fut envoyé auprès du tsar Alexandre Ier (s'il ne put travailler pour lui, il rapporta de Russie quelques grands classiques, tels le borchtch et le koulibiac), puis à la cour de Vienne, à l'ambassade d'Angleterre, chez la princesse Bagration, chez lord Steward ; il passa ses dernières années chez le baron de Rothschild. Carême mourut à cinquante ans, « brûlé par la flamme de son génie et par le charbon des rôtissoires » (Laurent Tailhade), non sans avoir réalisé son rêve : « Publier un livre sur l'état entier de ma profession à l'époque où nous sommes. »

L'œuvre écrit de Carême comprend *le Pâtissier pittoresque* (1815), *le Maître d'hôtel français* (1822), *le Pâtissier royal parisien* (1825) et surtout *l'Art de la cuisine au XIXe siècle* (1833), en 5 volumes (les deux derniers étant de la plume de son disciple Plumerey). Ces ouvrages invitent le lecteur à la table des empereurs, des rois et des princes pour qui fut conçue cette cuisine d'apparat.

■ **L'apport de Carême.** Carême avait compris que la nouvelle aristocratie, issue du Consulat, aspirait au luxe et au décorum. Il mit ainsi au point des recettes à la fois spectaculaires et raffinées, faites pour l'élite de la nouvelle société. Certaines de ses formules sont restées célèbres, notamment en matière de sauces. En outre, véritable fondateur de la grande cuisine française, il mit celle-ci au service du prestige de la France.

Cela ne l'empêcha pas de s'occuper aussi de détails matériels : il redessina certains ustensiles de cuisine, modifia la forme des poêlons pour filer le sucre, conçut des moules et se soucia même de la forme du bonnet des cuisiniers. On lui attribue la création du vol-au-vent et des grosses meringues. Pâtissier incomparable, il fut tout autant l'homme des sauces et des potages (on en dénombre 186 français et 103 étrangers dans *l'Art de la cuisine*). Son nom reste attaché à des recettes et à des apprêts baptisés en son honneur.

▶ Recette : ŒUF MOLLET.

CARI Nom d'un mélange d'épices d'origine indienne, en poudre ou en pâte. Le mot (on écrit aussi curry) désigne également le plat que ce mélange aromatise et colore en jaune.

■ **Composition.** En Inde, chaque cuisinier prépare son propre cari, et les composantes varient selon la région, la caste et l'usage. En Occident, les mélanges (datant du XVIIIe siècle) obéissent à des formules fixes. On y trouve aujourd'hui des caris doux *(mild)*, forts *(hot)* et brûlants *(very hot)*. Une composition classique comprend, par exemple, curcuma, coriandre, cumin, poivre (indispensables), girofle, cardamome, gingembre, muscade, tamarin, piment (facultatifs). Elle peut être rehaussée de fenouil, de carvi, de ginseng, de basilic séché, de graines de moutarde, de cannelle. Au Sri Lanka, on y ajoute du lait de noix de coco ou du yaourt ; en Thaïlande, de la pâte de crevettes séchées. En Inde, les caris sont onctueux, liquides, secs ou poudreux, et leur couleur va du blanc au brun doré ou au rouge en passant par le vert.

■ **Emplois.** En Orient, le cari aromatise de nombreux mets végétariens (à base de farine de pois chiches, de lentilles, de riz), ainsi que des plats de viande ou de poisson. En Occident, on prépare surtout des caris de porc, de poulet ou d'agneau. Il existe trois modes de préparation du cari.

• À L'INDIENNE. La viande en morceaux est mise à dorer avec oignons et échalotes émincés, puis remplacée par un ragoût de tomates, de cari (parfois additionné de lait de noix de coco) et d'épices, que l'on fait mijoter avant d'y remettre la viande avec du bouillon.

• À LA CHINOISE. La viande, détaillée en très petits morceaux, est mise à macérer avec le cari et de la sauce soja, puis versée en une seule fois dans une poêle graissée au saindoux, où elle cuit avec des épices.

• À L'ANGLAISE. La viande en morceaux, poudrée de farine, puis de cari, et mouillée de bouillon, cuit en ragoût classique.

Le cari peut également relever un pilaf de fruits de mer, une bisque, un potage à la tomate, un ragoût de lentilles, un plat de légumes, voire une mayonnaise pour le poisson ou un beurre composé.

---

cari d'agneau

Mélanger 1 cuillerée à soupe de gingembre frais râpé (ou 1 cuillerée à café de gingembre en poudre), 1 mesure de safran, 2 cuillerées à soupe d'huile, 1 grosse pincée de poivre de Cayenne, du sel et du poivre. Rouler dans ce mélange 1,5 kg de collier ou d'épaule d'agneau coupé en morceaux et laisser macérer 1 heure. Peler et concasser 3 grosses tomates. Dorer les morceaux de viande dans une cocotte, avec 2 cuillerées à soupe de saindoux, puis les retirer. Faire revenir 5 min dans la même graisse 4 gros oignons épluchés et émincés, puis ajouter la tomate concassée, 1 cuillerée à soupe de cari, 3 gousses d'ail épluchées et finement hachées et 1 bouquet garni. Éplucher et râper 1 grosse pomme un peu acidulée, l'ajouter dans la cocotte et remuer pendant 2 ou 3 min. Remettre la viande dans la cocotte, remuer, ajouter 1 petit bol de lait de coco ou, à défaut, de lait demi-écrémé ; couvrir et laisser mijoter 40 min. Rectifier l'assaisonnement. Servir ce cari très chaud, avec du riz cuit à l'indienne et, dans des raviers séparés, des noix de cajou, des raisins secs et des dés d'ananas et de banane citronnés.

RECETTE DE MONT-BRY

cari de poulet

« Après l'avoir vidé, flambé, épluché, dépecer un poulet de grosseur moyenne et diviser chacun des membres en 3 ou 4 morceaux (en dépeçant la volaille, couper nettement les os, afin de ne pas les fragmenter en menus éclats). Mettre ces morceaux de poulet à cuire dans une casserole où, préalablement, on aura fait cuire, dans du saindoux ou dans du beurre, 2 oignons moyens, 100 g de jambon et 2 pommes reinettes pelées, le tout haché et assaisonné avec de l'ail écrasé, du thym, du laurier, de la cannelle, de la cardamome et du macis en poudre. Lorsque les morceaux de poulet sont bien raidis, les remuer dans le mélange sans les faire trop colorer et les saupoudrer de 2 cuillerées de cari. Ajouter 2 tomates pelées, épépinées, concassées, et mélanger. Mouiller de 25 cl de lait de noix de coco (ou, à défaut, de lait d'amande). Cuire, à petite ébullition et la casserole couverte, pendant 35 min environ ; 10 min avant de servir, ajouter 15 cl de crème fraîche épaisse et le jus de 1 citron. Cette sauce doit être amenée au point voulu, par la seule réduction. Dresser le poulet dans une timbale et le servir avec du riz, préparé de la façon suivante : cuire 15 min dans de l'eau salée, en le remuant souvent, 250 g de riz ; l'égoutter et le laver à plusieurs reprises à l'eau froide ; le mettre sur une plaque, enfermé dans une serviette. Le faire sécher à l'étuve ou au four à chaleur très douce pendant 15 min. »

CARIBOU Cervidé canadien sauvage de grande taille. Les populations sont régulées par une chasse très stricte et une commercialisation assurée encore aujourd'hui par les Inuits. On découpe et on cuit le caribou de la même façon que le cerf européen. Habituellement, on le sert saignant avec une sauce poivrade, accompagné d'une poire pochée au vin rouge ou de légumes d'automne (purée de céleri-rave ou betteraves râpées).

Le mot désigne aussi un apéritif québécois, à base de vin rouge doux auquel on ajoute de l'alcool naturel.

RECETTE DE JEAN SOULARD

longe de caribou aux atocas (canneberges)

POUR 4 PERSONNES – PRÉPARATION : 30 min – CUISSON : 2 h

« Préchauffer le four à 150 °C. Placer 1 kg d'os de gibier concassés et de parures sur une plaque allant au four et les faire rôtir 30 min environ jusqu'à ce qu'ils soient bruns. Ajouter 1 petite carotte, 1 petit oignon coupé en morceaux, 1 tomate, 4 ou 5 baies de genièvre et remettre au four 4 ou 5 min. Sortir du four, dégraisser et transférer dans une casserole. Ajouter 50 cl de vin rouge, 1 litre d'eau, 1 bouquet garni et 30 g de concentré de tomate. Assaisonner et laisser bouillir doucement à découvert 1 h 30. Écumer, dégraisser, filtrer dans une passoire, remettre sur le feu et laisser réduire pour obtenir 50 cl de fond de gibier. Vérifier l'assaisonnement et conserver au frais. Préchauffer le four à 175 °C. Dans une poêle, faire revenir 1 longe de caribou désossée avec 15 cl d'huile. Terminer la cuisson au four pendant 20 min. Réserver au chaud. Dans la poêle, ajouter 50 cl de jus d'orange et 1 cuillerée à soupe de miel. Porter à ébullition, puis ajouter 165 g d'atocas (canneberges). Faire cuire quelques minutes. Retirer les atocas et les réserver au chaud. Dans la poêle, ajouter le fond de gibier et faire réduire pour obtenir 18 cl. À la dernière minute, ajouter 15 g de thym et d'origan hachés. Dans une autre poêle, faire sauter 30 g d'échalotes hachées, ajouter 50 cl de purée de marron et faire chauffer. Verser la sauce dans chaque assiette. Disposer les médaillons de caribou dessus. Placer les atocas au milieu et, à l'aide de 2 cuillères à soupe, former 2 quenelles de purée de marron que l'on dispose de chaque côté. »

RECETTE D'ANNE DESJARDINS

*longe de caribou, bleuets sauvages,
poivre vert et baies de genièvre*

POUR 6 PERSONNES – PRÉPARATION : 15 min – CUISSON : 20 min

« Écraser au mortier 3 baies de genièvre avec 1 cuillerée à café de grains de poivre vert, ajouter 1 pincée de sel. Bien enrober de ces condiments une longe de caribou parée de 1,2 kg. Dans un poêlon à fond épais, ajouter 1 cuillerée à soupe de beurre et la même quantité d'huile d'olive et, lorsque le poêlon est chaud, cuire la longe quelques minutes de chaque côté, selon la cuisson désirée. Retirer la longe et réserver au chaud. Dans le même poêlon, ajouter 1 échalote émincée, 45 g de bleuets sauvages (ou de myrtilles), cuire 1 min, déglacer avec 5 cl de vinaigre balsamique vieilli et 20 cl de vin rouge, mouiller avec 20 cl de fond de veau (ou de gibier). Laisser réduire de moitié, passer ce liquide au travers un chinois, le remettre sur feu doux, ajouter de nouveau 45 g de bleuets sauvages, quelques grains de poivre vert, 1 noix de beurre, goûter, et saler s'il y a lieu. Couper de belles tranches dans la longe de caribou. Déposer dans des assiettes chaudes, verser la sauce. Servir avec des topinambours poêlés. »

CARICOLE Nom bruxellois du bigorneau. Tout un folklore entoure aussi bien la cuisson des caricoles, réalisée dans un court-bouillon fortement aromatisé de céleri, que leur commercialisation : dans les rues, des cuisinières ambulantes sortent leur préparation d'une grande casserole colorée posée sur une charrette, puis extraient la chair abondante de la coquille des gastéropodes marins.

CARIGNAN (À LA) Se dit d'un apprêt de grande cuisine des noisettes d'agneau et des tournedos, qui sont sautés, puis dressés sur des pommes Anna (façonnées en petites tartelettes) et nappés d'une sauce déglacée au porto et au fond de veau tomaté. La garniture comprend des pointes d'asperge au beurre et des œufs moulés en appareil à duchesse, panés, frits, évidés et remplis de purée de foie gras.

Le mot désigne aussi un entremets froid : poire, pêche ou pomme pochée, évidée, remplie de glace au chocolat, puis dressée sur une abaisse de génoise et recouverte de fondant vanillé.

CARMÉLITE (À LA) Se dit d'un apprêt froid de suprêmes de volaille, qui sont nappés de sauce chaud-froid, décorés de lames de truffe et dressés avec une mousseline d'écrevisse et des queues d'écrevisse.

L'appellation désigne aussi des œufs (mollets ou pochés) dressés dans une croûte à flan, garnis de moules à la crème et nappés de sauce au vin blanc.

CARMEN Nom de divers apprêts (consommé, œufs, filets de sole) caractérisés par la présence de tomate ou de poivron et, en général, d'une garniture ou d'un assaisonnement assez relevé « à l'espagnole ».

La salade Carmen est composée de riz cuit, de blanc de poulet coupé en dés, de poivrons rouges détaillés en lanières et de petits pois assaisonnés d'une vinaigrette à la moutarde et à l'estragon haché.

CARMIN Colorant naturel rouge, également appelé « cochenille » ou « acide carminique » (E 120), dont les emplois sont très nombreux (**voir** ADDITIF ALIMENTAIRE) : charcuteries et salaisons, crevettes en conserve et poissons séchés, sirops, liqueurs et apéritifs, fromages et laits aromatisés, mais surtout confiseries et pâtisseries.

CARNAVAL Temps de réjouissances populaires et de mascarades, qui ont lieu dans les jours qui précèdent le Mardi gras, veille du carême.

■ **Origine.** Elle remonte aux fêtes romaines des calendes de mars, qui célébraient par des rites agraires le réveil de la nature. À cette occasion, les interdits étaient transgressés et les déguisements autorisés ; on brûlait des mannequins de paille au milieu des cris. C'est pourquoi, dans les campagnes, des rites magiques se mêlaient aux réjouissances gastronomiques.

■ **Abondance de viandes.** Le carnaval s'étend, théoriquement, du jour des Rois au mercredi des Cendres, mais il atteignait jadis son paroxysme lors du repas du Mardi gras, traditionnellement marqué par une abondance de viandes de toutes sortes (d'où la coutume du défilé du bœuf gras [**voir** BŒUF]). En Champagne, ce dernier repas gras devait comporter des pieds de cochon, en Ardèche, des oreilles. Dans la Marne, on mangeait les coqs vaincus durant les combats de la journée. En Touraine, le plat spécial était un gigot de chèvre ; en Limousin, un lapin farci ; dans le Quercy, un gros vol-au-vent, contenant un poulet dépecé avec une sauce aux salsifis. En Provence, le grand aïoli était de rigueur. En Nivernais, le repas était ainsi composé : bouillon aux pâtes, bœuf bouilli avec les légumes, coq au sang (ou en sauce blanche), dinde ou oie rôtie, salade à l'ail et à l'huile de noix, fromage blanc avec de la crème, tarte aux pruneaux et brûlot au marc.

De telles festivités rassemblaient un grand nombre de personnes ; il fallait donc confectionner des desserts assez bon marché et vite préparés à l'aide d'une bonne flambée, d'où la tradition des crêpes, des gaufres, des beignets et autres friandises apparentées.

Dans l'est de la Belgique, aujourd'hui, on fête le carnaval en mangeant des beignets, appelés « beignets boule de Berlin », ou de la salade russe (Malmédy) ; à l'ouest (Tournai), on prépare la veille du Mardi gras un « lapin du lundi perdu ».

Au Québec, c'est une boisson qui est associée au carnaval : le « caribou », un mélange d'alcool pur (entre 40 et 80 % Vol.) et de vin rouge, que l'on boit dans la rue pour se réchauffer.

En Suisse, à Bâle, la coutume est de manger de la soupe à la farine et des tartes à l'oignon ou au fromage ; à Lucerne, on déguste des *Fasnacht Chuechli*, sortes de beignets frits.

CAROLINE Apprêt salé en pâte à choux, en forme d'éclair miniature, cuit au four puis garni soit d'un appareil au fromage ou au jambon, soit de caviar, de mousse de saumon, de foie gras, etc. Servies chaudes ou froides, les carolines – ou éclairs « Karoly » – constituent des assortiments pour les buffets.

La caroline est aussi un petit-four en pâte à choux, lui aussi en forme d'éclair miniature, cuit puis garni de crème pâtissière naturelle ou parfumée, et glacé au fondant, au sucre cuit ou au glaçage miroir chocolat.

carolines à la hollandaise

Préparer une pâte à choux sans sucre. Coucher sur une plaque de petits éclairs de 4 cm de long environ. Les dorer à l'œuf, les cuire au four préchauffé à 190 °C et les laisser refroidir. Pour une douzaine de carolines, dessaler 4 filets de hareng, les parer, les éponger. Les piler ou les passer dans un mixeur avec 2 jaunes d'œuf durs et 80 g de beurre ; y ajouter 1 cuillerée de ciboulette et 1 cuillerée de persil ciselés. Fendre légèrement les éclairs sur le côté et, par cette ouverture, les emplir de farce à l'aide d'une poche à douille. Badigeonner les carolines de beurre fondu et les parsemer aussitôt d'un peu de jaune d'œuf dur et de persil hachés. Mettre au frais avant de servir.

CAROTTE Plante potagère, de la famille des apiacées, cultivée pour sa racine comestible, autrefois blanche, aujourd'hui le plus souvent rouge-orangé (**voir** tableau des carottes ci-dessous et planche des légumes-racines pages 498 et 499). La carotte est l'un des légumes les plus consommés en France, après la pomme de terre. Seul le type nantais demi-long est commercialisé frais, les autres étant destinés à l'industrie.

■ **Histoire.** Les Anciens reconnaissaient à la carotte la vertu de renforcer l'acuité visuelle, mais ils ne l'appréciaient guère comme légume. Jusqu'à la Renaissance, elle n'avait d'ailleurs qu'une racine jaunâtre et coriace, au cœur fortement lignifié, et n'apparaissait jamais, pas plus que les autres « raves », parmi les aliments nobles. Elle fut améliorée peu à peu, et des espèces cultivées furent vendues sur les marchés. Sa teinte orangée ne date que du XVIe siècle.

■ **Emplois.** Les carottes sont meilleures quand elles sont toutes jeunes, « nouvelles » ; elles se consomment crues, râpées plus ou moins finement (au dernier moment pour éviter l'oxydation et la perte en vitamine C), et assaisonnées d'une vinaigrette, ou simplement de jus de citron, d'huile d'olive, de sel et de poivre, éventuellement aromatisée aux anchois, aux raisins, aux miettes de thon, aux fruits secs, etc. Pressées, elles se consomment en jus.

Cuites, elles s'accommodent glacées, à la crème, aux fines herbes, Vichy, en jardinière, en purée, en soufflé. Elles entrent dans la préparation de potages, de potées, de plats de viandes ou de légumes et de fonds de cuisson (brunoise, court-bouillon).

On peut les détailler de diverses façons, selon leur emploi et leur cuisson : rondelles, tronçons, bâtonnets, dés, rouelles, julienne. La conserverie propose de très petites racines, au naturel, ainsi que des macédoines et des mélanges petits pois-carottes.

Enfin, ce légume se prête bien à la stérilisation et à la surgélation.

■ **Diététique.** La carotte contient beaucoup d'eau et fournit 40 Kcal ou 167 kJ pour 100 g ; elle est riche en saccharose (7 g pour 100 g), en sels minéraux (potassium notamment), en vitamines (c'est le légume le plus riche en provitamine A, antioxydant majeur) et en pectine.

carottes glacées

Éplucher des carottes nouvelles rondes et courtes, et les tourner. Les mettre dans une sauteuse sans qu'elles se chevauchent ; couvrir d'eau froide. Ajouter, par demi-litre de liquide, 30 g de sucre, 60 g de beurre et 6 g de sel. Porter vivement à ébullition, puis réduire le feu, couvrir de papier sulfurisé et cuire jusqu'à réduction presque complète du mouillement. À ce stade, les carottes doivent être à point : les faire rouler pour bien les enrober de leur cuisson. Ces carottes glacées peuvent être accommodées à la béchamel (ajouter quelques cuillerées de sauce au dernier moment), au beurre, à la crème (couvrir de crème bouillante et réduire des deux tiers), aux fines herbes (parsemer de persil ou de cerfeuil ciselés), au jus (ajouter quelques cuillerées de jus de rôti de veau ou de volaille).

RECETTE DE FRÉDÉRIC ANTON

carottes nouvelles confites en cocotte, caramel au pain d'épice

POUR 4 PERSONNES – PRÉPARATION : 20 min – RÉFRIGÉRATION : 2 h – CUISSON : 20 min

« Couper 40 g de pain d'épice en cubes, les mettre dans un récipient et ajouter 10 cl de vin blanc sec dessus. Laisser gonfler au réfrigérateur pendant 2 heures. Dans une casserole, mettre à bouillir 10 cl de fond blanc de volaille. Ajouter le mélange pain d'épice, vin blanc et cuire le tout 15 min. Dans une autre casserole, faire un caramel avec 15 g de sucre et déglacer avec 1 cl de vinaigre de vin. Verser le caramel dans la sauce, cuire encore 20 min, puis passer le tout au chinois. Rectifier l'assaisonnement. Éplucher et laver 20 carottes moyennes en leur donnant une forme cylindrique. Réserver les fanes. Dans un récipient, mettre les carottes, ajouter 3 g de sel et 3 g de sucre, et mélanger. Mettre dans une cocotte en fonte 4 cl d'huile d'olive et faire chauffer doucement. Y déposer les carottes. Les faire revenir sur toutes les faces et ajouter 20 cl de bouillon de volaille, 20 g de beurre et cuire le tout 20 min à couvert. Retirer le couvercle, ajouter 30 g de miel d'acacia, déglacer avec 1 cl de vinaigre de xérès, enrober le tout et réserver sur le coin du feu. Dresser dans une assiette 5 carottes. Les napper de sauce au pain d'épice. Déposer dessus les fanes de carotte frites à 150 °C et saupoudrer de 3 g de chapelure de pain d'épice séché. »

---

carottes aux raisins

Couper en rondelles des carottes nouvelles. Les faire sauter dans du beurre fondu, puis mouiller à un tiers de la hauteur d'eau et d'une cuillerée de marc de Bourgogne. Couvrir. Cuire 15 min environ et ajouter une poignée de raisins de Málaga épépinés. Terminer la cuisson à couvert et à feu doux.

---

carottes Vichy

Éplucher 800 g de carottes nouvelles et les émincer en fines rondelles. Les mettre dans une sauteuse et les recouvrir juste à hauteur d'eau, additionnée de 6 g de sel et d'une grosse pincée de sucre par 1/2 litre. Cuire à feu doux jusqu'à ce que tout le mouillement soit absorbé. Présenter les carottes parsemées de 30 g de beurre en petites parcelles et de persil ciselé.

purée de carotte ▶ PURÉE
rouelle de thon aux épices et aux carottes ▶ THON
salade de carotte à l'orange ▶ SALADE

CAROUBE Fruit en gousse du caroubier, arbre méditerranéen de la famille des fabacées. La caroube, qui peut atteindre 30 cm de long, a une pulpe nutritive, rafraîchissante et aussi riche en sucre que la mélasse. Broyée, elle permet de préparer des confitures, une liqueur, les galettes traditionnelles kabyles. Dans l'industrie alimentaire, sa farine est largement utilisée pour son pouvoir gonflant et agglutinant. Elle est également utilisée contre la gastro-entérite des enfants.

Caractéristiques des principaux types de carottes

TYPE	PROVENANCE	ÉPOQUE	ASPECT
court d'Amsterdam	Bretagne, Landes	fin mars-fin oct.	court, peau lisse
demi-long nantais	Landes, Espagne, Italie, Israël	fin mars-fin juin	cylindrique, longueur et calibre moyens, bout arrondi, peau lisse, bien orangé
long et gros flakkee, berlicum	Manche (dont la créances en lavée et non lavée), Landes, Bretagne, Bouches-du-Rhône, Gironde, Vaucluse	fin juin-fin avr.	coloré, peau lisse ou un peu ridée
	Aisne, Somme, Bretagne	fin juin-fin déc.	

CARPACCIO Hors-d'œuvre italien, composé de tranches très fines de faux-filet de bœuf cru, servies froides, avec une légère mayonnaise. Cet apprêt est né en 1950 au *Harry's Bar* de Venise (sans rapport avec le bar américain de Paris) ; son nom est un hommage au peintre vénitien de la Renaissance, Vittore Carpaccio.

RECETTE DU *HARRY'S BAR*, À VENISE

carpaccio

« Ôter tout le gras, les nerfs et les cartilages d'un morceau de 1,3 kg de faux-filet très tendre, de façon à obtenir un cylindre bien net. Le mettre au congélateur. Quand il est bien raidi, le découper à l'aide d'un couteau parfaitement effilé en tranches très fines. Disposer celles-ci sur des assiettes, saler légèrement et remettre au réfrigérateur 5 min au moins. Mélanger 20 cl de mayonnaise avec 1 ou 2 cuillerées à café de Worcestershire sauce et 1 cuillerée à café de jus de citron. Ajouter du sel et du poivre blanc. Mettre un peu de cette sauce sur les tranches de viande, en créant éventuellement des motifs décoratifs. »

---

selle d'agneau de lait en carpaccio au pistou ▶ AGNEAU

CARPE Poisson d'eau douce, de la famille des cyprinidés, élevé aujourd'hui surtout dans le sud et l'est de l'Europe (**voir** planche des poissons d'eau douce pages 672 et 673). À l'origine, la carpe peuplait les eaux de la mer Noire à la Mandchourie. En Chine, où elle est domestiquée depuis plus de 2 000 ans, c'est le poisson le plus prisé, particulièrement les lèvres, considérées comme la partie la plus fine. La carpe fut probablement introduite par les Romains en Europe, où elle a colonisé tous les étangs et cours d'eau à faible débit. Pouvant atteindre 75 cm, elle a un corps trapu, recouvert d'écailles épaisses (brunâtres sur le dos, jaune doré sur les flancs et blanchâtres sur l'abdomen) ; sa bouche, petite et sans dents, porte quatre minuscules barbillons. Par croisement, on a obtenu des variétés de meilleur rendement : la carpe cuir et la carpe miroir, la plus fine. On trouve sur le marché français des carpes asiatiques surgelées, dont la chair passe pour être plus ferme et plus savoureuse que celle des carpes d'élevage français. Au Canada, on lui connaît de proches parents (**voir** CORÉGONE).

À l'achat, la carpe doit être charnue ; si elle est vivante, il faut veiller à bien extraire la poche de fiel, difficile à sortir du fond de la gorge. Il est conseillé de faire ensuite séjourner le poisson, vidé et écaillé, dans plusieurs bains successifs d'eau vinaigrée.

La carpe se prépare rôtie, farcie (notamment « à la juive »), grillée, au court-bouillon – voire au bleu –, en matelote (en particulier à la bière), au vin blanc. Les petites carpes, ou carpillons, se font également frire.

---

carpe à la bière

Habiller une carpe de 2 kg environ, puis retirer soigneusement les laitances. Saler et poivrer le poisson intérieurement et extérieurement. Émincer 150 g d'oignons épluchés et les faire fondre dans du beurre, à couvert, sans coloration. Couper en dés 30 g de pain d'épice. Émincer finement 50 g de céleri-branche bien effilé. Beurrer un plat à four, le garnir avec les oignons, le pain d'épice et le céleri, y disposer la carpe, ajouter 1 bouquet garni et mouiller presque à hauteur de bière allemande de type Munich. Cuire 30 min au four préchauffé à 170 °C. Pocher les laitances dans un peu de court-bouillon, puis les égoutter et les escaloper. Sortir le poisson, le disposer dans un plat de service avec les laitances, tenir au chaud. Faire réduire d'un tiers le fond de cuisson, le passer et le monter au beurre ; servir en saucière avec la carpe.

---

carpe Chambord

POUR 4 PERSONNES

Habiller, vider par les ouïes une carpe miroir de 2 kg, la laver et la mettre à dégorger dans 3 litres d'eau glacée additionnée de 10 cl de vinaigre d'alcool, pendant 2 heures. Mettre la laitance à dégorger. Hacher finement 200 g de champignons sauvages, les cuire avec 30 g de beurre, saler et poivrer puis les laisser refroidir. Préparer 250 g de farce mousseline de poisson (**voir** page 354), lui ajouter la laitance de carpe passée au tamis ainsi que les champignons refroidis. Égoutter la carpe, la rincer à l'eau courante et l'éponger. Pratiquer une incision à la base de la tête et

glisser la lame d'un couteau filet de sole entre la peau et la chair et retirer la peau sur toute la surface de la carpe. Farcir la carpe par les ouïes à l'aide d'une poche à douille, presser délicatement la partie ventrale pour répartir uniformément la farce et lui redonner sa forme initiale. Avec la pointe d'un couteau d'office, piquer 100 g de petits bâtonnets de truffe en intercalant avec 100 g de lard gras. Préchauffer le four à 225 °C. Dans une casserole, faire réduire d'un tiers 75 cl de vin rouge corsé et tannique. Détailler 50 g de carotte, 50 g d'oignon, 1 blanc de poireau, 1 branche de céleri et 100 g de champignons de Paris en brunoise. Faire suer la brunoise dans 50 g de beurre, ajouter 1 bouquet garni et 1 gousse d'ail dégermée et écrasée. Saler et poivrer. Beurrer un plat de cuisson adapté, y répartir la brunoise et disposer la carpe dessus. Mouiller aux deux tiers de la hauteur de la carpe avec le vin rouge réduit complété de fumet de poisson. Couvrir d'une feuille d'aluminium beurrée. Porter à frémissements puis terminer la cuisson dans le four à couvert pendant environ 35 à 40 min. Arroser de temps en temps. Sortir la carpe du four, l'égoutter et la laisser reposer au chaud recouverte de la feuille d'aluminium. Faire réduire le jus de cuisson de moitié. Préparer 60 g de roux blond avec 30 g de beurre et 30 g de farine. Incorporer à ce roux le jus de cuisson réduit et 1 cuillerée à soupe de purée de tomate, faire cuire 30 min en dépouillant la sauce. Passer cette sauce qui doit être nappante au chinois. Hors du feu, incorporer 40 g de beurre frais. Vérifier l'assaisonnement. Placer la carpe sur le plat de service et remettre dans le four quelques minutes. La napper de sauce chaude. Disposer harmonieusement autour de la carpe la garniture Chambord.

---

carpe à la chinoise

Nettoyer et vider une carpe de 1,5 kg environ ; la couper en tronçons. Hacher finement 2 gros oignons épluchés, les blondir dans de l'huile. Ajouter 2 cuillerées à soupe de vinaigre, 1 cuillerée à soupe rase de sucre en poudre, 1 cuillerée à dessert de gingembre frais râpé, 1 ou 2 cuillerées à soupe d'alcool de riz (ou de xérès), du sel, du poivre et 20 cl d'eau ; remuer, couvrir et laisser mijoter 10 min. Cuire les tronçons de carpe 10 min à la poêle avec de l'huile, puis les déposer dans la sauce et poursuivre la cuisson 4 ou 5 min.

---

carpe à la juive

Écailler, ouvrir et vider une carpe de 1 kg en réservant soigneusement les œufs. Couper la carpe en tronçons et les faire dégorger 20 à 30 min dans du gros sel. Égoutter ces morceaux, les éponger dans un torchon et ajouter les œufs. Préparer un petit bol de persil mélangé de 2 ou 3 gousses d'ail épluchées et hachées. Dans une cocotte, faire revenir les tronçons et les œufs de carpe dans 3 ou 4 grosses cuillerées d'huile, puis les réserver dans un plat. Délayer alors dans la graisse 2 cuillerées à soupe de farine de blé et mouiller aux deux tiers de la cocotte ; saler, poivrer, ajouter le persil et l'ail, puis les morceaux de poisson et les œufs. Cuire 20 min à petits bouillons. Retirer les morceaux de poisson et les œufs et les dresser dans un plat creux. Faire doucement réduire la sauce d'un tiers. Verser sur le poisson et laisser prendre en gelée, dans le réfrigérateur. La carpe se sert tiède ou froide.

CARRAGHÉNANE Additif extrait des algues rouges, très utilisé en industrie agroalimentaire pour ses propriétés épaississantes, stabilisantes et gélifiantes (**voir** ADDITIF ALIMENTAIRE). On utilise le carraghénane dans les produits laitiers, la charcuterie, les viandes restructurées, les plats préparés, le surimi, ainsi que dans certains produits allégés, où il contribue à remplacer la matière grasse.

CARRÉ Pièce de boucherie (de mouton, d'agneau, de porc ou de veau) comprenant l'ensemble des côtes premières et secondes (**voir** planches de la découpe des viandes pages 22, 699 et 879). Le carré est généralement détaillé en portions individuelles (côtes et côtelettes), à griller ou à poêler.

Le carré de mouton (ou d'agneau, plus délicat) est légèrement dégraissé ; le haut des manches des côtelettes est dénudé et les os des vertèbres entaillés, afin de faciliter la découpe lors du service (**voir** SELLE). Ce carré peut être présenté « à plat » ou « en couronne ».

Le carré de veau, désossé, est rôti avec les os, disposés autour, qui lui communiquent leur saveur.

« Difficile d'imaginer les cuisines de l'école FERRANDI PARIS, d'HÉLÈNE DARROZE ou du RITZ PARIS sans casseroles. Entre tradition et modernité, les casseroles allient aujourd'hui les avantages des matériaux les plus performants et de multiples astuces pour faciliter leur emploi : bec verseur, rebord ourlé, manche isolé, etc. »

PRÉPARATION D'UN CARRÉ D'AGNEAU

1. Retirer en l'arrachant la peau parcheminée du carré d'agneau, en tirant de la partie la plus étroite vers la plus large.

2. Poser le carré côté graisse sur la planche et faire le tour de chaque vertèbre et de chaque côte avec un couteau à désosser.

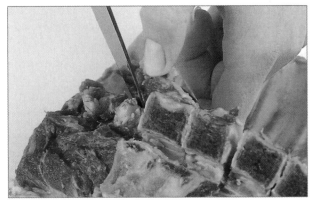

3. Désosser le carré en détachant complètement chaque vertèbre.

4. Finir de parer le morceau en tenant les côtes d'une main et en sectionnant de l'autre le nerf dorsal.

5. Manchonner le carré : l'inciser sur toute la longueur à 2 cm du bout des côtes. Dégager l'excédent de chair. Mettre l'os à blanc en grattant avec le couteau et égaliser les côtes.

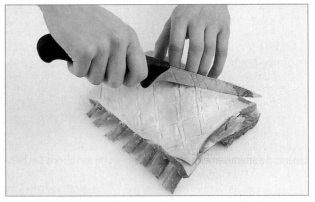

6. Pratiquer sur le gras, avec le couteau, des incisions peu profondes et parallèles, qui permettront l'écoulement de la graisse et une meilleure pénétration de l'assaisonnement.

Le carré de porc, désossé et ficelé, fournit un excellent rôti ; toutefois, la viande ayant plus de goût lorsqu'elle a cuit avec les os, il vaut mieux fendre les vertèbres ou les enlever, et dégager le haut de chaque côte pour en faciliter le service. En charcuterie, après transformation (salage, fumage, etc.), le carré de porc fournit le bacon, le *lonzo*, le carré fumé.

▶ Recettes : AGNEAU, PORC.

CARRÉ (FERDINAND) Ingénieur français (Moislains, Somme, 1824 - Pommeuse, Seine-et-Marne, 1900), qui fit construire, dès 1859, les premières machines frigorifiques ; l'une d'entre elles fut installée la même année à la brasserie Velten, à Marseille. En 1877, après avoir créé une entreprise qui exportait des machines en Allemagne, en Grande-Bretagne et aux États-Unis, il renouvela l'expérience de l'ingénieur Tellier datant de 1856, en équipant de cales frigorifiques un bateau (le Paraguay), à destination de Buenos Aires. Au retour, chargé de viande argentine, le navire s'échoua sur la côte du Sénégal ; malgré une immobilisation de 2 mois, la cargaison arriva au Havre en parfait état, et un grand banquet fêta l'événement.

CARRÉ DE L'EST Fromage de lait de vache pasteurisé (45 % de matières grasses), à pâte molle et à croûte fleurie, originaire de Champagne et de Lorraine, où il est fabriqué industriellement (**voir** tableau des fromages français page 389). Le carré de l'Est, présenté en boîte de 8 à 10 cm de côté et de 2,5 à 3 cm d'épaisseur, a une saveur douce et onctueuse.

L'appellation « carré » s'applique aussi à des fromages normands du pays de Bray ou du pays d'Auge.

CARRELET ▶ **VOIR PLIE**

CARROTCAKE Gâteau typiquement nord-américain, composé d'une pâte à base de farine, d'œufs, d'épices, de sucre et d'huile, à laquelle on incorpore des carottes en purée (ou en morceaux). Épais et moelleux, le carrotcake est nappé d'un glaçage très crémeux à la vanille et peut s'accompagner de noix et de raisins secs.

CARTE Document énumérant tous les mets disponibles d'un restaurant, et présenté aux clients pour qu'ils choisissent la composition de leur repas. Cette carte, manuscrite ou imprimée, parfois décorée, propose souvent un ou plusieurs menus, des suggestions, des plats du jour, saisonniers ou régionaux, et la carte proprement dite, qui répertorie, selon l'ordre du service, les entrées froides, les entrées chaudes, les poissons, les viandes, les garnitures et les desserts, ces derniers faisant de plus en plus l'objet d'une carte spéciale.

Les cartes sont aujourd'hui plus courtes et mieux structurées qu'elles ne l'étaient il y a quelques années, et témoignent davantage de la spécificité de chaque établissement.

La carte des vins, quant à elle, propose un choix plus ou moins vaste, s'enrichissant parfois de vins de haute qualité, classés par grandes régions de production.

CARTHAME Plante oléagineuse de la famille des astéracées, originaire d'Orient et cultivée dans le sud de la France, que l'on utilise aussi en pharmacie et comme colorant. Ses graines donnent une huile pauvre en cholestérol. Les pétales de ses fleurs remplacent parfois le safran (les Britanniques les appellent « safran bâtard »), mais leur saveur est un peu plus amère ; ils servent surtout à colorer et à épicer les plats de riz. À la Jamaïque, le carthame est utilisé comme épice, mélangé avec des piments et des clous de girofle.

CARVI Plante aromatique de la famille des apiacées, commune en Europe centrale et en Europe septentrionale, appelée aussi, en raison de similitudes de goût et d'aspect, « cumin des prés », « faux anis » ou « cumin des montagnes » (**voir** planche des épices pages 338 et 339). Le carvi est cultivé surtout pour ses graines, oblongues et brunes, qui, séchées, sont utilisées comme épice, en particulier dans l'est de la France, pour parfumer la choucroute et les ragoûts, et accompagner certains fromages (gouda, munster).

En Hongrie et en Allemagne, le carvi parfume très souvent le goulache, ainsi que le pain et la pâtisserie ; en Angleterre, les pommes de terre cuites et la pâte des biscuits. En France, il aromatise les dragées des Vosges. Mais surtout, le carvi est partout utilisé dans la fabrication de liqueurs : kummel, vespetro, schnaps, aquavit.

CASANOVA DE SEINGALT (GIOVANNI GIACOMO) Aventurier italien (Venise 1725 - Dux, Bohême, 1798), célèbre par ses exploits galants. Il a attentivement observé les mœurs de son temps. Les habitudes de la table et ses propres goûts culinaires tiennent une grande place dans ses *Mémoires*. Entre deux aventures, il n'hésite pas à faire un détour pour goûter des pâtés renommés, le rare hermitage blanc des côtes du Rhône et la liqueur de Grenoble, les cèpes de Gênes ou les brochettes d'alouettes de Leipzig. Les truffes, les huîtres, le champagne et le marasquin lui doivent en grande partie leur réputation d'aphrodisiaque.

CASSATE Entremets glacé d'origine italienne, composé d'un appareil à bombe pris dans un moule semi-sphérique chemisé de couches successives de glace à la vanille et de glace au fruit. Dans certaines régions, on y ajoute de la ricotta, du chocolat en copeaux et des fruits confits.

----

cassate à la fraise

Préparer 1/2 litre de glace à la fraise, 1/2 litre de glace à la vanille et 40 cl de crème Chantilly additionnée d'un salpicon de fruits confits macérés dans de l'eau-de-vie ou de la liqueur. Étaler la glace à la vanille dans un moule semi-sphérique, napper de la crème et mettre au congélateur pour faire prendre la chantilly. Recouvrir avec la glace à la fraise, bien tasser, lisser et remettre le tout au congélateur.

CASSE-CROÛTE Repas rapide et sommaire, composé généralement de pain, de fromage et de charcuterie. Dans le langage familier, « casser la croûte » (ou, encore plus argotique « la graine »), c'est « manger sur le pouce », c'est-à-dire tailler sa tranche de pain au couteau et la garnir de rillettes, de saucisson ou de camembert.

Une tradition du casse-croûte a gagné ses lettres de noblesse : le mâchon lyonnais.

Le mot « casse-croûte » désignait, à l'origine, un ustensile dont les vieillards édentés se servaient pour briser la croûte du pain.

CASSE-NOISETTES ET **CASSE-NOIX** Instruments servant à casser par pression les noix, les noisettes et autres fruits à coque dure. Il s'agit le plus souvent d'une pince en acier chromé, à deux niveaux de serrage pour recevoir des coques de grosseur différente. Il existe aussi des casse-noix en bois, de forme cylindrique, équipés d'une grosse vis qui écrase la noix quand on la serre.

CASSEROLE Ustensile de cuisson cylindrique, muni d'une queue et souvent accompagné d'un couvercle et qui, en restauration, porte le nom de « russe ».

Les premières casseroles de cuivre sont apparues au XIVe siècle, mais leur étamage était loin d'être parfait, et l'on s'en servait relativement peu, bien que la présence d'une longue poignée les rendît plus maniables que la marmite.

Aujourd'hui, elles sont généralement vendues par séries de cinq – bien qu'il existe plusieurs modèles spéciaux (à jus, à pommes Anna, etc.) – et proposées dans différents matériaux : aluminium (revêtu ou non d'une pellicule antiadhésive), acier inoxydable, fonte ou tôle d'acier émaillée, nickel, cuivre-Inox, vitrocéramique, porcelaine à feu, etc. Il faut aussi tenir compte de la nature du fond (surtout si l'on cuisine à l'électricité), de la stabilité et de la maniabilité (manche de la bonne longueur, pas trop lourd, isolé s'il est en métal, éventuellement amovible), du versage (par bec verseur ou, mieux, par bord verseur, c'est-à-dire avec un rebord ourlé sur toute la circonférence, ce qui permet de verser en n'importe quel point de la casserole), et, enfin, de la facilité d'entretien.

Les casseroles servent essentiellement à faire chauffer les liquides, cuire les aliments dans un mouillement et réchauffer des préparations (éventuellement au bain-marie). Quant aux apprêts dits « en casserole », ils peuvent être cuisinés dans une cocotte.

CASSEROLE (APPRÊT) Préparation de cuisine classique, généralement faite avec du riz cuit façonné en forme de cassolette ou de timbale, ou avec un appareil à pommes duchesse. Les casseroles, aujourd'hui peu usitées, sont garnies d'appareils divers (à vol-au-vent, en particulier), de mousses, de salpicons ou de hachis au gras ou au maigre, de purée de gibier, de ris de veau ou d'agneau, d'escalopes de foie gras aux truffes, etc. Elles peuvent aussi être garnies à la Sagan, à la vénitienne, à la bouquetière, à la régence, à la Nantua, etc.

bécasse en casserole à la périgourdine ▶ BÉCASSE
cailles en casserole Cinq-Mars ▶ CAILLE
cœur de veau en casserole bonne femme ▶ CŒUR
côtes de veau en casserole à la paysanne ▶ VEAU

CASSIS Fruit du cassissier, ou groseillier noir, arbrisseau de la famille des grossulariacées, originaire d'Europe du Nord, qui donne des grappes de baies noires, juteuses et aromatiques (**voir** planche des fruits rouges pages 406 et 407).

Produit essentiellement en Bourgogne, mais aussi dans l'Orléanais, en Haute-Savoie, en Allemagne, en Belgique et aux Pays-Bas, le cassis est très riche en vitamine C, acide citrique, potassium et calcium (60 mg pour 100 g).

■ **Emplois.** Le « noir de Bourgogne », à petits grains très foncés et brillants, est exceptionnellement parfumé et savoureux ; les variétés à gros grains, moins denses, sont plus aqueuses. Le cassis, qui se récolte en été, est rarement vendu frais, comme fruit de table. Il est employé pour la fabrication de gelée, de confiture, de jus de fruits, de sirop et surtout de liqueur. Congelées ou réduites en purée, les baies sont aussi utilisées pour préparer sorbets, bavarois, charlottes, soufflés et tartes.

169

On trouve parfois dans le commerce des grains de cassis séchés : ils peuvent remplacer les raisins de Corinthe en pâtisserie.

▶ Recettes : CHARLOTTE, SAUCE DE DESSERT, SIROP, SORBET.

CASSIS (LIQUEUR) Liqueur très parfumée, obtenue par macération de grains de cassis dans de l'alcool, qui sera additionnée de sucre (de 325 à 375 g de fruits et 400 g de sucre par litre d'alcool). Titrant de 16 à 18 % Vol., cette « crème de cassis » est la grande spécialité de Dijon et de la Côte-d'Or, où sa fabrication fut mise au point en 1841 par un certain Claude Joly. Elle entre dans la composition du « mêlé-cass » (un tiers de cassis, deux tiers d'eau-de-vie de vin) et dans celle de nombreux cocktails, tel le « cardinal », mélange de beaujolais rouge et de cassis. L'invention du Kir a notablement augmenté sa production.

CASSIS (VIN) Vin AOC blanc et rouge, vif et parfumé, provenant d'un vignoble proche du port de Cassis, entre Marseille et La Ciotat. Les blancs sont issus des cépages ugni blanc, sauvignon, grenache blanc, clairette et marsanne. Les rouges proviennent des cépages grenache, carignan, mourvèdre, cinsault et barbaroux.

CASSOLETTE Petit récipient à oreillettes ou à manche court, en porcelaine à feu, en verre trempé ou en métal, utilisé pour préparer et servir des entrées chaudes, ou pour présenter certains hors-d'œuvre et entremets froids. Le mot désigne aussi le mets lui-même, dont la composition est très variable : salpicons et ragoûts divers (ris de veau, hachis de volaille, champignons, mousses de poisson, etc.), liés de sauce blanche ou brune, pour les cassolettes salées ; crèmes, bouillies aromatisées, fruits pochés pour les cassolettes sucrées).

RECETTE DE FREDY GIRARDET

cassolettes de saint-jacques aux endives

« Détailler 1 kg d'endives en tronçons de 1 cm ; les laver, les égoutter, les citronner. Saler et sucrer, ajouter 2 cuillerées d'huile d'arachide et faire sauter 7 ou 8 min au beurre à couvert. Décoquiller et parer des coquilles Saint-Jacques, les poêler, les saler, les poivrer et les poudrer d'un soupçon de poivre de Cayenne ; les faire colorer (3 ou 4 min) en les tenant peu cuites. Les dresser en cassolette sur les endives. Faire réduire des deux tiers 5 cl de porto, ajouter le jus de 1 citron et 50 g de beurre coupé en morceaux. Émulsionner. Ajouter un peu de zeste de citron coupé très fin. Verser sur les coquilles Saint-Jacques et servir. »

CASSONADE Sucre brut cristallisé, extrait directement du jus de la canne à sucre (**voir** tableau des présentations du sucre page 823). La cassonade a une couleur brune et un léger goût de rhum. En Amérique du Nord, elle remplace souvent le sucre blanc.

En cuisine, la cassonade entre dans les préparations à l'aigre-doux (chutneys), dans plusieurs plats traditionnels canadiens, comme les fèves au lard, et dans certaines recettes françaises du Nord (civet de lièvre, chou rouge à la flamande, boudin noir) et du Midi (pâté de Pézenas à la viande de mouton) ; en pâtisserie, elle donne un arôme particulier aux tartes, aux gâteaux briochés, aux puddings et à la croûte caramélisée des crèmes brûlée ou catalane.

▶ Recette : CRÈME BRÛLÉE.

CASSOULET Spécialité languedocienne, à base de haricots blancs, cuits dans une marmite avec des couennes, des condiments et des aromates, garnis de viandes et gratinés en fin de cuisson.

■ **Composition.** Si la qualité des haricots est primordiale pour procurer au cassoulet son goût et son onctuosité, ce sont les viandes qui lui donnent son originalité. Le cassoulet de Castelnaudary comporte essentiellement du porc (longe, jambon, jarret, saucisson et couennes fraîches de lard), avec, éventuellement, un morceau de confit d'oie.

Dans le cassoulet de Carcassonne, on ajoute du gigot de mouton et, en période de chasse, de la perdrix. Celui de Toulouse, avec les mêmes ingrédients que celui de Castelnaudary, mais en quantités moindres, s'enrichit de lard de poitrine, de saucisse de Toulouse, de mouton et de confit d'oie ou de canard.

Il existe d'autres variantes, notamment celle de Montauban (aux haricots de Pamiers, garnis de confit, de saucisse crue et de saucisson à l'ail) et celle du Comminges (aux couennes de porc et au mouton). On cuisine même un cassoulet de morue (le stockfisch tenant lieu de confit).

Les états généraux de la Gastronomie française de 1966 ont défini des proportions impératives : 30 % au moins de viande de porc, de viande de mouton ou de confit d'oie ; 70 % de haricots et de jus, de couennes de porc fraîches et d'aromates.

■ **Préparation.** La préparation du cassoulet exige des opérations simultanées : cuisson des haricots, des viandes (porc et mouton séparément) qui s'y ajoutent (braisage de la longe, préparation du ragoût de mouton s'il y a lieu, cuisson des saucisses). La chapelure finale est indispensable à l'obtention d'une croûte dorée. Enfin, selon les puristes, plusieurs détails ne sont pas négligeables : frottement de la terrine de cuisson avec une gousse d'ail et surtout enfoncement de la croûte de gratin à plusieurs reprises (sept fois, dit-on à Castelnaudary ; huit fois, rétorque-t-on à Toulouse !).

RECETTE D'APRÈS PROSPER MONTAGNÉ

cassoulet

POUR 8 PERSONNES

« Mettre à cuire 1 litre de haricots blancs secs (préalablement trempés à l'eau froide pendant quelques heures, mais pas trop longuement) avec 300 g de lard de poitrine, 200 g de couennes fraîches (ficelées en paquet), 1 carotte, 1 oignon piqué de clous de girofle, 1 bouquet garni contenant 3 gousses d'ail. Assaisonner de sel, mais pas trop (le lard étant salé), le tout mouillé d'eau en quantité suffisante pour que les haricots baignent bien. Cuire à très faible ébullition, ce qui permet d'obtenir des haricots parfaitement cuits, mais intacts. D'autre part, faire revenir au saindoux ou à la graisse d'oie 750 g d'échine de porc et 500 g de haut de carré de mouton désossé, le tout bien assaisonné de sel et de poivre. Lorsque ces viandes sont bien rissolées, mettre dans le « sautoir » où elles ont cuit 200 g d'oignons hachés, 1 bouquet garni et 2 gousses d'ail écrasées. Cuire à couvert et mouiller de temps en temps avec du bon jus ou du bouillon de marmite (on peut, si l'on veut, ajouter à la sauce quelques cuillerées de purée de tomate ou 3 tomates fraîches, pelées, épépinées et concassées). Les haricots étant presque cuits, retirer les légumes de garniture et le bouquet garni, et mettre dedans le porc, le mouton, un saucisson à l'ail, un quartier de confit d'oie ou de canard et, éventuellement, un morceau de saucisse de ménage. Faire mijoter doucement pendant 1 heure. Égoutter alors toutes les viandes qui sont dans les haricots ; détailler en escalopes de même grosseur le mouton, le porc et l'oie ; détailler les couennes en rectangles, le saucisson en tranches (la peau enlevée) et la saucisse en petits tronçons. Mettre dans un grand plat creux en terre, foncé de couennes, une couche de haricots, puis une assise des viandes précitées et de leur sauce ; recouvrir de haricots et achever de remplir le plat, en alternant les divers éléments et en assaisonnant chaque couche d'un peu de poivre juste moulu. Sur la dernière couche de haricots, placer les morceaux de lard et de couennes, ainsi que quelques tranches de saucisson. Poudrer de chapelure blonde, arroser de graisse d'oie. Faire cuire doucement au four (de boulanger, si possible), cela pendant 1 h 30 environ. Servir le cassoulet dans la terrine où il a cuit. »

CASTAGNOLE Poisson de mer, de la famille des bramidés, assez rare, appelé « grande castagnole » et vendu sous le nom d'« hirondelle de mer » sur la côte atlantique ou « castagnola » en Méditerranée. Il vit aussi dans l'océan Indien et dans le Pacifique. Mesurant en moyenne de 40 à 60 cm, 70 cm au maximum, la castagnole a un corps ovale gris-noir, avec une nageoire caudale noire, très échancrée. Sa chair, excellente, s'apprête souvent en filets.

CASTIGLIONE Nom qui désigne certains apprêts de cuisine classique (viandes, poissons), hérités de la tendance « décorative » des plats sous le second Empire : les petites pièces de boucherie sont sautées, dressées sur des rondelles d'aubergine sautées au beurre, surmontées de lames de moelle pochée et garnies de têtes de gros champignons, farcies de risotto et gratinées ; les soles ou les filets de poisson (plie, merlan, etc.) sont glacés au vin blanc et garnis de champignons, d'escalopes de homard et de pommes vapeur.

CASTILLANE (À LA) Se dit de tournedos ou de noisettes d'agneau sautés, surmontés de tomates concassées réduites à l'huile d'olive (parfois disposées dans des tartelettes et, dans ce cas, posées à côté des pièces) et accompagnés de pommes croquettes et de rondelles d'oignon frites ; la sauce s'obtient par déglaçage au fond de veau tomaté.

CASTOR Rongeur de la famille des castoridés, aujourd'hui protégé. Autrefois, en France, on l'appelait « bièvre » ; assez répandu, il était chassé tant pour sa chair que pour sa fourrure. L'Église avait en effet déclaré sa viande « maigre », comme celle de tous les gibiers d'eau, ce qui permettait de la consommer pendant le carême.

Il ne faut pas confondre le castor avec le myocastor, ou ragondin, originaire d'Amérique du Sud et introduit récemment en Europe. Le castor est élevé pour sa fourrure, mais aussi pour sa viande, à l'odeur légèrement musquée, qui entre dans la composition de pâtés et de certaines préparations culinaires.

Au Québec, on apprécie beaucoup le castor : on le trappe en hiver pour sa consommation personnelle, car la commercialisation en est interdite. Mais on a cru longtemps que sa viande avait mauvais goût car on traduisait *castor oil* – « huile de ricin », en anglais – par « huile de castor ».

On le rôtit entier, au four, farci de petits légumes et enveloppé d'une crépine. La queue, elle, est cuite au court-bouillon jusqu'à ce que se forme une grosse huile entre cuir et chair ; on dépose alors la queue sur un plat et on l'incise le long des vertèbres pour dégager une matière grisâtre dont la consistance rappelle celle du ris de veau. On sert sur chaque assiette bien chaude un carré de 3 cm, entouré de quatre sauces chaudes à base de gelées de fruits sauvages (menthe, pembina, raisin sauvage et atoca, par exemple).

CATALANE (À LA) Se dit de diverses garnitures inspirées de la cuisine espagnole en général (la Catalogne étant surtout réputée pour ses fruits de mer, ses poissons et son goût pour l'ail).

Le poulet sauté (ou le sauté d'agneau ou de veau) à la catalane est garni d'amandes et de citrons confits.

Les grosses pièces de boucherie sont garnies de dés d'aubergine sautés à l'huile et de riz pilaf.

Les tournedos et les noisettes d'agneau grillés sont dressés sur des fonds d'artichaut et entourés de tomates grillées.

▶ Recettes : AUBERGINE, ŒUF POÊLÉ, POIVRON, SAUCISSE.

CAUCHOISE (À LA) Se dit de plusieurs apprêts typiques du pays de Caux, en particulier du râble de lièvre (ou de lapin) mariné au vin blanc avec des aromates, cuit au four, nappé d'une sauce obtenue en réduisant le fond lié ensuite avec de la crème fraîche épaisse additionnée de moutarde ; ce plat s'accompagne de pommes reinettes sautées au beurre.

L'appellation désigne aussi une sole braisée au four dans du cidre, puis nappée d'une sauce réduite et montée au beurre, et garnie d'écrevisses.

La salade cauchoise, qui associe pommes de terre en rondelles, branches de céleri émincées et julienne de jambon cuit, est assaisonnée d'une sauce à la crème fraîche, au vinaigre de cidre et au cerfeuil.

CAVE À LIQUEURS Coffret d'ébénisterie ou de marqueterie, parfois doté de poignées, dont l'intérieur est compartimenté pour ranger les carafes et flacons à liqueurs, ainsi que le service de verres assortis.

CAVE À VINS Lieu où l'on conserve les vins. Une cave doit être sombre, légèrement humide (70 %), fraîche (14-16 °C), à température constante et à l'abri des mauvaises odeurs et des vibrations. Si l'humidité est trop forte, des moisissures se fixent à l'extérieur des bouchons, ce qui n'a pas d'effet sur le vin mais risque, à la longue, de ramollir les bouchons. Une trop grande sécheresse, en revanche, durcit et rétrécit le bouchon : la bouteille devient « couleuse » et le vin vieillit prématurément.

Les bouteilles de vin se gardent couchées à l'horizontale dans des casiers en bois ou en métal, rangées par région et par année. Le livre de cave, où tous les vins que l'on possède sont répertoriés (nom, millésime, prix, fournisseur, date de réception, date de consommation et notes de dégustation), est indispensable à la bonne gestion d'une cave. Les eaux-de-vie et les liqueurs, quant à elles, se gardent debout, sur une étagère, car elles craignent moins les différences de température que la lumière, qui les oxyde. D'autre part, le contact direct du liquide, par sa haute concentration d'alcool, brûle le bouchon et le détruit rapidement.

On trouve aujourd'hui des armoires à vins dans lesquelles un thermostat, un système antivibratoire et un hygromètre permettent de maintenir des conditions favorables à la bonne conservation des vins.

CAVEAU (LE) Société littéraire, bachique et gastronomique, fondée à Paris en 1729 par Piron, Collé, Gallet et Crébillon fils ; son règlement stipulait que tout membre qui avait manqué aux convenances dans les discussions devait boire de l'eau. *Le Caveau*, dissous en 1757, fut de nouveau ouvert en 1796, puis remplacé par *le Caveau moderne*, qui publia pendant plusieurs années *le Journal des gourmands et des belles*, et, enfin, en 1834, par un dernier *Caveau*.

CAVIAR Préparation faite d'œufs d'esturgeon salés et soumis à une certaine maturation. La tradition du caviar est russe. Elle fut introduite en France, dans les années 1920, par les frères Petrossian.

L'esturgeon vit en mer, mais il remonte à l'époque du frai dans les estuaires des grands fleuves de Russie et d'Asie. On le pêche aujourd'hui presque exclusivement dans la mer Caspienne (98 % des prises). L'Union soviétique, après la Russie des tsars, fut longtemps le seul fournisseur de caviar ; en 1953, elle fit don à l'Iran des pêcheries qu'elle exploitait sur les côtes iraniennes de la mer Caspienne. Actuellement, ce pays est le premier producteur mondial de caviar.

En France, jusque dans les années 1950, on produisait en Aquitaine un caviar sauvage d'esturgeon pêché dans l'estuaire de la Gironde. Depuis quelques années, à partir d'élevage d'une espèce originaire de Russie (*Acipenser baeri*), on arrive à produire du caviar. La production est encore faible, mais la maîtrise du cycle complet d'élevage ouvre de grandes perspectives. Un autre esturgeon (*Acipenser transmontanus*) est élevé aux États-Unis, essentiellement en Californie.

Les œufs d'esturgeon, une fois extraits du ventre des femelles (10 % de leur poids), sont lavés, tamisés, mis en saumure, puis égouttés et conditionnés en boîtes métalliques. On distingue le caviar en grains et le caviar pressé (**voir** tableau des caviars page 172) ; quant au « caviar blanc », provenant d'esturgeons albinos, c'est plutôt une curiosité.

Le caviar, très fragile, se déguste frais, jamais glacé, et s'accompagne à merveille de blinis et de crème aigre, ou de toasts grillés, légèrement beurrés.

crème de cresson de fontaine
  au caviar sevruga ▶ CRESSON
filet de loup au caviar ▶ LOUP

RECETTE DE JOËL ROBUCHON

frivolités de saumon fumé au caviar
« Retailler 6 grandes tranches de saumon fumé très fines en rectangles de 17 cm de longueur sur 7 cm de largeur et les réserver. Mettre les parures dans le bol d'un robot ménager et ajouter 5 g de beurre doux, à température ambiante. Mixer, mais pas trop longtemps pour ne pas chauffer le mélange. Réserver. Tiédir 6 cl de bouillon de crevette sur feu doux. Ajouter dans la casserole 1 feuille et demie de gélatine préalablement trempée dans de l'eau froide, et remuer pour la

Caractéristiques des différentes variétés de caviars

VARIÉTÉ	ASPECT	TAILLE DES GRAINS	SAVEUR
pressé	pâte noire obtenue à partir d'œufs trop mûrs	–	puissante
en grains			
beluga (2-5 % du marché)	gris foncé et nuance gris clair	grosse	fine, grasse, goûteuse
ossetra, ou osciètre (40-45 % du marché)	gris-noir et nuances mordorées	moyenne	fine, très iodée
sevruga (50-55 % du marché)	gris à noir	petite	très marquée, salée
baeri (élevage français)	noir	petite	marquée, de coquille d'huître
transmontanus (élevage américain)	noir	petite	fine, équilibrée, légèrement iodée

dissoudre. Verser ce mélange dans le mixeur, ajouter 1 goutte de Worcestershire sauce et 2 gouttes de Tabasco. Actionner le moteur, deux ou trois fois seulement. Battre dans un bol froid 12,5 cl de crème fraîche très froide jusqu'à ce qu'elle forme des pointes raides dans le fouet. En mettre le tiers dans la purée de saumon et mélanger intimement, puis incorporer le reste. Étaler sur le plan de travail des morceaux de film alimentaire un peu plus grands que les rectangles de saumon fumé. Poser ceux-ci dessus. Étaler au milieu 3 cuillerées à soupe de mousse, dans le sens de la longueur. En s'aidant du film plastique, rouler la tranche en forme de cigare ; les deux grands côtés des rectangles doivent se superposer. Tordre les extrémités du film pour enfermer le tout. Ranger les frivolités côte à côte sur un plat. Les mettre au réfrigérateur, entre 2 et 24 heures. Retirer le film des rouleaux et les couper en deux. Les disposer en V sur des assiettes bien froides. Les garnir d'un cordon de caviar de façon à dissimuler la jointure des bords. Décorer d'une rondelle de citron et servir. »

gelée de caviar à la crème de chou-fleur ▶ GELÉE DE CUISINE
gougères aux céleri-rave et céleri-branche,
   crème de caviar ▶ GOUGÈRE
mousse de pommes de terre éclatées
   au caviar ▶ POMME DE TERRE
tresse de loup et saumon au caviar ▶ LOUP

CAVOUR Nom de deux garnitures inspirées de la cuisine du Piémont, patrie de l'homme d'État italien (1810-1861). L'une concerne les escalopes ou les ris de veau : les éléments sont sautés, déglacés au fond lié et dressés sur des galettes de polenta ; celles-ci sont entourées de cèpes grillés garnis d'une purée de foie de volaille et de lames de truffe blanche. L'autre garniture, dite « Cavour », pour grosses pièces de boucherie, se compose de croquettes de semoule et de raviolis.

CÉBETTE Petit oignon blanc du sud-est de la France, de la famille des alliacés, vendu en bottes. Condiment très aromatique, de petit diamètre, dont on consomme le bulbe peu prononcé et la base des feuilles. La cébette accompagne à merveille le fromage blanc battu, les salades et les crudités.

CÉDRAT Agrume originaire de Chine, fruit du cédratier, voisin du citronnier, de la famille des rutacées (**voir** planche des citrons page 222). En France, il est essentiellement cultivé sur la Côte d'Azur et en Corse. Plus gros que le citron et légèrement piriforme, le cédrat possède un zeste épais et verruqueux, qui s'utilise confit, en confiture, dans les liqueurs et en pâtisserie (cakes, biscuits, puddings, etc.).

CÉLERI Plante potagère de la famille des apiacées, dont on utilise les tiges, les côtes, les feuilles, la racine et les graines (**voir** tableau des céleris page 173). Elle est issue, par sélection, de l'ache odorante, et ses graines sont un véritable aromate. On distingue deux types de céleri :

le céleri-branche, dont on a développé les pétioles, et le céleri-rave, dont on a hypertrophié la racine. Le céleri à couper, dont les feuilles à côtes fines et creuses sont tendres, est utilisé comme aromate. Le céleri est peu calorique, riche en minéraux (calcium, potassium), en fibres et en vitamine C.

Le sel de céleri, mélange de graines moulues et de sel fin, sert surtout à aromatiser le jus de tomate, les crèmes de légume et les sauces de salade. Il est également employé dans les régimes sans sel.

CÉLERI-BRANCHE Type de céleri à feuillage vert ou doré et à côtes blanches et charnues, brillantes et cassantes quand elles sont bien fraîches, avec un pied assez lourd, pouvant dépasser 1 kg (**voir** tableau des céleris page 173). Très digeste, peu calorique, le céleri-branche est riche en calcium, potassium, chlorure de sodium et fibres.
■ **Emplois.** Le céleri-branche se conserve frais plusieurs jours si on laisse tremper la base des tiges dans de l'eau froide et salée (pas au réfrigérateur, car il se flétrit). On consomme les côtes crues (à la croque-au-sel ou dans des salades) ou cuites. Les feuilles, fraîches ou séchées, aromatisent salades, potages, sauces, courts-bouillons et fonds de braisage. On trouve du céleri en conserve (cœurs de céleri et tronçons pour garniture, au naturel), et il se prête bien à la congélation.

céleri-branche : préparation
Éliminer les grosses côtes dures de l'extérieur, les branches vertes et les feuilles ; tailler la base en pivot et raccourcir les côtes à 20 cm.
À CONSOMMER CRU. Détacher les côtes les unes des autres, les laver, éliminer les filandres.
À CONSOMMER CUIT. Laver le pied raccourci à l'eau fraîche en écartant les côtes ; éliminer les filandres, puis rincer ; blanchir 10 min à l'eau salée bouillante. Égoutter, saler l'intérieur et lier les côtes en bottillons. Le céleri-branche se cuisine à la béchamel, au gratin, au jus, à la moelle. Il se réduit en purée et entre dans la composition des soupes et des potages, ainsi que dans une sauce anglaise pour volailles bouillies ou braisées.

céleris braisés (au gras ou au maigre)
Étaler les cœurs de céleri sur un linge, les ouvrir légèrement pour les saler et les poivrer intérieurement. Les réunir par bottes de 2 ou 3 pieds, selon la grosseur, les mettre dans une cocotte beurrée foncée de couennes, d'oignons et de carottes émincés. Mouiller les légumes à hauteur avec du fond blanc un peu gras ou du bouillon, ajouter un bouquet garni, assaisonner. Faire partir l'ébullition sur le feu, couvrir et cuire 1 h 30 au four préchauffé à 180 °C. Pour préparer les céleris au maigre, supprimer les couennes de lard et remplacer le fond ou le bouillon par de l'eau.

céleri-branche à la milanaise
Effiler, tronçonner et cuire 10 min au blanc les branches d'un pied de céleri ; les égoutter longuement. Beurrer un plat à gratin et y disposer la moitié du céleri ; saupoudrer de parmesan râpé ; recouvrir de céleri et parsemer à nouveau de fromage. Arroser de beurre fondu et faire gratiner au four préchauffé à 260 °C. Au moment de servir, arroser de quelques cuillerées de beurre noisette.

céleris à la crème

Blanchir les branches d'un pied de céleri, les partager par moitié dans le sens de la longueur. Les ranger dans une cocotte beurrée. Saler et poivrer largement. Couvrir avec du bouillon léger (ou avec de l'eau, pour une préparation au maigre). Porter à ébullition sur le feu, puis couvrir et cuire au four 1 heure. Égoutter les céleris, les replier pour les doubler, les dresser dans un légumier. Passer la cuisson, la dégraisser, la faire réduire, y ajouter 5 cl de béchamel. Mouiller de 20 cl de crème épaisse. Faire réduire de moitié ; incorporer 1 cuillerée de beurre, mélanger, passer. Napper les céleris.

consommé à l'essence de céleri ou d'estragon ▶ CONSOMMÉ
gougères aux céleri-rave et céleri-branche ▶ GOUGÈRE
potage-purée de céleri ▶ POTAGE
poularde au céleri ▶ POULARDE

CÉLERI-RAVE Type de céleri cultivé pour sa racine à chair plus ou moins blanche, qui, à maturité, pèse de 800 g à 2 kg. Vendu sans ses feuilles, le céleri-rave doit former une boule lourde et ferme (**voir** tableau des céleris ci-dessous et planche des légumes-racines pages 498 et 499). Il se consomme cru ou cuit. On le trouve en conserve, râpé et aromatisé au vinaigre.

Comme le céleri-branche, le céleri-rave est très digeste, peu calorique, aussi riche en minéraux (calcium, potassium, phosphore et chlorure de sodium), mais plus riche en fibres et en vitamine B9.

céleri-rave : préparation

L'éplucher comme une pomme de terre, le rincer et le citronner.
À CONSOMMER CRU. Le râper, le citronner pour qu'il ne noircisse pas, puis l'assaisonner selon le goût en rémoulade ou avec une vinaigrette, éventuellement aromatisée.
À CONSOMMER CUIT. Le couper en morceaux et le faire cuire 5 min à l'eau bouillante salée, en les tenant fermes. L'utiliser ensuite comme garniture braisée, cuisinée au jus, à l'étuvée ou en julienne. Ses apprêts les plus fins sont la purée et la crème (potage).

céleri farci à la paysanne

Couper de petits céleris-raves en deux et les blanchir à l'eau bouillante salée. Les évider en laissant un bon centimètre d'épaisseur de paroi. Couper la pulpe retirée en petits dés et y ajouter un volume égal de dés de carotte et d'oignon fondus au beurre. Saler et poivrer. Garnir les demi-céleris avec ce mélange. Les ranger dans un plat beurré, les parsemer de gruyère râpé et de noisettes de beurre. Verser 1/2 verre de bouillon dans le plat et cuire 10 min au four préchauffé à 200 °C.

céleri en julienne

Couper 1 céleri-rave épluché en grosse julienne. La blanchir 3 min à l'eau bouillante, puis la rafraîchir sous l'eau froide et l'égoutter. La mettre dans une sauteuse avec du beurre et très peu de sucre en poudre. Couvrir et laisser étuver 15 min à feu doux. Parsemer de fines herbes ciselées.

céleri en rémoulade

Éplucher 1 céleri-rave de 500 g, le citronner pour qu'il ne noircisse pas, l'émincer en fine julienne ou le râper au robot. Lui mélanger progressivement 15 à 20 cl de sauce rémoulade (voir page 784).

gougères aux céleri-rave et céleri-branche ▶ GOUGÈRE
loup au céleri-rave ▶ PLANCHA

RECETTE DE PHILIPPE BRAUN

salade folichonne de céleri-rave aux truffes

« Préparer une vinaigrette avec 1 cuillerée à soupe de vinaigre de xérès, 3 de pépins de raisin, 1 pincée de sel et quelques tours de moulin à poivre noir. Préparer une mayonnaise avec 1 jaune d'œuf, 20 g de moutarde forte, 1 pincée de sel, 25 cl d'huile de pépins de raisin et 1 cuillerée à soupe de vinaigre de xérès. Couper 300 g de céleri-rave épluché en fins filaments. Laver, brosser, sécher et éplucher 100 g de truffes fraîches, les tailler en fines rondelles et réserver. Récupérer les parures et les épluchures, les hacher grossièrement. Assaisonner le céleri-rave avec 120 g de mayonnaise, la truffe hachée, 1 filet de jus de citron, du sel fin et du poivre du moulin. Rouler les rondelles de truffe dans la vinaigrette et dresser dans chaque assiette un petit buisson de céleri-rave parsemé de rondelles de truffe. »

salade de saint-jacques sur un céleri rémoulade ▶ SALADE
velouté de châtaigne au foie gras et céleri au lard fumé ▶ VELOUTÉ

CÉLESTINE Nom d'un apprêt de poulette sauté avec des champignons et des tomates mondées, puis flambé au cognac, mouillé de vin blanc et de fond lié, et servi poudré d'ail et de persil hachés.

L'appellation désigne aussi un consommé de volaille lié au tapioca et garni d'une fine julienne de crêpes salées aux fines herbes (ou aux truffes), de blancs de volaille pochée et de pluches de cerfeuil. Certains éléments de ce consommé se retrouvent dans l'omelette « Célestine ».

CENDRE (SOUS LA) Se dit d'un mode de cuisson rustique, qui nécessite une cheminée ou un feu de bois ; il concerne essentiellement les pommes de terre et les truffes, mais aussi une volaille ou un animal que l'on a enduits d'une carapace de glaise, notamment le poulet.
● POMMES DE TERRE. Laver des grosses belles de Fontenay et les essuyer ; les glisser sous les braises chaudes (feu éteint) et les y laisser sans les remuer de 35 à 40 minutes. Les sortir, les essuyer et les servir avec du beurre demi-sel. On peut aussi les cuire dans des papillotes d'aluminium, si le feu est encore ardent et si les cendres sont peu abondantes.
● TRUFFES. Les brosser sous l'eau froide, les laver et les essuyer. Les rouler dans du cognac ou de l'armagnac, puis les envelopper une par une dans une feuille d'aluminium. Si les braises sont ardentes, il faut mettre les papillotes dans une tourtière en terre que l'on glisse sous les braises et que l'on recouvre de cendres ; si le feu est bien éteint, on peut les glisser directement sous la cendre. Cuire ensuite de 35 à 45 minutes.

Caractéristiques des principaux types de céleris

TYPE	PROVENANCE	ÉPOQUE	ASPECT
céleri-branche ou à côtes			
type doré géant doré amélioré	Val de Loire, ceintures vertes des villes	fin juin-déc.	feuilles jaunes, côtes charnues, extérieur jaune, cœur blanc
golden spartan, pathom self blanching	Pyrénées-Orientales, Var, Alpes-Maritimes, ceintures vertes des villes	fin sept.-fin mars	
type vert darkelt, tall utah, tango, vert d'Elne	Pyrénées-Orientales, Var, Alpes-Maritimes, ceintures vertes des villes	fin juin-déc.	feuilles vertes, côtes charnues, extérieur verdâtre, cœur très serré et blanc
céleri à couper anvers, vert d'Elne	ceintures vertes des villes	mai-déc.	côtes vertes, fines, creuses, tendres
céleri-rave, ou céleri-boule monarch, prinz, rex	Nord, Manche, Charente, Loiret, Côte-d'Or, Ain, Alsace	fin juin-déc.	feuilles vertes, racine cylindrique, renflée, « peau » rugueuse

CENDRÉ Ce terme concerne des fromages produits dans plusieurs régions (Champagne, Orléanais, Val de Loire, etc.). En fait, il désigne les fromages pour lesquels il est fait un apport de charbon de bois pulvérulent et non de cendres, trop riches en potasse, ce qui conduit à une saponification des graisses du fromage et à un goût marqué. Le charbon de bois favorise l'égouttage du fromage, la mise en place de la croûte et le développement de la flore nécessaire, tout en apportant un aspect homogène.

CENTRIFUGEUSE Appareil électrique utilisé pour extraire, par rotation rapide, le jus des légumes et des fruits (à l'exception des agrumes, qui sont pressés). Un tamis retient la pulpe, les pépins et la peau. Avec les jus obtenus, on prépare boissons, glaces, sorbets et gelées.

CÉPAGE Variété de plants de vigne, ainsi baptisés par les vignerons et que les botanistes appellent « cultivars ». Tous les cépages ont pour ancêtre la même espèce *Vitis vinifera,* une plante grimpante de la famille des vitacées, apparue il y a près de 20 millions d'années. Les nombreux cépages connus aujourd'hui ont été sélectionnés au cours des temps en fonction des sols et des conditions climatiques : il existe

plus de 5 000 variétés de vigne mais, en France, on n'en utilise qu'une cinquantaine. Elles ne peuvent se reproduire par semis, mais uniquement par bouturage, marcottage ou greffage.

À chaque région viticole correspondent des cépages qui déterminent les spécificités des vins : l'Institut national des appellations d'origine (INAO) a défini, pour chaque appellation, les cépages qui la constituent. Un vin provient d'ailleurs souvent de plusieurs cépages : ainsi, le bordeaux rouge est issu du cabernet franc, du cabernet-sauvignon et du merlot ; le châteauneuf-du-pape rouge peut être composé de treize cépages différents. En revanche, le bourgogne rouge provient du seul pinot, le beaujolais du seul gamay. Si, en Alsace, les vins portent le nom du cépage dont ils sont issus (sylvaner, riesling, gewurztraminer, etc.), les appellations des autres vignobles français sont régies par des traditions propres à chaque région. Certaines régions, comme le Languedoc-Roussillon, développent depuis quelques années les « vins de cépage » : ce sont des vins d'un seul cépage dont le nom est mentionné sur l'étiquette. Ces vins, souvent classés en « vins de pays », sont destinés à terme à remplacer les « vins de table ». La plupart de ces cépages sont universels et acclimatés dans tous les pays viticoles du monde.

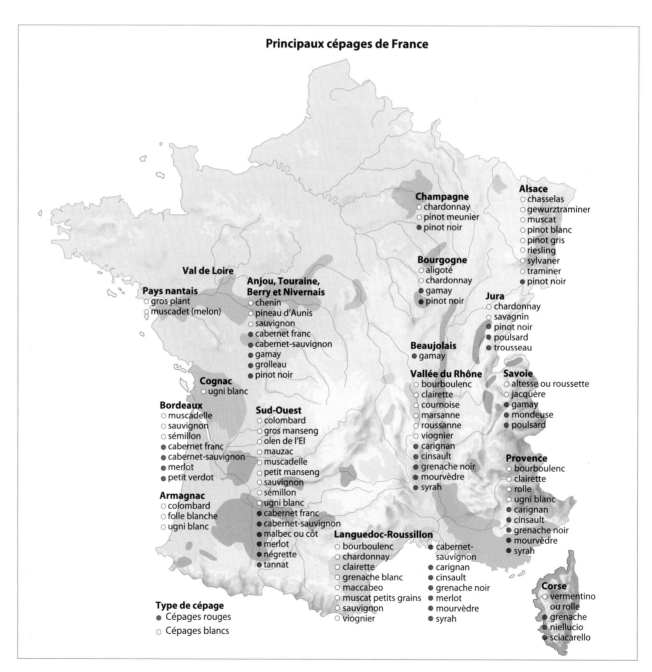

Principaux cépages de France

Champagne
○ chardonnay
○ pinot meunier
● pinot noir

Alsace
○ chasselas
○ gewurztraminer
○ muscat
○ pinot blanc
○ pinot gris
○ riesling
○ sylvaner
○ traminer
● pinot noir

Bourgogne
○ aligoté
○ chardonnay
● gamay
● pinot noir

Jura
○ chardonnay
○ savagnin
● pinot noir
● poulsard
● trousseau

Val de Loire

Pays nantais
○ gros plant
○ muscadet (melon)

Anjou, Touraine, Berry et Nivernais
○ chenin
○ pineau d'Aunis
○ sauvignon
● cabernet franc
● cabernet-sauvignon
● gamay
● grolleau
● pinot noir

Beaujolais
● gamay

Vallée du Rhône
○ bourboulenc
○ clairette
○ cournoise
○ marsanne
○ roussanne
○ viognier
● carignan
● cinsault
● grenache noir
● mourvèdre
● syrah

Savoie
○ altesse ou roussette
○ jacquère
● gamay
● mondeuse
● poulsard

Cognac
○ ugni blanc

Bordeaux
○ muscadelle
○ sauvignon
○ sémillon
● cabernet franc
● cabernet-sauvignon
● merlot
● petit verdot

Sud-Ouest
○ colombard
○ gros manseng
○ olen de l'El
○ mauzac
○ muscadelle
○ petit manseng
○ sauvignon
○ sémillon
○ ugni blanc
● cabernet franc
● cabernet-sauvignon
● malbec ou côt
● merlot
● négrette
● tannat

Provence
○ bourboulenc
○ clairette
○ rolle
○ ugni blanc
● carignan
● cinsault
● grenache noir
● mourvèdre
● syrah

Armagnac
○ colombard
○ folle blanche
○ ugni blanc

Languedoc-Roussillon
○ bourboulenc
○ chardonnay
○ clairette
○ grenache blanc
○ maccabeo
○ muscat petits grains
○ sauvignon
○ viognier
● cabernet-sauvignon
● carignan
● cinsault
● grenache noir
● merlot
● mourvèdre
● syrah

Corse
○ vermentino ou rolle
● grenache
● niellucio
● sciacarello

Type de cépage
● Cépages rouges
○ Cépages blancs

« La cave à vins du FOUR SEASONS GEORGE V abrite une large sélection de crus parmi les plus prestigieux, comme l'incontournable pétrus. Grâce au livre de cave qu'il tient à jour, le sommelier connaît l'état de sa cave dans le détail. »

Caractéristiques des différents bolets et cèpes comestibles

NOM	HABITAT	ÉPOQUE	DESCRIPTION	ASPECT DE LA CHAIR
bolets au sens large				
bolet appendiculé (*Boletus appendiculatus*)	bois feuillus, sols argilo-calcaires	août-sept.	chapeau beige chamois, sec, feutré, tubes jaune d'or à jaune citron, pied robuste, ventru, radicant jaune sulfurin	ferme, compacte, jaune pâle, à peine bleuissante
bolet bai (*Boletus badius*)	plaine ou montagne, bois mixtes de pins et chênes, autres résineux (sapins)	oct.-nov.	chapeau bai châtain foncé, mat presque feutré, velouté, très visqueux (temps humide), pied peu charnu, rarement obèse, tube brun clair à jaune olivacé	jaune pâle, plus ou moins bleuissante
bolet blafard (*Boletus luridus*)	chênaies claires, bien exposées, sols calcaires et chauds	août-oct.	chapeau orangé, briqueté vif puis lie-de-vin, pied peu obèse, réseau à mailles longitudinales, en relief	jaune et fortement bleuissante
bolet indigo, ou indigotier (*Gyroporus cyanescens*)	chênaies rabougries sur sables calcarifères, lieux chauds et secs	oct.-nov.	chapeau blanc pur, puis ocre crème, pied caverneux, cloisonné verticalement, bosselé à l'extérieur	blanc pur, bleu de Prusse au toucher ou à la coupe
bolet jaune des pins, ou « nonette voilée » (*Suillus luteus*)	pinèdes (pins maritimes, pins sylvestres, pins noirs, etc.)	oct.-nov.	chapeau café-au-lait, très visqueux, glutineux, pores jaunes, pied muni d'un anneau sur le haut, tubes jaunes	jaune pâle immuable
bolet à pied rouge (*Boletus erythropus*)	vieilles chênaies acidophiles	sept.-nov.	chapeau bai, châtain foncé, mat, velouté, visqueux (temps humide), pores très rouges, pied ponctué de rouge, sans réseau	jaune très bleuissante
bolet royal (*Boletus regius*)	bois feuillus, sols argilo-calcaires	fin juin-fin oct.	chapeau rouge groseille, sec, feutré, tubes jaune d'or à jaune citron, pied massif, dense, épais, dilaté, jaune soufré, réticulé	jaune sulfurin pâle immuable
bolets au sens strict, ou cèpes, ou cèpes nobles				
cèpe de Bordeaux (*Boletus edulis*)	feuillus (chênes, châtaigniers surtout) et conifères (épicéas, sapins)	sept.-oct.	chapeau brun marron, liseré marginal blanc, cuticule visqueuse, pied souvent obèse, trapu, peu coloré, réticulé	blanche immuable
cèpe d'été ou réticulé (*Boletus aestivalis* ou *B. reticulatus*)	plaines, plutôt feuillus (chênes, châtaigniers surtout)	mai-juin, sept.-oct.	chapeau mat, velouté non gras, beige chamois, pied beige chamois, plus ou moins trapu, réticulé	blanche immuable
cèpe des pins de montagne (*Boletus pinophilus* ou *B. pinicola*)	montagnes ou collines, surtout résineux (pins sylvestres, épicéas, sapins), parfois châtaigniers	sept.-fin nov.	chapeau roux acajou, pied roux acajou, obèse, charnu, massif, réticulé	blanche immuable
tête-de-nègre, ou cèpe bronzé, ou cèpe noir (*Boletus aereus*)	feuillus de bois chauds à tendance sèche (chênes et châtaigniers)	oct.-nov.	chapeau marron obscur presque noirâtre, charnu, pied haut très coloré, ventru, foncé, charnu, réticulé	blanche immuable

CÈPE Nom usuel des champignons comestibles du genre bolet (**voir** tableau ci-dessus et planche des champignons pages 188 et 189), dont le gros pied trapu ressemble à un tronc d'arbre (*cep*, en gascon).

Il en existe plus de vingt espèces comestibles, reconnaissables à leur pied renflé et aux tubes caractéristiques (le « foin » ou la « barbe ») qui tapissent la face interne du chapeau. Les cèpes sont appréciés depuis le XVIIIe siècle ; leur vogue commença à Nancy, à la cour de Stanislas Leszczynski, d'où le qualificatif de « polonais » donné au cèpe de Bordeaux.

■ **Emplois.** Généralement, les jeunes cèpes sont plus sains (exempts de larves) et plus appréciés. Cependant, les cèpes adultes, voire mûrs (pores jaunes ou jaune olivâtre), sont plus goûteux. Par temps humide, le foin devient parfois visqueux et doit être éliminé.

Les cèpes les plus fins peuvent se consommer crus, en salade, détaillés en fines lamelles, mais ils sont surtout savoureux cuits, en omelette, en velouté et comme garniture (de confit, de daube, voire de poisson de rivière). Pour les conserver, on peut les stériliser, les congeler, les sécher ou les plonger dans de l'huile.

Les spécialités régionales sont nombreuses : en Auvergne, les cèpes nobles (dits « de la Châtaigneraie », car ils poussent souvent sous les châtaigniers) se mangent farcis ; en Aquitaine, on les prépare en cocotte, farcis ou sous la cendre ; dans le Poitou et dans le Sud-Ouest, on les fait griller à l'huile de noix ; les cèpes de Bordeaux, toujours cuisinés à l'huile (et non au beurre), s'accommodent à l'ail ou au persil ; Auch est connue pour ses cèpes au vin blanc ; en Gascogne, on les déguste « à la viande » (piqués d'ail et accompagnés de jambon cru), grillés, en casserole ou avec un salmis.

cèpes à la bordelaise

Parer les cèpes ; les escaloper s'ils sont très gros, les couper en deux dans le sens de la hauteur s'ils sont moyens, les laisser entiers s'ils sont petits. Les mettre dans une sauteuse avec de l'huile et du jus de citron ; étuver 5 min à couvert, puis égoutter. Chauffer de l'huile dans une poêle,

y mettre les cèpes, saler et poivrer, faire à peine rissoler. Égoutter. Ajouter une persillade et servir très chaud. (À Paris, les cèpes dits « à la bordelaise » sont apprêtés différemment : ils sont rissolés et additionnés d'échalotes hachées, de mie de pain frite et de persil haché.)

cèpes au gratin

Parer les cèpes en séparant les chapeaux des pieds ; saler, poivrer et passer le tout au beurre ou à l'huile. Ranger les chapeaux – partie bombée vers le bas – dans un plat à gratin beurré ou huilé. Hacher les pieds, avec 1 échalote par 200 g et du persil ; faire revenir à l'huile, saler, poivrer ; ajouter de la mie de pain fraîche émiettée (1 cuillerée à soupe pour 200 g de pieds) et mélanger le tout. Garnir les chapeaux avec cette préparation, parsemer de mie de pain fraîche émiettée, arroser d'huile ou de beurre fondu et gratiner au four préchauffé à 275-300 °C.

cèpes grillés

Bien nettoyer et parer des petits cèpes très frais. Ciseler les chapeaux, et faire macérer les champignons 30 min dans un mélange d'huile d'olive, de jus de citron, d'ail et de persil haché, de sel et de poivre. Les égoutter et les griller. Parsemer de persil ciselé.

cèpes à la hongroise

Parer et laver des cèpes. Les escaloper ou les couper s'ils sont gros, les laisser entiers s'ils sont petits. Les faire étuver au beurre avec de l'oignon haché (2 bonnes cuillerées à soupe pour 500 g de champignons), du sel, du poivre et du paprika (1 cuillerée à café pour 500 g de champignons). Couvrir alors de crème fraîche et faire réduire à découvert. Parsemer ou non de persil ciselé.

cèpes marinés à chaud

Parer et laver 750 g de cèpes ; les escaloper. Les frire 2 min à l'huile, puis les rafraîchir sous l'eau froide et les éponger soigneusement. Porter à petite ébullition un mélange composé de 20 cl d'huile d'olive, 3 cuillerées à soupe de vinaigre de vin, 1 cuillerée à soupe de fenouil haché, 1 cuillerée à café de zeste de citron haché, 1 feuille de laurier coupée en quatre, 2 petites branches de thym, sel et poivre fraîchement moulu. Laisser bouillir 5 min. Verser les cèpes épongés dans une terrine, les recouvrir de la marinade bouillante et passée au tamis, ajouter 2 grosses gousses d'ail pelées et 1 cuillerée de persil, hachés. Remuer pour bien répartir les aromates et laisser 24 heures au moins au frais avant de servir.

cèpes à la mode béarnaise

Parer et laver de gros cèpes, et les passer au four chaud pour les faire dégorger. Les piquer d'ail, les saler, les poivrer, les huiler et les griller sur des braises ou dans un gril vertical. Faire revenir dans de l'huile un hachis de mie de pain, d'ail et de persil. En parsemer les cèpes grillés et servir aussitôt.

cèpes à la provençale

Préparer les champignons comme pour la recette des cèpes à la bordelaise, mais en remplaçant l'huile d'arachide par de l'huile d'olive. Ajouter en outre de l'ail haché, et les faire rissoler plus franchement.

cèpes en terrine

Parer et laver 750 g de cèpes, séparer les chapeaux des pieds. Hacher les pieds, 3 ou 4 gousses d'ail pelées, 3 ou 4 échalotes épluchées et 1 petit bouquet de persil, et faire revenir le tout dans une sauteuse avec 3 cuillerées à soupe d'huile d'olive ; saler et poivrer. Faire dégorger à part les chapeaux des cèpes dans une poêle, à couvert, avec 2 cuillerées à soupe d'huile d'olive et du sel, puis les égoutter. Garnir le fond et le bord d'une terrine de tranches très fines de lard de poitrine fumé. Y placer une couche de chapeaux de cèpes, puis le hachis, puis une seconde couche de chapeaux ; recouvrir de poitrine fumée. Fermer avec le couvercle et mettre la terrine dans le four préchauffé à 200 °C. Cuire 50 min.

magret de palombes aux cèpes ▶ PALOMBE

RECETTE DE JEAN-CLAUDE FERRERO

têtes de cèpe grillées au four

« Essuyer sans les laver 4 belles têtes de cèpe. Fendre les dômes en croix, saler légèrement, poivrer, ajouter une goutte d'huile d'olive. Mettre 5 min au four préchauffé à 300 °C. Retourner les têtes de cèpe, les saler, les poivrer très légèrement et remettre au four 3 min. Dresser les têtes à l'envers et les garnir avec une très fine tranche de foie gras mi-cuit (ou du jambon de Parme coupé en dés et légèrement grillé). Accompagner d'une salade de Trévise assaisonnée de vinaigre de xérès et d'huile d'olive. »

RECETTE DE ROLAND DURAND

velouté de cèpes aux huîtres

POUR 4 À 6 PERSONNES

« Faire suer dans 3 cuillerées à soupe d'huile d'olive 500 g de cèpes émincés. Verser 70 cl de bouillon de volaille par-dessus, cuire doucement pendant 10 secondes sans saler. Ajouter 20 cl de crème et cuire 2 min. Ouvrir 15 grosses huîtres creuses. Mixer le velouté avec la chair de 3 huîtres, saler et poivrer, incorporer 20 g de beurre et le jus de 1/2 citron. Disposer 3 huîtres dans chaque assiette creuse, verser le velouté très chaud par-dessus et servir parsemé de pluches de cerfeuil et accompagné de petits croûtons. »

CERCLE À TARTE Cercle en fer-blanc, Inox ou acier inoxydable, appelé aussi « cercle à flan », de diamètre variable (de 6 à 34 cm), que de nombreux pâtissiers préfèrent au moule pour préparer les tartes et les flans. Posé directement sur la plaque du four, il assure en effet dans la pâte qu'il contient une meilleure diffusion de la chaleur ; il suffit ensuite de le soulever délicatement pour démouler la pièce cuite.

CÉRÉALE De Cérès, déesse romaine des Moissons, plante dont les grains servent à la nourriture des hommes (mais aussi à l'élevage et à l'industrie) [voir tableau des céréales page 179 et planche pages 178 et 179]. La plupart des céréales sont des poacées : blé (froment), blé dur, épeautre, riz, maïs, orge, avoine, seigle, millet, sorgho. Le sarrasin, ou « blé noir », est une polygonacée ; le quinoa (voir ce mot) est une chénopodiacée. On consomme les céréales sous forme de grains entiers (maïs, riz) mais, le plus souvent, réduites en farine. Elles se présentent aussi en semoule, en flocons, grains soufflés, grains prétraités et grains précuits. Les céréales ont une teneur élevée en glucides et apportent des protéines et des vitamines B, mais elles sont pauvres en acides aminés et en calcium.

CERF Ruminant sauvage des régions tempérées, de la famille des cervidés, pesant jusqu'à 200 kg, dont on consomme la viande (voir tableau des gibiers page 421). La meilleure chair est celle des faons (jusqu'à 6 mois). La jeune biche est plus fine que le mâle.

Le cerf était très apprécié au Moyen Âge ; il se mangeait rôti, en ragoût ou en civet ; le potage de jarret de cerf était renommé. Au XVIᵉ siècle, les bois de cerf se dégustaient coupés en tranches et frits, et on se régalait des « menus droits » (langue, mufle et oreilles). Quant à la corne de cerf, moulue, elle servait à préparer gelées et entremets.

Aujourd'hui, en France, la chasse au cerf est réglementée dans chaque département ; cependant, les prises annuelles sont estimées à environ 36 500 bêtes. Au Canada, le cerf de Virginie (on y trouve aussi le cerf mulet et le cerf à queue noire) est le gros gibier favori en octobre et en novembre.

L'élevage, que pratiquaient déjà les Romains, s'est développé. Le daguet d'élevage, abattu vers 15-20 mois, fournit une viande rouge très goûteuse, de bonne consistance. Il s'apprête comme le chevreuil.

CERFEUIL Plante aromatique, de la famille des apiacées, originaire de Russie méridionale et commune dans toute l'Europe (voir planche des herbes aromatiques pages 451 à 454). Le cerfeuil est utilisé comme condiment frais ; ses pluches, en particulier, garnissent des potages ou des omelettes, et aromatisent des sauces (béarnaise, gribiche, vinaigrette) et des apprêts de poissons de rivière (« au vert »)

CÉRÉALES ET PRODUITS DÉRIVÉS

blé dur

blé pourpre

flocons de blé

avoine

sarrasin

seigle

flocons d'avoine

sarrasin grillé, ou kacha

flocons de seigle

blé

millet noir

semoule de blé dur

maïs

maïs pop-corn

maïs sucré

semoule de maïs grain fin

orge

amarante

semoule de maïs gros grain

orge perlé

quinoa

Caractéristiques des principales variétés de céréales

VARIÉTÉ	ÉPOQUE	ASPECT
avoine	juin-juill.	grains allongés, minces, en panache au lieu d'épi
blé ou froment	juin-juill.	grains formés d'une double enveloppe, ou tégument, tige, ou rameau, ou chanvre, à feuilles alternées
épeautre ou engrain	août	épis très lâches, à glumes fortement carénées
maïs	oct.-nov.	grains serrés, tige unique, à gros épis
millet ou mil	août-sept.	grains très petits, ronds, tige pleine
orge	juin-juill.	feuilles planes, fleurs en épi simple
riz	oct.	grains oblongs glabres, lisses, formés d'un très petit embryon à la base, d'un albumen farineux très épais au-dehors
sarrasin ou blé noir	juin-juill.	grains très farineux, noirs, tige recouverte de feuilles entières
seigle	juin-juill.	épis à glumes étroites et courtes, sans pédoncule
sorgho	oct.	petits grains, rouges, tige pleine

ou de volaille et de viande blanche. Cette plante ayant un arôme très volatil, légèrement anisé et plus ou moins musqué, il faut éviter de la chauffer avec excès ou de la mélanger avec trop d'huile.

Outre le cerfeuil commun et le cerfeuil frisé (décoratif), il existe un cerfeuil bulbeux, un légume délicat mais rare, dont les feuilles sont toxiques (**voir** planche des légumes-racines pages 498 et 499). Ses racines tubéreuses, aromatiques et riches en fécule, se consomment comme les crosnes.

▶ Recettes : ESSENCE, MARINIÈRE (À LA).

CERISE Fruit du cerisier, arbrisseau de la famille des rosacées. La « peau » de la cerise varie du rouge plus ou moins foncé au jaune pâle, et sa pulpe est plus ou moins sucrée ou acide (acide malique) selon les variétés (**voir** tableau des cerises et bigarreaux page 182 et planche ci-contre). Les cerises se commercialisent avec leur pédoncule, dont la couleur verte est un signe de fraîcheur. Cependant, pour certaines variétés (picotas d'Espagne), la déhiscence (séparation entre la drupe et le pédoncule) est naturelle et les cerises se cueillent alors sans queue.

La cerise est riche en eau (82 %), en sucres (de 13 à 17 %), en potassium, en carotènes et en folates. La bigarreau apporte 77 Kcal ou 321 kJ pour 100 g et la cerise anglaise 56 Kcal ou 234 kJ pour 100 g.

Les cerisiers d'Europe se rattachent à deux espèces originaires d'Asie Mineure, cultivées dès le Moyen Âge : le merisier, ou cerisier doux, a donné les arbres portant le bigarreau et la guigne, fruits de table par excellence mais utilisés aussi en tartes et pour les conserves de ménage ; le cerisier acide a donné les arbres portant l'amarelle et la griotte, utilisées surtout pour les conserves au sirop ou à l'eau-de-vie, les fruits confits et les confitures. Les cerises dites « anglaises », aigrelettes, sont principalement employées pour les fruits à l'eau-de-vie.

■ **Emplois.** Au naturel, elles servent à préparer compotes, salades de fruits et coupes glacées, mais aussi tartes, flans et soufflés, clafoutis, gâteau de la Forêt-Noire. La variété napoléon est très utilisée en confiserie. Les cerises confites sont indispensables pour les cakes et les puddings, et comme décor de gâteaux. Les variétés acides (type griotte ou montmorency) sont employées à la liqueur pour garnir les bouchées au chocolat. Elles servent aussi à préparer une soupe typique en Alsace et en Allemagne, des conserves à l'aigre-doux ou au vinaigre ; elles s'utilisent comme condiment et en accompagnement, surtout pour le gibier et le canard.

Parmi les liqueurs et alcools à base de cerise, il faut remarquer le cherry anglais, le guignolet d'Anjou, le ratafia de Provence, le marasquin d'Italie et le kirsch d'Alsace ; on fait aussi un « vin de cerise » avec du jus de cerise fermenté ; en Belgique, la kriek lambic (bière) est aromatisée à la cerise. Les queues de cerise et les fleurs de cerisier séchées s'emploient en infusion diurétique et dépurative.

Les cerises se congèlent bien : nature, équeutées, non dénoyautées, ou recouvertes d'un sirop de sucre.

Divers fruits rouges portent, par analogie, le nom de cerise : la « cerise d'ours » est une arbouse ; la « cerise des juifs », l'alkékenge ou « amour en cage » ; la « cerise des Antilles », une baie tropicale, acidulée, avec laquelle on prépare des tartes.

beignets soufflés fourrés aux cerises ▶ BEIGNET
cailles aux cerises ▶ CAILLE
cake au miel et aux cerises confites ▶ CAKE

cerises à l'eau-de-vie

Ébouillanter des bocaux. Dissoudre du sucre candi dans de l'eau-de-vie (350 g de sucre par litre). Choisir des cerises griottes ou montmorency bien saines, couper la moitié de la queue et les percer avec une aiguille du côté opposé. Les ranger dans les bocaux, les recouvrir complètement d'eau-de-vie sucrée, fermer hermétiquement et mettre dans un endroit frais, à l'abri de la lumière. Attendre 3 mois avant de déguster.

cerises confites fourrées à la pâte d'amande

Préparer de la pâte d'amande avec 125 g de poudre d'amande, 250 g de sucre en poudre, 25 g de glucose, 8 cl d'eau et du kirsch. Ouvrir 50 cerises confites, sans séparer les deux moitiés. Façonner en olives la pâte d'amande. En glisser une dans chaque cerise. Disposer les fruits fourrés sur un plateau poudré de sucre glace.

cerises déguisées dites « marquises »

Bien égoutter une cinquantaine de cerises à l'eau-de-vie (avec leur queue) ; les éponger. Mettre 375 g de fondant dans une petite casserole à fond épais ; chauffer à feu vif en ajoutant 1/2 verre à liqueur de kirsch et mélanger à la spatule de bois. Quand le fondant est devenu fluide, le retirer du feu et incorporer 3 ou 4 gouttes de colorant rouge en remuant vivement. Poudrer légèrement un marbre de sucre glace. Prendre les cerises par la queue et les plonger dans le fondant ; laisser l'excédent s'écouler dans la casserole. Déposer les cerises sur le marbre (le sucre les empêche de coller), puis les disposer ensuite dans des caissettes de papier. On peut aussi employer le fondant sans coloration, ou en colorer seulement la moitié, pour obtenir 25 cerises roses et 25 cerises blanches.

cerises flambées à la bourguignonne

Équeuter et dénoyauter des cerises. Les cuire avec du sucre et de l'eau (350 g de sucre et 1/3 de verre d'eau par kilo de fruits), doucement, de 8 à 10 min, puis ajouter 2 ou 3 cuillerées à soupe de gelée de groseille et faire réduire 5 min à feu doux. Verser dans une poêle à flamber ; arroser de marc de Bourgogne chauffé dans une petite casserole ou une louche. Flamber au moment de servir.

cerises jubilé

Préparer les cerises comme pour la recette des cerises flambées, en liant le sirop avec un peu d'arrow-root, et en disposant les fruits dans des cassolettes individuelles et en les nappant de sirop. Au moment de servir, verser dans chaque cassolette une cuillerée de kirsch et flamber.

cerises au vinaigre à l'allemande

Équeuter des cerises, les laver délicatement, les éponger et les dénoyauter. Ébouillanter des bocaux, y ranger les fruits. Mélanger 1 litre de vinaigre, 200 g de cassonade blonde (ou de sucre), 3 clous de girofle, 1 morceau d'écorce de cannelle et un soupçon de noix de muscade râpée. Faire bouillir le tout, puis laisser refroidir. En recouvrir complètement les cerises, fermer hermétiquement les bocaux et mettre à l'abri de la lumière. Attendre 2 mois avant de servir.

chaussons de Paul Reboux ▶ CHAUSSON
compote de cerise ▶ COMPOTE
crêpes aux cerises ▶ CRÊPE
flan de cerises à la danoise ▶ FLAN
sirop de cerise ▶ SIROP
soupe aux cerises ▶ SOUPE
suc de cerise ▶ SUC
tarte aux cerises à l'allemande
(Kirschkuchen) ▶ TARTE

CERISE SUR LE GÂTEAU Gâteau au chocolat au lait, créé en 1993 par Pierre Hermé (pâtissier français né en 1961) pour la composition et Yann Pennor's pour le dessin. Ce gâteau se compose d'un biscuit dacquoise (biscuit aux amandes concassées mêlé de crème au beurre) sur lequel reposent un feuilleté praliné et une ganache au chocolat séparés par de fines feuilles de chocolat au lait. Le dessus est constitué par une crème Chantilly aromatisée au chocolat. Cette préparation, ronde, est ensuite découpée en parts égales : six de ces parts sont empilées et mises dans une coque de chocolat au lait, décorée de filets dorés et surmontée d'une cerise confite. Le gâteau achevé, proposé dans une boîte dessinée spécialement, fait penser à une grosse part de gâteau posée sur le côté.

CERNER Pratiquer une incision peu profonde, à l'aide d'un couteau d'office, dans la peau ou l'enveloppe d'un fruit. Cerner une pomme à cuire au four (sur toute la circonférence, à distance égale des deux pôles) évite qu'elle n'éclate pendant la cuisson ; cerner les marrons facilite leur épluchage. Cerner un fruit permet aussi de le vider : pour un melon, l'incision (tout autour du pédoncule, qui forme une petite calotte que l'on retire) entame l'écorce et la pulpe ; cerner un demi-pamplemousse permet de séparer la pulpe de la peau ; cerner une tomate à farcir (du côté du pédoncule ou à l'opposé) permet de l'évider.

Cerises, Bigarreaux et Cornouille

stark hardy giant

sunburst

burlat

marmotte

summit

guillaume

van

reverchon

géant d'Hedelfingen

napoléon

griotte

duroni 3

cornouille mâle

Caractéristiques des principales variétés de cerises et bigarreaux

VARIÉTÉ	PROVENANCE	ÉPOQUE	ASPECT	CHAIR
cerises douces				
bigarreaux				
badacsony, noire de Méched	Rhône-Alpes, Languedoc, Sud-Ouest, Val de Loire	fin juin-mi-juill.	grosse, cordiforme, long pédoncule, pourpre	rouge, mi-ferme
belge	Provence	fin juin-mi-juill.	grosse, cordiforme, long pédoncule, pourpre	rouge, mi-ferme
burlat ou hâtif burlat	Languedoc-Roussillon, Provence, Sud-Ouest, Rhône-Alpes	mi-mai-mi-juin	grosse, réniforme, aplatie, rouge foncé brillant	rouge, fondante
duroni 3	Languedoc, Rhône-Alpes, Provence, Sud-Ouest, Val de Loire	mi-juin-début juill.	grosse, réniforme, rouge	rose, juteuse, croquante
Garnet® magar	Provence, Languedoc-Roussillon, Rhône-Alpes	juin	grosse, ronde, rouge foncé	rose, croquante
géant d'Hedelfingen	Sud-Est, Sud-Ouest	mi-juin-mi-juill.	moyenne, allongée, pourpre foncé	croquante, fondante, légèrement parfumée
guillaume	vallée du Rhône	juin	petite, cordiforme	rouge à pourpre foncé, uniforme
marmotte	Yonne	mi-juin-mi-juill.	moyenne, cordiforme, pourpre noirâtre	rouge
napoléon	Provence, Languedoc	mi-juin-début juill.	moyenne, allongée, jaune pâle, rouge carmin	blanche, parfumée
reverchon	vallée du Rhône	début juin-mi-juill.	assez grosse, cordiforme, carmin brillant	rose, croquante, très ferme, sucrée, un peu acidulée
stark hardy giant	Rhône-Alpes, Sud-Ouest, Provence	début juin-début juill.	grosse, réniforme, arrondie, pourpre	rouge pâle, ferme
summit	Sud-Est, Sud-Ouest	mi-juin-mi-juill.	grosse, cordiforme, rouge brillant	rose
sunburst	vallée du Rhône	mi-juin-mi juill.	grosse, arrondie	rouge
Sweet-eart®	vallée du Rhône, Sud-Ouest, Val de Loire	fin juin-mi-juill.	moyenne, réniforme, rouge brillant, d'aspect tigré	rose, assez ferme, juteuse
van	Sud-Est, Sud-Ouest	mi-juin-mi-juill.	grosse, réniforme, aplatie, rouge brillant	rouge, ferme, légèrement acidulée
guignes				
hâtive de Bâle	Roussillon, Provence	mi-mai-fin mai	petite, arrondie, pourpre noirâtre	rose, fondante, acidulée, sucrée
early rivers	Sud-Est, Sud-Ouest	mi-mai-fin mai	assez grosse, arrondie, rouge-orangé	rouge, fondante, juteuse
cerises acides				
amarelle				
montmorency, ferracida	toute la France	mi-juin-fin juin	petite, arrondie, vermillon uniforme	blanche, fondante, très acidulée
griotte				
griotte du Nord	toute la France	fin juin-mi-juill.	petite, arrondie, rouge vif à noire	rouge, fondante, très acidulée
cerises anglaises	toute la France	début juin-mi-juin	petite, arrondie, rouge clair	fondante, translucide, aigrelette

Enfin, cerner l'abaisse d'un vol-au-vent ou d'une bouchée, c'est marquer la circonférence du couvercle à l'aide d'un emporte-pièce ou d'un couteau d'office.

CÉRONS Vin AOC blanc liquoreux, issu des cépages sémillon, sauvignon et muscadelle. Il provient d'une enclave des graves, au nord du Sauternais, et est réputé pour sa sève et sa finesse (**voir** BORDELAIS).

CERTIFICATION DE CONFORMITÉ Garantie de qualité d'un produit agroalimentaire par rapport à des spécifications (de production, de conditionnement, d'origine, de fabrication, de caractéristiques organoleptiques ou physico-chimiques) définies dans un cahier des charges établi par des organismes tiers, indépendants et reconnus par l'État, et validées par la Commission nationale des labels et des certifications (CNLC).

CERVELAS Grosse saucisse courte, faite de chair à saucisse plus ou moins entrelardée, parfois fumée, relevée de poivre ou d'ail, qui se vend cuite ou crue (**voir** tableau des saucisses crues page 786 et planche de charcuterie pages 193 et 194). Autrefois, le cervelas contenait aussi de la cervelle, d'où son nom. La plupart des cervelas, dits aussi « saucissons à cuire », sont cuits avec des légumes.

Le cervelas de Strasbourg se présente en chapelet de segments de 6 à 8 cm, sous boyau coloré en rouge ; il se consomme frit ou froid, en salade, avec une vinaigrette aux oignons. Le cervelas de Lyon, pur porc et de qualité supérieure, est truffé ou pistaché ; vendu cru, prêt à cuire, il se sert chaud.

Il existait aussi jadis un cervelas de poisson, spécialité de Reims préparée pour le carême, avec de la chair de brochet, des pommes de terre, du beurre et des œufs, que l'on faisait pocher. Aujourd'hui, il est fabriqué à partir de nombreux poissons et fruits de mer.

cervelas farcis aux épinards

Cuire dans de l'eau salée des épinards frais (1,5 kg) ou surgelés (800 g). Mettre 4 cervelas dans une casserole d'eau froide et porter à frémissement, sans ébullition, pour qu'ils n'éclatent pas. Égoutter et presser les épinards ; les réchauffer avec 30 g de beurre. Brouiller 6 œufs avec 20 g de beurre, du sel, du poivre et ajouter 1 grosse cuillerée de crème fraîche. Masquer d'épinards le plat de service. Égoutter les cervelas, les fendre sur les trois quarts de leur longueur et les farcir d'œufs brouillés. Les disposer sur les épinards.

CERVELLE Cerveau des animaux de boucherie (**voir** tableau des abats page 10). En raison de la suspicion de transmission à l'homme d'encéphalites, les cervelles de bœuf et de mouton adultes sont interdites de consommation (**voir** MATÉRIEL À RISQUES SPÉCIFIÉS [MRS]). La cervelle fait partie des abats rouges ; elle est riche en lipides (9 g pour 100 g), cholestérol (2 g pour 100 g) et phosphore (320 mg pour 100 g).

Les cervelles d'agneau (d'environ 100 g) comme celles de veau (de 300 à 350 g) sont d'une saveur assez fine. La cervelle de porc est peu utilisée en cuisine. Les cervelles sont généralement cuisinées « à la meunière ». Elles garnissent des vol-au-vent, des croustades, des timbales.

cervelle : préparation

Laver la cervelle à l'eau courante froide, puis la débarrasser des membranes et des vaisseaux sanguins qui l'entourent. La faire dégorger 1 heure à l'eau vinaigrée et la laver à nouveau. La cervelle peut alors être blanchie à l'eau salée, cuite tout doucement au court-bouillon ou escalopée et cuite directement dans du beurre ou de l'huile.

attereaux de cervelles d'agneau à la Villeroi ▶ ATTEREAU (BROCHETTE)
beignets de cervelle ▶ BEIGNET

cervelle de veau frite à l'anglaise

Parer et cuire 1 cervelle de veau 10 min au court-bouillon, puis la rafraîchir sous l'eau froide et l'éponger. La détailler en escalopes et faire mariner celles-ci 30 min avec 1 cuillerée à soupe d'huile, du jus de citron, du persil ciselé, du sel et du poivre. Les paner alors à l'anglaise, les frire et les dresser sur une serviette avec du persil frit.

cervelle de veau en meurette

Nettoyer et préparer 1 cervelle de veau. Éplucher et émincer 1 carotte et 1 gros oignon, les placer dans une sauteuse, avec un bouquet garni, 1 gousse d'ail écrasée, du sel et du poivre. Mouiller de 20 ou 30 cl de bourgogne rouge et de 1 cuillerée à soupe de marc de Bourgogne, et cuire 30 min à petit feu. Frire au beurre des petits croûtons. Plonger la cervelle dans la sauce au vin, la pocher à petits frémissements, puis l'égoutter, la mettre dans le plat de service et tenir au chaud. Lier la cuisson avec un beurre manié et la verser sur la cervelle. Décorer avec les croûtons frits.

cervelle de veau en panier

Cuire 1 cervelle de veau dans un court-bouillon très aromatisé, la laisser refroidir, puis la détailler en fines escalopes. Faire macérer celles-ci dans un mélange d'huile d'olive, de très peu d'ail haché, de jus de citron, de sel et de poivre. Laver 3 grosses tomates bien régulières, en retirer le pédoncule, les essuyer ; pratiquer plusieurs entailles verticales sur les deux tiers de la hauteur et glisser 1 escalope de cervelle dans chaque entaille. Accompagner d'une anchoyade.

cervelles à la meunière

Faire dégorger à l'eau froide vinaigrée des cervelles d'agneau ou de veau et les rincer. (Laisser entières les cervelles d'agneau, détailler en tranches la cervelle de veau.) Saler, poivrer et fariner. Chauffer du beurre dans une poêle ; y dorer les cervelles. Les dresser dans un plat, les parsemer de persil ciselé, les arroser d'un filet de citron. Ajouter un peu de beurre dans la poêle, le faire blondir (beurre noisette) et le verser sur les cervelles.

purée de cervelle ▶ PURÉE
salpicon à la cervelle ▶ SALPICON
soufflé de cervelle à la chanoinesse ▶ SOUFFLÉ

CERVELLE DE CANUT Fromage frais lyonnais, traditionnellement servi dans les bouchons, lors du « mâchon » matinal. Il s'agit d'un fromage blanc pas trop mou, dit « claqueret », bien battu, salé et poivré, auquel on incorpore de l'échalote hachée avec des fines herbes, de la crème fraîche et parfois de l'ail, du vin blanc et un filet d'huile d'olive. Il est courant de servir cette cervelle de canut dans une pomme de terre cuite en robe des champs et évidée.

RECETTE DE JEAN-PAUL LACOMBE

cervelle de canut

« La veille, égoutter 500 g de fromage blanc au lait entier en faisselle. Le jour même, hacher 1/2 botte de cerfeuil, 1/2 botte de ciboulette, 1/2 botte de persil et 1 échalote. À l'aide d'une maryse ou d'une spatule en bois, mélanger les herbes et le fromage blanc. Rajouter 5 cl d'huile d'olive, 2 cl de vinaigre, 10 g de sel, 2 g de poivre et 15 cl de crème liquide. Battre légèrement au fouet 15 cl de crème liquide, l'incorporer délicatement au reste de la préparation. Garder au réfrigérateur et servir frais. »

CERVOISE Breuvage alcoolisé, ancêtre de la bière, que les Gaulois fabriquaient avec de l'orge fermentée ou avec une autre céréale (avoine, seigle, parfois blé) et qu'ils aromatisaient avec diverses épices. La maturation de la cervoise se faisait à l'origine dans des amphores de poterie, remplacées ultérieurement par des tonneaux, une invention gauloise.

Dans les langues ibériques, *cerveza* et *cerveja* désignent la bière.

CÉTEAU Petit poisson plat, de la famille des soléidés, abondant en France de la Loire à Arcachon (la région de Marennes-Oléron assure la moitié des prises), mais aussi sur les côtes africaines (**voir** tableau des soles page 805 et planche des poissons de mer pages 674 à 677). Appelé aussi « langue de chat » ou « langue d'avocat » dans le Sud-Ouest, il ne dépasse guère 25 cm et a une peau marron clair. Très fragile, car non vidé, il faut le consommer rapidement, frit dans de l'huile très chaude.

CÉVENOLE (À LA) Se dit de nombreux apprêts, sucrés ou salés, comportant des marrons, spécialité de l'Ardèche. En purée, en ragoût, entiers, pochés, etc., ceux-ci accompagnent les rôtis et les braisés (carré de porc, mouton, ris de veau, filet de bœuf, gibier à poil).
▶ Recettes : BAVAROIS, PANNEQUET.

CEVICHE Plat typique de la côte péruvienne, d'origine préhispanique, à base de poisson cru et/ou de fruits de mer, découpés, marinés dans un jus de citron vert, du sel et des piments forts *(aji limo)*, et servi avec des rondelles d'oignons crus, des morceaux d'épis de maïs bouillis et des patates douces froides.

Récemment est apparue une nouvelle variété de ceviche, appelée *tiradito*, avec du poisson en carpaccio, mariné dans un jus de citron vert et une crème à base de différents types de piments forts, sans oignons.

RECETTE DE PASCAL BARBOT

ceviche de daurade, rhubarbe et huile de piment

« Deux jours avant, préparer l'huile de piment en mélangeant 1 piment d'Espelette et 10 cl d'huile de pépins de raisin. Laisser macérer 48 heures au frais. Le jour même, découper 400 g de filet de daurade parfaitement parée en cubes de 5 mm d'épaisseur. Préparer une marinade froide avec le jus et le zeste de 1 citron vert, 1 petite tomate mondée, épépinée et coupée en dés, 80 g de rhubarbe épluchée et taillée en brunoise, de la fleur de sel et du poivre du moulin. Filtrer l'huile de piment. Dans un récipient, mettre la marinade, 3 cuillerées à soupe d'huile de piment, les cubes de daurade et de la fleur de sel. Mélanger délicatement et réserver pendant 20 min. Avant de servir, ajouter 2 cuillerées à soupe de coriandre hachée et 2 cuillerées à soupe de cébette finement ciselée avec les fanes. »

ceviche de mérou ▶ MÉROU

CHABICHOU DU POITOU Petit fromage poitevin AOC de lait de chèvre (45 % de matières grasses), à pâte molle et à croûte naturelle, devenant bleu ou gris avec l'âge (**voir** tableau des fromages français page 392). Il se présente sous la forme d'un petit tronc de cône et pèse une centaine de grammes. Il est commercialisé à nu quand il est fermier, sous emballage papier lorsqu'il est laitier. Il se consomme frais ou affiné ; il est alors ferme sans être dur, avec une saveur assez prononcée et une forte odeur caprine.

CHABLIS Vin AOC blanc de Bourgogne, sec et nerveux, issu du cépage chardonnay, qui a acquis une réputation mondiale, produit dans une région aux collines admirablement exposées, située entre Tonnerre et Auxerre (**voir** BOURGOGNE).

CHACHLIK Plat de la cuisine russe, originaire de Géorgie, fait de brochettes de viande de mouton crue (du gigot bien rassis) coupée en cubes et marinée dans une vinaigrette aromatisée avec du thym, de la muscade, du laurier et des oignons. Les brochettes sont grillées et servies avec du riz arrosé de beurre fondu. On peut aussi intercaler du jambon cru et des rondelles d'oignon entre les cubes de viande.

CHAI Terme du sud, du sud-ouest et de l'ouest de la France, le chai désigne le local réservé aux opérations de la vinification, également appelé « cellier » ou « cuverie ». Le chai doit être protégé des variations de température et conçu de façon fonctionnelle pour faciliter toutes les opérations qui succèdent aux vendanges. Le maître de chai, « philosophe et homme de science, dépositaire de plusieurs siècles d'observations, de recherches, de traditions », décide du meilleur moment pour soutirer, pour mettre en bouteilles ; vêtu de son tablier de cuir, il manie la pipette et le tâte-vin, mais son œil, son odorat et son goût constituent ses véritables atouts.

CHAIR À SAUCISSE Mélange composé de maigre et de gras de porc hachés menu et assaisonnés. En charcuterie, la chair à saucisse sert à la préparation de saucisses longues (chipolatas, saucisses de Toulouse, etc.). Diversement aromatisée, elle est utilisée pour farcir des légumes (aubergine, courgette, tomate) ou des viandes (paupiette, volaille) et permet de confectionner des terrines de ménage et des pâtés.

chair à saucisse
Peser le même poids de chair maigre de porc et de lard gras. Passer au hachoir à grille fine, ajouter 30 g de sel par kilo de hachis et, éventuellement, de la truffe hachée ou des pelures de truffe, ou aromatiser le hachis avec des oignons finement hachés, de l'ail, du sel, du poivre et des fines herbes.

chair à saucisse fine ou *farce fine de porc*
Passer le même mélange deux fois au hachoir à grille fine, ou une fois au hachoir et une fois au tamis. Les assaisonnements sont les mêmes.

CHAKCHOUKA Plat traditionnel de la cuisine arabe et maghrébine. Ce ragoût de poivrons, de tomates et d'oignons cuits dans de l'huile est assaisonné de piment, de harissa et de sauce tomate. On y casse éventuellement ensuite des œufs ; quand ils sont cuits, on poudre le plat de menthe sèche. Les poivrons peuvent être remplacés par des petits pois, des fèves, des pommes de terre ou un mélange de courgettes et d'aubergines. On agrémente souvent la chakchouka de merguez grillées ou de tranches de viande séchée.

CHALEUTH Pain tressé ou en couronne de la cuisine juive – d'Europe centrale surtout. Il se consomme essentiellement du vendredi soir au samedi soir, car, durant le shabbat, le pain ne doit pas être coupé (le chaleuth, lui, est facile à rompre). Il se compose d'un mélange de mie de pain, de pommes en tranches fines, d'œufs et de sucre, agrémenté de rhum, de raisins secs et de cannelle, cuit au four dans une cocotte huilée et servi tiède. On le prépare aussi en cuisant les pommes en tranches, avec du sucre et de la cannelle, toujours dans une cocotte, mais entre deux abaisses de pâte, le dessus étant parsemé de petits morceaux de graisse.

CHALONNAISE (À LA) Se dit d'une garniture classique, peu courante, composée de rognons et de crêtes de coq, de champignons et de lames de truffe dans une sauce suprême. Destinée à accompagner volailles et ris de veau, son nom vient de la ville de Chalon-sur-Saône.

CHAMBARAN OU **CHAMBARAND** Fromage dauphinois de lait de vache cru (45 % de matières grasses), à pâte molle légèrement pressée et à croûte naturelle lavée (**voir** tableau des fromages français page 390). Élaboré par les trappistines de l'abbaye de Chambarand, il se présente sous la forme d'un petit palet de 8 cm de diamètre pesant 160 g ou de formats plus grands, de 11 à 18 cm de diamètre pour un poids allant de 300 g à 2 kg. Lisse et ocre pâle, il a une saveur douce et crémeuse.

CHAMBERTIN Vin de Bourgogne AOC rouge, issu du cépage pinot noir, d'une grande puissance aromatique. Il est en bouche à la fois riche, complexe, suave et exceptionnellement long. C'était le vin favori de Napoléon Iᵉʳ (**voir** BOURGOGNE).
▶ Recettes : BARBUE, BŒUF, SAUMON.

CHAMBERTIN-CLOS DE BÈZE Vin rouge AOC de Bourgogne, issu du cépage pinot noir, ample, profond, riche, très expressif et racé, à l'égal du chambertin.

CHAMBOLLE-MUSIGNY Vin AOC de Bourgogne, fin, bouqueté et délicat. Issu du cépage pinot noir, il provient d'un des vignobles les plus réputés de la côte de Nuits, qui produit aussi le bonnes-mares (**voir** BOURGOGNE).

CHAMBORD Nom donné à un apprêt classique pour gros poissons traités entiers (carpe, saumon, sole), évoquant des denrées délicates et une préparation minutieuse.

Le poisson est farci et braisé au vin rouge. La garniture associe des quenelles de farce de poisson, des filets de sole, des laitances sautées, des têtes de champignon, des truffes tournées en olive et des écrevisses au court-bouillon.

▶ Recette : CARPE.

CHAMBRER Amener progressivement un vin à la température idéale à laquelle il doit être consommé. Si les vins blancs et rosés se boivent entre 8 et 10 °C, la plupart des vins rouges doivent être servis entre 15 et 18 °C.

Il ne faut jamais réchauffer le vin de façon artificielle ou brutale, mais le sortir de la cave assez tôt pour qu'il atteigne naturellement et lentement la bonne température.

CHAMEAU Ruminant à une bosse (dromadaire) ou à deux bosses (chameau) dorsales dont on mange la chair, qui rappelle celle du veau, quand elle est jeune et tendre. Sa cuisse se cuisine hachée, en boulettes, ou entière, marinée. On mange également le cœur et les tripes. En Mongolie, la graisse de la bosse sert à fabriquer un beurre très employé. Enfin, le lait de chamelle est nutritif et bien équilibré. À Paris, pendant le siège de 1870, du chameau figura au menu du restaurant *Voisin* pour le réveillon.

CHAMOIS Mammifère sauvage des montagnes d'Europe, de la famille des bovidés. Dans les Pyrénées, il porte le nom d'« isard ». Sa chair, très appréciée, est tendre et de saveur agréable surtout chez les sujets de moins de 3 ans. La chasse du chamois, sportive, est très réglementée, et la commercialisation de la viande est interdite. La viande des animaux les plus âgés doit être marinée ; ses apprêts sont ceux du chevreuil.

CHAMPAGNE ET ARDENNES Cette grande région qui s'étend entre la frontière belge et la Côte d'Or bourguignonne est jalonnée de cités dont les noms évoquent une gastronomie d'ancienne tradition : andouillette de Troyes, boudin blanc de Rethel, biscuits ou jambon de Reims, pieds de mouton ou de porc à la Sainte-Menehould, fromages de Chaource et de Langres, etc.

Dans l'immense forêt ardennaise, le gibier est roi : cerf, chevreuil et sanglier (en pâté, rôti, terrine et tourte), lièvre (en civet, pâté et terrine), alors que les oiseaux (cailles, grives, perdreaux et les rares bécasses) sont souvent cuisinés au champagne, ou au genièvre comme en Belgique et dans les pays nordiques.

Les poissons de rivière (perches, truites, aloses, brochets, anguilles) sont préparés en matelote, braisés, frits ou pochés, au vin (effervescent ou tranquille) de la région.

Mais il existe également une cuisine d'inspiration paysanne, avec des recettes comme la potée, la salade de pissenlits au lard, la salade chaude à l'oignon frit, où se retrouvent pommes de terre, oignons et chou, blanc ou rouge. Le porc y est omniprésent : côtes à la sauge, jambon cru des Ardennes, fumé au bois de genêt, jambon de Reims, boudin blanc et andouillette. Le trait le plus original de cette cuisine tient à un mode de préparation, dit « à la Sainte-Menehould » : des mets divers, généralement des abats (pieds ou cou de mouton, langue ou queue de bœuf, pieds de porc, etc.) ou encore des ailes de raie, sont tout d'abord cuits dans un court-bouillon, puis refroidis, panés et grillés, servis avec de la moutarde et, comme accompagnement traditionnel, de la purée de pois cassés.

Si le poulet de grain donne lieu à des recettes originales comme le poulet « à la peau de goret », où volaille et couennes mijotent ensemble, l'oie est traditionnelle, qu'elle soit farcie, rôtie ou mijotée (à la marnaise, par exemple, avec beurre et pommes de terre). N'oublions pas la dinde rouge des Ardennes, la seule au plumage rouge en France, unique et traditionnelle.

La biscuiterie et la confiserie sont nettement plus variées que la pâtisserie proprement dite : le biscuit rose de Reims est une institution, mais il faut aussi mentionner les croquignoles et les croquettes,

les nonnettes, les pains d'épice et les bâtons vanillés, les macarons (qui portent plutôt le nom de massepains) et les madeleines.

■ **Soupes et légumes.**

• SOUPES, POTÉE, JOUTE, BAYENNE. Les soupes de la région sont très appréciées : aux fèves, aux haricots ou à l'oseille, souvent agrémentées de lait ou de crème fraîche, ou à l'oignon (parfumée au marc de champagne).

La plantureuse potée champenoise, plat rituel des vendanges, demande une abondance de légumes frais, que complètent les haricots secs ; la viande se compose de crosse de jambon, lard, saucisses pochées et jambon fumé. La joute (boulettes de chou au lard poêlées aux lardons) et la bayenne, ou bailline (pommes de terre en rondelles non pelées, intercalées avec oignons émincés, ail, sel et poivre, cuites au four dans un mouillement d'eau ou de vin), relèvent de la même tradition paysanne.

■ **Poissons, crustacés.**

• MATELOTE, ÉCREVISSES. La matelote champenoise, au vin blanc ou rouge, demande anguilles, brochetons et carpillons, petites brèmes ou tanches et une abondance d'aromates : selon les localités, les variantes sont nombreuses. Les écrevisses, aujourd'hui plus rares, sont appréciées au court-bouillon et participent à la préparation d'une spécialité rémoise, le pain à la reine, mousse de poisson avec coulis d'écrevisse.

■ **Viandes.**

• PORC ET CHARCUTERIE. Les pâtés en croûte se caractérisent par des farces composites, à base de volaille, porc et veau. Traditionnelles à la Saint-Martin (11 novembre), les ouyettes sont des petites bouchées de pâté d'oie en croûte. La farce dite champenoise sert par ailleurs à confectionner des crépinettes ou des paupiettes.

• BŒUF, AGNEAU ET VEAU. Au simple rôti la cuisine champenoise préfère des préparations plus complexes : bœuf en éventail à la troyenne (tranché et repassé au four), culotte de bœuf marinée, escalopes de veau poêlées et gratinées. Les abats sont appréciés, comme les pieds de mouton farcis à la rémoise, les rognons ou les ris de veau à la crème fraîche.

• VOLAILLES ET GIBIER. Les grandes recettes de volaille sont associées au vin : le bouzy, un rouge de la Montagne de Reims, pour cuisiner le coq au vin et le civet de lièvre, et le champagne pour la poularde ou le lapereau. Le lapin de garenne mijote au vin blanc avec oignons et jambon des Ardennes.

■ **Fromages.**

Ils sont nombreux : chaource à pâte molle et à croûte fleurie onctueuse, évry-le-châtel, rocroi et riceys, deux cendrés, ou encore langres à pâte molle, à croûte lavée jaune-orange et au goût puissant rappelant celui de l'époisses.

■ **Pâtisseries.**

• DARIOLES, TANTIMOLLES ET TARTES. Reims apprécie les douceurs. Outre le fameux biscuit rose du même nom, la ville reste fidèle, le jour de la Saint-Rémi (1er octobre), aux darioles, des tartelettes de pâte brisée garnies de crème pâtissière. Au répertoire figurent aussi les crêpes, appelées tantimolles, les tartes au quemeu, qui sont des flans au lait, la tarte au riz, la soupe dorée (sorte de pain perdu aux œufs sauté à la poêle), les tartes aux prunes et les crèmes aromatisées, comme la crème champenoise, un sabayon parfumé au vin de la région.

■ **Vins.**

Le vin de Champagne a suivi une longue évolution avant de devenir le vin de qualité que l'on connaît aujourd'hui. Ce n'est qu'au XVIIe siècle que dom Pérignon apporta les améliorations à son élaboration. Ainsi naquit le roi des vins, le champagne.

• RÉGIONS, CÉPAGES. Le vignoble champenois, qui couvre 35 000 ha, tire son unité de la craie qui compose le sous-sol. Le relief et les rivières ont permis de définir quatre régions principales : la Montagne de Reims, la Côte des Blancs près d'Épernay, la vallée de la Marne et le vignoble de l'Aube. Chaque commune du vignoble est classée selon une échelle de crus qui exprime la valeur du terroir : les vins des communes classées 100 % ont le droit à l'appellation « grand cru » et ceux classés de 90 à 99 % à la mention « premier cru ». Le sol et l'exposition déterminent le choix des cépages qui, assemblés, donneront le champagne. Du chardonnay viendront la finesse et l'élégance ; du pinot noir, la puissance et la charpente, et du pinot meunier, le fruit et le charme.

Vignoble de Champagne

Crus
- Grands Crus
- Premiers Crus
- Autres Crus
- Rosé des Riceys

0   10 km

N

Aujourd'hui, les viticulteurs champenois élaborent tout d'abord un vin blanc tranquille. Au printemps, ils le mettent en bouteilles avec du sucre de canne et des ferments, ce qui provoque une seconde fermentation et l'apparition de gaz carbonique ; cette « prise de mousse » dure 3 mois environ, mais le séjour en cave est souvent bien plus long.

Retournées selon une certaine périodicité (c'est le « remuage »), débarrassées de leur dépôt de lie (« dégorgement »), les bouteilles sont finalement additionnées de « liqueur d'expédition », mélange plus ou moins sucré de vin vieux et d'eau-de-vie, qui donne au champagne ses caractéristiques de « demi-sec » (pour le goûter ou le dessert) ou de « brut » (en apéritif, tout au long du repas, notamment avec les plats de crustacés, les viandes ou les volailles blanches, et en fin de soirée).

La bouteille de champagne classique a une contenance de 75 cl ; elle est plus épaisse que les bouteilles de vin courantes, et le fond est aussi fortement creusé pour résister à la pression des gaz. Au XIXᵉ siècle, les négociants champenois ont créé des bouteilles de contenances différentes : parmi les plus connues, le magnum (1,5 litre), le jéroboam (3 litres), le nabuchodonosor (15 litres).

■ **Dégustation.** Le champagne craint la lumière et les différences de température. Trop vieux, il perd sa fraîcheur, sa mousse et prend une teinte jaune d'or foncé. Il est, depuis le XVIIIᵉ siècle, en France et dans le monde, le vin de fête par excellence.

Le champagne doit se servir « frappé », jamais glacé. Le bouchon ne doit pas sauter : il faut au contraire le retenir en penchant fortement la bouteille, pour que les gaz viennent buter sur le col et que la différence de pression ne laisse pas échapper trop de bulles. On verse le vin délicatement, dans des flûtes plutôt que dans des coupes où le champagne s'évente vite. « Sabler le champagne » – et non « sabrer » –, c'est le déguster.

▶ **Recette :** COCKTAIL.

• **STYLES.** Dès le printemps, les vins sont assemblés puis mis en bouteilles pour la seconde fermentation. Avec les assemblages, chaque maison défend son style en jouant sur les cépages et les millésimes pour composer sa cuvée de « brut sans année », qui fait sa notoriété. En effet, le champagne n'est millésimé que lors des grandes années. Les meilleurs vins sont souvent gardés pour l'élaboration de cuvées spéciales. Le champagne est soit brut (sec et frais), soit demi-sec (rond et moelleux). L'AOC champagne concerne les vins effervescents, qui sont des vins d'assemblage. On trouve aussi des blancs de blancs, élaborés à 100 % avec du chardonnay, ou, plus rares, des blancs de noirs, issus des pinots. Le vignoble produit aussi des vins « tranquilles » sous le nom de « coteaux champenois » : des blancs et quelques rouges qui portent le nom de leur village d'origine, Bouzy, Ay, Cumières.

CHAMPAGNE (VIN) Vin blanc effervescent produit en Champagne, à partir des cépages chardonnay, pinot noir et pinot meunier. Jusqu'à la fin de la Renaissance, le vin de Champagne était encore un vin « tranquille », comme celui de Bourgogne.

C'est au XVIIᵉ siècle qu'un moine bénédictin, dom Pérignon, améliora la méthode de fermentation dite « champenoise », déjà connue, et surtout entreprit des associations de divers crus.

■ **Élaboration.** Tous les vins ont une tendance naturelle à « travailler » au printemps, au moment de la montée de la sève ; cette fermentation dégage du gaz carbonique.

En général, la cuve ou la barrique permet au gaz de s'échapper ; mais, si les vins sont déjà en bouteilles, ils deviennent très légèrement pétillants (on les appelait autrefois « vins diables » ou « vins saute-bouchon »). Ainsi, quand on place un vin tranquille dans une bouteille de verre épais, et que l'on fixe solidement le bouchon, le gaz reste à l'intérieur.

CHAMPEAUX Restaurant fondé en 1800, place de la Bourse, à Paris, par un monsieur Champeaux, et particulièrement apprécié pour ses plats consistants et son service rapide par les boursiers et les hommes d'affaires. Le poulet Champeaux était une des spécialités : le poulet, coupé en morceaux, était sauté au beurre, puis cuit au four, déglacé avec un fond de volaille et garni de petits oignons et de pommes cocotte. En 1903, c'est au *Champeaux* que fut décerné le premier prix Goncourt : les académiciens s'y réunirent quelque temps, après avoir quitté le *Grand Hôtel* et avant d'aller chez *Drouant*. Le restaurant disparut cinq ans plus tard.

CHAMPIGNON Le champignon, ou carpophore, est issu d'un mycélium souterrain se développant sur un support nourricier humide et riche en carbone (humus, racine, bois).

La valeur nutritive de champignons en protides est supérieure à celle des légumes à feuilles. Ils sont très peu caloriques (pour 100 g de morilles : 40 kJ ; de pleurotes en huître ou de nonettes voilées : 45 kJ ; de chanterelles : 47 kJ ; d'oronges : 58 kJ ; d'armillaires : 63 kJ ; de champignons de Paris : 67 kJ ; de bolets rudes : 76 kJ ; de cèpes : 85 kJ ; de truffes : 115 kJ).

Les champignons comestibles (**voir** planche des champignons pages 188 et 189) comprennent des espèces cultivées (champignons « de couche » ou « de Paris », pieds-bleus, lépiotes, shiitakes) et de nombreuses espèces dites « de cueillette » (bolets, oronges, pieds-de-mouton, trompettes-des-morts, chanterelles). La morille et la truffe jouissent d'une renommée gastronomique très ancienne et méritée.

La cueillette des champignons sauvages est sans doute aussi ancienne que celle des baies. Pour ramasser les champignons, il est essentiel de bien les connaître, car certains d'entre eux sont mortels. En cas de doute, on doit les faire expertiser par un mycologue ou un pharmacien. Cueillis ou achetés, les champignons doivent être frais, jeunes et non véreux. Il faut les apprêter le plus rapidement possible, car, si les chanterelles et les cèpes se conservent deux ou trois jours au frais, les lépiotes et les coprins ne se gardent pas. Les champignons sont en général fortement putrescibles.

■ **Préparation.** Pour préserver tout l'arôme des champignons de cueillette, il ne faut ni les laver ni les peler. Des essuyer avec un linge, d'abord humide, puis sec. Couper les pieds lorsqu'ils sont coriaces, fibreux ou véreux ; sinon, il suffit d'enlever la base terreuse. On ôte les tubes des bolets lorsqu'ils sont trop spongieux, et on ébarbe les variétés à lamelles lorsque celles-ci sont trop mûres. Si les champignons sont très terreux, on les lave rapidement, éventuellement dans plusieurs eaux (morilles), mais sans jamais les laisser tremper. Enfin, on ne les blanchit qu'exceptionnellement.

■ **Emplois.** Les champignons sont plutôt de savoureux et délicats condiments que de véritables légumes, à l'exception des cèpes, des girolles et des champignons de Paris qui peuvent constituer une garniture ou un plat à eux seuls. Quelques champignons se mangent crus (oronges, coprins, champignons de couche, sparassis crépus) ; la plupart ne sont comestibles qu'une fois cuits. On les fait mijoter à feu doux et à couvert pour leur faire rejeter du liquide qui peut servir de base à un potage. On les fait sauter à l'huile (arachide, colza, tournesol ou olive de préférence) ou au beurre. On les incorpore directement à une sauce ou à un ragoût. Trop cuits, ils perdent leur saveur et durcissent. On ne les sale qu'en fin de cuisson, et on les relève éventuellement avec de l'ail, de l'échalote et du persil, mais avec modération, pour ne pas masquer leur saveur souvent subtile.

■ **Conservation.** La dessiccation convient aux espèces dont la chair est peu hydratée (chanterelle, faux mousseron, morille) et aux cèpes (chapeaux coupés en fines lamelles). Les espèces charnues peuvent être mises en bocaux et stérilisées, ou congelées. Les champignons se conservent aussi bien dans l'huile, le vinaigre ou la saumure. (On en trouve en boîte, au naturel, parfois traités par présaumurage, mais leur goût est moins bon et souvent dénaturé.)

■ **Arôme champignon.** Le caractère odorant des champignons est présent dans d'autres aliments, par exemple dans certains fromages à croûte fleurie ou morgée. Il est dû à la décomposition de l'acide linoléique sous l'action de micro-organismes. La molécule responsable de cet arôme est un « alcool » (au sens chimique du terme) bien connu, caractéristique du champignon de Paris, qui en contient énormément.

RECETTE DE JEAN CHAUVEL

café champignon

POUR 10 PERSONNES – PRÉPARATION : 25 min – CUISSON : 1 h 30
« Faire bouillir 25 cl de lait entier et 25 cl de crème liquide. Y faire infuser 40 g de citronnelle et 5 grains de café torréfiés. Ajouter 3 feuilles de gélatine préalablement trempées dans de l'eau froide après les avoir égouttées. Les incorporer à la crème de café ; laisser infuser 30 min. Passer le tout au chinois étamine et mettre l'appareil dans un siphon (2 cartouches de gaz) ; laisser au chaud. Prendre ensuite un grand rondeau en Inox, mettre sur le feu et torréfier 15 grains de café avec 2 clous de girofle, 2 anis étoilés, 2 bâtons de citronnelle, 2 bâtons de cannelle et 2 baies de genièvre. Ajouter 3 kg de champignons de Paris entiers déjà lavés et équeutés, puis 200 g de girolles fraîches, 200 g de chanterelles grises et 80 g de cèpes séchés (préalablement trempés dans de l'eau froide et égouttés). Mouiller jusqu'à

recouvrir les champignons et porter à ébullition, recouvrir d'un couvercle et laisser cuire 1 h 30. Passer le tout au chinois étamine et laisser au chaud. Verser aux trois quarts la décoction de champignons dans une tasse à café, ajouter l'appareil du siphon au-dessus comme un cappuccino et râper un peu de fève tonka sur chaque tasse. »

RECETTE DE RÉGIS MARCON

poêlée de champignons sauvages

« Rassembler 150 g de cèpes, autant de sparassis crépus, de trompettes-des-morts, de pieds-de-mouton, 120 à 150 g de chanterelles communes, 100 g de faux mousserons, autant de pieds-bleus, de chanterelles jaunissantes. Nettoyer, essuyer et laver les champignons si nécessaire. Ôter les queues des mousserons et des pieds-bleus. Porter à ébullition 1 litre d'eau avec 15 g de sel. Plonger les pieds-bleus dans l'eau bouillante, les blanchir pendant 2 min. Les retirer à l'aide d'une écumoire et les verser dans une bassine d'eau glacée. Blanchir ensuite les mousserons pendant 30 secondes, puis les retirer et les mettre dans l'eau glacée. Faire de même avec les trompettes-des-morts. Retirer tous les champignons qui sont dans l'eau glacée, les égoutter et les éponger soigneusement. Tailler les cèpes en quartiers, couper les sparassis, les chanterelles et les pieds-de-mouton s'ils sont trop gros. Dans une petite casserole à fond épais, faire chauffer 60 g de beurre, ajouter 3 échalotes ciselées finement, 1 pincée de sel et laisser cuire jusqu'à ce qu'elles soient translucides. Réserver. Dans une poêle antiadhésive, faire chauffer de l'huile d'olive, 2 cuillerées à soupe de beurre fondu, ajouter 1 petite branche de thym, 3 baies de genièvre et 2 gousses d'ail écrasées avec leur peau. Dès que le mélange huile-beurre est bien chaud, verser les cèpes et faire colorer légèrement pendant 3 ou 4 min tout en remuant avec la cuillère en bois. Ajouter ensuite, dans l'ordre, les sparassis, les pieds-de-mouton et les chanterelles communes. Dès que ces champignons sont cuits, ajouter les autres. Retirer les gousses d'ail et le thym. Ajouter les échalotes, saler et poivrer. Mélanger à la poêlée 80 à 100 g de beurre fin et 2 cuillerées à soupe de persil, cerfeuil et ciboulette, hachés. Servir très chaud. »

soupe mousseuse au blé d'Inde (maïs)
et champignons ▶ BLÉ D'INDE

CHAMPIGNON DE PARIS Espèce cultivée d'agaric, ou psalliote, à chapeau charnu et à lamelles rosées, devenant chocolat foncé lorsque le champignon vieillit (**voir** planche des champignons pages 188 et 189). On distingue plusieurs variétés de champignons de Paris à « chapeau » variant du « blanc » au « bistre », plus parfumé ; toutes sont peu énergétiques (16 Kcal ou 67 kJ pour 100 g).

C'est sous Louis XIV que se développa la culture de la psalliote champêtre, rendue intensive par l'architecte-jardinier La Quintinie. Ce champignon, dit « de Paris », fut produit sous Napoléon en grandes quantités dans les carrières désaffectées du XVe arrondissement de Paris, puis dans le Nord, en Gironde et dans le Val de Loire, qui restent, avec la région parisienne, les régions de production majeures.

■ **Emplois.** Disponibles toute l'année, les champignons de Paris ont une chair ferme et douce, très agréable. Leur abondance, leur typicité et leur parfum font qu'ils ont la faveur des cuisiniers qui les apprêtent de multiples manières : farcis, hachés, émincés, en décor.

Les champignons de Paris se mangent crus quand ils sont jeunes, fermés et très fermes. On les prépare à la crème et aux fines herbes, à la sauce au roquefort, à la vinaigrette, avec des fruits de mer, en salades composées, etc. ; ils s'apprêtent aussi à la grecque avec du vin blanc, du citron et des graines de coriandre et se servent en hors-d'œuvre.

Sautés, en lamelles ou en quartiers, ils accompagnent viandes, poissons, volailles ou garnissent des omelettes. Tournés, garnis, grillés, etc., ils entrent dans de nombreuses garnitures classiques (Belle Hélène, à la bourguignonne, Chambord, à la forestière, à la gauloise, Richelieu, etc.).

CHAMPIGNONS

pholiote changeante

marasme d'Oréade

girolle

coprin

cèpe tête-de-nègre

truffe blanche

truffe noire

morille

lépiote

cèpe de Bordeaux

pleurote en forme d'huître jaune

chanterelle en tube

mu-err, ou oreille de chat

pleurote en huître

pleurote du panicaut

trompette-des-morts, ou craterelle

pied-bleu

hydne

tricholome terreux

laccaire améthyste

champignon de Paris fauve

lactaire

amanite des Césars, ou oronge vraie

champignon de Paris blanc

shiitake

189

Les sauces y font largement appel ; ils sont alors émincés en julienne ou cuits au blanc (chasseur, à la financière, Godard, à l'italienne, matelote, Polignac, Régence, suprême, etc.). La duxelles les utilise comme élément principal. Enfin, ils se cuisinent agréablement, souvent en association avec du fromage ou du jambon, en croûtes, en bouchées, en tartes, en gratins, sur canapés, farcis, etc.

Les champignons de Paris se vendent aussi couramment en boîte (quatre catégories : « extra », pour les champignons entiers et réguliers, « premier choix », « choix » et « en morceaux »). On les trouve aussi lyophilisés, et sous forme d'essence pour aromatiser les sauces.

champignons de Paris : préparation

Couper le bout terreux des champignons, puis les laver plusieurs fois mais rapidement à l'eau froide. Les arroser de jus de citron s'ils doivent attendre, pour qu'ils ne noircissent pas.

barquettes aux champignons ▶ BARQUETTE

blanc de champignon

Porter à ébullition 10 cl d'eau avec 40 g de beurre, le jus de 1/2 citron, 6 g de sel. Y plonger 300 g de champignons et laisser bouillir 6 min, puis égoutter. Le bouillon de cuisson permet de parfumer une sauce blanche, un fumet de poisson ou une marinade.

bouchées aux champignons ▶ BOUCHÉE (SALÉE)

champignons à l'anglaise

Choisir de beaux champignons de couche, les parer, les laver, les citronner aussitôt et retirer les pieds. Saler et poivrer les têtes. Les garnir d'un peu de beurre maître d'hôtel, les disposer dans un plat à gratin et les cuire de 12 à 15 min dans le four préchauffé à 200 °C. Griller de petites tranches de pain de mie, puis y disposer les têtes de champignon.

champignons au beurre

Nettoyer et parer des champignons de couche, les escaloper à cru, en deux ou trois parties suivant leur grosseur ; saler et poivrer. Les dorer à la poêle, au beurre et à feu vif, et les dresser en légumier, éventuellement avec des fines herbes ciselées ou des oignons émincés et fondus au beurre, à la lyonnaise, ou couverts de crème réduite ensuite jusqu'à consistance onctueuse. (On prépare de la même façon cèpes, champignons des prés, chanterelles, girolles, morilles, mousserons et oronges.)

champignons farcis

Choisir des gros champignons de Paris de même taille. Enlever tout le pied pour dégager la cavité. Laver les chapeaux et les essuyer. Les ranger dans un plat beurré ou huilé ; saler, poivrer ; les enduire d'huile ou de beurre fondu et les passer 5 min au four préchauffé à 180 °C. Les farcir chacun d'une grosse cuillerée de duxelles montée en dôme. Poudrer de mie de pain fine, arroser d'huile d'olive et faire gratiner. (Comme tous les légumes farcis, les champignons peuvent être garnis de différents appareils tels que brunoise, farce maigre, mirepoix, purée ou salpicon, risotto, etc.)

champignons en garniture

Faire sauter les champignons au beurre, les égoutter. Déglacer la sauteuse au madère et faire réduire ; mouiller de bouillon ou de demi-glace : réduire de moitié ; passer. Remettre les champignons dans cette sauce. Ils peuvent alors s'intégrer à de très nombreux apprêts tels que blanquette, fricassée, escalope, œufs, poisson, ris de veau, etc., ou bien garnir des bouchées, des tourtes, des petits vol-au-vent, etc.

champignons à la grecque

POUR 4 PERSONNES – PRÉPARATION : 30 min – CUISSON : 12 min

Nettoyer 600 g de petits champignons de Paris (calibre boutons). Éplucher, laver 120 g de petits oignons nouveaux (12 pièces). Presser le jus de 1 citron. Confectionner 1 bouquet garni. Éplucher et dégermer 1 gousse d'ail. Envelopper et ficeler dans une mousseline ou une gaze hydrophile 15 graines de coriandre, 20 grains de poivre et la gousse d'ail. Mettre à chauffer 5 cl d'huile d'olive dans un sautoir, y faire suer les petits oignons sans coloration pendant 5 min. Ajouter les champignons boutons entiers (ou escalopés si vous avez des champignons plus gros), puis le jus de citron, 10 cl de vin blanc sec, le bouquet garni, du sel et la mousseline d'aromates. Porter rapidement à ébullition, couvrir et laisser cuire 5 ou 6 min. Retirer le couvercle et, au besoin, réduire vivement la cuisson car elle doit être courte, sirupeuse et enrobant parfaitement les champignons. Éliminer le bouquet garni et la mousseline d'aromates. Vérifier l'assaisonnement. Dresser dans un ravier et laisser refroidir. Ce hors-d'œuvre est consommé froid.

champignons à la poulette

Faire étuver au beurre des champignons nettoyés, sans coloration. Ajouter juste assez de sauce poulette pour les lier et rectifier l'assaisonnement. Verser les champignons dans un légumier chauffé et les parsemer de fines herbes ciselées.

crème de champignon ▶ CRÈME (POTAGE)
crêpes aux champignons ▶ CRÊPE
duxelles de champignons ▶ DUXELLES
essence de champignon ▶ ESSENCE
farce aux champignons ▶ FARCE

RECETTE DE ROLAND DURAND

vichyssoise de champignons à l'angélique

« Blanchir 10 feuilles d'angélique, les essorer, les hacher grossièrement, les mixer avec 20 cl de crème liquide. Garder en attente au frais. Émincer finement 1 branche d'angélique fraîche, la faire suer avec 20 g de beurre et verser 70 cl de bouillon de volaille par-dessus. Porter à ébullition et laisser infuser à couvert pendant 30 min. Ajouter 300 g de champignons de Paris bien blancs, nettoyés et émincés, 30 g de beurre et cuire 5 min. Laisser refroidir. Verser dans le bol d'un mixeur, ajouter la crème de feuille d'angélique et mixer. Assaisonner de sel et de poivre blanc, incorporer le jus de 1/2 citron. Émincer finement 10 petits champignons boutons bien blancs. Répartir la vichyssoise dans des bols ou des assiettes creuses, parsemer la surface avec les champignons émincés. »

CHAMPIGNONS EXOTIQUES Variétés de champignons qui poussent en Extrême-Orient, très utilisés dans la cuisine chinoise et japonaise, notamment. En Europe, on les trouve frais ou sous forme séchée, ou dans des mélanges de légumes marinés ou cuisinés.

Le champignon noir (souvent remplacé, dans les restaurants chinois installés en Europe, par l'auriculaire oreille-de-Judas) et le shiitake entrent dans la composition de salades, de soupes, de hachis, de garnitures et de légumes sautés.

Le champignon chinois parfumé (*xiang xin*, « cœur parfumé ») se cuisine de la même façon. Le champignon de paille, délicat, enrichit toutes sortes de potages et de viandes sautées.

CHAMPVALLON Nom donné à un apprêt de côtes de mouton, cuites au four entre une couche d'oignons et une couche de pommes de terre. Cette préparation classique remonte à l'époque de Louis XIV ; elle est due à l'une de ses maîtresses qui, en flattant la gourmandise du roi, supplanta un temps la marquise de Maintenon (à qui l'on devait les côtelettes en papillotes).
▶ Recette : MOUTON.

CHANDELEUR Fête catholique (2 février) commémorant la présentation de Jésus au Temple et la Purification de la Vierge. À cette occasion, en France, on mange des crêpes et des beignets. Le mot vient du latin *festa candelarum* (« fête des Chandelles ») parce que, ce jour-là, on allumait – et on allume encore – beaucoup de cierges dans les églises. La date du 2 février coïncide également avec la reprise des travaux des champs, après les rigueurs de l'hiver. C'est sans doute pourquoi la Chandeleur est l'occasion de préparer des plats à base de farine qui, par leur forme ronde et leur couleur dorée, symboliseraient le soleil. L'utilisation de froment de la récolte précédente, pensait-on aussi autrefois, attirait la bénédiction sur la récolte future.

« Il est classique de sauter à l'huile ou au beurre (dans une poêle ronde le plus souvent) des champignons détaillés en lamelles. Préparés ici chez POTEL ET CHABOT ou à l'école FERRANDI PARIS, ils constituent un accompagnement savoureux et délicat. Mais ils peuvent aussi tenir lieu de plat à eux seuls. »

Des superstitions diverses sont attachées aux crêpes traditionnelles de la Chandeleur. En Bourgogne, il faut en lancer une sur le haut de l'armoire pour ne pas manquer d'argent dans l'année. Et, durant la confection des crêpes, malheur au maladroit qui fait tomber la sienne en la retournant !

Napoléon, à la Chandeleur de 1812 – avant son départ pour la campagne de Russie –, fit des crêpes à la Malmaison ; il en réussit, dit-on, quatre sur cinq, augurant ainsi de sa victoire dans quatre batailles. Mais la cinquième crêpe manquée l'inquiéta. Le jour de l'incendie de Moscou, il aurait dit au maréchal Ney : « C'est la cinquième crêpe ! »

CHANFAÏNA Plat de la cuisine antillaise, fait de tranches de foie de mouton frites, rangées dans un plat en terre et recouvertes de quartiers de tomate frits dans de l'huile, d'ail écrasé et de piments doux émincés.

En Espagne, la *chanfaïna* (ou *xanfaina*) est une sauce typique de la Catalogne, faite d'oignons, de poivrons et de divers légumes frais coupés en petits morceaux et cuits dans de l'huile brûlante, avec de la menthe fraîche, du persil, du cumin et du poivre ; cette sauce accompagne volailles, viandes blanches ou escalopes de homard.

CHANOINESSE (À LA) Se dit de diverses préparations qui évoquent sans doute le raffinement culinaire attribué sous l'Ancien Régime aux chanoines et chanoinesses (on disait alors une « vie de chanoine », « gras comme un chanoine », etc.). La poularde à la chanoinesse est pochée et entourée de tartelettes garnies de queues d'écrevisse liées de sauce suprême au coulis d'écrevisse ; on retrouve ce dernier dans la crème-potage ou velouté du même nom. Les ris de veau et les œufs mollets ou pochés sont, eux, garnis de petites carottes à la crème et de truffes, nappées d'une sauce au fond de veau relevé de xérès.

▶ Recette : SOUFFLÉ.

CHANTECLER Nom donné à divers apprêts de homard et de langouste. Les crustacés sont coupés en deux dans le sens de la longueur, légèrement saupoudrés de cari puis revenus au beurre. La chair est ensuite escalopée et remise dans la carapace sur un lit de riz, nappée d'une sauce Nantua parfumée au cari, garnie de champignons, de crevettes et de crêtes de coq, puis gratinée.

L'appellation désigne aussi une garniture pour noisettes et tournedos, cuits au beurre, nappés d'une sauce au porto garnie d'une julienne de truffe, accompagnés de rognons d'agneau piqués de crêtes de coq, et servis avec des tartelettes aux pointes d'asperge.

CHANTERELLE Champignon des bois dont le « chapeau », déprimé en entonnoir, est orné de plis descendant jusqu'à la base du pied (**voir** planche des champignons pages 188 et 189). L'espèce la plus estimée est la chanterelle commune, ou girolle, de couleur jaune-orangé. Toutes les chanterelles sont agréablement parfumées. Elles doivent cuire lentement, car elles durcissent à feu trop vif. On les utilise surtout comme garniture de viandes blanches (veau, poulet) ou d'omelettes.

CHANTILLY Nom donné à diverses préparations qui ont en commun la présence de crème fouettée. Froide et sucrée, éventuellement parfumée, celle-ci accompagne ou termine de nombreux entremets (bavarois, charlotte, coupes glacées, crèmes froides, meringue, vacherin, etc.), ou entre dans leur composition. Non sucrée, elle intervient aussi dans la préparation de sauces émulsionnées froides, comme la mayonnaise, ou chaudes, comme la hollandaise, qui sont alors appelées « mousselines ».

L'appellation est due à la réputation qu'avaient les cuisines du château de Chantilly sous les Condés, lorsque Vatel y officiait, au milieu du XVIIᵉ siècle, bien que les apprêts « à la Chantilly », ou « Chantilly », datent, en fait, du siècle dernier.

▶ Recettes : CHARLOTTE, CHOU, CRÈME FRAÎCHE, POULARDE, SAVARIN.

CHAOURCE Fromage champenois AOC de lait de vache (50 % de matières grasses), à pâte molle et à croûte fleurie (**voir** tableau des fromages français page 389). Le chaource se présente sous la forme d'un cylindre de 12 cm de diamètre et de 6 cm d'épaisseur, pesant 600 g environ (il en existe aussi un petit format). Il est onctueux et bien blanc, et a une saveur lactique et bien fruitée.

CHAPATI Galette indienne à base de farine de blé et de beurre clarifié. Cuite dans une poêle à fond épais, la chapati est légèrement boursouflée et croustillante. Quand elle est plus molle, elle est parfois fourrée d'épinards hachés avec du gingembre et du cumin.

CHAPEL (ALAIN) Cuisinier français (Lyon 1937 - Avignon 1990). Son père, Roger, achète en 1938, à Mionnay (Ain), *la Mère Charles*, une modeste auberge qui deviendra trente-deux ans plus tard le restaurant *Alain Chapel*. Le jeune homme fait son apprentissage chez Jean Vignard (*Chez Juliette*, à Lyon), puis chez Fernand Point (*la Pyramide*, à Vienne). De 1960 à 1967, il effectue son « tour de France » et, en 1972, devient « meilleur ouvrier de France ». Il travaille avec son père, puis seul, et obtient la troisième étoile au Guide Michelin en 1973. On lui doit des plats splendides, comme le gâteau de foies blonds dans la lignée de Lucien Tendret, ainsi que l'innovation d'une carte poétique où chaque élément est détaillé, un usage que développera l'un de ses plus fameux élèves, Alain Ducasse. Après sa disparition, Suzanne, son épouse, continue de tenir sa maison avec brio en compagnie de son disciple Philippe Jousse. On doit à Alain Chapel un important livre de recettes au titre significatif : *la Cuisine, c'est beaucoup plus que des recettes* (1987).

CHAPELLE-CHAMBERTIN Vin rouge AOC de Bourgogne, issu du cépage pinot noir, voisin immédiat du chambertin dont il présente les mêmes caractéristiques dans un style à peine plus léger.

CHAPELURE Mie de pain séchée et réduite en poudre, utilisée en cuisine essentiellement pour les préparations panées ou gratinées. Elle était autrefois obtenue en « chapelant » du pain, c'est-à-dire en râpant la croûte, puis en la faisant sécher à four doux. La chapelure « blanche », faite de mie de pain rassis passée au tamis et séchée sans être grillée, sert surtout à paner les pièces à frire ; elle se garde peu. La chapelure « blonde », qui a subi une légère torréfaction au four ou qui a été préparée en broyant au mortier de la croûte de pain ou des biscottes, convient pour les gratins et se conserve en bocal de verre hermétique.

La plupart des chapelures commercialisées aujourd'hui sont fabriquées industriellement.

CHAPON Jeune coq castré et engraissé, dont la chair est très tendre (**voir** tableau des volailles et lapins pages 905 et 906 et planche page 904). La finesse de la viande des chapons (jusqu'à 6 kg) vient de l'accumulation de la graisse, qui se dépose régulièrement dans leurs muscles.

Leur élevage, qui avait pratiquement disparu, a largement repris depuis les années 1980 en Bresse, dans l'Ouest et dans les Landes. Les chapons ordinaires sont nourris en batterie et abattus vers 4 mois. Les chapons de Bresse (AOC) disposent d'un espace de vie plus important ; tués vers 7 ou 8 mois, ils sont plumés aussitôt et à sec, nettoyés et serrés dans un linge, puis suspendus pendant deux jours en chambre froide. Le chapon s'apprête comme la poularde. Il est toujours meilleur cuit au four qu'à la broche.

CHAPTALISATION Pratique consistant à rajouter du sucre dans le moût pendant la fermentation alcoolique afin d'obtenir un vin plus alcoolisé : 17 g de sucre par litre de moût donne 1 degré supplémentaire d'alcool. Cette adjonction de sucre (de betterave ou de canne) est strictement réglementée dans sa pratique et son but. Le nom vient de l'inventeur du procédé, le chimiste et homme politique Jean-Antoine Chaptal (1756-1832).

CHARBONNÉE Grillade cuite sur des braises. Dans le Berry, le mot désigne aussi un civet de porc lié au sang. En Île-de-France, c'est un ragoût de bœuf, cuit longuement dans du vin rouge avec des oignons, des carottes et des aromates, et lié au sang de porc.

CHARCUTERIE

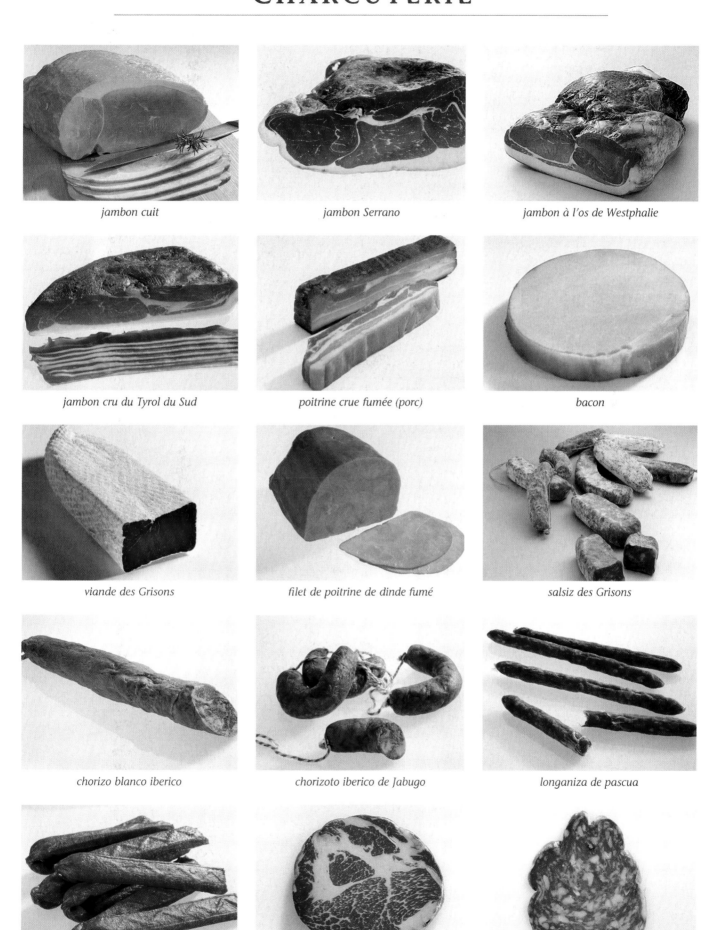

jambon cuit

jambon Serrano

jambon à l'os de Westphalie

jambon cru du Tyrol du Sud

poitrine crue fumée (porc)

bacon

viande des Grisons

filet de poitrine de dinde fumé

salsiz des Grisons

chorizo blanco iberico

chorizoto iberico de Jabugo

longaniza de pascua

gendarme

coppa

saucisson sec

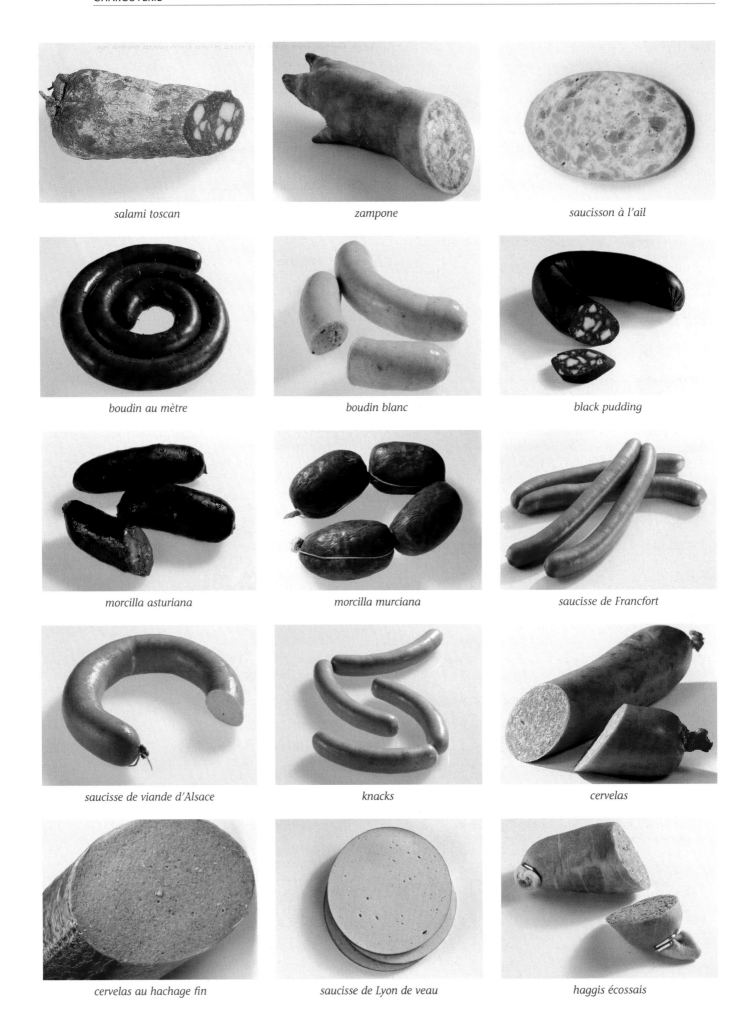

salami toscan

zampone

saucisson à l'ail

boudin au mètre

boudin blanc

black pudding

morcilla asturiana

morcilla murciana

saucisse de Francfort

saucisse de viande d'Alsace

knacks

cervelas

cervelas au hachage fin

saucisse de Lyon de veau

haggis écossais

CHARCUTERIE Ensemble de produits transformés à base de viande et d'abats de porc, de volaille, de gibier, de veau, de bœuf, de mouton et, plus récemment, de poissons et de crustacés (**voir** planche de charcuterie pages 193 et 194).

Le mot désigne également le magasin où l'on vend ces produits et la filière professionnelle qui en fait le commerce. La charcuterie est particulièrement développée dans les pays où l'élevage du porc relève d'une longue tradition (Allemagne, Belgique, France, Hollande, Italie, Espagne).

■ **Histoire.** Les Romains sont à l'origine de la charcuterie en tant que profession. En France, c'est seulement en 1475 qu'un édit de la prévôté de Paris accorda à des « maîtres chayrcutiers-saucissiers-boudiniers » le droit de vendre de la chair de porc cuite et apprêtée (ainsi que le poisson pendant le carême). L'année suivante, ceux-ci constituèrent une profession spéciale, distincte de celle des rôtisseurs (ou « oyers »), il fallut attendre 1513 pour qu'ils aient le droit de s'approvisionner directement en viande de porc, sans être obligés de passer par l'intermédiaire des bouchers.

■ **Emplois.** Les multiples préparations de charcuterie (salaisons, saucisses et saucissons, pâtés, rillettes, andouilles, boudins, chair à saucisse, jambons, galantines, pâtés en croûte, plats cuisinés, farces) sont longtemps restées des spécialités régionales, dominées par les procédés du salage et du fumage.

À la fin du XIXe siècle, les préparations des charcutiers firent leur apparition dans les menus de gala, grâce au charcutier Louis-François Drone, né en 1825 dans la Sarthe et installé à Paris sous le second Empire, qui imposa de nouvelles méthodes dans ce domaine. Surnommé le « Carême de la charcuterie », il publia un monumental *Traité de la charcuterie ancienne et moderne*. Le 9 décembre 1893, un menu « tout en charcuterie » fut publié dans *le Figaro*, signé par Gustave Carlin (grand chef parisien, auteur de *la Cuisine moderne*, 1887).

En 1963 a été fondée la confrérie des Chevaliers de Saint-Antoine, dont le but est d'étudier et de promouvoir la gastronomie du porc et de la charcuterie.

CHARCUTIÈRE (À LA) Se dit de préparations de charcuterie (côte de porc sautée surtout – couramment appelée « côte charcutière » –, mais aussi carré de porc rôti, crépinette, cromesqui) servies avec une sauce charcutière, qui est une sauce Robert (oignons et vin blanc) additionnée de cornichons coupés en julienne. Les œufs à la charcutière, pochés ou mollets, sont dressés sur une crépinette sautée et nappés d'une réduction de sauce charcutière.

CHARDONNAY Cépage blanc, parmi les plus fins, d'origine bourguignonne, que l'on retrouve sous d'autres noms selon la région où il est cultivé : melon blanc dans le Jura, roussot dans l'Yonne, noirien blanc en Côte-d'Or, épinette dans la Marne, weiss klevner, weiss edler et weiss silber en Alsace. Il porte des grappes compactes à baies jaune ambré et à jus sucré, qui donnent les très grands bourgognes blancs, jaune d'or, comme le montrachet, le meursault, le corton-charlemagne, le chablis et le pouilly-fuissé, ou encore les excellents champagnes de la côte des Blancs d'Épernay. Le chardonnay est aussi parfaitement acclimaté à plusieurs autres régions viticoles du monde.

CHARENTES Région française qui réunit les anciennes provinces d'Angoumois, d'Aunis et de Saintonge, dont le charme gastronomique vient surtout de la qualité de leurs produits. La mer fournit coquillages, crustacés et poissons, qui connaissent des apprêts variés, rustiques ou plus élaborés : huîtres accompagnées de grillons et de grattons ou bien farcies, grillées ou cuites en brochettes, entourées d'une mince lame de lard maigre ; moules de bouchot servies en soupe, en éclade (cuites sous une épaisse couche d'aiguilles de pin) ou en mouclade ; couteaux farcis de mie de pain, d'ail et de persil ciselé (comme les « cagouilles », ou escargots, autre délicatesse appréciée par les Charentais) ; palourdes, pétoncles, sourdons (coques), casserons (petites seiches) et raiteaux en friture, céteaux meunière, soles et solettes, loubines, rougets, royans (sardines) si frais qu'ils sont consommés crus avec du pain et du beurre, en hors-d'œuvre. Les poissons plats et les seiches sont aussi à la base d'une succulente soupe de pêcheurs, la chaudrée saintongeaise.

L'élevage produit des bœufs de qualité et des moutons de prés salés, qui permettent de préparer la daube des Charentes (mijotant avec pied de veau, carottes, vin blanc et, surtout, cognac), le veau saumoné, la tête de veau saintongeaise, les tripes d'Angoulême. La charcuterie offre des produits rustiques comme le gigourit (sauce de « pire », terme qui désigne en patois le foie « noir » et le foie « blanc », ou mou) ou le grillon charentais (viande de porc cuite dans la graisse).

Les légumes sont excellents : petits pois d'Aunis, fèves de marais, haricots, blancs et rouges (mojettes ou mojhettes), radis (rifauts), jouttes (bettes), choux, champignons de couche et de cueillette. Les brugnons de Saintonge, les pommes de Saint-Porchaire et le chasselas font honneur aux vergers.

Pour cuisiner tous ces produits, en particulier à la casserole, la région produit un beurre qui soutient la comparaison avec les meilleurs crus normands. On notera également la jonchée et la caillebotte, deux fromages frais, ainsi qu'un fromage de chèvre (Oléron).

Parmi les douceurs, on compte les merveilles, la cruchade à la confiture, le gâteau au fromage, les tartelettes au chocolat et au cognac, la tarte à la frangipane et les fruits confits, ainsi que la liqueur d'angélique.

Les vins rouges sont assez ordinaires ; quant aux blancs, ils sont surtout destinés à la fabrication du cognac (**voir** ce mot). Produit dans la région de Cognac, le pineau est une liqueur appréciée.

CHARLOTTE Entremets de la pâtisserie contemporaine, chemisé de biscuits à la cuillère, ou de bandes de biscuit Joconde décorées, moulées en cercle, garni de couches de bavaroise, de mousse au chocolat, de cubes de fruits, d'abaisses de génoise imbibée, et décoré de fruits ou de copeaux de chocolat.

La charlotte d'origine, apparue seulement à la fin du XVIIIe siècle, est inspirée des entremets sucrés anglais. Elle est faite d'une épaisse marmelade de fruit – généralement des pommes – parfumée au citron et à la cannelle, versée dans un moule rond à bord légèrement évasé et tapissé de tranches de pain de mie beurrées ; le tout est cuit au four, démoulé et servi tiède, avec une crème anglaise froide.

C'est à Antonin Carême que l'on doit l'invention de la charlotte à la russe. Il s'agit d'un entremets frappé, sans cuisson, composé d'un appareil à bavarois à la vanille (ou d'une mousse au chocolat, au café, d'un appareil à bombe ou de crème Chantilly), versé dans un moule à charlotte tapissé de biscuits à la cuillère, souvent imbibés de liqueur ou de café ; la préparation est mise à refroidir et servie démoulée.

On réalise aussi, avec des légumes ou du poisson, des charlottes salées sans chemisage, qui ne doivent leur nom qu'au fait qu'elles sont cuites dans un moule à charlotte.

---

appareil à charlotte froide

Faire ramollir 2 feuilles de gélatine (2 g) dans très peu d'eau. L'incorporer à 50 cl de crème anglaise et remuer sans cesse avec une cuillère de bois jusqu'à ce que le mélange ait presque complètement refroidi. Fouetter 25 cl de crème fraîche épaisse additionnée de 10 cl de lait avec 2 gousses de vanille grattée, puis incorporer cette chantilly à la crème anglaise.

---

charlotte froide : méthode de base

Préparer un sirop avec 150 à 200 g de sucre et de 20 à 25 cl d'eau ; le parfumer avec 6 cl d'alcool au choix. Prendre 20 biscuits à la cuillère. Tremper dans le sirop quelques biscuits taillés en pointe et en garnir le fond d'un moule à charlotte ; tapisser la paroi avec le reste des biscuits, également imbibés de sirop, bien serrés et coupés à la hauteur du moule (section vers le fond). Remplir avec l'appareil à charlotte et recouvrir avec le reste des biscuits passés dans le sirop. Bien tasser la préparation et mettre dans le réfrigérateur jusqu'au moment de servir (ou dans le congélateur s'il s'agit d'une charlotte glacée). Démouler la charlotte et la décorer. On peut remplacer les biscuits à la cuillère par des langues-de-chat ou de fines tranches de biscuit de Savoie.

CHARLOTTES SALÉES

RECETTE D'ALAIN CHAPEL

charlotte de légumes

« Éplucher 1 kg d'asperges vertes, très fines ; les cuire à grande eau salée, puis les égoutter. En réserver 6 et passer le reste au tamis fin. Verser la purée obtenue dans une petite casserole et laisser dessécher à feu très doux. Plonger 12 petites tomates dans de l'eau bouillante, les peler, les épépiner. Les faire fondre à feu doux, les saler, les poivrer. Éplucher 12 petits oignons nouveaux, les dorer au beurre, puis les mouiller de bouillon et les laisser cuire jusqu'à ce qu'ils se défassent. Préparer un sabayon avec 1 jaune d'œuf. Battre 2 œufs entiers dans un saladier avec du sel et du poivre. Ajouter les tomates, la purée d'asperge, les oignons et la moitié du sabayon. Remuer doucement à la cuillère de bois pour homogénéiser les éléments. Faire tiédir dans le four 10 cl de crème fraîche, la fouetter légèrement, l'ajouter au mélange de légumes. Bien beurrer un moule à charlotte. Y verser l'appareil, mettre dans le four préchauffé à 175 °C et laisser cuire une petite heure. Réchauffer les 6 asperges au bain-marie. Démouler la charlotte cuite sur le plat de service et entourer d'une rosace faite avec les asperges. Napper du reste de sabayon. »

RECETTE DE BERNARD PACAUD

charlotte aux rougets

« Laver 1 kg d'aubergines, les essuyer, les couper en deux, inciser la pulpe, saler et laisser dégorger 1 heure. Pendant ce temps, écailler et vider, sans en retirer la peau, 6 rougets de 150 g. Réserver les foies, lever les filets. Égoutter les aubergines, les éponger. Les badigeonner d'huile d'olive et les cuire dans le four préchauffé à 225 °C. Quand la pulpe est tout à fait molle, la retirer à la cuillère. La réduire en purée en y ajoutant le jus d'un citron, puis la monter à feu très doux avec 150 g de beurre, du sel, du poivre et une pointe d'ail. Hacher les foies des rougets et les incorporer à leur tour. Saler et poivrer les filets de rouget, les poêler à l'huile d'olive, les éponger. Beurrer un moule à charlotte, le chemiser avec les filets de rouget. Verser l'appareil dans le moule. Tasser un peu avec une assiette. Mettre dans le réfrigérateur 2 heures au moins. Servir avec un coulis de tomates fraîches. »

CHARLOTTES SUCRÉES

charlotte à la chantilly

Garnir de biscuits à la cuillère (de 18 à 22) le fond et la paroi d'un moule à charlotte. Préparer de la crème Chantilly avec 50 cl de crème fraîche, y incorporer délicatement 3 cuillerées à soupe de salpicon de fruits confits ou de fruits frais, et emplir le moule. Mettre dans le réfrigérateur jusqu'au moment de servir. Démouler et décorer de fruits confits.

RECETTE DE PIERRE MAUDUIT TRAITEUR

charlotte au chocolat

« La veille, mettre à tremper 7 feuilles de gélatine (de 2 g) dans l'eau froide. Le lendemain, préparer une crème anglaise à 85 °C avec 50 cl de lait, 6 jaunes d'œuf et 70 g de sucre. Ajouter 180 g de chocolat de couverture amer, 110 g de cacao pure pâte et la gélatine. Laisser refroidir. Passer au mixeur pour éclater les particules grasses et rendre la masse homogène. Ajouter une chantilly montée avec 70 cl de crème liquide. Tapisser un moule à charlotte de 300 g de biscuits à la cuillère. Le remplir avec le bavarois au chocolat. Mettre au réfrigérateur pour 4 heures au moins. Démouler, décorer avec quelques copeaux de chocolat réalisés à l'aide d'un économe. Servir avec une crème anglaise. »

RECETTE DE PIERRE MAUDUIT TRAITEUR

charlotte aux fraises

« La veille, mettre à tremper 6 feuilles de gélatine (de 2 g) dans l'eau froide. Le lendemain, réduire en purée 1,2 kg de belles fraises et la passer au chinois afin d'obtenir une pulpe fine. En peser 600 g. La chauffer à 40 °C avec 60 g de sucre en poudre et incorporer la gélatine. La laisser refroidir, la broyer au mixeur, puis ajouter de la chantilly montée avec 75 cl de crème liquide. Tapisser un moule à charlotte de biscuits à la cuillère et le remplir de bavarois à la fraise. Recouvrir de biscuits et mettre dans le réfrigérateur pendant 4 heures au moins. Démouler, poudrer de sucre glace et décorer d'une grosse fraise trempée dans un coulis préparé avec 400 g de pulpe de fraise, le jus de 1/2 citron et 120 g de sucre. Servir le coulis en saucière. »

charlotte glacée au cassis

Garnir le fond et la paroi d'un moule à charlotte avec des biscuits à la cuillère taillés à dimension et trempés dans un sirop de cassis. Emplir le moule de couches alternées de glace au cassis et de biscuits imbibés. Terminer par une couche de biscuits. Tasser et mettre dans le congélateur. Démouler au dernier moment. Accompagner éventuellement de crème anglaise ou décorer de chantilly et de grains de cassis au sirop.

RECETTE DE FRANCIS VANDENHENDE

charlotte aux marrons

« Mélanger 200 g de purée de marron et 120 g de crème de marron. Y ajouter 3 cl de whisky pur malt. Faire ramollir à l'eau froide 2 feuilles de gélatine (de 2 g), puis les mettre à fondre dans 3 cuillerées de crème fraîche tiède. Ajouter le mélange aux marrons. Monter en chantilly 15 cl de crème liquide avec 2 sachets de sucre vanillé. Y ajouter l'appareil aux marrons, en plusieurs fois. Imbiber 18 biscuits à la cuillère de 3 cl de whisky mélangé à autant de sirop et en tapisser le fond et le bord d'un moule à charlotte. Verser la moitié de l'appareil aux marrons, garnir avec 60 g de marrons glacés en morceaux, puis compléter avec le reste. Laisser 6 heures au moins au réfrigérateur. »

RECETTE DE MARC HAEBERLIN

charlotte au pain d'épice
et aux fruits secs d'hiver

« Chauffer 20 cl de lait. Verser 35 g de miel toutes fleurs dans une casserole, le délayer avec le lait ; ajouter 20 g d'écorce d'orange confite et 20 g d'écorce de citron confit, hachées menu, puis 50 g de gingembre frais, 1 cuillerée à café de cannelle en poudre, 1 clou de girofle en poudre et 1 pincée de muscade râpée. Laisser infuser hors du feu. Fouetter 4 jaunes d'œuf et 20 g de sucre en poudre jusqu'à ce qu'ils aient gonflé et doublé de volume. Les incorporer au lait infusé et chauffer le tout sur feu doux, en remuant sans arrêt, jusqu'à ce que la préparation épaississe, en veillant à ne pas laisser bouillir. Retirer du feu. Dorer légèrement sous le gril du four 40 g d'amandes et de noisettes hachées. Faire tremper 3 feuilles de gélatine (de 2 g) dans l'eau froide. Verser 25 cl de crème liquide très froide dans un bol et la fouetter jusqu'à ce qu'elle forme de petites pointes entre les branches du fouet. L'incorporer à la préparation aux fruits confits, puis ajouter les amandes et les noisettes. Parfumer avec 1 cl de kirsch ; réserver au réfrigérateur. Mélanger 25 cl de sirop de sucre et 2 cl de kirsch. Passer rapidement 12 tranches de pain d'épice mou dans ce sirop et en garnir le fond et les parois d'un moule à charlotte en les faisant se chevaucher légèrement. Remplir de crème refroidie. Tasser et recouvrir de pain d'épice. Mettre 6 heures au moins dans le réfrigérateur. Au moment de servir, garnir une coupe de fruits secs mélangés (pruneaux, abricots, figues, raisins de Corinthe) et de raisins frais macérés dans un peu de gewurztraminer chaud. Démouler la charlotte sur un plat, saupoudrer de nougatine en poudre et servir avec la coupe de fruits secs. »

RECETTE DE PIERRE MAUDUIT TRAITEUR

charlotte aux poires

« Faire tremper 8 feuilles de gélatine (de 2 g) dans l'eau froide pour les faire gonfler, puis les presser pour qu'elles ne soient pas trop mouillées. Préparer une crème anglaise avec 50 cl de lait, 250 g de sucre en poudre, 8 jaunes d'œuf et 1 gousse de vanille. Hors du feu, ajouter les feuilles de gélatine. Quand la crème est complètement froide, y incorporer 12,5 cl de liqueur de poire williams, puis 75 cl de chantilly. Éplucher 1 kg de poires williams, les pocher dans un sirop préparé avec 25 cl d'eau et 500 g de sucre. Les détailler en tranches de moyenne épaisseur. Tapisser de biscuits à la cuillère un moule à charlotte, puis le garnir par couches alternées de crème et de tranches de poires pochées. Mettre dans le réfrigérateur pendant 4 heures. Préparer un coulis de framboise avec 300 g de pulpe de fruit, 125 g de sucre glace et le jus de 1 citron. Démouler la charlotte et la servir avec le coulis. »

RECETTE DE PIERRE HERMÉ

charlotte riviéra

PRÉPARATION : 1 h – MACÉRATION : 5 ou 6 h – CUISSON : 5 min – RÉFRIGÉRATION : 4 h

« Préparer des pêches pochées. Faire bouillir 75 cl d'eau avec 380 g de sucre, 1 bâton de cannelle et 5 citrons. Plonger dans le sirop 1 kg de pêches épluchées et coupées en deux, éteindre le feu et laisser macérer 5 ou 6 heures. Couper les pêches égouttées en grosses lamelles. Préparer un jus de menthe : incorporer les feuilles hachées d'une botte de menthe fraîche dans 16 cl d'eau bouillante, sucrée avec 80 g de sucre en poudre, puis broyer finement au mixeur. Préparer une crème au citron. Hacher finement les zestes de 3 citrons. Presser les citrons pour avoir 10 cl de jus. Dans une jatte, mélanger 2 œufs et 135 g de sucre avec les zestes et le jus des citrons. Faire cuire au bain-marie, tout en remuant, jusqu'à la limite de l'ébullition. Filtrer puis, dans la crème tiède, incorporer 300 g de beurre en fouettant sans arrêt (au fouet ou, mieux, au mixeur plongeant). Tremper la partie plate de 18 biscuits à la cuillère dans le jus de menthe et en tapisser le pourtour d'un moule à charlotte (18 cm de diamètre), beurré et saupoudré de sucre. Verser la moitié de la crème au citron dans le fond du moule, puis mettre un tiers des pêches coupées et recouvrir de biscuits imbibés. Ajouter le reste de crème et la moitié des pêches restantes. Terminer avec des biscuits. Réserver au frais le reste des pêches ainsi que le moule pendant au moins 4 heures. Démouler la charlotte en la retournant sur le plat après l'avoir passée rapidement sous l'eau chaude. La poudrer de sucre glace et disposer les tranches de pêche en corolle. Napper de gelée chaude de coing ou de pomme. Décorer avec 3 ou 4 grappes de groseilles ou quelques fraises des bois. Servir bien frais. »

CHARMES-CHAMBERTIN Vin rouge AOC de Bourgogne, issu de cépage pinot noir, dans la galaxie du célèbre chambertin, le charmes-chambertin ne se départit pas d'une réelle finesse.

CHARMOULA Sauce épaisse aigre-douce de la cuisine arabe, à base d'un ragoût d'oignons pimenté et épicé (ras el-hanout, laurier, boutons de rose séchés), additionné de vinaigre, parfois aussi de carottes, de céleri et d'échalotes émincés.

Froide ou chaude, la charmoula accompagne la viande grillée, en particulier le chameau et le gibier ; elle sert aussi à napper les apprêts de poisson (bonite, thon, daurade) marinés, puis égouttés, farinés et frits, qui, grâce à elle, se conservent plusieurs jours.

CHAROLAISE Race bovine de robe blanche, donnant essentiellement des animaux de boucherie, relativement lourds, de bonne conformation, fournissant en général des carcasses peu grasses (**voir** tableau des races de bœufs page 106). La race charolaise est souvent utilisée pour le croisement avec d'autres races, tant en France qu'à l'étranger.

En restauration, le « pavé de charolais » est une pièce de bœuf épaisse grillée. Le terme désignait autrefois une pièce de boucherie composée de la partie supérieure du cubitus (olécrane) et des tendons et muscles attenants, et destinée au pot-au-feu. La méthode de découpe qui permettait de l'obtenir n'est pratiquement plus utilisée aujourd'hui.

CHAROLLAIS Fromage bourguignon de lait de chèvre (45 % de matières grasses) à pâte molle et à croûte naturelle bleutée (**voir** tableau des fromages français page 392). D'un poids de 200 g environ, le charollais se présente sous la forme, typique des chèvres artisanaux de la région, d'un cylindre de 5 cm de diamètre et de 8 cm d'épaisseur. Il a une saveur noisetée, plus ou moins prononcée selon l'affinage, et il est meilleur d'avril à décembre. Le charollais est considéré comme un fromage de chèvre très savoureux.

CHARTRES (À LA) Se dit de divers apprêts d'œufs ou de viande qui comportent tous de l'estragon. Les côtes d'agneau sont braisées à l'estragon et nappées de jus à l'estragon ; tournedos et noisettes sont sautés, nappés du déglaçage au fond d'estragon et présentés avec des feuilles d'estragon blanchies.

Les œufs à la Chartres peuvent être soit durs, nappés d'une sauce chaud-froid à l'estragon, et recouverts de feuilles d'estragon et de gelée, soit mollets (ou moulés) et servis sur toast avec un jus lié à l'estragon et des feuilles d'estragon.

CHARTREUSE Apprêt de grande cuisine, fait de légumes, notamment de chou braisé, et de viandes ou de gibier, moulés en dôme par couches faisant alterner les couleurs. La chartreuse est cuite au bain-marie, démoulée et servie chaude. Le grand cuisinier Antonin Carême la tenait pour la « reine des entrées ». Autrefois, la chartreuse se composait uniquement de légumes – son nom évoquerait le régime végétarien que suivaient les moines chartreux. Aujourd'hui, c'est le plus souvent un apprêt de perdrix au chou, également appelé « perdrix en chartreuse ».

Les œufs en chartreuse, quant à eux, s'accompagnent de chou braisé et d'autres légumes. On peut aussi réaliser des chartreuses de poisson (thon, par exemple), avec de la laitue à la place du chou, relevée d'oseille, qui ajoute un peu d'acidité.

▶ Recettes : ŒUF MOULÉ, PIGEON ET PIGEONNEAU.

CHARTREUSE (LIQUEUR) Liqueur de diverses plantes, née d'une très ancienne recette, toujours fabriquée à Voiron, près de Grenoble, dans le massif de la Grande-Chartreuse, par les moines de l'ordre des Chartreux. La formule initiale leur serait parvenue en 1735 ; ils la déchiffrèrent et en firent un élixir utilisé comme médicament. Mais, en 1789, l'ordre fut dispersé ; la formule disparut pour un temps. Le hasard voulut que, sous l'Empire, une copie parvînt pour archivage au ministère de l'Intérieur. Cet obscur document poussiéreux, que personne ne comprenait, fut refusé et réexpédié au monastère, qui, entre-temps, s'était reconstitué. En 1835, les moines reprirent la fabrication à la fois de l'élixir et d'une « liqueur verte ».

Les chartreux élaborent toujours un « élixir végétal » à 71 % Vol., une Chartreuse verte à 55 % Vol. et une Chartreuse jaune, plus douce, à 40 % Vol. (créée en 1840). Lors de leur second exil en Espagne (de 1903 à 1929), ils fabriquèrent leur liqueur à Tarragone et la vendirent sous ce nom. La composition de la Chartreuse demeure secrète, mais on sait qu'elle contient des plantes telles que mélisse, hysope, feuilles d'angélique, écorce de cannelle, macis et safran, qui lui confèrent des vertus toniques.

CHASSAGNE-MONTRACHET Vin AOC rouge et blanc de la côte de Beaune, qui regroupe trois grands crus et dix-huit premiers crus ; les blancs, issus du cépage chardonnay, sont secs, très bouquetés, souples et longs en bouche. Les rouges, issus du cépage pinot noir, plus corsés et plus virils que les autres côtes-de-beaune, rappellent certains côtes-de-nuits (**voir** BOURGOGNE).

CHASSE-MARÉE Transporteur chargé, à partir du XIIIe siècle, d'acheminer le plus vite possible jusqu'au faubourg Poissonnière, à Paris, depuis les côtes de Normandie et de Picardie, les poissons de mer et surtout les huîtres, dont la capitale faisait une grande consommation. Les chasse-marée avaient priorité absolue aux relais, où leur arrivée était annoncée par les clochettes que portaient leurs chevaux. On appelait « huîtres de chasse » celles qui étaient apportées par les « voituriers de la mer », par opposition aux « huîtres de rivière », vendues moins cher, convoyées par des bateaux remontant la Seine.

CHASSEUR Petit saucisson sec (moins de 250 g) composé traditionnellement de maigre et de gras de porc, mais aussi souvent d'une pâte fine de bœuf et de gras de porc. Séché rapidement, fumé à froid, le chasseur (ou saucisson du chasseur) a une appétissante couleur dorée.

CHASSEUR (APPRÊT) Se dit d'apprêts sautés (rognons, médaillons ou escalopes, côtes de veau, mais surtout poulet), servis avec une sauce aux champignons, à l'échalote, au vin blanc et à la tomate. Cette même sauce, accompagnée de foies de volaille sautés, accommode aussi les œufs pochés ou sur le plat, et peut également fourrer une omelette.

En cuisine classique, on qualifie de « chasseur » diverses préparations où figure de la purée de gibier (potage, bouchées, œufs cocotte).

▶ Recettes : ABATTIS, POULET, SALPICON, SAUCE, SAUTÉ, VEAU.

CHÂTAIGNE ET MARRON Fruits du châtaignier, de la famille des fagacées, comestibles après cuisson (**voir** planche des noix, noisettes, autres fruits secs et châtaignes page 572). La bogue épineuse contient généralement deux ou trois châtaignes de masse inégale, cloisonnées par des membranes, ou un seul marron volumineux et de forme régulière. (Les marrons sont en fait de grosses châtaignes qui remplissent complètement la bogue ; ils sont utilisés dès l'automne et jusqu'en janvier.)

■ **Emplois.** Les châtaignes et les marrons ont joué pendant très longtemps un rôle essentiel dans l'alimentation humaine et animale et sont encore produits en Bretagne, dans le Limousin, dans le Massif central, en Corse et en Sardaigne (sur les terrains à sols acides).

Avec la châtaigne, les Corses préparent le brilloli, ou polenta de châtaignes, et le castagnacci, un gâteau. Dans les Cévennes et le Sud-Ouest, on en fait des soupes, des bouillies et des confitures, et elles entrent même dans la composition des farces. Dans le Valais, la brisolée associe des châtaignes grillées à la poêle avec des fromages d'alpage, de la viande des Grisons, du pain de seigle, accompagnés de vin blanc nouveau encore en fermentation. Les châtaignes servent surtout pour les purées et les crèmes dites « de marron », et pour la farine de châtaigne. On les consomme aussi grillées.

Les marrons sont plutôt réservés à la confection de plats gastronomiques et, en général, ils sont servis entiers. On trouve des marrons en conserve au naturel ou des marrons congelés ou sous vide. Ils accompagnent les gibiers à plume et à poil et sont le complément indispensable de la dinde aux marrons. Enfin, ils jouent un rôle important en pâtisserie et confiserie (**voir** MARRON GLACÉ).

Les châtaignes et les marrons cuits sont nourrissants, puisqu'ils apportent 170 Kcal ou 710 kJ pour 100 g. Ils sont une source convenable de folates et sont riches en potassium et en amidon (30 %).

châtaignes et marrons frais : épluchage

Avec un couteau pointu, fendre, sur le côté bombé des fruits, à la fois l'écorce dure et l'enveloppe molle située juste au-dessous. Les disposer ensuite sur une plaque contenant très peu d'eau, et les mettre 8 min dans le four préchauffé à 250 °C. Les sortir et les éplucher tant qu'ils sont encore chauds. On peut également les plonger, une fois fendus, 2 ou 3 min dans de l'huile très chaude, ou encore les mettre, toujours fendus, 5 min dans de l'eau bouillante. On peut aussi éplucher à cru leur première écorce, puis les plonger dans une eau légèrement salée et les faire bouillir 20 min : la seconde peau s'enlève alors facilement et les châtaignes ou les marrons peuvent se déguster tels quels, nature, ou se traiter en cuisine comme des légumes blanchis.

barquettes aux marrons ▶ BARQUETTE
bûche aux marrons ▶ BÛCHE DE NOËL

RECETTE D'ALAIN DUTOURNIER

« cappuccino » de châtaignes à la truffe blanche d'Alba, bouillon mousseux de poule faisane

POUR 6 PERSONNES

« La veille, désosser les ailes d'une faisane et retirer la peau. Écraser 10 baies de genièvre, ajouter de la noix muscade râpée, mélanger avec 1/2 verre à liqueur de Chartreuse, 1 cuillerée à soupe de moutarde. Avec cette préparation, badigeonner les suprêmes de faisane, saler et poivrer puis réserver au réfrigérateur. Hacher grossièrement les cuisses, concasser la carcasse et les abats. Les faire saisir avec une noix de beurre et le foie de la faisane. Dégraisser, puis ajouter la garniture aromatique composée de 2 carottes, 1 clou de girofle, 2 oignons, 1 branche de céleri, 1 bouquet garni et 4 gousses d'ail. Mouiller jusqu'à hauteur et laisser cuire 1 h 30 à feu doux et à couvert. Dépouiller et dégraisser de temps en temps. Inciser 1 kg de châtaignes puis les cuire à l'eau, salée et parfumée de quelques grains d'anis vert, pendant 20 min. Les rafraîchir puis les éplucher complètement. Le jour même, cuire les suprêmes de faisane à la vapeur dans un couscoussier 20 min environ. Mixer la moitié des châtaignes avec le bouillon de faisane et 10 cl de crème liquide, chauffer et cuire ainsi 10 min à feu doux. Lier avec 125 g de beurre cru. Rectifier l'assaisonnement (sel, poivre et pointe de cardamome). Faire une "chantilly au foie gras" avec 15 cl de crème liquide fouettée mélangée à 50 g de foie gras de canard cuit écrasé. Émincer finement les châtaignes et les blancs de faisane, les disposer dans le fond d'une soupière, de bols ou d'assiettes à potage préalablement chauffés, puis verser le bouillon de châtaigne fumant. Déposer sur le velouté des quenelles de "chantilly au foie gras". Puis, à table, râper généreusement sur la surface une belle truffe blanche du Piémont. Décorer avec quelques pluches de cerfeuil. »

charlotte aux marrons ▶ CHARLOTTE

---

châtaignes étuvées

POUR 4 PERSONNES – PRÉPARATION : 30 min – CUISSON : 40 min

Éplucher 750 g de châtaignes. Les étaler dans un sautoir beurré. Les couvrir à hauteur de consommé ou de bouillon de volaille. Aromatiser avec 1 branche de céleri. Vérifier l'assaisonnement et éventuellement ajouter 1 cuillerée à café de sucre. Porter à frémissements, couvrir et laisser cuire doucement pendant 40 min. Les arroser délicatement en cours de cuisson, mais éviter de les remuer pour ne pas les écraser.

compote de marron ▶ COMPOTE
confiture de marron ▶ CONFITURE
croquettes de marron ▶ CROQUETTE
dindonneau rôti farci aux marrons
  ▶ DINDE, DINDON ET DINDONNEAU
homard aux truffes et châtaignes en cocotte ▶ HOMARD
mousse de lièvre aux marrons ▶ MOUSSE
parmentier de panais, châtaignes
  et truffe noire du Périgord ▶ PANAIS
tarte aux marrons et aux poires ▶ TARTE
tronçon de turbot rôti, endives braisées
  et mousseline de châtaigne ▶ TURBOT
vacherin au marron ▶ VACHERIN
velouté de châtaigne au foie gras
  et céleri au lard fumé ▶ VELOUTÉ

CHÂTAIGNE D'EAU Nom donné à la macre et à l'éléocharis. La macre à quatre pointes (*Trapa natans*) est un fruit aquatique européen qui se consomme, comme la châtaigne, en purée ou cuit à l'anglaise et sauté. L'éléocharis est un fruit aquatique asiatique qui, une fois cuit, est servi avec du lait de coco, des fruits exotiques ou des sorbets aux fruits. On le trouve souvent prêt à cuire, sous vide, dans les magasins asiatiques.

CHÂTEAU Exploitation bordelaise se consacrant à la production du vin, dont le nom est souvent trompeur : il ne s'agit en effet généralement pas d'une fastueuse demeure, mais d'une belle maison campagnarde entourée de vignes.

Comme le « climat » bourguignon, le château produit son vin à partir du seul vignoble du domaine, et ce vin est en général millésimé. Sur plus de cinq mille châteaux répertoriés dans la région, seuls deux cents environ font l'objet d'une classification officielle.

Le mot « château », suivi d'un nom propre, équivaut en Bordelais à un nom de marque pour un vin.

CHÂTEAU (APPRÊT) Apprêt de pommes de terre tournées en forme de tonnelet et cuites au beurre, cru ou clarifié (sans avoir été préalablement blanchies), éventuellement avec des petits lardons (**voir** tableau des apprêts de pommes de terre page 691). Les pommes château constituent la garniture traditionnelle du chateaubriand grillé à la sauce béarnaise. On les retrouve dans de nombreuses garnitures (maraîchère, Orloff, Richelieu, etc.).

CHÂTEAU-AUSONE Vin de Bordeaux rouge généreux et élégant, issu des cépages merlot et cabernet franc, un des douze premiers grands crus classés de Saint-Émilion ; la tradition veut que le vignoble occupe l'emplacement de la villa où le poète latin Ausone vécut au IVe siècle (**voir** BORDELAIS).

CHATEAUBRIAND Tranche de viande de bœuf, très tendre, épaisse de 3 cm environ, taillée dans le filet. Le chateaubriand est grillé ou poêlé et servi avec une sauce (la béarnaise étant la plus classique). Sous le diminutif de « château », on sert en restauration un morceau de même présentation, taillé dans l'une des autres pièces nobles et servi, comme le chateaubriand, avec des pommes château.

Autrefois, le chateaubriand était servi avec une réduction de vin blanc et d'échalotes mouillée de demi-glace et additionnée de beurre, d'estragon et de jus de citron.

CHÂTEAU-CHALON Vin AOC jaune du Jura le plus prestigieux, de couleur ambre doré, doté d'aromes uniques de noix et d'épices. Issu du cépage savagnin, ce vin très sec prend en bouche un beau volume et se révèle extrêment long. Il est vendu dans une bouteille spéciale de 62 cl, le clavelin (**voir** FRANCHE-COMTÉ).

CHÂTEAU CHEVAL-BLANC Vin rouge de Bordeaux, issu des cépages cabernet franc et merlot. C'est un des douze premiers grands crus de Saint-Émilion, dont le vignoble est très proche de la région d'appellation « pomerol ». C'est un vin riche, profond, très aromatique et long (**voir** BORDELAIS).

CHÂTEAU-GRILLET Vin AOC blanc très fin de la vallée du Rhône, issu du rare cépage viognier, au bouquet incomparable, et dont le vignoble fait 2,5 ha (**voir** LYONNAIS ET FOREZ).

CHÂTEAU HAUT-BRION Vin rouge de Bordeaux, tannique et charnu, au bouquet d'une rare finesse. Il est issu des cépages cabernet-sauvignon, merlot et cabernet franc pour les rouges ; et des cépages sémillon et sauvignon pour les blancs. Ce graves, le seul à avoir reçu l'appellation de « premier cru » dans la classification de 1855, est produit sur l'un des plus vieux domaines du Bordelais (les archives remontent au début du XVIe siècle). Le château Haut-Brion produit aussi une petite quantité de vin blanc, sec et fin (**voir** BORDELAIS).

CHÂTEAU LAFITE-ROTHSCHILD Vin rouge de Bordeaux très racé, issu des cépages cabernet-sauvignon, merlot et cabernet franc. Très souple et ferme à la fois, ce vin est l'un des quatre premiers crus du Médoc dans le classement de 1855 ; il est produit par un vignoble situé sur une petite colline, non loin du village de Pauillac, dans le haut Médoc (**voir** BORDELAIS).

CHÂTEAU LATOUR Vin de Bordeaux rouge, prodigieux, au bouquet incomparable, issu des cépages cabernet-sauvignon, merlot,

petit verdot et cabernet franc. L'un des quatre premiers crus classés du Médoc, il est produit par un vignoble situé sur la colline de Pauillac, au sol particulièrement aride et caillouteux (**voir** BORDELAIS).

CHÂTEAU MARGAUX Premier cru classé du Médoc, issu des cépages cabernet-sauvignon, merlot, petit verdot et cabernet franc. Il est exceptionnel, velouté et harmonieux, fin et racé, d'une extrême élégance (**voir** BORDELAIS).

CHÂTEAU MOUTON-ROTHSCHILD Vin de Bordeaux rouge, de réputation mondiale, séveux et aromatique, issu des cépages cabernet-sauvignon, merlot, cabernet franc et petit verdot. C'est l'un des quatre premiers crus classés du Médoc, depuis 1973, dont un artiste différent et connu illustre chaque année l'étiquette (**voir** BORDELAIS).

CHÂTEAUNEUF-DU-PAPE Vin AOC rouge puissant et chaleureux de la vallée du Rhône méridionale (le blanc, d'ailleurs excellent, est produit en quantité moindre). Il est produit sur un vignoble installé sur la garrigue, proche de la résidence d'été des papes à Avignon (**voir** RHÔNE). Les rouges sont issus des cépages grenache, syrah, mourvèdre, cinsault et carignan. Les blancs proviennent des cépages clairette, bourboulenc, roussanne, marsanne, grenache blanc et picpoul.

CHÂTEAU D'YQUEM Vin de Bordeaux blanc de la commune de Sauternes, issu des cépages sémillon et sauvignon. Unanimement considéré comme le meilleur vin blanc liquoreux du monde, il est obtenu à partir de raisins récoltés grain par grain, lorsque la « pourriture noble » a accompli son œuvre bénéfique (**voir** BORDELAIS).

CHÂTELAINE (À LA) Se dit de divers apprêts dans lesquels la garniture confère une certaine recherche à des mets par ailleurs assez simples. Pour les plats d'œufs, la garniture à la châtelaine comporte des marrons ; pour les viandes, des fonds d'artichaut. Pour les grosses pièces de boucherie, ces fonds d'artichaut, emplis de purée de marron Soubise, sont gratinés et accompagnés de laitues braisées et de pommes noisettes ; pour les petites pièces sautées, déglacées au fond blanc, ils sont simplement étuvés et servis avec des pommes noisettes.

Les fonds d'artichaut peuvent également être coupés en quartiers, sautés au beurre et accompagnés de petites tomates mondées, de cœurs de céleri braisés et de pommes château.

CHÂTRER Retirer, avant de faire cuire les écrevisses et les langoustines, le boyau noir qui se trouve sur le dos des crustacés, car il pourrait donner un goût amer.

CHAUCHAT Nom donné à un apprêt de poisson (sole, barbue, merlan) entier ou en filets, poché et nappé d'une béchamel faite avec la cuisson, liée avec des jaunes d'œuf et montée au beurre ; la garniture est une simple bordure de rondelles de pommes de terre cuites à l'eau.

CHAUD-FROID Apprêt que l'on prépare à chaud et que l'on sert froid. Le chaud-froid peut être une viande, une volaille, un poisson ou un gibier, dont les morceaux sont refroidis, nappés de sauce brune ou blanche, puis lustrés à la gelée.

Depuis l'époque de Carême, le dressage des chauds-froids a été beaucoup simplifié, mais ces plats restent délicats et très décoratifs.

Les morceaux de volaille ou de gibier, enrobés de sauce chaud-froid, sont décorés de lames de truffe, de blanc d'œuf dur en rondelles, de langue écarlate, etc., avant d'être lustrés avec une gelée très limpide, peu fournie en gélatine et donc plus fine.

Le banquier François Brocard, membre du Club des Cent, a fait une étude très fine sur l'étymologie du mot – on aurait trouvé, en 1855, dans les ruines de Pompéi un vase portant l'inscription *calidus frigidus,* ce qui tendrait à prouver son origine romaine. Ce serait cependant en 1759 que le maréchal de Luxembourg aurait découvert cette préparation, à moins que ce ne soit un certain Chaufroix, chef entremettier des cuisines royales en 1774.

Des recettes de chaud-froid sont attestées au tout début du XIXe siècle, chez Alexandre Grimod de La Reynière, Antoine Beauvilliers et Antonin Carême. Cependant, elles n'apparaissent dans quelques livres de cuisine bourgeoise qu'à la fin du siècle. En fait, l'origine de cette appellation demeure incertaine.

ballottine de poularde en chaud-froid ▶ BALLOTTINE

chaud-froid de faisan

Cuire un faisan au beurre, en cocotte, en le tenant un peu rosé. Le découper en 4 ou 6 morceaux. Retirer la peau et laisser refroidir complètement. Mettre 1 heure au réfrigérateur. Confectionner une sauce chaud-froid brune au fond de gibier, aromatisée à l'essence de truffe, et une gelée aromatisée au madère. Disposer les morceaux refroidis sur une grille. Les enrober de sauce chaud-froid en les remettant dans le réfrigérateur entre deux applications. Préparer les éléments du décor (fragments de truffe, feuilles d'estragon, rouge de carotte ou vert de poireau finement détaillés, blanc d'œuf dur émincé, etc.). Passer chaque élément dans la gelée avant d'en décorer les morceaux de faisan. Pour finir, lustrer les morceaux de faisan avec le reste de la gelée et les mettre dans le réfrigérateur. Les disposer ensuite sur le plat de service et garnir de gelée hachée.

chaud-froid de poulet

Vider, flamber et brider 1 poulet de 1,8 à 2 kg. Le faire blanchir 3 min, de même que, dans des eaux différentes, 1 pied de veau fendu en deux et 500 g d'ailerons de volaille ; les rafraîchir et les égoutter. Éplucher 2 oignons, 2 gousses d'ail, 3 carottes et 1/2 poivron rouge ; bien laver 3 blancs de poireau. Piquer chaque oignon de 2 clous de girofle ; aplatir les gousses d'ail avec le plat d'un couteau. Couvrir d'eau le pied de veau, les ailerons de volaille et les abattis du poulet. Porter à ébullition, écumer et ajouter les légumes avec 1 bouquet garni, 5 grains de poivre et du sel. Maintenir 1 heure à petits bouillons. Remplacer les viandes par le poulet et laisser frémir 1 heure. Retirer la peau de la volaille et attendre qu'elle refroidisse dans le bouillon filtré. Tremper 3 feuilles de gélatine dans de l'eau froide jusqu'à ce qu'elle ait gonflé. Plonger la moitié d'un bouquet d'estragon dans le bouillon et le réduire à 40 cl. Y faire fondre la gélatine. Ajouter en remuant 30 cl de crème liquide, puis 1 jaune d'œuf et le jus de 1/2 citron. Étaler une mince couche de cette sauce sur un plat et le mettre dans le réfrigérateur pour qu'elle prenne. Découper le poulet en huit et désosser le haut des cuisses. Tremper les morceaux de poulet un par un dans la sauce refroidie, puis les poser sur une grille placée sur une feuille d'aluminium et les mettre 30 min dans le réfrigérateur. Couvrir ensuite les morceaux de volaille d'une deuxième, puis d'une troisième couche de sauce chaud-froid, en remettant au frais entre chaque opération. Décorer de pignons et de quelques feuilles d'estragon. Réserver 5 ou 6 heures au frais et servir avec une salade de haricots verts très fins ou une salade de pourpier bien assaisonnée.

chaud-froid de saumon

Faire pocher des tranches – ou darnes – de saumon à tout petits frémissements dans un fumet de poisson bien aromatisé, qui servira pour la sauce chaud-froid. Quand les tranches sont cuites (elles doivent rester un peu fermes), les laisser refroidir dans le fumet, puis les égoutter sur une grille. Préparer la sauce chaud-froid avec le fumet passé, la tenir fluide et en napper les tranches de saumon de trois couches successives, en la laissant prendre à chaque fois au réfrigérateur. Après la dernière application, décorer de rondelles de truffe (ou d'olive noire) et de fins motifs taillés dans du poivron vert. Lustrer avec de la gelée très légère.

*sauce chaud-froid blanche
pour abats blancs, œufs et volailles* ▶ SAUCE
*sauce chaud-froid brune ordinaire
pour viandes diverses* ▶ SAUCE
sauce chaud-froid brune de volaille ▶ SAUCE

CHAUDIN Partie du gros intestin du porc, utilisée comme enveloppe de divers produits de charcuterie. Le chaudin entre dans la composition des andouilles et andouillettes, en mélange avec les intestins de porc.

CHAUDRÉE Soupe de poissons du littoral vendéen et saintongeais, qui se prépare avec de petites raies, des soles, de petites sèches, parfois des tronçons d'anguille, des grondins, etc., cuits dans du muscadet avec du beurre, du thym, du laurier et un peu d'ail, les poissons durs, tel le congre, étant plongés les premiers dans la marmite.

La chaudrée de Fouras, servie en versant le bouillon sur du pain de campagne, avec les poissons à part, est renommée : cette bouillabaisse atlantique a gagné toute la côte charentaise.

La « caudière » du littoral boulonnais et la « caudrée » de Berck sont, dans les régions du littoral du Nord, des soupes très voisines.

Au Québec, le mot désigne aussi une soupe épaisse à base de poissons ou de fruits de mer, additionnée d'oignon, de céleri et de pomme de terre, telle la chaudrée de myes (l'équivalent du *clam chowder* de la Nouvelle-Angleterre).

chaudrée gaspésienne

Couper 125 g de lard salé en tranches minces. Les faire dorer légèrement à feu doux dans une casserole. Disposer au-dessus, par couches successives et jusqu'à épuisement des ingrédients, 200 g de langue de morue sèche, 200 g de bajoues de morue sèche, 250 g de pommes de terre coupées en dés et 125 g d'oignon haché. Assaisonner de sel et de poivre, couvrir d'eau et laisser mijoter 45 min. Servir très chaud.

chaudrée saintongeaise

Faire étuver dans 50 g de beurre 100 g d'ail pelé et haché, 2 échalotes épluchées et émincées, du persil plat et de l'estragon ciselés, et poivrer. Mouiller de 50 cl de vin blanc et de 50 cl de fumet de poisson, et ajouter un bouquet garni. Cuire 1 heure. Dorer dans une grande sauteuse, à l'huile d'olive, en les mettant les uns après les autres, en fonction de leur fermeté, 200 g d'anguille de mer en morceaux, 200 g de petits raiteaux, 200 g de sole ou de céteaux, 200 g de barbue ou de plie, 200 g de casserons (petites seiches) et 200 g de langoustines vivantes. Compléter leur cuisson dans le fumet pendant 3 à 4 min, toujours dans le même ordre. Mettre enfin 10 min au four préchauffé à 160 °C. Lier le jus de cuisson avec 200 g de beurre. Servir avec des petits croûtons rôtis au four et légèrement beurrés et aillés.

CHAUFFE-PLAT Ustensile de table, servant à tenir bien chauds le plat de service et son contenu pendant le repas, tout en faisant office de dessous-de-plat. Les premiers chauffe-plats étaient alimentés avec des braises, du charbon de bois ou de l'eau chaude. Aujourd'hui, ils sont pour la plupart électriques, mais aussi à gaz, à bougies et à alcool.

CHAUSSON Pâtisserie en forme de demi-cercle, le plus souvent individuelle, faite d'une abaisse ronde en pâte feuilletée, repliée sur une garniture de compote de fruit, traditionnellement des pommes, qui se mange tiède ou froide.

Les chaussons peuvent être salés. Ils sont alors servis très chauds, en hors-d'œuvre ou en entrée, garnis de salpicons divers (poisson, volaille, gibier, jambon, champignons, etc.) [voir EMPANADA, RISSOLE].

chaussons : préparation

Abaisser de la pâte feuilletée sur 3 mm d'épaisseur. Y découper des cercles d'un diamètre de 5 à 15 cm. Déposer une garniture assez sèche sur une moitié du cercle, sans aller tout à fait jusqu'au bord, rabattre la moitié libre sur la moitié garnie et souder les bords en les pinçant. Décorer de traits avec la pointe d'un couteau et dorer à l'œuf. Cuire à four chaud.

chaussons de Paul Reboux

Faire une pâte avec 2 verres de farine, 100 g de beurre, 15 g de sel et juste assez d'eau pour la rendre souple. La travailler un moment, puis la laisser reposer 2 heures. L'aplatir alors au rouleau sur 1 cm d'épaisseur. À l'aide d'un verre ou d'un bol, y détailler des rondelles. Déposer sur chacune d'elles quelques cerises dénoyautées et roulées dans du sucre. Replier les chaussons et souder les bords. Les frire dans de l'huile brûlante. Les servir poudrés de sucre vanillé.

chaussons aux pommes et aux pruneaux

Faire tremper 250 g de pruneaux dénoyautés dans de l'eau tiède et 50 g de raisins de Corinthe, lavés, dans 1 petit verre de rhum. Mettre dans une casserole 4 belles pommes épluchées et coupées en lamelles, 1/2 verre d'eau et 50 g de sucre en poudre. Cuire 20 min, puis passer au moulin à légumes. Verser la compote dans la casserole avec les raisins égouttés et 30 g de beurre, et remuer sur feu doux pour la dessécher. Mettre les pruneaux égouttés dans une autre casserole avec 10 cl de thé léger, 50 g de sucre et le zeste râpé de 1 citron ; cuire 10 min à petite ébullition, puis passer à la moulinette. Faire sécher cette compote sur feu doux et à découvert. Abaisser 500 g de pâte feuilletée. La découper à l'aide d'un emporte-pièce de 15 cm de diamètre en 8 disques, et les allonger légèrement. Badigeonner le bord de ces abaisses avec un pinceau trempé dans l'œuf battu et garnir la moitié de chaque disque avec de la compote de pomme et de la compote de pruneau, sans les mélanger. Replier la pâte et souder les bords en les pressant. Disposer les chaussons sur la tôle du four humectée et les badigeonner d'œuf battu. Tracer dans la pâte des entailles légères, en losange. Mettre 25 min au four préchauffé à 225 °C, puis sortir les chaussons et les servir tièdes, ou froids et poudrés de sucre glace.

RECETTE D'ANDRÉ PIC

chaussons aux truffes

POUR 6 PERSONNES

« Abaisser 250 g de pâte feuilletée sur une épaisseur de 3 mm. Choisir 6 belles truffes pelées d'environ 40 g net pièce et les éplucher (garder les chutes que l'on hachera pour la garniture). Préparer 10 g de jus de veau réduit (en demi-glace). Tartiner chaque truffe épluchée de glace de viande, l'assaisonner et l'envelopper d'une barde de lard gras très fine (1 mm au maximum). À l'aide d'un emporte-pièce de 12 cm de diamètre, tailler 6 ronds dans la pâte feuilletée. Déposer une truffe au centre de chaque rond de pâte, légèrement décalée vers l'avant. Façonner les chaussons en mouillant légèrement les extrémités du rond de pâte avec un pinceau pour pouvoir les coller. Préchauffer le four à 180 °C. Dorer deux fois chaque chausson avec 1 jaune d'œuf, les enfourner et les faire cuire à 180 °C pendant 5 min, puis à 220 °C pendant 10 à 15 min. Accompagner avec des mini-légumes (carottes, navets, poireaux) cuits à l'anglaise puis embeurrés à la truffe. »

CHAUSSON NAPOLITAIN Viennoiserie d'origine napolitaine en pâte feuilletée, garnie de ricotta et de fruits confits. En France, on en a fait une adaptation dans laquelle la garniture à l'intérieur du chausson est composée de deux tiers de pâte à choux et d'un tiers de crème pâtissière, enrichie de raisins secs ou de fruits confits, et souvent parfumée à la fleur d'oranger.

CHAVIGNOL ▸ VOIR **CROTTIN DE CHAVIGNOL**

CHAYOTE Courge grimpante de la famille des cucurbitacées, appelée « cristophine » aux Antilles, « chouchou » à La Réunion et « chouchoute » ou « sosety » à Madagascar et en Polynésie. On la consomme comme un légume (**voir** planche des légumes exotiques pages 496 et 497). Originaire du Mexique, où l'on mange ses jeunes pousses (« brèdes ») comme des asperges, la chayote est cultivée dans les pays tropicaux et au Maghreb. Elle est peu calorique avec 12 Kcal ou 50 kJ pour 100 g. Sa chair blanche, ferme et homogène, fade, est riche en eau. Avant maturité, elle peut se consommer crue, en salade, pelée, débarrassée de son noyau et émincée. Mûre, lorsque le germe commence à sortir, elle est pelée et réduite en purée pour confectionner des acras, des gratins très fins et des plats épicés. Elle est indispensable au « mange-mêle » (ratatouille au lard et au lait de coco).

---

chayotes à la martiniquaise

Cuire 5 min à l'eau salée des chayotes et les presser dans un linge pour les égoutter. Tremper du pain dans du lait et le mélanger avec la pulpe de légume. Peler et émincer finement des oignons verts et les dorer au beurre. Incorporer le mélange pain-chayote. Saler, poivrer et étaler dans un plat à gratin. Lisser le dessus, arroser d'huile d'olive, parsemer de chapelure fraîche et réchauffer dans le four. Servir bien chaud.

CHEDDAR Fromage anglais de lait de vache (de 45 à 50 % de matières grasses), à pâte pressée et à croûte naturelle sous toile graissée (**voir** tableau des fromages étrangers page 400). Il se présente sous la forme d'un gros cylindre de 35 à 40 cm de diamètre sur autant d'épaisseur et pèse de 27 à 35 kg, et parfois en pain de 450 g (un cheddar géant de 500 kg fut offert à la reine Victoria pour son mariage en 1840).

Originaire du village de Cheddar, dans le comté de Somerset, il est fabriqué industriellement dans tous les pays anglo-saxons. Quand le caillé est maturé à chaud avant le moulage, c'est la « cheddarisation » (**voir** ce mot) ; sa pâte devient alors jaune. Il peut aussi être coloré en orange. Aux États-Unis, il est vendu sous les noms de *daisy longhorn, flat* ou *twin* ; au Canada, il se nomme *store* ou *bulk,* mais son procédé de fabrication diffère suffisamment pour qu'on l'exporte vers l'Angleterre. Il a une saveur noisetée, assez relevée, ni douce ni acide. Quand il est très affiné (jusqu'à 2 ans en cave sèche), des marbrures foncées apparaissent dans sa pâte, et il prend alors le nom de *blue cheddar.*

Il entre souvent dans la composition du breakfast et dans la fabrication des biscuits salés, et sert à préparer croûtes au fromage, salades composées, canapés, hamburgers, etc. En fin de repas, on l'accompagne de madère, de porto, de xérès, de bière lager.

CHEDDARISATION Processus de fabrication de certains fromages, dont bien sûr le cheddar, mais aussi les cantals. La cheddarisation consiste à briser vivement le caillé, qui a été obtenu par présure et addition de ferments, jusqu'à ce qu'il soit réduit en tout petits grains ; ceux-ci subissent ensuite une légère cuisson à 38 °C avant d'être soumis à un égouttage forcé par pressage mécanique.

CHEESECAKE Gâteau américain au fromage blanc, dont la recette la plus appréciée est la préparation juive traditionnelle de New York. Crémeux et compact, le cheesecake se compose d'une pâte préparée à partir de biscuit sec émietté, de beurre et de sucre. Étalé dans un moule à tarte, ce fond est ensuite garni de *cream cheese* (fromage blanc épais fabriqué aux États-Unis), mélangé à des œufs et du sucre. Cuit au four, puis refroidi et démoulé, ce gâteau se sert fréquemment recouvert de fruits frais ou d'un coulis de fruits rouges.

RECETTE DE PIERRE HERMÉ

cheesecake

POUR 10 À 12 PERSONNES

« Écraser 160 g de sablés bretons (ou de petits-beurre) à l'aide d'une fourchette. Les mélanger avec 80 g de beurre en pommade jusqu'à obtenir une pâte homogène. Recouvrir une plaque de four de papier sulfurisé, y poser un cercle à tarte en acier inoxydable, de 25 cm de diamètre et de 4 cm de hauteur. Garnir le fond de pâte aux sablés. Dans un bol, mélanger 2 jaunes d'œuf et 6 œufs entiers. Dans un robot, à petite vitesse, malaxer à l'aide du batteur plat 1,125 kg de Philadelphia cream cheese ou de fromage blanc à tartiner. Incorporer dans l'ordre : 9 cl de crème liquide, les œufs, 375 g de sucre en poudre et 60 g de farine tamisée. Couler cette garniture à l'intérieur du cercle, enfourner, puis cuire pendant 1 h 30 au four préchauffé à 100 °C. Pour vérifier la cuisson, faire bouger la plaque : le milieu du gâteau doit rester stable ; s'il est tremblotant, poursuivre la cuisson. Laisser refroidir et réserver au réfrigérateur avant de servir. »

CHEF DE CUISINE Organisateur et coordinateur du travail dans la cuisine qu'il gère. Le chef de cuisine assure la conception des menus, des cartes, des suggestions et des fiches techniques ; il établit le prix de revient des plats. Il est en charge de l'approvisionnement, mais aussi de la qualité des mets réalisés par la brigade de cuisine qu'il dirige. Il est responsable de la formation du personnel composant la brigade, ainsi que des apprentis, auxquels il transmet son savoir. Enfin, il entretient les relations de la cuisine avec les autres services du restaurant ou de l'hôtel.

Au Moyen Âge déjà, les chefs cuisiniers des palais étaient des personnages importants, et ils géraient des budgets considérables. Sous l'Ancien Régime, le grand dignitaire du service de la table resta longtemps l'écuyer tranchant, et le responsable des cuisines, le queux, qui bénéficiera ensuite du titre d'officier de bouche. Les chefs de cuisine portaient alors l'épée au côté, comme les nobles, et beaucoup furent d'ailleurs anoblis.

CHEMINÉE Petite ouverture ménagée dans le couvercle de pâte d'un pâté en croûte, d'une tourte ou d'un pie avant qu'ils soient mis au four, afin de faciliter l'évacuation de la vapeur. La cheminée est généralement garnie d'un tube de bristol ou d'une petite douille métallique placés à la verticale, par lesquels on peut éventuellement, après cuisson, verser de la gelée liquide ou de la crème fraîche, et que l'on retire pour le service.

CHEMISE (EN) Se dit de divers apprêts où l'ingrédient principal conserve son enveloppe naturelle ou est enveloppé. Les gousses d'ail en chemise sont placées entières, non épluchées, dans le plat de cuisson afin de parfumer un ragoût ou un rôti (on les retire pour le service, éventuellement après en avoir exprimé la pulpe dans le jus de cuisson). Les pommes de terre en chemise sont cuites à l'eau dans leur peau (on dit aussi « en robe des champs »). Les pigeons en chemise sont entourés d'une tranche de jambon et cuits en cocotte (avec des aromates et du bouillon additionné, à mi-cuisson, d'un peu de vinaigre de vin). Le caneton en chemise est farci, enveloppé dans une serviette et poché dans un fond brun, puis servi avec des quartiers d'orange et une sauce rouennaise. Les truffes en chemise sont cuites au four dans du papier sulfurisé beurré.

▶ Recettes : CAILLE, CANARD, POULET.

CHEMISER Tapisser les parois ou le fond d'un moule soit d'une couche plus ou moins épaisse d'une préparation permettant au mets de ne pas coller au récipient et de se démouler facilement, soit de divers ingrédients qui font partie intégrante du plat. Pour un aspic, on fait prendre à l'intérieur du moule une mince pellicule de gelée. Pour une crème renversée, un gâteau de riz, etc., on le tapisse de caramel. Pour les bombes glacées (**voir** ce mot), on l'enduit de crème ou de glace, puis on l'emplit avec la glace ou l'appareil indiqué. Pour les charlottes, on le chemise de biscuits à la cuillère, d'abaisses de génoise ou de tranches de pain de mie. Enfin, les moules sont parfois chemisés de papier sulfurisé beurré.

CHÉNAS Cru du Beaujolais, issu du cépage gamay, produit sur des terres granitiques, qui révèle des arômes de rose et de violette ; il a de la générosité, tout en restant fin et délicat (**voir** BEAUJOLAIS).

CHENIN BLANC Cépage originaire d'Anjou, que l'on nomme aussi plant d'Anjou, blanc d'Anjou, plan de Brézé, pinet d'Anjou, pinot de la Loire, d'Anjou et de Savennières. Le chenin blanc porte des grappes assez compactes, avec des baies moyennes croquantes, jaune doré, à pulpe dense et jus sucré, qui donnent des vins moelleux parmi les coteaux-du-layon, les coteaux-de-saumur, les bonnezeaux et les quarts-de-chaume. Le chenin blanc donne aussi des vins secs et séveux dans les coteaux-de-la-loire ou les savennières. En Touraine, il se décline en vins tranquilles, secs, à Montlouis, et en vins tranquilles, secs, moelleux ou pétillants, à Vouvray. Ce cépage est très bien acclimaté à d'autres régions viticoles du monde.

CHÈRE Mets servis au cours d'un repas, considérés principalement du point de vue de la qualité : la « bonne chère » est une nourriture savoureuse et abondante. Mais le sens classique de « chère », dérivé de son étymologie latine (*cara*, « visage »), est celui de « mine », « accueil ». Faire « bonne chère » à quelqu'un, c'était lui réserver un accueil agréable, enjoué. « Bonne chère vaut bien un mets », dit le proverbe, signifiant ainsi qu'un accueil aimable procure autant de plaisir qu'un repas de qualité.

CHERRY BRANDY Liqueur de cerise, obtenue par macération dans de l'alcool d'une purée de fruits écrasés avec leurs noyaux. D'origine anglaise, assez doux, légèrement sirupeux et rouge rubis, le cherry (« cerise » en anglais) ou cherry brandy se boit en digestif (**voir** SHERRY).

Aujourd'hui, il est préparé avec deux variétés de cerises : les guignes, foncées et sucrées, et les griottes, plus acides et plus parfumées. Le cherry est voisin du marasquin et du guignolet.

CHERVIS Plante de la famille des apiacées, originaire de Chine, très cultivée dans le passé pour ses racines farineuses et sucrées, qui se préparaient comme les salsifis. Le faible rendement du chervis l'a fait abandonner au profit de ces derniers.

CHESHIRE OU CHESTER Fromage anglais de lait de vache (45 % de matières grasses), à pâte pressée non cuite, colorée en orange, et à croûte naturelle graissée (**voir** tableau des fromages étrangers page 400). Il se présente sous la forme d'un cylindre de 35 à 40 cm d'épaisseur, pesant de 22 à 40 kg.

Originaire du comté de Cheshire, le cheshire est le plus ancien des fromages anglais. Il a une saveur peu relevée, plus prononcée lorsqu'il est très affiné (jusqu'à 2 ans) ; ce goût particulier est dû aux dépôts de sel dans les pâturages où paissent les vaches. Il en existe trois variétés : rouge (la plus connue), blanche, et bleue (assez rare). Il est indispensable à la confection du traditionnel welsh rarebit.

CHEVAL Animal domestique, de la famille des équidés, utilisé pendant des siècles pour le transport et les travaux agricoles, dont la chair n'est devenue viande de boucherie qu'au XIXᵉ siècle. On abattait des animaux de trait, qui donnaient une viande bon marché, vendue dans des boucheries spéciales dites « hippophagiques » (la première fut ouverte à Nancy en 1864).

La consommation de la viande de cheval, formellement interdite jusqu'en 1811, où un décret la rend légale, a continué pendant longtemps à faire l'objet de polémiques. Elle demeure très faible : en 1993, elle se situait à 0,7 kg de carcasse par an et par personne, contre 23 kg pour le bœuf. C'est pourtant une viande maigre, riche en fer.
■ **Races.** On distingue les races de chevaux de selle (pur-sang, anglo-arabe, trotteur) des races de chevaux lourds (ardennais, percheron, breton, boulonnais). La race mulassière résulte du croisement d'un âne et d'une jument. Le bardot est un hybride d'un cheval et d'une ânesse. Le poney est un cheval de petite taille. La pouliche est une jeune femelle ; le cheval hongre est un mâle castré ; l'étalon est un cheval « entier ».

Outre sa propre production, la France importe de la viande de cheval, notamment d'Amérique du Nord, d'Europe centrale et de l'Est.
■ **Emplois.** La viande de cheval est moins ferme que celle du bœuf. En revanche, elle s'oxyde plus facilement à l'air : sa présentation et sa conservation sont donc plus délicates.

Sa tendreté lui permet d'être consommée fraîche (dans les deux à quatre jours qui suivent l'abattage), sans maturation, et même crue (tel l'authentique steak tartare), l'animal n'étant jamais atteint par la tuberculose ni par le ténia. La plupart des morceaux sont cependant destinés aux cuissons rapides (bifteck ou rôti). La chair entre également dans la composition de certains cervelas, mortadelles et saucissons secs (saucisson d'Arles), mélangée à du gras de porc et parfois du maigre.

Au Québec, la consommation de cheval est entrée tardivement dans les mœurs. Aujourd'hui, cette viande est de plus en plus considérée comme un excellent substitut du bœuf pour les personnes souffrant d'intolérance au cholestérol ou aux hormones. De provenance locale, elle est vendue fraîche et, depuis peu de temps, ailleurs que dans les boucheries spécialisées.

rôti de cheval en chevreuil

Ficeler un beau rumsteck de cheval (1,5 kg environ). Mélanger 50 cl de vin blanc sec, 1/2 verre de vinaigre de vin, 3 ou 4 cuillerées à soupe d'huile d'arachide ou de tournesol, 1 très gros oignon épluché et 1 carotte pelée, émincés, 2 grosses gousses d'ail pelées et écrasées, un peu de persil haché, 1 branche de thym, 1 feuille de laurier concassée, 2 ou 3 clous de girofle et du poivre en grains. Mettre la viande dans cette marinade et l'y laisser 36 heures au moins, en la retournant deux ou trois fois. Au moment de la cuisson, éponger le rôti, l'assaisonner de sel et de poivre et le badigeonner largement de beurre fondu. Le cuire au four préchauffé à 275 °C comme un rôti ordinaire, en comptant 25 min de cuisson par kilo. Le sortir et le tenir au chaud sur le plat de service ; déglacer le plat de cuisson avec de la marinade, faire réduire, rectifier la liaison et passer. Servir avec des pommes de terre sautées au beurre et une sauce aux airelles, ou bien avec une purée de marron légère.

CHEVAL (À) Se dit de petites pièces de bœuf grillées (steak, hamburger, entrecôte) sur lesquelles on pose un ou deux œufs poêlés. Les « anges à cheval » (traduction littérale de l'anglais *angels on horseback*) sont des huîtres grillées, posées sur un toast garni d'une tranche de lard.

CHEVALER Disposer les éléments d'un plat (tranches, escalopes, etc.) de manière qu'ils se chevauchent partiellement. Sur un plat long, ils sont dressés en alignement ou en quinconce ; sur un plat rond, ils sont disposés en couronne.

CHEVALIÈRE (À LA) Se dit de deux apprêts différents très élaborés et décoratifs, l'un de sole, l'autre d'œufs. Les filets de sole sont pochés, dressés sur une farce de poisson avec des coffres d'écrevisse, entourés d'huîtres, de champignons pochés et de queues d'écrevisse liés de sauce américaine, et décorés de lames de truffe. Les œufs sont servis avec une garniture de champignons, de rognons et de crêtes de coq liée au velouté.

CHEVERNY Vin du Val de Loire, rouge fruité ou rosé frais, bénéficiant du label AOC, issu des cépages chenin, menu pineau, chardonnay, romorantin et sauvignon pour les blancs ; et des cépages gamay, pinot noir et côt pour les rouges et les rosés (**voir** TOURAINE).

CHEVET (GERMAIN CHARLES) Traiteur et marchand de comestibles parisien (? - Paris 1832). Chevet s'installa dans une boutique du Palais-Royal et fonda une dynastie de traiteurs, célèbre sous l'Empire. Fréquenté par Grimod de La Reynière, Balzac, Rossini et Brillat-Savarin, son magasin, qui fournissait venaison, foies gras et poissons, pâtés et crustacés, s'assura un renom international et fut maintenu en activité par ses descendants. En 1844, Henriette Félicité Corcellet, fille d'un autre traiteur réputé de Paris, épousa un membre de la famille Chevet.

CHÈVRE Animal domestique, de la famille des caprinés, élevé essentiellement pour son lait et ses petits, les chevreaux. En France, les principales régions d'élevage pour la viande sont le Poitou, le Berry, le Dauphiné et la Touraine, avec pour races principales l'alpine chamoisée (beige et brun-roux) et la saanen (blanche).
■ **Emplois.** La chair de la chèvre, assez ferme, a une saveur agréable, mais une odeur prononcée se rapprochant de celle du mouton. Appréciée surtout dans les régions d'élevage, quand l'animal est jeune, elle se mange rôtie ou marinée, parfois même salée, fumée et séchée (en montagne). La chair du mâle – le bouc – ne se consomme plus aujourd'hui que lorsque ce dernier est encore un chevreau, mais, pendant des siècles, elle constitua, malgré son odeur forte et sa fermeté, un aliment courant pour les gens les plus pauvres.
La femelle du chevreuil est également nommée « chèvre » (ou « chevrette »).

CHÈVRE (FROMAGE) Dénomination générique des fromages préparés exclusivement avec du lait de chèvre. Leur pourcentage de matières grasses varie, en général de 25 (notamment en hiver) à 45 %.
Les fromages « mi-chèvre » sont faits avec un mélange de lait de vache et de lait de chèvre contenant au moins 25 % de ce dernier.
Au nombre des chèvres réputés, on compte le sainte-maure-de-touraine, le pouligny-saint-pierre, le valençay, le selles-sur-cher, etc.
▶ Recette : RATATOUILLE.

CHEVREAU Petit de la chèvre. Lorsqu'il est abattu pour la boucherie, il s'agit toujours d'un mâle très jeune (de 4 semaines à 4 mois), les femelles étant réservées pour la production laitière.
On ne trouve des chevreaux, ou « cabris », que très peu de temps après les mises-bas, de la mi-mars au début de mai. Leur viande s'apparente à celle de l'agneau de lait. On la consomme en général rôtie et, dans la plupart des recettes (en particulier en Corse et en Espagne), bien aromatisée.

CHEVRET Fromage franc-comtois, à pâte molle et à croûte fleurie, au lait cru ou pasteurisé de vache, dont le nom est lié au lait de chèvre employé jadis. Il se présente sous la forme d'un carré ou d'un rectangle pesant de 150 à 200 g. Il a une belle saveur rustique et noisetée.

CHEVREUIL Petit ruminant de la famille des cervidés, commun dans les forêts tempérées, qui est en passe de devenir un gibier populaire (comme il l'est en Allemagne), le cheptel augmentant régulièrement (250 000 bêtes sont tuées chaque année). On l'appelle « faon » jusqu'à 6 mois, « chevrillard » jusqu'à 18 mois (pour les deux sexes), puis « brocard » pour le mâle (adulte, il pèse de 20 à 25 kg) et « chèvre » ou « chevrette » pour la femelle (**voir** tableau des gibiers page 421).
■ **Emplois.** La chair du chevreuil, rouge sombre, est tendre et savoureuse, surtout chez les bêtes jeunes, et n'a alors pas besoin d'être marinée (la cuisson doit la conserver rose à l'intérieur).
Les meilleurs morceaux sont les côtelettes et les noisettes, prélevées sur le carré et le filet ; ils sont sautés et servis avec une sauce poivrade ou grand veneur ; la selle et le cuissot (ou gigue) se mangent plutôt rôtis. On fait également des civets de chevreuil, que l'on accompagne de purée de marron, de sauce poivrade, de cerises, de gelée de groseille ou de poires au jus.
Au Canada, on donne au chevreuil le nom de « cerf de Virginie ».

civet de chevreuil ▶ CIVET

côtelettes de chevreuil sautées minute

Faire macérer 30 min 8 côtelettes de chevreuil avec 3 cuillerées à soupe d'huile d'olive, 1 très petite gousse d'ail pelée et écrasée, 1 cuillerée à soupe de jus de citron, 1 cuillerée à soupe de zeste de citron blanchi et haché, 1 cuillerée à soupe de persil haché, du sel et du poivre. Les retourner trois ou quatre fois dans cette marinade. Nettoyer 500 g de petits champignons (sauvages de préférence) et les faire sauter vivement au beurre en y ajoutant 1 échalote et 1 petit oignon épluchés et hachés. Égoutter les côtelettes sans les éponger et les dorer vivement dans 20 g de beurre chaud. Arroser d'un verre à liqueur de cognac et flamber. Les disposer en couronne dans un plat. Verser les champignons au centre. Accompagner d'une compote de pomme parfumée au citron et, éventuellement, d'une sauce poivrade.

côtelettes de chevreuil sautées à la mode d'Uzès

Préparer des croûtons frits à l'huile et des pommes dauphine. Détailler en julienne des zestes d'orange blanchis et des cornichons au vinaigre. Faire sauter vivement les côtelettes à l'huile. Déglacer la poêle avec du vinaigre, du jus brun et de la crème fraîche, ajouter les juliennes et quelques amandes effilées. Napper de cette sauce les côtelettes très chaudes. Servir avec les croûtons et les pommes dauphine.

cuissot de chevreuil rôti

PRÉPARATION : 20 min – CUISSON : selon le poids de la pièce
Préchauffer le four à 250 °C. Dépouiller, puis parer le cuissot en retirant la fine membrane qui le recouvre. Le manchonner et le peser pour déterminer son temps de cuisson : compter de 12 à 15 min par kilo. Piquer le cuissot de petites lanières de lard gras. Le placer dans un plat à rôtir, le badigeonner de beurre clarifié, puis le saler et le poivrer. Rôtir au four et le retourner au bout de 15 min. Arroser fréquemment sur toutes les faces. Au terme de la cuisson, réserver le cuissot sur une grille placée dans un plat et le laisser reposer la moitié de son temps de cuisson. Pendant ce temps de repos, réaliser un jus de rôti ou mettre au point une sauce d'accompagnement : sauce poivrade, sauce aigre-douce, etc. En accompagnement, préparer des garnitures de saison de chasse : châtaignes braisées, pomme fruit, champignons sauvages, etc.

filets de chevreuil d'Anticosti

Parer 900 g de filets de chevreuil, les saler, poivrer, les arroser de 5 cl d'huile d'olive et laisser mariner 12 heures. Les griller, suivant le degré de cuisson désiré, à 15 cm de la source de chaleur. Faire fondre sur feu doux 5 cl de gelée de groseille avec 1 cuillerée à café de Worcestershire sauce. Monter cette sauce avec 60 g de beurre. Servir avec les filets très chauds.

filets mignons de chevreuil

POUR 4 PERSONNES – PRÉPARATION : 15 min – CUISSON : 4 min
Parer 500 à 600 g de filets mignons de chevreuil, minces languettes de chair situées sous l'os de la selle, que l'on peut aussi prélever sur les gros filets de la selle. Les aplatir légèrement et les piquer de 50 g de lard gras avant de les saler et de les poivrer. Dans un sautoir, faire chauffer 1 cuillerée à soupe d'huile d'arachide et y faire sauter vivement les filets mignons. Il est également possible de les huiler puis de les griller. La cuisson idéale est de les garder rosés à cœur. Accompagner de produits de saison : champignons des bois, pomme fruit ou coing, purée de légume frais. Servir une sauce poivrade ou réaliser une sauce légèrement épicée par déglaçage du sautoir de cuisson.

RECETTE DE BERNARD LOISEAU

noisettes de chevreuil au vin rouge et poires rôties

« Verser 50 cl de bourgogne rouge dans une casserole et le porter à ébullition. Le flamber avec une allumette pour que l'alcool s'évapore. Ajouter 1 échalote pelée et hachée et faire réduire le liquide des trois quarts. Incorporer 100 g de purée de carotte en mélangeant bien. Saler et poivrer. Peler 4 poires à cuire ; retirer le cœur et les pépins. Les couper en éventail. Faire fondre 30 g de beurre dans une poêle, ajouter les poires et les faire cuire doucement. Dans un plat à sauter, chauffer 30 g de beurre jusqu'à ce qu'il commence à mousser. Ajouter 12 noisettes de chevreuil de 50 g chacune ; saler, poivrer. Les cuire 2 min de chaque côté sur feu assez vif, en les tenant rosées. Faire chauffer à nouveau la sauce au vin rouge. Incorporer 140 g de beurre en parcelles en fouettant vivement. Saler et poivrer. Retirer les noisettes de chevreuil du plat. Les égoutter sur du papier absorbant. Déglacer la cuisson avec un petit verre d'eau. Laisser réduire 1 min, puis ajouter ce jus à la sauce au vin rouge. Égoutter les poires ; les éponger sur du papier absorbant. Napper de sauce le fond de 4 assiettes de service chaudes. Poser dessus les noisettes de chevreuil et les entourer des poires rôties. »

selle de chevreuil grand veneur

Parer une selle de chevreuil, puis la piquer de fins lardons marinés dans du cognac avec du persil haché, du sel, du poivre et un peu d'huile. La faire rôtir et la servir entourée de marrons braisés ou en purée et de pommes dauphine avec une sauce grand veneur.

CHEVREUIL (EN) Se dit de la viande de boucherie apprêtée et servie à la manière de la venaison : tournedos et noisettes d'agneau sont mis en marinade, puis égouttés, sautés au beurre et servis avec une sauce poivrade et une purée de marron. On prépare aussi « en chevreuil » les filets mignons de bœuf, le rôti de cheval et le gigot de mouton (paré, piqué, mariné et rôti, servi avec une sauce pour gibier).
▶ Recettes : AGNEAU, CHEVAL, MARINADE.

CHEVREUIL (SAUCE) Sauce de la cuisine anglaise *(roebuck sauce)* destinée à accompagner la venaison ou les viandes « en chevreuil ».
▶ Recette : SAUCE.

CHEVREUSE Nom de divers apprêts de la cuisine classique. La garniture Chevreuse, pour noisettes d'agneau et tournedos, associe pommes noisettes et fonds d'artichaut garnis d'une duxelles de champignon surmontée d'une lame de truffe lustrée au beurre ; les pièces sont nappées du déglaçage au madère et à la demi-glace. Le velouté Chevreuse est une crème de volaille liée et additionnée de pluches de cerfeuil. L'omelette Chevreuse est fourrée d'un hachis de cerfeuil bulbeux fondu au beurre et de cerfeuil blanchi. Quant aux œufs Chevreuse, ils sont cuits au plat dans le four (au miroir), parsemés de fromage râpé et entourés d'une bordure de purée de haricot vert assez serrée. La présence de produits maraîchers explique sans doute le nom de ces apprêts, la vallée de Chevreuse ayant une vocation potagère depuis le XVIIIe siècle.

CHEVROTIN Fromage savoyard AOC de lait de chèvre (45 % de matières grasses), à pâte pressée et à croûte naturelle lavée (**voir** tableau des fromages français page 392). Fabriqué en chalet de montagne, le chevrotin se présente sous la forme d'un disque de 9 à 12 cm de diamètre et de 3 à 4,5 cm d'épaisseur, pesant de 250 à 350 g, et ressemble à un petit reblochon. Il a une saveur très aromatique due aux fleurs des alpages que mangent les chèvres.

CHÈVROTON DU BOURBONNAIS Fromage bourbonnais de lait de chèvre (45 % de matières grasses), à pâte molle et à croûte naturelle. Il se présente sous la forme d'un petit cône tronqué de 6 à 8 cm de diamètre à la base et de 5 à 6 cm d'épaisseur. Ce chèvroton a une saveur crémeuse et noisetée.

CHEWING-GUM Mot américain qui signifie « gomme à mâcher ». À l'origine, il s'agissait d'une gomme naturelle, le chicle, fournie par un arbre des forêts d'Amérique centrale, le sapotier, que les Mexicains avaient l'habitude de mâcher après l'avoir fait sécher et découpée en bandelettes. Amélioré grâce au sirop de glucose parfumé à la menthe, le chicle allait conquérir le monde. Il arriva en France dans le sillage des troupes du général Pershing venues en renfort sur le front français en 1918. Les premiers chewing-gums « sans sucre » sont apparus en 1987.

Le chewing-gum se fabrique par chauffage et malaxage d'un mélange de gommes naturelles ou de synthèse et de résines, auquel on ajoute sucres ou édulcorants, glycérine ou lécithine pour la souplesse, arômes, colorants et divers autres additifs. La pâte est mise en forme à l'aide de laminoirs (pour les dragées) et d'extrudeurs (pour les tablettes). Elle doit maturer ensuite de 6 à 48 heures dans des conditions de température et d'humidité spécifiques.

CHIANTI Vin italien produit en Toscane, commercialisé en fiasque gainée de paille (le *fiasco*) pour les qualités courantes, qui se boivent jeunes, et en bouteilles millésimées, de type bordeaux, pour les meilleurs crus.

Ces derniers, constituant le chianti classico, proviennent d'un très petit secteur situé entre Florence et Sienne : on les reconnaît à un sceau représentant un coq noir sur fond or. Les autres, dits « tolérés », sont produits en bien plus grande quantité par six régions délimitées, dont la production est très inégale.

CHIBOUST Pâtissier installé au XIXe siècle rue Saint-Honoré, à Paris. En 1846, il créa le « saint-honoré », rendant ainsi un double hommage à son quartier et au saint patron des boulangers et des pâtissiers.

La crème Chiboust, qui accompagne traditionnellement ce gâteau, est une crème pâtissière, généralement aromatisée à la vanille, allégée à chaud avec des blancs d'œuf montés meringués. Les pâtissiers garnissent parfois le saint-honoré d'une simple chantilly.
▶ Recettes : CHOU, CRÈMES DE PÂTISSERIE.

CHICHA Boisson préhispanique alcoolisée d'origine péruvienne à base de grains de maïs (ou d'autres céréales) cuits et fermentés, surtout consommée en Bolivie, en Colombie, en Équateur et au Pérou. La *chicha morada* est une boisson rafraîchissante, sucrée et non alcoolisée.

CHICON Endive belge qui apparut pour la première fois en 1848 sur le marché de Bruxelles. Les chicons – qui correspondent à la partie comestible de la chicorée witloof – comptent en Belgique au nombre des légumes d'hiver très populaires, avec, notamment, la plus célèbre recette nationale, les chicons au gratin.

CHICORÉE Plante potagère, de la famille des astéracées, dont on consomme les feuilles, crues ou cuites, plus ou moins amères selon les variétés (**voir** tableau des chicorées ci-dessous et planche page 206), ainsi que les trognons, appelés « gourilos » ; on la cultive également pour ses racines (chicorée à café).

• CHICORÉE SAUVAGE. Cueillie le long des chemins au printemps, lorsqu'elle est jeune et tendre, elle a une saveur très amère et ne se mange qu'en salade, taillée en chiffonnade ; elle entre aussi dans la composition du mesclun niçois. Repiquée dans un lieu sombre, elle donne en hiver des variétés dites « améliorées », dont la barbe-de-capucin, tendre, blanche et légèrement amère, que l'on apprête à la vinaigrette ou que l'on taille en bâtonnets pour les faire confire dans du vinaigre.

• CHICORÉE FRISÉE. Elle se consomme essentiellement en salade, comme la scarole. Le cœur est blanc ou jaune, et les feuilles, très minces et dentelées, sont jaunes au centre et progressivement vertes vers l'extérieur. Relevée d'une vinaigrette à l'échalote, à la moutarde ou à l'ail, la chicorée frisée est souvent accompagnée de chapons (croûtons aillés) ou de lardons. Dans l'Ouest, on l'apprécie avec des haricots blancs bien beurrés et un assaisonnement à l'huile de noix.

• CHICORÉE À CAFÉ. Certaines variétés de chicorées ont été sélectionnées, essentiellement dans le Nord (Dunkerque), pour donner des racines grosses et lisses, destinées à l'industrie ; une fois torréfiées, elles donnent un produit – en grain, en poudre soluble ou en extrait liquide – qui se fait infuser. Cette boisson, amère et très colorée, se consomme généralement mélangée au café du petit déjeuner.

gourilos étuvés à la crème

Parer 12 gourilos (trognons de chicorée), les laver, les blanchir 4 ou 5 min à l'eau bouillante salée, les égoutter, les rafraîchir sous l'eau froide, les éponger. Faire fondre 50 g de beurre dans une sauteuse, ajouter les gourilos et 12 cuillerées à soupe de bouillon. Couvrir et cuire très doucement de 40 à 45 min. Dresser les gourilos en légumier, les arroser avec le beurre de cuisson et les parsemer de persil ciselé, ou bien les napper de 15 cl de crème bouillante, les faire mijoter 7 ou 8 min et les présenter avec leur crème et du persil ciselé.

salade de chicorée aux lardons ▶ SALADE

CHIFFONNADE Préparation de feuilles d'oseille, d'endive ou de laitue, émincées en lanières plus ou moins larges. La taille « en chiffonnade » consiste à ciseler en julienne les feuilles de verdure superposées sur une planche à découper. La chiffonnade est consommée crue ou peut être fondue au beurre et employée comme garniture (pour un potage, notamment), après avoir été mouillée de bouillon, de lait ou de crème.

chiffonnade d'endives à la crème

Nettoyer les endives, retirer le petit cône amer situé à la racine, les laver sans les laisser tremper, bien les essorer et les détailler en lanières de 1 cm de large. Faire fondre du beurre dans une sauteuse (de 40 à 50 g pour 1 kg de légumes), ajouter les endives, remuer ; ajouter encore 1/2 cuillerée à café de sucre, 2 cuillerées à soupe de jus de citron, du sel et du poivre ; couvrir et laisser étuver doucement de 30 à 35 min. Ajouter de 10 à 15 cl de crème et faire chauffer vivement, à découvert. Servir brûlant.

chiffonnade de laitue cuite

Détacher les feuilles de pieds de laitue et en retirer les grosses côtes. Rincer les feuilles, les essorer et les détailler en lanières. Faire fondre du beurre dans une sauteuse (40 g pour 500 g de feuilles) et y mettre les lanières de laitue avec du sel. Cuire tout doucement, à découvert, jusqu'à ce que l'eau de végétation se soit complètement évaporée. Ajouter alors 2 cuillerées à soupe de crème épaisse et réchauffer.

chiffonnade d'oseille

Trier des feuilles d'oseille, retirer les queues dures. Laver et éponger les feuilles ; les tailler en chiffonnade. Faire fondre du beurre dans une cocotte, sans coloration (30 g de beurre pour 200 g de feuilles) ; ajouter l'oseille, couvrir aux trois quarts et faire étuver doucement, jusqu'à ce que toute l'eau de végétation se soit évaporée. La chiffonnade s'utilise telle quelle comme garniture ; on peut aussi la mouiller de crème épaisse et faire réduire. La chiffonnade « mixte » est un mélange d'oseille et de laitue.

Caractéristiques des principales variétés de chicorées

VARIÉTÉ	PROVENANCE	ÉPOQUE	ASPECT
chicorée sauvage améliorée (chicorée barbe-de-capucin)	ceintures vertes des villes	fin sept.-fin mars	feuilles étiolées, dentelées, blanchâtres ou vertes, larges
chicorées frisées			
pancalière, ruffec	ceintures vertes des villes	fin juin-fin sept.	feuilles jaune à vert, très minces
wallonne (très fine maraîchère, grosse pommant seule, d'été à cœur jaune, etc.)	Provence, Roussillon, Alpes-Maritimes	fin sept.-fin mars	dentelées, cœur blanc ou jaune
chicorée pain-de-sucre	ceintures vertes des villes	fin sept.-fin mars	feuilles blanchâtres disposées en gros pain de sucre
chicorées rouges			
de Chioggia	ceintures vertes des villes, Val de Loire, Italie	fin sept.-fin mars	feuilles très rouges, grosses pommes serrées
de Trévise	ceintures vertes des villes, Val de Loire, Italie	fin sept.-fin mars	feuilles allongées, verdâtres à la base, rougeâtres en haut
de Vérone	ceintures vertes des villes, Val de Loire, Italie	fin sept.-fin mars	feuilles en rosette, petites pommes
chicorées scaroles			
grosse maraîchère, grosse bouclée, etc.	ceintures vertes des villes	fin juin-fin sept.	feuilles pleines ou légèrement découpées, cœur blanc
	Provence, Roussillon	fin sept.-fin mars	
endive, ou chicorée de Witloof ou de Bruxelles*	Nord, Bretagne, Belgique, Hollande	toute l'année	feuilles blanches, extrémités légèrement jaunes, bien fermée

* Il existe des endives rouges, issues du croisement entre les chicorées rouges de Vérone et de Witloof, peu cultivées car peu demandées.

CHICORÉES

chicorée de Trévise

pain-de-sucre

chicorée rouge

chicorée en rosette

endive, ou chicorée de Witloof

endive rouge

chicorée en rosette rouge

barbe-de-capucin étiolée

chicorée rouge de Vérone

chicorée rubin

frisée

scarole

chicorée sauvage
améliorée

frisée très fine
maraîchère

CHILD (JULIA) Cuisinière et écrivain américain (Pasadena 1912 - Santa Barbara 2004). Née Julia Carolyn Mac Williams, étudiante en arts, joueuse de basket (elle mesurait 1,88 m), elle se passionne pour la cuisine française qu'elle fait découvrir aux Américains à travers de nombreux articles (notamment dans le *Boston Globe*), livres de recettes (*The French Chef Cookbook, From Julia Child's Kitchen*) et émissions de télévision. Elle fonde l'American Institute of Wine and Food dans la Napa Valley. Personnage extrêmement populaire aux États-Unis, elle fera la couverture du *Time* en 1966 et sera souvent caricaturée par les comiques américains qui en font la grande « professeur de cuisine » de son pays.

CHILI La cuisine chilienne se fonde essentiellement sur la viande, et sur le mouton en particulier, qui est généralement consommée grillée. Mais elle reflète aussi l'abondance des produits de la mer : la soupe au congre est une spécialité renommée. Comme dans les autres pays d'Amérique latine, tous les plats sont relevés de piment et d'oignon. Les ragoûts *(chupes)* mélangent tripes, légumes ou viande séchée, et les empanadas (tourtes farcies à la viande ou au poisson) sont tout aussi variées.

■ **Vins.** Fortement influencé par l'œnologie française et espagnole, le Chili produit les meilleurs vins du continent sud-américain. Les premières installations de vignobles datent de la fin du XVIIIe siècle. Ils couvrent aujourd'hui une superficie de 175 000 ha, qui s'étend le long de la côte pacifique sur 1 200 km, entre le 30e et le 40e parallèle. Les sols fertiles y sont variés, l'ensoleillement est important et les températures interdisent les gelées printanières ; l'irrigation, qui utilise la fonte des neiges de la cordillère des Andes, compense l'insuffisance des pluies. La viticulture chilienne se concentre sur deux grandes régions.

• **RÉGION CENTRALE.** La Région centrale nord produit des vins riches en alcool, qui sont souvent utilisés pour l'élaboration d'eaux-de-vie ; la Vallée centrale est essentiellement plantée en bons cépages cabernet, sauvignon, cabernet-franc, merlot, chardonnay, sauvignon blanc et riesling, et les techniques de vinification s'inspirent de celles du Bordelais ; la Région centrale sud, où est cultivé le cépage pais, donne des vins un peu grossiers, et la Région méridionale, des vins acceptables lorsque les conditions sont optimales.

• **SECANO.** La Région centrale du Secano est encépagée en pais, qui donne des vins de bonne qualité ; la Région Secano du sud apparaît surtout intéressante pour la culture de cépages blancs comme le sauvignon blanc, le riesling et le muscat, qui s'implantent bien et donnent des vins de bonne qualité, en volume encore très limité.

En progrès spectaculaires, les vins du Chili s'exportent brillamment dans le monde entier.

CHILI CON CARNE Ragoût de bœuf haché, longuement cuit avec des oignons émincés et condimenté avec du piment et du cumin en poudre. Il est servi avec des haricots rouges, que l'on ajoute dans la marmite en cours de cuisson. Ce plat typique de l'ancienne cuisine des pionniers du Texas est néanmoins inspiré de la cuisine mexicaine (en espagnol, l'expression *chile con carne* signifie littéralement « piment avec viande »), et il est très populaire dans tous les États-Unis.

CHIMAY Nom de divers apprêts dédiés à la princesse de Chimay, ex-Mme Tallien. La poularde Chimay est poêlée, fourrée de nouilles au beurre et de farce, nappée de jus et servie avec des nouilles et des bouquets de pointes d'asperge. Les œufs durs (ou mollets) à la Chimay, aux champignons et gratinés, sont le plus connu de ces apprêts.

▶ Recette : ŒUF DUR.

CHINCHARD Poisson de mer, de la famille des carangidés, au corps allongé, de 40 à 50 cm, au dos gris bleuâtre et aux flancs argentés, avec une ligne latérale garnie de plaques osseuses, lisses près de la tête, épineuses à l'arrière. Très répandu dans les mers tempérées, abondant en été et en automne, le chinchard, appelé également « saurel », s'accommode comme le maquereau. On en fait aussi des conserves, nature ou à la sauce tomate.

CHINE La cuisine et l'alimentation ont toujours constitué en Chine un sujet de discussion et de réflexion pour les philosophes, les écrivains et les empereurs. Il n'y a pas de cloisonnement entre la philosophie, la religion et la nourriture, et chacun est tenu de connaître le rituel alimentaire et de s'y conformer. Autre trait fondamental de la gastronomie chinoise : la recherche de l'harmonie, qui s'obtient par les contrastes ; un mets croquant est suivi d'une préparation crémeuse, un plat épicé s'accompagne d'une garniture douce.

L'originalité et la subtilité de cette cuisine s'expriment par le mélange des quatre saveurs fondamentales (aigre, salé, amer et doux) dans un même plat.

■ **Extravagance et mystère.** L'importance capitale que les Chinois attachent à la cuisine depuis des siècles (Lao Tseu comparait l'art de gouverner l'Empire chinois à celui de faire frire un petit poisson) a rendu celle-ci de plus en plus compliquée, jusqu'à devenir, aux yeux des Occidentaux, un mystère un peu effrayant. En outre, les préoccupations diététiques ont des prolongements fréquents vers les recettes aphrodisiaques (ailerons de requin, nids d'hirondelle, os de tigre, œufs de cent ans).

Enfin, le répertoire classique des recettes chinoises, qui relève de la grande tradition mandarine, inclut des plats cuisinés avec des paumes d'ours, des lèvres de carpe, des aisselles de rhinocéros ou des estomacs de grenouille, dont les qualités médicinales sont doublées de vertus magiques et qui allient la saveur, l'arôme et la couleur.

■ **Principes fondamentaux.** Les méthodes de cuisson ont été conditionnées par la pauvreté en combustible, très sensible en Chine. Les cuisiniers imaginèrent de découper tous les aliments en menus morceaux, selon leur nature – en cubes, en lamelles, en dés, en allumettes, en rondelles, en « grains de riz » –, ce qui permet une cuisson plus rapide ; en outre, les aliments s'imprègnent mieux de tous les assaisonnements, tout en étant très décoratifs.

Le mode de cuisson le plus utilisé est le sauté, qui conserve aux aliments tout leur jus et toute leur saveur (les potages, fort nombreux, sont traditionnellement cuits à grand feu, et les garnitures éventuelles ne deviennent jamais pâteuses). Les bouillons, qui interviennent souvent dans les sauces, sont toujours très clairs. Enfin, la présentation artistique du plat est importante, car le mets doit séduire le convive.

■ **Cuisine quotidienne et recettes régionales.** Le repas chinois comprend d'abord les plats froids, puis les plats chauds, enfin, une soupe légère et, éventuellement, un dessert. Pour un repas de cérémonie, la soupe est au contraire épaisse, et il est prévu en outre un grand plat de festin (canard à la pékinoise, par exemple), puis un bouillon léger et enfin des sucreries.

Le riz n'est pas un accompagnement obligatoire ; le Nord, qui en produit peu, en consomme moins que le Sud : on y mange des petits pains cuits à la vapeur, remplacés par des crêpes de blé dans le Centre. Le riz est mis sur la table dès le début du repas, dans des bols individuels ; le savoir-vivre veut qu'on le renouvelle à la fin du repas, mais par politesse personne n'y touche (cela voudrait dire que l'on a encore faim). La boisson de table n'est pas le thé, mais un vin de riz ou de sorgho, voire de la bière.

Dans le Nord, la cuisine est mijotée, mais elle utilise aussi la friture (dans le wok), tout en restant légère et épicée ; les grandes spécialités de Pékin sont les plus anciennes (boulettes de porc en sauce aigre-douce, bœuf sauté au gingembre, gâteau de riz aux huit joyaux). Dans l'Est, la sauce soja prédomine, ce qui fait qualifier la cuisine de « rouge » ; on prépare beaucoup de produits de la mer, des soupes, des beignets et des crêpes ; le potage aux nids d'hirondelle (**voir** ce mot) en est originaire. Dans l'Ouest et le Centre, le poisson est consommé séché ; les plats comportent beaucoup de champignons, et l'on fait confire les fruits (kumquats). Dans le Sud, la cuisine est dominée par les apprêts de poissons, de coquillages et de crustacés (loup farci, beignets de crabe, abalones à la sauce aux huîtres, crevettes aux nouilles de riz, potage aux ailerons de requin).

■ **Ressources culinaires.** Plusieurs aliments de base sont consommés partout, en particulier les œufs : frais (frits ou cuits à la vapeur), dits « de cent ans » ou salés (pour les œufs de cane), ou braisés (durs, puis mijotés avec des oignons et du consommé). Nouilles et vermicelles (de riz, de soja ou de blé) sont d'une extrême variété. Les légumes sont toujours assortis en fonction de leur consistance et de leur goût ;

ils sont souvent cuits à la vapeur (comme les poissons d'eau douce et les coquillages, jamais mangés crus). Les fruits frais sont suffisamment variés pour composer des desserts (litchi, longane, mangue, papaye), éventuellement accompagnés de sablés aux amandes, de beignets au sésame, et toujours de thé.

La majorité des recettes chinoises peut se réaliser avec des denrées occidentales ; néanmoins, il existe des produits spécifiquement chinois. Parmi les légumes : champignons noirs, parfumés ou « de paille » ; fleurs de lys (un légume séché, jaune, légèrement sucré) ; soja (graines, germes, huile, sauce) ; lotus (graines, feuilles, racines) ; dattes rouges ; algues ; macres ; chou chinois ; pousses de bambou ; fleurs de bananier. Parmi les produits de la mer : abalones ; méduse (séchée et découpée dans les salades) ; anguille fumée ; vessies de poisson. Parmi les poissons de rivière, brochets et carpes sont particulièrement appréciés.

Il existe plusieurs variétés de riz, dont le riz gluant et le riz parfumé ; on en fait aussi des galettes. Épices, aromates et condiments sont indispensables ; le lait et ses produits, en revanche, sont rares.

Les boissons courantes comprennent, bien entendu, le thé (qui n'accompagne jamais les principaux repas), mais le lait de soja et le sirop de graines de sésame ou de ginseng sont également très consommés. L'alcool de riz (ou « vin jaune »), que l'on utilise aussi comme condiment en cuisine, se sert tiède. Quant à l'alcool blanc le plus réputé, c'est le mei kuei lu, fabriqué à partir de sorgho et de roses fraîches ; on le boit pendant le repas, entre les plats.

■ **Savoir-vivre et usages de la table.** Le couvert simple comprend un bol dans une assiette, des baguettes et une cuillère. Pour un couvert de fête, on ajoute une tasse à alcool, une coupe à thé et un second bol. L'usage est de faire circuler des serviettes chaudes et parfumées après un plat gras ou mangé avec les doigts. Un repas familial (en chinois, « chose horizontale ») rassemble tous les plats en même temps sur la table. Un repas de fête (ou « chose verticale ») fait succéder des plats (d'une douzaine à une vingtaine) qui nécessitent des températures de dégustation différentes. La place d'honneur, qui revient au convive le plus âgé, est orientée au sud et fait face à la porte d'entrée de la salle à manger. Traditionnellement, les femmes occupaient un côté de la table, et les hommes, l'autre.

■ **Vins.** Avec une production de 10 000 000 d'hectolitres, la Chine développe intensément un vignoble de 360 000 ha. Par goût, les vins blancs moelleux sont toujours favorisés. Aujourd'hui, un bel effort est fait vers les vins blancs secs et les rouges.

▶ Recettes : CARPE, SALADE, THÉ.

CHINOIS Passoire conique munie d'un manche. Il en existe différents modèles : le chinois en étamine métallique permet de filtrer les bouillons, les sauces et les crèmes fines, les sirops et les gelées qui doivent être très lisses ; le chinois en acier inoxydable perforé sert à passer les sauces épaisses en les foulant à l'aide d'un pilon, pour éliminer les grumeaux.

CHINOIS CONFIT Petite orange amère, macérée dans plusieurs sirops de sucre de plus en plus concentrés, puis égouttée et glacée. Les fruits utilisés pour cette confiserie proviennent d'un bigaradier originaire de Chine, qui vit à l'état sauvage en Sicile. Le chinois est habituellement de couleur verte, car il est cueilli avant maturité, lorsqu'il a la meilleure consistance pour être confit ; le chinois blond a été cueilli mûr ; le chinois rouge est un chinois blond coloré.

CHINON Vin AOC rouge, rosé ou blanc de la Loire, fruité et friand, issu principalement du cépage cabernet franc. Rabelais, écrivain du XVIe siècle dont la famille exploitait un vignoble au pied des remparts de la citadelle, l'appréciait beaucoup et le célébra (**voir** TOURAINE).

CHINONAISE (À LA) Se dit d'une garniture classique de grosses pièces de boucherie comprenant des pommes de terre persillées et des petites boules de chou vert, farcies de chair à saucisse et braisées.

Dans la région de Chinon, le lièvre et la lamproie rissolés à l'huile de noix sont également dits « à la chinonaise ».

CHIPOLATA Petite saucisse crue de 2 cm de diamètre environ, faite de chair à saucisse de porc hachée moyen, embossée dans un boyau naturel de mouton (**voir** tableau des saucisses crues page 786). Les chipolatas se mangent poêlées ou grillées.

chipolatas au risotto à la piémontaise

Préparer du risotto, mais en lui ajoutant, dès le début de la cuisson, la moitié de son volume de chou vert blanchi et haché. Verser l'ensemble dans un moule à savarin, démouler sur le plat de service et tenir au chaud. Percer légèrement 6 chipolatas, puis les dorer rapidement au beurre dans un plat à sauter. Ajouter 1 verre de vin blanc et achever la cuisson en couvrant à moitié ; terminer en mettant quelques lames de truffe blanche. Dresser les chipolatas dans la couronne de risotto. Ajouter dans le plat à sauter 1/2 verre de consommé bien réduit, faire réduire encore de moitié et verser sur les saucisses.

CHIPOLATA (À LA) Se dit d'une garniture accompagnant le gibier, la volaille braisée, les pièces de boucherie ou les œufs. Elle associe des marrons braisés, des petits oignons et des petites carottes glacés, des champignons sautés et des lardons blanchis et rissolés, auxquels on ajoute des chipolatas rissolées. Cette garniture est parfois liée de sauce madère réduite.

L'appellation désigne, en cuisine classique, un pudding à base de rognon de porc, de farce et de petites saucisses.

CHIPS Minces rondelles de pommes de terre, frites et salées, souvent préparées industriellement et vendues en sachet. Les chips peuvent être aromatisées (au bacon, par exemple) ou « légères » (à moindre teneur en huile et en sel). Les chips se servent avec l'apéritif ou en accompagnement de grillades et de rôtis. Dans ce cas, on peut les servir chaudes.

CHIQUE Nom d'un gros bonbon de sucre cuit, opaque, fourré aux amandes et parfumé à la menthe, à l'anis ou au citron. Les chiques de Montluçon sont particulièrement réputées, ainsi que celles d'Allauch.

CHIQUETER Pratiquer, avec le dos de la pointe d'un couteau d'office, de légères marques régulières et obliques sur les bords de deux abaisses feuilletées superposées (vol-au-vent, tourte, allumettes, galette des rois, etc.) pour les souder et en parfaire la présentation.

CHIROUBLES Cru AOC du Beaujolais, issu du cépage gamay, plein d'élégance et de finesse, qui illustre le charme et la sensualité des vins de la région (**voir** BEAUJOLAIS).

CHIVRY Nom d'un beurre composé (**voir** ce mot) aux fines herbes, qui accompagne certains hors-d'œuvre froids. Il sert aussi à parfumer les sauces dites « Chivry », qui accompagnent des poissons (la sauce est alors réalisée avec un fumet de poisson), des volailles pochées ou des œufs mollets ou pochés (sauce préparée avec un velouté de volaille).

▶ Recette : BEURRE.

CHIQUETER UNE ABAISSE

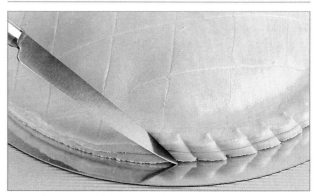

Appuyer légèrement sur la pâte avec le dos de la lame d'un couteau et remonter vers l'intérieur, comme pour faire une virgule.

CHOCOLAT Produit alimentaire composé essentiellement d'un mélange de pâte de cacao et de sucre, longuement brassé à chaud, avant d'être moulé en tablettes. On peut y ajouter du lait, du miel, des fruits secs, etc.

■ **Histoire.** La consommation de chocolat sous forme de boisson se répandit en Europe à partir du XVIe siècle, mais elle était réservée à une élite. En 1826, le Hollandais Van Houten inventa le cacao en poudre, soluble dans l'eau. L'essor du chocolat sous forme solide commença en Angleterre en 1847 avec la commercialisation des premières tablettes. En 1870, le Français Menier, avec son usine de Noisiel, contribua à la démocratisation du chocolat. Il fallut attendre 1901 pour que le « chocolat fondant », inventé par le Suisse Lindt, atteigne, grâce au procédé du « conchage », la qualité que l'on connaît encore aujourd'hui, sous de multiples variantes. Le Suisse Nestlé, inventeur du lait en poudre, est, avec Peter, à l'origine du chocolat au lait.

En France, on consomme 6,8 kg de chocolat par habitant et par an.

■ **Diététique.** Très tôt, la médecine a vu dans le chocolat une boisson salutaire contre les fièvres, les maux de poitrine ou d'estomac. Le cacao entra au codex en 1758, et les confiseurs des XVIIIe et XIXe siècles se faisaient volontiers apothicaires. L'expression « chocolat de santé », pour le mélange contenant uniquement sucre et cacao, resta usuelle jusqu'au début du XXe siècle.

Le chocolat est très nutritif sous un faible volume : il apporte plus de 500 Kcal ou 2 090 kJ pour 100 g. Selon qu'il contient ou non du lait, le chocolat renferme de 55 à 62 % de glucides, 30 % de lipides et de 2 à 9 % de protéines, ainsi que du calcium, du magnésium, du fer, du phosphore et surtout du potassium. Il contient de la théobromine, un alcaloïde stimulant proche de la caféine.

■ **Dénominations légales.** Le décret du 29 juillet 2003 transcrit la directive européenne cacao-chocolat de 2000. Les dénominations s'appliquent indifféremment aux tablettes ou aux bonbons (bouchées) de chocolat.

● CHOCOLAT ET CHOCOLAT NOIR. C'est un mélange de sucre et de cacao comportant un minimum de 35 % de cacao, dont 18 % de beurre de cacao. Les qualificatifs tels que « noir », « extra », « fin », « supérieur », « de dégustation », etc. impliquent un minimum de 43 % de cacao, dont 26 % de beurre de cacao. Cela concerne la quasi-totalité des tablettes commercialisées en France.

● CHOCOLAT AU LAIT ET CHOCOLAT BLANC. Le « chocolat de ménage au lait » et le « chocolat au lait » (sans autre mention) comportent respectivement au minimum 20 et 25 % de cacao et 20 et 14 % de matière sèche de lait ou de produits du lait. Le « chocolat supérieur extrafin » au lait ou « de dégustation » au lait comporte au minimum 30 % de cacao et 18 % de matière sèche de lait ou de produits du lait. Le « chocolat blanc » comporte au minimum 20 % de beurre de cacao et 14 % de matière sèche de lait ou de produits du lait.

● CHOCOLAT DE COUVERTURE. Les « chocolats de couverture » contiennent une proportion plus élevée de beurre de cacao, un minimum de 31 %, ce qui garantit une excellente viscosité. Ils permettent un travail professionnel du chocolat : trempage, confection de bonbons, glaçage de pâtisserie.

Les chocolats (noir, au lait, blanc) avec ajout de matières grasses végétales autres que du beurre de cacao ne donnent pas lieu à des dénominations à part, car ces MGV sont considérées comme des équivalents du beurre de cacao et rentrent en complément – à hauteur de 5 % – des taux minimaux légaux de cacao et de beurre de cacao propres à chaque dénomination. La mention « contient des matières grasses végétales en plus du beurre de cacao » doit figurer lisiblement sur l'étiquetage.

Il existe aussi des dénominations correspondant à des adjonctions légales, telles que « chocolat fourré », « tablette fourrée », « chocolat aux noisettes gianduja », ainsi que de nombreuses appellations commerciales telles que « chocolat de dessert » ou « à pâtisser », sans oublier les pâtes à tartiner, les confitures et gelées au chocolat et toute la confiserie de chocolat (barres, bonbons, crottes, etc.).

■ **Qualité du chocolat.** Elle dépend de la qualité des matières premières, à commencer par les fèves de cacao, et du soin apporté aux différents stades de la fabrication : torréfaction et broyage des fèves, conchage (brassage du mélange pâte de cacao/sucre et éventuellement lait). Plus le chocolat contient de beurre de cacao, plus il est tendre et moelleux ; plus il est sucré, plus il est doux. Quand il est

CIGARETTES EN CHOCOLAT

Avec une spatule, étaler le chocolat fondu en couche fine sur le marbre. Quand il est refroidi, racler en poussant avec précaution la palette à enduire.

entreposé à l'abri de l'humidité et des odeurs et à une température d'environ 18 °C, il se conserve plusieurs mois.

Pour les gâteaux et les entremets, on choisit un chocolat à forte teneur en cacao (poudre ou tablette), dont on peut corser l'arôme en rajoutant du cacao non sucré. Pour des emplois spécifiques (nappage, fondant, décor, glaçage), on utilise un chocolat spécial, dit « de couverture ». La base des gâteaux au chocolat est souvent un biscuit, une génoise ou une meringue. Le chocolat intervient aussi dans les crèmes pâtissière ou au beurre (**voir** GANACHE), comme fourrage, notamment dans les éclairs et les choux, et dans les sauces de nappage.

Le chocolat est un parfum de base pour les glaces et crèmes glacées (il sert aussi d'enrobage), pour les crèmes cuites ou prises en pots ; il permet de réaliser charlottes, soufflés et mousses diverses. En biscuiterie, il sert de fourrage ou de glaçage. Citons aussi, en viennoiserie, les petits pains au chocolat. La confiserie et la chocolaterie proprement dites sont très voisines : bouchées, bonbons, truffes et crottes, rochers, caramels et toffees, cerises, écorces d'orange enrobées, poissons d'avril et œufs de Pâques moulés.

Il est un domaine où l'emploi du chocolat est moins connu : la cuisine proprement dite. L'usage en était courant chez les Aztèques, et le grand plat de la cuisine mexicaine reste le *mole poblano de guajolote* (ragoût de dinde au chocolat relevé de piment et de sésame). Le baron Brisse proposait déjà, en 1869, une macreuse (canard) au chocolat. En Espagne, deux plats en sauce utilisent du chocolat amer : la langue de veau et la langouste, des spécialités de l'Aragon. Enfin, en Sicile, on connaît une recette populaire de lapin en civet au chocolat.

avocat soufflé au chocolat ▶ AVOCAT

RECETTE DE *LA MAISON DU CHOCOLAT*, À PARIS

bacchus

« La veille, préparer 200 g de raisins de Smyrne ou de Californie en les lavant à l'eau tiède. Renouveler l'eau plusieurs fois. Les sécher et les chauffer dans une casserole à feu doux en remuant toujours afin de leur ôter l'humidité. Une fois ramollis et toujours chauds, verser 5 cl de rhum sur les raisins sans les recouvrir. Flamber doucement, puis les mettre dans un récipient en Inox ou en verre et laisser macérer au réfrigérateur pendant 24 heures. Préchauffer le four à 170-180 °C. Préparer 2 fonds de pâte à succès. Monter 6 blancs d'œuf en neige et incorporer 80 g de sucre et 100 g de poudre d'amande en soulevant doucement les blancs battus. Étaler la moitié de cette préparation à l'aide d'une douille ou d'une spatule sur une plaque et cuire au four. Retirer du four quand la pâte est légèrement dorée. Procéder de même pour l'autre moitié. Confectionner aussi une abaisse de génoise (**voir** page 418) chocolatée et une ganache (**voir** page 410). Imbiber la génoise d'un peu de sirop préparé avec 1 verre d'eau, 1 verre de sucre et un peu de rhum. Incorporer les raisins à la ganache et en réserver un tiers pour glacer le gâteau au besoin. Monter le gâteau en intercalant dans un cercle un fond de pâte à succès, l'abaisse de génoise chocolatée, une couche de ganache aux raisins et le second

« On lui prête maintes vertus qui déculpabilisent les plus gourmands. On le croque en tablette ou en bonbon,
on le sirote en boisson, on le glisse dans les pains au chocolat, on le savoure en gâteau… Que ce soit à l'école FERRANDI PARIS,
au RITZ PARIS ou chez POTEL ET CHABOT, le chocolat est de toutes les fêtes ! »

fond de pâte à succès. Le gâteau peut être glacé ou non avec le reste de la ganache. Mettre le tout au réfrigérateur et réserver au moins 24 heures. Le lendemain, décercler et décorer le dessus du gâteau avec quelques grains de raisins flambés au rhum. »

RECETTE DE MICHEL BRAS

biscuit de chocolat « coulant », aux arômes de cacao, sirop chocolaté au thé d'Aubrac

« Préparer la veille les noyaux de chocolat. Briser 120 g de chocolat de couverture, faire fondre doucement au bain-marie avec 20 cl de crème liquide, 50 g de beurre et 6 cl d'eau. Répartir cette préparation dans 6 moules de 45 mm de diamètre et réserver au congélateur. Mélanger 30 g de sucre, 6 g de glucose, 3 g de fécule et 10 cl d'eau au fouet. Porter à ébullition pour assurer la liaison. Hors du feu, ajouter une poignée de thé d'Aubrac ou de menthe et laisser infuser. Réserver au frais. Mettre 50 g de sucre dans une casserole à fond épais et le faire caraméliser avec un peu d'eau. Ajouter ensuite 6 cl d'eau froide pour le décuire, puis 30 g de cacao, une pointe de sel, et porter à ébullition pendant 2 ou 3 min. Mixer si nécessaire pour homogénéiser. Réserver ce coulis au frais. Découper des feuilles de papier sulfurisé de 70 mm de large sur 250 mm de long. Les graisser avec du beurre clarifié et chemiser 6 cercles de 55 mm de diamètre sur 40 mm de haut. Saupoudrer l'intérieur de ces moules avec du cacao en poudre. Quelques heures avant de servir, démouler les noyaux de chocolat et les réserver au congélateur. Briser 110 g de chocolat de couverture et le faire fondre au bain-marie. Hors du feu, ajouter 50 g de beurre, 40 g de poudre d'amande, 40 g de crème de riz, 2 jaunes d'œuf et mélanger délicatement. Battre 2 blancs d'œuf en neige, les serrer avec 90 g de sucre. Ajouter délicatement cette meringue à l'appareil précédent. À l'aide de la poche à douille, déposer au fond de chacun des moules un peu de la préparation de biscuit, puis, bien au centre, un noyau surgelé de chocolat. Finir de remplir avec le biscuit, égaliser et mettre au congélateur pendant 6 heures. Placer les biscuits congelés sur une plaque et les cuire 20 min au four à 180 °C. Couler dans l'assiette un peu de sirop de thé d'Aubrac et marquer d'un trait de coulis au chocolat. Démouler le biscuit coulant avec précaution, puis retirer délicatement la bande de papier sulfurisé. »

RECETTE DE MICHEL GUÉRARD

gâteau au chocolat de maman Guérard

« Faire fondre ensemble, au bain-marie, 280 g de beurre et 280 g de chocolat. Monter au fouet 9 jaunes d'œuf et 280 g de sucre en poudre jusqu'à ce que le mélange s'allège et blanchisse (cette opération peut se faire en chauffant légèrement le bol). Mélanger les deux préparations. Monter 5 blancs d'œuf en neige et les mélanger au reste. Remplir un moule beurré et fariné des deux tiers du mélange et cuire 1 heure à feu doux. Démouler, laisser refroidir et recouvrir le gâteau cuit du tiers restant de la crème au chocolat et servir. Pour le conserver une petite semaine au réfrigérateur, on peut, avant de le recouvrir de la crème au chocolat, imbiber le gâteau de 4 cuillerées à soupe de rhum. »

glaçage au chocolat

POUR UN GÂTEAU DE 8 PERSONNES – PRÉPARATION : 20 min – CUISSON : 8 min
Préparer d'abord 100 g de sauce au chocolat. Hacher au couteau 25 g de chocolat à 70 % de cacao. Le mettre dans une casserole à fond épais avec 5 cl d'eau, 15 g de sucre en poudre et 2,5 cl de crème fraîche épaisse. Porter à ébullition sur feu doux, puis cuire en mélangeant à la spatule jusqu'à obtenir une sauce onctueuse et nappante. Réserver. Hacher 100 g de chocolat (à 70 % de cacao). Verser 8 cl de crème fraîche liquide et porter à ébullition. Hors du feu, incorporer un petit peu de chocolat haché et mélanger très lentement à la spatule, en partant du centre vers les bords de la casserole. Ajouter en plusieurs fois le reste du chocolat haché en procédant de la même façon. Laisser tiédir à moins de 60 °C. Ajouter alors 20 g de beurre en morceaux en remuant le moins possible, puis incorporer la sauce au chocolat toujours en évitant de remuer. La préparation doit être homogène. Le glaçage au chocolat s'utilise tiède (entre 35 et 40 °C).

CHOCOLAT (BOISSON) Boisson froide ou chaude, obtenue en délayant du chocolat ou du cacao dans de l'eau ou du lait. Lors de la conquête espagnole du Mexique, les Aztèques savaient exploiter les fèves de cacao pour en faire une boisson moussante et en agrémenter certains plats. Ils préparaient alors le « xocolatl » avec du cacao grillé et broyé, de la farine de manioc ou de froment et diverses épices. Puis ils y ajoutèrent du miel et du sucre, de la cannelle, et parfois de l'ambre et du musc. La consommation était réservée à la caste supérieure, mais les conquérants espagnols n'apprécièrent pas ce breuvage épais et amer. Ce sont les missionnaires jésuites qui améliorèrent cette boisson exotique en y ajoutant du sucre de canne, avant que les colons l'importent en Europe.

■ **Un essor rapide.** Espagne, Flandre, Autriche, Pays-Bas, Italie, France sont autant de pays conquis dès le XVIᵉ siècle par le chocolat, dont la consommation resta longtemps réservée à une élite. Depuis le règne de Louis XIV jusqu'à la Révolution, on but du chocolat moussant à la cour de Versailles. L'invention, par le Hollandais Van Houten, du cacao soluble au début du XIXᵉ siècle contribua à démocratiser cette boisson. Aujourd'hui, même si d'aucuns préfèrent le chocolat à l'ancienne, on trouve dans le commerce diverses poudres chocolatées.

■ **Dénominations légales.**
• CACAO EN POUDRE. Le cacao en poudre 100 % cacao » contient au minimum 20 % de beurre de cacao. S'il en contient moins, il s'agit de « cacao maigre en poudre ».
• CHOCOLAT EN POUDRE. C'est un mélange de sucre et de 32 % au minimum de cacao en poudre. Il peut être « maigre » ou « fortement dégraissé ». On trouve également le « chocolat de ménage en poudre » ou « cacao sucré ». Les chocolats en poudre peuvent contenir un émulsifiant favorisant la solubilité, ainsi que des arômes comme la vanille ou la cannelle, naturels ou de synthèse.
• POUDRES INSTANTANÉES POUR PETITS DÉJEUNERS. Riches en énergie, mais faibles en chocolat, elles peuvent contenir diverses farines, des œufs ou du lait en poudre, des arômes, et être enrichies de vitamines et de minéraux.

chocolat chaud à l'ancienne

Hacher au couteau 125 g de chocolat noir à 67 % de cacao et mettre dans une jatte. Dans une casserole, porter 50 cl d'eau minérale à ébullition avec 50 g de sucre en poudre. Ajouter 25 g de cacao en poudre et fouetter vivement. Porter à nouveau à ébullition, puis retirer du feu. Verser le mélange en trois fois sur le chocolat haché. Mélanger doucement avec une cuillère en bois en faisant, à partir du centre, des cercles concentriques de plus en plus grands. Mixer 5 min avec un mixeur plongeant. Verser le chocolat chaud dans 4 tasses et servir aussitôt.

CHOCOLATIÈRE Récipient en hauteur, souvent en forme de cône tronqué ou à panse arrondie, muni d'un bec verseur et d'une poignée horizontale en bois, utilisé pour servir le chocolat chaud. La chocolatière est fermée par un couvercle percé d'un trou, pour le passage d'un batteur (le « moussoir ») destiné à faire mousser le chocolat au moment de le verser dans les tasses.

CHOESELS Spécialité de la cuisine belge, dont le nom désigne, en dialecte wallon, les testicules du taureau. En fait, les choesels sont souvent du pancréas de bœuf, et le plat auquel ils donnent leur nom est un ragoût de viandes et d'abats divers, mijotés avec des oignons et de la bière.

RECETTE DE PIERRE WYNANTS

choesels au lambic et à la bruxelloise

POUR 6 PERSONNES
« Dorer 1,1 kg de champignons de Paris dans 125 g de beurre ; les assaisonner et mouiller de 65 cl de fond de volaille. Réserver. Chauffer 125 g de graisse de rôti de bœuf, ajouter 300 g de choesels (bijoux de famille), 2 pieds de veau coupés en deux, 375 g de ris de génisse et 2 queues de bœuf détaillées en tronçons ; saler légèrement et laisser étuver 45 min à couvert. Ajouter 450 g d'oignons blancs émincés et 750 g de poitrine de veau en morceaux. Étuver 30 min. Ajouter 375 g de rognons de bœuf en gros dés, les faire raidir, puis mouiller avec 127,5 cl de lambic, et mettre 3 branches de thym, 3 feuilles de laurier, 1 tête d'ail coupée en deux, 85 g de purée de tomate concentrée, 2 petites pointes de quatre-épices, 6 baies de genièvre écrasées et 1 pincée de piment de Cayenne. Cuire 30 min à couvert. Ajouter 375 g de pancréas et la cuisson des champignons. Cuire 20 min, puis retirer les viandes, sauf les pieds de veau. Cuire encore 15 min. Couper toutes les viandes en gros morceaux et les remettre dans la sauce avec les champignons et 250 g de boulettes de bœuf haché pochées à part. Servir avec de petites pommes de terre cuites à la pelure. »

CHOISEUL Nom d'un apprêt de sole ou de filets de sole pochés et nappés d'une sauce au vin blanc additionnée d'une julienne de truffes blanches.

CHOISY Nom de divers apprêts comportant de la laitue. La garniture Choisy pour pièces de boucherie associe pommes château et laitues braisées. L'omelette Choisy est fourrée d'une chiffonnade de laitue à la crème et entourée d'un cordon de sauce crème. La sole Choisy est pochée, nappée de sauce au vin blanc et garnie d'une julienne de laitue et de champignons. Le potage Choisy est une crème de laitue.

CHOPE Grand gobelet cylindrique, muni d'une poignée, utilisé surtout pour boire de la bière. La chope est en grès, en céramique, en verre épais, parfois en étain ; elle peut être munie d'un couvercle articulé.
Sa contenance est généralement de 33 cl, mais il existe les chopes de 50 cl, de 1 litre et même de 2 litres. On appelle également « chopes » les verres à whisky de 20 cl, en cristal ou en verre taillé.

CHOP SUEY Plat populaire de la cuisine chinoise, constituant souvent un plat unique, qui se compose souvent des restes de repas précédents.

CHORBA Soupe de la cuisine arabe, à base de queues et de côtelettes de mouton en morceaux revenus à l'huile avec des oignons et des tomates, additionnés de courgettes, d'ail, de thym et de laurier, largement mouillés d'eau, et assaisonnés de poivre rouge et de poivre noir. La chorba peut être plus ou moins épaisse et s'accompagner de pois chiches, de céréales, de poissons, etc. Avant de la servir, on lui ajoute des macaronis et du vermicelle. De nombreuses variantes existent selon les régions. On retrouve des apprêts analogues dans la cuisine des Balkans, avec la *corba* yougoslave et la *ciorba* roumaine ou bulgare.

CHORIZO Saucisse parfois vendue fraîche, mais le plus souvent sèche, épicée avec du piment, du paprika et de l'ail, de forme allongée, embossée en menu de porc (**voir** tableau ci-dessous et planche de charcuterie pages 193 et 194). Les recettes sont très variées : soit pur porc, soit porc et bœuf, parfois cheval, âne ou mulet.
D'origine espagnole, aromatisé alors au *pimenton* (variété de paprika espagnol), le chorizo se consomme cru ou frit ; il entre notamment dans la préparation du cocido et de la paella.

CHORON Cuisinier français de la fin du XIXe siècle, originaire de Caen. Devenu chef du célèbre *Café Voisin*, au 261, rue Saint-Honoré, il donnera son nom à une sauce émulsionnée chaude (une béarnaise tomatée) ainsi qu'à une garniture pour petites pièces de boucherie sautées (pommes noisettes et fonds d'artichaut garnis de petits pois ou de pointes d'asperge au beurre).
▸ Recette : SAUCE.

CHOU Petite pâtisserie soufflée, faite avec une pâte à choux à double cuisson, que l'on mange froide, le plus souvent garnie d'une crème ou d'une garniture. En pâtisserie, les choux servent notamment à réaliser des croquembouches et, diversement fourrés et glacés, constituent des assortiments de petits-fours frais. Lorsqu'ils sont garnis d'un appareil salé, les choux sont servis en hors-d'œuvre. Ils sont alors réalisés en pâte à choux dite « d'office », largement utilisée en cuisine, notamment pour l'appareil à pommes dauphine, les gnocchis, etc.

pâte à choux d'office : préparation

Mettre dans une casserole 1 litre d'eau, 250 g de beurre, 10 g de sel et 1 pincée de noix de muscade. Porter à ébullition, puis, hors du feu, verser 600 g de farine tamisée en pluie, en mélangeant bien avec une spatule de bois. Remettre sur le feu et remuer énergiquement la pâte jusqu'à ce qu'elle soit bien desséchée et se décolle des parois de la casserole. Retirer du feu et mettre la pâte dans un autre récipient. Incorporer 14 ou 15 œufs, deux par deux, en continuant à travailler la pâte vigoureusement.

pâte à choux sucrée : préparation

La technique est la même que pour la pâte à choux d'office, mais cette pâte sucrée est réservée aux préparations de pâtisserie. Les ingrédients sont les suivants : 25 cl d'eau, 25 cl de lait, 225 g de beurre, 275 g de farine tamisée, 10 g de sel, 10 g de sucre en poudre, 10 œufs.

CHOUX SALÉS

choux au fromage

Préparer une béchamel avec 30 g de beurre, 30 g de farine et 30 cl de lait, et l'additionner de 75 g de gruyère ou de chester (ou encore de 50 g de parmesan) râpé, d'un peu de noix de muscade râpée, de sel et de poivre.

Caractéristiques des différents chorizos

NOM	PROVENANCE	ASPECT	UTILISATION
chorizo espagnol (cantimpalo, pamplona, samora, burgos)	Espagne	calibres et formes variés, coloration rouge intense due principalement au *pimenton*, séché et parfois fumé	froid en hors-d'œuvre, à l'apéritif, ou chaud dans le cocido, la paella ou l'omelette
chorizo français (dérivé du chorizo espagnol)	toute la France	sous forme de saucisse (environ 2 cm de section), emballé en boyau de porc, courbé en forme de U, ou en longueur de 15 cm environ, coloré en rouge par le piment et le paprika	froid, en entrée, à l'apéritif, sur canapés, ou chaud avec des spécialités méridionales

Laisser tiédir. Garnir une douzaine de choux avec cette préparation. Les réchauffer doucement au four à 160 °C, sous une feuille d'aluminium. (On peut réduire de moitié la quantité de fromage et ajouter 75 g de jambon coupé en petits dés.)

choux à la mousse de foie gras

Ajouter à de la mousse de foie gras un volume égal de crème fouettée. Garnir une douzaine de choux refroidis et les tenir au frais jusqu'au moment de servir.

choux à la Nantua

Garnir des petits choux refroidis de mousse d'écrevisse froide. Les mettre au frais jusqu'au moment de servir, éventuellement avec une sauce Nantua chaude.

choux vert-pré

Garnir des petits choux d'une purée très épaisse de petits pois, de haricots verts et de pointes d'asperge, liée de crème.

CHOUX SUCRÉS

choux au café

Préparer une crème pâtissière et la parfumer avec de l'extrait de café ou du café soluble légèrement délayé avec de l'eau chaude. Préparer 200 g de fondant, le parfumer avec de l'extrait de café ou du café soluble délayé avec 2 cuillerées d'eau, en chauffant pour rendre le fondant coulant. Fourrer les choux de crème à l'aide d'une poche munie d'une douille fine qui perce la base des choux. Tremper la moitié supérieure de chaque chou dans le fondant. Poser sur une grille et laisser refroidir.

choux au chocolat

Parfumer au chocolat une crème pâtissière. Préparer un fondant au chocolat avec 200 g de fondant et 50 g de cacao en poudre délayé avec 2 cuillerées à soupe d'eau. Achever comme pour la garniture au café.

choux à la crème Chantilly en forme de cygne

Préparer une pâte à choux et la mettre dans une poche munie d'une douille lisse de 15 mm de diamètre. Disposer sur une plaque de four huilée 10 choux ovales (ils formeront des corps de cygne), soit 1 cuillerée à soupe de pâte. Retirer la douille et la remplacer par une douille de 4 à 5 mm de diamètre. Déposer sur la plaque 10 « S » (ils serviront à faire les cous des cygnes) de 5 ou 6 cm de long. Cuire de 18 à 20 min les choux au four préchauffé à 180 °C, et 15 min les « S ». Pendant ce temps, préparer une chantilly. Mettre dans un récipient très froid 40 cl de crème très froide, 10 cl de lait glacé et 1 sachet de sucre vanillé ; travailler au fouet et, quand la crème commence à épaissir, ajouter 40 g de sucre en poudre et continuer à fouetter. Mettre la crème dans le réfrigérateur. Laisser refroidir les choux dans le four éteint, porte ouverte. Prélever sur le dessus des choux des chapeaux et couper ceux-ci en deux dans le sens de la longueur (ils deviendront les ailes des cygnes). Emplir une poche munie d'une grosse douille cannelée avec la chantilly et en garnir chaque chou en formant un dôme. Enfoncer un « S » à l'une des extrémités de chaque chou et piquer les ailes dans la crème. Poudrer largement de sucre glace.

choux à la crème Chiboust au café

Préparer de la pâte pour une douzaine de choux. Façonner celle-ci en boules sur une plaque de four beurrée et les parsemer d'amandes effilées. Les cuire au four, les laisser refroidir, puis les garnir de crème Chiboust aromatisée au café. Mettre dans le réfrigérateur pour que la crème s'affermisse.

petits choux amandines en beignets

Étaler 50 g d'amandes effilées sur une plaque et les dorer au four préchauffé à 250 °C. Les mélanger avec 500 g de pâte à choux. Chauffer un bain d'huile à 175 °C. Prendre avec une cuillère à café un peu de pâte et, à l'aide d'une autre cuillère, faire glisser cette boulette dans la friture. Elle se retournera d'elle-même lorsqu'elle sera cuite (6 min environ). Cuire

les beignets – une vingtaine – en deux fois pour qu'ils ne collent pas. Les égoutter sur du papier absorbant et les servir chauds, largement poudrés de sucre glace. On peut présenter en même temps une sauce aux fruits (abricot, cerise, framboise, etc.).

CHOU (LÉGUME) Légumes feuillus de la famille des brassicacées (**voir** tableau des choux page 216 et planche ci-contre). Le chou maritime, qui pousse à l'état sauvage, est connu en Europe depuis plus de 4 000 ans. Ce chou commun, apprécié pour ses vertus médicinales, fut rapidement intégré à l'alimentation, où il constitua la base des soupes. Par la culture et la sélection, il donna naissance à différents légumes : chou de Bruxelles, chou-fleur et brocoli, chou-navet et chou-rave, chou pommé blanc, vert ou rouge. Les choux chinois, eux, furent introduits en France dès le XVIIIe siècle.

On donne aussi le nom de « chou » à différentes plantes cultivées aux Antilles, au bourgeon terminal d'un palmier (chou palmiste) et à la racine d'un arum (chou caraïbe).

CHOU DE BRUXELLES Bourgeon comestible d'un certain type de chou, qui se développe à l'aisselle des feuilles étagées le long d'une haute tige (**voir** tableau des choux page 216).

Cultivés essentiellement dans le Nord, mais originaires d'Italie, les choux de Bruxelles sont riches en soufre, en potassium et en vitamines B9 et C. Ils apportent 54 Kcal ou 226 kJ pour 100 g.

Cuits à l'eau bouillante (après avoir été blanchis), ils accompagnent surtout les viandes (au beurre, à la crème, à la sauce blanche), mais se préparent aussi en gratin et en purée. Braisés, ils sont mélangés avec des lardons et des châtaignes. On peut aussi les servir froids, en salade. Ils sont indispensables aux garnitures bruxelloise et brabançonne.

Les choux de Bruxelles se vendent frais, mais ils sont également traités en conserverie (stérilisés au naturel ou précuits, en sachets d'aluminium) ; ils se prêtent très bien à la congélation. Il faut les choisir franchement verts et bien serrés. On coupe le trognon, une ou deux feuilles autour, et on les lave à l'eau vinaigrée.

choux de Bruxelles à l'anglaise

Plonger les choux dans de l'eau bouillante salée. Les cuire 30 min à bonne ébullition et à découvert, puis les égoutter et les verser dans un légumier. Servir en même temps du beurre frais. Si les choux sont gros, les blanchir, puis les rafraîchir, avant de procéder à la cuisson définitive.

choux de Bruxelles au beurre ou à la crème

Plonger les choux dans de l'eau bouillante salée et les cuire à bonne ébullition et à découvert, en les tenant un peu fermes. Les égoutter. Chauffer du beurre dans une sauteuse, y faire revenir les choux, rectifier l'assaisonnement, couvrir et laisser étuver jusqu'à ce que les légumes soient tendres. On peut les napper de crème fraîche (10 cl pour 750 g de choux) avant de les couvrir pour achever la cuisson.

choux de Bruxelles gratinés

Préparer des choux de Bruxelles au beurre, en veillant à les assaisonner suffisamment. Beurrer régulièrement un plat à gratin, y disposer les choux, parsemer de fromage râpé, arroser d'un peu de beurre fondu et faire gratiner 10 min dans le four préchauffé à 275 °C.

choux de Bruxelles en purée

Préparer des choux de Bruxelles au beurre en les cuisant 35 min environ. Les passer au moulin à légumes. Faire dessécher cette purée en remuant. Y ajouter le quart de son volume de purée de pomme de terre et de la crème fraîche (10 cl pour 1 litre de purée). Saler, poivrer et servir très chaud, avec une viande blanche.

choux de Bruxelles sautés

Chauffer du beurre dans une poêle, y mettre des choux cuits à l'eau et les faire rissoler légèrement. Les verser dans un légumier et parsemer de persil ciselé.

CHOUX

mini-chou-fleur violet

brocoli à jets verts

mini-brocoli à pomme (romanesco)

chou vert pointu
(type cabus)

mini-chou-fleur

brocoli à pomme
(romanesco)

chou blanc à choucroute

chou rouge (type cabus)

pak-choï, ou
chou de Pékin

pé-tsaï, ou
chou chinois

chou vert frisé
de Milan

215

Caractéristiques des principaux types de choux

TYPE	PROVENANCE	ÉPOQUE	ASPECT
chou de Bruxelles	Belgique, Nord-Pas-de-Calais, Finistère, Val de Loire	oct.-mars	bourgeons semblables à des petits choux pommés de 2 à 4 cm de diamètre situés le long de la tige
choux chinois			
pak-choï	Pyrénées-Orientales, ceintures vertes des villes	fin déc.-fin mars	semblable à un petit pied de bette surmonté de feuilles vertes en forme de conque
pé-tsaï	Val de Loire, Orléanais, Pyrénées-Orientales, ceintures vertes des villes	fin juin-mi-déc.	semblable à une laitue romaine à feuilles fines, blanchâtres à la base et vert pâle au sommet
chou-fleur			
chou-fleur blanc, jaune, violet	Bretagne, Val de Loire	toute l'année	inflorescence bien blanche ou jaune verdâtre, ou violet soutenu, de grosse taille ou miniature
	Manche	fin sept.-fin juin	
	Provence	oct.-fin déc.	
	Nord-Pas-de-Calais	mi-juin-mi-oct.	
chou-fleur romanesco	Italie	automne-hiver	inflorescence, jaune pâle, formant des fractales
	Bretagne	août-déc.	
chou-fleur vert	Italie, Espagne	automne-hiver	inflorescence verte
	Bretagne	juill.-fin nov.	
choux-navets			
chou-navet	Est, Auvergne, Bretagne	sept.-mars	grosse racine à chair blanche
rutabaga	ceintures vertes des villes	sept.-mars	grosse racine sphérique à chair jaune
choux pommés			
chou blanc	toute la France, Hollande	avr.	boule, extérieur vert pâle, intérieur blanc, petit à moyen, cabus à feuilles lisses
chou vert de Milan	toute la France	toute l'année	à feuilles frisées cloquées, ou cabus
	Bretagne (côtes), Cotentin	sept.	à feuilles lisses, moyen à gros, plat, rond ou pointu
chou rouge	ceintures vertes des villes, Hollande	toute l'année	cabus rouge, rond ou ovale, plutôt petit à moyen
chou à choucroute	Champagne (Aube), Alsace, Sarthe	fin sept.-fin oct.	blanc, gros, sphérique, du type cabus
chou-rave	ceintures vertes des villes	juin-mars	boule verdâtre ou violacée
chou vert en feuilles	ceintures vertes des villes	toute l'année	feuilles de choux frisés verts vendues en bouquet

CHOU CARAÏBE Racine d'un arum, de la famille des aracées, cultivé aux Antilles, que l'on consomme en légume, préparé comme le navet. Le chou caraïbe et le chou d'Asheen, variété voisine, font partie, avec leurs feuilles, des potées antillaises et accompagnent colombos et caris. Râpée, la racine sert à la préparation des acras ; on en tire de la fécule et même une boisson (le *laodgi*, typique de la Jamaïque).

CHOU CHINOIS Type de chou cultivé en Chine, dont deux variétés sont disponibles de juin à mars sur le marché européen, le *pak-choï* et le *pé-tsaï* (**voir** tableau des choux ci-dessus et planche page 215). On les trouve également en conserve, salés, vinaigrés ou sucrés.
• PAK-CHOÏ. Il s'accommode comme le céleri-branche. Dans la cuisine chinoise, le chou sauté ou braisé, toujours détaillé en fines lanières, accompagne le porc, le poisson et les crustacés, davantage en tant que condiment que comme véritable légume.
• PÉ-TSAÏ. Il se consomme cru et finement émincé, en salade, ou poché et cuisiné au jus ou à l'aigre-doux.

chou chinois à la pékinoise
Retirer les feuilles extérieures d'un chou et en tailler le cœur en morceaux de 10 cm. Couper des tranches de jambon très fines de même taille. Émincer 5 ou 6 oignons nouveaux, avec leur tige. Chauffer 2 cuillerées à soupe d'huile dans une sauteuse, ajouter les morceaux de chou et les faire revenir vivement 2 ou 3 min. Les disposer, avec l'oignon nouveau et un peu de sel fin, dans un panier spécial pour la cuisson à la vapeur, et cuire 30 min. Intercaler le jambon et le chou, réchauffer, à la vapeur également, 4 ou 5 min. Servir le tout ensemble.

chou chinois à la sichuanaise
Nettoyer un chou chinois et le tailler en morceaux de 3 cm environ. Laver, blanchir, rafraîchir, égoutter. Chauffer 3 cuillerées à soupe d'huile dans une poêle. Y dorer 1 grosse gousse d'ail pelée et hachée. Ajouter le chou, un peu de piment du Sichuan et du sel ; bien remuer et cuire 1 min. Verser alors 1 cuillerée à café de marc et 1 cuillerée à café de sucre en poudre, et bien remuer pendant 1 min. Rectifier l'assaisonnement et servir très chaud.

CHOUCROUTE Chou blanc finement émincé, salé puis fermenté, que l'on accompagne généralement de pommes de terre à l'eau et d'un assortiment de viandes et de charcuteries.
Le mot vient de l'alsacien *sûrkrût,* lui-même dérivé de l'allemand *Sauerkraut,* « herbe aigre ». Il désigne aussi bien le chou ainsi traité

que le plat entier. La choucroute est une spécialité alsacienne, que l'on cuisine aussi en Lorraine et dans plusieurs régions d'Allemagne (Forêt-Noire, Bavière).

La variété de chou la plus renommée est le « quintal d'Alsace », préparé traditionnellement dans un tonnelet ou un pot en grès.

■ **Préparation.** Les choux sont d'abord débarrassés de leurs feuilles vertes et abîmées, ainsi que de leur trognon. À l'aide d'un rabot spécial, ou d'un couteau à lame large, ils sont détaillés en très fines lanières, lavés et égouttés à fond.

Dans un grand récipient au fond tapissé de larges feuilles de chou ou de feuilles de vigne, les lanières sont disposées par lits, bien tassées ; chaque couche est recouverte de gros sel et parsemée de baies de genièvre. La choucroute, saupoudrée d'une dernière poignée de gros sel, est recouverte d'un linge, puis d'un couvercle un peu plus petit que le récipient, et sur lequel on pose une lourde pierre.

Le lendemain, sous la pression, l'eau a recouvert le couvercle, et il doit toujours en être ainsi. Le récipient est alors mis dans un endroit frais, où la choucroute va fermenter : au bout de trois semaines environ, il ne se forme plus de mousse au-dessus du chou ; la choucroute est prête pour la consommation.

Il faut alors remplacer le liquide par de l'eau fraîche et, chaque fois que l'on prélève une certaine quantité de choucroute, enlever le liquide qui affleure, remettre en place le linge, le couvercle et la pierre, et ajouter de l'eau fraîche.

Dans *la France gastronomique,* les deux écrivains Curnonsky et Marcel Rouff, en 1921, donnent la recette de la « vraie choucroute », qui, selon eux, doit comporter les « trois saucisses sacramentelles » (Francfort, Strasbourg et Montbéliard), de la poitrine de mouton, de la culotte de bœuf, des cuisses d'oie et autres viandes salées.

La choucroute à l'allemande, cuite au vin du Rhin, se sert avec des saucisses de Nuremberg grillées, des saucisses de Francfort, des côtes de porc fumées, du jarret et du jambonneau, sans pommes vapeur, mais avec des pommes fruits.

Dans la variante au poisson, la choucroute crue, mouillée au riesling ou au sylvaner, est plutôt cuite dans un fond de volaille, ou simplement au vin, puis servie accompagnée, au choix, de saumon fumé, de haddock, de morue, de turbot, de coquilles Saint-Jacques, de lotte, de saucisses de poisson, diversement associés en garniture, avec un beurre blanc ou une sauce mousseline. Cette recette a connu un très grand succès.

■ **La recette de Hansi.** Hansi, le célèbre dessinateur alsacien (Colmar 1873 - *id.* 1951), tenait la choucroute de Colmar pour la seule authentique, et il en donna lui-même la recette : « Dans une marmite bien étamée (ou en terre), faire dorer un oignon finement coupé dans deux bonnes cuillerées à soupe de graisse d'oie ou de saindoux. Ajouter une livre de choucroute, non lavée, ou très légèrement, fraîche à point. Ajouter un bon verre de vin blanc, une pomme fruit coupée en morceaux, puis une dizaine de grains de genièvre enfermés dans un petit linge. Verser du bouillon jusqu'à ce que la choucroute en soit presque recouverte. Mettre le couvercle et laisser cuire pendant 2 ou 3 heures. Une heure avant de servir, ajouter une livre de lard de poitrine fumé. Une demi-heure avant de servir, ajouter la moitié d'un petit verre de kirsch naturel. Dresser la choucroute sur un plat rond chauffé. Entourer de lard coupé en petits morceaux, de côtelettes, de saucisses de Colmar d'abord chauffées pendant dix bonnes minutes, soit dans la choucroute, soit dans de l'eau presque bouillante. Servir avec quelques pommes de terre, non pas à l'anglaise mais en robe des champs, bien farineuses et bien sèches. »

La garniture traditionnelle prévoit généralement du lard fumé, de l'échine (ou du collet) de porc, des côtelettes de porc salé et des saucisses pochées.

La choucroute accompagne aussi ou sert à cuisiner d'autres apprêts, souvent dits « à l'alsacienne » (volailles ou pièces de boucherie, palette de porc ou perdrix, voire œufs frits, escargots, poissons et même soupe).

choucroute à l'alsacienne

Bien laver 2 kg de choucroute crue à l'eau froide, puis la presser et la démêler avec les mains. Préchauffer le four à 190 °C. Éplucher 2 ou 3 carottes et 2 gros oignons, couper les premières en petits cubes, piquer

les seconds de 1 clou de girofle chacun. Mettre dans une petite mousseline 2 gousses d'ail épluchées, 1 cuillerée à café de poivre en grains, 1 cuillerée à dessert de baies de genièvre et nouer. Enduire de graisse d'oie ou de saindoux le fond et le bord d'une cocotte. Y étaler la moitié de la choucroute. Ajouter les carottes, les oignons, la mousseline et 1 bouquet garni, puis le reste de la choucroute, 1 jambonneau cru, 1 verre de vin blanc sec d'Alsace et suffisamment d'eau pour mouiller à hauteur. Saler légèrement, couvrir, porter à ébullition sur le feu, puis cuire 1 heure au four. Loger alors dans la choucroute 1 palette de porc fumée (moyenne) et de 500 à 750 g de poitrine fumée ; couvrir, porter de nouveau à ébullition sur le feu, puis remettre au four. Après 1 h 30 de cuisson, retirer la poitrine et ajouter 1,250 kg de pommes de terre. Cuire encore 30 min. Faire pocher 6 à 8 saucisses de Strasbourg à l'eau à peine frémissante. Lorsque la choucroute est cuite, retirer la mousseline, le bouquet garni et les clous de girofle, et rajouter la poitrine pour la réchauffer pendant 10 min. Dresser la choucroute dans un grand plat et la garnir avec les pommes de terre, les saucisses et les viandes coupées en tranches régulières.

RECETTE DE GUY-PIERRE BAUMANN

choucroute aux poissons

« Mettre dans une cocotte 70 g de graisse d'oie. Y faire revenir, sans les laisser colorer, 3 oignons épluchés et émincés, et 3 gousses d'ail hachées. Enfermer dans une mousseline 1/2 feuille de laurier, 1 brin de thym, quelques baies de genièvre et 2 cuillerées à café de cumin. La déposer dans la cocotte. Ajouter 1,2 kg de choucroute, préalablement lavée deux fois à l'eau tiède et bien pressée entre les mains, et 300 g de poitrine fumée ou de jarret de porc demi-sel ou fumé. Ajouter 20 cl de vin blanc sec (d'Alsace, de préférence), 1 verre d'eau, 2 ou 3 pincées de gros sel et un peu de poivre du moulin. Couvrir et laisser mijoter 1 h 30. Mettre dans du lait froid 4 morceaux de haddock de 100 g, porter à ébullition et laisser frémir 10 min. Réserver au chaud. Étaler un peu de beurre dans un plat à rôtir, parsemer d'un peu d'échalote hachée, ajouter 1 verre de vin blanc sec et 1 verre d'eau. Déposer dans ce plat 400 g de filets de saumon et 400 g de morceaux de lotte, saler et poivrer légèrement. Couvrir d'une feuille d'aluminium et mettre 10 min à four chaud, sans laisser bouillir. Sortir le plat, retourner les poissons et maintenir au chaud. Dans une petite casserole, mettre 4 échalotes hachées, 10 cl de vin blanc et 15 cl de vinaigre de vin blanc. Faire réduire à sec sur feu vif, puis ajouter 15 cl de crème fraîche. Laisser bouillir 2 min, baisser le feu et incorporer 400 g de beurre en petits morceaux, en remuant sans arrêt au fouet. Saler et poivrer. Passer au chinois. Dresser la choucroute, après avoir enlevé le porc, sur les assiettes et poser dessus les poissons. Décorer avec des moules et des crevettes roses cuites. Napper avec la sauce. Parsemer de pluches d'aneth et de cerfeuil et de dés de tomate, et servir très chaud. »

navets en choucroute ▶ NAVET

salade de choucroute à l'allemande ▶ SALADE

CHOU-FLEUR Inflorescence hypertrophiée d'un type de chou (**voir** tableau des choux page 216 et planche page 215). Cette « pomme » ou « tête », blanche, parfois verte, dense et ferme, est formée de multiples ramifications charnues. Elle est entourée de feuilles craquantes, d'un vert bleuté, dont la fraîcheur garantit celle de la pomme (les côtes et le trognon conviennent pour les soupes et les pains de légumes). Le chou romanesco, ou chou-fleur romanesco, est quelque peu différent. Verte et de forme plus conique que celle du chou-fleur, la pomme présente des massifs nettement saillants, qui contribuent à l'esthétique de ce légume.

Le chou-fleur est peu calorique (30 Kcal ou 125 kJ pour 100 g), riche en soufre, en potassium, en fer et en vitamines (C et B9, en particulier), et le plus digeste de tous les choux. Connu des Romains, introduit en France, via Chypre et l'Italie, au milieu du XVIe siècle, il fut bientôt l'objet d'une culture attentive, particulièrement en Bretagne, où sa production est toujours très importante.

■ **Emplois.** Le chou-fleur se consomme à la croque-au-sel, en fondue de légumes, cuit à l'eau (potage, purée, salade froide), en soufflé, en gratin, à la hollandaise, à la polonaise, mais aussi poêlé, sauté ou frit après blanchiment. Il entre dans la composition des pickles et caractérise tous les apprêts Du Barry.

Le chou-fleur est cuit soit entier (après trempage dans de l'eau vinaigrée, puis rinçage à l'eau claire), soit en petits bouquets, bien lavés. Il dégage souvent une odeur forte à la cuisson : il est préférable de le blanchir à grande ébullition non salée, puis de le cuire ensuite dans un blanc, en lui adjoignant un croûton de pain rassis qui absorbera une partie de l'odeur. On peut aussi lui ajouter du jus de citron en fin de cuisson, pour qu'il reste blanc et ferme.

chou-fleur au gratin

Diviser l'inflorescence en bouquets et les cuire à l'eau salée ou à la vapeur. Les dorer ensuite dans du beurre, puis les verser dans un plat beurré et les napper de sauce Mornay ; parsemer de gruyère râpé, arroser de beurre fondu et faire gratiner une dizaine de minutes dans le four préchauffé à 275 °C. (On peut remplacer le gruyère par du parmesan et en poudrer le plat avant d'y déposer les bouquets de chou-fleur.)

chou-fleur à la polonaise

Diviser un chou-fleur en gros bouquets et le cuire à l'autocuiseur, 4 min à partir du début d'échappement de la vapeur : le légume doit rester un peu ferme. Le reconstituer dans un plat de service rond, le parsemer de 2 ou 3 œufs durs hachés et de persil ciselé, et le tenir au chaud. Émietter 75 g de mie de pain rassis dans 75 g de beurre fondu ; faire blondir le tout dans une poêle et le verser brûlant sur le chou-fleur.

gelée de caviar à la crème de chou-fleur ▶ GELÉE DE CUISINE
pickles de chou-fleur et de tomate ▶ PICKLES
rougets à la mandarine et purée de chou-fleur ▶ ROUGET-BARBET

CHOUM Alcool consommé en Chine et en Asie du Sud-Est, obtenu par distillation de riz fermenté. Le choum est parfois parfumé avec des essences de fleurs ou de fruits.

CHOU PALMISTE Bourgeon terminal de certains palmiers, en particulier le palmier des Antilles, également appelé « chou coco », « chou glouglou » ou « chou ti-coco ». Les parties tendres se consomment crues, émincées, en salade ; les parties plus fermes sont cuites et servent à préparer des acras, des gratins ou des garnitures d'omelette. Leur goût rappelle un peu celui de l'artichaut. Le chou palmiste en morceaux est vendu en conserve sous le nom de « cœur de palmier ».

chou palmiste en daube

Passer des choux palmistes à l'eau fraîche, bien les éponger. Mettre de la graisse de porc dans une sauteuse. Couper des morceaux de chou de 5 cm environ, les attacher pour qu'ils ne se défassent pas, les ranger dans la sauteuse. Les faire dorer 30 min à feu doux. Ajouter 1 cuillerée à soupe de purée de tomate, mouiller de bouillon de volaille très concentré. Faire réduire, passer au four et servir, sans laisser gratiner, avec la sauce, très courte.

CHOU POMMÉ Nom générique de différents types de chou, qui se distinguent par leur couleur et par leur forme, et qui regroupent les choux cabus, à feuilles lisses, et les choux de Milan, à feuilles cloquées ou frisées (**voir** tableau des choux page 216 et planche page 215).

Peu calorique, le chou pommé est riche en sels minéraux et en vitamines (surtout quand il est cru). Il entre dans de nombreuses garnitures (à la flamande, à l'auvergnate, à la berrichonne, à la strasbourgeoise) et connaît de multiples apprêts, rustiques et classiques. Il est à la base de soupes, de potées et de farcis.

Les choux blanc et rouge prédominent dans les cuisines de l'Est et du Nord, tandis que le chou vert est plus répandu dans le Centre, l'Ouest et le Sud.

chou braisé

Préparer un chou, le blanchir, l'égoutter, le rafraîchir à l'eau froide et l'égoutter de nouveau. Défaire les feuilles, retirer les grosses côtes. Gratter une carotte et la couper en dés. Foncer une cocotte de couennes de lard à demi dégraissées. Ajouter les dés de carotte, puis le chou ; tasser, ajouter du sel, du poivre, un peu de muscade râpée, 1 oignon piqué de 1 clou de girofle et 1 bouquet garni. Mouiller de bouillon aux deux tiers de la hauteur et recouvrir d'une barde de lard très fine. Couvrir. Porter à ébullition sur le feu, puis placer la cocotte dans le four préchauffé à 180 °C et cuire 1 h 30.

chou farci

Blanchir pendant 7 ou 8 min, à l'eau bouillante salée, un chou entier. Le rafraîchir sous l'eau froide, l'égoutter, retirer le trognon. Humidifier un linge fin (ou une mousseline) et l'étaler sur le plan de travail. Entrecroiser par-dessus, en étoile, 4 longueurs de fil de cuisine. Poser le chou au centre de ce croisillon et l'ouvrir en écartant les grosses feuilles une à une. Retirer les feuilles du cœur, les hacher et les mélanger avec le même volume de farce fine de porc, bien assaisonnée. Garnir de ce mélange le centre du chou, puis rabattre les grosses feuilles pour reformer le légume. Disposer dessus, en croix, deux bardes de lard très fines et les maintenir en nouant dessus les fils de cuisine. Enfermer le chou dans le linge, le ficeler. Foncer une cocotte de couennes de lard à demi dégraissées, puis de 100 g de lard, 150 g de carottes et 150 g d'oignons coupés en petits dés. Y poser le chou et le mouiller, à peine à hauteur, avec du bouillon gras. Couvrir, porter à ébullition sur le feu, puis placer la cocotte dans le four préchauffé à 200 °C et cuire 1 h 30. Égoutter le chou, le déballer, retirer les bardes. Le dresser dans un plat creux et le tenir au chaud. Faire réduire de moitié le fond de cuisson et en napper le chou.

chou rouge à la flamande

Retirer les feuilles extérieures d'un chou rouge, trancher le trognon au ras des feuilles et couper le légume en quatre, puis l'émincer en lanières. Les laver, puis les essorer. Faire fondre 40 g de beurre dans une cocotte, y ajouter le chou, saler, poivrer, arroser de 1 cuillerée à soupe de vinaigre, couvrir et cuire à petit feu. Pendant ce temps, éplucher 3 ou 4 pommes acidulées, les couper en quatre, les épépiner et les tailler en lamelles. Les ajouter dans la cocotte au bout de 1 heure de cuisson. Poudrer de 1 cuillerée à soupe de cassonade, couvrir à nouveau et cuire encore 20 min.

chou rouge à la limousine

Parer le chou et le couper en lanières. Faire fondre dans une cocotte 4 cuillerées à soupe de saindoux. Ajouter les lanières de chou et une vingtaine de grosses châtaignes débarrassées de leurs 2 enveloppes. Mouiller de bouillon à hauteur des légumes. Saler, poivrer, couvrir la cocotte et cuire doucement 1 h 30. Servir avec un rôti ou des côtes de porc.

faisan au chou ▶ FAISAN
morue à la santpolenque, au chou vert
   et pommes de terre, sauce légère à l'ail ▶ MORUE
paupiettes de chou ▶ PAUPIETTE
paupiettes de chou aux coquillages
   façon « Georges Pouvel » ▶ PAUPIETTE
perdrix au chou ▶ PERDREAU ET PERDRIX
salade de chou rouge ▶ SALADE
salade de perdrix au chou ▶ SALADE

CHOUQUETTE Petit chou non fourré, parsemé de quelques gros grains de sucre granulé et/ou d'amandes hachées. Réalisées en pâte à choux, les chouquettes sont vendues au poids chez les boulangers et les pâtissiers.

CHOU-RAVE Chou dont la tige, renflée et charnue, forme une boule comestible grosse comme une orange (**voir** tableau des choux page 216 et planche des légumes-racines pages 498 et 499). Tendre quand il est encore jeune, mais en revanche peu nutritif, le chou-rave s'accommode comme le navet ou comme le céleri-rave.

CHRISTMAS CAKE En Grande-Bretagne, gâteau traditionnel de l'époque de Noël (le *Christmas pudding,* lui, est réservé au jour même de Noël).

L'*english* Christmas cake (il en existe un *irish* et un *scottish* [*Dundee cake,* sans glaçage], assez voisins) est un gros gâteau rond et plat ; sa pâte, voisine de celle du cake, est enrichie de fruits confits, d'amandes, d'épices et d'alcool. Une fois cuit, il est abricoté, parfois recouvert et entouré d'une mince abaisse de pâte d'amande, puis nappé de glace royale en épaisseur suffisante pour y « sculpter » un décor de petites pointes. On l'orne de cerises confites et de branches de houx.

CHRISTMAS PUDDING Gâteau traditionnel des Noëls britanniques, à base de graisse de rognon de bœuf, de raisins secs, de chapelure, de farine et de fruits confits, cuit à l'eau bouillante pendant plusieurs heures et servi brûlant, flambé au rhum ou à l'eau-de-vie. Le Christmas pudding, qui gagne à être préparé à l'avance et se conserve très longtemps (jusqu'à un an dans le réfrigérateur), était autrefois façonné en grosse boule et cuit dans un linge ; de nos jours, on utilise une terrine, mais on l'enveloppe toujours dans un linge.

Christmas pudding

Couper en menus morceaux 500 g de graisse de rognon de bœuf. Épépiner 500 g de raisins secs, autant de raisins de Smyrne et 250 g de raisins de Corinthe. Hacher finement 250 g d'écorces de fruits confits (ou 125 g d'écorces d'orange et 125 g de cerises confites), 125 g d'amandes mondées et le zeste de 2 citrons. Mélanger tous ces ingrédients dans une terrine avec 500 g de chapelure fraîche, 125 g de farine, 25 g de quatre-épices, autant de cannelle, une demi-noix de muscade râpée et une pincée de sel. Ajouter 30 cl de lait et 7 ou 8 œufs battus, un par un. Ajouter ensuite 2 verres de rhum (ou d'eau-de-vie) et le jus de 2 citrons. Bien pétrir le tout pour obtenir une pâte homogène. Envelopper celle-ci dans un linge fariné, en lui donnant la forme d'une boule, ou en garnir une terrine graissée. Cuire à l'eau bouillante pendant 4 heures environ (un peu plus s'il s'agit d'une terrine qui cuit au bain-marie, un peu moins si le pudding cuit dans un linge, en contact direct avec l'eau, mais la cuisson peut de toute façon être prolongée d'environ 1 heure sans inconvénient). Conserver le pudding dans son linge ou sa terrine pendant 3 semaines au moins, dans un endroit frais. Au moment de le consommer, le faire réchauffer 2 heures au bain-marie, le démouler, l'arroser de rhum ou d'eau-de-vie et le servir flambant, orné d'une branche de houx.

CHRYSANTHÈME COMESTIBLE Plante de la famille des astéracées, qui pousse au mois de juin et dont les pétales jaunes, au goût de cresson, sont utilisés au Japon, en Chine et au Viêt Nam pour préparer des salades (**voir** planche des fleurs comestibles pages 369 et 370). Ses fleurs sont séchées et servent à parfumer les infusions comme le thé.

CHTCHI Soupe consistante de la cuisine russe, à base de choucroute braisée et cuite dans un bouillon corsé, dans laquelle on ajoute des morceaux de poitrine de bœuf (préalablement blanchis), de la chair de canard (ou de poule) pochée, du lard salé et des saucisses fumées. Le chtchi (ou *tschy,* ou *stschy*) se sert en soupière avec de la crème aigre (smitane) et du fenouil ou du persil haché.

On prépare aussi un chtchi aux légumes verts (épinards, oseille, ortie).

CHURROS Beignets espagnols longs et fins, roulés ou entortillés sur eux-mêmes. Les churros sont préparés avec une pâte à base de farine de blé, d'eau et de sel, mise dans une poche à douille cannelée. Ils sont frits dans de l'huile bouillante. On déguste les churros accompagnés de sucre au petit déjeuner.

CHUTNEY Condiment aigre-doux, fait de fruits ou de légumes (ou d'un mélange des deux) cuits dans du vinaigre avec du sucre et des épices jusqu'à une consistance de confiture.

De tradition culinaire indienne, le chutney (mot anglais dérivé de l'hindoustani *chatni,* « épices fortes ») est en réalité une spécialité britannique, qui date de l'époque coloniale (comme les pickles).

Les chutneys peuvent se préparer à partir de très nombreux fruits exotiques (mangue, noix de coco, ananas, pulpe de tamarin), mais également avec divers produits occidentaux (aubergine, tomate, oignon, melon, raisin, cerises, pomme, etc.) ; certains chutneys sont réduits en purée, d'autres conservent les éléments en morceaux ; tous sont caractérisés par le jus sirupeux et, dans certains cas, très pimenté qui enrobe les ingrédients.

Cuits 2 heures environ, ils sont mis en pots de verre et se conservent comme des confitures. Ils relèvent les plats un peu fades, principalement froids (poulet, poisson, jambon, restes de bouilli).

RECETTE D'OLIVIER ROELLINGER

chutney

« Couper en dés de 3 mm 1/4 de poivron rouge épépiné. Éplucher 1 poire, 1 pomme granny smith et 1 ananas, et les tailler en dés de 5 mm. Peler 30 g de gingembre frais et le ciseler très finement. Dans une casserole, porter à ébullition 2 cuillerées à soupe de vinaigre de riz avec 2 cuillerées à soupe de cassonade. Ajouter les dés de poivron et de fruits, le gingembre, 1 cuillerée à soupe de raisins de Corinthe et 5 graines de cumin. Cuire 15 min à gros bouillons. Retirer du feu et mettre éventuellement le chutney en bocal pour le conserver quelques jours dans le réfrigérateur. »

---

chutney à l'ananas

Faire bouillir pendant 15 min 1 litre de vinaigre blanc avec 500 g de cassonade brune, 2 cuillerées à soupe de graines de moutarde, 5 clous de girofle, 1 bâton de cannelle et 1 cuillerée à café rase de gingembre en poudre. Ajouter le contenu égoutté de 2 grandes boîtes d'ananas au naturel en morceaux et 250 g de raisins de Smyrne ou de Málaga. Cuire doucement à découvert jusqu'à ce que le mélange ait la consistance d'une marmelade. Ébouillanter des bocaux fermant hermétiquement et y verser le chutney chaud.

---

chutney aux oignons d'Espagne

Éplucher et couper en rondelles 2 kg d'oignons d'Espagne. Les mettre dans une cocotte avec 700 g de cassonade, 400 g de raisins de Málaga ou de Smyrne, 40 cl de vin blanc sec, 40 cl de vinaigre de vin blanc, 2 gousses d'ail, 300 g de gingembre confit, en morceaux, 1 pincée de cari en poudre et 5 clous de girofle. Porter à ébullition et cuire de 1 h 45 à 2 heures. Laisser refroidir et mettre en bocaux hermétiques.

CHYPRE La cuisine chypriote conjugue la double influence grecque et turque, et la tradition d'hospitalité demeure vivace dans cette île où les dieux aimaient prendre leurs repas avec les hommes…

■ **Entrées.** Les traditionnels mezze (assortiment d'amuse-gueule) sont très populaires, car ils sont le symbole de la convivialité et de l'accueil.

Les *mezedhes* sont des hors-d'œuvre ou des assortiments d'éléments coupés en petits morceaux. Nombreux et variés, ils peuvent demeurer simples – jambon fumé, saucisses fumées *(kipriaka loukanica),* olives, œufs, fèves, etc. –, se composer de salades *(melintzanosalata* à l'aubergine) ou être plus élaborés, comme les *koupes* (viande hachée épicée enrobée de pâte de blé moulu).

Le pilaf, autre spécialité, fait avec du riz, s'accompagne souvent de lentilles ou d'épinards ; mais le riz peut être remplacé par du blé pilé.

Quant à l'ail, aux épices et aux herbes aromatiques, ils sont très appréciés et omniprésents dans la gastronomie chypriote.

■ **Viandes et poissons.** La viande – bœuf, agneau, veau et surtout porc – est généralement servie grillée, en brochettes ou en ragoût *(vodhino casarolas,* ragoût de bœuf). Hachée, elle entre dans la composition des farces de légumes, tous de type méditerranéen, ou sert à préparer des plats comme la moussaka ou la *kaloyirka* (pâtes à la viande hachée).

Comme dans tout le bassin méditerranéen, les produits de la mer sont très consommés : morue, espadon, pieuvre, calmars sont cuits au four, grillés ou apprêtés en sauce *(octaphodhi stifado,* pieuvre aux oignons, ou *kamamaria yiemista,* calmar farci).

■ **Fruits et desserts.** Les nombreux agrumes permettent de confectionner des sirops et des liqueurs, notamment une liqueur de mandarine. Quant aux pâtisseries, tradition orientale oblige, elles sont souvent gorgées de sirop et de miel *(lokmades, pishies)*.

■ **Vins.** Égyptiens, Grecs puis Romains apprécièrent les vins de Chypre, et, au Moyen Âge, les croisés firent connaître ceux-ci dans tout l'Occident. Chypre produit un des plus anciens vins du monde, le commandaria, issu des cépages mavron et xynisteri. Ce vin de dessert fait avec un mélange de raisins rouges et blancs surmaturés existe depuis huit siècles (son nom évoque les Templiers). Très doux et très aromatique, il développe de rares arômes de pain d'épices, de raisin de Corinthe et de miel.

La grande majorité du vignoble (18 000 ha) est plantée en cépage mavron, qui donne des rouges puissants très appréciés localement, mais aussi des rosés. Les blancs secs, obtenus à partir du cépage xynisteri, se distinguent, avec l'aphrodite et l'arsinoé.

CIABATA OU **CHAPATA** Pain très populaire dans le nord de l'Italie, et principalement en Lombardie. La ciabata (« savate ») tire son nom de sa forme plate et rectangulaire. Sa pâte, très hydratée et longuement fermentée, donne une mie aérée, moelleuse, très parfumée par de l'huile d'olive sous une croûte fine et lisse, généralement saupoudrée de farine.

CIBOULE ET **CIBOULETTE** Plantes aromatiques de la famille des alliacées, comme l'oignon et l'ail (**voir** planche des herbes aromatiques pages 451 à 454). Les tiges vertes, creuses et charnues de la ciboulette (ou civette) sont plus fines que celles de la ciboule (ou cive) ; son arôme aillé est aussi moins marqué. Elles font partie des fines herbes, au même titre que l'estragon, le persil et le cerfeuil. On consomme aussi le bulbe, émincé, de la ciboule et de la ciboulette lorsqu'il est assez charnu.

Originaires de Chine, ces plantes sont très appréciées dans la cuisine du Sud-Est asiatique. On utilise la ciboulette fraîche et finement ciselée pour relever les assaisonnements de salade, aromatiser le fromage frais et parfumer les omelettes ou lier des petites bottes de légumes.

▶ Recette : TOMATE.

CIDRE Boisson issue de la fermentation naturelle du jus de pomme. La fabrication du cidre était certainement déjà connue dans l'Antiquité. Réglementée par Charlemagne, elle se répandit au XIIe siècle en Normandie et en Bretagne, où le climat est très propice à la culture des pommiers, et y supplanta complètement la cervoise des Gaulois.

Le Calvados, la Manche, l'Orne, l'Ille-et-Vilaine et la Mayenne restent les régions de production les plus importantes. Les cidres de Dinan et de Fouesnant sont aussi renommés. La Grande-Bretagne produit et consomme également beaucoup de cidre, en général plus alcoolisé qu'en France (où des procédés comme le sucrage et la reconstitution avec du concentré de pomme sont interdits) et très pâle.

■ **Fabrication.** L'art du cidrier consiste à mélanger harmonieusement différentes variétés de pommes – parmi plusieurs centaines – pour obtenir un cidre équilibré. Les fruits sont récoltés à maturité, puis laissés quelques jours en tas avant d'être broyés et envoyés au pressoir. La fermentation, qui se fait naturellement, sans adjonction de ferment ni de sucre, dure un mois environ. On soutire une ou plusieurs fois le cidre pour le clarifier. Selon sa qualité et son mode de commercialisation, il est ensuite filtré ou non, puis stabilisé par pasteurisation s'il doit voyager. Mis en bouteilles, saturé de gaz carbonique, il conserve son pétillant agréable et sa saveur désaltérante et fruitée, qui en font aussi bien une boisson rafraîchissante qu'une boisson de table.

■ **Réglementation.** Selon la législation, la dénomination « cidre » ne s'applique qu'à une fermentation de jus de pommes fraîches (ou d'un mélange de pommes et de poires fraîches) ; la mention « pur jus » ne concerne que les cidres obtenus sans addition d'eau. Le cidre doit titrer au minimum 4,5 % Vol. d'alcool en puissance pour être dit « brut » ; lorsque ce taux est inférieur à 3 %, on obtient du cidre « doux ». (En Suisse, le « cidre doux » est le jus de pomme non fermenté ; aux États-Unis, *cider* désigne le jus de pomme, et *hard cider*, le cidre.)

L'appellation « cidre bouché » correspond à une pratique traditionnelle, consistant à laisser, lors de la mise en bouteilles, une certaine quantité de sucre résiduel ; celui-ci développe ensuite son arôme et un pétillant particulier, lequel oblige à maintenir fermement le bouchon avec du fil de fer, à la manière champenoise.

La distillation du cidre produit de l'eau-de-vie de cidre, qui, dans certaines régions de Normandie, a droit à l'appellation « calvados contrôlé » (**voir** CALVADOS).

▶ **Recettes :** CANARD, CREVETTE, LAPIN, NAVET.

CIGALE DE MER Crustacé des fonds rocheux, proche de la langouste, au corps brun ou verdâtre, à la queue puissante, et dont la chair est très fine (**voir** tableau des crustacés marins page 285). Il en existe cinq espèces : les plus connues sont la grande cigale (uniquement méditerranéenne), qui peut atteindre 45 cm et peser 2 kg, et la petite cigale, qui mesure de 7 à 10 cm. Les cigales de mer n'ont pas de pince et possèdent deux paires d'antennes, dont une en forme de palette. Les œufs peuvent être ajoutés à une sauce.

cigales de mer au safran en brochettes

Laver et éponger des petites cigales de mer. Les faire macérer 30 min au moins dans un mélange composé d'un peu de safran, d'huile d'olive, de jus de citron, d'ail haché, de persil ciselé, de thym émietté, de sel et de poivre. Enfiler les crustacés sur des brochettes et les griller vivement.

CIGARETTE Gâteau sec en forme de tuyau, dit aussi « cigarette russe », préparé avec une pâte à langue-de-chat, dressée en disques sur une plaque. À la sortie du four, les ronds de pâte, encore tièdes et malléables, sont enroulés sur une baguette de bois.

cigarettes russes

Beurrer une plaque à pâtisserie. Préchauffer le four à 180 °C. Faire fondre 100 g de beurre au bain-marie. Fouetter 4 blancs d'œuf en neige très ferme, avec 1 pincée de sel. Mélanger dans une terrine 90 g de farine, 160 g de sucre en poudre, 1 sachet de sucre vanillé et le beurre fondu. Y incorporer délicatement les blancs d'œuf. Étendre cette pâte en couche très fine sur la plaque et la découper en disques minces de 8 cm de diamètre. Cuire ceux-ci 10 min au four : ils doivent tout juste blondir. Les décoller et les rouler aussitôt sur eux-mêmes. Les laisser refroidir complètement et les conserver dans une boîte métallique.

CINGHALAISE (À LA) Se dit de poissons froids ou de viandes blanches accompagnés d'une sauce cinghalaise, sorte de vinaigrette agrémentée d'un salpicon de légumes à l'huile et aux fines herbes, où seule la présence de cari évoque le Sri Lanka (Ceylan).

CINQ-ÉPICES Mélange chinois de diverses épices, fait de badiane, de girofle, de fenouil, de cannelle et de poivre. Réduit en poudre et dilué avec de la sauce soja et du glutamate, le cinq-épices est utilisé pour enduire viandes ou volailles avant de les faire rôtir ou sauter.

▶ Recette : PORC.

CINQUIÈME GAMME Traitement à haute température (pasteurisation pour les légumes et certains plats composés, qui deviennent donc stockables à température ambiante) ou à juste température (moins de 85 °C pour les viandes et les poissons), appliqué à des plats cuisinés, vendus frais et préemballés (qui peuvent ainsi se conserver quelques jours au réfrigérateur). La maîtrise du rapport entre le temps et la température est déterminante, et la sécurité hygiénique est liée au respect du stockage à froid (entre 0 et 3 °C) pendant la période précisée sur l'étiquette.

CINQUIÈME QUARTIER Ensemble des éléments corporels d'un animal de boucherie qui ne font pas partie de la carcasse (qui est elle-même composée de quatre quartiers : deux avants et deux arrières). Le cinquième quartier comprend les abats rouges et blancs, et les issues (**voir** ces mots).

CISELER DES HERBES

Tenir les herbes d'une main avec les doigts recourbés et les couper de l'autre avec la pointe du couteau. Le côté tranchant de la lame doit toujours être légèrement incliné vers l'extérieur.

CIOPPINO Plat californien très populaire, dans une région où les produits de la mer sont abondants. Il s'agit d'un ragoût de poisson à chair blanche, de grosses crevettes, de clams et de moules, accommodé à l'ail, à la tomate et au vin blanc.

CIPAILLE OU **CIPÂTE** Plat québécois, diversement garni, toujours recouvert d'une solide abaisse de pâte, et qui cuit au four pendant plusieurs heures dans un chaudron épais de fonte noire.

D'aucuns prétendent que c'était autrefois une tourte de poisson (*sea-pie* en anglais), d'où son nom ; d'autres l'appellent six-pâtes, car ils le confectionnent avec six abaisses de pâte ; d'autres encore le préparent en pâté, avec six viandes, dont traditionnellement du lièvre et de la perdrix.

Ce plat pour familles nombreuses ne se rencontre plus guère qu'au moment des fêtes.

La cipaille aux petits fruits (framboises, bleuets [myrtilles]), composée de six couches de pâte brisée, cuit quant à elle dans un moule à tarte profond.

cipaille au lièvre

Préparer une pâte à foncer avec 325 g de farine, 7 g de levure chimique, 7 g de sel, 85 g de graisse, 10 cl de lait et 10 cl d'eau. Tapisser le fond d'un chaudron de 30 g de lard salé détaillé en fines tranches et y étaler 175 g de poitrine de poulet coupée en cubes, 175 g de chair de lièvre, elle aussi en cubes, 125 g de porc haché et 250 g d'oignon ciselé. Poudrer avec des épices mélangées au choix, saler, poivrer et disposer 300 g de pommes de terre taillées en cubes. Couvrir d'une abaisse de pâte. Ajouter les mêmes quantités de viande et d'oignon. Mouiller aux trois quarts avec de l'eau et terminer en recouvrant d'une autre abaisse de pâte. Pratiquer au centre de la tourte une petite incision pour que la vapeur puisse s'échapper. Cuire 2 heures au four préchauffé à 180 °C, à couvert, et poursuivre la cuisson 2 heures à 130 °C.

CISEAUX ET **CISAILLES** Ustensiles de cuisine à deux lames, souvent démontables pour le lavage, dont les poignées sont parfois dotées d'encoches ou de saillants destinés à divers usages spécifiques (décapsuleur, casse-noix et casse-noisettes, ouvre-boîte, dénoyauteur, etc.).

• CISEAUX DE CUISINE. Ils ont des lames unies (de 19 à 32 cm) et servent à ciseler les fines herbes, à couper certains déchets de viande ou de légumes.

• CISEAUX À POISSON. Ils ont de grosses lames fortes, unies ou crantées, et servent à ébarber et à habiller les poissons (couper les nageoires, la queue, les grosses arêtes et celles des côtés).

• CISAILLE À VOLAILLE (OU SÉCATEUR). Elle est dotée de lames plus courtes, très robustes, et sert à fractionner les volailles crues ou cuites en morceaux, à couper certains os, etc.

• CISEAUX À RAISIN. Ils sont en argent ou en métal argenté ; cet accessoire de table est destiné à détailler les grosses grappes de raisin.

CISELER Pratiquer quelques incisions obliques peu profondes à la surface d'un poisson rond (maquereau, surtout) ou d'une andouillette. L'opération accélère et fait pénétrer l'assaisonnement. Quant aux légumes et aux fines herbes « ciselés », ils sont taillés en menus morceaux, en fines lanières ou en dés minuscules.

CÎTEAUX Fromage bourguignon de lait de vache (45 % de matières grasses), à pâte pressée non cuite et à croûte lavée (**voir** tableau des fromages français page 390). Fabriqué par les moines de l'abbaye de Cîteaux (Côte-d'Or), il se présente sous la forme d'un disque de 18 cm de diamètre et de 4 cm d'épaisseur, pesant 1 kg environ. Le cîteaux s'apparente au saint-paulin, mais son goût est beaucoup plus fruité.

CITRON Agrume, fruit du citronnier, de la famille des rutacées, dont la pulpe acide et juteuse est protégée par une écorce jaune, parfumée, plus ou moins épaisse (**voir** tableau des citrons page 223 et planche page 222). Le citron vert, ou lime, est un agrume voisin du citron, ainsi que la limette, ou lime douce, et le cédrat (**voir** CÉDRAT, CITRON VERT, LIME).

■ **Histoire.** Originaire de l'Inde ou de la Malaisie, le citronnier fut d'abord introduit en Assyrie, puis en Grèce et à Rome, où la « pomme médique », un cédrat, ancêtre du citron, était employée comme condiment et pour ses propriétés médicinales. Au Moyen Âge, les croisés rapportèrent de Palestine certains agrumes, dont le citron, qui commença à être cultivé en Espagne, en Afrique du Nord et en Italie. En France, jusqu'au XVIIIe siècle, les écoliers offraient traditionnellement des citrons à leurs maîtres à la fin de l'année scolaire (offrande du lendit).

On utilisa aussi le citron comme produit de beauté (il passait auprès des femmes pour rendre les lèvres joliment vermeilles et le teint bien pâle, selon la mode de l'époque), mais, surtout, ce fut un remède essentiel contre le scorbut (qui se manifeste par des hémorragies multiples et qui frappait souvent les équipages au temps de la marine à voile), car il est très riche en vitamines C et PP, en acide citrique et en calcium.

Aujourd'hui, le citron est disponible toute l'année. Ses emplois sont nombreux en cuisine, en pâtisserie, en confiserie et dans l'industrie des boissons.

■ **Jus.** Obtenu par simple pression ou avec un presse-citron, il sert tout d'abord d'antioxydant naturel (pour éviter le noircissement de certains légumes) et s'ajoute à de nombreuses préparations (blanquette, ragoût) ; il figure dans les marinades et les courts-bouillons, et remplace le vinaigre dans les assaisonnements de crudités et de salades ; il condimente certaines sauces. Il est utilisé en grande quantité dans la préparation des glaces, sorbets et granités, ainsi que dans celle des boissons rafraîchissantes. Enfin, la macération du poisson cru dans le jus de citron constitue un mode de « cuisson » très pratiqué en Amérique du Sud et en Océanie (**voir** COCKTAIL, JUS DE FRUIT, LIMONADE).

■ **Zeste et écorce.** Les agrumes étant souvent traités au diphényle (mention précisée sur l'étiquette), il est préférable, pour utiliser l'écorce, de choisir des citrons biologiques ou non traités. On peut obtenir le zeste en le râpant, en le pelant avec un couteau éplucheur ou en le frottant avec un sucre, selon l'emploi prévu. Il sert d'arôme, le plus souvent en pâtisserie (crèmes, flans, mousses, soufflés, tartes), de même que son écorce confite, ou « citronnat » (biscuits, cakes).

■ **Fruit.** Les rondelles ou les quartiers de citron accompagnent le plateau de fruits de mer, les fritures et les beignets salés, ainsi que divers apprêts panés ; elles sont de tradition avec le thé. Les quartiers de citron condimentent certains ragoûts et sautés, ainsi que les tagines. Les citrons confits en saumure sont très utilisés pour aromatiser poissons et viandes dans la cuisine du Maghreb, où ils remplacent parfois les traditionnelles limettes (limette à mamelon ou limonette de Marrakech). Le citron sert à préparer des confitures, des marmelades, le lemon curd, des chutneys et des tartes. Enfin, les citrons entiers se préparent givrés ou glacés.

■ **Extrait.** Le citron s'utilise en confiserie et en liquoristerie sous forme d'arôme naturel. Il parfume aussi certains thés aromatisés.

citron soufflé

Dans une casserole, travailler 100 g de beurre en pommade. Ajouter 60 g de sucre en poudre et 100 g de farine tamisée, puis mouiller avec 30 cl de lait bouilli et bien mélanger. Porter à ébullition en remuant avec la spatule, puis faire dessécher la composition comme une pâte à choux. Hors du feu, ajouter le jus de 2 citrons, 5 jaunes d'œuf puis 6 blancs d'œuf battus en neige ferme, en même temps que 40 g de sucre et 2 cuillerées à soupe de zeste de citron blanchi et très finement haché. Beurrer et sucrer un moule à soufflé et cuire 40 min au bain-marie dans le four préchauffé à 100 °C. Servir avec une crème anglaise parfumée au zeste de citron et accompagner de petits financiers présentés en caissettes.

citrons confits

Laver 1 kg de citrons non traités, les éponger, les couper en rondelles épaisses. Les poudrer de 3 cuillerées à soupe de sel fin et les laisser dégorger pendant 12 heures environ. (S'ils sont petits, on peut préalablement les couper en quatre dans le sens de la hauteur.) Les égoutter très soigneusement. Les ranger dans un bocal hermétique large et les recouvrir complètement d'huile d'olive. Conserver dans un endroit sec et frais et à l'abri de la lumière pendant 1 mois au moins avant de déguster. Bien refermer le bocal entre deux emplois.

citrons farcis

Dénoyauter une trentaine d'olives noires, en réserver six et hacher le reste avec un bouquet de persil. Décalotter du côté de la queue 6 gros citrons à écorce épaisse ; avec une petite cuillère à bord tranchant, les évider complètement sans percer l'écorce. Émietter du thon ou du saumon en boîte au naturel et retirer peau et arêtes. Mélanger la pulpe et le jus de citron avec le poisson, le hachis d'olive et de persil, 4 jaunes d'œuf dur et 1 petit bol d'aïoli. Rectifier l'assaisonnement. Garnir les écorces avec cette farce, décorer chaque citron d'une olive noire et mettre dans le réfrigérateur jusqu'au moment de servir. (On peut remplacer le mélange thon ou saumon-aïoli par un mélange sardines à l'huile-beurre.)

citrons givrés

Prendre de gros citrons non traités à peau épaisse. Les décalotter du côté de la queue et, avec une cuillère à bord tranchant, les évider complètement sans percer les écorces ; placer celles-ci dans le réfrigérateur. Presser complètement la pulpe retirée, passer le jus obtenu et préparer un sorbet au citron. Quand celui-ci est pris, en garnir les écorces rafraîchies et couvrir avec la calotte retirée. Mettre dans le congélateur jusqu'au moment de servir. Décorer avec des feuilles en pâte d'amande.

CITRONS

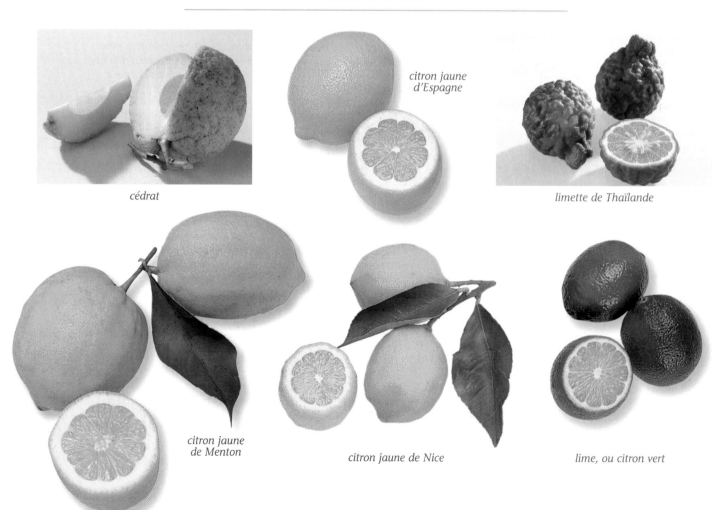

cédrat

citron jaune
d'Espagne

limette de Thaïlande

citron jaune
de Menton

citron jaune de Nice

lime, ou citron vert

Caractéristiques des principales variétés de citrons

VARIÉTÉ	PROVENANCE	ÉPOQUE	DESCRIPTION ET SAVEUR
citrons jaunes			
eureka	États-Unis	toute l'année	jaune verdâtre, peau fine, très juteux, acide, parfumé
interdonato	Italie du Sud, Sicile	sept.-oct.	plus long que le berna, sans pépins, pulpe fine, juteux, acide
primofiore	Italie, Espagne	oct.-déc.	peau fine, mamelon caractéristique, peu de pépins, très juteux
verdelli	Italie, Espagne	mai-sept.	verdâtre, peu juteux, peu parfumé
verna	Italie, Espagne	févr.-juill.	jaune intense, sans pépins, très juteux
lime, ou citron vert	Antilles, Amérique du Sud	toute l'année	vert, avec parfois des nuances jaunes, très juteux, très acide

poulet au citron ▶ POULET
sandre grillé aux cardons,
   filet d'huile d'olive et citron ▶ SANDRE
sardines aux asperges vertes et au citron
   de Menton confit ▶ SARDINE
sorbet au citron ▶ SORBET
tarte meringuée au citron ▶ TARTE
zestes de citron confits au vinaigre ▶ ZESTE

CITRONNADE Boisson rafraîchissante faite de jus de citron (3 cuillerées à soupe par verre), de sucre et d'eau plate ou gazeuse en bouteille. Il vaut mieux la préparer à l'avance, et laisser le liquide infuser au frais avec le zeste des fruits, avant de le passer à travers une étamine. Le « citron pressé », en revanche, se prépare dans un verre juste au moment du service.

CITRONNELLE Plante aromatique de la famille des poacées, originaire de Malaisie, dont la senteur rappelle celle du citron (**voir** planche des herbes aromatiques pages 451 à 454). Ses feuilles séchées sont très utilisées dans la cuisine indonésienne et chinoise, aussi bien pour les marinades de poisson qu'avec les viandes grillées.

La citronnelle est également une liqueur, appelée aussi « eau des Barbades », faite de zestes de citron infusés dans de l'eau-de-vie.

Enfin, on donne le nom de « citronnelle » à diverses plantes (aurore, moldavique, eucalyptus citronnelle, mélisse, verveine citronnelle), dont l'odeur est voisine de celle du citron.

CITRONNER Ajouter du jus de citron à une préparation ou en arroser un aliment au moment de la finition (**voir** ACIDULER).

Le terme signifie aussi frotter la surface de certains légumes (fonds d'artichaut, céleri-rave, champignons de Paris) avec un demi-citron, ou les arroser de jus, pour éviter qu'ils ne noircissent.

CITRON VERT OU **LIME** Agrume voisin du citron, de la famille des rutacées, mais plus petit, rond, à écorce vert vif et à pulpe très acide, plus parfumée et plus juteuse. Cultivé dans les pays tropicaux (Côte d'Ivoire, Brésil, Antilles et Océanie), le citron vert est largement utilisé par les cuisines créole et brésilienne (ragoûts de poisson ou de viande, poulet mariné, confitures, sorbets, punchs et cocktails). La macération dans un jus de citron vert constitue un mode de « cuisson » très pratiqué dans ces pays.

Le zeste s'emploie comme celui du citron jaune. Il se conserve longtemps dans un flacon empli de sucre en poudre ou de rhum. Des sucres frottés de zeste se gardent en bocal hermétique pour parfumer le thé, les crèmes, le lait.
▶ **Recettes :** SALADE DE FRUITS, SOUFFLÉ.

CITROUILLE Grosse courge généralement orange à côtes, de la famille des cucurbitacées, mais dont le nom désigne aussi en cuisine le potiron proprement dit, à chair plus sucrée et savoureuse (**voir** POTIRON).

La citrouille s'accommode en potage, en purée, en tourte ou en tarte. Les graines de citrouille se mangent aussi grillées ou salées.

Ce sont les usages courants qu'on en fait aussi au Canada et aux États-Unis, où elle tient notamment la vedette au moment de la fête de Halloween (31 octobre), au cours de laquelle les citrouilles servent à la décoration de la maison.
▶ **Recette :** POTAGE.

CIVE ▶ **VOIR CIBOULE** ET **CIBOULETTE**

CIVET Ragoût de gibier à poil (lapin de garenne, lièvre, chevreuil, marcassin), préparé au vin rouge et terminé par une liaison faite avec le sang de l'animal (éventuellement remplacé par du sang de porc), ce qui lui donne son onctuosité et sa coloration. Des petits oignons et des lardons entrent généralement dans l'apprêt.

On appelle aussi civet, par extension, certaines préparations de crustacés (homard), de poissons (thon) ou de mollusques en sauce (à Dinard, les ormeaux en civet sont accommodés au vin rouge, aux oignons et aux lardons).

Dans les campagnes, on prépare aussi des civets d'abats d'oie (dans le Sud-Ouest, l'animal est cuit dans un roux mouillé de vin rouge, avec des oignons et de l'écorce d'orange).

civet de chevreuil

Il se prépare comme le civet de lièvre, avec des morceaux pris dans l'épaule, le collet, la poitrine et le haut du carré de chevreuil. Si l'on ne dispose pas du sang de l'animal, acheter du sang de porc, que vendent tous les charcutiers.

RECETTE DE ROGER VERGÉ

civet de homard

« Tronçonner un homard en six morceaux, décortiquer les pinces. Récupérer le corail et les parties crémeuses du coffre. Saler et poivrer les chairs, les faire revenir avec 2 cuillerées à soupe d'huile très chaude. Égoutter et tenir au chaud. Remettre la casserole sur le feu. Ajouter 25 g de beurre, 2 ou 3 échalotes hachées et 1/2 carotte coupée en dés. Remuer. Ajouter les morceaux de homard, 4 cuillerées à soupe de cognac et flamber. Mouiller des 3/4 d'une bouteille de bourgogne rouge et compléter d'un bouquet garni. Saler, poivrer, laisser mijoter à couvert pendant 15 min. Éplucher 20 petits oignons, les mettre dans une casserole avec du sel, 1 noix de beurre et 1 pincée de sucre en poudre. Mouiller d'eau juste à hauteur et laisser réduire complètement pour faire blondir. Faire sauter à la poêle, au beurre, des petits champignons de Paris, les égoutter. Pétrir à la fourchette, dans un bol, 50 g de beurre avec 1 cuillerée de farine et le corail du crustacé. Décortiquer le homard tout en faisant réduire de moitié la cuisson. Disposer les chairs dans des assiettes creuses. Compléter avec les oignons et les champignons, bien répartis. Tenir au chaud. Quand la cuisson a réduit de moitié, y incorporer le mélange beurre-farine-corail de homard, en fouettant pour homogénéiser la préparation. Rectifier l'assaisonnement, passer au tamis fin, napper le homard et servir chaud. »

223

civet de lièvre : préparation

Dépouiller le lièvre et le vider délicatement de ses parties intestinales. Recueillir soigneusement le sang dans un bol, lui ajouter 2 cuillerées à soupe de vinaigre de vin et le réserver au frais, couvert d'un film alimentaire. Dans un autre bol, placer le foie, les poumons et le cœur, couvrir d'un film alimentaire et réserver également au frais. Découper le lièvre en morceaux réguliers, les réunir dans un récipient (de préférence en Inox) de taille adéquate, puis les mettre en marinade pendant 24 heures avec 50 g d'oignons et 50 g de carottes émincées, 2 gousses d'ail, 5 ou 6 queues de persil, 1 feuille de laurier, quelques brindilles de thym, 10 grains de genièvre, 10 grains de poivre, 1 clou de girofle. Recouvrir entièrement de 1 litre de très bon vin rouge corsé et tanique et d'un filet de cognac. Mélanger et ajouter une pellicule d'huile pour éviter le contact de l'air. Couvrir et réserver au frais sans remuer.

RECETTE DE PAUL HAEBERLIN
civet de lièvre

« Dépouiller un beau lièvre, en réservant le sang et le foie. Couper le lièvre en morceaux et le faire mariner durant la nuit avec 3 oignons coupés en six, 1 carotte coupée en rondelles et 1 branche de thym ; mouiller de vin rouge à hauteur des morceaux. Le lendemain matin, égoutter ceux-ci dans une passoire. Faire chauffer une tasse d'huile et 40 g de beurre dans une poêle et dorer les morceaux de lièvre de chaque côté, ainsi que les éléments solides de la marinade (oignons et carotte). Mettre les morceaux dans une casserole et les saupoudrer de farine. Bien faire revenir et mouiller avec le vin de la marinade, un filet de cognac et 1 cuillerée de concentré de tomate ; ajouter 2 gousses d'ail écrasées dans leur peau, 1 bouquet garni, 1/4 de feuille de laurier écrasée. Saler et poivrer. Bien mélanger et laisser mijoter durant 2 heures. Cuire à part 20 petits oignons dans un peu d'eau additionnée de 1 cuillerée à café de sucre en poudre. Couper 250 g de champignons de Paris en quartiers et les faire revenir dans du beurre. Couper 150 g de lard fumé ou salé en dés, les blanchir, puis les faire rissoler dans une poêle. Quand le lièvre est cuit, dresser les morceaux dans un plat et tenir au chaud. Hacher le foie du lièvre et le mélanger avec le sang. L'ajouter à la sauce, porter à ébullition. Passer la sauce au chinois fin. Ajouter la garniture de petits oignons, de champignons et de lardons. Rectifier l'assaisonnement, verser la sauce sur le lièvre. »

civet de lièvre à la française

Préparer le lièvre et sa marinade suivant la méthode générale. Couper 200 g de lard maigre en lardons, les blanchir 5 min à l'eau bouillante, les égoutter et les faire rissoler dans une sauteuse avec 40 g de beurre. Les égoutter, puis faire revenir dans le même beurre 2 gros oignons coupés en quartiers ; parsemer de 2 cuillerées à soupe de farine et faire blondir en remuant à la cuillère de bois. Ajouter dans le roux les morceaux de lièvre égouttés et continuer à remuer (on peut aussi faire raidir le lièvre dans le beurre, aussitôt après avoir ajouté les lardons). Recouvrir les morceaux de vin rouge en ajoutant, 1 bouquet garni et 1 gousse d'ail écrasée ; couvrir la sauteuse et laisser mijoter 45 min. Pendant ce temps, préparer 24 têtes de champignon et les faire revenir dans du beurre. Quand les morceaux de lièvre sont cuits, les égoutter et les mettre dans une cocotte. Ajouter les lardons et les champignons. Verser la marinade dans la sauteuse, bien mélanger avec la cuisson du lièvre, puis verser le tout dans la cocotte, sur les morceaux de lièvre. Couvrir, enfourner à 200 °C et laisser cuire encore 1 heure environ (le temps de cuisson dépend de l'âge de l'animal). Pendant cette seconde cuisson, préparer 24 oignons glacés et faire frire au beurre des triangles de pain ; 5 min avant la fin de la cuisson, escaloper le foie et l'ajouter dans la cocotte ; mêler au sang 2 ou 3 cuillerées à soupe de crème fraîche et en lier la sauce. Dresser le civet dans un plat creux. Le garnir avec les oignons et les croûtons.

civet de marcassin

Il se prépare comme le civet de lièvre, avec des morceaux pris dans l'épaule, le collet, l'échine et la poitrine du gibier.

RECETTE DU RESTAURANT *Lapérouse*, À Paris
civet de râble de lièvre aux pâtes fraîches

« Éplucher 3 carottes et 1 oignon, les tailler en dés. Éplucher et hacher 2 échalotes. Éplucher et écraser 2 gousses d'ail. Couper grossièrement 2 avants de lièvre, faire revenir les morceaux dans une cocotte avec 20 g de beurre, ajouter les dés d'oignon et de carotte et faire revenir pendant une dizaine de minutes ; ajouter alors 10 cl de vinaigre de vin, 50 cl de vin rouge, l'ail et les échalotes. Saler, poivrer légèrement et porter à ébullition. Ajouter 1 bouquet garni et laisser frissonner pendant 2 heures ; ne pas oublier d'écumer de temps en temps. Récupérer les légumes et les passer au mixeur ; passer le reste de la cuisson au chinois en pressant bien pour exprimer tous les sucs ; ajouter les légumes mixés au jus de cuisson, remettre sur le feu et laisser mijoter 30 min. Passer à nouveau au chinois, laisser refroidir et mettre dans le réfrigérateur pour pouvoir retirer la graisse qui monte et fige à la surface (environ 6 heures). Remettre ensuite sur le feu, faire réduire 5 min encore ; hors du feu et en remuant avec un fouet, ajouter un petit bocal de sang de lièvre (ou à défaut, de sang de porc), puis 50 g de beurre, du sel et du poivre. Au dernier moment, compléter cette sauce avec 1 cuillerée à café d'airelles. Dans le même temps, saler et poivrer 2 râbles de lièvre ; faire chauffer de l'huile dans une poêle, y faire cuire à feu vif les râbles, en les retournant. Escaloper le lièvre en le coupant en fines tranches. Dresser sur un plat, napper de sauce et accompagner de pâtes fraîches cuites al dente. »

CLAFOUTIS Entremets rustique du Limousin, préparé avec des cerises noires, disposées dans un plat à four beurré, sur lesquelles on verse une pâte à crêpes assez épaisse. Il se sert tiède, poudré de sucre. En principe, on ne dénoyaute pas les cerises, car les noyaux, en cuisant, ajoutent leur arôme à la pâte. Les fruits sont simplement lavés et équeutés. L'Académie française, qui avait défini le mot comme une « sorte de flan aux fruits », dut céder devant les protestations des Limousins et adopta « gâteau aux cerises noires ». Cependant, il en existe de nombreuses variantes, aux cerises rouges ou à d'autres fruits.

clafoutis

Équeuter 500 g de cerises noires, les poudrer avec 50 g de sucre et les laisser reposer ainsi 30 min au moins. Beurrer une tourtière, la garnir avec les cerises. Tamiser 125 g de farine dans une terrine, y ajouter 1 pincée de sel et 50 g de sucre en poudre, puis 3 œufs battus en omelette, et remuer ; ajouter enfin 30 cl de lait et bien mélanger à nouveau. Verser la préparation sur les cerises, et mettre de 35 à 40 min au four préchauffé à 180 °C. Laisser tiédir, puis poudrer de sucre glace.

CLAIE Treillis à claire-voie, de forme, de taille et de matériaux différents, et de fonctions variables. Les claies en fil de fer, rondes ou rectangulaires, appelées grilles, sont des supports sur lesquels on laisse refroidir les pâtisseries démoulées et certaines préparations de cuisine pochées ; en jonc ou en paille, les claies, clayettes et clayons s'emploient pour faire égoutter les fromages (les claies portent aussi le nom de « clisses », comme les enveloppes de paille dont on entoure parfois les bouteilles pour les protéger des chocs) ; les claies de bois permettent d'entreposer des fruits ou des légumes dans un cellier ; les clayons d'osier servent à conditionner les fruits confits.

CLAIRET Vin rouge léger, dont la couleur n'est pourtant pas rose, mais rouge franc de faible intensité. Bu frais et jeune, le clairet, souple et fruité, est fait avec des raisins peu acides, utilisés à pleine maturité, au terme d'une fermentation courte (de 2 à 4 jours).

Autrefois, le clairet était soit un mélange de vin blanc et de vin rouge, soit un rouge léger. C'est de ce mot que dérive le terme *claret*, utilisé par les Anglo-Saxons pour désigner le bordeaux rouge. Lorsque les bordeaux commencèrent à être importés en Angleterre, les Britanniques préféraient, en effet, les rouges légers et clairs, qui étaient des vins de l'année. Aujourd'hui, le « claret » reste pour eux un bordeaux rouge, quel que soit son âge (**voir** BORDELAIS).

CLAIRETTE Cépage blanc cultivé dans le Midi. Pleine de vigueur, la clairette arrive à maturité de troisième époque vers le 15 octobre, c'est-à-dire quatre à cinq semaines et demie après le chasselas, qui sert de référence. Elle s'accommode bien de terres maigres. Souvent associée au muscat, elle entre dans l'élaboration de nombreux vins méridionaux, et notamment de trois d'entre eux, qui bénéficient d'une AOC.

CLAIRETTE DE DIE Vin AOC produit dans la Drôme. La clairette de Die est un vin mousseux élaboré selon deux procédés : la méthode champenoise, pour le crémant de Die issu du cépage clairette, et la méthode « dioise » traditionnelle, appliquée à un mélange de cépages muscat (75 % au moins) et clairette, avec fermentation du moût volontairement limitée en cuve et poursuivie en bouteilles.

CLAIRETTE DU LANGUEDOC ET CLAIRETTE DE BELLEGARDE
Vins secs, demi-secs ou doux, provenant du seul cépage clairette. Ces vins restent denses, très aromatiques et persistants.

CLAM Coquillage, de la famille des vénéridés, long de 5 à 10 cm, à grande coquille lisse marquée de très fines stries circulaires, aussi appelé « palourde américaine » (**voir** tableau des coquillages page 250 et planche pages 252 et 253). Les clams, introduits en France par les Américains en 1917, se pêchent sur les fonds sableux et vaseux, à l'embouchure des fleuves, notamment sur la côte est des États-Unis et du Canada, mais aussi en Charente. Un modeste élevage existe dans les claires de Marennes-Oléron, qui commercialise des clams de 5 à 6 cm. Les clams se mangent crus ou cuisinés comme les huîtres, ou « à la commodore ». Ils sont aussi appréciés frits, particulièrement en Nouvelle-Angleterre.

Le *clam chowder* est une soupe épaisse de légumes, d'oignons et de clams, garnie de pommes de terre et parfois de lardons, très populaire en Nouvelle-Angleterre, tandis que le *clambake* est un pique-nique typique de la côte est des États-Unis : on y mange des clams et autres coquillages, cuits sous une couche de varech, sur des pierres chauffées.

▶ Recette : SOUPE.

CLAMART Nom donné à divers apprêts comportant des petits pois, entiers ou en purée. (La ville de Clamart était naguère réputée pour ses cultures de pois à écosser à grains ronds, aujourd'hui disparues.) L'appellation s'applique à un potage (purée de petits pois frais au consommé, servi avec des croûtons frits), à des œufs pochés (sur canapés tartinés de purée) ou brouillés (avec les pois en grains), à des bouchées feuilletées garnies de purée à la crème, à une volaille en cocotte et à un sauté ou à des ris de veau servis avec des petits pois frais ou une garniture Clamart.

La garniture Clamart proprement dite, pour petites pièces de boucherie sautées, est faite de tartelettes ou de fonds d'artichaut emplis de petits pois au beurre ; pour les grosses pièces, on ajoute des pommes château.

▶ Recettes : ARTICHAUT, POULARDE.

CLAQUEBITOU Fromage bourguignon de lait de chèvre cru (45 % de matières grasses), à pâte fraîche, malaxée et aromatisée avec de l'ail, du persil et des fines herbes (**voir** tableau des fromages français page 392). De forme et de poids variables, le claquebitou a une odeur forte et une saveur parfumée qui le font apprécier au moment du « goûtaillon » (collation en dialecte bourguignon).

CLARENCE Nom de divers apprêts de poissons et de crustacés dont le seul point commun est une sauce Mornay ou Newburg parfumée au cari. Les côtelettes de saumon Clarence se préparent dans un moule à côtelette foncé d'escalopes de saumon garnies de mousse de saumon et de homard, puis elles sont pochées, démoulées et dressées sur un socle de même mousse avec une garniture de champignon et de crevette ; la sauce est servie à part.

Les filets de sole sont pochés et dressés sur une rosace de pommes duchesse, nappés de sauce et décorés de lames de truffe.

Le mot désigne aussi une bombe chemisée de glace à l'ananas et garnie d'un appareil à bombe à la violette.

CLARIFIER DU BEURRE

1. *Chauffer le beurre au bain-marie : le petit-lait tombe au fond, le beurre pur reste au milieu et les impuretés, plus légères, remontent en surface. Les retirer avec une écumoire.*

2. *À l'aide d'une petite louche, séparer le beurre pur du petit-lait qui reste au fond : on dit qu'on « décante » le beurre.*

CLARIFIER Rendre limpide et claire une substance trouble. La clarification concerne surtout des liquides (bouillons et boissons), mais on emploie aussi le terme pour le sucre, le beurre et les œufs (on clarifie un œuf en séparant le jaune du blanc de manière que celui-ci ne comporte aucune trace de jaune).

● CLARIFICATION DU BEURRE. Elle consiste à faire fondre du beurre au bain-marie, sans remuer, afin d'en éliminer le petit-lait, qui forme un dépôt blanchâtre.

● CLARIFICATION DU BOUILLON. En cuisine ménagère, le bouillon de pot-au-feu ou de volaille est servi tel quel comme potage, diversement garni, ou pour mouiller les sauces, les ragoûts ou les braisés, mais, en grande cuisine, on le clarifie.

La clarification utilise du maigre de bœuf haché et du blanc d'œuf, ainsi qu'une garniture aromatique taillée en brunoise. Lorsque le bouillon est porté progressivement jusqu'à ébullition avec les éléments de la clarification, le blanc d'œuf, en coagulant, emprisonne tous les éléments qui troublaient le liquide.

L'affadissement du bouillon qui en résulte est compensé par la sapidité du maigre de bœuf et des éléments aromatiques qui ont été ajoutés.

La clarification est indispensable lorsque le bouillon de la marmite est destiné à la confection d'une gelée, qui doit être parfaitement translucide.

● CLARIFICATION DU VIN. Elle s'opère par la filtration et le collage, à l'aide de substances qui entraînent les particules solides du fond de la cuve ou du tonneau.

● CLARIFICATION DE LA BIÈRE ET DU CIDRE. Avant la mise en fûts ou en bouteilles, la bière est filtrée pour acquérir sa brillance. L'opération se fait sous pression pour que le gaz carbonique ne s'échappe pas.

Le cidre, lui, est déféqué (c'est-à-dire rendu limpide par coagulation de la pectine avec des diastases) dès la sortie du pressoir ; il est ensuite siphonné à l'abri de l'air et soutiré en tonneaux.

« Savourer un cocktail dans une ambiance festive et raffinée participe d'un art de vivre qui séduit de plus en plus. Pour préparer ces mélanges classiques ou inédits, les barmen du RITZ PARIS et du FOUR SEASONS GEORGE V disposent de toute une panoplie d'accessoires : shaker Boston, passoire à glaçons, cuillère à mélange, couteau à fruit, etc. »

• **CLARIFICATION DES SIROPS, LIQUEURS ET BOISSONS MÉNAGÈRES.** Les sirops et les jus de fruit et de légume sont filtrés à travers un papier poreux ou une mousseline. Les boissons aux fruits fermentées sont clarifiées au blanc d'œuf battu en neige, puis filtrées. Les liqueurs, elles, sont filtrées à travers du coton, dans un entonnoir ; le collage au blanc d'œuf est parfois nécessaire.

---

clarification du bouillon de pot-au-feu

Hacher 750 g de maigre de bœuf. Tailler finement 50 g de carottes, 100 g de vert de poireau, 1 petite branche de céleri, 2 ou 3 tomates fraîches. Réunir tous ces éléments dans une terrine, ajouter 1 blanc d'œuf, mélanger et réserver 15 min au frais. Dans une casserole profonde, verser 2,5 litres de bouillon parfaitement dégraissé et refroidi. Y mettre tous les éléments de la clarification et bien mélanger au fouet. Chauffer doucement, en remuant sans arrêt avec une spatule. Dès l'ébullition, retirer la spatule et laisser frémir 1 h 30. Ajouter alors un peu de cerfeuil haché et quelques grains de poivre, et laisser infuser. Passer le bouillon à travers un chinois doublé d'une étamine mouillée à l'eau froide et bien essorée.

CLAYTONE DE CUBA Petite plante de la famille des portulacacées, appelée aussi pourpier d'hiver et cultivée par les maraîchers. Les feuilles rondes en forme d'entonnoir sont aussi succulentes que celles du pourpier. Elles se consomment cuites comme les épinards ou en potage.

CLÉMENTINE Fruit du clémentinier, agrume de la famille des rutacées, obtenu en 1902 en Algérie par le père Clément, issu d'un croisement naturel entre un mandarinier et un oranger (**voir** tableau des clémentines ci-dessous et planche des oranges, mandarines et clémentines page 597). Ce fruit est une spécialité française. Petite, orange et sphérique, la clémentine est ferme ; sa peau adhère à la pulpe, qui est juteuse et acidulée. Riche en vitamine C, elle se garde bien au frais.
■ **Emplois.** La clémentine se consomme crue, mais peut également être confite ou conservée à l'eau-de-vie. Son jus est utilisé pour confectionner des sorbets et des boissons. En pâtisserie et en confiserie, elle a les mêmes emplois que l'orange. On en fait une liqueur et on l'utilise en cuisine comme la bigarade. Les Britanniques la traitent en pickles (au vinaigre et aux épices).

CLERMONT Nom de plusieurs apprêts comportant des marrons ou du chou, produits typiques de l'Auvergne, dont Clermont-Ferrand est la capitale.
La garniture Clermont pour grosses pièces de boucherie associe paupiettes de chou vert et pommes de terre rissolées ; la viande est déglacée avec la cuisson ou, si elle a été braisée, avec le fond de braisage ou de la demi-glace. La garniture pour petites pièces de boucherie comprend des quartiers d'artichaut frits ainsi que des oignons farcis de purée de marron et braisés, le tout nappé d'un déglaçage au madère. On retrouve les marrons dans le bavarois Clermont, un entremets froid au rhum et à la purée de marron.

CLIMAT Nom que l'usage a donné à une parcelle du vignoble d'une commune viticole bourguignonne, qui donne souvent des premiers ou grands crus.

CLITOPILE PETITE-PRUNE Champignon blanc grisâtre de la famille des agaricacées, très apprécié, également appelé « meunier » ou « mousseron ». Sa chair tendre, à l'odeur délicate de farine fraîche, cuit rapidement. Son arôme relève les plats de champignons moins savoureux. Déshydraté, il sert aussi de condiment. Il faut faire preuve d'une grande prudence quand on le récolte, car il peut être confondu avec des espèces très toxiques.

CLOCHE Couvre-plat bombé, en acier inoxydable ou en métal argenté, muni d'un bouton ou d'une poignée, dont la circonférence s'adapte au pourtour de certains plats de service (plat creux, légumier, etc.). Destinée à conserver les mets au chaud, la cloche est surtout utilisée en restauration, notamment quand le service se fait « à l'assiette ».
La cloche à fromage, en verre ou en toile métallique, sert à protéger les fromages de l'air ambiant et des mouches ; elle repose en général sur un plateau rond en bois ou en marbre.

CLOS-JOUVE (HENRI BELIN, DIT HENRI) Chroniqueur gastronomique français (Lyon 1908 - Paris 1981). Fondateur, avec Marcel Grancher, de l'académie Rabelais, animateur de la Coupe du meilleur pot (qui récompense les comptoirs où l'on débite les meilleurs vins de pays, notamment le beaujolais) et du Concours du meilleur sommelier de France, il a su parler avec chaleur et poésie de la cuisine régionale (*le Promeneur lettré et gastronome en Bourgogne*, 1951 ; *Carnet de croûtes*, 1963).

CLOS-DES-MORILLONS Vin parisien issu de quelques vignes plantées en terrasses dans le square Georges-Brassens, dans le xve arrondissement de Paris, là où s'élevaient autrefois les vastes abattoirs de la rue des Morillons. Les vendanges – qui donnent six cents bouteilles environ – sont l'occasion pour tous les habitants du quartier et de nombreux curieux d'une fête très sympathique.

CLOS-DE-VOUGEOT Grand cru classé de la côte de Nuits, l'un des plus célèbres climats de Bourgogne, dont le vignoble, très morcelé, est clos de murs et donne à partir du cépage pinot noir des rouges magnifiques, charnus et délicats, bien charpentés, longs en bouche et possédant beaucoup de nez (**voir** BOURGOGNE).

CLOSERIE DES LILAS (LA) Café-restaurant ouvert à Paris, dans les années 1900, boulevard du Montparnasse, dont le nom vient d'une guinguette établie juste en face, avenue de l'Observatoire.
D'abord appelée *Prado d'été*, celle-ci accueillait des bals d'étudiants lorsqu'un garçon de la Grande-Chaumière, du nom de Bullier, la racheta et y planta des pieds de lilas.
L'enseigne de *la Closerie des Lilas* fut reprise par le restaurant actuel quand le bal Bullier périclita. Fréquentée par la bohème intellectuelle et artistique (Paul Fort, André Salmon, Alfred Jarry, puis Francis Carco, Charles Cros, Gide, Picasso, Braque, Lénine et Trotski), *la Closerie* devint aussi, entre les deux guerres, l'un des rendez-vous des noctambules

Caractéristiques des principales variétés de clémentines

VARIÉTÉ	PROVENANCE	ÉPOQUE	ASPECT
bekria	Maroc	fin sept.-fin oct.	petite, verte, plages orangées, sans pépins
clémentine commune	Corse, Maroc, Espagne	oct.-fin déc.	moyenne à grosse, peau orange foncé, avec quelques pépins
clémentine de Corse	Corse	nov.-début févr.	petite, rouge-orangé, sans pépins, présentée avec 2 feuilles
clémentine Monréal	Espagne	oct.	très nombreux pépins
fina	Espagne	fin oct.-fin janv.	petite à moyenne
nules, oroval	Espagne	nov.-févr.	moyenne à grosse, peau rugueuse, quelques pépins

de Montparnasse, dont, notamment, l'écrivain américain Ernest Hemingway.

CLOUTER Enfoncer un ou plusieurs clous de girofle dans un gros oignon cru, que l'on ajoute à une préparation pour l'aromatiser pendant la cuisson.

Clouter signifie aussi faire pénétrer dans une viande, une volaille, un gibier ou un poisson des « clous », c'est-à-dire de minces bâtonnets de truffe, de jambon cuit ou de langue écarlate pour les viandes, de truffe, de filets d'anchois ou de cornichon pour les poissons.

CLOVISSE Coquillage vivant sur les fonds sableux de faible profondeur de tout le littoral français. Long de 8 cm au maximum, de forme ovale, le clovisse, appelé aussi « fausse palourde », se pêche au rateau ou à la drague. Il a une chair très fine et se consomme cru ou farci (**voir** PALOURDE).

COBIA Poisson marin, de la famille des rachycentridés, qui se trouve près des récifs dans les eaux tropicales et subtropicales des Bermudes jusqu'en Argentine, mais aussi en Afrique et en Australie. Le cobia mesure en moyenne 1 m pour 12 kg, au maximum 2 m pour 70 kg à l'âge de 15 ans environ. Gris, avec deux bandes argentées étroites, il présente une tête large, écrasée, de petites épines sur les premiers rayons de la nageoire dorsale. Le cobia vit en solitaire, ses prises sont donc faibles. Sa chair est de bonne qualité. Il se commercialise en frais, fumé ou surgelé. On élève ce poisson à croissance rapide en Asie depuis les années 1990.

COCAGNE (PAYS DE) Lieu imaginaire où les hommes vivent heureux sans travailler, disposant de tout en abondance. Le mythe du pays de Cocagne (que l'on retrouve en Allemagne et en Italie) est particulièrement bien enraciné dans la tradition flamande et remonte à une époque où le spectre de la famine devenait souvent réalité.

Dans la légende, l'heureux élu arrive au pays de Cocagne en traversant un tunnel creusé dans une montagne de farine de sarrasin ; il y découvre un porc rôti qui marche avec un couteau à découper sur le dos, une table qui se dresse, couverte de pâtés et de tartes, des haies constituées de saucisses, de pigeons rôtis qui lui tombent dans la bouche, etc.

Par extension, on appelait autrefois « cocagne » une table généreusement ouverte et richement garnie. À Naples, au XVIIe siècle, la cocagne *(cuccagna)* était une fête traditionnelle, à l'occasion de laquelle on dressait sur une place un amoncellement de victuailles, en signe de réjouissance et de réconciliation.

COCHON Synonyme familier de « porc », plus particulièrement associé aux fêtes et ripailles traditionnelles qui, dans les campagnes, accompagnent l'abattage de l'animal (souvent avant Noël ou le carnaval) et la préparation des salaisons et charcuteries diverses. Cette brusque abondance de viande donnait lieu autrefois à un festin : le « repas du cochon » ou « de la saint-cochon », ou le « régal de cochon » ; on n'y mangeait que du porc et il avait lieu le soir même de l'abattage ou le dimanche suivant. La soupe se préparait avec l'eau de cuisson du boudin.

COCHON DE LAIT Jeune porc, abattu à 2 mois au plus, alors qu'il pèse moins de 15 kg. Généralement rôti entier, il constitue un plat somptueux, mais on le cuisine aussi en blanquette et en ragoût. Sa viande est succulente et appréciée depuis le Moyen Âge dans toute l'Europe. La peau et les oreilles grillées étaient autrefois un mets de choix ; en Espagne, on apprécie toujours la peau rissolée, découpée en fines lamelles et accompagnée de rioja, un vin rouge capiteux.

Le cochon de lait rôti « à l'anglaise » (farci d'oignon et de sauge, arrosé de son jus et de madère, et servi avec une purée de pomme et des raisins secs) était un plat réputé dans les années 1890 que l'on servait dans les restaurants du Boulevard, à Paris. Autre spécialité, le cochon de lait à la gelée était surtout renommé dans l'est de la France.

COCHONNAILLE Synonyme familier de « charcuterie », parfois plaisant ou ironique, suggérant l'idée d'abondance.

La mode des buffets campagnards a mis en vedette ces assortiments de saucissons, de galantines, de jambons, de pâtés et autres andouilles qui évoquent, aux yeux des citadins, les ripailles villageoises.

COCIDO Pot-au-feu espagnol. Le cocido type est originaire de Castille. Ainsi, à Madrid, il est longuement mijoté et se compose de trois plats servis successivement. Tout d'abord le bouillon, passé et enrichi de vermicelle, traditionnellement accompagné de vin blanc ; ensuite, le plat de pois chiches et de légumes bouillis (ajoutés au dernier stade de cuisson), à savoir pommes de terre, carottes et chou, imprégnés des sucs des viandes ; enfin, le plat de viandes : bœuf en morceaux, chorizo, petit salé, échine de porc, poulet et boulettes de viande (parfois aussi os de jambon de pays *[serrano]*, boudin et lard frais). Les légumes et les viandes sont servis avec du vin rouge. On présente le tout avec du pain bien croustillant.

Mets riche ou pauvre (il peut même n'être qu'un simple plat de pois chiches avec un morceau de lard), facile à réaliser (la seule précaution est de mettre les pois chiches à tremper la veille) et nourrissant, le cocido est un plat de base dans toute l'Espagne et au Portugal.

Il existe de multiples variantes du cocido comme, par exemple, le cocido catalan (haricots secs et parfois riz, saucisses de la région et boutifar, queue de bœuf, les trois plats étant servis en un seul) ; le cocido andalou (plus léger et parfumé, avec du piment, de la menthe, du safran et des haricots verts) ; et le cocido galicien (le porc y est indispensable, ainsi que les navets avec leurs fanes, du lard et plusieurs variétés de haricots secs).

COCK-A-LEECKIE Spécialité écossaise, dont le nom signifie littéralement « coq et poireau ». Cette soupe consistante, à base de poule et de poireau, épaissie avec de l'orge, est traditionnellement servie avec un pruneau au fond du bol.

Ce plat connaît une variante plus raffinée, à base de consommé de volaille, de poireau et de poulet.

cock-a-leeckie

Préparer un consommé de volaille. Tailler en julienne des blancs de poireau (200 g pour 1 litre de consommé) ; les faire doucement étuver 15 min dans 20 g de beurre. Couper en julienne les blancs du poulet ayant servi à la préparation du consommé. Les ajouter à celui-ci avec le poireau et le poulet.

COCKTAIL Mélange d'un alcool et de différents éléments, en proportions variables – liqueur, jus de fruit, sirop, aromates, etc. Il existe ainsi des recettes de base qui se déclinent selon l'alcool choisi. Mais on peut préparer aussi de nombreux cocktails sans alcool, les fruits ou les légumes pouvant se marier à l'infini.

Les cocktails sont nés aux États-Unis vers la fin du XIXe siècle, lorsque des alcools de qualité commencèrent à être mis en bouteilles. Ils firent leur apparition à Paris lors de l'Exposition universelle de 1889, mais connurent surtout une grande vogue entre les deux guerres, époque où l'on vit s'ouvrir des bars célèbres dans toutes les capitales européennes. Les barmen, spécialistes de l'art du cocktail, baptisaient leurs créations de noms devenus classiques.

Les professionnels classent les cocktails par famille (**voir** tableau des cocktails page 231), chaque famille se définissant en fonction de trois grands critères : une association d'ingrédients donnés, un mode de préparation et une manière de servir le mélange. Les ingrédients sont eux-mêmes répartis en trois groupes : la base (gin, vodka, calvados, armagnac, etc.), l'additif aromatique, élément qui apporte au cocktail son caractère, amer ou sucré, et éventuellement sa couleur (bitters, sirops, liqueurs, etc.), et le corps, qui agit sur la texture du mélange tout en fournissant des arômes complémentaires (champagne, vermouth, soda, eau plate ou gazeuse, jus de fruit, lait, crème, jaune d'œuf, etc.).

Enfin, les cocktails sont divisés en short drinks et en long drinks : « boissons courtes » ou « boissons longues », selon qu'ils sont servis secs (dry) ou allongés d'eau ou d'un autre liquide, dans un verre à cocktail sans glace ou dans un tumbler avec de la glace.

■ **Préparation et matériel.** Le cocktail se prépare soit dans un shaker, soit directement dans le verre de dégustation. L'adjonction d'un « trait » ou d'un « jet » de liqueur ou de sirop se fait au stilligoutte. Pour le service, le verre peut être givré, décoré d'une rondelle de citron, d'une olive, d'une cerise, etc. Le mélange est parfois complété au dernier moment par de la muscade râpée, du poivre, du sucre, du chocolat en poudre.

Outre le shaker et un assortiment de verres (martini, à dégustation, à vin, flûte à champagne, shot, rocks, highball, toddy), l'équipement du bar comprend mixeur, doseurs à alcool, cuillère à mélange (petite cuillère spéciale à long manche), passoires (à glaçons, à glace pilée et à pulpe), pince à glaçons, couteaux à fruits, pailles, presse-agrume, pilon, râpe, etc.

LES GRANDS CLASSIQUES

alexandra (ou brandy alexander)
3 cl de cognac, 2 cl de crème de cacao brune, 2 cl de crème fraîche, noix muscade râpée.

americano
3,5 cl de bitter Campari, 3,5 cl de vermouth rosso, 1 zeste de citron.

bacardi
4 cl de rhum Bacardi, 2 cl de jus de citron, 1 cl de sirop de grenadine.

between-the-sheets
2 cl de cognac, 2 cl de rhum portoricain, 1 cl de curaçao triple sec, 2 cl de jus de citron.

black russian
4 cl de vodka, 2 cl de liqueur de café.

bloody mary
4 cl de vodka, 12 cl de jus de tomate, 0,5 cl de jus de citron, 0,5 cl de Worcestershire sauce, 3 gouttes de Tabasco, sel de céleri et poivre.

bronx
5 cl de gin, 2 cl de jus d'orange, 1 cl de vermouth dry, 1 cl de vermouth rosso, 1 cerise au marasquin.

bullshot
4 cl de vodka, 12 cl de bouillon de bœuf, 1 cl de Worcestershire sauce, 3 gouttes de Tabasco, sel de céleri, poivre.

burgos
5 cl de cognac, 4 gouttes d'Angostura.

caïpirinha
5 cl de rhum cachaça, 1/2 citron vert coupé en quartiers, 2 cuillerées de sucre en poudre, glace pilée.

champagne cocktail
11 cl de champagne, 2 cl de cognac, 2 gouttes d'Angostura, 1 zeste de citron, 1 petit morceau de sucre.

clockwork orange
5 cl de vodka, 1/2 orange coupée en tranches, 2 cuillerées à café de sucre en poudre.

cosmopolitan
4 cl de vodka, 2 cl de jus de canneberge, 0,5 cl de jus de citron vert, 0,5 cl de curaçao triple sec, 1 zeste de citron vert.

daiquiri
4 cl de rhum blanc, 2 cl de jus de citron vert, 1 cl de sirop de sucre de canne.

french 75
12,5 cl de champagne, 3 cl de gin, 1,5 cl de jus de citron, 1 cl de sirop de canne, 1 cerise au marasquin.

gimlet
4 cl de Plymouth gin, 2 cl de sirop lime cordial.

kashenka
5 cl de vodka, 4 fraises fraîches légèrement écrasées, 1 cuillerée de sucre en poudre, glace pilée.

macka
4 cl de gin, 1 cl de vermouth dry, 1 cl de vermouth rosso, 1 cl de crème de cassis, 11 cl d'eau gazeuse, 1 zeste de citron.

manhattan
4 cl de rye whiskey, 3 cl de vermouth rosso, 2 gouttes d'Angostura, 1 cerise au marasquin.

margarita
4 cl de tequila 100 % agave, 1 cl de curaçao triple sec, 2 cl de jus de citron vert ; servir dans un verre au bord trempé dans le sel.

mint julep
5 cl de bourbon, 6 à 8 feuilles de menthe, 2 cuillerées à café de sucre en poudre.

mojito
4 cl de rhum cubain, 8 à 10 feuilles de menthe fraîche, 2 cl de jus de citron vert, 2 cuillerées de sucre en poudre, 6 cl d'eau gazeuse

moscow mule
4 cl de vodka, 13 cl de ginger beer, 1 cl de jus de citron vert, 1 rondelle de citron vert.

negroni
3 cl de Campari, 3 cl de vermouth rosso, 1 cl de gin, 1 zeste de citron.

old-fashioned
5 cl de rye whiskey, 4 ou 5 gouttes d'Angostura bitters, 1 morceau de sucre, 2 cl d'eau plate, 1 zeste d'orange, 1 cerise au marasquin.

porto flip
4 cl de cognac, 2 cl de porto ruby, 1 cuillerée à café de sucre en poudre, 1 jaune d'œuf.

ramos gin fizz
4 cl de gin, 1 blanc d'œuf, 1,5 cl de jus de citron, 1 cl de jus de citron vert, 1 cl de sirop de sucre de canne, 1 cl de crème liquide, 3 ou 4 gouttes d'eau de fleur d'oranger, 8 cl d'eau gazeuse.

rose
4 cl de kirsch, 2 cl de vermouth dry, 1 cl de cherry brandy, 1 cerise au marasquin.

serendipiti
12 cl de champagne, 2 cl de calvados, 3 cl de jus de pomme, 1 cuillerée de sucre en poudre, 1 brin de menthe fraîche.

side car
4 cl de cognac, 1 cl de curaçao triple sec, 1,5 cl de jus de citron.

Familles de cocktails

FAMILLE	DÉFINITION	COCKTAILS	VERRE UTILISÉ
after dinners	mélange d'une liqueur et d'un alcool, ou mélange de deux liqueurs avec ou sans glace	B & B, rusty nail, black russian, stinger	double verre à cocktail, verre à old fashioned
cobblers	long drink. Vin (porto, sherry, vermouth) ou eau-de-vie (cognac, gin, whisky), trait de sirop de sucre de canne, jus de citron, glace concassée et curaçao	brandy cobbler, gin cobbler, whisky cobbler	grand tumbler
coladas	long drink préparé au shaker ou au blender. Alcool (rhum, tequila, gin, cognac), jus d'ananas, crème de coco, décoré d'ananas et de cerises	pinacolada, choco colada, italian colada, mexican colada	tumbler
collins	long drink rafraîchissant. Eau-de-vie (au choix), sucre, jus de citron, eau gazeuse, décoré soit de citron, soit d'une cerise	tom collins, vodka collins, pepito collins, jack collins, sandy collins, rhum collins	tumbler
coolers	long drink. Eau-de-vie, sucre ou sirop, jus de fruits, écorce entière de citron ou d'orange, ginger ale ou ginger beer, ou cidre, ou champagne	gin cooler, remsen cooler, vodka cooler	grand tumbler
cups	récipient avec tous les fruits de saison, sucre ou liqueur (curaçao, Cointreau, Grand Marnier, cognac), champagne ou vin, cidre ou soda	vermouth cup, Pimm's n° 1	tumbler et verre à Pimm's
daisies	boisson mi-longue préparée directement au verre. Jus de grenadine, 1/2 jus de citron, alcool de base	jack rose, pinklady, clover club	tumbler
egg nogs	boisson chaude ou froide. Un œuf (ou jaune seulement), sucre, alcool de base, lait, muscade	brandy egg nog, rhum egg nog, sherry egg nog	tumbler
fizzes	long drink préparé au shaker. Sucre, citron, alcool de base, blanc ou jaune d'œuf, soda	gin-fizz, brandy-fizz, rhum-fizz, golden-fizz	tumbler
flips	boisson mi-longue chaude ou froide. Sucre, jaune d'œuf, vin (porto, sherry, vermouth) ou eau-de-vie (cognac, gin), noix de muscade	porto flip, sherry flip, brandy flip	double verre à cocktail
grogs	servi chaud. Sucre (miel ou mélasse), alcool de base, eau bouillante, thé ou café, tranche de citron, clou de girofle	grog	verre résistant à la chaleur (dit « verre à punch »)
highballs	alcool, eau gazeuse, plate ou tonic (ginger ale, ginger beer, Coca-Cola, bitter lemon). Très populaire. Les plus connus : whisky soda et gin tonic	whisky Coca-Cola, cuba libre, vodka tonic, whisky ginger ale	tumbler
juleps	long drink. Menthe fraîche, sirop de sucre de canne, soda, whisky, scotch, bourbon, cognac, gin	mint julep, mojito, rhum julep, champagne julep	tumbler
mulls	boisson chaude pour plusieurs personnes. Vin (porto, sherry, bordeaux), œufs entiers battus, aromates (vanille, cannelle, girofle, zestes de citron et d'orange). À faire frémir sans bouillir	vin chaud	verre à punch (résistant à la chaleur)
old fashioned	petit morceau de sucre, Angostura bitter, eau gazeuse, alcool au choix, glace, décoré de tranches d'orange et de citron, et d'une cerise. Directement dans le verre	bourbon old fashioned	verre à old fashioned
pousse-café	superposition de liquides de poids, de degrés et de couleurs différents, sans mélange pour obtenir une boisson qui charme le regard. Commencer par les alcools les plus lourds et les moins alcoolisés	bleu-blanc-rouge	verre haut et étroit, avec une paille
punches	long drink ou boisson mi-longue. Jus de fruits (citron, ananas, orange, etc.), sucre ou sirop de canne, liqueur (marasquin, curaçao, etc.), alcool au choix (rhum blanc ou brun). Peut être servi chaud ou froid	tie punch (short drink), planter's punch (long drink)	verre à cocktail ou tumbler, verre à punch
sours	short drink préparé au shaker. Sucre, jus de citron ou de limette, alcool (gin, whisky, vodka, cognac)	whisky sour, amarello sour	verre à cocktail
zoom	miel, crème fraîche, alcool de base	honey moon	verre à cocktail

stinger

4 cl de cognac, 2 cl de crème de menthe blanche.

LES CLASSIQUES SANS ALCOOL

grabasco

12 cl de tonic, 6 cl de jus de pamplemousse, 2 gouttes de Tabasco.

lemon squash

1 citron pelé et coupé en quartiers, 2 cuillerées à café de sucre en poudre, eau gazeuse.

mango sparkle

5 cl de jus de mangue, 2 cl de jus de pomme, 3 cl de lemon-lime soda, 1 rondelle de citron vert.

prairie oyster

1 œuf, 1 cuillerée à café de Worcestershire sauce, 1 cuillerée à café de ketchup, 1/2 cuillerée à café de vinaigre, 1 pincée de poivre, 1 goutte de Tabasco.

pussy foot

13 cl de jus d'orange, 1 cl de sirop de grenadine, 1 cl de jus de citron, 1 cl de jus de citron vert, 1 jaune d'œuf.

santa maria

1 ananas coupé en morceaux, 20 cl de jus de pamplemousse, 20 g de roquette, 1 cl de Worcestershire sauce, 5 cl d'eau plate.

shirley temple

8 cl de ginger ale, 8 cl de lemon-lime soda, 1 cl de sirop de grenadine, 1/8 de citron vert.

virgin colada

14 cl de jus d'ananas, 5 cl de crème de coco, 1/4 de tranche d'ananas.

COCKTAIL (HORS-D'ŒUVRE) Mot qui, en cuisine, désigne un hors-d'œuvre froid, fait d'ingrédients divers et d'une présentation décorative : cocktails de crevette, de homard, de melon, etc. On dit aussi « cocktail de fruits » pour macédoine (**voir** MACÉDOINE).

cocktail de crabe

Cuire 2 crabes au court-bouillon (tourteaux ou araignées), ou utiliser de la chair de crabe en boîte ou congelée (il en faut 400 g environ). Cuire 3 échalotes finement hachées dans un verre de vin blanc, en le faisant réduire complètement. Ajouter ces échalotes à une mayonnaise bien relevée, faite avec 1 jaune d'œuf, 1/4 de litre d'huile, 1 cuillerée à dessert de moutarde forte (blanche) et 1 cuillerée à soupe de vinaigre. Incorporer 1 cuillerée à soupe de ketchup et 1 cuillerée à soupe d'estragon haché. Rectifier l'assaisonnement avec du sel, du poivre et du poivre de Cayenne. Parfumer éventuellement avec 1 verre à liqueur de cognac. Mélanger intimement cette sauce avec la chair de crabe émiettée. Garnir 4 coupes de chiffonnade de laitue assaisonnée de vinaigrette. Y répartir le cocktail de crabe et réserver au frais. Pour servir, parsemer alors de feuilles d'estragon finement ciselées.

cocktail de crevette

Le préparer comme le cocktail de crabe. Compléter la décoration avec des quartiers de tomate, d'œuf dur et des grosses crevettes.

COCKTAIL (RÉUNION) Réception organisée à l'occasion d'un événement de la vie mondaine publique (inauguration, vernissage, etc.) ou privée (fiançailles, petite réception), où les invités restent habituellement debout pour boire du champagne, des alcools ou des jus de fruits en grignotant des amuse-gueule et des petits-fours. Le cocktail a généralement lieu en fin d'après-midi dans un lieu couvert, alors que la garden-party, réception similaire, se passe dans un jardin.

COCO Boisson rafraîchissante faite de bois de réglisse macéré dans de l'eau avec du jus de citron. Le coco doit son nom à sa ressemblance avec le « lait » de la noix de coco. Très populaire aux XVIIIe et XIXe siècles, il était vendu dans les rues et les jardins publics par le « marchand de coco », qui portait son tonnelet sur le dos et proposait le gobelet pour un ou deux sous.

COCOCHAS Partie inférieure de la mâchoire, ou double menton, du merlu, en langue basque. Pour cuisiner les cocochas, il faut choisir de gros poissons.

RECETTE DE CHRISTIAN PARRA

cocochas en sauce verte

« Dans une casserole, cuire 1 kg de moules nettoyées avec 10 cl de vin blanc. Garder les moules pour une salade et filtrer délicatement le jus. Dans un plat en terre (une *cazuela* espagnole est idéale) posé sur petit feu, mettre 10 cl d'huile d'olive, 30 g d'oignon et 10 g d'ail hachés fin, et cuire 15 min. Verser le jus de cuisson des moules et laisser réduire jusqu'à 1 cm du fond du plat. Ajouter 5 g de persil haché et 40 cocochas. Cuire 3 ou 4 min en remuant doucement le plat ; le jus doit bouillir et épaissir naturellement. Assaisonner éventuellement de sel (l'eau des moules est déjà salée) et d'un peu de piment rouge moulu. Servir immédiatement. »

COCOTTE Ustensile de cuisson rond ou ovale, à parois épaisses, généralement muni de deux poignées et d'un couvercle parfaitement ajusté, destiné aux cuissons lentes à court mouillement (daubes, braisés, etc.).

L'origine de la cocotte remonte au début du XIXe siècle : c'est la version moderne de la braisière, adaptée à la cuisinière. Elle fut d'abord en fonte d'acier noire, matériau bon conducteur qui emmagasine et répartit bien la chaleur, mais présente l'inconvénient de casser et de rouiller.

Les cocottes actuelles sont le plus souvent en fonte émaillée (mate ou brillante), mais peuvent être aussi en fonte d'aluminium (plus légère), en acier inoxydable (incassable, mais moins bon conducteur et plus onéreux), en cuivre (pour les petits modèles).

Les plats « en cocotte » demandent presque toujours un premier rissolage à feu vif avant de passer au mijotage ; il faut donc que le matériau, quel qu'il soit, résiste aux écarts de température et n'attache pas. Pour assurer un échauffement plus doux, certains fonds sont rainurés, mais les plaques électriques ainsi que celles en vitrocéramique demandent un fond plat. Enfin, certaines cocottes disposent d'un couvercle creux prévu pour qu'on y verse de l'eau froide, ce qui provoque une condensation interne et la formation de gouttelettes qui retombent sur les aliments, évitant le dessèchement en cours de cuisson.

▶ Recette : ŒUF EN COCOTTE.

COCOTTE (POMMES) Apprêt de petites pommes de terre tournées (en olivette ou en gousse d'ail) puis rissolées ; le terme vient du nom donné aux demi-mondaines de la Belle Époque, coiffées de chapeaux à plumes qui les faisaient ressembler à des volatiles.

CŒUR Abat rouge des animaux de boucherie (**voir** tableau des abats page 10). Le cœur d'un bœuf de 300 kg pèse environ 2,8 kg ; celui d'un veau de 100 kg, environ 900 g ; celui d'un agneau de 18 kg, environ 130 g.

À l'achat, le cœur doit être rouge vif et ferme. Débarrassé des fibres dures et des caillots de sang qu'il contient encore, ce muscle, dépourvu de graisse, peu coûteux, peut être excellent malgré son manque de réputation gastronomique.

Le cœur de bœuf se mange rôti ou braisé, éventuellement farci ; il peut aussi être détaillé en cubes et grillé en brochettes (comme dans l'*anticucho*, plat populaire au Pérou).

Le cœur de génisse, plus tendre, est plus apprécié.

Le plus savoureux est le cœur de veau, également rôti ou poêlé en tranches.

Le cœur de porc, d'agneau et de mouton s'apprête plutôt en ragoût ou en civet.

Les cœurs de volaille sont grillés en brochettes, utilisés en terrine, hachés, ou incorporés à des salades, juste raidis dans du beurre.

cœur de veau en casserole bonne femme

Nettoyer le cœur, le saler, le poivrer et le faire revenir au beurre dans une cocotte. Le retirer. Faire revenir des lardons blanchis, ajouter des petits oignons. Remettre le cœur dans la cocotte, disposer autour des petites pommes de terre, couvrir et cuire 30 min à petit feu. Rectifier l'assaisonnement.

cœur de veau farci

Nettoyer le cœur, l'ouvrir pour en retirer les caillots de sang. L'emplir d'une farce fine (ou d'une farce de champignon). L'envelopper dans une crépine de porc. Foncer le fond d'une cocotte avec une mirepoix de carottes, d'oignons et de tomates, y disposer le cœur assaisonné et des noisettes de beurre, ajouter le bouquet garni. Couvrir et mettre 1 heure au four préchauffé à 150 °C. Ajouter du vin blanc à mi-cuisson, arroser fréquemment. Tenir le cœur au chaud. Verser le fond de veau lié dans la cocotte, faire réduire d'un tiers, passer. En napper le cœur et servir.

cœur de veau grillé en brochettes

Nettoyer le cœur et le tailler en gros cubes. Nettoyer des petits champignons de Paris. Faire macérer cœur et champignons dans un mélange d'huile d'olive, de jus de citron, d'ail et de persil haché, de sel et de poivre. Garnir des brochettes avec les cubes de cœur et les champignons alternés. Terminer chaque brochette par une toute petite tomate cerise ou olivette. Bien griller sur feu vif.

cœur de veau sauté

Nettoyer le cœur et le détailler en escalopes fines. Saler et poivrer. Faire sauter vivement au beurre moussant dans une poêle ; égoutter, tenir au chaud. Dorer dans le même beurre des champignons escalopés et les ajouter aux tranches de cœur. Déglacer la poêle au madère, faire réduire, ajouter 1 cuillerée à soupe de beurre et napper le cœur.

cœurs d'agneau à l'anglaise

Nettoyer les cœurs et les couper en tranches épaisses. Saler, poivrer, fariner les tranches et les cuire vivement au beurre, dans une poêle. Les dresser dans le plat de service chaud. Déglacer la poêle avec un peu de madère et de Harvey sauce ; verser sur les cœurs. Parsemer de persil ciselé. (En Angleterre, on prépare de cette manière la totalité de la fressure, foie, cœur, rate et poumons, les deux derniers étant préalablement blanchis.)

COGNAC Eau-de-vie de vin élaborée autour de Cognac, petite ville de la Charente.

■ **Histoire.** La distillation du vin commença tardivement dans cette région, qui, jusqu'au XVIIᵉ siècle, vécut de la vente des vins et du sel à des clients hollandais et hanséatiques. Mais une soudaine désaffection pour les vins des Charentes, due à une baisse de qualité et à la concurrence nouvelle des vins de Bordeaux, contraignit les viticulteurs à en faire de l'alcool. La distillation, considérée au début comme un pis-aller, se généralisa, et l'eau-de-vie de la région de Cognac acquit très vite une exceptionnelle réputation de qualité, due à un climat et à des sols qui lui étaient fort propices.

Aujourd'hui, le cognac provient exclusivement de vins blancs issus de cépages sélectionnés (ugni blanc principalement et colombard), récoltés et distillés dans une région délimitée qui ne couvre que deux départements (Charente et Charente-Maritime).

Les six grandes régions d'appellation existantes correspondent à des qualités différentes. La « Grande Champagne » (autour de Cognac et de Segonzac) produit les eaux-de-vie les plus fines, délicates et parfumées. La « Petite Champagne » (qui enserre la précédente au sud-ouest et à l'est) donne des eaux-de-vie moins subtiles, au vieillissement plus rapide. La production des « Borderies » (au nord de la Grande Champagne) est plus « ronde », plus douce. En couronne autour de ces trois zones, les « Fins Bois », les « Bons Bois » et les « Bois ordinaires » donnent des eaux-de-vie plus rustiques, rarement commercialisées sous le nom de leur région d'appellation. Une dénomination particulière, « fine champagne », correspond à un mélange des deux premiers crus, avec au moins 50 % du premier.

■ **Fabrication.** Le cognac est une eau-de-vie résultant d'une double distillation, effectuée dans un alambic à repasse, appelé « alambic charentais ». Les vins, avec leur lie, sont passés une première fois dans la chaudière : le « brouillis » obtenu titre environ 30 % Vol. ; distillé à nouveau, il donne la « bonne chauffe » ; le distillateur élimine alors les alcools de début et de fin de distillation, pour ne garder que le « cœur » de l'eau-de-vie, la « fleur de la vigne ». Il faut 9 litres de vin blanc pour obtenir 1 litre de cette eau-de-vie claire, odorante, mais rude et peu agréable au goût, qui titre 70 % Vol. et doit ensuite vieillir au moins deux ans.

La maturation se fait dans des fûts fabriqués avec du bois de chêne des forêts du Limousin et de Tronçais, vieilli naturellement au soleil. Jusqu'à 5 ans, le cognac est jaune pâle, avec un léger goût de vanille ; entre 5 et 10 ans, sa couleur s'intensifie et son goût s'affirme ; jusqu'à 30 ans, la diminution progressive du degré alcoolique et la formation de sucre l'adoucissent. Il faut 50 ans pour que la teneur en alcool descende naturellement des 70 % Vol. initiaux aux 40 % Vol. qui conviennent pour la consommation. On réduit donc artificiellement cette teneur en ajoutant de l'eau distillée. Le vieillissement du cognac coûte cher : chaque année, la quantité d'eau-de-vie évaporée (que l'on appelle la « part des anges ») est évaluée à plus de 20 millions de bouteilles (la production annuelle étant de l'ordre de 170 millions).

Le cognac, jamais commercialisé avant deux ans, est alors vendu sous l'appellation « Trois Étoiles ». Ensuite, « VO », « VSOP » et « Réserve » correspondent à cinq ans de vieillissement ; « Napoléon », « Extra » et « Vieille Réserve », à six ans ou plus. En réalité, les différentes qualités vendues résultent d'assemblages d'eaux-de-vie d'âges et de crus différents : de vieilles eaux-de-vie (dix, vingt ou trente ans, voire plus) sont mêlées à des produits moins âgés, l'âge du mélange étant toujours celui du cognac le plus jeune.

Les bouteilles ont des contenances et des noms différents : mignonnette (de 3 à 6 cl) ; fiasque (de 16 à 18 cl et 35 cl) ; bouteille (70 cl), avec des formes diverses ; magnum (2, 4 ou 6 bouteilles).

■ **Dégustation.** En France, il a longtemps été d'usage de servir le cognac, en digestif, dans un verre ballon ou tulipe et de le tiédir en le faisant tourner lentement dans la paume de la main, afin qu'il développe la palette de tous ses arômes. Aujourd'hui, il est aussi servi sur glace, en apéritif comme en digestif, et il est la base de nombreux cocktails comme le burgos ou le side car.

Le cognac se boit pur dans la plupart des régions d'Europe, mais il est également consommé en long drink dans les pays anglo-saxons. Ainsi, en Grande-Bretagne (où il est souvent appelé *brandy*), on le sert parfois allongé de *ginger ale* ; aux États-Unis, on le retrouve dans de nombreux cocktails ; au Canada, on l'additionne d'eau de Vichy glacée ; en Extrême-Orient, il est courant de le servir « nature », au cours d'un repas.

Le cognac apporte aussi son bouquet incomparable en cuisine, en pâtisserie et en confiserie : plats en sauce, apprêts flambés et macérations (chocolats, crêpes, fruits à l'alcool, lapin en cocotte, poulet en fricassée, sabayons).

COIGNARDE Sorte de confiture de la Suisse romande, préparée avec des coings coupés en morceaux qui cuisent longuement dans du jus de pomme ou de poire concentré jusqu'à donner une masse épaisse et foncée. La coignarde se consomme telle quelle ou avec des pommes de terre en robe des champs ; elle sert aussi à confectionner des gâteaux.

COING Fruit du cognassier, arbre de la famille des rosacées. Arrondi ou piriforme, jaune et recouvert d'un fin duvet à maturité, il dégage une odeur forte, et sa chair dure, très âpre quand elle est crue, est riche en tanin et en pectine.

Cultivé dans l'est de la France, le coing est disponible sur le marché en automne. Il est peu calorique (33 Kcal ou 138 kJ pour 100 g) et riche en potassium. Aujourd'hui, toujours additionné de sucre, il sert essentiellement à préparer des compotes et des gelées, ainsi que du ratafia et des pâtes de fruits. En Orient, on le mange également salé, farci comme le poivron ou dans des tagines et des ragoûts, voire pour accompagner des volailles rôties (caille, poulet).

Originaire du Caucase et de l'Iran, le coing, ou « poire de Cydonie », déjà très apprécié des Grecs (qui l'évidaient, l'emplissaient de miel et le faisaient cuire enrobé de pâte), est connu en France depuis des siècles. Il n'a pas seulement été employé en cuisine : ses pépins, par exemple, servaient en parfumerie et en médecine.

coings au four

Beurrer largement un plat allant au four. Peler 4 coings bien mûrs et les évider au vide-pomme sans les transpercer. Mélanger 10 cl de crème fraîche à 65 g de sucre en poudre et verser ce mélange dans les creux. Poudrer les fruits avec 130 g de sucre, enfourner à 220 °C et cuire de 30 à 35 min en arrosant plusieurs fois.

côtelettes de marcassin aux coings ▶ MARCASSIN
cotignac ▶ COTIGNAC
pâte de coing ▶ PÂTE DE FRUITS
selle de sanglier sauce aux coings ▶ SELLE
tagine d'agneau aux coings ▶ TAGINE
tarte tacoing ▶ TARTE

COING DU JAPON Fruit du cognassier du Japon, buisson d'ornement de la famille des rosacées, aux grappes de fleurs rouges. Les coings du Japon se présentent comme des baies verdâtres, ovoïdes, qui donnent un jus riche, au goût de citron. Très durs, ils apparaissent en automne et ne sont pas commercialisés. Ils ne sont consommables que cuits, essentiellement en gelée, mélangés avec des pommes (1,5 kg de coings du Japon pour 500 g de pommes).

COINTREAU Liqueur d'écorces d'oranges amères, fabriquée depuis 1849, date à laquelle les Angevins Adolphe et Jean-Édouard Cointreau imaginèrent de faire macérer ces écorces dans de l'eau-de-vie pour élaborer, selon une formule exclusive, une liqueur appelée « triple-sec ».

Le Cointreau se prépare aussi avec des oranges douces de la côte méditerranéenne. Les écorces macèrent d'abord une nuit dans de l'eau-de-vie, puis le mélange est distillé pour donner un alcoolat de 80 % Vol., dont on ne garde que le « cœur ». Redistillé, l'alcool d'orange obtenu permet d'élaborer un nouvel alcoolat par séparation des huiles et essences aromatiques les plus lourdes. Celui-ci est enfin additionné de sucre, d'alcool pur et d'eau pour le ramener à 40 % Vol. Servi dans un verre à dégustation sur glace, le Cointreau est utilisé dans de nombreux cocktails (margarita, side car).

COLA OU **KOLA** (NOIX DE) Fruit du kolatier, de la famille des malvacées, arbre d'Amérique du Sud et d'Afrique, où il est largement consommé comme stimulant. Sa teneur en caféine est analogue à celle du café, mais son action tonique est moins brutale et plus prolongée.

Aux États-Unis et en Europe, le cola est utilisé en biscuiterie et surtout pour la fabrication de boissons gazeuses, également appelées « colas ». Celles-ci, non alcoolisées, à base d'extraits naturels de fruits et de plantes, se boivent frappées, parfois allongées de jus de citron, et interviennent dans certains cocktails (en particulier avec du whisky ou du rhum).

COLBERT Nom donné à un apprêt de poisson, dont on a ôté les arêtes et qui est pané à l'anglaise, puis frit et servi avec un beurre composé (maître d'hôtel ou Colbert). Le beurre Colbert accompagne également viandes et poissons grillés, huîtres frites et œufs mollets. Quant à la sauce Colbert, elle accompagne aussi bien les légumes que les viandes et les poissons grillés. Enfin, le nom de Colbert est attaché à un consommé de volaille (garni de petits légumes tournés et de très petits œufs pochés), à des œufs et à un entremets aux abricots.
▶ Recettes : MERLAN, SAUCE.

COLCANNON Plat irlandais très populaire, fait d'une purée de pomme de terre et de chou vert, additionnée de beurre ou de lait et bien relevée avec de la ciboule hachée, du persil et du poivre.

COLÈRE (EN) Se dit d'un apprêt du merlan frit entier, présenté la queue glissée entre les dents, dressé sur papier gaufré, avec du persil frit et des quartiers de citron, et servi avec de la sauce tomate en saucière.

COLIN Nom courant du merlu (**voir** planche des poissons de mer pages 674 à 677). Le colin est employé dans de nombreuses recettes classiques de la cuisine bourgeoise (colin froid mayonnaise, filets de colin Bercy, à la florentine, etc.).

L'utilisation commerciale du vocable « colin » pour désigner d'autres poissons marins ronds à chair blanche est autorisée, à condition que le nom français officiel de l'espèce soit également mentionné.

colin à la boulangère

Saler et poivrer un morceau de colin de 1 kg, prélevé au milieu du poisson. Beurrer un plat à gratin, y placer le colin, l'arroser de beurre fondu. Émincer en rondelles très fines 750 g de pommes de terre et 200 g d'oignons. Les disposer autour du poisson. Saler, poivrer, parsemer de thym et de laurier en poudre. Arroser de 30 g de beurre fondu. Cuire de 30 à 35 min au four préchauffé à 220 °C, en arrosant souvent. Parsemer de persil ciselé et servir dans le plat de cuisson.

tranches de colin à la duxelles

Nettoyer et hacher 500 g de champignons de Paris et 2 échalotes. Incorporer 1 cuillerée à soupe de jus de citron, mélanger. Chauffer 20 g de beurre, ajouter le hachis et cuire 5 min à feu vif. Beurrer un plat à gratin, le masquer de duxelles de champignon et y disposer 4 tranches de colin. Mouiller de 1 verre de vin blanc et de 1 verre de court-bouillon. Ajouter 30 g de beurre en parcelles, du sel, du poivre et 1 bouquet garni. Mettre 25 min au four préchauffé à 245 °C, en arrosant plusieurs fois d'un peu d'eau. Égoutter les tranches et les tenir au chaud. Faire réduire la cuisson, puis remettre le colin dans le plat, napper de crème et poursuivre la cuisson 5 min.

COLIN DE VIRGINIE Variété de perdrix, de la famille des phasianidés, originaire d'Amérique du Nord et très répandue dans certaines zones d'Afrique tropicale. Récemment introduit en France, le colin de Virginie est inscrit sur la liste des espèces dont la chasse est autorisée ; il fait depuis peu l'objet d'un élevage. Ressemblant à la caille, il se prépare comme elle.

COLISÉE (LE) Vaste établissement bâti en 1770 à proximité de l'actuel rond-point des Champs-Élysées, à Paris. Pouvant accueillir des milliers de personnes, il comprenait quatre cafés, des salles de danse, une pièce d'eau, des galeries marchandes, un restaurant à prix fixe et des petits jardins intérieurs. Ce « complexe de loisirs » avant la lettre connut un vif succès, et Marie-Antoinette y vint à deux reprises ; mais, trop vaste et mal géré, *Le Colisée* fit faillite et fut démoli en 1780, laissant son nom à une rue.

COLLAGE Mode de clarification traditionnel des vins, qui sont débarrassés des particules en suspension par l'introduction d'un produit coagulant, blancs d'œuf battus en neige lorsqu'il s'agit de grands crus, sang de bœuf, gélatine ou bentonite (argile) pour les vins moins nobles. La « colle », mélangée au vin dans un fût ou une cuve, se dépose lentement au fond, en entraînant toutes les impuretés qui troublent le vin. Cette opération est suivie d'un soutirage.

COLLATION Repas léger que les catholiques prenaient les jours de jeûne. Dans la langue moderne, la collation est un repas rapide, souvent pris en dehors des heures de repas habituelles, par exemple au retour du travail, mais qui peut être relativement consistant.

COLLER Ajouter de la gélatine, ramollie à l'eau, que l'on fait dissoudre dans certaines préparations salées ou sucrées pour leur donner plus de consistance ; cela peut être un consommé, une gelée (ordinaire ou de fruit), un appareil (bavarois par exemple), une mayonnaise, etc.

C'est aussi fixer avec de la gelée fondue, sur une préparation froide, des motifs de décoration découpés (lamelles de truffe, vert de poireau, feuilles d'estragon ou de cerfeuil, etc.).

COLLIER OU **COLLET** Morceau de boucherie correspondant au cou des animaux (**voir** planches de la découpe des viandes pages 22, 108, 109 et 879). La réglementation a retenu cette dénomination pour le bœuf, le veau et le mouton, mais on emploie aussi le terme « collet ». Le collier a pour base osseuse les sept vertèbres cervicales.

Chez le bœuf, il se compose de la veine maigre, de la veine grasse et d'une partie de la griffe. En cuisine, il est surtout utilisé pour les préparations à cuisson lente : braisés, pot-au-feu, sautés, bœuf mode (parfois lardé), carbonades. Le collier de veau est presque toujours commercialisé désossé et sert à la préparation de rôtis (« en cocotte »), sautés et blanquettes. Il entre, non désossé, chez le mouton et l'agneau, dans la préparation des sautés et des navarins. Chez le porc, le collier est appelé « échine » (**voir** ce mot).

Chez les volailles, le cou fait partie des abattis ; celui de l'oie et du canard donne lieu à une préparation farcie.
► Recette : PORC.

COLLIOURE Vin AOC rouge et rosé du Roussillon, bien corsé et généreux, produit sur le même terroir que le banyuls. Le collioure, principalement issu du cépage grenache noir, est un vin fruité, sec, corsé et généreux, qui mûrit en fût et doit attendre le mois de juillet qui suit la récolte pour être commercialisé (**voir** ROUSSILLON).

COLLYBIE Nom générique de très nombreuses espèces de champignons lamellés, de taille modeste, parfois très réduite, à texture molle, putrescible. Seule la collybie patte-de-velours, aujourd'hui appelée « flammuline à pied velouté », a un intérêt culinaire pour son chapeau blanc. Connue, cultivée et consommée depuis très longtemps en Extrême-Orient, elle est, en revanche, riche en vitamines, en phosphore et en potassium.

COLOMBIE La cuisine colombienne est très abondante et très consistante. Les Colombiens sont en effet de gros mangeurs : œufs brouillés avec tomates et oignons au petit déjeuner, tamales et empanadas tout au long de la journée.

Les repas sont souvent construits autour de potées complètes, comme l'*ajiaco*, qui associe volaille, maïs, pommes de terre et avocat, le tout relevé de piment, ou le *sancocho*, à base de poisson et servi avec du manioc et des bananes vertes. Des galettes de maïs, les *arepas*, servent de pain. La noix de coco, très répandue, se retrouve aussi bien dans les plats salés que dans les préparations sucrées. Les fruits tropicaux, papayes et fruits de la Passion, côtoient fraises et oranges.

COLOMBIER Gâteau à base d'amandes et de fruits confits créé à Pont-Audemer en Normandie par le pâtissier Gaston Lenôtre en 1945. Le nom qui fut donné à ce gâteau est un hommage aux colombes de la paix.

RECETTE DE GASTON LENÔTRE

colombier

« Verser dans le bol d'un mixeur 225 g de pâte d'amande blanche et ajouter, un à un, 3 œufs entiers. Mélanger 5 min à petite vitesse. Incorporer délicatement 20 g de farine et 20 g de fécule de pomme de terre. Ajouter 65 g de beurre fondu tiède et au dernier moment 130 g de fruits confits (bigarreaux, orange, angélique, cédrat) macérés la veille avec 1 cuillerée à soupe de Grand Marnier. Faire préchauffer le four à 170 °C. Verser la préparation dans un moule beurré et chemisé d'amandes effilées. Faire cuire pendant 25 min environ. Démouler à la sortie du four sur une grille à pâtisserie. Arroser légèrement de Grand Marnier. Laisser refroidir et recouvrir de glace à l'eau (mélange de sucre glace et de sirop de sucre). Décorer avec des colombes blanches en sucre. »

COLORANT Additif destiné à modifier la couleur d'un produit alimentaire industriel ou d'un mets cuisiné, dans sa masse ou en surface (**voir** ADDITIF ALIMENTAIRE). La confiserie et la pâtisserie, les produits laitiers et les boissons sont les branches de l'industrie alimentaire où les colorants, naturels ou synthétiques, sont le plus employés.

L'emploi des colorants en alimentation n'est pas nouveau. Au Moyen Âge, la coloration du beurre avec des fleurs de souci était déjà réglementée. Quant aux plats cuisinés, on connaît l'usage du safran, du vert d'épinard ou du caramel depuis la plus haute Antiquité. Aujourd'hui, la loi est très précise et impose notamment que la présence de colorants soit mentionnée sur le conditionnement.

■ **Colorants d'origine naturelle.** Ils sont presque tous d'origine végétale, sauf la cochenille, ou carmin (E 120), la riboflavine jaune (E 101), tirée du lait, du blé, du foie ou des œufs, le caramel (E 150) et le charbon végétal (E 153). Parmi les autres, citons :
• JAUNE. La curcumine (E 100), extraite du curcuma, pour boissons, moutardes, charcuteries, produits laitiers.
• JAUNE/ROUGE. Les caroténoïdes (E 160, a, b, c, bixine, rocou, capsanthine, capsorubine), extraits de la carotte, de la tomate, du paprika, pour beurres, fromages, glaces, sirops, liqueurs, confiserie ; les xanthophylles (E 161), extraites d'algues et de champignons, pour beurres, fromages, confitures, boissons, potages, bonbons.
• ROUGE. Le rouge de betterave (E 162), obtenu à partir de racines de betterave bouillies.
• VIOLET. Les anthocyanes (E 163), extraites de l'aubergine, du cassis, du chou rouge, pour glaces, sirops, huiles, charcuteries.
• VERT. La chlorophylle et ses dérivés (E 140), pour moutardes, boissons, légumes en conserve, potages, salaisons, confitures.
■ **Colorants synthétiques.** Les colorants azoïques, presque tous rouges, constituent le groupe le plus important : azorubine (E 122), amarante (E 123), rouge cochenille A (E 124), pigment rubis (E 180, uniquement pour les croûtes de fromage) ; dans le même groupe, on trouve le noir brillant (E 151) et la tartrazine (E 102, jaune, pour les poissons séchés, en particulier). Le bleu patenté V (E 131) et le vert brillant (E 142) dérivent du triphénylméthane ; le rouge érythrosine (E 127) dérive du xanthène, et l'indigotine (E 132), de l'indigo.

Les colorants de surface sont principalement le carbonate de calcium (E 170), le bioxyde de titane (E 171), des oxydes de fer (E 172), l'aluminium, l'argent et l'or (E 173, 174 et 175).

COLORER Rehausser ou changer la couleur d'une préparation (crème, appareil, sauce, etc.) à l'aide d'un colorant naturel (vert d'épinard, jus de betterave, caramel, concentré de tomate, corail de crustacé, etc.).

Colorer une viande, c'est la caraméliser en surface en la saisissant à feu vif dans un corps gras ou en la soumettant à une chaleur rayonnante.

COLRAVE Nom utilisé dans certaines régions de la Suisse romande pour désigner le chou pommé. Il en existe des variétés aplaties, rondes et convexes, de couleur blanc verdâtre, vert foncé et bleu-violet.

COLVERT Canard sauvage migrateur, de la famille des anatidés, devenu de plus en plus sédentaire et que l'on rencontre facilement, jusque dans les grandes villes (**voir** tableaux des gibiers page 421 et des volailles et lapins pages 905 et 906).

Le mâle adulte (malart) possède un plumage multicolore : la tête et le cou sont vert foncé avec des reflets bleutés et souvent un anneau blanc à la base du cou ; le dos est bleu métallique, la gorge rousse et le ventre blanc grisâtre ; les ailes sont bleu cendré.

La femelle (bourre), un peu plus petite, a un plumage beige plus ou moins foncé, comme celui du jeune (halbran).

Le colvert s'apprête comme le canard ou le canard sauvage.
► Recette : CANARD SAUVAGE.

COLZA Plante oléagineuse de la famille des brassicacées, largement cultivée en France et en Europe. Ses graines, riches en huile, sont triturées afin de séparer l'huile de la partie solide (les protéines), appelée « tourteau » et destinée à l'alimentation des animaux d'élevage. La trituration est une opération de broyage par friction, combinant un mouvement de frottement et une forte pression.

L'huile de colza (**voir** tableau des huiles page 462) est conseillée en assaisonnement, notamment pour sa richesse en oméga-3. Elle se conserve bien et reste liquide jusqu'aux environs de 0 °C.

COMBAVA Genre de citron sphérique grumeleux, vert foncé, de la famille des rutacées. Le combava, ou gombava, est surtout connu pour son zeste au parfum puissant. Très apprécié dans les cuisines exotiques, il est employé pour confectionner des samoussas, des tartares ou des pains de poisson, des cocktails ou des sauces. Les feuilles qui se congèlent bien sont présentes dans les cuisines de Thaïlande et de Malaisie. Les fruits et les feuilles sont aussi très employés à La Réunion pour les punchs et les rougails.

COMINÉE Nom donné au Moyen Âge aux mets dans lesquels entrait le cumin, épice souvent utilisée à cette époque pour relever les potages et les plats de volaille ou de poisson.

Dans la seconde moitié du XIVᵉ siècle, le *Viandier* de Taillevent donne la recette des cominées d'amandes (sorte de velouté de volaille au verjus, additionné d'amandes mondées, de gingembre et de cumin), de géline (c'est-à-dire de poule) et d'esturgeon (en morceaux bouillis à l'eau, avec du cumin et des amandes).

> **RECETTE ANCIENNE**
>
> *cominée de gélines*
>
> « Si vous voulez faire cominée de gélines, prenez les gélines et cuisez-les en vin et eau, et faites bouillir et cueillez la graisse et tirez les gélines, et après, prenez moyeux (jaunes) d'œuf. Vous les battez, et défaites le bouillon (diluez avec la cuisson des gélines) et y mettez du cumin et mettez le tout ensemble. »

COMMERCE ÉQUITABLE Mouvement social qui promeut des normes internationales « équitables » en matière de travail, de politique sociale et d'environnement, favorables aux petits producteurs et coopératives, en particulier ceux des pays en voie de développement. Cet engagement se fait à travers la vente de leurs produits, notamment alimentaires (café, thé, fruits, etc.), dans des magasins spécialisés ou grâce à des labels décernés (Max Havelaar, TransFair, Fairtrade, etc.).

COMMODORE Se dit d'une garniture très élaborée pour grosses pièces de poisson poché, associant petites cassolettes garnies de queues d'écrevisse, quenelles en farce de merlan au beurre d'écrevisse et moules à la Villeroi, la sauce étant une sauce normande au beurre d'écrevisse.

Le consommé commodore, à base de poisson, est lié en fin de préparation à l'arrow-root, garni de clams pochés, coupés en morceaux, et de tomates en dés cuites dans le consommé.

COMPLÉMENTATION Opération consistant à rajouter certains constituants dans des produits agroalimentaires, généralement des vitamines ou des minéraux. On parle d'aliments « garantis en » ou « restaurés en » lorsque certains éléments détruits en cours de fabrication leur sont restitués.

Les aliments sont dits « enrichis en » lorsque différents éléments leur sont ajoutés en grande quantité. Ils peuvent aussi être « complémentés en » ou « supplémentés en » : c'est le cas des produits laitiers, des céréales et des jus de fruits.

On parle également de complémentation dans les régimes végétariens : il est, par exemple, conseillé d'associer dans un même repas des légumes secs et des céréales pour avoir un bon apport en protéines équivalentes à celles de la viande.

COMPOSANTS AROMATIQUES Molécules volatiles contenues dans un vin, qui forment son bouquet. Elles ne sont perçues qu'à la phase gazeuse, par voie nasale directe (odeur) et par voie rétronasale (goût). Les composants aromatiques sont habituellement classés en trois catégories : les arômes primaires, qui correspondent à la carte d'identité du cépage ; les arômes secondaires, qui apparaissent lors de la fermentation alcoolique ; les arômes tertiaires, appelés aussi « arômes de vieillissement » ou « arômes d'oxydoréduction ».

Les vins sont également classés par familles aromatiques : arômes de fleurs, de fruits frais, de fruits secs, de végétaux, de senteurs boisées, de senteurs animales, d'épices, balsamiques (goudrons, camphre), chimiques (iode, vinaigre, etc.), empyreumatiques (café, caramel, cacahouète, fumé, etc.).

COMPOTE Préparation de fruits, frais ou secs, cuits entiers ou en morceaux dans un sirop de sucre peu concentré.

Avec des fruits frais, la cuisson s'effectue par pochage au sirop, à petit feu ou à ébullition vive. Une même compote peut se composer de plusieurs espèces de fruits différentes. Elle se sert telle quelle, tiède ou frappée, avec de la chantilly, poudrée de cannelle ou de sucre vanillé, et avec des biscuits secs. On la trouve aussi dans des préparations plus élaborées (coupes glacées et bavarois, en particulier), ou dans des pâtisseries ou des entremets (chausson, tarte, charlotte). Les fruits secs doivent tremper plus ou moins longtemps dans de l'eau froide ou tiède, additionnée éventuellement d'un alcool (kirsch, rhum, armagnac) ou de thé, avant de cuire dans le sirop.

Que les fruits soient frais ou secs, le sirop de cuisson (ou la compote elle-même) est souvent diversement parfumé : vanille, zeste de citron ou d'orange, cannelle en poudre ou en écorce (pour le sirop), clous de girofle, poudre d'amande, noix de coco râpée, fruits confits, raisins secs.

On appelle également « compote » un apprêt de volaille désossée (pigeon, perdreau), voire de lapin, ayant subi une cuisson à feu doux et prolongée dans un roux, avec des petits oignons et du lard, au terme de laquelle les chairs se défont complètement (**voir** PIGEON ET PIGEONNEAU). Les oignons et les poivrons peuvent aussi être réduits en compote, ou « compotés ».

compote d'abricots étuvés

Ranger des moitiés d'abricot dans un plat à rôtir. Les poudrer de sucre et les cuire 20 min au four préchauffé à 180 °C. Dresser dans un compotier.

compote d'airelle

Faire bouillir 5 min dans 20 cl d'eau 500 g de sucre en poudre et le zeste râpé de 1/2 citron. Ajouter 1 kg d'airelles lavées et égrappées. Cuire 10 min à feu vif, puis sortir les fruits avec une écumoire et les mettre dans un compotier. Faire réduire le sirop d'un tiers si la compote doit être consommée tout de suite ou de la moitié si elle doit attendre quelques jours. Verser le sirop sur les fruits ; réserver 1 heure au moins au frais.

compote de cerise

Mouiller 300 g de sucre en poudre de 1/2 verre d'eau et cuire au « gros boulé ». Y mettre 1 kg de cerises dénoyautées, couvrir et cuire très doucement pendant 8 min. Égoutter les fruits et les verser dans un compotier. Ajouter au sirop 1 verre à liqueur de kirsch, mélanger. Verser sur les cerises et laisser refroidir.

compote de figue sèche

Faire tremper les figues dans de l'eau froide jusqu'à ce qu'elles se soient réhydratées. Préparer un sirop (densité 1,1995) composé d'un volume égal de vin rouge et de zestes de citron finement râpés. Plonger les figues dans ce mélange bouillant et cuire très doucement de 20 à 30 min.

compote de fraise

Laver les fraises, les éponger, les équeuter. Les dresser, sans les cuire, dans un compotier et les arroser de sirop (densité 1,1159) bouillant et parfumé (à l'orange, par exemple).

compote de marron

Fendre des marrons sur tout le tour en entamant les deux enveloppes en même temps. Les plonger 5 min dans de l'eau bouillante et les éplucher encore chauds. Les mettre dans un sirop parfumé à la vanille (densité 1,1609) et cuire doucement 45 min environ. Verser marrons et sirop dans un compotier, laisser refroidir et mettre dans le réfrigérateur avant de servir.

compote de mirabelle

Dénoyauter les mirabelles sans les séparer en deux. Les plonger dans un sirop bouillant (densité 1,1425) et les cuire de 10 à 12 min. Servir très frais, avec ou sans crème fraîche.

compote de pêche

Préparer un sirop vanillé de densité 1,1425. Plonger les pêches 30 secondes dans de l'eau bouillante, les rafraîchir à l'eau froide et les peler. Les laisser entières ou les partager en deux et les dénoyauter. Les plonger dans le sirop bouillant et les pocher 13 min si elles sont coupées en deux, 18 min si elles sont entières.

compote poire-pomme caramélisée

Cuire en compote séparément des poires et des pommes. Les égoutter et les dresser par couches dans un compotier. Mettre celui-ci dans le réfrigérateur. Mélanger les deux sirops de cuisson et faire réduire jusqu'à ce que le sucre commence à blondir. Verser le sucre encore bouillant sur les fruits rafraîchis et laisser prendre au frais, hors du réfrigérateur.

compote de pruneau

Faire tremper des pruneaux, s'ils sont secs, dans du thé léger tiède ; quand ils sont bien gonflés, les égoutter, les dénoyauter et les mettre dans une casserole. Les mouiller juste à hauteur d'eau froide (ou de vin blanc ou rouge) et ajouter du sucre cristallisé (100 g au maximum pour 500 g de pruneaux), 2 cuillerées à soupe de jus de citron et 1 sachet de sucre vanillé. Porter à ébullition et cuire 40 min environ. Servir tiède ou froid. On peut aussi ne pas dénoyauter les pruneaux, augmenter la quantité d'eau ou de vin et servir les pruneaux avec tout leur jus. Bien réduite et passée, cette compote peut garnir feuilletés, chaussons ou tartelettes.

compote de rhubarbe

Utiliser des tiges fraîches de rhubarbe, les effiler soigneusement et les couper en tronçons de 6 à 8 cm de long. Les blanchir 3 min à l'eau bouillante, les égoutter, les rafraîchir. Les mettre dans une bassine, les recouvrir de sirop de densité 1,2850 et cuire à couvert, sans remuer. Servir tiède ou froid. Cette compote peut être utilisée pour garnir des fonds de tarte.

compote du vieux vigneron

Peler 1 kg de pommes un peu acidulées, les couper en quartiers, les épépiner, les mettre dans une casserole épaisse avec 150 g de sucre. Couvrir et cuire à petit feu jusqu'à ce que les fruits se défassent. Préparer un sirop avec 600 g de sucre et 3/4 de litre de vin rouge. Peler 750 g de poires et autant de pêches, couper les poires en quatre et les épépiner, couper les pêches en deux et les dénoyauter. Ajouter au sirop bouillant 2 ou 3 clous de girofle, 1/2 cuillerée à café de cannelle en poudre, les pêches et les poires. Cuire de 15 à 18 min. Ajouter 50 g de beurre aux pommes, mélanger, verser dans un compotier. Quand les pêches et les poires sont cuites, les égoutter, les disposer sur la marmelade de pommes. Jeter 250 g de grains de raisin frais – ou de raisins secs gonflés dans un peu de thé léger – dans le sirop bouillant, les laisser 3 min, puis les égoutter et en garnir les autres fruits. Retirer les clous de girofle du sirop et faire réduire celui-ci jusqu'à ce qu'il épaississe. En napper la compote, la laisser refroidir complètement.

COMPOTER Laisser cuire très lentement une préparation (des oignons, un lapin en morceaux) de manière que les ingrédients se réduisent en une sorte de compote ou de marmelade (**voir** CAPILOTADE).

COMTÉ Fromage franc-comtois AOC de lait de vache (45 % au minimum de matières grasses), à pâte pressée cuite et à croûte naturelle brossée (de jaune doré à brunâtre). Le comté, appelé aussi « gruyère de Comté » (**voir** tableau des fromages français page 390), est fabriqué artisanalement en chalets de montagne ou en « fruitières », ateliers collectifs dont la création remonte au XIIIᵉ siècle. Il se présente sous la forme d'une meule à talon droit ou légèrement convexe, de 40 à 70 cm de diamètre et de 9 à 13 cm d'épaisseur, et pèse de 35 à 40 kg. Son appellation d'origine contrôlée est notée, avec le mois de fabrication, sur une plaque de caséine verte apposée sur la meule. Sa pâte, d'ivoire à jaune pâle, a peu d'odeur, une saveur fruitée et un fort bouquet, jamais piquant. Le comté se sert en fin de repas et on l'utilise largement en cuisine, soit râpé, soit en lamelles (beignets, canapés, croûtes, fondue, gratins, salades composées, soufflés).

▶ Recette : BETTERAVE.

CONCASSER Hacher ou écraser une substance plus ou moins grossièrement. On concasse en petits dés la chair de tomates préalablement mondées et épépinées. Le persil, le cerfeuil et l'estragon se concassent, à plat sur une planche, de quelques coups de couteau rapides. Les os de boucherie, de volaille ou de gibier et les arêtes de poisson sont concassés pour préparer un fond ou un fumet.

Le poivre concassé, dont les grains sont éclatés, se nomme « mignonnette ».

Enfin, on concasse de la glace vive en fragments plus ou moins gros pour garnir le récipient destiné à présenter, par exemple, du melon frappé ou du caviar très frais.

CONCENTRÉ Se dit d'une substance dont on a réduit la teneur en eau par évaporation ou par tout autre procédé. En cuisine, il s'agit des « glaces » de viande, de volaille ou de poisson ; ce sont des fonds soumis à une cuisson lente et prolongée, qui concentre les sucs en un produit sirupeux, employé surtout pour renforcer les sauces.

Le concentré de tomate est un coulis très réduit obtenu par concentration du liquide extrait des tomates, filtré pour le débarrasser des peaux et des pépins ; il est largement utilisé dans la préparation des sauces et des ragoûts. Quant aux fruits, leur traitement industriel par le froid ou par la chaleur donne des jus concentrés qui, allongés d'eau, permettent de reconstituer des boissons.

Le lait concentré est obtenu sous vide et se présente sous forme liquide ou semi-pâteuse, en boîte ou en tube. Sucré ou non, il se conserve bien. Il sert en particulier à préparer des entremets glacés ; il est très employé en confiserie et en pâtisserie industrielles.

CONCOMBRE Fruit d'une plante annuelle rampante, de la famille des cucurbitacées, qui se mange salé, cru ou cuit.

Originaire de l'Himalaya, le concombre est cultivé en Inde depuis plus de 3 000 ans. Il fut introduit en Égypte, et les Hébreux le plantèrent en Galilée. En France, on mangeait déjà du concombre au IXᵉ siècle, mais c'est l'agronome Jean de La Quintinie qui organisa sa culture sous abri, pour pouvoir le servir à la table de Louis XIV dès le mois d'avril.

Charnu, bien ferme, allongé et cylindrique, le concombre possède une chair vert pâle, croquante et fraîche, légèrement amère, sous une fine peau plus ou moins verte, brillante, lisse ou épineuse (**voir** tableau des concombres et cornichons page 239 et planche page 238). À côté des types hollandais et semi-épineux, on trouve des miniconcombres, traditionnellement cultivés au Proche-Orient. Ils ont la peau lisse et sont souvent dépourvus de graines. Le cornichon, lui, est une variété de petit concombre dont les fruits sont récoltés très jeunes.

Très riche en eau (96 %), peu calorique (12 Kcal ou 50 kJ pour 100 g), le concombre contient en outre des sels minéraux et un peu de vitamine C.

■ **Emplois.** À l'achat, un concombre bien frais est très ferme. Il doit presque toujours être pelé, car sa peau peut être assez amère, surtout pour les concombres semi-épineux. Lorsqu'il est servi cru, il vaut mieux le faire dégorger au sel, ce qui le rend plus digeste et lui fait perdre son amertume ; en revanche, sa chair devient plus molle et son arôme est moins affirmé ; il faut bien l'égoutter pour que son eau ne dénature pas l'assaisonnement (vinaigrette à l'estragon, crème, yaourt).

Le concombre se mange également cuit, soit à l'étuvée, soit sauté au beurre, ou cuisiné au gratin, au jus ou à la béchamel, en accompagnement d'une viande ou d'un poisson. On peut enfin le farcir, cru ou cuit.

Le concombre est universellement apprécié, notamment dans les cuisines de l'Europe du Nord et de l'Est (concombres à l'aigre-doux, potages froids) ou celle des pays méditerranéens (concombre à la grecque, concombre à la menthe, gaspacho, salades).

concombre : préparation pour recettes chaudes

Peler le concombre, l'ouvrir en deux et retirer les graines ; couper la pulpe en tronçons réguliers, puis tourner ceux-ci en gousses ; les plonger 2 min dans de l'eau bouillante pour les blanchir, puis les égoutter.

concombre : préparation pour recettes froides

Peler le concombre, l'ouvrir en deux et retirer les graines ; on peut alors le conserver ainsi pour le farcir, soit le tourner en gousses ou, plus simplement, le couper en demi-rondelles ou en quarts de rondelles suivant la destination finale ; on peut aussi débiter toute la pulpe en rondelles entières.

concombres à la crème

Tourner la pulpe des concombres en gousses et les blanchir à l'eau bouillante salée. Beurrer largement une sauteuse, y mettre les gousses de concombre, saler et poivrer, couvrir et cuire 10 min, tout doucement ; ajouter alors de la crème fraîche chaude (20 cl pour 1 kg de pulpe de concombre) et terminer la cuisson à découvert. Les concombres peuvent ensuite être égouttés et consommés tels, ou gratinés, ou encore servis « à la Mornay » (voir sauce Mornay page 783).

CONCOMBRES ET CORNICHONS

kiwano, ou métulon (Afrique australe)

cornichon fin de Meaux

cornichon vert petit de Paris

cornichon type semi-épineux

concombre type hollandais

concombres farcis

Prendre 2 concombres moyens, de forme régulière, les peler, les ouvrir en deux et retirer les graines en creusant un peu la pulpe. Préparer une farce à gratin. Beurrer un plat allant au four ou, mieux, le foncer de couennes dégraissées. Masquer le fond d'une brunoise de carottes et d'oignons, et parsemer d'un peu de persil haché. Garnir les demi-concombres de farce et les ranger dans le plat. Mouiller de bouillon de bœuf ou de volaille aux deux tiers de la hauteur. Porter à ébullition sur le feu, puis cuire 35 min au four préchauffé à 225 °C. Couvrir d'une feuille d'aluminium dès que le dessus de la farce commence à sécher. Dresser les concombres farcis sur le plat de service et tenir au chaud. Faire réduire la cuisson à 20 cl, lier de 1 cuillerée de beurre manié, verser sur les concombres et servir très chaud.

porc sauté au concombre ▶ WOK
potage froid de concombre ▶ POTAGE
salade de concombre
    au yaourt ▶ SALADE

CONCOMBRE DES ANTILLES Espèce voisine du concombre, originaire d'Afrique, mais surtout cultivée et consommée aux Antilles et en Amérique du Sud (Brésil), dont les fruits ovoïdes sont très épineux, comme des marrons d'Inde. Également appelé « angurie », le concombre des Antilles se consomme en salade ou confit dans du vinaigre, à la manière des cornichons.

CONCORDE Se dit d'une garniture pour grosses pièces de boucherie, composée d'une purée de pomme de terre, de carottes nouvelles tournées et glacées, et de petits pois au beurre.

CONDÉ OU CONDÉ Noms donnés à diverses préparations dédiées au Grand Condé, prince français du XVIIe siècle, et à ses descendants par les cuisiniers attachés à cette famille. Les apprêts salés sont caractérisés par la présence d'une purée de haricots rouges.

L'appellation s'applique également à des entremets froids à base de riz et de fruits pochés ; classiquement, ceux-ci sont des abricots au sirop, dressés en couronne autour d'un gâteau de riz nappé d'une sauce aux abricots et au kirsch, et décoré de cerises et de fruits confits. Cette recette de base donne lieu à de nombreuses variantes, avec des tranches d'ananas, des pêches, des fraises, etc., mais comportant toujours du riz au lait et une sauce aux fruits.

Les condés sont des petits gâteaux feuilletés, recouverts d'une couche de glace royale aux amandes, appelée « appareil à condés » ou « condé ».

▶ Recettes : ABRICOT, CRÊPE, POTAGE.

CONDIMENT Substance alimentaire utilisée pour relever le goût naturel des aliments et des mets cuisinés, stimuler l'appétit, favoriser la digestion ou conserver certains produits. « Condiment » est un terme générique très vaste, qui s'applique à la fois aux épices, aux aromates, à des sauces, à des fruits et à diverses compositions plus ou moins cuisinées. L'assaisonnement est une substance ajoutée à une préparation en cours d'élaboration, alors que le condiment, choisi en fonction de l'harmonie gustative qu'il crée, est soit un produit d'accompagnement (cornichons, fruits au vinaigre, ketchup, moutarde), soit un ingrédient (épices composées, fines herbes, fruits secs, truffes), ou un agent de conservation (huile, sel, sucre, vinaigre).

L'habitude d'utiliser les condiments est aussi ancienne que la cuisine elle-même. À l'origine, c'était surtout un moyen de conservation (dans des sauces très épicées comme le garum romain, dans le salpêtre et le verjus au Moyen Âge). La plupart des condiments sont d'origine végétale (aromates, épices, fruits secs ou confits, légumes aromatiques) ; quelques-uns, comme le nuoc-mâm vietnamien, le nam pla thaï ou le patis philippin, sont à base de poisson ou de crustacés séchés et pilés.

Les condiments s'utilisent sous les formes les plus diverses, soit à l'état brut, crus, soit après élaboration. Leur emploi est fonction des habitudes alimentaires, qui varient d'un pays à l'autre. Les Anglo-Saxons font une grande consommation de sauces et de condiments en flacons (pour accompagner les salades, les viandes froides, la charcuterie, les bouillis). Dans les pays de l'Est et du Nord, l'aigre-doux est un élément de base de l'art du condiment. Au Mexique, le cacao est un condiment très employé. Enfin, il ne faut pas oublier les colorants naturels (caramel, jus de betterave, vert d'épinard), ainsi que les essences et extraits (d'anchois, d'anis, d'amande, etc.), les vins et les alcools, certaines fleurs et jusqu'au fromage (bleus, gruyère, mozzarella, parmesan).

CONDITIONNEMENT Ensemble des techniques et des procédés destinés à conserver, à transporter et à présenter aux consommateurs les produits alimentaires. Le conditionnement doit protéger les denrées des atteintes à leur valeur nutritive ou à leur saveur. Sur le plan commercial, il faut qu'il soit à la fois attractif et pratique, mais surtout informatif (décret français de 1984 sur l'étiquetage des denrées préemballées ; en Belgique, la dernière réglementation, à peu près comparable, date de 1986, au Canada, de 1975, et en Suisse, de 1995).

Autrefois, il existait des récipients conçus pour le transport des denrées : bourriches en osier, caques et barrots en bois, pots de grès, claies de jonc et même feuilles fraîches (**voir** BOCAL, BOUTEILLE, CONSERVE, TONNEAU). Aujourd'hui, chaque aliment est commercialisé dans un emballage spécifique, parfaitement adapté à ses caractéristiques.

■ **Matériaux solides.** Du verre au plastique rigide, ils continuent d'avoir de grands avantages.

● **VERRE.** Inerte vis-à-vis des aliments, il laisse passer la lumière (sauf s'il est coloré), qui détruit peu à peu les vitamines B et C, et qui provoque le rancissement des matières grasses ; réutilisable et transparent, mais lourd, il ne supporte pas le grand froid.

● **ACIER ÉTAMÉ ET ACIER CHROMÉ.** Ils sont utilisés pour fabriquer les boîtes appertisées (boîtes de conserve) et les boîtes-formes réutilisables (boîtes à gâteaux, à bonbons) ; étanches, opaques, supportant de hautes températures, ils permettent une bonne stérilisation et une bonne conservation.

● **CARTON.** Il est très utilisé en épicerie pour les produits solides ou pulvérulents, et comme suremballage (étui protégeant un tube, une barquette) ; paraffiné ou plastifié, il résiste à l'humidité et peut contenir des liquides.

● **ALUMINIUM.** Il est employé pour fabriquer des boîtes – boissons (sodas, bières) – et des barquettes pour plats cuisinés.

● **PLASTIQUES RIGIDES.** Ils comprennent le polystyrène (emballages de yaourts, de fromages blancs), le polyéthylène (bouteilles d'huile), le chlorure de polyvinyle, le polyéthylène polytéréphtalate d'éthylène-glycol (bouteilles surtout) et le polystyrène expansé (protection contre les chocs, les variations de température) ; légers, éventuellement opaques, imperméables et ayant subi des tests d'innocuité, ces matériaux facilitent le développement du service dans l'emballage (bouchons doseurs, systèmes distributeurs, etc.).

■ **Matériaux souples.** C'est dans ce domaine que l'évolution en cuisine a été le plus sensible.

● **PAPIER NON TRAITÉ.** Il s'emploie pour la vente au détail des fruits et légumes (le papier journal est interdit), et pour l'emballage des gâteaux. Il laisse passer les odeurs, la graisse et l'humidité, mais il peut être traité pour devenir imperméable aux graisses (papier sulfurisé), aux liquides (plastification), etc.

● **PELLICULE CELLULOSIQUE.** Elle provient d'une pâte de cellulose traitée par un acide. La Cellophane est généralement plastifiée, donc imperméable ; c'était l'emballage traditionnel de l'épicerie sèche et de la confiserie.

● **FEUILLE D'ALUMINIUM.** Elle constitue la meilleure protection contre les rayons ultraviolets, la déshydratation et les odeurs. Elle supporte bien le grand froid et les variations brusques de température. En revanche, l'usage de l'aluminium est déconseillé en contact direct avec des aliments légèrement acides (jus de citron, tomate, etc.) ou des aliments salés, comme la charcuterie, car cela risque de provoquer une réaction chimique qui peut se révéler toxique pour les cellules nerveuses.

● **FILM PLASTIQUE OU ALIMENTAIRE.** Le plus utilisé se compose de polyéthylène, inerte, imperméable à l'humidité et aux odeurs, insensible au froid. Le blister est un emballage formé d'un film plastique adhérant à une barquette en carton ou en plastique (pâtisserie industrielle, viande détaillée). Il existe aussi des « sachets cuisson » en polypropylène qui permettent de cuire facilement et sans danger le riz et les plats cuisinés.

● **MATÉRIAUX COMPLEXES.** Obtenus par l'assemblage de deux ou plusieurs éléments (papier-polyéthylène, aluminium-polyvinyle), ils réunissent les qualités des matériaux associés : ils servent surtout à emballer les corps gras et à fermer des récipients qui doivent être parfaitement étanches.

● **CONDITIONNEMENTS SPÉCIAUX.** Certains d'entre eux facilitent la mise en œuvre des produits qu'ils contiennent (bouteilles de sauce munies de pompe, barquettes de plats cuisinés pour micro-ondes, aérosols de crème Chantilly, etc.).

Enfin, de nombreux produits industriels sont conditionnés sous vide ou sous atmosphère modifiée (gaz inerte), ce qui permet une conservation très longue (légumes détaillés, moutures, produits lyophilisés, etc.).

■ **Recyclage.** Le conditionnement des produits alimentaires engendre un volume de déchets considérable. Une grande partie des matériaux utilisés peut être recyclée à condition que chaque utilisateur trie ses déchets ménagers en respectant scrupuleusement les consignes de l'organisme qui les collecte.

CONDRIEU Vin blanc AOC de la vallée du Rhône, issu du cépage viognier. Ce vin généreux propose des arômes rares de violette et d'abricot. Cette petite production donne un des meilleurs vins de France (**voir** RHÔNE).

Caractéristiques des principaux types de concombres et de cornichons

TYPE	PROVENANCE	ÉPOQUE	ASPECT
hollandais (cargo, corona, girola, régina, ventura, vitalis, etc.)	Loiret, Loire-Atlantique, Yonne, Maine-et-Loire, Indre-et-Loire	févr.-nov.	longs, cylindriques, vert foncé, brillants
	Meuse, Meurthe-et-Moselle	févr.-nov.	
	Lot-et-Garonne, Haute-Garonne	avr.-sept.	
	Bouches-du-Rhône	mars-oct.	
	Pays-Bas	fin mars-fin juin	
	Espagne	fin sept.-fin déc.	
mini-concombres (zeina, italien, pepquino)	Israël	toute l'année	courts, vert brillant
semi-épineux	Sud-Est et Sud-Ouest de la France	fin juin-fin sept.	moyens, vert foncé, brillants, réguliers, semi-épineux

CONFIRE Préparer certains aliments en vue de leur conservation, soit en les faisant cuire lentement dans leur graisse (confits de porc, d'oie, de canard), soit en les enrobant de sucre ou en les plongeant dans du sirop de sucre (confiserie, fruits confits), ou en les mettant en bocaux dans de l'alcool (cerises, pruneaux à l'eau-de-vie), dans du vinaigre (câpres, pickles, cornichons) ou dans une préparation à l'aigre-doux (chutneys).

CONFISERIE Produit alimentaire à base de sucre. Le terme s'applique non seulement aux sucreries, aux friandises et aux bonbons, à l'exclusion des produits en chocolat, qui sont une branche particulière de la confiserie (**voir** CHOCOLAT), mais aussi au magasin du confiseur et à l'ensemble des techniques artisanales ou industrielles du travail du sucre.

■ **Produits de confiserie.** On distingue plusieurs catégories de produits de confiserie :
– bonbons de sucre cuit : bonbons acidulés, berlingots, rocks, sucres d'orge, sucettes, sucres de pomme, bêtises de Cambrai ;
– caramels et toffees ;
– pâtes à mâcher ;
– gommes et réglisses : gommes (boules de gomme, gommes à la réglisse), pâtes pectorales (pâte de réglisse, pâte de jujube), réglisses (durs, souples) ;
– fondants : bonbons fondants, fondants à l'eau, sucre de conserve, papillotes, papillottes lyonnaises ; fourrages divers de bonbons ;
– confiseries gélifiées : guimauves molles, meringages, marsh-mallows ;
– dragées et bonbons dragéifiés : aux amandes, argentés, au chocolat, tendres ;
– pralines ;
– nougats ;
– pastilles et comprimés ;
– pâtes de fruit ;
– pâtes d'amande (calissons d'Aix).

De nombreuses matières premières entrent dans la fabrication de ces produits : le sucre, le sirop de glucose et le sucre inverti, le miel, le lait, les matières grasses animales et végétales, les fruits (qu'ils soient frais, en conserve, surgelés ou en pulpe), le cacao, les fruits secs, la gomme arabique, la pectine, les fécules et l'amidon, la gélatine, le suc de réglisse, certains acides, les produits aromatiques naturels ou de synthèse et les colorants autorisés.

En France, la consommation moyenne de confiserie est estimée à 3,3 kg par an et par habitant (en Europe, seuls les Italiens en consomment moins). La grande majorité des produits de confiserie fait l'objet d'achats dits « d'impulsion » – en particulier de la part des enfants –, qui s'échelonnent toute l'année. Certains d'entre eux sont cependant plutôt consommés à l'occasion de fêtes (baptêmes, communions, Pâques, Noël) : c'est le cas notamment des dragées, des marrons glacés, des papillotes, des fruits confits.

■ **Histoire.** L'art du confiseur est très ancien. Son évolution a suivi la découverte des matières premières : ainsi, on a employé d'abord le miel pour enrober graines et fruits, et pour fabriquer des confiseries comparables à celles du Moyen-Orient. Le sucre de canne fut introduit en Europe par les croisés au Moyen Âge. Jusqu'à la fin du XVIIe siècle, apothicaires et confiseurs se disputèrent le privilège de la préparation et de la vente des produits à base de sucre, mais les seconds finirent par s'imposer comme corporation à part entière. L'invention du sucre de betterave, au XIXe siècle, donna un regain d'activité à la profession. De nos jours, celle-ci regroupe en France près de deux cent cinquante fabricants (petites firmes familiales et grandes industries) qui, en règle générale, ne fabriquent pas les mêmes types de produits : sucres cuits, gommes et caramels, produits dragéifiés et chewing-gums sont des secteurs très mécanisés, alors que les pâtes de fruit, les pâtes d'amande, les marrons glacés sont fabriqués par des entreprises de taille plus réduite, voire artisanales. En outre, certaines spécialités sont encore l'apanage de régions déterminées.

CONFIT Morceau de quartier de volaille (oie, canard ou dinde) ou de viande cuit dans sa graisse et mis en pot (**voir** tableau des rillettes et autres viandes confites page 738). Le confit, qui est l'une des formes de conserve les plus anciennes, est une spécialité des provinces du Sud-Ouest.

■ **Emplois.** La longue conservation du confit, la possibilité de le manger froid ou chaud, sa finesse et sa flaveur lui valent une place de choix dans la gastronomie du Gers, du Périgord et des Landes. Le confit garnit la garbure et le cassoulet, mais, surtout, il est servi accompagné de cèpes (à la basquaise), de pommes de terre sautées (à la béarnaise ou à la sarladaise), de petits pois frais et de jambon de Bayonne (à la landaise), d'une fondue d'oseille (à la périgourdine) ou encore de haricots blancs, de chou ou de lentilles. Froid et dégraissé, il s'accompagne d'une salade de pissenlit, de chicorée ou de chou blanc.

D'autres régions limitrophes ont, elles aussi, leurs spécialités de confit, comme la Saintonge avec le confit de « mulâtre » (canard croisé), Brantôme avec le confit d'oie ou de dinde truffé, et le Bordelais avec le confit de dindonneau.

■ **Préparation.** Lorsqu'on parle de confit, il s'agit le plus souvent d'oie, car l'oie de Toulouse passe pour être l'animal qui se prête le mieux à cet apprêt. Les morceaux sont d'abord mis en saumure dans une bassine appelée « grésale », avec des clous de girofle, du thym, du poivre, voire de l'ail et du laurier. Traditionnellement, ils sont cuits le jour où l'on prépare pâtés, terrines et charcuteries, après la « tuerie du cochon », dans un grand chaudron de cuivre. Pour vérifier la cuisson, on enfonce dans les cuisses et les ailes une aiguille à brider, qui doit ressortir sans trace de sang. Celles-ci sont enfin mises dans des pots de grès (dits « toupins »), préférables aux bocaux de verre qui laissent passer la lumière. Le dernier « bouchon » de graisse est soit de la graisse d'oie, soit du saindoux (que sa densité rend plus hermétique).

D'autres viandes peuvent également se traiter en confit, notamment la poule, la pintade, le lapin, la bécasse (dans le Gers) et le veau.

RECETTE DE ROGER LAMAZÈRE

confit d'oie

« Prendre une belle oie grasse, la vider entièrement et la désosser en lui retirant toute sa carcasse. La découper en quatre parties (2 ailes et 2 cuisses). Disposer celles-ci dans un récipient en les salant au gros sel (12 g par kg). Laisser reposer ainsi au froid pendant 26 heures pour que le sel pénètre dans toutes les cellules de la chair. Faire cuire dans un chaudron en cuivre, en rajoutant 2 kg de graisse d'oie, pendant 2 heures. Veiller, pendant cette cuisson, à ce que la graisse frissonne, mais ne soit pas en ébullition vive. Verser dans un pot en grès la graisse très chaude, au travers d'un chinois, et plonger les morceaux d'oie de façon qu'ils soient entièrement recouverts par la graisse. Laisser refroidir et placer le couvercle pour protéger de la poussière. En laissant le pot en grès dans une cave pendant 5 à 6 mois, on obtient un authentique confit d'oie. Pour le confit de canard, procéder de la même manière. »

---

confit d'oie à la landaise

Éplucher 8 petits oignons et tailler en dés 75 g de jambon de Bayonne. Chauffer dans une cocotte une bonne cuillerée de graisse d'oie. Y faire revenir les oignons et les dés de jambon pendant 5 min, puis 500 g de petits pois frais. Poudrer de 1 cuillerée de farine et remuer quelques instants à la cuillère de bois. Mouiller de 15 cl d'eau, poivrer et ajouter 1 cuillerée à café de sucre (pas de sel, à cause du jambon). Ajouter 1 bouquet garni enrichi de cerfeuil, couvrir et cuire 30 min. Mettre alors des morceaux de confit d'oie et poursuivre la cuisson jusqu'à ce que les petits pois soient tendres.

CONFITURE Préparation obtenue en faisant cuire des fruits entiers ou en morceaux dans un sirop de sucre, et non pas dans leur seul jus (**voir** GELÉE DE FRUITS). Dans le commerce, la réglementation stipule, entre autres, que la proportion de pulpe et/ou de purée de fruits utilisée pour la fabrication de 1 kg de produit n'est pas inférieure, en général, et pour la majorité des fruits, à 350 g pour la confiture, et à 450 g pour la confiture extra.

L'art des confitures est né au Moyen-Orient. Il fut introduit en Europe par les croisés, qui avaient découvert la canne à sucre et certains fruits encore inconnus.

■ **Choix des fruits.** Pour faire de bonnes confitures, il faut des fruits sains, et à juste maturité pour avoir leur pleine saveur. Le goût d'une confiture se rehausse avec certaines épices (cannelle, vanille), un peu d'alcool (kirsch, rhum), du caramel (pour les pommes), avec un fruit d'une autre espèce, voisine ou non, de goût plus corsé (agrumes mélangés, cerise et groseille, pêche et framboise, rhubarbe et fraise). La couleur (pour les pêches ou le melon) peut se renforcer avec des mûres ou des framboises. Certains fruits moins courants peuvent également intervenir : pastèque, tomate verte, noix fraîche, voire des espèces exotiques (goyave, mangue, noix de coco). Les petits fruits de cueillette donnent aussi de bons résultats (arbouse, aubépine, mûre, myrtille, etc.). On redécouvre également des recettes de jadis à base de fleurs (violette, courge, rose) et d'aromates (gingembre, menthe). Citons enfin la « confiture de lait », faite sans fruits ; en Amérique du Sud, c'est un produit de grande consommation, appelé *dulce de leche*, obtenu en faisant réduire lentement du lait sucré aromatisé avec de la vanille ou de la cannelle.

■ **Calendrier.** Il faut choisir des fruits de saison et parfaitement mûrs.
– Décembre à mars : citron, orange, pamplemousse.
– Mai : rhubarbe.
– Juin : fraise.
– Juillet : fraise, framboise, cerise, groseille, melon.
– Août : groseille, cassis, abricot, melon.
– Septembre : pêche, mirabelle, mûre, tomate, reine-claude, quetsche, myrtille, framboise.
– Octobre : poire, figue, pomme, raisin.
– Novembre : coing, orange, pomme, potiron, marron.

■ **Rôle du sucre.** C'est le facteur essentiel de la conservation des confitures. En principe, on utilise un poids égal de sucre et de fruits lavés, séchés, équeutés, épluchés, dénoyautés. Cependant, on peut soit augmenter légèrement ce poids pour des fruits riches en eau, soit le diminuer, pour des fruits riches en pectine (ou si l'on utilise un gélifiant, qui empâte toujours un peu la confiture). Si la proportion de sucre est trop réduite, ou s'il ne cuit pas suffisamment, la confiture risque de fermenter et se conserve mal ; s'il y a trop de sucre, la confiture est trop concentrée et a tendance à cristalliser. On peut remplacer tout ou partie du sucre par du miel, notamment avec les groseilles et les framboises.

■ **Cuisson.** Au-dessous d'une température, variable selon le fruit, la confiture reste liquide ; au-dessus, elle brûlerait. Il faut donc veiller à maintenir constamment la température prescrite pour chaque recette (**voir** SUCRE). On distingue deux phases de cuisson :
• PREMIER TEMPS. Évaporation de l'eau contenue dans les fruits : une grosse vapeur s'échappe de la bassine. C'est à la fin de cette phase que l'on écume la confiture pour assurer sa limpidité.
• SECOND TEMPS. Cuisson des fruits : l'échappement de la vapeur diminue, et les bouillons sont plus « serrés » ; le thermomètre de cuisson permet de contrôler la température. La plupart des confitures cuisent « à la nappe » : quand on y plonge une écumoire et qu'on la ressort, la confiture glisse, s'écoule en une seule masse et se fige (densité de 1,29). Pour certains fruits, une densité de 1,25 suffit.

Les fruits garderont leur parfum si leur cuisson est menée rapidement, à feu vif (pour accélérer l'évaporation), mais en remuant de temps en temps, surtout si la confiture est épaisse, et en prenant soin d'intercaler un diffuseur s'il y a risque de surchauffe.

■ **Mise en pots.** Cette opération simple doit pourtant respecter certaines règles.
– Laver soigneusement et ébouillanter les pots ; les retourner sur un torchon propre et les laisser s'égoutter sans les essuyer.
– Verser la confiture encore bouillante, par petites quantités, dans les pots, avec une louche, en les remplissant le plus possible. Bien nettoyer l'orifice en cas de débordement.
– Couvrir les pots (**voir** BOCAL). Certains préconisent de le faire avant que les confitures ne refroidissent, sinon il se forme en surface une pellicule plus dure ; d'autres, au contraire, préfèrent attendre pour éviter toute condensation et donc de la moisissure (pour les gelées, en revanche, il faut attendre qu'elles soient prises).

confiture d'abricot

Pour 1 kg d'abricots bien mûrs et dénoyautés, compter 1 kg de sucre et 10 cl d'eau. Verser le sucre et l'eau dans une bassine, et porter à ébullition ; laisser bouillir 5 min, puis écumer. Ajouter les abricots et cuire « à la nappe » (30 min environ). Mettre en pots. On peut monder et partager en deux quelques-unes des amandes des noyaux d'abricot et les ajouter à la confiture en fin de cuisson.

confiture de citron

Laver 1 kg de citrons (non traités) et prélever finement le zeste du tiers d'entre eux. Faire blanchir ces zestes 2 min à l'eau bouillante, puis les rafraîchir à l'eau froide et les tailler en filaments. Couper en tranches épaisses 2/3 des citrons, presser le reste pour en extraire le jus. Mettre dans une bassine le jus et les tranches de citron, porter à ébullition, laisser bouillir 5 min, en remuant. Ajouter les 3/4 des zestes en filaments, 1,1 kg de sucre et 11 cl d'eau. Remuer et cuire 20 min à petit feu. Ajouter alors le reste des zestes, soit directement, en mélangeant 3 min sur le feu, soit après avoir passé la confiture au chinois et après l'avoir de nouveau portée à ébullition. Mettre en pots.

confiture de fraise

Laver 1 kg de fraises, les éponger, les équeuter. Mettre 750 g de sucre cristallisé et 10 cl d'eau dans la bassine, et cuire le sirop « au boulé » (116 °C, densité 1,35). Écumer, ajouter les fraises et les cuire quelques minutes pour qu'elles rendent leur eau de végétation. Les égoutter. Chauffer de nouveau le sirop jusqu'à ce qu'il soit au boulé. Remettre les fraises dans la bassine et cuire encore 5 ou 6 min : à ce moment, le sirop est « à la nappe » (101 °C, densité 1,24) ; pour une meilleure conservation, on peut l'amener « au lissé » (103 °C, densité 1,29). Mettre en pots.

confiture de marron

Éplucher 2 kg de marrons, les mettre dans une casserole, les recouvrir d'eau froide et les cuire 40 min. Les égoutter, les passer au tamis. Peser la purée de marron et lui ajouter le même poids de sucre. Mettre le tout dans une bassine, ajouter 10 cl d'eau par kilo du mélange et 2 gousses de vanille. Cuire « au lissé » (103 °C) sur feu moyen, en remuant sans arrêt. Retirer la confiture du feu et ôter les gousses de vanille. Mettre en pots.

confiture de melon

Détailler en petits morceaux 1 kg de pulpe de melon. Les disposer dans une grande terrine en couches, poudrées de 750 g de sucre. Laisser macérer dans un endroit frais pendant 3 ou 4 heures, puis verser dans une bassine et cuire au « lissé » (103 °C). Mettre en pots.

confiture de mûre

Trier et équeuter les mûres, les peser, les mettre dans un récipient creux avec 1 verre d'eau par kg de fruits nettoyés et les laisser tremper ainsi 12 heures au moins. Verser dans la bassine fruits et eau, ajouter le jus de 1 citron par kilo de fruits, porter à ébullition et cuire 10 min à petit feu. Ajouter alors 900 g de sucre par kilo de fruits, porter de nouveau à ébullition, écumer et cuire 15 min, en remuant. Mettre en pots.

confiture d'orange

Laver 16 belles oranges juteuses à écorce fine et 3 citrons. Prélever le zeste de 2 citrons et de 4 oranges, et les hacher ; retirer l'écorce blanche de ces fruits. Couper tous les fruits en deux. Retirer la membrane blanche centrale et les pépins, les enfermer dans un nouet de mousseline et mettre celui-ci dans une jatte en le mouillant de 1/4 de litre d'eau. Couper en rondelles fines tous les demi-fruits (avec ou sans écorce), les verser dans une grande bassine avec les zestes hachés et mouiller de 4 litres d'eau. Laisser tremper ainsi pendant 24 heures, en retournant les fruits deux ou trois fois. Les mettre alors avec leur eau dans la bassine, y ajouter le nouet de mousseline, couvrir et porter à ébullition. Découvrir la bassine et cuire 2 heures à petits bouillons. Ajouter 4 kg de sucre, porter de nouveau à ébullition, puis réduire le feu pour rétablir une ébullition douce, en remuant. Écumer et poursuivre la cuisson 30 min. Mettre en pots.

confiture de reine-claude

Pour 1 kg de reines-claudes dénoyautées, compter 750 g de sucre cristallisé et 10 cl d'eau. Verser le sucre et l'eau dans une bassine, porter à ébullition et laisser bouillir 5 min, puis écumer. Ajouter les reines-claudes et cuire jusqu'à ce que le sirop nappe la cuillère de bois (104 °C environ). Mettre en pots.

confiture de rhubarbe

Effiler soigneusement et tronçonner des tiges de rhubarbe très fraîches. Verser dans une bassine 800 g de sucre cristallisé et 1/2 verre d'eau par kilo de rhubarbe ; chauffer et faire bouillir 8 min. Ajouter la rhubarbe et la laisser pocher, au seuil de l'ébullition, jusqu'à ce que les morceaux se désagrègent. Porter de nouveau à ébullition et cuire « à la nappe ». Mettre en pots.

confiture de tomate rouge

Choisir des tomates bien mûres, fermes et très saines ; retirer le pédoncule et les plonger 1 min dans de l'eau bouillante ; les peler, les couper en petits morceaux, puis les faire macérer 2 heures avec leur poids de sucre cristallisé et le jus de 2 citrons par kilo de tomates. Mettre le tout dans une bassine et porter à ébullition ; cuire tout doucement jusqu'à ce que le sirop soit à la nappe (de 1 à 1 h 15). Mettre en pots. Pour faire bien prendre la confiture, on peut soit ajouter 30 cl de jus de pomme par kilo de tomates, soit remplacer le sucre cristallisé par du sucre spécial pour confitures. Le temps de cuisson, après l'ébullition, est alors réduit à 4 min.

confiture de tomate verte

Préparer les tomates, choisies vertes, comme dans la recette précédente, mais en les laissant macérer 24 heures et en les faisant cuire avec du sucre spécial pour confitures ; le temps de cuisson est de 4 min après le début d'une bonne ébullition. Mettre en pots.

CONFITURIER Petit récipient en verre, en porcelaine ou en acier inoxydable, dont le couvercle est entaillé d'une encoche pour le passage de la cuillère de service. Il est utilisé pour présenter la confiture ou la marmelade sur la table du petit déjeuner ou du thé.

On appelle également « confiturier » un petit buffet en chêne ou en bois fruitier, à une seule porte, destiné à ranger les pots de confitures.

CONFRÉRIES ET ASSOCIATIONS Groupements de gastronomes ou d'amateurs de vin, qui ont en commun la fidélité aux traditions, l'entraide confraternelle, le souci de promotion des spécialités régionales, le goût des dégustations. Certaines confréries datent du Moyen Âge, comme la Confrérie Saint-Étienne, qui célèbre le vin d'Alsace et remonte au XIVe siècle.

■ **Confréries vineuses.** Issues souvent de vieilles sociétés bachiques et de corporations médiévales, elles ont pour but de veiller à la qualité et à l'honnêteté des vins, et à leur promotion. La notoriété des Sacavins d'Anjou (1905) et des Chevaliers du Tastevin a servi d'exemple. Ces derniers se sont réunis à Nuits-Saint-Georges lors d'un dîner de gala en 1934. Depuis, leurs cérémonies, bien arrosées, ponctuées de chants et suivies de plantureuses « disnées » au château du Clos de Vougeot, ont fait beaucoup pour la diffusion des vins de Bourgogne. À ce point que la confrérie a essaimé à l'étranger et jusqu'aux États-Unis.

● BORDELAIS. En 1949, pour sortir du marasme économique, les producteurs du Médoc ont imaginé de fonder, sur le modèle des Tastevins, une Académie des vins de Bordeaux et une Grande Confrérie vineuse : la Commanderie du bontemps de Médoc et des Graves. Des personnalités des arts et des lettres, de l'Administration, du négoce et de l'Université ont participé à son baptême, en longue robe de velours lie-de-vin et coiffe de mousseline bouillonnée, et, chaque année, les chapitres se tiennent en juin pour la fête des Fleurs et en septembre pour le ban des vendanges.

Spectaculaire, l'exemple a été suivi par de nombreux amateurs de bordeaux. Beaucoup de ces confréries, dépendant du Grand Conseil de Bordeaux, s'inspirent du passé et choisissent un nom en rapport avec l'histoire de la région ou avec des personnages historiques qui y ont vécu : elles s'intitulent jurade (ancien conseil municipal), hospitaliers (en l'honneur des Hospitaliers de Saint-Jean de Jérusalem) ou gentilshommes.

● BOURGOGNE. Cette région honore ses vins en joyeuse compagnie. Les Chevaliers du Tastevin organisent plusieurs manifestations dans l'année, en particulier à l'occasion de la vente des vins aux Hospices de Beaune et le jour de la Saint-Vincent, le 22 janvier, sous forme de fête tournante. Mais d'autres ne sont pas en reste : la Confrérie Saint-Vincent de Mâcon, qui a pour patron le saint qui aurait fait goûter le vin nouveau au Bon Dieu, les Piliers chablisiens, qui célèbrent chaque année la « saint-cochon » fin novembre, ou les Confrères des Trois-Ceps, qui organisent le 11 novembre la fête du sauvignon.

● PAYS DE LOIRE. Les associations vineuses fleurissent dans les pays de Loire, et en particulier à Chinon, patrie de François Rabelais, dont beaucoup se réclament : les Chevaliers de la Chantepleure, qui se retrouvent deux fois par an dans les caves de tuffeau de la « Bonne Dame » à Vouvray ; les Entonneurs rabelaisiens, qui se réunissent en la « Cave peinte » de Chinon ; les Compagnons de Grand Gousier, à Onzain ; les Fins Goustiers d'Anjou en chapeau de velours noir style Henri III, etc. La Confrérie des baillis de Pouilly travaille à la promotion des vins de cette cité, tandis que l'ordre des Chevaliers bretvins, qui siège au château des ducs de Bretagne, à Nantes, et les Sacavins d'Anjou, sous leur chapeau quadricorne, boivent le muscadet et le gros-plant. Comme dans les autres régions, tous portent de somptueux costumes.

● SUD-OUEST ET MIDI. Le Sud-Ouest a aussi ses gloires et ses traditions, et les noms des confréries sont presque une leçon d'histoire. À côté des plus grandes – les Viguiers royaux du Jurançon, en béret béarnais et collerette gaufrée, les Chevaliers de Tursan, les Confrères du vin de Cahors ou les Consuls de la Vinée de Bergerac –, il existe des associations de dégustateurs d'alcool, comme les Mousquetaires d'Armagnac, la Confrérie de la Raballée dau Mighot et les Dames de l'Angélique, Franc-Pineau, comité du Pineau, et la Confrérie des alambics charentais, en toque et manteau vert.

Quant aux vins du Midi, on sait qu'ils sont les plus anciens de la Gaule. De cet antique passé demeure une trace latine chez les Consuls de Septimanie (Narbonnais) ou chez les Échansons du Vidauban, en tablier et faluche rouge et or. Les Échansons des papes, eux, à Châteauneuf-du-Pape, ont choisi pour emblème une clé de bronze qui ouvre les celliers, tandis que les Commandeurs de Tavel honorent, en cape rouge à col de velours noir, le rosé du Gard. L'Espagne rayonne dès que l'on approche du Roussillon et des Corbières : voici les seigneurs de Commande majeure de Roussillon, en costume catalan à capuchon.

■ **Confréries gastronomiques.** Elles ne sont ni moins nombreuses ni moins variées que les confréries vineuses. Souvent créées pour promouvoir un produit régional – fromage, charcuterie, pâtisserie, etc. –, elles rassemblent des spécialistes de la cuisine et de l'alimentation ou de simples gourmets, souvent membres d'une même profession.

Le célèbre Club des Cent, fondé au temps de l'automobile naissante sur une idée du journaliste Louis Forest, a une vocation autant gastronomique que sportive : le règlement n'y admet que « les gourmets ayant promené au moins sur 40 000 km une fine gueule avérée ». Quant à l'Académie des Gastronomes fondée par le journaliste Curnonsky en 1928 avec Édouard de Pomiane, Maurice Maeterlinck, Paul Reboux et le marquis de Polignac, elle s'inspire de l'Académie française, et chacun de ses quarante membres doit y faire l'éloge d'un ancêtre.

L'une des toutes premières de ces académies fut l'Académie de cuisine de Joseph Favre, fondée en 1883, qui est à l'origine de la première école de cuisine. Le modèle a été imité : l'Académie Granet, à Bourg-en-Bresse, l'Académie des chroniqueurs de table, les Maîtres Cuisiniers de France, les Poulardiers de Bresse, le Club Prosper-Montagné ; quant à la Chaîne des rôtisseurs, alliée à l'Ordre mondial des gourmets, elle prône plus particulièrement l'emploi de la broche qui, « par sa droiture et sa netteté, est le symbole de la cuisine française franche et loyale ».

La charcuterie, vieille tradition française, a suscité de nombreuses confréries dans toutes les provinces. Quelques-unes se disputent la science de l'andouille : la docte et gourmande Confrérie des Taste-Andouilles du Val-d'Ajol, la Confrérie du Goûte-Andouille de Jargeau, l'Association amicale des amateurs d'authentiques andouillettes (AAAAA), la plus fermée de ces associations puisqu'elle ne compte que cinq membres. En matière de cochonnailles, l'Ouest tient bien sa place avec la Confrérie des Chevaliers du Goûte-Boudin de Mortagne-au-Perche, la Confrérie des Chevaliers des rillettes sarthoises et la Confrérie de gastronomie normande la Tripière d'or ; à Paris, les Chevaliers de Saint-Antoine, en veste blanche et cape bleue doublée de noir, détiennent tous les secrets du porc, tandis que la Confrérie du jambon de Bayonne a été fondée au Pays basque.

Dans le domaine du fromage, on trouve une variété égale avec notamment les Chevaliers du Taste-Fromage, en costume vert soutaché d'or, et ceux de Faste-Fromage, en costume violet.

Presque toutes les spécialités culinaires ont donné naissance à une association spécifique : Confrérie du cassoulet de Castelnaudary, ordre du Collier de l'Escargot de Bourgogne, ordre du Taste-Quiche, Confrérie des Chevaliers de la Pochouse, Confrérie des Taste-Cancoillotte de Franche-Comté, les Maistres de la Truffe et du Foie gras du Périgord, Compagnie de la Madeleine de Commercy. Les huîtres ont des adorateurs parmi les Galants de la Verte-Marennes, et les légumes ont également les leurs parmi les Tastos mounjetos du Comminges, les Mangeux d'Esparges de Sologne et les Compagnons de l'Asperge d'Argenteuil, etc.

CONGÉ Document officiel qui accompagne obligatoirement les vins et alcools circulant sur le territoire français et qui atteste qu'ils ont acquitté la taxe due à la régie avant leur commercialisation. Dans le cas de vins en bouteilles, le congé est souvent matérialisé par une capsule apposée sur le goulot, attestant le paiement de la taxe et portant la mention DGDI (Direction générale des douanes et des impôts).

CONGÉLATEUR Appareil frigorifique ménager, en forme d'armoire ou de coffre, alimenté électriquement, destiné à conserver les aliments jusqu'à douze mois à la température de – 18 °C, après les avoir congelés à – 24 °C minimum.

Il existe quatre types de congélateurs (label « quatre étoiles » de l'Afnor) : le modèle à deux portes (de 40 à 150 litres) associe un réfrigérateur et un congélateur superposés ; l'armoire (de 50 à 600 litres), verticale, est garnie de tiroirs de rangement et présente un encombrement au sol minimal ; le coffre (de 125 à 600 litres), horizontal, offre, à capacité égale, un plus grand volume utile ; le combiné (de 200 à 500 litres pour le congélateur) juxtapose un congélateur-armoire et un réfrigérateur.

CONGÉLATION Traitement par le froid, en vue de la conserver, d'une denrée périssable dont la température à cœur doit alors atteindre le plus rapidement possible – 10 à – 18 °C. C'est la rapidité de la cristallisation de l'eau contenue dans l'aliment qui interrompt toute évolution microbienne et permet de préserver ses qualités organoleptiques et nutritionnelles. La congélation est la première en date des méthodes d'utilisation du froid profond. Alors que la surgélation est une méthode industrielle de conservation régie par décret, la congélation se fait essentiellement au niveau domestique ; elle est sûre (s'il n'y a pas de rupture de la chaîne du froid) et facile.

■ **Produits.** Presque tous les aliments sont congelables, parfois avec un artifice : ainsi les œufs, qui ne peuvent être congelés dans leur coquille, sont cassés et légèrement battus. Le seul impératif est de ne congeler que des denrées ou des préparations d'une fraîcheur absolue. Les viandes doivent subir un temps de rassissement préalable. Plats cuisinés et pâtes de pâtisserie représentent la plus grande part des produits congelés familiaux.

■ **Préparation.** Chaque aliment nécessite d'être préparé d'une manière spécifique.

● **LÉGUMES.** Blanchir rapidement à l'eau bouillante non salée (sauf tomates et champignons), puis égoutter, plonger dans l'eau glacée, égoutter de nouveau et sécher à fond.

● **FRUITS.** Ôter pédoncules et noyaux, essuyer soigneusement sans laver, poudrer de sucre (100 g par kg).

● **VIANDE.** Dégraisser au maximum, désosser si possible, détailler en petites pièces.

● **VOLAILLE.** Plumer, vider, flamber, dégraisser, farcir d'une feuille d'aluminium froissée, brider (ou couper en morceaux).

● **POISSON.** Vider, écailler, sécher, farcir d'une feuille d'aluminium s'il est entier ; ou couper en tranches, ébarber et sécher.

● **FROMAGES À PÂTE MOLLE.** Les envelopper, à point.

● **PLATS CUISINÉS.** Interrompre leur cuisson de 10 à 20 min avant la fin.

● **PÂTES DE PÂTISSERIE.** Envelopper les pâtons, ou abaisser la pâte dans des moules en aluminium.

■ **Emballage.** Tous ces produits doivent être emballés dans une feuille d'aluminium, des feuilles et des sachets plastiques « spécial congélation », des barquettes d'aluminium et, pour les liquides, des boîtes cubiques. (Le verre et l'acier étamé sont totalement déconseillés.) Une fois emballés, il faut les étiqueter, puis les congeler en suivant scrupuleusement les indications du fabricant de l'appareil, puis les ranger le plus près possible les uns des autres.

CONGELÉS Nom donné d'une part aux aliments et aux plats conservés dans un congélateur après avoir été préparés dans ce but ; d'autre part aux produits commercialisés, soumis à un traitement par le froid et maintenus dans cet état jusqu'au moment de leur vente, dans les limites suivantes : – 20 °C : glaces et crèmes glacées ; – 18 °C : produits de la pêche et plats cuisinés ; – 14 °C : beurre et graisses animales ; – 12 °C : ovoproduits, lapin, volailles, abats ; – 10 °C : viandes et autres denrées.

Les produits doivent porter la mention de la date de congélation ; la date de la première congélation est suivie de la lettre C ; en cas de décongélation suivie de transformation et de recongélation, c'est la date de cette dernière qui est mentionnée.

Les produits achetés congelés doivent être rapidement transportés dans des récipients isothermes et stockés dans un conservateur trois étoiles (***) ou quatre étoiles (****), ou dans un congélateur.

■ **Mode d'emploi.** En général, la décongélation préalable doit être évitée quand il s'agit d'aliments que l'on a congelés soi-même ; il suffit de les mettre dans de l'eau salée en ébullition, au four ou au gril préchauffés au maximum, à la fois pour les décongeler, les saisir et les cuire. En général, la cuisson des légumes congelés est plus courte que celle des légumes frais, tandis que celle des viandes est un peu plus longue. Les plats cuisinés, placés directement dans la casserole ou au four, dans leur barquette, cuisent toujours très vite. En revanche, la décongélation reste indispensable pour les grosses pièces (volailles entières, rôtis, crustacés), les pâtons, les fruits, la pâtisserie et les fromages. Elle ne doit jamais se faire à l'air libre, mais soit dans le réfrigérateur (de 2 à 20 heures selon la nature et le volume du produit), soit dans un four (à air pulsé ou à micro-ondes, réglé sur la position « décongélation »). Dans tous les cas, la recongélation est à proscrire.

CONGOLAIS Petit-four ou bouchée, fait d'œuf (blanc ou jaune, ou les deux), de noix de coco râpée, de sucre en poudre et de lait, et cuit à four chaud. On l'appelle aussi « rocher à la noix de coco ».

CONGRE Poisson, de la famille des congridés, commun dans la Manche et l'Atlantique, appelé *sili mor* en Bretagne et *orratza* en Gascogne (**voir** planche des poissons de mer pages 674 à 677). On le trouve aussi en Méditerranée sous le nom de *fiéla* ou *fela*. Surnommé couramment « anguille de mer » à cause de son corps lisse et long de 0,5 à 1,5 m (et jusqu'à 3 m), il a la peau nue et d'un gris brunâtre, sans écailles visibles, et pèse de 5 à 15 kg (parfois jusqu'à 30 kg) ; sa mâchoire de carnassier est large et garnie de dents solides. Il est commercialisé toute l'année, soit entier, soit en tronçons, soit en tranches. Sa chair ferme, mais assez fade, convient pour les soupes et les matelotes. Les tranches taillées dans le milieu et vers la tête (comportant moins d'arêtes que la queue) peuvent être rôties.

CONSERVATEUR (ADDITIF) Additif chimique utilisé en vue d'augmenter la stabilité chimique ou microbienne d'un produit alimentaire et d'accroître sa durée de vie commerciale (**voir** ADDITIF ALIMENTAIRE). Les conservateurs représentent la catégorie d'additifs dont l'efficacité est la plus probante.

• ANTISEPTIQUES. Ce sont les plus courants. Ils comprennent en particulier l'anhydride sulfureux (E 220) et les sulfites (E 221 à 226), utilisés pour les boissons (vins, bières, jus de fruit), les fruits (secs et confits), les crevettes et les pommes de terre. Ils peuvent néanmoins entraver le métabolisme du calcium, et ils détruisent la vitamine B. Les nitrates et nitrites (E 249 à 252), employés pour le salage du beurre et en charcuterie, sont la forme moderne du salpêtre ; ils fixent la couleur des viandes et des salaisons, et, surtout, ils empêchent le développement du bacille botulique. L'acide sorbique (E 200, utilisé dans les fromages, les pruneaux, les jus de fruits, les vins), l'acide formique (E 236), l'acide acétique (E 260, c'est le vinaigre), l'acide lactique (E 270, dans le lait, les confiseries, les sodas), l'acide propionique (E 280, dans les produits de boulangerie et certains produits fermentés dont les fromages), ainsi que leurs dérivés, sont d'usage courant et d'une parfaite innocuité ; plusieurs font partie intégrante du métabolisme humain. Seuls l'acide benzoïque (E 210) et ses dérivés (E 211 à 217) peuvent susciter des allergies, d'ailleurs très rares.

• ANTIFONGIQUES. Ce sont essentiellement le diphényle et ses dérivés (E 230 à 232), ainsi que le thiabendazole (E 233). Ils sont employés pour traiter en surface les bananes, les agrumes, le pédoncule des ananas et les papiers qui les conditionnent. Ce traitement doit être mentionné sur l'étiquette. Ces conservateurs ne pénètrent pas les écorces, mais, si l'on veut utiliser les zestes, il est préférable de choisir des fruits non traités.

Au Québec, on utilise le mot « préservatif » pour désigner un additif conservateur.

CONSERVATION Maintien, pendant un temps plus ou moins long, des aliments périssables sous une forme consommable. La plupart des procédés de conservation sont ancestraux et d'origine empirique. Les découvertes biologiques de la fin du XIXᵉ siècle et le perfectionnement des techniques ont cependant considérablement amélioré et diversifié les méthodes.

La conservation, qu'elle soit industrielle, artisanale ou ménagère, consiste à interrompre ou à ralentir le développement et l'action des micro-organismes naturels et des enzymes, et d'éviter l'altération du produit.

• DÉSHYDRATATION. Ce procédé élimine de l'aliment une grande partie de son eau (qui permet les réactions d'évolution). Ainsi, le séchage et le fumage sont connus depuis l'Antiquité. En pratique ménagère, pour déshydrater des légumes, des plantes aromatiques ou des champignons, il suffit de les exposer à l'air libre ou au soleil ; on obtient le même effet pour les fruits en les mettant dans un four normal.

Au niveau industriel, la dessiccation fait appel à trois appareils (sécheurs à plateaux, pulvérisateurs ou tambours), selon la nature du produit. La lyophilisation consiste à déshydrater sous vide un produit surgelé.

• SATURATION DU MILIEU. Elle aboutit également, de façon moins directe, à éliminer l'eau. C'est le principe de la conservation par cuisson dans le sucre (confitures, confiseries) ou par salaison (viande crue plongée dans du sel sec ou une saumure saturée). Le salage intervient en outre pour conserver le beurre. La conservation à l'huile (plantes aromatiques, poisson), elle aussi fort ancienne, est limitée dans le temps.

• ENROBAGE. Il soustrait l'aliment à l'action de l'oxygène. Ainsi, traditionnellement, les œufs sont enveloppés dans des feuilles de papier ou plongés dans du lait de chaux, les fruits sont enrobés de paraffine, et les confits se conservent dans leur graisse ; la stérilisation permet cependant de les garder beaucoup plus longtemps.

• CONSERVATION ANTISEPTIQUE. Les antiseptiques créent un milieu incompatible avec toute vie microbienne, d'où leur emploi parmi les additifs autorisés. Les méthodes classiques utilisent soit le vinaigre ou l'aigre-doux (cornichons, pickles, chutneys), soit l'alcool (pour les fruits). La fermentation alcoolique (vin, bière, cidre, eau-de-vie) et la fermentation acide (choucroute) sont, à des degrés très différents, des facteurs de conservation.

• TRAITEMENT PAR LA CHALEUR. La chaleur détruit enzymes et micro-organismes, à condition que la température soit suffisamment élevée et la durée du traitement assez longue. La pasteurisation (lait, semi-conserves) ne permet qu'une conservation courte (quelques jours à quelques mois) et oblige à garder les produits dans le réfrigérateur. La stérilisation (conserves, lait UHT) permet une très longue conservation à température ambiante (**voir** APPERTISATION). Ces deux procédés entraînent néanmoins la destruction de certaines vitamines. La tyndallisation (double stérilisation à 24 heures d'intervalle) n'est pas une technique de conservation parfaite ; de plus, elle altère fortement les qualités du produit.

• TRAITEMENT PAR LE FROID. Pendant des siècles, il a fallu se contenter de la glace et de la neige naturelles. À une température de – 8 ou – 10 °C, l'activité des enzymes et des bactéries est ralentie, mais les germes ne sont pas détruits. La réfrigération (de 5 à 8 °C) permet de garder pendant quelques jours légumes, produits laitiers, boissons entamées, viande fraîche, etc. Le grand froid (congélation [–18 °C] ou surgélation [– 40 °C]) permet une conservation plus longue, jusqu'à plusieurs mois, et préserve au mieux les qualités nutritives et gustatives.

• IONISATION. Elle consiste à exposer les produits à un rayonnement ionisant, qui détruit enzymes et micro-organismes et interrompt la germination : l'industrie l'applique aux oignons, aux échalotes et à l'ail. Aujourd'hui, les appareils ménagers autorisent des temps de conservation de plus en plus longs, et les progrès réalisés dans l'emballage des produits permettent d'augmenter encore ces temps (**voir** CONDITIONNEMENT).

CONSERVE Produit alimentaire conditionné dans un récipient étanche aux liquides et aux gaz, ayant subi un traitement par la chaleur en autoclave pour assurer sa conservation à température ambiante (**voir** APPERTISATION).

Le traitement thermique se fait à des températures comprises entre 107 et 150 °C ; il permet de détruire tous les microbes, y compris les formes sporulées, l'objectif étant la destruction des spores des différentes espèces de *Clostridium botulinum*, responsable du botulisme. Plus le traitement thermique est élevé, plus il est court. La plupart des liquides subissent des traitements UHT (ultra haute température), qui préservent davantage les qualités nutritionnelles, et en particulier les vitamines.

L'étiquetage des conserves est obligatoire. Outre le nom et l'adresse du fabricant, l'étiquette doit comporter, comme pour tout produit alimentaire, la liste de tous les ingrédients (ainsi que, pour les plats cuisinés, le pourcentage respectif de viande, de garniture et de jus) et la date limite d'utilisation optimale (DLUO).

La fabrication des conserves se pratique surtout au niveau industriel. À l'échelle familiale, on parle plutôt de semi-conserves, dans la mesure où les traitements thermiques sont moins drastiques. Ceux-ci sont alors souvent relayés par d'autres traitements complémentaires de conservation, comme le saumurage ou plus simplement le froid. L'étiquetage des semi-conserves doit comporter une date limite de consommation (DLC) et la mention « à conserver entre 0 et + 4 °C » parce qu'il s'agit d'un produit frais.

■ Produits. La consommation de conserves en France était en 1990 de 43 kg par habitant ; elle est aujourd'hui de moins de 35 kg. Elle concerne des fruits et des légumes, des poissons, des plats cuisinés, dont le ravioli reste le plus vendu, des sauces et des potages. Certains produits ont acquis une renommée grâce à la conserve, comme les petits pois, les sardines, le thon ou la lamproie à la bordelaise.

CONSOMMÉ Bouillon de viande ou de poisson, servi chaud ou froid, généralement au début du repas.

• CONSOMMÉ SIMPLE. Il est constitué par le bouillon du pot-au-feu, et parfois servi comme potage clair, garni éventuellement de viande émincée, de vermicelle ou de cheveux d'ange, de tapioca, de julienne, de moelle, d'œufs pochés, de fromage râpé, de croûtons, de petites quenelles, de raviolis, etc.

• **Consommé double.** Il s'agit d'un consommé simple clarifié (**voir** CLARIFIER), ce qui l'enrichit de substances nourrissantes et très aromatiques ; ce consommé, dit « double », reçoit les garnitures les plus diverses en fonction de la base avec laquelle il est préparé : le bœuf et la volaille sont les plus usités ; le poisson et, plus encore, le gibier sont rarement employés aujourd'hui. Les consommés peuvent également être liés aux jaunes d'œuf et à la crème fraîche, ou avec de l'arrow-root.

Les consommés froids sont mis 1 ou 2 heures dans le réfrigérateur avant d'être servis. Ils peuvent prendre l'apparence d'une légère gelée très sapide, due à la plus grande concentration d'éléments nutritifs, parfois renforcée par de la gélatine.

CONSOMMÉS SIMPLES

consommé blanc simple

Ficeler 2 kg de viande de bœuf (jarret, macreuse, gîte-gîte, paleron, jumeau, plat de côtes) et 1,5 kg de jarret de bœuf (avec os), et les mettre dans une grande marmite. (Pour extraire le maximum de suc des os, les faire concasser par le boucher.) Mouiller de 7 litres d'eau froide. Porter à ébullition, et écumer délicatement la couche d'albumine légèrement coagulée qui se forme à la surface. Ajouter un peu de gros sel (il vaut mieux rectifier l'assaisonnement en fin de préparation que de saler avec excès en début de cuisson), puis 3 ou 4 grosses carottes, 100 g de navets (facultatif), 100 g de panais, épluchés, 350 g de poireaux lavés et ficelés en bouquet, 2 branches de céleri effilées, 1 oignon moyen piqué de 2 clous de girofle, 1 gousse d'ail, 1 brin de thym et 1/2 feuille de laurier, ainsi que 6 queues de persil. Cuire 4 heures au moins à tout petits bouillons. Retirer la viande et passer délicatement le bouillon à travers un chinois. Dégraisser au maximum, à chaud ou à froid (la graisse se solidifie à la surface). Ce consommé blanc peut être utilisé pour mouiller certaines préparations à la place d'eau (pot-au-feu, riz pilaf, ragoûts, etc.).

consommé de poule faisane et panais ▶ PANAIS

consommé simple de gibier

Mettre 2 kg d'épaule ou de collier de chevreuil, 1 kg d'avants de lièvre ou de lapin de garenne, 1 faisan et 1 perdrix (on peut modifier ces proportions en fonction des disponibilités), coupés en morceaux nettoyés, dans la lèchefrite du four préchauffé à 250 °C et les faire colorer. Les disposer alors dans une grande marmite, sans jeter le jus de la lèchefrite, mouiller de 6 litres d'eau froide et porter à ébullition. Pendant ce temps, éplucher 300 g de carottes, 300 g de poireaux, 300 g d'oignons, 150 g de céleri en branche. Les couper en morceaux et les faire revenir à leur tour au four dans la lèchefrite. Nouer dans une mousseline 50 g de baies de genièvre et 3 clous de girofle. Quand le bouillon atteint l'ébullition, ajouter les légumes, 50 g de queues de persil, 2 gousses d'ail pelées, 2 branches de thym, 1 feuille de laurier, 40 g de sel, 1 bouquet garni et le nouet, puis porter de nouveau à ébullition. Laisser ensuite cuire doucement pendant 3 h 30. Dégraisser et passer le bouillon : il est prêt à être servi comme potage ou à être clarifié comme du consommé de bœuf. (Désossées et réduites en purée ou en salpicon, les viandes qui ont servi à sa préparation seront ensuite utilisées pour confectionner diverses garnitures.)

consommé simple de poisson

Procéder comme pour le consommé blanc simple, mais en remplaçant le bœuf par 1,5 kg de brochet, 600 g d'arêtes de poisson blanc et 1 kg de têtes de turbot, coupés en morceaux bien nettoyés. Les mettre dans une grande marmite, mouiller de 6 litres d'eau froide et porter à ébullition. Pendant ce temps, éplucher 300 g d'oignons et 200 g de poireaux, et les émincer finement. Les mettre dans la marmite avec le poisson, 80 g de queues de persil, 30 g de céleri, 1 branche de thym, 1 feuille de laurier, 40 g de sel et 60 cl de vin blanc. Cuire 45 min à petite ébullition. Passer le bouillon au tamis. Pour clarifier 3 litres de consommé de poisson, il faut le laisser frémir sur le feu, 30 min seulement, avec 1,5 kg de chair de merlan ou de brochet hachée, 150 g de poireaux, 50 g de queues de persil et 4 blancs d'œuf crus.

consommé simple de volaille

Procéder comme pour le consommé blanc simple, mais en remplaçant les 2 kg de bœuf par une poule et 3 ou 4 abattis dorés au four, et le jarret de bœuf par 750 g de jarret de veau. Pour la clarification, remplacer le bœuf haché par 4 ou 5 abattis de volaille concassés. La poule sera utilisée pour un autre plat.

CONSOMMÉS DOUBLES

consommé Bizet

Confectionner de très petites quenelles de volaille additionnées d'estragon haché. Les faire pocher dans 1,5 litre de consommé de volaille. Clarifier celui-ci, le lier légèrement de tapioca, le garnir des quenelles et le parsemer de pluches de cerfeuil. Servir avec de petites profiteroles fourrées d'une brunoise.

consommé Brillat-Savarin

Lier de fécule de maïs 1,5 litre de consommé de volaille et le garnir de 2 cuillerées à soupe de julienne de blanc de volaille pochée et de 2 cuillerées à soupe de chiffonnade de laitue et d'oseille. Parsemer de pluches de cerfeuil et servir à part 2 cuillerées à soupe de lanières fines de crêpes salées.

consommé à l'essence de céleri ou d'estragon

Ajouter aux autres éléments, au moment de la clarification, 1,5 litre de consommé de bœuf ou de volaille, le cœur d'un pied de céleri finement émincé, ou, à la fin de la clarification, avant de la passer, 20 g de feuilles d'estragon frais.

consommé Florette

Faire fondre au beurre 150 g de fine julienne de poireau, arroser de consommé blanc, faire réduire à sec. Cuire 2 cuillerées à soupe de riz dans 1,5 litre de consommé bien aromatisé, y ajouter le poireau. Servir en même temps de la crème fraîche très épaisse et du parmesan râpé.

consommé à l'impériale

Faire pocher dans un bouillon des petites crêtes et des rognons de coq. Cuire dans 1,5 litre de consommé 2 cuillerées à soupe de riz. Ajouter 2 ou 3 cuillerées à soupe de petits pois cuits, les crêtes et les rognons de coq, et une julienne très fine de crêpes salées.

consommé Léopold

Faire fondre au beurre une chiffonnade d'oseille pour en garder 2 cuillerées à soupe. Cuire 2 cuillerées à soupe de semoule dans 1,5 litre de consommé. Y ajouter l'oseille et des pluches de cerfeuil.

consommé à la madrilène

Avant de clarifier 1,5 litre de consommé de volaille, y ajouter 30 cl de pulpe de tomate crue tamisée. Passer le consommé au tamis très fin, ajouter une pointe de poivre de Cayenne et laisser refroidir complètement, puis mettre dans le réfrigérateur. Servir froid, en tasses, garni ou non de tout petits dés de poivron rouge cuits au bouillon.

consommé Nesselrode

Préparer, d'une part, un consommé de gibier et, d'autre part, de très petits choux salés. Fourrer la moitié de ceux-ci de purée de marron additionnée du tiers de son poids de purée d'oignon, et l'autre moitié d'une duxelles de champignons bien sèche. Garnir le consommé de ces profiteroles.

consommé aux nids d'hirondelle

Préparer un consommé de volaille corsé (en Chine, c'est traditionnellement un bouillon de canard) et le clarifier. Laisser tremper 2 heures dans de l'eau froide des nids d'hirondelle (12 g en moyenne, 1 par bol de bouillon). Quand ils sont devenus translucides, les débarrasser de tous les petits débris (de coquille, le plus souvent) qu'ils contiennent et les plonger 5 min dans de l'eau bouillante. Les égoutter et les

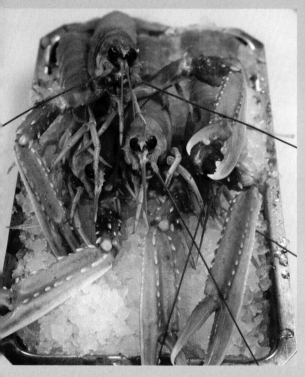

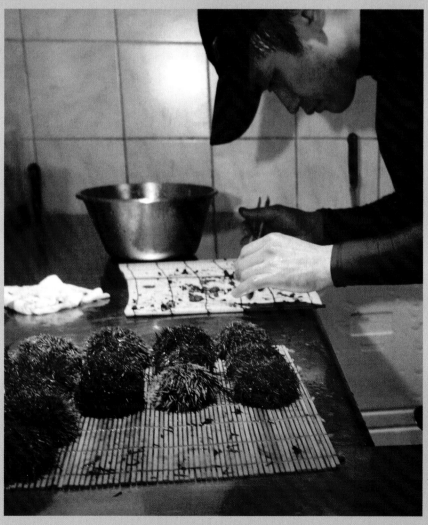

« Langoustines, coquilles Saint-Jacques, oursins, huîtres et autres créatures des mers sont de la fête. Extra par leur fraîcheur, apprêtés avec minutie, ils font le régal des clients des restaurants GARNIER et KAISEKI, de l'HÔTEL DE CRILLON et de POTEL ET CHABOT. »

ajouter dans le consommé bouillant. Cuire 30 à 45 min, sans ébullition. Servir le consommé garni de nids bouillants dans des bols en porcelaine.

consommé Pepita

Préparer une royale tomatée, la couper en dés ; peler et épépiner 1 poivron vert, le couper en dés ; cuire ceux-ci dans un peu de consommé. Aromatiser de paprika 2 cuillerées à soupe de concentré de tomate et les ajouter au consommé, ainsi que la royale et le poivron.

consommé princesse

Étuver au beurre 15 pointes de petites asperges vertes. Confectionner 15 petites quenelles de volaille et les pocher dans du bouillon bien aromatisé. Les ajouter à 1,5 litre de consommé avec les pointes d'asperge et des pluches de cerfeuil.

consommé aux profiteroles

Préparer 20 petites profiteroles fourrées d'une purée de viande, de gibier, de légumes ou de volaille. Lier au tapioca le consommé correspondant, le parsemer de pluches de cerfeuil. Servir les profiteroles en même temps, mais à part.

consommé à la reine

Préparer un consommé de volaille et de la royale ordinaire. Tailler en fine julienne les blancs d'une volaille pochée au court-bouillon. Lier le consommé au tapioca ; le garnir de royale (détaillée en dés ou en losanges) et de la julienne de volaille.

consommé Saint-Hubert

Préparer 1,5 litre de consommé de gibier, ajouter 10 cl de bon vin blanc, le lier au tapioca, puis le garnir d'une royale ordinaire et d'une julienne de champignons étuvée au madère.

CONSTANTIA Vin produit par le plus ancien vignoble d'Afrique du Sud, planté aux environs du Cap à la fin du XVIIe siècle. Très réputé au XIXe siècle en Angleterre et en France sous le nom de « vin de Constance », ce vin de liqueur un peu musqué, issu du cépage bordelais muscadelle, est aujourd'hui produit en petite quantité.

CONTENANCE ET CAPACITÉ Volume intérieur d'un récipient, déterminant la quantité de produit qu'il peut renfermer. Dans la pratique, on parle de capacité pour les bouteilles et de contenance pour les autres récipients. La différence qui existe toujours entre le contenu nominal (contenance du récipient) et le contenu effectif (volume ou poids net contenu) a fait l'objet d'une normalisation, notamment pour les conserves appertisées, dont le poids varie à contenance égale, et pour les boissons, notamment le vin et la bière. Le signe « e » figurant sur l'étiquette signifie que le conditionneur a effectué un contrôle métrologique (« e » étant l'abréviation du mot anglais *estimate*, qui signifie « environ »).

En cuisine, on se sert couramment de récipients usuels pour estimer le volume de certaines denrées ; la densité du produit et la possibilité de le tasser font varier son poids (ainsi, une cuillerée à soupe de farine pèse 30 g bombée, 15 g rase).
– Assiette à soupe : de 25 à 30 cl (de 250 à 300 cm³).
– Bol : 35 cl (350 cm³).
– Cuillère à café : 0,5 cl (5 cm³).
– Cuillère à dessert : 1 cl (10 cm³).
– Cuillère à soupe : 1,5 cl (15 cm³).
– Tasse à café : 10 cl (100 cm³).
– Tasse à déjeuner : de 20 à 25 cl (de 200 à 250 cm³).
– Tasse à moka : de 8 à 9 cl (de 80 à 90 cm³).
– Tasse à thé : de 12 à 15 cl (de 120 à 150 cm³).
– Verre à bordeaux : de 10 à 12 cl (de 100 à 120 cm³).
– Verre à eau : de 20 à 25 cl (de 200 à 250 cm³).
– Verre à liqueur : de 2,5 à 3 cl (de 25 à 30 cm³).
– Verre à madère : de 5 à 6 cl (de 50 à 60 cm³).
– Verre à whisky : de 20 à 25 cl (de 200 à 250 cm³).

CONTI Nom donné, en cuisine classique, aux apprêts comportant des lentilles. Pour les pièces de boucherie Conti rôties, poêlées ou braisées, la garniture est une purée de lentilles cuite avec du lard maigre servi en lamelles. Pour la garniture Conti, la purée de lentilles entre dans la composition de croquettes, que l'on accompagne de pommes rissolées. Pour les œufs sur le plat Conti, seule la purée de lentilles intervient en bordure ; dans le potage Conti, elle est allongée de bouillon et liée au beurre frais avec des croûtons.

CONTICINI (PHILIPPE) Pâtissier français (Choisy-le-Roi 1963). Il fait son apprentissage chez *Maxim's*, passe son CAP en pâtisserie, se forme chez *Nezard* rue Notre-Dame-des-Champs à Paris, avec Jacques Chibois au *Gray d'Albion* à Cannes, puis chez *Peltier* rue de Sèvres, avant d'ouvrir, avec son frère Christian, *la Table d'Anvers* où il révolutionne la pâtisserie de restaurant à coup de mousses, crèmes, entremets, glaces aux saveurs et couleurs étonnantes. Après une expérience de chef chez *Petrossian*, puis de conseil chez *Peltier*, il devient consultant à temps plein et publie de nombreux ouvrages où il réhabilite les produits industriels, comme *Sensations Nutella* (2005) ou *Concentré de délices* (2006).

CONTISER Sertir des lames de truffe ou de langue écarlate, taillées en petites crêtes, à la surface de filets de volaille, de gibier ou de poisson (de sole, principalement). On pratique de petites incisions dans les filets crus, à intervalles réguliers, et on y introduit les décors, préalablement trempés dans du blanc d'œuf pour les faire adhérer.

CONVERSATION Petite pâtisserie aux amandes en pâte feuilletée nappée de glace royale et décorée de croisillons de feuilletage. Elle serait née à la fin du XVIIIe siècle et devrait son nom au titre d'un ouvrage alors à la mode, *les Conversations d'Émilie*, de Mme d'Épinay (1774).

conversations

Casser 3 œufs en séparant blancs et jaunes. Travailler 150 g de beurre en pommade à l'aide d'une spatule de bois, y incorporer 150 g de sucre en poudre, et les 3 jaunes d'œuf, un par un. Mélanger intimement, puis ajouter 175 g de poudre d'amande. Bien remuer, puis incorporer 50 g de fécule et 1 sachet de sucre vanillé. Partager 400 g de pâte feuilletée en 3 masses (2 masses égales, la troisième plus petite). Étendre les deux premières masses au rouleau et, avec l'une des abaisses, foncer 8 moules à tartelette beurrés. Les garnir de crème aux amandes, en l'étalant sur le fond, régulièrement, jusqu'à 1/2 cm du bord. Mouiller d'eau la couronne laissée libre. Les moules étant rangés les uns contre les autres, les recouvrir avec la seconde abaisse. Coller celle-ci en passant le rouleau, qui dans le même temps, la découpera. Battre 2 blancs en neige molle en y incorporant 250 g de sucre glace et étaler ce glaçage sur les conversations. Aplatir le reste de la pâte, la découper en bandelettes de 3 mm de large, et les disposer en losanges sur le glaçage en les entrelaçant. Laisser reposer 15 min avant de cuire 30 min au four préchauffé à 180-190 °C. Servir froid.

CONVIVIALITÉ Terme adopté dans les années 1970 par le langage de la sociologie pour désigner la satisfaction qu'éprouvent plusieurs personnes à se trouver ensemble, et qui se manifeste notamment par le plaisir de partager un repas.

Dans toutes les traditions, le repas pris en commun est un acte social fondamental, qui s'accompagne souvent de symboles de bienvenue, notamment dans les civilisations moyen-orientale et russe. On accueille un étranger en partageant du pain et du sel, en offrant une tasse de thé. Ce moment privilégié crée des obligations et des droits mutuels : l'hôte protège son invité, mais le convive respecte les règles de celui qui le reçoit et ne doit pas trahir sa confiance.

Dans toutes les sociétés, chaque circonstance de la vie, heureuse ou malheureuse, chaque événement d'ordre religieux ou social est célébré par un repas, une distribution de friandises et de victuailles diverses.

COOKIE Petit gâteau sec américain, individuel, sucré et cuit au four sur une plaque. Les cookies sont souvent des sablés, agrémentés d'ingrédients divers : pépites de chocolat, gingembre, noisettes, noix de pecan.

RECETTE DE PIERRE HERMÉ

cookies au chocolat noir

POUR 30 PIÈCES ENVIRON – PRÉPARATION : 15 min – CUISSON : 15 min par fournée – RÉFRIGÉRATION : 2 h

« Tamiser 225 g de farine avec 5 g de levure chimique et 2 g de bicarbonate de sodium officinal. Couper 150 g de beurre en morceaux et les mixer au robot jusqu'à ce qu'il soit crémeux. Incorporer 240 g de cassonade et 5 g de fleur de sel. Mixer à nouveau jusqu'à ce que le sucre soit mêlé au beurre. Ajouter 1 œuf et demi (75 g). Mixer encore 3 min. Hacher grossièrement 120 g de noix de pecan. Couper en petits morceaux 240 g de chocolat noir à 70 % de cacao. Incorporer à la pâte noix de pecan hachées, morceaux de chocolat et farine. Mixer à nouveau 2 ou 3 min. Donner à la pâte la forme d'une boule. La rouler de façon régulière sur du papier sulfurisé jusqu'à lui donner la forme d'un boudin de 6 cm de diamètre. La réserver 2 heures au réfrigérateur. Préchauffer le four à 170 °C. Sortir le boudin de pâte du réfrigérateur et le couper en rondelles de 1 cm d'épaisseur. En disposer une série sur une plaque de four recouverte de papier sulfurisé. Enfourner et cuire 12 min. Renouveler l'opération jusqu'à épuisement de la pâte. Laisser refroidir les cookies sur une grille à pâtisserie. »

COPEAUX Apprêts de pâtisserie légers en forme de copeaux, de petits tuyaux ou d'éventails. On donne aussi ce nom à un décor en chocolat – typique du gâteau de la Forêt-Noire –, obtenu en « rabotant » l'arête d'une tablette avec la lame d'un couteau, ou en étalant du chocolat fondu sur du marbre et en le raclant lorsqu'il commence à durcir.

COPPA Charcuterie italienne (Tessin) ou corse, faite d'échine de porc désossée et parée, salée et marinée au vin rouge et à l'ail, puis enfermée dans un boyau (**voir** planche de charcuterie pages 193 et 194). La coppa est séchée, mais pas dure. Assez grasse, aromatisée et de saveur fine, elle se consomme nature, en tranches fines ; elle est aussi utilisée comme le bacon.

COPRAH Amande de la noix de coco, débarrassée de sa coque, séchée au soleil, concassée et prête à être pressée pour en extraire de l'huile. Cette huile, utilisée depuis longtemps en savonnerie, est entrée dans le domaine alimentaire quand on est parvenu à lui ôter tout caractère rance. Depuis, grâce à sa longue conservation et à sa saveur neutre, elle a été commercialisée comme graisse végétale, sous des noms différents.

COPRIN CHEVELU Champignon à lamelles, de la famille des agaricacées, dont le chapeau en cloche est rabattu contre le pied et couvert de mèches ocre (**voir** planche des champignons pages 188 et 189). Il doit être récolté jeune et consommé dans les heures qui suivent sa cueillette. Les coprins ont tous une nature éphémère et une déliquescence rapide. Le coprin chevelu se mange à la croque-au-sel ou sauté, à l'huile ou au beurre, avec une pointe d'ail ; il ne faut jamais lui ajouter d'alcool.

COQ Oiseau domestique, de la famille des gallinacés, mâle de la poule (**voir** tableau des volailles et lapins pages 905 et 906). Dans l'élevage fermier, on gardait les coqs bons reproducteurs tant qu'ils assuraient leur rôle. Ils étaient donc âgés lorsqu'on les abattait et devaient subir une longue cuisson, du genre daube. Aujourd'hui, ces plats sont très souvent préparés avec du poulet ou de la poule.

Les crêtes et les rognons constituent une garniture qui était très fréquente dans la cuisine ancienne.

---

coq en pâte

Habiller et flamber un coq ; en ôter le bréchet et le farcir copieusement avec du foie gras et des truffes, coupés en gros dés (salés, épicés et arrosés d'un peu de cognac), et un peu de farce fine. Brider la volaille en entrée. La dorer sur tous les côtés dans 20 g de beurre. La recouvrir de 300 g de matignon et l'envelopper dans une crépine de porc trempée dans de l'eau froide et épongée. La poser sur une abaisse ovale de pâte à foncer préparée avec 500 g de farine, 300 g de beurre, 1 œuf, 10 cl d'eau et 10 g de sel, et la recouvrir d'une abaisse de même pâte. Bien souder les bords en les pinçant. (Aujourd'hui, la volaille est le plus souvent placée dans une terrine ovale qui la contient tout juste et simplement recouverte de pâte à foncer.) Dorer la pâte à l'œuf. Ménager une cheminée. Cuire 1 h 20 au four préchauffé à 220 °C, en protégeant d'une feuille d'aluminium en fin de cuisson. Servir avec une sauce Périgueux à part.

---

coq au vin à la mode rustique

Saler et poivrer 1 coq coupé en morceaux. Éplucher 12 petits oignons blancs. Blanchir 125 g de lardons maigres. Chauffer 1 cuillerée à soupe d'huile et 60 g de beurre dans une cocotte. Y faire dorer les lardons et les oignons. Les égoutter. Les remplacer par les morceaux de coq, en les retournant plusieurs fois, puis remettre les lardons et les oignons. Bien remuer. Chauffer 1 cuillerée à soupe de cognac, la verser dans la cocotte et flamber. Ajouter petit à petit 75 cl de vin rouge, 1 bouquet garni et 2 gousses d'ail écrasées. Porter lentement à ébullition, couvrir et laisser mijoter 1 heure. Nettoyer et émincer 200 g de champignons de Paris. Les faire sauter dans 30 g de beurre et les ajouter dans la cocotte. Poursuivre la cuisson de 20 à 25 min. Quelques minutes avant de servir, mélanger dans un bol 60 g de beurre et 1 cuillerée à soupe de farine. Délayer avec un peu de sauce chaude, puis verser petit à petit dans la cocotte. Remuer 5 min, puis ajouter 3 cuillerées à soupe de sang de volaille et laisser épaissir 5 min en remuant sans arrêt. Servir très chaud avec de petites pommes de terre vapeur ou des pâtes fraîches.

rognons de coq pour garnitures ▶ ROGNON
salpicon de crêtes de coq ▶ SALPICON

COQ DE BRUYÈRE Gibier à plume, de la famille des tétraonidés, appelé aussi « grand tétras ». De la taille d'un dindon, le mâle adulte peut peser jusqu'à 8 kg ; sa chasse est strictement réglementée. Il vit dans les régions froides et montagneuses d'Europe septentrionale et centrale et, en France, dans les Ardennes, les Vosges, les Pyrénées ; il se nourrit de bourgeons de résineux, ce qui donne à sa chair un goût prononcé de résine. On lui préfère, en cuisine, le petit coq de bruyère des Alpes, ou tétras-lyre ; sa chair délicate, plus blanche que celle du faisan, s'apprête comme celle-ci.

Au Canada, on ne trouve pas de coq de bruyère, mais plusieurs autres variétés de tétras.

COQ ROUGE Poisson de la famille des serranidés, reconnaissable à sa couleur rouge vermillon et à ses nombreux points bleus (**voir** planche des poissons de mer pages 674 à 677). Le coq rouge, long de 40 cm environ, est très commun sur les côtes proches du littoral de l'Afrique de l'Ouest.

Comme la plupart des mérous, dont il fait partie, il a une chair excellente et se prépare facilement, grillé en darnes ou en carpaccio mariné dans du citron vert et de l'huile d'olive.

COQUE Petit coquillage de 3 à 4 cm, qui vit sur les fonds sableux ou vaseux (**voir** tableau des coquillages page 250). Ses deux coquilles égales portent vingt-six côtes bien marquées et renferment une noisette de chair et un minuscule corail.

Les coques retiennent du sable ; il faut les laisser dégorger 12 heures dans de l'eau de mer ou de l'eau bien salée avant de les utiliser. Vendues au litre ou encore au kilo, elles se mangent crues, mais surtout cuites, comme les moules. Celles de Picardie, dites « hénons », sont réputées.

COQUE (À LA) Se dit d'un mode de cuisson de l'œuf immergé de 3 à 4 min dans de l'eau bouillante et dégusté à même la coquille, posé dans un coquetier. Cette expression s'applique également aux mets que l'on fait pocher sans épluchage (pêche). Certains auteurs veulent écrire « à la coq », par allusion au nom donné au cuisinier à bord d'un navire (maître coq).

On désigne aussi par ce terme divers mets que l'on déguste dans leur enveloppe naturelle.

▶ Recettes : œuf à la coque, perdreau et perdrix.

COQUE (APPRÊT) Petit apprêt de pâte en meringue, à progrès ou à succès, utilisé pour réaliser des petits-fours ou des gâteaux ; les coques à petits-fours sont soudées deux à deux par une marmelade de fruits, une crème au beurre parfumée ou de la crème de marron, puis éventuellement glacées au fondant. Les meringues sont réunies par deux avec de la crème pralinée, de la chantilly ou de la glace.

COQUE (GÂTEAU) Brioche aux fruits confits, préparée dans le sud de la France comme gâteau des Rois, pour Pâques, ou en couronne lors de fêtes familiales. Celle de Limoux est au cédrat ; dans l'Aveyron, elle est parfumée à la fleur d'oranger, au cédrat et au rhum.

COQUELET Jeune coq de 500 à 600 g environ, dont la consommation est aujourd'hui devenue à la mode. Sa chair, à peine faite, a peu de saveur (celle des volailles de 750 à 900 g est moins insipide). Le coquelet se consomme rôti, grillé ou pané et frit, et s'accompagne d'une sauce relevée (citron, poivre vert). On ne le découpe pas, mais on le fend en deux dans le sens de la longueur.

COQUELICOT Plante de la famille des papavéracées, dont la fleur est d'un rouge éclatant. Ses pétales sont utilisés comme colorant en confiserie, notamment pour la fabrication des « coquelicots de Nemours », bonbons plats et rectangulaires de sucre cuit, coloré en rouge et parfumé. Très délicat à récolter, le coquelicot sert aussi à confectionner une liqueur et, depuis peu, un vinaigre de vin blanc très parfumé.

Les feuilles se consommaient autrefois en légume, comme l'oseille.

COQUETTE Poisson marin, de la famille des labridés, qui se pêche sur les côtes proches du littoral, de la Norvège au Sénégal, mais aussi en Méditerranée. La coquette, aussi appelée « labre », qu'on confond parfois avec la vieille, mesure 40 cm et peut vivre 20 ans. Elle vit dans les herbiers ou les champs de laminaires, où elle se nourrit de petits crustacés et de mollusques. En Bretagne, on la cuit au four sur un lit d'oignon.

COQUILLAGE Terme qui s'applique en gastronomie à la partie comestible des petits mollusques à coquille.

Les coquillages (**voir** tableau des coquillages ci-dessous et planche pages 252 et 253) sont soit des bivalves, soit des gastéropodes. Ils sont très maigres et très riches en fer, en cuivre, en magnésium, en iode et en sodium. Leur pêche est interdite au-dessous de tailles minimales (4,5 cm pour le clam, 3 cm pour la coque, 3,5 cm pour la palourde et le pétoncle, 4 cm pour la praire, 9 cm pour l'ormeau). Les coquillages sont tous accompagnés d'une étiquette de salubrité. Leur élevage s'appelle « conchyliculture ».

On les mange crus ou cuits en entier, ou juste le muscle selon les espèces. Les coquillages sont alors préalablement nettoyés de leur masse viscérale, puis préparés marinés ou cuits. On ne doit pas consommer ceux qui restent fermés après une cuisson à feu vif. Les coquillages composent l'essentiel des plateaux de fruits de mer ; parfois, ils constituent un plat à eux seuls, par exemple pour les moules marinières.

▶ Recettes : bar (poisson), courgette, marinière, paupiette.

COQUILLE Préparation faite d'un salpicon, d'une purée ou d'un ragoût (simple ou composé), liée et nappée d'une sauce appropriée à la garniture, dressée dans une coquille de saint-jacques ou dans un récipient de même forme. La coquille est habituellement gratinée ou glacée et servie chaude, en hors-d'œuvre ou comme petite entrée, mais elle peut aussi être dégustée froide.

Caractéristiques des principaux coquillages

NOM	PROVENANCE	ÉPOQUE	ASPECT
bivalves			
amande de mer	Manche, Atlantique	oct.-mars	velouté, coquille marron
clam	Atlantique, Amérique	oct.-févr.	grand, lisse, coquille gris clair
coque	Manche, Atlantique	sept.-avr.	ovale, coquille blanc cassé, crème
couteau	Manche	mars-mai	rectangulaire, coquille beige foncé
palourde	Atlantique, Méditerranée	toute l'année	coquille striée, coquille grise, rose, bleutée ou crème selon l'espèce
pétoncle	Atlantique, Méditerranée	fin mars-fin déc.	oreilles de taille inégale, coquille crème à marron clair ou orange vif
praire	Manche, Atlantique	sept.-mars	côtes concentriques, coquille gris-blanc
vanneau, ou pétoncle blanc	Manche, Atlantique	nov.-janv.	oreilles de taille inégale, coquille de couleur très variée selon la valve, de blanc à violet
vernis	Atlantique, Méditerranée	toute l'année	grand, lisse, coquille marron brillant, vernissée
gastéropodes			
bernique, ou patelle	Atlantique, Manche	toute l'année	régulier, ovale, élevé, coquille verte ou marron crème selon la face
bigorneau	Atlantique, Irlande	toute l'année	globuleux, coquille brune ou noire
bulot, ou buccin	Manche, Méditerranée	févr.-juill. ; oct.-déc.	conique, ventru, à spirale, coquille verdâtre à marron clair
lambi	Antilles	toute l'année	intérieur nacré, coquille rose
ormeau	Manche, Méditerranée	sept.-mai	ovale, intérieur nacré, coquille grise

La gamme des préparations chaudes est vaste : amourettes à la duxelles, cervelles en sauce, barbue aux crevettes, queues d'écrevisse ou foies de raie au beurre blond, huîtres à la diable, laitances aux épinards, viande de desserte à la sauce tomate, volaille émincée, moules, ris d'agneau, restes de poisson, etc.

Les coquilles froides sont généralement faites de coquillages liés d'une sauce froide, ou de restes de poisson à la mayonnaise, de saumon, de crevettes, d'escalopes de homard ou d'huîtres. Elles sont souvent dressées sur une chiffonnade de laitue, décorées de mayonnaise, de rondelles de citron, d'olives noires, etc.

coquilles chaudes de poisson à la Mornay

Mélanger un reste de poisson cuit (100 g par personne) avec 30 cl de sauce Mornay et 1 bouquet de persil haché. Rectifier l'assaisonnement. Garnir les coquilles. Parsemer de gruyère râpé et de noisettes de beurre, et faire gratiner dans le four préchauffé à 260 °C.

coquilles froides de homard

Préparer de la chiffonnade de laitue à la vinaigrette ; la répartir dans des coquilles de saint-jacques. Assaisonner de vinaigrette un salpicon de chair de homard poché au court-bouillon. En recouvrir la chiffonnade de laitue. Parsemer de persil et de cerfeuil ciselés. Placer sur chaque coquille deux escalopes de homard. Napper de mayonnaise dressée à la poche à douille munie d'un embout cannelé. Garnir de très petits cœurs de laitue et de quartiers d'œuf dur.

COQUILLE SAINT-JACQUES Mollusque bivalve, de la famille des pectinidés, avec une valve très convexe, l'autre presque plate, présentant 16 plis rayonnant à partir du sommet, qui vit librement posé sur le sol de sable ou de graviers entre 5 et 40 m de fond, dans une eau à 7-20 °C (**voir** planche des coquillages et autres invertébrés pages 252 et 253). La coquille Saint-Jacques se déplace par des battements qui expulsent l'eau. Elle mesure de 10 à 15 cm, avec une taille maximale de 20 cm et un poids de 300 g à 12 ans. La taille commerciale minimale est de 10,2 cm.

De tout temps, la coquille Saint-Jacques est présente dans la vie des hommes. Les Égyptiens s'en servaient comme peigne en creusant le creux des côtes, d'où le nom de famille (du latin *pecten*, « peigne »). Symbole de longévité, elle fut gravée sur les sarcophages des rois carolingiens. Les pèlerins de Saint-Jacques-de-Compostelle, qui utilisaient la coquille pour s'abreuver aux sources, la rapportaient comme preuve de leur pèlerinage. Depuis, elle porte le nom qu'on lui connaît (elle s'appelait auparavant « mérelle »). La coquille Saint-Jacques fut même un motif décoratif caractéristique du style Louis XV.

Le corail de cet animal hermaphrodite représente les glandes sexuelles, mâles en blanc, et femelles en rouge foncé. Il est riche en cholestérol. Selon les espèces et la saison, le rendement est de 13 à 20 % du poids. La noix de chair est blanche et ferme, de saveur très fine.

En France, l'élevage se fait sur les juvéniles, remis ensuite en mer. Cette méthode permet le maintien d'une activité de pêche, bien que très encadrée. Aujourd'hui, l'approvisionnement est planétaire, et l'élevage représente plus de 70 % de la production. Le plus souvent, les produits importés sont congelés. Un problème se pose sur leur dénomination, car l'appellation « noix de saint-jacques » est autorisée au niveau mondial pour les espèces de pétoncle de type *Chlamys varia* et *Placopecten magellanicus*. Seules les coquilles Saint-Jacques fraîches sont garanties appartenir aux espèces *Pecten maximus* ou *P. jacobeus*.

■ **Emplois.** Les coquilles Saint-Jacques vendues fraîches se referment si l'animal est vivant ; elles sont toujours accompagnées d'une étiquette de salubrité. On les consomme généralement cuites, mais la mode des produits crus marinés progresse. Cuites, on les sert dans leur coquille, à l'américaine, au champagne, au cari ou en gratin, pochées avec diverses sauces, en brochettes, sautées à la provençale, ou encore froides, en salade. Très appréciées en France, premier consommateur au monde par habitant, ce sont les fruits de mer les plus consommés après les huîtres et les moules, car elles symbolisent un repas festif.

Coquillages et autres invertébrés

amande de mer

ormeau

praire

murex

oursin

bigorneau

violet

vernis

poulpe

couteau courbe

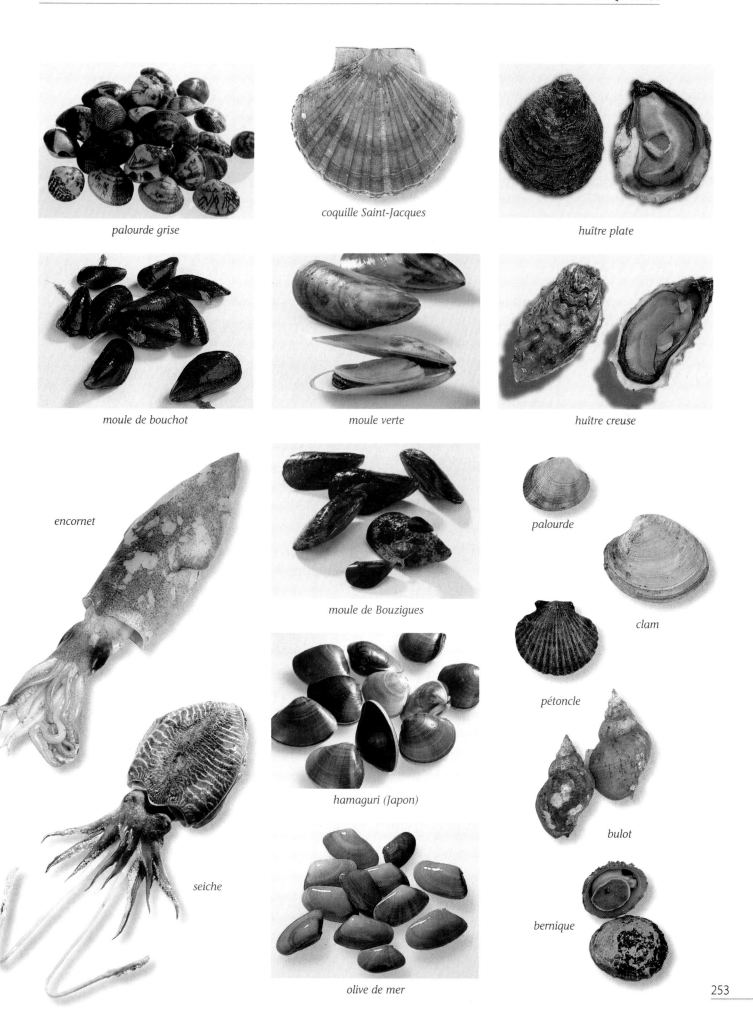

palourde grise

coquille Saint-Jacques

huître plate

moule de bouchot

moule verte

huître creuse

encornet

moule de Bouzigues

palourde

clam

pétoncle

seiche

hamaguri (Japon)

bulot

bernique

olive de mer

PAS À PAS ► *Ouvrir et nettoyer des coquilles Saint-Jacques, cahier central p. XVI*

brochettes de coquilles Saint-Jacques
et d'huîtres à la Villeroi ► BROCHETTE
cassolettes de saint-jacques aux endives ► CASSOLETTE

RECETTE DE JEAN ET PAUL MINCHELLI

coquilles Saint-Jacques crues

« Décoquiller 4 belles coquilles Saint-Jacques, les ébarber, les laver à grande eau, les sécher sur un linge. Escaloper les noix en tranches très minces et les disposer dans le fond d'une assiette froide et légèrement huilée. Napper au pinceau d'huile d'olive, donner 1 tour du moulin à poivre. Ne pas saler. Décorer de lamelles fines de corail et servir avec des toasts Melba. »

coquilles Saint-Jacques à la nage

Mettre dans une casserole 100 g de fines rondelles de carotte (de préférence cannelées), 100 g de petits oignons émincés, 4 échalotes hachées, 1 gousse d'ail écrasée, 1 brin de thym, 1/2 feuille de laurier et 1 poignée de queues de persil ; mouiller avec 10 cl de vin blanc et 20 cl d'eau ; ajouter du sel et du poivre, cuire 20 min tout doucement et laisser refroidir. Laver et brosser 16 coquilles Saint-Jacques et les faire juste ouvrir dans le four, partie bombée en dessous. Détacher la chair, séparer la noix et le corail des barbes grisâtres, laver le tout pour en retirer le sable. Mettre noix, coraux et barbes dans la nage froide, porter à ébullition et pocher 5 min à petits frémissements. Égoutter noix et coraux ; les tenir au chaud. Laisser bouillir doucement le reste 15 min, puis retirer les barbes. Ajouter éventuellement de la crème fraîche. Faire réduire la nage d'un tiers et en napper les noix et les coraux.

mariné de loup de mer, saumon
et noix de saint-jacques

Peler et râper en bâtonnets 1 bulbe de gingembre ; laisser infuser 2 ou 3 jours dans une terrine avec 10 cl d'huile d'olive. Émincer finement 250 g de filet de loup, 250 g de filet de saumon frais et 4 noix de saint-jacques. Dresser le tout en rosace dans 4 assiettes. Assaisonner de 1 cuillerée à café de sel de mer et de poivre. Saupoudrer avec 1/2 botte d'aneth fraîche concassée. Laisser macérer 1 heure. Répartir 1 cuillerée à soupe d'huile de gingembre et 1 filet de jus de citron.

paupiette de chou aux coquillages
« façon Georges Pouvel » ► PAUPIETTE
salade de saint-jacques sur un céleri rémoulade,
aux pommes et marinière de coques,
vinaigrette aux fruits de la Passion ► SALADE

CORAIL Nom donné à la partie verte devenant orangée à la cuisson qui se trouve dans le coffre des homards et des langoustes, et qui sert d'élément de liaison aux sauces d'accompagnement. C'est également celui de la glande génitale de couleur orangée de la coquille Saint-Jacques ou de l'oursin.

CORAZZA Café-glacier ouvert à Paris, en 1787, sous les arcades de la galerie Montpensier, au Palais-Royal. Appartenant au même propriétaire, M. Le Noir, que le *Café de Foy*, le *Corazza* était géré par l'épouse de celui-ci, « l'une des plus belles limonadières de Paris » selon Alexandre Grimod de La Reynière.

On y servait, en particulier, des sorbets au marasquin et des panachés. L'établissement fut racheté, au début du XIXᵉ siècle, par un ancien maître d'hôtel de Charles X, qui le transforma en restaurant. Celui-ci survécut jusqu'en 1915.

CORBIÈRES Vaste vignoble délimité par la vallée de l'Aude, la Méditerranée et une barrière naturelle qui la sépare du Roussillon. Il produit des vins AOC rouges, puissants et généreux, des rosés fruités et délicats, et quelques blancs amples et élégants (**voir** LANGUEDOC).

CORCELLET Célèbre marchand de comestibles parisien, qui s'installa, sous l'Empire, dans la galerie de Beaujolais, au Palais-Royal, puis déménagea pour l'avenue de l'Opéra à la fin du XIXᵉ siècle.

Dans son *Itinéraire gourmand*, Alexandre Grimod de La Reynière fait de son magasin cet éloge : « Qu'on se contente de savoir que c'est là que les pâtés de foie d'oie de Strasbourg, de foie de canard de Toulouse, de veau de rivière de Rouen, de mauviettes de Pithiviers, de poulardes et de guignards de Chartres, de perdrix de Périgueux, etc., se rendent de préférence en arrivant à Paris. Ils s'y trouvent en pays de connaissance avec les terrines de Nérac, les mortadelles de Lyon, les saucissons d'Arles, les petites langues de Troyes, les galantines de M. Prévost et autres succulents compatriotes… »

CORDER Rendre une préparation collante et dure. Une pâte est cordée lorsque la détrempe, trop ferme, n'a pas absorbé assez de liquide. Une purée est cordée lorsque les pommes de terre sont écrasées dans le tamis avec un mouvement non pas vertical mais tournant, ce qui la rend collante.

CORDIAL Boisson généralement alcoolisée, aromatique et souvent sucrée, à laquelle on attribue des vertus toniques et reconstituantes, susceptibles de « remonter le cœur ». En France, le mot ne s'emploie plus que pour certaines préparations dites « de ménage » (eaux, crèmes et liqueurs diverses), mais, dans les pays anglo-saxons, il est utilisé comme synonyme de « liqueur » ou de « brandy », pour désigner une boisson enrichie d'une saveur aromatique particulière.

CORDON-BLEU Large ruban bleu qui servait d'insigne à l'ordre des Chevaliers du Saint-Esprit, institué par Henri III en 1578. L'expression s'est ensuite appliquée à un homme doté de hautes qualités, puis à une cuisinière hors pair. L'analogie est sans doute née du rapprochement entre le ruban en sautoir des chevaliers et les rubans du tablier bleu de la cuisinière.

CORÉE La cuisine coréenne tire son originalité de traditions millénaires qu'elle a su préserver face aux influences provenant de ses deux voisins puissants, la Chine et le Japon. Elle est fondée sur des produits simples mariés à une vaste palette d'assaisonnements et d'épices. L'ail, la ciboule, le soja, le piment rouge, les graines de sésame, le gingembre, le ginseng et les feuilles de moutarde notamment sont rehaussés d'herbes rares encore glanées à la main dans les collines boisées du pays. Leur dosage définit les plats de légumes, de viande ou de poisson, le plus souvent mijotés, cuits à la vapeur ou sautés à feu vif, qui, lors du repas, sont partagés par tous les convives, alors que le seul mets individuel est le bol de riz et, parfois, de soupe.

Dans un pays où les terres arables représentent moins de 20 % du territoire, les végétaux occupent une place de premier rang, notamment sous la forme du kimchi (**voir** ce mot), préparation à base de chou fermenté présente dans presque tous les repas. Le plat végétarien le plus courant est le *bibimpap* (riz aux légumes), aux nombreuses variantes régionales. L'un des meilleurs est préparé dans un pot de terre cuite avec des feuilles, des fleurs et des racines de montagne, assaisonnées d'épices de saison et nappées d'une riche sauce de piments rouges. Le ginseng, aux innombrables vertus médicinales, entre dans la composition de l'*ogol* (ragoût de poulet noir), accompagné de riz gluant, de jujubes, d'ail et de châtaignes, mais il se décline également en salade, potage clair, thé, vin, friandise, voire gomme à mâcher. Autre ressource originale, la farine de glands de chêne est cuite à la vapeur avec du millet, puis nappée de haricots rouges ou préparée en aspic, avec des poireaux ; elle sert aussi à fabriquer des gâteaux légèrement douceâtres, distribués lors des rites de deuil.

La viande de boucherie, jadis rare et chère, a donné naissance à des préparations longuement macérées ou mijotées, tel le *bulgogi*, fines tranches de bœuf ou de porc marinées dans une sauce de soja aromatisée d'un peu de sucre, de ciboule, de poivre noir, d'huile et de graines de sésame, puis grillées sur un brasero et servies avec un accompagnement de légumes frais et leur propre assaisonnement.

L'importante pêche industrielle fournit un vaste choix de poissons, de crustacés et de mollusques, conservés et ennoblis, comme les viandes et les légumes, en saumure, en marinade ou par fermentation. Les sauces à base de poissons et d'algues parfument viandes et légumes. Les produits de la mer entrent également dans la composition de nombreux plats « mixtes », tels que l'*eoseon*, rouleau de filet de poisson fourré de bœuf, de champignons et de légumes, ou le *samhap-janggwa*, où viande de bœuf, ormeaux et moules mijotent dans une sauce de soja avec des carottes et des oignons.

CORÉGONE Nom générique donné au Canada à plusieurs variétés de poissons d'eau douce à chair maigre et blanche, aussi appelées « poissons blancs », comme aux États-Unis. Les corégones sont très consommés dans les soupes. Leur chair fumée est délicieuse. Les œufs, conservés en saumure, se servent en hors-d'œuvre.

En Europe, les corégones sont le féra du lac Léman et le lavaret du lac du Bourget (**voir** planche des poissons d'eau douce pages 672 et 673).

CORIANDRE Plante aromatique, de la famille des ombellifères, appelée couramment « persil arabe » ou « persil chinois » (**voir** planche des herbes aromatiques pages 451 à 454), dont on utilise les graines séchées (entières ou en poudre) et les feuilles (fraîches et ciselées ou séchées). Les Hébreux se servaient des graines pour parfumer leurs galettes, et les Romains pour conserver la viande. Au XVIIIe siècle, les graines, enrobées de sucre, servaient de masticatoire, mais la coriandre n'a joué en France qu'un rôle modeste (sauf en liquoristerie : Izarra, Chartreuse) par rapport à celui qu'elle tient dans les pays méditerranéens (soupes, légumes, marinades, pâtisseries) et en Orient, où ses feuilles sont utilisées comme du persil, avec les crudités et les légumes. En Allemagne, la coriandre condimente le chou et les marinades de gibier. Ses emplois les plus classiques sont l'apprêt des légumes « à la grecque » et les conserves au vinaigre. La coriandre est également utilisée en pâtisserie pour assaisonner les fruits (ananas, fraise, mangue).

CORME Fruit du cormier, de la famille des rosacées, nom usuel du sorbier domestique. Ressemblant à de petites poires verdâtres ou rougeâtres, les cormes – ou sorbes –, cueillies après les premières gelées, deviennent pulpeuses et sucrées lorsqu'elles sont blettes : on les consomme alors sans apprêt, comme les nèfles et les alises, qu'elles surpassent en saveur. Dans l'ouest de la France, elles permettent de préparer une boisson fermentée, le cormé, qui rappelle un peu le cidre.

CORNAS Vin issu du cépage syrah, rouge, capiteux et corsé, produit sur la rive droite du Rhône, presque en face de Valence, sur les contreforts du Massif central (**voir** RHÔNE).

CORNE Ustensile plat et semi-souple, grand comme la paume de la main, ovale ou en demi-lune, utilisé pour racler (on dit « corner ») une pâte, une crème ou un appareil sur les parois d'un récipient qui a servi à sa préparation, afin d'en récupérer le maximum ou d'éviter qu'il ne dessèche.

CORNE DE CERF Plante de la famille des plantaginacées, appelée aussi plantain corne de cerf, dont les feuilles légèrement gluantes, à la saveur douce, sont consommées en salade au printemps depuis plusieurs siècles.

CORNE DE GAZELLE Pâtisserie orientale en forme de croissant, faite de deux pâtes : d'une part, un mélange d'amandes mondées et pilées, de sucre, de beurre et d'eau de fleur d'oranger, que l'on roule en petites saucisses de la grosseur d'un doigt ; d'autre part, une pâte très souple et élastique, étirée soigneusement jusqu'à 2 ou 3 mm d'épaisseur. On découpe dans cette pâte des carrés de 10 à 12 cm de côté, sur lesquels on place en diagonale les saucisses de pâte aux amandes, puis on roule chaque petit gâteau en lui donnant la forme d'un croissant. Les cornes de gazelle sont cuites à four doux et poudrées de sucre glace.

CORNED-BEEF Conserve en boîte de viande de bœuf appertisée, d'origine américaine. Le corned-beef est un mélange de morceaux de bœuf salés, précuits et additionnés de graisse et de gelée de bœuf. Les militaires appelaient familièrement « singe » le bœuf en conserve distribué par l'armée. Aujourd'hui, le corned-beef se consomme froid, en salade, ou en miroton.

CORNET Pâtisserie en forme de cône. Les cornets dans lesquels on sert les glaces en boules sont faits en pâte à gaufrette ou à oublie, mais les cornets fourrés sont le plus souvent en pâte feuilletée cuite enroulée autour de moules à cornet ; on les garnit après cuisson de crème pâtissière, de crème Chiboust ou de chantilly additionnée d'un salpicon de fruits confits. Les cornets de Murat (pâtisserie auvergnate) sont en pâte à langue-de-chat, fourrée de crème sucrée et fouettée, parfois décorée d'une violette confite.

En cuisine, on appelle « cornet » une tranche de jambon ou de saumon roulée, garnie d'un apprêt froid et servie en hors-d'œuvre.

cornets de saumon fumé aux œufs de poisson

Rouler en cornets des petites tranches de saumon fumé. Les garnir d'œufs de poisson (caviar, saumon, lump). Les disposer sur une chiffonnade de laitue assaisonnée de vinaigrette. Décorer avec des 1/2 citrons cannelés. On peut garnir le fond du cornet d'un peu de crème fraîche additionnée de quelques gouttes de jus de citron et de raifort râpé, ou présenter cette crème en saucière, avec des blinis chauds.

CORNICHON Variété de concombre, de la famille des cucurbitacées, dont les fruits sont récoltés très jeunes, pour être le plus souvent confits dans du vinaigre et utilisés comme condiment (**voir** tableau des concombres et des cornichons page 239 et planche page 238). On ne produit pratiquement plus de cornichons en France, la plupart étant importés, surtout du Maroc. Quelques variétés restent néanmoins cultivées localement.

• VERT PETIT DE PARIS. Épineux et rectiligne, vert clair, fin et croquant, il est cueilli à 5 cm.

• FIN DE MEAUX. Moins épineux, plus long, plus foncé et plus aqueux, il est très employé par les industriels.

• VERT DE MASSY. Assez épineux, très vert, il est recommandé pour les cornichons à la russe ou à l'aigre-doux.

De nouvelles variétés, plus régulières et plus productives, arrivent peu à peu sur le marché.

Les fruits sont lavés, brossés, mis à dégorger et plongés dans un bain de saumure (ou placés dans des cuves en bois et poudrés de sel). Après fermentation, ils sont dessalés, lavés, blanchis et recouverts de vinaigre d'alcool, puis égouttés, et enfin placés dans des pots de verre (ou de grès) et recouverts de vinaigre aromatisé selon la recette propre à chaque fabricant ; les meilleurs sont préparés au vinaigre de vin blanc. Aujourd'hui, la pasteurisation permet de les conserver plus longtemps.

On trouve également des spécialités étrangères : cornichons à la russe (malossol), à la polonaise ou à l'allemande. Plus gros, à peau lisse, préparés à l'aigre-doux, ceux-ci sont beaucoup moins acides et moins croquants. Dans leur pays d'origine, on les mange plutôt comme légume que comme condiment. Une autre préparation traditionnelle en Europe centrale consiste à conserver les cornichons grâce à la fermentation lactique (**voir** ce mot), comme on le fait pour la choucroute.

Dans la cuisine française, les cornichons accompagnent les viandes froides et les bouillis, les pâtés, les terrines, les charcuteries et les mets en gelée. Ils entrent dans la composition de certaines sauces (piquante, charcutière, hachée, ravigote, gribiche, Réforme, etc.) et interviennent dans les salades composées.

cornichons au vinaigre, à chaud

Frotter les cornichons avec un tissu rugueux, puis les mettre dans une terrine, ajouter du gros sel, remuer et laisser ainsi 24 heures. Les sortir et les essuyer un par un. Les mettre dans une terrine et les recouvrir de vinaigre blanc « à cornichons » bouilli. Laisser mariner 12 heures. Récupérer le vinaigre, y ajouter 1/2 litre de vinaigre frais pour 3 litres de vinaigre bouilli, amener à ébullition et verser bouillant sur les cornichons.

Recommencer la même opération le lendemain, puis laisser refroidir complètement. Ébouillanter des bocaux et les faire sécher. Y disposer les cornichons en couches successives séparées par les aromates choisis (fragments de feuille de laurier, brins de thym, petites branches d'estragon ébouillantées, rafraîchies et séchées, clous de girofle et, éventuellement, 1 ou 2 petits piments par bocal). Recouvrir de vinaigre, boucher avec un bouchon de liège et mettre au frais. Les consommer au bout de 2 semaines à 1 mois selon le goût.

cornichons au vinaigre, à froid

Préparer et faire macérer les cornichons au sel comme pour la préparation à chaud. Les laver à l'eau vinaigrée, les essuyer un par un et les mettre en bocaux. Ajouter des petits oignons blancs épluchés, des fragments de feuille de laurier, des brins de thym, des petites branches d'estragon ébouillantées, rafraîchies et séchées, 2 ou 3 clous de girofle, 1 ou 2 petites gousses d'ail, 1 petit piment, quelques grains de poivre noir et des graines de coriandre. Couvrir de vinaigre blanc, boucher les bocaux hermétiquement avec un bouchon de liège et mettre au frais. Ces cornichons peuvent se consommer au bout de 5 ou 6 semaines, mais ils deviennent meilleurs avec le temps (jusqu'à un an).

CORNISH PASTY Petit pâté en croûte originaire du comté de Cornouailles, en Grande-Bretagne, plat traditionnel des mineurs d'étain qui descendaient au fond avec leur *pasty*, plus riche en pâte qu'en viande ! La pâte est faite de farine, de purée, de beurre, d'eau, de levure et de sel ; elle est abaissée en carrés, sur lesquels est déposée une farce de viande d'agneau hachée, d'oignon émincé et de pomme de terre ; les carrés sont rabattus, soudés et badigeonnés d'œuf battu dans du lait, puis cuits à four chaud. Le cornish pasty se sert en entrée chaude, saupoudré de persil.

CORNOUILLE Fruit comestible du cornouiller, arbrisseau des sous-bois et des haies (est et centre de la France), de la famille des cornacées (**voir** planche des fruits rouges pages 406 et 407). Ramassées à la fin de l'été, les cornouilles (appelées aussi « cerises de septembre », « cornioles » et « cornes »), rouges, charnues, ovales et grosses comme des olives, sont à la fois aigrelettes et un peu huileuses. On les consomme bien mûres au naturel, en gelée ou confites, ou cueillies à peine mûres et macérées dans de la saumure.

CORPS GRAS ▶ VOIR MATIÈRE GRASSE

CORRIGER Modifier la saveur trop affirmée d'une préparation en lui ajoutant une autre substance de goût contraire. Un peu de sucre dans un coulis de tomate en corrige l'excès d'acidité. Quelques tranches de pomme de terre crue ou un morceau de sucre plongés quelques secondes dans une préparation trop salée en absorbent le sel.

CORSE Châtaignes et porc fumé, poissons et crustacés, vin et gibier : la cuisine corse traditionnelle est à la fois montagnarde et méditerranéenne. Outre les produits courants dans les pays de soleil, comme l'olive, la tomate, l'aubergine et les agrumes, elle utilise des fruits assez rares ailleurs, comme l'arbouse, la nèfle, le cédrat et les fruits secs. La châtaigne, qui était jadis à la base de l'alimentation quotidienne, est aujourd'hui utilisée pour les flans, gâteaux, beignets et confitures. L'olive et son huile figurent aussi au rang des éléments de base de cette cuisine qui ignore le beurre. Peu pimentée, la cuisine corse ajoute aux herbes du maquis (thym, romarin) ou du jardin (basilic) la menthe, la bourrache, le fenouil sauvage, le lentisque, l'angélique et le myrte.

La cuisine corse a, avant tout, gardé un caractère familial. Le jardin potager fournit, entre autres, les gros haricots blancs ou rouges, les fèves et les pois chiches (indispensables pour les soupes et les ragoûts), la pomme de terre, le chou, le potiron. Les soupes corses varient selon la saison : à l'ail et aux pois chiches, aux herbes, aux oignons nouveaux, aux châtaignes, aux haricots, au chou, etc.

Le littoral corse regorge de poissons – rouget, dentice, daurade, loup, espadon, saint-pierre, anchois, sardine, raie, mérou, murène, etc. – et de fruits de mer, et les recettes pour les accommoder ne manquent pas, à commencer par l'azzimunu, version corse de la bouillabaisse, aromatisée d'huile d'olive, de safran, d'écorce d'orange, de thym, de laurier, de fenouil et d'ail. Araignées de mer, homards et langoustes peuvent être simplement grillés, ou cuits au court-bouillon, servis avec une sauce au brocciu.

La chair savoureuse et parfumée du porc, élevé ici en liberté, sert à confectionner d'incomparables charcuteries. Mouton et chèvre sont consommés grillés, en ragoût ou en boulettes. La brebis et la chèvre sont aussi à l'origine du brocciu, spécialité fromagère qui entre dans la composition de nombreux plats comme les imbrucciati (tourtes légères aux feuilles de blettes), le fiadone (aromatisé avec du zeste de citron ou de l'acquavita) ou les beignets.

■ **Légumes.**

● BASTELLE, STORZAPRETI, SCIACCE. Les préparations à base de légumes sont nombreuses et originales. Parmi elles, on compte les bastelles, des chaussons fourrés de courge ou de potiron, d'épinards ou de bettes, ou encore d'oignons et de viande ; les storzapreti sont des boulettes de verdure liées aux œufs et au fromage, pochées et gratinées ; les sciacce sont des pâtés fourrés avec pomme de terre, tomate et ail. Courgettes, aubergines et artichauts sont souvent traités en beignets ou farcis.

■ **Charcuterie.**

● PRISUTTU, PANZETTA, FICATELLU, COPPA, LONZO, SALAMU, GHIALATICCIU, TRIPETTE. La charcuterie corse est exceptionnelle, avec le prisuttu (jambon) et la panzetta (lard de poitrine). Le ficatellu est une saucisse de foie et d'abats, consommé frais ou sec, la coppa (une échine désossée) est roulée et séchée, le lonzo est un filet de porc salé et séché, le salamu un saucisson sec très maigre, sans oublier le ghialaticciu (estomac de porc farci) et les tripette, mijotées en cocotte.

■ **Poissons et fruits de mer.**

● MORUE, SARDINE, ANCHOIS. La morue se sert souvent en beignets, en brandade ou en ragoût ; elle cuit alors avec des tomates, des anchois et des noix. Les sardines farcies au brocciu sont une spécialité croustillante et moelleuse à la fois, grâce à leur farce aux bettes, brocciu et persil, parfumée d'ail et d'huile d'olive. L'anchois, qui donne l'anchiuta, entre dans la préparation des tourtes ou accompagne d'autres poissons comme le rouget au four par exemple.

■ **Viandes et abats.**

● PIVERUNATA, STUFATU. Les Corses apprécient les ragoûts de viande, dans lesquels on retrouve souvent le petit salé. La piverunata réunit viande de cabri, panzetta, poivrons et aromates, etc. ; et le stufatu rassemble bœuf, porc, jambon, parfois perdreau, tomates et oignons.

● ESTOMAC, CURATELLA, TRIPETTE. Les abats donnent des spécialités originales : estomac de porc farci, brochettes de cœur, ris, foie et poumon d'agneau au romarin (curatella) ou tripette d'agneau en cocotte.

■ **Fromages.**

Outre le brocciu, le fromage le plus réputé de l'île est le niolo, de chèvre ou de brebis selon la saison, à pâte molle et très aromatique. Le venaco, le bastelicaccia, le calenzana et le sarteno se classent, eux aussi, dans la catégorie des fromages à pâte molle et à croûte lavée ou séchée.

■ **Pâtisseries.**

● PANZAROTTI, PASTIZZI, CONFITURES. Le miel, les pignons de pin et les amandes entrent dans diverses spécialités sucrées, macarons, croquants ou galettes. Les panzarotti (beignets de riz) restent traditionnels pour les fêtes religieuses. Les pastizzi à la semoule sont encore très populaires, et les confitures, particulièrement originales : de raisin, de châtaigne ou de figue, de cédrat, qui se fait aussi confire, et d'arbouse.

■ **Vins.**

Le relief tourmenté aux sols de granit et de schiste, un soleil généreux et l'humidité apportée par la mer demeurent les meilleurs alliés du vignoble corse. L'île est restée fidèle aux cépages locaux, le vermentino blanc, le sciacarello et le niellucio pour les rouges, qui sont souvent assemblés à des cépages que l'on trouve dans les côtes du Rhône ou en Provence. Les appellations vins-de-Corse, parfois associées à une indication de sous-région (Calvi, Figari, Sartène, Porto-Vecchio, coteau du cap Corse) fournit la majorité des vins insulaires. Deux autres appellations se détachent, ajaccio à l'ouest et patrimonio sur la côte Nord, qui produisent des vins de belles émotions.

CORSE OU **VINS-DE-CORSE** Vins de Corse AOC. À l'exclusion de l'appellation patrimonio, les vins-de-corse peuvent provenir de tout vignoble de l'île. Y sont produits des rouges et des rosés, issus des cépages niellucio, sciacarello, grenache, cinsault, mourvèdre, barbarossa, syrah et carignan, et des blancs, issus des cépages vermentino et ugni blanc, de belle facture, fruités et vigoureux.

CORSÉ Se dit d'un café noir concentré. Le qualificatif s'applique aussi à un vin riche tamins et en alcool, à la structure puissante.

CORSER Renforcer le goût et l'arôme d'une préparation en lui ajoutant des substances concentrées (de la glace de viande dans une sauce, par exemple) ou fortes et piquantes. On peut aussi corser la saveur d'une préparation liquide en la faisant réduire.

CORTON Vin AOC rouge ou blanc grand cru de la côte de Beaune. Les rouges, très majoritaires, sont issus du cépage pinot noir ; ils ont puissance et finesse et demandent du temps de vieillissement. Les rares blancs, issus du cépage chardonnay, sont odorants et vigoureux.

CORTON-CHARLEMAGNE Vin AOC blanc grand cru de la côte de Beaune, issu du cépage chardonnay. Ce vin riche, aromatique et très racé est produit dans sa quasi-totalité dans la commune d'Aloxe-Corton (**voir** BOURGOGNE).

COSTIÈRES-DE-NÎMES Vin AOC produit au sud de Nîmes. Les blancs, vifs et équilibrés, sont issus des cépages clairette, marsanne, roussanne et rolle. Les rosés, ronds et gras, et les rouges, généreux, sont issus des cépages carignan, cinsault, grenache, mourvèdre et syrah (**voir** LANGUEDOC).

CÔTE OU **CÔTELETTE** Os plat, allongé et plus ou moins courbé de la partie latérale du thorax des animaux de boucherie (**voir** planches de la découpe des viandes pages 22, 108, 109, 699 et 879). Ceux-ci en ont généralement treize paires, à l'exception du porc (quatorze et parfois quinze) et du cheval (dix-huit).

En boucherie, la côte correspond à une pièce coupée dans la région dorso-lombaire et constituée de la partie supérieure de l'os (côte), d'une partie de la vertèbre et des muscles qui s'y rattachent.

■ **Côte de bœuf.** La côte à l'os, ou « côte anglaise », est une pièce de premier choix, à rôtir au four ou à griller ; elle sera encore plus savoureuse si elle provient d'un animal assez gras. Elle est prélevée dans le train de côtes, obligatoirement débarrassé de la vertèbre ou du talon (**voir** MATÉRIEL À RISQUES SPÉCIFIÉS [MRS])

Le plat de côtes figure dans le pot-au-feu ; dénervé, il fournit des morceaux à brochettes.

■ **Côte de veau.** Les côtes premières ou secondes, provenant du carré, sont poêlées ou grillées.

Les côtes découvertes, un peu plus fermes, sont de préférence poêlées.

Les côte-filet, taillées dans la longe raccourcie, sont assez larges ; elles ne comportent pas de « côte », et sont souvent farcies, parfois panées.

La côte « parisienne » est une tranche de tendron ou de poitrine. Le carré de côtes désossé donne des rôtis.

Quant au haut de côtes, il se traite en blanquette ou en sauté, auxquels il donne du moelleux.

■ **Côte de porc.** Les côtes premières sont découpées soit dans l'échine (collier), maigre et assez moelleuse, soit dans le carré, où l'on distingue les côtes premières et les côtes secondes, plus sèches, soit dans le filet. Tous ces morceaux, partiellement désossés, peuvent être rôtis entiers, au four ou à la broche.

Le plat de côtes se traite en potée ou en petit salé ; il accompagne aussi la choucroute, tout comme le travers. Chez le sanglier et le marcassin, les côtes ou côtelettes se mangent marinées et poêlées.

DÉCOUPER UNE CÔTE DE BŒUF

1. Enfoncer une fourchette dans la membrane qui recouvre l'os. Détacher la viande sans la piquer.

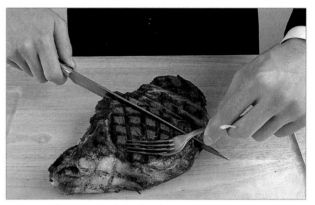

2. Maintenir la viande avec le dos de la fourchette et découper les tranches en biais, en travaillant vers soi.

■ **Côte de mouton ou d'agneau.** On distingue d'avant en arrière : les côtes découvertes (par la levée de l'épaule), assez maigres ; les côtes secondes, plus entrelardées ; les côtes premières, avec une belle noix ; les côtes-filet (sans manche), dont la noix est prolongée par une partie de la paroi abdominale, et qui sont parfois chez l'agneau présentées doubles (filet non fendu).

Toutes ces côtes se consomment grillées ou poêlées, et le carré est souvent rôti entier.

► **Recettes :** AGNEAU, BŒUF, CHEVREUIL, MARCASSIN, MOUTON, PORC, VEAU.

CÔTE CHALONNAISE Région viticole, parmi les plus belles de la Bourgogne, qui se situe dans le prolongement naturel au sud de la Côte-d'Or (**voir** BOURGOGNE).

CÔTE-DE-BEAUNE Vins rouges et blancs (sans doute parmi les meilleurs de la région), produits dans le sud du département de la Côte-d'Or. Les rouges sont issus du cépage pinot noir, les blancs du cépage chardonnay (**voir** BOURGOGNE).

CÔTE-DE-BROUILLY Vin du Beaujolais, issu du cépage gamay, au nez de griotte et souple au palais, provenant de vignes en coteaux situées sur le flanc méridional du mont Brouilly (**voir** BEAUJOLAIS).

CÔTE-DE-NUITS Vin de Bourgogne, essentiellement rouge, de réputation mondiale, dont les meilleurs crus portent le nom prestigieux de leur « climat ». Les rouges sont issus du cépage pinot noir, les blancs du cépage chardonnay (**voir** BOURGOGNE).

CÔTE-ROANNAISE Vin rouge ou rosé, issu du cépage gamay, frais et léger, produit sur les deux rives de la Loire, aux environs de Roanne, et bénéficiant d'une appellation d'origine contrôlée.

CÔTE-RÔTIE Sur la rive droite du Rhône, face à Vienne, le terroir de Côte-Rôtie, sur des coteaux particulièrement pentus, propose un vin AOC rouge, issu du syrah (au moins 80 %) et du viognier. C'est l'un des vins rouges les plus structurés, harmonieux, racés et persistants de France.

COTEAUX-D'AIX Vin rouge, blanc et surtout rosé, d'une belle richesse, produit aux environs d'Aix-en-Provence et bénéficiant d'une appellation d'origine contrôlée. Les rouges et les rosés sont issus des cépages grenache, cinsault, counoise, mourvèdre et syrah, les blancs des cépages bourboulenc, clairette, grenache blanc et vermentino (**voir** PROVENCE).

COTEAUX-DE-L'AUBANCE Vin blanc du Val de Loire, issu du cépage chenin, aux arômes de miel et de fleur, produit sur les rives de l'Aubance, affluent de la Loire, et bénéficiant d'une appellation d'origine contrôlée (**voir** ANJOU).

COTEAUX-CHAMPENOIS Vin blanc, rouge et rosé, produit dans l'aire d'appellation « champagne », mais non champagnisé et bénéficiant d'une appellation d'origine contrôlée (**voir** CHAMPAGNE). Les rouges et les rosés sont issus des cépages pinot noir et pinot meunier, les blancs du cépage chardonnay.

COTEAUX-DU-LANGUEDOC Vin AOC, rouge, rosé et blanc, généralement corsé, produit dans l'Aude, le Gard et surtout l'Hérault. Autrefois région de grosse production, les vins ont acquis aujourd'hui une réputation grandissante grâce à une spectaculaire amélioration de la qualité (**voir** LANGUEDOC). Comme pour le fitou, les rouges et les rosés de coteaux-du-languedoc sont issus des cépages carignan, grenache, lladoner pelut, cinsault, mourvèdre et syrah.

COTEAUX-DU-LAYON Vin AOC d'Anjou, issu du chenin blanc, aux arômes de coing, de miel et de fleurs blanches, présentant un remarquable équilibre entre le sucré et l'acide (**voir** ANJOU).

COTEAUX-DU-LYONNAIS Vins AOC rouges et rosés, issus du cépage gamay, et blancs, issus des cépages chardonnay et aligoté, pleins de fruit, de fraîcheur et de gourmandise.

COTECHINO Saucisson italien cru et frais, bien assaisonné, ni séché ni fumé, et destiné aux potées.

CÔTELETTE Petite pièce de boucherie (**voir** CÔTE). La côtelette de volaille correspond, en cuisine, à l'aile préparée comme les suprêmes.

La côtelette de saumon est un apprêt froid de la darne, à la gelée ou glacé, présenté en coquille, en couronne ou sur une barquette.

▶ Recettes : AGNEAU, CHEVREUIL, MARCASSIN, MOUTON, SAUMON.

CÔTELETTE COMPOSÉE Préparation à base de viande désossée et hachée, ou parfois de poisson, liée de sauce ; façonnée en forme de côtelette, éventuellement panée, elle est cuite au beurre. On prépare de la même façon des côtelettes d'œuf, avec des œufs durs détaillés en dés, liés de béchamel réduite et additionnée de jaunes crus ; panées à l'anglaise, elles sont cuites au beurre ou frites ; on peut y ajouter des champignons, du jambon ou de la langue écarlate.

CÔTES-DE-BOURG Vin AOC du vignoble du Blayais et du Bourgeais, sur les coteaux de la rive droite de la Gironde, avec des rouges, issus des cépages merlot, cabernet franc, cabernet-sauvignon et malbec, et des blancs, issus des cépages sauvignon, sémillon et muscadelle. Ces vins ne manquent pas de style, de caractère et d'une fine rondeur.

CÔTES-DE-CASTILLON Vin rouge AOC provenant des cépages merlot, cabernet-sauvignon, cabernet franc et malbec, issu d'un terrain adjacent à Saint-Émilion et offrant une belle structure et beaucoup de rondeur.

CÔTES-DU-FRONTONNAIS Vin AOC rosé et surtout rouge, produit sur les terrasses du Tarn et issu des cépages négrette, cabernet-sauvignon, syrah et gamay. Les rouges sont légers et fruités, ou puissants et tanniques quand ils contiennent du cépage négrette (**voir** LANGUEDOC).

CÔTES-DU-JURA Vin rouge, rosé et blanc, produit sur les contreforts du Jura, et bénéficiant d'une appellation d'origine contrôlée (**voir** FRANCHE-COMTÉ). Les rouges et les rosés sont issus des cépages pinot noir, poulsard et trousseau, les blancs des cépages chardonnay et savagnin.

CÔTES-DU-LUBERON Vin AOC rouge, rosé et blanc de bonne structure, produit en Haute-Provence (**voir** PROVENCE). Les rouges et les rosés sont issus des cépages grenache, syrah, mourvèdre, cinsault, cournoise et carignan, les blancs des cépages clairette et bourboulenc.

CÔTES-DE-PROVENCE Vin rouge, blanc et surtout rosé, qui se boit frais et jeune, produit entre Nice et Marseille (**voir** PROVENCE). Les rouges et les rosés sont issus des cépages cinsault, grenache, mourvèdre, tibouren et carignan, les blancs des cépages clairette, sémillon, ugni blanc et vermentino.

CÔTES-DU-RHÔNE Vin rouge, rosé et blanc, généreux et ensoleillé (les plus réputés sont vendus sous leur propre appellation d'origine contrôlée), produit dans la vallée du Rhône entre Lyon et Avignon. Un certain nombre de communes bénéficient de l'appellation côtes-du-roussillon-villages pour leurs crus rouges (**voir** RHÔNE). Les rouges et les rosés sont issus des cépages grenache, syrah, mourvèdre, cinsault et carignan, les blancs des cépages clairette, bourboulenc, roussanne, picpoul et marsanne.

CÔTES-DU-RHÔNE-VILLAGES Vin AOC rouge, rosé et blanc, issu des mêmes cépages que le côtes-du-rhône, produit dans le Gard, le Vaucluse et surtout la Drôme (**voir** RHÔNE).

CÔTES-DU-ROUSSILLON Vin rouge corsé, rosé fruité, et blanc, produit dans une région qui s'étend de la Méditerranée aux contreforts du Canigou, dans les Pyrénées-Orientales (**voir** ROUSSILLON). Les rouges et les rosés sont issus des cépages carignan, cinsault, grenache, lladoner pelut, les blancs des cépages maccabeo et tourbat.

CÔTES-DU-VENTOUX Vin AOC, surtout rouge, souple et fruité, parfois rosé et blanc, produit sur les pentes arides et ensoleillées du mont Ventoux et bénéficiant d'une appellation d'origine contrôlée (**voir** PROVENCE). Les rouges et les rosés sont issus des cépages grenache, syrah, mourvèdre, cinsault et carignan, les blancs des cépages clairette, bourboulenc, roussanne et grenache blanc.

COTIGNAC Pâte de coing très sucrée et transparente, additionnée d'un peu de glucose, moulée dans des petites boîtes rondes en bois mince. Sa couleur rose vient de l'oxydation naturelle des fruits pendant le séchage. Cette friandise populaire est d'origine très ancienne, et Orléans s'en est fait une spécialité.

cotignac

Laver des coings, les peler et les épépiner, garder les pépins ; enfermer ceux-ci dans un nouet de mousseline. Couper les fruits en quartiers, les mettre dans une bassine avec très peu d'eau (1/2 verre par kilo de fruits) et le nouet de pépins. Cuire doucement jusqu'à ce qu'ils se défassent à la fourchette. Retirer le nouet après l'avoir pressé. Réduire la pulpe en purée, la peser, la verser dans une bassine avec 400 g de sucre pour 500 g de pulpe. Mélanger et faire réduire en remuant à la spatule de bois jusqu'à ce que la marmelade ne s'étale plus quand on la fait tomber sur une surface froide. Huiler alors une plaque. Y étaler la marmelade en couche régulière et laisser sécher. Détailler la pâte en carrés et les passer dans du sucre cristallisé.

Coulis

« À base de légumes ou de crustacés, le coulis peut servir d'ornement au moment du dressage d'un plat. Un petit plus délectable enseigné à l'école FERRANDI PARIS ou pratiqué avec subtilité chez POTEL ET CHABOT. »

CÔTOYER Faire tourner une pièce en train de rôtir pour que toutes ses faces soient exposées successivement à la source de chaleur.

COTRIADE Soupe de poissons du littoral breton, préparée au beurre ou au saindoux, à l'oignon et à la pomme de terre. On la faisait cuire autrefois sur des « cotrets », morceaux de bois sur lesquels était calé le chaudron où l'on faisait cuire les poissons. Comme la bouillabaisse, la cotriade était préparée avec des poissons communs, les plus nobles (turbot, sole) étant réservés à la vente.

---

cotriade

Faire revenir 3 gros oignons coupés en quartiers dans une grande marmite avec 25 g de beurre ou de saindoux. Mouiller alors de 3 litres d'eau. Y plonger 6 pommes de terre pelées et coupées en quartiers. Parfumer avec thym, laurier et autres herbes aromatiques. Porter à ébullition et cuire 15 min environ. Ajouter 1,5 kg de poissons et détaillés en tronçons (sardine, maquereau, daurade, baudroie, merlu, congre, grondin, surmulet et chinchard, éventuellement 1 ou 2 têtes de gros poisson, en veillant à ce que les poissons gras ne dépassent pas le quart du poids total). Poursuivre la cuisson 10 min environ. Verser le bouillon de cette soupe sur du pain coupé en tranches, et servir à part le poisson et les pommes de terre, accompagnés d'une saucière de vinaigrette.

COTTAGE CHEESE Fromage anglais de lait de vache (de 4 à 8 % de matières grasses), à pâte fraîche (**voir** tableau des fromages étrangers page 396). De forme et de dimensions variables, le cottage cheese a une consistance molle plus ou moins granuleuse et une saveur acidulée qui en fait, dans de nombreux pays du monde, et surtout aux États-Unis, un ingrédient des entremets et de la pâtisserie.

COU Partie d'une volaille qui correspond au collier chez les animaux de boucherie (**voir** COLLIER).

Le cou de canard ou d'oie farci est une spécialité du sud-ouest de la France. Le cou est soigneusement désossé, puis la peau est cousue à une extrémité et farcie avec un mélange de viande de la volaille et de porc, additionné d'un peu de foie gras, d'armagnac et de jus de truffe. La cuisson s'effectue dans la graisse de canard ou d'oie. Le cou farci se mange froid ou chaud, avec une sauce Périgueux.

COUCHER Pousser une pâte, une crème, une farce, à l'aide d'une poche à douille, sur une plaque à pâtisserie. L'opération doit se faire très régulièrement, en tenant la douille bien inclinée. La forme de celle-ci et le mouvement qu'on lui donne déterminent la présentation finale de l'apprêt : on couche la pâte à choux en petits rouleaux pour réaliser des éclairs ; la pâte à langue-de-chat en minces languettes ; l'appareil à pommes duchesse en petits monticules torsadés, etc. (**voir** DRESSER, POUSSER).

COUENNE Peau du porc débarrassée de ses soies. La couenne est plus ou moins épaisse et grasse. Échaudée puis flambée et grattée après l'abattage, elle est laissée sur certains morceaux ou en est séparée. Dans ce cas, elle sert à foncer cocottes et braisières, et à confectionner gelées, jus et bouillons. En charcuterie, elle entre dans la composition de certains produits à base de tête de porc. Dans plusieurs apprêts régionaux ou étrangers, elle joue un rôle gastronomique : soupe bréjaude, zampone, cassoulet, charcuteries diverses (coudenou). On la cuit dans un bouillon aromatisé pour la préparation des ballottines, des roulades et des galantines.

COUGNOU Gâteau de Noël belge, de forme ovale, avec à chaque extrémité un renflement arrondi. Le cougnou (ou cougnole, ou coquille) est réalisé à partir d'une pâte levée au lait et aux œufs, enrichie de beurre et d'un peu de sucre, et orné en son centre d'une représentation de l'Enfant Jésus en sucre ou en craie.

COULEMELLE Nom commun (du latin *columella*, « petite colonne ») de la lépiote (**voir** ce mot), un champignon de la famille des agaricacées, présent dans les bois et les clairières et particulièrement délicat, qui se fait frire, sauter ou griller, ou qui peut même se manger cru, en salade.

COULER Introduire dans un pâté en croûte, cuit et refroidi, une gelée parfumée, tiède et prête à prendre, par le trou de la cheminée (prolonger celle-ci par un bristol roulé en tuyau pour faciliter l'opération). Les vides sous la croûte, résultant de la cuisson, sont ainsi garnis de gelée, qui, après durcissement, améliore la tenue du pâté et facilite son découpage en tranches.

COULIS Purée liquide, obtenue par cuisson condimentée de légumes (tomates passées et tamisées) ou de crustacés, utilisée pour relever une sauce (ou comme sauce) ou préparer un potage (**voir** BISQUE).

Les coulis de fruit sont des sauces préparées avec des fruits charnus et bien parfumés ; réalisés à cru, ou en quelques minutes de cuisson, avec des fruits rouges (groseilles, fraises, framboises) ou jaunes (abricots, mirabelles), sauvages (mûres, myrtilles) ou exotiques (kiwis), ils se servent en accompagnement d'entremets chauds ou froids, de glaces ou de fruits pochés.

---

coulis de fruits frais

Laver 1 kg d'abricots, de fraises, de framboises, de pêches, de groseilles, etc. ; selon leur nature, les éplucher, les dénoyauter ou les égrapper, et les cuire quelques minutes s'ils sont un peu fermes (abricot, rhubarbe, etc.). Les couper éventuellement en morceaux et les passer au mixeur avec du sucre en poudre (de 50 à 300 g suivant l'acidité des fruits) pendant 3 ou 4 min, par impulsions successives. Si les fruits sont très sucrés ou un peu fades, les relever d'un peu de citron.

---

coulis de tomate (condiment)

Choisir des tomates bien mûres, mais fermes et pulpeuses ; les ébouillanter 20 secondes, puis les plonger dans de l'eau froide et les peler. Les ouvrir en deux et les épépiner. Parsemer la pulpe de sel et retourner les demi-tomates pour les faire dégorger. Passer ensuite la pulpe dans un mixeur avec un peu de jus de citron et 1 cuillerée à café de sucre en poudre par kilo de fruits. Faire réduire la purée liquide obtenue en la laissant bouillir quelques minutes. Passer au tamis. Saler et poivrer. Laisser refroidir complètement.

filets de sole à la vapeur au coulis de tomate ▶ SOLE

COULOMMIERS Fromage briard de lait de vache (de 45 à 50 % de matières grasses), à pâte molle et à croûte fleurie (**voir** tableaux des bries page 133 et des fromages français page 389). Le coulommiers se présente sous la forme d'un disque de 13 cm de diamètre et de 3 cm d'épaisseur, et pèse 500 g environ. Il a une texture assez grasse et un goût de terroir prononcé.

COUCHER DE LA PÂTE À CHOUX

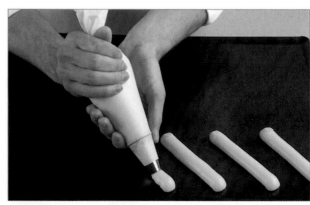

Remplir de pâte la poche à douille. En la maintenant d'une main, presser de l'autre pour déposer des « doigts » réguliers de pâte.

COUP DE FEU Roussissement, noircissement ou autre altération (durcissement, par exemple) résultant de l'exposition brutale d'un aliment à un feu trop vif (rôti) ou d'une préparation à une chaleur trop intense (pâtisserie). Pour éviter le « coup de feu », on couvre les plats d'un papier sulfurisé beurré.

En restauration, l'expression est employée familièrement pour désigner la période d'activité la plus intense, où tous les fourneaux sont allumés, où chaque membre de la brigade est occupé à son poste, alors que le service entre la cuisine et la salle doit se faire le plus rapidement possible.

COUPAGE Mélange de vins de différents millésimes et provenances, issus en général d'un même cépage, le plus souvent réalisé chez le négociant pour améliorer et équilibrer un vin.

COUPE Récipient arrondi, de taille variable, éventuellement monté sur un pied, qui sert à présenter des crèmes, des glaces ou des fruits rafraîchis, qui prennent aussi le nom de « coupe ».

La coupe à champagne est un verre à pied plus large que haut.

coupes de crème Hawaii

Préparer 50 cl de lait d'amande et le mettre dans le réfrigérateur. Laver, essuyer et équeuter 300 g de fraises ; les couper en deux si elles sont grosses. Éplucher 1 ananas frais et détailler la pulpe en dés. Garnir les coupes de morceaux de fraise et de dés d'ananas, napper de lait d'amande et de 100 g de coulis de framboise. Garnir les coupes d'un dôme de crème Chantilly dressé à la poche à douille cannelée.

RECETTE DE PIERRE HERMÉ

coupes glacées au chocolat noir et à la menthe

POUR 6 PERSONNES – PRÉPARATION : 35 min + 10 min –
INFUSION : 5 min + 5 min – CUISSON : 20 min + 4 min
– CONGÉLATION : 30 min – RÉFRIGÉRATION : 2 h

« La veille, préparer la crème à la menthe. Rincer 55 g de feuilles de menthe fraîche, en réserver 15 g au réfrigérateur et ciseler grossièrement les autres. Porter à ébullition 50 cl de lait et 12 cl de crème fraîche liquide. Hors du feu, ajouter le hachis de menthe. Mélanger, couvrir et laisser infuser 5 min, pas plus. Filtrer et réserver. Fouetter au batteur électrique 6 jaunes d'œuf avec 100 g de sucre en poudre pendant 3 min. Verser la crème infusée en un mince filet sur le mélange tout en continuant à fouetter. Mettre ce mélange dans une casserole et faire cuire à feu moyen en remuant sans arrêt jusqu'à ce que la crème épaississe, mais sans la faire bouillir. Mettre le fond de la casserole dans une jatte remplie de glaçons et remuer la crème 5 min pour qu'elle devienne onctueuse. Ajouter le hachis de menthe conservé au réfrigérateur. Mixer au mixeur plongeant. Couvrir et laisser infuser au réfrigérateur jusqu'au lendemain. Le jour même, verser la crème infusée dans la sorbetière. Ciseler très finement les 15 g de feuilles de menthe mises de côté. Dès que la glace commence à prendre, les ajouter ainsi que 100 g de copeaux de chocolat noir à 70 % de cacao. Poivrer. Mettre la glace au congélateur jusqu'au dernier moment. Préparer un sorbet au chocolat noir. Hacher 100 g de chocolat noir à 70 % de cacao. Porter à ébullition 25 cl d'eau minérale avec 100 g de sucre en poudre. Dès l'ébullition, ajouter le chocolat et mélanger vivement. Laisser bouillir 2 ou 3 min sans cesser de remuer. Verser la préparation dans une jatte et placer celle-ci dans une jatte plus grande remplie de glaçons. Laisser refroidir en mélangeant de temps en temps. Verser la préparation dans la sorbetière et la faire prendre. Mettre la glace au congélateur jusqu'au dernier moment. Préparer la gelée de menthe. Mettre 1 feuille et demie de gélatine (3 g) à ramollir dans de l'eau froide. Rincer 80 g de feuilles de menthe fraîche et les ciseler grossièrement. Porter 30 cl d'eau à ébullition avec 80 g de sucre en poudre, puis retirer du feu. Y ajouter le hachis de menthe. Mélanger, couvrir et laisser infuser 5 min, pas plus. Égoutter et sécher la gélatine. L'ajouter dans le sirop chaud.

Mixer et filtrer. Verser le mélange dans un plat creux et le faire prendre en gelée au réfrigérateur. Répartir la gelée de menthe au fond de six coupes. Ajouter dans chacune 1 boule de sorbet au chocolat noir et 2 boules de glace à la menthe. Monter 20 cl de crème fraîche liquide en crème fouettée ferme dans une jatte glacée. Disposer une rosace de chantilly dans chaque coupe. Servir aussitôt. »

RECETTE DE PIERRE HERMÉ

coupes glacées aux marrons glacés

POUR 6 PERSONNES – PRÉPARATION : 30 min – CONGÉLATION :
30 min

« Préparer 75 cl de glace à la vanille, mais la maintenir assez souple. Au besoin, la sortir du congélateur 30 min avant la préparation des coupes, si elle est faite à l'avance. Mettre les coupes à glace pendant 30 min au congélateur. Préparer 400 g de crème Chantilly. Mélanger 150 g de brisures de marrons glacés avec la glace à la vanille en prenant soin de ne pas trop les écraser, puis répartir cette glace en boule ou en quenelle dans chaque coupe. Recouvrir de chantilly soit avec la poche à douille cannelée, soit avec une cuillère en formant un petit dôme. Parsemer de vermicelles de chocolat. À la place des brisures de marrons glacés, on peut utiliser de la glace aux marrons du commerce. Mélanger alors 1 litre de cette glace avec la même proportion de glace à la vanille. »

coupes Jamaïque

Préparer 50 cl de glace au café en ajoutant au lait bouillant 1 cuillerée d'extrait de café. Mettre 6 coupes dans le réfrigérateur. Rincer 160 g de raisins de Corinthe et les laisser macérer 1 heure à température ambiante dans 10 cl de rhum. Éplucher 1 ananas et le couper en dés. Répartir ceux-ci dans les coupes et recouvrir de glace au café. Égoutter les raisins et les disposer sur le dessus.

COUPERET Couteau large et court, en acier inoxydable, qui a la forme d'une hache. Le couperet de boucher, qui pèse 1,5 kg environ, permet de casser les gros os ou d'aplatir la viande ; le couperet, professionnel ou de ménage, sert à concasser les os et les carcasses.

COUPOLE (LA) Restaurant, bar et brasserie du boulevard du Montparnasse, à Paris, ouvert en 1927. Les peintres de la Ruche, les musiciens du groupe des Six, des exilés politiques, des poètes et des artistes étrangers encore inconnus en France (Foujita, Hemingway, Picasso, Eisenstein) formèrent un noyau de fidèles habitués, les « montparnos », qui firent de *La Coupole*, ainsi que du *Dôme* (ouvert en 1910) et du *Sélect* (1923), leurs lieux de rendez-vous. On venait aussi y écouter du jazz au bar. La décoration de *La Coupole* a été restaurée et rétablie dans son état d'origine en 1988.

COUQUE Gâteau flamand, que l'on sert au petit déjeuner ou avec le thé, et qui se mange tiède, fendu en deux et tartiné de beurre. Les couques sont faites en pâte à brioche garnie de raisins de Corinthe, en pâte à pain d'épice (spécialité de Verviers) ou en pâte feuilletée (glacée sur le dessus) ; celles de Dinant, en Belgique, sont réputées.

COURBINE Poisson de la famille des sciaenidés, commun dans la Méditerranée et l'Atlantique (golfe de Gascogne), ressemblant un peu au bar et connu également sous le nom de « maigre ». La courbine mesure 1 m environ et peut atteindre 2 m. Sa chair est savoureuse et s'accommode comme celle du bar.

COURCHAMPS (PIERRE MARIE JEAN, COMTE DE) Écrivain et gastronome français (Saint-Servan-Saint-Malo 1783 - Paris 1849). « Aventurier des lettres », il publia anonymement, en 1839, une *Néophysiologie du goût ou Dictionnaire général de la cuisine française ancienne et moderne*, riche en anecdotes, en portraits, en « secrets » culinaires et en jugements péremptoires.

COURGETTES

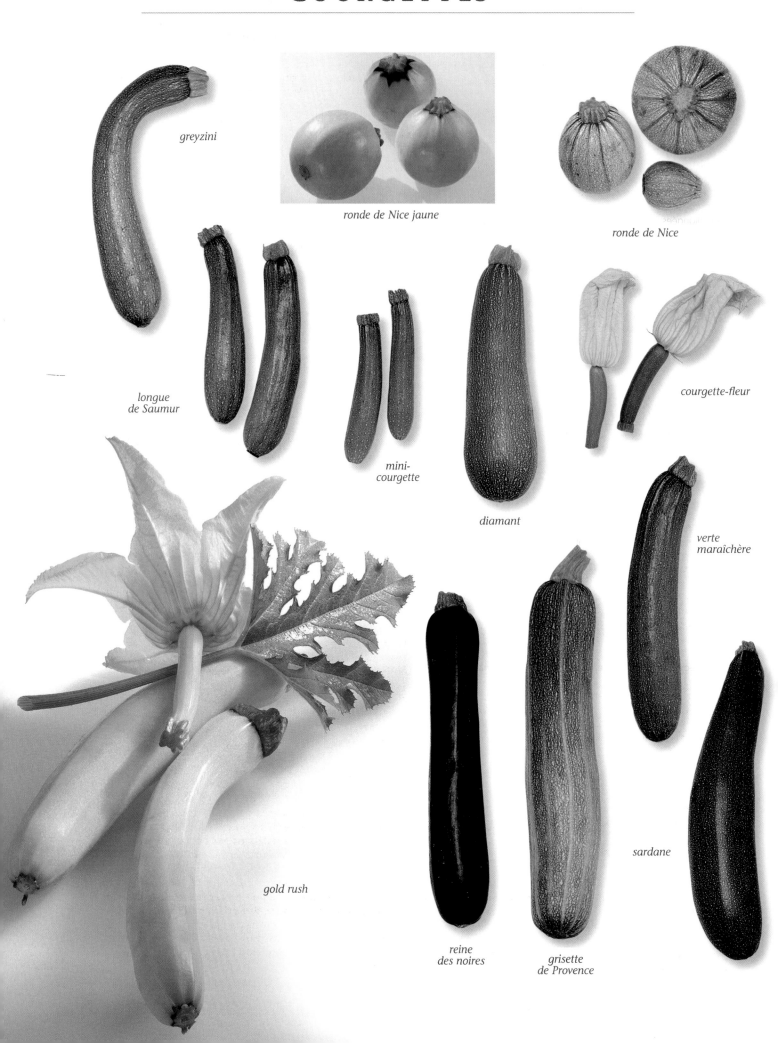

greyzini

ronde de Nice jaune

ronde de Nice

longue
de Saumur

mini-
courgette

diamant

courgette-fleur

verte
maraîchère

gold rush

reine
des noires

grisette
de Provence

sardane

COURGE Nom générique de divers légumes-fruits, de la famille des cucurbitacées, charnus, aqueux, protégés par une « écorce » plus ou moins épaisse et qui peuvent être consommés immatures (comme le pâtisson) ou à maturité. Ces légumes-fruits sont en général originaires des zones tropicales. Les courges, au sens strict, appartiennent au genre *Cucurbita* et sont originaires d'Amérique.

Les potirons, potimarrons, citrouilles et giraumons, sphériques et volumineux, ont la chair jaune ou rouge ; on les consomme en automne et en hiver (soupes, gratins, purées, soufflés parfois sucrés, tartes). Le potimarron, comme son nom l'indique, a un goût voisin de celui du marron. Les pâtissons ont une chair ferme, dont la saveur rappelle celle de l'artichaut ; les très petits fruits se conservent en pickles. Les calebasses et coloquintes sont plutôt décoratives. Les courges proprement dites, courges d'hiver et courges musquées, sont allongées, plus volumineuses, plus fades et plus aqueuses que les courgettes, mais se préparent comme elles. La courge musquée de Provence, aplatie, à côtes très marquées et d'une belle couleur cuivrée, est de plus en plus présente sur les marchés.

Au Canada, on apprête les fibres blanches, longues et minces de la courge spaghetti comme les pâtes alimentaires (après avoir fait cuire le fruit en entier) ; les petites courges sont souvent cuites au four avec du beurre et du sirop d'érable ; les graines de courge sont bouillies puis grillées au four.

courge au gratin

Éplucher une grosse courge, la couper en morceaux de grosseur moyenne et l'égrener. Blanchir ces morceaux à l'eau salée pendant 4 ou 5 min, les égoutter et les éponger. Les disposer dans un plat à gratin beurré et poudrer de fromage râpé. Arroser de beurre fondu et mettre à gratiner à four moyen. On peut aussi faire alterner les morceaux avec de l'oignon émincé.

RECETTE DE CHRISTOPHE QUANTIN

rémoulade de courge spaghetti aux trompettes et ris de veau

POUR 4 PERSONNES – PRÉPARATION : 40 min – CUISSON : 45 min

« La veille, mettre à dégorger 400 g de ris de veau, les blanchir pendant 2 min, les rafraîchir, les éplucher puis les mettre sous presse au froid. Le jour même, braiser à blanc les ris de veau (voir page 102). Laver, percer 1 courge spaghetti de 1 kg environ, puis la cuire à l'anglaise environ 25 min. La rafraîchir et l'égoutter. La fendre en deux et éliminer les graines. Effilocher la chair des courges, réserver. Nettoyer et laver rapidement 125 g de trompettes-des-morts, les émincer en julienne et réserver. Préparer une vinaigrette avec 12 cl d'huile de pépins de raisin, 5 cl de vinaigre de xérès, 1 petite cuillerée à soupe de moutarde blanche, du sel et du poivre. Émulsionner vivement puis ajouter 1 cuillerée à soupe de ciboulette ciselée. Escaloper les ris de veau en 20 médaillons, assaisonner, fariner et faire sauter vivement dans 25 g de beurre. En même temps, faire sauter les trompettes-des-morts dans 15 g de beurre mousseux. Assaisonner et tenir au chaud. Mélanger les spaghettis de courge avec les trompettes-des-morts en julienne, assaisonner le tout avec la vinaigrette. Toaster 50 g d'amandes effilées. Dresser des tampons de rémoulade de spaghettis et trompettes-des-morts au centre des assiettes. Disposer 5 médaillons de ris de veau chauds en rosace sur chaque tampon. Parsemer d'amandes effilées. Verser un léger cordon de vinaigrette autour. Servir aussitôt. »

COURGETTE Fruit récolté très jeune d'une plante annuelle de la famille des cucurbitacées, de forme allongée ou sphérique, à peau brillante, verte ou jaune (voir tableau des courgettes page 264 et planche ci-contre). La chair de la courgette est ferme, aqueuse et très peu calorique (11 Kcal ou 46 kJ pour 100 g de courgette cuite). Elle est riche en potassium et apporte modérément des vitamines B9 et C.

Longtemps utilisée dans les cuisines méditerranéennes, la courgette est maintenant cultivée, depuis 60 ans, dans les ceintures vertes de toutes les grandes villes. On en importe, en primeur, d'Espagne, d'Italie et du Maroc. Parmi les variétés disponibles pratiquement toute l'année, la « diamant », petite, verte et fine, est la meilleure ; elle possède une saveur agréable. Les fleurs, délicates, sont comestibles. On commence de plus en plus à trouver dans le commerce des variétés jaunes comme la gold rush, mais aussi la ronde de Nice, qui était connue pour être grisée. Les courgettes beurre (de couleur claire, peu amères et sans graines) et la courgette blanche sont aussi très à la mode actuellement.

■ **Emplois.** Si les courgettes sont tendres, il est inutile de les éplucher. On en prévoit en général 250 g par personne (150 g pour une ratatouille ou une caponata). Il est préférable de les cuire à la vapeur ou dans leur jus.

Poêlées, frites ou en beignets, elles accompagnent bien les poissons de roche, le mouton et le veau. Les courgettes cuites à l'anglaise sont parfois relevées avec une béchamel muscadée ou une sauce indienne au curry ou pimentée. La farce et le gratin sont des apprêts qui leur conviennent bien, ainsi que l'association avec des pommes de terre et des tomates farcies.

En rondelles ou en bâtonnets et blanchies puis refroidies, les courgettes se servent aussi en salade (avec des olives et des œufs durs, ou des tomates et un peu de menthe). Les Anglais en font des confitures, parfois parfumées au gingembre, et des pickles.

Les fleurs de courgette se farcissent, se préparent en beignets ou décorent des salades.

---

courgette : préparation

Débarrasser la courgette de son pédoncule et l'essuyer. La peler au couteau éplucheur, entièrement (indispensable pour la purée, à volonté pour les beignets) ou partiellement, en laissant des languettes de peau entre les parties pelées (ratatouille, par exemple) ou pas du tout (courgette farcie, tagine).

---

courgettes à la créole

Partager les courgettes en deux dans le sens de la longueur et ôter les graines. Couper la pulpe en dés et la faire blondir dans un peu de saindoux. Saler, couvrir et cuire 20 à 25 min à feu très doux en remuant de temps en temps. Quand les dés se défont bien, les écraser à la fourchette et continuer la cuisson, en remuant, jusqu'à ce que cette marmelade soit devenue dorée. Servir très chaud.

---

courgettes farcies

Couper les courgettes en deux dans le sens de la longueur, les évider, les blanchir à l'eau bouillante salée et les égoutter. Blanchir fortement du riz, l'égoutter, le rafraîchir et l'égoutter de nouveau. Lui ajouter de la chair de mouton (braisée ou rôtie) hachée, de l'oignon haché et passé au beurre, du fenouil haché, une pointe d'ail, du sel et du poivre. Garnir en dôme les demi-courgettes avec cette farce. Les ranger côte à côte dans un plat à rôtir beurré en les serrant un peu les unes contre les autres. Mouiller de sauce tomate. Porter doucement à ébullition sur le feu, couvrir et poursuivre la cuisson au four préchauffé à 185 °C, en arrosant souvent.

---

courgettes à l'indienne

POUR 4 PERSONNES – PRÉPARATION : 30 min – CUISSON : 30 min

Éplucher, laver et tourner en forme de grosses olives 1 kg de courgettes. Éplucher, laver 12 petits oignons grelots, 1 gousse d'ail et la dégermer. Confectionner 1 bouquet garni en lui ajoutant 1 branche de coriandre fraîche. Dans un sautoir, faire chauffer 40 g de beurre et faire suer sans coloration les petits oignons, pendant environ 10 min. Ajouter les courgettes tournées, l'ail, 1 cuillerée à soupe de curry, le sel, le poivre et le bouquet garni. Bien mélanger et faire étuver à couvert pendant 10 à 15 min. Retirer le couvercle, le bouquet garni, la gousse d'ail et finir de cuire vivement pour permettre l'évaporation complète de l'eau de végétation. Vérifier l'assaisonnement et dresser dans un légumier.

Caractéristiques des principales variétés de courgettes

VARIÉTÉ	PROVENANCE	ÉPOQUE	ASPECT
couleur blanche à vert pâle			
blanche de Virginie	Sud-Est, Rhône-Alpes, Aquitaine, ceintures vertes des villes	avr.-oct. selon les modes de culture (abritée ou plein air)	très allongé
couleur vert clair			
greyzini	Sud-Est, Rhône-Alpes, Aquitaine, ceintures vertes des villes	avr.-oct. selon les modes de culture (abritée ou plein air)	allongé et légèrement courbe
couleur vert clair marbré			
grisette de Provence	Sud-Est, Rhône-Alpes, Aquitaine, ceintures vertes des villes	avr.-oct. selon les modes de culture (abritée ou plein air)	allongé
couleur vert moyen			
diamant	Sud-Est, Rhône-Alpes, Aquitaine, ceintures vertes des villes	avr.-oct. selon les modes de culture (abritée ou plein air)	légèrement allongé
couleur vert foncé			
ambassador, sardane, reine des noires	Sud-Est, Rhône-Alpes, Aquitaine, ceintures vertes des villes	avr.-oct. selon les modes de culture (abritée ou plein air)	allongé
verte maraîchère	Côte d'Azur	avr.-oct. selon les modes de culture (abritée ou plein air)	allongé
longue de Saumur	Val de Loire	avr.-oct.	allongé
couleur jaune			
gold rush	Sud-Est, Rhône-Alpes, Aquitaine, ceintures vertes des villes	avr.-oct. selon les modes de culture (abritée ou plein air)	allongé
couleur grisée, striée, marbrée			
ronde de Nice	Côte d'Azur	avr.-oct.	rond, court, renflé

courgettes à la mentonnaise

Partager les courgettes en deux dans le sens de la longueur. Inciser la pulpe à 1 cm du bord et y pratiquer 7 ou 8 petites entailles. Les saler et les laisser dégorger à l'envers sur du papier absorbant. Les éponger et les dorer à l'huile d'olive. Les égoutter. Retirer la pulpe, la hacher et lui ajouter un volume égal d'épinards blanchis, hachés et étuvés au beurre ; remplir les demi-courgettes de cette farce. Les mettre dans un plat à rôtir. Les parsemer de 1 cuillerée à soupe rase de parmesan râpé, une pointe d'ail et du persil haché. Parsemer de chapelure, arroser d'huile d'olive et faire gratiner au four préchauffé à 250 °C.

courgettes à la niçoise

POUR 4 PERSONNES – PRÉPARATION : 40 min – CUISSON : 40 min

Avec 750 g de tomates, réaliser une fondue de tomate réduite (voir page 377). Peler partiellement les courgettes, les laver et les émincer sur 4 à 5 mm d'épaisseur. Dans un sautoir, faire chauffer 5 cl d'huile d'olive et faire sauter les courgettes émincées à feu vif quelques minutes. Ajouter la fondue de tomate réduite et laisser mijoter pendant 12 à 15 min. Vérifier l'assaisonnement en sel et poivre. Dresser dans un légumier et saupoudrer de 1 cuillerée à soupe de persil haché.

RECETTE D'ANNE-SOPHIE PIC

fleurs de courgette farcies aux coquillages

POUR 4 PERSONNES

« Choisir 1 ou 2 pièces de courgette (de préférence violon, sans pépin, peau plus claire) et les tailler pour obtenir 100 g de brunoise de peau et 100 g de brunoise de blanc de courgette. Faire sauter à l'huile d'olive 1 brin de thym, 1 gousse d'ail dégermée et les 100 g de brunoise de vert de courgette. Assaisonner et laisser refroidir. Faire étuver les 100 g de blanc de courgette avec 3 tomates émondées et taillées en brunoise jusqu'à totale évaporation de l'eau de végétation. Assaisonner. Faire cuire 100 g de moules de bouchot et 100 g de palourdes à la marinière. Décoquiller, ébarber et concasser grossièrement. Réserver. Mélanger tous ces ingrédients, incorporer 100 g de parmesan reggiano, 1 œuf battu pour la liaison, puis un mélange d'herbes (cerfeuil, aneth, persil plat, coriandre fraîche) ciselées. Rectifier l'assaisonnement. Choisir 4 courgettes-fleurs (fleur + courgette). Farcir chaque fleur d'un peu de farce et replier l'extrémité de la fleur. Cuire les courgettes-fleurs avec un peu d'huile d'olive, du sel et du poivre dans un sautoir pendant 8 à 10 min, avec 10 cl de fond blanc en veillant à ne pas abîmer la fleur. (La cuisson peut aussi bien se faire à la vapeur en enroulant les fleurs de courgette dans un film alimentaire.) Avant de servir, badigeonner d'un filet d'huile d'olive, puis saupoudrer d'un peu de fleur de sel. »

RECETTE DE ROGER VERGÉ DANS *LES FÊTES DE MON MOULIN* (ÉD. FLAMMARION)

fleurs de courgette aux truffes

« Plusieurs heures à l'avance, retirer le bout terreux de 500 g de champignons de Paris ; les laver très rapidement sous un filet d'eau pour qu'ils ne détrempent pas. Les hacher et les arroser aussitôt du jus de 1/2 citron, ce qui leur évitera de noircir. Dans une poêle, chauffer 1 cuillerée à soupe de beurre et 1 cuillerée à soupe d'échalote hachée. Dès que le beurre chante, ajouter les champignons, saler, remuer et les cuire 3 ou 4 min. Les égoutter au-dessus d'une petite casserole à travers une passoire fine en acier inoxydable (pour qu'ils ne noircissent pas), en réservant leur eau, et les remettre à sécher dans la poêle, sur feu vif. Dans une terrine, mélanger au fouet 5 cuillerées à soupe de crème liquide et 2 jaunes d'œuf. Verser dans la poêle, incorporer le tout au fouet et cuire 2 min. Vérifier l'assaisonnement et laisser refroidir. Égoutter 6 truffes noires du Vaucluse

(15 g chacune) et ajouter leur jus à celui des champignons. Essuyer délicatement 6 fleurs de courgette, sans les laver. Écarter les pétales et y verser 1 cuillerée à dessert de purée de champignon. Placer 1 truffe au milieu et refermer les pétales. Placer les fleurs dans la partie haute d'un couscoussier rempli d'eau et les couvrir d'une feuille d'aluminium. Équeuter, trier et laver 500 g d'épinards nouveaux très tendres (ou de mâche). Faire réduire le jus des champignons et des truffes pour n'en avoir que 3 cuillerées à soupe bien parfumées. Incorporer au fouet 250 g de beurre coupé en petits morceaux. Saler, poivrer et réserver. Cuire les fleurs 15 min à l'étuvée. Faire réchauffer la sauce au bain-marie. Étaler les feuilles d'épinard ou de mâche crues, poser les fleurs de courgette, ajouter du sel et du poivre du moulin. Napper de la sauce au beurre. Parsemer éventuellement de brins de cerfeuil et servir. »

purée de courgette ▶ PURÉE

RECETTE D'ANNE-SOPHIE PIC

soupe glacée de courgette à la menthe

POUR 4 PERSONNES

« Dans une sauteuse, verser 2 cl d'huile d'olive et faire suer 40 g d'oignon blanc et 10 g d'ail nouveau (ou d'ail dégermé) émincés, sans coloration. Ajouter 500 g de courgettes (de préférence des courgettes beurre) taillées en fines lamelles, les saler légèrement puis faire revenir l'ensemble sans coloration. Mouiller à hauteur avec 50 cl de fond blanc et ajouter 10 feuilles de menthe fraîche. Cuire à feu vif. Retirer les feuilles de menthe, mixer puis passer au chinois. Rectifier l'assaisonnement en sel et poivre et faire refroidir la soupe rapidement afin de lui garder une belle couleur. Servir dans des assiettes creuses, accompagnée d'un filet d'huile d'olive. »

RECETTE DE PHILIPPE GOBET

tartare de courgettes crues
aux amandes fraîches et parmesan

POUR 4 PERSONNES

« Dans un saladier, couper en brunoise 4 petites courgettes bien tendres. Ajouter 2 cuillerées d'huile d'olive, quelques gouttes de jus de citron vert et un peu de fleur de thym. Saler, poivrer et ajouter 1 pointe de curry. Ajouter 50 g d'amandes fraîches pelées. Dresser dans des petits bols individuels et parsemer de 30 g de copeaux de parmesan et de fleur de sel. »

COURONNE Mode de dressage de certaines préparations sucrées ou salées, cuites dans un moule à savarin, façonnées en bordure (riz notamment) ou disposées en cercle sur un plat rond. Le centre est en général garni. On emploie aussi les termes « turban » ou « bordure » (**voir** ces mots). Les brioches et le pain peuvent également être moulés en couronne.

---

couronne de pommes à la normande

Cuire dans un sirop vanillé des demi-pommes à pulpe ferme (golden, granny smith), pelées et épépinées. Les laisser refroidir dans le sirop, puis les égoutter et les éponger. Préparer un appareil à crème moulée, parfumé au calvados, et le cuire au bain-marie, dans un moule à bordure lisse. Laisser refroidir, puis démouler dans un plat rond. Dresser au centre, en dôme, les moitiés de pomme égouttées. Décorer de crème Chantilly bien ferme. Servir avec une sauce à l'abricot parfumée au calvados.

croûtes en couronne à la Montmorency ▶ CROÛTE

COURT-BOUILLON Décoction épicée et aromatisée, parfois vinaigrée ou additionnée de vin, servant principalement à cuire le poisson et les crustacés, mais également à cuisiner les abats blancs.

On trouve dans le commerce des courts-bouillons lyophilisés, d'un emploi facile (ils se diluent simplement dans l'eau).

■ **Cuisson des poissons.** Le court-bouillon doit toujours être complètement refroidi. La cuisson se fait soit dans une poissonnière,

soit dans une grande casserole. Les grosses pièces sont enveloppées dans un linge. Le court-bouillon est versé dans le récipient, où l'on place ensuite le poisson (un liquide bouillant contracterait les chairs). On porte à ébullition et on entretient un frémissement constant. La chair cuite doit être ferme mais souple (l'albumine coagule jusqu'à l'arête centrale). Seuls les crustacés vivants sont plongés dans la décoction bouillante et cuits à pleine ébullition.

Si le court-bouillon n'est pas assez abondant, on recouvre le poisson d'un linge ou de feuilles de céleri, pour l'empêcher de se dessécher en surface, mais il ne faut jamais rajouter d'eau froide.

Après la cuisson, les poissons servis chauds sont bien égouttés et présentés sur un plat, accompagnés à part de la sauce, et, traditionnellement, de pommes vapeur. Les poissons servis froids doivent refroidir dans le liquide de cuisson ; ils sont ensuite débarrassés de leur peau.

En principe, on ne jette jamais un court-bouillon : filtré, il peut en effet servir pour un potage ou une sauce blanche. Conservé dans un bocal stérilisé, il se garde d'une cuisson à l'autre.

---

court-bouillon « eau de sel »

Porter de l'eau à ébullition avec 15 g de sel par litre. L'eau de sel, le plus simple des courts-bouillons, n'est en général pas aromatisée, mais on peut lui ajouter selon le goût un peu de thym et de laurier.

---

court-bouillon au lait

Mélanger moitié lait et moitié eau, saler (15 g par litre) et mouiller juste à hauteur l'aliment à cuire ; ajouter quelques rondelles de citron pelé à vif. Ce court-bouillon est surtout utilisé pour la cuisson des poissons plats comme la barbue ou le turbot, ou encore des poissons fumés ou salés comme le haddock ou la morue (dans ce cas, ne pas mettre de sel).

---

court-bouillon pour poissons d'eau douce

Mettre dans une casserole 300 g de carottes coupées en rondelles, 300 g d'oignons émincés, 3 litres d'eau, 30 g de sel et 1 bouquet garni (1 brin de thym, 1/2 feuille de laurier et 3 branches de persil). Porter à ébullition et cuire 20 min. Ajouter une dizaine de grains de poivre et 25 cl de vinaigre. Laisser infuser 10 min, puis passer au chinois.

---

court-bouillon pour poissons de mer

Placer le poisson vidé et nettoyé dans un plat juste à sa dimension. Mouiller à hauteur d'eau froide. Ajouter quelques rondelles de citron pelé à vif et du gros sel de mer (15 g par litre). Porter à ébullition et laisser frémir jusqu'au stade de cuisson souhaité.

---

court-bouillon au vin

Mettre dans une casserole 2,5 litres d'eau, 50 cl de vin blanc sec de pays ou d'un cru déterminé, 50 g de carottes coupées en rondelles, 50 g d'oignon émincé, 1 branche de thym, 1/4 de feuille de laurier, éventuellement 1 petite branche de céleri et 1 branche de persil, 30 g de gros sel. Porter à ébullition et cuire 20 min. Ajouter 10 g de poivre en grains et laisser infuser 10 min. Passer au chinois. Ce court-bouillon sert à la cuisson des crustacés et des poissons.

homard au court-bouillon ▶ HOMARD

COURTINE (ROBERT JULIEN) Écrivain et chroniqueur gastronomique (Paris 1910 - Colombes 1998). Né dans une famille parisienne modeste, il écrit sur le théâtre et les variétés dans la presse d'avantguerre, puis collabore à celle de l'Occupation (*la Gerbe*, *Au Pilori*, le *Bulletin anti-maçonnique*), avant de se reconvertir dans la gastronomie à la Libération. *Le Monde* crée pour lui une rubrique qu'il signe sous le nom de La Reynière. On lui doit de nombreux ouvrages, notamment *Balzac à table*, les *Cahiers de recettes de Madame Maigret*, *Mes repas les plus étonnants*. Défenseur de la tradition française, ennemi de la « nouvelle cuisine », il entama d'importantes polémiques avec ses jeunes collègues Henri Gault et Christian Millau. Membre de l'Académie Rabelais, il a parrainé l'Association des dames cuisinières (l'ARC) et s'est beaucoup investi, à travers ouvrages, préfaces, dictionnaires et chroniques, dans la remise à jour des recettes et traditions des terroirs.

COUSCOUS Plat traditionnel du Maghreb, à base de semoule de blé dur, parfois d'orge ou de blé vert. Les Français découvrirent ce mets sous Charles X, au moment de la conquête de l'Algérie (1830).

Le couscous (en arabe, *kouskoussi*) est le plat national tant de l'Algérie que du Maroc et de la Tunisie. Il est servi en second service, après le méchoui en Algérie, les tagines au Maroc. On le mange en modelant avec les doigts de petites boulettes de « graine ». Si, dans les trois pays, les éléments de base sont les mêmes – semoule et bouillon (ou *marga*) –, les ingrédients qui les enrichissent varient beaucoup.

Ainsi, le couscous peut s'accompagner de fèves, d'une grande diversité de légumes (artichaut, aubergine, bette, carde, courgette, fenouil, petits pois, pomme de terre) et parfois de viande.

Le *mesfouf*, couscous préparé avec des fèves fraîches et des raisins secs, est réservé au repas de l'aube pendant le mois du ramadan ; on le mange en buvant du petit-lait *(leben)* ou du lait caillé *(raïb)*.

Le couscous saharien est servi sans légumes ni bouillon. Le couscous peut se faire au lapin, au perdreau, au mouton.

La formule la plus originale est celle du couscous au poisson (dorade ou mérou), mais il existe aussi en Tunisie un couscous où la viande, le poisson et les légumes sont remplacés par des raisins secs, des amandes, des pistaches, des dattes et des noix, l'ensemble étant mouillé de lait frais, puis sucré.

Le couscous marocain au mouton ou au poulet est parfois servi avec deux bouillons, l'un pour mouiller la semoule, l'autre, agrémenté de piment rouge, pour l'épicer ; les nombreux ingrédients (courgette, navet, oignon, pois chiches, raisins secs) sont alors soumis à une cuisson très longue, qui les réduit entièrement en une sorte de confit.

Enfin, il existe un couscous sucré à la cannelle.

Quelles que soient les variantes de ce plat dans chaque pays, la préparation du couscous repose sur deux constantes, sans lesquelles il perd de son authenticité : d'une part, la qualité de la graine, qui tient essentiellement à l'art de rouler la semoule à la main et de la cuire, et, d'autre part (le couscous salé étant le plus répandu), la saveur de la viande, qui doit beaucoup au choix des légumes et des épices (le rās al-hānout, mélange de cinq épices, notamment) réunis dans le bouillon.

couscous : préparation de la graine

Emplir la marmite d'un couscoussier aux deux tiers d'eau ou de bouillon et chauffer à feu vif. Lorsque le liquide entre en ébullition, poser la partie supérieure, le *keskès*, contenant la semoule, entourer d'un linge mouillé la jonction des deux récipients pour éviter toute perte de vapeur, et couvrir. Au bout de 30 min environ, sortir la semoule, l'étaler dans un grand plat rond à rebord, la manipuler avec les mains huilées pour casser les grumeaux. Remettre la graine à cuire et renouveler l'opération à deux reprises, sans oublier de la travailler à chaque fois. Après la troisième cuisson, disposer des petits dés de beurre sur la semoule et servir. C'est au cours de la deuxième et de la troisième cuisson qu'intervient la « garniture » du couscous : légumes ou viandes dans la marmite, raisins secs mêlés à la graine.

couscous aux légumes

Après la première cuisson de la graine, placer dans le couscoussier tous les légumes choisis : pois chiches (trempés 24 heures), fèves (fraîches de préférence), oignons émincés, navets et carottes en morceaux, tomates en rondelles, et saler. Couvrir aux deux tiers d'eau ou de bouillon de légumes avant de poser le *keskès*. Au moment de servir, vérifier l'assaisonnement et le relever avec du poivre noir ou des épices diverses (mélange de quatre épices : *qâlat daqqa*, ou mélange de cinq épices : rās al-hānout), selon les goûts. Ajouter des petits morceaux de beurre (théoriquement du smeun). L'éventail des légumes peut être plus vaste : artichaut, bette, chou, côte de carde, courgette, petits pois, pomme de terre, etc.

couscous au poisson

Dans le *keskès*, cuire 10 min à la vapeur des filets de merlan. Les émietter, les mélanger à des oignons en purée, de l'ail haché fin, du paprika, de la harissa, du persil haché, du sel, du poivre, 1 œuf et du pain rassis, préalablement trempé dans de l'eau froide. Avec cette « pâte », confectionner des boulettes et les dorer dans une poêle. Préparer de la graine avec 1,5 kg de semoule. Écailler, parer et vider 4 dorades ou 1 mérou de 1,5 kg. Assaisonner d'un mélange composé de 3 cuillerées à soupe d'huile d'olive, 2 cuillerées à café de graines de fenouil, autant de cumin pilé, 1 grosse pincée de poivre de Cayenne et 1 cuillerée à café de piment ou de paprika doux. Laisser reposer 30 min. Faire revenir à l'huile d'olive 3 oignons émincés, 3 courgettes et 4 carottes, détaillées en tronçons, et 2 fonds d'artichaut coupés en quatre. Couvrir ces légumes de 1,5 litre d'eau. Ajouter des pois chiches trempés et des fèves fraîches, 1 pincée de poivre de Cayenne, 3 tomates pelées et concassées, 2 clous de girofle, 1 petit morceau d'écorce de cannelle, 1 cuillerée à café de cumin et, selon le goût, de la harissa délayée dans l'eau. Cuire 20 min à faible ébullition. 15 min avant de servir, griller le poisson. Disposer la graine en dôme dans un plat et la garnir avec le poisson et les boulettes de merlan. Servir à part le bouillon et les légumes. Le poisson est parfois cuit dans le bouillon, avec les légumes, auxquels on peut ajouter 1 chou, 6 pommes de terre moyennes et 4 poivrons coupés en deux.

couscous à la viande

Préparer la graine avec 1,5 kg de semoule et procéder à sa première cuisson. Vider l'eau de la marmite. Découper en morceaux 1 poulet de 1,8 kg et une petite épaule de mouton, les placer dans la marmite du couscoussier avec 8 morceaux de collier de mouton et les faire revenir avec 5 cuillerées à soupe d'huile d'olive. Faire blondir 4 oignons coupés en deux. Ajouter ensuite 8 carottes fendues en deux, 4 poireaux et 1 bulbe de fenouil émincés, 6 tomates concassées, du concentré de tomate délayé, 4 gousses d'ail écrasées, 1 bouquet garni, une petite poignée de gros sel, et mouiller à hauteur d'eau froide. Ajouter des pois chiches préalablement trempés pendant 24 heures. Placer le couvercle sur la marmite, porter à ébullition et cuire de 20 à 25 min. Ajouter alors dans la marmite 4 navets en quartiers et 4 grosses courgettes en tronçons, ainsi que 4 petits artichauts débarrassés de leur foin et de leurs grosses feuilles et coupés en quatre. Placer le *keskès* avec la graine sur la marmite et poursuivre la cuisson 30 min. Préparer des boulettes en mélangeant 450 g de viande de mouton hachée, 1 petit bouquet de persil, 2 gousses d'ail et 2 oignons, hachés ensemble, 4 tranches de pain de mie émiettées, mouillées au lait, puis pressées, 1 cuillerée à café de harissa, du sel et du poivre. Bien malaxer, puis diviser la « pâte » en 8 petites boules. Les passer dans la farine et les dorer à l'huile d'olive dans une poêle, à feu vif. Lorsque la graine est cuite, la verser dans un grand plat, y déposer des noix de beurre et la garnir avec les morceaux de viande, des merguez frites et les boulettes. Présenter en même temps les légumes et le bouillon dans une soupière.

COUSCOUSSIER Récipient en aluminium ou en acier inoxydable, constitué de deux parties s'emboîtant l'une sur l'autre.

La partie inférieure est une marmite souvent bombée et munie de poignées ; on y verse le bouillon de légumes ou de viande (ou simplement de l'eau). La partie supérieure, appelée *keskès*, dont le fond est percé de petits trous, reçoit la semoule ou les aliments qui doivent cuire à la vapeur. Le couscoussier est fermé par un couvercle, parfois aussi percé de trous pour l'évacuation de la vapeur.

Autrefois, dans les pays du Maghreb, le couscoussier était un simple récipient en terre, ou en alfa tressé, percé de trous, dans lequel on mettait la semoule ; il se posait sur une marmite ordinaire, remplie d'eau ou de bouillon.

COUSINETTE Soupe béarnaise à base de feuilles de légumes verts, versée dans les assiettes sur de minces tranches de pain.

cousinette

Laver 150 g de feuilles d'épinard, 150 g de feuilles de bette, 150 g de feuilles de laitue, 50 g de feuilles d'oseille et une petite poignée de feuilles de mauve sauvage. Les tailler en chiffonnade très fine, puis les faire revenir doucement dans 50 g de beurre ou de graisse d'oie. Couvrir et laisser étuver 10 min. Ajouter 1,5 litre d'eau ou, mieux, de bouillon (de volaille) et, éventuellement, 250 g de pommes de terre coupées en tranches fines ; poursuivre la cuisson 30 min. Au moment de servir, rectifier l'assaisonnement, ajouter un morceau de beurre frais. Verser le potage sur de fines tranches de pain séchées au four.

COUTEAU Instrument tranchant composé d'un manche et d'une lame. Celle-ci est prolongée par une soie (ou queue), qui s'enfonce dans le manche, ceint d'une virole. Entre la soie et la lame, une partie saillante, la bascule, évite que la lame touche la surface de la table quand on pose le couteau à plat. Lorsque celui-ci n'a pas de virole, la soie est maintenue entre deux plaquettes – les côtes –, qui forment le manche. Jusqu'à la généralisation du métal inoxydable, les lames étaient en acier, sauf pour les fruits et le poisson (argent). Néanmoins, pour la coutellerie de cuisine, l'acier au carbone s'aiguise mieux et reste affûté plus longtemps que l'inoxydable.

■ **Couteaux de table.** L'ancêtre du couteau fut le silex taillé. Les premières lames furent en bronze, puis en fer. Jusqu'à la fin du XVIe siècle, le couteau servait à la fois à couper et à piquer les aliments dans le plat, ainsi qu'à trancher le pain ; c'était un objet personnel, que l'on portait à la ceinture. Les premiers couteaux à bout rond apparurent vers 1630, les règles du savoir-vivre imposant alors de ne pas se curer les dents avec la pointe de son couteau. Au XVIIe siècle, les couteaux de table commencèrent à se différencier selon leur usage. Aujourd'hui, couteaux à découper la viande, à servir le poisson, le fromage (pointe bifide recourbée) et les gâteaux font partie du service classique.

Chaque convive dispose d'un grand couteau (ou couteau de table), parfois d'un couteau *lame-steak* (denté, cranté ou à tranchant spécial), et de petits couteaux de forme variable selon le mets (à pample-mousse, à poisson, à fromage, à fruit, à dessert). Le couteau à tartine, conçu pour le service du beurre, possède une lame non affûtée, à bout rond. Le couteau à pain est à dents de scie.

■ **Couteaux de cuisine.** Les couteaux d'un chef lui sont aussi personnels que l'instrument d'un musicien : leur poids, leur équilibre et leur forme jouent un rôle déterminant. L'outillage classique comprend les pièces suivantes : le couteau « de boucher » (à désosser, petit, à lame courte, large près du manche et pointue à l'extrémité ; à trancher, à lame longue, large et pointue) ; le couteau « de cuisine », avec le couteau à battre (lourd, résistant et épais, pour fendre les os, les concasser, couper les viandes) ; le couteau à filets de sole (à lame longue et flexible, pointue) ; le couteau à jambon (à lame longue et flexible, à bout arrondi, unie, alvéolée ou cannelée) ; le couteau de cuisine « chef » (à lame très large et rigide, à bout pointu, pour trancher, émincer, hacher) ; le couteau d'office (le plus petit et le plus utilisé, à lame pointue et peu large, pour éplucher légumes et fruits, et effectuer tous les petits travaux) ; le couteau éminceur (spécialement conçu pour les légumes) ; le couteau tranche-lard (très long, à lame flexible et à bout pointu).

En cuisine domestique, on a généralement besoin d'un couteau-scie, qui peut être électrique, d'un couteau à trancher, de deux couteaux d'office, d'un couteau à découper, et, parfois, d'un couteau à jambon et d'un couteau à filets de sole.

Un petit outillage diversifié complète cette coutellerie : le couteau éplucheur (ou économe) pour peler légumes et fruits ; le couteau à tomate (à très fines dents de scie) ; le couteau à huîtres (modèle à lame pointue, courte et épaisse, protégée par une garde, ou « lancette » des écaillers) ; les couteaux zesteur, canneleur, écailleur.

En pâtisserie, on utilise le couteau à tartiner (long, à bout rond) pour abricoter ; le couteau-palette (souple et sans tranchant), pour soulever tartes et crêpes ; le couteau-scie pour trancher biscuits, cakes et brioches.

■ **Couteaux professionnels.** De nombreux couteaux sont destinés aux professionnels de la cuisine et de la boucherie : couperet (à lame rectangulaire très épaisse, pour concasser les os) ; feuille à fendre (à lame large, plus fine et arrondie, pour détailler, en particulier, selles et carrés de mouton et de porc) ; couteau à barde et à lardons (muni de vis molletées, pour régler l'épaisseur) ; couteau à chair (en forme de couperet spatulé, pour prélever la viande hachée, la chair à saucisse) ; couteau à coquilles Saint-Jacques (à large et courte lame) ; couteau à dénerver, dit « chevalier » ; couteau à frites ou à julienne (à lame munie, à intervalles réguliers, de petites lames perpendiculaires) ; couteau à oignon (à lame munie d'un capot de plastique transparent, pour éviter de pleurer) ; couteau à poisson (à lame dentelée) ; couteau à saumon fumé (à lame crantée, longue et flexible) ; couteau à salami (à lame en dents de scie et à manche formant un angle avec la lame) ; couteau à surgelés (à lame épaisse et crantée, irrégulièrement dentée sur un seul bord ou sur les deux).

COUTEAU (COQUILLAGE) Coquillage de la famille des solénidés, aux coquilles allongées en forme de gaine (**voir** tableau des coquillages page 250 et planche pages 252 et 253). À marée basse, le couteau s'enfonce profondément dans le sable, d'où on le fait sortir en déposant un peu de gros sel à l'orifice de son trou. Les deux espèces principales (le couteau droit, ou rasoir, long de 10 à 20 cm, et le couteau courbe, de 10 à 15 cm) doivent dégorger avant d'être dégustées, crues ou surtout cuites, éventuellement farcies.

Au Canada, on trouve plusieurs espèces de couteau (Atlantique) et de rasoir (Pacifique) ; ils sont parfois préférés aux palourdes.

COUVERCLE Accessoire de cuisine plat et muni d'une queue, d'une poignée ou d'un bouton, servant à couvrir les ustensiles de cuisson (marmite, cocotte, faitout) pour éviter les projections extérieures ou empêcher l'évaporation de l'eau et des sucs. Il est parfois bombé (pour les sauteuses) ou creux (pour recevoir de l'eau, sur certains modèles de cocotte). Certaines pièces du service de table – légumier, soupière – possèdent également un couvercle.

COUVERT Ensemble des accessoires de table mis à la disposition d'un convive (assiette, verre, couteau, fourchette, cuillère) et marquant sa place autour d'une table dressée. En termes professionnels, le « couvert » désigne seulement la fourchette et la cuillère.

Jusqu'au XVe siècle, il était d'usage de « servir à couvert », c'est-à-dire de couvrir d'un grand linge blanc les plats et les mets exposés sur la table ou sur le dressoir, pour montrer aux hôtes que toutes les précautions avaient été prises pour éviter un empoisonnement. De là l'origine de l'expression « mettre le couvert » pour dresser une table.

Sous l'Ancien Régime, on distinguait, selon l'ampleur du repas, le grand couvert, ou repas d'apparat (réservé au roi seul face à ses courtisans ou à la famille royale au complet), le petit couvert, ou repas sans cérémonie (que le roi prenait avec des familiers), et le très petit couvert, très intime, comportant néanmoins trois services. C'est au XVIIIe et surtout au XIXe siècle que les usages de la table prirent la forme qu'ils ont conservée jusqu'à nos jours, bien qu'ils aient été simplifiés.

Le couvert observe classiquement des dispositions précises : pliage de la serviette, nombre de verres, emplacement de la fourchette (à gauche, dents contre la nappe « à la française » ou vers le haut « à l'anglaise »), du couteau (à droite, lame vers l'intérieur), de la cuillère à potage éventuellement (à droite, à l'extérieur, à la française ou à l'anglaise).

Depuis la diffusion du métal argenté, l'orfèvrerie de table s'est souvent contentée de reproduire les styles des siècles passés. Au début du XXe siècle, le modern style fit sentir son influence, mais le renouveau apparut surtout avec Jean Puiforcat (après 1918), qui créa un style où la forme l'emportait sur le décor. Les orfèvres allemands, puis scandinaves, ont joué un rôle décisif en Europe, en faisant porter l'accent sur l'aspect fonctionnel des pièces du couvert, notamment sur la maniabilité et la beauté du matériau (bois et acier, Plexiglas). Aujourd'hui, on trouve une large gamme de couverts en acier inoxydable, mat ou brillant, répliques des modèles d'orfèvrerie en argent, mais allant au lave-vaisselle.

COUVRIR Mettre un couvercle sur un récipient lorsque la préparation doit cuire à couvert. Pour certains légumes (le chou-fleur, par exemple), le couvercle peut être remplacé par du papier sulfurisé, beurré ou non. Celui-ci évite en outre que les préparations ne se dessèchent, et qu'il se forme une peau pendant le refroidissement (sur une crème pâtissière, par exemple).

La cuisson de certains apprêts (daubes, pâtés, terrines) doit se faire dans un récipient hermétiquement clos. L'étanchéité du couvercle peut alors être renforcée par une bande de pâte, le repère (**voir** LUTER).

COZIDO Sorte de pot-au-feu portugais et espagnol, composé de chorizo, de chou, de carottes, de pois chiches, de haricots blancs, d'oreilles de porc et d'un élément de charcuterie ressemblant à du boudin noir (viande hachée et mie de pain trempée dans du lait) ou blanc (viande hachée et beaucoup de graisse animale). Le bouillon, additionné de vermicelle, se consomme en potage.

CRABE Nom générique de crustacés décapodes caractérisés par un abdomen réduit, replié sous une grosse carapace rigide (**voir** tableau des crustacés marins page 285 et planche pages 286 et 287). Les cinq paires de pattes ont une importance variable suivant les espèces, mais la première est toujours pourvue de fortes pinces (moins développées cependant chez l'araignée de mer).

Quatre espèces principales sont consommées en France : l'araignée de mer (d'un diamètre de 20 cm environ), à carapace épineuse, pointue vers l'avant ; le tourteau, plus large, avec une paire de pinces très développées (il peut atteindre 45 cm et peser 5 kg) ; le crabe vert, ou enragé, beaucoup plus petit (de 8 à 10 cm) ; l'étrille (10 cm), à carapace presque carrée et à pattes palmées. Tous vivent sur les fonds côtiers et herbeux, sauf le tourteau, qui préfère les fonds rocheux ou cailouteux.

Au Canada, on en connaît deux espèces : le crabe géant, qui sert surtout en conserverie, et le crabe des neiges, très recherché pour la finesse de sa chair.

■ **Emplois.** La chair des crabes est fine et délicate ; cependant, le décorticage des pattes est long et minutieux. Les viscères et le corail sont particulièrement appréciés par certains amateurs, qui les consomment, avec de la mayonnaise, à la petite cuillère en raclant la carapace. Les crabes doivent être achetés vivants, lourds et bien pleins, bien que certains poissonniers les vendent déjà cuits. Beaucoup de crabes se préparent farcis.

Sur un plateau de fruits de mer, avec une mayonnaise, les crabes sont présentés avec des pinces spéciales, des fourchettes minces à deux dents et des rince-doigts. Les petits crabes sont utilisés pour les soupes, bisques et coulis. On trouve également dans le commerce des conserves de crabe au naturel (miettes ou morceaux de chair).

aspic de crabe ▶ ASPIC
avocats farcis au crabe ▶ AVOCAT
beurre de crabe ▶ BEURRE COMPOSÉ
cocktail de crabe ▶ COCKTAIL (HORS-D'ŒUVRE)

crabes en bouillon

Hacher 1 gros oignon ; peler et concasser 4 tomates ; éplucher et écraser 2 grosses gousses d'ail. Plonger 2 tourteaux dans de l'eau bouillante salée, les cuire 3 min, puis détacher pinces et pattes et retirer le contenu de la carapace. Concasser celle-ci et les pattes (pleines), et les faire revenir avec l'oignon dans 30 g de saindoux ou 2 cuillerées à soupe d'huile. Ajouter les tomates et 1 grosse pincée de gingembre en poudre, 1 mesure de safran, 1 pincée de poivre de Cayenne, l'ail et 1 branche de thym. Mouiller largement de bouillon de poisson, de viande ou de volaille, puis couvrir et laisser mijoter tout doucement 2 heures environ. Passer alors au tamis en appuyant bien pour obtenir une sauce un peu consistante ; rectifier l'assaisonnement. Concasser et vider les pinces, couper en quatre la chair retirée de la carapace, et faire revenir le tout au saindoux ou à l'huile, dans une sauteuse. Verser la sauce dessus, porter de nouveau à ébullition et cuire 5 ou 6 min. Servir dans une soupière, avec, à part, du riz créole.

crabes à la bretonne

Plonger les crabes vivants dans un court-bouillon au citron ou au vinaigre en ébullition ; les cuire de 8 à 10 min, les égoutter et les laisser refroidir. Détacher pattes et pinces, et retirer l'intérieur des carapaces. Bien nettoyer celles-ci. Couper en deux les parties retirées, puis les remettre dans les carapaces nettoyées et disposer autour pattes et pinces. Garnir de persil ou de feuilles de laitue. Servir avec une mayonnaise.

crabes farcis à la martiniquaise

Bien nettoyer et cuire au court-bouillon 4 tourteaux moyens. Mélanger 1 tasse de lait et 1 bol de mie de pain rassis. Éplucher et hacher finement 3 belles tranches de jambon et, à part, 5 ou 6 échalotes. Dorer les échalotes à l'huile ou au beurre. Hacher ensemble 1 petit bouquet de persil et 3 ou 4 gousses d'ail, les ajouter aux échalotes et remuer. Ajouter la chair de crabe émiettée, 1 bonne pincée de poivre de Cayenne, la mie de pain pressée et le hachis de jambon ; bien mélanger et réchauffer. Rectifier l'assaisonnement : la farce doit être bien pimentée. Délayer 2 jaunes d'œuf avec 2 cuillerées à soupe de rhum blanc et en lier la farce. Répartir celle-ci entre les carapaces. Parsemer de chapelure blonde, arroser de beurre fondu et faire gratiner doucement dans le four.

fines lamelles d'avocat et chair de crabe ▶ AVOCAT

RECETTE DE JOËL ROBUCHON
mille-feuille de tomate au crabe
POUR 4 PERSONNES

« Monder 16 grosses tomates, tailler des bandes de 12 cm de longueur sur 5 cm de largeur dans la chair des tomates (côté extérieur). Étaler ces bandes entre 2 plaques pendant 2 ou 3 heures. Passer au tamis les parties crémeuses d'un crabe. Mélanger 240 g de chair de crabe avec 1 pointe de curry et 3 cuillerées à soupe de mayonnaise montée à l'huile de pépins de raisin. Ajouter le jus de 1 citron, 1 cuillerée à café d'estragon haché finement et les parties crémeuses tamisées, réserver au froid. Ciseler 10 belles feuilles de laitue et 1/2 botte de cresson, réserver séparément. Tailler 1 pomme granny smith et 1 avocat en petits cubes de 5 mm. Pour confectionner le coulis de tomate, mixer 200 g de chair de tomate sans pépin. Ajouter ensuite, progressivement, 35 g de concentré de tomate, 50 g de ketchup, 7 cl de vinaigre de xérès, du sel de céleri, du poivre du moulin, du Tabasco et enfin 7 cl d'huile d'olive. Passer le tout deux fois au chinois fin, réserver au frais. Vérifier l'assaisonnement. Quelques instants avant de servir, déposer le coulis de tomate dans le fond de 4 assiettes. À l'aide d'un cornet, décorer les assiettes avec 1 cuillerée à soupe de mayonnaise colorée par 1 pointe de chlorophylle, en déposant tout autour du coulis des petits points verts, réserver. Retirer la plaque qui servait à presser les bandes de tomate. Arroser chaque bande d'un filet d'huile d'olive puis vinaigre de xérès, ajouter du poivre du moulin et de la fleur de sel. Réserver. Assaisonner séparément la laitue et le cresson ciselés avec un peu de vinaigrette. Pratiquer de la même manière en mélangeant les cubes de pomme et d'avocat avec un peu de vinaigrette et réserver. Parsemer un peu de laitue sur une bande de tomate, recouvrir d'une couche de crabe assaisonné, poser à nouveau une bande de tomate en disposant dessus un peu de cresson et recouvrir du mélange pomme-avocat. Poser à nouveau une bande de tomate, déposer à nouveau de la laitue et du crabe, et recouvrir une dernière fois d'une bande de tomate. Renouveler l'opération pour les trois autres assiettes. Couper chaque mille-feuille en losange. À l'aide d'une fourchette, arroser de quelques gouttes d'huile d'olive, de vinaigre de xérès et parsemer de fleur de sel. Disposer au centre de chaque assiette avec 1 pluche de cerfeuil aux deux extrémités. Servir frais. »

---

soufflé au crabe ▶ SOUFFLÉ

CRACKER Biscuit salé d'origine britannique, léger et croquant, à texture feuilletée et très friable. Dans les pays anglo-saxons, les crackers se dégustent surtout avec le fromage. Le véritable cracker est de goût neutre (farine de froment, matières grasses) ; sa marque de fabrique est souvent imprimée dans la pâte.

En France, les crackers sont plus petits, fins et croustillants ; de tailles, de formes et de goûts très variés, ils sont surtout servis à l'apéritif.

CRAMBÉ Chou sauvage, de la famille des brassicacées, présent dans les dunes et appelé aussi chou maritime. C'est une espèce protégée, cultivée en Angleterre. Le crambé est consommé cru ou poché, en apéritif.

CRAPAUDINE (EN) Manière d'accommoder un petit poulet, un poussin ou, surtout, un pigeon. La volaille, fendue, aplatie (« comme un crapaud »), panée et grillée, reste savoureuse, car les sucs sont concentrés. On la présente souvent avec deux rondelles de blanc d'œuf surmontées d'un petit rond de truffe pour figurer les yeux, avec des bouquets de cresson et un beurre maître d'hôtel, une sauce diable ou une sauce Robert.

PAS À PAS ▶ *Découper une volaille en crapaudine, cahier central p. VII*

pigeon en crapaudine : préparation

Vider soigneusement le pigeon et le passer à la flamme pour enlever les dernières petites plumes. Trancher les pattes au niveau de la première articulation, ainsi que les ailerons. Poser la volaille sur le bréchet et l'ouvrir d'un côté de la colonne vertébrale, du cou jusqu'au croupion. Écarter les deux côtés et, pour mettre la volaille bien à plat, trancher le petit os situé près du cou. Retirer la colonne vertébrale et détacher les côtes avec la pointe d'un couteau. Pratiquer une fente dans la peau, à la base de chaque cuisse, et y passer l'extrémité du pilon.

CRAQUELIN Petite pâtisserie légère et croquante. Il peut s'agir d'un biscuit (petit-four sec, spécialité de Saint-Malo, de Binic, de Vendée, mais aussi de Beaume-les-Dames), d'une sorte d'échaudé (en particulier dans le Cotentin) ou d'un gâteau en pâte non levée et non sucrée, auquel on donne diverses formes ; autrefois, les craquelins ressemblaient à des tricornes.

Dans le nord de la France, le craquelin porte le nom de cramique, sorte de brioche truffée de raisins secs. On appelle également craquelin des brisures moyennes de nougatine que l'on incorpore à certaines préparations : intérieur de bonbon, chocolat praliné, crème au beurre, etc.

CRAQUELOT Hareng saur nouveau, légèrement fumé, que l'on consomme dans le Nord, en particulier à Dunkerque et en Flandre, d'octobre à décembre, dans les deux ou trois jours qui suivent sa préparation. À Dunkerque, on le sert grillé, avec du beurre frais, après l'avoir fait tremper dans du lait, car le gras qu'il contient absorbe et atténue, voire neutralise, le goût de la fumée.

CRATERELLE ▶ VOIR TROMPETTE-DES-MORTS

CREAM CHEESE Fromage frais américain de lait de vache, à pâte molle (33 % au minimum de matières grasses). Il se consomme toujours frais, et on y ajoute parfois de l'oignon, de l'ail, de la ciboulette, de l'aneth, etc. Sa texture épaisse et onctueuse en fait l'ingrédient de base du cheesecake. On en tartine aussi les *bagels* (pains en forme d'anneau).

CRÉCY Nom donné à diverses préparations comportant des carottes. Celles-ci s'emploient souvent en purée (la purée Crécy sert de base à un potage et garnit divers apprêts : œufs pochés, omelette, filets de sole, etc.), mais interviennent sous d'autres formes : dans le consommé Crécy, elles sont taillées en brunoise ; pour les tournedos Crécy, elles sont tournées et glacées.

▶ Recette : POTAGE.

CRÉMANT Vin de Champagne faiblement mousseux. Celui de Cramant est l'un des meilleurs. D'autres régions viticoles élaborent des mousseux sous le nom de « crémant », avec des cépages différents selon les régions : crémant-d'alsace, crémant-de-bourgogne, crémant-de-die, crémant-de-limoux, crémant-de-loire et crémant-du-jura sont aujourd'hui des appellations d'origine contrôlée. Certains d'entre eux, bien vinifiés, présentent un excellent rapport qualité-prix.

CRÈME Liqueur de fruit contenant une forte proportion de sucre (au minimum 250 g par litre et, pour la crème de cassis, 400 g par litre) ; le terme est toujours accompagné du nom du fruit, du parfum ou de l'appellation caractérisant la liqueur. Les crèmes sont obtenues par macération dans de l'eau-de-vie – additionnée d'un sirop de sucre – de substances très diverses : fruits, plantes ou fleurs.

Les crèmes se boivent généralement en digestif dans des petits verres ; elles interviennent dans certains cocktails et sont parfois servies en apéritif, avec de la glace et de l'eau.

CRÈME (POTAGE) Potage fait à partir d'un fond blanc (jadis de lait et d'un roux blanc) ou d'une béchamel, lié à la farine, à la farine de riz ou à la fécule de maïs et terminé par l'adjonction de crème fraîche, ce qui lui donne une consistance onctueuse. (Si l'on rajoute des jaunes d'œuf, la crème devient un « velouté ».) L'élément de base est fourni par un légume, du riz (ou de l'orge), un crustacé ou de la volaille : l'apprêt est souvent garni de pluches de cerfeuil, d'éléments de décor, de croûtons, etc.

crème (potage) : méthode de base

Émincer, blanchir à l'eau bouillante salée, puis étuver au beurre le légume choisi, à raison de 40 à 50 g de beurre pour 500 g de légumes (artichaut, asperges, céleri, champignons, chou-fleur, cresson, endives, laitue, poireau). Préparer 80 cl de béchamel en mouillant de 85 cl de lait un roux blanc fait de 30 g de beurre et de 40 g de farine. Mélanger cette béchamel et le légume étuvé et cuire à petits frémissements de 12 à 18 min. Passer au mixeur, puis au tamis. Diluer de quelques cuillerées à soupe de consommé blanc (ou de lait si le potage est préparé au maigre). Chauffer et rectifier l'assaisonnement. Ajouter 20 cl de crème fraîche ; remuer en réchauffant.

crème d'artichaut

Émincer, blanchir 12 min à l'eau bouillante salée, puis étuver au beurre 8 gros fonds d'artichaut. Ajouter 80 cl de béchamel et cuire, à petits frémissements. Achever le potage comme dans la méthode de base.

crème de betterave ou *crème Violetta*

« Cuire au four, puis passer dans un hachoir électrique et dans un mixeur 150 g de betterave rouge. Tamiser et citronner. Incorporer 50 cl de béchamel, puis détendre d'autant de consommé réduit. Cuire 10 min. Verser 10 cl de crème et chauffer sans laisser bouillir. Ajouter 50 g de betterave coupée en julienne. Servir en parsemant de pétales de violette. »

crème de champignon

Nettoyer 600 g de champignons, en réserver 100 g. Étuver au beurre les 500 g qui restent. Achever la préparation et la cuisson comme pour la crème d'artichaut. Couper en fine julienne les 100 g de champignons réservés. Les ajouter à la crème.

crème de courge « butternut » ▶ BUTTERNUT SQUASH

crème de crevette

Préparer une fine brunoise de légumes composée de 50 g de carotte, 50 g d'oignon et 30 g d'échalote. La faire suer doucement dans 30 g de beurre. Y ajouter 350 g de queues de crevette et les faire sauter. Saler et poivrer. Mouiller de 50 cl de vin blanc et de 1 cuillerée à soupe de cognac flambé ; cuire 5 min. Réserver 12 queues de crevette et passer tout le reste au mixeur. Ajouter 80 cl de béchamel. Achever comme dans la méthode de base. Décortiquer les 12 queues réservées et en garnir la crème au moment de servir.

crème Du Barry

Cuire à la vapeur un petit chou-fleur très blanc, mais en prolongeant la cuisson plus longtemps qu'à l'accoutumée : le chou-fleur doit pouvoir s'écraser facilement. Le passer au mixeur, puis y ajouter 80 cl de béchamel et achever comme pour la crème d'artichaut.

crème d'endive

Nettoyer les endives et retirer le cône amer situé à leur base. Les laver sans les laisser tremper, bien les éponger. Les émincer. Les étuver au beurre. Achever comme pour la crème d'artichaut.

crème d'estragon

Hacher grossièrement 100 g de feuilles d'estragon, puis ajouter 15 cl de vin blanc sec et faire bouillir jusqu'à réduction complète. Ajouter alors 35 cl de béchamel épaisse, saler et poivrer, porter à ébullition, puis passer au tamis fin. Réchauffer, puis ajouter 1 cuillerée à soupe de beurre frais.

crème de laitue, fondue aux oignons de printemps

« Nettoyer et parer 4 laitues, les blanchir dans de l'eau salée et les rafraîchir. Les presser dans un torchon et les émincer en chiffonnade. Éplucher et ciseler 1 oignon et le mettre dans 30 g de beurre ; ajouter la chiffonnade et faire suer 4 ou 5 min. Mouiller avec 1 litre de bouillon de volaille ; cuire 5 min, passer au mixeur et réserver. Éplucher 30 oignons nouveaux et ne garder que la partie blanche ; les émincer finement et compoter 20 min à couvert avec 2 cuillerées à soupe d'eau. Passer au mixeur. Lier 300 g de la purée d'oignon avec 4,5 g de fécule de maïs et 3 jaunes d'œuf ; saler. Monter au fouet un mélange de 90 g de blanc d'œuf et de 24 g de blanc d'œuf en poudre et l'incorporer délicatement à la purée. Remplir 6 moules beurrés de cette préparation, les couvrir de film alimentaire et cuire 12 min au four préchauffé à 80 °C. Réchauffer la crème de laitue, ajouter 10 cl de crème liquide et 50 g de beurre, vérifier l'assaisonnement et émulsionner. Verser la crème dans des assiettes creuses, y démouler les soufflés et piquer dans chacun une tranche de poitrine de porc fumé grillée. »

crème de langoustine à la truffe

POUR 4 PERSONNES – PRÉPARATION : 30 min – CUISSON : 10 min pour le velouté

« Décortiquer 1,5 kg de langoustines, soit 12 pièces environ. Réserver les têtes. Prendre soin de retirer le boyau des queues de langoustine, puis placer ces dernières au réfrigérateur. Dans un poêlon, verser 1 cuillerée à soupe d'huile d'olive, ajouter 1 petit bulbe de fenouil émincé, 1 échalote ciselée, 1 branche de céleri et 1 oignon émincés, 1 bouquet garni. Chauffer sur feu moyen, suer le tout sans coloration pendant 4 min. Réserver. Dans une cocotte, verser 1 cuillerée à soupe d'huile d'olive, chauffer sur feu vif ; lorsqu'elle est très chaude, ajouter les coffres de langoustine. Remuer vivement la cocotte pour les saisir pendant 3 ou 4 min. Ajouter les légumes, verser 1 litre de crème liquide, saler, ajouter 1 pincée de poivre de Cayenne. Porter à ébullition. Laisser cuire 10 min à petits frémissements. Retirer du feu, couvrir d'un film étirable. Laisser reposer 10 min. Passer le ragoût de langoustine au chinois étamine, en pilant légèrement les têtes à l'aide d'une louche. Verser la crème de langoustine dans une casserole, porter à ébullition. Incorporer 40 g de beurre frais en petits morceaux. Ajouter 1 cuillerée à café de jus de citron, 1 cuillerée à café de cognac, saler, ajouter 1 pincée de piment de Cayenne. Réserver la crème au bain-marie sur feu doux. Assaisonner les 12 queues de langoustine de sel et de piment de Cayenne. Dans une poêle antiadhésive, verser 1 filet d'huile d'olive, chauffer. Faire colorer les queues de langoustine sur toutes les faces. Les égoutter sur un papier absorbant. Disposer 3 queues de langoustine par bol, verser la crème de langoustine bien chaude. Parsemer le tout de 1 cuillerée à soupe de truffe hachée. »

crème d'orge

Laver 300 g d'orge perlé et le faire tremper 1 heure dans de l'eau tiède. Effiler et émincer 1 branche de céleri. Ajouter orge et céleri à 1 litre de consommé blanc et cuire 2 h 30 à petits frémissements. Passer à travers un tamis très fin, diluer avec quelques cuillerées de consommé blanc ou de lait ; chauffer et ajouter 20 cl de crème fraîche.

crème de poireau

Nettoyer, émincer et blanchir 500 g de blancs de poireau. Presser et étuver au beurre. Achever la préparation et la cuisson comme pour la crème d'artichaut.

crème de riz au gras

Blanchir à l'eau bouillante 175 g de riz, l'égoutter ; le cuire 45 min dans 1 litre de consommé blanc additionné de 25 g de beurre. Passer au mixeur, puis au tamis. Ajouter quelques cuillerées de consommé blanc. Porter sur feu moyen, ajouter 20 cl de crème fraîche épaisse et chauffer en fouettant.

crème de volaille

Mettre une petite poule tendre – ou un poulet – dans une marmite avec 1 litre de consommé blanc et porter à ébullition. Écumer. Ajouter 1 bouquet garni enrichi de 2 blancs de poireau et de 1 branche de céleri. Cuire à couvert, à toute petite ébullition, jusqu'à ce que la chair se détache des os. Égoutter la volaille, la dépouiller, la désosser. Réserver les filets et réduire tout le reste de la chair en purée. Tamiser. Détailler les filets en julienne et les tenir au chaud dans un peu de consommé. Incorporer à la chair tamisée 80 cl de béchamel et porter à ébullition. Ajouter quelques cuillerées du bouillon de cuisson de la volaille, fouetter. Passer encore au tamis. Verser 10 cl de crème fraîche épaisse, fouetter en chauffant doucement. Ajouter la julienne de filets au moment de servir.

CRÈME BRÛLÉE OU CARAMÉLISÉE Crème composée d'un mélange de jaunes d'œuf, de sucre et de lait ou de crème, souvent aromatisée, dont la prise se fait par cuisson au four. Elle se sert glacée et recouverte de cassonade brune caramélisée.

Caractéristiques des différentes catégories de crèmes fraîches

CATÉGORIE	FABRICATION	CONSERVATION	UTILISATION À CHAUD, EN CUISSON, EN RÉDUCTION	OBSERVATIONS
crue	réfrigérée après écrémage à 8 °C	DLC * : 7 j (4 °C max.)	à chaud ou à froid	bon foisonnement ; teneur en matières grasses plus élevée ; pour sauces à froid
aigre	fermentation bactérienne	DLC : conseils sur l'emballage	froide ou légèrement réchauffée	ne convient pas au foisonnement ; peut être remplacée par jus de citron et crème fraîche
fraîche épaisse	pasteurisée, maturée	DLC : ≤ 30 j ; 48 h après ouverture (4-6 °C max.)	bonne résistance à la cuisson, bonne tenue à la réduction, bonne pour liaisons	convient au foisonnement avec 10 à 20 % de lait froid, longue réduction ; acidule les aliments ; pour sauces à base d'alcool ou acides, bon pouvoir nappant pour sauces froides, tarte Tatin
double	maturée	DLC : ≤ 30 j ; 48 h après ouverture (4-6 °C max.)	bonne résistance à la cuisson, bonne tenue à la réduction, bonne pour liaisons	ne monte pas facilement ; 40 % de matières grasses en général ; pour pâtisserie, cuisine (veloutés, etc.)
fraîche liquide	pasteurisée	DLC : ≤ 15 j ; 48 h après ouverture (4-6 °C max.)	bonne résistance à la cuisson, bonne tenue à la réduction, parfaite pour la chantilly	convient au foisonnement ; plus fragile que la crème UHT ou stérilisée ; s'acidifie et épaissit en quelques jours
liquide stérilisée	chauffée 15-20 min à 115 °C, et refroidie	DLUO ** : 8 mois ; 48 h après ouverture (6 °C max.)	bonne résistance à la cuisson, bonne tenue à la réduction	excellent foisonnement ; taux idéal de matières grasses de 32 à 35 %
liquide UHT ***	chauffée 2 s à 150 °C, et rapidement refroidie	DLUO : 4 mois ; 48 h après ouverture (6 °C max.)	bonne résistance à la cuisson, réduction, excellente stabilité à la cuisson	excellent foisonnement pour sauces minute ; foisonnée pour sauces légères, stables ; chaude, épaissit avec une base acide (citron, vinaigre)
légère	liquide ou épaisse allégée	dépend de sa nature	meilleure utilisée à froid	ne convient pas au foisonnement ; jamais crue ; 12 à 30 % de matières grasses ; pour sauces froides allégées

* DLC : date limite de consommation.

** DLUO : date limite d'utilisation optimale, cette indication a valeur de conseil pour préserver les qualités organoleptiques du produit.

*** UHT : Ultra Haute Température.

RECETTE DE JOËL ROBUCHON

crème caramélisée à la cassonade

« Fendre une gousse de vanille en longueur et récupérer à l'aide d'un couteau toutes les petites graines. Les mettre dans un saladier avec 3 jaunes d'œuf et 60 g de sucre en poudre et bien mélanger au fouet. Verser peu à peu 30 cl de crème liquide et 5 cl de lait en fouettant vivement. Passer au chinois. Emplir de cette préparation de petits plats en porcelaine, sur une hauteur de 1,5 cm environ et cuire 30 min au four préchauffé à 90 °C. Laisser bien refroidir et mettre 1 heure dans le réfrigérateur. Saupoudrer les crèmes de 100 g de cassonade. Les mettre sous le gril très chaud. Remettre au frais 30 min avant de servir. »

CRÈME CATALANE Crème cuite espagnole, assez proche de la crème pâtissière, mais plus épaisse en raison de proportions légèrement différentes, et parfumée avec des zestes de citron et de la cannelle. Traditionnellement servie dans des ramequins en grès à fond plat, elle est souvent caramélisée sur le dessus.

CRÈME FRAÎCHE Matière grasse du lait, de couleur blanc ivoire et de consistance onctueuse, comprenant de 30 à 40 % de matières grasses, des éléments non gras et de l'eau. La crème « fraîche » désigne la crème crue ou pasteurisée (ni stérilisée ni surgelée), qu'elle soit liquide ou épaisse (**voir** tableau des crèmes fraîches ci-dessus).

Jusqu'à la fin du XIXe siècle, la crème s'obtenait en laissant le lait reposer dans un endroit frais pendant 24 heures : les globules gras remontaient à la surface, et on recueillait la crème à la cuillère.

Aujourd'hui, l'extraction se fait avec des écrémeuses centrifugeuses, la force de l'écrémage déterminant le taux de matières grasses de la crème.

● CRÈME CRUE. Elle n'a subi aucun traitement thermique et est réfrigérée immédiatement après écrémage.

● CRÈME FRAÎCHE LIQUIDE. Pasteurisée, elle n'a pas été ensemencée. La crème fraîche fluide d'Alsace bénéficie du label rouge.

● CRÈME FRAÎCHE ÉPAISSE. Elle a subi une maturation par ensemencement avec des ferments lactiques après pasteurisation.

Il existe un cru AOC pour la crème fraîche d'Isigny, qui renferme au moins 35 % de matières grasses.

● CRÈME UHT. Elle a été stérilisée et n'a pas droit à l'appellation crème fraîche, mais, grâce à ses qualités et à ses facilités d'emploi, elle est très utilisée en restauration.

● CRÈME DOUBLE. Elle est enrichie en matières grasses.

● CRÈME AIGRE. Elle est préparée par fermentation bactérienne (et se conserve donc peu). Elle est très employée dans les cuisines allemande, anglo-saxonne, russe et polonaise (**voir** SMITANE).

La crème de lait, qui se forme à la surface du lait cru bouilli, est surtout utilisée en pâtisserie familiale, pour enrichir certains gâteaux.

crème Chantilly : préparation

Entreposer dans le réfrigérateur de la crème épaisse et du lait, ou de la crème liquide, et le récipient qui sera utilisé. Au moment de préparer la crème Chantilly, ajouter à la crème épaisse bien froide (entre 2 et 6 °C) le tiers de son volume de lait, également très froid, et commencer à fouetter. (Quand la température environnante est supérieure à 18 °C, il est impératif de placer le récipient dans un autre, plus grand, contenant des glaçons.) Lorsque la crème est mousseuse, ajouter du sucre en poudre (de 60 à 80 g pour 1 litre de crème) et de la vanille

VÉRIFIER LA PRISE D'UNE CRÈME ANGLAISE

Tremper une spatule dans la crème anglaise. Passer un doigt sur la spatule. Si la crème est prise, la trace du doigt demeure et la crème ne coule pas.

liquide ou du sucre vanillé, et continuer à fouetter jusqu'à ce que la crème tienne entre les branches du fouet. Remettre aussitôt dans le réfrigérateur jusqu'à l'emploi.

charlotte à la chantilly ▶ CHARLOTTE
choux à la crème Chantilly ▶ CHOU
savarin aux fruits rouges et à la chantilly ▶ SAVARIN

crème fouettée

Mettre dans le réfrigérateur de la crème fraîche très épaisse et du lait. Au moment de l'emploi, ajouter à la crème un tiers de son volume de lait refroidi et fouetter en la battant ni trop (elle tourne en beurre) ni trop peu (elle ne tient pas), jusqu'à ce qu'elle ait doublé de volume.

CRÈME DE MARRON Purée de châtaigne sucrée, de consistance onctueuse, utilisée en confiserie et en pâtisserie, dont l'Ardèche s'est fait une spécialité. La crème de marron permet de réaliser des desserts glacés (bavarois, glace, vacherin), parfois complétés de marrons glacés ; elle sert également à fourrer des pâtisseries et des entremets (barquette, crêpe, gâteau roulé, meringue). On l'emploie aussi pour enrichir des pâtes à biscuit (génoise, manqué, quatre-quarts). On peut enfin la servir nature, frappée, avec de la chantilly et des gâteaux secs.

CRÉMER Ajouter de la crème fraîche à une préparation (potage, sauce) pour en parfaire la liaison et le velouté, lui donner de l'onctuosité, en adoucir le goût. On crème aussi un œuf cocotte en le couvrant d'une cuillerée de crème fraîche avant de le faire cuire.

CRÈMES D'ENTREMETS Préparations rapidement faites à base de lait, d'œufs et de sucre, servies froides, qu'elles soient liquides ou non. Elles constituent la majorité des entremets de la cuisine familiale, mais sont aussi un élément de base des bavarois, des charlottes et des puddings.
• CRÈMES PRISES. La recette de base est celle de la crème renversée au caramel. On les appelle aussi crèmes moulées, œufs au lait, flans, crèmes en ramequin ou petits pots de crème (**voir** DIPLOMATE, ÎLE FLOTTANTE, PUDDING). Certaines crèmes, dites « veloutées », comportent de la fécule ou de la farine à la place des œufs.
• CRÈMES LIQUIDES. La recette de base est celle de la crème anglaise, dont les emplois sont nombreux en pâtisserie (on la trouve en poudre ; c'est la *custard powder* anglaise). À cette catégorie appartiennent aussi les sabayons.
   La crème anglaise accompagne traditionnellement les œufs à la neige, et on la sert avec biscuits, brioches, charlottes, génoises, puddings, etc.

crème anglaise : préparation

Dans une terrine, travailler au fouet 125 g de sucre avec 5 ou 6 jaunes d'œuf. Faire bouillir 50 cl de lait frais entier avec de la vanille ou 1 zeste de citron ou d'orange. Mouiller petit à petit le mélange avec le lait chaud, sans cesser de fouetter. Remettre dans la casserole sur feu doux, en

tournant sans cesse jusqu'aux premiers signes d'ébullition, phase importante de 5 min durant laquelle la crème tombe à 85 °C, température qui doit être maintenue, en continuant à fouetter. À ce moment, les jaunes sont assez cuits et la crème doit napper la cuillère. Passer la crème dans une passoire très fine ; la verser dans une jatte plongée dans un récipient rempli de glaçons, et la laisser refroidir complètement. Réserver 24 heures au réfrigérateur avant de servir, le temps que se produise une maturation des ferments lactiques qui développe les arômes. La crème anglaise peut être additionnée à froid de liqueur au choix, ou glacée par passage de quelques minutes sous le gril du four (« au miroir »).

crème anglaise collée

Dès que la crème anglaise est cuite, y faire dissoudre 5 ou 6 feuilles de gélatine (de 2 g) ramollies à l'eau froide et égouttées. Passer au chinois et remuer jusqu'à complet refroidissement. Cette crème est utilisée pour la préparation du bavarois et de la charlotte russe.

crème caramel

PRÉPARATION DU CARAMEL. Mettre dans une casserole 150 g de sucre et 5 cl d'eau et cuire rapidement à feu vif. Retirer du feu dès que le caramel est « blond foncé » et lui ajouter 1 cuillerée à soupe d'eau chaude. Verser ce caramel dans des moules individuels et en tapisser le fond et les parois d'une épaisseur de 2 à 3 mm.
PRÉPARATION DE L'APPAREIL À CRÈME PRISE SUCRÉE. Faire bouillir 1 litre de lait avec 1 gousse de vanille fendue en deux. Dans une terrine, mettre 200 g de sucre et 6 ou 7 œufs. Bien mélanger au fouet. Verser progressivement le lait bouillant sur les œufs blanchis sans cesser de fouetter. Passer cet appareil dans une passoire très fine et écumer soigneusement. Verser dans les moules caramélisés et cuire 30 min au bain-marie au four préchauffé à 180 °C. Laisser refroidir et mettre dans le réfrigérateur. Pour servir, démouler sur un plat ou sur des assiettes.

crème au citron

POUR 500 G DE CRÈME – PRÉPARATION : 20 min – CUISSON : 5 min
Prélever les zestes de 3 citrons et les hacher finement. Presser les agrumes pour avoir 10 cl de jus. Dans une jatte, mélanger 2 œufs et 135 g de sucre en poudre avec les zestes et le jus des citrons. Cuire au bain-marie, en remuant de temps en temps, jusqu'à la limite de l'ébullition (82-83 °C). Filtrer le mélange dans une passoire posée sur une terrine et placer aussitôt celle-ci dans un récipient rempli de glaçons, en remuant jusqu'à ce que la préparation ait tiédi (55-60 °C). Couper 165 g de beurre en tout petits morceaux et les incorporer en lissant au fouet. Travailler le tout 10 min de préférence au mixeur, jusqu'à obtenir une crème bien homogène. Réserver 2 heures au réfrigérateur (4 °C) avant utilisation.

crème renversée

Faire bouillir 50 cl de lait avec 1 gousse de vanille fendue en deux, puis retirer celle-ci. Mélanger dans une terrine 2 œufs entiers, 4 jaunes d'œuf et 125 g de sucre en poudre ; ajouter peu à peu le lait bouillant en fouettant vivement, puis verser la crème obtenue dans un moule à manqué beurré ou caramélisé. Disposer le moule dans un bain-marie posé sur le feu ; lorsque l'eau commence à frémir, mettre le tout au four préchauffé à 200 °C. Cuire 35 min, puis sortir le moule du bain-marie et laisser refroidir complètement. Démouler et réserver au frais. Cette crème peut se préparer avec du lait additionné de 100 g de chocolat.

crème renversée au caramel de morilles ▶ MORILLE

CRÈMES DE PÂTISSERIE Préparations à base de lait, d'œufs et de sucre, plus ou moins fluides. Elles ne sont pas servies seules, mais interviennent dans nombre d'entremets et de gâteaux.
• CRÈME CHANTILLY OU CRÈME FOUETTÉE. Cette crème fraîche battue, sucrée et vanillée accompagne les entremets, les fruits rouges, le fromage blanc, les gaufres ; elle s'utilise en fourrage et en décor, en particulier pour les desserts glacés ; enfin, elle entre dans la composition des parfaits, des soufflés glacés, des bavarois et charlottes glacés (**voir** CRÈME FRAÎCHE).
• CRÈME PÂTISSIÈRE. Cette crème à base d'œufs, de sucre, de lait et de farine (qui lui donne sa consistance) est utilisée en fourrage, en garniture, ainsi que pour certains entremets chauds ou froids.

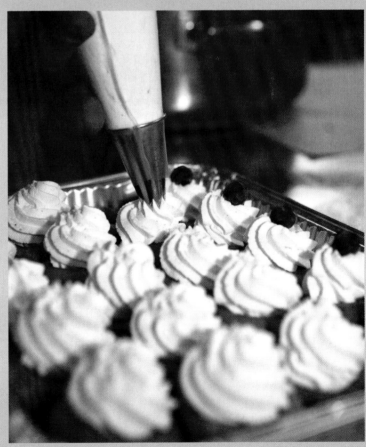

« Délicieuse fouettée ou en chantilly, la crème est un appel à la gourmandise. Difficile d'y résister
quand les pâtissiers de l'HÔTEL DE CRILLON, de POTEL ET CHABOT ou de l'école FERRANDI PARIS la travaillent avec tant d'amour,
montée au fouet ou ajoutée en touche finale pour couronner des babas. »

• **Crème au beurre.** Les préparations émulsionnées à base de beurre, de sucre, d'œufs et d'un parfum se préparent de diverses façons, mais toujours avec un beurre de première qualité et des œufs très frais.

• **Crème d'amande.** Cette crème, mélange de sucre, de beurre, d'amandes en poudre et d'œufs, parfois aromatisée au rhum, fait partie intégrante des pâtisseries auxquelles elle est incorporée, qu'elles soient faites de pâte briochée ou de pâte feuilletée.

crème d'amande dite frangipane : préparation

Mélanger 165 g de sucre glace, 165 g de poudre d'amande et 2 cuillerées à café de fécule de maïs ; les tamiser. Dans une terrine, ramollir 135 g de beurre en pommade sans le faire mousser (la crème lèverait à la cuisson, puis s'affaisserait en se déformant). Ajouter le mélange sucré, puis 2 œufs, un par un, en remuant avec une spatule de bois. Verser ensuite 1 cuillerée à soupe de rhum brun agricole et enfin 300 g de crème pâtissière. Recouvrir d'un film plastique et réserver au réfrigérateur.

crème au beurre à l'anglaise

POUR 500 G DE CRÈME – PRÉPARATION : 25 min – CUISSON : 5 min

Dans une casserole, cuire 2 jaunes d'œuf, 60 g de sucre en poudre et 7 cl de lait frais entier, sans vanille, comme une crème anglaise. Quand cette préparation est cuite – à la limite de l'ébullition – la travailler au batteur électrique à vitesse moyenne jusqu'à ce qu'elle soit complètement refroidie. Dans une terrine, fouetter 250 g de beurre pour le rendre moelleux et léger, ajouter la crème refroidie et bien mélanger. Incorporer enfin 120 g de meringue italienne (voir page 539) en soulevant délicatement la préparation.

crème au beurre au sirop

POUR 500 G DE CRÈME – PRÉPARATION : 20 min – CUISSON : 5 min

Verser 5 cl d'eau dans une petite casserole ; ajouter 140 g de sucre en poudre. Porter à ébullition sur feu doux, en passant un pinceau plat trempé dans l'eau sur les bords intérieurs de la casserole. Cuire ce sirop jusqu'au « petit boulé » (120 °C au thermomètre à sucre). Mettre 2 œufs entiers et 2 jaunes d'œuf dans une terrine et les fouetter au batteur électrique jusqu'à ce qu'ils blanchissent et moussent. Quand le sirop est prêt, le verser en un mince filet sur les œufs en battant toujours, à petite vitesse. Continuer ainsi jusqu'à complet refroidissement, si possible au robot. Le travail de refroidissement est effectué ainsi beaucoup plus rapidement. Incorporer 250 g de beurre en pommade sans cesser de fouetter. Lorsque la crème est lisse et homogène, la réserver au réfrigérateur. On peut parfumer cette crème avec 2 cl de cognac, de Cointreau, de Grand Marnier, de kirsch ou de rhum agricole, ou avec 10 g de café soluble délayé dans de l'eau, ou encore avec 1 cuillerée à soupe de pâte de pistache.

crème Chiboust

POUR 500 G DE CRÈME – PRÉPARATION : 25 min – CUISSON : 5 min

Casser 4 œufs et séparer le blanc du jaune. Préparer une crème pâtissière avec les jaunes, 20 g de sucre en poudre, 20 g de fécule de maïs et 30 cl de lait frais entier. Mettre 2 feuilles de gélatine (de 2 g) à ramollir dans beaucoup d'eau froide, puis les égoutter. Les incorporer à la crème pâtissière à chaud, en remuant pour bien les dissoudre. Retirer du feu. Monter les 4 blancs d'œuf plus 1 autre en neige en leur incorporant petit à petit 30 g de sucre en poudre. Incorporer le quart des blancs montés en neige à la crème pâtissière. Verser ce mélange sur le reste des blancs en neige, en travaillant délicatement la préparation au fouet. Utiliser aussitôt.

choux à la crème Chiboust au café ▶ CHOU

crème frite en beignets

Faire bouillir 50 cl de lait avec 1 sachet de sucre vanillé. Battre dans une terrine 5 jaunes d'œuf avec 130 g de sucre en poudre jusqu'à ce que le mélange blanchisse ; ajouter 80 g de farine, bien mélanger et verser le lait bouillant en fouettant vivement. Verser la préparation dans la casserole et cuire 3 min tout doucement, en remuant, puis retirer du feu et laisser tiédir. Étaler la crème sur une plaque beurrée (sur 1,5 cm d'épaisseur) et la laisser refroidir complètement. Détailler en rectangles, en losanges ou en cercles. Les tremper dans de la pâte à frire, les plonger dans de l'huile à 180 °C, égoutter, poudrer de sucre.

crème frite aux fruits confits

Faire macérer dans 10 cl de Grand Marnier 100 g de fruits confits coupés en tout petits dés. Préparer de la crème à frire comme dans la recette précédente et y incorporer le salpicon de fruits. Huiler légèrement une plaque de four, y verser cette crème et l'étaler sur 2 cm d'épaisseur ; laisser refroidir, puis mettre 2 ou 3 heures dans le réfrigérateur. Battre alors 1 œuf dans un bol, couper la crème en losanges et paner ceux-ci à l'œuf, puis à la chapelure. Plonger dans de l'huile à 180 °C, puis égoutter et éponger sur du papier absorbant. Poudrer de sucre glace et servir brûlant.

crème pâtissière à la vanille

POUR 500 G DE CRÈME – PRÉPARATION : 20 min – CUISSON : 5 min

Ouvrir 1 1/2 gousse de vanille en deux et gratter les graines. Mettre dans une casserole à fond épais 30 g de fécule de maïs et 40 g de sucre en poudre. Verser 35 cl de lait frais entier en tournant au fouet. Ajouter les gousses et les graines de vanille et porter à ébullition, en fouettant. Dans une jatte, battre 4 jaunes d'œuf 3 min avec 40 g de sucre en poudre. Arroser avec un peu du lait, toujours en fouettant. Mettre le mélange dans la casserole et faire cuire en fouettant. Dès l'ébullition, retirer du feu. Ôter les gousses de vanille, verser la crème dans un bol et plonger celui-ci dans un récipient rempli de glaçons. Quand la crème a tiédi (50 °C), incorporer 35 g de beurre, en fouettant vivement. On peut parfumer la crème pâtissière en y ajoutant, en fin de cuisson et en deux ou trois fois, 250 g de chocolat noir râpé. Bien mélanger jusqu'à ce qu'il soit totalement fondu.

savarin à la crème pâtissière ▶ SAVARIN

**RECETTE DU *CUISINIER ROYAL*,
DE VIARD ET FOURET (1828)**

crème plombières

« Mettez dans une casserole 8 jaunes d'œuf et 1 cuillerée de crème de riz ; ajoutez 3 verres de bon lait, presque bouillant ; placez le tout sur un feu modéré en remuant continuellement avec une cuillère de bois. Lorsqu'elle commence à prendre, vous l'ôtez du feu et la remuez parfaitement pour la rendre bien lisse ; après quoi, vous la cuisez sur le feu pendant quelques minutes. Cette crème doit être de la consistance ordinaire d'une crème pâtissière bien faite. Alors vous y mêlez 6 onces de sucre en poudre et un grain de sel ; après l'avoir changée de casserole, vous la mettez à la glace, mais en ayant soin de la remuer de temps en temps. En refroidissant, elle épaissit un peu. Lorsqu'elle est froide, et au moment du service, vous y mêlez un bon demi-verre de liqueur et ensuite une bonne assiettée de bonne crème fouettée, bien égouttée. Le tout, bien amalgamé, doit vous donner une crème veloutée légère et d'un moelleux parfait. Alors vous dressez votre crème en rocher dans une casserole d'argent, dans de petits pots ou dans une croûte d'entremets, dans un biscuit en puits ou dans une coupe en abaisse de pâte d'amande. »

CRÉOLE (À LA) Se dit de nombreux apprêts, tant sucrés que salés, inspirés de la cuisine antillaise. L'appellation concerne plus spécialement un mode de préparation du riz (cuit à grande eau, égoutté, puis séché au four dans un plat beurré), servi avec viandes, volailles, poissons et crustacés et qui s'accompagne de tomates, de poivrons, d'oignons, etc. Les plats sucrés dits « à la créole » sont caractérisés par la présence de rhum, d'ananas, de vanille ou de banane.

Cette appellation, d'une utilisation assez vaste, se confond souvent avec les dénominations « à l'antillaise », « des îles », voire « Bourbon ».

▶ Recettes : ANANAS, BANANE, BARBUE, BAVAROIS, COURGETTE, FOIE, MORUE, PANNEQUET, POULET, REQUIN, RIZ.

CRÉOLE (CUISINE) La cuisine créole a puisé ses traditions culinaires dans le creuset africain ancestral ; celles-ci se sont peu à peu adaptées aux divers pays tropicaux où elles se sont ancrées : Louisiane, Brésil et anciennes colonies françaises, anglaises, espagnoles et hollandaises (Antilles, Indes, La Réunion).

La cuisine créole se caractérise avant tout par des produits spécifiquement locaux (herbes, crustacés, fruits et légumes tropicaux) et par une association très variée d'ingrédients multiples dans un même plat. Elle affectionne les mélanges sucré-salé, les ragoûts pimentés et la friture, et ignore souvent les grillades (**voir** AFRIQUE NOIRE, ANTILLES FRANÇAISES, RÉUNION [LA]).

CRÊPE Mince galette de pâte sucrée ou salée, souple et légère, cuite à la poêle, sur une plaque de fonte ou dans une crêpière.

Les crêpes de la Chandeleur et du Mardi gras célèbrent le renouveau de la nature, la vie familiale, les souhaits de fortune et de bonheur (on touche la queue de la poêle, on formule un vœu tout en retournant la crêpe, on tient une pièce de monnaie dans la main en la faisant sauter).

Populaires dans toute la France (mais également à l'étranger, notamment en Allemagne, aux États-Unis et en Autriche), diversement parfumées, plus ou moins épaisses, les crêpes portent le nom de « tantimolles » en Champagne, « landimolles » en Picardie, « chialades » en Argonne, « crapiaux » en Limousin et en Berry, « crespets » en Béarn, etc.

Elles se préparent toute l'année dans l'Ouest, en particulier en Bretagne, où crêpes de froment et galettes de sarrasin (cuites sur la « tuile ») sont servies avec du beurre salé. Les crêpes dentelles, spécialité de Quimper, sont des biscuits secs, faits de languettes de crêpe très fines, enroulées sur elles-mêmes. Dans le Centre, en Auvergne, en Lorraine, dans le Lyonnais, l'appareil à crêpes est souvent enrichi (voire remplacé) par des pommes de terre émincées ou en purée : bourriols, criques, matefaims.

■ **Emplois.** En cuisine classique, les crêpes se servent en hors-d'œuvre chaud, fourrées d'un appareil assez serré à base de béchamel ou de velouté, additionné d'éléments très divers. Coupées en fines lanières, elles garnissent aussi les potages. C'est cependant comme entremets qu'elles sont le plus appréciées, poudrées de sucre ou fourrées. On les sert habituellement tièdes, ou encore flambées, soufflées ou en gâteau.

pâte à crêpes salée : préparation

Tamiser dans une terrine 500 g de farine de froment. Battre 5 ou 6 œufs en omelette avec 1 grosse pincée de sel et les incorporer délicatement à la farine. Délayer avec 1 litre de lait ou, pour des crêpes plus légères, 50 cl de lait et 50 cl d'eau (on peut remplacer l'eau par de la bière, ou le lait par du consommé blanc, et ajouter 25 g de beurre fondu). Laisser reposer 2 heures à la température ambiante. Avant la cuisson des crêpes, allonger la pâte avec 10 ou 20 cl d'eau.

pâte à crêpes de sarrasin : préparation

Tamiser dans une terrine 250 g de farine de sarrasin (ou blé noir) et 250 g de farine de froment (ou 500 g de farine de sarrasin). Battre 5 ou 6 œufs en omelette avec 1 grosse pincée de sel et 1 pincée de poivre, et les incorporer délicatement à la farine. Délayer en ajoutant peu à peu 50 cl de lait et 70 cl d'eau, puis 3 ou 4 cuillerées à soupe d'huile. Laisser reposer 2 heures à la température ambiante. Avant la cuisson, allonger la pâte avec 10 cl d'eau.

pâte à crêpes sucrée : préparation

Tamiser dans une terrine 500 g de farine de froment. Lui incorporer délicatement 1 sachet de sucre vanillé, ou quelques gouttes d'extrait de vanille, et 5 ou 6 œufs battus en omelette avec 1 petite pincée de sel. Délayer en versant peu à peu 3/4 de litre de lait et 1/4 de litre d'eau. Parfumer avec 1 petit verre de rhum, de cognac, de calvados ou de Grand Marnier. Ajouter enfin 40 g de beurre fondu. Laisser reposer 2 heures à la température ambiante. Avant la cuisson, allonger la pâte avec 10 à 20 cl d'eau. On préfère généralement poudrer les crêpes de sucre à table.

CRÊPES SALÉES

crêpes aux champignons

Faire une pâte à crêpes salée. La laisser reposer 2 heures à la température ambiante. Préparer une duxelles avec 500 g de champignons, 1 ou 2 échalotes, 1 petite gousse d'ail, 20 g de beurre, du sel, du poivre, et 30 cl de béchamel (ou 6 cuillerées à soupe de crème épaisse). Cuire

12 crêpes. Mélanger béchamel et duxelles. Garnir les crêpes d'une grosse cuillerée de ce mélange et les rouler. Les ranger dans un plat à rôtir légèrement beurré, les unes contre les autres, les parsemer de 60 g de fromage râpé, les arroser de 30 g de beurre fondu. Les faire gratiner sous le gril ou les réchauffer à four bien chaud. Servir brûlant.

crêpes gratinées aux épinards

Cuire 12 crêpes salées. Préparer des épinards à la crème (12 cuillerées à soupe). Garnir les crêpes de 1 cuillerée à soupe de légumes chacune et les rouler. Terminer comme pour les crêpes aux champignons.

crêpes au jambon

Cuire 12 crêpes salées. Préparer une béchamel avec 40 g de beurre, 40 g de farine, 50 cl de lait, de la noix de muscade, du sel et du poivre. Couper 150 g de jambon (de Paris ou d'York) en petits dés. Les ajouter à la béchamel, avec 50 g de fromage râpé. Laisser tiédir. Napper les crêpes de cette garniture et les rouler. Les ranger dans un plat à rôtir beurré, les unes contre les autres. Parsemer de 50 g de fromage râpé, arroser de 25 g de beurre fondu et faire gratiner au four préchauffé à 275-300 °C.

crêpes à l'œuf et au fromage

Faire des crêpes à la farine de sarrasin. Après les avoir retournées pour cuire la seconde face, casser 1 œuf au milieu. Dès que le blanc est pris, saler et poivrer légèrement, parsemer de fromage râpé et replier chaque crêpe en carré. Servir aussitôt.

crêpes au roquefort

Cuire 12 crêpes salées. Mélanger 12 cuillerées à soupe de béchamel et 4 cuillerées de roquefort réduit en pâte ; assaisonner de poivre et d'un peu de noix de muscade ; bien remuer. Garnir les crêpes avec une grosse cuillerée de ce mélange et les rouler. Beurrer légèrement un plat à rôtir et y ranger les crêpes, les unes contre les autres. Les poudrer de fromage râpé et les glacer au four préchauffé à 280 °C.

crêpes vonnassiennes de la Mère Blanc ▶ POMME DE TERRE

CRÊPES SUCRÉES

crêpes aux cerises

Faire une pâte à crêpes. La laisser reposer 2 heures à la température ambiante. Équeuter et dénoyauter des cerises fraîches (400 g) ou au sirop (300 g égouttées). Les couper en deux et les ajouter à la pâte. Laisser reposer encore 2 heures dans un endroit tiède. Beurrer une poêle et y cuire les crêpes. Les tenir au chaud au-dessus d'une casserole d'eau bouillante. Les napper d'une fine couche de confiture d'orange (il en faut 200 g environ), les rouler, les disposer sur un plat à rôtir ; poudrer de sucre en poudre et glacer au four préchauffé à 250 °C.

crêpes des chartreux

Faire une pâte à crêpes. La laisser reposer 2 heures à la température ambiante. Préparer la garniture avec 50 g de beurre ramolli en pommade, 50 g de sucre en poudre, 3 meringues écrasées et 5 cl de Chartreuse verte. Écraser finement 6 macarons et les ajouter à la pâte avec le zeste râpé d'une orange et 5 cl de cognac. Bien mélanger. Ajouter 10 cl d'eau. Cuire les crêpes, les tartiner avec la garniture et les plier en quatre. Poudrer de sucre glace et servir très chaud.

crêpes Condé

Faire une pâte à crêpes. La laisser reposer 2 heures à la température ambiante. Couper 50 g de fruits confits en tout petits dés et les faire macérer dans 10 cl de rhum. Dans une casserole, porter à ébullition 2 litres d'eau, y plonger 100 g de riz rond pendant quelques secondes, puis le rincer à l'eau froide et l'égoutter. Préchauffer le four à 200 °C. Mettre 40 cl de lait à bouillir avec 1 gousse de vanille, puis retirer celle-ci. Ajouter au lait 80 g de sucre, 30 g de beurre, 1 grosse pincée de sel et le riz ; porter de nouveau à ébullition, bien remuer et verser le tout dans un plat à rôtir ; couvrir d'une feuille d'aluminium et mettre 20 min au four. Cuire les crêpes et les tenir au chaud au-dessus d'une casserole d'eau bouillante. Lorsque le riz est cuit, le remuer et le laisser refroidir 5 min avant d'y ajouter 3 jaunes d'œuf, un par un, puis les fruits confits avec le rhum. Bien mélanger. Garnir les crêpes avec cette préparation, les rouler et les ranger dans le plat, les unes contre les autres ; poudrer de sucre glace. Monter la température du four à 250 °C ; y faire dorer les crêpes quelques minutes. Servir aussitôt.

RECETTE DU RESTAURANT *LASSERRE*, À PARIS

crêpes flambées Mylène

« Cuire 6 crêpes assez fines. Mettre dans une poêle, sur feu doux, 1 noix de beurre, 80 g de sucre, le jus de 2 oranges et de 1 citron, et 1/2 verre à apéritif de cognac, et laisser réduire de moitié. Poser sur les crêpes 1/2 poire pochée et escalopée, et les rouler. Les mettre dans la sauce, sur feu doux, pour bien les imprégner, puis les arroser d'un verre à apéritif d'eau-de-vie de mirabelle et flamber à feu vif en remuant la poêle. Parsemer d'amandes effilées et grillées, et réserver au chaud. Finir la réduction du sirop et terminer en montant avec une noix de beurre. Napper les crêpes et servir très chaud. »

---

crêpes normandes

Faire une pâte à crêpes. La laisser reposer 2 heures à la température ambiante. Éplucher 2 pommes, les couper en quatre, les épépiner et couper les quartiers en lamelles très fines (les faire éventuellement macérer dans un peu de calvados). Chauffer 40 g de beurre dans une poêle, y faire dorer les lamelles de pomme en remuant délicatement, puis laisser refroidir. Ajouter alors les pommes à la pâte. Cuire les crêpes et les empiler sur un plat en les poudrant de sucre glace. Servir bien chaud avec de la crème fraîche.

crêpes à la russe

Faire tiédir 60 cl de lait. En prélever un peu pour délayer 16 g de levure de boulanger, puis ajouter le reste de lait, 20 g de sucre en poudre, 20 cl de crème fraîche et 1 grosse pincée de sel. Mettre 400 g de farine dans un récipient creux, y verser peu à peu le mélange et bien remuer. Laisser lever 1 heure dans un endroit tiède. Battre 2 blancs d'œuf en neige ferme et les incorporer à la pâte à l'aide d'une spatule, en soulevant la pâte et en la coupant sans la battre. Cuire les crêpes : elles gonflent en dorant. Les rouler au fur et à mesure de leur cuisson, les disposer dans un plat de service chauffé et les poudrer généreusement de sucre glace. Les servir très chaudes.

crêpes Suzette

Préparer une pâte à crêpes et lui ajouter le jus d'une mandarine, 1 cuillerée de curaçao et 2 cuillerées à soupe d'huile d'olive. Laisser reposer 2 heures à la température ambiante. Malaxer 50 g de beurre avec le jus d'une mandarine, son zeste râpé, 1 cuillerée de curaçao et 50 g de sucre en poudre. Cuire les crêpes, assez fines, dans une poêle épaisse. Les masquer d'un peu de beurre de mandarine, les plier en quatre, les remettre une à une dans la poêle et chauffer doucement. Les disposer dans un plat chaud, en les faisant se chevaucher légèrement.

CRÊPERIE Restaurant d'origine bretonne, spécialisé dans la dégustation de crêpes de froment et de galettes de sarrasin, sucrées, salées et diversement garnies, préparées à la commande. Les crêperies se sont aujourd'hui implantées partout, parfois fort loin du littoral. La bolée de cidre y est de rigueur, et l'on y trouve parfois d'autres spécialités bretonnes, comme les sardines grillées.

CRÊPIÈRE Poêle à fond plat et à bord peu élevé, destinée à la cuisson des crêpes. Les crêpières en fonte, surtout utilisées pour les galettes de sarrasin, sont également appelées « tuiles », « galettières » ou « galtoires ». Il existe aujourd'hui des crêpières de table, à gaz ou électriques, dont la plaque chauffante est généralement dotée d'un revêtement antiadhésif.

CRÉPINE Membrane veinée de gras (épiploon), ou « toilette », entourant les intestins des animaux de boucherie. Le terme est plus spécialement employé pour le porc. En charcuterie, après avoir fait tremper la crépine dans l'eau afin de l'assouplir, on l'utilise pour envelopper la chair à saucisse dont on fait les crépinettes (**voir** ce mot), ou pour recouvrir la surface d'une terrine ou d'un pâté. De nombreuses préparations de cuisine font également intervenir la crépine, dont le rôle est généralement de maintenir, pendant la cuisson, une préparation hachée (carré d'agneau, feuille de chou farcie, foie gras, foie de veau piqué, fricandeau, grives, lapin ou pied farci, etc.), tout en apportant un goût savoureux.
▶ Recette : QUEUE.

CRÉPINETTE Petite saucisse plate, généralement faite de chair à saucisse, parfois additionnée de persil haché et enveloppée de crépine qui est une tradition du bassin d'Arcachon (**voir** tableau des saucisses crues page 786).

La crépinette peut aussi se confectionner avec de la viande d'agneau, de veau ou de volaille ; elle est préparée avec un salpicon de chair et de champignons, de Paris ou sauvages, parfois truffé, lié à blanc ou à brun, enrobé de farce fine, puis enveloppé dans une crépine. Les crépinettes sont badigeonnées de beurre fondu, éventuellement passées dans de la chapelure blanche, et grillées, sautées à la poêle ou cuites au four. On les sert avec une purée de pomme de terre, des lentilles ou des pommes boulangère, et une sauce Périgueux si elles sont truffées, une sauce chasseur, charcutière ou autre si elles ne contiennent que du porc ou de la volaille. En Gironde, elles sont poêlées et accompagnées d'huîtres du bassin d'Arcachon et de vin blanc.

On appelle « pieds de Cendrillon » des petites crépinettes à base de pied de porc truffé et de farce fine de porc bien relevée, que l'on faisait cuire autrefois sous la cendre, dans des papillotes en papier beurré.

crépinettes de lapin

Découper à cru un lapin de 1,5 kg environ. Désosser le râble et les cuisses. Saler et poivrer légèrement. Couper le râble en 3 morceaux. Mettre à tremper une crépine de porc. Éplucher 1 ou 2 échalotes et nettoyer 250 g de champignons de Paris. Les hacher avec 1 petit bouquet de persil et 400 g de poitrine fumée ; poivrer et ajouter un peu de thym et de laurier en poudre, et 1 cuillerée à soupe de cognac ou de marc. Bien travailler le tout et faire sauter à la poêle dans un peu de beurre. Garnir les morceaux de lapin de cette farce et les refermer par-dessus. Éponger la crépine, l'étirer doucement sur le plan de travail et la couper en cinq. Y enrouler les morceaux de lapin et disposer ceux-ci dans un plat à rôtir légèrement beurré. Arroser d'un peu de beurre fondu et mettre au four préchauffé à 275-300 °C. Retourner les morceaux pour les dorer de l'autre côté, puis baisser le four à 220 °C et poursuivre la cuisson 30 min.

crépinettes de porc

Façonner de la farce fine de porc ou de la chair à saucisse, additionnée de fines herbes hachées et relevée de cognac, en petites saucisses plates de 100 g, et les envelopper chacune dans un morceau rectangulaire de crépine de porc, trempée à l'eau froide et épongée. Paner à l'anglaise ou passer dans de la mie de pain fraîche. Arroser de beurre fondu et faire griller doucement. Accompagner d'une purée de pomme de terre ou de légumes verts liés au beurre.

CRÉPY Vin de Savoie, issu du chasselas, très vif et fruité, produit sur la rive française du lac Léman, et bénéficiant d'une appellation d'origine contrôlée (**voir** DAUPHINÉ, SAVOIE ET VIVARAIS).

CRESSON Nom de diverses plantes vivaces (**voir** tableau des cressons ci-contre et planche des herbes aromatiques pages 451 à 454), dont les feuilles vertes se consomment crues ou cuites. Le cresson, peu calorique (17 Kcal ou 71 kJ pour 100 g), est très riche en vitamine C (60 mg pour 100 g) et en carotènes ; il est riche en vitamine B9, en fer et en calcium. Cultivé en eau claire et contrôlée, il doit toujours être trié, lavé et égoutté soigneusement. Il pousse à l'état sauvage, mais dans ce cas il peut être porteur des formes larvaires de la grande douve du foie, parasite à l'origine de maladies graves.

Le cresson de fontaine poussait déjà en France à l'état sauvage au XIIIe siècle, mais on ne lui attribuait que des vertus médicinales.

Il apparut peu à peu dans les soupes campagnardes, tout en restant une plante de cueillette (on ramasse encore dans les Vosges un « cresson de roche », charnu et moutardé). C'est en 1810 que les Français découvrirent les méthodes de la culture en cressonnière, pratiquée avec succès en Allemagne. La région de Senlis s'en fit une spécialité et le cresson gagna bientôt une place en gastronomie : le *Café Riche* inscrivit la purée de cresson à son menu vers 1850.

beurre de cresson ▶ BEURRE COMPOSÉ

RECETTE DE PHILIPPE LEGENDRE

crème de cresson de fontaine au caviar sevruga

POUR 10 PERSONNES – PRÉPARATION : 45 min – CUISSON : 30 min
« Effeuiller 5 bottes de cresson. Laver séparément les feuilles et les queues, bien les égoutter. Dans une casserole, porter 4 litres d'eau à ébullition, ajouter 150 g de gros sel marin et les feuilles de cresson. Faire cuire 4 ou 5 min puis rafraîchir à l'eau glacée et bien égoutter. Mixer les feuilles jusqu'à l'obtention d'une purée très fine, réserver celle-ci au frais. Dans une autre casserole, faire revenir à feu doux sans coloration 1 oignon et 1 blanc de poireau émincé ainsi que les queues de cresson avec 50 g de beurre. Ajouter 1,5 litre de fond blanc de volaille et 5 g de poivre en grains. Faire cuire à frémissements pendant 10 min, ajouter 1 litre de crème liquide et continuer la cuisson pendant 10 min. Passer cette crème de cresson au chinois fin sans fouler et réserver. Dans un saladier, verser 200 g de crème liquide et, à l'aide d'un fouet, battre jusqu'à obtention d'une crème montée (crème Chantilly). Ajouter le jus de 1/2 citron jaune. Dresser en 2 saucières et conserver au froid. Avant de servir, faire bouillir à nouveau la crème de cresson, ajouter la purée de feuilles de cresson en fouettant énergiquement. Servir dans des bols très chauds, ajouter au dernier moment 1 cuillerée de crème fouettée et disposer dessus 1 quenelle de 10 g de caviar sevruga. »

CRESSONNIÈRE (À LA) Se dit d'apprêts à base de cresson. Le potage est une crème de cresson et de pomme de terre, garnie de feuilles de cresson blanchies. La salade est un mélange de pomme de terre et de cresson, parsemé d'œuf dur haché et de persil ciselé.

CRÊTE DE COQ Excroissance charnue et rouge que le coq porte au sommet de la tête. Les crêtes de coq que l'on utilise en cuisine doivent être assez volumineuses, ce qui devient rare aujourd'hui. On les emploie encore comme garniture de barquettes ou de croustades. Elles intervenaient autrefois, avec des rognons de coq, dans de nombreux apprêts (ambassadrice, chalonnaise, financière, gauloise, Godard, etc.).

La langue écarlate et les lames de truffe sont parfois découpées « en crêtes de coq ».

---

crêtes de coq : préparation

Piquer légèrement les crêtes avec une aiguille et les faire dégorger à l'eau courante en les pressant entre les doigts pour en faire sortir le sang. Les mettre dans une casserole d'eau froide et chauffer à feu vif jusqu'à ce que la pellicule qui les recouvre commence à se soulever. Égoutter alors les crêtes et les frotter une à une avec du sel fin dans un linge pour en enlever complètement la pellicule. Les mettre de nouveau à dégorger ; lorsqu'elles sont blanches, les plonger dans un blanc de cuisson bouillant et maintenir l'ébullition pendant 35 min. Égoutter.

salpicon de crêtes de coq ▶ SALPICON

CRETONNÉE DE POIS Apprêt de la cuisine médiévale, fait d'une purée de pois étuvés revenus dans du saindoux et à laquelle on incorpore de la mie de pain trempée dans du lait avec du safran et du gingembre, puis de la chair de volaille cuite. Pour finir, le mets est lié avec des jaunes d'œuf et servi garni de blancs de volaille émincés.

CRETONS Charcuterie québécoise, semblable aux rillettes. Les cretons se préparent avec des dés d'épaule et de panne de porc, cuits à l'eau avec un oignon piqué d'un clou de girofle et un bouquet garni ; la viande est ensuite hachée et mijotée dans son jus.

CREUSOIS Gâteau créé en 1994 par le syndicat des pâtissiers du département de la Creuse. Proche du financier, le creusois, rond et assez plat, se compose d'un biscuit très moelleux aux noisettes (et non aux amandes) et se conserve remarquablement bien.

CREVER (FAIRE) Éliminer une partie de l'amidon du riz en faisant rapidement bouillir les grains dans de l'eau salée. Cette opération favorise la cuisson du riz au lait.

CREVETTE Nom générique de petits crustacés décapodes, vivant en mer ou en eau douce, à l'abdomen développé et à la carapace souple, dont la chair est très appréciée (**voir** tableau des crustacés marins page 285 et planche pages 286 et 287).
■ **Espèces.** De nombreuses espèces de crevettes font l'objet d'une pêche intensive dans le monde entier.
● AU NORD. Les crevettes ont une troisième paire de pattes sans pince et portent les œufs à l'extérieur, fixés aux pattes abdominales.
– La crevette rose « bouquet », longue de 5 à 10 cm, très appréciée, est pêchée sur les côtes rocheuses de l'Europe et du Maghreb. Celle qui se pêche en Normandie et en Bretagne est réputée.
– La crevette rose, longue de 5 à 7 cm et de grande qualité, est pêchée dans l'Atlantique nord.

Caractéristiques des principales variétés de cressons

VARIÉTÉ	PROVENANCE	ÉPOQUE	ASPECT
cresson alénois, ou cresson de terre	très courant en Belgique et en Angleterre	toute l'année	petites feuilles vertes très découpées, disposées en rosette
cresson de fontaine	Île-de-France Sud et Nord, Pas-de-Calais, Seine-Maritime, Oise, ceintures vertes des villes	toute l'année	feuilles larges, entières, ovales, vert soutenu, rameaux tendres et juteux, très savoureux, parfois au goût piquant
cresson de jardin, ou cresson de terre	toute la France	avr.-nov.	vert plus foncé que le cresson de fontaine, parfois violacé, feuilles luisantes, tiges ramifiées
cresson de Pará, ou brède mafane	France, Madagascar, Brésil	été	feuilles vertes en forme de cœur, capitules jaunes ou rouges en forme de mûre
cresson des prés, ou cressonnette	toute la France	toute l'année	semblable au cresson de fontaine, mais feuilles plus petites et fermes, tiges plus courtes

– La crevette grise, ou boucaud, longue de 5 cm, gris translucide crue et brunâtre une fois cuite, et considérée comme la plus savoureuse, est pêchée intensivement en France sur les côtes de la Manche et de la mer du Nord.

– La crevette rose nordique, longue de 5 à 7 cm, est pêchée dans le golfe du Saint-Laurent, au Canada, et très consommée au Québec.

• AU SUD. Les crevettes ont une troisième paire de pattes plus développée et portent les œufs à l'intérieur.

– La crevette rose, dite « d'Algérie », longue de 15 à 20 cm, est pêchée en profondeur en Méditerranée et dans l'Atlantique. « Gamba » est le nom espagnol de cette crevette quand elle atteint une certaine taille.

– La crevette rose tropicale, ou crevette du Sénégal, longue de 15 cm, plus claire que la précédente, est pêchée sur les côtes, dans les lagunes et les estuaires de l'Afrique tropicale.

– La caramote, ou crevette rose de Méditerranée, longue de 15 à 20 cm, est également pêchée sur les côtes.

Aujourd'hui, la pêche des crevettes est devenue industrielle, sauf dans quelques ports de Bretagne, de Normandie, de Belgique et d'Allemagne. Une fois par an, à Oostduinkerke (Flandre), se pratique la traditionnelle pêche à cheval : bâté de grands paniers, dans l'eau jusqu'au poitrail, le cheval, monté par le pêcheur, traîne le chalut parallèlement au rivage. Pour faire face à une consommation croissante, l'élevage s'est considérablement développé durant cette dernière décennie. Sur l'ensemble de la planète, on élève des crevettes d'origine tropicale, bien adaptées en raison de leur croissance rapide.

■ Emplois. Pour la vente, la plupart des crevettes sont cuites aussitôt pêchées, à bord des chalutiers ; l'aspect brillant et la forme plus ou moins recourbée de la carapace, la fermeté de la chair et la facilité du décorticage dépendent en effet de leur fraîcheur. On trouve aussi sur le marché des crevettes décortiquées, fraîches, en conserve ou surgelées, ainsi que des crevettes entières surgelées.

Cuites à l'eau de mer ou à l'eau salée, les crevettes sont servies nature, avec du beurre frais, ou utilisées dans de nombreux hors-d'œuvre (mousses, salades, coquilles, etc.), garnitures et sauces (dieppoise, Joinville, normande, etc.). Elles sont largement consommées dans les pays du Sud-Est asiatique, au Japon et en Chine, grillées, marinées, séchées, en beignets, etc. Les gambas, typiques des apprêts espagnols et antillais, sont souvent frites entières ou grillées en brochettes.

Les beignets de crevette, spécialité sino-vietnamienne, se présentent comme des chips blanchâtres, à texture très aérée. Ils sont faits de pâte de crevette séchée au soleil et découpée en forme de pétales, qu'on plonge dans de la friture très chaude, où ils gonflent ; on les sert en amuse-gueule ou en accompagnement de hors-d'œuvre exotiques.

beurre de crevette ▶ BEURRE COMPOSÉ
bouchées aux crevettes ▶ BOUCHÉE (SALÉE)
canapés aux crevettes ▶ CANAPÉ
cocktail d'avocat aux crevettes ▶ AVOCAT
cocktail de crevette ▶ COCKTAIL (HORS-D'ŒUVRE)
cœurs de palmier aux crevettes ▶ PALMIER
crème de crevette ▶ CRÈME (POTAGE)

RECETTE DE MICHEL BRUNEAU
crevettes au cidre

« Chauffer dans une poêle 50 g de beurre demi-sel et 1 trait d'huile d'olive. Dès que le mélange mousse, y jeter des crevettes grises vivantes et couvrir aussitôt. Remuer. Au bout de 3 min de cuisson, verser 10 cl de cidre brut fermier. Laisser réduire. Mettre les crevettes dans un torchon. Saler au gros sel marin, poivrer et bien secouer. Déguster encore tiède avec du pain beurré et du cidre. On peut aussi préparer un fumet avec 1 litre de cidre brut, 20 g de gros sel, du thym, du laurier, 10 grains de poivre noir et 1 pomme émincée, et le faire réduire 10 min. Y jeter alors les crevettes vivantes et laisser bouillir 30 secondes. Saler et poivrer ensuite les crevettes dans un torchon et secouer. »

---

crevettes sautées au whisky

Laver et égoutter des crevettes vivantes, grises ou roses. Chauffer de l'huile dans une poêle et y faire sauter les crevettes. Les poivrer, ajouter

un soupçon de poivre de Cayenne et du whisky, du cognac ou du marc (1 petit verre pour 500 g de crevettes), flamber.

farce de crevette ▶ FARCE
mousse de crevettes ▶ MOUSSE
œufs brouillés aux crevettes ▶ ŒUF BROUILLÉ
pomelos aux crevettes ▶ PAMPLEMOUSSE ET POMELO
purée de crevette ▶ PURÉE
tempura de crevette ▶ TEMPURA

CRIS DE PARIS Phrases que lançaient autrefois les marchands ambulants de fruits, de légumes, de fromages, de viande, de poisson, de plats cuisinés et de pâtisseries. Le droit de criage, instauré en 1220, ne concernait à l'origine que la vente du vin, de l'huile, des oignons, de l'eau, des fèves et des pois (ainsi que la tenue des réunions de confréries, les annonces de décès, d'objets perdus, d'enfants et de chevaux disparus). Cependant, au cours des temps, les cris s'imposèrent et se transformèrent. Simples appels au début (« Je vends de l'eau ! », « Crapois y'a ! », pour la baleine, « Voilà le plaisir ! », pour les oublies, « Marchand d'ail ! », élidé en « Chand d'ail ! », les vendeurs de légumes portant un tricot), ils devinrent des quatrains approximativement rimés.

Le marchand d'oublies est le seul colporteur à avoir continué, jusqu'à la fin du XIXᵉ siècle, à proposer ses gâteaux en les annonçant à haute voix dans la rue.

CRISTE-MARINE Nom usuel du crithmum, plante vivace de la famille des apiacées, également appelée « perce-pierre », qui croît au bord de la mer, dans les fentes des rochers ou sur les terrains pierreux. Ses feuilles charnues, riches en iode, servent à relever le goût des potages et des salades ; on les utilise surtout confites dans du vinaigre, comme les cornichons, pour aromatiser les hors-d'œuvre froids. La criste-marine peut aussi se cuisiner au beurre, comme le pourpier.

CRISTOPHINE OU **CHRISTOPHINE** ▶ VOIR CHAYOTE

CROCODILE Reptile, de la famille des crocodilidés, répandu dans toutes les régions chaudes ; l'alligator est connu dans le Mississippi et en Chine ; le caïman, en Amérique centrale et en Amérique du Sud ; le gavial, en Inde. On consomme surtout les pattes et la queue des animaux jeunes, dont la viande blanche et ferme est cuisinée en ragoût ou rôtie, mais toujours assez épicée.

CROISSANT Petit pain en pâte levée ou feuilletée, abaissée en triangle, roulée sur elle-même et incurvée en forme de croissant de lune.

■ Histoire. L'origine de cet article de viennoiserie remonte à l'époque où les Turcs assiégeaient la capitale de l'Autriche (1683). La nuit, les boulangers de Vienne entendirent les bruits de sape des ennemis, et ils donnèrent l'alarme, ce qui permit de repousser l'assaut. Lorsque les Ottomans furent vaincus, Jean III Sobieski accorda aux boulangers le privilège de fabriquer une pâtisserie qui immortaliserait l'événement. C'est ainsi que naquit le *Hörnchen* (« petite corne » en allemand), allusion au croissant qui orne l'étendard turc. Ce fut Marie-Antoinette, arrivant d'Autriche, qui l'introduisit à la cour de France en 1770.

Une autre tradition attribue l'invention du croissant à un certain Kolschitsky, cafetier viennois, d'origine polonaise. En récompense de son courage pendant le siège, il aurait reçu des sacs de café pris à l'ennemi. Il aurait alors eu l'idée de servir ce café accompagné d'une pâtisserie en forme de croissant.

Les croissants étaient, à l'origine, en pâte à pain améliorée. Aujourd'hui, ils adoptent parfois une forme allongée. On peut les servir en hors-d'œuvre chauds, farcis de jambon, de fromage, de champignons, etc.

On appelle également « croissant » un petit-four en pâte d'amande, garni de pignons ou d'amandes effilées et façonné en demi-cercle.

---

croissants parisiens : préparation

Délayer 30 g de levure de boulanger dans 1/4 de litre de lait. Tamiser 500 g de farine dans une terrine. Ajouter 60 g de sucre, 10 g de sel, creuser une fontaine et y verser le lait. Mélanger rapidement du bout des doigts. Dès que le liquide est absorbé, recouvrir la pâte d'un linge et la laisser reposer de 30 min à 1 heure à température ambiante. Pendant qu'elle gonfle, la rabattre en perçant les grosses poches de gaz qui se forment à l'intérieur. La mettre au froid, puis la travailler comme une pâte feuilletée, en y incorporant 250 g de beurre ramolli, mais en ne faisant que trois tours. Laisser reposer. Aplatir au rouleau et détailler en triangles. Rouler ceux-ci sur eux-mêmes en allant de la base vers le sommet. Poser les croissants sur une plaque en leur donnant leur forme définitive. Laisser gonfler encore, à l'abri des courants d'air, de 15 à 45 min suivant la température ambiante. Dorer au jaune d'œuf à l'aide d'un pinceau et cuire 10 min au four préchauffé à 220 °C.

croissants aux amandes

Prendre des croissants de la veille, les couper en deux et les tremper dans un sirop à baba de densité 1,2736. Garnir l'intérieur et le dessus de crème d'amande. Refermer et parsemer d'amandes effilées. Cuire 18 min au four préchauffé à 180 °C et saupoudrer de sucre glace. Cette préparation, très courante, permet de rendre à nouveau moelleux des croissants un peu rassis.

croissants au fromage

Fendre des croissants sur un côté. Beurrer l'intérieur. Garnir de fines lamelles de gruyère ou d'emmental. Poivrer. Passer au four préchauffé à 275 °C et servir brûlant. On peut remplacer le beurre et le fromage par une béchamel au fromage bien réduite.

croissants aux pignons

Porter à ébullition dans une petite casserole 4 cuillerées à soupe d'eau et 4 cuillerées à soupe de sucre ; retirer aussitôt le sirop du feu. Mélanger dans une terrine 50 g de farine avec 150 g de poudre d'amande, 200 g de sucre en poudre et 3 blancs d'œuf. Lorsque la pâte est bien homogène, la partager en 3 masses, puis chacune d'elles en 10 portions. Façonner celles-ci en petits croissants de 1 cm de diamètre. Préchauffer le four à 200 °C et tapisser la tôle de papier sulfurisé légèrement huilé. Battre 2 œufs en omelette et y tremper les croissants, un par un, puis les rouler dans 200 g de pignons. Les disposer sur la tôle et les mettre au four 10 min. Les sortir et les badigeonner de sirop, puis les décoller en faisant passer de l'eau entre la tôle et le papier.

CROISSANT ALSACIEN Spécialité très populaire en Alsace, fourrée avec des fruits secs réduits en poudre et liés au blanc d'œuf ou au sucre.

croissant alsacien

Préparer une pâte à croissants et la découper. Mélanger 500 g de sucre cristallisé, 100 g de sirop à 30 ° (densité 1,2736) et 200 g de brisures de noix, d'amandes brutes et de noisettes, fraîchement réduites en poudre. Garnir les morceaux de pâte de cette préparation, les rouler, les cuire 10 min au four préchauffé à 220 °C et glacer au fondant blanc. Servir tiède.

CROMESQUI Hors-d'œuvre chaud d'origine polonaise, fait d'un salpicon simple ou composé, lié d'une sauce réduite et de jaunes d'œuf. Le salpicon est détaillé à froid en rectangles, qui sont soit farinés, soit enveloppés d'une fine crêpe salée (parfois de crépine), puis trempés dans de la pâte à beignets et frits. Les cromesquis se servent chauds, sur du papier gaufré ou une serviette. Ils peuvent aussi être sucrés et servis en entremets.

cromesquis : préparation

À L'ANCIENNE. Préparer un appareil à croquettes gras ou maigre, le laisser refroidir et le diviser en portions de 60 à 70 g. Enfermer chaque portion dans une abaisse fine d'appareil à pommes duchesse, puis dans une crêpe salée très fine.
À LA FRANÇAISE. Les portions d'appareil à croquettes sont farinées et façonnées en pavé ou en bouchon.
À LA POLONAISE. Les portions sont enfermées dans des crêpes salées larges et très fines.
À LA RUSSE. Les portions sont enveloppées dans des morceaux de crépine.

Tremper les cromesquis, un par un, dans de la pâte à frire, et les plonger au fur et à mesure dans l'huile chaude à 180 °C. Quand ils sont bien dorés, les égoutter, les éponger sur du papier absorbant et les saler. Dresser sur une serviette, en buisson, et garnir de persil frit. Servir accompagné d'une sauce correspondant à l'élément de base de l'appareil.

cromesquis bonne femme

Cuire à l'eau 500 g de bœuf et le réserver dans son bouillon. Faire fondre 2 cuillerées à soupe d'oignon haché dans 1 cuillerée à soupe de beurre ou de saindoux. Poudrer avec 1 cuillerée à soupe de farine et laisser blondir. Mouiller de 20 cl de bouillon de cuisson du bœuf très réduit, bien remuer, cuire 15 min tout doucement et lier en incorporant 2 jaunes d'œuf crus. Couper le bœuf en très petits dés et les incorporer à la sauce ; réchauffer, puis laisser refroidir complètement. Diviser la préparation en portions de 60 à 70 g, les façonner en bouchon. Les rouler dans de la farine, puis dans de la pâte à frire. Terminer comme dans la recette de base.

cromesquis à la florentine

Additionner d'une béchamel bien réduite et de parmesan râpé des épinards étuvés au beurre et desséchés à feu doux. Enfermer la préparation dans des crêpes salées très fines. Les rouler dans de la pâte à frire et les cuire.

CROQUANTE Grosse pièce de pâtisserie qui servait autrefois de décor, en bout de table ou sur un buffet. La croquante était faite de bandes de pâte d'amande cuite entrelacées, placée sur un fond de pâte, glacé de sucre vert ou rose ; le tout était décoré de ronds de feuilletage évidés, garnis de cerises confites. On faisait aussi des croquantes en gimblettes glacées, montées comme un croquembouche.

On appelle également croquante – ou croquant – un petit gâteau sec qui craque sous la dent ; les croquants de Saint-Geniez sont faits d'amandes et de noisettes mélangées.

Les croquants parisiens sont des bonbons de sucre travaillé.

CROQUE-AU-SEL (À LA) Se dit de légumes servis crus, en principe simplement salés, mais parfois accompagnés de beurre frais. On déguste ainsi, quand ils sont très frais, les artichauts nouveaux, les radis, les fèves, les tomates, les concombres, etc. C'est la meilleure façon de déguster les truffes fraîches, assurent le cuisinier Roger Lamazère et de nombreux gourmets.

CROQUEMBOUCHE Pièce montée en forme de cône, constituée de petits éléments de pâtisserie ou de confiserie, rendus croquants par leur glaçage au sirop de sucre (d'où leur nom). Le croquembouche est généralement dressé sur un socle en nougatine. Il s'édifie autour d'un moule conique, appelé lui aussi « croquembouche », que l'on retire par la base lorsque toutes les pièces sont bien fixées les unes aux autres par le caramel solidifié.

C'est un apprêt traditionnel des buffets et des repas de mariage ou de première communion.

Le croquembouche classique est fait de petits choux, fourrés ou non de crème (pâtissière ou autre) et trempés dans un sirop de sucre cuit « au grand cassé ». On réalise aussi des croquembouches avec des fruits déguisés ou glacés, des gimblettes, des éléments en pâte d'amande, en meringue, en nougatine. Les décorations sont multiples.

croquembouche

POUR 15 PERSONNES – PRÉPARATION : 1 h 30 + 1 h – CUISSON : 10 min + de 18 à 20 min

PRÉPARATION DE LA PÂTE SUCRÉE (POUR 500 G). Casser 1 œuf dans un bol. Fendre 1/2 gousse de vanille et gratter les graines. Couper 125 g de beurre en petits morceaux et le mettre dans une terrine. Le malaxer pour bien l'assouplir, puis ajouter dans l'ordre 85 g de sucre glace, 25 g de poudre d'amande, 1 petite cuillerée à café de sel fin, les graines de vanille, l'œuf et, enfin, 210 g de farine tamisée, en tournant chaque fois jusqu'à ce que le nouvel ingrédient soit bien incorporé. Former une boule et l'aplatir entre les mains. Envelopper dans un film alimentaire et laisser reposer au réfrigérateur (4 °C).

PRÉPARATION DU CROQUEMBOUCHE. La veille, préparer la pâte sucrée, 800 g de pâte à choux (voir page 213) et 1 kg de crème pâtissière (voir page 274) parfumée avec 50 cl de rhum, de kirsch ou de Grand Marnier. Préchauffer le four à 200 °C. À la poche à douille, façonner 75 choux et les cuire 10 min. Le jour même, mettre la crème pâtissière dans une poche munie d'une douille très fine qui perce la base des choux et fourrer ceux-ci de crème. Préchauffer le four à 180 °C. Étaler 180 g de pâte sucrée sur 4 mm d'épaisseur. Découper un disque de 22 cm de diamètre, le poser sur une plaque recouverte de papier sulfurisé, enfourner et cuire pendant 20 min. Préparer un caramel clair avec 350 g de sucre en morceaux et 20 cl d'eau. Ajouter 1,5 cuillerée à café de vinaigre pour éviter que le sucre ne cristallise. Tremper d'abord le haut de chaque chou dans le caramel puis déposer tous les choux sur une plaque. Sur le plat de service, poser le disque cuit de pâte sucrée, enduire d'huile le bord extérieur d'un saladier de 14 cm de diamètre et le retourner sur le disque de pâte. Faire un nouveau caramel clair avec 350 g de sucre en morceaux, 20 cl d'eau et 1,5 cuillerée à café de vinaigre. Tremper cette fois la base de chaque chou dans le caramel et coller une couronne de choux autour du saladier, le haut caramélisé des choux vers l'extérieur du gâteau. Retirer le saladier et continuer à monter les rangées de choux en les décalant et en les resserrant légèrement. Terminer la décoration en collant 200 g de dragées avec du caramel dans les cavités laissées entre les choux. Servir rapidement.

CROQUE-MONSIEUR Sandwich chaud, formé de deux tranches de pain de mie beurrées, garnies de lamelles de gruyère et d'une tranche de jambon maigre. Le croque-monsieur est doré sur les deux faces, soit dans une poêle, avec du beurre, soit sous le gril. On peut napper le dessus d'une béchamel au gruyère et faire gratiner, ou remplacer le jambon par du blanc de volaille, le gruyère par du gouda, ou même ajouter une rondelle de tomate, voire d'ananas. Servi avec un œuf sur le plat à cheval, le croque-monsieur prend le nom de « croque-madame ».

Le premier croque-monsieur fut servi en 1910 dans un café du boulevard des Capucines, à Paris. Resté une préparation typique des cafés, brasseries et snacks, il constitue aussi une entrée ou un hors-d'œuvre chaud.

▶ Recette : BANANE.

CROQUET Gâteau sec en forme de bâtonnet ou de languette, généralement fait d'amandes, de sucre et de blanc d'œuf. La plupart des croquets, ou croquettes, sont des spécialités régionales, typiques du Berry, de la Sologne, du Périgord, du Nivernais, de Sens, de Bar-sur-Aube, de Bordeaux, de Vinsobres, de Valence, etc.

croquets de Bar-sur-Aube

Verser dans une terrine 500 g de sucre en poudre et 250 g d'amandes en poudre, mélanger, puis ajouter 8 blancs d'œuf, un par un. Incorporer délicatement 275 g de farine tamisée et 10 g de sucre vanillé. Verser cette pâte sur un plan de travail ; la découper en languettes et disposer celles-ci sur une plaque huilée. Cuire au four préchauffé à 180 °C. Décoller les croquets à chaud, les laisser refroidir sur une plaque ou sur un marbre et les ranger au sec, dans un bocal ou une boîte en fer-blanc hermétique.

croquets bordelais

Hacher finement 300 g d'amandes mondées, 150 g d'amandes non mondées, ajouter 300 g de sucre, 120 g de beurre ramolli, 2 œufs, le zeste râpé de 1 citron ou de 1 orange, 1 paquet de levure chimique et de 1 pincée de sel, bien mélanger. Rouler la préparation en petits boudins de 5 cm de diamètre, aplatir puis découper en tronçons de 1 cm de large. Poser les croquets sur la plaque recouvertre de papier sulfurisé, dorer à l'œuf et rayer avec les dents d'une fourchette. Cuire 15 min dans le four préchauffé à 190 °C.

CROQUETTE Petit apprêt salé ou sucré, frit, servi chaud en hors-d'œuvre (croquettes de poisson, viande, volaille, jambon, champignon, ris de veau, etc.), en garniture (croquettes de pomme de terre surtout) ou en entremets (croquettes de riz, marron, semoule).

L'appareil de base est lié d'une sauce assez serrée (blanche, suprême, veloutée, indienne, tomate ; béchamel au fromage pour les pommes de terre ; crème pâtissière pour les croquettes sucrées). Les croquettes sont façonnées en bouchon, en palet, en bâtonnet, en boule ou en rectangle. Elles sont généralement panées à l'anglaise, puis plongées dans une huile très chaude, qui permet de les saisir et les rend croquantes et dorées. On les dresse en pyramide, en buisson ou en couronne, sur un plat garni de papier gaufré ou d'une serviette pliée, éventuellement avec du persil frit. Elles sont toujours servies avec une sauce en rapport avec l'élément principal de la composition. Les plus courantes sont les croquettes de poisson et les croquettes de pomme de terre servies en garniture de viandes sautées ou grillées.

Les croquettes d'entremets peuvent aussi se réaliser uniquement avec de la crème pâtissière très serrée, détaillée en losanges ou en rectangles qui sont panés et frits (crème frite).

CROQUETTES SALÉES

croquettes de bœuf

Couper en salpicon du bœuf bouilli et du jambon maigre. Lier de sauce béchamel bien réduite, additionnée de 1 jaune d'œuf. Laisser refroidir complètement. Diviser en portions de 50 à 70 g, les paner à l'anglaise, et les frire à l'huile très chaude (180 °C). Servir accompagné d'une sauce tomate relevée.

croquettes de fromage

PREMIÈRE RECETTE. Additionner une béchamel bouillante de 10 cl de crème et de 125 g de fromage râpé (gruyère, hollande). Bien incorporer le tout en remuant et rectifier l'assaisonnement. Laisser refroidir complètement. Diviser en portions de 60 à 70 g. Les rouler en boulettes, les paner à l'anglaise et les frire à l'huile très chaude (180 °C).

SECONDE RECETTE. Battre en omelette 3 œufs entiers et 2 jaunes. Verser dans une terrine 50 g de farine tamisée et 50 g de crème de riz. Ajouter les œufs battus et bien mélanger. Délayer avec 50 cl de lait bouillant, assaisonner de sel, de poivre, de noix de muscade râpée et d'un soupçon de poivre de Cayenne. Porter à ébullition et cuire 5 min, en remuant constamment. Ajouter 125 g de gruyère râpé et faire fondre. Laisser refroidir complètement. Diviser en portions de 60 à 70 g, les paner à l'anglaise et les frire à l'huile très chaude (180 °C).

croquettes Montrouge

Additionner une duxelles de champignon bien sèche de la moitié de son volume de jambon haché et du tiers de son volume de mie de pain trempée dans du lait et essorée ; ajouter du persil ciselé et 2 jaunes d'œuf pour 250 g de mélange. Bien remuer et rectifier l'assaisonnement. Façonner l'appareil en boules grosses comme des mandarines ; les aplatir légèrement, les paner à l'anglaise et les frire à l'huile très chaude (180 °C). Les égoutter, les éponger sur du papier absorbant et les poudrer de sel fin.

croquettes de morue

Dessaler de la morue et la pocher à l'eau ; l'effeuiller très finement. Lui ajouter un tiers de son volume d'appareil à pommes duchesse et juste assez de béchamel pour bien lier le mélange. Façonner en forme de boules et faire frire celles-ci à l'huile très chaude (180 °C). Servir accompagné d'une sauce tomate.

croquettes de pomme de terre

Éplucher et couper en quartiers 1,5 kg de pommes de terre (farineuses), les cuire 20 min au moins à l'eau bouillante salée. Les égoutter, les mettre dans une lèchefrite et les dessécher dans le four préchauffé à 250 °C, jusqu'à ce que leur surface blanchisse. Les réduire en purée, ajouter 150 g de beurre, puis battre 5 jaunes d'œuf à la fourchette et les incorporer petit à petit. Huiler un plat, y étaler la purée et laisser refroidir complètement. Rouler la purée en boules avec des mains farinées, puis former un long cylindre étroit et régulier et le débiter en tronçons de 6 ou 7 cm. Arrondir légèrement ces morceaux. Les paner à l'anglaise et les frire 3 min à l'huile très chaude (180 °C). Égoutter, éponger sur du papier absorbant et servir aussitôt avec une viande rôtie ou une grillade.

croquettes à la viennoise

Tailler en salpicon, et en parties égales, des ris d'agneau pochés au court-bouillon, du maigre de jambon et des champignons étuvés au beurre. Ajouter un hachis d'oignon fondu au beurre (même volume que celui des ris) et juste assez de velouté, réduit et assaisonné au paprika, pour bien lier l'ensemble. Achever les croquettes en les façonnant en forme de petits palets. Servir accompagné de rondelles d'oignon frites et d'une sauce tomate au paprika.

CROQUETTES SUCRÉES

croquettes aux abricots

Égoutter et éponger 500 g d'abricots cuits au sirop, les détailler en gros dés. Leur ajouter 40 cl de crème pâtissière très serrée. Parfumer au rhum et laisser refroidir complètement. Diviser en portions de 60 à 70 g. Rouler celles-ci en boulettes, les aplatir légèrement, les passer dans de la farine, puis dans de l'œuf battu et enfin dans de la chapelure fraîche. Frire à l'huile très chaude (180 °C) et servir avec une sauce chaude à l'abricot.

croquettes de marron

Ébouillanter et éplucher des marrons. Les cuire dans un sirop léger (500 g de sucre par litre d'eau) parfumé à la vanille. Préparer une purée de marron à la vanille et la lier avec 5 jaunes d'œuf et 50 g de beurre par 500 g. Étaler sur une plaque et laisser refroidir complètement. Détailler en rectangles de 60 à 70 g, les paner à l'anglaise et les frire à l'huile très chaude (180 °C). Servir accompagné d'une sauce aux cerises parfumée au cognac ou à l'armagnac.

CROSNE Plante, de la famille des lamiacées, cultivée pour la première fois en France dans la commune de Crosnes (Essonne), et dont on consomme les tubercules. Originaires du Japon, les crosnes, fins et délicats, ont un goût légèrement sucré, qui rappelle celui du salsifis ou de l'artichaut ; une fois frottés au gros sel et blanchis, ils sont frits, étuvés au beurre ou apprêtés comme les topinambours.

crosnes : préparation

Mettre les crosnes dans un torchon de grosse toile avec une poignée de gros sel et les secouer énergiquement pour ôter la pellicule qui les recouvre. Les laver et les débarrasser des dernières parcelles de cette peau. Les blanchir à l'eau salée. Les étuver ensuite au beurre, à couvert, sans les laisser colorer. Les servir nature, comme garniture. On peut aussi les accommoder à la crème, aux fines herbes ou au jus.

RECETTE DE GUY SAVOY

crosnes aux oursins

« Préparer 150 g de crosnes, les laver, les égoutter. Les mettre dans une casserole et mouiller d'eau à hauteur. Ajouter 20 g de beurre et du sel. Cuire jusqu'à évaporation de l'eau et réserver au chaud. Mélanger au mixeur le corail de 2 oursins et 130 g de beurre pour obtenir une préparation lisse et homogène. Faire tiédir 16 autres oursins dans une partie de leur eau. Porter à ébullition le reste de cette eau avec 1 cuillerée de crème fraîche, et incorporer petit à petit au fouet le beurre d'oursin. Poivrer, verser le jus de 1/2 citron et passer au chinois. Dresser les oursins égouttés sur des assiettes avec les crosnes et napper de sauce. Accompagner éventuellement de quelques feuilles d'épinard blanchies puis sautées au beurre. »

CROTTIN DE CHAVIGNOL OU **CHAVIGNOL** Fromage sancerrois AOC de lait de chèvre (45 % de matières grasses au moins), à pâte molle et à croûte naturelle, tachetée de moisissures blanches, bleues ou brunes (**voir** tableau des fromages français page 392). Il se présente sous la forme d'une petite boule aplatie, pesant 60 g environ. Il est affiné à quatre semaines, mais parfois à trois mois : il est alors cassant et sa saveur s'accentue. Il se consomme aussi plus frais, quand il est encore doux et bien blanc. Le chavignol se déguste en fin de repas, mais entre aussi dans la préparation de soufflés, de salades, etc.

RECETTE D'HENRI FAUGERON

crottins de Chavignol rôtis sur salade aux noix de la Corrèze

« Disposer 6 crottins de Chavignol bien affinés sur une plaque et les mettre 3 ou 4 min au four préchauffé à 275-300 °C : ils doivent perdre leur première graisse. Dorer au beurre 6 tranches de pain de campagne. Y disposer les petits fromages et accompagner d'une salade verte (au choix) parsemée de 60 g de cerneaux de noix et assaisonnée avec une vinaigrette au vinaigre de vin. »

CROUPION Extrémité postérieure du corps des volailles et des oiseaux, composée des deux dernières vertèbres dorsales, et portant les plumes de la queue (**voir** BONNET D'ÉVÊQUE).

Pour le canard, la poule, le poulet et l'oie, il faut éliminer, avant la cuisson, les glandes sébacées situées de chaque côté, car elles donneraient un goût désagréable à la viande.

CROUSTADE Petit apprêt de taille variable, réalisé en pâte à foncer, en feuilletage, en appareil à pommes duchesse, en semoule ou en riz, frit ou chauffé au four, et garni, au moment du service, d'un salpicon, d'un ragoût, de légumes ou d'une purée, liés d'une sauce réduite appropriée.

Les croustades, qui sont d'origine méridionale, se servent en hors-d'œuvre chauds, mais on les utilise aussi dans des garnitures classiques de grande cuisine.

croustade de pommes à la québécoise ▶ POMME

croustades de foies de volaille
POUR 4 PERSONNES

Cuire à blanc 4 croustades en pâte à foncer de 10 cm de diamètre. Parer 240 g de foies de volaille, séparer les lobes et les escaloper, saler, poivrer, sauter vivement dans 30 g de beurre très chaud, puis égoutter. Dorer dans 30 g de beurre 50 g d'échalote ciselée et 120 g de champignons de Paris nettoyés et émincés. Saler et poivrer. Chauffer au four les croustades vides. Lier champignons et foies avec de 4 à 6 cuillerées à soupe de sauce madère. Porter à frémissement sur le feu, le temps de les réchauffer. Garnir les croustades de ce mélange et les servir brûlantes en hors-d'œuvre, décorées ou non de lames de truffe (20 g) tiédies dans le madère.

croustades Montrouge
POUR 4 PERSONNES

Faire revenir un fin hachis de 400 g de champignons avec 100 g d'échalote ciselée et le jus de 1/2 citron. Assaisonner à son goût de sel et de poivre. Mouiller de 10 cl de crème épaisse et bien réduire. En garnir des croustades cuites à blanc. Saupoudrer largement de 20 g de parmesan râpé et gratiner au four préchauffé à 250 °C. Servir en hors-d'œuvre.

croustades de pommes de terre duchesse
POUR 4 PERSONNES

Étaler 800 g d'appareil à pommes duchesse (voir page 693) sur une plaque huilée, sur une épaisseur de 4 à 5 cm. Laisser refroidir complètement. Détailler cette abaisse à l'emporte-pièce rond, uni, en 4 palets de 7 cm de diamètre. Les paner à l'anglaise. Cerner le dessus à 1 cm du bord et sur 3 à 4 cm de profondeur. Frire à l'huile très chaude (180 °C). Égoutter et éponger sur du papier absorbant. Retirer le couvercle. Creuser l'intérieur en ne laissant qu'un fond et une paroi de 1 cm environ. Emplir les croustades d'une des garnitures des vol-au-vent, de légumes variés, etc., et servir en hors-d'œuvre.

croustades vert-pré
POUR 4 PERSONNES

Préparer 4 croustades en appareil à pommes duchesse (voir recette ci-dessus) ; les garnir d'un mélange, en parties égales, de 100 g de petits tronçons de haricots verts, de 100 g de petits pois et de 100 g de pointes d'asperge, le tout lié avec 20 g de beurre. Servir en hors-d'œuvre.

perdreaux en croustade ▶ PERDREAU ET PERDRIX

CROÛTE Fond de pâte ou tranche de pain utilisés comme support pour certains apprêts de cuisine ou de pâtisserie.

Certaines croûtes, que l'on garnit ensuite d'une préparation sucrée ou salée (bouchée, feuilletage, flan, tarte, timbale, vol-au-vent) sont des fonds de pâte (feuilletée, brisée ou à foncer) cuits à blanc. Les croûtes constituent également l'enveloppe extérieure de certains mets (koulibiac, pâté en croûte).

Les croûtes servies en hors-d'œuvre chaud sont des tranches de pain de mie rondes ou carrées, légèrement creusées et dorées au beurre, garnies diversement (jambon, champignons, anchois, fruits de mer, etc.), nappées d'une sauce réduite et gratinées.

Les croûtes servies en entremets chaud sont des tranches rassises de savarin, de brioche ou de pain brioché, glacées au four et garnies de fruits pochés ou confits, arrosées de sirop, semées d'amandes effilées, nappées de confiture, etc.

croûte : préparation

Couper dans du pain de mie rond rassis des tranches de 4 à 5 cm de diamètre et de 2 cm d'épaisseur. À l'aide d'un emporte-pièce rond d'un diamètre inférieur, cerner légèrement le dessus des croûtes. Les frire au beurre clarifié, à l'huile ou à la margarine. Les égoutter et les évider. Les emplir de leur garniture.

croûte à flan cuite à blanc : préparation

Préparer 350 g de pâte à foncer et l'abaisser sur 3 mm d'épaisseur. Beurrer et fariner une tourtière ou un cercle à flan de 28 cm de diamètre, secouer très légèrement pour enlever l'excès de farine, garnir avec la pâte en la faisant bien adhérer au bord. La garder un peu plus épaisse en haut pour qu'elle ne se rétracte pas à la cuisson, puis ôter ce qui dépasse en passant le rouleau à pâtisserie tout autour du moule, sur le bord. Piquer le fond avec une fourchette et tapisser la pâte (fond et bord) de papier sulfurisé légèrement beurré ou d'une feuille d'aluminium. Cuire 10 min au four préchauffé à 200 °C. Dorer la croûte à l'œuf et la remettre 3 ou 4 min dans le four pour la faire sécher. Elle peut alors être garnie.

croûte à timbale garnie : préparation

Beurrer un moule à timbale ou à charlotte ; le décorer intérieurement avec des motifs en pâte à nouilles très ferme, légèrement mouillés pour qu'ils collent à la pâte. Rouler en boule 400 g de pâte à foncer, puis abaisser celle-ci en un disque de 20 cm de diamètre sur 6 mm d'épaisseur. Fariner légèrement ce disque et le plier en deux, puis rabattre les côtés vers le centre jusqu'à ce qu'ils se rejoignent ; abaisser au rouleau pour lisser la pâte. Déposer le disque obtenu dans le moule en le faisant bien adhérer au bord ; ôter éventuellement la pâte qui dépasse. Garnir le moule ainsi foncé de papier sulfurisé beurré (côté beurré sur la pâte), puis l'emplir de légumes secs. Poser sur ceux-ci un dôme de papier, puis, par-dessus, un mince disque de pâte de 1,5 mm d'épaisseur. Souder les bords de ce couvercle et de la timbale en les serrant entre les doigts, puis pincer la crête au pince-pâte. Humecter d'eau le couvercle et y coller régulièrement des motifs décoratifs (feuilles, rosaces, anneaux cannelés), après les avoir levés à l'emporte-pièce dans une fine abaisse de pâte. Pratiquer une cheminée au centre du couvercle. Dorer à l'œuf le dessus de la timbale et la cuire de 35 à 40 min au four préchauffé à 190 °C. (Il est aussi possible de mouler un couvercle sur un découpoir à vol-au-vent et de le cuire à part.) La sortir, cerner le couvercle avec un couteau pointu, puis le retirer ; ôter le papier et les légumes secs, et dorer à l'œuf l'intérieur de la croûte ; remettre la timbale à sécher dans le four quelques minutes, porte ouverte, sans la démouler. La sortir enfin, la démouler sur la grille, puis la tenir au chaud ainsi que le couvercle. Réchauffer la garniture, en emplir la timbale et replacer le couvercle. Servir immédiatement.

croûte à vol-au-vent : préparation

Préparer 500 g de pâte feuilletée fine. La partager en deux masses égales ; les abaisser sur 4 mm d'épaisseur. Y découper, à l'aide d'un cercle à tarte, deux disques de 15 cm de diamètre. En poser un en le retournant sur une plaque à pâtisserie légèrement mouillée. Avec un cercle à tarte de 12 ou 13 cm de diamètre, enlever le centre du deuxième, en laissant une couronne régulière tout autour. Humecter le dessus de la première abaisse et y poser la deuxième, évidée, en la retournant. Étendre

le morceau de pâte retiré, et le découper également avec le cercle à tarte de 15 cm. Mouiller le tour du vol-au-vent et poser dessus cette troisième abaisse. Dorer la surface à l'œuf, puis, avec un petit couteau, tracer la circonférence du couvercle (selon le cercle intérieur de 12 ou 13 cm de diamètre), en suivant la forme du « puits » central. Chiqueter l'anneau circulaire et rayer le dessus du couvercle. Cuire 15 min au four préchauffé à 220 °C. Sortir du four et mettre sur une grille ; découper délicatement le couvercle sans le briser, le déposer sur la grille et retirer la pâte molle de l'intérieur. Réserver le vol-au-vent au chaud ; réchauffer la garniture, en remplir la croûte, poser le couvercle et servir aussitôt.

CROÛTES SALÉES

alouettes en croûte ▶ ALOUETTE

croûtes Brillat-Savarin
POUR 4 PERSONNES

Cuire à blanc 4 petites croûtes d'entrée en pâte à foncer de 10 cm de diamètre ; les garnir d'un salpicon composé de 200 g de ris d'agneau ou de veau et de 80 g de champignons sautés, éventuellement complété de 40 g de crêtes et de 40 g de rognons de coq, le tout lié de 8 cuillerées à soupe de sauce demi-glace ou de sauce madère réduite.

croûtes cardinal
POUR 4 PERSONNES

Préparer 4 croûtes. Lier un salpicon composé de 240 g de chair de homard (réserver 4 petites escalopes dans la queue) et de 80 g de truffe avec 8 cuillerées à soupe de béchamel montée additionnée de 40 g de beurre de homard. Emplir les croûtes de ce mélange. Parsemer de 40 g de chapelure et faire gratiner à four très chaud. Décorer chacune d'une petite escalope de homard et d'une lame de truffe.

croûtes à la diable
POUR 4 PERSONNES

Emplir 4 croûtes d'un salpicon composé de 240 g de jambon d'York et de 120 g de champignons étuvés dans 25 g de beurre, lié de 4 cuillerées à soupe de demi-glace bien réduite, relevée d'une pointe de poivre de Cayenne. Parsemer de 40 g de chapelure et gratiner les croûtes dans le four très chaud.

croûtes à la livonienne
POUR 4 PERSONNES

Réduire en purée 160 g de laitances de hareng saur, les additionner d'un volume égal de béchamel et en garnir des croûtes. Tailler en salpicon 40 g de hareng saur et autant de pomme reinette citronnée. Déposer sur chacune des croûtes 1 cuillerée de salpicon. Saupoudrer de 40 g de mie de pain finement émiettée. Gratiner au four préchauffé à 275 °C.

croûtes à la moelle
POUR 4 PERSONNES

Tailler 4 carrés de 4 cm de côté dans des tranches de pain de mie de 1,5 cm d'épaisseur ; les cerner à 5 mm du bord, les faire sauter au beurre clarifié sur toutes les faces puis les évider. Les garnir d'un salpicon composé de 400 g de moelle de bœuf pochée à l'eau frémissante salée, liée avec 5 cl de fond de veau réduit (ou de demi-glace) et relevé de 100 g d'échalote hachée réduite avec 5 cl de vin blanc. Sur chaque tranche, poser 1 lame de moelle de bœuf (100 g en tout) pochée sans ébullition dans de l'eau frémissante salée et bien égouttée, surmontée d'une petite lame de truffe (soit 25 g). En l'absence de truffe, il est aussi possible de couvrir les croûtes de 40 g de mie de pain fraîche (ou de chapelure blonde arrosée de beurre fondu). Ajouter un peu de poivre du moulin. Gratiner au four préchauffé à 275 °C. Servir très chaud.

croûtes à la reine
POUR 4 PERSONNES

Préparer 400 g de purée de volaille à la crème. Badigeonner au beurre 4 tranches de pain de mie, les faire dorer sous le gril puis les masquer de purée. Saupoudrer de 40 g de chapelure blonde, arroser de 20 g de beurre clarifié et gratiner au four préchauffé à 275 °C.

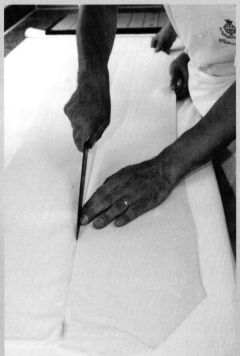

« Emblème du petit déjeuner français, le croissant au beurre est préparé quotidiennement au RITZ PARIS et chez POTEL ET CHABOT. Une légende raconte que cette viennoiserie, qui n'est pas sans rappeler le croissant de l'étendard turc, aurait été imaginée après le siège de Vienne en 1683 pour commémorer la victoire face aux Ottomans. »

grives en croûte à l'ardennaise ▸ GRIVE
paté en croûte « pavé du roy » ▸ PÂTÉ
pâté de veau et de jambon en croûte ▸ PÂTÉ
poulet en croûte de sel ▸ POULET
saumon en croûte ▸ SAUMON

CROÛTES SUCRÉES

croûtes en couronne à la Montmorency

POUR 4 PERSONNES

Détailler 8 tranches de 6 x 4 cm et de 1,5 cm d'épaisseur dans une brioche rassie. Disposer ces tranches sur une plaque à pâtisserie, les saupoudrer de 25 g de sucre glace et les glacer au four. Masquer les tranches d'une mince couche de 60 g de crème aux amandes parfumée au cherry brandy, puis les dresser en couronne sur un plat rond, en les serrant bien les unes contre les autres, les faire dorer sous le gril. Garnir le centre avec 120 g de cerises dénoyautées, pochées dans 25 cl de sirop vanillé et bien égouttées. Décorer avec 10 g de cerises confites, 10 g de losanges d'angélique et 10 g de moitiés d'amandes mondées. Lustrer les cerises avec 80 g de sauce à la groseille au cherry et servir un peu de cette sauce à part.

croûtes en turban Beauvilliers

POUR 6 PERSONNES

Tailler dans une brioche rassie 12 tranches rectangulaires, longues de 6 cm et larges d'environ 4 cm. Les ranger sur une plaque, les saupoudrer de 30 g de sucre fin et les glacer au four. Éplucher 6 bananes et les couper en deux dans le sens de la longueur. Les mettre sur une plaque beurrée, les saupoudrer de sucre fin et les cuire 5 min au four préchauffé à 250 °C. Former sur un plat rond un turban de bananes et de tranches de brioche alternées. Garnir le centre avec 300 g de semoule au lait, sucrée, vanillée, liée avec 3 jaunes d'œuf et additionnée de 60 g de salpicon de fruits confits macérés dans 3 cl d'alcool de fruit. Saupoudrer le tout de 60 g de macarons finement émiettés ; arroser de 20 g de beurre fondu et gratiner au four. Au moment de servir, entourer d'un cordon de 80 g de sauce abricot parfumée avec 2 cl de rhum ou d'alcool de fruit. (En remplaçant la semoule par une crème pâtissière épaisse, parfumée aux zestes d'orange et additionnée de moitiés d'amande, on obtient la croûte aux bananes à la maltaise.)

CROÛTE À POTAGE Tronçon de flûte (pain long et mince) de 5 cm, partiellement évidé, ou coupé en deux dans la longueur, séché au four, utilisé nature ou diversement garni ou farci. Les croûtes se servent en général à part, en accompagnement de soupes et de potages.

Les « croûtes à l'ancienne » sont farcies avec les légumes de la marmite (hachés ou tamisés) et gratinées. Les « croûtes au pot » sont arrosées avec de la graisse de pot-au-feu et colorées au four ; on appelle parfois « consommé croûte au pot » le bouillon du pot-au-feu garni des légumes coupés en petits morceaux, de gruyère râpé et de rondelles de flûte évidées et grillées au four. Les « croûtes diablotins », assez fines, sont masquées de béchamel réduite, poudrées de fromage râpé et d'une pincée de poivre de Cayenne, puis gratinées. Elles sont présentées à part. Les croûtes simples sont également appelées « croûtons » (dorés, frottés ou non à l'ail).

CROÛTON Petit morceau de pain de forme variable, grillé, doré au beurre, frit à l'huile ou séché au four, nature ou frotté à l'ail. Les croûtons en dés servent à garnir certaines préparations (potages, salades vertes, œufs brouillés, omelettes, épinards au beurre) ou des plats composés. Détaillés en cœur, en losange, en croissant, en dent de loup, en rondelle, en étoile, ils apportent du croquant à des mets en sauce ou à des purées, et décorent parfois la bordure du plat de service.

On appelle aussi « croûtons », par analogie, des motifs découpés au couteau ou à l'emporte-pièce dans de la gelée et destinés à orner des plats froids.

RECETTE DE PAUL MINCHELLI

croûtons au thym

« Éplucher et dégermer les gousses de 1/2 tête d'ail et les passer au mixeur avec 100 g de beurre demi-sel, 1 cuillerée à café de persil plat, 1 cuillerée à café de poudre de thym, 1 cuillerée à café de feuilles de thym, cuillerée à café d'origan, 1 cuillerée à café de marjolaine, 1 petite boîte d'anchois avec leur huile et 1 cuillerée à café de poivre fraîchement moulu. Couper des tranches en biais dans une baguette rassise, les enduire largement de cette préparation et les passer sous le gril du four jusqu'à ce qu'elles soient croustillantes et moelleuses à la fois. »

CROZE (AUSTIN DE) Écrivain français (Lyon 1866 - *id.* 1937), spécialiste du folklore et gastronome. Initiateur des Journées régionales du Salon d'automne en 1923 et 1924, il contribua à la sauvegarde et à la diffusion des recettes locales et des produits régionaux. Son ouvrage fondamental, *les Plats régionaux de France* (1928), qui répertorie 1 400 spécialités, constitue un patrimoine traditionnel qui fait toujours autorité. Il a écrit en outre une *Psychologie de la table*.

CROZES-HERMITAGE Vin AOC rouge et blanc, généreux, issu du cépage syrah, produit dans des vignobles proches de ceux qui donnent les célèbres hermitages (**voir** RHÔNE).

CROZETS Quenelles dauphinoises faites d'un mélange de farine, de purée de pomme de terre, d'œufs, d'eau et d'huile de noix. Les crozets sont pochés, égouttés, puis rangés en couches dans un plat à gratin, avec du fromage bleu émietté et du gruyère râpé, arrosés de saindoux bouillant et mis à dorer au four. Ils constituent le plat traditionnel de la veillée de Noël.

CRU Vignoble ou parcelle de vignoble bourguignon (également appelé « climat ») produisant un vin de qualité aux caractères spécifiques ; les meilleurs crus ont droit à l'appellation « grand cru » ou « premier cru ».

Le mot désigne aussi un vin du Bordelais provenant d'un domaine déterminé (appelé aussi « château ») ; la classification officielle établie en 1855 distingue les vins les meilleurs, appelés « premiers crus » (ou « premiers grands crus »), des autres crus, classés de 1 à 5 suivant leur mérite.

CRU BOURGEOIS Terme définissant certains vins du Médoc. Les crus bourgeois sont classés dans les trois catégories suivantes : « cru bourgeois exceptionnel », « cru bourgeois supérieur » ou « cru bourgeois ».

Les crus bourgeois se décomposent en deux appellations génériques (médoc et haut-médoc) et six communales (saint-estèphe, pauillac, saint-julien, moulis, listrac et margaux).

CRUCHADE Bouillie de farine de maïs, préparée au lait ou à l'eau, traditionnelle dans le Sud-Ouest. Dans le Béarn, la cruchade est refroidie, puis découpée en morceaux réguliers, qui sont ensuite frits. La cruchade de Saintonge est une galette de maïs frite, servie avec de la confiture. Les cruchades des Landes sont plutôt des petits biscuits, également frits, salés ou sucrés.

CRU CLASSÉ Terme réservé aux crus ayant fait l'objet d'un classement reconnu par l'INAO (Institut national des appellations d'origine) : médoc, sauternes, graves, saint-émilion, classés dès 1855, mais aussi côtes-de-provence, classé en 1955.

CRUDITÉS Légumes ou fruits crus, servis en hors-d'œuvre, généralement émincés, râpés ou détaillés en bâtonnets, et accompagnés de sauces froides. Les crudités comprennent les petits artichauts poivrade, les tranches d'avocat, les petites carottes, les branches de céleri, le céleri-rave, les champignons, le chou-fleur, le chou rouge, le concombre, le fenouil, les fèves fraîches, le poivron, les radis, les tomates, les rondelles de banane citronnées, les quartiers d'orange, de pamplemousse et de pomme et, bien qu'elle soit cuite, la betterave.

Les éléments sont souvent présentés en assortiment par bouquets, avec plusieurs sauces (mayonnaise aux fines herbes, vinaigrette à l'estragon, sauce anchoïade, sauce au fromage blanc, etc.), contrairement aux salades composées, qui les associent. L'assiette de crudités peut également comporter un œuf dur à la mayonnaise

▶ Recette : SALADE.

CRUMBLE Spécialité britannique traditionnellement préparée avec des fruits (pomme, poire, rhubarbe, pêche, cerise) recouverts de pâte grossièrement émiettée (*to crumble,* émietter), faite d'un mélange de beurre/farine/sucre, et parfois d'amandes en poudre. On parsème cette pâte sur la préparation avant cuisson. Le crumble peut aussi être un plat salé, avec des légumes (courgette, potiron, tomate).

RECETTE DE PASCAL ORAIN

apple crumble

« Dans une terrine, mettre 150 g de farine tamisée, ajouter 150 g de beurre en morceaux et 150 g de sucre en poudre, puis mélanger jusqu'à ce que la pâte ressemble à de la chapelure. Éplucher et épépiner 1,5 kg de pommes. Les couper en quartiers, les disposer dans un plat à rôtir et les recouvrir de pâte. Cuire 30 min au four préchauffé à 210 °C. Servir avec une crème anglaise ou une crème fraîche épaisse. »

CRUMPET Petite crêpe épaisse en pâte levée, sucrée ou salée, de consistance spongieuse, cuite dans un cercle à flan de 7 cm de diamètre. En Angleterre, les crumpets sont servis tièdes et mollets, à l'heure du thé ou au petit déjeuner, avec du beurre fondu ou de la marmelade d'orange.

crumpets au roquefort

Passer au mixeur 250 g de roquefort et 250 g de cheddar. Incorporer au mélange 25 cl de béchamel, saler, poivrer et ajouter 1 cuillerée à café de moutarde ; faire fondre au bain-marie. Étaler cette fondue sur des petites crêpes épaisses. Les rouler, les beurrer au pinceau. Les dorer au four et les découper transversalement, en tranches de 1 cm d'épaisseur.

CRUSTACÉ Animal à carapace, de l'embranchement des arthropodes, vivant dans l'eau salée ou douce (**voir** tableau des crustacés marins ci-dessous et planche pages 286 et 287). Tous doivent être bien vivants lorsqu'on les achète ; ils sont également vendus en caissettes sur de la glace ou déjà cuits. On les trouve aussi surgelés et en conserve. Les crabes et les homards les plus lourds sont les meilleurs ; ils doivent posséder leurs pinces.

■ **Emplois.** Les crustacés se préparent de très nombreuses façons : à l'américaine (écrevisse, étrille, homard, langouste, langoustine), en bisque (pour les mêmes crustacés), en friture (crevette et langoustine) ; ils peuvent aussi être pochés au court-bouillon (pour

Caractéristiques des principaux crustacés marins

NOM	ORIGINE	ÉPOQUE	ASPECT
crabes			
araignée de mer	Atlantique, Manche	avr.-août	12-20 cm, rouge, longues pattes, chair fine
cigale de mer (rare)	Méditerranée	toute l'année	trapu, raccourci, brun-rouge
crabe vert, ou enragé	Atlantique, Méditerranée	toute l'année	petit, marron-vert
étrille	Atlantique, Manche	mai-août	petit, plat, marron, velouté, chair fine
tourteau	Atlantique, Manche	mai-sept.	trapu, grosses pinces, marron-brun
crevettes			
bouquet	Bretagne, Vendée	sept.-déc.	5-10 cm, rose grisé (cru) ou rouge (cuit)
crevette grise	Atlantique, Manche, mer du Nord	toute l'année	5 cm, gris (crue) ou brun (cuite)
crevette rose nordique	Atlantique nord, Pacifique nord	toute l'année	5-7 cm, rose grisé (crue) ou rosé (cuite)
crevette rose tropicale	Afrique tropicale de l'Ouest, Indonésie, Thaïlande, Guyane et élevage	toute l'année	9-12 ou 15 cm, rose grisé (crue) ou rose (cuite)
homards			
homard américain	Canada (côte est), États-Unis (nord-est)	toute l'année	brun avec reflets verts, rostre crochu, parties supérieures orangées, chair blanche, ferme
homard européen	Atlantique, Méditerranée	juin-août	bleu foncé ou clair, rostre droit, chair blanche goûteuse
langoustes			
langouste du Cap	Afrique du Sud	sept.-déc.	carapace écailleuse, brun-rouge, brique foncé uniforme
langouste de Cuba	Antilles	toute l'année	carapace brun-rouge, 2 taches blanches rondes sur les 2e et 6e segments
langouste rose, ou du Portugal	Atlantique	fin mars-fin août	un peu trapu, carapace constellée de petites taches claires
langouste rouge, royale ou bretonne	Manche, Atlantique, Méditerranée	fin mars-fin août	trapu, carapace brun-rouge ou rouge violacé, à tubercules aigus, 2 taches claires triangulaires sur chaque segment
langouste verte, ou de Mauritanie	Afrique de l'Ouest	juin-oct.	antennes longues avec antennules, carapace bleu-vert, chaque segment étant marqué d'une bande claire et de 2 taches blanches et rondes
langoustine	Europe	avr.-août	rose, premières pinces en forme de prisme

CRUSTACÉS

langouste du Cap

écrevisse

langouste rouge

langouste rose

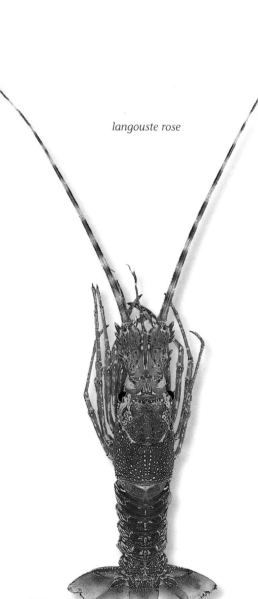

langoustine

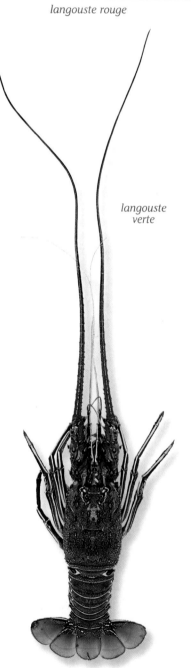

langouste
verte

squille commune

langouste australienne

homard européen

homard canadien

tourteau (vu de dessous)

étrille

crabe mouton

tourteau (vu de dessus)

crabe vert

tourteau américain

bouquet cru

araignée de mer

caramote

287

tous) et grillés (homard et langouste). Mais ils se servent aussi en hors-d'œuvre froids : les plus gros sont décortiqués (pattes, pinces et coffre), les petits sont servis entiers ou sans la tête, queue décortiquée. Très appréciés en France, les crustacés le sont également en Extrême-Orient (chips de crevette, beignets de crabe, crabe farci) et en Amérique du Nord (homard grillé, cocktail de crevettes).

▶ Recette : RAGOÛT.

CUBA LIBRE Cocktail long drink, qui fait partie des highballs (**voir** COCKTAIL), très consommé dans les pays anglo-saxons et dans les pays latins. Le cuba libre se prépare avec du rhum Bacardi et du Coca-Cola, et se sert avec une tranche de citron.

CUCHAULE Pain suisse d'origine fribourgeoise, préparé avec de la farine « fleur », du beurre et du lait, légèrement sucré et parfumé au safran. Le dessus, marqué d'un quadrillage, est doré à l'œuf. La cuchaule est tartinée de beurre et de moutarde de Bénichon et se consomme au petit déjeuner, ou avec le vin blanc de l'apéritif.

CUILLÈRE OU **CUILLER** Ustensile formé d'une partie creuse (le cuilleron) et d'un manche plus ou moins long, utilisé pour puiser, manipuler, servir ou déguster des aliments le plus souvent liquides.
■ **Cuillères de table.** Elles sont pour la plupart en métal, du moins pour le cuilleron. Un couvert de table comporte trois tailles de cuillères : la cuillère de table (la plus grande), la cuillère à soupe ou à bouche et la cuillère à dessert. S'y ajoutent des cuillères spéciales : à consommé, à pamplemousse, à huîtres, à œuf à la coque, à sauce, à entremets, à glace, à café, à moka, et d'autres, encore plus spécifiques : à cocktail ou à sirop (à très long manche, dite « diablotin »), à thé.

Les couverts de service comprennent aussi des cuillères spéciales, pour le poisson et la salade (en bois, en corne ou en plastique, qui ne réagissent pas à l'acidité de l'assaisonnement), pour la sauce (à deux compartiments, pour le gras et pour le maigre), pour le sel, la moutarde, le sucre, la confiture, le miel, pour les fruits en salade (à bec verseur), les olives (en bois percé de trous), les fraises, la glace (en métal ajouré).
■ **Cuillères de cuisine.** Leur forme et leur matière sont fonction de leur emploi : cuillères à arroser (petite louche à bec verseur latéral), à ragoût (à bec droit), à goûter (en porcelaine pour ne pas se brûler) [**voir** LOUCHE, MOUVETTE, SPATULE]. La cuillère à glace sert à remplir les moules à bombe, la cuillère à glace automatique, à mouler des boules pour les coupes et les cornets. Enfin, la cuillère parisienne, dotée d'un petit cuilleron ovale, cannelé ou rond, sert à lever des boules, notamment dans les fruits (pomme ou melon).

CUISEUR À RIZ Appareil électrique, d'origine asiatique, contenant une cuve amovible, le plus souvent à revêtement antiadhésif, posée sur une plaque chauffante. Il est destiné à la cuisson du riz à grains longs (riz basmati, cultivé en Inde, riz thaï, par exemple). Le riz, plongé dans l'eau froide, est cuit lorsque tout le liquide a été absorbé. Muni d'un panier perforé, le cuiseur à riz permet aussi de cuire les légumes à la vapeur.

CUISINE Local réservé à la préparation des aliments. La cuisine, en tant que pièce distincte, apparaît vers le Ve siècle av. J.-C., mais, dans l'Antiquité, elle conserve un caractère religieux : le foyer où cuisent viandes et légumes est aussi l'autel du culte des dieux lares. Les cuisines romaines des grandes demeures sont déjà très bien équipées, avec citerne, évier, four à pain, cavités ménagées dans les plans de travail pour piler les épices, trépieds de bronze.

Dans les châteaux du Moyen Âge, la cuisine est l'une des pièces les plus importantes, et il y règne une activité constante ; très vaste et dotée d'une ou de plusieurs gigantesques cheminées, elle se démultiplie en de nombreuses annexes (paneterie, fruiterie, échansonnerie, etc.). Dans les maisons bourgeoises et dans les fermes, en revanche, elle demeure souvent la pièce commune, celle où l'on reçoit, où l'on fait la cuisine et où l'on prend les repas.

Sous la Renaissance, les aménagements et le décor se perfectionnent. Sous le règne de Louis XV, où l'art culinaire connaît un véritable renouveau, la cuisine d'une maison noble peut même être luxueuse.

Au XIXe siècle, les progrès techniques – batterie de cuisine et surtout fourneau, puis cuisinière – transforment la cuisine en un véritable « laboratoire », comme l'appellent les grands chefs. Reflet de la société bourgeoise de l'époque, c'est une pièce nettement séparée du reste de la maison, possédant son entrée de service ; elle est parfois située au sous-sol (en particulier dans l'Angleterre victorienne), ou à l'extrémité d'un long couloir. Son aménagement abonde en ustensiles : balance et poids, ménagère, égouttoir, boîtes à épices, série de casseroles, etc. C'est le domaine du « cordon-bleu » ou de la femme au foyer, telle que l'Allemagne la fixe dans le stéréotype des « trois K » (*Kinder*, « enfants », *Kirche*, « église », et *Küche*, « cuisine »).

Dans le domaine professionnel, le XIXe siècle voit l'aménagement, dans les restaurants de plus en plus nombreux, des cuisines-laboratoires équipées de fourneaux, de batteries de cuisine et d'innombrables ustensiles, qui permettent de préparer et de servir des centaines de plats différents. Les grands restaurants de notre époque n'en sont que la version moderne.

Au XXe siècle, les progrès de l'éclairage et du chauffage, les conceptions de la décoration intérieure, puis l'apparition des appareils réfrigérants et de conservation ont progressivement intégré la cuisine dans les pièces d'habitation ; la réduction de l'espace disponible se traduit par des aménagements fonctionnels (apparition du bloc-cuisine, du coin repas).

CUISINE D'ASSEMBLAGE Traitement industriel ou artisanal d'aliments frais destinés à des cuisines périphériques (collectivités, restaurants, etc.) qui les personnaliseront plus tard. Ces produits sont épluchés, parés, détaillés, calibrés, éventuellement cuits ; d'autres sont déshydratés ou lyophilisés (en particulier les fonds et les jus).

Toutes ces opérations sont effectuées dans une cuisine centrale, et les conditionnements sont adaptés aux différents produits et aux contraintes de leur utilisation ultérieure. Les produits sont ensuite acheminés vers une cuisine périphérique où le professionnel assure leur finition (assemblage des produits et personnalisation du plat).

CUISINE CLASSIQUE Ensemble des préparations culinaires que tout cuisinier doit connaître et maîtriser. Celles-ci sont rassemblées dans quelques manuels et traités de cuisine célèbres : *l'Art de la cuisine française au XIXe siècle* (1833) de A. Carême, *la Cuisine classique* (1856) de U. Dubois et E. Bernard, *Livre de cuisine* (1867) de J. Gouffé, *le Guide culinaire* (1903) de A. Escoffier, *Grand livre de la cuisine* (1929) de P. Montagné et P. Salles.

La cuisine classique est aussi l'héritière de recettes régionales traditionnelles. De nombreux chefs contemporains ont puisé à ce creuset pour créer les plus grands plats de la cuisine contemporaine.

CUISINE FRANÇAISE (HISTOIRE DE LA) En Gaule, déjà, les paysans préparent des galettes de millet, d'avoine, d'orge ou de blé. Bons chasseurs, ils mangent du gibier, ainsi que de la volaille et de la viande de porc, dont la graisse sert à d'autres préparations. Devant l'abondance des troupeaux de porcs sauvages qui errent dans les forêts, ils mettent au point le salage et le fumage pour la conservation de la viande, et leurs *lardarii* (« charcutiers ») sont si réputés qu'ils exportent leurs cochonnailles jusqu'à Rome. Les repas sont arrosés de cervoise (bière d'orge), mais aussi de vin dans la région de Marseille où, depuis longtemps, les Grecs ont introduit la vigne et où l'on importe des vins d'Italie.
■ **Des Romains aux Barbares.** L'influence romaine, avec sa tradition de grande cuisine, est importante à partir du Ier siècle de notre ère, surtout dans les classes aisées, et les recettes d'Apicius se transmettent jusqu'au Moyen Âge. Les nobles gallo-romains dînent allongés et apprêtent, comme les Romains, les fèves, les pois chiches, les escargots, les huîtres, le loir farci aux noix et la confiture de violette au miel. La cuisine à l'huile d'olive gagne du terrain, les vergers se développent ; des figuiers poussent dans la petite Lutèce.

La vigne s'implante partout : les cépages italiens s'acclimatent dans le Bordelais, la vallée du Rhône, en Bourgogne, en Moselle. Bientôt, ces vins envahissent les marchés de l'Empire, au détriment des vins romains, avec d'autant plus de succès que les Gaulois ont inventé le tonneau qui permet une meilleure conservation.

Les invasions germaniques, les destructions, l'insécurité plongent la Gaule dans une période de pénurie alimentaire tragique : les famines jalonnent les débuts du Moyen Âge. Si les nobles mérovingiens ou carolingiens trouvent sur leur table une grande diversité de gibier assaisonné d'aromates (sanglier, aurochs, renne et même chameau), le peuple se contente de bouillies d'avoine ; la soupe faite avec les plantes potagères – les « racines » – et enrichie de lard reste le plat de base, et on ne mange de la viande qu'exceptionnellement. Les techniques agricoles régressent, l'économie devient autarcique. Jusqu'au VIIe siècle, les produits ne circulent plus guère, aggravant la pauvreté.

■ **L'influence de l'Église.** Pourtant, ce qui reste de la culture antique, et notamment sa gastronomie, s'est maintenu dans les familles patriciennes repliées dans leurs manoirs. Les grands ordres monastiques contribuent eux aussi à préserver cet héritage. Ils prônent le travail manuel et entreprennent un immense travail de défrichage. À l'ombre des abbayes se développent les fours, les ateliers et les hostelleries pour pèlerins. Les moines s'attachent à sélectionner des cépages, à fabriquer et affiner des fromages. En outre, le calendrier liturgique imposant de faire maigre plusieurs fois par semaine et pendant les quarante jours du carême, on consomme nombre de poissons de mer et d'eau douce. Carpes, brochets et anguilles sont même élevés en viviers, et les chasse-marée (**voir** ce mot) acheminent poissons et huîtres jusqu'à Paris. Dès lors, les techniques de conservation par salage ou saurissage se développent.

Les greniers et les celliers des grandes villes carolingiennes (IXe-Xe siècle) et ceux des abbayes sont bien garnis, et les banquets, fastueux. Dans les campagnes cependant, le potage, bouillon plus ou moins riche trempé de pain, sert souvent de repas. Le vin, considéré comme un aliment autant que comme une boisson, est consommé en grande quantité.

■ **L'ouverture de la Méditerranée.** Les structures de la société « féodale » contribuent à ramener une relative stabilité sociale. Avec la reprise d'une vie d'échanges apparaissent les villes, où une classe nouvelle se développe, celle des « bourgeois », groupe dominant les citadins plus pauvres, compagnons et manœuvres. La ville demande un approvisionnement régulier qui entraîne l'essor des foires et des marchés.

Cette époque voit s'intensifier les échanges commerciaux entre nord et sud de l'Europe, tandis que les croisades et les pèlerinages favorisent les contacts entre Europe et Orient. De nouveaux produits obtiennent un grand succès : agrumes, fruits secs et épices (cannelle, clou de girofle, gingembre, noix de muscade, poivre) apparaissent sur la table des rois et des seigneurs. Le sucre, considéré comme une épice et un médicament, gagne progressivement la cuisine. Les cités médiévales font le bonheur des voyageurs. Tous les métiers de l'alimentation y sont représentés. On peut faire rôtir son oie chez le rôtisseur, acheter une sauce verte toute prête pour l'accompagner ou se régaler d'un pâté bien chaud servi à la demande par le pâtissier. Les fromages se consomment plutôt frais, ou mélangés à des farces ou des hachis.

■ **Des repas de prestige.** Le seigneur se doit de tenir table ouverte dans son château : il a la charge de nourrir sa « maisnie », qui comprend, outre sa famille, écuyers et vassaux. Les valets « dressent la table » : ils installent dans la pièce commune des tréteaux et des planches. Les convives disposent d'une cuillère, parfois d'un couteau, mais ils n'ont pas de fourchette. Le repas, qui comporte de nombreux services, a pour plats principaux les rôtis, viandes ou poissons, accompagnés de sauces de saison. Viennent ensuite des confiseries et du vin miellé et épicé (hypocras), à la fois doux au palais et digestif. La présentation des mets lors des festins royaux constitue un véritable spectacle : paons dressés avec toutes leurs plumes, pâtés laissant échapper de leurs flancs des nuées d'oiseaux, fontaines déversant des flots de vin.

■ **Les fastes du Grand Siècle.** L'Italie va jouer à cette époque un rôle culturel capital en Europe. On dit souvent que c'est Catherine de Médicis qui, ayant fait venir des cuisiniers italiens, a transformé la cuisine française. Il est plus probable que les deux pays ont mêlé leurs traditions, même si l'Italie lègue alors à la France son goût pour les légumes et les confiseries, les pâtes et les glaces.

Dès les années 1550, les limonadiers italiens ont appris aux Français à confectionner des sorbets, puis, un siècle plus tard, des glaces. Les plats très épicés ont moins de succès. C'est à cette époque que les livres de cuisine se répandent, le plus connu demeurant celui de François de La Varenne, qui propose des recettes de biscuits et les premiers mille-feuilles.

Sous Louis XIV, le goût de l'apparat était tout-puissant et le service, réglé comme un véritable spectacle, mais le roi appréciait particulièrement la bonne chère. Sa passion pour les légumes amena l'agronome Jean de La Quintinie à développer la culture sous serre : on obtint des petits pois en mars et des fraises en avril. Les huîtres et l'agneau, très prisés, donnèrent lieu à des apprêts élaborés ; une sauce devint célèbre, celle du financier Louis de Béchameil, qui rédigeait en vers recettes et préceptes.

Le café, le thé et le chocolat, nouvellement importés, conquièrent les faveurs de l'aristocratie. On déguste ces boissons exotiques dans des établissements spécialisés ; c'est ainsi que s'ouvre à Paris, en 1686, le *Café Procope*, où l'on consomme aussi jus de fruits, glaces et sorbets, vins étrangers, hypocras et autres douceurs, comme les pâtes d'orgeat et les fruits confits.

■ **Petits soupers et « parmentière ».** La Régence et le règne de Louis XV constituent l'âge d'or de la cuisine française. Dans le même temps, la France des campagnes améliore sa production et la famine se raréfie. Le Siècle des lumières allie les plaisirs de la table et ceux de l'esprit. Les grands chefs rivalisent d'imagination. Ils découvrent la préparation des fonds qui, à partir des sucs de viande, apportent aux sauces leur saveur. Le pâté de foie gras est une création de Jean-Pierre Clause, cuisinier du maréchal de Contades, gouverneur militaire de Strasbourg, tandis que le foie gras truffé est une idée de Nicolas-François Doyen, chef du premier président du parlement de Bordeaux. Le chef de Marie Leszczynska, La Chapelle, prépare pour elle les bouchées à la reine, et Marin, maître d'hôtel du maréchal de Soubise, enseigne la manière de dorer les viandes et d'en déglacer le jus.

C'est dans les hôtels des riches financiers et dans les premiers restaurants que l'art culinaire s'épanouit. Les pâtissiers et les confiseurs rivalisent d'ingéniosité. On apprend aussi à connaître des spécialités étrangères, comme le *beef-steack*, le cari et le madère. Parallèlement, le souci d'un ravitaillement régulier conduit à encourager les méthodes de culture et la conservation des grains. C'est ainsi qu'Antoine Parmentier publie plusieurs rapports sur la façon d'utiliser la pomme de terre et la fait triompher.

■ **De la Révolution au second Empire.** La Révolution provoque un bouleversement dans l'évolution de la cuisine française, mais les grands chefs des familles nobles, en ouvrant des restaurants ou en entrant au service de la grande bourgeoisie, contribuent à lui donner un nouvel essor. Le chef Laguipière et le gastronome Louis Cussy témoignent des fastes de l'Empire. Deux tables sont particulièrement célèbres : celles de Cambacérès et de Talleyrand. La littérature gastronomique, mise à la mode par Alexandre Grimod de La Reynière et illustrée par Anthelme Brillat-Savarin, joue un rôle important.

Au milieu du XIXe siècle, les chemins de fer assurent des approvisionnements plus frais et l'élevage fait des progrès considérables. Autres jalons : les bouillons Duval, sous Napoléon III, formule économique du restaurant, l'invention de la cuisinière à gaz et, plus que jamais, les cafés et les restaurants, dont beaucoup s'installent de l'autre côté des barrières d'octroi, dans la campagne proche de Paris.

Après le Palais-Royal, le « Boulevard » devient le centre des restaurants en renom. Joseph Favre fait sa carrière au *Café de la Paix*, puis au *Café Riche* ; Adolphe Dugléré compose de succulents menus pour le *Café Anglais*, où il reçoit le roi de Prusse (1867) et le tsar Alexandre II, venus écouter *la Grande Duchesse de Gerolstein*, d'Offenbach.

■ **Le XXe siècle.** La cuisine française s'est désormais affirmée dans le monde entier. Ses chefs règnent sur les cuisines de Buckingham Palace et du palais d'Hiver de Saint-Pétersbourg comme sur celles des grands hôtels internationaux. Paris devient la capitale mondiale de la gastronomie.

La Belle Époque fut celle des Dubois, des Escoffier et des Bignon. L'académie Goncourt organise son premier dîner en 1903, et Prosper Montagné ouvre le plus luxueux restaurant des Années folles. Mais ce fut aussi la vogue des « bistrots » de quartier, tenus par des Auvergnats et des Périgourdins, et celle des associations gastronomiques.

Après la Seconde Guerre mondiale, les grands classiques du répertoire gardent la vedette, célébrant la richesse d'un héritage provincial : blanquette, bouillabaisse, cassoulet, choucroute, tripes, tarte Tatin, etc. En 1971 naît la « nouvelle cuisine », sous la houlette de deux journalistes de *Paris-Presse* appelés à former un duo fameux, Henri Gault et Christian Millau : finies les sauces épaisses et grasses qui masquent les goûts, chassées les surcuissons et limitées les portions… jusqu'à l'excès. Aujourd'hui, les grands chefs tentent d'associer le meilleur de la tradition et le plus attirant de la création tout en respectant au maximum la saveur des produits. Même si la mode du début du XXIᵉ siècle emprunte beaucoup à certaines créations espagnoles (Ferran Adrià chez *El Bulli*) mettant émulsions, gelées et mousses à la pointe des novations du temps (**voir** CUISINIERS ET CUISINIÈRES D'AUJOURD'HUI).

CUISINE MOLÉCULAIRE Nom donné à un courant culinaire issu de la gastronomie moléculaire (**voir** ce mot).

CUISINER Préparer les aliments pour les rendre consommables et appétissants. Les techniques culinaires de préparation (épluchage, taillage, habillage, etc.) et les divers modes de cuisson permettent de transformer les produits bruts en mets cuisinés. La finition, l'assaisonnement, le décor concourent à leur mise en valeur. Ces diverses opérations demandent souvent un certain temps : une grillade, une assiette de crudités ne sont pas cuisinées.

L'expression « plats cuisinés » concerne des préparations de cuisine réalisées industriellement ou artisanalement et conservées par le froid (surgelés, congelés), en bocal ou en boîte (civets, daubes, tripes, plats en sauce surtout).

CUISINIÈRE Appareil de cuisson fonctionnant au gaz ou à l'électricité et constituant la version moderne du fourneau. Le modèle monobloc traditionnel comprend une table de cuisson et un four, éventuellement indépendant (**voir** FOUR, FOUR À MICRO-ONDES).

Cuisinière et fourneau – le « piano » du chef – sont longtemps restés synonymes. Édouard de Pomiane défendant, en 1934, la cuisinière à gaz, nouvellement apparue, l'appelait toujours « fourneau ». Peu de temps après, l'électricité allait équiper les réchauds, puis les cuisinières ; certains modèles cependant, surtout utilisés en milieu rural, sont encore conçus pour fonctionner au bois, au charbon ou au fuel domestique.

Les chefs préfèrent, en général, les feux à flamme apparente, qui se règlent facilement, mais l'électricité chauffe moins les locaux et présente moins de risques. En outre, elle permet une adaptation plus précise de la chaleur aux besoins. Par ailleurs, le milieu légèrement humide qui règne dans un four électrique donne d'excellents résultats, notamment en pâtisserie. Aujourd'hui, les tables de cuisson en vitrocéramique et les plaques à induction se répandent de plus en plus.

■ **Tables de cuisson.** Elles comportent de trois à cinq feux : soit des brûleurs à gaz, soit des plaques électriques, soit une combinaison des deux.

• BRÛLEUR À GAZ. Il est rapide ou ultrarapide (de 2 000-3 000 Kcal/h), simple ou séquentiel (il s'éteint et se rallume automatiquement, permettant un ralenti très souple) et se règle instantanément.

• PLAQUE ÉLECTRIQUE. Elle est dotée d'un thermostat incorporé ou d'un palpeur, qui font que le courant est coupé quand la température souhaitée est atteinte ; le ralenti est facile et contrôlé, mais la puissance maximale ne s'obtient qu'au terme de plusieurs minutes, et le refroidissement prend un certain temps. La plaque électrique ne dégage ni flamme ni fumée, ne noircit pas le fond des casseroles, mais exige des récipients de cuisson à fond épais, plus coûteux.

• TABLE DE CUISSON EN VITROCÉRAMIQUE. Elle se présente comme une grande plaque de verre opaque, sous laquelle plusieurs éléments chauffants (foyer radiant à base de résistances électriques et/ou foyer

halogène, qui utilise des lampes à filaments) transmettent la chaleur par rayonnement vers des emplacements matérialisés par un tracé.

• PLAQUE À INDUCTION. Elle est également recouverte de vitrocéramique. À l'intérieur de la plaque, un générateur de champ magnétique alimente et commande une bobine, appelée « inducteur ». Tout récipient (métallique et magnétique) que l'on pose sur la plaque ferme le champ magnétique, et il se crée des courants d'induction qui chauffent le fond du récipient puis son contenu, tandis que le reste de la plaque reste froid. L'échauffement cesse dès que le récipient est retiré de la plaque.

■ **Choix d'une cuisinière.** Les cuisinières monoblocs disposent de divers perfectionnements, dont le grilloir, le tournebroche électrique, l'éclairage intérieur du four, le programmateur, l'allumage électronique, etc. Au sommet de la gamme, on trouve des appareils volumineux, à l'esthétique raffinée, dotés de 2 ou 4 fours et de nombreux équipements (chauffe-plat, plancha, bouilloire intégrée, etc.) qui en font la réplique domestique des pianos professionnels.

CUISINIERS D'AUTREFOIS Déjà organisés en corporation au Moyen Âge, les cuisiniers constituaient une communauté hiérarchisée. Au XVIᵉ siècle, sous le règne d'Henri IV, celle-ci se morcela en plusieurs disciplines distinctes : les rôtisseurs traitaient la « grosse viande », les pâtissiers, la volaille, les pâtés et les tourtes, et les vinaigriers faisaient les sauces ; quant aux traiteurs, « maîtres queux, cuisiniers et porte-chapes » (la chape étant un couvercle bombé servant à tenir les plats au chaud), ils détenaient le privilège d'organiser noces et festins, collations et repas divers à domicile. Ces chefs cuisiniers, comme on les appelle maintenant, devaient, au terme d'un apprentissage, réaliser un « chef-d'œuvre en chair ou en poisson », et donner six livres à chaque membre de la confrérie.

Les cuisiniers de haut rang furent des personnages révérés ; certains ont été anoblis, comme Taillevent (XIVᵉ siècle). Le plus glorieux fut sans doute Antonin Carême (XIXᵉ siècle). Sous l'Ancien Régime, on distinguait l'officier de cuisine (ou écuyer de cuisine), qui était le chef proprement dit, et l'officier de bouche, qui était le maître d'hôtel, tel Vatel. À partir du XVIIIᵉ siècle, les chefs portèrent un bonnet blanc de grande taille (d'où leur surnom de « gros bonnet ») qui les distinguait de leurs aides. Il semble que la toque ait fait son apparition dans les années 1820. (Au *Savoy* de Londres, les chefs portent traditionnellement une petite toque noire.)

Les saints patrons des cuisiniers et des cuisinières sont Fortunat (évêque de Poitiers et poète renommé du VIIᵉ siècle) et Radegonde (qui fonda un monastère dont Fortunat devint le chapelain), qui lui préparait souvent de superbes repas.

CUISINIERS ET CUISINIÈRES D'AUJOURD'HUI « Du goût, des idées, du savoir-faire, de la sincérité » : cette devise attribuée à Guy Legay, du *Ritz*, aurait pu être celle de Taillevent ou d'Antonin Carême. Ce qui a vraiment changé, c'est la mythologie de la cuisine. Le « neuvième art », autrefois réservé à un nombre restreint de privilégiés, clients de grands hôtels ou convives des quelques riches maisons, s'est ouvert à un plus vaste public. Le développement de l'automobile, du tourisme et des affaires y est pour beaucoup. Les gastronomes amateurs ont découvert la province, et les cuisiniers de talent ont su adapter des recettes anciennes en utilisant des produits de terroir.

Cordons-bleus et chefs réputés ont, par leur sérieux, conquis une brillante et juste renommée. Comme tout art, celui de la cuisine a ses monstres sacrés, ses chefs-d'œuvre, ses imitations et ses contre-façons. Les grands cuisiniers d'aujourd'hui sont à la tête de véritables entreprises et se doivent d'être, comme le disait Raymond Thuillier, de l'*Oustau de Baumanière* aux Baux-de-Provence, « des marchands de bonheur », en contact permanent avec leur public. Ils ont acquis une grande ouverture d'esprit et ne sont plus avares de leurs conseils. Ils les publient même abondamment dans leurs livres de recettes et n'hésitent pas à intervenir dans les médias. Dans ce domaine, le précurseur demeure Raymond Oliver (Langon 1909 - Paris 1990), du *Grand Véfour* à Paris, le premier qui ait utilisé la télévision en inaugurant, en 1953, les émissions culinaires où, avec sa science pleine de gentillesse et son accent langonnais, il révélait ses tours de main.

« Pommes de terre râpées, cuissons précises à la sauteuse ou à la vapeur, dressage des plats… le rituel est le même dans les cuisines de l'école FERRANDI PARIS, du RITZ PARIS ou de POTEL ET CHABOT. C'est le moment pour la brigade de cuisine d'éprouver différentes techniques et de mesurer son savoir-faire. »

« Effervescence dans les cuisines de l'école FERRANDI PARIS, du RITZ PARIS, de POTEL ET CHABOT, du restaurant GARNIER, ou encore de celui d'HÉLÈNE DARROZE. Impossible de deviner tout ce qui se passe dans ces cuisines : légumes épluchés, tournés, râpés ; préparations chauffées, mélangées, flambées ; cuissons multiples, etc. Adresse et maîtrise des gestes sont ici indispensables. »

■ **Chefs légendaires et génération montante.** Ces chefs réputés, qu'ils aient ou non repris le flambeau familial, ont souvent appris leur métier chez leurs parents ou auprès d'un cuisinier célèbre, et parfait leur expérience avant de s'affirmer. C'est le cas d'Alex Humbert, chez *Maxim's*, de Gaston Richard, chez *Lucas Carton*, ou de Fernand Point, à *la Pyramide* à Vienne. Ces maîtres ont formé des classes entières de cuisiniers : Paul Bocuse à Collonges, Roger Vergé à Mougins, les frères Haeberlin à Illhaeusern, les frères Troisgros à Roanne. Certains grands établissements sont tenus par la deuxième, troisième, voire quatrième génération : Michel Troisgros à Roanne, Anne-Sophie Pic à Valence, Marc Haeberlin à Illhaeusern, Jacques Lameloise à Chagny, Jean-André Charial aux Baux-de-Provence.

De nouveaux chefs-patrons se sont affirmés : Joël Robuchon, Guy Savoy, Alain Senderens, Alain Dutournier au *Carré des Feuillants,* Alain Passard de *l'Arpège,* Bernard Pacaud de *l'Ambroisie,* tous à Paris. La province n'est pas en reste : Georges Blanc à Vonnas, Bernard Loiseau à *la Côte d'Or,* dont l'œuvre continue, malgré sa disparition tragique à Saulieu, Marc Meneau, à *l'Espérance* à Saint-Père-sous-Vézelay, Michel puis Jean-Michel Lorain à *la Côte Saint Jacques* à Joigny, Pierre Gagnaire, à Saint-Étienne puis à Paris, Antoine Westermann, à Strasbourg et, dans cette même ville, Émile Jung, au *Crocodile,* Michel Guérard, à Eugénie-les-Bains, Alain Ducasse, à *l'Hôtel de Paris* à Monaco puis à Paris, d'où il est parti pour une conquête planétaire, Michel Bras, à Laguiole, Olivier Roellinger à Cancale, Marc Veyrat, sur les bords du lac d'Annecy et à Megève.

Certains chefs ont choisi d'exercer leurs talents à l'étranger, perpétuant ainsi une longue tradition, même si les destinations ont varié en fonction de l'histoire, de la géographie et des cultures. La Grande-Bretagne est la première de ces terres d'accueil ; l'émigration de cuisiniers commença lorsque les protestants furent contraints de s'exiler lors de la révocation de l'édit de Nantes (1685).

Les précurseurs contemporains dans ce pays furent Albert et Michel Roux, qui eurent le mérite de s'orienter vers la restauration pure quand ils ouvrirent leur premier établissement à Londres en 1967. Le premier a laissé sa place à son fils Michel au *Gavroche,* dans Mayfair à Londres, le second exerce au *Waterside Inn,* à Bray-on-Thames dans le Berkshire. Raymond Blanc excelle dans son *Manoir aux Qat'Saisons,* à Great Milton dans l'Oxfordshire. Mais une génération montante de cuisiniers britanniques, qui ont parfois appris en France, deviennent à leur tour des stars : ainsi Gordon Ramsay, trois étoiles au Guide Michelin à Chelsea, ou le très créatif Heston Blumenthal du *Fat Duck* à Bray.

Certains pays francophones se distinguent particulièrement : la Suisse avec Frédy Girardet, à Crissier, Gérard Rabaey du *Pont de Brent* à Montreux ou Roland Pierroz à Verbier en Valais ; la Belgique, avec Pierre Wynants au *Comme chez soi* de Bruxelles, Gert Van Hecke, au *De Karmeliet* à Bruges, ou Peter Goosens, du *Hof van Cleve* à Kruishoutem. En Espagne, on assiste à une véritable explosion de talents créatifs, avec le très médiatisé Ferran Adrià d'*El Bulli* à Roses, Martin Berasategui de Lasarte, au Pays basque, le très respecté et plus ancien trois étoiles Juan-Mari Arzak de San Sebastian ou encore Santi Santamaria de *Can Fabes* à San Celoni, en Catalogne.

Quant au Nouveau Monde, les grands chefs en sont les nouveaux conquérants : Jean-Georges Vongerichten (*Jojo, Vong, Jean-Georges, Perry Street, Spicy, Nougatine*), qui s'est bâti un empire à New York, Daniel Boulud dans la même ville, mais aussi Thomas Keller (*Per Se*) qui est également présent en Californie (*French Laundry*) ou encore Patrick O'Connel (*The Inn at Little Washington* en Virginie).

■ **Femmes et cuisinières.** Longtemps, les femmes se sont vu refuser un rôle professionnel en cuisine, bien que leur influence ait été déterminante dans le domaine de la gastronomie régionale et bourgeoise. Ces temps sont révolus et nul ne peut s'en plaindre. Au fil du temps, de grandes dames ont su s'imposer, s'affirmant comme les dignes descendantes des « mères lyonnaises », admirablement représentées par la « mère Blanc » et la « mère Brazier », dont le plus illustre élève n'est autre que Paul Bocuse. Adrienne Biasin, chez *la Vieille* à Paris, ne voulut jamais qu'on l'appelât autrement. Mᵐᵉ Castaing, au *Beau Rivage* à Condrieu, demeure célèbre pour ses quenelles et sa volaille au vinaigre, et Suzanne Quaglia, au *Patalain* à Marseille, restera l'une des grandes « mères marseillaises ».

Aujourd'hui, de nombreuses dames se distinguent, à commencer par Hélène Darroze, Catherine Guerraz, Flora Mikula et Dominique Versini, alias Olympe, à Paris, Anne-Sophie Pic, la première femme trois étoiles au Guide Michelin, à Valence, Reine Sammut à la Fénière à Lourmarin, les sœurs Egloff à Stiring-Wendel en Lorraine ou les sœurs Fagegaltier à Belcastel en Aveyron.

Notons qu'en Italie, les femmes occupent souvent le devant de la scène avec Nadia Santini *(Dal Pescatore)*, Annie Feolde *(Enoteca Pinchiorri)* ou Luisa Valazza *(Al Sorriso)*. En Espagne aussi, une femme s'est vue récompensée par trois étoiles : Carme Ruscalleda de Sant Pol de Mar en Catalogne.

CUISSEAU Cuisse entière du veau comprenant le jarret, la noix, la noix pâtissière, la sous-noix et le quasi.

CUISSE-DAMES Petit beignet suisse, oblong et parfumé au kirsch. En Romandie, les rouleaux de pâte sont frits à grande huile, ce qui les fait gonfler et se fendre dans le sens de la longueur. En Ajoie, les cuisses-dames portent le nom de pieds-de-biche.

CUISSON Opération culinaire consistant à rendre, grâce à l'action de la chaleur, un aliment comestible plus appétissant et savoureux, et à favoriser sa conservation. Beaucoup de fruits et de légumes peuvent se manger crus, ainsi que dans certains cas la viande, le poisson et les œufs, mais la plupart de ces produits sont cuits.

On peut leur appliquer huit techniques de cuisson : la friture, la grillade, le rôtissage, le sauté, la fricassée, le bouilli (immersion dans l'eau ou exposition à la vapeur), le braisage et le poêlage (**voir** tableau des modes de cuisson ci-contre). Enfin, certains aliments doivent obligatoirement être cuits avant d'être consommés : les féculents, l'asperge, la pomme de terre, le coing, etc.

■ **Rôles de la cuisson.** Ils sont beaucoup plus variés qu'on ne l'imagine habituellement.

• **MODIFICATION DES COMPOSANTS.** La cuisson modifie les composants biochimiques des produits (par ramollissement, coagulation, gonflement ou dissolution). Les produits deviennent alors soit consommables (riz, farine), soit plus faciles à absorber.

Ainsi, la cuisson des légumes et des fruits entraîne la décomposition des pectines et des sucres complexes comme l'amidon, ce qui rend ces aliments plus mous et plus digestes.

La cuisson des viandes et des poissons modifie d'abord leur couleur (passage du cru au cuit à 62 °C), puis la quantité de jus qu'ils contiennent (passage du stade juteux au sec à 68 °C). Selon le temps et la température, la cuisson détruit également le tissu conjonctif (collagène) des viandes et contribue à leur tendreté.

• **TRANSFORMATION DE L'ASPECT EXTÉRIEUR.** La cuisson transforme superficiellement certains types d'aliments, par coloration (gratins, grillades, rôtis, légumes glacés, sucres) ou par gonflement (pains, soufflés).

• **RÉDUCTION OU EXTRACTION DES SUCS ET DES PRINCIPES NUTRITIFS.** Ces transformations se font soit par concentration (en saisissant rapidement l'aliment dans un liquide bouillant ou dans un corps gras chaud pour emprisonner tous les sucs), soit par expansion (en laissant les sucs se diffuser dans un liquide qui s'imprègne de toutes leurs saveurs et qui, à son tour, pénètre l'aliment) ou encore par voie mixte (dans un braisé, par rissolage suivi de mouillement). La digestibilité est fonction de la proportion de matières grasses cuites. Le mode de cuisson joue sur cette digestibilité et la valeur nutritionnelle des produits.

• **DÉVELOPPEMENT DE L'ARÔME ET DES SAVEURS.** La cuisson développe le goût des ingrédients ; elle peut aussi atténuer celui-ci lorsqu'il est excessif (acidité, amertume) ; les condiments, la garniture aromatique, le vin dans la sauce ajoutent leurs saveurs propres, qui s'unissent à celles des ingrédients de base, grâce aussi à une macération, au flambage, à la réduction.

• **ÉLIMINATION D'ÉLÉMENTS NOCIFS.** Selon la température, la chaleur détruit une partie des micro-organismes.

■ **Milieux de cuisson.** Quatre milieux permettent de regrouper tous les modes de cuisson.

• **EAU.** Immersion dans l'eau froide ou bouillante ; pochage à légers frémissements ou cuisson à gros bouillons ; blanchiment rapide ou petite ébullition prolongée dans tous les liquides ; à la vapeur, aromatique ou non ; au bain-marie ; à couvert ou à découvert ; avec ou sans trempage préalable.

- **CORPS GRAS.** En grande ou petite quantité (poêlage, sauté, friture) ; à feu vif ou doux ; enrobé ou non.

- **AIR LIBRE.** Par contact direct avec la flamme ou la chaleur (à la broche, sur un gril, sous la cendre), ou dans un milieu de chaleur sèche (four).

- **VASE CLOS.** Dans un récipient couvert, parfois hermétiquement clos, avec un mouillement, le plus souvent après un rissolage, toujours dans un milieu aromatique, parfois sans aucun corps gras.

■ **Temps de cuisson.** La cuisson, dont le temps est très variable, peut être accélérée par certains appareils (**voir** AUTOCUISEUR, FOUR À MICRO-ONDES). Dans certains cas, elle doit être minutée avec précision (pochage, rôti) ; dans d'autres, elle peut au contraire se prolonger sans

Caractéristiques des différents modes de cuisson

MODES	MATÉRIEL, MILIEU, TEMPÉRATURE	PRODUITS	PHÉNOMÈNES		TEMPÉRATURES (°C)		TEMPS
			EN SURFACE	À CŒUR	SORTIE	FIN *	
frire	friteuse (huile, autres matières grasses) : 170-220 °C	viande, poisson, œuf	coagulation, coloration rapide	rosé	48	58-60	selon volume des pièces à cuire
				juteux	52-56	62-68	
				sec	60-70	70-80	
				croquant	100	100	
		légume	coloration	cuit	80-100	100	
			croquant	croquant	100	100	
griller	gril (peu de matières grasses) : 200-250 °C	viande rouge	coagulation rapide, coloration,	bleu	45	56-58	2 min par face **
				saignant	50	58-60	3 min par face
				rosé	52-54	60-62	4 min par face
poêler	poêle (matières grasses) : 150-200 °C	viande rouge, blanche, poisson	marquage (gril)	à point	56-60	63-68	6 min par face
				bien cuit	> 62	> 68	> 6 min par face
		œuf sur le plat, en omelette, brouillé	blanc coagulé	peu cuit	62	66	45-90 s
			jaune coagulé	cuit	75	85	45-90 s
		légume	coloration	cuit	85-90	90-100	long
rôtir	four air chaud : 220-250 °C ; four à air pulsé : 180-220 °C ; four vapeur : 50-100 °C, 180-220 °C	viande rouge, blanche, volaille	1 - coloration 2 - montée température à cœur	bleu	35-40	54-56	1 - 15-20 min 2 - selon l'épaisseur
				saignant	40-45	56-58	
				rosé	45-50	60	
				à point	60	62-68	
				bien cuit	65	70-80	
		poisson		cuit	50	65-68	
		légume	cuisson	cuit	100	100	10-25 min
fricasser	poêle, sauteuse (huile) : 120-140 °C	viande blanche	coagulation	cuit, juteux	90-100	62-68	moyen
sauter	sauteuse (huile : marquage coloration ; jus ou sauce : finition) : 90-100 °C ; Cocotte-Minute : 105-107 °C	viande rouge	coloration, marquage	cru	30-35	–	15-20 min
		viande blanche	1 - coagulation 2 - cuisson	cuit, sec	–	95-100	selon tendreté des morceaux
braiser	sauteuse, cocotte, Cocotte-Minute : 90-220 °C	viande rouge, blanche, poisson, légume	1 - coloration	cru	25	–	15-20 min
			2 - cuisson (jus, sauce)	cuit, sec	–	95-100	selon tendreté des morceaux
bouillir et pocher	cocotte, casserole, Cocotte-Minute : 90-100 °C	viande rouge, blanche, poisson	cuisson (eau, sauce, jus)	cuit, sec	100	100	selon tendreté des morceaux
	Cocotte-Minute, casserole : 102-107 °C	légume, œuf, poisson, quenelle	cuisson (eau, jus)	cuit	100	100	3-25 min
cuire à la vapeur	cuit-vapeur, couscoussier, marguerite, Cocotte-Minute : 95 °C	poisson, légume	cuisson	cuit	–	–	15-25 min

Les températures de fin de cuisson correspondent au temps de repos du produit qui permet à la chaleur de diffuser à cœur après la sortie de l'appareil de cuisson.

**Les temps indiqués correspondent à la cuisson de pièces de viande de 25 mm d'épaisseur.*

inconvénient (mijotage) ; parfois, on l'arrête alors que l'aliment est encore partiellement cru (steak saignant).

■ **Cuisson sous vide.** Cette technique récente de traitement des aliments est encore réservée aux professionnels (industriels, restaurateurs) en raison de la complexité de l'équipement et du savoir-faire qu'elle requiert. Elle est à la fois différente et complémentaire des huit autres modes de cuisson, dans la mesure où elle utilise certains d'entre eux pour la coloration ou la coagulation préalable de l'aliment (grillage, sauté ou vapeur) et s'apparente par sa forme et sa durée à la cuisson en vase clos et au mijotage.

Elle se pratique à température précise, le produit étant placé dans un sac en plastique rétracté sous vide pour améliorer les échanges thermiques. Une fois cuit par immersion ou aspersion dans l'eau, l'aliment conserve ses arômes et il se trouve à l'abri des oxydations et des contaminations.

CUISSON-EXTRUSION Procédé récent de traitement de certains produits alimentaires, qui confère à ceux-ci une texture légère. Ces produits sont fortement poussés par une presse à travers une filière ; à la sortie, la décompression entraîne une forte expansion, qui va leur donner leur consistance particulière. La cuisson-extrusion est appliquée aux céréales du petit déjeuner, à divers biscuits pour l'apéritif, à certains aliments pour animaux, etc.

CUISSOT Cuisse de cerf, de chevreuil ou de sanglier ; pour le cerf et le chevreuil, on dit aussi la « gigue ».

CUIT-VAPEUR Marmite spéciale, munie d'un couvercle, sur laquelle viennent se superposer un ou plusieurs paniers perforés. Elle convient surtout à la cuisson à la vapeur des légumes et des poissons. L'avantage est que l'on peut y cuire deux préparations en même temps. Un couscoussier peut remplir le même usage. Il existe un large choix de cuit-vapeur (ou cuiseurs vapeur) électriques, souvent de forme ovale.

CUIVRE Oligoélément, présent en petite quantité dans l'organisme humain, qui facilite l'absorption et le transport du fer, participe au bon fonctionnement du système immunitaire et à la minéralisation osseuse. Le cuivre est apporté par les céréales complètes, les légumes verts, le foie, le chocolat, les coquillages et les crustacés. Le cuivre intervient dans les processus de fermentation en favorisant le développement de certains micro-organismes ; il participe ainsi à l'apparition des ouvertures (les « trous ») dans les fromages à pâte pressée cuite.

CUIVRE (MÉTAL) Métal rouge utilisé traditionnellement pour certains ustensiles de cuisine spécialisés. Le cuivre présente en effet l'avantage d'être un excellent conducteur de la chaleur. En revanche, il se couvre très rapidement, sous l'action de l'humidité, de vert-de-gris et détruit la vitamine C. L'intérieur des ustensiles en cuivre doit donc être recouvert d'une couche d'étain pur, qu'il faut renouveler régulièrement.

Pour pallier tous ces inconvénients, on a généralisé l'emploi, depuis une dizaine d'années, des articles en cuivre inoxydable bilaminé. Cet alliage d'une feuille de cuivre et d'une feuille d'Inox soudées par écrasement à chaud est très résistant et facilite l'entretien. Il est idéal pour la cuisson au beurre ou à l'huile et pour la préparation des sauces et de tous les plats mijotés.

CUL-DE-POULE Bassine hémisphérique servant surtout à battre les blancs d'œuf au fouet. Autrefois en cuivre non étamé, le cul-de-poule est aujourd'hui en acier inoxydable, voire en matière plastique ; on peut aussi y préparer divers appareils de pâtisserie.

CULOTTE Dénomination ancienne d'un morceau de l'arrière du bœuf ou du veau (**voir** planche de la découpe des viandes pages 108, 109 et 879).

La culotte de bœuf correspond à la partie antérieure du gîte à la noix et à la partie postérieure du rumsteck, comportant l'aiguillette, morceaux qui sont aujourd'hui très souvent isolés lors de la séparation

de la cuisse et de l'aloyau. La culotte de bœuf se traitait en braisé, en daube ou en pot-au-feu ; aujourd'hui, certains de ses muscles fournissent des biftecks.

La culotte de veau correspondait au quasi et à une petite partie de la sous-noix ; c'était une pièce de haut de gamme, souvent cuite non désossée. Aujourd'hui, elle est détaillée en tranches à griller ou à poêler.

La culotte de mouton ou d'agneau est un morceau de demi-gros constitué des deux gigots non séparés.

CULTIVATEUR Nom d'un potage clair de légumes taillés assez grossièrement, cuits avec de la poitrine de porc salée. C'est la version « restauration » de la soupe aux légumes et au lard. Elle est servie avec le lard de poitrine maigre détaillé en petits dés, éventuellement sur de minces tranches de pain de campagne.

CUMBERLAND (SAUCE) Sauce froide aigre-douce de la cuisine anglaise, mélange de porto avec du jus d'orange et de citron, de la moutarde, de la gelée de groseille et des échalotes. La sauce Cumberland est servie avec la venaison, le jambon et le mouton.
▶ Recette : SAUCE.

CUMIN Plante aromatique, de la famille des apiacées, originaire du Turkestan, répandue dans le bassin méditerranéen depuis longtemps et introduite en Europe à l'époque chrétienne (**voir** planche des épices pages 338 et 339). Ses graines oblongues, striées et hérissées de poils, possèdent une saveur chaude, piquante et un peu âcre.

Le cumin est aujourd'hui cultivé dans les pays méditerranéens, mais aussi en Allemagne du Nord, en Russie et jusqu'en Norvège.

Chez les Romains, il aromatisait les sauces, servait à conserver les viandes et accompagnait le poisson grillé. Les recettes du Moyen Âge en faisaient grand usage (**voir** COMINÉE).

Aujourd'hui, le cumin parfume le pain (surtout en Europe de l'Est), ainsi que certaines charcuteries et quelques fromages.
▶ Recettes : AUBERGINE, BÂTONNET.

CUP Boisson alcoolisée, à base de fruits et de vin, préparée dans une grande coupe (**voir** COCKTAIL). Les cups furent particulièrement en vogue au cours des années 1950, dans les cocktails et les soirées dansantes. Ils se composent de fruits (agrumes pelés, cerises à l'eau-de-vie, poire, pêche, banane, etc.) macérés dans un mélange de liqueur, d'alcool et de vin (blanc, rouge ou mousseux), voire de cidre, de bière ou de champagne. Ils se servent frappés, dans des verres ballons, des coupes ou des gobelets à jus de fruit.

cider cup

Dans un pichet de 2 litres, mélanger 1 verre de calvados, 1 verre de marasquin, 1 verre de curaçao, 1 litre de cidre doux ; ajouter 1 gros morceau de glace et 1 orange pelée coupée en tranches ; terminer avec du Schweppes, remuer doucement et garnir de fruits de saison en petits morceaux.

Saint-James cup

Dans une grande cruche, faire fondre 200 g de sucre avec 1/4 de litre d'eau. Ajouter 1/2 litre de cognac, 1/2 litre de rhum, 1 verre de curaçao, 1 litre de thé froid très fort et de la glace pilée. Au moment de servir, mélanger avec 1 bouteille de cidre bouché.

CURAÇAO Liqueur d'orange, fabriquée à l'origine par les Hollandais avec l'écorce des fruits (bigarades en particulier) qui poussaient sur l'île de Curaçao, dans les Antilles néerlandaises. Devenue populaire, la liqueur fut produite par de nombreux distillateurs dans le monde entier. Très aromatique, elle se consomme en digestif.

Le curaçao s'emploie pour aromatiser les soufflés et les fruits rafraîchis, pour imbiber des biscuits et des génoises, et pour confectionner les crêpes Suzette ; il intervient en cuisine (canard à l'orange) et dans la préparation de nombreux cocktails.

CURCUMA Plante herbacée des régions tropicales, de la famille des zingibéracées, utilisée comme épice ou comme colorant, et dont la variété la plus appréciée vient du Bengale (**voir** planche des épices pages 338 et 339). On en extrait la curcumine (E 100), qui colore les produits laitiers, la confiserie, les boissons et les moutardes. Réduit en poudre, le rhizome du curcuma, plus amer que le safran mais aussi coloré, entre dans la composition du cari.

Le curcuma est principalement utilisé en Asie du Sud-Est et en Inde pour apprêter le riz, les légumes secs, les sauces piquantes, les plats de poisson et de coquillages.

CURNONSKY (MAURICE EDMOND SAILLAND, DIT) Écrivain, journaliste et gastronome français (Angers 1872 - Paris 1956). Venu à Paris en 1891 pour y faire des études littéraires, il décida vite de vivre de sa plume. Comme il cherchait un pseudonyme, Alphonse Allais lui suggéra, l'heure étant à l'amitié franco-russe, « pourquoi pas "sky" », ce qui fut immédiatement traduit en latin : *Cur* (« pourquoi ») *non* (« pas ») *sky*. Collaborant à divers journaux, il devint surtout l'un des « nègres » de Willy, premier mari de Colette et auteur fécond de romans et de pièces. Avec son ami Toulet, autre nègre de Willy, il publia, sous le pseudonyme de Perdiccas, plusieurs ouvrages à succès (*Demi-Veuve, Métier d'amant*). Ces travaux le firent connaître dans le milieu de l'édition, et il prêta sa plume au fantaisiste Dranem, ainsi qu'au duc de Montpensier.

■ **Le prince des Gastronomes.** Curnonsky mit finalement son expérience, son talent d'homme de lettres et son solide appétit d'Angevin au service de la gastronomie quand il entreprit, en 1921, avec son ami Marcel Rouff, la rédaction de la série des vingt-huit opuscules de *la France gastronomique*. Ce tour de France de deux « gastronomades » (le néologisme est de lui) initia des milliers de lecteurs aux richesses gourmandes du terroir. Aussi, quand la revue *le Bon Gîte et la Bonne Table* organisa, en 1927, un référendum pour élire le « prince des Gastronomes », la couronne échut à Curnonsky.

Avec sa taille de 1,85 m et ses 120 kg, « Sa Rondeur » a laissé, tant chez *Maxim's* que chez *Weber* ou à *la Closerie des Lilas,* dont il était un habitué, le souvenir d'un appétit solide. On lui doit *les Recettes des provinces de France, le Trésor gastronomique de la France* (avec Austin de Croze, 1933) et *les Fines Gueules de France* (avec Pierre Andrieu, 1935). Il fut également le fondateur et le premier président de l'Académie des gastronomes (1930). Il pratiquait volontiers l'aphorisme à la manière de Brillat-Savarin. Mais il chercha surtout à redonner du prestige à la cuisine bourgeoise et provinciale, par opposition à la sophistication de certains grands restaurants parisiens. Ainsi sa formule la plus couramment citée : « la bonne cuisine, c'est lorsque les choses ont le goût de ce qu'elles sont ».

■ **De la Bretagne à la retraite.** Pendant la Seconde Guerre mondiale, Curnonsky trouva refuge à Riec-sur-Belon, chez Mélanie Rouat, l'une de ses « découvertes », qui tenait un petit hôtel-restaurant dont il avait fait la renommée et où il continua d'écrire. On cite de lui cette distinction mi-culinaire, mi-politique de ses compatriotes : « L'extrême droite n'admet que la grande cuisine des banquets diplomatiques ; la droite aime la cuisine familiale traditionnelle, les vieilles liqueurs et les plats mijotés ; le centre apprécie le régionalisme et pratique les restaurants ; la gauche s'en tient à la cuisine sur le pouce (omelette et tranche de jambon), mais pratique le gastronomadisme ; et l'extrême gauche rassemble les amateurs d'exotisme. »

Curnonsky revint à Paris dans les années 1950 pour connaître jusqu'à sa mort (il tomba d'une fenêtre située au 3e étage de son immeuble du square Henri-Bergson) une gloire sans partage. Pour ses quatre-vingts ans, le 12 octobre 1952, sur l'initiative de la revue *Cuisine et Vins de France* (qu'il avait fondée en 1946) et de Robert Courtine, quatre-vingts restaurateurs d'Île-de-France apposèrent dans leur salle, à la place que le « Prince » occupait habituellement, une plaque de cuivre portant ces mots : *Cette place est celle de Maurice Edmond Sailland Curnonsky, Prince élu des Gastronomes, Défenseur et Illustrateur de la cuisine française, Hôte d'honneur de cette maison.*

CURRY ► VOIR **CARI**

CUSSY (LOUIS, MARQUIS DE) Préfet du palais sous l'Empire et gastronome renommé (Coutances 1766 - Paris 1837). Dans *les Classiques de la table* (1843), il consacre des pages pleines d'intérêt à la « gastronomie historique » ; dans un article intitulé *Quelques corrections acceptées par M. Brillat-Savarin,* il donne une nouvelle formulation de l'aphorisme XV (« On devient cuisinier, on naît rôtisseur »), qu'il modifie en : « On devient cuisinier, on devient rôtisseur, on naît saucier. »

Les cuisiniers lui ont dédié, entre autres apprêts, une garniture pour petites pièces de boucherie sautées ou volailles braisées (fonds d'artichaut remplis de purée de champignon et gratinés, surmontés de rognons de coq et de lamelles de truffe, nappés d'une sauce au porto ou au madère).

► Recette : SALPICON.

CUVÉE Quantité de vin d'une appellation donnée et de la même année, provenant d'une cuve ou de l'assemblage de plusieurs cuves. L'expression « tête de cuvée », ou « première cuvée », désigne les meilleurs vins d'une récolte.

CYRNIKI Croquette polonaise au fromage blanc, qui fait aussi partie de la gastronomie russe. Le fromage blanc est mélangé avec des œufs entiers, puis avec de la farine, du sel et du poivre. Cette pâte malléable est ensuite abaissée et découpée en triangles ou en palets de 2 cm d'épaisseur sur 5 cm de large, que l'on farine avant de les dorer à la poêle dans du beurre. Les cyrniki (ou cierniki) se consomment en hors-d'œuvre chaud, avec de la crème aigre. On peut aussi les pocher et les servir avec du beurre fondu, ou les présenter en timbale, avec du fromage râpé et du beurre.

D

DACQUOISE Gâteau originaire du Sud-Ouest, également appelé « palois » (les Dacquois sont les habitants de Dax, les Palois ceux de Pau), constitué de deux ou trois disques de pâte meringuée aux amandes (mélangées éventuellement avec des noisettes, de la noix de coco, des pistaches), séparés par des couches de crème au beurre diversement parfumée, et poudré de sucre glace. Le fond à dacquoise est une variante du succès, à mi-chemin entre la meringue et le biscuit.

On associe souvent les fonds de dacquoise à des crèmes, des mousses, des ganaches ou des bavarois pour leur donner un certain croquant.

RECETTE DE PIERRE HERMÉ

dacquoise au café

POUR 6 À 8 PERSONNES – PRÉPARATION : 40 min – CUISSON : 35 min
« Préchauffer le four à 170 °C. Préparer 480 g de pâte à dacquoise à l'amande. Mélanger 150 g de sucre glace et 135 g de poudre d'amande. Les tamiser dans une passoire au-dessus d'un morceau de papier sulfurisé. Dans une terrine, fouetter 5 blancs d'œuf au batteur électrique. Y incorporer 50 g de sucre en poudre en trois fois. Continuer de battre jusqu'à obtenir une meringue souple. Y ajouter la poudre d'amande sucrée en pluie, en soulevant délicatement la préparation à la spatule, sans fouetter. Mettre la pâte dans une poche à douille n° 9 et la disposer en spirale, en partant du centre, en 2 cercles de 22 cm de diamètre sur une plaque recouverte de papier sulfurisé. Faire cuire pendant 35 min et laisser refroidir cette pâte à dacquoise à l'amande. Préparer 400 g de crème au café. Dans une casserole, verser 30 cl de lait frais entier et porter à ébullition. Ajouter 10 g de café moulu et laisser infuser 30 min. Filtrer. Fouetter 4 jaunes d'œuf avec 75 g de sucre en poudre pendant 3 min, puis verser en filet le lait aromatisé au café et remuer. Cuire cette crème comme une crème anglaise sur feu moyen tout en remuant, sans atteindre l'ébullition. Plonger la casserole dans un bain glacé jusqu'à ce que la préparation ait tiédi. Ajouter sans cesser de remuer 30 g de beurre en petits morceaux, puis laisser refroidir. Ajouter 75 g de chantilly en soulevant la crème à la spatule. Mettre cette crème au café dans une poche à grosse douille lisse et étaler une couche épaisse sur le premier disque. Poser le second disque sur le premier et appuyer pour bien le fixer. Parsemer d'amandes effilées et grillées le dessus de la dacquoise et poudrer de sucre glace. »

DAIKON Plante potagère de la famille des brassicacées, à grosse racine cylindrique, très cultivée en Extrême-Orient, que l'on appelle aussi « radis du Japon », ou « radis de Satzouma » (**voir** planche des légumes-racines pages 498 et 499). Sa racine charnue, blanche et verte au collet, peut atteindre 1 m et peser plusieurs kilos. Au Japon, on la consomme crue, détaillée en lamelles ou en rubans pour garnir des salades, ou râpée, pour accompagner le poisson notamment ; cuit, le daikon (ou *dai-co*) s'utilise comme le navet (finement émincé dans les potages surtout). On le fait aussi confire dans du sel.

DAIM Petit ruminant des régions tempérées, de la famille des cervidés, appelé faon jusqu'à 6 mois, puis hère jusqu'à 1 an ; le mâle est adulte après son troisième changement de bois. Sa chair au goût sauvage doit être marinée dans un vin très alcoolisé riche en tanin ; elle s'apprête comme celle du cerf. La viande de la femelle et des sujets jeunes, au goût moins prononcé, peut être rôtie. Au Québec, on pratique l'élevage du daim pour en commercialiser la viande, notamment en Estrie, région située à l'est de Montréal.

DAIQUIRI Cocktail au rhum blanc et au citron vert, additionné d'un peu de sirop de sucre, généralement présenté dans un verre givré, et éventuellement allongé d'eau gazeuse.
▶ Recette : COCKTAIL.

DAL Terme générique hindi, signifiant « légumineuse » et s'appliquant à toutes sortes de pois et de haricots. Étant donné l'importance des repas végétariens dans les cuisines indienne, pakistanaise et cinghalaise, les dal y tiennent une place prépondérante, car ils constituent une source de protéines indispensables.
■**Emplois.** Les dal les plus courants sont au nombre de trois. Le *mung dal* (haricot doré ou pois-canne aux Antilles) a des graines vertes, brunes ou rouges ; on le mange frais, cru en salade, sauté au beurre (au ghee), mélangé avec du riz, du poisson cuit ou de la viande en ragoût, en purée pour épaissir sauces et condiments. L'*urid dal* a des graines noires ; séché, réduit en poudre, il sert à préparer galettes et bouillies. Le *maisur dal* (petite lentille rose), cuit et moulu, sert surtout à faire des beignets.

L'apprêt le plus simple du dal consiste à le cuire à l'eau en l'épiçant de curcuma, de gingembre râpé et de piment (ou de cumin et de coriandre) et à le servir avec une purée d'oignon relevée de graines de moutarde. On ajoute souvent à cette préparation du riz ou des pommes de terre et des amandes effilées.

DAMASSINE Variété de petite prune oblongue et mordorée, très appréciée en Suisse, et notamment en Ajoie, pour l'eau-de-vie que l'on en tire par distillation. On en fait aussi d'excellentes tartes.

DAME BLANCHE Nom de divers entremets où dominent le blanc ou les couleurs pâles. Il s'agit notamment de glace à la vanille, servie avec de la crème fouettée et une sauce au chocolat en contrepoint ; on peut également lui associer des fruits au sirop et de l'alcool.

Ce nom désigne également un consommé de volaille légèrement lié au tapioca et garni de royale au lait d'amande et d'ailes de volaille.

La dame blanche est aussi une pâtisserie faite d'une génoise fourrée de crème et de fruits confits, masquée de meringue italienne, une île flottante au citron ou une glace aux amandes.

▶ Recette : PÊCHE.

DAME-JEANNE Grosse bouteille de verre ou de terre, pouvant contenir jusqu'à 50 litres de liquide. Généralement entourée de vannerie, la dame-jeanne servait traditionnellement au transport des vins et spiritueux. Dans le Bordelais, sa contenance est de 2,5 litres environ (entre le magnum et le double magnum) ; les rapports étroits que cette région entretint avec l'Angleterre expliquent que « dame-jeanne » se dise *demijohn* en anglais, par déformation du terme français.

DAMIER Gâteau fait d'une génoise parfumée au rhum, fourrée et masquée de crème au beurre pralinée ; le tour est parsemé d'amandes effilées, et le dessus décoré en damier.

DAMPFNUDEL Entremets sucré allemand et alsacien. La Dampfnudel se compose de rondelles de pâte levée, cuites au four et servies avec de la compote, des fruits au sirop, de la confiture ou une crème à la vanille, ou poudrées de sucre et de cannelle. On peut aussi fourrer les Dampfnudels de marmelade d'abricot au rhum et les replier en leur donnant la forme de petits chaussons. À l'origine, elles n'étaient pas sucrées et accompagnaient la salade verte.

DANABLU Fromage danois AOP de lait de vache (de 50 à 60 % de matières grasses), à pâte persillée et à croûte blanchâtre (**voir** tableau des fromages étrangers page 396). Le danablu se présente souvent en meule de 2,5 à 3 kg, mais peut avoir d'autres formes. C'est le plus célèbre des fromages du type des bleus. Créé avant la Première Guerre mondiale, il a une saveur forte et un peu piquante ; il bénéficie d'une indication géographique protégée (IGP).

DANEMARK La cuisine danoise, solide et toujours abondante, est riche en crème et en beurre. Le hareng, la viande de porc et la pomme de terre y règnent en maîtres.

Au Danemark, le hareng s'accommode, dit-on, de près de soixante façons : mariné, confit au vinaigre, en sauce épicée, poêlé, etc. Il est toujours présent dans les « assiettes nordiques », composées aussi de saumon, d'anguille, d'œufs de poisson et accompagnées de crème au raifort. Le poisson occupe d'ailleurs une large part dans la cuisine danoise. Les espèces utilisées sont nombreuses (cabillaud, haddock, lingue, plie, saumon, anguille, etc.) et préparées de multiples façons (friture, cuisson au four ou à la vapeur, séchage).

La viande est préparée en ragoût, rôtie ou hachée : échine de porc farcie aux pruneaux et aux pommes, rôti de porc à la couenne croustillante et *hakkebøf* (bifteck haché aux oignons nappé de sauce brune). La volaille reste un plat de fête, avec le poulet farci au persil, le canard ou l'oie rôtis. Les légumes d'accompagnement sont souvent les pommes de terre caramélisées et le chou pommé, braisé, ou le chou frisé bouilli, puis haché et nappé de crème.

Autres caractéristiques : de nombreux légumes servent à confectionner des condiments, et les épices (cumin, girofle et pavot) jouent un rôle dominant dans les produits. Parmi les fromages, on peut évoquer notamment le samsø, à pâte pressée et avec un goût de noix et de beurre, et ses variantes (danbo, fynbo, elbo).

■ **Buffets.** Le déjeuner des Danois s'organise autour d'un buffet froid *(koldt bord)* composé de spécialités nationales : *frikadeller* (boulettes de viande hachée avec de l'oignon et liée avec des œufs), tranches de pâté de foie, salades de crevettes, de concombre, œufs brouillés au bacon ou à l'anguille fumée, beignets de cervelle, rôti de porc. Tous ces plats sont invariablement accompagnés de tranches de pain bis ou noir, beurrées, les *smørrebrød*, que l'on garnit au gré des envies.

Un des plus célèbres canapés, composé de pain de seigle surmonté d'une tranche de pâté de foie, d'une tranche de lard, d'une rondelle de tomate, d'une couche de gelée, le tout parsemé de raifort râpé, porte le nom du non moins célèbre Hans Christian Andersen.

Les fêtes de Noël, qui dans toute la Scandinavie débutent le 13 décembre, jour de la Sainte-Lucie, sont l'occasion de se réunir pour déguster l'oie ou le canard farcis aux pommes et aux pruneaux, et du riz au lait à la crème fouettée qui cache une amande, comme nos gâteaux des Rois cachent une fève.

■ **Desserts.** Dans ce domaine, les fruits rouges et la pomme ont la part belle : flan aux cerises, pudding aux fruits, *rødgrød* (gâteau fait de compote de pomme recouverte de chapelure mêlée de beurre fondu et dorée, couronné de crème fouettée). Certaines pâtisseries sont très populaires, comme les gros chaussons feuilletés et fourrés ou la traditionnelle *kransekage*, une gigantesque pièce montée faite de couronnes de pâte d'amande empilées qu'on orne de fruits confits et de décors en sucre glace. Enfin, les Danois préparent à la maison des gâteaux secs, tels les *brune kager* (aux épices, aux amandes et à la cassonade), des pains d'épice et des sablés au beurre.

■ **Boissons.** On notera l'importance des bières à céréales et des eaux-de-vie, tel l'aquavit, ou akvavit, à base de pomme de terre et de grain, agrémenté de différentes herbes et épices.

DANICHEFF Nom d'une salade composée, associant une julienne de fonds d'artichaut cuits au blanc, de champignons crus et de céleri-rave blanchi avec de fines rondelles de pomme de terre et des pointes d'asperge. La salade, assaisonnée d'une mayonnaise liquide, est décorée d'œuf dur, de truffe et de queues d'écrevisse.

DÃO Grande région du Portugal, dont 20 000 ha sont plantés en vignes. Le Dão produit surtout des vins rouges tanniques. Les meilleurs crus proviennent de coteaux situés entre 200 et 500 m d'altitude, au sol très granitique.

Certains d'entre eux se sont améliorés au point d'être comparés à des bourgognes.

DARBLAY Nom du potage Parmentier lorsqu'il est garni d'une julienne de légumes, lié de jaunes d'œuf et de crème, puis agrémenté de cerfeuil.

DARIOLE Petite pâtisserie cuite dans un moule à peine évasé, également appelé « dariole », qui s'emploie aussi pour préparer les babas individuels, des flans, des cakes, des gâteaux de riz ou des gâteaux de légumes.

En cuisine, la dariole est soit une tartelette au fromage, soit une sorte de petit flan au fromage.

DARNE Tranche épaisse, taillée à cru, transversalement, dans un gros poisson (merlu, saumon, thon). Le dictionnaire de l'Académie des gastronomes oppose la « darne » à la « dalle », tranche mince ou escalope de poisson. Darnes et dalles se préparent pochées, braisées ou grillées ; les dalles se font aussi sauter.

DARPHIN Nom donné à un apprêt de pommes de terre taillées en fins bâtonnets et cuites à la poêle, puis au four, de manière à obtenir une galette épaisse, dorée sur les deux faces, mais moelleuse au centre (**voir** tableau des apprêts de pommes de terre page 691).

DARTOIS Hors-d'œuvre chaud ou pâtisserie, formés de deux bandes de feuilletage enfermant une garniture sucrée ou salée.

DARTOIS SALÉS

dartois aux anchois

Préparer une pâte feuilletée et une farce de poisson. Détailler la pâte en deux bandes rectangulaires de taille et d'épaisseur égales. Additionner la farce de beurre d'anchois ; en masquer l'une des bandes en réservant 1 cm de pâte tout autour. Garnir de filets d'anchois à l'huile. Recouvrir de nouveau de farce, puis de la seconde bande de feuilletage. Coller les bords en les pressant bien. Cuire 25 min au four préchauffé à 240 °C.

dartois aux fruits de mer

Préparer 400 g de pâte feuilletée. Pocher 3 min 8 langoustines au court-bouillon. Pocher 3 min 8 noix de saint-jacques avec 10 cl de vin blanc, 15 cl de crème, 1 belle échalote épluchée et hachée, du sel et du poivre. Égoutter les langoustines, décortiquer les queues, les tronçonner. Égoutter les noix de saint-jacques, les couper en dés. Ajouter 50 g de crevettes décortiquées et réchauffer le tout au beurre. Flamber au calvados ou au marc, verser sur le mélange le jus de cuisson des coquilles Saint-Jacques et lier de 1 bonne cuillerée à soupe de beurre manié. Procéder ensuite comme pour le dartois aux anchois.

DARTOIS SUCRÉS

dartois à la confiture d'abricot

Préparer 500 g de pâte feuilletée et la mettre 1 heure dans le réfrigérateur. La séparer en deux masses et abaisser celles-ci en deux rectangles de 15 cm de large sur 25 cm de long et 3 mm d'épaisseur. Poser l'un des rectangles sur la tôle à pâtisserie et le garnir de confiture d'abricot (400 g). Le recouvrir avec le second rectangle de feuilletage et cuire 15 min au four préchauffé à 220 °C. Poudrer de sucre glace, faire caraméliser 5 min et servir tiède de préférence.

dartois à la frangipane

Préparer 500 g de pâte feuilletée et la mettre 1 heure dans le réfrigérateur. Préparer la frangipane : ramollir 100 g de beurre à la spatule de bois ; mettre dans une terrine 2 jaunes d'œuf avec 125 g de poudre d'amande, 125 g de sucre en poudre, 1 sachet de sucre vanillé et le beurre en pommade, et bien mélanger. Couper la pâte feuilletée en deux rectangles de 25 cm de long et de 15 cm de large. Procéder ensuite comme pour le dartois à la confiture d'abricot.

DARTOIS OU D'**ARTOIS** Nom de divers apprêts sans doute dédiés au comte d'Artois, futur Charles X. La garniture Dartois pour grosses pièces de boucherie est composée de carottes et de navets tournés et glacés, de cœurs de céleri braisés et de pommes de terre rissolées, dressés en bouquets autour de la viande. La crème Dartois est une purée de haricots blancs garnie d'une légère julienne de légumes ; le baron d'agneau Dartois est entouré de croustades de pommes de terre garnies de petits pois, et servi avec une sauce madère.

DASHI Fond de bouillon à base de konbu (algues) et de bonite séchée, diversement aromatisé (shiitakes ou petits poissons séchés), très utilisé dans la cuisine japonaise. Le dashi peut être sucré pour les mets à l'aigre-doux, relevé de saké, de sauce ou de pâte de soja, ou garni de légumes finement émincés.

DATTE Fruit du palmier-dattier, de la famille des arécacées, se présentant en régime (**voir** planche des fruits exotiques pages 404 et 405). Brune et charnue, longue de 4 cm environ, la datte est riche en fibres, calorique (300 Kcal ou 1 254 kJ pour 100 g : une datte pèse environ 10 g), très riche en sucres facilement assimilables et contient également en bonnes quantités du fer, du calcium, du potassium, du phosphore, du magnésium et des vitamines (B1, B2, PP), qui en font un aliment de l'effort physique et un tonique du système nerveux.

Dans l'Antiquité, les Grecs l'utilisaient dans des sauces pour la viande ou le poisson et en faisaient des pâtisseries variées.

Originaire du golfe Persique, le dattier, « arbre de vie » des Chaldéens (qui se nourrissaient de ses fruits et de ses bourgeons, se désaltéraient avec sa sève, tissaient ses fibres et brûlaient les noyaux comme combustible), est aujourd'hui intensivement cultivé dans le Maghreb, en Égypte et en Arabie. Seules quelques variétés sont exportées en Europe, notamment la deglet nour, la datte muscade de Tunisie, à peau lisse et fine, ainsi que la *halawi*, très sucrée, et la *khaleseh* à peau brun-orangé, très parfumée. Les dattes sont vendues soit en vrac, au poids, sur les tiges du régime, soit en boîtes.

■ **Emplois.** En France, la datte est surtout consommée comme une friandise, souvent fourrée ou glacée. La cuisine du Maghreb en fait un emploi bien plus diversifié, notamment dans les tagines et les couscous doux, dans les ragoûts de volaille et les plats épicés au cari, et même pour farcir le poisson (alose). En pâtisserie, son rôle est également important : beignets, nougats, dattes confites et confiture. La sève du dattier produit un « vin » grisâtre et doux, qui fermente rapidement et devient pétillant ; cette boisson rafraîchissante est aussi consommée en Inde, où la datte entre en outre dans la confection de sauces épicées, de sucreries et de galettes. En Iraq, on utilise son jus pour condimenter les soupes et les salades de crudités.

DAUBE Mode de cuisson de la viande et de la volaille et, par extension, de certains légumes, voire du thon. Les éléments cuisent à l'étouffée, avec un fond et des aromates. Le mot « daube », sans autre qualificatif, désigne une pièce de bœuf braisée au vin, plat réputé dans plusieurs provinces méridionales.

▶ Recettes : CHOU PALMISTE, DINDE, DINDON ET DINDONNEAU, JOUE, THON.

DAUBIÈRE Récipient de cuisson en terre, en fonte ou en cuivre étamé, servant à la préparation des daubes, estouffades et longs mijotages. Originellement destinée, comme la braisière, à la cuisson dans les braises, la daubière a un couvercle à rebord élevé, sur lequel on plaçait des braises ou de l'eau bouillante. On l'utilise aujourd'hui pour les longues cuissons au four.

DAUDET (LÉON) Écrivain et journaliste français (Paris 1867 - Saint-Rémy-de-Provence 1942). Membre de l'*Action française* dès 1907, dont il devient alors, avec Charles Maurras, le principal animateur, polémiste impénitent, il fut aussi l'un des plus grands gastronomes de son époque. Dans *Paris vécu*, Léon Daudet évoque la vie parisienne à travers les restaurants et les cuisiniers. Il était un client assidu du restaurant *la Grille*, « vrai bistrot » où les journalistes de l'*Humanité* et ceux de l'*Action française* se côtoyaient devant le miroton et le petit salé. Mais il fréquentait aussi *la Tour d'Argent*, où il discutait avec son ami Babinsky des mérites d'une salade de chicorée, « légèrement pulvérisée à l'absinthe », pour accompagner le foie gras ; sa description de Frédéric découpant un canard au sang est restée célèbre. Chez *Weber*, il décrit Marcel Proust, « un jeune monsieur aux regards de faon, emmitouflé dans un énorme paletot », se faisant servir du raisin ou des poires.

Membre fondateur de l'Académie Goncourt, il organisa le déjeuner au cours duquel fut décerné le premier prix Goncourt, en 1903. Ce premier déjeuner eut lieu au *Grand Hôtel*, les suivants chez *Champeaux*, au *Café de Paris*, puis chez *Drouant*, et Daudet, jusqu'à sa mort, en composa tous les menus avec un soin jaloux. Il fut également le chantre des cuisines lyonnaise (et du Beaujolais, « troisième fleuve de Lyon ») et provençale.

Persuadé que « la meilleure thérapeutique à tous les maux, c'est la bonne alimentation », il devenait lyrique quand il rencontrait un cuisinier qui le comblait, telle « madame Génot », sa restauratrice préférée (rue de la Banque), qui était « à la gastronomie ce que Beethoven est à la musique, Baudelaire à la poésie et Rembrandt à la peinture ».

DAUMONT (À LA) Nom d'une garniture très opulente, datant de la Restauration (et sans doute dédiée au duc d'Aumont), destinée principalement aux gros poissons braisés (alose, saumon, turbot). Cette garniture associe des quenelles de poisson, des lames de truffe, des queues d'écrevisse Nantua, des champignons de Paris et des laitances panées et frites.

Aujourd'hui, cette appellation concerne des apprêts de poisson un peu simplifiés, ainsi qu'un apprêt d'œufs mollets ou pochés, où l'on retrouve écrevisses et champignons, accompagnés d'une sauce Nantua.

▶ Recette : SOLE.

DAUPHINE (À LA) Se dit de légumes traités comme les pommes dauphine (céleri-rave ou aubergine, par exemple). Si la purée obtenue est trop aqueuse, on la dessèche au four (notamment pour les courgettes). Les pièces de viande « à la dauphine » sont servies avec une garniture de pommes dauphine.

DAUPHINE (POMMES) Apprêt de pommes de terre réduites en purée, additionnées de pâte à choux, façonnées en boules et cuites à grande friture. Les pommes dauphine accompagnent viandes ou gibiers grillés ou rôtis. Cet appareil peut s'enrichir de fromage râpé ou de jambon de Bayonne, notamment pour faire des croquettes (**voir** LORETTE).

DAUPHINÉ, SAVOIE ET VIVARAIS Entre la rigueur de la montagne et l'ensoleillement des vallées qui bordent le Rhône, la diversité géographique de cette région explique la variété de ses productions. Les poissons à chair délicate des lacs savoyards sont uniques : outre la truite, ce sont la féra, la lote, la perche, le lavaret et l'omble chevalier, préparés simplement, au bleu, à la meunière ou braisés aux cèpes dans les recettes « à l'annecyenne », devenues « à l'ancienne ». À côté des charcuteries traditionnelles de montagne, la viande de ce pays d'élevage est avant tout le veau, mais les agneaux d'alpage fournissent également une excellente viande. Le Dauphiné est réputé pour ses belles volailles, cailles de l'Isère ou pintades de la Drôme. L'Ardèche est aussi un pays de chasse, et l'on y sait l'art et la manière d'accommoder au mieux le gibier.

La cuisine est avant tout rustique. Cela tient sans doute aux hivers rigoureux et à la nécessité de « faire avec ce que l'on a », c'est-à-dire, le plus souvent, avec les légumes récoltés ici et les produits laitiers. Pommes de terre, bettes, cardons, potiron sont donc cuisinés de préférence en gratin, le plus illustre exemple étant le gratin dauphinois (pommes de terre et crème), cuit longuement au four, alors que le gratin savoyard est toujours préparé avec du beaufort et souvent avec du lard, des pommes de terre cuites au bouillon, mais sans crème ni œuf. Les farcis de l'Oisans sont aussi typiques de ce goût pour les légumes apprêtés simplement, avec œufs et fines herbes, tout comme les pâtés de légumes ou encore les tourtons aux herbes, et, surtout, les ravioles de Royans, poches de pâte farcies de persil, gruyère et saint-marcellin frais. La noix de Grenoble, seule à bénéficier d'une AOC, est consommée fraîche dans les 15 jours qui suivent la récolte ; sèche, elle est dégustée nature, accompagne les salades ou entre dans la composition de desserts, avec du miel. Dans la Drôme, qui annonce la Provence, on se régale de pêches, de prunes et d'amandes.

Plus encore que le Dauphiné, la Savoie possède de nombreuses spécialités à base de farines et de semoules, l'Italie n'étant pas loin : polenta de maïs, meilleur accompagnement des petits oiseaux et des civets, ravioles garnies de tomme fraîche, biscuit de Savoie, aussi léger et mousseux que la génoise, fidés (gros vermicelles de section carrée), taillerins (rubans de pâte maison) et, surtout, les fameux crozets, excellentes petites nouilles de blé noir, arrosées de beurre noisette et de beaufort fondu.

La pâtisserie est riche et variée : pogne (grosse brioche), brioche de Saint-Genix, biscuit de Savoie, craquelons, bugnes et cressets (beignets), bricelets et jambelles (gaufres), gâteau aux noix de Grenoble ou encore entremets parfumés avec l'une des liqueurs du pays : célèbre chartreuse ou génépi.

■ **Soupes et légumes.**
• SOUPE AUX CALOTS, SOUPE DE TULLINS, COUSINAT. Les soupes, nombreuses, sont à base d'oseille, de pois cassés, d'oignon, de riz et de thym, de chou, de potiron, d'ortie et de crème fraîche ou de fromage, ou encore de calots (sorte de vermicelles). Celle de Tullins est mijotée au bouillon de veau avec jarret et de nombreux légumes, comme la soupe dauphinoise. Le cousinat ardéchois est une soupe de châtaignes, de pommes et de pruneaux.

• POUNTIS, CROZETS, FARÇON. Les pommes de terre sont très largement utilisées : sautées à l'ail et au vinaigre, en tarte au lard et au fromage, en criques (galettes) ou encore en pountis (pommes de terre écrasées avec du lait), en rioles ou crozets (quenelles de pomme de terre au fromage), en fricot, avec des poires, ou en fricassée au reblochon. Elles servent aussi au farçon, préparé avec des pruneaux, des cerises sèches, du lard et de la farine.

■ **Poissons.**
La cuisson au bleu, à la meunière ou au vin blanc tire le meilleur parti des nombreuses ressources des cours d'eau, mais il faut aussi mentionner les quenelles et les soufflés, ainsi que la matelote des mariniers du Rhône, au vin blanc, avec anguille, truite et barbeau. Les perches sont cuisinées au vin rouge, la féra meunière, à la crème, en gelée, en filets ou à la thononaise (avec vin blanc et sauce aux champignons et au jambon).

■ **Viandes, abats et charcuterie.**
• DAUBES, GRILLADE MARINIÈRE, VEAU À LA MARMOTTE. On savoure les daubes, dauphinoises ou du Vivarais, de bœuf ou de veau, la grillade marinière (estouffade de bœuf avec oignons, ail et anchois), les côtes de veau au gratin ou à la marmotte (piquées de lard et de filets d'anchois, sautées avec oignons et aromates), les escalopes au fromage, les pieds de veau de Thônes, et la noix de veau à l'aixoise braisée avec oignons, navets, carottes, céleris et marrons.
• DEFFARDE, PIEDS DE COCHON, CAÏON, JAILLES. Les abats sont bien utilisés : la deffarde de Crest est un ragoût de pieds et tripes d'agneau en terrine cuisinés avec vin blanc, tomates et aromates. Les pieds de cochon, désossés, farcis et mis en crépinettes, sont cuits au vin blanc. Le caïon est un ragoût de porc au vin rouge, lié de sang. Les jailles se préparent avec de l'échine de porc et des pommes reinettes.
• SAUCISSES ET SAUCISSONS. Ce sont l'attriau, le diot, le promonier, le saucisson de campagne haché gros, la saucisse au chou de Serre-Chevalier ou le murçon au fenouil. Le sabodet, lui, est un saucisson fait de tête, de langue et de chair de porc.

■ **Volailles et gibier.**
Le poulet se consomme tout simplement rôti, en sauté avec des gousses d'ail en chemise, en blanquette, aux cèpes ou aux écrevisses. Pour le coq au vin, on utilise ici le crépy. Les poussins dauphinois – en fait, des volailles de petite taille – se cuisent dans une sauteuse avec vin blanc et morilles.

L'abondance du gibier permet de multiplier les recettes : le sanglier est cuisiné en civet ou en hure, le marcassin offre de succulentes côtelettes à griller. Le lièvre et le garenne donnent le confit de lapereau, le lièvre aux olives ainsi que des terrines. La perdrix est rôtie, puis mijotée au vin blanc, découpée et disposée en couches dans une terrine avec lard, beaufort et vermicelles.

■ **Fromages.**
Les picodons, le pélardon, le beaufort, le reblochon, l'abondance, le saint-marcellin et le bleu du Vercors-Sassenage bénéficient d'une AOC. Le rogeret ainsi que des tommes, le sérac et le bleu de Termignon enrichissent le plateau.

■ **Pâtisseries.**
• CONFISERIE, COUVE, SUISSES DE VALENCE, RISSOLES. La confiserie offre les pruneaux fleuris de Sahune, le touron de Gap, le marron glacé et la crème de marron de Privas, le nougat de Montélimar. La couve de Crest est une galette découpée en forme de poule couveuse, alors que les suisses de Valence (biscuits) prennent la forme de petits bonshommes. Les rissoles, de tradition paysanne, sont aux poires, pruneaux, pommes, raisins secs ou figues.

■ **Vins.**
Dans un contexte géographique très varié et éclaté, la Savoie se distingue par une gamme de vins blancs vigoureux et rafraîchissants. Cependant, les vins rouges issus du cépage mondeuse surprennent par leur saveur sauvage inattendue et attrayante. Autour de Die s'étend le vignoble de la clairette. L'appellation coteaux-du-tricastin, à la limite orientale de la vallée du Rhône, donne des vins rouges ou rosés.

DAUPHINOISE (À LA) Se dit d'un apprêt de pommes de terre au gratin (**voir** tableau des apprêts de pommes de terre page 691).

Le « vrai » gratin à la dauphinoise (celui du « pays des quatre montagnes » : Lans-en-Vercors, Villard-de-Lans, Autrans et Sassenage) ne contient ni fromage, ni lait, ni œufs, mais uniquement des pommes de terre à chair jaune coupées en « taillons » (rondelles) et de la crème fraîche, dans un plat à gratin frotté d'ail et beurré. Néanmoins, le gratin dauphinois se fait souvent avec un mélange d'œuf, de lait et de crème, que l'on verse sur les rondelles en les parsemant de fromage râpé. Le gratin savoyard, lui, se fait avec des couches de pommes de terre alternant avec du beaufort râpé et des noisettes de beurre, le tout étant recouvert, pour finir, de bouillon.

DAURADE ROYALE ET **DORADES** Poissons de mer à reflets dorés ou argentés, de la famille des sparidés (comme le pageot), appelés aussi « brème de mer » (**voir** tableau ci-dessous et planche des poissons de mer pages 674 à 677). Les Anciens, qui les appréciaient beaucoup, les cuisinaient avec des sauces relevées et les accompagnaient de fruits. Ce sont des poissons maigres (80 Kcal ou 334 kJ pour 100 g), riches en magnésium. En France, seule la daurade royale peut s'orthographier « au ».
– La daurade royale, ou vraie daurade, se pêche en Méditerranée et dans le golfe de Gascogne, mais elle est aussi élevée en aquaculture. Mesurant de 30 à 50 cm, elle pèse jusqu'à 3 kg. Ses écailles sont argentées, et elle porte une bande dorée entre les yeux. Plus elle est fraîche, plus elle est brillante. Sa chair, très blanche, fine, serrée et moelleuse, est excellente.
– La dorade rose provient surtout de l'Atlantique et peut peser jusqu'à 3 kg. Elle est plutôt dorée, avec des nageoires roses et une tache noire près des ouïes. Sa chair est moins serrée et plus sèche, mais savoureuse.
– La dorade grise est grisâtre et sans reflets et mesure de 20 à 40 cm pour un poids de 300 g à 2 kg. Elle a une chair un peu moins fine que les autres dorades, mais, très répandue, elle présente l'avantage d'être bien meilleur marché.
Les dorades fraîches sont vendues entières et vidées ; elles ont des écailles nombreuses, larges et collantes. On trouve aussi des filets surgelés. La dorade se mange grillée, rôtie, pochée ou cuite à la vapeur d'algues. Dans les pays méditerranéens, on la fait rôtir à la broche et on l'accompagne de pois chiches ou de haricots. C'est le poisson par excellence du sashimi.

ceviche de daurade, rhubarbe et huile de piment ▶ CEVICHE

RECETTE DE JEAN ET PAUL MINCHELLI

daurade royale braisée aux quartiers de pomme
« Écailler une daurade de 800 g, la vider en réservant le foie, puis l'essuyer. Éplucher 3 échalotes, 1 petit bulbe de fenouil et 1 oignon ; les hacher. Écraser 2 gousses d'ail en les laissant en chemise. Blanchir le zeste de 1 citron vert ; couper le citron en rondelles. Disposer dans un plat à rôtir un lit de brindilles de fenouil séché et les 2/3 du bulbe de fenouil ; ajouter le hachis d'échalote et d'oignon, l'ail, le zeste et des queues de

persil. Mouiller de 25 cl de fumet de poisson, de 1 cuillerée d'huile d'olive et de 2 cuillerées de rhum blanc. Porter à ébullition. Inciser trois fois le poisson sur une seule face et glisser par les ouïes les rondelles de citron et le reste du fenouil. Éplucher 1 pomme et la couper en huit. Poser la daurade sur les légumes et l'entourer des morceaux de pomme et du foie. L'enduire d'huile, saler et poivrer. Cuire de 20 à 25 min au four préchauffé à 160 °C. Disposer la daurade sur un plat, avec les morceaux de pomme et les lamelles de fenouil. Passer le jus de cuisson au chinois et le faire réduire à feu vif. Le verser en saucière et servir. »

daurade royale au citron confit
Écailler et vider 1 grosse daurade et pratiquer sur son dos de légères entailles. Huiler un plat à gratin, le garnir de 8 tranches de citron confit à l'huile. Y poser la daurade, saler, poivrer. Ajouter 1 petite poignée de graines de coriandre ; garnir de 6 tranches de citron confit. Arroser de 2 cuillerées à soupe de jus de citron et de quelques cuillerées d'huile d'olive ; cuire 30 min au four préchauffé à 230 °C, en arrosant plusieurs fois.

dorade farcie au fenouil
Écailler une dorade de 1,5 kg environ, la vider par les ouïes, la laver, l'éponger ; saler et poivrer. L'ouvrir par le dos, de part et d'autre de l'arête centrale ; sectionner celle-ci au niveau de la tête et de la queue et la retirer. Mouiller de lait 250 g de mie de pain rassise. La presser puis lui ajouter 1 bulbe de fenouil très finement émincé, 2 cuillerées à soupe de pastis, 1 cuillerée à soupe de jus de citron, un peu de laurier et de thym émiettés. Garnir le poisson de cette farce et le ficeler comme une ballottine, pas trop étroitement. Beurrer un plat à gratin, le parsemer de 2 échalotes hachées. Poser la dorade dessus. Mouiller de vin blanc (ou d'un mélange de vin et de fumet) jusqu'au tiers de la hauteur, arroser d'huile d'olive et cuire 30 min au four préchauffé à 250 °C, en arrosant de temps en temps. Protéger le poisson d'un morceau de feuille d'aluminium en fin de cuisson, pour qu'il ne se dessèche pas.

dorades meunière
Écailler, vider et ciseler sur le dos des dorades de petite taille (pas plus de 600 g chacune). Les saler, les poivrer et les rouler dans la farine. Les secouer légèrement pour en faire tomber l'excédent. Chauffer du beurre dans une poêle et y dorer les poissons sur les deux faces. Les égoutter, les dresser sur un plat long, les parsemer de persil ciselé, les arroser de jus de citron et les tenir au chaud. Ajouter un peu de beurre dans la poêle de cuisson, le faire blondir (beurre noisette) et le verser mousseux sur les poissons. Servir aussitôt.

filets de dorade à la julienne de légumes
POUR 4 PERSONNES – PRÉPARATION : 40 min – CUISSON : 25 min
Habiller une dorade de 1,2 kg environ, lever les filets puis en retirer la peau. Émincer en julienne 2 blancs de poireau, 2 branches de céleri débarrassées de leurs filandres, 1/2 bulbe de fenouil, 2 navets nouveaux

Caractéristiques des différentes espèces de daurade royale et dorades

ESPÈCE	PROVENANCE	ÉPOQUE	ASPECT	CARACTÉRISTIQUES DE LA CHAIR
daurade royale	Méditerranée, golfe de Gascogne	mai-oct.	bande dorée entre les yeux, écailles grises, tache noire au-dessus des ouïes	délicate, ferme, parfumée
	élevage	toute l'année	bande dorée entre les yeux, écailles grises, tache noire au-dessus des ouïes	délicate, ferme, parfumée, mais un peu moins que la sauvage
dorade grise, ou griset	Manche, Atlantique	toute l'année	gris argenté	blanche, délicate, maigre, peu ferme
dorade rose, ou pageot rose	golfe de Gascogne, Afrique	toute l'année	brun rougeâtre, tache noire à l'origine de la ligne latérale partant au-dessus des ouïes	assez ferme, parfumée
pageot commun	Méditerranée	sept.-nov.	rose foncé, tache rougeâtre à la base des nageoires pectorales	blanche, plutôt ferme, assez goûteuse

ainsi que 1 carotte. Faire suer sans coloration cette julienne dans 40 g de beurre, l'assaisonner puis l'étaler dans un plat allant au four. Saler et poivrer les filets de dorade et les disposer sur la julienne. Arroser d'un jus de citron et de 20 cl de crème fraîche. Porter à ébullition, puis cuire au four préchauffé à 220 °C pendant 10 min. Retirer les filets de dorade et les placer sur le plat de service. Vérifier la consistance et l'assaisonnement de la sauce. Napper les filets de dorade avec la sauce et la julienne, puis parsemer quelques pluches de cerfeuil.

DÉBARRASSER Changer une préparation de récipient en la transvasant de l'ustensile de cuisson (sauteuse, casserole, marmite) dans celui de préparation (calotte, bahut, plaque à débarrasser) pour la laisser refroidir ou la réserver.

En restauration, débarrasser une mise en place, c'est retirer du fourneau ou d'un poste de travail tous les ustensiles qui s'y trouvaient pendant le service.

DÉCANTER Transvaser un liquide trouble après l'avoir laissé reposer le temps que les impuretés en suspens se déposent (bouillon, fond).

On décante le beurre fondu en éliminant l'écume et le petit-lait pour obtenir un beurre clarifié.

On décante une viande cuite dans un fond ou une sauce en la retirant du récipient ; le liquide de cuisson, passé au chinois pour éliminer la garniture aromatique et éventuellement lié, sert alors à réaliser une sauce, puis viande et sauce sont réunies pour un dernier mijotage.

On décante parfois un vin en le transvasant délicatement dans une carafe, afin de laisser quelques heures se développer ses arômes s'il est jeune ou d'éliminer le dépôt qui s'est formé dans la bouteille au cours du vieillissement ; cependant, cette opération provoque une oxydation violente qui, dans certains cas, est néfaste pour le vin, surtout s'il est vieux.

DÉCOCTION Extraction des principes d'une substance par ébullition. Le produit (plante aromatique, légume, viande, etc.) est plongé dans de l'eau, qui bout plus ou moins longtemps : c'est ainsi qu'on obtient les bouillons de viande et de légumes, les courts-bouillons et les extraits aromatiques.

DÉCORATION Ensemble des opérations visant à parfaire la présentation des mets, notamment des plats froids (apprêts en bellevue, aspic, chaud-froid, poisson en gelée, à la parisienne, etc.), des viandes et volailles (dressées avec leur garniture spécifique), des salades composées et des pâtisseries et entremets.

Absente de la cuisine régionale, franche et sans apprêt, servie souvent dans le plat de cuisson, la décoration était surabondante dans la « cuisine de cour » : celle de Taillevent, au XIVe siècle, avec ses oiseaux reconstitués et ses couleurs symboliques, ou celle d'Antonin Carême, au XIXe, avec ses pièces montées architecturales.

Aujourd'hui, elle repose surtout sur l'utilisation d'ingrédients naturels et comestibles, de couleurs et de formes différentes, employés en contraste ou en harmonie. Conditionnée par les mets à mettre en valeur, le temps d'exécution, les circonstances et les éléments dont on dispose, elle fait appel à des techniques précises, mais aussi à la créativité de chacun, pour flatter la vue avant l'odorat et le goût.

La décoration des mets est toujours prévue et organisée (éléments préparés, transformés, mis en place, plats de dressage disponibles, etc.). La palette du cuisinier est bien fournie en couleurs (vert d'épinard, de cresson, rouge de betterave, de radis, œufs de lump rouges ou noirs, jaune et blanc d'œuf, etc.), et ce dernier peut varier les formes et les volumes (dés, cubes, boules, fer rouge sur un meringage, quadrillage sur les grillades, etc.) en jouant sur toute une gamme de consistances (solide, poudreuse, granuleuse, moelleuse, gélatineuse). Les cuisiniers japonais et chinois sont particulièrement attachés à l'aspect décoratif des mets ; le découpage des légumes ou du poisson, notamment, s'élève chez eux au niveau d'un art à part entière.

De nombreux éléments de décoration sont comestibles, même si on ne les mange pas toujours :
– citrons et oranges cannelés pour poissons à la meunière, escalopes viennoises, canard à l'orange ;
– cresson en bouquets pour grillades et rôtis ;
– fleurons en feuilletage, dents de loup, croûtons pour viandes en sauce, poissons bonne femme, épinards ;
– œufs durs hachés ou en rondelles pour salades, hors-d'œuvre ;
– persil frais pour poissons et hors-d'œuvre ;
– pommes de terre duchesse, paille, en nid, en panier ;
– tomates en rondelles, en éventails ou en « roses », estragon, peau de citron, pelure de pomme rouge, radis, truffe, mayonnaise, etc.

D'autres éléments ne se consomment jamais :
– papier dentelle ou gaufré, rond, ovale ou carré, pour hors-d'œuvre chauds, pâtés, etc. ;
– papillotes, manchettes et bobèches pour carré d'agneau, côte de veau, gigot, cuissot, etc. ;
– serviette pliée en gondole pour le poisson, en carré pour les toasts et les bombes glacées ;
– socles et gradins pour poissons, crustacés, suprêmes, médaillons de foie gras, etc.

En pâtisserie et en confiserie, la décoration joue un rôle particulièrement important, et le travail du sucre (tiré, effilé, tordu, etc.) autorise toutes sortes de décors. Coupes glacées et entremets sont, avec les grosses pièces de pâtisserie, les apprêts où cet art s'exerce le plus. Les éléments dont on dispose sont notamment le caramel, le chocolat (copeaux, perlage et vermicelles), la crème au beurre poussée à la douille cannelée, les amandes effilées, grillées ou hachées, le nappage, la glace royale, le sucre glace, le fondant, la pâte d'amande, les grains de café, les violettes en sucre, les fruits confits, la crème Chantilly et les marrons glacés.

DÉCOUPER Trancher viandes, volailles, gibier, poissons, pour les servir à table s'ils sont cuits, et en vue de certaines préparations s'ils sont crus (**voir** DÉPECER, DÉSOSSER, DÉTAILLER, ESCALOPER, LEVER).

Chez les Anciens, des spécialistes donnaient des cours de découpage, pratiqués sur des volailles en bois dont les morceaux s'ajustaient. Les seigneurs du Moyen Âge aimaient y montrer leur adresse, et, au XIIIe siècle, le chroniqueur Jean de Joinville raconte avec orgueil qu'il trancha un jour à la table du roi de Navarre.

Au XVIIe siècle, on exerçait les jeunes gentilshommes au découpage des viandes en leur apprenant à distinguer les meilleurs morceaux, « l'aile pour les oiseaux qui grattent la terre avec leurs pattes ; la cuisse pour les oiseaux qui vivent en l'air ; les blancs pour les grosses volailles rôties ; la peau et les oreilles pour le cochon de lait ; le râble et les cuisses pour les lièvres et les lapins ». Les gros poissons (saumon, brochet) se coupaient en deux, et l'on plaçait devant le convive le plus important le côté de la tête, tenu pour le plus délicat. L'art de découper avait alors une très grande importance et s'accompagnait toujours d'un certain cérémonial (**voir** ÉCUYER TRANCHANT).

Le trancheur moderne, notamment en restauration, doit allier la compétence culinaire à des connaissances d'anatomie et posséder une grande habileté manuelle, doublée d'une élégance du geste. Chaque pièce de viande (baron, carré, filet, gigot, jambon, selle) exige une technique de découpage particulière, de même que les volailles et les oiseaux (canard, dinde, oie, pigeon, poulet).

En règle générale, le découpage des pièces de boucherie se fait perpendiculairement au sens des fibres musculaires. Les tranches doivent être aussi étendues que possible et d'une épaisseur bien régulière. L'introduction du service « à la russe » (où les mets sont présentés sur un plat, déjà découpés) a souvent fait disparaître de la table une opération qui faisait naguère la fierté du maître de maison.

DÉCOUPOIR Petit emporte-pièce conique, en fer étamé, en acier inoxydable ou en matière synthétique, dont la tranche est un motif décoratif : carreau, cœur, étoile, feuille, pique, trèfle, etc. Il est utilisé pour découper des motifs décoratifs dans des lames de truffe, des rondelles de tomate ou de la gelée. Ce mot est souvent utilisé pour désigner l'emporte-pièce (**voir** ce mot) employé en pâtisserie pour détailler les pâtes.

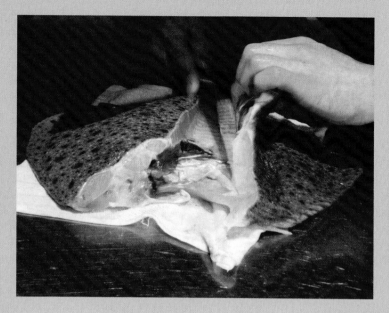

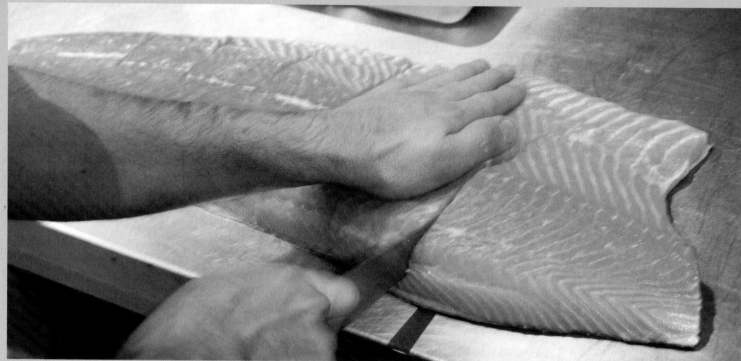
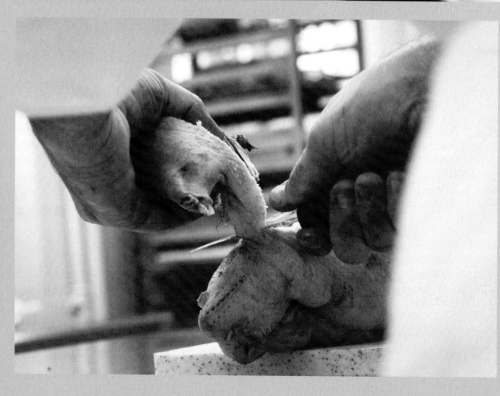

« À l'école FERRANDI PARIS, comme dans les restaurants GARNIER, HÉLÈNE DARROZE et TAKEUCHI, les couteaux sont soigneusement aiguisés afin d'affiner la découpe des viandes et des poissons. Habiles trancheurs, les cuisiniers prennent soin de sélectionner les meilleurs morceaux afin d'assurer des mets de qualité à leurs clients. »

Correspondances des degrés Baumé
avec les degrés-densité

DEGRÉ BAUMÉ	DENSITÉ	DEGRÉ BAUMÉ	DENSITÉ	DEGRÉ BAUMÉ	DENSITÉ
5	= 1,0359	16	= 1,1247	27	= 1,2301
6	= 1,0434	17	= 1,1335	28	= 1,2407
7	= 1,0509	18	= 1,1425	29	= 1,2515
8	= 1,0587	19	= 1,1515	30	= 1,2624
9	= 1,0665	20	= 1,1609	31	= 1,2736
10	= 1,0745	21	= 1,1699	32	= 1,2850
11	= 1,0825	22	= 1,1799	33	= 1,2964
12	= 1,0907	23	= 1,1896	34	= 1,3082
13	= 1,0989	24	= 1,1995	35	= 1,3199
14	= 1,1074	25	= 1,2095	36	= 1,3319
15	= 1,1159	26	= 1,2197	–	–

DÉCUIRE Abaisser le degré de cuisson d'un sirop de sucre, d'une confiture ou d'un caramel en lui ajoutant peu à peu, et en tournant, la quantité d'eau froide nécessaire pour lui rendre une consistance moelleuse.

DÉFARDE Spécialité du Dauphiné, notamment de Die et de Crest, faite de pieds et de tripes d'agneau, cuits au court-bouillon avec carottes, oignons, poireaux, laurier et clous de girofle, puis mijotés au four dans une terrine avec du vin blanc et du coulis parfumé de tomate, parfois relevé de câpres et d'un filet de vinaigre.
La défarde (qui s'orthographie aussi delfarde) est servie avec un hachis d'ail et de persil.

DE FRUCTU Ensemble des menues dépenses (fruits, service, etc.) incombant à la personne qui, au Moyen Âge, prêtait sa table pour une collation dont chaque participant payait une partie des frais. Le terme vient d'une expression juridique latine : *curare de fructu*, « s'occuper des fruits ».
Une autre explication de ce mot l'associe à l'usage, qui se maintint jusqu'au XVIIe siècle parmi les notables, de recevoir le clergé la veille de Noël : le repas, pris après les vêpres, aurait été baptisé des premiers mots de l'antienne que les chanoines avaient chantée l'après-midi (*de fructu ventris tui*, « du fruit de tes entrailles »).

DÉGLACER Faire dissoudre à l'aide d'un liquide correspondant à l'apprêt (vin, madère, consommé, fond, crème fraîche, vinaigre) les sucs contenus dans un récipient ayant servi à un rissolage, à un sauté ou à une cuisson au four, afin de confectionner un jus ou une sauce.
Sous l'effet de la chaleur, les sucs caramélisent au fond du récipient. Si ces particules brunes, qui sont mêlées à la graisse de cuisson lorsqu'on retire les éléments cuits (gibier, médaillon, grosse pièce de boucherie, poisson, poulet, tournedos), ne sont pas suffisamment colorées et bien séparées, il convient de « faire pincer » en laissant le récipient quelques minutes sur le feu, puis de dégraisser (éliminer la graisse cuite) et de procéder au déglaçage.
Celui-ci s'effectue en versant le liquide (en petite quantité généralement) dans le récipient, sur le feu, en y faisant dissoudre tous les sucs, en le laissant cuire et colorer, puis en le faisant réduire jusqu'à ce qu'il acquière la consistance voulue. Au cours de l'opération, les vins perdent de l'acidité. Le déglacage est parfois précédé d'un flambage.
Lorsqu'il est bien réduit, on le mouille d'un fond (clair ou lié), d'un bouillon, d'un fumet, etc., pour en faire un jus ou une sauce.
Il reste ensuite à rectifier l'assaisonnement et à passer éventuellement le tout au chinois avant d'en napper l'apprêt, qui a été gardé au chaud.

DÉGORGER Faire tremper plus ou moins longtemps dans de l'eau froide (vinaigrée ou non), en la renouvelant plusieurs fois, une viande, une volaille, un poisson ou un abat pour en éliminer les impuretés et le sang, surtout si on les destine à une préparation « à blanc », ou pour faire disparaître le goût de vase d'un poisson de rivière.
On fait dégorger certains légumes (surtout le concombre et le chou) en les saupoudrant de sel pour qu'ils perdent une partie de leur eau de végétation et qu'ils deviennent plus digestes.
On fait également dégorger les escargots en les salant ou en les saupoudrant de farine de son, ce qui permet de ne pas les faire mourir et, selon certains, attendrit leur chair ; on les entrepose ensuite plusieurs jours dans un récipient clos.

DÉGRAISSER Enlever l'excès de graisse d'un produit, d'une préparation ou d'un récipient de cuisson.
On dégraisse la viande, crue ou cuite, à l'aide d'un petit couteau de boucherie, les liquides chauds avec une petite louche ou une cuillère, et les liquides froids, dont la graisse est solidifiée, avec une écumoire (on peut aussi les passer au chinois).
On parfait le dégraissage du consommé chaud, une fois clarifié, en posant à sa surface du papier absorbant.
Lorsqu'on a fait cuire un aliment dans une sauteuse, une poêle ou sur une plaque, on dégraisse celle-ci, avant le déglaçage, en éliminant la graisse cuite.

DÉGRAISSIS Graisse retirée d'un bouillon, d'un fond, d'une sauce, d'un mets en sauce ou braisé, ou éliminée avant le déglaçage d'un rôti ou d'une pièce de viande sautée.
Autrefois, le dégraissis clarifié, filtré et conservé en pot de grès servait à cuire des légumes. On n'utilise plus cette « graisse d'économie », peu recommandable sur le plan diététique et hygiénique.

DEGRÉ BAUMÉ Ancienne mesure de densité des liquides sucrés, évaluée à l'aide d'un pèse-sirop. Depuis le 1er janvier 1962, tous les appareils de mesure sont gradués en densité (**voir** tableau des correspondances des degrés Baumé avec les degrés-densité ci-dessus).

DÉGUSTATION Appréciation par le goût de la qualité d'un produit. Il existe des dégustateurs de beurre, d'huile, de foie gras, de chocolat, notamment ; le laboratoire de la Ville de Paris emploie des goûteurs d'eau professionnels qui testent plusieurs fois par jour les eaux de consommation. Cependant, le mot s'emploie surtout pour les vins et les eaux-de-vie.
Le dégustateur professionnel juge la qualité et les caractéristiques d'un vin par la vue, l'odorat, le goût et le toucher. (La dégustation est dite « à l'aveugle » quand on garde secrètes l'origine et l'identité du vin.)
• L'ŒIL. Le dégustateur saisit le verre par le pied en le penchant sur un fond blanc pour scruter la robe. La couleur et la limpidité informent sur l'état du vin (il doit être limpide, brillant et le rester) et son âge (les vins rouges jeunes ont une teinte vive tirant sur le rubis, avec des reflets violets, alors que ceux d'un certain âge prennent souvent une couleur grenat, des reflets orangés et perdent en intensité ; les vins blancs, peu colorés, avec des reflets verts dans la jeunesse, évoluent vers une teinte plus marquée aux reflets dorés). Plus le vin « pleure » ou « fait des jambes », plus il est riche en alcool.
• LE NEZ. Le dégustateur hume profondément le vin en se penchant sur le verre pour percevoir une première information globale. Il note l'intensité perçue. En faisant doucement tourner le vin, il replonge le nez dans le verre. S'élèveront alors les arômes les plus intenses. Puis il détaille les différentes composantes aromatiques : odeurs animales, végétales, florales, fumées, épicées, minérales, etc. Ces différentes manœuvres permettent de juger de l'intensité, du caractère et de l'élégance du vin, la perception olfactive représentant 70 % de l'ensemble des informations de la dégustation. On distingue plusieurs arômes déterminant l'évolution du vin jeune : les arômes primaires, dus aux cépages ; les arômes secondaires résultant de la fermentation alcoolique ; et les arômes tertiaires liés à la maturité du vin et annonçant son « bouquet ».

DÉGUSTER UN VIN

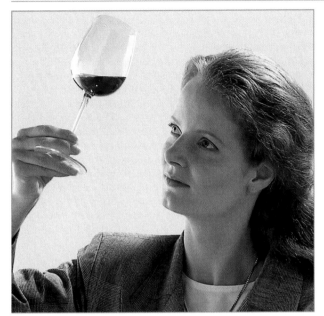

1. Tenir le verre par la tige ou par le pied, entre le pouce et l'index, et l'éloigner en l'inclinant pour examiner la couleur du vin.

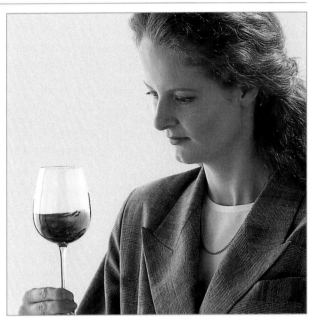

2. Faire tourner doucement le vin dans le verre pour l'oxygéner. Laisser ensuite le vin redevenir stable. Observer l'épaisseur des « jambes » (ou « larmes ») et leur vitesse.

3. Humer soigneusement en alternant inhalations courtes et profondes. Détailler les différentes composantes du bouquet.

4. Goûter le vin en prenant en bouche une gorgée raisonnable. Le « mâcher » pendant quelques secondes, puis pincer les lèvres et aspirer l'air pour aérer le vin.

• **LA BOUCHE.** Le dégustateur met le vin en bouche pour percevoir, grâce aux papilles gustatives situées sur la langue, les quatre goûts fondamentaux : le sucré, le salé, l'amer et l'acide. Le sucré peut être associé au « fruit » du vin et à l'alcool ; il donne une impression de moelleux, de souplesse et de gras. L'acidité, véritable colonne vertébrale du vin, participe à la structure, apporte de la fraîcheur et souligne le fruité. Elle tend à s'estomper avec le vieillissement du vin. L'amer est souvent lié à la présence des tanins qui confèrent à tous les vins rouges leur charpente et leur « mâche ». Trop de tanins ou des tanins trop jeunes rendent le vin dur et âpre. À l'inverse, leur faible présence donnera un vin manquant de structure. Le salé est très rare.

En même temps, le dégustateur analyse le caractère tactile du vin. La richesse en alcool produira une impression de gras. Les tanins rendront le vin rouge plus ou moins astringent. Quant aux vins effervescents, ils proposent un « toucher » par les bulles qui doit être régulier et sans agressivité. L'excès d'une de ces composantes déséquilibre le vin et le rend déplaisant.

Enfin, en conservant le vin en bouche et en aspirant de l'air à travers les lèvres, le dégustateur fait de nouveau apparaître les arômes grâce à la rétro-olfaction. Dans tous les cas, le goût restera en bouche après déglutition ou après avoir recraché le vin : c'est la persistance aromatique. Un vin est harmonieux quand l'ensemble des étapes décrites présente une cohérence agréable.

DÉJEUNER Repas du milieu de la journée, par comparaison avec le petit déjeuner, pris le matin. Mais, d'après son étymologie (du latin *disjunare*, « rompre le jeûne »), le mot désignait à l'origine le premier repas de la journée, composé essentiellement de pain et de soupe, voire de vin, avant que n'apparaissent le café, le thé et le chocolat.

En France, l'institution du déjeuner à midi date, en fait, de la Révolution. Jusque-là, le repas du milieu de la journée s'appelait

« dîner ». Mais, les délibérations de l'Assemblée constituante commençant à midi pour se terminer vers 6 heures, il fallut reporter le dîner à la fin de l'après-midi ; les députés ne pouvant rester à jeun du matin jusqu'au soir, ils inaugurèrent alors l'usage de prendre, vers 11 heures, un second déjeuner plus consistant que le premier.

Une certaine Mme Hardy, qui tenait en 1804 un café sur les Boulevards, près du théâtre des Italiens, inventa le « déjeuner à la fourchette » en proposant à ses clients des côtelettes, des rognons, des saucisses et autres grillades présentés sur un buffet (**voir** CAFÉ HARDY). L'évolution des cabarets et des cafés, puis la naissance des restaurants firent du déjeuner un moment important de la vie sociale.

De nos jours, le déjeuner qui, dans de nombreux pays, se réduit à un en-cas, se prend généralement vers midi et demi ou une heure ; dans la vie quotidienne, il reste souvent rapide et léger.

Des impératifs professionnels ont introduit les « déjeuners d'affaires », tandis que certains événements, telle l'attribution d'un prix littéraire, ont lieu lors d'un déjeuner (**voir** DROUANT). Mais, aujourd'hui encore, le « déjeuner du dimanche » reste un symbole de la vie familiale.

DELAGE (GÉRARD) Gastronome québécois (Nominingue 1912 - Montréal 1991). Après des études de droit, il devint en 1952 membre de la Société des amis d'Escoffier de New York, composée en majeure partie de chefs européens qui s'étaient installés dans la métropole américaine. Il établit alors plusieurs sociétés gastronomiques et vineuses afin de promouvoir au Canada tant la grande cuisine française que les vins de France. Il fut l'un des principaux initiateurs de l'Institut du tourisme et d'hôtellerie du Québec, et il a travaillé à la réforme de la loi sur les alcools. En 1972, il fut le président et l'organisateur du Congrès international de la gastronomie qui s'est tenu à Montréal.

Auteur de *Gloutons et gourmets*, il a créé une fondation qui accorde des bourses aux diplômés des écoles hôtelières afin qu'ils puissent sereinement « poursuivre des études supérieures en gestion hôtelière et touristique ou de perfectionnement en art culinaire et sommellerie ».

DELAVEYNE (JEAN) Cuisinier français (Marolles-en-Hurepoix 1919 - Paris 1996). Il fit son apprentissage de commis pâtissier au palais d'Orsay, puis, à partir de 1935, celui de cuisinier. Il effectua plusieurs séjours en Angleterre, où il travailla comme chef dans différents hôtels, avant de s'installer en 1957 au *Camélia*, à Bougival, une modeste auberge qu'il rendit célèbre dans le monde entier.

« Inventeur d'harmonies », selon Joël Robuchon, spécialiste des champignons, remarquable pédagogue, il traça la voie pour toute une génération de cuisiniers. Ses plats d'une grande simplicité lui assurèrent la notoriété. Il reçut sa première étoile Guide Michelin en 1963, la seconde en 1972. Ayant cessé ses activités de restaurateur en 1985, il s'est consacré à des activités de conseil (notamment au *Regain*, rue Saint-Dominique, à Paris).

DÉLAYER Ajouter un liquide (bouillon, eau, lait, etc.) à une préparation pour la rendre plus fluide.

DELESSERT (BENJAMIN) Industriel et financier français (Lyon 1773 - Paris 1847). Ayant créé une raffinerie de sucre en 1801 dans le quartier de Passy, à Paris, il mit définitivement au point, en 1812, le procédé d'extraction du sucre de betterave (**voir** ACHARD, MARGGRAF). Napoléon Ier, qui vint en personne visiter l'installation, comprit l'importance d'une découverte qui renforçait le Blocus continental, interdisant aux Anglais de commercer avec les ports continentaux, parce qu'elle évitait d'importer du sucre de canne venu des Antilles. Il accorda donc à Delessert des moyens financiers importants et affecta à la culture de la betterave de vastes terrains dans le Nord.

Benjamin Delessert se lança parallèlement dans la politique et fut l'un des fondateurs des caisses d'épargne en France.

DÉLICE ET **DÉLICIEUX** Appellations de fantaisie, souvent suivies d'un autre nom, données par des pâtissiers à divers entremets, gâteaux et friandises de leur création.

délice au citron

Faire fondre doucement 100 g de beurre au bain-marie. Mélanger 250 g de farine et 1 sachet de levure chimique, puis ajouter le beurre fondu, 4 œufs, 200 g de sucre en poudre, le zeste râpé et le jus de 1 citron, et 100 g de fruits confits coupés en tout petits dés. Bien mélanger pour obtenir une pâte parfaitement lisse et homogène. Verser celle-ci dans un moule à manqué de 25 cm de diamètre et cuire 40 min environ au four préchauffé à 190 °C. Préparer une crème au beurre avec 125 g de sucre en poudre, cuit au boulé (120 °C) avec 5 cl d'eau, 4 jaunes d'œuf et 125 g de beurre, et y incorporer le zeste râpé et le jus de 1 citron. Lorsque le gâteau est cuit (il doit rester souple sous le doigt), le démouler sur une grille, le laisser refroidir complètement et le découper en trois disques, en les imbibant éventuellement d'un sirop de sucre citronné. Étaler sur deux des disques, à l'aide d'une spatule métallique, une couche épaisse de crème au beurre citronnée. Les superposer et les coiffer enfin du dernier disque de pâte. Poudrer abondamment de sucre glace et conserver au frais jusqu'au moment de servir, mais pas dans le réfrigérateur.

délices aux noix

Mélanger 125 g de farine avec 60 g de beurre ramolli à l'aide d'une spatule, 1 œuf, 1 cuillerée à soupe d'eau, 40 g de sucre en poudre et 1 pincée de sel ; quand la pâte est bien lisse, la rouler en boule et la mettre dans le réfrigérateur. Travailler en pommade 70 g de beurre ; y incorporer 70 g de sucre en poudre et 1 œuf, puis 70 g d'amandes en poudre et enfin 30 g de fécule ; bien mélanger. Abaisser la pâte sur 2 mm d'épaisseur ; en foncer 8 moules à tartelette. Piquer le fond et le recouvrir de crème aux amandes. Cuire 15 min au four préchauffé à 190 °C. Préparer une crème au beurre avec 125 g de sucre, cuit au boulé (120 °C) avec 5 cl d'eau, 4 jaunes d'œuf et 125 g de beurre, et la parfumer avec 1 cuillerée à café d'extrait de café. Hacher 100 g de cerneaux de noix et les incorporer à cette crème. Laisser refroidir les tartelettes, puis les démouler et les garnir d'un dôme de crème au beurre. Mettre au frais 30 min. Faire tiédir 250 g de fondant à 32 °C environ, le parfumer de quelques gouttes d'extrait de café et y ajouter très peu d'eau pour pouvoir l'étaler facilement. Plonger les dômes de crème dans le fondant jusqu'à la pâte et égaliser la surface à l'aide d'une spatule métallique. Poser un cerneau de noix sur chaque délice et mettre au frais jusqu'au moment de servir.

délicieux surprise

Faire fondre doucement au bain-marie 130 g de chocolat coupé en petits morceaux ; ajouter 1 cuillerée à soupe de crème fraîche, 20 g de beurre, 1 cuillerée à soupe de lait et le zeste râpé de 1 orange ; tenir au chaud au bain-marie. Couper 1 grosse brioche mousseline en 6 tranches épaisses, les mettre dans un plat et les arroser de 10 cl de rhum. Peler et épépiner 3 poires, les couper en lamelles et les disposer sur les tranches de brioche. Fouetter 15 cl de crème fraîche avec 1 cuillerée à soupe de lait glacé et y ajouter peu à peu 60 g de sucre en poudre. Recouvrir les tranches de brioche garnies de poire d'un dôme de crème fouettée et napper de sauce au chocolat chaude.

DELIKATESSEN Terme créé en Allemagne au XVIIIe siècle pour désigner les mets « délicats ». Le mot s'applique aujourd'hui, dans les pays germaniques et aux États-Unis, aux magasins d'épicerie fine et de produits de luxe : charcuterie allemande et spécialités étrangères, vins fins et alcools, friandises, fruits exotiques, fromages étrangers, conserves aigres-douces et pains aux épices, confiseries et chocolats.

DELTEIL (JOSEPH) Écrivain français (Villar-en-Val 1894 - Grabels 1978). Après avoir beaucoup fréquenté les milieux littéraires parisiens, il se retira en 1930 dans le Languedoc, dans une maison au fronton de laquelle est gravée la devise de Confucius : « Vivre de peu. » De son œuvre lyrique et truculente se détache *la Cuisine paléolithique* (Robert Morel, 1964), où, parmi un choix de recettes de « cuisine naturelle » ou « brute », il énonce quelques aphorismes et des conseils judicieux : « Ne pique pas le rôti, il saigne » ; « Le jambon : quarante jours au sel, quarante jours pendu, en quarante jours mangé », et quelques formules rapides sur les temps de cuisson : « Le porc au pas, le bœuf au trot, le gibier au galop. »

DEMI-DEUIL Se dit d'un apprêt caractérisé par l'association d'ingrédients blancs et noirs. Classiquement, les articles « blancs » (crustacés, œufs pochés, pommes de terre en salade, ris de veau au blanc, volaille pochée) sont contisés, plaqués ou décorés de truffes en lames ou en julienne et nappés de sauce suprême.

La poularde demi-deuil est l'un des plats les plus réputés de la cuisine lyonnaise, en particulier dans la version qu'en donna la « mère Fillioux » : la volaille est farcie de farce fine truffée, garnie de lamelles de truffe entre chair et peau, pochée, servie avec les légumes du fond de cuisson et nappée de la cuisson passée.

▶ Recettes : BAR (POISSON), SALADE.

DEMIDOF Nom de divers apprêts dédiés au prince Anatole Demidof, mari de la princesse Mathilde, nièce de l'empereur Napoléon Iᵉʳ, et l'un des viveurs célèbres du second Empire, habitué de *la Maison Dorée* où une recette de poularde fut créée.

L'appellation concerne également un consommé de volaille garni de carottes, de navets tournés, de truffes, de petits pois et de quenelles de farce de volaille aux fines herbes, et aussi des crêtes de coq blanchies garnies d'une purée de foie gras, enrobées de sauce Villeroy, panées à l'anglaise puis frites. Faisan poêlé, poulet sauté et ris de veau sont garnis d'une paysanne de légumes taillés en crête de coq et de lames de truffe, nappés du fond de braisage, passé et réduit.

▶ Recette : POULARDE.

DEMI-GLACE Réduction d'un fond brun lié, additionné d'un fond brun clair de veau, soigneusement dépouillée. Sa condimentation et son aromatisation déterminent son emploi dans diverses sauces brunes (sauce porto, sauce madère, sauce Périgueux).

DEMI-SEL Fromage frais de lait de vache pasteurisé (40 % de matières grasses), salé à moins de 2 %. Créé en 1872 en Normandie, le demi-sel est de fabrication industrielle et présenté en petits carrés emballés d'une feuille d'aluminium. Il a une saveur douce et une odeur légèrement lactique. Le demi-sel se tartine, se mélange avec des fines herbes, du paprika ou du poivre, notamment pour les canapés.

DÉMOULER Retirer d'un moule une préparation de cuisine ou de pâtisserie chaude ou froide. Seuls quelques apprêts cuits dans un moule ne se démoulent pas. Le démoulage peut être délicat dans plusieurs cas.
• ASPICS ET PRÉPARATIONS EN GELÉE. Plonger le fond du moule quelques secondes dans de l'eau chaude, mais non bouillante. Le retirer et le secouer latéralement, en douceur. Décoller le tour de la préparation avec la lame d'un couteau. Mettre un plat de service à l'envers sur le moule. Maintenir l'un et l'autre ensemble, retourner le tout rapidement et retirer le moule verticalement. La même technique s'applique aux entremets et flans à la crème.
• GÉNOISES ET PÂTES À BISCUIT. Démouler le gâteau dès la sortie du four, sur une grille, pour qu'il puisse refroidir. L'opération sera plus facile si l'on a pris soin de graisser (au beurre clarifié) et de fariner le moule avant la cuisson.
• GÂTEAUX AYANT UN PEU ATTACHÉ. Retourner le moule sur un plat et poser sur le fond un linge mouillé, ou poser le moule, dès sa sortie du four, sur un marbre froid ou dans un évier en céramique : l'humidité facilite le démoulage. Pour les tartes, l'opération est plus facile quand on utilise un simple cercle (**voir** MOULE).
• GLACES. Passer les bords du moule à l'eau froide, puis le plonger rapidement dans de l'eau juste tiède, pour que la glace n'ait pas le temps de commencer à fondre. Glisser un couteau tout autour de la paroi intérieure, en y appuyant la lame pour ne pas entamer la préparation. Poser sur la glace une serviette pliée ou un napperon en papier, puis le plat de service, et retourner le tout. Enlever le moule verticalement.

Dans le jargon culinaire, « démouler » signifie faire tomber accidentellement un plat ou une préparation par terre ou abattre une grosse quantité de travail.

DÉNERVER Enlever les parties nerveuses (c'est-à-dire les aponévroses, membranes blanches qui entourent partiellement certains muscles) d'une pièce de viande crue, ou les tendons d'une volaille. Le dénervage se pratique à l'aide d'un petit couteau de boucher ; sur les viandes à rôtir, à sauter ou à griller, il facilite la cuisson et améliore la présentation.

DENIS (LAHANA DENIS, DIT) Cuisinier et restaurateur français (Bordeaux 1909 - Espagne 1981). Ayant ouvert à Paris le restaurant *Chez Denis*, il s'attache à défendre une gastronomie inventive, luxueuse et perfectionniste. Homme de culture, venu à la cuisine par passion, il répond aux chefs qui lui reprochent de ne pas avoir « appris le métier » : « J'ai mangé six héritages dans les grands restaurants, je sais ce qu'est la bonne cuisine. » Persuadé que les gourmets d'aujourd'hui sont, comme lui, capables de dépenser des fortunes pour des suprêmes de volaille de Bresse, des chauds-froids d'ortolan au chambertin, des truffes fraîches à la serviette et du château Latour 1945, il finit, ruiné, par fermer son restaurant, aujourd'hui tenu par Michel Rostang, à l'angle de la rue Rennequin et de la rue Flaubert. Il a publié *la Cuisine de Denis* (Laffont, 1975), où les bases techniques, les tours de main et les recettes fondamentales sont exposés avec simplicité, précision et bon sens.

DÉNOYAUTEUR OU **ÉNOYAUTEUR** Pince destinée à extraire les noyaux de certains fruits (cerises et olives essentiellement) sans abîmer la pulpe. Les branches de la pince se terminent l'une par une coupelle percée d'un trou, l'autre par une tige qui fait office de poussoir et s'enfonce dans le fruit.

DENSITÉ Rapport entre la masse du volume donné d'un corps et celle du même volume d'eau à 4 °C.

La mesure de la densité des liquides alimentaires est parfois importante, notamment en vinification, en brasserie, en cidrerie, dans l'industrie des matières grasses (huile, margarine), pour le lait (teneur en matières grasses) et pour les saumures de charcuterie.

La mesure de la concentration en sucre (notamment pour la fabrication des confitures, des bonbons et des confiseries) se fait désormais en densité, et non plus en degrés Baumé (**voir** ce mot). On utilise pour la calculer un pèse-sirop flotteur à tige graduée, qui s'enfonce plus ou moins dans le liquide.

DENT DE LOUP Croûton triangulaire, utilisé comme élément de décor ou de garniture, disposé en bordure sur le pourtour du plat, pointe vers l'extérieur. Pour accompagner les mets chauds, les dents de loup sont taillées dans du pain de mie et frites, ou réalisées en feuilletage et cuites au four. Pour les mets froids, elles sont découpées dans des bandes de gelée.

En pâtisserie, les dents de loup désignent des triangles de nougatine placés en bordure des pièces montées. On appelle également « dents de loup » des biscuits croquants ; certains d'entre eux, longs et pointus aux deux bouts, sont parfumés au citron et à l'eau-de-vie (notamment en Alsace), d'autres, en forme de croissant, sont parsemés de cumin ou d'anis.

DÉPECER Séparer, à l'aide d'un couteau de boucher, les différents morceaux qui constituent une grosse pièce de boucherie ou un animal entier, en particulier un gibier à poil, qu'il faut d'abord dépouiller et vider soigneusement.

Le dépeçage d'un cuisseau de veau raccourci (sans le jarret) permet d'isoler, en suivant les tissus fibreux, la noix, la noix pâtissière et la sous-noix.

DÉPOUILLER Enlever toutes les impuretés qui, au cours d'une ébullition lente, remontent à la surface d'un fond ou d'une sauce en formant une écume désagréable. L'opération se pratique à l'aide d'une cuillère, d'une écumoire ou d'une petite louche ; elle doit être souvent renouvelée tout au long de la cuisson (pour les glaces et demi-glaces).

Dépouiller signifie aussi « retirer la peau d'un animal » (gibier à poil, lapin). Pour un poisson comme le congre ou l'anguille, on dit aussi « écorcher ». Enfin, dépouiller un jambon, c'est le découenner.

DERBY Nom d'un apprêt de la poularde, créé dans les années 1900 par le chef Giroix, alors qu'il dirigeait les cuisines de l'*Hôtel de Paris* à Monte-Carlo, et dédié à l'un des membres d'une grande famille britannique, amateur de cuisine française.

La poularde Derby est farcie de riz truffé et de foie gras, poêlée et servie avec des truffes cuites au porto et des escalopes de foie gras sautées au beurre, nappée du fond de cuisson déglacé au porto.

Le velouté Derby est une crème d'oignon et de riz au cari, garnie de riz poché, de quenelles de foie gras et de truffe hachée.

DERBY (FROMAGE) Fromage anglais de lait de vache (45 % de matières grasses), originaire du Derbyshire, à pâte pressée non cuite et à croûte naturelle graissée, qui ressemble beaucoup au cheddar (**voir** tableau des fromages étrangers page 400). Le derby se présente sous la forme d'une meule de dimensions variables (de 5 à 15 kg). Son affinage dure en général 2 mois, mais le vieux derby, plus piquant, est affiné pendant 10 mois. La pâte du derby est parfois marbrée de vert, car on mélange au caillé des feuilles de sauge hachées ou de l'essence de sauge, qui le parfument et le colorent : c'est le *sage derby,* spécialité de Noël que l'on déguste avec du porto, du madère ou du sherry.

DÉROBER Enlever la peau (ou « robe ») des fèves quand on les a sorties de leur gousse. Par extension, dérober signifie peler des pommes de terre cuites en « robe des champs » ou des tomates ébouillantées.

DERRIEN (MARCEL) Pâtissier français (Ainay-le-Vieil 1938). Meilleur Ouvrier de France 1968 en pâtisserie, compagnon du Tour de France sous le nom de « Berry l'ami des Arts », il est formé dans le Berry, à la maison *Michou* à Saint-Amand-Montrond, puis chez Bosquet à Issoudun, avant de monter à Paris prendre des « leçons de sucre » chez Étienne Tholoniat. Il s'installe aux Andelys en 1964, puis dirige l'école Lenôtre à partir de 1990, dont il est toujours le directeur honoraire et le conseiller. Il a créé le Bonaparte (pâte à macaron et chocolat) et l'andolysien (meringue aux amandes et crème pralinée). Il a également collaboré, avec Sender Wayntraub, à la *Grande Histoire de la pâtisserie-confiserie française* (2003).

DERVAL Nom d'une garniture de légumes pour tournedos et noisettes d'agneau, essentiellement composée de quartiers d'artichaut sautés au beurre.

DÉSAUGIERS (MARC ANTOINE) Chansonnier et poète français (Fréjus 1772 - Paris 1827). Auteur de nombreuses chansons de table, il fut secrétaire du *Caveau moderne,* société littéraire bachique et gastronomique. Sa philosophie se résume dans ce couplet en forme d'épitaphe :

> « Je veux que la mort me frappe
> Au milieu d'un grand repas,
> Qu'on m'enterre sous la nappe
> Entre quatre larges plats,
> Et que sur ma tombe on mette
> Cette courte inscription :
> Ci-gît le premier poète
> Mort d'une indigestion. »

DESCAR Nom d'une garniture pour grosses pièces de boucherie, composée de fonds d'artichaut, étuvés au beurre et garnis de blanc de volaille en dés, et de pommes croquettes. Cette appellation lui a été donnée au début du XIXᵉ siècle en l'honneur du duc des Cars, alors premier maître d'hôtel de Louis XVIII ; ce gourmet célèbre mourut d'une indigestion.

DES ESSARTS (DENIS DÉCHANET, DIT) Comédien français (Langres 1737 - Barèges 1793). Après avoir été procureur, il se prit de passion pour le théâtre. Il interprétait les financiers et les paysans, rôles pour lesquels il était servi par un embonpoint remarquable, dû à un appétit insatiable et à une gourmandise légendaire. Ses contemporains soulignent sa jovialité et le lyrisme dont il faisait preuve pour tout ce qui touchait à la bonne chère, comme le montrent ses aphorismes (« La bonne cuisine est l'engrais d'une conscience pure »), ou ses jugements culinaires, tel le suivant, à propos du gigot, qui devait, selon lui, « être mortifié comme un menteur pris sur le fait, doré comme une jeune Allemande et sanglant comme un Caraïbe ». Il mourut d'apoplexie dans la ville d'eaux où il faisait une cure.

DÉSHYDRATÉS (PRODUITS) Aliments ou préparations privés d'une partie plus ou moins importante de leur eau de constitution.

La déshydratation a plusieurs buts : conservation plus longue des produits ; réduction de leur poids et parfois de leur volume (transport et stockage plus faciles) ; rapidité d'emploi (cafés, laits, potages et autres produits dits « instantanés »). Elle se réalise selon deux grandes techniques.
• CONCENTRATION. Ce procédé comporte une déshydratation partielle par évaporation, filtrage ou centrifugation. Les produits (concentrés de légumes, extraits de viande, jus de fruits, lait, potages) conservent, selon les cas, entre le tiers et la moitié de leur eau de constitution, et restent toujours fluides. La concentration seule n'assure pas la conservation ; elle doit être suivie d'appertisation ou de congélation.
• DESSICCATION. Cette déshydratation réelle s'obtient par divers procédés, selon la texture de l'aliment :
– séchage sur plateaux : les aliments solides, réduits en petits morceaux, passent à l'intérieur d'un four ou d'un tunnel, en sens inverse d'un courant d'air chaud et sec, qui se charge peu à peu de leur humidité ;
– séchage sur tambours : les aliments malléables (farines pour bébés, potages, purées) sont étalés en couche mince sur la paroi extérieure d'un cylindre rotatif, chauffé de l'intérieur ; des couteaux racleurs détachent la pellicule sèche, qui est ensuite réduite en poudre ou en paillettes ;
– atomisation : les liquides (café, lait) sont pulvérisés en brouillard, déshydratés par un courant d'air chaud, puis récupérés sous forme de poudre.

Les produits soumis à la dessiccation ne contiennent plus, en moyenne, que 6 % de leur eau initiale et peuvent se conserver très longtemps dans des récipients hermétiques (**voir** LYOPHILISATION).

DÉSHYDRATEUR Appareil électrique permettant de déshydrater fruits, légumes, champignons, viandes, poissons, herbes aromatiques. Les aliments, coupés en tranches et déposés sur un plateau, sont séchés à l'air chaud ventilé pendant plusieurs heures. Une fois déshydratés, ces aliments, dont les qualités nutritives et la saveur sont préservées, peuvent être conservés pendant environ 12 mois. Ils sont consommés tels quels ou réhydratés dans l'eau chaude.

DÉSOSSER Retirer, totalement ou en partie, les os d'une pièce de boucherie, d'une volaille ou d'un gibier. Le désossage d'une viande de boucherie à cru se fait à l'aide d'un couteau à désosser ; il est indispensable de posséder quelques connaissances anatomiques pour ne pas détériorer les morceaux qui la composent (**voir** POULET).

Désosser consiste aussi à retirer l'arête principale d'un poisson traité entier et farci. On dit plus couramment désarêter.

DESSALER Éliminer, en partie ou totalement, le sel contenu dans certains aliments conservés en saumure. Le dessalage s'effectue par immersion dans l'eau froide, courante ou non. Celle-ci dissout progressivement le sel, qui finit par se déposer au fond du récipient. Ainsi, il faut mettre la morue à tremper la veille de son emploi, en renouvelant l'eau plusieurs fois ; le stockfisch a besoin de plusieurs jours ; la palette, le carré et le jambon salés, quant à eux, doivent tremper quelques heures avant d'être pochés. Le dessalage des lardons taillés dans de la poitrine salée se fait par blanchiment. Un aphorisme culinaire précise que « sel de conservation n'est pas sel d'assaisonnement », laissant à juste titre entendre qu'il vaut mieux trop dessaler pour ressaler ensuite que le contraire.

DESSÉCHER Éliminer l'excédent d'eau d'une préparation en la chauffant à feu doux : on dessèche ainsi la purée de pomme de terre avant de lui ajouter beurre et lait.

Dessécher se dit plus spécialement pour la première cuisson de la pâte à choux : le mélange d'eau, de beurre, de farine et de sel ou de sucre est travaillé vivement sur feu vif, avec une spatule de bois, jusqu'à ce que la masse se décolle des parois du récipient, ce qui permet à l'eau en excès de s'évaporer avant l'incorporation des œufs et la seconde cuisson au four.

DESSERT Dernier plat d'un repas. Ce terme générique englobe le fromage, les préparations sucrées (entremets, pâtisseries et glaces) et les fruits crus, servis, en principe, après le fromage. Le fromage peut d'ailleurs tenir lieu de dessert, en particulier au déjeuner.

Le mot vient de « desservir » (enlever ce qui a été servi) et désigne, par conséquent, tout ce que l'on offre aux convives une fois que l'on a ôté les mets précédents et les ustensiles de service correspondants. Toutefois, son sens a évolué, en particulier en ce qui concerne les entremets.

Le dressage du dessert était jadis beaucoup plus somptueux qu'aujourd'hui, surtout dans les grands dîners ; pièces montées et « bouts de table » étaient souvent disposés sur la table dès le début du repas, et les « entremets de douceur » se succédaient au cours des différents services. C'est vers 1850 que « dessert » a pris son sens actuel.

■ **Histoire.** Dans l'Antiquité, les repas se terminaient généralement par des fruits frais ou secs, des laitages ou du miel. En France, au Moyen Âge, les principaux mets sucrés, souvent servis entre les plats de viande, étaient des gelées, des compotes, des flans, des blancs-mangers, des tourtes, des nieules, des fouaces, des échaudés, des gaufres et des gâtelets. Le dessert proprement dit se composait de l'« issue » (un verre d'hypocras avec des oublies), puis des « boutehors » (dragées aux épices et aux fruits confits).

Au XVIIe siècle, les desserts étaient devenus des compositions élaborées, ornées de fleurs, avec des massepains, des nougats, des pyramides de fruits, des confitures sèches et liquides, des biscuits, des crèmes, du sucre râpé, des amandes douces au sucre et à la fleur d'oranger, des cerneaux de noix, des pistaches et des marrons glacés. À la fin du siècle, les glaces apparaissent. À dater de cette époque, la pâtisserie se diversifie à l'extrême à partir des pâtes de base (feuilletage, génoise, meringue et pâte à choux, notamment).

Au XXe siècle, l'évolution des industries alimentaires s'est traduite par l'apparition des desserts instantanés, mélanges en poudre qui permettent, par simple dilution dans du lait, de réaliser des flans et des entremets aromatisés.

■ **Spécialités régionales et étrangères.** Outre les créations des maîtres pâtissiers parisiens, les desserts typiques des provinces offrent un bel échantillonnage de la diversité française en matière culinaire : bourdelot normand, broyé du Poitou, clafoutis limousin, crémet d'Anjou, eierkückas d'Alsace, fiadone corse, flaugnarde d'Auvergne, kouignamann breton, pithiviers, pogne de Romans, poirat berrichon, ainsi que beignets divers, brioches, crêpes et gaufres, sans oublier les « treize desserts de Provence », traditionnels pour le réveillon de Noël.

La Grande-Bretagne, l'Allemagne, l'Autriche et la Belgique, où le beurre, la crème, le lait, les œufs et le chocolat sont abondants et de bonne qualité, offrent la même variété de desserts et de pâtisseries.

Dans les pays méditerranéens et orientaux, ainsi qu'en Amérique du Sud, les sucreries et les fruits sont nettement prédominants.

En Europe de l'Est, fruits cuits, brioches et biscuits épicés clôturent les repas, tandis qu'en Chine et au Japon le dessert n'existe pas.

Quant aux États-Unis, on y apprécie surtout les crèmes glacées, les pies et les biscuits fourrés, mais aussi les fruits et les crêpes.

■ **Choix d'un dessert approprié.** Dans la composition d'un menu, le dessert doit être choisi en fonction de la nature et de l'abondance des mets précédents, tout en satisfaisant la gourmandise. Il variera selon que le repas comporte grillades ou viande en sauce, poisson ou gibier, selon qu'il suit un plateau de fromages, et aussi selon l'époque de l'année (fruits de saison) et les traditions du calendrier. En outre, la présence d'une spécialité régionale ou exotique dans le menu peut se doubler agréablement de celle d'un dessert en harmonie avec elle.

Certains restaurants proposent aujourd'hui un « grand dessert », chariot de douceurs offertes à volonté, ou échantillonnage, sur une grande assiette, de tous les desserts de la carte.

Au sujet des desserts, les opinions des auteurs sont pour le moins partagées.

Maurice des Ombiaux, dans *le Traité de la table* (1947), écrit : « Le dessert sage, disait un gastronome, s'enferme dans le vieux fromage, les confitures et les vins secs, vieux et chauds comme le xérès. La Chapelle, majordome de Louis XIII, professait que tout homme qui fait cas du dessert après un bon dîner est un fou qui gâte son esprit avec son estomac. C'est d'Italie que nous vinrent cette réunion et cette disposition agréable aux yeux des gâteaux, petits-fours, fruits, etc., pour retenir les jeunes femmes et les jeunes filles à table [...]. Le dessert n'est bon qu'autant qu'il est court et relevé. Qu'y a-t-il de plus relevé qu'un fromage ? [...] Aujourd'hui, entre les hors-d'œuvre et le dessert de pâtisserie, que resterait-il pour la vraie cuisine si les gastronomes ne réagissaient pas ? Au dessert, soyez modérés. Gardez-vous de recommencer avec les gâteaux et sucreries un nouveau repas dans de mauvaises conditions de digestion et par pure gourmandise. Nous ne sommes cependant pas exclusifs et nous offrons aux dames, après les glaces, des petits-fours, des griottes et autres mignardises qu'affectionnait la comtesse de Grignan. »

Le chef Denis réplique pour sa part : « Pas de bon dîner prié sans un entremets, une pâtisserie, des confiseries. L'idée de voir se terminer sur le fromage un dîner serait pour moi tellement incongrue qu'elle ne m'effleurerait même pas. »

Quant à Eugène Briffault, dans *Paris à table* (1846), il disait bien avant Maurice des Ombiaux : « Le dessert couronne le dîner. Pour composer un beau dessert, il faut être à la fois confiseur, décorateur, peintre, architecte, glacier, sculpteur et fleuriste. Ces splendeurs s'adressent surtout au regard ; le vrai gourmand les admire sans y toucher. L'éclat du dessert ne doit pas faire oublier le fromage. Le fromage est le complément d'un bon dîner et le supplément d'un mauvais. »

DESSERTE Ensemble des restes de viande, de volaille ou de poisson cuits que l'on peut réutiliser pour d'autres mets.

L'apprêt de desserte le plus simple est l'assiette anglaise, composée de tranches de diverses viandes froides. La desserte sert à préparer des plats froids (canapés, coquilles de poisson, mousses, salade de bœuf, salades composées, etc.) ou chauds (bœuf miroton, bouchées, croquettes, farces, hachis Parmentier, pilaf, risotto, etc.).

Sous l'Ancien Régime, les officiers de bouche de la cour faisaient commerce de la desserte royale, qu'ils revendaient aux traiteurs et restaurateurs.

La desserte est également un petit meuble sur lequel on dépose les plats que l'on retire de la table.

DESSUS-DE-CÔTES Morceau de bœuf situé sur le milieu du train de côtes, qui n'est pas détaillé avec l'entrecôte. Composé de deux muscles, le dessus-de-côtes est utilisé pour le pot-au-feu, la daube, le bourguignon et le braisé.

DÉTAILLER Découper une viande, un poisson, des légumes ou des fruits en dés, en cubes, en rondelles, en tranches, etc. On obtient ainsi julienne, brunoise, mirepoix ou macédoine ainsi que darnes, tronçons ou filets de poisson. Le détail de la viande est particulier à chaque pièce de boucherie débitée, certains morceaux étant détaillés avec une forme et une épaisseur spécifiques.

En boulangerie, on découpe dans une abaisse des formes variées de pâte, soit à l'emporte-pièce, soit au couteau de tour (pour les croissants, par exemple).

DÉTENDRE Assouplir une pâte ou un appareil en lui ajoutant un liquide ou une substance appropriée (bouillon, lait, œufs battus).

« C'est souvent par une touche sucrée que l'on aime terminer un repas. Conclusion fruitée chez POTEL ET CHABOT, à l'HÔTEL DE CRILLON et au RITZ PARIS, où fraises et framboises se marient à des mousses légères. À l'école FERRANDI PARIS, le dessert se déguste aromatisé à la vanille ; au restaurant GARNIER, obéissant à la tendance, il est servi dans des verrines. »

DÉTREMPE Mélange en proportions variables de farine et d'eau : c'est le premier état d'une pâte de cuisine ou de pâtisserie, avant que l'on y incorpore les autres éléments (beurre, lait, œufs, etc.). La détrempe est rarement employée seule, sauf pour luter. Avant de lui ajouter les autres ingrédients, il est préférable de la laisser reposer au frais une dizaine de minutes.

Détremper une pâte consiste à faire absorber à la farine toute l'eau nécessaire, en la malaxant du bout des doigts sans trop la travailler.

DEUX MAGOTS (LES) Café littéraire du quartier Saint-Germain-des-Prés, à Paris, voisin et rival du *Café de Flore*. L'établissement porte le nom d'un magasin de nouveautés, qui occupa les lieux en 1873. *Les Deux Magots de la Chine* était aussi le titre d'une pièce de théâtre à succès de l'époque. Le café qui succéda à la boutique conserva son enseigne, et deux statues de Chinois sont toujours appuyées au pilier central. L'établissement est devenu l'un des rendez-vous des « intellectuels de la rive gauche », d'abord fréquenté par les collaborateurs du *Mercure de France*, puis par Giraudoux, Breton, Sartre, Simone de Beauvoir, etc.

DIABLE Ustensile de cuisson en terre poreuse, à couvercle, destiné à cuire à sec certains légumes (pommes de terre ou betteraves dans leur peau, marrons, oignons). Le modèle le plus courant est formé de deux poêlons ronds, à fond plat, qui s'emboîtent ; on le retourne à mi-cuisson. Le diable des Charentes ressemble à une petite cocotte ventrue, fermée par un couvercle bien ajusté et munie d'un manche.

On ne lave jamais le diable, car plus sa terre est sèche, plus les légumes restent moelleux ; on frotte parfois, la première fois, ses parois intérieures avec une gousse d'ail. Il se place, en principe, dans les braises chaudes, mais on l'utilise de la même façon dans un four classique. Si on le pose directement sur une plaque chauffante ou sur la flamme du gaz, il faut intercaler un diffuseur, pour qu'il ne se fende pas.

DIABLE (À LA) Se dit de certaines pièces de viande, de volaille, de poisson, de crustacés, d'abats, etc., détaillées, assaisonnées, éventuellement enduites de moutarde, panées, grillées et servies avec une sauce piquante, dite « diable » ou « à la diable ».

Dans la cuisine anglaise, ces mets, qualifiés de *devilled* (« endiablés »), sont très courants. Le poulet ou le pigeon à la diable, notamment, est fendu, ouvert sur le dos, aplati, assaisonné, cuit sur le gril, puis recouvert de panure et doré ; il est bien sûr servi avec une sauce diable.

croûtes à la diable ▶ CROÛTE
harengs à la diable ▶ HARENG

RECETTE DE A. SUZANNE

mets endiablés

« En Angleterre, on apprête ainsi des restes de volaille ou de gibier découpés en morceaux, ou les os des viandes de boucherie rôties ou braisées auxquels adhère encore un peu de viande et de graisse. Ces restes sont alors enduits du mélange suivant : 1 cuillerée à bouche de moutarde anglaise et autant de moutarde aux fines herbes, délayées avec 2 cuillerées d'huile d'olive, 2 jaunes d'œuf, 1 cuillerée à café de Worcester sauce, du sel, de la pâte d'anchois et le tiers d'une cuillerée à café de poivre de Cayenne. Faire griller sur feu vif et laisser prendre couleur. Servir bien chaud, arrosé d'un bon jus. »

oreilles de veau grillées à la diable ▶ OREILLE
sauce diable ▶ SAUCE
sauce à la diable à l'anglaise ▶ SAUCE

DIABLOTIN Rondelle de pain très fine, masquée ou non de béchamel réduite, couverte de fromage râpé et gratinée au four, qui accompagne potages et consommés. Préparé avec du roquefort, le diablotin se sert en amuse-gueule. Ce terme désignait dans la cuisine ancienne un petit beignet fait de crème frite.

diablotins au fromage

Couper de la ficelle de boulangerie en rondelles de 5 ou 6 mm d'épaisseur. Les beurrer et les parsemer de fromage râpé (beaufort, comté, emmental, qui fondent, ou parmesan, qui ne fond pas), ou les recouvrir d'une fine tranche de fromage (édam, gruyère). Faire gratiner vivement sous le gril du four.

diablotins aux noix et au roquefort

Couper de la ficelle en rondelles de 5 ou 6 mm d'épaisseur. Mélanger du beurre et du roquefort, en proportions égales. Hacher grossièrement des cerneaux de noix et les ajouter au mélange (1 cuillerée à soupe pour 75 g de mélange). En tartiner les rondelles de pain et mettre au four préchauffé à 275 °C.

DIABOLO Boisson rafraîchissante non alcoolisée, composée de limonade additionnée d'un sirop, en général de menthe ou de grenadine.

DIANE (À LA) Se dit d'apprêts dédiés à Diane chasseresse parce qu'ils concernent ou utilisent du gibier. Les pièces de venaison « à la Diane » sont sautées, nappées de sauce Diane (poivrade additionnée de crème fouettée et garnie de truffes) et servies avec de la purée de marron et des croûtons tartinés de farce de gibier. Les cailles « à la Diane » sont mijotées en cocotte dans un fond allongé de demi-glace tomatée, puis garnies de petites quenelles et de laitue braisée, de crêtes et de rognons de coq. Il peut aussi s'agir d'une purée de gibier, garnissant des œufs mollets ou en cocotte sur croûte, ou encore des barquettes de champignons à la sauce chasseur, ou servant de base à une crème-potage parfumée au porto. C'est aussi un consommé de gibier avec différentes versions de garniture.

▶ Recettes : BÉCASSE, OMELETTE.

DIEPPOISE (À LA) Se dit d'un apprêt de poisson qui doit son nom au port de Dieppe. Alexandre Dumas affirmait déjà, en 1872, dans son *Grand Dictionnaire de cuisine* : « La meilleure sole est de couleur gris lin ; on la trouve dans les eaux de Dieppe ». Soles, merlans ou barbues, entiers ou en filets, sont cuits au vin blanc, garnis de moules et de crevettes (et éventuellement de champignons) et accompagnés d'une sauce au vin blanc préparée avec le fond de cuisson du poisson et le jus de cuisson des moules. L'apprêt convient également au brochet et même aux artichauts. La garniture dieppoise (moules, queues de crevette et champignons au vin blanc) s'emploie aussi pour des bouchées, des barquettes, une salade et un velouté.

Les maquereaux (« lisettes ») et les harengs marinés au vin blanc, spécialité du port normand, sont aussi appelés « à la dieppoise ».

▶ Recettes : BARBUE, SOLE.

DIÉTÉTICIEN Spécialiste de la diététique et de l'hygiène alimentaire, ayant reçu une formation technique et paramédicale ; il n'est pas médecin et ne peut proposer un régime que si celui-ci est prescrit par un médecin. Son domaine d'activité comprend l'alimentation en milieu hospitalier (élaboration, surveillance, explication des régimes) et dans les collectivités (élaboration des menus, conseils, éducation, notamment en milieu scolaire), ainsi que l'industrie alimentaire (mise au point des aliments diététiques). Le diététicien est également amené à donner des consultations pour traiter les troubles de la nutrition (**voir** NUTRITIONNISTE).

DIÉTÉTIQUE Ensemble des règles de l'hygiène alimentaire dont l'application contribue à une meilleure santé. Elle étudie la valeur alimentaire des produits de consommation, identifie les maladies entraînées par une mauvaise nutrition et calcule les rations alimentaires convenant aux diverses catégories de consommateurs. Cette science s'attache non seulement à la pratique des régimes, mais aussi aux aspects psychologiques, voire sociologiques, de l'alimentation. En outre, les questions proprement culinaires ne lui sont pas étrangères, dans la mesure où la qualité des aliments et leurs modes de préparation et de cuisson influent sur leur valeur alimentaire. Pour les régimes particuliers (en cas d'affection cardiaque, de diabète, d'obésité, etc.), on parle plutôt de « diétothérapie ».

DIÉTÉTIQUES (PRODUITS) Préparations alimentaires industrielles, répondant aux besoins spécifiques soit de certaines catégories de consommateurs (enfants en bas âge, femmes enceintes, personnes du troisième âge, sportifs), soit de malades (obèses, diabétiques, sujets atteints d'affections cardio-vasculaires, d'un cancer ou du sida).

Au niveau européen, les produits diététiques et de régime, ou denrées destinées à une alimentation particulière, sont régis par une directive-cadre (89/398/CEE modifiée par les directives 96/84/CE et 2001/15/CE) définissant les dispositions générales pour six catégories de produits (préparations pour nourrissons et préparations de suite, denrées alimentaires à base de céréales et aliments destinés aux nourrissons et aux enfants en bas âge, aliments utilisés dans les régimes hypocaloriques destinés à la perte de poids – dont les substituts de repas –, aliments destinés à des fins médicales spéciales, aliments adaptés à une dépense musculaire intense et, éventuellement, aliments destinés à des personnes affectées d'un métabolisme glucidique perturbé) et par la directive 200/13/CE, qui précise les règles générales de leur étiquetage. Il existe, en outre, des directives spécifiques pour les quatre premières catégories et leur étiquetage (notamment 91/321/CEE, 96/5/CE, 96/8/CE et 1999/21/CE).

La réglementation française a transcrit ces dispositions (décret-cadre 827 du 29 août 1991, décret 1068 du 15 novembre 2001, arrêtés du 20 septembre 2000 et du 5 juin 2003), tout en maintenant en vigueur certaines dispositions antérieures non contraires au droit communautaire (arrêtés du 4 août 1986, du 1er juillet 1976, du 20 juillet 1977, du 30 mars 1978 et du 21 décembre 1988). Elle fait notamment des aliments destinés aux diabétiques un groupe définitif et précise des critères biologiques et microbiologiques pour les aliments diététiques et de régime de l'enfance.

En Belgique, où la législation suit les directives européennes en matière de produits diététiques, ceux-ci sont en outre soumis à l'arrêté royal du 18 février 1991 relatif aux denrées alimentaires destinées à une alimentation particulière. Au Canada, ils doivent s'inscrire dans les consignes du Règlement sur les aliments et les drogues. En Suisse, c'est l'ordonnance du Département fédéral de l'intérieur sur les aliments spéciaux du 23 novembre 2005 qui fait loi.

Les principales catégories de produits diététiques concernent les régimes hyposodés (biscottes sans sel), hypoglucidiques, hypocaloriques (repas à basse teneur en calories), les régimes nécessitant un apport réduit ou à teneur précise en protides, en lipides, en acides gras essentiels ou en triglycérides. On trouve également des produits sans gluten (pâtes et biscottes), des préparations à teneur garantie en certaines vitamines, en acides aminés ou en magnésium, et des produits spécifiques de l'effort ou de la croissance.

DIFFUSEUR Plaque généralement munie d'un manche, ronde ou carrée, en toile métallique ou à double épaisseur de tôle perforée, destinée à être glissée entre un plat de cuisson et la source de chaleur, soit pour ralentir la chauffe, soit parce que le matériau du récipient ne supporte pas la chaleur intense.

DIGESTIF Liqueur ou eau-de-vie consommées après un repas, plus pour le plaisir de la dégustation que pour une éventuelle action digestive. Les digestifs sont servis nature, dans un verre rafraîchi ou sur un glaçon, dans un verre à liqueur ou un verre à dégustation.

DIJONNAISE (À LA) Se dit d'un apprêt comportant une spécialité de la ville de Dijon, que ce soit le cassis pour les mets sucrés ou la moutarde pour les mets salés, notamment dans une sauce froide pour viandes grillées ou froides.

▶ Recettes : MAQUEREAU, SAUCE.

DINDE, DINDON ET **DINDONNEAU** Oiseaux de la famille des gallinacés, élevés pour leur chair délicate (voir tableau des volailles et lapins pages 905 et 906 et planche page 904). Selon les variétés, issues de la race d'origine importée d'Amérique du Nord, la taille de l'animal varie. Ainsi, la région du Gers était réputée pour produire la dinde noire traditionnelle, de grande taille ; des souches nouvelles, plus petites, ont été mises au point pour donner des volailles de 3,5 à 5 kg ; quelques élevages sont cependant spécialisés dans la production de grosses dindes, destinées à la découpe ou à la charcuterie (escalopes, cuisses ou rôtis, filet et galantines). On parle de dindonneau ou de dindette quand l'animal a été élevé jusqu'à 25 semaines ; ensuite, on parle de dinde. En cuisine, on appelle indifféremment « dinde » le mâle et la femelle, mais la chair du mâle – le dindon – est plus sèche. La dinde est une viande maigre.

■ **Histoire.** La dinde, baptisée « poule d'Inde » par les conquérants espagnols, qui se croyaient aux Indes lorsqu'ils la découvrirent au Mexique, au tout début du XVIe siècle, ne fit son apparition sur une table française qu'en 1570, lors du mariage de Charles IX, mais son emploi en cuisine devint courant vers 1630. En Angleterre, elle finit même par détrôner l'oie de Noël.

Brillat-Savarin, qui se disait « dindonophile », a consacré de longues lignes au coq d'Inde. On y apprend « que le dindon a paru en Europe vers la fin du XVIIe siècle ; qu'il a été importé par les jésuites, qui en élevaient une grande quantité, spécialement dans une ferme qu'ils possédaient aux environs de Bourges ; […] c'est ce qui fait qu'en beaucoup d'endroits, et dans le langage familier, on disait autrefois, et on dit encore, un "jésuite" pour désigner un dindon. »

Le dindon vit encore à l'état sauvage aux États-Unis et au Mexique, mais, dans ce dernier pays, il était déjà domestiqué du temps des Aztèques : préparé avec une sauce au cacao, il constitue le plat national (*mole poblano de guajolote*). Aux États-Unis, la dinde est le mets traditionnel du *Thanksgiving,* depuis l'arrivée des premiers colons qui furent sauvés de la famine par le dindon sauvage : la dinde est farcie de pain de maïs, rôtie et servie avec ses jus liés et de la gelée de canneberge, généralement accompagnée de pommes de terre et d'une purée de courge. Au Québec, on la sert le jour de l'an, avec une farce maigre ou à base de viande (porc ou chair à saucisse).

■ **Emplois.** La dinde est désormais couramment utilisée en cuisine et constitue, quand elle est rôtie entière, un plat de fête traditionnel, notamment à Noël. Georges Barbarin évoque cette pièce de choix : « La dinde vivante est stupide ; la dinde morte est pleine d'esprit […]. Un convive l'autopsie avec religion : pilons somptueux, ailerons fondants, ferveur du gésier, onctuosité du foie. Il décervelle le chef, guillotine le cou, lève la chair du flanc et la fleur de l'aiguillette. Il ne reste là-bas que le bonnet de Monseigneur, beaupré croustillant qui traîne dans la sauce. La dinde dépouillée […] ressemble à une frégate en perdition ou à une charpente de cathédrale. »

■ **Préparation.** Une bonne dinde doit être jeune, grasse et courte de cou, avec une trachée souple. Pour vider la volaille, il faut pratiquer une incision sur la droite du ventre, et enlever également les tendons des pattes ; pour qu'elle soit plus facile à découper une fois cuite, on enlève le bréchet. En général, on barde la cage thoracique pour que les chairs restent moelleuses.

Outre les apprêts concernant les ailerons, les escalopes, les cuisses et les abattis, la dinde se mange rôtie, farcie, parfois braisée ou en ragoût (comme l'oie, garnie à la bourgeoise ou à la chipolata). Le dindonneau peut être grillé ou fricassé comme le poulet, ou cuit à la cocotte (garni d'aubergines, d'artichauts, de champignons, d'oignons ou de pommes de terre rissolées).

ailerons de dindonneau farcis braisés

Flamber et nettoyer 6 ailerons de dindonneau. Les désosser avec soin sans déchirer la peau. Les farcir avec une farce fine de porc, une farce de volaille ou une farce à quenelle. Envelopper chaque aileron dans une mince barde de lard maintenue avec du fil de cuisine. Foncer une sauteuse beurrée de couenne de lard, de 50 g d'oignons et de 50 g de carottes, coupés en rondelles minces ; ajouter 1 bouquet garni et y mettre les ailerons. Saler et poivrer, couvrir et cuire doucement 15 min sur le feu. Mouiller de 20 cl de vin blanc sec (ou de madère), réduire à sec, à découvert. Mouiller de 20 cl de bouillon de volaille ou de veau, et porter à ébullition. Couvrir et cuire 40 min au four préchauffé à 200 °C. Égoutter les ailerons, les débarder, les glacer au four à 250 °C. Les dresser sur un plat rond. Dégraisser, réduire et passer le fond de braisage ; en napper les ailerons. Servir avec une garniture berrichonne, châtelaine, Choisy, financière, forestière, Godard, jardinière, languedocienne, macédoine, milanaise, piémontaise, ou du riz pilaf, ou du risotto.

ailerons de dindonneau Sainte-Menehould

Braiser des ailerons de dindonneau avec une garniture aromatique, sans les laisser ramollir (50 min environ). Les égoutter et les laisser refroidir. Les arroser d'un peu de beurre ou de saindoux fondu, puis les rouler dans de la chapelure fraîche. Les mettre 1 heure dans le réfrigérateur. Les arroser de beurre fondu et les faire dorer 15 min au four préchauffé à 250 °C.

cuisses de dindonneau braisées

Désosser les cuisses et les garnir avec une farce de volaille ; les rouler en petites ballottines, les faire braiser à blanc ou à brun. Les égoutter, les faire glacer. Les dresser sur un plat de service et les napper de leur sauce. Accompagner d'une purée de légumes, d'un légume braisé (carotte, céleri, etc.), de riz ou de pommes mousseline. On prépare ainsi les cuisses de gros dindonneaux, dont les ailes (ou suprêmes) sont utilisées d'autre part.

RECETTE DE *MA CUISINIÈRE ISABEAU* (1796)

cuisses de dindon réveillantes

« Prendre deux grosses cuisses de dindon déjà rôties. Les mettre en cocotte avec 15 cl de vin de Champagne et autant de bouillon. Ajouter 1 bouquet garni, 2 clous de girofle, sel et poivre, et laisser frémir 1 heure à feu doux. Pendant ce temps, blanchir un ris de veau de 300 g, le parer, le couper en dés. Dans une sauteuse, faire revenir ces dés de ris avec un hachis d'herbes et 200 g de champignons au beurre. Mouiller de 10 cl de bouillon et d'autant de champagne. Laisser mijoter 1 heure très doucement. Hacher 2 filets d'anchois à l'huile, 1 cuillerée de câpres et 1 poignée d'olives vertes dénoyautées. Hors du feu, ajouter ce hachis dans la sauteuse. Servir les cuisses de dindon coupées en deux, sur un plat. Napper de ragoût. »

---

dindonneau en daube à la bourgeoise

Faire braiser à brun une dinde bien tendre. Aux trois quarts de la cuisson, l'égoutter, passer le fond de braisage, puis remettre la volaille dans la braisière et l'entourer d'une garniture bourgeoise composée de carottes nouvelles tournées (ou en gousses) cuites aux trois quarts, de petits oignons glacés et de morceaux de lard de poitrine blanchis et rissolés. Arroser du fond de braisage et terminer la cuisson tout doucement, à couvert.

dindonneau rôti

Saler et poivrer l'intérieur du dindonneau. Le brider et placer une barde sur sa poitrine et son dos. Le ficeler et le faire rôtir : pour une pièce de 1,5 kg, compter 1 heure à la broche, de 50 à 55 min au four. Enlever la barde avant que la volaille ne soit complètement cuite, de façon qu'elle dore. Servir avec le jus de cuisson passé et dégraissé et du cresson.

dindonneau rôti farci aux marrons

Cerner, ébouillanter et peler 1 kg de châtaignes ; les cuire à moitié seulement dans du bouillon. Tremper dans l'eau froide un grand morceau de crépine de porc. Égoutter les châtaignes, les mettre sur la crépine et rouler. Introduire ce cylindre à l'intérieur d'un dindonneau de 1,5 kg et coudre l'ouverture. Barder la volaille, la ficeler et la cuire de 1 h à 1 h 15 au four préchauffé à 200 °C. Enlever la barde un peu avant la fin de la cuisson pour que le dindonneau dore. Servir avec le jus de cuisson passé et dégraissé.

dindonneau truffé

Couper en gros dés 500 g de panne de porc fraîche et 250 g de foie gras cru et les réduire en purée. Ajouter les pelures des truffes qui garniront la volaille. Poudrer de sel, de poivre et d'une pointe de quatre-épices. Passer la farce au tamis fin, la faire fondre, lui ajouter un peu de thym et de laurier en poudre, et la cuire 10 min tout doucement. Ajouter 2 cuillerées à soupe de cognac et laisser refroidir complètement. Parer un dindonneau en laissant la peau du cou très longue, de façon à pouvoir fermer l'ouverture de la volaille au moment de la brider ; le vider par le côté. Tailler des lames de truffe, les saler, les poivrer, les mouiller de cognac et les glisser sous la peau de la volaille. Garnir celle-ci de farce, la brider, l'envelopper dans une feuille de papier sulfurisé beurré et la réserver au frais 24 heures au moins. Barder le dindonneau truffé, l'envelopper à nouveau dans le papier beurré et le rôtir de 25 à 30 min par kilo, au four préchauffé à 210 °C, dans une cocotte, à découvert. Retirer la barde pour faire dorer le dindonneau. Le dresser sur le plat de service et le tenir au chaud. Déglacer la cocotte, faire réduire le jus et le servir en saucière.

poupeton de dindonneau Brillat-Savarin ▶ POUPETON

DÎNER Repas du soir, au sens moderne ; jusqu'à la fin de l'Ancien Régime, repas du matin ou du milieu du jour. À l'origine, le mot désignait le repas du matin, pris après la messe, tout d'abord vers 7 heures, puis à 9 ou 10 heures. Souvent composé de lard, d'œufs et de poisson, le dîner était l'un des deux grands repas de la journée, avec le souper pris vers 17 heures. Au Moyen Âge, l'école de médecine de Salerne préconisait d'ailleurs : « Lever à cinq, dîner à neuf, souper à cinq, coucher à neuf, font vivre d'ans nonante neuf. »

Progressivement, l'heure du dîner recula dans la journée, tandis que le rite de la messe quotidienne était moins strictement observé, et l'on prit dès lors l'habitude de servir une légère collation au lever (c'était le déjeuner, que l'on ne qualifiait pas encore de « petit »). Sous Louis XIII et Louis XIV, on dînait à midi, comme le rapporte Furetière : « Lorsque l'on veut aller trouver les gens, il convient de le faire entre onze heures et midi, surtout pas plus tard car alors on les dérangerait pour passer à table. […] Chercher midi quand il n'est que onze heures se dit des écornifleurs qui viennent juste avant l'heure du dîner afin que l'on soit obligé de les inviter. On les appelle aussi démons de midi. Ou bien chercheurs de midi, comme ceux qui s'introduisent subrepticement dans votre maison à midi dans le but de dérober quelque chose quand le couvert est mis. »

Au XVIIIᵉ siècle, le dîner fut repoussé vers 14 heures, mais le souper restait souvent le repas principal de la journée. Sous la Révolution, enfin, il prit place en fin d'après-midi, tandis que le souper était servi, en ville, à l'occasion d'une soirée. À la campagne, où les habitudes avaient moins changé, le repas du soir a longtemps continué d'être appelé « souper ».

Aujourd'hui, le dîner a lieu vers 20 heures, plus tôt dans les pays nordiques, plus tard dans les pays méditerranéens. Alexandre Dumas définit le dîner comme une « action journalière et capitale qui ne peut être accomplie dignement que par des gens d'esprit : car il ne suffit pas au dîner de manger. […] Il faut parler avec une gaieté sereine et discrète. La conversation doit étinceler avec les rubis des vins d'entremets, elle doit prendre une suavité délicieuse avec les sucreries du dessert et acquérir une vraie profondeur au café. »

DIPLOMATE Entremets dont l'appellation exacte est « pudding à la diplomate ». Il en existe deux versions, l'une cuite, l'autre prise au froid.

La première fait alterner des couches de brioche rassise imbibée de lait avec des fruits confits et de la marmelade d'abricot, recouvertes d'un appareil à crème anglaise crue. Ce diplomate, cuit au bain-marie, se sert froid, démoulé, accompagné de crème anglaise, d'un coulis de fruit ou d'une sauce au chocolat.

La seconde version, plus courante, superpose dans un moule des couches de biscuits à la cuillère, imbibés de sirop parfumé au rhum ou au kirsch, des fruits confits, de la marmelade d'abricot et un bavarois (ou une crème aux œufs). L'ensemble est mis au réfrigérateur, puis servi démoulé, nappé d'un coulis de fruit ou d'une crème anglaise.

Les diplomates individuels sont des barquettes garnies d'une crème aux fruits confits, abricotées, glacées au fondant et décorées d'un bigarreau confit.

On qualifie également de « diplomate » une bombe glacée, elle aussi caractérisée par la présence de fruits confits.

bombe diplomate ▶ BOMBE GLACÉE

---

diplomate au bavarois

Laver 50 g de raisins de Smyrne. Porter à ébullition 10 cl d'eau avec 100 g de sucre en poudre et y plonger les raisins ; les égoutter en conservant le sirop. Faire macérer 50 g de fruits confits coupés en dés dans 5 cl de rhum. Mettre 3 feuilles de gélatine dans un récipient d'eau froide et faire bouillir 50 cl de lait avec une demi-gousse de vanille fendue en deux ; fouetter 4 jaunes d'œuf avec 125 g de sucre en poudre jusqu'à ce qu'ils blanchissent ; les arroser peu à peu de lait bouillant, en remuant à la spatule de bois. Verser dans une casserole et épaissir sur feu doux ; quand le mélange nappe la cuillère, égoutter la gélatine sur un torchon, l'incorporer à la crème et passer le tout dans un tamis ; laisser refroidir complètement ce bavarois. Battre en chantilly 20 cl de crème fraîche avec 1 cuillerée à soupe de lait glacé et l'incorporer au bavarois refroidi, mais encore liquide. Huiler un moule à charlotte. Ajouter au sirop des raisins le rhum des fruits confits et y tremper 200 g de biscuits à la cuillère. Disposer quelques fruits confits au fond du moule, recouvrir d'une couche de bavarois, puis d'une couche de biscuits parsemés de fruits confits, et napper d'un peu de marmelade d'abricot. Remplir le moule en continuant à superposer ces couches. Mettre 2 heures au moins dans le réfrigérateur. Faire fondre sur le feu de la marmelade d'abricot et l'additionner de 5 cl de rhum. En napper le diplomate.

diplomate aux fruits confits

Hacher grossièrement 100 g de fruits confits. Les mettre dans une tasse avec 80 g de raisins secs et les laisser macérer dans 10 cl de rhum. Couper 1 pain brioché de 500 g en tranches. Les écroûter, les beurrer et les dorer légèrement au four en les posant sur la tôle. Beurrer un moule à charlotte de 1,5 litre et le poudrer de sucre. Placer une couche de pain dans le fond et la recouvrir de fruits macérés égouttés. Remplir ainsi tout le moule de couches alternées de pain et de fruits. Mélanger dans une jatte 200 g de sucre en poudre, 10 cl de lait et 1 sachet de sucre vanillé. Ajouter 6 œufs battus à la fourchette et le rhum de macération. Verser cette préparation dans le moule, en laissant le pain absorber le liquide. Cuire 1 heure au bain-marie dans le four préchauffé à 150 °C, en évitant toute ébullition. Laisser refroidir complètement, démouler et décorer de 30 g de fruits confits entiers. Servir avec une crème anglaise ou un coulis de fruit.

DIPLOMATE (À LA) Se dit d'apprêts où l'alliance des truffes (en salpicon) et du homard (en beurre et en salpicon) évoque une idée de faste et de raffinement.

La sauce diplomate est préparée à partir d'une base de sauce normande dans laquelle on ajoute du beurre de homard, ainsi que des truffes et de la chair de homard hachée.

On appelle « sauce riche » une base de sauce diplomate, à laquelle on incorpore de l'essence de truffe et de la truffe hachée.

Ces sauces accompagnent les poissons fins (saint-pierre, sole, turbot).

▶ Recette : SOLE.

DISTILLATION Traitement d'un liquide par la chaleur, permettant d'isoler ses constituants volatils et d'en récupérer une partie par condensation. La distillation est l'opération fondamentale de la fabrication des alcools. L'alcool étant plus léger que l'eau, il s'évapore à une température plus basse qu'elle ; quand on chauffe un liquide alcoolisé à une température comprise entre les deux points d'ébullition respectifs, on peut retenir les vapeurs qui s'en dégagent et les condenser par refroidissement pour obtenir un liquide dont la teneur en alcool est plus forte.

La distillation des vins et des moûts fermentés grâce à l'alambic fournit la gamme des alcools. Inventé par les Arabes, celui-ci était utilisé au Moyen Âge par les alchimistes et les médecins. En 1309, Arnaud de Villeneuve parle, dans un ouvrage dédié au roi, d'une « eau-de-vie » qu'il a élaborée en distillant du vin.

La distillation au sens moderne est née en 1800, lorsque le chimiste anglais Adam inventa la rectification. Cette redistillation supprime le mauvais goût de l'alcool, mais aussi le bon, ce qui oblige à réintroduire des substances aromatiques (notamment dans le gin, la vodka et l'aquavit).

La distillation resta longtemps un art domestique ou artisanal. Les gouvernements de tous les pays, trouvant dans la consommation de l'alcool une source de revenus considérables, interdirent ou réglementèrent l'emploi des alambics individuels et taxèrent plus ou moins fortement la distillation collective (**voir** BOUILLEUR DE CRU).

DIVAN LE PELETIER Brasserie installée rue Le Peletier, à Paris, fondée en 1837 par un limonadier du nom de Lefèvre, à l'enseigne du *Café du Divan*. Le voisinage de l'Opéra, situé dans la même rue, y amena une clientèle d'artistes et d'écrivains. Honoré de Balzac et Paul Gavarni y côtoyaient Alfred de Musset (amateur de bière à l'absinthe), Ernest Meissonier, Honoré Daumier et Henri Monnier. Un chroniqueur de l'époque salue *le Divan* comme le « *Procope* du XIXe siècle, coulisse des Belles Lettres ». On y appréciait, outre la bière, des liqueurs douces, baptisées de noms fantaisistes : « Parfait Amour » ou « Crinoline », mais aussi « Alma » ou « Sébastopol », voire « Ligue impériale » ou « le Retour du Banni ». L'établissement ferma en 1859.

DLC (DATE LIMITE DE CONSOMMATION) Sigle désignant la date limite de consommation de produits alimentaires dont les qualités microbiologiques les rendent périssables après une courte durée de conservation et peuvent présenter un danger pour la santé humaine. La DLC est laissée à l'appréciation du professionnel, sauf pour les produits soumis à la réglementation (Code de la consommation R. 112-9). Dans ce dernier cas, elle est calculée pour une température de conservation donnée et doit figurer sur l'emballage sous forme de la mention « à consommer jusqu'au », suivie de l'indication du jour et du mois.

DLUO (DATE LIMITE D'UTILISATION OPTIMALE) Sigle désignant la date limite d'utilisation optimale de denrées alimentaires qui, une fois cette date dépassée, sont susceptibles d'avoir perdu tout ou partie de leurs qualités organoleptiques, physiques, nutritives, etc., sans que leur consommation constitue pour autant un danger pour la santé humaine. Selon le Code de la consommation (R. 112-9), cette date doit figurer sur l'emballage du produit par la mention « à consommer de préférence avant », suivie de l'indication du jour et du mois (durabilité inférieure à 3 mois), du mois et de l'année (durabilité comprise entre 3 et 18 mois) ou de l'année (durabilité supérieure à 18 mois).

DODINE Sauce classique de la cuisine médiévale, dont Taillevent donne trois recettes : la dodine blanche, la dodine rouge et la dodine au verjus. La graisse de la volaille rôtie est déglacée, selon les versions, soit avec du verjus, soit avec du vin vermeil, voire même avec du lait. La sauce ainsi obtenue est épaissie avec du pain grillé, et aromatisée avec du persil et diverses épices. L'édition de 1602 du livre de Il Platina (le Platine), l'*Honeste Volupté*, donne une recette plus détaillée et plus sophistiquée où entre notamment le foie de volaille.

Aujourd'hui, on appelle encore « canard à la dodine » (ou « pintade en dodine ») une préparation de grande cuisine, où l'animal est rôti, puis découpé : les aiguillettes et les cuisses sont réservées. La carcasse est rissolée avec des carottes et des oignons (ou des champignons), du vin, des épices et le jus de cuisson ; l'ensemble est passé au tamis ; on ajoute ensuite le foie cru et haché de la volaille, on lie avec de la crème fraîche, puis on en nappe les morceaux cuits, dressés sur un plat chaud.

La dodine de canard, elle, est une spécialité réputée en Aquitaine, en Bourgogne (au chambertin), dans le Morvan et en Touraine.

Le mot « dodine » a évolué vers un autre sens, peut-être parce qu'il se rapproche phonétiquement de l'adjectif « dodu » : c'est en effet aussi une ballottine.

dodine de canard

Désosser un canard sans abîmer la peau et sans entailler les filets de la poitrine. Détacher de la peau toute la chair. Couper les filets en aiguillettes et les faire macérer 24 heures avec 2 cuillerées à soupe de cognac, 1 pincée de quatre-épices, du sel et du poivre. Tremper à l'eau froide une crépine de porc intacte. Hacher le reste de la chair du canard avec 250 g de lard gras, 250 g de chair maigre de porc, 250 g de veau, 250 g de champignons de Paris nettoyés, 50 g de poudre d'amande et 1 petit bouquet de persil. Travailler ce mélange avec 2 cuillerées à soupe de fines pelures de truffe, 1 œuf, du sel et du poivre. Faire sauter à la poêle une noisette de ce mélange pour goûter et au besoin rectifier l'assaisonnement. Étendre la peau du canard sur un plan de travail, y étaler la moitié de la farce, y disposer les aiguillettes, régulièrement, et couvrir avec le reste de la farce. Rabattre la peau, côté cou et côté croupion, vers le milieu, et rouler la dodine. Éponger la crépine et l'étendre sur le plan de travail ; en envelopper la dodine, couper l'excédent. Ficeler le tout bien serré. Braiser la dodine 1 h 30 à 1 h 45 au four préchauffé à 200 °C, en l'arrosant plusieurs fois, avec un peu de vin blanc : le jus qui s'en écoule lorsqu'on la pique doit alors être limpide. Retirer les fils et les éléments de la crépine qui n'ont pas fondu. Dégraisser le fond de cuisson, y ajouter 2 cuillerées à soupe de porto et quelques cuillerées de bouillon ; faire réduire de moitié. Couper la dodine en tranches et les présenter entourées de cresson et accompagnées de la sauce. On peut aussi servir la dodine froide, avec une salade verte ou composée.

DOLIC OU **DOLIQUE** Plante grimpante de la famille des fabacées, voisine du haricot, dont on cultive diverses variétés dans les régions tropicales. Le dolic mongette, ou haricot kilomètre, ou cornille, très répandu en Chine, en Louisiane, un peu dans le sud de la France (où on l'appelle « bannette ») et en Italie, ressemble à un haricot à petits grains. On en mange les jeunes gousses comme des haricots verts et les grains à maturité comme des pois secs. Le dolic asperge se caractérise par des gousses très longues (jusqu'à 1 m), dont les pois sont de couleur variable. Il existe aussi un dolic d'Égypte, un dolic bulbeux et un dolic lablab, cultivés en Afrique et aux Antilles.

DOLMA Apprêt de la cuisine turque et grecque composé de légumes farcis et dont le nom est dérivé du verbe turc *doldurmak* (« remplir »). Le dolma le plus connu est une feuille *(dolma)* de vigne *(yalanci)* garnie de riz et de viande d'agneau. Mais on peut aussi en préparer avec des légumes à farcir (poivron, courgette, aubergine, tomate), ou encore avec des feuilles de chou, de figuier, voire de noisetier.

Les dolmas à base de viande sont servis tièdes ; ils sont souvent accompagnés d'une sauce au yaourt. Les dolmas sans viande se dégustent généralement froids, en hors-d'œuvre.

yalanci dolmas

Blanchir 2 min au maximum une soixantaine de grandes feuilles de vigne très saines. Les rafraîchir sous l'eau froide et les éponger. Cuire à moitié, au gras, 125 g de riz. Éplucher et hacher grossièrement 400 g d'oignons et les faire fondre à l'huile d'olive, sans coloration. Hacher 250 g de chair d'agneau et la dorer à la poêle. Hacher enfin 1 cuillerée à soupe de menthe fraîche. Mélanger tous ces éléments. Étaler chaque feuille de vigne, y poser une boulette de farce, rabattre dessus le côté pointe et le côté queue, et rouler en cylindre. Ficeler avec du fil de cuisine. Huiler une sauteuse, y ranger les dolmas bien serrés les uns contre les autres. Arroser de 4 cuillerées d'huile d'olive, du jus de 2 citrons et de 1 verre de bouillon. Ajouter 1 cuillerée à soupe de graines de coriandre. Couvrir et cuire 30 min à petits frémissements. Égoutter les dolmas avant de retirer les fils. Les servir tièdes.

DOMBES ▸ VOIR **BRESSE** ET **DOMBES**

DOMYOJI AGE Crevettes frites enrobées de riz séché, typiquement japonaises, accompagnées de poivrons et d'aubergines émincés et de tranches de citron. C'est l'un des exemples les plus caractéristiques de mets alliant des contrastes de texture, de couleur et de saveur, très appréciés par les gastronomes nippons.

DORADE ▸ VOIR **DAURADE ROYALE** ET **DORADES**

DORADE CORYPHÈNE Poisson plat pélagique, de couleur métallique bleu-vert, mesurant 1 m en moyenne, mais pouvant atteindre 2 m (**voir** planche des poissons de mer pages 674 à 677). Il se pêche à la ligne et au chalut dans tous les océans du monde et en Méditerranée. Sa chair ferme est très appréciée.

DORÉ Nom donné au Canada au sandre en raison des reflets dorés de sa peau. Il existe un doré bleu, un doré noir et un doré jaune, particulièrement apprécié des pêcheurs pour son instinct combatif. Plus petit que le sandre européen, le doré s'apprête comme la perche ou tout autre poisson à chair ferme.

DORER À L'ŒUF

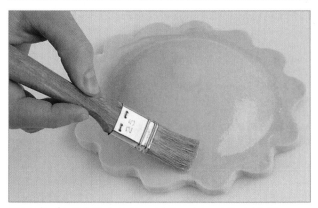

Dorer à l'œuf entier battu le centre, puis le tour de la galette et, à l'aide d'un pinceau, remonter l'excédent d'œuf des bords vers le centre.

DORER Badigeonner une pâte au pinceau avec de l'œuf battu, éventuellement délayé avec un peu d'eau ou de lait : cette « dorure » permet d'obtenir, après cuisson, une croûte brillante. On dore à l'œuf entier ou au jaune uniquement les feuilletages, les tourtes et pies, la brioche, la pâte à chou, les pâtés en croûte ; à l'œuf et au caramel, au lait sucré ou à l'eau miellée les biscuits, petits-fours et gâteaux secs.

DORIA Nom de divers apprêts de la cuisine classique, probablement dédiés à un membre de la célèbre famille princière de Gênes, habitué du *Café Anglais* au XIXe siècle. Ces apprêts évoquent l'Italie soit par une association de couleurs rappelant le drapeau italien (concombre cuit, vermouth blanc), soit par la présence de truffes blanches du Piémont.
▸ Recette : BOMBE GLACÉE.

DOS Partie supérieure de la carcasse d'un gros gibier, correspondant à la région dorso-lombaire. Le dos fournit le carré de côtes et le filet (correspondant à la région du rein). Il ne faut pas le confondre avec le râble, qui ne comporte pas les côtes.

Le dos de poisson correspond à l'ensemble des muscles de la partie dorsale des poissons à deux filets, situé au-dessus de l'arête centrale. Il est plus charnu et plus ferme que le ventre.

DOUCEÂTRE Qualificatif désignant une saveur plutôt fade, peu intense. Le mot est plutôt péjoratif : un dessert douceâtre n'est pas assez sucré, une sauce douceâtre manque de caractère, un vin douceâtre n'a pas pris son style entre sec et doux.

DOUGHNUT Sorte de beignet en pâte levée (« noix *[nut]* de pâte *[dough]* »), très populaire dans toute l'Amérique du Nord, notamment dans les régions peuplées à l'origine d'Allemands et de Scandinaves, qui préparaient alors des pâtisseries comparables. Généralement en forme d'anneau, le doughnut, parfois fourré de gelée de groseille, est poudré de sucre glace et traditionnellement servi chaud.

doughnuts

Délayer 15 g de levure de boulanger avec 1 verre de lait tiède. Mettre dans un plat creux 500 g de farine tamisée, 100 à 125 g de sucre en poudre, 1 grosse pincée de sel et 1/2 cuillerée à café de noix de muscade râpée. Mélanger, puis creuser en fontaine. Verser 1 œuf battu et y incorporer le maximum de farine. Ajouter 2 autres œufs, un par un, puis 60 g de beurre fondu et travailler la préparation. Lui incorporer le lait tiède et pétrir la pâte jusqu'à ce qu'elle soit élastique ; la laisser doubler de volume à température ambiante. Abaisser la pâte au rouleau sur une épaisseur de 1 cm environ, puis la découper en disques avec un emporte-pièce de 6 à 7 cm de diamètre. Frire ceux-ci à l'huile très chaude (180 °C), le temps qu'ils gonflent et dorent. Les égoutter, les éponger sur du papier absorbant. Les poudrer de sucre glace. Servir très chaud avec du sirop d'érable ou de la compote d'airelle.

DOUILLET (PÈRE) OU **PERDOUILLET** Nom donné dans la cuisine des XVIIe et XVIIIe siècles à un apprêt surtout destiné au cochon de lait. Celui-ci était coupé en quartiers, mijoté avec du vin blanc et des aromates et servi avec du citron. Pierre de Lune, écuyer de bouche du prince de Rohan, en rédigea la recette dans *le Cuisinier* (1654). Le plat se servait froid, tiède ou chaud ; on préparait de même le canard. Menon, dans *la Cuisinière bourgeoise* (1742), donne une version nettement plus élaborée du « cochon par quartiers au père Douillet » : l'animal est cuit au bouillon, refroidi dans sa gelée et servi reconstitué dans un grand plat, décoré d'écrevisses. Il en existe aussi une recette avec des ris de veau, dans une sauce parfumée aux grains de grenade et au verjus.

DOUILLON Pâtisserie normande, faite d'une poire ou d'une pomme entière évidée et emplie d'un mélange de beurre, de sucre et de cannelle, enveloppée dans une abaisse de pâte et cuite au four.

douillons

Mélanger 500 g de farine, 350 g de beurre ramolli, 2 œufs, 3 cuillerées à soupe de lait, 20 g de sucre en poudre et 1 cuillerée à café de sel. Quand la pâte est bien homogène, la façonner en boule et la mettre dans le réfrigérateur. Peler 8 petites poires et en retirer le cœur ; emplir le creux d'une noix de beurre et cuire 10 min au four préchauffé à 190 °C. Laisser refroidir complètement, sans éteindre le four. Abaisser la pâte au rouleau sur 2 mm d'épaisseur et la découper en 8 carrés égaux. Placer une poire bien égouttée au milieu de chaque carré et ramener les pointes vers le haut en étirant un peu la pâte. Souder les côtés et la pointe en les pinçant entre les doigts mouillés. Avec la pointe d'un couteau, tracer des lignes sur la pâte. Dorer les douillons avec 1 jaune d'œuf battu dans 2 cuillerées à soupe de lait et cuire 30 min environ au four préchauffé à 180 °C. Les servir chauds, tièdes ou froids, avec de la crème fraîche.

DOUM Palmier africain dont on tire un vin de palme. Dans son *Grand Dictionnaire de cuisine* (1872), Alexandre Dumas précise : « Le doum donne un fruit rafraîchissant, dont j'ai pu juger par moi-même le goût de pain d'épice. Une dame du Caire, qui voulut jadis y fêter ma présence, me tendit de ses fines mains rougies de henné un frais sorbet de doum. »

DOURO Fleuve prenant sa source en Espagne, où il traverse plusieurs zones viticoles, dont le Ribera del Duero. Il poursuit son cours au Portugal : la vallée du Douro est ainsi le berceau du porto. Celui-ci est produit dans les trois zones de Cirna Cargo, de Baixo Cargo et du haut Douro.

DOUX Qualificatif désignant la saveur sucrée. Le goût sucré a longtemps été apporté par les différents sucres des fruits et par le miel. Puis l'usage du sucre (extrait de la canne à sucre ou de la betterave) s'est répandu. En cuisine, la douceur est apportée par des substances donnant un caractère sucré au plat.

DRAGÉE Confiserie faite d'une amande (appelée « noyau ») enrobée de sucre durci, lissé, blanc ou coloré ; l'amande peut être remplacée par une noisette, une pistache, de la nougatine, de la pâte d'amande, du chocolat ou de la liqueur.
■ **Histoire.** L'amande enrobée de miel était déjà une friandise très appréciée des Grecs et des Romains. La dragée telle qu'elle existe aujourd'hui est mentionnée pour la première fois en 1220, dans les archives de la ville de Verdun. À cette époque, les apothicaires (avec lesquels les confiseurs étaient encore confondus) enrobaient de miel certaines épices (anis, coriandre, fenouil), dites « épices de chambre », que l'on consommait pour se purifier l'haleine ou comme digestif. Le sucre de canne ayant été introduit en Europe, les premières vraies dragées apparurent ; leur noyau était une amande ou une graine de citrouille ou de concombre, recouverte de sucre durci. En 1660, Colbert notait qu'il se faisait à Verdun un « grand commerce de dragées » : on en offrait, en particulier, lors des baptêmes royaux. Aujourd'hui, la cité est restée la « ville de la dragée » ; l'« obus de Verdun », fait de chocolat et doté d'une mèche que l'on allume, libère en explosant des dragées et des accessoires de cotillon.

Jusqu'en 1850, la fabrication des dragées s'effectuait artisanalement, à la main, dans des bassines suspendues que l'on faisait tourner pour que le sucre recouvre régulièrement les amandes. C'est en 1850 que fut inventée la première turbine mécanique. Depuis, le procédé s'est perfectionné (pulvérisation sous pression du sirop de sucre sur les noyaux, séchage à l'air pulsé).
■ **Toute une gamme de dragées.** Le procédé de dragéification est le même, qu'il s'agisse de dragées à l'amande, à la noisette ou à la pistache, de dragées nougatines ou de dragées fourrées ; seule la garniture change. Les amandes les plus réputées sont d'origine italienne (les *avolas*, plates et régulières), les espagnoles *(planetas)*, légèrement bombées, étant moins régulières. Elles sont mises en turbine, mouillées trois fois d'un mélange de gomme arabique et de sucre, séchées, puis recouvertes d'un sirop de sucre concentré ; elles sont ensuite blanchies (dans un sirop de sucre additionné d'amidon), puis lissées et éventuellement colorées.

Les dragées au chocolat, au nougat, au fondant, à la pâte d'amande ou à la liqueur sont confectionnées sur des noyaux coulés ou moulés ; les spécialités les plus connues regroupent les « olives de Provence », les « cailloux » et « galets » divers, les œufs à la liqueur et les anis de Flavigny.

Les « perles d'argent » s'obtiennent en recouvrant un noyau de sucre avec une solution à base de gélatine, puis avec de l'argent pur.

Quant aux dragées tendres (dites aussi « dragées à froid » ou « dragées Julienne »), en forme de haricots ou de pois (chevriers d'Arpajon, haricots de Soissons), elles comportent un noyau en sucre cuit, clair ou battu, enrobé de glucose dilué, puis de sucre glace.

DRAMBUIE Liqueur écossaise à base de whisky, de miel de bruyère et d'herbes aromatiques. Elle titre 40 % Vol., se boit nature, sur des glaçons ou agrémentée d'un zeste de citron. Sa formule est la propriété de la famille Mackinnon, qui la commercialise depuis 1909. Selon la légende, la recette, gardée secrète, aurait été donnée par Bonnie Prince Charlie en 1745. La Drambuie, peu connue en Europe, est très populaire aux États-Unis, ainsi qu'au Royaume-Uni.

DRESSER Disposer harmonieusement sur un plat de service tous les éléments d'une préparation culinaire, pièce principale, garniture, sauce, éléments de décor. En pâtisserie, dresser une pâte consiste à l'abaisser au rouleau, à la disposer dans un moule ou à la pousser à la poche à douille.

En restauration, le dressage s'effectue dès que les mets sont « à point ». Pour les plats chauds, il se fait rapidement pendant le « coup de feu » et se termine par la touche finale de présentation. Les éléments de garniture doivent toujours être prêts : persil en branche et cresson en bouquets gardés dans de l'eau fraîche ; beurre maître d'hôtel conservé dans de l'eau avec des glaçons ; persil haché et oignons ciselés protégés par une mousseline ; champignons citronnés ; persil frit au chaud ; beurres composés en rouleaux, enveloppés d'un film alimentaire, dans le réfrigérateur.

Le matériel de dressage comprend les plats de service, les raviers et les plats à compartiments (pour les hors-d'œuvre), les coupes et les timbales, les cocottes de service en cuivre (pour le gibier notamment), les légumiers, saucières et saladiers, les soupières, terrines, compotiers, porte-toasts, etc.

Certains mets demandent un matériel de dressage particulier : ainsi, les huîtres et les fruits de mer sont servis sur un plateau garni de glace pilée, monté sur support. D'autres nécessitent la présence d'un chauffe-plat. Quelques-uns disposent d'ustensiles spécifiques : assiette et pinces à escargots, berceau à asperges, etc.
■ **Pratique du dressage.** Les éléments sont souvent disposés à plat, mais, selon leur forme, ils peuvent aussi se chevaucher ou être placés en quinconce, en dôme, en pyramide ou en couronne. Gibiers et volailles sont couramment dressés sur canapé. La pomme de terre est fréquemment l'élément de base du dressage : bordure en pommes duchesse, nid de pommes paille, petit tas de pommes noisette. Les fonds d'artichaut, les tomates et les têtes de champignon sont aussi largement employés pour dresser les garnitures.

Une tendance actuelle de la restauration consiste à pratiquer le service à l'assiette, où la portion individuelle est dressée directement dans l'assiette, nappée de sauce et entourée de sa garniture.

DROUANT Restaurant ouvert à Paris, en 1880, par Charles Drouant, à l'angle de la place Gaillon et de la rue Saint-Augustin. Spécialisé dans les fruits de mer, il attira une clientèle de journalistes et d'écrivains, tels que Jean Ajalbert, Léon Daudet, Octave Mirbeau et les frères Rosny. *Drouant* s'agrandit, et conquit sa renommée grâce à sa cave (crus blancs, en particulier). Les journalistes de *la Justice,* le journal de Clemenceau, ayant eu l'idée d'organiser des dîners hebdomadaires, les « dîners du vendredi », Jean Ajalbert proposa *Drouant*, « honorable cuisine et vins loyaux, et quelques cabinets particuliers au premier étage ».

Mais c'est en octobre 1914 que le restaurant entra vraiment dans l'histoire littéraire, lorsque l'Académie Goncourt décida d'y tenir ses assises, après avoir siégé au *Grand Hôtel,* chez *Champeaux,* puis au *Café de Paris.* Il y eut de nombreux gourmets parmi les académiciens Goncourt, dont Huysmans, thuriféraire du hareng, Léo Larguier, amateur de confiture d'Apt et de bouillabaisse, Raoul Ponchon et surtout Léon Daudet, qui instaura le service du blanc de blancs, toujours en vigueur. Le testament d'Edmond de Goncourt précisait que le repas devait coûter vingt francs par convive, et les académiciens paient aujourd'hui encore l'équivalent de cette somme en euros.

La tradition voulait aussi que le dernier des élus élaborât le menu, mais il fut décidé, en fait, de faire confiance au plus gourmet, puis au secrétaire, après une initiative malencontreuse d'Octave Mirbeau, qui, en 1907, fit servir du chou rouge, ce qui indisposa les convives. Ces quelques menus, échelonnés sur plusieurs décennies, ont été servis, selon la tradition, dans le salon Louis XVI du deuxième étage, autour d'une table ronde à nappe damassée (les couverts en vermeil, gravés au nom des convives, sont conservés dans un coffre).
– 1933 (lauréat : André Malraux pour *la Condition humaine*) : huîtres, brochet boulangère, dindonneau rôti pommes en liards, cèpes à la bordelaise, fromages, glace pralinée et fruits.
– 1954 (lauréate : Simone de Beauvoir pour *les Mandarins*) : huîtres, turbot grillé, poularde de Bresse au champagne, fromages, soufflé aux liqueurs et fruits.
– 1981 (lauréat : Lucien Bodard pour *Anne-Marie*) : béluga de la Caspienne, foie gras à la gelée de porto, homard Drouant, gigue de chevreuil Saint-Hubert, crème de marron, fromages, soufflé glacé aux avelines avec mignardises.

DRY Adjectif anglais, signifiant « sec », qui qualifie un vermouth ou un gin, par opposition à « doux », et, par extension, toute boisson dont la teneur en sucre est réduite, ainsi que les cocktails dans lesquels ils entrent (**voir** COCKTAIL). Appliqué au champagne, il signifie au contraire « plutôt doux », par opposition à « extra-dry », qui veut dire « assez sec », et à « brut », qui veut dire « très sec ». Dry est l'appellation d'un cocktail très sec (le préféré de James Bond 007) apprécié des Américains (une goutte de Martini dry et une mesure de gin, avec une olive et un zeste de citron).

DU BARRY Nom de divers apprêts comportant du chou-fleur. La garniture Du Barry pour pièces de boucherie associe pommes château et petites boules de chou-fleur blanchi, façonnées à la serviette, nappées de sauce Mornay, poudrées de fromage râpé et glacées sous le gril. Tous ces apprêts sont dédiés à la comtesse du Barry, car il était d'usage de donner le nom de la favorite du roi à un plat ou un mets nouveau, en l'occurrence le chou-fleur à la sauce crème.
▶ **Recettes :** CRÈME (POTAGE), OMELETTE, POTAGE, SALADE.

DUBLEY Nom d'une garniture pour grosses pièces de boucherie, composée de têtes de champignon grillées et de croustades en pommes duchesse, emplies d'une purée de champignon.

DUBOIS (URBAIN FRANÇOIS) Cuisinier français (Trets 1818 - Nice 1901). Sa carrière commença à Paris, chez *Tortoni,* se poursuivit au *Rocher de Cancale* et au *Café Anglais,* mais se déroula surtout à l'étranger, en Russie, chez le prince Orloff, et en Allemagne, où il fut chef des cuisines de Guillaume Ier avec Émile Bernard (Dole 1826 - *id.* 1897) qui, lui, avait été au service de Napoléon III. Ce serait grâce à Dubois que le service « à la russe » aurait prévalu dans les repas de prestige.

Son œuvre théorique est considérable. Son monument reste *la Cuisine classique* (1856), écrite en collaboration avec Émile Bernard, mais il signa en outre *la Cuisine de tous les pays* (1868), *la Cuisine artistique* (1870), *l'École des cuisinières* (1876), *la Nouvelle Cuisine bourgeoise pour la ville et pour la campagne* (1878), *le Grand Livre des pâtissiers et des confiseurs* (1883), *la Cuisine d'aujourd'hui* (1889) et *la Pâtisserie d'aujourd'hui* (1894).

DUCASSE (ALAIN) Cuisinier français (Orthez 1956). Élevé dans la ferme familiale des Landes, il entreprend une formation classique : *le Pavillon Landais* à Soustons, l'école hôtelière à Bordeaux, puis des stages chez Michel Guérard à Eugénie-les-Bains, Roger Vergé à Mougins et Lenôtre à Paris. Il connaît la révélation de la cuisine au service du produit chez Alain Chapel à Mionnay. En 1984, il obtient deux étoiles au Guide Michelin à *la Terrasse au Juana* à Juan-les-Pins, avant de prendre la direction des fourneaux de l'*Hôtel de Paris* à Monaco, en 1987, où il crée le *Louis XV*. Il y reçoit l'onction des trois étoiles en 1990. Il lance alors un groupe qui le propulse vers une gloire planétaire. Obtenant trois étoiles à Paris, en 1997, d'abord à l'*Hôtel du Parc* puis au *Plaza Athénée*, il les reçoit encore à New York, à l'*Essex House*, en 2005. Il aura créé entre-temps des restaurants à formules *(Spoon, Bar et Bœuf),* à Paris, Tokyo, Monaco, Saint-Tropez, Londres ou à l'île Maurice, relançant de vieux bistrots *(Aux Lyonnais, Benoît),* imaginant des auberges à l'ancienne mais revues au goût du jour *(l'Abbaye de La Celle, la Bastide de Moustiers, Ostapé),* prouvant, après Escoffier relayé par César Ritz, que l'on pouvait être soi-même partout à la fois.

On lui doit plusieurs ouvrages de recettes qui font référence (notamment sur la cuisine de la Riviera), ainsi qu'une école de cuisine qui forme de nombreux élèves destinés à servir aux plus grandes tables du monde entier.

DUCHESSE Apprêt en pâte à choux, salée ou sucrée, servi en entrée, en garniture ou en dessert (comme la profiterole). Les duchesses salées sont garnies de mousse ou d'un salpicon. Les duchesses d'entremets sont fourrées de crème pâtissière à la vanille ou de chantilly, glacées au sucre, semées de pistaches hachées ou d'amandes effilées, ou poudrées de cacao.

On appelle aussi « duchesses » des petits-fours faits de coques de meringue ou de rondelles en pâte à langues-de-chat, soudées deux par deux par une crème au beurre aromatisée.

La duchesse étant également une excellente variété de poire d'hiver, son nom désigne divers entremets où intervient la poire.

---

duchesses (petits-fours)

Beurrer et fariner 3 plaques à pâtisserie. Mélanger dans une terrine 100 g de poudre d'amande, 100 g de sucre poudre et 40 g de farine. Battre 6 blancs d'œuf en neige très ferme et les ajouter à la préparation. Incorporer 40 g de beurre fondu. Garnir de cette pâte une poche à douille et la dresser en petites masses sur les plaques beurrées. Cuire 4 ou 5 min au four préchauffé à 275 °C, puis sortir les plaques du four et en détacher les rondelles de pâte. Mélanger 40 g de beurre fondu avec 200 g de praliné, et réunir les duchesses deux par deux en les soudant avec cette crème. Mettre au frais jusqu'au moment de servir.

DUCHESSE (À LA) Se dit en cuisine d'un apprêt garni, entouré ou décoré de pommes duchesse (œufs pochés, tournedos, coquille de poisson, etc.). En pâtisserie, l'appellation concerne des apprêts où interviennent des amandes.
▶ **Recettes :** AMANDINE, BOMBE GLACÉE.

DUCHESSE (POMMES) Purée de pomme de terre additionnée de beurre et de jaune d'œuf, poussée à la douille et frite, pour accompagner les pièces de boucherie. Les pommes duchesse sont également utilisées comme décor (bordure, coquille, croustade, cassolette, etc.). On en fait aussi des croquettes panées et frites : enrichies de truffes hachées, enrobées d'amandes effilées et façonnées en croquettes rondes, ce sont les pommes Berny ; mélangées avec du jambon haché, enrobées de vermicelle fin cru et façonnées en bouchons, ce sont les pommes saint-florentin.

▶ Recette : POMME DE TERRE.

DUCLOUX (JEAN) Cuisinier français (Tournus 1920). Petit-fils d'un confiseur, il fut d'abord commis de cuisine chez Alexandre Dumaine à Saulieu puis, après son apprentissage à Dijon, chez Racouchot *(les Trois Faisans)*, en 1935. Douze ans plus tard, il créa le restaurant *Greuze,* à Tournus, où il se fit le gardien de la tradition, du respect des produits et de l'honnêteté de la démarche culinaire. Le Guide Michelin lui accorda sa première étoile en 1949, la seconde en 1978. Jean Ducloux a publié en 1987 *la Cuisine traditionnelle.* Son pâté en croûte, sa quenelle de brochet Racouchot et son entrecôte non parée sont des mets légendaires.

DUGLÉRÉ (ADOLPHE) Cuisinier français (Bordeaux 1805 - Paris 1884). Élève d'Antonin Carême, chef des cuisines de la famille Rothschild, il reprit ensuite la direction du restaurant *les Frères provençaux,* puis, en 1866, devint chef cuisinier du *Café Anglais,* auquel son nom reste attaché. On le décrit comme « un artiste taciturne qui se complaisait dans un isolement propice aux méditations », et ses créations culinaires firent la réputation du fameux restaurant du second Empire : le potage Germiny, les pommes Anna, la sole et le bar Dugléré, le soufflé à l'anglaise. C'est lui qui composa le menu du célèbre dîner dit « des Trois Empereurs », qui réunit le tsar Alexandre II, le tsarévitch Alexandre, Guillaume Ier de Prusse, le prince royal et Bismarck.

7 juin 1867
Menu du dîner
ordonné par Adolphe Dugléré,
le « Mozart de la cuisine »

POTAGES
impératrice et Fontanges

HORS-D'ŒUVRE
soufflés à la reine

RELEVÉS
filets de sole à la vénitienne
escalopes de turbot au gratin
selle de mouton purée bretonne

ENTRÉES
poulet à la portugaise
pâté chaud de cailles
homard à la parisienne
sorbets au vin

RÔTIS
caneton à la rouennaise
ortolans sur canapés

ENTREMETS
aubergines à l'espagnole
asperges en branches
cassolettes princesse

DESSERTS
bombes glacées

VINS
madère retour de l'Inde
xérès
château-d'yquem 1847
château-margaux 1847
château-lafite 1847
château-latour 1848
chambertin 1846
champagne Roederer

▶ Recettes : SOLE, TURBOT.

DUMAINE (ALEXANDRE) Cuisinier français (Digoin 1895 - *id.* 1974). Apprenti dès l'âge de douze ans dans un hôtel de Paray-le-Monial, il gravit tous les échelons de la profession avant de s'affirmer comme « grande toque » dans des établissements alors renommés (*le Carlton,* à Vichy puis à Cannes, *le Café de Paris* et *l'hôtel Louvois* à Paris, l'hôtel de *l'Oasis* à Biskra). En 1932, il ouvrit un restaurant à Saulieu, dont il fit, avec l'aide de sa femme Jeanne, un haut lieu de la gastronomie ; l'hôtel de *la Côte-d'Or* représenta, avec les établissements de Fernand Point à Vienne et d'André Pic à Valence, l'un des trois phares de la cuisine provinciale dans les années 1930 à 1950. Retiré en 1964 à Digoin (Saône-et-Loire), Dumaine rédigea, en collaboration avec Henry Clos-Jouve, un livre de souvenirs et de recettes, *Ma cuisine.*

DUMAS (ALEXANDRE) Écrivain français (Villers-Cotterêts 1802 - Dieppe 1870). C'est en 1869 que le romancier accepta la proposition que lui soumit un jeune éditeur, Alphonse Lemerre, d'écrire un *Grand Dictionnaire de cuisine.* Pour trouver le calme nécessaire à la rédaction de cette entreprise monumentale (1 152 pages), Dumas se retira à Roscoff (Finistère), en compagnie de sa cuisinière Marie. L'ouvrage fut achevé en mars 1870, quelques semaines avant sa mort, et parut en 1872 ; son auteur était persuadé qu'il resterait à la postérité comme son œuvre la plus éclatante.

L'ouvrage est peu fiable sur le plan strictement culinaire, malgré l'amicale collaboration de Joseph Vuillemot, élève d'Antonin Carême, qui publia une version revue et abrégée du *Dictionnaire* en 1882. Mais, malgré ses erreurs, ses lacunes et ses jugements à l'emporte-pièce, l'ouvrage, écrit dans un style alerte et amusant, fourmille d'anecdotes dans des articles mi-savants mi-cocasses, qui en font « le plus savoureux des romans de cape et d'appétit » (J. Arnaboldi).

Dumas fut par ailleurs un grand habitué des restaurants de la capitale : il avait son cabinet attitré à *la Maison Dorée,* il fréquentait les « dîners Bixio » chez *Brébant-Vachette, le Rocher de Cancale,* le *Jockey Club* où officiait son protégé Jules Gouffé, et le *Restaurant de France,* place de la Madeleine, où son ami Vuillemot donna un célèbre dîner en son honneur (avec « homard à la Porthos », « filet de bœuf Monte-Cristo », « salade à la Dumas », gorenflot, etc.).

Dumas mettait un point d'honneur à assaisonner lui-même la salade : « Je place dans un saladier un jaune d'œuf dur par deux personnes. Je le broie dans l'huile pour en faire une pâte. À cette pâte, j'ajoute du cerfeuil, du thym écrasé, des anchois pilés, des cornichons hachés et le blanc des œufs durs, également haché. Sel et poivre. Je délaie le tout avec un bon vinaigre, puis je mets la salade dans le saladier. À ce moment, j'appelle un domestique et lui dis de retourner la salade. Lorsqu'il a terminé, je laisse tomber de haut une pincée de paprika. Il ne reste plus qu'à servir. » Autre salade célèbre de Dumas, celle de truffes, « pelées avec un couteau d'argent » et assaisonnées, selon l'humeur du maître, de champagne, de liqueur ou de lait d'amande.

DUMPLING Boulette de pâte pochée, salée ou sucrée, servie en garniture ou en entremets. Cet apprêt très courant de la cuisine anglo-saxonne est voisin des Knödel et Klösse d'Autriche et d'Allemagne.

Les dumplings en pâte à pain étaient traditionnels avec le bœuf bouilli aux carottes et à la purée de pois, plat typique des « cockneys » londoniens, toujours apprécié. Ces quenelles se font aujourd'hui avec un mélange de farine et de graisse fine de bœuf ; on les fait pocher dans le bouillon de viande.

L'apple dumpling anglais est une sorte de douillon (**voir** ce mot) en pâte levée.

Aux États-Unis, les dumplings sont faits avec de la farine, de la levure, du beurre et du lait ; façonnés en boules grosses comme des noix, ils sont pochés dans les soupes de légumes, les potées, les consommés de bœuf ou de volaille. On peut ajouter à leur pâte de la farine de maïs, de la purée de pomme de terre, du fromage râpé ou de la mie de pain ; pochés à l'eau frémissante, ils accompagnent aussi les rôtis et les bouillis.

Les dumplings en pâte sucrée sont pochés dans un sirop aux fruits et servis avec une compote, de la marmelade, du beurre fondu ou de la crème. Ils sont parfois fourrés aux fruits.

Dresser

« Le dressage d'un plat est pour les chefs l'occasion d'exprimer leur créativité, de mettre leur travail en valeur en apposant leur touche d'originalité. Les cuisiniers du RITZ PARIS, des restaurants GARNIER ou HÉLÈNE DARROZE, de l'école FERRANDI PARIS et de l'HÔTEL DE CRILLON rivalisent d'imagination pour le plus grand plaisir du client. »

DUNAND Patronyme de deux cuisiniers d'origine suisse (on trouve aussi les orthographes Dunan et Dunant). Le père dirigea les cuisines du prince de Condé. Son fils hérita de la charge et suivit le prince en exil en 1793. Il revint en France douze ans plus tard et entra au service de Napoléon Ier. On lui attribue l'invention du poulet Marengo, mais la victoire des Français sur les Autrichiens eut lieu en 1800, et Dunand resta au service du prince de Condé jusqu'en 1805. En revanche, il est certain que l'Empereur, qui ne passait guère de temps à table, appréciait beaucoup ses crépinettes. À la chute de l'Empire, Dunand entra chez le duc de Berry, puis il reprit son service auprès de l'Empereur lors des Cent-Jours, mais il ne le suivit pas à Sainte-Hélène.

DURAND Restaurant de la place de la Madeleine, à Paris, aujourd'hui disparu, qui, dans les années 1860, était « la troisième merveille en l'art de bien vivre » (après *le Café Riche* et *le Café Hardy*, au dire de A. Luchet). Écrivains et politiciens y avaient leurs habitudes, notamment Boulanger, France, Zola (il y écrivit *J'accuse*). C'est chez *Durand* que le chef Voiron créa la sauce Mornay.

DURAND (CHARLES) Cuisinier français (Alès 1766 - Nîmes 1854). Surnommé le « Carême de la cuisine provençale », il fut cuisinier des évêques d'Alès, de Nîmes et de Montpellier ; il ouvrit ensuite un restaurant, d'abord dans sa ville natale, en 1790, puis à Nîmes, en 1800. Mais, surtout, à une époque où les cuisines régionales étaient pratiquement inconnues en dehors de leur terroir, il écrivit, en 1830, *le Cuisinier Durand*, recueil de recettes authentiques de Provence, qui fit connaître à Paris la brandade et divers autres mets du Midi.

DURIAN Arbre de la famille des malvacées, originaire de Malaisie, le durian (ou dourian, ou durion) est très cultivé en Asie du Sud-Est, notamment au Viêt Nam et aux Philippines, où son fruit est recherché (**voir** planche des fruits exotiques pages 404 et 405). Gros comme un melon oblong, mais pouvant peser jusqu'à 5 kg, il est entouré d'une écorce dure, verdâtre, hérissée de grosses protubérances pyramidales pointues. Sa pulpe blanchâtre, ou café au lait, contenant de grosses graines luisantes marron clair, est crémeuse et savoureuse, mais il dégage une odeur fécale de putréfaction quand il est trop mûr.

Il se consomme à maturité, lorsque sa peau commence à se fendiller. On le déguste cru et nature, à la petite cuillère, en hors-d'œuvre ou en dessert, et on fait griller ses graines comme des châtaignes. On le mange aussi volontiers en marmelade avec du sucre et de la crème fraîche, et, à Java, on en fait une pâte de fruit au lait de coco. Il est apparu en Europe vers 1975.

DUROC Nom d'un apprêt dédié au général d'Empire Géraud Duroc (Pont-à-Mousson 1772 - Markersdorf 1813). Il concerne des petites pièces de boucherie et des volailles sautées, qui sont garnies de pommes de terre nouvelles rissolées (ou de pommes cocotte), surmontées d'une concassée de tomate et nappées d'une sauce chasseur réalisée dans la poêle.

DUSE Nom donné à une garniture en hommage à la tragédienne italienne Eleonora Duse (Vigevano 1858 - Pittsburg 1924). Composée de haricots verts frais liés au beurre, de tomates (mondées et étuvées) et de pommes Parmentier, elle est destinée aux grosses pièces de boucherie.

L'appellation concerne également une couronne de filets de sole (farcis et pochés, moulés avec du riz dans un moule à savarin), nappée de sauce Mornay et glacée, dont le centre est garni d'un salpicon de queues de crevette lié avec une sauce au vin blanc et parsemé d'un fin hachis de truffe.

DUTOURNIER (ALAIN) Cuisinier français (Cagnotte 1949). Né dans un village des Landes, d'un père charpentier et d'une mère cuisinière, il est demeuré fidèle à ses racines. Après des études classiques à l'école hôtelière des Pyrénées à Toulouse, il crée à Paris le *Trou Gascon* (1973), puis le *Carré des Feuillants* (1986), enfin le *Pinxo* (2004), trois établissements qu'il tient parallèlement et qui révèlent trois facettes de son talent. Le premier (une étoile au Guide Michelin) est un bistrot de tradition qui met en valeur les produits du Sud-Ouest (jambon des Landes ou cassoulet), le second (deux étoiles), un établissement de grande cuisine entre création et tradition, le troisième, dont le nom se réfère aux « bouchées » des bars gourmands du Pays basque espagnol, une table contemporaine imaginative. Parmi ses plats de mémoire, le « cappuccino » de châtaigne à la truffe blanche d'Alba, le pâté chaud de cèpes ou le russe pistaché ont fait école. Il a rassemblé ses recettes dans un ouvrage intitulé *Ma cuisine : des Landes au Carré des Feuillants* (2000).

DUVAL (PIERRE-LOUIS) Boucher français (Montlhéry 1811 - Paris 1870). Ancien fournisseur des cuisines des Tuileries, propriétaire de plusieurs boucheries dans Paris, il eut l'idée de créer, en 1860, des petits restaurants à plat unique (bœuf bouilli et consommé) et à prix fixe. Le premier « bouillon », rue de Montesquieu, fut bientôt suivi d'une douzaine d'autres. Son fils Alexandre développa cette chaîne avec succès, édifiant une immense fortune. Personnage pittoresque de la vie parisienne, surnommé « Godefroi de Bouillon » par les humoristes, il composa une *Marche des petites bonnes* en l'honneur de ses serveuses, qui portaient toutes une coiffe en tulle blanc et qui, pour la première fois, remplaçaient les classiques garçons de restaurant.

DUXELLES Hachis de champignons de Paris, d'oignons et d'échalotes étuvé dans du beurre. La duxelles est utilisée comme farce, garniture ou élément d'une sauce et de divers apprêts dits « à la duxelles ».

---

duxelles de champignons

Nettoyer le pied sableux de 250 g de champignons de Paris, les laver rapidement, les éponger et les hacher finement. Ciseler 1 oignon et 1 petite échalote. Chauffer 1 grosse noix de beurre dans une sauteuse, y faire suer l'oignon et l'échalote, puis ajouter le hachis, du sel, du poivre et un peu de muscade râpée (sauf si la duxelles doit accompagner un poisson). Faire revenir à feu vif pour que l'eau de végétation des champignons s'évapore. Réserver à couvert. Ajouter 1 cuillerée à soupe de crème fraîche, si la duxelles est utilisée comme garniture.

fonds d'artichaut à la duxelles ▶ ARTICHAUT
navets farcis à la duxelles ▶ NAVET
sauce duxelles ▶ SAUCE
tranches de colin à la duxelles ▶ COLIN

EAU Boisson la plus naturelle et la seule indispensable au fonctionnement de l'organisme (qui en réclame chaque jour 4 cl par kilo de poids pour assurer les échanges métaboliques, la thermorégulation du corps, l'hydratation des organes, etc.). Pour être potable, l'eau doit être limpide, inodore et surtout d'une grande pureté bactériologique (l'eau de pluie est souvent chargée d'impuretés en suspension dans l'atmosphère). Il faut qu'elle soit assez « douce », c'est-à-dire peu chargée, et de façon équilibrée, en sels calcaires, en magnésium, en phosphates, en carbonates, etc. En outre, elle doit être aérée (contenir de l'oxygène dissous). Une eau insuffisamment aérée est dite « lourde » ; trop chargée en calcaire, elle est « crue » et se prête moins bien à la cuisson des légumes ; lorsque la proportion de sels minéraux est importante, elle a souvent un goût salé, alcalin, terreux, amer ou saumâtre. L'eau de ville (eau du robinet), traitée, n'est pas toujours exempte d'une légère odeur de chlore ; sa composition, notamment sa teneur en nitrates, est très strictement contrôlée et les seuils d'alerte sont bien en deçà des risques sanitaires. Mais il ne faut jamais donner de l'eau du robinet à un nourrisson et sa consommation est déconseillée aux femmes enceintes, voire interdite lorsqu'elle contient une quantité importante de nitrates (dans certaines régions agricoles notamment).

L'eau est non seulement la boisson diététique idéale (de préférence entre les repas et à jeun, au réveil), mais c'est aussi une matière première indispensable pour les industries de la brasserie et des boissons aux fruits, notamment. En outre, son rôle est essentiel en cuisine (cuisson à l'eau, bouillons, potages et soupes). Elle sert aussi à préparer les infusions, notamment le thé et le café. Cependant, le calcaire précipite les alcaloïdes que ceux-ci contiennent et neutralise donc une bonne part de leurs arômes ; il est souvent conseillé de préparer ces infusions avec une eau minérale naturelle. Une eau qui bout trop longtemps est de plus en plus agressive ; en outre, elle perd son oxygène et devient de moins en moins aérée et légère.

EAU DE DANTZIG Liqueur élaborée avec un alcool dans lequel on fait macérer des zestes de cédrat, des feuilles de mélisse et du macis, et qui est ensuite filtré, sucré et additionné de feuilles d'or de 22 carats réduites en fines particules. L'« eau d'or de Dantzig », d'origine polonaise, fut surtout appréciée au XIXᵉ siècle (sous son nom allemand *Goldwasser*) ; en cuisine classique, elle aromatise le soufflé Rothschild.

EAU MINÉRALE NATURELLE Eau d'origine souterraine, exploitée avec l'autorisation du ministère de la Santé, après avis de l'Académie de médecine, possédant une teneur minimale en oligoéléments ou en autres constituants minéraux bons pour la santé, et dont les qualités sont préservées par embouteillage à la source. En outre, elle ne doit pas avoir été altérée par un traitement ayant modifié ses caractéristiques, et seules sont autorisées l'aération, l'oxygénation, la décantation et la filtration.

Les eaux minérales, qui proviennent souvent de zones montagneuses (en France, principalement les régions Rhône-Alpes et Auvergne), sont soit plates (naturellement exemptes ou débarrassées de tout gaz carbonique, ce qui est précisé sur l'étiquette), soit naturellement gazeuses, soit regazéifiées (par adjonction de gaz purs, ce qui est également mentionné).

Les eaux minérales naturelles sont de plus en plus appréciées aux repas et, quand elles sont gazeuses, à l'apéritif. Certaines ont des taux élevés en éléments minéraux (bicarbonates, sulfates, calcium, magnésium, fluor) ; elles ont de ce fait des indications médicinales bien spécifiques mais aussi des contre-indications mentionnées sur les étiquettes. Les eaux minérales les plus faiblement minéralisées sont conseillées pour la préparation des biberons.

En Europe, les principaux consommateurs sont l'Italie (environ 200 litres par an et par habitant), la France (150 litres), la Belgique (145 litres) et l'Allemagne (130 litres).

EAU DE SOURCE Eau d'origine souterraine, qui se différencie de l'eau minérale naturelle par le fait qu'elle ne comporte pas d'éléments favorables à la santé ; elle ne peut donc en aucun cas porter mention d'une propriété curative ou minérale. Pour être commercialisée, l'eau de source doit être embouteillée à la source et répondre à des critères de traitement stricts, seules étant autorisées l'aération, la décantation, la filtration et l'incorporation de gaz carbonique, celle-ci devant cependant être précisée sur l'étiquette.

EAU-DE-VIE Boisson spiritueuse obtenue par distillation. Les alchimistes appelaient l'alcool *aqua vitae,* ce qui, en latin, signifie littéralement « eau de vie ». Destinée tout d'abord à un usage thérapeutique, l'eau-de-vie fut bientôt appréciée pour ses propres vertus, grâce aux progrès de la distillation et à l'élaboration d'arômes qui enrichirent son bouquet. Le terme « eau-de-vie » s'appliqua d'abord à l'alcool de vin titrant moins de 70 % Vol. ; il concerne désormais tous les produits distillés à partir de liquides fermentés.

■ **Fabrication.** Avec les fruits, on obtient les eaux-de-vie blanches : kirsch, mirabelle, poire williams, etc. ; le vin donne le cognac et l'armagnac, le cidre donne le calvados (tous eaux-de-vie « nobles »,

Caractéristiques des principaux types d'échalotes

TYPE	PROVENANCE	ÉPOQUE	ASPECT
type grise			
griselle	Sud-Est, Sud-Ouest	juill.-févr.	petite, allongée, gris-beige, chair violette
type Jersey ou rose			
longue	Bretagne, Val de Loire	toute l'année	longue, cuivrée, chair blanche ou rose
demi-longue	Bretagne, Val de Loire	toute l'année	moyenne, cuivrée, chair blanche ou rose
ronde	est de la France	toute l'année	courte, arrondie, cuivrée, chair blanche ou rose foncé

ÉCHALOTES

échalote grise

type Jersey ou de Bretagne demi-longue

type Jersey ou de Bretagne ronde

type Jersey ou de Bretagne longue

échalote rose (Argentine)

qui ont pris le nom de leur région de production et bénéficient d'appellations d'origine contrôlée) ; les résidus de raisin, les marcs ; le jus de la canne à sucre, le rhum, celui de l'agave, la tequila ; les grains, le whisky, le whiskey, le bourbon, le gin, l'aquavit, la vodka (parfois avec de la pomme de terre) et le schnaps.

La plupart des eaux-de-vie demandent à être vieillies en fût quelques années ; les échanges qui se produisent avec le bois assouplissent le caractère âpre et rude qu'elles ont dans leur jeunesse et leur permettent de développer leur arôme et leur bouquet. Les durées de vieillissement sont aujourd'hui sévèrement contrôlées, et l'étiquette permet de connaître la nature et l'âge d'une eau-de-vie, symbolisés par des étoiles, des initiales ou des mentions particulières (**voir** ALCOOL).

Les eaux-de-vie distillées industriellement se consomment quelquefois en cocktail et en apéritif (gin, vodka, whiskies). Celles qui sont distillées de façon artisanale, à l'arôme plus prononcé, se dégustent plutôt en digestif. Les unes et les autres sont utilisées en cuisine et en pâtisserie pour mariner, flamber, aromatiser ou relever une préparation.

▶ Recettes : ABRICOT, CERISE, PRUNE.

ÉBARBER Couper avec des ciseaux les nageoires d'un poisson cru ; l'ébarbage concerne tous les poissons, sauf les très petits, comme la sardine et l'éperlan. On ébarbe ainsi les poissons plats servis entiers (barbue, sole, turbot) en enlevant les « barbes » (cartilages) qui leur servent de nageoires. On ébarbe également les moules ou les huîtres après leur cuisson, en enlevant le pourtour de leur manteau, et les œufs pochés pour en parfaire la présentation, en ôtant les filaments de blanc coagulé irrégulièrement.

ÉBOUILLANTER Plonger un aliment dans de l'eau bouillante pour raffermir ses tissus, éliminer les impuretés de surface, faciliter son épluchage, attendrir ses fibres ou éliminer son âcreté. On ébouillante aussi les pots de confiture avant de les remplir, pour qu'ils n'éclatent pas sous l'effet de la chaleur de la préparation.

ÉCAILLER Débarrasser un poisson de ses écailles ; cette opération est facilitée par l'emploi d'un écailleur, sorte de grattoir à lames verticales dentelées, mais on peut aussi utiliser une coquille Saint-Jacques.

Écailler des coquillages signifie les ouvrir ; on appelle « écailler » la personne qui ouvre les huîtres dans les restaurants possédant un banc d'huîtres extérieur et, par extension, le commerçant spécialisé dans la vente des coquillages et des fruits de mer.

ÉCALER Retirer la coquille d'un œuf cuit, mollet ou dur. Pour faciliter l'opération, il suffit de passer l'œuf sitôt cuit sous l'eau froide puis de le faire rouler sur un plan de travail pour fendiller la coquille.

ÉCARLATE (À L') Se dit de viandes de porc ou de bœuf immergées plus ou moins longtemps dans une saumure au salpêtre, ce qui les colore dans la masse en rouge vif ; elles sont ensuite pochées à l'eau. Il s'agit surtout d'une préparation de la langue de bœuf, qui se sert chaude, accompagnée de légumes, ou froide, en hors-d'œuvre ; celle-ci intervient comme ingrédient dans des apprêts également dits « à l'écarlate » (associée à une sauce « rouge », à la tomate, etc.) et s'emploie très souvent en décor (taillée en crêtes de coq). On prépare de la même façon la poitrine de bœuf dite *pressed beef*.

Le « fromage à l'écarlate », sorte de beurre composé avec de l'écrevisse, dont le chef Menon donne la recette dans *la Science du maître d'hôtel cuisinier* (1749), est un apprêt de la cuisine ancienne qui doit aussi son nom à sa couleur.

ÉCHALOTE Plante aromatique à bulbe très divisé, de la famille des alliacées (**voir** tableau et planche des échalotes ci-contre). Elle était déjà cultivée en France, au temps des Carolingiens. L'échalote grise, de saveur marquée, est originaire d'Asie centrale. L'échalote de Jersey, originaire d'Europe septentrionale, est de la même famille que l'oignon, mais son arôme est plus subtil. Il existe d'autres « populations » locales, sans grand intérêt culinaire. Toutes doivent être exemptes de moisissures.

■ **Emplois.** L'échalote fut et reste le condiment traditionnel de nombreux plats bordelais ; elle gagna ensuite Nantes, puis conquit la gastronomie des côtes normandes, et enfin fut adoptée par la cuisine parisienne. Finement hachée, elle accompagne les salades et les crudités, les poissons et les viandes grillés ou poêlés (foie d'agneau, onglet, rouget) ; elle relève surtout les sauces (Bercy, béarnaise et au vin rouge), ainsi que le beurre blanc. Elle parfume le vinaigre (on y met une tête d'échalote à macérer 2 semaines) et sert à préparer un beurre composé. Les jeunes feuilles, finement ciselées, peuvent aussi s'incorporer à des salades. Les cuisines vietnamienne, chinoise, indienne et créole font également grand usage de l'échalote.

Couramment utilisée dans la cuisine française, en concurrence ou en mariage avec l'ail dans le Sud et avec l'oignon dans le Nord et l'Est, l'échalote est toujours employée sous forme de hachis : enveloppé dans un linge, passé à l'eau froide et pressé, celui-ci perd une partie de son âcreté et s'oxyde moins vite.

Il est déconseillé de la conserver dans le réfrigérateur, où son odeur se communique aux autres aliments.

▶ **Recettes** : AGNEAU, BŒUF, RIS, ROUGET-BARBET.

ÉCHANSON Officier chargé, sous l'Ancien Régime, de servir à boire au roi et aux grands personnages de son entourage. Cette charge était l'une des plus prestigieuses et des plus lucratives du service de bouche du roi. L'échanson était placé sous l'autorité du grand échanson qui, dès le XIIIᵉ siècle, sous le règne de Saint Louis, devint un personnage très important, dont le rôle n'avait plus qu'un vague rapport avec sa fonction d'origine. Il avait le privilège d'ajouter à ses armoiries deux flacons de vermeil frappés aux armes du roi.

L'« échansonnerie de l'hostel du roi » comprenait un personnel plus ou moins important selon les époques : en 1285, on dénombrait, outre le grand échanson, quatre échansons ordinaires, deux sommeliers (pour la réception du vin), deux barilliers (responsables des caves et des tonneaux), deux bouteillers (pour préparer les boissons), un potier et un clerc (pour les comptes). Sous Louis XIV, on trouve douze « chefs par quartier », quatre aides, quatre sommeliers (réception des vins, soins des caves et de la vaisselle), un maître des caves, quatre coureurs de vin et deux conducteurs de la haquenée (qui accompagnaient le roi à la chasse pour lui présenter les en-cas nécessaires) et nombre de sous-ordres.

Le mot, remis à la mode par les romantiques dans le langage poétique, s'emploie aujourd'hui, avec une nuance d'ironie emphatique, pour désigner l'hôte qui verse à boire.

ÉCHAUDÉ Petite pâtisserie salée ou sucrée, cuite dans l'eau bouillante (d'où son nom), dont l'origine est ancienne. Certains échaudés à base de farine, d'eau, d'œuf, de beurre, découpés en rectangle ou en carré, étaient ensuite égouttés et séchés au four pour donner des produits légers et croquants, très populaires en France jusqu'au XIXᵉ siècle. Les gnocchis sont des échaudés particuliers.

Au XIIIᵉ siècle, les échaudés étaient dentelés ; on les fit ensuite ronds, triangulaires ou en forme de cœur. Ils étaient vendus dans les rues, comme les oublies. Dans son *Grand Dictionnaire de cuisine,* Alexandre Dumas les décrit comme « des sortes de gâteaux non sucrés que l'on fait bien plus pour les oiseaux et pour les enfants que pour les adultes ». Le pâtissier Favart, rue de la Verrerie, à Paris, qui les remit à la mode au début du XVIIIᵉ siècle, passa longtemps pour leur inventeur.

L'échaudé reste une pâtisserie traditionnelle dans plusieurs provinces, notamment dans l'Aveyron (parfumé à l'anis) et dans l'Ouest (avec les craquelins). On le prépare également avec une pâte levée.

ÉCHAUDER En triperie, plonger dans de l'eau bouillante la panse et l'intestin d'un animal de boucherie, pour les débarrasser de leurs muqueuses, afin de les rendre propres à la consommation ; pour l'épilation des têtes et des pieds, on utilise de l'eau un peu moins chaude.

Tremper durant une quinzaine de secondes dans de l'eau assez chaude (de 60 à 80 °C) les pattes d'une volaille destinée à être présentée entière permet de retirer ensuite, à l'aide d'un torchon, la peau écaillée qui les recouvre.

ÉCHEZEAUX Vin AOC de Bourgogne, subtil et charpenté, issu du cépage pinot noir, produit par des vignobles situés au pied de la côte-de-nuits (**voir** BOURGOGNE).

ÉCHINE Morceau constitué de la région cervicale et dorsale antérieure du porc, qui donne une viande assez grasse et moelleuse (**voir** planche de la découpe du porc page 699). On taille dans l'échine des côtes et des morceaux pour les brochettes, ainsi que des rôtis (qu'il est inutile de barder) ; on l'utilise aussi dans les potées. Également appelée « épinée » à cause du relief aigu des apophyses épineuses des vertèbres, l'échine en un seul morceau, désossée ou non, est aussi une pièce à braiser, que Zola évoque dans *l'Assommoir* : « Quel beurre, cette épinée ! […] Quelque chose de doux et de solide qu'on sentait couler le long de son boyau jusque dans ses bottes. »

Chez le bœuf, l'échine était un morceau de gros qui, dans la coupe dite « à la parisienne », comprenait le train de côtes entier et l'aloyau.

ÉCLAIR Petite pâtisserie allongée, en pâte à choux, fourrée de crème et glacée au fondant. La taille du bâtonnet de pâte poussé à la douille sur la plaque de cuisson varie selon que l'on veut obtenir des petits-fours, des gâteaux individuels ou un éclair géant.

Après cuisson, l'éclair est fendu en longueur et fourré de crème pâtissière, souvent au café ou au chocolat, mais également au rhum ou aux fruits (cassis, framboise). Le dessus est glacé au fondant aromatisé avec le même parfum. Les éclairs peuvent aussi être garnis de chantilly, de purée de marron, d'un salpicon de fruits au sirop, ou de fruits frais.

RECETTE DE PIERRE HERMÉ

éclairs au chocolat

POUR 12 PIÈCES – PRÉPARATION : 35 min – CUISSON : 20 min

« Préchauffer le four à 190 °C. Préparer 375 g de pâte à choux (**voir** page 213). La verser dans une poche à douille lisse nº 14. Façonner 12 bâtonnets de 12 cm de longueur sur une plaque recouverte d'une feuille de papier sulfurisé. Enfourner et cuire 5 min four fermé, puis de 18 à 20 min four à porte entrouverte. Laisser refroidir les éclairs sur une grille à pâtisserie. Préparer 800 g de crème pâtissière à la vanille (**voir** page 274). Quand elle est encore chaude, y incorporer 250 g de chocolat noir à 70 % de cacao haché et 20 cl de crème fraîche liquide préalablement bouillie. Remuer de temps en temps jusqu'à refroidissement. Mettre un saladier à glacer 15 min dans le congélateur. Y fouetter 10 cl de crème liquide en crème Chantilly ferme. L'incorporer délicatement dans la crème pâtissière au chocolat froide. Verser celle-ci dans une poche à douille lisse nº 7. Enfoncer la douille à la base de chaque éclair en trois points : deux points à 1 cm des 2 extrémités de l'éclair, le troisième au centre. Garnir chaque éclair de la même façon. Préparer 200 g de glaçage au chocolat (**voir** page 212). Attendre qu'il soit tiède pour glacer le dessus des éclairs : prendre un éclair d'une main et tremper le dessus dans le glaçage. Laisser figer le glaçage quelques secondes avant de reposer l'éclair. Procéder de la même façon avec toutes les autres pièces. »

ÉCOLE DE SALERNE (L') Recueil des préceptes de santé d'une école de médecine italienne très réputée durant le Moyen Âge, probablement réunis par Jean de Milan, puis par Arnaud de Villeneuve. Plusieurs fois réédité et augmenté, cet ouvrage a longtemps tenu lieu de manuel de diététique et de recettes thérapeutiques. Traduits du latin en vers français vers 1500, ces préceptes sont rédigés sous forme de petits poèmes faciles à retenir, par exemple :

« La graine de fenouil dans le vin détrempée
Ranime, excite une âme à l'amour occupée,
Du vieillard rajeuni sait réveiller l'ardeur,
De la semence encore le salutaire usage,
Du foie et du poumon dissipe la douleur,
Bannit de l'intestin le vent qui y fait rage. »

ÉCORCHER Retirer la peau d'une anguille ou d'un congre en faisant une incision tout autour de la tête puis en tirant sur la peau jusqu'à la queue. On dit aussi « dépouiller ».

ÉCOSSAISE (À L') Se dit d'un potage inspiré de la cuisine écossaise *(scotch mutton broth)* : bouillon de mouton clair, garni de viande de mouton bouillie coupée en dés, d'orge perlé poché et d'une brunoise de légumes. Cette brunoise se retrouve dans la sauce écossaise, que l'on sert avec des abats blancs, des œufs, un poisson ou une volaille pochés. Enfin, l'appellation s'emploie pour divers apprêts, d'œufs notamment, où figure le saumon.
▶ Recette : ŒUF MOLLET.

ÉCOT Quote-part de chaque convive dans un repas payé à frais communs. Le terme n'est plus guère employé que dans l'expression « payer son écot », sa part de dépense. Autrefois, il désignait aussi le total de l'addition, et même l'ensemble des convives.

ÉCRÉMER Séparer la crème du lait. L'écrémage se fait spontanément au bout de 24 heures quand on laisse simplement reposer du lait frais entier. La crème monte à la surface, où on la prélève facilement, notamment pour l'utiliser en pâtisserie ménagère. En laiterie industrielle, l'écrémage s'effectue dans des écrémeuses centrifuges.

ÉCREVISSE Crustacé d'eau douce, de la famille des astacidés. Munies de pinces, les écrevisses mesurent de 12 à 15 cm (**voir** planche des crustacés pages 286 et 287).

Consommées dans les campagnes depuis le Moyen Âge, elles apparurent en haute cuisine au XVIIe et au XVIIIe siècle, dans des recettes comme le pigeon aux écrevisses, les écrevisses « cardinalisées » ou le boudin d'écrevisses, mais c'est au XIXe siècle qu'elles connurent une véritable vogue. Sous le second Empire et à la Belle Époque, elles devinrent de plus en plus rares et de plus en plus chères. Le buisson et la bisque étaient alors les grands classiques.

■ **Espèces.** En France, on trouve l'écrevisse à pieds rouges, la plus fine, très recherchée, qui vit notamment en Auvergne ; l'écrevisse à pieds blancs, plus petite, répandue en montagne ; l'écrevisse des torrents, dans les cours d'eau montagnards de l'Alsace et du Morvan ; et, enfin, l'écrevisse américaine, beaucoup moins fine, qui fut introduite dans les rivières et les fleuves à la fin de la Première Guerre mondiale.

La rareté des écrevisses est due à la pollution des eaux, au braconnage et à des maladies. C'est pourquoi l'espèce la plus fréquente sur les marchés est l'écrevisse d'élevage à pattes grêles (ou à pinces fines), dite « écrevisse de Turquie », adulte en 2 ou 3 ans, importée, vivante ou congelée, d'Europe centrale ; elle a une carapace rugueuse, verdâtre, aux articulations orangées.

■ **Emplois.** Dans une écrevisse, on ne mange pratiquement que la queue ; les pinces, broyées au casse-noix, livrent un peu de chair, et la carapace est pilée pour cuisiner bisques et beurres composés. Avant tout apprêt, il faut la « châtrer », c'est-à-dire lui retirer son « boyau » qui lui donnerait un goût amer. Cette opération est inutile si on laisse jeûner les écrevisses 2 jours.

Les écrevisses restent l'élément majeur de quelques-unes des recettes les plus réputées des provinces gastronomiques : Jura, Alsace, Bordelais et Lyonnais, notamment, proposent gratins, soufflés, chaussons, rissoles, friands et apprêts « à la nage », mousses, timbales et veloutés. Le savoir-vivre tolère de prendre les écrevisses avec les doigts pour les décortiquer lorsqu'elles sont servies entières, cuites au court-bouillon. Quand on les utilise en garniture, elles sont « troussées » (avant cuisson, les pinces sont piquées par l'extrémité à la base de l'abdomen).

beurre d'écrevisse ▶ BEURRE COMPOSÉ
bisque d'écrevisse ▶ BISQUE
buisson d'écrevisses ▶ BUISSON

écrevisses à la bordelaise
Préparer une mirepoix de légumes très fine. Faire sauter 24 écrevisses au beurre, les assaisonner de sel, de poivre et de 1 pointe de poivre de Cayenne. Quand elles sont bien rouges, les flamber au cognac, puis les mouiller juste à hauteur de vin blanc sec. Ajouter la mirepoix et poursuivre la cuisson 10 min

au plus. Égoutter les écrevisses et les dresser dans une timbale. Les tenir au chaud. Ajouter 2 jaunes d'œuf au fond de cuisson. Incorporer 40 g de beurre et fouetter et ne plus faire bouillir. Rectifier l'assaisonnement, qui doit être relevé. Napper les écrevisses de cette sauce brûlante et servir aussitôt.

écrevisses à la nage
Préparer une nage comme celle des coquilles Saint-Jacques, mais sans la laisser refroidir. Y plonger les écrevisses et les cuire de 2 à 5 min (selon grosseur) après la reprise de l'ébullition. Relever d'une pointe de cayenne et laisser refroidir dans la nage. Dresser les écrevisses dans un saladier avec leur cuisson. On peut aussi les égoutter, faire réduire la nage, la monter au beurre et en napper les écrevisses avant de les parsemer de persil ciselé : elles sont alors dites « à la liégeoise ». On peut également les servir froides : les laisser refroidir dans la nage puis les égoutter.

RECETTE D'ANDRÉ PIC

gratin d'écrevisses

POUR 4 PERSONNES

« Ébouillanter 4 kg d'écrevisses pendant 2 ou 3 min, puis les décortiquer et les faire sauter au beurre. Les saler, les poivrer et les réserver dans le beurre. Confectionner le beurre d'écrevisse. Faire fondre 500 g de beurre, puis plonger les pinces d'écrevisse concassées et laisser cuire à feu doux, avant d'ajouter 20 cl d'eau. Laisser refroidir. Récupérer le beurre d'écrevisse à la surface. Laver, émincer 250 g de champignons de Paris, les faire sauter au beurre ; ajouter le jus de 1 citron et 50 cl de crème. Laisser cuire puis passer au chinois étamine. Mettre 120 g de beurre d'écrevisse dans une casserole, y ajouter 60 g de farine. Cuire quelques minutes. Mouiller avec 50 cl de lait, 25 cl de crème de champignon, tout en remuant, puis ajouter 20 cl de jus de truffes. Assaisonner et passer au chinois. Napper le fond des assiettes avec un peu de sauce, disposer dessus des lamelles de truffe puis les écrevisses. Recouvrir de sauce et faire gratiner. »

---

ris de veau aux écrevisses ▶ RIS
sauce aux écrevisses ▶ SAUCE

RECETTE DE JEAN-PAUL LESPINASSE

terrine d'écrevisses aux herbes

POUR 8 PERSONNES – PRÉPARATION : 1 h

« Préchauffer le four à 90 °C en préparant un bain-marie. Détailler en brunoise 50 g de carottes et 50 g de courgettes. Cuire les deux brunoises à l'eau salée ; les égoutter. Passer au robot très froid 500 g de filets de sandre. Refroidir le sandre. Mettre dans un cul-de-poule 1 œuf de 70 g, 15 g d'un mélange de sel et de poivre, 50 cl de crème liquide ainsi que les brunoises. Mélanger à la main. Ajouter 400 g d'écrevisses décortiquées. Mettre le tout dans une terrine et cuire au bain-marie à 90 °C. Sonder à cœur jusqu'à ce que la température atteigne 63 °C. Servir avec une vinaigrette et beaucoup d'herbes ciselées (persil plat, ciboulette, un peu d'estragon, du cerfeuil). »

---

timbale de queues d'écrevisse Nantua ▶ TIMBALE
timbale de sandre aux écrevisses
   et mousseline de potiron ▶ TIMBALE

ÉCUELLE Petit récipient rond et creux, sans rebord, destiné à recevoir des liquides ou des aliments pour une personne. D'origine très ancienne, l'écuelle de bois, de terre cuite ou d'étain fut l'un des premiers ustensiles de table ; au Moyen Âge, il arrivait que deux personnes mangent dans la même écuelle. Aujourd'hui, elle est généralement en faïence ou en grès et ne s'emploie plus guère que pour servir des soupes campagnardes ou des mets rustiques.

ÉCUME OU ESPUMA Préparation chaude ou froide élaborée à partir d'une crème, d'une purée, d'un liquide ou d'eau enrichis d'un peu de gélatine, que l'on fait passer dans un siphon à crème fouettée pour leur injecter de l'air ; grâce à ce traitement, on obtient une préparation très légère et parfumée. Les premières expérimentations, faites par le chef catalan Ferran Adrià en 1994, portèrent d'abord sur des bases salées (purée de haricot blanc, betterave, amande) puis sur des créations sucrées, notamment des écumes froides pour garnir des tartes. On parle aujourd'hui d'écume pour désigner toute préparation élaborée à l'aide d'un siphon, même si elle contient d'autres ingrédients comme des blancs d'œuf, de la fécule, de la crème fraîche, etc.

▶ Recettes : AMUSE-GUEULE, CHAMPIGNON, OMELETTE, VERRINE.

ÉCUMER Enlever l'écume qui se forme à la surface d'un liquide ou d'une préparation en train de cuire (bouillon, confiture, ragoût, sauce). Cette opération est renouvelée d'autant plus souvent que la cuisson est plus longue. Elle s'effectue avec une écumoire, une petite louche ou une cuillère.

ÉCUMOIRE Large cuillère ronde, plate ou légèrement incurvée, percée de trous et munie d'un long manche. Lorsqu'elle est destinée à écumer les sauces et les bouillons, l'écumoire est en acier inoxydable, en aluminium, en tôle émaillée ou en fer-blanc. Pour les confitures, elle est traditionnellement en cuivre non étamé. On trouve aussi des écumoires conçues pour les récipients à revêtement antiadhésif. Pour sortir des aliments d'un bain de friture, on utilise une « araignée » (**voir** ce mot).

ÉCUYER TRANCHANT Officier du service de bouche du roi chargé, sous l'Ancien Régime, de trancher les viandes et de servir à table. La charge était parfois dédoublée, l'« écuyer tranchant » assurant le découpage et le « grand écuyer tranchant » faisant le service (appelé « premier tranchant » quand il officiait pour la reine, l'adjectif « grand » étant réservé à l'office du roi). L'écuyer tranchant, qui était un noble, avait le droit de porter, au-dessous de ses armes, un couteau et une fourchette aux manches fleurdelisés. Cette charge, effective au début de la monarchie, devint peu à peu honorifique, mais resta très lucrative par les avantages qui y étaient attachés.

Au XVe siècle, Olivier de La Marche rapporte que l'écuyer tranchant devait, à ses dépens, « entretenir nets ses couteaux », ustensiles luxueux, portant la devise ou les armes de son seigneur. À cette époque, il en utilisait trois : le plus grand, doté d'une lame large à double tranchant, servait non seulement à découper, mais aussi à présenter aux convives le morceau détaché ; le deuxième, grand également, était destiné à détailler les rôts et les volailles, et le troisième, plus petit, appelé « parepain », servait à couper les tranches de pain sur lesquelles on posait les morceaux de viande (**voir** TRANCHOIR).

ÉDAM Fromage à pâte pressée non cuite au lait de vache, originaire du port d'Edam (Hollande du Nord). Dans son pays d'origine, l'édam, produit par une coopérative de Westbeemster, bénéficie d'une appellation d'origine protégée sous le nom de Noord-Hollandse Edammer (**voir** tableau des fromages étrangers page 400). En France, il est fabriqué depuis l'époque colbertienne « par copie » de l'édam hollandais et porte souvent le nom de « tête-de-Maure » ou encore de fromage de Hollande, ou hollande gras, quand il est à croûte rouge. De forme sphérique, d'environ 15 cm de diamètre, il est ciré, de jaune à rouge, selon la durée d'affinage qui dure de 3 à 6 mois.

L'édam se sert en fin de repas et intervient aussi largement en cuisine : jeune ou demi-étuvé pour les sandwiches, croûtes, canapés, croque-monsieur et salades composées ; plutôt étuvé pour les gratins, soufflés et tartes. À Bordeaux, découpé en petits cubes, il accompagne parfois les dégustations de vin dans les chais. Enfin, il entre dans une préparation typique, originaire de Curaçao, île des Antilles néerlandaises, le *keshy yena*.

─────────

keshy yena

Choisir un édam « jeune » ; découper une calotte sur le dessus et évider le fromage au couteau, en laissant des parois de 1,5 cm d'épaisseur. Couper en dés le fromage retiré, le mélanger avec un ragoût cuit de viande de porc ou de bœuf coupée en dés ou hachée ; incorporer des olives dénoyautées, des tomates en petits quartiers et des oignons émincés. Garnir la boule d'édam avec ce mélange ; replacer la calotte et la maintenir avec des bâtonnets. Cuire 1 heure au four préchauffé à 160 °C.

EDDO Grosse racine oblongue, chevelue, produite par une espèce de taro. Riche en amidon et en eau (90 %), mais aussi en potassium, elle s'utilise comme le manioc ou les gros taros. Elle est insipide.

EDELPILZKÄSE Fromage allemand de lait de vache parfois additionné de lait de brebis (55 % de matières grasses), à pâte persillée, jaune pâle veinée de bleu, et à croûte naturelle (**voir** tableau des fromages étrangers page 396). Fabriqué dans les Alpes bavaroises, il est vendu en meule, en pain ou en portions individuelles. L'Edelpilzkäse a une saveur forte et piquante.

EDELZWICKER Vin blanc alsacien, vif, fruité et désaltérant, issu d'un assemblage de cépages (riesling, pinot gris, sylvaner, gewurztraminer et muscat). Frais et plaisant, il est d'un bon rapport qualité-prix.

ÉDOUARD VII Roi de Grande-Bretagne et d'Irlande (Londres 1841 - *id*. 1910). Lorsqu'il n'était encore que prince de Galles, le futur Édouard VII fut une personnalité du Tout-Paris. Habitué des grands restaurants *(Voisin, Café Hardy, Paillard)*, ce gourmet averti se vit dédier des plats somptueux, tel le turbot prince de Galles, poché, garni d'huîtres et de moules frites et nappé d'une sauce au champagne relevée de cari et liée au beurre d'écrevisse.

Devenu roi, il continua d'avoir les honneurs de la grande cuisine : la barbue Édouard VII, pochée au vin blanc et garnie de fleurons en appareil à pommes duchesse, est servie avec une sauce mousseline aux huîtres ; la poularde Édouard VII est farcie de foie gras, de riz et de truffes, nappée d'une sauce au cari garnie de dés de poivron rouge et servie avec des concombres à la crème ; les œufs Édouard VII, mollets ou pochés, sont dressés sur un risotto mélangé de dés de truffe, séparés par des lames de langue écarlate et décorés de lames de truffe. Quant à l'Édouard VII, c'est un petit gâteau en forme de barquette, fourré à la rhubarbe et glacé au fondant vert.

ÉDULCORANT Substance chimique de synthèse possédant un pouvoir sucrant très élevé, mais n'ayant pas de valeur nutritive. Certains, comme l'aspartame, n'apportent quasiment aucune calorie ; d'autres, comme les polyols (présents dans les bonbons et les chewing-gums dits « sans sucre »), en fournissent un peu. Parmi les édulcorants intenses qui sont considérés comme des additifs alimentaires (**voir** ce mot), on trouve surtout l'aspartame (E 951), l'acésulfame K (E 950), la saccharine (E 954), les cyclamates (E 952). Ils peuvent se présenter en poudre ou sous forme de « sucrettes ». De nombreux aliments en sont additionnés, ce qui doit être mentionné sur l'étiquette. On prépare avec ces produits des plats « allégés » en sucre.

EFFEUILLER Retirer les feuilles d'une salade, d'un artichaut, etc. Détailler en « feuilles » la chair d'un poisson cuit (morue et églefin principalement) en suivant les strates qui la composent ; cette opération permet de retirer toutes les arêtes.

EFFILER Éplucher des haricots verts en cassant leurs extrémités entre le pouce et l'index, le plus près possible de la pointe, et en ôtant les fils éventuels. Effiler des amandes ou des pistaches consiste à les tailler en lamelles fines dans le sens de la longueur, soit avec un couteau d'office, soit avec un instrument spécial. Par extension, on effile aussi des blancs de volaille ou des aiguillettes de canard.

On dit d'une volaille qu'elle est « effilée » lorsqu'elle a été vidée de ses intestins (**voir** VIDER).

Certains chefs emploient le terme « effilocher », notamment pour les poireaux, lorsque ceux-ci sont réduits en fins filaments (Taillevent disait « escheveler »). Dans le cadre d'un service à l'assiette, une effilochée est un plat dont l'élément principal est une chair filandreuse, poisson ou viande (effilochée de raie, de confit, etc.).

EGG SAUCE Sauce chaude de la cuisine anglaise, faite d'œuf dur et de beurre, qui accompagne surtout les poissons pochés.

La *scotch egg sauce* est une béchamel garnie de jaunes d'œuf dur en purée et de blancs émincés. Son emploi est le même.

▶ Recette : SAUCE.

ÉGLANTIER Rosier sauvage de la famille des rosacées, dont les fruits rouges, ovoïdes, communément appelés « gratte-cul », peuvent servir à préparer de la confiture (**voir** planche des fruits rouges pages 406 et 407). En réalité, le gratte-cul, dont le nom scientifique est « cynorrhodon », n'est pas le fruit en soi, mais un réceptacle contenant des poils raides et des petites graines dures qui sont les véritables fruits de la plante. Une fois cueillies et équeutées, les baies doivent ramollir à sec pendant plusieurs jours, puis être bouillies dans de l'eau, passées plusieurs fois à la moulinette et, enfin, additionnées de leur volume de sucre, puis cuites comme une confiture. On en fait aussi une eau-de-vie blanche.

ÉGLEFIN Poisson de la famille des gadidés, comme la morue, vivant dans les mêmes eaux qu'elle, mais généralement plus petit (moins de 1 m et de 2 à 3 kg au maximum) [**voir** planche des poissons de mer pages 674 à 677]. Sa chair est maigre (1 % de lipides), ferme et légèrement rosée. Lorsqu'il est vendu entier et vidé, on le reconnaît à sa couleur gris brunâtre, à sa ligne latérale sombre et à sa tache noire sous la première nageoire dorsale. Il est cependant surtout vendu en filets et reçoit les mêmes apprêts que le cabillaud ou le merlu. L'églefin (ou aiglefin) fumé est commercialisé sous l'appellation de « haddock », qui est le nom anglais de l'églefin frais.

ÉGOUTTER Laisser s'écouler l'eau retenue par un aliment cru que l'on vient de laver ou par un aliment cuit à l'eau ou rafraîchi sous l'eau. La durée de l'égouttage dépend de l'aliment et de sa préparation ultérieure. Divers ustensiles sont utilisés à cet effet. Les légumes verts s'égouttent dans une passoire ou sur une grille ; le chou-fleur est sorti à l'écumoire et placé dans une passoire, parfois tapissée d'un linge ; le riz et les pâtes sont versés avec leur cuisson dans une passoire ou sur un tamis ; les œufs pochés sont mis à égoutter sur un torchon plié ; les épinards sont pressés entre les mains, tout comme le pain mouillé de lait servant à confectionner une farce.

Égoutter signifie aussi débarrasser des aliments sortant d'un bain de friture de leur excédent d'huile ou de corps gras. Les pommes de terre, les beignets, les petits poissons, etc., sont sortis de l'huile à l'aide d'une écumoire à friture ou relevés dans le panier, puis déposés sur du papier absorbant (on dit aussi « éponger »).

Enfin, l'égouttage est une opération importante de la fabrication des fromages ; naturel ou accéléré, il permet d'éliminer le lactosérum du caillé. Quant aux fromages frais, ils sont égouttés dans une faisselle.

ÉGOUTTOIR Support formé d'un treillis ou d'une claie en bois, en fer étamé, en acier inoxydable ou en plastique, destiné à laisser égoutter des ustensiles ou de la vaisselle. L'égouttoir à bouteilles (appelé « if » ou « hérisson ») est une colonne en fer étamé hérissée de tiges sur lesquelles on enfile les bouteilles par le goulot après les avoir lavées.

ÉGRUGEOIR Petit mortier en bois dur (buis, le plus souvent), dans lequel on broie le gros sel et les grains de poivre à l'aide d'un petit pilon, également en bois. On appelle également « égrugeoir » un petit moulin à sel ou à poivre. Le sel égrugé conserve la saveur du gros sel, et le poivre fraîchement broyé développe également plus d'arôme.

ÉGYPTE La gastronomie de l'Égypte contemporaine est relativement frugale, et elle ne se distingue guère de l'alimentation habituelle des autres pays orientaux et méditerranéens. Pourtant, la cuisine au temps des pharaons connaissait un raffinement certain, utilisait les asperges, apprêtait le gibier et employait plusieurs espèces d'oignons et de poireaux, beaucoup d'épices (dont le curcuma) et de fruits.

■ **Légumes et viandes.** La nourriture de base n'est pas tant le riz que le pain de maïs et des légumes verts en quantité (bamias, gombos, ainsi qu'une sorte de labiée très répandue, le *foul medames*). Les légumes secs sont aussi très appréciés. Le seul plat véritablement typique de l'Égypte est une soupe aux herbes assez consistante, riche en mucilage et de goût douceâtre, la *molokheya* (ou *mouloureija*), dans laquelle on ajoute de la chair de poulet ou de lapin, des épices et de la sauce tomate. La viande la plus courante est le mouton (grillé ou haché, mijoté avec des œufs et des légumes) ; on mange peu de bœuf (utilisé pour les travaux des champs, il a une chair coriace). On consomme également peu de poisson, mais en revanche beaucoup de très grosses crevettes (que l'on apprête avec une sorte de risotto au piment et à la tomate) et des œufs de mulet.

■ **Desserts et boissons.** La pâtisserie ne diffère pas de celle qui est consommée ailleurs au Moyen-Orient, bien que les Égyptiens aient une prédilection pour le loukoum et le baklava.

Les dattes entrent pour une large part dans l'alimentation, confites ou séchées, réduites en farine ou en bouillie ; elles sont utilisées en pâtisserie, notamment pour le *menenas*, boule de pâte aux amandes et à la fleur d'oranger, farcie de dattes dénoyautées, d'amandes, de pistaches et de cannelle, et cuite au four. Les fruits sont abondants et variés (agrumes, bananes, grenades, mangues, pastèques).

Les Égyptiens boivent surtout de l'eau parfumée à la fleur d'oranger ou à l'eau de rose, du jus de canne à sucre non fermenté et une infusion rouge typique, le *karkadè* (fleurs d'hibiscus séchées), au goût de groseille. Depuis longtemps, ils s'efforcent de recréer ces vins célèbres dans l'Antiquité et retrouvés dans des jarres enterrées avec les momies des pharaons.

Ils produisent aujourd'hui, essentiellement pour l'exportation, des vins assez intéressants, dont les plus connus sont des blancs, le cru-des-ptolémées et le reine-cléopâtre ; l'omar-khayyam est un rouge moelleux à l'odeur de datte.

ÉGYPTIENNE (À L') Se dit de divers apprêts où figurent, ensemble ou séparément, le riz, l'aubergine et la tomate. Les aubergines à l'égyptienne sont farcies de leur pulpe hachée avec de l'oignon et servies avec des tomates sautées ; la garniture à l'égyptienne est faite de rondelles d'aubergine sautées, de riz pilaf et d'une fondue de tomate. La salade à l'égyptienne comporte riz, salpicon de foies de volaille, jambon, champignons, fonds d'artichaut, petits pois, tomates concassées et poivrons rouges. Le poulet à l'égyptienne est sauté avec des oignons, des champignons et du jambon cru ; dressé en terrine où alternent couches de poulet et de garniture, tapissé de tranches de tomate, il est cuit au four à couvert et additionné au dernier moment d'un peu de fond de veau. Les œufs sur le plat à l'égyptienne sont servis avec des demi-tomates emplies de riz au safran. Le potage à l'égyptienne est une crème de riz, additionnée de poireaux et d'oignons fondus au beurre, passée et finie au lait. La crème à l'égyptienne est un potage aux légumes secs à base de pois jaunes égyptiens, enrichi de crème.

ÉLAN Grand ruminant de la famille des cervidés, vivant à l'état sauvage en Scandinavie, en Sibérie (où des essais de domestication sont effectués), au Canada (où il se nomme « orignal ») et aux États-Unis. C'est un animal robuste qui se reproduit en grand nombre, et sa chasse est très populaire. Sa chair se prépare comme celle du cerf, dont elle est proche.

ÉLECTROMÉNAGER Ensemble des appareils électriques à usage domestique, qui ont connu un développement spectaculaire dans le domaine de la cuisine.

En 1922, Jean-Louis Breton, directeur de l'Office national des recherches et inventions, émit l'idée de mettre la science au service de « ces innombrables ateliers où se gaspillait dans toutes les familles la peine des femmes ». Il organisa un concours, suivi, en 1923, d'une exposition, le premier Salon des arts ménagers, pour faire connaître aux professionnels et au public les nouveaux appareils ménagers. Ceux-ci furent d'abord mécaniques, mais, très vite, apparurent les premiers appareils électriques. Au Salon de 1929, l'ancêtre du lave-vaisselle voisinait avec un gaufrier et quelques réchauds électriques. Dix ans plus tard, le Salon présentait grille-pain, bouilloires et réfrigérateurs.

C'est à partir de 1948 (premier Salon de l'après-guerre) que l'électroménager connut un véritable essor : en 1954, premier robot-mixeur en France ; en 1960, hachoirs, éplucheurs et grille-pain automatique ; en 1962, fours électriques ; en 1967, couteaux électriques ; en 1968, machines à laver la vaisselle entièrement automatiques ; en 1970, friteuses électriques.

■ **Petit et gros électroménager.** À la première de ces deux catégories appartiennent batteur, bouilloire, cafetière, centrifugeuse, couteau électrique, crêpière, éminceur, éplucheuse, friteuse, gaufrier, grille-pain, grille-viande, hachoir, mixeur, moulin et broyeur à café, ouvre-boîtes, presse-agrumes, trancheuse, sorbetière, yaourtière et robots universels. Certains appareils sont aujourd'hui très sophistiqués.

Le gros équipement électroménager de la cuisine comprend, en dehors du lave-vaisselle, les appareils de cuisson et de froid : cuisinière, table de cuisson, rôtissoire, four encastrable, four à micro-ondes, réfrigérateur et congélateur.

ÉLÉPHANT Mammifère, de la famille des éléphantidés, de l'Asie méridionale, où il est domestiqué comme bête de somme, et de l'Afrique, où il a longtemps été un gibier apprécié (et une source de revenus grâce à son ivoire), avant que des mesures de protection sévères aient été prises à son égard. Des récits de voyageurs et de chasseurs signalent, dès le XVIIᵉ siècle, que sa viande est coriace, mais qu'elle devient savoureuse si elle est cuite plus de 15 heures ou après une longue maturation en plein air. Ce sont les pieds et surtout la trompe qui présentent un intérêt culinaire : leur chair, musculeuse et gélatineuse, ressemble à de la langue de bœuf.

ÉLEVAGE Ensemble des soins prodigués aux vins de qualité après leur fermentation pour leur assurer le meilleur goût et une longue vie. L'élevage, qui comprend l'ouillage, le soutirage, le collage et la filtration, permet de contrôler l'évolution biologique et physico-chimique du vin. Il s'effectue, dans la grande majorité des cas, en fûts de chêne, qui autorisent une aération lente, et dure plus ou moins longtemps : de quelques mois (beaujolais, muscadet) à 1 ou 2 ans (bordeaux, bourgognes), et à 6 ans au moins pour les vins jaunes.

EMBALLER Envelopper une pièce qui doit pocher ou mijoter dans un bouillon. On utilise soit une crépine de porc, soit une mousseline ou un linge, pour que l'apprêt soit maintenu pendant la cuisson. En charcuterie, « emballer » signifie emplir des moules d'une composition à cuire (galantine, pâté de foie).

EMBOSSER Mettre sous filet, en boyau ou en moule une viande ou une farce afin de lui donner avant cuisson sa forme finale. L'opération autorise l'égouttage, l'étuvage, le séchage, le fumage sans qu'il y ait trop de déformations et de perte de poids.

ÉMEU Oiseau ratite de grande taille (de 1,60 à 1,80 m), de la famille des dromocéidés. Originaire d'Australie, l'émeu est aujourd'hui élevé pour la production de viande dans plusieurs pays, dont la France. Abattu vers 10-12 mois, quand il pèse 40 kg, il fournit une chair rouge et tendre, dont le goût rappelle celui du gibier et qui se cuisine comme lui. On utilise surtout le filet, les aiguillettes de filet, la noix de gigue et les gigots.

ÉMINCÉ Tranche mince de viande rôtie, braisée ou bouillie, nappée d'une sauce et réchauffée au four (sans ébullition, pour qu'elle ne perde pas son moelleux) dans le plat de service. Les émincés constituent un plat de desserte classique. Ils se font surtout avec du bœuf, de l'agneau et du mouton, parfois aussi du gibier (chevreuil), moins souvent avec du porc, de la volaille ou du veau, les viandes blanches étant toujours plus sèches quand elles sont réchauffées.

Les émincés de bœuf sont accompagnés de sauce madère aux champignons, de sauce bordelaise avec des lames de moelle, d'une sauce chasseur, lyonnaise, piquante, Robert, tomate ou italienne, et garnis de pommes sautées, de légumes verts liés au beurre ou à la crème, de légumes braisés, d'une purée, de pâtes ou de risotto. Les émincés de chevreuil sont nappés de sauce poivrade, grand veneur ou chasseur, et servis avec purée de marron et gelée de groseille.

Les émincés de mouton sont accompagnés de sauce aux champignons, de sauce tomate, de sauce au paprika et de sauce indienne (avec du riz, des courgettes) ; les émincés de porc, de sauce piquante, de sauce Robert ou de sauce charcutière (avec purée de pomme de terre ou de pois cassés) ; les émincés de veau ou de volaille, de sauce tomate, royale ou suprême (mêmes garnitures que pour le bœuf).

Par extension, on appelle aussi « émincés » divers apprêts qui ne sont pas de desserte et dont les articles sont détaillés en fines lamelles avant cuisson. C'est le cas de l'émincé de veau, découpé dans de la noix de veau, dont les tranches sont sautées rapidement par petites quantités, puis réunies dans le plat à sauter et mouillées de fond ou de demi-glace, parfois de crème fraîche, et accompagnées de champignons sautés.

▶ **Recette : VEAU.**

ÉMINCER Couper en tranches, en lamelles ou en rondelles plus ou moins fines, mais d'égale épaisseur, des légumes, des fruits ou de la viande. L'opération se fait au couteau à émincer sur une planche à découper (concombre, poireau, champignon, poire, pomme), mais aussi à la mandoline (carotte et navet, pomme de terre) ou au robot universel, équipé du disque à émincer (pomme de terre). En restauration, il existe un instrument spécial pour émincer les tomates en tranches de 5 mm d'épaisseur, sans les écraser, ou les couper « en éventail » (les tranches restant liées par la base).

ÉMISSOLE Petit requin de la famille des triakidés, qui vit en profondeur et se rapproche parfois des côtes en été. On distingue l'espèce tachetée, au dos taché de blanc, l'espèce pointillée, à la nageoire dorsale postérieure bordée de noir, et l'espèce lisse. Assez rare, l'émissole, vendue dépouillée sous le nom de saumonette, a une chair très appréciée, surtout en Normandie, où elle est cuisinée à la crème.

EMMENTHAL OU **EMMENTAL** Fromage à pâte pressée cuite au lait de vache. Le nom « emmenthal » est lié à son origine suisse, dans la vallée de l'Emme (**voir** tableau des fromages étrangers page 398). Il est fabriqué pour la première fois en France par les moines de l'abbaye de Soligny-la-Trappe, dans l'Orne, en 1815, sous le le nom d'« emmental ». Depuis, il est produit dans le Grand Ouest et dans l'Est (Ain, Isère, Savoie, Haute-Savoie, Haute-Marne, Vosges et la Franche-Comté), où il possède un label « grand cru » (**voir** tableau des fromages français page 390). En forme de meule d'environ 70 à 100 cm de diamètre, à talon et faces convexes, de 16 à 25 cm de haut, il pèse entre 70 et 130 kg. Sa croûte est de couleur jaune clair, sèche et lisse. Sa pâte est de couleur ivoire, ferme et souple, avec des ouvertures bien détachées de la taille d'une noix. Son goût est franc et fruité, et sa saveur, puissante.

EMPANADA En Espagne et en Amérique du Sud, tourte, pâté en croûte ou chausson farci à la viande, au poisson, au maïs tendre ou au fromage. Cette spécialité est originaire de Galice, où l'empanada classique est une tourte au poulet, à l'oignon et au poivron, qu'on prépare aussi aux fruits de mer, ou encore aux sardines, à l'anguille ou à la lamproie. Autrefois réalisée en pâte à pain (d'où son nom), l'empanada se fait très souvent aujourd'hui en pâte à frire ou en pâte feuilletée et se sert en général chaude.

Au Chili, en Argentine et au Paraguay, les empanadas sont des petits pâtés en croûte (non moulés) ou, plus souvent, des petits chaussons au rebord festonné. Ils sont fourrés de viande hachée, de raisins secs, d'olives et d'oignons, épicés de piment, de paprika et de cumin. On les sert en hors-d'œuvre ou comme amuse-gueule, toujours brûlants, très souvent avec du vin.

RECETTE DU RESTAURANT *ANAHI*, À PARIS

empanada

« Couper 500 g de viande de bœuf dégraissée en petits dés et les faire mijoter avec 100 g d'oignon haché, 20 g de piment doux et de piment en feuille *(ignara)*, 1 cuillerée à café de cumin et 1 gousse d'ail écrasée. Une fois la viande cuite, ajouter 30 g de raisins secs préalablement trempés et 1 œuf dur concassé. Garnir de cette préparation une pâte à tarte en faisant de petits pâtés. Cuire 30 min au four préchauffé à 180 °C. Servir très chaud. »

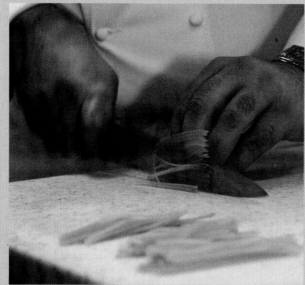
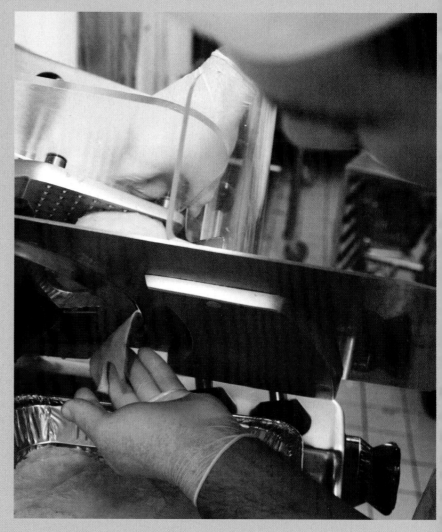

« Pour émincer les fruits et légumes dans les règles de l'art, les cuisiners de chez POTEL ET CHABOT, de l'école FERRANDI PARIS, de l'HÔTEL DE CRILLON et du RITZ PARIS doivent réaliser des tranches d'égale épaisseur. Certes, ils sont souvent aidés d'instruments de découpe, mais on reste admiratif devant une telle adresse. »

EMPEREUR Poisson marin, de l'ordre des béryciformes, aussi connu sous le nom d'« hoplostète rouge ». L'empereur vit à grande profondeur dans l'Atlantique, de l'Irlande à l'Espagne, et dans le Pacifique, près de la Nouvelle-Zélande. Long de 60 cm environ, il se reconnaît à sa couleur rouge et à sa nageoire dorsale plus longue que l'anale. Vendu en filets, il a une chair excellente proche de celle de la lotte, et s'apprête de la même façon.

EMPORTE-PIÈCE Ustensile en fer-blanc, en acier inoxydable ou en matière synthétique, rond, demi-circulaire, ovale ou triangulaire, lisse ou cannelé, permettant de découper rapidement et régulièrement des abaisses de pâte de forme et de dimension variables (barquettes, petits sablés, vol-au-vent, etc.). L'emporte-pièce à colonne est un ustensile en fer blanc ou en acier inoxydable, rond, lisse et haut, de diamètres divers, permettant de découper des cylindres (ou bouchons) dans un aliment, le plus souvent dans un légume.

ÉMULSIFIANT Composé utilisé pour disperser une matière grasse sous forme liquide dans une solution aqueuse. Dans la mayonnaise, c'est le jaune d'œuf qui apporte les composés émulsifiants que sont les protéines et les phospholipides, dont les lécithines. Certains émulsifiants sont stipulés dans la liste positive des additifs alimentaires (**voir** ce mot). Les émulsifiants naturels comprennent essentiellement les lécithines (E 322) et les mono- et diglycérides d'acides gras alimentaires (E 471). Les premières sont extraites soit d'amandes ou de graines (notamment celles du soja) pour la chocolaterie, soit du jaune d'œuf pour les laits en poudre ; les seconds interviennent dans la margarine et la mayonnaise toute prête.

ÉMULSIFICATION Opération qui vise à disperser un corps gras liquide, sous la forme de gouttes, dans une préparation liquide. C'est par émulsification d'huile dans un mélange de jaunes d'œuf et de vinaigre qu'on obtient la mayonnaise.

ÉMULSION Préparation obtenue par dispersion d'un liquide dans un autre non miscible avec le premier. Par exemple, la dispersion d'huile dans de l'eau, à l'aide de protéines, conduit à une émulsion. Les émulsions ne sont jamais stables : elles subsistent pendant un temps variable, parfois très long. Les principales émulsions culinaires sont la mayonnaise, la vinaigrette et les sauces au vin montées au beurre. Les émulsions peuvent être froides (mayonnaise et ses dérivés) ou chaudes (hollandaise, mousseline et leurs dérivés).

EN-CAS Collation légère, le plus souvent froide, préparée en prévision du désir ou du besoin de se restaurer en dehors des heures de repas. Autrefois, dans les demeures aisées, l'en-cas de nuit, destiné notamment au retour éventuel d'un voyageur, était dressé sur un guéridon, le plus souvent avec du fromage, des fruits et de la viande froide.

ENCHAUD Spécialité du Périgord, faite d'un morceau de filet de porc désossé, roulé sur lui-même, ficelé et cuit au four en cocotte. Il peut aussi être farci. L'enchaud servi froid est particulièrement apprécié.

enchaud

Désosser un morceau de carré ou de longe de porc de 1,5 kg environ et conserver l'os. Étaler la viande sur le plan de travail. Saler, poivrer, la parsemer légèrement de thym émietté et la piquer d'éclats d'ail. La rouler étroitement, la ficeler et la mettre au frais. Le lendemain, faire chauffer 2 cuillerées de saindoux dans une cocotte et y dorer la viande sur toutes ses faces. Ajouter 1 petit verre de fond blanc, 1 branche de thym et l'os. Saler et poivrer. Couvrir et luter le couvercle. Cuire 2 heures au four préchauffé à 180 °C. Quand l'enchaud est cuit, l'égoutter et le tenir au chaud. Retirer de la cocotte l'os et le thym, dégraisser la cuisson au maximum, ajouter 1 petit verre de fond blanc et faire réduire. Présenter l'enchaud avec sa sauce et des pommes de terre sautées assaisonnées à l'ail.

ENCORNET Mollusque marin, de l'ordre des décapodes, très apprécié dans les pays méditerranéens (**voir** planche des coquillages et autres invertébrés pages 252 et 253). On désigne parfois le calmar sous cette appellation. Sur les marchés français, on trouve l'encornet blanc, à grandes nageoires triangulaires, et le rouge, plus allongé, tous deux avec une petite tête portant une dizaine de tentacules et une poche à encre. Les encornets se cuisinent farcis à la tomate, en sauce à l'américaine ou au vin blanc, frits, froids avec un aïoli ou dans une sauce noire faite avec leur encre.

ENDAUBAGE Ensemble des ingrédients employés pour réaliser un braisé, variables selon les recettes : lard, carottes, échalotes et oignons, bouquet garni, vin, alcool, huile, vinaigre, ail, poivre, sel, aromates, etc.

ENDIVE Légume d'hiver aux feuilles blanches et serrées, obtenu par forçage dans l'obscurité d'une racine de chicorée (**voir** ce mot), qui forme une pomme allongée, ferme et régulière. Appelée « chicon », « barbe-de-capucin » ou « witloof » (« feuille blanche » en flamand) en Belgique, « chicorée de Bruxelles » en Allemagne et « chicorée belge » en Grande-Bretagne, l'endive est digeste et peu calorique (20 Kcal ou 84 kJ pour 100 g). Riche en eau, elle apporte du potassium, du sélénium et des vitamines C, B1, B2, PP. Elle est disponible d'octobre à mai.

■ **Emplois.** Les endives sont débarrassées de leurs feuilles abîmées, passées sous l'eau rapidement et essuyées. Il faut enlever la base où se concentre l'amertume, mais ne pas les blanchir.

Ce légume s'apprête cru, en salade (à la vinaigrette, avec les éléments variés qui entrent dans les salades d'hiver : betterave, fromage cuit, noix, pomme, quartiers d'orange ou de pamplemousse). Les endives connaissent en outre de nombreux apprêts cuits : nappées de béchamel, arrosées de beurre noisette ou de jus brun de veau, servies avec du beurre frais et des fines herbes, gratinées, ou réduites en purée. Elles accompagnent rôtis et volailles. On peut les braiser, les préparer en chiffonnade ou en fritots. Enfin, elles constituent un plat principal : elles sont étuvées puis roulées dans du jambon et nappées d'une sauce au porto et aux raisins secs, ou encore farcies et gratinées.

chiffonnade d'endives à la crème ▶ CHIFFONNADE
crème d'endive ▶ CRÈME (POTAGE)

endives braisées ou *à l'étuvée*

Parer et laver 1 kg d'endives. Les mettre dans une casserole avec 30 g de beurre, 1 pincée de sel, le jus de 1/4 de citron et 5 cl d'eau. Porter à ébullition sur feu vif, à couvert, puis baisser et cuire 35 min.

RECETTE DE PASCAL BARBOT

endives braisées au beurre de spéculos, banane-citron vert

POUR 4 PERSONNES

« La veille, disposer dans un saladier 500 g de farine en puits, ajouter 1 cuillerée à soupe de bicarbonate de soude, 1/2 cuillerée à soupe de cannelle en poudre, 3 clous de girofle, 300 g de cassonade, 3 œufs, 400 g de beurre ramolli et 1 pincée de sel. Mélanger lentement afin de bien incorporer tous les ingrédients. Laisser reposer une nuit au réfrigérateur. Le lendemain, chauffer la pâte dans une casserole à feu doux, en remuant sans arrêt pendant 20 min. Filtrer et réserver. Dans une sauteuse, mettre 20 g de beurre à fondre, ajouter 1 cuillerée à café de sucre. Placer 4 belles endives de pleine terre, coupées en deux, face plane au contact de la sauteuse. Ajouter 1 bâton de cannelle, 2 clous de girofle, 8 tranches fines de citron, 1 branche de thym, 10 cl de jus d'orange et cuire lentement pendant 1 heure. Contrôler la caramélisation en fin de cuisson. La cuisson achevée, retirer les endives, finir l'assaisonnement avec de la cannelle en poudre, de la fleur de thym et de la fleur de sel. Servir très chaud avec le beurre de spéculos et des lamelles de banane assaisonnées avec des zestes de citron vert. »

endives au jambon

Cuire des endives à l'étuvée. Préparer une béchamel (de 2 à 4 cuillerées à soupe de sauce par endive) et l'additionner de gruyère (60 g pour 50 cl de sauce). Beurrer un plat à gratin. Égoutter les endives, les enrouler séparément dans des tranches de jambon de Paris, les ranger côte à côte dans le plat. Les napper de béchamel bouillante ; parsemer de gruyère râpé et de noisettes de beurre. Mettre au four préchauffé à 275 °C.

RECETTE DE GEERT VAN HECKE

salade de chicon, pomme verte
aux langoustines et lanières de poulet

POUR 4 PERSONNES

« Couper 8 chicons en julienne. Les laver soigneusement et les égoutter. Couper 2 pommes vertes et enlever le cœur. En couper une en fines tranches et les disposer en éventail sur les assiettes. Couper l'autre en julienne et la mélanger aux chicons. Couper 1 pilon de poulet en lanières et les faire mariner pendant 5 min dans 1 cuillerée à soupe de sauce soja. Rouler les lanières dans de la farine et les plonger pendant 2 min dans une friture à 180 °C pour les rendre croquantes. Cuire légèrement 12 langoustines dans un peu d'huile d'olive. Mélanger les chicons à la pomme avec 2 cuillerées à soupe d'huile d'olive, 1 pointe de moutarde et 2 cuillerées à soupe de vinaigre balsamique. Saler et poivrer. Disposer les chicons sur l'éventail de pomme dans les assiettes. Poser les langoustines et le poulet frit par-dessus et décorer d'un peu de coriandre fraîche. »

---

tronçon de turbot rôti, endives braisées
et mousseline de châtaigne ▶ TURBOT

ENRICHI Qualificatif désignant un produit alimentaire auquel on a ajouté une quantité importante de nutriments, de vitamines ou de minéraux. Il s'agit essentiellement de produits à prédominance glucidique, lipidique ou protidique (destinés aux sportifs, aux personnes dénutries ou accidentées). Aujourd'hui, le lait, les yaourts, les céréales, les jus de fruits sont parfois « complémentés en », « supplémentés en » ou « à teneur garantie en » vitamines et sels minéraux, bien qu'ils n'aient pas droit à la mention « enrichis en » (**voir** COMPLÉMENTATION).

ENROBER Tremper dans de la pâte à frire un aliment relativement riche en eau, pour l'isoler pendant sa cuisson dans un bain de friture (beignets de légumes ou d'abats, notamment). Enrober signifie également recouvrir un apprêt de sauce (chaud-froid, par exemple) ou de gelée. Enfin, les confits doivent toujours être parfaitement enrobés de graisse pour une meilleure conservation.

En pâtisserie, on enrobe de chocolat, de fondant ou de sucre cuit gâteaux, petits-fours, sucreries ou bouchées. Les crèmes glacées présentées sur un bâtonnet sont enrobées de chocolat ou de praliné, ce qui assure leur rigidité. En chocolaterie, on enrobe de chocolat au lait, blanc ou noir, des formes (carré, rectangle, rond) de différentes épaisseurs, composées de ganache, de praliné, de pâte d'amande ou d'autres garnitures, pour faire les bonbons de chocolat dont sont remplis les ballotins et les boîtes.

Dans l'industrie alimentaire, l'enrobage consiste à envelopper un aliment d'une substance neutre, qui en améliore la présentation et en allonge la durée de conservation (notamment pour les saucissons). Le café « enrobé » a subi un traitement qui rend les grains noirs et brillants.

ENTONNOIR Ustensile destiné à faciliter le transvasement des liquides dans des bouteilles ou des récipients à goulot étroit. Généralement conique (mais ovale pour l'eau-de-vie) et plus ou moins évasé, l'entonnoir est en verre, en acier inoxydable, en tôle étamée ou émaillée, ou en plastique. En confiserie, l'entonnoir à fondant, muni d'une baguette de bois qui obstrue à volonté l'orifice, sert à couler certains bonbons dans les moules. En charcuterie, l'entonnoir à saucisse, à boudin ou à cervelas, ou « embossoir », est utilisé pour remplir les boyaux à l'aide d'un poussoir de bois.

ENTRECÔTE Morceau de bœuf qui correspond à la région dorsale antérieure de l'animal (des côtes n° 5 à 10) et qui est prélevé dans le train de côtes désossé, et non pas « entre deux côtes », comme c'était le cas autrefois (**voir** planche de la découpe du bœuf pages 108 et 109). L'entrecôte est une viande souvent persillée de graisse, donc savoureuse, et destinée à être grillée ou poêlée. On taille aussi des entrecôtes dans les basses côtes ; elles s'accommodent de la même manière, mais sont plus fermes. L'entrecôte doit avoir au minimum environ 1,5 cm d'épaisseur pour garder une bonne tenue et toute sa saveur. Elle est généralement parée, partiellement dégraissée, entaillée sur le pourtour pour l'empêcher de se rétracter à la cuisson.
▶ Recette : BŒUF.

ENTRE-DEUX-MERS Vin AOC blanc sec, frais et léger, issu des cépages sémillon, sauvignon et muscadelle. Il est produit dans une vaste région délimitée par deux fleuves : la Garonne et la Dordogne (**voir** BORDELAIS).

ENTRE-DEUX-MERS-HAUT-BENAUGE Au cœur de l'Entre-deux-Mers, entre Garonne et Dordogne, cette petite appellation produit des vins blancs, issus des cépages sémillon, sauvignon et muscadelle, de bonne et très fine structure.

ENTRÉE Premier plat d'un menu, qui vient en fait dans l'ordonnance classique en troisième position, après le hors-d'œuvre (ou le potage) et le poisson (ou le mets qui en tient lieu) : il précède donc le rôti. Dans un grand dîner, l'entrée est soit un apprêt chaud en sauce, soit un plat froid ; on appelle entrées « mixtes » les croustades, timbales et petits pâtés. Lorsque plusieurs entrées sont servies, elles doivent être nettement différentes.

La tendance étant actuellement à la simplification et à la réduction du nombre des mets, le menu s'articule le plus souvent autour d'un plat central, précédé d'un hors-d'œuvre ou d'un potage, parfois d'une entrée, et suivi classiquement de la salade, du fromage et du dessert. Au Moyen Âge, on trouvait parmi les entrées des écorces de melon confites, des tourtes d'huîtres, des andouillettes, des godiveaux, des ramequins au fromage, etc.

Aujourd'hui, elles comprennent des poissons, des fruits de mer, du caviar, du foie gras, des pâtes et des farinages (gnocchis, macaronis, spaghettis, raviolis, quenelles), de la pâtisserie salée (bouchées, croustades, pâtés chauds, quiches, tartes salées, timbales, tourtes et vol-au-vent), des apprêts d'œufs ou des soufflés, voire des légumes (artichauts, asperges). Les charcuteries froides, crudités, melon, poissons marinés ou à l'huile, radis, salades composées, etc., relèvent du domaine des hors-d'œuvre.

ENTREMETS Ensemble des mets servis autrefois après le rôti, c'est-à-dire légumes et « plats de douceur ». Au Moyen Âge, à la cour des rois et des princes, l'entremets était un véritable spectacle, les plats étant accompagnés de musique, de numéros de jonglerie et de danses.

Si, dans le langage courant, l'entremets est aujourd'hui un plat sucré servi après le fromage, le mot désigne toujours, en restauration, tous les apprêts de légumes (qui, dans une brigade, sont à la charge de l'« entremettier »), ainsi que les « entremets de cuisine » (crêpes et beignets salés, croquettes, croûtes, omelettes, soufflés) et enfin les « douceurs », subdivisées en entremets chauds (beignets, crêpes, fruits flambés, omelettes sucrées et soufflés), entremets froids (bavarois, blancs-mangers, charlottes, compotes, croûtes, crèmes, desserts au riz ou à la semoule, flans, fruits rafraîchis, fruits au riz ou à la semoule, meringues, œufs à la neige, puddings, timbales) et entremets glacés (biscuits glacés, bombes et mousses, coupes glacées, fruits givrés, glaces aux fruits, parfaits, sorbets, soufflés et vacherins).

■ **Histoire.** Au XIVe siècle, Taillevent proposait comme entremets la fromentée, le brouet, le civet d'huîtres, le riz au lait, la gelée de poisson, la « poulaille » farcie, le lait d'amande aux figues, etc., donc des mets servis tout au long du repas, alternant avec les rôtis et les poissons, et mêlant le salé et le sucré. Une mention particulière revient à certains entremets « de prestige », tels le « cygne revêtu en sa peau et toute sa

335

plume » et autres apprêts, qui étaient plutôt des pièces montées, uniquement décoratives, présentées en grande pompe et en musique.

En 1655, Nicolas de Bonnefons conseille des apprêts « au beurre et au lard de toutes sortes d'œufs, tant au jus de gigot qu'à la poêle, et d'autres au sucre, froids et chauds ; avec des gelées de toutes couleurs et des blancs-mangers, mettant les artichauts, les cardons et céleris au poivre dans le milieu ». Sous Louis XIV et jusqu'au XIXᵉ siècle, les entremets continuèrent d'associer plats sucrés et plats de légumes.

Dans les années 1850 encore, la carte du célèbre restaurant *Véry* proposait, sous la rubrique « entremets », toute une gamme de plats de légumes chauds, mais aussi : croûtes aux champignons, omelette aux fines herbes, œufs brouillés au verjus, macaronis d'Italie. Et, comme « entremets de sucre » : petits pots de gelée au rhum, meringues garnies à la crème, omelette aux confitures, beignets d'abricot, tourte aux cerises, charlotte aux abricots, omelette soufflée au riz.

▶ **Recettes :** ORANGE, SUBRIC.

ENZYME Protéine permettant d'accélérer les réactions chimiques d'une substance organique en les catalysant, sans modifier les autres caractéristiques de cette substance et sans qu'elle soit elle-même modifiée. Les premières enzymes isolées furent nommées « ferments », et, par la suite, « diastases ». De nos jours, on les utilise dans la préparation des produits alimentaires pour en améliorer le goût, la texture ou tout simplement la digestibilité. Leurs applications sont de plus en plus nombreuses (boulangerie-pâtisserie, fabrication de fromage, jus de fruit, bière, etc.). L'amylase, par exemple, digère l'amidon pour faire lever la pâte à pain. Il existe également des enzymes qui permettent de coller les viandes ou les poissons, favorisant ainsi la création de produits nouveaux, comme les surimis.

Au sein de l'Union européenne, aucune enzyme alimentaire ne devrait bientôt pouvoir être utilisée sans autorisation préalable.

ÉPAISSISSANT Additif alimentaire destiné à augmenter la viscosité d'un produit (lait gélifié chocolaté, crème glacée, plat cuisiné). La plupart des épaississants sont extraits des végétaux : algues (E 400 à 405), graines de caroube (E 410), guar (E 412), fruits (E 440 a). Les doses autorisées varient selon les aliments.

ÉPAULE Partie supérieure du membre antérieur d'un animal de boucherie (**voir** planches de la découpe des viandes pages 22, 108, 109, 699 et 879).

L'épaule de bœuf est désossée, sauf le gîte avant, qui garde souvent son os. Détaillée, elle fournit des morceaux à braiser ou à bouillir, et à rôtir ou à griller. Celle de veau est aussi désossée, au contraire du gîte avant, qui est vendu avec son os. Elle donne des morceaux à braiser, à poêler, à sauter, des rôtis et des ragoûts, et même des escalopes ; elle peut aussi se préparer farcie et roulée, braisée ou rôtie.

L'épaule de mouton ou d'agneau se cuisine désossée en rôti, piquée d'ail, farcie ou non, ou partiellement désossée, « façon gigot ».

L'épaule de porc est rarement proposée entière : on distingue la palette (elle peut être rôtie, salée ou fumée) et la partie supérieure appelée « épaule » (souvent traitée en charcuterie). Dans la venaison, l'épaule s'apprête comme la gigue ou le cuissot, mais le plus souvent en civet.

épaule d'agneau braisée et ses garnitures ▶ AGNEAU
épaule d'agneau farcie à l'albigeoise ▶ AGNEAU
épaule de mouton en ballon (ou en musette) ▶ MOUTON

épaule de mouton en pistache

Rouler en ballottine une épaule de mouton désossée et la mettre dans une cocotte foncée d'une large tranche de jambon cru, non fumé, de 1 oignon et de 1 carotte, émincés. Saler, poivrer et arroser de 2 cuillerées à soupe de graisse d'oie ou de saindoux. Faire suer le tout sur le feu de 20 à 25 min. Retirer l'épaule et le jambon et verser dans la cocotte 2 cuillerées à soupe de farine ; cuire quelques minutes, puis mouiller de 20 cl de vin blanc et de 40 cl de bouillon. Bien mélanger, puis passer ce fond au chinois et le réserver. Remettre l'épaule dans la cocotte, ainsi que le jambon, coupé en dés ; ajouter 50 gousses d'ail épluchées et blanchies à l'eau bouillante et 1 bouquet garni avec 1 morceau d'écorce d'orange sèche. Mouiller avec le fond de cuisson passé, couvrir et cuire 1 heure au four

préchauffé à 220 °C. Égoutter l'épaule, la déficeler et la dresser dans un plat chaud. Napper de la sauce et servir les gousses d'ail en garniture.

épaule de porc au cinq-épices ▶ PORC
épaule de veau farcie à l'anglaise ▶ VEAU

ÉPAZOTE Plante aromatique de la famille des chénopodiacées, aux larges feuilles dentelées. Originaire d'Amérique latine, l'épazote peut atteindre plus de 1 m de haut et se distingue par son odeur spécifique, sa saveur âcre, assez prononcée et légèrement citronnée. Elle est principalement utilisée en accompagnement des haricots dans la cuisine mexicaine (*frijoles*). On lui prête également des vertus médicinales.

ÉPEAUTRE Variété de blé, à l'origine très ancienne, dont les grains bruns adhèrent fortement à la balle, comme dans l'orge et l'avoine, contrairement aux autres sortes de blé (**voir** tableau des céréales page 179). Il faut distinguer le grand épeautre, dont les grains servent à la fabrication de la bière, et le petit épeautre (ou engrain), dont la culture a été relancée en Haute-Provence et qui bénéficie d'une indication géographique protégée (IGP). La valeur nutritive de l'épeautre est la même que celle du blé tendre.

Une fois décortiqués, les grains se cuisinent comme le riz, pour accompagner l'agneau par exemple, et on les emploie encore dans certaines soupes campagnardes, notamment en Provence. On les prépare aussi en salade. La farine d'épeautre sert à la fabrication de pain, de pâtes et de biscuits.

galettes de sarrasin et petit épeautre
fraîchement moulu aux carottes et poireaux ▶ SARRASIN

RECETTE DE PIERRE ET JANY GLEIZE

soupe rustique d'épeautre du Contadour

« Faire tremper dans de l'eau, dans deux récipients différents, 200 g d'épeautre et 40 g de pois chiches. Le lendemain, couper en gros dés 60 g de courge, 40 g de carotte, 20 g de céleri et 40 g de poitrine salée. Les mettre dans une cocotte avec un murçon (saucisse cuite), 40 cl de bouillon de canard bien dégraissé et 40 cl d'eau. Porter doucement à ébullition, saler et poivrer légèrement. Cuire 2 heures à feu très doux, puis ajouter 6 cuisses de canard colvert et poursuivre la cuisson 1 heure encore. Servir très chaud, avec une goutte d'huile d'olive dans chaque assiette et éventuellement un peu de persil haché. »

ÉPÉPINER Retirer les pépins de certains légumes ou de fruits. On épépine une tomate mondée avec une petite cuillère, un grain de raisin pelé avec une aiguille ou un petit trombone déplié.

ÉPERLAN Petit poisson marin de la famille des osméridés, voisin du saumon, à chair fine et délicate. Long de 20 cm au plus, de couleur argentée, il porte une seconde nageoire dorsale adipeuse, qui permet de le distinguer de poissons d'aspect voisin, moins fins mais plus courants (**voir** planche des poissons de mer pages 674 à 677). L'éperlan vient pondre dans les estuaires, notamment en Normandie, à Caudebec-en-Caux (il figure dans les armoiries de cette ville), où on le surnomme « caille de la Manche » ou « becfigue des eaux ». Au Canada, une espèce proche, l'éperlan arc-en-ciel, a le ventre argenté et le dos olive ou vert foncé ; certaines populations passent leur vie dans l'eau douce des grands lacs, où l'on en fait une pêche commerciale importante.

L'apprêt le plus classique de l'éperlan est la friture (les poissons, vidés, lavés et essuyés, peuvent être conservés dans le réfrigérateur jusqu'à leur emploi et ils se congèlent très bien), mais on le consomme aussi mariné, grillé, cuit au vin blanc, meunière ou au gratin. Dans les pays nordiques, l'éperlan entre dans la fabrication d'huiles et de farines de poisson.

éperlans frits

POUR 4 PERSONNES – PRÉPARATION : 10 min
Choisir 480 g de petits éperlans qui ne nécessitent pas de préparation, sinon de les laver. Effeuiller, laver et sécher 50 g de persil frisé, réserver au frais. Préchauffer un bain de friture à 180 °C. Tremper les éperlans

par petites poignées dans 25 cl de lait, puis les rouler dans la farine. Les retirer en les secouant afin de faire tomber l'excédent de farine. Les plonger aussitôt dans la friture très chaude. Remuer doucement avec une araignée (écumoire pour friture). Dès qu'ils sont légèrement dorés, les égoutter sur du papier absorbant et les saupoudrer de sel fin. Faire frire le persil frisé, l'égoutter et le saler également. Dresser les éperlans très chauds décorés de persil frit, sur un plat approprié.

éperlans marinés

Préparer les éperlans, les rouler dans la farine, les secouer pour en ôter l'excédent. Les dorer à l'huile dans une poêle. Les égoutter, les saler, les poivrer et les ranger dans un plat creux. Peler des oignons, les émincer, les blanchir 1 min à l'eau bouillante ; les rafraîchir, les éponger et les répartir sur les éperlans. Ajouter des grains de poivre, 2 ou 3 clous de girofle, du thym, du laurier. Arroser de vinaigre et laisser macérer 24 heures au moins. Dresser dans un ravier et servir avec d'autres hors-d'œuvre froids.

ÉPERONS BACHIQUES Métaphore créée par Rabelais pour désigner les salaisons épicées, andouilles et saucissons qui poussent à boire, comme les éperons poussent le cheval à prendre le galop. L'usage de servir des aliments salés (des tranches de lard grillées, dites « charbonnées », notamment) était répandu dans les auberges du Moyen Âge et il se poursuit avec les amuse-gueule et les hors-d'œuvre froids. L'expression ne s'emploie plus qu'à l'occasion de banquets ou de réunions bachiques, où l'on veut faire revivre le climat des « franches lippées » d'autrefois. « Éperon bachique » se disait aussi du fromage, que Grimod de La Reynière appelait le « biscuit de l'ivrogne », et Saint-Amand, le « cotignac de Bacchus ».

ÉPICE Substance aromatique végétale, dont la saveur plus ou moins parfumée ou piquante sert à assaisonner les mets (**voir** planche des épices pages 338 et 339). L'épice se distingue de l'aromate dans la mesure où son goût l'emporte sur son parfum.
■ **Histoire.** La plupart des épices viennent d'Orient. La première épice connue en Occident fut le poivre des Indes et elle demeura, pendant des siècles, la plus rare et la plus chère. Les Romains appréciaient beaucoup le gingembre, et leurs préparations culinaires étaient toujours abondamment épicées, pratique qui marqua toute la cuisine du Moyen Âge. L'usage des épices en Europe fut introduit par les Byzantins. Leur diffusion fut ensuite entravée par les invasions arabes, mais leur utilisation était entrée dans les mœurs. Les épices permettaient de conserver les aliments dans des sauces aromatisées, parfois pour masquer l'excès de faisandage des viandes, parfois pour leur donner du goût quand, après avoir longuement bouilli, celles-ci se trouvaient affadies.

L'approvisionnement fut renouvelé au XIIe siècle grâce aux croisades, et le contrôle de la « route des épices » suscita d'âpres rivalités. Venise parvint à s'attribuer le quasi-monopole de la distribution, et c'est pour tenter de trouver d'autres matières premières que furent entrepris les voyages des « grandes découvertes » du XVIe siècle.

Progressivement, les épices devinrent plus courantes et donc moins chères, les compagnies anglaises et hollandaises, surtout, en assurant le commerce. À cause de leur prix, elles furent pendant longtemps des présents de grande valeur. Il arrivait parfois que les taxes, les rançons ou les droits de douane fussent payés en épices. D'où un sens particulier du mot « épices », qui désignait, sous l'Ancien Régime, le présent que les plaideurs, surtout les gagnants, faisaient au juge. Par la suite, les « épices » devinrent une taxe obligatoire, versée au juge à titre de rétribution ; cette pratique fut abolie par la Révolution.
■ **Cuisine et épices.** Le mot « épice », signifiant « espèce » puis « marchandise », s'appliquait à l'origine aussi bien au sucre qu'à une épice particulière. On distinguait alors les « épices de chambre » (confitures et fruits confits, dragées au fenouil ou à l'anis, massepains, nougats) des « épices de cuisine ». Parmi ces dernières figuraient des produits qui ne sont plus considérés comme des épices aujourd'hui (lait, miel, sucre), d'autres qui ont disparu (ambre, garingal, musc) ou qui ont changé de nom (espic pour la lavande, graine de paradis pour la cardamome).

Au XIVe siècle, Taillevent donne, dans son *Viandier*, la liste des épices qu'il juge nécessaires : « gingembre, cannelle, girofle, graine de paradis, poivre long et poivre rond, nard, fleur de cannelle, safran, noix,

muguettes, laurier, garingal, mastic, lores, cumin, sucre, amandes, ail, oignon, ciboule, échalote », auxquels s'ajoutaient des « épices pour verdir » (persil, salmonde, oseille, feuilles de vigne, groseillier, blé vert) et des « épices pour détremper » (vin blanc, verjus, vinaigre, bouillon gras, lait de vache, lait d'amande).

Dans un sens plus moderne, Taillevent parle aussi de « poudres », sans en donner la composition. Au Moyen Âge et jusqu'au XVIIe siècle, il s'agissait de poudres « faites d'épices moulues » (on distinguait alors les poudres « fortes » des poudres « douces », selon que leurs composants étaient piquants ou non).

Antonin Carême, lui, voit dans l'abus d'épices l'un des ennemis de la bonne cuisine, et il précise, dans ses *Mémoires,* que, avant son arrivée à la cour du futur George IV d'Angleterre, la cuisine était « tellement forte, aromatisée, que le prince éprouvait fréquemment des douleurs qui duraient des jours et des nuits ».

Néanmoins, les épices furent souvent considérées comme la marque d'une cuisine raffinée et élitiste. Au Pécuchet de Flaubert, qui craignait les épices « comme pouvant lui incendier le corps », Baudelaire répond que celles-ci « anoblissent la nourriture » ; il dédaigne les « viandes niaises et les poissons fades », et appelle « toute la pharmacie de la nature au secours de la cuisine ». « Piments, poudres anglaises, safraniques substances coloniales, poussières exotiques » lui semblent indispensables pour donner de l'élégance aux mets.
■ **Emplois.** En Europe, les épices s'emploient beaucoup plus modérément que jadis et, surtout, l'assaisonnement se fait en fonction des mets : clous de girofle et poivre en grains pour les marinades ; muscade et cannelle pour les sauces au vin ; safran pour la bouillabaisse et la paella ; cumin et anis en biscuiterie ; genièvre et coriandre pour le gibier, etc. Elles sont aussi nettement moins fortes, sauf le piment en Espagne et en Amérique latine et le paprika en Hongrie. Les épices sont surtout vendues en graines ou en poudre, en vrac ou en flacons. Il est conseillé de les conserver dans des pots assez grands pour ménager une certaine aération (**voir** CINQ-ÉPICES, PAIN D'ÉPICE, QUATRE-ÉPICES).

Dans le reste du monde, des traditions culinaires parfois très anciennes donnent souvent aux épices un rôle beaucoup plus important. C'est le cas en Inde, où leur préparation est aussi complexe que celle des sauces dans la gastronomie française. En Chine, on en fait également une grande consommation, en les choisissant toujours en fonction d'accords de saveurs très élaborés : il faut citer notamment l'anis, la coriandre, le gingembre, le piment séché, le sésame. Les cuisines antillaise et africaine utilisent des épices inconnues en Europe (fleurs, graines et racines, mais aussi insectes et poissons séchés), tandis que, dans les pays arabes, on apprécie le salé, le piquant et le sucré, le safran et l'eau de rose, le poivre et le piment.
▶ Recettes : COCKTAIL, POMME, POTIRON, THÉ, THON.

ÉPICERIE Magasin qui regroupe et propose une vaste gamme de produits alimentaires. Aux ingrédients de base tels que le sucre, la farine, le café, le thé, le sel, le riz, les pâtes, les biscuits, les biscottes et le chocolat s'ajoutent les fruits et légumes frais ou en conserve, les boissons, les produits laitiers, voire des denrées exotiques et des aliments diététiques. L'apparition des produits préemballés et la diversification des méthodes de conservation ont fait de l'épicerie un magasin d'alimentation très diversifié.
■ **Histoire.** La corporation autrefois importante et très considérée de l'épicerie réunissait les marchands d'épices, les confiseurs, les fabricants de cierges et les apothicaires. Ceux-ci détenaient également le monopole du contrôle des poids et mesures. Ils vendaient donc aussi bien des épices et des vins cuits que de l'eau de rose, des préparations médicinales, de la cire, du sucre et du miel. Au XVe siècle, la corporation se divisa en apothicaires et épiciers, et ces derniers en droguistes, confiseurs et ciriers. Tout homme qui voulait devenir membre de l'Épicerie devait prêter serment chez le procureur du roi. Dans la première moitié du XVIIIe siècle, les épiciers furent successivement autorisés à vendre des parfums et des fruits à l'eau-de-vie, du café non torréfié et du thé en feuilles, des légumes secs (moyennant l'obligation d'en porter un tiers aux Halles), du jambon et de la viande de porc (mais à la tonne et non au détail). Sous la monarchie de Juillet (1830-1848), l'épicier devint un personnage caricatural, symbole du petit-bourgeois conformiste.

ÉPICES

poivre noir

poivre blanc

poivre vert sec

baie rose de Bourbon, ou faux poivre

poivre du Sichuan

baie de genièvre

piment de la Jamaïque

piment du Chili

clou de girofle

cannelle
de Ceylan

curcuma en poudre

cannelle en poudre

graine de sésame

graine de sésame noire

anis

carvi

cumin

anis étoilé

macis

noix de muscade

cardamome verte

fève tonka

safran

vanille

galanga

curcuma entier

gingembre

■ **Évolution.** Autrefois, l'épicier conditionnait lui-même des produits en vrac, sans marque de fabrique ou de distribution (légumes secs, confiserie, pains de sucre, café torréfié à la demande, etc.). Il existait alors de fortes relations entre vendeur et consommateur, qui se traduisaient par un débit à très petit détail ; on faisait souvent des achats journaliers. Ce commerce traditionnel a été de plus en plus remplacé par des magasins en libre-service (produits conditionnés et non plus vendus au poids, étiquetage normalisé), et par des boutiques de comestibles « de luxe », proposant des produits rares, étrangers ou exotiques, de la charcuterie fine, des fromages, etc.

ÉPIGRAMME Apprêt de la poitrine et du haut de côtelettes d'agneau (**voir** planche de la découpe de l'agneau page 22), désossés, parés et coupés en gros morceaux. Ceux-ci sont ensuite grillés ou sautés. On peut aussi cuire la poitrine et le haut de côtelettes dans un bouillon avant de les préparer. Les épigrammes sont panés, souvent parsemés d'herbes aromatiques ou encore légèrement badigeonnés de moutarde avant la cuisson

Cette appellation est aussi donnée à divers apprêts de poisson (barbue, sole) et de petit gibier à plume.

épigrammes d'agneau

Braiser une poitrine d'agneau ou la pocher dans un fond blanc, à court mouillement. L'égoutter, la désosser, la faire refroidir sous presse. La détailler en morceaux égaux et les paner à l'œuf et à la mie de pain. Paner autant de côtelettes d'agneau. Cuire sur le gril, ou sauter au beurre ou à l'huile, les côtelettes et les morceaux de poitrine. Les dresser dans un plat rond. Garnir de papillotes les manches des côtelettes. Verser autour des épigrammes quelques cuillerées du fond de braisage réduit et passé.

ÉPINARD Plante potagère, de la famille des chénopodiacées, aux feuilles vert foncé, cloquées ou lisses, que l'on mange généralement cuites, en légume, mais aussi crues, en salade, lorsqu'elles sont jeunes et tendres. Riches en eau et pauvres en calories (de 20 à 32 Kcal ou 84 à 134 kJ pour 100 g), les épinards sont très digestes et recèlent beaucoup d'éléments minéraux (fer surtout) et de vitamines, dont la vitamine B9 (folates) qui stimule l'absorption du fer.

Originaires de Perse, inconnus des Anciens, ils se vendaient au Moyen Âge soit frais, soit cuits, hachés et pressés en boulettes, sous le nom d'« espinoche ». Au XVIIe siècle, on les cuisinait au sucre et on en cultivait plus de dix variétés, dont le « monstrueux de Viroflay » et la « merveille de Versailles ».

■ **Emplois.** Aujourd'hui, les épinards s'achètent toute l'année, mais surtout de mars à mai ; les variétés d'hiver ont des feuilles plus grandes que celles d'été. Les épinards sont également disponibles en conserve (en branches, hachés ou en purée) et surgelés – ce qui représente 80 % de la consommation totale.

À cause de leur saveur affirmée, ils ont autant de détracteurs que d'amateurs. Ainsi, Guy de Maupassant les détestait, et l'on rapporte que son valet de chambre parvenait à les lui faire manger en les baptisant « épinards de Tétragonie » (en réalité, la tétragone est une variété d'épinard d'Australie et de Nouvelle-Zélande).

En branches (c'est-à-dire juste blanchis, égouttés et servis avec du beurre frais), ils sont un accompagnement classique du veau et de la volaille, ainsi que des œufs, mais ils interviennent aussi dans des plats régionaux, tels que tartes et tians, rissoles et pâtés. Ils entrent dans la composition de farces (mélangés avec d'autres herbes, notamment l'oseille) ou de salades et servent à confectionner des soufflés, des purées et des gratins. C'est le légume des apprêts « à la florentine ».

épinards : préparation et cuisson

Enlever les tiges, laver à grande eau, éliminer les feuilles jaunies ou flétries. Faire bouillir une grande quantité d'eau dans une bassine en cuivre non étamé ; y plonger les épinards lavés et égouttés ; après 8 min de gros bouillons, vérifier si les feuilles sont cuites en en écrasant une entre les doigts (si les épinards ne sont pas nouveaux, prolonger de quelques minutes) ; égoutter dans une passoire ou un tamis. Remplir la bassine d'eau froide et y replonger les épinards ; répéter cette opération plusieurs fois pour refroidir rapidement les feuilles. Les presser ensuite

fortement par poignées pour en extraire l'eau. Si les épinards ne sont pas accommodés immédiatement, les réserver dans un plat en faïence, dans le réfrigérateur ou au frais.

cervelas farcis aux épinards ► CERVELAS
crêpes gratinées aux épinards ► CRÊPE

épinards au gratin

Nettoyer, blanchir et éponger des épinards. Beurrer légèrement un plat à gratin ; y étaler les épinards en branche. Masquer d'une béchamel légère, aromatisée à la muscade et fromagée. Parsemer de fromage râpé. Arroser de beurre fondu et gratiner au four préchauffé à 275-300 °C. On peut disposer sur la béchamel des demi-œufs durs avant de parsemer de fromage.

jeunes pousses d'épinard aux truffes noires ► TRUFFE
mille-feuilles de tofu mariné au carvi et tombée d'épinards,
   riz basmati aux échalotes ► TOFU
pain d'épinard à la romaine ► PAIN DE CUISINE
subrics d'épinards ► SUBRIC

ÉPINÉE ► VOIR **ÉCHINE**

ÉPINE-VINETTE Arbrisseau épineux des sols secs et ensoleillés, de la famille des berbéridacées, dont les petites baies rouge vif, charnues et allongées, apparaissent en octobre (**voir** planche des fruits rouges pages 406 et 407). Ces fruits sont riches en acides tartrique et malique. Cueillis verts, ils sont confits au vinaigre comme des câpres. Bien mûrs, ils servent à préparer des gelées et des sirops. Cuits, puis séchés et réduits en poudre fine, ils étaient autrefois utilisés comme assaisonnement. On en faisait également une boisson aigrelette, qui, fermentée, donnait du vinaigre.

ÉPLUCHER Débarrasser les fruits et les légumes de leurs parties non comestibles. Éplucher n'est pas toujours synonyme de peler : on épluche la salade, les épinards, le chou et les radis en leur ôtant les tiges, les racines, les côtes, les feuilles flétries. On « écosse » les petits pois ; on « effile » les haricots verts ; on « monde » les tomates et les amandes. Certains produits demandent des manipulations particulières : châtaignes que l'on « cerne », asperges dont on ne pèle que la tige, crosnes que l'on « sasse », artichauts que l'on débarrasse de leur foin, etc.

L'épluchage se fait généralement à la main, à l'aide du couteau éplucheur, ou économe. En restauration, pour les grandes quantités, notamment pour les pommes de terre, on se sert d'une éplucheuse électrique (qui réduit les déchets à 5 %, alors qu'ils atteignent 25 % dans l'épluchage à la main), mais il faut reprendre ensuite chaque pomme de terre pour retirer les « yeux ». Les épluchures ne sont pas toujours jetées : les côtes de chou sont conservées pour des potages ; la pelure du concombre sert parfois à décorer les verres à cocktail ; quant aux épluchures (ou pelures) de truffe, elles portent mal leur nom, car elles sont aussi précieuses que le champignon lui-même.

Par extension, on dit « éplucher » un poulet quand on l'épile pour le débarrasser de tous les bouts de plume qui restent fichés dans sa peau.

ÉPOISSES Fromage bourguignon AOC de lait de vache, à pâte molle et à croûte lavée, présenté nu ou en boîte sous la forme d'un disque de 10 cm de diamètre sur 3 à 6 cm d'épaisseur, avec une légère dépression au centre (**voir** tableau des fromages français page 389). Une variante, le chambertin, est lavée au marc de Bourgogne. Souple et onctueux, de jaune clair à jaune-brun selon l'affinage, il a une saveur très relevée.

ÉQUATEUR La cuisine équatorienne est très proche de celle du Pérou. Le plat populaire par excellence est le ceviche. Sur tous les marchés, des « restaurants » proposent ce poisson cru mariné dans du jus de citron. Les Équatoriens sont aussi très friands de tamales, de galettes de maïs, de pâtés farcis et de soupes colorées et copieuses, servies avec de délicieux petits pains. Les variétés de bananes, fort nombreuses, figurent dans toutes les recettes, salées ou sucrées, comme les haricots, le riz, le maïs et la pomme de terre. La Toussaint est l'occasion de préparer des centaines de petits gâteaux en sucre décorés que les familles iront manger sur les tombes de leurs morts.

« Pas question de faire de l'épluchage des fruits et légumes une corvée ! Si l'éplucheur électrique peut rendre le travail plus aisé, les finitions sont toujours plus soignées lorsqu'elles sont réalisées à la main. À L'HÔTEL DE CRILLON, au RITZ PARIS et dans les restaurants GARNIER et HÉLÈNE DARROZE, l'épluchage est l'une des premières opérations par lesquelles débute une journée. »

ÉQUILLE Petit poisson argenté, de la famille des ammodytidés, très commun dans l'Atlantique, la mer du Nord et la Manche (**voir** planche des poissons de mer pages 674 à 677). L'équille mesure au maximum 25 cm de long et se pêche dans le sable, à marée basse. Appelée aussi « lançon » – et commercialisée comme telle au Canada –, elle ne se prépare qu'en friture.

ÉRABLE Arbre des régions tempérées, de la famille des sapindacées, dont une variété, l'érable à sucre, pousse au nord-est de l'Amérique du Nord et principalement au Québec (70 % de la production totale). Sa sève incolore, recueillie par incision des troncs au printemps, est réduite par ébullition de trente à quarante fois son volume pour donner, selon le degré de cuisson, un sirop limpide et doré, à saveur herbacée, ou un sucre pur, qui se présente en blocs (pains) ou en granulés. L'érable fut à peu près l'unique source de sucre des premiers pionniers ; avec le temps, le sirop d'érable a supplanté le sucre dans la faveur populaire.

On utilise aujourd'hui le sirop d'érable pour napper des crêpes et des glaces ou parfumer des mousses et des soufflés. Pour confectionner la « tire d'érable », on prolonge un peu la cuisson du sirop et on le verse sur de la neige, ce qui le transforme en caramel mou. Le sirop d'érable épaissi peut être fouetté et rapidement refroidi pour donner le « beurre d'érable ». De nombreux autres produits sont dérivés du sirop d'érable : apéritif, digestif, gelée, bonbons, etc. L'appellation « érable pur » est strictement contrôlée.

▶ Recette : TOURTE.

ÉSAÜ Nom donné, en cuisine classique, à un potage lié, fait d'une purée de lentilles détendue avec un fond blanc ou du consommé, qui sert aussi de base à d'autres potages, Conti ou Choiseul. Ésaü était un personnage biblique qui céda son droit d'aînesse à son frère Jacob contre un plat de lentilles. Les œufs mollets ou pochés Ésaü sont dressés sur de la purée de lentilles (présentée sur des tartelettes cuites à blanc ou dans des croustades de pain de mie frit et évidé) ; ils sont nappés de fond de veau réduit et beurré.

ESCABÈCHE Marinade froide très corsée, destinée à conserver des aliments cuits. Ce mode de préparation, originaire d'Espagne, s'applique essentiellement aux petits poissons. Le nom de ce plat, qui s'est répandu dans tout le bassin méditerranéen, varie selon les pays : *scabetche* en Afrique du Nord, *escabecio* ou *scavece* en Italie, et même *escavèche* en Belgique (souvenir de l'occupation espagnole des XVIᵉ et XVIIᵉ siècles). Dans le Berry enfin, on trouve une préparation très voisine de goujons frits « à la cascamèche ».

L'escabèche sert aussi à cuisiner la volaille et le gibier à plume. Ainsi, en Espagne, c'est surtout la perdrix qui est saisie à l'huile avec de l'ail, puis égouttée, recouverte de son mouillement avec des aromates, mise à mariner et servie froide ; au Chili, le poulet en escabèche s'apprête de la même façon et se sert froid avec du citron et des oignons.

RECETTE DE CHRISTIAN GUILLERAND

escabèche de sardines

« Vider, écailler, étêter les sardines et les essuyer complètement. Faire chauffer de l'huile d'olive dans une poêle et y ranger les sardines pour qu'elles y baignent à demi. Quand elles ont doré, les retourner, les égoutter et les placer dans un plat creux. Ajouter à l'huile de cuisson une quantité égale d'huile fraîche et faire chauffer. Ajouter à ce mélange un quart de son volume de vinaigre et un huitième d'eau, des gousses d'ail épluchées, du thym, du romarin, du laurier, du persil, du piment d'Espagne, du sel et du poivre. Après 15 min d'ébullition, retirer du feu et laisser refroidir. Verser sur les sardines et laisser celles-ci 24 heures au moins dans leur marinade avant de les servir. »

ESCALOPE Tranche mince de veau. Prélevée dans la noix ou la noix pâtissière (**voir** ces mots), l'escalope est tendre et maigre ; dans la sous-noix, l'épaule ou le quasi, elle est plus ferme et plus nerveuse.

Les petites *scaloppine* italiennes, préparées en saltimbocca ou en piccata, sont taillées dans le filet. Par extension, « escalope » désigne également une tranche régulière taillée dans un filet de gros poisson (le saumon notamment) et dans la chair de homard,. Ce terme s'applique aussi au foie gras et aux ris de veau.

Les escalopes de veau sont de forme ovale et régulière ; aplaties, souvent ciselées sur un côté pour qu'elles ne se rétractent pas à la cuisson, elles sont sautées à la poêle. Un peu sèches et de saveur discrète, elles sont souvent cuisinées en sauce, à la crème et aux champignons. Un apprêt classique consiste à les paner (à la milanaise ou à la viennoise). Elles permettent également de préparer les paupiettes. Les tranches minces de jambon ou d'épaule de porc sont aussi appelées « escalopes ». On trouve enfin sur le marché des escalopes de dinde, taillées dans la poitrine, qui reçoivent les mêmes apprêts que celles de veau.

escalopes à l'anversoise

Beurrer des tranches de pain de mie rond de 1 cm d'épaisseur et les toaster au gril. Blanchir puis dorer dans du beurre de toutes petites pommes de terre nouvelles et préparer des jets de houblon à la crème. Aplatir des escalopes rondes, les saler, les poivrer, les fariner et les faire sauter dans une poêle avec du beurre clarifié. Les égoutter, les dresser au chaud sur les croûtons. Ajouter dans la poêle un peu de vin blanc ou de bière et un peu de consommé très concentré ; faire réduire. Napper les escalopes de cette sauce et servir aussitôt, brûlant, avec les pommes de terre et les jets de houblon.

escalopes Casimir

Étuver au beurre autant de fonds d'artichaut qu'il y a d'escalopes, puis 4 cuillerées à soupe de julienne de carotte et, à part, un peu de julienne de truffe. Tailler des escalopes dans le filet, les aplatir, les saler, les poivrer, les poudrer de paprika, les faire sauter dans du beurre clarifié en ajoutant, à mi-cuisson, 1 cuillerée à soupe d'oignon haché. Disposer les fonds d'artichaut dans le plat de service, les couronner d'une escalope et garnir de julienne de carotte. Déglacer la cuisson à la crème et faire réduire. Napper les escalopes de cette sauce. Décorer de julienne de truffe.

escalopes froides de foie gras aux raisins et aux truffes ▶ FOIE GRAS
escalopes de saumon cru aux deux poivres ▶ SAUMON
escalopes de saumon à l'oseille Troisgros ▶ SAUMON
escalopes à la viennoise ▶ VEAU

ESCALOPER Détailler en tranches plus ou moins fines, taillées en biais, une pièce de viande, un gros filet de poisson, de la chair de homard ou certains légumes (têtes de champignon, fonds d'artichaut).

ESCARGOT Gastéropode terrestre, de la famille des hélicidés, à coquille spiralée s'agrandissant avec l'âge. On consomme en France l'escargot de Bourgogne, le petit-gris et les achatines.
• ESCARGOT DE BOURGOGNE. Appelé aussi « escargot des vignes » ou « gros blanc » (de 40 à 45 mm de diamètre), il a une coquille jaune fauve striée de brun, au bord à peine ourlé. Sa croissance dure de 2 à 3 ans et son élevage est aléatoire.
• PETIT-GRIS. Il a une coquille brunâtre (de 26 à 30 mm), spiralée de gris fauve, au bord ourlé ; on le trouve dans d'autres écosystèmes que le précédent. Sa chair ferme est fine et savoureuse.
• ACHATINES. Les escargots « achatines », de grande taille (10 à 15 cm) moins fins, sont vendus en conserve ; ils viennent de Chine, d'Indonésie ou d'Afrique.

Les espèces françaises se faisant de plus en plus rares, les importations ont considérablement augmenté.

La période de ramassage des escargots, de même que leur vente en tant qu'animaux vivants, est réglementée, notamment pour la taille légale minimale. Des élevages de petits-gris, justes rentables, se sont développés ces dernières années en France, en Charente-Maritime.
■ Histoire. L'homme de la préhistoire consommait des escargots. Des témoignages écrits indiquent que les Romains en firent des apprêts cuisinés ; ils les engraissaient dans des « escargotières ». Les Gaulois,

semble-t-il, les appréciaient aussi. Au Moyen Âge, l'escargot était considéré comme une viande maigre, et l'on en mangeait, frits, à l'huile et à l'oignon, en brochettes ou bouillis. Au XVIIᵉ siècle, la consommation diminua. Talleyrand les remit à la mode au début du XIXᵉ siècle en demandant à Antonin Carême d'en préparer pour le dîner qu'il offrit au tsar de Russie.

Aujourd'hui, l'escargot possède autant de noms que d'apprêts régionaux. En Charente et dans le Poitou, il se nomme « cagouille » : « Il pleut, il mouille, c'est la fête à la cagouille », dit le dicton. Il est souvent apprêté en Saintonge, pays des cagouillards, en fricassée au pineau.

Dans le Midi et le Bordelais, on le prépare au vin, avec du lard ou du jambon, des aromates, de l'ail et de l'huile d'olive, mais il entre aussi dans la composition de tourtes, de feuilletés et de chaussons, se cuisine en bouillon ou en fricassée, en brochettes ou grillé sur un feu de bois.

Farci de beurre à la bourguignonne, dit « beurre d'escargot », et servi brûlant dans sa coquille (ou dans un godet en faïence), présenté par six ou par douze sur un plat spécial en porcelaine à cavités, ou escargotière, il constitue une entrée classique, riche en cholestérol.

Parmi les apprêts régionaux, la « suçarelle » est l'un des plus typiques du Sud-Est : on cuit de petits escargots au court-bouillon avec du fenouil et du romarin, puis on les fait revenir dans de l'huile d'olive avec oignon, tomate, laurier, ail et poivre ; ils sont ensuite farinés, mouillés de bouillon et de jus de citron, puis longuement mijotés ; on les déguste en perçant le fond de la coquille et en aspirant la chair.

Les escargots « beurrés » et servis en coquille peuvent aussi être préparés à l'alsacienne (gelée aromatisée, beurre d'ail et anis), à la dijonnaise (beurre maître d'hôtel), à l'italienne (beurre maître d'hôtel et parmesan) ou à la valaisane (jus de rôti pimenté, beurre d'ail et de ciboulette). En sauce, on peut, outre l'apprêt à la poulette, les cuisiner à l'aïoli, à la béarnaise, au vin rouge, au vin blanc, éventuellement flambés à l'armagnac, ou encore poêlés.

Les œufs d'escargot petit-gris sont comestibles (caviar d'escargot). D'une texture très délicate, ils se marient parfaitement avec les mets les plus divers, et supportent bien la cuisson. Utilisés aromatisés ou nature, ils apportent aux plats une certaine originalité.

■ **Emplois des coquilles.** Au tout début du XIXᵉ siècle, Alexandre Grimod de La Reynière donne déjà des recettes qui n'utilisent que les coquilles, et qui sont toujours d'actualité : « On fait une excellente farce fine, soit de gibier, soit de poisson, avec des filets d'anchois, muscade, épices fines, fines herbes et liaison de jaunes d'œuf. On a des coquilles d'escargot bien lavées et bien chaudes. On remplit chacune d'elles avec la farce et on les sert brûlantes. »

Quant aux « escargots simulés comtesse Riguidi », la recette consiste à mettre « dans de grosses coquilles d'escargot bien lavées […] des noix de ris d'agneau sautées au beurre. Remplissez le vide des coquilles avec une farce fine de volaille à la crème, additionnée de truffe blanche hachée ». Il ne reste plus qu'à cuire les faux escargots au four.

---

escargots : préparation

POUR ENVIRON 100 ESCARGOTS

Faire jeûner les escargots pendant 10 à 12 jours à l'abri du soleil. Les laver dans plusieurs eaux, puis les mettre dans un récipient avec 100 g de gros sel, 10 cl de vinaigre et 100 g de farine. Bien mélanger le tout. Couvrir le récipient et placer un poids dessus. Laisser les escargots dégorger pendant 2 ou 3 heures. Les laver de nouveau dans plusieurs eaux pour les débarrasser de toute mucosité. Les mettre dans un faitout, les recouvrir amplement d'eau froide et les porter à ébullition. Les cuire 6 min. Les égoutter et les rafraîchir à l'eau courante. Sortir les escargots de leur coquille puis supprimer l'extrémité noire (le « cloaque »). En revanche, ne pas retirer le « tortillon », qui, formé du foie et des glandes, représente le quart du poids total de l'animal (c'est la partie la plus savoureuse, où se concentrent les substances nutritives). Ensuite, mettre les escargots en cuisson avec 1 litre de vin blanc sec non acide, 1 litre d'eau, 1 carotte, 1 oignon nouveau, 1 grosse échalote et 1 bouquet garni composé de tiges de persil, de quelques brindilles de thym, de 1 feuille de laurier et de 1 feuille de poireau. Les escargots doivent être largement recouverts. Assaisonner de sel et de poivre. Porter à ébulli-

tion, puis laisser cuire doucement à très faible frémissement pendant 2 heures. À l'issue, laisser refroidir les escargots dans l'eau de cuisson. Si l'on utilise les coquilles, les laver, les faire bouillir 30 sec dans de l'eau additionnée de quelques cristaux de soude. Les rincer copieusement, les égoutter et bien les sécher.

beurre pour escargots ▶ BEURRE COMPOSÉ
bouillon d'escargot ▶ BOUILLON

RECETTE DE RICHARD COUTANCEAU

cagouilles à la charentaise

« Cuire 64 petits-gris charentais 15 min dans un court-bouillon bien corsé. Dorer 5 min à la poêle, dans un peu d'huile, 2 oignons et 1 échalote, finement émincés, 2 gousses d'ail hachées et 200 g de chair à saucisse. Y mettre alors 500 g de tomates concassées et poursuivre la cuisson de 8 à 10 min. Ajouter les escargots et laisser mijoter 12 min. Au moment de servir, parsemer de persil plat ciselé. Bien remuer et garnir de dés de pain de mie dorés au four. »

RECETTE DE JACQUES DECORET

croque-escargot en coque de pain sur lit de jeunes pousses de salade et ricotta

« Travailler environ 250 g de beurre en pommade. Ajouter 25 g de persil et 10 g de ciboulette ciselés, le jus de 1/4 de citron, 8 g d'ail haché, du sel, du poivre et de la poudre d'anis. Poêler 52 escargots cuits et décoquillés avec 15 g d'échalotes hachées. Laisser refroidir, puis mélanger au beurre composé. Former des boules régulières et les réserver au frais pendant 1 heure. Préparer une chapelure avec de la farine, 1 œuf et de la chapelure blanche. Rouler les boules dans celle-ci puis les faire frire à 160 °C. Dans une poêle, faire revenir rapidement 100 g de pousses de salade diverses, rectifier l'assaisonnement. Disposer dans les assiettes la salade, dresser dessus les boules d'escargots frits et accompagner d'un trait de ricotta. »

RECETTE DU RESTAURANT JACQUES CAGNA

escargots en coque de pomme de terre

« Hacher finement au mixeur 1 tomate, 1 échalote, 2 gousses d'ail, 1/2 botte de ciboulette, 20 g de persil. Incorporer ce mélange à 125 g de beurre et parfumer avec 1 cl de pastis. Laver 400 g de pommes de terre de Noirmoutier et les faire cuire pendant 15 min à l'eau salée. Vérifier la cuisson en les piquant avec une fourchette. Les égoutter, les laisser refroidir et les creuser à l'aide d'une cuillère à café. Saler et poivrer. Mettre un peu de beurre au fond des pommes de terre, puis 3 petits-gris frais ou en boîte, et recouvrir de beurre. Disposer dans des petits plats à rôtir et cuire de 5 à 8 min au four préchauffé à 180-200 °C. Décorer de ciboulette hachée et de quelques dés de tomate. »

---

escargots en coquille à la bourguignonne

POUR 48 ESCARGOTS – PRÉPARATION : 45 min – CUISSON : 7 ou 8 min

Dans un mixeur, mélanger 250 g de beurre ramolli, 25 g d'échalote finement ciselée, 15 g de gousses d'ail dégermées et broyées (l'équivalent de 3 ou 4 gousses selon leur grosseur), 20 g de persil haché, 12 g de sel fin et 2 g de poivre blanc. Mixer pendant 1 min. Garnir le fond de chaque coquille d'une noisette de ce beurre d'escargot, introduire un escargot et, en tassant, le recouvrir complètement de beurre. Ranger les escargots au fur et à mesure sur un plat ou une escargotière. Préchauffer le four à 200 °C. Faire chauffer les escargots pendant 7 ou 8 min ; le beurre doit être mousseux, mais non « rissolé ». Servir très chaud.

RECETTE DE JACQUES LAMELOISE

pommes de terre rattes grillées aux escargots de Bourgogne, suc de vin rouge et crème persillée

POUR 6 PERSONNES

« Cuire 6 pommes de terre rattes à la vapeur en les gardant "al dente". Émincer chaque pomme de terre dans le sens de la longueur en 3 tranches de 5 mm d'épaisseur. Les poêler au beurre sur une seule face et les laisser colorer légèrement. Tartiner la partie colorée d'un peu de beurre d'escargot. Poêler 6 douzaines d'escargots de Bourgogne avec 20 g d'échalotes et un peu de ciboulette ciselée. Disposer 4 escargots sur chaque tranche de pomme de terre. Préparer le suc de vin rouge. Mélanger dans une casserole 50 cl de vin rouge avec 150 g d'échalotes et 1 pincée de sucre. Laisser réduire jusqu'à obtenir 10 cl. Monter avec 50 g de beurre et assaisonner. Pour la crème persillée, faire bouillir 18 cl de crème liquide pendant 2 min et monter avec 80 g de beurre d'escargot. Ajouter 60 g de pousses d'herbes hachées (cerfeuil, aneth, ciboulette, estragon, persil plat). Dans chaque assiette, verser le suc de vin rouge en diagonale, disposer 3 pommes rattes avec les escargots, napper de crème persillée et ajouter dessus quelques herbes entières. »

profiteroles de petits-gris à l'oie fumée

Préparer 250 g de pâte à choux non sucrée. Coucher 12 choux sur une plaque. Les dorer et les cuire au four jusqu'à ce qu'ils soient dorés et croustillants. Éplucher 6 belles asperges vertes et les cuire à l'eau salée en les tenant un peu fermes. Les rafraîchir. Couper les pointes à 5 cm, les fendre en deux dans la longueur. Détailler les tiges en rondelles moyennes. Prélever dans un magret de foie d'oie fumée, sans la peau, 6 tranches de 2 mm d'épaisseur et les recouper en lanières de 8 mm. Cuire nature 48 escargots moyens. Étuver dans une cocotte, au beurre, 1 belle échalote hachée. Mettre les escargots, poivrer et saler. Remuer 1 min. Verser 15 cl de vin blanc sec et réduire de moitié. Ajouter un trait d'anis et une pincée d'herbes de Provence. Incorporer 30 cl de crème fraîche. Laisser mijoter 2 ou 3 min. Retirer du feu et additionner de 50 g de beurre d'escargot. Ajouter les lanières d'oie fumée. Plonger les pointes d'asperge dans de l'eau très chaude. Ôter les chapeaux des choux. En dresser 3 sur chaque assiette. Garnir chacun d'eux de 2 escargots avec leur garniture, et disposer au centre 6 escargots et des pointes et des rondelles d'asperge. Napper de la sauce.

ESCOFFIER (AUGUSTE) Cuisinier français (Villeneuve-Loubet 1846 - Monte-Carlo 1935). Il fit ses débuts à l'âge de treize ans chez son oncle, qui dirigeait à Nice un restaurant renommé, poursuivit son apprentissage à Paris, puis à Nice, à Lucerne et à Monte-Carlo. Sa carrière, qui dura soixante-trois ans, se déroula surtout en Angleterre, où, en 1892, Escoffier assura l'ouverture du *Savoy*, que venait de reprendre César Ritz ; en 1898, Ritz lui confia la direction des cuisines du *Ritz* de Paris, qu'il assura jusqu'à sa retraite, en 1921. Pendant la guerre de 1870, il avait tenu les cuisines du maréchal Bazaine. En outre, il eut l'occasion de diriger le service de bouche de l'empereur d'Allemagne Guillaume II (lors d'une croisière sur le paquebot *Imperator*), qui lui décerna le titre d'« empereur des cuisiniers ».

Décoré de la Légion d'honneur (le ruban en 1920 et la rosette huit ans plus tard), il fut l'un des chefs qui œuvra le plus pour le renom mondial de la cuisine française. Son œuvre écrit reste une référence de base pour les professionnels, notamment *le Guide culinaire* (avec Philéas Gilbert et Émile Fétu, 1903), *le Livre des menus* (avec les mêmes collaborateurs, 1912) et *Ma cuisine* (1934). On lui doit notamment la pêche Melba.

Escoffier fut un créateur, mais il réforma surtout les méthodes de travail en cuisine, en rationalisant la répartition des tâches dans la brigade et en veillant à l'image de marque du cuisinier. Il remit également en cause certaines recettes traditionnelles, en particulier dans le domaine des sauces, où il remplaça l'espagnole et l'allemande, « abâtardies » selon lui, par des fumets, des jus naturels, des concentrés.

ESCOLIER Poisson marin, de la famille des gempylidés, atteignant 2 m pour 45 kg, de couleur uniforme marron foncé devenant noir avec l'âge. Vivant en profondeur entre 200 et 900 m, l'escolier remonte en surface la nuit. Il se pêche à la ligne dans les eaux tropicales et tempérées de l'Atlantique et du Pacifique, des côtes africaines jusqu'en Indonésie. La chair ferme de ce poisson carnivore est blanche, huileuse, tendre et moelleuse, riche en acides gras insaturés. Sa tenue à la cuisson est très bonne. On le commercialise frais en longe, congelé, mariné en escalope. On le trouve transformé en pains de poisson au Japon.

ESPADON Très grand poisson de mer (de 2 à 5 m et de 100 à 500 kg), de la famille des xiphiidés, abondant dans toutes les mers chaudes. L'« épée » qui prolonge sa mâchoire supérieure lui vaut le surnom de « sabre » ou « épée de mer ». Recherché par les amateurs de pêche sportive, il possède une chair excellente, qui rappelle celle du thon. Sur la côte atlantique du Canada et des États-Unis, on le commercialise parfois frais, mais surtout congelé. En Europe, on le trouve de plus en plus souvent frais sur les marchés, et on commence à l'élever en aquaculture. Pour le préparer, il vaut mieux le pocher de 10 à 15 minutes pour le rendre plus digeste, puis le griller, le braiser ou le cuire au four.

ESPAGNE La cuisine espagnole a été bien souvent considérée comme une cuisine estivale mêlant à l'infini poissons et coquillages à la fraîcheur d'une table potagère. Ce pays peut s'enorgueillir de posséder un remarquable patrimoine culinaire né de la fusion de diverses cultures, maure, juive et chrétienne. Cet héritage, chaque terroir le revendique différemment par nombre de plats traditionnels, caractérisés par la grande variété des fruits et légumes employés.

■ **Plats ensoleillés.** La diversité des apports régionaux est une garantie de variété : porc et riz dans le Sud, bœuf et pommes de terre dans le Nord, mouton et pois chiches dans le Centre, poissons et fruits de mer sur les côtes. Honneur à la *olla*, cette légendaire marmite évoquée par l'écrivain espagnol Cervantès, creuset originel de la gastronomie espagnole.

Cette cuisine, c'est le triomphe de la somptueuse *olla podrida* et de ses cousins non moins truculents, le *cocido* et le *puchero*, qui sont de plantureuses potées. Le cochon de lait rôti, les agneaux *(asados)* de Castille, les empanadas, tourtes aux farces aussi variées que les terroirs, les soupes épaisses (aux poissons, aux légumes, à la charcuterie) témoignent de la luxuriance et de la solidité de la gastronomie espagnole. Quelques classiques bien colorés sont très représentatifs de l'art culinaire hispanique, qui associe dans le même plat les produits les plus divers : œufs à la *flamenca* (cuits au four sur un hachis de viande et de légumes épicé, et garnis de petits pois, d'asperges et de poivron), gaspacho andalou, appelé encore *galiano* dans les régions de Castille et de La Manche, modèle de tous les potages froids aux ingrédients multiples, et la paella valencienne, vêtue « de sang et d'or » (piment doux et safran).

■ **Produits authentiques.** Les Espagnols ont appris des Maures l'art d'accommoder le riz, celui d'utiliser le cacao et le piment, et introduit en Europe toutes les combinaisons à base de tomate.

La cuisine espagnole sait tirer parti des produits les plus simples : les œufs sont frits, cuisinés en omelettes garnies, froides ou chaudes, mêlés de jambon sec, farcis d'anchois et de piment ; les légumes secs interviennent dans un plat tel que la *fabada* des Asturies aux haricots blancs, chorizo, lard et boudin, ou dans la soupe aux pois chiches, épinards et morue ; le poulet se mijote, se fricasse, se frit, au piment doux, à l'ail et à la tomate ; mais c'est encore la morue *(bacalao)* qui se diversifie le plus : à la biscaïenne (avec tomates, oignons, poivrons et œufs durs), à la madrilène, en soupe ou en croquettes. Poissons et fruits de mer sont d'ailleurs une vraie passion, dont témoignent les escabèches, les ragoûts et les soupes *(caldereta* d'Estrémadure, avec des langoustes aux Baléares, zarzuela catalane, soupes verte et rouge d'Ibiza), les calmars à l'encre, les sardines et les gambas grillées « sur la planche », le thon blanc à la tomate ou aux pommes de terre dans le *marmitako* du Pays basque et le merlu frit.

■ **Raffinements et subtilités.** Mais la cuisine espagnole connaît aussi les délicatesses de la cuisine au vin, notamment au xérès (rognons). Le gibier, très apprécié, donne des plats de grande cuisine (en particulier la perdrix, le faisan et le sanglier).

En revanche, les saveurs les plus authentiques continuent de marquer les apprêts régionaux, notamment dans le domaine de la charcuterie, aux spécialités nombreuses : jambon serrano, saucisses, chorizo, longaniza, boutifar, etc. La plus réputée étant la charcuterie tirée du porc ibérique.

Les fromages, en très grand nombre, méritent une mention : ils sont le plus souvent faits de lait de chèvre ou de brebis (manchego, roncal, entre autres), parfois de vache ou de mélange. On notera en particulier l'idiazabal, un brebis basque, le burgos, un brebis à pâte molle, le mahon des Baléares, au lait de vache, et le queso fresco, un fromage frais de vache, de chèvre ou de brebis.

Dans les rues trépidantes des villes espagnoles flottent des parfums appétissants où se mêlent les fleurs des orangers qui poussent en pleine cité, les churros que l'on déguste avec le café du matin, le chocolat chaud relevé de cannelle, le digestif à l'anis, etc. Dans les bars, on grignote des tapas, amuse-gueule variés qui commencent avec les lichettes de jambon, les olives « maison » et l'incontournable *tortilla de patatas,* omelette aux pommes de terre nationale. Selon la région et les envies, on les arrose de *fino de Jerez* mais aussi de vin blanc du coin, ou encore, très souvent, de bière bien fraîche, souvent remplacée, dans les Asturies et au Pays basque, par un cidre brut, rustique et désaltérant, l'Espagne étant d'ailleurs le pays d'origine de cette boisson. Quant à la sangria, elle n'est là que pour les touristes qui prennent plaisir à découvrir une boisson rafraîchissante et plus authentique : la *horchata de chufa* (souchet). On retrouve cette exubérance avec des pâtisseries riches en sucre et en crème fouettée, des flans, des beignets, des feuilletés, des gâteaux roulés à la confiture, des biscuits à la cannelle et à l'anis, de la pâte de coing, ou *membrillo,* que l'on sert avec le fromage et une curieuse spécialité d'Ávila, les *yemas* de Santa Teresa, boules onctueuses à base de jaune d'œuf et de sucre. Sans oublier le célèbre *turrón,* composé d'amandes et de miel, qui bénéficie de deux appellations d'origine : le turrón d'Alicante, ressemblant un peu à notre nougat blanc, et le turrón de Jijona, sous forme d'une pâte blonde, tendre et suave.

■ **Vins.** Aujourd'hui, l'Espagne compte plusieurs appellations d'origine, connues dans le monde entier : Xérès (ou Jerez) en Andalousie, qui produit du fino et de la manzanilla, vins secs couleur d'or pâle, mais aussi de l'amontillado et de l'oloroso, plus coloré et plus doux ; la célèbre Rioja, au nord-est de Madrid dans la haute vallée de l'Èbre, dont les vins rouges sont très appréciés des amateurs ; la Ribera del Duero dont certains crus sont parmi les plus grands d'Europe ; la Navarre, pour ses rosés et, depuis quelque temps, pour ses rouges veloutés et puissants ; la Galice, le Penedès et Rueda pour leurs blancs vifs et aromatiques.

Mais le vignoble espagnol s'étend sur bien d'autres régions : la Manche et celle de Valdepeñas au sud de Madrid, Alicante, la Catalogne avec ses mousseux classiques (cava). On trouve également des vins de liqueur comme le montilla-moriles, le málaga et le moscatel qui viennent s'ajouter aux xérès pour enchanter le palais et envoûter les esprits.

ESPAGNOLE (À L') Se dit de divers apprêts inspirés de la cuisine espagnole, le plus souvent frits à l'huile, dans lesquels figurent surtout la tomate, le poivron, l'oignon et l'ail. La garniture à l'espagnole (pour petites pièces sautées ou poêlées) comprend des tomates farcies de riz tomaté, des poivrons et des petits oignons braisés, et une sauce madère. La mayonnaise à l'espagnole est additionnée de jambon haché, de moutarde, d'une pointe d'ail et de poivre rouge.

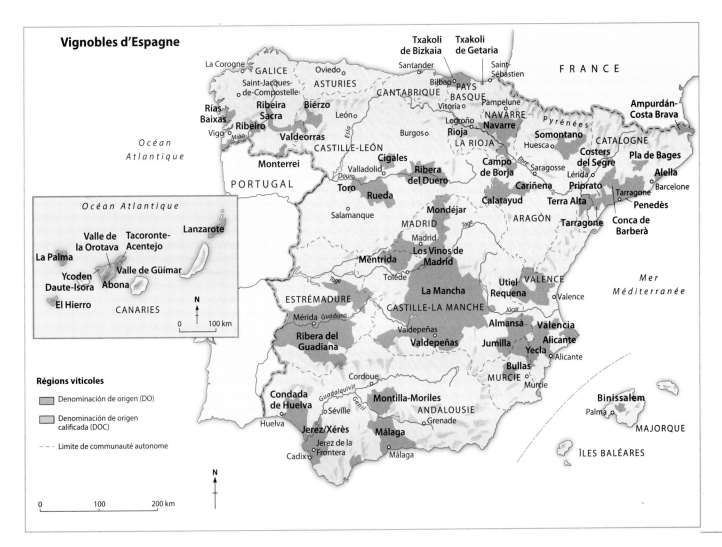

Vignobles d'Espagne

Régions viticoles

- Denominación de origen (DO)
- Denominación de origen calificada (DOC)
- - - Limite de communauté autonome

Ce sont les œufs qui bénéficient de la plus grande variété d'apprêts à l'espagnole : mollets ou pochés, sur des tomates cuites remplies d'un salpicon de poivron, nappés de sauce tomate et garnis de rondelles d'oignon frites ; au plat, sur un lit d'oignons émincés, garnis de fondue de tomate et de dés de poivrons frits, dressés en couronne avec des moitiés de tomate et des rondelles d'oignon frites, avec une sauce tomate additionnée d'un salpicon de poivron ; brouillés, avec des tomates et des poivrons coupés en dés, toujours servis avec des rondelles d'oignon frites.

ESPRIT Ancienne appellation de l'alcoolat (**voir** ce mot), obtenu par distillation d'un produit aromatique macéré dans l'alcool : l'esprit de cassis est utilisé comme composant dans diverses liqueurs et boissons. L'esprit-de-vin est une eau-de-vie titrant généralement plus de 80 % Vol., obtenue par une triple distillation, qui peut être utilisée dans la fabrication des liqueurs.

ESSAI Épreuve de dégustation à laquelle étaient soumis, sous l'Ancien Régime, les mets et les boissons qui étaient destinés au roi, aux princes et aux particuliers de haut rang, pour éviter tout risque d'empoisonnement.

Jusqu'au XVIIe siècle, l'essai était fait par un écuyer de la bouche du roi, soit par dégustation proprement dite, soit par attouchement avec un objet censé changer de couleur en présence de poison. On « essayait » même, en y frottant un morceau de pain que l'on devait manger ensuite, la serviette mouillée dont le roi se servait pour s'essuyer les mains, ainsi que ses assiettes et ustensiles de table, pourtant enfermés dans sa « nef ».

Pour l'essai de la boisson, le cérémonial était encore plus complexe. Lorsque le roi était reçu chez l'un de ses sujets, c'était à ce dernier qu'incombaient les formalités de l'essai, et c'était une marque de faveur toute particulière si le souverain l'en dispensait.

ESSENCE Substance aromatique concentrée, utilisée pour corser le goût d'une préparation culinaire (beurre composé, farce, potage, salade, sauce) ou pour l'aromatiser (crème sucrée). Les essences naturelles s'obtiennent de trois façons : par distillation de l'huile essentielle d'un fruit ou d'un aromate (amande amère, cannelle, citron, orange, rose) ; par réduction d'une infusion ou d'une cuisson (carcasse de gibier, cerfeuil, champignon, estragon, parures de poisson, tomate) ; par infusion ou macération d'un produit (ail, anchois, oignon, truffe) dans du vin ou du vinaigre. Les essences vendues dans le commerce sont parfois corsées par des arômes et des colorants artificiels.

consommé à l'essence de céleri
ou d'estragon ▶ CONSOMMÉ

essence d'ail

Peler 12 gousses d'ail et les écraser. Porter à ébullition 1/2 verre de vinaigre ou 1 verre de vin blanc. Le verser sur l'ail et laisser macérer ainsi 5 ou 6 heures, puis passer et faire réduire des deux tiers.

essence de café

Verser de l'eau bouillante à 4 reprises sur une mouture de café fine (500 g de café pour 1 litre d'eau) ; renforcer la couleur avec un peu de caramel.

essence de cerfeuil

Faire infuser du cerfeuil frais dans du vin blanc ou du vinaigre, selon l'utilisation, puis passer et faire réduire.

essence de champignon

Porter à ébullition dans une casserole 1/2 litre d'eau, 40 g de beurre, le jus de 1/2 citron et 6 g de sel. Mettre 250 g de champignons nettoyés dans ce mélange et cuire 10 min. Sortir les champignons. Faire réduire la cuisson de moitié et conserver l'essence au réfrigérateur.

essence de truffe

Faire infuser 24 heures à couvert des pelures de truffe dans du madère et quelques gouttes d'armagnac. Passer à travers une mousseline, mettre en bouteille, boucher.

ESTAMINET Cabaret où, jusqu'au XVIIIe siècle, l'on buvait de la bière et du vin, et où l'on fumait. Le terme « estaminet » n'est plus usité aujourd'hui que dans le Nord et en Belgique, où il désigne un bistrot ou, plus spécifiquement, une salle de café réservée aux fumeurs, ou la partie de la salle donnant sur la rue.

ESTOFINADO Apprêt de la morue à la provençale. Son nom (on trouve aussi *stoficado, estoficado* et *stocaficado*) est une transcription en provençal du mot stockfisch (morue de Norvège séchée). À Marseille et à Saint-Tropez, notamment, il s'agit d'un ragoût de morue bien relevé, avec des tomates, des oignons, de l'ail, de l'huile d'olive et des aromates divers.

Le « stoficado » est également une spécialité aveyronnaise : la morue est pochée, mélangée avec des pommes de terre, et l'on écrase le tout avec de l'huile de noix très chaude, du beurre, de l'ail, du persil, des œufs crus battus et de la crème fraîche.

RECETTE D'ANGÈLE BRAS

estofinado

POUR 4 PERSONNES

« Tronçonner 1 kg de stockfisch en 3 ou 4 morceaux et les faire tremper à l'eau courante pendant 48 h. Le faire cuire dans un faitout rempli aux trois quarts d'eau. Laisser frémir pendant 25 min, puis retirer le faitout du feu et laisser le stockfisch refroidir dans son eau de cuisson. Ensuite, le retirer et le réserver. Dans cette eau de cuisson, faire cuire 250 g de pommes de terre épluchées. Pendant ce temps, à l'aide d'une fourchette, enlever les arêtes du stockfich. Lorsque les pommes de terre sont cuites, les égoutter et les écraser à la fourchette. Y ajouter le stockfisch ainsi que 4 branches de persil effeuillées et hachées et 2 gousses d'ail écrasées. Saler, poivrer et remuer à l'aide d'une spatule en bois. Casser dessus 2 œufs frais et ajouter 2 œufs durs écalés et coupés en petits dés. Mélanger à nouveau l'ensemble en incorporant à la préparation 15 cl de lait bouillant. Faire chauffer dans une casserole 15 cl d'huile de noix. Lorsque celle-ci est bien chaude, verser la préparation et faire cuire 15 min à feu vif sans cesser de remuer. Enfin, arroser l'estofinado du jus de 1 citron et servir aussitôt car ce plat exige d'être consommé très chaud. »

ESTOUFFADE Plat préparé à l'étouffée (ou à l'étuvée). Il s'agit de viande de bœuf ou de veau, cuite avec beaucoup de légumes, et parfumée au vin. (Dans plusieurs régions méridionales, on ajoute de la sauce tomate ou de la tomate fraîche.)

estouffade de bœuf

Couper en dés 300 g de lard maigre et les blanchir. Les dorer au beurre dans un plat à sauter, puis les égoutter et les réserver. Faire bien rissoler dans le même beurre 1,5 kg de viande de bœuf (prise moitié dans le paleron, moitié dans les côtes couvertes), détaillée en cubes de 100 g. Couper en quartiers 3 oignons moyens, les ajouter au bœuf en les faisant revenir. Poudrer de sel et de poivre ; ajouter 1 gousse d'ail écrasée. Lorsque bœuf et oignons sont bien dorés, les poudrer de 2 cuillerées à soupe de farine. Faire légèrement roussir en remuant. Mouiller de 1 litre de vin rouge et d'autant de bouillon. Mélanger, ajouter 1 bouquet garni, porter à ébullition sur le feu. Couvrir. Cuire de 2 h 30 à 3 h au four préchauffé à 180 °C. Décanter le ragoût. Mettre les morceaux de bœuf et les lardons dans une cocotte, y ajouter 300 g de champignons (de préférence sauvages), escalopés ou coupés en quartiers et sautés au beurre. Dégraisser la sauce, la passer et la faire réduire. La verser dans la cocotte et cuire 25 min à couvert, à petite ébullition. Dresser dans un plat creux.

estouffade de lapin au citron et à l'ail ▶ LAPIN

ESTOUFFAT Préparation languedocienne de haricots blancs frais, compotés avec du lard, de l'ail, des oignons et des tomates. Dans le Sud-Ouest, le mot désigne aussi diverses daubes ou estouffades : estouffat de perdrix aux lentilles dans le sud de l'Auvergne ; estouffat de porc dans le Béarn ; estouffat de lièvre à Agen ; estouffat de bœuf dans le Roussillon et en Auvergne ; estouffat de tripes dans le Languedoc.

estouffat de haricots à l'occitane

Peler 1 carotte et 1 oignon et les couper en dés ; les dorer à la graisse d'oie ou au saindoux. Mouiller de 1,5 litre d'eau, ajouter 1 bouquet garni. Cuire 20 min, puis ajouter 1,5 litre de haricots blancs frais et les cuire aux trois quarts seulement. Les égoutter. Éplucher et hacher 150 g d'oignon. Monder et concasser 2 grosses tomates. Peler et écraser 1 gousse d'ail. Couper en cubes 250 g de lard de poitrine demi-sel, les blanchir, les éponger et les dorer à la graisse d'oie ou au saindoux. Quand ils commencent à rissoler, incorporer l'oignon, les tomates et l'ail, et cuire 10 min. Verser alors les haricots égouttés et achever la cuisson, à couvert, à petits frémissements. On peut ajouter 200 g de couennes de porc confites ; quand elles sont cuites, les couper en carrés et les disposer avec les haricots dans le plat de service.

ESTRAGON Plante aromatique de la famille des astéracées, originaire d'Asie centrale (**voir** planche des herbes aromatiques pages 451 à 454). L'estragon vivace (pérenne), à fleurs stériles, est multiplié par division de touffes au printemps. L'estragon russe, plus foncé et moins parfumé, peut être obtenu par semis.

■ **Emplois.** D'odeur puissante et de saveur forte, chaude et anisée, les feuilles de l'estragon sont utilisées en cuisine française depuis le XVIe siècle. Fraîches, elles parfument les salades, les mets en gelée, les sauces (béarnaise, gribiche, ravigote, tartare, Vincent) et un beurre composé ; cuites, elles participent à des apprêts du poulet, de l'anguille (au vert), des œufs et de légumes. L'estragon aromatise également la moutarde et le vinaigre. En purée ou en crème, il sert à farcir ou à garnir des bouchées, des barquettes, des canapés, des champignons ou des fonds d'artichaut. Il se conserve bien par divers procédés (surgelé, séché). On en fait des liqueurs et son huile essentielle est utilisée en parfumerie.

▶ Recettes : CONSOMMÉ, CRÈME (POTAGE), POULARDE, SAUCE, VINAIGRE.

ESTURGEON Grand poisson migrateur, de la famille des acipenséridés, vivant en mer et remontant les fleuves à l'époque du frai. L'esturgeon est un poisson très ancien, présent sur terre depuis le crétacé (**voir** planche des poissons de mer pages 674 à 677). Son évolution est atypique : il ne se classe ni dans les poissons osseux, ni dans les cartilagineux. Il en existe 25 espèces différentes ; 16 sont migratrices et 9 vivent exclusivement en eau douce. Long de 1 à 6 m et pesant jusqu'à 2 000 kg à l'âge de 120 ans, l'esturgeon a un corps fuselé recouvert de grosses écailles et une bouche sans dents. On le pêchait couramment en France, au Moyen Âge, dans la Seine, le Rhône et la Gironde (dans cette rivière, on le trouvait encore récemment sous le nom de « créat »). Aujourd'hui, l'esturgeon se rencontre surtout dans la mer Noire et la mer Caspienne, où il est essentiellement recherché pour ses œufs (**voir** CAVIAR), et au Canada. La raréfaction des prises de l'Iran et de l'ex-URSS a favorisé les écloseries d'esturgeons sur les bords de la mer Caspienne. En France, des techniques d'élevage ont également vu le jour sur l'espèce *Acipenser baeri*, originaire de Sibérie et vivant en eau douce. Cet esturgeon peut mesurer 1,20 m et peser 15 kg à 6 ans. Il est vendu en général vers 2,5 kg après 2 ans d'élevage. On produit maintenant aussi couramment du caviar en Aquitaine.

L'esturgeon est très apprécié en Russie (sous le nom de *sterlet*), où on le mange nature, salé ou fumé, et où l'on utilise également la moelle épinière (*vesiga*), notamment dans les farces de pâtés (**voir** KOULIBIAC). Sa chair est ferme et assez grasse. Au XIVe siècle, ce « manger royal » se préparait à la broche ou au court-bouillon et se servait avec une sauce épicée, au verjus ou à la moutarde. Sous Napoléon III, c'était toujours un mets de choix, alors que le caviar n'avait pas encore séduit les gourmets.

■ **Emplois.** En cuisine, l'esturgeon s'apprête comme le veau braisé (fricandeau piqué, tranches grillées comme des côtelettes ou sautées comme des escalopes, en matelote ou en rôti). L'apprêt classique de l'esturgeon à la russe est dit « en attente » : le poisson, cuit longuement au court-bouillon avec une garniture aromatique, dans un mélange d'eau, de vin blanc et de jus de cornichons à l'aigre-doux, est servi froid avec du persil cuit, des olives, des champignons, des queues d'écrevisse, du raifort, du citron et des cornichons molossol, ou chaud avec une sauce tomate finie au beurre d'écrevisse. On le sert également fumé.

esturgeon à la Brimont

Lever les filets d'un petit esturgeon. Les parer, les piquer de filets d'anchois et les disposer dans un plat à rôtir, tapissé d'une fondue de légumes. Recouvrir de 2 tomates pelées, épépinées et concassées, mélangées avec 4 cuillerées de champignons coupés en gros dés. Entourer de petites pommes de terre nouvelles, à moitié cuites à l'eau salée et égouttées. Arroser de 10 cl de vin blanc sec ; parsemer de 50 g de beurre en morceaux. Cuire 15 min au four préchauffé à 180 °C, en arrosant souvent. Sortir le poisson du four 5 min avant la fin de la cuisson, poudrer de chapelure et faire gratiner légèrement.

fricandeau d'esturgeon à la hongroise ▶ FRICANDEAU

ÉTAIN Métal blanc très malléable, inaltérable à l'air, couramment employé sous forme de feuilles pour envelopper des produits alimentaires (chocolat, confiseries, fromages, saucissons, thé). L'étain sert également à recouvrir la tôle (fer-blanc) et le cuivre dont sont faits certains ustensiles de cuisine, pour préserver ceux-ci de l'oxydation (étamage). Très fusible – il fond à 225 °C – et malléable, il intervient dans divers alliages (avec le cuivre dans le bronze, avec l'antimoine dans le « métal anglais », et surtout avec le plomb).

L'étain servait autrefois à fabriquer les mesures, récipients de contenance déterminée, et la plupart des pots et des pièces de vaisselle courante ; ceux-ci se reconnaissent à leur style régional et à leur poinçon.

Les pièces modernes comportent un pourcentage minimal de 82 % d'étain (97 % pour les objets destinés au contact alimentaire). Ce métal n'altérant pas le goût du vin, de la bière ou du thé, on l'utilise encore aujourd'hui pour fabriquer pichets, chopes et théières.

ÉTAMINE Tissu peu serré employé pour passer un coulis, une gelée, une sauce épaisse ou une purée de fruit. Le produit est soit foulé avec une spatule, à travers un tamis ou une passoire qui sert de support, soit emprisonné dans le tissu dont on tord les deux extrémités en sens inverse. L'étamine était autrefois en crin, en laine, en soie ou en fil ; on s'en servait pour tamiser, bluter ou filtrer. Aujourd'hui, elle est le plus souvent en fil de lin, en coton ou en Nylon, et est surtout utilisée en confiserie, sous le nom de « blanchet », pour la préparation des gelées et des sirops de fruits.

ÉTATS-UNIS La cuisine des États-Unis ne se limite pas, loin de là, à celle des fast-foods et des snack-bars. Les apports culinaires des pionniers européens se sont enrichis d'influences italienne, chinoise, africaine, juive, etc. ; mais quelques ingrédients de base sont restés solidement ancrés dans les traditions américaines.

Le maïs en est un des meilleurs exemples : consommé sous forme de grains soufflés (pop-corn) ou d'épis arrosés de beurre fondu *(corn on the cob)*, il se cuisine aussi en bouillies *(hominy grits)* et se mélange aux haricots dans le *succotash*. La farine de maïs sert à préparer les tortillas du Nouveau-Mexique, des pains et des gâteaux. Le potiron, lui aussi très répandu, se mange en soupe, en tarte, en gâteau, en purée. Quant au riz, il est à la base du jambalaya de La Nouvelle-Orléans, des apprêts créoles, du *dirty rice* (riz aux abattis) et du *hoppin'john* (riz, bacon et doliques à œil noir).

■ **Potées et fritures.** Les westerns n'ont-ils pas montré cent fois l'image traditionnelle de la femme du pionnier toujours accompagnée de sa marmite et de sa poêle ? De très nombreuses recettes, en effet, sont des potées et des fritures. Le *New-England boiled dinner* (pot-au-feu), les *Boston baked beans* (haricots accompagnés d'une sauce au porc, à la mélasse et au sucre de canne), le chili con carne du Texas, le *Philadelphia pepperpot* (très épicé), le *burgoo* du Kentucky (porridge à la viande et aux légumes) et le *gumbo* créole (ragoût de viandes et de coquillages), sans oublier les soupes, notamment celles à base de poissons *(chowders)* ou de fruits (chaudes ou froides): tous ces plats mijotent dans la marmite. Quant à la poêle, on y fait frire bien sûr le bacon et les œufs, mais aussi les croquettes de morue *(codballs)*, les *fanny dodies* (clams) et le *hangtown fry* (huîtres et œufs frits).

Le rituel du barbecue et du *planked meat* (viande ou poisson cuit au four sur une planche de chêne ou de hickory qui sert de plat de service) reflète le goût toujours affirmé pour la cuisine rustique : poissons, coquillages, viandes (spareribs – hauts de côtelettes –, hamburgers et T-bone steaks) se grillent en plein air.

Les plats classiques des fêtes et du Thanksgiving appartiennent aussi à la tradition : dindon sauvage garni de pain de maïs, servi avec des airelles et une sauce à l'orange ou plus souvent aux canneberges, jambon aux clous de girofle et au whisky, *fried chicken* (poulet frit) et *pecan pie* (tourte aux noix de pécan).

Les tendances de la cuisine contemporaine apparaissent dans deux apprêts caractéristiques : l'éventail des salades composées, dont la salade César (romaine, œufs durs, croûtons, anchois et parmesan), et la gamme des *dips*, sauces épaisses (au fromage blanc, aux clams, au thon, au céleri, à l'avocat, etc.) qui relèvent les crudités, et des *spreads*, sauces plus consistantes qui garnissent les sandwichs.

■ **Pâtisseries.** Elles se fondent encore sur la tradition du *home made* (fait maison) : petits pains (buns et *rolls*), biscuits (cookies, brownies), que complètent les pancakes (crêpes), les doughnuts (beignets) et tous les gâteaux et entremets : *apple pandowdy* (tourte aux pommes), *pound cake* (quatre-quarts), *strawberry short-cake* (biscuit mousseline aux fraises), *upside down cake* (gâteau renversé à l'ananas), *lemon chiffon pie* (tarte au citron meringuée), *gingerbread* (pain d'épice), *Brown Betty* (pudding aux pommes) et cheesecake (au fromage blanc et aux miettes de biscuits secs). Sans oublier les desserts glacés, sundaes, banana split et soufflés glacés aux multiples parfums.

■ **Spécialités régionales.** La Nouvelle-Angleterre a conservé en héritage les soupes, les rôtis et les tourtes de la mère patrie. Les produits de la mer (clams, homard, morue) y sont largement consommés. En Pennsylvanie et dans le Wisconsin, la tradition allemande est nettement dominante avec la cuisine aigre-douce *(sweet and sour)*, les viandes marinées et les produits laitiers, tandis que la présence

scandinave est sensible dans le Minnesota (où l'on retrouve le smörgasbord, les harengs et la pâtisserie danoise). Dans le Michigan, l'influence hollandaise se fait sentir (gaufres et potées). Dans l'Oklahoma, la survivance indienne est notable avec le *squaw bread* et le *jerky,* viande fumée. Dans tout le Middle-East, les ressources des lacs et des rivières sont largement utilisées. Le Sud demeure marqué par les Français en Louisiane avec, en particulier, la pâtisserie ; en Floride, on cuisine les tortues, les crabes et les crevettes, tandis que la Virginie est réputée pour ses jambons et ses poulets. Le Sud-Ouest est dominé par l'influence espagnole et mexicaine (poulet au riz, tamales, *picadillo* et tacos). Sur la côte ouest, en Californie, les produits de la mer sont rois (cioppino) et la production fruitière est très abondante. L'Oregon alimente tout le pays en gibier, et l'État de Washington est célèbre pour son saumon et ses écrevisses.

■ **Vins.** Les États-Unis produisent 85 % des vins qui sont consommés sur le territoire, et dont les neuf dixièmes proviennent de Californie. La viticulture, introduite par Cortés au début du XVIᵉ siècle, ne se développa que dans la seconde moitié du XIXᵉ siècle, lorsque la Californie devint un État de l'Union.

Un climat très hospitalier, des terroirs exceptionnels, une dynamique irrésistible font de la Californie un des plus beaux vignobles du Nouveau Monde. Malgré les lois sur la prohibition (1919-1933), en dépit de la grande dépression (1929) et après avoir survécu au phylloxéra (en 1880, et encore en 1990), les vins de Californie vont de conquête en conquête. En plus du local zinfandel, pratiquement tous les cépages européens sont cultivés et tous les styles de vins sont élaborés : blancs, rouges, rosés, effervescents, mutés, liquoreux, etc. En Californie, l'étiquette des vins de qualité porte généralement le nom du cépage principal qui doit être présent à hauteur d'au moins 75 %.

Le vignoble de Santa Barbara propose surtout des vins rouges issus du pinot noir et des blancs chaleureux à base de chardonnay. Plus à l'est, l'immense et chaude Central Valley produit des vins riches, réguliers, de consommation courante.

Cependant, les régions les plus intéressantes se situent dans le voisinage de San Francisco. Près de l'océan Pacifique, la vigne profite de nuits fraîches et de matinées brumeuses, compensant ainsi merveilleusement les chaudes journées. En été et en automne, la pluie est rare, mais, l'irrigation étant permise, la maturité idéale des raisins s'obtient sans trop de difficulté. Si Sonoma Valley produit des

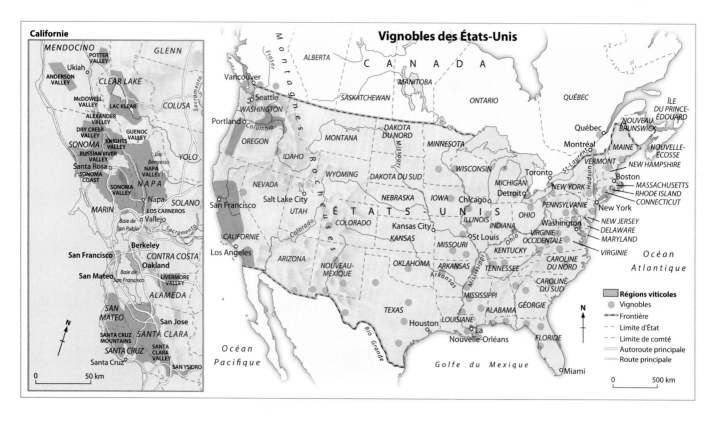

vins rouges et blancs de très haut niveau, Napa Valley, toute proche, est, sans conteste, le haut lieu des meilleurs vins d'Amérique. Sur une superficie équivalant au Médoc et au Saint-Émilion réunis, pas moins de 250 exploitations viticoles proposent des vins rouges aux cépages bordelais (cabernet-sauvignon, merlot) et des vins blancs issus de cépages sauvignon et chardonnay. Certains comtés comme Rutherford, Oakville ou Stags Leap District sont reconnus comme d'authentiques « climats ». Des rendements limités à 50 hectolitres par hectare, un élevage souvent luxueux dans des fûts de chêne français confèrent à ces vins une distinction et une harmonie de tout premier ordre. On ne s'étonnera pas de trouver dans la région quelques propriétaires français tel le château Mouton-Rothschild qui, avec le grand leader local, Robert Mondavi, ont créé ex nihilo le très remarquable cru opus one.

Apéritifs ou vins de dessert portent en principe le nom du vin européen dont ils utilisent la méthode de vinification. Mais les prétendus xérès (sherry), portos, tokays et autres frontignans sont bien loin des produits authentiques. En revanche, les mousseux et bourgognes mousseux obtenus par la méthode champenoise sont généralement de qualité, notamment lorsqu'ils sont bruts, ce qui est rare.

ÉTIQUETAGE ALIMENTAIRE Mention écrite, sur l'emballage d'un produit alimentaire, d'un certain nombre de renseignements sur la nature de ce dernier.

■ **France.** L'étiquetage (décret du 7 décembre 1984) concerne notamment l'identité du produit (dénomination, lot de fabrication et pays d'origine, indiqués sous forme de code-barres) ; le nom et l'adresse du fabricant ou du conditionneur ; la composition du produit (ingrédients, y compris ingrédients composés, et additifs par ordre d'importance décroissante, avec le pourcentage pour les plus caractéristiques d'entre eux, ainsi que ingrédients allergènes et leurs dérivés) ; son poids ou son volume net (éventuellement le prix au kilo) ; sa date limite de vente (produits frais) ou sa date limite d'utilisation optimale (conserves, surgelés) ; et, parfois, sa composition chimique ainsi que sa valeur nutritionnelle. Une réglementation particulière régit l'utilisation d'organismes génétiquement modifiés (**voir** ce mot) dans les denrées alimentaires.

Les huîtres, moules et coquillages sont commercialisés avec une étiquette de salubrité, délivrée par l'Institut scientifique et technique des pêches maritimes.

Les fruits et légumes, dont l'origine et parfois la variété ou le calibre doivent apparaître, sont pour certains dits « normalisés », classés en quatre catégories avec une étiquette de couleur : rouge-extra, correspondant à une qualité supérieure, exempte de tout défaut ; verte-catégorie I, correspondant à une bonne qualité, tolérant de légers défauts quant à la forme ou à la couleur ; jaune-catégorie II, correspondant à une qualité marchande, présentant les caractères minimaux de la variété ; grise-catégorie III, correspondant à une qualité très inférieure et interdite à la vente sur le marché du frais, sauf circonstances exceptionnelles. Ce classement, obligatoire au moment du conditionnement, n'est pas définitif, car les produits évoluent rapidement. Les mentions « garanti sans traitement de conservation » ou « sans traitement après récolte » signifient que le produit n'a subi aucun traitement de conservation après sa récolte. En revanche, la seule mention « non traité » signifie qu'il n'a subi aucun traitement, ni avant ni après la récolte.

■ **Pays francophones.** La législation y est assez semblable à celle de la France.

En Belgique, l'étiquetage des produits préemballés doit préciser la dénomination de vente – avec mention d'un éventuel traitement par ionisation –, la liste des divers ingrédients, la date de durabilité minimale ou la date limite de consommation, les conditions particulières de conservation et d'utilisation, le nom ou la raison sociale et l'adresse du fabricant ou du conditionneur, parfois le mode d'emploi et le lieu de provenance, la quantité nette, le titre alcoolométrique quand il dépasse 1,2 % Vol.

Les fruits et légumes sont classés en trois catégories (I, II et III, cette dernière étant rarement vendue en magasin) qui déterminent leur prix dans les criées, mais pas nécessairement leur qualité.

Au Canada, les normes en vigueur sont en substance les mêmes qu'en France, mais elles sont soumises à des réglementations fédérales et provinciales. La classification se fait selon des critères de taille ou d'apparence. Ainsi, la viande de bœuf est classée en treize catégories (allant de Canada Primé et AAA jusqu'à E), et les volailles en trois catégories (A, Utilité et C). Quant aux fruits et légumes, pour lesquels on mentionne toujours l'espèce et l'origine, ils ne bénéficient pas de classification de qualité. L'étiquetage nutritionnel est désormais obligatoire pour la plupart des produits préemballés quand ils proviennent d'un grand fabricant et, à compter de fin 2007, pour les petits fabricants.

En Suisse, les produits préemballés doivent porter les indications suivantes : la dénomination spécifique ; la composition ; le datage ; le nom ou la raison sociale et l'adresse du fabricant, du conditionneur ou de l'importateur ; le pays de production ; le titre alcoolométrique pour les produits nutritifs et les boissons s'il dépasse 0,5 % Vol. ; la mention d'un éventuel traitement ionisant ; la mention « produit OGM » si ses composants ont été génétiquement modifiés ou obtenus à partir d'OGM ; une mention permettant d'identifier le lot ; éventuellement le mode d'emploi, la présence d'additifs et la valeur nutritionnelle.

ÉTIQUETTE Vignette de papier apposée sur un produit ou sur son emballage, portant à la connaissance de l'acheteur un certain nombre d'informations. L'étiquette joue un rôle important dans la vente de plusieurs produits tels que les fromages, les vins et les alcools, dont la qualité est fonction de l'origine, ou les confitures et le chocolat, dont les composants obéissent à des pourcentages souvent précis. Elle permet aussi la traçabilité et garantit la fraîcheur d'un produit, telle l'étiquette de salubrité qui accompagne les huîtres, les moules et autres coquillages.

■ **Fromages.** À la fin du XIXe siècle, l'industrie fromagère connut un tel développement qu'il fallut revêtir d'une marque spécifique les fromages vendus emballés sur les marchés. Les boîtes en bois furent d'abord pyrogravées, puis une image fut collée sur la boîte ou imprimée sur le papier d'emballage. Néanmoins, de nombreux fromages présentés à nu continuent d'être vendus sans étiquette (bries, chèvres, pâtes cuites). L'étiquette d'un fromage peut comporter la mention « au lait cru », la teneur en matières grasses (maigre : moins de 20 % de matières grasses ; allégé : de 20 à 30 % ; ces pourcentages, exprimés sur l'extrait sec, seront calculés sur le poids total du produit fini avec l'entrée en vigueur d'un prochain décret), le poids, la région de fabrication (s'il s'agit d'une appellation d'origine contrôlée), voire le nom de la fromagerie, le label éventuel ou le poinçon du syndicat, et diverses mentions spécifiques (« pur chèvre », « affiné dans nos caves », « étuvé », etc.).

La situation dans les pays francophones est à peu près la même. Les Suisses notamment fabriquent des fromages très proches de ceux des Français. Au Canada, cependant, les associations de consommateurs ont essayé, sans grand succès, d'encourager la vente de produits « sans étiquette », espérant ainsi supprimer les frais de publicité qu'elle représente.

■ **Vins.** L'étiquette remplit une fonction esthétique et utilitaire. Parfois surmontée d'une collerette ou doublée d'une contre-étiquette, elle révèle l'identité du contenu de la bouteille ; elle est obligatoire lors de la mise en vente du vin. La rédaction des différentes mentions qui y figurent est strictement réglementée.

L'étiquette ne fait pas le vin, mais elle représente le seul moyen de sélection et d'information avant la dégustation, et elle est conçue de façon que même le néophyte soit renseigné, au premier coup d'œil, sur la nature du vin qu'il s'apprête à acheter : vin de table ou vin d'une origine définie. Les mentions qui y apparaissent sont rigoureusement codifiées. Les illustrations (facultatives) ne doivent jamais prêter à confusion sur la provenance et les qualités.

La législation européenne distingue les vins de qualité produits dans des régions déterminées (parmi ces derniers sont classés les vins français AOC et VDQS) et les vins de table (où l'on retrouve les vins de table proprement dits et les vins de table à indication géographique, ou vins de pays).

ÉTRILLE Petit crabe brun, de la famille des portunidés, doté de pattes postérieures spatulées, particulièrement répandu sur les rivages de l'Atlantique et de la Manche (**voir** tableau des crustacés marins page 285 et planche pages 286 et 287). Recouverte de poils courts et raides, l'étrille, appelée aussi « crabe laineux », « crabe nageur », « crabe cerise » ou « chèvre » en Bretagne, mesure environ 10 cm. Difficile à décortiquer, elle possède en revanche une chair fine et savoureuse ; on la cuit au court-bouillon (10 min). Ajoutée à une bisque ou à un coulis, elle communique à l'apprêt un parfum apprécié.

ÉTUVE Sorte de four hermétique à température constante (150 °C environ), destiné à la déshydratation industrielle des fruits, des légumes et de certains produits comme les saucissons secs et le riz paddy.

En boulangerie, on place un produit dans une étuve pour accélérer la fermentation.

ÉTUVER Cuire un aliment à chaleur douce, à couvert, avec très peu de matière grasse et de liquide, ou uniquement dans son eau de végétation. La cuisson à l'étuvée (ou à l'étouffée) s'applique en particulier aux brunoises et aux juliennes de légume, aux oignons et aux échalotes ciselés, aux tomates, aux champignons et aux courgettes (légumes qui « rendent » de l'eau), ainsi qu'aux viandes et aux poissons à braiser (**voir** FONDRE, FONDUE). On emploie parfois ce mode de cuisson pour les pommes et les poires en tranches.

ÉVIDER Retirer une partie plus ou moins importante de la pulpe d'un fruit ou d'un légume cru avant d'utiliser celui-ci pour une préparation particulière. On peut alors farcir la cavité avec certains légumes.

L'évidage du melon permet d'abord de retirer les graines, puis d'extraire la pulpe avec une cuillère parisienne pour servir les boules rafraîchies. Dans la préparation des fruits givrés, le principe est le même, mais on confectionne un sorbet avec la chair du fruit ; une fois reconstitué, celui-ci est servi glacé. On évide les pommes à l'aide d'un vide-pomme, pour les cuire au four dans leur peau, ou, après les avoir pelées, pour les détailler en rondelles et en faire des beignets.

ÉVISCÉRER Retirer, manuellement ou mécaniquement, les entrailles – dont les abats – d'un animal de boucherie, d'une volaille, d'un poisson, d'un gibier.

EXCELSIOR (FROMAGE) Fromage normand de lait de vache (72 % de matières grasses), à pâte molle et à croûte fleurie, blanche, légèrement tachetée de rouille. L'Excelsior se présente sous la forme d'un petit cylindre plat irrégulier de 225 g. De texture onctueuse, il a une saveur douce, légèrement noisetée. Créé en 1890, l'Excelsior (dont le nom est déposé) est le plus ancien des fromages double- ou triple-crème (avec le fin-de-siècle, l'explorateur, le lucullus et le brillat-savarin).

EXHAUSTEUR DE GOÛT Additif alimentaire (**voir** ce mot) destiné à rehausser le goût et/ou l'odeur des aliments. Les exhausteurs de goût sont aussi appelés « agents de sapidité ». Le plus connu est le glutamate, très utilisé dans la cuisine asiatique, mais dont l'ajout dans les plats est soumis à la réglementation des additifs.

EXPRESSO (MACHINE À) Appareil, professionnel ou domestique, destiné à préparer une ou plusieurs tasses de café très concentré (*espresso* en italien). Invention italienne, la machine à expresso fonctionne par percolation : l'eau, chauffée à environ 90 °C, est injectée sous pression (entre 9 et 19 bars) à travers la mouture de café (6 à 7 g par tasse), en une trentaine de secondes. Parmi les modèles à préparation individuelle, beaucoup sont conçus pour recevoir des dosettes de café moulu conditionné entre deux feuilles de papier-filtre ou en capsule scellée. La plupart offrent une buse de vapeur pour faire mousser le lait du *cappuccino*. Il est conseillé d'utiliser une eau adoucie (débarrassée de son calcaire), afin d'éviter l'entartrage de l'appareil.

EXPRIMER Éliminer par pression le jus, l'eau de végétation ou le liquide en excès d'un aliment (on dit aussi « essorer »). On exprime les tomates mondées et coupées en deux en les pressant avec une cuillère au-dessus d'une passoire, pour en faire sortir l'eau (et les graines) avant de concasser la pulpe. Les épinards blanchis et égouttés sont pressés en boules, à la main.

Pour assécher une duxelles de champignon avant de la cuire, ou pour rendre du persil haché plus « poudreux », on se sert d'un torchon ou d'un linge replié en forme de poche.

Pour exprimer le jus des agrumes (citron, orange, pamplemousse), on utilise un presse-agrume ou un presse-citron. Pour préparer certaines sauces, on exprime les ingrédients en foulant la préparation dans un chinois avec une petite louche.

EXTRA Qualificatif appliqué, dans des conditions réglementées, à des produits présentant des caractères particuliers. Les œufs « extra », signalés par une étiquette spéciale (lettres blanches sur fond rouge), sont les plus frais : emballés dans les 3 jours suivant la ponte, ils ont le droit de conserver cette mention pendant 7 jours. Les fruits et légumes « extra », signalés par une étiquette rouge, sont de qualité supérieure. Un champagne « extra-sec » est un champagne assez sec (le champagne vraiment sec est étiqueté « brut »). Un fromage « extra-gras » a un taux de matières grasses compris entre 45 et 60 % (il est également dit « crème »). En Belgique, seuls les œufs peuvent être « extra » au sens français de ce qualificatif ; au Canada, « extra » signifie particulièrement gros, et rien d'autre.

EXTRACTEUR VAPEUR Récipient en acier inoxydable constitué de trois parties s'emboîtant l'une sur l'autre. Il permet d'extraire le jus des fruits et de confectionner jus, sirop, gelée, pâte de fruits et compote. Les fruits sont disposés dans la partie supérieure. L'eau portée à ébullition dans la partie inférieure permet de recueillir, par une cheminée, le jus dans la partie intermédiaire.

EXTRAIT Produit concentré, obtenu par réduction plus ou moins poussée d'un fond de viande ou d'une cuisson de poisson ou de légume. On obtient ainsi des glaces et des fumets, qui permettent de corser sauces, coulis et ragoûts. Lorsque l'évaporation est poussée assez loin, l'extrait devient solide ; c'est sous cette forme que se présentent les extraits de viande ou de poisson (petits cubes ou tablettes, dont l'arôme est souvent renforcé par de l'oignon ou du soja).

Les extraits d'aromates et de fruits utilisés dans la fabrication des sirops sont soumis à une réglementation : un extrait « pur fruit » pour sirop ne doit pas contenir d'acide citrique ni de colorant synthétique.

En boulangerie et en pâtisserie, on utilise de l'extrait de malt pour favoriser la fermentation des pâtes levées (biscuits, brioches, cakes, feuilletages), leur donner plus de légèreté et améliorer leur saveur.

EXTRAIT SEC Matière résultant de la dessiccation complète d'un produit, notamment des fromages. Pour ces derniers, le taux d'extrait sec est fixé à 23 % au maximum ; si ce taux n'est pas respecté, il est obligatoire de le mentionner. Le taux de matières grasses se calcule sur l'extrait sec. Ainsi, dans 100 g de comté, de camembert ou de fromage blanc, titrant tous 45 % de matières grasses, il n'y a, respectivement, que 28 g, 20 g et 9 g de matières grasses. Cependant, un prochain décret devrait modifier ce mode de calcul : la teneur s'exprimerait non plus sur l'extrait sec, mais sur le poids total du produit fini ou dans un tableau nutritionnel sous forme de quantités de lipides pour 100 g de produit fini. Ce dernier principe d'étiquetage est actuellement celui de tous les autres produits alimentaires.

En matière de vin et de bière, l'extrait sec est l'ensemble des constituants solides qui donnent à la boisson sa couleur, son arôme et son goût. On le dose par évaporation totale de l'eau et de l'alcool. C'est la partie « noble » du vin, alors que la lie n'est qu'un dépôt qui peut être préjudiciable à une bonne conservation.

EXTRUDÉ Qualificatif désignant un produit de type apéritif obtenu à partir d'une pâte homogène soufflée ou gonflée à la chaleur. N'étant ni des biscuits, ni des graines, ces produits extrudés (chips, flocons, soufflés, tortillons, etc.) deviennent très légers, rappelant dans leur aspect le polystyrène, qui est lui-même extrudé.

FAÏENCE Céramique recouverte d'un émail incolore ou coloré qui la rend imperméable, très utilisée pour les services de table.

Les faïences traditionnelles, à base d'argile mêlée de marnes et de sables, sont recouvertes d'un émail opaque. Nées en Asie, elles gagnèrent l'Italie et se répandirent ensuite en Europe (Nevers, Rouen, Strasbourg, Delft, etc.). Au XVIᵉ siècle, Bernard Palissy perfectionna la technique de la cuisson, et chaque école inventa un style particulier, caractérisé par la forme et le décor.

Les faïences « fines », créées au XVIIIᵉ siècle par l'Anglais Josiah Wedgwood, sont faites de mélanges spéciaux, permettant d'obtenir des produits très blancs, qui reçoivent ensuite un émail transparent (**voir** PORCELAINE).

« Communes » ou « fines », toutes les faïences subissent deux cuissons, parfois trois : la première est faite pour assurer la solidité du matériau ; la deuxième, pour durcir l'émail ; la troisième, après le décor lorsque celui-ci n'est pas appliqué sur l'émail cru. Les grandes manufactures (Gien, Sarreguemines, Digoin) reproduisent aujourd'hui des modèles anciens, en tenant compte des exigences modernes (passage en lave-vaisselle ou bonne résistance à la chaleur, par exemple).

FAINE Fruit du hêtre, arbre de la famille des fagacées, ressemblant à une petite châtaigne pyramidale. Les faines, qui se récoltent en octobre, sont enfermées par deux ou trois dans une capsule brunâtre. La saveur de leur amande blanche, riche en corps gras, rappelle celle de la noisette. Les faines peuvent se consommer crues, mais on les préfère grillées, car elles sont assez astringentes. On en extrait une huile de table.

FAISAN Gibier à plume originaire d'Asie, de la famille des phasianidés, acclimaté en Europe dès le haut Moyen Âge (**voir** tableau des gibiers page 421). En France, la chasse a considérablement réduit les populations, en dépit des apports périodiques de faisans d'élevage. Ceux-ci sont mis en liberté en janvier et se reproduisent sur le terrain, ou bien ils ne sont lâchés qu'au moment de la chasse : dans ce cas, ils sont beaucoup moins savoureux.

La femelle, ou poule, a toujours une chair plus fine que le mâle. Seuls les très vieux oiseaux doivent subir une maturation de 2 ou 3 jours au frais et au sec (sauf si leurs blessures sont importantes) ; on ne laisse pas faisander les bêtes d'élevage, leur viande risquant de se putréfier.

Le faisan a aussi été naturalisé en Amérique du Nord, où, en certains endroits, il est retourné à l'état sauvage. Au Canada, il existe des « fermes de tir », où l'on relâche les oiseaux entre août et décembre pour les chasseurs, qui les abattent sur-le-champ.

■ **Emplois.** Le faisan jeune est rôti, de préférence « à point » (chair de l'aile légèrement rose), ou cuit farci en cocotte, souvent parfumé à l'alcool ou au vin ; on ne sert en général que les ailes et les cuisses. La carcasse permet de préparer un fumet pour cuisiner la sauce ou confectionner un consommé. Le faisan s'accommode également sauté, en fricassée, préalablement découpé en quatre (deux suprêmes et deux cuisses) ou en six (deux ailes, deux cuisses, deux morceaux de poitrine). Quand il est plus âgé, on l'apprête en chartreuse ou en salmis, accompagné de chou braisé, de cèpes, de pâtes fraîches ou de pommes au lard et aux oignons. Les vieux sujets se cuisinent en daube, en pâté ou en terrine. Mais l'apprêt le plus prestigieux est le faisan Sainte-Alliance, dressé sur un canapé masqué de purée de bécasse et entouré d'oranges amères.

faisan : préparation

Mettre le faisan quelques heures dans le réfrigérateur : il sera ainsi plus facile à plumer. Commencer par retirer les grosses plumes des ailes en les tordant ; plumer ensuite, dans l'ordre, le corps, le cou et les ailes. Vider l'oiseau comme un poulet, en fendant légèrement le côté droit du ventre. Saler et poivrer l'intérieur. Barder le faisan si nécessaire et le brider en le ramassant le plus possible sur lui-même (surtout s'il doit être rôti).

chaud-froid de faisan ▶ CHAUD-FROID

faisan au chou

Piquer de bâtonnets de lard gras la poitrine et les cuisses d'un vieux faisan, après l'avoir fait un peu maturer 2 ou 3 jours ; le brider et le faire colorer en cocotte au four préchauffé à 250 °C. Cuire à moitié dans une autre cocotte 1 gros chou avec 200 g de lard frais de poitrine de porc, 2 carottes épluchées et coupées en dés, 1 gros bouquet garni, du sel et du poivre du moulin. Loger le faisan dans le chou, couvrir et cuire 1 heure sur feu doux. Ajouter 1 petit saucisson à cuire et poursuivre la cuisson 1 heure. Débrider le faisan et le découper. Retirer le bouquet garni. Détailler le lard en tranches et le saucisson en rondelles. Dresser dans un plat creux.

faisan en cocotte à l'alsacienne

POUR 4 PERSONNES – PRÉPARATION : 90 min plumage compris + 10 min – CUISSON : 45 min

Préparer le faisan la veille (voir page 351). Préchauffer le four à 200 °C. Assaisonner le faisan de sel et de poivre. Dans une cocotte sur feu vif, faire fondre 40 g de graisse d'oie, colorer le faisan sur toutes ses faces, couvrir et le cuire pendant 20 min dans le four. Retirer le faisan et le réserver. Déglacer la cocotte avec 10 cl de vin blanc sec d'Alsace, faire réduire, ajouter 80 g de graisse d'oie et 1 kg de choucroute mi-cuite et démêlée, mélanger. Placer le faisan au centre de la choucroute ainsi que 4 tranches de lard braisé et 8 tranches de cervelas. Couvrir et remettre la cocotte dans le four pendant 25 min. Retirer le faisan de la choucroute, le découper et parer les morceaux. Étaler la choucroute sur un plat de service et y disposer les morceaux de faisan. Autour, placer les tranches de cervelas et de lard.

RECETTE DE *MA CUISINIÈRE ISABEAU* (1796)

faisan en filets au jus d'orange

« Lever la chair d'un faisan. Concasser et piler la carcasse et la mettre en casserole avec du fond de veau et une bouteille de champagne nature, sel et poivre. Laisser réduire à petit feu, tamiser, remettre sur le feu. Ajouter le cœur et le foie hachés ; cuire encore 10 min. Couper en languettes longues et minces la chair du faisan. Faire sauter ces filets 10 min au beurre, avec une poignée de persil, cerfeuil et ciboulette, hachés. Disposer les filets sur un plat. Verser dans la sauce le jus de cuisson des filets et le jus d'une orange. Remuer. Napper. »

faisan à la normande

Colorer uniformément un faisan dans une cocotte. Peler 4 belles pommes, les émincer et les dorer vivement au beurre. Les disposer au fond de la cocotte, avec le faisan ; couvrir et cuire 45 min au four préchauffé à 240 °C. Arroser le faisan de 10 cl de crème fraîche et de 1 cuillerée à soupe de calvados 5 min avant de servir. Débrider, découper et servir très chaud avec les pommes.

RECETTE DE PAUL HAEBERLIN

faisan au porto

« Découper en 4 ou en 6 morceaux 2 jeunes faisans, ou, mieux, 2 jeunes faisanes. Saler et poivrer. Faire colorer dans une poêle avec 50 g de beurre. Peler et hacher 4 échalotes ; les faire fondre dans une cocotte avec 20 g de beurre. Ajouter les morceaux de faisan et mouiller avec 25 cl de porto. Couvrir et laisser mijoter 20 min. Nettoyer 300 g de girolles et les faire cuire au beurre. Sortir les morceaux de faisan et déglacer la cocotte avec 25 cl de crème. Ajouter un peu de cuisson des girolles et laisser réduire. Lier la sauce avec 60 g de beurre coupé en petits morceaux. Rectifier éventuellement l'assaisonnement. Remettre le faisan et les girolles dans la sauce et donner quelques petits bouillons. Servir avec des Spätzles au beurre. »

RECETTE DE JEAN FLEURY

salmis de faisan

« Plumer, vider, parer et brider un joli faisan. Le rôtir 20 min afin de le garder saignant. Réserver le plat de cuisson. Découper le faisan en 6 morceaux de la façon suivante : lever les cuisses ; lever les ailes en prenant soin de laisser suffisamment de blanc sur le bréchet. Découper la poitrine en deux morceaux en la coupant dans sa largeur. Bien parer chaque morceau et enlever la peau. Replacer les 6 morceaux dans un sautoir préalablement beurré, arroser de quelques gouttes d'un bon cognac, assaisonner de quelques tours de moulin à poivre ; couvrir d'un couvercle et réserver au chaud. Concasser les os de la carcasse, les peaux, les parures, et les faire revenir vivement dans le sautoir de première cuisson avec 1 gousse d'ail en chemise. Retirer du feu et ajouter 3 échalotes ciselées

finement ; les laisser suer et dégraisser le sautoir. Déglacer d'un trait de cognac. Mouiller avec 50 cl d'un bon vin rouge. Parfumer cette cuisson avec un bouquet garni (branches de persil, thym et laurier). Cuire le vin quelques minutes à découvert et ajouter une bonne louche de fond de gibier. Laisser mijoter 30 min à découvert. Bien écumer. Passer la sauce au chinois en extrayant le maximum de sucs. Faire réduire à nouveau en écumant soigneusement. Rectifier l'assaisonnement. Parfumer avec un peu de jus de truffe et passer au chinois étamine. Monter la sauce ainsi terminée avec 50 g de foie gras tamisé et la verser sur les morceaux de faisan ; garnir de quelques petites têtes de champignons de Paris sautées au beurre. Laisser quelques minutes sur le coin du fourneau et dresser en timbale ou en cocotte avec quelques belles lames de truffe. Décorer avec des croûtons dorés au beurre clarifié, frottés à l'ail, garnis d'une farce à gratin et persillés. »

FAISANDAGE Opération consistant à laisser un gibier dans un endroit frais pendant un temps variable (jusqu'à 8 jours, et même davantage pour certains amateurs) afin d'attendrir sa chair et d'obtenir une saveur particulière sous l'effet de la mortification.

Ce fumet est produit par des germes de l'intestin, qui envahissent les tissus et décomposent les protéines, en engendrant des substances qui, à la longue, deviennent toxiques. Une viande faisandée est donc peu digeste.

Un gibier blessé au ventre ou abîmé par les plombs ne doit jamais être faisandé, car il se putréfie.

La bécasse et certains oiseaux ne s'éviscèrent pas. En revanche, le gros gibier (cerf, sanglier) doit être vidé dès que possible ; il est en général simplement mortifié (de 1 à 3 jours d'attente) et non pas faisandé. Le faisandage du gibier à plume se pratique en enveloppant l'oiseau dans une mousseline ou un linge, en le suspendant au frais et au sec, si possible dans un courant d'air.

C'est la bécasse qui peut attendre le plus longtemps, suivie par le canard, le faisan et le perdreau. Les petits oiseaux se mangent généralement « à la pointe du fusil ». Le gibier à poil se laisse « rassir » de 2 à 4 jours.

On ne pousse plus le faisandage jusqu'à « l'altération de la senteur », comme le préconisaient l'écrivain Michel de Montaigne, au XVIᵉ siècle, ou Anthelme Brillat-Savarin, à propos duquel Charles Monselet notait : « Magistrat aimable qui, les jours d'audience, incommodait tous ses collègues par l'odeur du gibier qu'il apportait dans ses poches pour le faire faisander. »

De nos jours, un faisandage poussé est rarement considéré comme une qualité gastronomique.

FAISSELLE Récipient à parois perforées, dans lequel on fait égoutter le fromage frais. Suivant les régions et le type de fabrication, la forme et le matériau de la faisselle varient, celle-ci pouvant être carrée, cylindrique ou en forme de cœur, en bois, en grès, en faïence, en osier, en jonc tressé, en fer-blanc ou en matière plastique. Certains fromages frais sont toujours vendus dans la faisselle où ils ont été moulés (c'est notamment le cas du fontainebleau).

FAITOUT Marmite cylindrique demi-haute, en aluminium, en acier inoxydable, en tôle émaillée ou en fonte, munie de deux anses et d'un couvercle. Comme son nom l'indique, le faitout (ou fait-tout) est destiné aussi bien aux cuissons à l'eau qu'à l'étuvée, et même, s'il est lourd et bien clos, aux mijotages.

FALAFEL Purée de pois chiches d'origine moyen-orientale, roulée en petites boulettes que l'on fait frire dans de l'huile. Traditionnellement, on mange ensuite celles-ci dans un pain pita.

FALETTE Spécialité auvergnate, particulièrement réputée à Espalion. C'est une poitrine de mouton, farcie, revenue avec des carottes et des oignons, puis mijotée longuement au four et servie en tranches avec des haricots blancs.

falettes

« Désosser 2 poitrines de mouton et les assaisonner. Hacher 300 g de vert de bette, 200 g d'épinards, 50 g de persil, 2 gousses d'ail et 1 gros oignon ; mélanger avec 100 g de mie de pain trempée dans du lait et 100 g de chair à saucisse ; saler et poivrer. Poser les poitrines désossées à plat sur de la barde de lard (500 g), les garnir de farce sur toute la longueur, refermer en rouleau et ficeler. Faire revenir les deux falettes avec 200 g de gros oignons et 100 g de carottes coupées en rondelles. Déglacer la cocotte au vin blanc et mouiller à hauteur, de préférence avec du fond de mouton. Ajouter une demi-tête d'ail et 1 bouquet garni, et faire cuire à couvert, à four moyen, pendant 2 h 30. Faire blanchir 500 g de haricots écossés (cocos) que l'on aura fait gonfler pendant 2 heures dans l'eau froide. Les rafraîchir. Faire suer 100 g de gros oignons, 100 g de jambon d'Auvergne et 100 g de tomates, coupés en dés. Ajouter les cocos, 1 bouquet garni, mouiller à hauteur avec du fond de mouton et faire cuire à couvert, à frémissements, pendant 1 h 30 environ. Retirer les falettes, les laisser un peu refroidir, les déficeler, ôter la barde et couper en tranches. Napper avec le jus de cuisson passé et réduit, et servir avec les haricots fondants à part. »

FAR BRETON Flan aux pruneaux, qui se mange tiède ou froid. À l'origine, le far, très populaire dans toute la Bretagne, désignait une bouillie de farine de blé dur, de froment ou de sarrasin, salée ou sucrée, à laquelle on ajoutait des fruits secs.

Les fars se servaient en tranches, le plus souvent nature, en entremets, ou en accompagnement de viande ou de légumes.

far breton

Faire gonfler dans du thé léger tiède 125 g de raisins de Corinthe et 400 g de pruneaux. Les égoutter et dénoyauter les pruneaux. Disposer en fontaine 250 g de farine et y incorporer 1 grosse pincée de sel, 2 cuillerées à soupe de sucre en poudre et 4 œufs battus en omelette. Délayer la pâte avec 40 cl de lait, incorporer les raisins et les pruneaux, en garnir un moule beurré et cuire 1 heure au four préchauffé à 200 °C (le dessus doit être brun). Poudrer de sucre glace.

FARCE Mélange d'éléments crus ou cuits, hachés plus ou moins finement et assaisonnés, utilisé pour farcir gibiers, légumes, œufs, pâtes, poissons, viandes de boucherie et volailles. La farce est aussi la base de nombre de ballottines, friands, galantines, pâtés et terrines, sans parler de tous les saucissons et saucisses. Elle sert également à masquer des croûtes, croûtons et canapés chauds (sous le nom de « farce à gratin »), à confectionner les godiveaux, les quenelles, certaines bordures, et à garnir des barquettes, des bouchées et des tartelettes.

Il existe de nombreuses variantes régionales du terme : farçou, farçon, etc.

On distingue trois grandes familles de farces : les farces maigres à base de légumes ; les farces grasses à base de viandes et d'abats ; les farces de poisson.

Les farces dites « maigres » comportent souvent un élément gras qui leur donne un moelleux indispensable. C'est en général la chair hachée (de viande ou de poisson) qui constitue la base d'une farce, et les ingrédients annexes lui donnent son caractère et sa consistance. L'assaisonnement est déterminant : épices, aromates, fines herbes, alcool, fumet, essence de truffe, sel et poivre, parfois aussi fruits secs.

La farce d'un mets à bouillir sera toujours plus relevée, celle d'un mets à rôtir le sera un peu moins ; en revanche, cette dernière farce doit être suffisamment grasse pour que le mets ne se dessèche pas, surtout si c'est une volaille.

FARCES GRASSES

chair à saucisse fine ou *farce fine de porc* ▶ CHAIR À SAUCISSE

farce américaine

Faire revenir de tout petits dés de poitrine de porc fumée, ajouter des oignons finement hachés, et laisser suer sans coloration. Hors du feu, incorporer de la mie de pain fraîche jusqu'à l'absorption totale de la graisse. Saler, poivrer et assaisonner d'un peu de sauge en poudre et de fleur de thym. Cette farce est utilisée pour les coquelets, les pigeonneaux, les pintades, les poussins.

farce de foie

Détailler 250 g de lard frais de poitrine en tout petits dés. Couper en cubes 300 g de foie (de porc, de veau, de gibier ou de volaille). Dorer le lard dans une sauteuse avec 30 g de beurre, égoutter et faire sauter le foie dans la même sauteuse. Éplucher 40 g d'échalotes et 75 g de pieds de champignon de couche ; les hacher ensemble. Remettre tous les éléments dans la sauteuse avec 12 g de sel fin, 4 g de poivre blanc, 2 g de quatre-épices, 1 brindille de thym et une demi-feuille de laurier ; chauffer 2 min à feu vif en remuant. Retirer les cubes de foie. Bien déglacer la sauteuse avec 15 cl de vin blanc, en grattant les sucs à la spatule de bois, verser sur les cubes de foie et passer le tout au mixeur avec 70 g de beurre et 3 jaunes d'œuf, de façon à obtenir une purée très fine. Passer celle-ci au tamis, la travailler à la spatule de bois, puis la mettre dans le réfrigérateur. Cette farce est utilisée pour les pains de cuisine, pâtés et terrines.

farce à gratin

Râper 150 g de lard frais. Éplucher et émincer 2 échalotes. Nettoyer et hacher 50 g de champignons. Chauffer le lard dans une sauteuse. Quand il est fondu, ajouter 300 g de foies de volaille, les échalotes, les champignons, 1 brindille de thym, 1/2 feuille de laurier, 1 grosse pincée de sel, du poivre et 1 petite pincée de quatre-épices ; faire sauter à feu vif pour tenir les foies saignants. Flamber au cognac et débarrasser pour faire refroidir rapidement (la farce doit être rosée). Passer au mixeur, puis au tamis fin. Bien mélanger pour obtenir une farce très lisse. Couvrir d'un film alimentaire ou d'un papier sulfurisé beurré et réserver au réfrigérateur. Cette farce est utilisée pour les croûtons sur lesquels on place les petits gibiers à plume, ou pour recouvrir les croûtons à salmis ou à civet.

farce mousseline

Couper en menus morceaux 1 kg de chair de veau, de volaille ou de gibier parée et dénervée, et les réduire en purée. Passer au tamis. Battre légèrement 4 blancs d'œuf à la fourchette. Travailler la chair à la spatule de bois dans une terrine, en y incorporant peu à peu les blancs d'œuf, 20 g de sel et 3 g de poivre blanc. Passer à nouveau au tamis, puis mettre 2 heures dans le réfrigérateur, en même temps que 1,5 litre de crème fraîche épaisse. Placer la terrine dans une cuvette pleine de glace pilée et incorporer peu à peu la crème fraîche en travaillant le mélange vigoureusement, toujours à la spatule. Cette farce est utilisée pour les mousselines, les mousses et les quenelles fines.

farce de volaille

Détailler en dés 600 g de chair de volaille, 200 g de chair maigre de veau et 900 g de lard ; hacher très finement au mixeur. Ajouter 3 œufs, 18 g de sel, 20 cl de cognac et bien mélanger le tout. Passer au tamis. Réserver au réfrigérateur.

godiveau à la graisse ou *farce de veau à la glace* ▶ GODIVEAU

FARCES MAIGRES

farce aux champignons

Éplucher 2 échalotes et nettoyer 175 g de champignons de Paris (ou sauvages) ; hacher le tout. Faire sauter à feu vif dans une poêle avec 40 g de beurre et 1 pointe de muscade, jusqu'à ce que les champignons ne rendent plus d'eau. Laisser refroidir. Préparer 100 g de panade et la passer au mixeur avec le hachis. Incorporer 3 jaunes d'œuf et mélanger. Cette farce est utilisée pour les gibiers, légumes, poissons, volailles.

353

farce pour terrine de légumes

Éplucher et couper en quartiers 500 g de céleri-rave. Le cuire à la vapeur. L'égoutter et le passer au mixeur. Faire dessécher légèrement au four, sans coloration. Dans le bol d'un mélangeur-batteur, travailler la purée avec 2 jaunes d'œuf, puis 15 cl de crème UHT, et enfin 2 blancs d'œuf battus en neige ferme. Incorporer sel, poivre et muscade selon le goût. Ajouter éventuellement à cette farce, en quantité égale, d'autres légumes : carottes en dés, petits pois, haricots verts blanchis ou cuits à la vapeur, pour obtenir une terrine de légumes à cuire au four, au bain-marie.

FARCES DE POISSON

farce de crevette

Cuire à l'eau salée 125 g de crevettes grises ou roses. Les piler dans un mortier avec 100 g de beurre, puis passer le mélange au tamis fin. Ajouter à cette préparation la moitié de son poids de jaunes d'œuf dur, également passés au tamis fin. Bien mélanger.

farce mousseline de poisson

Assaisonner de 20 g de sel, 2 g de poivre blanc et 1 g de muscade râpée 1 kg de chair de poisson crue (brochet, merlan, saumon, sole, turbot) et piler le tout dans une terrine. Ajouter 4 blancs d'œuf, un par un, et passer au mixeur, puis au tamis fin. Mettre dans une terrine, lisser à la spatule de bois, puis mettre 2 heures au moins dans le réfrigérateur. Placer alors la terrine dans une cuvette pleine de glace pilée et incorporer peu à peu 1,25 litre de crème, en travaillant doucement à la spatule. Réserver au réfrigérateur. Cette farce est utilisée pour les mousselines, les mousses, les quenelles fines, mais aussi pour les gros poissons braisés.

farce pour poisson

Émietter 250 g de mie de pain et l'arroser de lait. Hacher 1 petite poignée de persil. Éplucher et hacher séparément 75 g d'oignons et 3 échalotes. Nettoyer et hacher 150 g de champignons de Paris. Chauffer 30 g de beurre dans une cocotte. Ajouter le hachis de champignons, d'oignons et de persil, et cuire quelques minutes. Verser sur les échalotes 1/2 verre de vin blanc et faire réduire. Ajouter les échalotes au hachis et mélanger. Presser la mie de pain et la mettre dans une terrine. Incorporer la préparation et bien travailler le tout. Ajouter encore 2 jaunes d'œuf, du sel, du poivre et, éventuellement, 1 pointe de muscade râpée et 1/2 gousse d'ail hachée. Bien mélanger. Cette farce est utilisée pour les gros poissons d'eau douce.

godiveau lyonnais ou *farce de brochet à la lyonnaise* ▶ GODIVEAU

FARCI Spécialité périgourdine, faite d'un hachis enveloppé dans des feuilles de chou ou placé à l'intérieur d'une poule au pot, et cuit dans un bouillon de légumes ou de viande.

farci

Émietter 350 g de mie de pain rassis et arroser de bouillon non dégraissé (ou de lait). Hacher ensemble 350 g de porc frais (jambon ou lard), 2 gousses d'ail, 2 échalotes (ou 1 oignon) et 1 bouquet de persil, de l'estragon ou des fines herbes. Ajouter éventuellement le foie haché de la poule. Presser la mie de pain et l'incorporer au hachis en y ajoutant du sel, du poivre et 1 pointe de quatre-épices. Lier avec 2 ou 3 jaunes d'œuf. Bien mélanger la farce jusqu'à ce qu'elle soit homogène, puis la mettre au réfrigérateur. Détacher les grandes feuilles d'un gros chou, les blanchir 5 min à l'eau bouillante, les rafraîchir sous l'eau froide, les éponger et les disposer en rosace. Façonner la farce en boule ; la poser sur les feuilles de chou et rabattre celles-ci tout autour. Ficeler le farci ou l'enfermer dans une mousseline, et cuire 1 h 45 dans un bouillon de légumes ou de viande. Retirer la mousseline ou la ficelle. Découper le farci en tranches et le servir brûlant, avec, selon le cas, le bouillon ou la poule. On peut aussi le servir froid.

FARCIR Garnir l'intérieur de viandes, de poissons, de coquillages, de légumes, d'œufs, de fruits, d'une farce grasse ou maigre, d'un salpicon, d'une purée ou d'un appareil quelconque, le plus souvent avant cuisson, mais également pour des apprêts froids.

La plupart des volailles et des oiseaux peuvent se farcir ; en boucherie, on farcit notamment l'épaule désossée, la poitrine, mais aussi le cœur ou les pieds désossés, ainsi que les paupiettes, l'agneau ou le cochon de lait entier.

On farcit surtout les poissons ronds, qu'ils soient de mer ou de rivière ; les coquilles Saint-Jacques, les moules, les praires (ainsi que les escargots) s'apprêtent aussi de cette façon.

Aubergines, choux, courgettes, oignons, poivrons, pommes de terre, têtes de champignon, tomates, mais aussi cœurs de laitue, endives, feuilles de vigne, etc., sont des légumes que l'on farcit couramment.

Quant aux fruits, ce sont les avocats, les agrumes, le melon, les poires et les pommes.

PAS À PAS ▶ *Farcir un poisson par le dos, cahier central p. XI*
PAS À PAS ▶ *Farcir une volaille, cahier central p. VIII*

Classification des farines

TYPES DE FARINE	TAUX DE CENDRES	UTILISATIONS	TAUX MOYEN D'EXTRACTION
45	0,50	pâtisserie	67
55	0,50-0,60	pain courant	75
65	0,62-0,75	pain « tradition »	78
80	0,75-0,90	pain spécial	80-86
110	1,00-1,20	pains bis	85-90
150	1,40	pain complet	90-98

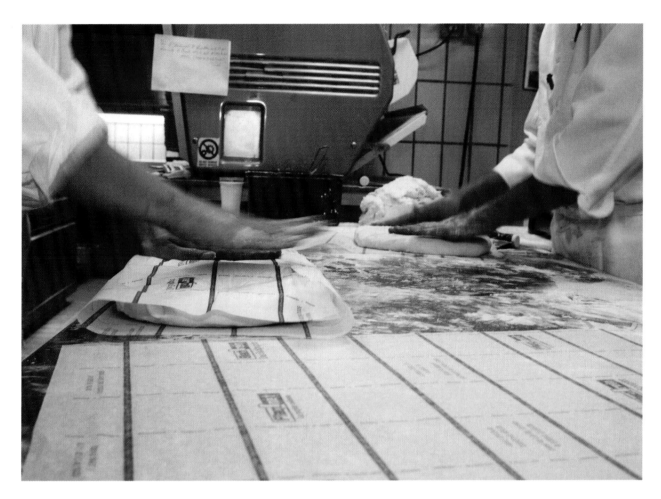

FARINAGE Plat ou entremets à base de farine. On désigne générale-ment sous ce nom l'ensemble des apprêts de pâtes alimentaires servis en plat principal, ainsi que les floutes, les gnocchis, les knepfles, les Knödel, les quenelles, etc., particulièrement fréquents dans les cuisines italienne, autrichienne, allemande et alsacienne. On inclut aussi parmi les farinages les apprêts à base de farine de maïs (gaudes, miques, polenta) et de fécule (bouillies, panades), ainsi que les entremets de semoule. En revanche, on en exclut les pâtisseries et les crêpes.

FARINE Produit de la mouture des grains du blé ou d'une autre céréale (avoine, épeautre, maïs, riz, seigle), ou de certains végétaux farineux ou légumineuses (châtaignes, fèves, lentilles, pois chiches, sarrasin, soja). La dénomination de farine, sans autre précision, dési-gne le produit obtenu par mouture du grain de blé. Dans le cas d'un autre grain, l'indication de la céréale dont elle est extraite doit être mentionnée sur l'étiquette.

■ **Fabrication.** La farine de blé (ou froment), la céréale la plus employée en France, est le résultat de la mouture exclusive de l'amande du grain de blé. Cette opération se faisait autrefois dans un moulin, à l'aide de meules. Aujourd'hui, elle s'effectue le plus souvent dans de grandes minoteries, à l'aide de cylindres cannelés, puis lisses, de plus en plus rapprochés : les grains sont broyés et laminés (ce qui fait disparaître certains éléments essentiels du blé, notamment des protéines et des sels minéraux). Le taux d'extraction de farine pour 100 kg de blé est de 75 à 78 %. La farine obtenue comporte de l'amidon, du gluten, de l'eau, des sucres simples, des matières minérales, des matières grasses, des vitamines et des enzymes.

■ **Classification.** Les farines sont classées par type et, pour déterminer le type de la farine (de 45 à 150), le meunier doit procéder à des ana-lyses très strictes qui détermineront le pourcentage de matières miné-rales résiduelles (taux de cendres). Moins la farine contient de matières minérales, plus elle est pure, comme le résume le tableau ci-contre ; le type détermine l'utilisation (**voir** tableau des farines ci-dessous).

■ **Qualité.** La farine est utilisée en boulangerie, en pâtisserie et en cui-sine. Dans le commerce, on trouve différentes qualités de farine, qui correspondent à des emplois spécifiques.

• **FARINE ORDINAIRE.** Elle est légèrement grisâtre, gonfle peu et assez pauvre en protéines ; elle convient pour la pâtisserie simple (croûtes, pâte à pâté).

• **FARINE PÂTISSIÈRE.** Elle est faite d'un blé plus riche en gluten, avec une bonne teneur en protéines ; elle gonfle davantage et elle ren-ferme moins d'humidité ; elle convient pour les cakes, les génoises, les quatre-quarts, etc.

• **FARINE SUPÉRIEURE.** Elle provient d'un blé de première qualité ; très pure, elle est peu humide et ne grumelle pas. Il peut s'agir de farine « de gruau » (pouvoir levant double de l'ordinaire), de farine « fluide » ou « tamisée » (faite avec des grains de blé moins écrasés, elle convient pour lier les sauces et faire des gaufres et des crêpes) ou de farine « à gâteaux » (contenant de la poudre levante).

• **FARINE COMPLÈTE.** Elle est obtenue par mouture du blé avec le son et le germe. Elle est du type 150.

On trouve également de la farine biologique, obtenue à partir de blés cultivés sans produits chimiques, engrais, ni pesticides. Pour obte-nir l'appellation de « farine biologique », les surfaces emblavées doivent être cultivées sans aucun produit phytosanitaire (désherbants, traite-ments et engrais chimiques, insecticides) depuis 2 ans minimum.

■ **Les autres farines utilisées.** Outre la farine de blé classique, il existe bien d'autres farines, employées notamment en boulangerie.

• **FARINE DE SEIGLE.** Le seigle présente une plus grande résistance au froid. La farine de seigle est donc très présente dans les pays nordi-ques ; elle peut être mélangée avec de la farine de blé.

• **FARINE DE GRUAU.** Principalement extraite des blés américains, cette farine existe en deux types : 45 et 55.

• **FARINE DE GLUTEN.** Elle est extraite industriellement de la farine de blé. Elle sert d'améliorant pour corriger certaines farines ; elle est utilisée aussi pour confectionner les pains de gluten.

• **FARINE DE SARRASIN.** Elle est employée pour la fabrication de galettes (on peut la mélanger avec de la farine de blé) et pour confectionner des pains spéciaux.

• **FARINE DE SOJA.** Elle est surtout employée comme améliorant : ajoutée à de la farine de blé, elle permet d'obtenir un pain volumineux avec une mie blanche.

• **FARINE DE MAÏS.** Pour la panification, on l'emploie plutôt mélangée avec de la farine de blé. Elle sert aussi à la confection de l'escaoutoun, un plat landais lié au fromage de brebis basque fermier.

• **FARINE DE POMME DE TERRE.** Mélangée à la farine de blé, elle permet d'obtenir un pain coloré et peu développé. Appelée aussi « fécule », elle est utilisée en pâtisserie et en biscuiterie.

• **FARINE DE RIZ.** Elle n'est pas panifiable, mais on l'utilise pour fleurer (fariner) et pour préparer des galettes.

• **FARINE D'ÉPEAUTRE.** Obtenue à partir d'une variété de blé dur, cette farine comporte un gluten de qualité médiocre ; la panification de celui-ci nécessite des précautions au pétrissage.

• **FARINE D'ORGE.** Elle est impanifiable seule ; on l'associe donc à de la farine de blé. Elle entre dans la fabrication du sirop d'orgeat, du whisky, de la bière et d'aliments pour bétail.

• **FARINE D'AVOINE.** Cette farine a une valeur boulangère insuffisante ; on l'utilise sous forme de flocons en cuisine ou dans des pains spéciaux.

• **FARINE DE MÉTEIL.** Elle est fabriquée à partir de blé et de seigle semés et récoltés ensemble.

• **FARINE DE MEULES.** On obtient cette farine au moyen de deux meules de pierre tournant l'une sur l'autre : la farine obtenue est plus grossière que celle produit par la mouture sur cylindres, et possède des qualités fermentaires supérieures.

• **MIXES.** Ce sont des produits servant à la panification des pains spéciaux et à la viennoiserie. Ils contiennent, en mélange avec une farine traditionnelle, tout ou partie des ingrédients d'une recette, à l'exception du liquide nécessaire à la réalisation de la pâte.

■ **Diététique.** Les personnes qui supportent mal le gluten peuvent utiliser les farines qui n'en comportent pas (châtaigne, soja et riz), mais aussi la farine d'épeautre, dont le gluten est mieux toléré que celui du blé.

RECETTE D'HÉLÈNE DARROZE

escaoutoun

POUR 4 PERSONNES

« Mélanger dans une casserole à fond arrondi, hors du feu, 40 cl de bouillon de volaille et 120 g de farine de maïs. Cuire ce mélange à feu vif environ 10 min, jusqu'à le dessécher comme une pâte à chou. Ajouter alors 250 g de mascarpone et 200 g de fromage de brebis basque finement râpé. Continuer de cuire sur le coin du feu pendant une dizaine de minutes. Ne jamais cesser de remuer, d'une part pour éviter les grumeaux, d'autre part, pour que la préparation n'accroche pas au fond de la casserole. En fin de cuisson, ajouter 8 cl de crème montée et assaisonner de sel et de piment d'Espelette. À l'automne, l'escaoutoun peut être accompagné de cèpes. Tailler 500 g de cèpes en grosses lamelles. Assaisonner de sel et de piment d'Espelette, puis les faire revenir vivement pour qu'ils soient colorés dans une poêle en fonte avec 30 g de graisse de canard. Au dernier moment, jeter les pluches de 2 branches de persil plat. Verser alors l'escaoutoun bien chaud dans 4 assiettes creuses, poser les cèpes par-dessus et arroser d'un cordon de jus de volaille fumant. Enfin, râper finement 1 tête de cèpe crue et bien ferme au-dessus de chaque assiette. Tous les champignons accompagnent parfaitement l'escaoutoun : morilles, girolles, chanterelles, trompettes-des-morts, etc. En hiver, il peut être accompagné de truffe noire. Dans ce cas, il est préférable de remplacer le fromage de brebis basque par 120 g de vacherin mont-d'or. Râper alors la truffe à cru, au-dessus de l'escaoutoun, selon la quantité souhaitée, et arroser d'un trait de beurre noisette. »

panade à la farine ▶ PANADE

FARINER Recouvrir un aliment de farine, ou poudrer de farine un moule ou un plan de travail. On farine un aliment avant de le faire frire ou sauter ; on le tapote ensuite du bout des doigts pour faire tomber l'excédent de farine. L'opération ne se fait jamais à l'avance, car la farine doit rester sèche. On farine aussi des éléments avant de les paner à l'anglaise. Enfin, on farine les morceaux d'un sauté de viande ou de volaille, une fois dorés, avant le mouillage (**voir** SINGER).

On farine également un marbre ou une planche à pâtisserie avant d'abaisser ou de travailler une pâte, pour éviter qu'elle ne colle. Certains moules et plaques à pâtisserie, enduits au pinceau de beurre clarifié, sont farinés avant qu'on y verse un appareil ou qu'on y étende une pâte, afin de faciliter le démoulage (ou de limiter l'étalement de l'appareil sur la plaque en début de cuisson).

FARINEUX Terme générique désignant les plantes alimentaires de la famille des fabacées pouvant fournir une farine (fèves, haricots, lentilles, pois, etc.), qui peuvent être soit des légumes secs (mais pas nécessairement, au contraire des féculents), soit certains tubercules comme la pomme de terre, ou encore des fruits, comme la châtaigne ou le marron. Ce sont les aliments végétaux les plus riches en azote, et ils jouent un rôle essentiel dans la cuisine végétarienne. En France, la consommation des farineux a beaucoup diminué, comme dans tous les pays industrialisés, tandis que celle des produits carnés augmente parallèlement. Elle reste importante dans le bassin méditerranéen (pois chiches et fèves en Espagne et dans le Maghreb), en Amérique du Sud (haricots rouges et noirs) et surtout sur le continent indien.

FAUBONNE Nom d'un potage lié, préparé avec une purée de haricots blancs (ou de pois cassés, ou de petits pois), détendue soit avec du fond blanc, soit avec du consommé, auquel on ajoute une julienne de légumes (carotte, céleri, navet, poireau) fondue au beurre, un bouquet de persil et, pour finir, des pluches de cerfeuil. Autrefois, le potage Faubonne était également garni de chair de faisan rôti ou braisé, taillée en minces languettes.

FAUCHON (AUGUSTE FÉLIX) Épicier français (v. 1856 - Paris 1939). D'origine normande, il ouvrit en 1886, à Paris, place de la Madeleine, un magasin d'alimentation exclusivement consacré aux meilleurs produits français : biscuits, charcuterie, confiserie, épicerie, fromages, vins et liqueurs, volailles. Auguste Fauchon était hostile à l'« exotisme culinaire » et envoyait les clients qui en étaient friands chez son confrère Hédiard. Pendant l'entre-deux-guerres, son commerce s'agrandit d'un salon de thé-pâtisserie et d'un service de traiteur. Depuis la mort de son fondateur, il s'est ouvert aux spécialités du monde entier, tout en conservant une sélection des produits de luxe français.

FAUGÈRES Vin AOC du Languedoc. Les vins rouges, issus des cépages carignan, cinsault, mourvèdre, syrah, grenache et lladoner pelut, sont colorés, structurés, aromatiques et sans manque de finesse. Depuis 2004, on trouve aussi quelques vins blancs sous cette appellation ; il sont issus des cépages picpoul, bourboulenc et maccabeo.

FAUX-FILET Partie de l'aloyau du bœuf située dans la région lombaire (**voir** planche de la découpe du bœuf pages 108 et 109). Souvent présenté avec la graisse de couverture, c'est un morceau noble quoique moins tendre que le filet, mais ayant davantage de goût. Le faux-filet (ou contre-filet) fournit, une fois désossé et paré, des rôtis ou des tranches à griller ou à poêler.

▶ Recette : BŒUF.

FAVART Nom d'une somptueuse garniture pour volaille ou ris de veau, dédiée à Charles Simon Favart, auteur dramatique et directeur de l'Opéra-Comique (XVIIIe siècle). Elle est composée de quenelles de volaille à l'estragon et de tartelettes emplies d'un salpicon de cèpes à la crème ; la sauce d'accompagnement est un velouté de volaille réduit, additionné de beurre d'écrevisse.

L'appellation concerne aussi un apprêt d'œufs mollets ou pochés, dressés dans des tartelettes garnies d'un salpicon de ris d'agneau, de truffes et de champignons, lié au velouté.

Elle s'applique également à un dessert appelé « timbale », qui est une brioche Richelieu, creusée et garnie de fruits entiers ou coupés en deux et de marrons vanillés, liés au sirop d'abricot au kirsch additionné de purée de marron glacé ; cette timbale est ensuite glacée à l'abricot cuit et à la purée de fruits confits.

FAVORITE (À LA) Se dit de divers apprêts créés au XIXe siècle. Le potage à la favorite est une crème d'asperge et de laitue, garnie de pointes d'asperge. C'est également un consommé lié au tapioca, garni d'une julienne de champignon et fond d'artichaut, et de petites boules de pomme de terre, le tout agrémenté de pluches de cerfeuil. On retrouve les pointes d'asperge dans une garniture pour petites pièces de boucherie sautées (avec des escalopes de foie gras surmontées de lames de truffe et nappées d'un déglaçage au madère et à la demi-glace), et dans une salade composée. Il existe aussi une garniture à la favorite pour grosses pièces de boucherie : quartiers de fond d'artichaut sautés, cœurs de céleri et pommes château.

FAVRE (JOSEPH) Cuisinier d'origine suisse (Vex 1849 - Paris 1903). Après avoir fait son apprentissage dans son pays natal, il vint à Paris, chez *Chevet,* pour se perfectionner, puis il exerça en Allemagne et en Angleterre, avant de revenir à Paris, chez *Bignon.* Il est surtout connu comme théoricien de la cuisine, et son expérience se retrouve à chaque page du *Dictionnaire universel de cuisine pratique ; encyclopédie illustrée d'hygiène alimentaire* (1re éd. 1889-1891, 2e éd. 1903). En 1877, il fonda à Genève une revue, *la Science culinaire,* dans l'espoir de voir naître une « émulation féconde parmi les cuisiniers » ; deux ans plus tard était créée l'Union universelle pour le progrès culinaire, qui allait devenir, en 1893, l'Académie de cuisine.

FÉCULE Farine de grains d'amidon issue de végétaux (racines, tubercules, tiges, fruits, graines). On appelle généralement « fécule » l'amidon contenu dans les organes souterrains (igname, manioc, pomme de terre) et « amidon » le produit extrait des graines (blé, maïs, riz). On distingue les fécules de céréales (froment, riz, etc.), les fécules de pomme de terre, les fécules exotiques (arrow-root, igname, manioc, salep, etc.), les fécules de fruits (châtaigne, marron, gland doux, etc.) et les fécules de graines de légumes (haricot, lentille, pois, etc.).

La fécule de pomme de terre est très utilisée dans l'industrie alimentaire (charcuterie, entremets, farines diététiques, pâtisserie et puddings).

En cuisine, la fécule sert d'épaississant pour les bouillies, les coulis, les crèmes et les liaisons. Les plus utilisées sont : les fécules de maïs et de pomme de terre, l'arrow-root et le manioc.

FÉCULENT Légume ou fruit riche en fécule. Les féculents comprennent généralement tous les farineux (**voir** ce mot). Avec les céréales, ils constituent une des bases de l'alimentation ; ce sont les bananes, les châtaignes, les ignames, le manioc, les patates douces, les pommes de terre. Riches en vitamine C (qui fait défaut dans les céréales) et en glucides (amidon), mais pauvres en protéines et en sels minéraux, ce sont avant tout des aliments énergétiques.

FÉDORA Nom d'une garniture pour grosses pièces de boucherie, associant des barquettes aux pointes d'asperge, des carottes et des navets tournés et glacés, des quartiers d'orange et des marrons braisés.

FEIJOA Arbuste fruitier, de la famille des myrtacées, originaire d'Amérique du Sud et introduit en France au XXe siècle. Le fruit, long de 2 à 8 cm, apparaît à la fin de l'automne. Recouvert d'une mince peau verte, il a une chair riche en iode, un peu granuleuse, dont la saveur évoque à la fois la fraise et l'ananas. On le consomme frais, bien mûr, et il sert à préparer des sorbets, des confitures et des gelées. Poché, il entre dans les salades de fruits exotiques.

FEIJOADA Spécialité brésilienne qui doit son nom à l'ingrédient de base, le haricot noir *(feijao).* Ce plat de fête complet n'est pas sans analogie avec le cassoulet.

feijoada

Mettre à tremper 12 heures dans l'eau froide 1 kg de haricots noirs et, dans un autre récipient, 1 queue de porc demi-sel et 500 g de lard fumé maigre, en renouvelant l'eau plusieurs fois. Peler 5 gousses d'ail. Égoutter les haricots et les mettre dans un grand faitout. Mouiller largement d'eau et ajouter 4 gousses d'ail et 3 feuilles de laurier. Porter à ébullition et cuire tout doucement 1 heure. Égoutter les viandes et les cuire 10 min à l'eau. Les réserver. Peler et hacher 1 oignon. Ôter le pédoncule et les graines de 2 poivrons et les détailler en lanières. Ébouillanter 500 g de tomates, les peler, les épépiner et les concasser. Ciseler 1 petit bouquet de persil et 1 petit bouquet de ciboulette. Chauffer 3 cuillerées à soupe d'huile dans une poêle. Y faire blondir l'oignon, ajouter les poivrons, les tomates, la dernière gousse d'ail et le persil. Cuire 20 min à feu moyen en tournant. Saler. Quand les haricots s'écrasent entre les doigts, en retirer une louche avec une louche du liquide de cuisson, les écraser en purée et les rajouter dans la poêle. Parsemer de ciboulette et réserver. Couper en rondelles 6 petites saucisses fraîches, 6 petites saucisses fumées et 1 chorizo. Mettre les viandes dans le faitout, poivrer et pimenter. Cuire encore 1 heure, en ajoutant à mi-cuisson la purée de tomate aux oignons. Vérifier l'assaisonnement en sel. Mélanger. Préparer la farofa. Faire tremper 100 g de raisins secs dans de l'eau tiède. Dans une poêle, chauffer 40 g de beurre et y dorer 1 gros oignon haché. Saler et ajouter 100 g de farine de manioc, puis 35 g de beurre, pour obtenir une sorte de sable blond. Incorporer 1 banane coupée en rondelles, les raisins égouttés et 50 g de noix de cajou grillées. Servir avec du riz additionné de rondelles d'orange et d'oignon, que chacun poudrera de farofa.

FENDANT Vin blanc suisse, principalement produit dans le Valais, sur la rive droite du Rhône, avec le cépage fendant, nom local du chasselas ; il est sec, élégant et rafraîchissant tant que son degré d'alcool reste modéré (de 10,5 à 11,8 % Vol.). Le fendant présente parfois un léger pétillement (« perlant »), dû à une mise en bouteilles précoce, qui ne fait qu'accentuer sa fraîcheur. Il est vendu sous le nom de la commune où il est récolté, plus rarement sous celui d'un vignoble.

FENOUIL Plante au goût anisé, de la famille des apiacées, dont les fruits (diakènes), les tiges et le bulbe (pour la variété bulbeuse) peuvent être consommés comme épice, aromate ou légume. Le bulbe (ou « pomme », ou « tête »), formé par la base large et charnue des feuilles qui s'imbriquent les unes dans les autres, est consommé comme légume cru ou sauté (**voir** planche des herbes aromatiques pages 451 à 454). Il existe du fenouil sauvage utilisé pour aromatiser les courts-bouillons de poissons.

Le fenouil bulbeux (ou fenouil de Florence) est disponible en frais, d'octobre à mai. Il est cultivé dans la vallée de la Loire, en Provence, en Italie et en Espagne ; il doit être bien blanc, ferme, globuleux, sans taches.

■ **Emplois.** Cuit, le fenouil s'accommode comme le céleri : braisé ou étuvé au beurre, parfois mijoté dans de la sauce ; au gratin (blanchi, poudré de fromage râpé, arrosé de beurre fondu, citronné ou non, et mis à four très chaud) ; au jus, mijoté dans un fond de veau brun corsé, ou à la moelle, comme les cardons. Cru et émincé en salade, il possède une odeur anisée qui se marie bien avec certains autres légumes et surtout avec la crème fraîche.

dorade farcie au fenouil ▶ DAURADE ROYALE ET DORADES

fenouil braisé au gras

Parer des bulbes de fenouil (les tiges, conservées finement hachées, pourront aromatiser une salade). Les blanchir 5 min à l'eau bouillante salée, les rafraîchir à l'eau froide ; égoutter et éponger. Diviser les bulbes en quartiers s'ils sont gros, les laisser entiers s'ils sont petits. Les mettre dans une sauteuse foncée de couennes de lard et de rouelles d'oignon et de carotte. Mouiller de quelques cuillerées de bouillon un peu gras. Porter à ébullition, couvrir et cuire 40 min au four préchauffé à 220 °C. Servir en accompagnement de viandes.

rouget au four au fenouil ▶ ROUGET-BARBET

FENUGREC Plante aromatique, de la famille des fabacées, originaire du Moyen-Orient. Cette légumineuse a une gousse allongée qui renferme des graines oblongues et aplaties, amères et riches en mucilage. Les feuilles séchées sont très odorantes ; en Turquie, en Arabie et en Inde, elles entrent dans la préparation de nombreux condiments.

Autrefois, dans les pays du Maghreb, les femmes consommaient régulièrement, afin de prendre du poids, un mélange de farine de fenugrec, d'huile d'olive et de sucre en poudre.

En Occident, cet aromate n'est guère utilisé que dans le vinaigre des pickles et des cornichons.

FÉOLDE (ANNIE) Cuisinière franco-italienne (Nice 1945). Ses parents étaient employés au *Negresco* ; elle sera cuisinière autodidacte auprès de son compagnon, Giorgio Pinchiorri, sommelier de l'*Enoteca Nazionale*, de la via Ghibellina à Florence, qui porte aujourd'hui son nom. Annie Féolde est d'abord fonctionnaire à Paris, part en Angleterre apprendre la langue, puis se retrouve en Italie, où elle tente l'aventure. « Au début, nous servions quelques plats pour accompagner les grands vins sélectionnés par Giorgio. J'ai mis la main à la pâte, puis je me suis prise au jeu. » Elle s'y prend tellement bien qu'elle sera la première femme d'Italie trois fois étoilée par le Guide Michelin (en 1993, qu'elle perd en 1995, mais retrouve en 2004), dans ce beau palais florentin de l'*Enoteca Pinchiorri*, avec ses salles en dédale, ses plafonds à fresques, son jardin patio et sa cave immense. Elle a ouvert également une *Enoteca* et une *Cantinetta Pinchiorri* à Tokyo. Spaghettis à la « guitare », raviolis aux olives noires, gnocchis aux pignons et aux raisins, rouget au fenouil et citron, cochon de lait caramélisé sont quelques-uns de ses plats fétiches.

FER Élément essentiel de l'hémoglobine des globules rouges du sang et de la myoglobine des muscles. Les besoins en fer, estimés normalement à 10 ou 15 mg par jour, sont beaucoup plus élevés chez la femme enceinte (de 20 à 30 mg) et chez l'enfant.

Les aliments les plus riches en fer sont les abats et les viandes, les coquillages, les fruits oléagineux, le jaune d'œuf, les légumes secs, certains légumes verts (épinard, persil) et le pain, alors que les laitages, les fromages, les fruits et les légumes en contiennent très peu. Le fer végétal est mieux assimilé lorsqu'il est absorbé avec du fer d'origine animale (l'association lentilles et petit salé en est un bon exemple). Les aliments riches en vitamine C (agrumes, fraise, kiwi, choux, poivron) et en vitamines B9 (foie, brocoli, cresson, épinard, mâche, germes de blé) favorisent la capacité d'absorption du fer tandis que les tanins du café, du thé, du vin, de la bière la diminuent. Pour la santé, l'excès de fer est aussi nocif que sa carence.

FÉRA ▶ VOIR CORÉGONE

FER-BLANC Feuille d'acier doux, recouverte sur ses deux faces d'une couche d'étain. Résistant à la corrosion des produits acides, imperméable à l'eau, aux graisses et aux gaz, et, en outre, très bon conducteur de la chaleur, le fer-blanc est le matériau qui convient le mieux à la fabrication des boîtes de conserve appertisées.

Il sert également à fabriquer de nombreux ustensiles de cuisine, tels que moules à pâtisserie, plaques à débarrasser, chinois, écumoires, etc. On lui préfère maintenant l'aluminium ou l'acier inoxydable pour les récipients de cuisson, car l'étamage risque de fondre à feu vif.

FERLOUCHE OU **FARLOUCHE** Garniture de tarte québécoise à base de mélasse. Elle se prépare en portant à ébullition une tasse de mélasse, une tasse de cassonade et trois tasses d'eau avec une pointe de muscade et un zeste d'orange. Hors du feu, on ajoute trois cuillerées à soupe de fécule de maïs délayée dans un peu d'eau froide, et on fait épaissir de nouveau sur le feu. La ferlouche tiède est versée sur un fond de tarte déjà cuit et on la garnit de noix hachées ou de raisins secs.

FERMENT Micro-organisme (bactérie, levure, moisissure) responsable de la fermentation des aliments (bière, charcuterie, fromages, vins, etc.). Dans la fabrication des fromages, les ferments lactiques (lactobacilles et streptocoques) transforment le lactose en acide lactique ; les ferments caséiques, eux, solubilisent les pâtes molles ; et les ferments propioniques dégradent les matières grasses des pâtes pressées cuites durant leur affinage.

FERMENTATION Transformation spontanée ou provoquée de certains constituants des aliments, sous l'influence de levures ou de bactéries. Ces micro-organismes sont soit présents naturellement dans les aliments, soit ajoutés pour les besoins d'une fabrication. Le type de fermentation varie selon l'aliment, le ferment et la durée du processus, qui aboutit à la formation d'acides ou d'alcools : fabrication du vinaigre, fermentation lactique (pour le lait, les céréales et les légumes) ou alcoolique.

Les principaux aliments fermentés sont les pâtes levées (pain, etc.), les produits lactés (fromages, kéfir, koumis, lait caillé, yaourt), la viande (saucisson cru) et les boissons (bière, cidre, hydromel, kwas, poiré, vin), mais aussi certaines préparations de céréales (notamment en Inde et en Afrique) et de légumes (choucroute ; concombre et betterave rouge en Europe de l'Est ; mélange de légumes émincés en Chine). C'est en Extrême-Orient que l'on trouve la plus grande variété d'aliments fermentés, à base de soja, de riz et de légumineuses, voire de poisson (nuoc-mâm).

La fermentation est un excellent procédé de conservation, qui améliore en outre la valeur nutritive des aliments (plus grande digestibilité et plus grande efficacité des protéines).

FERMIÈRE (À LA) Se dit de divers apprêts (grosses pièces de boucherie, volailles à la casserole ou poêlées, petites pièces de boucherie sautées, poissons au four) servis avec des légumes étuvés au beurre et parfois incorporés à la cuisson.

Les légumes ainsi préparés garnissent aussi une omelette, ainsi qu'un potage auquel on ajoute des tranches très minces de pomme de terre ou des haricots blancs.

▶ Recette : RISSOLE.

FERRÉ Se dit d'un aliment dont la cuisson a été faite en le posant sur un gril trop chaud : le quadrillage qui apparaît en surface devient noir au lieu de rester brun et l'aliment a alors un désagréable goût de brûlé.

FERVAL Nom d'une garniture pour entrées, composée de fonds d'artichaut étuvés et de pommes croquettes fourrées de petits dés de jambon.

FESTONNER Disposer en festons, sur la bordure d'un plat de service, des éléments décoratifs : croûtons de pain de mie ou dés de gelée, demi-tranches de citron cannelées, fleurons, selon que l'apprêt est chaud ou froid.

FETA Fromage frais pressé grec AOP de lait de brebis, parfois de chèvre (taux de matières grasses variable). C'est le plus connu des fromages grecs, dont l'origine remonte à l'Antiquité (**voir** tableau des fromages étrangers page 396). Depuis 1993, il bénéficie d'une appellation d'origine protégée. Sa fabrication suit le procédé traditionnel : le lait caillé est divisé, mis à égoutter dans un moule sans fond ou un sac de toile, puis découpé en grosses tranches, qui sont salées sur les deux faces et entassées dans des barils emplis de petit-lait ou de saumure.

Cette pâte fraîche au goût acidulé, célèbre dans tout le bassin oriental de la Méditerranée, est surtout utilisée en cuisine (feuilletés, gratins, salades composées) ou en petits hors-d'œuvre (mezze), accompagnés d'ouzo (**voir** ce mot).

FEUILLE D'AUTOMNE Gâteau rond à base de meringue et de mousse au chocolat, présenté dans une enveloppe de fines feuilles plissées de chocolat noir. Rendu populaire par le pâtissier Gaston Lenôtre, la feuille d'automne se compose de deux épaisseurs de meringue française parfumée à la vanille et d'une épaisseur de pâte meringuée aux amandes, fourrées d'une mousse au chocolat à base de beurre.

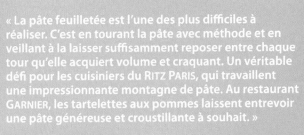

« La pâte feuilletée est l'une des plus difficiles à réaliser. C'est en tourant la pâte avec méthode et en veillant à la laisser suffisamment reposer entre chaque tour qu'elle acquiert volume et craquant. Un véritable défi pour les cuisiniers du RITZ PARIS, qui travaillent une impressionnante montagne de pâte. Au restaurant GARNIER, les tartelettes aux pommes laissent entrevoir une pâte généreuse et croustillante à souhait. »

FEUILLE DE DREUX Fromage fabriqué en Eure-et-Loir, près de Dreux, au lait de vache partiellement écrémé, entouré d'une feuille de châtaignier, en forme de cylindre plat, de 15 cm de diamètre et de 3 cm de haut, pour un poids de 300 g (**voir** tableau des fromages français page 389). Sa croûte est fleurie, blanche, et sa pâte blanc ivoire. Il contient 30 % de matières grasses. Son goût est corsé grâce à l'affinage sous la feuille. De nos jours, ce fromage a retrouvé l'enveloppe de feuilles qui lui a conféré son nom et son goût caractéristique.

FEUILLET Troisième poche de l'estomac des ruminants, entrant, avec d'autres parties de cet estomac, dans la préparation des tripes. Le feuillet a une paroi interne qui comporte de multiples plis, ou feuilles, entre lesquels les aliments sont déshydratés.

FEUILLETAGE Préparation de la pâte feuilletée. Le feuilletage consiste à travailler la pâte (détrempe) en lui incorporant du beurre par la technique du « tourage », c'est-à-dire en la pliant sur elle-même et en l'aplatissant au rouleau un certain nombre de fois, tout en la laissant reposer entre chaque opération. Plus on fait de tours (jusqu'à huit), plus les « feuillets » sont gonflés et nombreux. On donne également le nom de « feuilletage » à la pâtisserie ainsi réalisée.

■ **Histoire.** La pâte feuilletée était déjà connue des Grecs et des Arabes, qui la préparaient à l'huile. Les croisés l'introduisirent en France et en Autriche. Dans une charte de Robert d'Amiens (1311), il est fait mention de « gâteaux feuilletés ». À la même époque, la ville de Cahors créait une spécialité de pâte feuilletée à l'huile, qu'elle conserva longtemps. Les fleurons de feuilletage s'employaient déjà au XVᵉ siècle à la cour du grand-duc de Toscane, pour orner les apprêts d'épinards. Le peintre Claude Gellée, dit le Lorrain (1600-1682), qui avait débuté comme apprenti pâtissier, passa longtemps pour l'« inventeur » de la pâte feuilletée. Cette paternité lui fut disputée par un certain Feuillet, au nom prédestiné, pâtissier du prince de Condé, dont Antonin Carême parle élogieusement dans son *Pâtissier royal*.

■ **Emplois.** Le feuilletage, léger, doré et croustillant, presque jamais sucré quelle que soit sa destination, est le plus souvent farci, garni ou fourré. Ses emplois sont multiples en cuisine (allumettes, bouchées, fleurons, paillettes, pâtés, rissoles, tourtes, vol-au-vent) et en pâtisserie (barquettes, cornets, dartois, galettes, mille-feuilles, pithiviers, tartes, tartelettes). Plusieurs modes de préparation sont possibles, en fonction du nombre de tours et du corps gras (beurre, margarine spéciale enrichie de beurre, saindoux, graisse d'oie ou huile). On peut incorporer des jaunes d'œuf, du sucre, du rhum (pâte feuilletée à la viennoise).

Le feuilletage inversé consiste, d'un côté, à mélanger le beurre et une partie de la farine, de l'autre, à faire une détrempe classique et à l'enchâsser dans la préparation beurre-farine, puis à donner les tours comme pour un feuilletage classique. Cette méthode permet d'obtenir une texture plus fondante et friable.

On appelle « demi-feuilletage » ce qui reste de la pâte feuilletée après la découpe des abaisses. Ces chutes sont appuyées les unes contre les autres sans malaxage, abaissées au rouleau et utilisées pour foncer barquettes ou tartelettes, ou pour réaliser fleurons et autres éléments de décor.

PAS À PAS ▶ *Préparer un feuilletage, cahier central p. XXIII*

---

pâte feuilletée : préparation

Disposer 500 g de farine en fontaine sur un plan de travail. Poudrer de 10 g de sel fin et verser 25 cl d'eau froide au centre. Tourner à la main de l'intérieur vers l'extérieur, de façon que l'eau imprègne la farine progressivement, sans faire de grumeaux. Mélanger rapidement pour rendre cette détrempe homogène, la rassembler en boule, la déposer sur une assiette et la laisser reposer 30 min dans un endroit frais. Ramollir 500 g de beurre à la spatule de bois (il doit avoir exactement la même consistance que la détrempe). Fariner légèrement le plan de travail et y abaisser la détrempe en un carré de 20 cm de côté. Étaler le beurre sur la pâte, sans aller jusqu'aux bords ; replier la pâte en quatre (deux côtés opposés d'abord, puis les deux autres). Laisser reposer ce pâton 15 min au frais (mais pas au froid, qui durcirait le beurre). Fariner à nouveau le

plan de travail, très légèrement ; y déposer le pâton et l'abaisser en un rectangle de 60 cm de long sur 20 cm de large environ, ayant partout la même épaisseur. Replier le rectangle en trois : c'est le premier « tour ». Le faire pivoter d'un quart de tour et, en plaçant le rouleau perpendiculairement aux plis, abaisser à nouveau la pâte, doucement, en un rectangle de la même taille que le précédent. Replier à nouveau la pâte en trois et laisser reposer 15 min. Recommencer l'opération (abaisser, tourner, plier) quatre fois encore, en laissant la pâte reposer 15 min entre chaque « tourage » et en marquant chaque fois la pâte du bout des doigts pour indiquer le nombre d'opérations effectuées. Au 6e tour, allonger la pâte dans les deux sens. Ainsi faite, la pâte feuilletée est dite « à six tours ».

pirojki feuilletés ▶ PIROJKI
tourteaux en feuilleté ▶ TOURTEAU

FEUILLETÉ Apprêt réalisé en pâte feuilletée, garni d'un appareil quelconque (fromage, jambon ou fruits de mer) et détaillé en allumettes ou en triangles, servi en entrée chaude.

Les feuilletés sont aussi des petits bâtonnets en pâte feuilletée, passés à la dorure et parsemés de cumin, de fromage ou de paprika, que l'on sert, chauds ou froids, en amuse-gueule.

bâtons feuilletés glacés ▶ BÂTONNET
croustades de foies de volaille ▶ CROUSTADE

feuilletés de foies de volaille

Préparer des croustades en pâte feuilletée. Nettoyer des foies de volaille (poulet ou canard) ; en éliminer soigneusement le fiel ; séparer les lobes, les détailler en escalopes très fines ; les saler, les poivrer, puis les faire sauter vivement au beurre brûlant, puis égoutter. Faire également sauter au beurre, avec un petit hachis d'échalotes, d'ail, de fines herbes des champignons (mousserons, champignons de Paris, etc.), nettoyés et émincés. Saler et poivrer. Faire chauffer au four les croustades vides. Ajouter assez de sauce madère dans le récipient de cuisson des champignons pour que les éléments de garniture des croustades puissent en être enrobés et y joindre les foies, le temps de les réchauffer. Garnir les croustades avec ce mélange et les servir brûlantes, décorées ou non de lames de truffe pochées au madère. On peut aussi déglacer la cuisson des foies et des champignons au madère, puis la laisser épaissir par réduction.

FEUILLETON Apprêt fait de tranches de veau ou de porc très minces, aplaties, masquées de farce et superposées, puis enveloppées de bardes de lard ou de crépine et ficelées. Le feuilleton se réalise aussi avec une seule pièce de viande incisée en tranches parallèles mais non détachées, également masquées de farce et ficelées. Le feuilleton est étuvé ou braisé et servi avec une garniture bourgeoise ou des légumes braisés (céleri, endive, laitue, etc.).

feuilleton de veau à l'ancienne

Couper 10 tranches minces de noix ou de sous-noix de veau et les aplatir à la batte à côtelette pour obtenir des feuilles rectangulaires. Les saler, les poivrer et les poudrer de 1 pointe de quatre-épices. Préparer une farce fine de porc, additionnée du tiers de son volume de farce à gratin, d'autant de duxelles de champignon sèche et liée aux œufs. Poser une tranche sur un morceau de barde de lard gras légèrement plus grand qu'elle et la masquer d'une couche de farce. Poser une deuxième tranche sur la première et continuer ainsi en masquant chaque tranche d'une couche de farce. Terminer par une couche de farce. Enduire de la même farce les côtés du feuilleton. Recouvrir d'une barde de lard et la rabattre sur les quatre côtés. Ficeler le feuilleton pour lui donner une forme bien régulière. Le mettre dans une daubière beurrée, foncée de couennes de lard et de rouelles d'oignon et de carotte. Ajouter 1 bouquet garni. Faire suer 20 min à couvert, puis mouiller de 25 cl de vin blanc et faire réduire de moitié ; ajouter 25 cl de jus brun de veau et faire réduire à glace. Mouiller de 50 cl de jus. Couvrir et cuire 1 h 45 au four préchauffé à 190 °C, en arrosant plusieurs fois pendant la cuisson. Égoutter le feuilleton, le déficeler et le dresser sur un plat allant au four ; le napper de quelques cuillerées du fond de braisage et le glacer au four en l'arrosant trois ou quatre fois. Le reste du fond de braisage est servi à part en saucière.

FÈVE Plante potagère de la famille des fabacées, cultivée pour ses graines comestibles. Originaire de Perse, la fève est connue et consommée dans le bassin méditerranéen depuis la plus haute antiquité, notamment en Égypte.

Chez les Anciens, elle servait aussi de jeton de vote lors des saturnales, pour désigner le roi du banquet : la fève de la galette des Rois, souvent remplacée par une figurine, perpétue cette coutume.

La farine de fève est parfois mélangée avec la farine de blé pour blanchir le pain. Chez certaines personnes, elle peut donner des allergies.

■ **Emplois.** Particulièrement riche en protéines, en fibres et en vitamines, même à l'état sec, la fève est la plus nourrissante de toutes les légumineuses (50 Kcal ou 209 kJ pour 100 g de fèves cuites).

En France, elle est cultivée dans le Sud-Est et le Sud-Ouest. Elle fut jadis largement consommée, elle était, avant le haricot, le légume du cassoulet. Elle reste une des bases de l'alimentation en Orient et en Afrique du Nord.

Les fèves fraîches du Midi sont disponibles sur le marché de mai à la fin août. On les mange vertes, à la croque-au-sel, ou mûres, cuites à l'eau bouillante après avoir été « dérobées » (débarrassées de l'enveloppe blanche élastique qui recouvre les cotylédons).

Les fèves sèches, disponibles toute l'année, sont plus caloriques (343 Kcal ou 1 433 kJ pour 100 g) ; avant cuisson, elles doivent tremper dans l'eau environ 12 heures.

Si l'apprêt le plus classique des fèves est la purée, qui accompagne très bien le porc, l'apprêt le plus « gastronomique » est espagnol : c'est la *fabada* des Asturies, sorte de cassoulet aux fèves, garni de boudin, de chorizo, de palette de porc et de chou blanc.

Au Canada, les fèves se nommaient « fayots » chez les anciens Acadiens. Il est resté de cette époque un plat traditionnel, les fèves au lard, au sirop d'érable et à la mélasse. On fait d'abord tremper, puis bouillir les fèves. Elles sont ensuite mises dans un récipient en grès et recouvertes de bardes de lard salé et de l'eau de cuisson, assaisonnée et additionnée de mélasse, miel, piment vert et de moutarde sèche ; elles cuisent ensuite à couvert de 6 à 10 heures à four doux ; on enlève le couvercle 30 min avant la fin de la cuisson pour dorer le lard (**voir** GOURGANE).

RECETTE DE JOËL ROBUCHON

crème de fèves à la sarriette

POUR 4 PERSONNES

« Écosser 2 kg de fèves (soit 500 g de fèves écossées). Les plonger dans une casserole d'eau bouillante salée. Les laisser cuire pendant 3 min, les rafraîchir dans de l'eau glacée, les laisser refroidir et les égoutter aussitôt. En peler 4 cuillerées à soupe pour la garniture et réserver. Effeuiller 1 botte de sarriette. Porter 80 cl de bouillon de volaille à ébullition. Y verser 4 g de sucre en poudre, les fèves non pelées, la moitié de la sarriette. Porter de nouveau à ébullition. Transvaser dans le bol d'un mixeur et mixer. Ajouter 6 cl de crème fraîche liquide et incorporer 80 g de beurre coupé

en petits morceaux. Rectifier l'assaisonnement en sel et en poivre et mixer à nouveau. Passer cette crème de fèves au chinois pour enlever toutes les petites peaux. Mettre les fèves pelées réservées dans une soupière, verser la crème par-dessus et parsemer du reste de sarriette. Servir bien chaud. »

morilles farcies aux fèves et poireaux ▶ MORILLE
purée de fèves fraîches ▶ PURÉE
tagine d'agneau aux fèves ▶ TAGINE
tarte croustillante de morilles
du Puy-de-Dôme aux févettes ▶ MORILLE

RECETTE DE GÉRARD VIÉ

tartines de fèves

POUR 4 PERSONNES

« Dans une poêle, faire dorer avec un peu d'huile 4 belles tranches de pain au levain sur chaque face. Les frotter avec 1 gousse d'ail pelée et 1 tomate mûre coupée en deux. Verser 10 cl d'huile d'olive dans une poêle. Dès que l'huile est chaude, y faire colorer à feu vif 4 noix de Saint-Jacques de plongée ou 4 grosses noix de Dieppe 1 ou 2 min de chaque côté (suivant leur grosseur). Les saler, les retirer du feu et les découper en quatre, dans le sens de la longueur. Disposer sur chaque tranche de pain 4 tranches de noix de Saint-Jacques. Répartir dessus 250 g de petites fèves épluchées à cru, 1 pincée de fleur de sel, 1 pincée de fleur de thym. Arroser d'huile d'olive infusée au thym. »

FIADONE Tartelette corse, préparée avec un mélange de sucre, de brocciu frais et de zeste de citron. Il en existe plusieurs recettes, dont l'une consiste à incorporer les blancs battus en neige au mélange de jaunes, de fromage écrasé et de citron, que l'on parfume parfois avec un peu d'eau-de-vie.
▶ Recette : BROCCIU.

FIASQUE Bouteille à goulot long et étroit, dont la panse ventrue est enveloppée de paille tressée. La fiasque (de l'italien fiasco, « bouteille ») est principalement utilisée pour le chianti.

FIBRE Partie d'un aliment végétal non absorbable par l'intestin humain, constituée de cellulose, d'hémicelluloses, de pectines et de lignine, qui influencent tous favorablement le transit intestinal.

Les fibres permettent de réguler dans le temps l'absorption par l'organisme des lipides et des glucides et limitent ainsi les à-coups glycémiques entre deux repas ; il convient donc de les introduire dans chaque repas. Les céréales complètes, les fruits et les légumes frais, le son de blé contiennent beaucoup de fibres.

FICELLE Fine cordelette de chanvre ou de lin, utilisée en boucherie pour ficeler les viandes à rôtir, à braiser ou à pocher, et en cuisine pour

Caractéristiques des principales variétés de figues

NOM	PROVENANCE	ÉPOQUE	ASPECT	FLAVEUR
violette de Solliès (AOC), boujassotte noire, violette, barnissotte noire, parisienne	Var, vallée du Gapeau	mi-août-mi-nov.	grosse, en toupie aplatie, violette à bleu-noir, chair rose framboise	peu juteuse, très savoureuse
figue jaune	région d'Izmir (Turquie)	juin-juill.	molle	moins estimée
petite violacée	Provence	fin août	petite, piriforme	très juteuse
marseillaise	Bouches-du-Rhône	à partir de sept.	petite, peau blanche fine	sucrée, fondante
figue noire de Caromb	France, Afghanistan	juill.-août	allongée, peau très fine, bleu-violet foncé, chair rose	très juteuse, sucrée et très parfumée

lier les abattis des volailles (**voir** BRIDER). On s'en sert également pour recoudre les viandes et les volailles une fois farcies, et pour attacher les paupiettes, le chou farci, etc.

Le gigot « à la ficelle » est rôti devant un feu vif, suspendu par une ficelle qui permet au rôtisseur de lui imprimer un mouvement de rotation ; cet apprêt, plus pittoresque que gastronomique, est attribué à Alexandre Dumas. Quant au bœuf à la ficelle, il cuit dans une mousseline attachée par de la ficelle aux poignées du faitout, de façon à ne pas toucher le fond du récipient.

Enfin, la ficelle permet de maintenir en place les bouchons que la pression pourrait faire sauter, lors de la mise en bouteilles de boissons ou de conserves ménagères.

En boulangerie, la ficelle est un pain de fantaisie long et mince, équivalent en poids à la demi-baguette.

▶ **Recettes :** BÉCASSE, BŒUF.

FICELLE PICARDE Crêpe salée, spécialité régionale de Picardie. Elle est garnie d'une demi-tranche de jambon, d'une sauce aux champignons puis roulée, nappée de crème et d'emmental râpé avant d'être passée au four et gratinée.

FICOÏDE GLACIALE Légume vert ancien, cultivé, de la famille des ficoïdacées. Les feuilles charnues semblent givrées, d'où son nom. Elles sont consommées crues ou cuites comme les épinards ou la tétragone.

FIEL Bile des animaux de boucherie, des volailles et du gibier, sécrétée par le foie et emmagasinée dans une poche (vésicule biliaire). Quand on vide une volaille ou un gibier à plume, il faut veiller à ne pas crever cette poche qui contient le fiel, car celui-ci modifierait le goût de la chair par son amertume.

FIGUE Fruit du figuier, de la famille des moracées, piriforme ou globuleux, se consommant frais ou sec (**voir** tableau des figues page 362 et planche ci-dessous). Originaire d'Orient la figue était déjà très appréciée des Anciens. Les Romains la dégustaient avec du jambon cuit et s'en servaient pour gaver les oies, comme les Égyptiens. Les Phéniciens la consommaient sèche, lors de leurs voyages en mer ; ils ont sans doute contribué à sa diffusion. C'est à la ruse des Corinthiens, qui mélangeaient des figues, moins chères, aux raisins que Venise leur achetait, que l'on doit l'expression « mi-figue, mi-raisin ».

■ **Figues fraîches.** Disponibles de fin juin à novembre, les figues sont des fruits fragiles, qui ne se conservent pas longtemps. Elles sont énergétiques (52 Kcal ou 217 kJ pour 100 g de figues fraîches), riches en glucides (12 g pour 100 g de figues fraîches), en potassium et en vitamines. Mûres, elles présentent de petites crevasses superficielles et résistent mal à la pression du doigt, mais elles ne doivent pas être trop molles. La fermeté de la queue est un bon indice de fraîcheur. On les cueille un peu avant maturité complète pour pouvoir les transporter, mais elles sont alors moins juteuses. Il existe deux grandes variétés de figues : les blanches et les violettes, les premières étant généralement

FIGUES

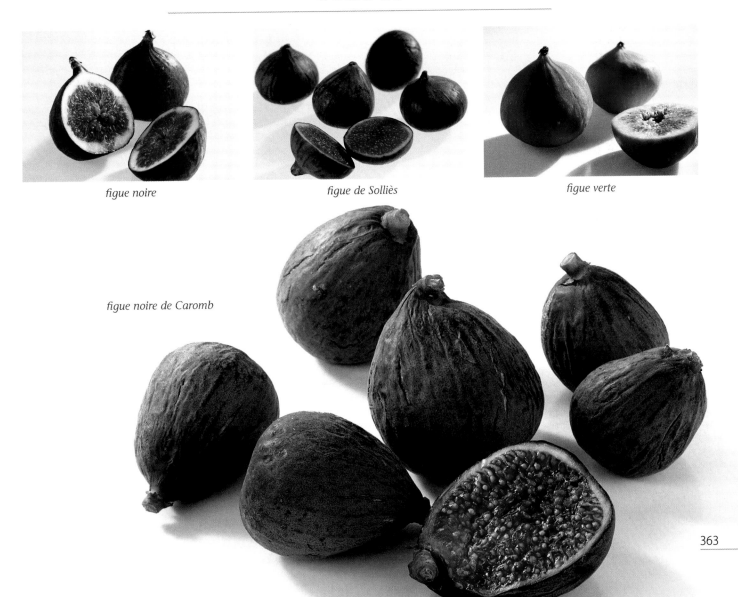

figue noire

figue de Solliès

figue verte

figue noire de Caromb

plus juteuses mais moins savoureuses. Les figues se distinguent aussi par leur taille, leur chair et leur peau.

Fruits de dessert par excellence, les figues sont consommées nature ou apprêtées comme les abricots. On les sert aussi en hors-d'œuvre froid, avec du jambon cru. Les violettes à peau épaisse accompagnent le canard, le lapin, la pintade et le porc (d'abord cuites au four, puis mijotées quelques minutes dans le jus de la viande ou de la volaille). Enfin, on fait avec les figues des confitures et diverses boissons fermentées, notamment la boukha tunisienne.

■ **Figues sèches.** Très nourrissantes (260 Kcal ou 1 086 kJ pour 100 g de figues sèches), les figues sèches, riches en sucre (62 g pour 100 g de figues sèches) et en vitamines, proviennent le plus souvent de Turquie. Elles sont blanches, séchées d'abord au soleil, lavées à l'eau de mer, puis passées à l'étuve. Elles arrivent sur le marché français à partir d'octobre. Très parfumées, brunes et gonflées en début de saison, elles se dessèchent progressivement et deviennent plus claires.

Les meilleures figues sèches, présentées liées avec un brin de raphia, se dégustent crues, nature ou farcies d'amandes ou de noix. Les figues vendues agglomérées, en paquets plats et rectangulaires, ont été ouvertes en éventail et tassées.

Il vaut mieux choisir des figues vendues en vrac plutôt que celles qui se trouvent en barquettes ou en paniers, car leur origine figure sur la caisse : les italiennes sont considérées comme moins fines que les turques ; les grecques sont plus dures. On les mange en compotes, cuites au vin, accompagnées de riz au lait, de crème à la vanille, etc.

Les figues sèches accompagnent très bien le porc ou le lapin, tout comme les pruneaux ; gonflées au porto et ajoutées en fin de cuisson dans la cocotte, elles sont particulièrement savoureuses avec le faisan et la pintade braisés. On en fait également une boisson, la figuette.

Quant à la figue de Barbarie (**voir** ce mot), ce n'est pas une figue à proprement parler, mais le fruit d'un cactus (*Opuntia ficus indica*) d'origine mexicaine.

compote de figue sèche ▶ COMPOTE
confit de foie gras, quenelles de figues et noix ▶ FOIE GRAS

---

figues au cabécou en coffret, salade de haricots verts aux raisins

Détailler 2 cabécous en quatre. Couper 8 figues à 1,5 cm du haut et les vider du tiers de leur pulpe. Hacher grossièrement 1/2 botte de ciboulette. Trier, laver et cuire à l'eau salée 400 g de haricots verts très fins, en les gardant al dente. Faire macérer 60 g de raisins secs dans 6 cl de vinaigrette, jusqu'à ce qu'ils soient bien ramollis. Farcir l'intérieur de chaque figue de 1/4 de cabécou. Découper à l'emporte-pièce cannelé des ronds de feuilletage très fins de 6 cm de diamètre et les dorer à l'œuf. Poser une figue farcie sur chaque carré de feuilletage et badigeonner d'œuf les bords et l'extérieur de celui-ci. Cuire 20 min au four préchauffé à 210 °C. Au bout de 15 min, recouvrir les figues de leur chapeau. Assaisonner les haricots verts de vinaigrette aux raisins et incorporer la ciboulette. Dresser sur chaque assiette un lit de légumes, y déposer 2 figues en coffret et décorer d'amandes effilées.

---

figues fraîches au jambon cru

Choisir des figues blanches ou violettes très fraîches, bien mûres, mais un peu fermes. Les fendre en quatre, sans séparer les quartiers (retenus par la queue) et décoller légèrement la peau au niveau du pédoncule. Rouler en cornets des tranches très fines de jambon de Parme ou de Bayonne. Disposer figues et tranches de jambon dans un plat et servir frais.

---

figues à la mousse de framboise

Peler et couper en quartiers des figues blanches bien mûres, mais fermes. Préparer une mousse de framboise en additionnant de 20 cl de crème Chantilly, 250 g de framboises sucrées au sucre glace et passées au tamis. Disposer les quartiers de figue dans une coupe, les masquer de mousse de framboise et mettre 30 min dans le réfrigérateur avant de servir.

---

tarte aux figues noires et aux framboises

POUR 4 À 6 PERSONNES – PRÉPARATION : 10 min + 30 min – REPOS : 2 h – CUISSON : 40 min

« Préparer 250 g de pâte brisée (**voir** page 631) et la laisser reposer 2 heures au réfrigérateur. Préparer 18 cl de crème d'amande dite "frangipane" (**voir** page 274). Étaler la pâte brisée sur une épaisseur de 2 mm et garnir un moule à revêtement antiadhésif de 26 cm de diamètre. Piquer le fond avec une fourchette. Répartir la crème d'amande sur le fond de la tarte. Préchauffer le four à 180 °C. Laver 600 g de figues noires ; les couper verticalement en quatre ou six suivant leur taille. Les disposer soigneusement en cercle, la pointe en haut, et la peau contre la crème d'amande. Cuire pendant 40 min. Sortir la tarte du four et la laisser tiédir 5 min avant de la poser sur une grille. Mélanger 50 g de sucre en poudre et 1/3 de cuillerée à café de cannelle en poudre. En saupoudrer la tarte dès qu'elle est froide, puis répartir sur toute la surface le contenu d'une barquette de framboises. »

FIGUE DE BARBARIE Fruit d'une plante grasse, de la famille des cactacées, aux raquettes arrondies, originaire d'Amérique centrale, très répandue dans le bassin méditerranéen. Rouge-orangé, ovale, couverte d'une peau épaisse hérissée le plus souvent de fines épines, la figue de Barbarie possède une chair jaune-orangé, fraîche et acidulée, parsemée de pépins craquants. Avant de l'utiliser, il faut toujours la débarrasser de ses piquants, puis la peler. On la consomme nature ou en compote, et elle entre dans la composition de sorbets ou de confitures.

FILET Ensemble de muscles intra-abdominaux, très tendres, car peu actifs, de la région lombaire des animaux de boucherie (**voir** planches de la découpe des viandes pages 22, 108, 109, 699 et 879).

Le filet de bœuf ou de cheval, allongé, est constitué d'un ensemble de plusieurs muscles : on distingue, en cuisine et en boucherie, la tête, le cœur (au milieu) et la queue. Paré, il ne représente qu'environ 2 % du poids de la carcasse. En rôti, bardé, ou piqué de lard, le filet est une pièce de choix. On le détaille aussi en tranches assez épaisses (chateaubriand) ou en « tournedos ».

Le filet d'Anvers est le rond de gîte de bœuf, salé, fumé et séché. Il se consomme cru, en tranches fines.

Le filet américain est le nom belge du steak tartare.

Le filet de veau correspond au même morceau que le filet de bœuf. On le cuit entier ou détaillé en « escalopes » ou en tranches plus épaisses, appelées « mignons », « médaillons » ou « grenadins ». La côte filet correspond à toute la région lombaire ; on y prélève des « côtes ».

Le filet, ou côte filet, de mouton est souvent présenté avec une partie des muscles abdominaux ; on le détaille en « côtelettes », simples ou doubles. Entier, il prend le nom de « selle anglaise », qui est rôtie.

Le filet d'agneau, désossé, paré, roulé et ficelé, est détaillé en « noisettes ».

Le filet de porc est détaillé en « côtes », qui ne comportent pas de manche, en rôtis entiers, le plus souvent désossés.

Par extension, on parle de filet de volaille ou de gibier à plume pour le morceau long et effilé qui correspond aux muscles pectoraux ou « blanc » (il prend le nom de « magret » chez le canard gavé et gras, élevé pour son foie gras).

Pour le poisson, les filets sont constitués par la chair située le long de l'arête dorsale ; ils sont au nombre de quatre sur les poissons plats, de deux sur les ronds (ou « dos »). On les lève à cru pour les apprêter pochés, poêlés, marinés, voire roulés en paupiette, ou sur le poisson cuit, désarêté, au moment du service.

▶ Recettes : BAR, BARBUE, BŒUF, BROCHETTE, DAURADE ROYALE ET DORADES, FAISAN, HARENG, LOUP, MAQUEREAU, ROUGET-BARBET, SOLE, TURBOT.

FILET MIGNON Ensemble de muscles longs du bœuf et du veau, situés dans la cage thoracique, de part et d'autre des corps vertébraux des premières vertèbres dorsales. Paré, le filet mignon fournit un ou deux biftecks ; non paré, il est utilisé en bourguignon. Il est très tendre et savoureux.

On parle aussi de filet mignon pour le porc et le chevreuil. Chez le porc, il correspond au filet de bœuf ; il peut être rôti ou poêlé, détaillé en médaillons ou coupé en petits morceaux pour brochettes (**voir** planche de la découpe du porc page 699).
▶ Recettes : CHEVREUIL, VEAU.

FILET DE SAXE Filet de porc salé, bardé ou non, emballé dans une baudruche ou une pellicule de Cellophane et fumé. Le filet de Saxe est proche du bacon, mais plus moelleux.

FILETER Lever les filets sur un poisson. Cette opération, appelée « filetage », s'effectue sur un plan de travail spécifique, à l'aide d'un couteau à lame souple et fine.

FILO (PÂTE) La pâte filo, qui se présente en feuilles très fines, est composée de farine, d'eau et d'amidon de maïs. Elle est très présente dans les cuisines turque et grecque (*filo* vient du grec « feuille ») et comparable à la feuille de brick employée en Afrique du Nord. Souple comme de la soie, la filo est traditionnellement destinée à la confection des baklavas et d'autres recettes sucrées, mais aussi de plats salés comme les feuilletés au fromage, etc.

FILTRE Récipient poreux ou percé de trous, permettant de débarrasser un liquide des matières solides qu'il contient. En cuisine, on filtre les liquides à travers une étamine ou une mousseline.

Le filtre à café contient le café moulu sur lequel on verse l'eau bouillante. Il peut être en métal, en terre ou en porcelaine perforés, ou en tissu (la « chaussette »). Dans de nombreuses cafetières modernes, le filtre est un cône en papier spécial, que l'on place dans un support.

Le café-filtre, ou filtre, est un café que l'on passe directement dans la tasse, au moyen d'un filtre individuel, généralement en métal.

FINANCIER Petit gâteau fait d'une pâte à biscuit enrichie de poudre d'amande, de beurre blond et de blancs d'œuf, de forme ovale ou rectangulaire. Le financier est également une grosse pièce de pâtisserie, faite avec la même pâte et agrémentée d'amandes effilées et de fruits confits. Les petits financiers servent parfois de fonds à des petits-fours glacés, et les gros financiers, cuits dans des moules de taille décroissante, à l'édification d'une pièce montée.

financiers aux amandes

Préchauffer le four à 200 °C. Beurrer 16 moules de 10 cm de long sur 5 cm de large. Tamiser 100 g de farine et la verser dans une terrine. Ajouter 100 g d'amandes en poudre, 300 g de sucre cristallisé fin, 2 ou 3 sachets de sucre vanillé et 1 pincée de sel ; bien mélanger le tout. Faire blondir 150 g de beurre. Fouetter 8 blancs d'œuf en neige très ferme avec 1 pincée de sel ; les incorporer délicatement au mélange contenu dans la terrine. Verser enfin rapidement le beurre fondu. Répartir la préparation entre les moules et cuire de 15 à 20 min au four : les financiers doivent dorer. Démouler et laisser refroidir sur une grille. On peut ensuite masquer les financiers de fondant au kirsch ou au chocolat.

FINANCIÈRE (À LA) Se dit d'une garniture classique très « riche », destinée soit à accompagner pièces de boucherie, ris de veau ou volailles poêlées, soit à garnir bouchées, croûtes, timbales ou vol-au-vent. C'est un ragoût associant crêtes de coq, quenelles de volaille, têtes de champignon, olives vertes et salpicon de truffes au madère, le tout lié d'une sauce au madère et à l'essence de truffe. Les mêmes éléments servent à confectionner les atteraux à la financière.
▶ Recettes : RIS, SAUCE, VOL-AU-VENT.

FINE CHAMPAGNE Cognac de qualité supérieure, correspondant à un mélange des deux meilleurs crus de la zone d'appellation cognac ; ces deux régions d'appellation sont la Grande Champagne et la Petite Champagne (**voir** COGNAC).

Légalement, le mot « fine » désigne une eau-de-vie naturelle de bonne qualité, produite dans une région déterminée.
▶ Recette : BÉCASSE.

FINES HERBES Herbes aromatiques, généralement vertes, utilisées fraîchement ciselées ou hachées pour parfumer une sauce, aromatiser un fromage blanc, cuisiner une viande ou un légume sauté, garnir une omelette (**voir** planche des herbes aromatiques pages 451 à 454). Il s'agit habituellement de persil, de cerfeuil, d'estragon, de ciboule et de ciboulette, diversement associés ; autrefois, on y ajoutait des champignons hachés. Certains chefs rangent parmi les fines herbes les tiges de céleri ou de fenouil, le basilic, le romarin, le thym et le laurier, qui s'utilisent, en fait, plutôt isolément ou dans un bouquet garni.
▶ Recettes : GRENOUILLE, OMELETTE.

FINIR Terminer une préparation par une dernière mise au point de l'assaisonnement, de la consistance, de la décoration, etc. La finition de certains potages se fait par l'adjonction de pluches de cerfeuil, de beurre frais, de crème fraîche. Un civet, notamment de gibier, se « finit » généralement par une liaison au sang. Un mets nappé de sauce Mornay est « fini » par un glaçage sous le gril.

FINLANDE La cuisine finnoise traditionnelle reflète la situation géographique et historique du pays : un œil à l'ouest, une oreille à l'est.
■ **Spécialités régionales.** La fermentation des légumes (choucroute de chou ou de navet, concombre et betterave rouge en saumure) est courante. La potée carélienne *(karjalanpaisti)* se fait avec les trois viandes du *baeckeoffa* (porc, bœuf, agneau), mais le vin est remplacé par de l'eau. L'influence slave se fait sentir avec le borchtch, les blinis, les pirojki caréliens, le *karjalanpiirakka* (petite tarte au seigle farcie de purée de pomme de terre ou de riz, servie avec du beurre fondu et des œufs durs) ou le *vorshmack* (hachis d'agneau, de bœuf et de hareng salé, relevé d'ail et d'oignon).

Dans l'Ouest et le Sud, on entretient la tradition de la table scandinave, avec son abondance d'entrées froides. Pâtisseries, pains secs et brioches à la cardamome *(pulla)* sont également très appréciés.

Le Nord est marqué par la culture lapone. La viande de renne est salée, séchée, fumée, ou mijotée avec des os à moelle, mais se consomme aussi crue, en carpaccio. Le plat le plus classique est le *poronkäristys*, un émincé de renne sauté, servi avec de la purée de pomme de terre et des airelles écrasées et sucrées.
■ **Au royaume du poisson.** La Finlande est la plus grande réserve européenne de poissons d'eau douce. La Baltique, parce qu'elle est très faiblement salée, accueille la plupart des espèces qui vivent dans les milliers de lacs du pays : les anguilles, lavarets *(siika)*, corégones blancs *(muikku)*, ombles, perches, truites, sandres, saumons, mais aussi les brèmes, brochets et harengs sont fumés, salés et marinés. Le robuste *kalakukko* est un pain de seigle farci de corégones ou de petites perches et de lard, et le tartare de filets de perche est très à la mode. Lors des fêtes de fin d'été, les écrevisses cuites au court-bouillon avec des fleurs d'aneth constituent un plat raffiné copieusement arrosé de *koskenkorva* (vodka).

Enfin, la nature abonde en gibier : colvert, élan, lagopède, lièvre.
■ **Plaisirs de la cueillette.** C'est une activité très populaire en Finlande. Outre les champignons des bois qui donneront pickles, ragoûts, salades, sauces et soupes, on ramasse toutes sortes de baies : airelles, canneberges, fraises et framboises sauvages, mûres arctiques, myrtilles, sorbes, qui seront servies en accompagnement, en dessert (entremets à la crème, mousses) ou transformées en liqueurs douces (*lakka*, à base de mûres arctiques).

FIORE SARDO Fromage sarde AOP de lait de brebis (45 % de matières grasses), à pâte molle légèrement pressée et à croûte naturelle brossée enduite d'huile ou de suif (**voir** tableau des fromages étrangers page 398). Le fiore sardo se présente sous la forme d'un petit tonneau aplati de 1,4 à 5 kg. Il a une saveur agréablement noisetée, qui devient nettement plus piquante lorsqu'il est affiné.

FITOU Vin AOC rouge du Languedoc, issu des cépages carignan, grenache, lladoner pelut, cinsault, mourvèdre et syrah. Ce vin est puissant, charpenté et savoureux, produit par neuf communes des Corbières, au sud de Narbonne, sur des coteaux particulièrement arides (**voir** LANGUEDOC).

FIXIN Vin essentiellement rouge, issu du cépage pinot noir, situé au nord de la côte de Nuits, assez coloré, aux arômes puissants, et d'un excellent rapport qualité-prix (**voir** BOURGOGNE).

FLAMANDE (À LA) Se dit de divers apprêts issus de la cuisine régionale du Nord. La garniture flamande se compose de boules de chou vert farcies et braisées, de carottes et de navets tournés et glacés, de pommes à l'anglaise et, éventuellement, de languettes de poitrine salée et de rondelles de saucisson cuit pochés avec les choux. Cette garniture, qui est presque une potée, accompagne surtout les grosses pièces de viande (culotte de bœuf, par exemple) ou l'oie braisée, plus rarement des petites pièces de boucherie. Le tout est nappé de demi-glace, de fond de veau ou du déglaçage de la cuisson.

Parmi les mets baptisés « à la flamande », il faut mentionner les choux de Bruxelles (en purée, avec autant de pommes de terre, ou en garniture de consommé) et les endives (crues dans une salade composée, ou cuites en chiffonnade pour garnir une omelette servie avec de la sauce crème). On appelle enfin « à la flamande » un apprêt d'asperges à l'œuf dur.

▶ **Recettes :** ASPERGE, CABILLAUD, CARBONADE, CHOU POMMÉ.

FLAMBER Passer une volaille à la flamme pour achever de la nettoyer ou arroser un mets d'alcool et y mettre le feu pour en relever le goût.

Le flambage est le premier stade de l'habillage d'une volaille : il consiste à passer rapidement les ailes, puis les pattes et le cou dans la flamme d'un brûleur, en les tenant tendus. L'opération, complétée par l'épluchage, a pour but de débarrasser l'animal de ses dernières plumes et de son duvet (**voir** ÉPLUCHER).

Le flambage d'un apprêt salé en cours de cuisson consiste à l'arroser d'un alcool préalablement chauffé (cognac, armagnac, calvados, rhum, whisky), que l'on enflamme aussitôt. Il se pratique soit avant le déglaçage (poulet chasseur), soit avant de mouiller la préparation (coq au vin). En restauration, le flambage au rhum, au Grand Marnier, etc., effectué devant le client, sur un réchaud spécial, concerne le plus souvent les entremets chauds tels que crêpes et omelettes.

FLAMICHE OU **FLAMIQUE** Sorte de tarte sucrée ou salée du Nord et des Flandres, diversement garnie. Jadis, la flamiche était une galette de pâte à pain que l'on dégustait chaude, à la sortie du four, arrosée de beurre fondu. Aujourd'hui, on y ajoute légumes ou fromage. Les flamiches ou flamiques aux légumes sont garnies d'un mélange de légumes étuvés et de jaunes d'œuf battus : la plus connue est la flamiche aux poireaux, dite « flamique à porions » en Picardie, où on la fait également avec de la citrouille et avec des oignons. Les flamiches au fromage se composent généralement d'un fromage « fort » genre maroilles. La flamiche à l'ancienne se prépare avec une pâte feuilletée à trois tours, à laquelle on incorpore du maroilles mi-affiné, écroûté, en même temps que le beurre ; cette galette se déguste en entrée chaude, avec de la bière. Dans le Hainaut, la flamique au fromage se présente comme une tourte, alors que, à Dinant, la tourtière, garnie d'une pâte à foncer ordinaire, est recouverte de fromage fort mélangé avec du beurre et des œufs.

flamiche aux poireaux

Diviser 500 g de pâte brisée en deux masses inégales et abaisser celles-ci en cercles. Utiliser le plus grand cercle pour foncer une tourtière de 28 cm de diamètre. Émincer et étuver au beurre 1 kg de blancs de poireau. Y ajouter 3 jaunes d'œuf et rectifier l'assaisonnement. Verser dans la tourtière. Recouvrir de la seconde abaisse de pâte et pincer les deux bords pour les souder. Tracer sur le dessus des croisillons avec la pointe d'un couteau et dorer à l'œuf battu. Y ouvrir une cheminée et cuire de 35 à 40 min au four préchauffé à 230 °C. Sortir la tourte dès que le couvercle est bien doré et servir brûlant.

FLAMRI Flan de semoule préparé non pas au lait, mais au vin blanc, et servi froid, nappé d'une purée de fruits rouges. (On écrit aussi « flamery ».)

FLAMUSSE Pâtisserie rustique aux pommes, réalisée en Bourgogne et dans le Nivernais, sur le principe du clafoutis.

flamusse aux pommes

Disposer dans une terrine ou un saladier 60 g de farine en fontaine ; verser au centre 75 g de sucre en poudre, 1 pincée de sel et 3 œufs battus en omelette ; mélanger à la spatule de bois pour obtenir une pâte aussi lisse que possible. Ajouter peu à peu 50 cl de lait et bien délayer. Peler et couper en tranches fines 3 ou 4 pommes reinettes. Les disposer dans une tourtière beurrée en les faisant se chevaucher. Verser la pâte par-dessus. Cuire 45 min au four préchauffé à 150 °C. Démouler la flamusse et la servir retournée, généreusement poudrée de sucre.

FLAN Sorte de tarte salée ou sucrée, garnie d'un appareil à flan (ou crème aux œufs) auquel on ajoute éventuellement des fruits, des raisins secs, des foies de volaille, des fruits de mer, etc. Selon les cas, le flan est servi en entrée chaude ou en dessert. Au Moyen Âge, les cuisiniers préparaient de nombreux flans.

On appelle également « flan » une crème prise, renversée ou moulée, souvent parfumée au caramel.

La version pâtissière est composée d'un fond de tarte brisée garni d'une crème cuite (eau ou lait, sucre, œufs et poudre à flan), et recuit au four.

croûte à flan cuite à blanc : préparation ▶ CROÛTE

FLANS SALÉS

flan à la bordelaise

Cuire à blanc une croûte à flan. La garnir de moelle de bœuf pochée dans un bouillon et de maigre de jambon cuit coupé en dés et lié de sauce bordelaise très réduite. Disposer sur ce salpicon, en les alternant, des lamelles de moelle un peu épaisses et des cèpes escalopés et sautés à l'huile. Poudrer de chapelure blonde, arroser de beurre fondu. Gratiner au four préchauffé à 275 °C et servir chaud parsemé de persil ciselé.

flan à la florentine

Cuire à blanc une croûte à flan. Nettoyer des épinards, les presser, les hacher grossièrement et les faire étuver au beurre. En garnir la croûte. Napper le tout de sauce Mornay et poudrer de fromage râpé. Arroser de beurre fondu et gratiner au four préchauffé à 275 °C.

flan de volaille Chavette

Cuire à blanc une croûte à flan. Escaloper en tranches d'épaisseur moyenne 500 g de foies de volaille parés. Saler, poivrer et faire sauter vivement dans du beurre brûlant. Égoutter les foies et les tenir au chaud. Nettoyer et escaloper 200 g de champignons, les dorer dans le même beurre, les assaisonner, les égoutter, les ajouter aux foies. Déglacer le plat avec 20 cl de madère et faire réduire. Mouiller de 35 cl de béchamel pas trop épaisse et de 20 cl de crème fraîche, et faire réduire cette sauce jusqu'à ce qu'elle soit onctueuse. Passer la sauce et y remettre les foies et les champignons. Tenir au chaud sans laisser bouillir. Préparer des œufs brouillés très moelleux (de 8 à 10 œufs) en les additionnant, en fin de cuisson, de 2 cuillerées de parmesan râpé et de 2 cuillerées de beurre. Disposer au fond de la croûte les foies de volaille et les champignons. Recouvrir avec les œufs brouillés. Poudrer de fromage râpé, arroser de beurre fondu. Réchauffer 1 min au four préchauffé à 275 °C.

petits flans d'ail, crème de persil ▶ AIL

FLANS SUCRÉS

flan de cerises à la danoise

Dénoyauter des bigarreaux et les faire macérer avec du sucre et un soupçon de cannelle en poudre. Foncer une tourtière de pâte brisée. Garnir avec les cerises égouttées. Mélanger 125 g de beurre, 125 g de sucre, 125 g d'amandes en poudre, 2 œufs entiers battus en omelette et le jus rendu par les cerises. En recouvrir les fruits et cuire 35 ou 40 min au four préchauffé à 220 °C. Laisser refroidir, puis masquer de gelée de groseille et recouvrir d'un glaçage blanc parfumé au rhum.

flan meringué au citron

Cuire à blanc une croûte à flan. Lever le zeste de 2 citrons, le blanchir 2 min à l'eau bouillante, le rafraîchir, l'égoutter et le couper en julienne très fine. Séparer les blancs et les jaunes de 3 œufs. Mélanger dans une terrine 40 g de farine et 100 g de sucre ; délayer avec 4 cuillerées à soupe de lait froid, puis 20 cl de lait bouillant ; ajouter 40 g de beurre, les 3 jaunes et le zeste. Faire épaissir 15 min sur feu doux, en remuant. Hors du feu, ajouter le jus de 1 citron et laisser tiédir. Garnir la croûte à flan de cette préparation. Battre les 3 blancs en neige avec 75 g de sucre et 1 pincée de sel ; les verser sur la crème et lisser. Mettre au four préchauffé à 240 °C pour faire dorer la meringue. Laisser refroidir complètement avant de servir.

flan parisien

Préparer 250 g de pâte brisée et la laisser reposer 2 heures au frais. L'étaler au rouleau sur 2 mm d'épaisseur et détailler un disque de 30 cm de diamètre. Le mettre sur une plaque et au réfrigérateur pendant 30 min. Beurrer un moule à tarte de 22 cm de diamètre et 3 cm de hauteur, poser le disque de pâte sur le cercle et foncer le moule. Couper la pâte qui dépasse et mettre au réfrigérateur encore pendant 2 heures. Préparer le flanc : faire chauffer 40 cl de lait et 37 cl d'eau de source dans une casserole. Dans une autre casserole, fouetter 4 œufs, 210 g de sucre en poudre et 60 g de poudre à flanc et en verser un mince filet dans l'eau et le lait bouillant, sans cesser de remuer avec un fouet. Attendre la reprise de l'ébullition et retirer alors la casserole du feu. Préchauffer le four à 190 °C. Garnir le fond de tarte cru avec la préparation et cuire au four pendant 1 heure. Laisser refroidir complètement avant de mettre le flan au réfrigérateur pendant 3 heures. Servir frais.

FLANCHET Morceau de viande de boucherie peu épais correspondant à la partie inférieure des muscles abdominaux (**voir** planche de la découpe des viandes pages 108, 109 et 879). Le flanchet de bœuf est un morceau à pot-au-feu, à l'exception de la bavette de flanchet qui est détaillée en biftecks. Le flanchet de veau sert à préparer des blanquettes et des sautés.

FLANDRE, ARTOIS ET PLAINES DU NORD La gastronomie de ces régions rappelle beaucoup celle de la Flandre belge. La mer du Nord approvisionne la Flandre maritime en poissons (maquereaux et harengs, qui sont présentés cuits et/ou fumés : kipper, bouffi, buckling, gendarme, mais aussi soles, turbots et cabillauds), tandis que les hortillonnages de l'intérieur fournissent des légumes de choix (choux, poireau et ail d'Arleux, fumé à la tourbe, endive). La Flandre nourrit un cheptel de qualité. Toutes ces ressources ont permis une cuisine riche, caractérisée par de lentes cuissons à l'étouffée.
■ **Des plats mijotés.** Les soupes flamandes typiques sont la soupe à la bière, la soupe verte et la soupe de betterave rouge. Parmi les spécialités de poisson, on peut citer les craquelots de Dunkerque, le wam (poisson séché), les maquereaux (farcis d'échalote, de ciboule, de persil et de beurre) et le cabillaud à la flamande (sauté aux échalotes et mouillé de vin blanc), la salade de harengs saurs (avec pommes de terre et betteraves), les anguilles à la bière. Les crevettes grises et les moules sont également populaires.
Les plats de viande vont des andouillettes de Cambrai et d'Armentières et des langues fumées de Valenciennes au traditionnel hochepot (pot-au-feu flamand), aux carbonades (estouffade aigre-douce longtemps mijotée), au potjevlesch (à déguster en gelée), au lapin à la flamande (avec pruneaux et raisins) ou au pieds de mouton à l'artésienne, au coq à la bière et à la poule au blanc.

Les légumes servent à confectionner des flamiches ; ils sont également préparés en plats mijotés, comme le chou rouge à la lilloise (chou, pommes fruits et oignons, mijotés pendant 3 heures, réduits en purée et passés au four dans un moule à soufflé), partenaire traditionnel de l'oie et de la dinde farcies ou du gibier. Les endives sont préparées à la flamande (cuites au four) ou à la crème, avec du poisson frais ou fumé (haddock).
■ **Fromages et desserts.** Les fromages (bergues, le mont-des-cats, belval, boulette d'Avesnes, enrobée de paprika, gris de Lille et maroilles) ont souvent une saveur forte. Ils servent à préparer l'omelette ou la flamiche au maroilles et la goyère de Valenciennes.
La culture de la betterave sucrière a favorisé la diversité de la pâtisserie et de la confiserie, qui se distinguent par les pâtés de pommes d'Avesnes, tartes aux prunes rouges, craquelins de Roubaix, carrés de Lannoy, galopins (pain brioché trempé dans du lait, mélangé à des œufs et frit à la poêle), couques et bêtises de Cambrai.
La boisson traditionnelle est la bière ; de la betterave ou des céréales sont extraits des alcools, souvent parfumés avec des baies de genièvre.

FLAUGNARDE Entremets préparé en Auvergne, dans le Limousin et le Périgord, dont le nom s'orthographie également « flangnarde », « flognarde » ou « flougnarde ». C'est une sorte de clafoutis aux pommes, aux poires ou aux pruneaux, diversement parfumé, qui a l'aspect d'une grosse crêpe boursouflée et se sert tiède ou froid (comme le préconisait Curnonsky).

flaugnarde aux poires

Dans une terrine, battre 4 œufs entiers avec 100 g de sucre jusqu'à l'obtention d'un mélange mousseux. Ajouter progressivement 100 g de farine additionnée de 1 pincée de sel, puis 1,5 litre de lait. Délayer et parfumer avec 10 cl de rhum ou d'eau de fleur d'oranger. Éplucher 3 poires, les épépiner, les couper en tranches fines et les incorporer au mélange. Beurrer un plat à rôtir à bord assez haut. Y verser la pâte et parsemer la surface de quelques noisettes de beurre. Cuire 30 min au four préchauffé à 220 °C. Servir largement poudré de sucre et éventuellement accompagné de confiture.

FLAVEUR Ensemble des perceptions ressenties à la fois par le nez et la bouche en présence d'un aliment, et qui peuvent comprendre des sensations thermiques, tactiles, chimiques, etc.

FLET Poisson plat marin, de la famille des pleuronectidés, qui vit le long des côtes. Il affectionne les eaux saumâtres, et on le trouve dans les estuaires, remontant les cours d'eau jusque dans l'Allier (**voir** planche des poissons de mer pages 674 à 677). Mesurant en moyenne 20 cm, il peut atteindre 60 cm. La face pigmentée qui porte les yeux est marron, la face aveugle reposant sur le fond, blanchâtre. Il nage par ondulation du corps. Le flet est reconnaissable grâce à une rangée de tubercules situés à la base des nageoires dorsales et ventrales. Il peut se confondre avec la limande, mais sa chair, moins fine, est peu appréciée.

FLÉTAN OU FLÉTAN DE L'ATLANTIQUE Poisson plat, de la famille des pleuronectidés, qui vit dans les eaux très froides de tout l'Atlantique nord (**voir** planche des poissons de mer pages 674 à 677). Le flétan est le plus grand des poissons de cette famille : il peut atteindre 4 m pour 300 kg vers 50 ans. Sa taille lui permet une nage verticale, et on le pêche entre 100 et 2 000 m de profondeur. Sa face pigmentée, qui porte les yeux à droite, est brun noirâtre, et sa ligne latérale est bombée au-dessus de la nageoire pectorale. Son foie, très riche en vitamines, est récupéré. Sa chair maigre blanchâtre est fine. On l'utilise pour faire des filets, des tronçons, des darnes. On le trouve frais, congelé ou fumé.

FLÉTAN NOIR Poisson proche du flétan, ou flétan de l'Atlantique. Le flétan noir s'en différencie par sa taille plus petite, de 50 à 70 cm en moyenne, au maximum 1 m pour 45 kg. Sa peau est noirâtre ou bleuâtre foncé uniforme. Sa ligne latérale est droite au niveau de la nageoire pectorale. Sa chair blanche, moins dense que celle du flétan, se prête mieux au fumage ; c'est pourquoi frais, il est moins apprécié.

FLEUR Élément reproducteur des plantes supérieures, qui, de tout temps et en tout lieu, a toujours joué un rôle en gastronomie (**voir** planche des fleurs comestibles pages 369 et 370).

■ **Emplois.** En Europe, les fleurs sont surtout utilisées dans les boissons aromatiques et en liquoristerie (vin de mai à l'aspérule, cidre à la fleur de sureau, sirop d'hysope, ratafia d'œillet). Néanmoins, certaines épices et des condiments très connus sont des fleurs : clou de girofle, câpres, fleurs de capucine au vinaigre, fleurs de lavande séchées, sans oublier la fleur d'oranger.

Souvent, les fleurs sont ajoutées dans les potages en fin de cuisson. Dans les salades, leur rôle est plus franchement décoratif : bourrache, capucine, chèvrefeuille, coquelicot, violette, disposés en couronne ou en bouquet, en harmonie de couleurs avec les autres ingrédients, au dernier moment car le vinaigre fait virer leur couleur.

Certaines d'entre elles s'apprêtent bien en beignets, notamment les fleurs de l'acacia, de la courge, du sureau, du jasmin ; celles de courge, de courgette et de potiron se mangent aussi farcies et servent à garnir des omelettes.

On condimente des beurres composés avec des pétales de fleurs de jasmin, d'oranger, de citronnier ou d'ail. La menthe en fleur convient au poisson, ainsi que les fleurs de tilleul et de jasmin, que l'on peut aussi mêler à des farces.

On en fait également des infusions aromatiques que l'on boit ou que l'on utilise pour cuire des mets à la vapeur. Les violettes sauvages s'associent bien au bœuf, les fleurs de sarriette au veau, celles de sauge au porc, et celles de menthe et de thym à l'agneau.

Quant à la confiserie, elle a toujours fait appel aux fleurs : eau de rose, gelée, confiture de rose, pétales cristallisés, fleurs d'oranger pralinées, violettes candies (mais aussi mimosa, myosotis, primevère), etc.

En Orient, on utilise des boutons de rose séchés comme condiment et on fait des confitures de pétales de rose, mais c'est surtout en Extrême-Orient que les fleurs participent à la cuisine proprement dite : salade aux pétales de chrysanthème ou de magnolia, fleurs de jasmin et d'hibiscus avec les volailles et les poissons, lis jaunes dans les sauces et les bouillons.

Dans les épiceries fines et dans certaines grandes surfaces, on trouve des fleurs comestibles conditionnées en barquettes.

▶ Recettes : ACACIA, COURGETTE.

FLEUR (MOISISSURE) Ensemble des moisissures qui se développent à la surface de certains fromages. Il s'agit surtout de pâtes molles au lait de vache ensemencées de *Penicillium candidum*, dont les spores rendent la croûte blanche et duveteuse, la font « mousser » puis « fleurir » (brie, camembert). Les fromages de chèvre à croûte naturelle développent aussi spontanément une fleur.

FLEUR D'ORANGER Fleur d'une variété d'oranger, le bigaradier, de la famille des rutacées (**voir** planche des fleurs comestibles pages 369 et 370). Ces fleurs sont macérées et distillées pour donner l'eau de fleur d'oranger, préparée industriellement et largement utilisée en pâtisserie et en confiserie pour aromatiser les pâtes et les crèmes. Les fleurs d'oranger servent également à fabriquer des boissons ménagères ; leur sucre est employé en pâtisserie et, après distillation, elles donnent une huile volatile, le néroli, utilisée en parfumerie.

FLEURER Jeter quelques pincées de farine sur un plan de travail ou dans un moule pour éviter que la pâte n'y colle. En boulangerie, « fleurer » signifie saupoudrer de farine la surface d'un pain ou poudrer les bannetons (moules d'osier doublés de toile) avec une farine de seigle spéciale, dite « de fleurage ».

FLEURIE Vin AOC, issu du cépage gamay, classé parmi les dix crus du Beaujolais, rouge, léger et fruité, qui développe des arômes de violette et d'iris (**voir** BEAUJOLAIS).

FLEURISTE (À LA) Se dit de petites pièces de boucherie sautées, garnies de pommes château et de tomates évidées et étuvées, remplies d'une jardinière de légumes liée au beurre.

FLEURON Petite pièce de feuilletage en forme de croissant, de poisson ou de feuille, découpée à l'emporte-pièce cannelé dans une rognure de pâte feuilletée abaissée sur 3 mm, passée à la dorure et cuite au four. Les fleurons servent à garnir certains plats et à décorer le dessus des pâtés en croûte.

FLICOTEAUX Nom d'un restaurant à prix fixe, situé place de la Sorbonne, à Paris, qui fut fréquenté au XIXe siècle par des générations d'étudiants, de journalistes et d'écrivains peu fortunés. Balzac a évoqué de façon très vivante les deux longues salles à plafond bas, occupées par deux tables étroites. Il rapporte que « Flicoteaux Ier » changeait les nappes le dimanche, et « Flicoteaux II », deux fois par semaine, « pour lutter contre la concurrence ». Quant à la cuisine, « la femelle du bœuf domine [et] la pomme de terre est éternelle. Quand le merlan et le maquereau donnent sur les côtes de l'Océan, ils rebondissent chez Flicoteaux ».

FLOC DE GASCOGNE Mistelle (jus de raisin additionné d'alcool qui l'empêche de fermenter) préparée avec de l'armagnac. Depuis le 13 décembre 1990, le floc de Gascogne bénéficie d'une AOC (environ 780 ha). Le floc, qui titre entre 16 et 18 % Vol., est un mélange de moût de raisin à 10 % Vol. et d'armagnac vieilli au minimum 10 mois en fût de chêne à au moins 52 % Vol. Blanc ou rosé, il se boit en apéritif, comme le pineau des Charentes, dont il est proche.

FLORE (CAFÉ DE) Café littéraire du quartier Saint-Germain-des-Prés, à Paris. Il doit son nom à une statue de la déesse Flore, érigée dans la seconde moitié du XIXe siècle, sous le second Empire, époque de sa fondation. En 1899, Charles Maurras en fit son quartier général, puis Guillaume Apollinaire et André Salmon y animèrent les « soirées de Paris ». Le *Café de Flore* fut un des hauts lieux de l'existentialisme.

FLORENTINE (À LA) Se dit de nombreux apprêts de poisson, de viande blanche ou d'œufs, où figurent des épinards (en purée ou en branches) et, très souvent, de la sauce Mornay. En Italie, l'appellation *alla fiorentina* concerne des apprêts typiquement florentins, telles les tripes cuites dans un bouillon de poulet, garnies de légumes verts et servies avec du parmesan, la selle de porc mijotée avec des aromates, l'omelette aux fonds d'artichaut et la *bistecca alla fiorentina*, un bifteck mariné puis grillé.

▶ Recettes : ARTICHAUT, BEIGNET, CANNELLONIS, CROMESQUIS, FLAN, FOIE, MINESTRONE, ŒUF MOLLET, SAUMON.

FLORIAN Nom d'une garniture pour grosses pièces de boucherie, associant laitues braisées, petits oignons glacés à brun, carottes tournées et glacées, et pommes de terre fondantes.

FLOUTES Spécialité jurassienne composée de pommes de terre écrasées, de farine, d'œufs et de crème, et dorée à la poêle. Les floutes accompagnent traditionnellement les viandes.

FLÛTE Pain long et mince, de 200 g environ, intermédiaire entre la baguette (250 g) et la ficelle (125 g). La flûte se compose généralement d'une pâte spéciale (flûte à l'ancienne, flûte de campagne), alors que la baguette n'est faite qu'en pâte blanche.

FLÛTE (VERRE) Verre à pied en forme de cornet étroit, dans lequel on sert le champagne et les vins effervescents. La flûte présente sur la coupe l'avantage de conserver au vin son pétillement, car les bulles de gaz se libèrent moins vite. La flûte est également une bouteille haute et mince, employée depuis longtemps pour les vins blancs d'Alsace, de Moselle et du Rhin, et, plus récemment, pour beaucoup de vins rosés.

FOCACCIA Pain italien, rond (35 cm de diamètre environ) et plat comme une fougasse, parfumé à l'huile d'olive, à l'ail et à la sauge, éventuellement garni de dés de jambon. Il se mange comme du pain avec un repas léger ou sert de base à des sandwiches.

FLEURS COMESTIBLES

capucine

camomille

rose de Provins

bégonia

pissenlit

violette de Toulouse

pensée miniature

souci

pâquerette

chrysanthème comestible

trèfle

fleur d'oranger

monarde

sureau

populage des marais

bourrache

pélargonium

tagète

FOIE Abat rouge des animaux de boucherie, des volailles et du gibier (**voir** tableau des abats page 10).

■ **Emplois.** Parmi tous les foies, le foie de veau est le plus moelleux et le plus savoureux. Il se cuisine entier (piqué de lardons et rôti) ou en tranches (grillées, poêlées à l'anglaise, sautées, en sauce) ; les cuisines italienne et française lui accordent une place de choix. Viennent ensuite, par ordre de valeur, les foies de génisse et d'agneau, tous deux tendres (souvent cuits à la poêle ou grillés en brochettes). Le foie de bœuf, moins apprécié et bien meilleur marché, peut également se poêler. Quant au foie de porc, il est parfois cuisiné à la cocotte, mais il est surtout utilisé en charcuterie (pâtés, terrines).

Les foies de volaille sont, eux aussi, largement utilisés en cuisine : en brochettes, dans le risotto, le pilaf et diverses garnitures. Les « foies blonds » des poulardes de Bresse sont très appréciés pour les gâteaux de foie de volaille. Le foie de canard, même lorsque l'animal n'est pas engraissé, est d'une grande finesse et se cuisine notamment à l'armagnac et aux raisins.

Le foie de certains poissons de mer est également comestible : on utilise surtout celui de la raie et celui de la lotte ; le foie de morue, conservé à l'huile, puis fumé, sert pour tartiner des canapés froids.

attereaux de foies de volaille à la mirepoix ▶ ATTEREAU (BROCHETTE)
beignets de foie de raie ▶ BEIGNET
croustades de foies de volaille ▶ CROUSTADE
farce de foie ▶ FARCE
feuilletés de foies de volaille ▶ FEUILLETÉ

foie d'agneau persillé

POUR 4 PERSONNES – PRÉPARATION : 10 min – CUISSON : 6 min
Retirer la pellicule transparente qui recouvre le pourtour de 8 tranches de foie d'agneau de 75 g chacune. Éplucher et hacher finement 4 gousses d'ail dégermées. Dans une poêle à revêtement antiadhésif, faire fondre 40 g de beurre, assaisonner les tranches de foie de sel fin et de poivre du moulin et les faire sauter. Les tenir « rosées » de cuisson et les dresser sur le plat de service. Dans le beurre de cuisson, ajouter le hachis d'ail et le faire suer sans coloration. Déglacer avec 4 cuillerées à soupe de vinaigre de vin. Porter à ébullition. Vérifier l'assaisonnement en sel et poivre, puis napper les tranches de foie. Au dernier moment, saupoudrer de persil haché.

foie de veau à l'anglaise

POUR 4 PERSONNES – PRÉPARATION : 5 min – CUISSON : 6 min
Retirer la pellicule transparente qui recouvre le pourtour de 4 tranches de foie de 150 g chacune. Retirer le cartilage et la couenne de 8 tranches fines de poitrine de porc fumée. Dans un sautoir, faire fondre 20 g de beurre et y faire revenir les tranches de poitrine de porc sans les faire dessécher. Les retirer et les réserver sur une assiette. Dans la graisse de cuisson, faire sauter les tranches de foie assaisonnées de sel fin et de poivre du moulin, mais les laisser rosées, car c'est ainsi que la saveur du foie de veau est la plus délicate. Placer les tranches de foie sur le plat de service, puis disposer les tranches de poitrine de porc sur le foie. Dans la graisse de cuisson, ajouter 20 g de beurre et le faire chauffer pour obtenir une couleur noisette, puis en arroser les tranches. Servir aussitôt.

foie de veau à la créole

POUR 4 PERSONNES – PRÉPARATION : 30 min – CUISSON : de 10 à 15 min
Tailler 80 g de lard gras en petits bâtonnets et les mettre à macérer quelques minutes dans un mélange d'huile, de jus de citron vert, de sel et de poivre, de persil haché, de fleur de thym et de laurier pulvérisés. Ciseler finement 1 oignon moyen et concasser 2 tomates moyennes ; les réserver. Piquer les bâtonnets de lard dans 4 tranches de foie de veau de 150 g chacune et les faire mariner 20 min dans le même mélange aromatique. Égoutter les tranches de foie de veau et les cuire vivement dans une poêle antiadhésive. Les retirer et les tenir au chaud. Dans l'huile de cuisson, ajouter le restant de la marinade, ainsi que l'oignon. Faire revenir 3 min puis ajouter les tomates. Saler, poivrer et laisser cuire environ 8 min. Dresser les tranches de foie dans le plat de service puis les napper de la sauce. Au dernier moment, saupoudrer de persil haché.

foie de veau à la lyonnaise

Détailler le foie en minces aiguillettes, les saler et les poivrer, les fariner et les dorer vivement au beurre. Réserver au chaud dans le plat de service. Éplucher et émincer des oignons, les faire fondre au beurre, les lier de quelques cuillerées de glace de viande et en napper le foie. Arroser avec un filet de vinaigre chauffé dans la poêle et parsemer de persil ciselé. Servir avec des haricots verts à la tomate.

foie de veau rôti

Piquer un foie de veau de gros lardons. L'arroser de cognac, le saler, le poivrer, le poudrer de 1 pincée de quatre-épices et de persil haché. L'envelopper dans une crépine de porc (préalablement trempée à l'eau froide, épongée et bien étirée) et ficeler. Colorer au four 10 min à 220 °C, puis à 180 °C et faire rôtir 30 min. Déglacer le jus au vin blanc et au fond de veau clair. Servir avec le foie accompagné de carottes glacées.

RECETTE D'ALEXANDRE DUMAINE

foie de veau à la Saulieu

« De préférence cuit entier ou en gros morceaux afin qu'après la cuisson il reste rosé. Mariné au vin blanc avec aromates quelques heures, l'envelopper de toilette de porc. Faire rissoler sur tous les côtés au beurre. Retirer le beurre cuit, le remplacer par du beurre frais. Mouiller d'un verre de vin blanc que l'on laisse évaporer à découvert. Ajouter un peu de madère et la marinade. Cuire fermé (15 min par livre). Retirer le foie ; il devra être rosé à la tranche. Ajouter un peu de fond de veau. Passer la sauce à la mousseline. Rectifier l'assaisonnement. Garnir de croustades de crêtes et de rognons de coqs cuits au blanc, bien égouttés, nappés de sauce périgourdine. Servir la sauce à part, dans une saucière. »

foie de veau sauté à la florentine

POUR 4 PERSONNES – PRÉPARATION : 30 min – CUISSON : 6 min
Faire étuver 800 g de pousses d'épinard dans 40 g de beurre mousseux, les assaisonner. Éplucher 1 oignon moyen, le couper en rondelles et défaire celles-ci en anneaux. Les passer dans la pâte à frire (**voir** page 632) et les cuire dans l'huile chauffée à 160 °C. Les tenir au chaud. Disposer les épinards sur un plat de service beurré et tenir au chaud. Dans un sautoir, dorer vivement au beurre mousseux 4 tranches de foie de 150 g chacune, puis les disposer sur les épinards. Déglacer le sautoir avec 10 cl de vin blanc, faire réduire puis ajouter 10 cl de jus de veau. Porter à ébullition, vérifier l'assaisonnement et, hors du feu, ajouter 1 noisette de beurre frais. Napper les tranches de foie avec cette sauce, puis disposer dessus harmonieusement les anneaux d'oignons frits.

foies de raie au vinaigre de cidre ▶ RAIE
fritots de foies de volaille ▶ FRITOT

RECETTE D'ALAIN CHAPEL

gâteau de foies blonds de poularde de Bresse, sauce aux queues d'écrevisse à la Lucien Tendret

POUR 4 PERSONNES – PRÉPARATION : 30 min – CUISSON : 1 h environ
« Préparer la sauce aux queues d'écrevisse. Dans 1 litre de court-bouillon, cuire 24 belles écrevisses pattes rouges en les tenant fermement. Décortiquer pinces et queues, les mettre dans une sauteuse, assaisonner de sel et de poivre, ajouter quelques lamelles de truffe crue (facultatif) et 50 g de beurre d'écrevisse. Faire revenir vivement, déglacer avec 1 cl de fine champagne. Ajouter 15 cl de crème fraîche, faire cuire 1 ou 2 min et lier hors du feu avec 20 cl de sauce hollandaise. Réserver la sauce au chaud. Mettre dans un blender 175 g de foies blonds très clairs de poularde de Bresse, 12 cl de crème fraîche, 3 jaunes d'œuf et 3 œufs entiers et mixer. Ajouter 35 cl de lait tiède salé, 1 pincée de noix de muscade et de poivre de Cayenne et mixer de nouveau. Préchauffer le four à 100 °C. Enduire de beurre le moule de cuisson, le remplir avec la préparation jusqu'à 1 cm du bord. Mettre le moule au bain-marie, en le posant sur une grille pour

éviter que le moule ne touche le fond du bain-marie. Faire cuire sans bouillir 1 heure environ. Le gâteau ne doit pas "se persiller", il doit rester ferme et brillant. Vérifier avec la pression du doigt si la cuisson est parfaite. Essuyer le moule, le démouler sur un plat de service chauffé et le napper de sauce. »

pâté de foies de volaille ▶ PÂTÉ
soufflé aux foies de volaille ▶ SOUFFLÉ
soupe aux boulettes de foie à la hongroise ▶ SOUPE

FOIE GRAS Foie de l'oie ou du canard domestiques, saturé et hypertrophié par la graisse, obtenu par gavage avec des glucides. Le gavage des oies, et d'autres animaux, était déjà pratiqué par les Égyptiens de l'époque pharaonique et, plus tard, par les Romains, qui utilisaient pour cela des figues ; après abattage, le foie était plongé quelques heures dans un bain de lait miellé, pour le parfumer.

Aujourd'hui, les animaux sont engraissés avec des grains de maïs concassés. Le foie gras pèse en moyenne de 600 à 900 g chez l'oie et de 400 à 600 g chez le canard. Un poids supérieur ne nuit pas à la qualité, mais présente un risque de fonte (perte de graisse) plus grand à la cuisson

En France, on produit environ 17 000 tonnes par an, dans le Sud-Ouest (oie et canard), la Vendée, les pays de Loire (canard) et l'Alsace (oie). On en exporte 2 000 tonnes par an vers l'Espagne et le Japon ; on en importe 3 000 tonnes par an de Bulgarie, de Hongrie et d'Israël.

André Daguin, le cuisinier mousquetaire d'Auch, aime à dire : « Chez nous, dans le Gers, le foie gras est foie gras chaud et chacun sait que la qualité principale d'un beau foie d'oie est d'être un foie de canard. »

La couleur du foie gras varie de l'ivoire au blanc rosé, il doit être souple sous le doigt à température ambiante et sans hématome. La manipulation du foie gras frais doit se faire dans des conditions d'hygiène rigoureuses, avec des gants (pour éviter tout risque de listériose). La chaîne du froid doit être impérativement respectée. D'ailleurs, la plupart des préparations à base de foie gras contiennent des conservateurs (sels nitrités) aux doses autorisées.

■ **Présentations.** Le foie gras se consomme cuit entier ou non, ou bien entre dans la composition de diverses préparations. Ces présentations sont soumises à une réglementation depuis 1994.

● FOIE GRAS CRU. Très demandé, il se vend sous vide, surtout au moment des fêtes de fin d'année ; sa préparation et sa cuisson sont minutieuses.

● FOIE GRAS FRAIS (OIE OU CANARD). Cuit par un charcutier-traiteur, ou un restaurateur, il se vend généralement à la coupe ; il se maintient bien quelques jours à 2-4 °C. (prévoir de 50 à 70 g par personne).

● FOIE GRAS « MI-CUIT ». Il est pasteurisé en boîte ou en terrine hermétique, mais surtout en sachet plastique sous vide. Il se conserve plusieurs mois au froid (4 °C).

● FOIE GRAS EN CONSERVE. Il est stérilisé en autoclave, ce qui nuit un peu à ses qualités gustatives. Mais il se bonifie, comme le vin, en vieillissant, et se garde plusieurs années.

● PRÉPARATIONS À BASE DE FOIE GRAS. Elles sont soumises depuis le 1er janvier 1994 à une nouvelle réglementation très stricte. Les « foies gras entiers » (oie ou canard) sont des lobes entiers. Les « foies gras » sont des morceaux de lobes (le mélange oie et canard est interdit). Le « parfait de foie » doit comporter au moins 75 % de foie gras (le mélange est autorisé). Le « médaillon » ou « pâté de foie » et la « mousse de foie » doivent en contenir 50 %, mêlés à une farce.

■ **Emplois.** Qu'il soit d'oie ou de canard, le foie gras a de tout temps été considéré comme un mets de luxe. Sa dégustation a évolué selon les modes culinaires.

Autrefois, on le servait avec la salade ; aujourd'hui, on l'offre en entrée, accompagné de toasts et d'un vin liquoreux (sauternes, monbazillac, jurançon, etc.), d'un vin d'Alsace (gewurztraminer), ou d'un vin doux naturel (banyuls, maury, muscat de Rivesaltes, porto, etc.).

La « nouvelle cuisine » y fait autant honneur que la cuisine classique et trouve parfois des associations originales : avec des figues, du vert de poireau, du potiron, des coquilles Saint-Jacques ou des pétoncles.

Les préparations classiques conservent encore tout leur prestige, qu'elles soient chaudes (escalopes sautées ou panées, aux raisins, au madère, sur croûtons, à la Souvarov, avec des truffes ou des fonds d'artichaut ; en brioche, en chausson, en cocotte, en crépine, en mousse, en pannequet, en pâté, en soufflé) ou froides (aspic, en coquille, en chaud-froid, en gelée, en mousse, en terrine, dans des farces fines).

Enfin, la plupart des apprêts « à la périgourdine » et tous ceux dits « Rossini » comportent du foie gras.

RECETTE DE ROGER LAMAZÈRE

foie gras cru : préparation

« Dénerver soigneusement le foie gras à l'aide d'un couteau pointu à lame fine. Inciser d'abord chaque lobe en partant de l'extrémité la plus renflée, où se situe la veine principale ; décoller celle-ci. Tout en continuant avec le couteau, tirer sur la veine : elle vient toute seule en faisant apparaître toutes les ramifications nerveuses, ce qui permet de réaliser un dénervage parfait. Les lobes étant ouverts, les saler au sel fin (12 g par kilo) et poivrer (4 g de poivre fraîchement moulu par kilo). Les refermer en les entourant d'une mousseline serrée et laisser reposer une nuit dans le réfrigérateur. »

aspic de foie gras ▶ ASPIC
beignets de foie gras (cromesquis) ▶ BEIGNET
choux à la mousse de foie gras ▶ CHOU

RECETTE DE CHRISTIAN CONSTANT (CUISINIER)

confit de foie gras, quenelles de figues et noix

« Parer un foie de canard de 600 g. L'assaisonner avec du sel de Guérande et du poivre mignonnette. Le laisser mariner 24 heures. L'essuyer, puis le mettre dans 400 g de graisse de canard froide, mais huileuse. Ajouter 2 clous de girofle, 10 grains de poivre et 1 gousse d'ail. Porter sur le feu et cuire 30 min à 70 °C. Laisser ensuite le foie reposer 24 heures dans sa graisse. Le sortir, l'essuyer et le saupoudrer de sel de Guérande et de poivre mignonnette. Prendre 500 g de figues séchées, ajouter des parures de foie gras, réduire le tout en purée au mixeur et réaliser des quenelles. Assaisonner 100 g de panaché de salade de 20 cl de vinaigrette. Disposer sur les assiettes quelques escalopes de foie gras, un peu de salade et des quenelles de figue. Décorer avec noix, gelée et cerfeuil. »

escalopes froides de foie gras aux raisins et aux truffes
Faire pocher un foie cru paré, enveloppé d'une mousseline, dans un excellent consommé. Le retirer, le laisser refroidir puis le serrer dans sa mousseline ; le réserver 12 heures au frais. Le détailler en escalopes. Poser sur chacune 1 large lame de truffe, la fixer avec de la gelée et lustrer de gelée toute la tranche. Mettre au milieu du plat, en dôme, des grains de raisin épluchés, épépinés et macérés dans un peu de fine champagne. Dresser les escalopes en couronne. Napper le tout de gelée parfumée au porto. Laisser refroidir, à couvert, dans le réfrigérateur.

RECETTE DE JEAN-PIERRE BIFFI

fingers au foie gras

POUR 12 PIÈCES

« Préchauffer le four à 190 °C. Prendre 3 grandes baguettes en bois (de 50 cm de long et 7 mm de diamètre). Sur chacune d'elles, enrouler 1 feuille de pâte filo badigeonnée de graisse de foie gras, en commençant par le côté le plus large. À l'aide d'un couteau, inciser chaque rouleau pour obtenir 4 fingers par baguette. Faire cuire pendant 6 ou 7 min (surveiller la coloration). Faire glisser les fingers des baguettes dès la sortie du four et laisser refroidir. Mixer 120 g de foie gras mi-cuit et, à l'aide d'une poche munie d'une douille fine, garnir les 12 fingers. Obstruer chaque extrémité avec un raisin de Corinthe. »

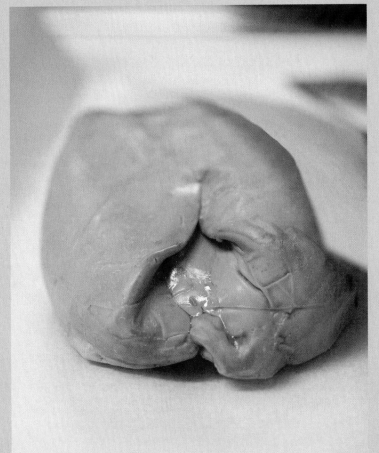

« Emblème des fêtes de fin d'année et authentique produit du terroir, le foie gras est l'un des fleurons de la gastronomie française. Qu'il soit proposé frais, "mi-cuit" ou rapidement poêlé, sa présentation en fait, à elle seule, un mets d'excellence, apprécié des clients de l'HÔTEL DE CRILLON, de POTEL ET CHABOT et du restaurant GARNIER. »

RECETTE D'HERVÉ LUSSAULT

foie gras de canard des Landes confit au vin jaune

POUR 6 PERSONNES

« Prendre un lobe de foie gras de canard de 500 à 600 g, le dénerver entièrement et délicatement, puis l'assaisonner au moyen de 6 g de sel fin et 1 g de poivre. Laissez macérer dans 2 cl de vin jaune pendant 24 heures. Préchauffer le four à 120 °C. Mettre le lobe dans une terrine et la placer dans un récipient contenant un tiers d'eau afin de former un bain-marie. Faire cuire pendant 15 min. Après la cuisson, enlever le lobe de la terrine et l'égoutter dans une passoire pour enlever l'excédent de graisse. Remettre le lobe dans la terrine et placer le tout dans le réfrigérateur pour 2 ou 3 jours avant de le consommer. Accompagner de fines tranches de pain de mie toasté. »

RECETTE D'HÉLÈNE DARROZE

foie gras de canard des Landes grillé au feu de bois, artichauts épineux et jus de barigoule

POUR 6 PERSONNES

« Tourner 9 artichauts épineux (ou, à défaut, 12 artichauts violets). Les tailler en deux et retirer le foin. Détailler 50 g de parures de jambon en lardons. Peler 100 g de carottes et 1 oignon. Tailler les carottes en grosse brunoise, puis émincer l'oignon. Faire revenir les lardons dans un peu de graisse de canard, puis ajouter 1 g de baies de genièvre, 1 g de graines de coriandre et 1 gousse d'ail. Laisser légèrement colorer, puis ajouter les artichauts. Faire revenir, ajouter 1 g de poivre en grains, assaisonner de sel et de piment d'Espelette. Déglacer avec 5 cl de vin blanc, réduire à sec, puis mouiller avec 50 cl de fond blanc. Ajouter 1 bouquet garni. Recouvrir d'un papier sulfurisé avec une cheminée au milieu, puis cuire doucement. Une fois les artichauts cuits, retirer la gousse d'ail, le bouquet garni, les baies de genièvre, les graines de coriandre et les grains de poivre. Filtrer ensuite et réserver le jus. Le faire réduire si nécessaire. Ajouter aux artichauts épineux l'écorce de 1/2 citron confit, taillée en fines lanières. Tailler 1 lobe de foie gras de canard des Landes de 700 à 750 g en 6 tranches épaisses. Au moment de servir, les assaisonner de sel et de piment d'Espelette, puis les griller, 2 ou 3 min de chaque côté, sur une grillade de feu de bois. À défaut, les poêler dans une poêle antiadhésive fumante, sans ajout de matière grasse. Pour la finition du jus, faire fondre 2 anchois de Cantabrique (soit 15 g) dans un petit sautoir. Une fois fondus, verser 30 cl de jus de cuisson des artichauts barigoule. Laisser réduire quelques instants, puis lier avec 20 g de beurre. Répartir les artichauts dans les assiettes. Déposer à côté les tranches de foie gras de canard. Parsemer de 2 g de fleur de sel. Verser un cordon de jus aux anchois. »

RECETTE DE PHILIPPE BRAUN

foie gras de canard, truffe et céleri-rave en cocotte lutée

« Éplucher 2 céleris-raves de 500 g chacun, en leur gardant une forme bien ronde. Les couper en deux de haut en bas, puis chaque moitié en 6 quartiers, et les citronner. Les disposer dans un sautoir sur une couche, les mouiller à hauteur de bouillon de volaille corsé, couvrir d'un disque de papier sulfurisé et cuire 10 min à petits bouillons. Réserver le tout. Mettre dans une grande russe les gros lobes de 2 foies gras de canard de 600 g, couvrir de bouillon, porter à ébullition, puis baisser le feu à 90 °C et laisser les foies pocher 30 min. Dans chacune de deux cocottes ovales en cuivre étamé de 30 x 17 cm, disposer 12 quartiers de céleri, mouiller de 30 cl de leur cuisson, parsemer de 30 g de truffes hachées, puis mettre 1 lobe de foie, 120 g de rouelles de truffes noires du Périgord et saupoudrer d'une bonne pincée de sel de Guérande. Couvrir les cocottes et luter les couvercles avec un ruban de pâte feuilletée humidifié

à l'intérieur et doré au jaune d'œuf à l'extérieur. Cuire 12 min au four préchauffé à 220 °C. Briser la pâte, sortir les lobes et les couper en tranches de 1 cm d'épaisseur. Répartir dans des assiettes creuses bouillon, céleri et truffes, poser le foie par-dessus et parsemer de fleur de sel de Guérande. »

RECETTE DE GÉRARD VIÉ

foie gras de canard au vin de Banyuls

POUR 4 PERSONNES

« Trois heures à l'avance, saler 4 tranches de 100 g de foie gras de canard frais. Dans une casserole, faire cuire 25 cl de vin de Banyuls et 25 cl de bouillon de volaille pendant 5 min à frémissement. Rajouter 3 feuilles de gélatine, préalablement trempées dans de l'eau froide. Porter de nouveau à ébullition. Déposer vos tranches de foie gras dans cette préparation, laisser frémir 30 secondes de chaque côté, éteindre le feu, puis laisser refroidir 5 min avant d'égoutter les tranches de foie sur un papier absorbant. Lorsque l'ensemble est presque froid, replonger les tranches de foie gras dans le bouillon qui doit commencer à se gélifier, conserver 24 heures au réfrigérateur. Au moment de servir, rajouter sur chaque tranche un tour de moulin à sel et à poivre. »

gâteau de topinambour et foie gras à la truffe ▶ TOPINAMBOUR
mousse de foie gras de canard ou d'oie ▶ MOUSSE
pâté de foie gras truffé ▶ PÂTÉ
pigeon désossé au foie gras ▶ PIGEON ET PIGEONNEAU
pigeon et foie gras en chartreuse au jus de truffe ▶ PIGEON ET PIGEONNEAU
purée de foie gras ▶ PURÉE
purée de maïs au foie gras ▶ MAÏS
truffe en papillote et son foie gras d'oie ▶ TRUFFE
velouté de châtaigne au foie gras et céleri au lard fumé ▶ VELOUTÉ

FOIRE Grand marché public où l'on vend toutes sortes de marchandises, notamment comestibles, qui se tient à des dates et en des lieux fixes. Il faut cependant distinguer les grandes foires internationales des foires aux bestiaux et des innombrables foires dédiées à une spécialité gastronomique locale.

La tradition des foires est née en Champagne au XIIe siècle, avec les fameuses foires de Provins, de Troyes et de Lagny, où se retrouvaient chaque année les grands marchands européens, notamment italiens et flamands, pour le négoce en gros de la laine, des tissus, des épices. Ces rendez-vous annuels se sont ensuite multipliés, et ils se poursuivent de nos jours.

Les foires locales tiennent davantage du marché de proximité, même si certaines d'entre elles ont eu une notoriété nationale. C'est le cas de la « foire du Lendit », qui se tenait à Saint-Denis. À Paris, le parvis de Notre-Dame accueillit longtemps la « foire aux lards » ; celle-ci s'installa au XIXe siècle dans le quartier de la Bastille où, associée à la brocante, elle prit le nom de « foire à la ferraille et au jambon ». Aujourd'hui, ces réjouissances ont quitté la capitale pour élire domicile dans certaines villes de la couronne parisienne.

Enfin, on ne compte pas les foires et fêtes qui célèbrent une spécialité : « foire au jambon » de Bayonne, « foire au cochon de lait » de Sillegny, « journées de la choucroute » de Colmar, « fête de la bière » de Munich ou « foire de la truffe blanche » d'Alba, en Italie.

FOISONNEMENT Opération qui vise à introduire un gaz (souvent de l'air), sous la forme de bulles, dans une préparation liquide ou solide. C'est par foisonnement de la crème qu'est obtenue la crème fouettée.

FONCER Garnir le fond et les parois d'une cocotte, d'un moule ou d'une terrine, de lard, de couennes, d'aromates ou de pâte. On fonce une braisière en tapissant le fond d'éléments aromatiques (oignons et carottes émincés, thym, laurier, persil, ail), gras ou nutritifs (couennes, os, parures, poitrine salée, etc.). On fonce une terrine à pâté avec des bardes de lard. On fonce le fond et les parois d'un moule à pâtisserie avec une abaisse de pâte, en l'adaptant bien à sa forme et à sa taille, soit en la découpant avant à l'aide d'un emporte-pièce, soit en passant le rouleau à pâtisserie sur les bords du moule après garnissage pour en faire tomber l'excédent. Quand on fonce un cercle à tarte, on forme souvent une crête qui déborde tout autour et que l'on « pince » pour améliorer la présentation finale.

FOND Bouillon aromatisé, gras ou maigre, utilisé soit pour confectionner une sauce, soit pour mouiller un ragoût ou un braisé. Le fond est dit « blanc » si les éléments qui le composent sont mis directement dans le liquide de cuisson, « brun » si on les fait colorer ; selon le cas, la sauce qu'il sert à préparer sera dénommée « blanche » (allemande, aurore, poulette, suprême, etc.) ou « brune » (Bercy, bordelaise, espagnole, piquante, etc.).

■ **Emplois.** Les fonds sont utilisés clairs ou liés. Ils sont à base de veau, de bœuf ou de volaille, voire de gibier, de légumes et d'aromates (fond maigre) ; les fonds de poisson sont habituellement appelés « fumets ». Les apprêts de base tels que blanc, braisière, consommé, court-bouillon, essence, gelée, marinade, matignon, mirepoix, roux, saumure et velouté sont également des fonds de cuisine, c'est-à-dire des préparations nécessaires à la confection de mets cuisinés.

Les fonds blancs et bruns sont longs à réaliser et souvent onéreux ; dans la pratique, ils demeurent l'apanage de la restauration ; en cuisine ménagère, on mouille plutôt les sauces avec du bouillon de pot-au-feu. On trouve aussi dans le commerce des extraits solides qu'il suffit de délayer dans de l'eau bouillante.

En cuisine classique, les fonds sont confectionnés par le saucier de la brigade, qui les réalise à l'avance et les met en réserve. Leur durée de conservation reste limitée, et certains abus ont conduit des chefs comme Escoffier, au début du XXᵉ siècle, et plus récemment les tenants de la « nouvelle cuisine », à les condamner comme trop lourds et peu gastronomiques.

En général, les fonds – blanc, brun et maigre – sont aromatiques mais non salés, car ils doivent rester neutres jusqu'à la mise au point de la sauce. Néanmoins, le « grain de sel » (facultatif) favorise l'osmose entre les différents éléments et le liquide.

fond blanc de veau

Désosser et ficeler 750 g d'épaule de veau et 1 kg de jarret de veau. Concasser finement leurs os. Mettre tous ces éléments dans une grande casserole. Recouvrir d'eau froide et porter à ébullition, pour les blanchir quelques minutes. Écumer, rafraîchir à l'eau courante et égoutter. Remettre dans la casserole, mouiller d'eau froide et porter de nouveau à ébullition ; écumer, dégraisser entièrement, ajouter 125 g de carottes, 100 g d'oignons, 75 g de blanc de poireau, 75 g de céleri et 1 bouquet garni. Cuire 3 h 30 à toute petite ébullition régulière. Dégraisser et passer au chinois très fin ou, mieux, à l'étamine.

fond blanc de volaille

Procéder comme pour le fond blanc de veau, mais en remplaçant les viandes par une poule, des abattis et des carcasses de volaille.

fond brun clair

Blanchir 4 ou 5 min 150 g de couennes dégraissées et 125 g de crosse de jambon. Désosser et couper en cubes 1,250 kg de bœuf maigre à bouillir (gîte, paleron) et autant de jarret de veau. Éplucher et tailler en rouelles 150 g de carottes et 150 g d'oignons, les colorer au four dans une grande cocotte avec toutes les viandes, 500 g d'os de veau ou de bœuf concassés et les couennes. Mettre 1 bouquet garni et 1 gousse d'ail, mouiller de 50 cl d'eau et faire réduire à glace ; verser encore 50 cl d'eau et faire à nouveau réduire à glace. Ajouter enfin de 2,5 à 3 litres d'eau et 15 g de gros sel, porter à ébullition et laisser frémir 3 h 30. Dégraisser, passer au tamis fin ou, mieux, à l'étamine.

fond brun de veau

Désosser 1,250 kg d'épaule de veau et autant de jarret de veau ; les ficeler ; concasser très finement 500 g d'os de veau. Dorer viandes et os au four. Éplucher et tailler en rouelles 150 g de carottes et 100 g d'oignons et mettre le tout dans une marmite avec 1 bouquet garni ; couvrir et

FONCER UN MOULE À TARTE

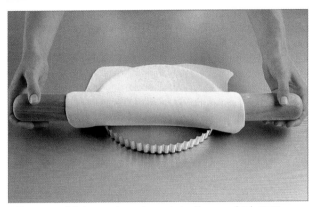

1. Transporter l'abaisse au-dessus du moule. La déposer en lui donnant l'aisance suffisante pour qu'elle épouse parfaitement la forme du moule.

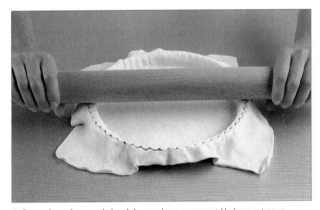

2. Passer le rouleau sur le bord du moule en appuyant légèrement pour découper la pâte. Retirer l'excédent de celle-ci.

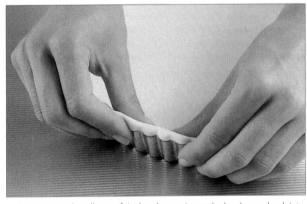

3. Pour terminer la collerette, faire la crête en pinçant les bords avec les doigts ou avec une pince à tarte.

laisser suer 15 min. Mouiller de 1/4 de litre d'eau et faire réduire à glace ; recommencer l'opération. Ajouter 3 litres d'eau ou de fond blanc et porter à ébullition. Écumer, saler légèrement et poivrer. Laisser frémir 3 h 30. Dégraisser, passer au tamis fin ou, mieux, à l'étamine.

fond de gibier

Ficeler 1,5 kg de poitrine et de bas morceaux d'un seul gibier (biche, chevreuil, lièvre, marcassin, perdrix ou faisans âgés). Dorer au four. Détailler et blanchir de la couenne fraîche de porc, puis la faire revenir dans une grande cocotte avec une mirepoix de carottes et d'oignons. Ajouter le gibier, déglacer au vin blanc et laisser réduire à glace. Mouiller avec de l'eau froide et ajouter bouquet garni, sauge, romarin, baies de genièvre et clou de girofle. Porter à ébullition et cuire 3 heures à tout petits bouillons réguliers. Dégraisser, puis passer au tamis fin ou, mieux, à l'étamine.

fond de veau lié

Réduire aux trois quarts 2 litres de fond brun de veau. Au moment de l'emploi, lier avec 15 g d'arrow-root délayé dans 3 cuillerées du même fond de veau froid. Passer au chinois. Conserver au chaud, au bain-marie.

FOND DE PÂTISSERIE Fond de composition, de forme et de consistance diverses, servant à la réalisation d'un gâteau ou d'un entremets. Il peut s'agir d'une génoise, d'une croûte à flan ou d'un fond de tarte en pâte à foncer ou en feuilletage, d'une coque ou d'un disque en pâte à meringue, enrichie ou non d'amandes ou de noisettes en poudre (berrichon, napolitain, progrès, succès), d'une galette en pâte sablée, etc.

En restauration, les fonds sont préparés à l'avance et garnis, fourrés, superposés (pour les pièces montées), enrobés, glacés, nappés ou décorés en fonction de la demande.

fond napolitain

Incorporer 250 g de beurre froid en dés à 250 g de farine en fraisant la pâte. Ajouter 250 g de sucre en poudre, 250 g d'amandes en poudre, 2 ou 3 jaunes d'œuf et 1 pincée de sel. Mélanger rapidement, sans trop travailler la pâte, puis abaisser celle-ci sur 5 mm d'épaisseur. La détailler en disques et cuire au four préchauffé à 200 °C. Laisser refroidir complètement avant de garnir.

fond noix ou noisettes

Broyer 250 g de noix ou de noisettes et mélanger avec 250 g de sucre en poudre. Incorporer 6 ou 8 jaunes d'œuf (suivant leur grosseur), 100 g de beurre ramolli à la spatule de bois, 125 g de fécule de pomme de terre ou de maïs, puis, délicatement, 10 ou 12 blancs d'œuf battus en neige très ferme avec 1 pincée de sel. Beurrer et fariner des tôles à pâtisserie. Y dresser la pâte (pour gros gâteau ou petits gâteaux individuels) et cuire au four préchauffé à 180 °C, système de buée ouvert.

fond perlé

Mélanger 250 g d'amandes en poudre et 250 g de sucre en poudre ; y ajouter délicatement 10 ou 12 blancs d'œuf battus en neige très ferme avec 1 pincée de sel. Beurrer et fariner une tôle à pâtisserie. Passer à l'eau chaude un cercle à flan, le poser sur la plaque. Le garnir avec la préparation, bien égaliser à la spatule, poudrer de sucre glace. Retirer le cercle et cuire au four préchauffé à 180 °C, système de buée ouvert.

fond sablé

Disposer 250 g de farine tamisée en fontaine sur un plan de travail. Mettre au centre 200 g de beurre détaillé en parcelles, 2 jaunes d'œuf, 75 g de sucre, 1 pincée de sel et 1 sachet de sucre vanillé. Mélanger ces éléments, puis incorporer peu à peu la farine, du bout des doigts. Fraiser rapidement la pâte, la rassembler en boule et la réserver au frais. L'abaisser en cercle sur 4 ou 5 mm d'épaisseur pour garnir une tourtière, ou la découper à l'emporte-pièce ovale ou rond et en garnir des moules à tartelette ou à barquette, ou cuire simplement ces petits gâteaux sur une tôle beurrée.

fond à succès

Mélanger 250 g d'amandes en poudre et 250 g de sucre glace, incorporer 8 blancs d'œuf battus en neige très ferme. Mettre ce mélange dans une poche munie d'une douille lisse du diamètre souhaité. Dresser en spirale sur une plaque beurrée et farinée. Cuire au four préchauffé à 150 °C, système de buée ouvert, 20 min pour de tout petits fonds, 45 min pour un grand fond plus épais.

FONDANT Sirop de sucre additionné de glucose, cuit « au grand boulé » (130 °C), travaillé à la spatule sur un marbre jusqu'à ce qu'il devienne une pâte épaisse et opaque, que l'on pétrit ensuite à la main. Cette pâte blanche, molle et homogène se conserve bien dans un emballage hermétique.

Le fondant est surtout utilisé en confiserie (intérieur de chocolats, bonbons), où il s'emploie coloré et parfumé. Fondu au bain-marie avec un peu d'eau, de sirop léger ou d'alcool, il se coule dans des caissettes ou enrobe massepains, fruits secs ou frais et cerises à l'eau-de-vie.

En pâtisserie, nature ou parfumé au chocolat, au café, voire à la fraise, à la framboise, au citron ou à l'orange, il sert à glacer choux, éclairs, génoises, mille-feuilles, etc.

fondants de pommes amandine ▶ POMME

glace au fondant

Cuire à feu vif, dans une casserole à fond très épais, 2 kg de sucre en morceaux et 80 g de glucose avec 12 cl d'eau. Retirer du feu quand le stade du boulé (118 °C) est atteint. Huiler un marbre, y verser le sirop et le laisser tiédir. Le travailler avec une spatule métallique en l'étalant et en le ramassant plusieurs fois jusqu'à ce qu'il soit tout à fait homogène, lisse et blanc. Le mettre dans une terrine, le couvrir et le garder au frais. Pour utiliser ce fondant, le réchauffer doucement dans une petite casserole ; y ajouter très peu de sirop à 30° (température d'ébullition : 101,5 °C environ, densité 1,1291) et le parfum choisi (liqueur, essence ou extrait de café, chocolat fondu).

FONDRE Liquéfier par la chaleur un produit tel que le beurre, le chocolat, un corps gras solide, etc. Pour éviter que le produit ne brûle, on a souvent recours au bain-marie, ou bien on intercale un diffuseur et on remue avec une cuillère en bois.

« Fondre » se dit aussi de la cuisson à couvert de certains légumes dans un corps gras, sans autre mouillement que leur eau de végétation (**voir** ÉTUVER, SUER).

FONDUE Spécialité des Alpes françaises et de Suisse, faite avec un ou plusieurs fromages à pâte cuite, que l'on fait fondre à feu doux dans un poêlon appelé « caquelon », avec du vin blanc et des aromates. On pose ensuite le caquelon sur un réchaud de table, et les convives dégustent la fondue bouillante, en y trempant des morceaux de pain piqués sur des fourchettes à deux dents et à long manche.

Si la recette qu'Anthelme Brillat-Savarin donne dans sa *Physiologie du goût* (1826) est, en fait, un apprêt d'œufs brouillés au fromage, plusieurs recettes de Savoie et de Suisse sont authentiques : la fondue comtoise (comté vieux et fruité et comté mi-vieux, vin blanc sec, kirsch et ail), la fondue au cantal (vieux cantal, vin blanc sec, ail), la fondue des Mosses, vaudoise (gruyère, appenzell et bagnes ou tilsit, bolets secs, vin blanc sec, ail, eau-de-vie de prune), la fondue fribourgeoise (vacherin fribourgeois, ail, beurre, eau bouillante), la fondue gessine (comté fruité, bleu de Gex, vin blanc sec, kirsch, ail), la fondue jurassienne (gruyère du Jura fruité et salé, vin blanc sec, kirsch, ail, muscade), la fondue romande (gruyère et fribourg, ou gruyère seul, avec parfois vacherin de Fribourg, vin blanc sec et pétillant, kirsch, ail) et la fondue savoyarde (beaufort vieux et salé et beaufort fruité, vin blanc sec, kirsch). La fondue normande (camembert, pont-l'évêque et livarot écroûtés, crème, lait, calvados, échalote) est une variante classique. Enfin, la fondue piémontaise est agrémentée de truffes blanches hachées ; elle se sert dans des assiettes creuses garnies de croûtons.

En Belgique, les fondues sont de petits carrés frits de pâte au fromage.

fondue à la piémontaise

Couper en dés 600 g de fontina, les mettre dans un récipient assez étroit et mouiller à hauteur de lait froid. Laisser reposer 2 heures au moins. Mettre le fromage et le lait dans une casserole et y ajouter 6 jaunes d'œuf et 120 g de beurre. Cuire au bain-marie sur feu modéré, en fouettant sans cesse, jusqu'à ce que le mélange fonde, puis prenne un aspect crémeux. Le point idéal de cuisson correspond aux premiers bouillons de l'eau du bain-marie. Servir dans une soupière, en garnissant les assiettes de petits triangles de pain de mie grillés ou frits au beurre.

fondue valaisanne

Frotter à l'ail le fond d'un caquelon en terre. Couper en lamelles très minces de 150 à 200 g par personne de bon fromage de Gruyère (ou un mélange de beaufort, d'emmental et de comté). Mettre ce fromage dans le caquelon, le recouvrir tout juste de vin blanc sec (en Suisse, généralement du fendant), et tourner sur le feu jusqu'à ce qu'il soit fondu. Ajouter alors un peu de poivre du moulin et 1 cuillerée à dessert de fécule délayée dans 1 verre à liqueur de kirsch.

fondues belges au fromage

Préparer un roux blond avec 75 g de beurre et 65 g de farine. Laisser refroidir. Verser 50 cl de lait entier bouillant et fouetter vigoureusement. Laisser bouillir quelques instants en remuant. Assaisonner de sel, de poivre et de muscade. Ajouter 125 g de cheddar ou de gouda vieux et 4 jaunes d'œuf. Bien mélanger. Lorsque la préparation se détache des bords, la verser sur une plaque huilée en une couche de 1 cm d'épaisseur. Beurrer la surface et laisser refroidir. Retourner cette pâte sur un plan de travail fariné et la détailler en carrés de 5 cm de côté. Les passer dans du blanc d'œuf, puis dans de la chapelure. Frire les fondues à l'huile très chaude (180 °C) jusqu'à ce qu'elles soient bien colorées.

FONDUE BOURGUIGNONNE Plat composé de petits cubes de bœuf que l'on pique sur une longue fourchette et que l'on plonge dans un caquelon ou un poêlon rempli d'huile chauffée à 180 °C, avant de les déguster avec diverses sauces (sauce tartare, aïoli, sauce béarnaise ou Choron, etc.).

FONDUE CHINOISE Plat traditionnel introduit en Extrême-Orient par les Mongols au XIVe siècle et réalisé, à l'origine, avec du mouton. On la prépare aujourd'hui suivant le même principe que la fondue bourguignonne, en faisant cuire des lanières de viande de bœuf et de porc, des blancs de volaille en minces lamelles, des boulettes de poisson, etc., dans un bouillon de poulet frémissant sur un réchaud à charbon de bois fixé au pot à fondue. On accompagne ce plat de légumes frais émincés, d'une purée de haricot et de vermicelles de riz, et de sauces à base de soja, de gingembre et d'huile de sésame.

Au Viêt Nam, où la fondue est un plat de fête, on la prépare avec du bœuf, des volailles, des crevettes et du poisson, accompagnés d'une sauce aux crevettes et de condiments aigres-doux. On y joint parfois des noix de coquille Saint-Jacques, des lanières d'encornet et du lait de coco.

FONDUE AU CHOCOLAT Préparation faite de chocolat noir fondu au bain-marie, additionné de beurre, de lait, de crème et de sucre, maintenue liquide sur un réchaud de table, et dans lequel les convives trempent des morceaux de génoise, de biscuit ou de brioche, des morceaux de fruits frais, des fruits confits, etc.

FONDUE DE LÉGUMES Préparation de légumes finement taillés, cuits à chaleur douce, au beurre, parfois avec très peu d'eau ou de bouillon. Les légumes suent dans leur eau de végétation avec le corps gras. La cuisson se poursuit jusqu'à évaporation du liquide, et les légumes sont alors « fondus ». La fondue, faite avec un seul ou plusieurs légumes, s'emploie comme élément complémentaire ou comme garniture. La fondue de tomate s'utilise plus particulièrement dans des apprêts d'œufs, des sauces et des garnitures méditerranéennes ; elle complète aussi certaines farces et peut servir, refroidie, de condiment pour des hors-d'œuvre ou du poisson (de même que la fondue d'oignon). Aromatisée à la coriandre, elle est dite « à la grecque ».

fondue de tomate

Éplucher et hacher 100 g d'oignons. Peler, épépiner et concasser 750 g de tomates. Chauffer dans une casserole à fond épais soit 30 g de beurre, soit 15 g de beurre et 2 cuillerées à soupe d'huile d'olive, soit 3 cuillerées à soupe d'huile d'olive. Y faire blondir les oignons, puis ajouter les tomates, du sel et du poivre, 1 gousse d'ail épluchée et écrasée, et 1 bouquet garni riche en thym. Couvrir et cuire doucement jusqu'à l'obtention d'une purée. Découvrir, remuer avec une spatule en bois et faire réduire jusqu'à ce que la fondue forme une pâte légère. Rectifier l'assaisonnement, tamiser et ajouter 1 cuillerée à soupe de fines herbes hachées.

soles de ligne à la fondue de poireau ▶ SOLE

FONTAINE Tas de farine disposé sur un marbre, une planche ou dans une terrine, au milieu duquel on a creusé un trou, ou « puits », pour y verser les différents ingrédients entrant dans la fabrication d'une pâte ; on incorpore progressivement ceux-ci à la farine en la rabattant du bout des doigts vers le centre.

FONTAINEBLEAU Mousse de crème et de fromage blanc au lait de vache (de 60 à 75 % de matières grasses), présentée dans un petit pot en carton paraffiné, enveloppé d'une mousseline (**voir** tableau des fromages français page 389). Le fontainebleau se consomme au plus tard le lendemain de sa fabrication et se sert avec ou sans sucre, souvent avec des fraises ou de la confiture. Certains amateurs lui ajoutent de la crème fraîche.

FONTAINEBLEAU (GARNITURE) Nom d'une garniture de petites pièces sautées (tournedos ou noisette), composée d'une jardinière de légumes taillée finement, liée au beurre et dressée dans des petites barquettes en pommes duchesse dorées au four.

FONTANGES Nom d'un potage fait d'une purée de petits pois frais, éclaircie au consommé, additionnée d'une chiffonnade d'oseille fondue au beurre et parsemée de pluches de cerfeuil. Lié à la crème fraîche et sans beurre, ce potage devient une crème. Lié au jaune d'œuf et à la crème, c'est un velouté.

FONTE Alliage de fer et de carbone, avec lequel on fabrique divers ustensiles de cuisson (cocottes, grils, poêles, etc.). Lourde, résistante, la fonte conserve longtemps la chaleur et autorise aussi bien les grillades rapidement saisies que les mijotages. Les ustensiles en fonte émaillée, recouverts de deux couches d'émail coloré et brillant ou noir et mat, présentent en outre l'avantage de pouvoir passer directement du feu ou du four sur la table, mais sont fragiles, leur matériau craignant les chocs et les rayures. La fonte d'aluminium, beaucoup plus légère que la fonte de fer, est très utilisée pour le matériel de cuisine.

FONTENELLE (À LA) Se dit d'un apprêt des asperges, servies avec du beurre fondu et un œuf à la coque dans lesquels on les trempe successivement. Cette dénomination est due à la gourmandise de Bernard Le Bovier de Fontenelle (1657-1757), philosophe et secrétaire perpétuel de l'Académie des sciences, qui aimait les asperges au beurre autant que son ami l'abbé Terrasson les aimait à la vinaigrette. Recevant ce dernier à dîner, Fontenelle avait prévu des asperges moitié au beurre, moitié à la vinaigrette. En passant à table, l'abbé mourut brutalement, frappé d'apoplexie, et Fontenelle, dit-on, cria aussitôt à sa cuisinière : « Toutes au beurre, toutes au beurre ! »

FONTINA Fromage italien AOP de lait cru de vache (de 45 à 50 % de matières grasses), à pâte pressée semi-cuite, à croûte brossée, parfois huilée (**voir** tableau des fromages étrangers page 398). Originaire du Val d'Aoste, où sa fabrication remonte au XIIe siècle, la fontina se présente sous la forme d'une meule de 40 à 45 cm de diamètre sur 7 à 10 cm d'épaisseur. Souple sous le doigt, présentant quelques petits trous, elle a une saveur agréablement bouquetée. Elle est aussi utilisée en cuisine, notamment dans la fondue piémontaise ; affinée, elle se râpe et s'emploie comme le parmesan.

FOOL Entremets glacé d'origine anglaise, fait d'une purée de fruit passée au tamis fin, sucrée et mise à glacer, mais non congelée. Avant de servir, le fool est additionné de deux fois son volume de crème fouettée et dressé dans des coupes ou des verres à sorbet.

FORESTIÈRE (À LA) Se dit de petites ou de grosses pièces de boucherie, de volaille, voire d'œufs ou de légumes, dont l'apprêt comporte des champignons sauvages (souvent des girolles ou des morilles, parfois des cèpes), sautés ou étuvés au beurre. La garniture forestière, qui accompagne les viandes, joint aux champignons des pommes de terre noisettes ou rissolées et des lardons blanchis et rissolés ; on la sert avec une demi-glace, un fond de veau lié ou le déglaçage de la pièce.

FORÊT-NOIRE (GÂTEAU DE LA) Gâteau au chocolat originaire d'Allemagne, populaire aussi en Alsace. Rond, haut de 6 cm, il est formé de trois couches de biscuit au chocolat imbibé de kirsch, de cerises entières en compote et de crème Chantilly, souvent légèrement aromatisée au chocolat et au kirsch. Le dessus est décoré de rosaces de chantilly, de copeaux de chocolat et de cerises.

Forêt-Noire

POUR 6 À 8 PERSONNES – PRÉPARATION : 15 min + 20 min – CUISSON : 25 min + 2 min – RÉFRIGÉRATION : 3 h

La veille, préparer le biscuit au cacao. Préchauffer le four à 180 °C. Tamiser 35 g de cacao en poudre avec 35 g de farine et 35 g de fécule de pomme de terre. Faire fondre 75 g de beurre. Fouetter 8 jaunes d'œuf avec 75 g de sucre. Fouettez les blancs d'œuf en neige en y incorporant à mi-parcours 75 g de sucre en poudre. Prélever un quart des blancs en neige et les disposer sur le mélange jaunes-sucre. Les incorporer délicatement à l'aide d'une spatule souple, ajouter le mélange cacao-farine-fécule. Prélever 3 cuillerées de la préparation, les mélanger au beurre fondu et remuer. Incorporer délicatement chaque mélange au reste des blancs en neige. Beurrer un cercle à pâtisserie de 22 cm de diamètre. Le fariner et le poser sur une plaque à pâtisserie recouverte de papier sulfurisé. Y verser la pâte. Enfourner et faire cuire de 20 à 25 min. Laisser le biscuit refroidir dans son cercle sur une grille. Le jour même, retirer le cercle et découper le biscuit en 3 disques de même épaisseur. Préparer le sirop. Porter à ébullition 18 cl d'eau et 100 g de sucre en poudre. Retirer du feu et ajouter 5 cl de kirsch. Préparer la garniture. Mettre une jatte à glacer 15 min au congélateur. Y fouetter 60 cl de crème fraîche liquide en chantilly en y incorporant peu à peu 2 sachets de sucre vanillé. Poser le premier disque de biscuit sur un plat de service. À l'aide d'un pinceau, l'imbiber de sirop. Étaler un tiers de la chantilly dessus. Y enfoncer légèrement 30 griottines. Recouvrir du deuxième disque de biscuit. L'imbiber de sirop. Étaler un tiers de la chantilly et enfoncer 30 autres griottines. Terminer par le troisième disque. L'imbiber de sirop. Recouvrir le dessus et les côtés du gâteau avec le restant de chantilly. Décorer entièrement le gâteau de copeaux de chocolat.

FOREZ ▶ VOIR LYONNAIS ET FOREZ

FORMER Donner sa forme finale à une préparation, éventuellement avant sa cuisson. On peut former une pâte levée avant de la mettre en moule, former un apprêt de poisson, de viande ou autre, qu'il soit farci, pané ou masqué, avant de le cuire.

« Former » s'emploie aussi quand une pâte à génoise ou une sauce émulsionnée forme le ruban, indiquant que l'une est prête à être mise dans un moule et que l'autre est à son terme de cuisson.

FOUACE Pâtisserie figurant parmi les plus anciennes de France (**voir** tableau des spécialités régionales de pains page 605). À l'origine, c'était une galette de fine fleur de froment, non levée et cuite sous la cendre, dans le foyer. Elle porte aussi le nom de « fougasse », bien que celle-ci reçoive le plus souvent une garniture salée.

Bien des provinces françaises ont fait ou font encore des fouaces. De nos jours, il s'agit la plupart du temps d'une galette briochée assez rustique, cuite au four, diversement parfumée, généralement préparée pour Noël ou pour le jour des Rois. Jadis très répandue dans l'Ouest (Caen, Vannes, La Flèche, Tours), la fouace est aujourd'hui plus fréquente dans le Sud. À Najac, dans le Rouergue, a lieu chaque année la « fête des fouaces » ; dans le Languedoc, on prépare une fouace aux grattons, que l'on déguste avec du frontignan ; en Auvergne, elle est truffée de fruits confits ; en Provence, elle fait partie des « treize desserts de Noël ». Enfin, la fougassette, toujours en pâte briochée, est une spécialité du comté de Nice ; c'est une petite fouace en forme de pain tressé, parfumée à la fleur d'oranger et au safran, avec parfois du cédrat confit.

fouace

Délayer 15 g de levure de boulanger dans un peu de lait (ou d'eau) tiède. Ajouter 125 g de farine tamisée, puis suffisamment de lait ou d'eau pour former une pâte un peu molle ; la laisser lever jusqu'à ce qu'elle ait doublé de volume. Disposer alors en fontaine, sur le plan de travail, 375 g de farine tamisée ; verser au centre 1 grosse pincée de sel, 100 g de beurre ramolli, 1 verre à liqueur de rhum, de cognac ou d'eau de fleur d'oranger, 50 g de sucre (facultatif) et 4 œufs battus en omelette. Travailler ce mélange en y ajoutant un peu de lait ou d'eau pour obtenir une pâte souple, puis y incorporer la pâte levée et, éventuellement, un salpicon de fruits confits (de 150 à 200 g). Travailler encore la pâte pour la rendre élastique, la rouler en boule, inciser le dessus en croix et laisser lever (elle doit doubler de volume). Disposer alors la fouace sur une tôle beurrée, en boule, en pain ou en couronne, dorer à l'œuf battu et cuire 40 min au four préchauffé à 230 °C.

FOUET Ustensile de cuisine formé de fils de fer étamé ou d'acier inoxydable, recourbés et croisés, maintenus dans un manche.

• **FOUET À BLANCS.** Court et arrondi, avec des fils souples, fixés par une virole dans un manche en bois, il sert à monter les blancs d'œuf en neige. Il s'emploie aussi pour la purée de pomme de terre, pour battre les jaunes d'œuf avec du sucre (notamment pour le sabayon) et pour fouetter la crème fraîche.

• **FOUET À SAUCE.** De forme plus allongée, avec des fils plus raides et assemblés dans un manche en métal, il est utilisé pour monter les sauces au beurre ou les émulsionner, et pour mélanger des crèmes et appareils divers, afin d'éviter les grumeaux. Le fouet à main est aujourd'hui souvent remplacé par un batteur électrique équipé de fouets en acier ou en plastique.

FOUGASSE Pain plat fait d'une pâte parfumée à l'huile d'olive et légèrement sucrée, à mie blanche, molle et douce, et à croûte molle (**voir** tableau des spécialités régionales de pains page 605). La fougasse, spécialité provençale, est souvent farcie de lardons, d'oignons, ou de fruits confits ; elle peut même être garnie à la façon des pizzas.

FOUGÈRE Plante dont les jeunes pousses ou crosses (dites aussi « queues » ou « têtes » de violon) sont consommées au Québec et au Nouveau-Brunswick au début du printemps. Il s'agit uniquement des pousses de la fougère d'Allemagne (*Matteucia struthiopteris*), qui est le plus souvent cultivée. Elles sont blanchies quelques minutes. On les consomme fraîches, ou réchauffées au beurre et arrosées de citron. Elles accompagnent bien les viandes et les poissons.

La majorité des fougères sont toxiques (fougère grand-aigle qui est cancérogène pour l'estomac, daphné, poinsettia), il faut être très compétent pour ramasser les « têtes de violon » dans la nature.

FOUGERU Fromage briard de lait de vache (de 45 à 50 % de matières grasses) à pâte molle et à croûte fleurie rougeâtre (**voir** tableau des fromages français page 389). Le Fougeru se présente sous la forme d'un disque de 13 cm de diamètre et de 3 à 4 cm d'épaisseur, pesant de 500 à 600 g et habillé de frondes de fougère. Il a une saveur proche de celle du coulommiers.

FOULER Passer à travers un chinois ou une étamine une sauce, une purée, un potage, en les comprimant à l'aide d'une petite louche ou d'une spatule de bois.

FOUQUET'S Restaurant et café des Champs-Élysées, à Paris. C'était à l'origine (1901) un estaminet pour cochers de fiacre, qui portait le nom de son propriétaire, Louis Fouquet.

En 1910, Léopold Mourier, personnalité de la restauration parisienne et tuteur des enfants du fondateur, acheta l'établissement, anglicisa son nom en *Fouquet's* (sur le modèle de *Maxim's*), refit le décor dans le style Belle Époque (qui subsista jusqu'en 1961) et créa un « bar anglais » et un grill-room. Un restaurant fut ouvert au premier étage. Depuis les années 1950, la clientèle attitrée du *Fouquet's* est surtout composée d'artistes de la scène et de l'écran.

FOUR Appareil de cuisson dérivé du four à pain, dont l'origine se perd dans la nuit des temps. Les fours modernes, qu'ils soient incorporés à une cuisinière ou indépendants, se composent essentiellement d'une enceinte calorifugée chauffée par une rampe à gaz ou, le plus souvent, par des résistances électriques disposées en bas (sole) et en haut (voûte). À gaz ou électrique, le four est toujours muni d'un thermostat qui règle la température, en général de 60 à 280 °C, avec un bouton parfois gradué de 1 à 8 ou à 10. Il est important de toujours préchauffer un four, au moins 10 à 15 minutes, pour obtenir de bons résultats.

Le four traditionnel (à convection naturelle) produit une chaleur inégalement répartie, la chaleur la plus forte provenant du bas du four. C'est pourquoi d'autres options sont proposées dans les fours multifonctions. Le four à convection forcée (ou « à air pulsé » ou « à chaleur tournante ») est équipé d'une turbine qui brasse l'air dans l'enceinte, homogénéisant la température et réduisant les temps de cuisson en accélérant les transferts de chaleur.

Le four à vapeur cuit les aliments à l'aide de vapeur, préservant ainsi saveur, texture et vitamines.

Les fours mixtes, à vapeur et à air pulsé (fonctions que l'on peut utiliser séparément ou successivement), permettent de réaliser des cuissons à température parfaitement maîtrisée, et notamment sous vide.

Les fours combinés associent les avantages d'un four électrique et ceux d'un four à micro-ondes.

Un four sale risque de communiquer un arrière-goût de brûlé aux aliments qu'il contient. Les fours sont généralement dotés d'un système autodégraissant par catalyse (sous l'effet de la chaleur, le revêtement des parois élimine les graisses projetées, au fur et à mesure de la cuisson) ou, uniquement s'ils sont électriques, d'un système autonettoyant par pyrolyse, carbonisant toutes les projections à très haute température (500 °C). L'hydrolyse, qui nettoie grâce à l'action de la vapeur, ou le système par oxydation à 170 °C (sur parois de four en céramique garnies d'alvéoles) permettent de consommer moins d'énergie que la pyrolyse.

Face aux progrès techniques, il faut aussi mentionner le retour en grâce du four à bois, en terre cuite et en béton réfractaire, dans lequel on a tout loisir de faire son pain ou de cuire des pizzas.

FOUR À MICRO-ONDES Appareil électrique qui permet la cuisson ou le réchauffement des aliments sous l'action d'ondes ultracourtes à très haute fréquence. Ces micro-ondes, émises par un magnétron, provoquent l'agitation rapide des molécules d'eau contenues dans les aliments, ce qui engendre un échauffement intense. Plus l'eau est libre dans les produits (liquides, légumes), plus cet échauffement est rapide et homogène ; plus l'eau est liée (viandes, poissons), plus il est lent et hétérogène. Les micro-ondes traversent les matériaux comme le verre, le plastique ou la céramique, mais sont réfléchies par les métaux. Il est d'ailleurs impératif de n'introduire aucun objet métallique (récipient, couvert, barquette ou feuille d'aluminium) dans un four à micro-ondes. Pour éviter toute projection sur les parois, il est bon de couvrir systématiquement les aliments avec un couvercle plastique ou un film alimentaire.

Le four à micro-ondes a l'avantage de réduire considérablement le temps de cuisson, mais il ne peut en aucun cas remplacer un four classique : les viandes ne dorent pas, la pâte ne lève pas, etc., ce qui rend son utilisation limitée. Il est en revanche très pratique pour décongeler ou réchauffer, ramollir du beurre, faire fondre du chocolat sans bain-marie.

Le four « combiné » est conçu pour disposer, dans le même appareil, d'un four à micro-ondes et d'un four électrique classique.

FOURCHETTE Ustensile de table, de cuisine ou de service, en forme de petite fourche à deux, trois ou quatre dents. C'est Henri III qui, ayant découvert l'usage de la fourchette de table à la cour de Venise, en 1574, l'introduisit en France. Le roi trouva en effet cet instrument bien pratique pour porter les aliments à la bouche par-dessus les hauts cols à fraise empesée alors à la mode.

La fourchette de table existait déjà auparavant, mais c'était une pièce d'orfèvrerie ; souvent dotée d'un manche pliant, elle était conservée dans un étui et réservée à un usage personnel. On utilisait aussi en cuisine une grande fourchette pour piquer les aliments dans les marmites ou saisir les rôtis. Progressivement, les fourchettes furent fabriquées avec trois, puis quatre dents.

Aujourd'hui, seule la fourchette à rôti, appelée aussi « diapason », n'a que deux dents longues et fines, droites ou légèrement recourbées ; elle est employée en cuisine pour piquer les volailles et les viandes. Les fourchettes de table sont plus diversifiées. Certaines fourchettes de service vont de pair avec une cuillère (couvert à salade) ou un couteau (service à découper), de même que les fourchettes de table, à poisson ou à fruit, et leur taille varie jusqu'à la petite fourchette à gâteau.

D'autres fourchettes sont destinées à un usage précis : pour manger les escargots, huîtres, crustacés (parfois dénommées « curettes ») ou la fondue.

FOURME Nom de nombreux fromages, à pâte persillée (fourmes d'Ambert et de Montbrison, etc.) ou à pâte pressée à l'état frais (fourmes de Cantal, de Laguiole), produits dans le Massif central. Le terme de fourme, à l'origine du mot français « fromage », est dérivé des mots latins *forma* ou *formatica*, qui signifient « mise en forme ».
• FOURMES D'AMBERT OU DE MONTBRISON. Elles bénéficient d'une AOC et proviennent de la Loire, du Puy-de-Dôme et du Cantal (**voir** tableau des fromages français page 390). Elles se présentent sous la forme d'un cylindre plus haut que large pesant plus de 2 kg. Leur pâte persillée pressée (50 % de matières grasses), sous une croûte sèche gris foncé pour la foume d'Ambert et orangée pour celle de Montbrison, recouverte de moisissures blanches et rouges, a une saveur prononcée. Les fourmes de Pierre-sur-Haute et du Forez leur sont apparentées.
• FOURME DU MÉZENC. Sa pâte persillée (de 30 à 40 % de matières grasses), sous une croûte naturelle, a également une saveur prononcée. Appelée encore bleu du Velay, de Loudes ou de Costaros, elle se présente, elle aussi, sous la forme d'un cylindre.
• FOURME DE ROCHEFORT. Fabriquée dans les fermes, elle se présente sous la forme d'un haut cylindre pesant de 5 à 10 kg. Sa pâte pressée non cuite (45 % de matières grasses), sous une croûte naturelle grisée, a un goût de terroir (**voir** CANTAL).
▶ Recette : SALADE.

FOURNEAU Appareil de cuisson alimenté au bois, au charbon, au mazout, au gaz ou à l'électricité. À l'origine en maçonnerie, puis en tôle épaisse ou en fonte, le fourneau constitue le gros équipement de base d'une cuisine, surtout en restauration. Il possède une table de cuisson en fonte polie, sur laquelle on peut faire glisser les récipients en fonction de l'intensité de chaleur souhaitée, et un ou plusieurs fours.

Les modèles les plus récents sont adaptés aux besoins d'une grande cuisine : fourneaux « coup de feu », « feu vif » et « plaque mijotage », etc.
■ Histoire. Les premiers fourneaux, dits « potagers », apparurent au XVIIIe siècle et révolutionnèrent la cuisine, car ils remplaçaient la seule source de chaleur disponible jusqu'alors : la grande cheminée, dans laquelle on installait parfois de petits réchauds portatifs pour une cuisson plus mesurée. Désormais, on disposait de plusieurs foyers d'intensité échelonnée. Le fourneau permettait donc de préparer en même temps plusieurs mets faciles à surveiller, et, à cette époque, de nombreux plats furent inventés. Une autre évolution décisive se produisit, lorsque le fourneau en fonte, alimenté au charbon, remplaça le potager à charbon de bois. Néanmoins, l'aération restait souvent précaire. Il fallut attendre les années 1850 pour que, à Londres, le chef Soyer introduise la cuisine au gaz.

FOURRER Garnir d'éléments cuits ou crus l'intérieur d'un mets salé ou sucré. L'omelette fourrée est cuite à plat et garnie avant d'être repliée. Les crêpes fourrées sont masquées de confiture ou de crème, puis pliées en pannequets ou roulées. En pâtisserie, on fourre les biscuits, les choux, les éclairs et les génoises avec de la crème au beurre ou aux amandes, de la crème pâtissière ou un salpicon de fruits. Les petits pains servis en hors-d'œuvre froids sont fourrés de toutes sortes d'appareils salés, réduits en purée ou en mousse.

FOUTOU Plat traditionnel africain, très apprécié au Bénin et en Côte d'Ivoire, à base de racines de manioc et de bananes presque vertes ou d'ignames, dont la valeur culinaire tient à la variété des sauces qui l'accompagnent. Manioc et bananes sont cuits à l'eau, égouttés et pilés pour donner une pâte lisse, qui est ensuite façonnée en petits pains ou en une grande galette. Les sauces, qui sont presque toujours des ragoûts très riches et relevés, sont faites soit de viandes et de légumes (oignons, tomates, laurier et piment, mijotés dans de l'huile avec des bettes, des pois chiches cuits, du ragoût de mouton et du porc en petits morceaux), soit de poisson et de légumes (graines de palme, chair de crabe, aubergines, gombos, piments, bananes vertes et filets de poisson).

Caractéristiques des principales variétés de fraises

VARIÉTÉ	PROVENANCE	ÉPOQUE	ASPECT ET FLAVEUR
coniques			
belrubi	toute la France	mai-juin	assez grosse, rouge pourpre
cigoulette	Provence	fin mars-fin mai	rouge sang, croquante, goût équilibré
cireine	Bretagne, Sologne	mai-juin	allongée, très régulière, vermillon à rouge vif, parfumée, sucrée
mara des bois	toute la France	mi-mai-fin oct.	petite, irrégulière, rouge profond, parfum de fruits des bois, acidulée
maraline	Rhône, Ardèche, Isère, Drôme	mi-mai-fin juin	moyenne, rouge-orangé à rouge vif, fondante
seascape	Dordogne	juill.-nov.	grosse, irrégulière, rouge brique à pourpre, juteuse
valeta	Rhône-Alpes, Aquitaine, Bretagne	mi-mai-début juill.	grosse, rouge pourpre, ferme, peu acidulée
cordiformes			
ciflorette	Vaucluse, Rhône-Alpes, Sud-Ouest, etc.	mars-mi-mai	allongée, ovoïde, rouge pastel, parfum floral, équilibrée en sucre
cigaline	Dordogne, Saumurois, Sologne, Rhône-Alpes	avr.-mai	biconique, allongée, rouge vermillon, touche de fruits des bois, très sucrée
darselect	Dordogne, vallée du Rhône, Sologne, etc.	mai-juin	charnue, rouge pourpre, juteuse, parfumée
elsanta	Lot-et-Garonne, Dordogne, Rhône, Isère, etc.	mai-juin, août-oct.	grosse, régulière, rouge passion, parfumée, sucrée, peu acidulée
gariguette	Gard, Vaucluse, Lot-et-Garonne, Bretagne, etc.	mars-mi-juin	moyenne, régulière, allongée, rouge-orangé clair, juteuse, sucrée, acidulée
pajaro	Carpentras	avr.-mai	assez grosse, régulière, rouge profond, bien sucrée
rondes			
darline	Bretagne	fin mai-mi-juill.	grosse, longue à ovoïde, rouge-orangé à brique clair
triangulaires			
chandler	Val de Loire	mi à fin avr.-fin mai	assez grosse, irrégulière, allongée, rouge pourpre
selva	Aquitaine, Val de Loire	juill.-nov.	moyenne à grosse, assez irrégulière, rouge brique, bien parfumée, sucrée
fraise des bois	toute la France	juin-sept.	petite, irrégulière, goût caractéristique

FRAISES

chandler

elsanta

pajaro

fraise des bois

gariguette

selva

FOYOT Restaurant parisien situé autrefois à l'angle de la rue de Tournon et de la rue de Vaugirard, à Paris. Il fut racheté en 1848 par l'ancien chef de cuisine de Louis-Philippe, Foyot, et ne fut démoli qu'en 1938. La proximité du palais du Luxembourg lui amena une clientèle de sénateurs, qui appréciaient les pieds de mouton poulette, les pigeons Foyot, les pommes de terre Ernestine et surtout les côtes de veau Foyot, grande spécialité de la maison, qui est demeurée un classique.

▶ Recettes : SAUCE, VEAU.

FRAISE Fruit du fraisier, plante rampante de la famille des rosacées, d'un rouge plus ou moins vif et de forme conique ou cordiforme (**voir** tableau et planche des fraises ci-contre).

Rafraîchissante, peu sucrée, la fraise apporte 40 Kcal ou 167 kJ pour 100 g, des sels minéraux et des vitamines (C, B, PP). C'est un fruit fragile, qui se conserve dans le réfrigérateur, mais très peu de temps.

■ **Histoire.** La fraise était déjà connue des Romains, qui en appréciaient les vertus thérapeutiques. Les alchimistes du Moyen Âge voyaient en elle une sorte de panacée, et, au XVIIIe siècle, Fontenelle affirmait qu'il lui devait sa longévité : il mourut centenaire. Jusqu'au XIIIe siècle, on ne connaissait que la fraise sauvage, ou fraise des bois. Sa culture permit ensuite d'obtenir des variétés à fruits plus gros, et surtout des saisons plus longues. Jean de La Quintinie, le jardinier de Louis XIV, fit même pousser des fraises dans les serres de Versailles. Mais le pas décisif fut franchi au début du XVIIIe siècle, d'abord par l'introduction du fraisier écarlate de Virginie, puis grâce à un explorateur au nom prédestiné, Antoine Amédée Frézier, qui rapporta de nouveaux plants du Chili.

■ **Emplois.** Présente sur le marché dès le mois de mars – elle vient alors d'Espagne –, la fraise connaît sa pleine saison avec les productions françaises en mai et en juin, et souvent même jusqu'en novembre. On peut même la trouver en hiver, en provenance de l'hémisphère Sud ou d'Israël. On la sert en dessert, nature, au sucre, à la crème fraîche ou à la chantilly, macérée au vin, au champagne ou au kirsch, en coupes glacées ou en salade de fruits, mais elle entre aussi dans la préparation de bavarois, de glaces, de mousses, de soufflés et de tartes. Enfin, confitures et compotes conviennent aux variétés les plus parfumées.

cassate à la fraise ▶ CASSATE
charlotte aux fraises ▶ CHARLOTTE

chips de fraises

Préchauffer le four à 100 °C. Laver rapidement 500 g de fraises bien mûres, les équeuter et les égoutter. Les couper en fines lamelles avec un petit couteau très bien aiguisé. Tapisser une plaque de papier sulfurisé. Disposer les lamelles de fraise une à une, les unes à côté des autres, sans les faire se chevaucher. Les poudrer de sucre glace et les mettre au four pendant 1 heure. Retourner les tranches et les poudrer de sucre glace. Les remettre au four pendant 30 min. Vérifier qu'elles sont bien sèches : elles ne doivent plus du tout être molles mais au contraire assez friables. Les laisser refroidir puis les ranger avec délicatesse, car elles sont très fragiles, dans une boîte hermétique.

compote de fraise ▶ COMPOTE
confiture de fraise ▶ CONFITURE
fraises confites, écume de citron de Menton ▶ VERRINE

fraises à la maltaise

Couper des oranges maltaises en deux et les évider ; tailler légèrement le fond pour leur donner une assise stable puis les mettre dans le réfrigérateur. Quand elles sont bien froides, presser la pulpe et passer le jus. Laver des petites fraises très parfumées, les éponger, les équeuter. Additionner le jus d'orange de sucre et d'un peu de curaçao ou de Cointreau ; en arroser les fraises et mettre dans le réfrigérateur. Au moment de servir, emplir de fraises les demi-oranges et les entourer de glace pilée.

gratin de fraises au sabayon de citron ▶ GRATIN
mousse glacée à la fraise ▶ MOUSSE
pâte de fraise ▶ PÂTE DE FRUITS
rhubarbe aux fraises ▶ RHUBARBE
sirop de fraise ▶ SIROP

soufflé aux fraises ▶ SOUFFLÉ
tarte aux fraises ▶ TARTE

FRAISE DES BOIS Petite fraise sauvage que l'on cueille dans les bois ou à l'ombre des taillis, en juin-juillet en plaine, en août-septembre en montagne (**voir** tableau et planche des fraises ci-contre). Rouge très foncé, mate, elle ne dépasse pas 12 mm de long. Elle est à l'origine des variétés européennes de fraises cultivées, qu'elle surpasse toutes en saveur et en parfum. Elle est également cultivée, donnant notamment la « reine des vallées », qui est légèrement plus grosse que la fraise sauvage, mais moins savoureuse. La fraise des bois se prête à toutes les préparations de la fraise cultivée.

RECETTE D'ALAIN DUCASSE

fraises des bois dans leur jus tiède, sorbet au mascarpone

POUR 4 PERSONNES – PRÉPARATION : 30 min

« Préparer un sirop avec 70 cl d'eau et 440 g de sucre. Refroidir le sirop dans de la glace. Ajouter 5 cl de jus de citron, 250 g de mascarpone et 250 g de fromage blanc. Mélanger au fouet. Turbiner le sorbet et le réserver au congélateur. Nettoyer 250 g de fraises des bois, les mettre dans un cul-de-poule avec 75 g de sucre. Mélanger. Les pocher au bain-marie pendant 2 heures. Filtrer dans un linge et réserver au frais le jus obtenu. Dresser 500 g de fraises des bois au fond de 4 assiettes creuses, faire tiédir le jus de fraise, déposer une quenelle de sorbet mascarpone sur les fraises et napper de jus tiède. »

FRAISE DE VEAU Intestin grêle du veau, ouvert, lavé, dégraissé, puis blanchi et raidi à l'eau chaude – ce qui lui donne un aspect frisé, comme celui des « fraises » que l'on portait autrefois autour du cou (**voir** tableau des abats page 10). Seule ou en mélange, la fraise de veau entre dans la composition de certaines andouillettes. On l'utilise parfois dans les tripes. Cuite au court-bouillon et détaillée en morceaux carrés, elle se mange froide avec une sauce ravigote, ou chaude, accommodée comme le gras-double (à la lyonnaise, à la poulette). Elle entre aussi dans la garniture des bouchées à la reine.

fraise de veau au blanc

Faire dégorger à l'eau froide de la graisse de bœuf ou de veau ; la couper en petits morceaux. Nettoyer la fraise de veau, la ficeler bien serré. Délayer de la farine à l'eau froide (1 bonne cuillerée à soupe par litre), passer et verser dans une marmite. Ajouter 6 g de sel et 1 cuillerée à soupe de vinaigre par litre, 1 oignon piqué de 2 clous de girofle, 1 bouquet garni et les morceaux de graisse. Porter à ébullition, y plonger la fraise et la cuire 1 h 30 au moins.

fraise de veau frite

Détailler la fraise pochée en morceaux carrés ; les saler et les poivrer, puis les paner à l'œuf et à la mie de pain ; les frire dans beaucoup d'huile. Dresser sur une serviette et garnir de persil frit et de quartiers de citron. Servir à part une sauce diable ou une sauce piquante.

FRAISER Pousser et écraser une pâte à foncer sur le marbre avec la paume de la main. Le fraisage a pour but d'obtenir un mélange intime des éléments et de rendre la pâte homogène, mais non élastique. Quand le beurre, les œufs et l'eau ont été grossièrement incorporés à la farine en fontaine, on morcelle le mélange, puis on le fraise (on dit aussi « fraser »). Les petites parcelles sont ensuite réunies en une seule grosse boule de pâte.

FRAISIER Gâteau fait de deux abaisses carrées de génoise, humectées de sirop au kirsch et posées l'une sur l'autre, séparées par une couche de crème au beurre parfumée au kirsch, sur laquelle on dispose des fraises fraîches. Le dessus est recouvert de crème au beurre colorée au carmin, ou de pâte d'amande, ou de meringue italienne, et décoré de fraises.

Il existe plusieurs variantes de ce gâteau aux fraises, également appelé « fragaria » ou « fraisalia ». Il peut s'agir d'une génoise à la poudre d'amande, recouverte de plusieurs couches de confiture de fraise kirschée, puis abricotée et glacée au fondant rose ; le tour est masqué de grains de sucre et d'amandes hachées, et le dessus orné d'une grosse fraise en pâte d'amande rouge et de feuilles en sucre cuit. C'est aussi une génoise garnie d'une couche de crème à la fraise, glacée de fondant rose additionné de fraises écrasées et décorée d'une guirlande de fraises fraîches, ou encore une génoise fourrée de confiture de fraise, recouverte d'une mince abaisse de pâte d'amande rose, poudrée de sucre glace, le tour étant masqué d'amandes grillées hachées.

RECETTE DE PIERRE HERMÉ

fraisier

« Équeuter et brosser à l'aide d'un pinceau 1 kg de grosses fraises. Porter à ébullition 75 g de sucre et 7 cl d'eau ; ajouter 3 cuillerées à soupe de liqueur de framboise sauvage et 3 cuillerées à soupe de kirsch. Poser sur une plaque tapissée de papier sulfurisé un rectangle de génoise de 18 x 22 cm. Imbiber-la de 1/3 du sirop. Fouetter 50 cl de crème au beurre pour l'alléger et y incorporer avec une spatule de bois 10 cl de crème pâtissière. Étaler 1/3 de cette préparation sur le biscuit. Poser les fraises dessus, pointe vers le haut et très serrées, en les enfonçant dans la crème. Les arroser de 2 cuillerées à soupe de kirsch. Égaliser les pointes avec un couteau-scie, couvrer du reste de crème et lisser le dessus et les côtés avec la spatule. Couvrir d'un second rectangle de génoise de même taille et l'imbiber du reste de sirop. Recouvrir le gâteau d'une fine couche de pâte d'amande verte (80 g). Laisser reposer le fraisier 8 heures au moins dans le réfrigérateur. Avant de le servir, en parer les bords avec un couteau trempé dans de l'eau chaude. Décorer de fraises coupées en éventail et badigeonnées au pinceau à pâtisserie de 20 g de nappage abricot. »

FRAMBOISE Fruit du framboisier, de la famille des rosacées, ronce sauvage des sous-bois, également cultivée en pleine terre ou sous abri, essentiellement dans le Val de Loire, la vallée du Rhône et les ceintures vertes des villes (**voir** planche des fruits rouges pages 406 et 407). La framboise est un fruit fragile, qui se conserve très mal ; peu énergétique (40 Kcal ou 168 kJ pour 100 g), elle est riche en pectines.

Les Anciens attribuaient son origine à une intervention divine : la nymphe Ida s'étant piqué le doigt en cueillant des baies pour Jupiter enfant, les framboises, qui jusque-là étaient blanches, devinrent rouges. La culture de ce fruit remonte au Moyen Âge, elle fut améliorée au XVIIIe siècle et se développa réellement au XXe siècle.

■ **Variétés.** De forme ovoïde ou conique, de la taille d'un ongle, d'un rouge plus ou moins foncé ou jaune (peu consommées par les oiseaux), la framboise est sucrée, un peu acide et très parfumée. Les variétés non remontantes, de mi-juin à mi-juillet, sont : meeker, glen moy, schœnemann, mailing promise. Les variétés remontantes, de mi-juillet à octobre, sont : héritage, lloyd george, hybrides. La framboise apparaît sur les marchés à la mi-avril (elle est alors cultivée en serre) ; celle qui se vend de la mi-juin à octobre, cultivée en pleine terre, est délicieuse ; une autre variété est présente à l'automne, mais moins appréciée, et la loganberry, hybride américain de mûre et de framboise, très grosse, rouge foncé, vendue en septembre-octobre, est fade malgré son bel aspect. Congelée, la framboise est disponible toute l'année.

■ **Emplois.** Fruit de dessert par excellence, la framboise se mange nature, avec du sucre ou de la crème fraîche. On en fait des compotes, des confitures, des entremets, des gelées, des sirops et des tartes, ainsi que des boissons fermentées, des liqueurs et de l'eau-de-vie. Son jus parfume glaces et sorbets. Elle se conserve au sirop, à l'eau-de-vie ou au naturel.

▶ Recettes : AMANDE, BARQUETTE, BÛCHE DE NOËL, FIGUE, SORBET, SOUFFLÉ, SOUFFLÉ GLACÉ.

FRANÇAISE (À LA) Se dit de grosses pièces de boucherie servies avec des bottillons de pointes d'asperge, des laitues braisées, des bouquets de chou-fleur nappés de sauce hollandaise et des croustades en pommes duchesse, panées, frites, évidées et garnies de macédoine de légumes. La garniture peut aussi se composer d'épinards et de pommes Anna. La sauce d'accompagnement des apprêts à la française est une demi-glace légère ou un fond de veau clair.

Les petits pois préparés « bonne femme », mais servis sans laitue ni oignon, sont dits « à la française ».

▶ Recettes : BLINI, CIVET, MERINGUE, PETIT POIS, PUDDING.

FRANCHE-COMTÉ Pays de montagnes et de forêts d'épicéas, pays de ruisseaux, de rivières et de lacs, la Franche-Comté offre en abondance fromages et salaisons, champignons et poissons. La longue tradition de fumaison du porc explique la diversité et la saveur des charcuteries dont le fleuron est la saucisse, ou jésus, de Morteau, gros saucisson que l'on goûte poché au vin avec des aromates, des lamelles de lard et des pommes de terre.

En matière de haute cuisine, la Franche-Comté fait la part belle aux poulardes ou autres volailles. Plus insolites sont les oreilles de veau façonnées en cornets puis farcies de ris de veau, de poulet et de champignons. La chasse fournit le gibier à plume. La pêche procure des grenouilles que l'on cuisine sautées aux fines herbes ou à la sauce poulette au vin d'Arbois, des brochets servis en quenelles, en terrine ou à la crème et bien d'autres poissons d'eau douce. Les champignons sauvages, chanterelles et mousserons, oronges et morilles, parfument merveilleusement viandes ou œufs, à moins que, montés en soufflé, ils ne constituent à eux seuls une entrée. Mais les grandes célébrités de la région sont les écrevisses, délicieuses sautées avec des échalotes puis mouillées au vin jaune et à la crème, parfois même associées à des morilles. On les retrouve aussi en coulis, en mousse, en purée dans les apprêts à la Nantua.

■ **Soupes et légumes.**

● POTÉE, GAUDES, FECHUM. Le plus plantureux des plats familiaux est la potée de légumes garnie de viandes fumées, palette, jambon et jésus de Morteau. Les soupes se font à base de comté, de légumes frais, de haricots ou de pois secs, ou, pour varier, à l'orge, à l'andouille, aux grenouilles, au cerfeuil ou aux morilles. La soupe de « gaudes » est une bouillie de farine de maïs grillé, délayée à l'eau, dans laquelle on verse du lait froid ou de la crème. Baptisé fechum, le chou est farci de chair à saucisse à la mode de Montbéliard. Les haricots rouges mijotent au vin rouge et les poireaux fondent dans du vin d'Arbois.

■ **Viandes et volailles.**

● BŒUF : DAUBE, BRÉSI. La daube de bœuf au vin est un plat de fête, mais la spécialité régionale la plus originale en matière de bœuf est le brési, viande maigre frottée d'épices et d'aromates, salée, fumée et séchée ; on la déguste en tranches fines comme la viande des Grisons.

● PORC : SAUCISSES ET JAMBONS FUMÉS, POTÉE. De même que le jésus de Morteau, les petites saucisses de Montbéliard sont fumées au bois de genévrier ou d'épicéa et figurent dans bien des plats comtois. Le jambon de Luxeuil-les-Bains est macéré au vin, égoutté, salé, fumé et séché. La potée, plat de base le plus apprécié, est faite également avec des morceaux de porc fumé.

● VOLAILLES : POULET À LA VÉSULIENNE, COQ AU VIN JAUNE. Le poulet est cuisiné au vin d'Arbois ou en sauce blanche, gratiné au fromage ou aux morilles. À la vésulienne, on le farcit de lard fumé et d'oignon et, après l'avoir cuit en pâte, on le sert avec une sauce au persil. Le coq, déglacé au vin jaune, est enrichi de morilles et de crème fraîche ; c'est un classique de la cuisine comtoise.

■ **Fromages.**

Le plus célèbre, le gruyère de Comté, ou comté tout court, possède une pâte ferme, fine et fruitée, largement utilisée en cuisine. Le morbier a une pâte pressée traversée par une ligne de suie. La cancoillotte se consomme tiède sur du pain grillé. Le mont-d'or, ou vacherin du haut Doubs, peut se déguster à la petite cuillère, accompagné de pommes de terre, de jambon, de cornichons et de petits oignons. Le bleu de Gex, ou du haut Jura, ou de Septmoncel, à la pâte persillée, se sert parfois en fondue où se mêlent gruyère, vin rouge, beurre, ail et moutarde. Citons aussi l'emmental, de la même famille que le gruyère, le mamirolle, une pâte pressée, et les chèvres locaux.

■ **Pâtisseries.**

● GALETTE DE GOUMEAU, BEIGNETS, BISCUITS. Gaufres et beignets sont de toutes les fêtes : beignets de fleurs d'acacia au printemps, beignets de « gaudes », confectionnés à partir de bouillie de maïs refroidie et découpée en morceaux, pets-de-nonne, merveilles, etc. La galette de goumeau, mélange d'œufs et de crème du haut Jura, se retrouve dans toute la région. Les tartes aux noix, les soupes aux cerises et l'omelette au kirsch apparaissent au fil des saisons. Les biscuits sont variés (massepain, craquelin) et les confitures souvent originales (épine-vinette, airelle). Les miels d'acacia, de tilleul et d'épicéa sont réputés.

■ **Vins et eaux-de-vie.**
Les vins du Jura se répartissent en quelques crus réputés : arbois, arbois pupillin, côtes-du-jura, château-chalon (vin jaune), l'étoile. La région est également connue par deux vins originaux : le vin jaune et le vin de paille. Marcs et eaux-de-vie sont excellents, notamment le kirsch de Fougerolles.

FRANCILLON Nom d'une salade composée (pommes de terre et moules marinière, agrémentées d'une vinaigrette au vin blanc, de céleri haché et de truffes), dont la recette originale fut donnée dans une pièce d'Alexandre Dumas fils, *Francillon,* créée à la Comédie-Française le 9 janvier 1887. Les restaurateurs parisiens tirèrent profit de cet événement littéraire et gastronomique en mettant la nouvelle salade à leur carte. Le restaurateur Paul Brébant prit l'initiative de remplacer les pommes de terre par des crosnes du Japon, transformant la salade Francillon en « salade japonaise ».

L'appellation « Francillon » a également été donnée à une bombe glacée, chemisée de glace au café et emplie d'une pâte à bombe à la fine champagne, ainsi qu'à une préparation de filets de poisson grillés (maquereau, etc.).

FRANGIPANE Crème cuite, faite de lait, de sucre, de farine, d'œufs et de beurre, additionnés de macarons écrasés ou d'amandes en poudre et, éventuellement, de quelques gouttes d'extrait d'amande amère. Le nom de cette crème vient du nom d'un parfumeur italien installé à Paris au XVIIe siècle, Frangipani : ce dernier avait mis au point un parfum pour les gants, à base d'amande amère, dont les pâtissiers s'inspirèrent. La frangipane s'emploie pour garnir des fonds de tarte et pour fourrer des gâteaux feuilletés ou des crêpes.

En cuisine classique, la frangipane est une variété de panade servant à farcir volailles et poissons, faite de farine, de jaunes d'œuf, de beurre et de lait.

▶ Recettes : CRÈMES DE PÂTISSERIE, DARTOIS.

FRAPPER Refroidir rapidement. Frapper une glace, c'est la réserver à basse température pour assurer sa parfaite conservation. Frapper une crème ou un appareil glacé, c'est entourer la préparation de glace pilée ou la mettre au congélateur pour la faire prendre. Frapper du champagne, c'est plonger la bouteille dans un seau à glace garni de glace pilée. Frapper un cocktail, c'est le secouer avec de la glace dans un shaker.

FRASCATI Maison de jeu et de divertissement, au milieu de jardins, où les Parisiens élégants allaient déguster des gâteaux, danser et se distraire, dans les années 1800. Situé à l'angle de la rue de Richelieu et du boulevard des Italiens, l'établissement fut fondé par un glacier napolitain nommé Garchi, du nom de l'un des célèbres *castelli romani,* centres de villégiature pour Romains aisés. *Frascati* a donné son nom à une garniture de grosses pièces de boucherie et à divers entremets.

▶ Recette : BŒUF.

FRASCATI (VIN) Vin blanc renommé, produit dans le Latium, en Italie, pratiquement aux portes de Rome, connu et apprécié depuis l'Antiquité. Issus pour la plupart des cépages malvasia, di candia et trebbiano toscano, les frascatis sont secs, moelleux ou mousseux, les meilleurs d'entre eux pouvant prétendre, s'ils titrent plus de 12 % Vol., à la mention « superiore ».

FRÉMIR Être agité, quand il s'agit d'un liquide, du léger frémissement qui précède l'ébullition. La cuisson de certains mets à l'eau, au court-bouillon ou au lait demande que l'élément liquide soit maintenu frémissant pendant un certain temps : c'est notamment le cas pour les apprêts pochés (œufs, poissons).

L'eau destinée à la préparation d'une infusion doit, elle aussi, juste frémir et non bouillir.

FRÊNE Arbre des régions tempérées, de la famille des oléacées, dont on utilise les feuilles pour préparer une boisson ménagère fermentée, la frénette, ou comme ersatz de thé ; les fruits verts du même arbre, confits au vinaigre, remplacent les câpres.

_____
frénette

Faire bouillir 30 min, dans 2 litres d'eau, 50 g de feuilles de frêne et 10 écorces d'orange émincées ; passer dans un linge fin. Faire fondre 3 kg de sucre cristallisé dans cette infusion passée et ajouter 50 g d'acide citrique. Verser dans un tonnelet de 50 litres. Délayer à froid 30 g de levure dans 2 cuillerées de caramel et verser dans le tonnelet. Remplir d'eau. Laisser fermenter 8 jours. Mettre en bouteilles.

FRENEUSE Nom d'un potage fait d'une purée de navet et de pomme de terre détendue avec du fond blanc ou du consommé et liée de crème fraîche, et que l'on peut garnir de petites boules de navet.

FRÈRES PROVENÇAUX (LES TROIS) Restaurant parisien tenu par trois beaux-frères d'origine provençale, Maneille, Simon et Barthélemy, qui ouvrirent en 1786, rue Helvétius (actuellement rue Sainte-Anne), un restaurant bon marché. Celui-ci connut rapidement le succès, à cause de la nouveauté des plats méridionaux que l'on y servait. Maneille continua d'exploiter l'établissement, tandis que ses beaux-frères entraient au service du prince de Conti. À nouveau réunis, tous trois s'installèrent ensuite au Palais-Royal, dans la galerie de Beaujolais ; leur restaurant était cette fois un établissement de luxe, très à la mode, et sa vogue dura pendant tout le début du XIXe siècle.

En 1836, le restaurant fut vendu et perdit sa renommée et sa clientèle. Il connut de nouveau le succès pendant le second Empire, dirigé cette fois par Godin, puis par Dugléré, Hurel et enfin Goyard. Il ferma définitivement ses portes en 1869.

FRESSURE Ensemble formé par le cœur, la rate, le foie et les poumons d'un animal de boucherie (**voir** tableau des abats page 10). Chez le bœuf et le veau, ces divers abats sont séparés lors de l'éviscération.

La fressure d'agneau ou de mouton est accommodée dans plusieurs régions en ragoût au vin.

La fressure de porc est une spécialité vendéenne préparée en civet, avec le sang et les couennes de l'animal ; on y ajoute parfois la tête.

FRIAND Petit pâté de feuilletage fourré de chair à saucisse, d'un hachis de viande, de jambon ou de fromage, cuit au four et servi en hors-d'œuvre chaud.

Le friand est aussi une petite pâtisserie, proche du financier, faite d'une pâte à biscuit aux amandes et aux blancs d'œuf, cuite dans des moules à barquette ou rectangulaires.

RECETTE DE PHILIPPE GOBET
friand façon Lenôtre
POUR 4 PERSONNES
« Mélanger 160 g de chair à saucisse, 40 g de jambon cuit coupé en morceaux, 1 œuf, 1 cuillerée à soupe de porto rouge et 15 g de foie gras de canard mi cuit. Assaisonner de sel, de poivre et de noix de muscade. Hacher le tout au cutter. Préchauffer le four à 180 °C. Placer la farce sur un rectangle de pâte feuilletée, recouvrir d'un deuxième rectangle de pâte et souder les extrémités en formant un boudin. Dorer à l'œuf. Couper des portions de 2,5 cm de côté et les déposer sur une plaque à pâtisserie. Cuire au four pendant 20 min. »

FRIANDISE Aliment fin et délicat, généralement sucré. Le terme désigne surtout les petites pâtisseries et sucreries que l'on consomme entre les repas, habituellement avec les doigts. Les friandises peuvent se servir avec le café ou le thé, ou clore un repas après le dessert, servies en assortiment sur un plateau.

FRIBOURG Nom donné en France au gruyère suisse, la vallée de la Gruyère, qui reste le lieu de meilleure provenance de ce fromage, se trouvant dans le canton de Fribourg.

FRICADELLE Boulette allongée ou palet fait d'un hachis de viande ou d'une farce. Les fricadelles peuvent être frites, poêlées ou cuites en ragoût. Elles se retrouvent couramment dans les cuisines belge et allemande, où elles sont parfois cuisinées à la bière. On les sert avec une sauce tomate, au paprika ou au cari, des pâtes fraîches, du riz ou une purée de légumes.

FRICANDEAU Tranche épaisse de noix de veau, piquée de lard gras. Le fricandeau, braisé ou poêlé, est servi avec des épinards, une fondue d'oseille, des petits pois ou une jardinière, mais il se consomme aussi après avoir refroidi dans son fond de braisage.

Par extension, on appelle également « fricandeau » une grosse darne d'esturgeon ou de thon, voire de saumon, braisée au maigre.

Le fricandeau est encore une spécialité charcutière du Sud-Ouest, faite de boulettes de viande de porc (gorge, foie, rognon) hachée et aromatisée, enveloppées de crépine et cuites au four, que l'on sert froides, enrobées de gelée et de saindoux (**voir** tableau des pâtés page 623).

fricandeau d'esturgeon à la hongroise

Dorer au beurre des tranches épaisses d'esturgeon piquées de lard, avec de l'oignon détaillé en petits dés. Poudrer de sel et de paprika, et ajouter 1 bouquet garni. Mouiller de 20 cl de vin blanc. Faire réduire. Ajouter 30 cl de velouté maigre. Terminer la cuisson au four préchauffé à 180 °C. Dresser sur un plat rond ; beurrer la sauce et la servir avec le poisson. Accompagner d'oignons glacés, de pommes vapeur, de boules de concombre ou d'une purée de poivron.

fricandeau de veau à l'oseille

Détailler du lard gras en petits bâtonnets, arroser ceux-ci d'un jet de cognac et ajouter du persil haché (facultatif) ; en piquer une tranche de noix de veau de 3 ou 4 cm d'épaisseur et la faire dorer au beurre ou à l'huile avec des os de veau concassés. Éplucher et couper en dés 2 carottes et 2 oignons, les faire revenir dans du beurre et en garnir une braisière. Poser le fricandeau sur ces légumes, ajouter les os, 1 bouquet garni, 1/2 pied de veau blanchi et désossé. Mouiller de vin blanc ou rouge à mi-hauteur, saler et poivrer, couvrir et porter à ébullition sur le feu. Cuire ensuite 1 heure, à découvert, dans le four préchauffé à 220 °C. Remettre la braisière sur le feu. Délayer 1 cuillerée à soupe de tomate concentrée dans 50 cl de bouillon et mouiller le fricandeau, à peine à hauteur. Porter de nouveau à ébullition et cuire au four encore 1 h 30. Égoutter le fricandeau et le dresser dans un plat à rôtir ; passer le fond de braisage, en arroser la viande puis faire glacer dans le four. Servir avec une fondue d'oseille et le reste de fond de braisage en saucière.

FRICASSÉE Apprêt à blanc de la volaille ou du veau (parfois de l'agneau). La viande, coupée en morceaux, est raidie à feu doux, sans coloration, avec une garniture aromatique ; elle est ensuite farinée, mouillée de fond blanc et cuite dans un liquide lié. La fricassée est généralement crémée et garnie de petits oignons glacés à blanc et de champignons pochés. Le terme s'applique aussi parfois à des apprêts de poisson en morceaux, sautés, puis cuits en sauce.

Autrefois, la fricassée était un ragoût à blanc ou à brun de volaille, de viande, de poisson ou de légumes. Au XVIIe siècle, La Varenne citait le foie et les pieds de veau, les poulets, les pigeonneaux, les pommes et les asperges fricassés, mais cet apprêt, très courant, était considéré comme peu distingué.

fricassée d'agneau

Faire dégorger des morceaux d'agneau et bien les éponger. Les faire revenir dans du beurre, sans coloration ; saler et poivrer. Poudrer de 2 cuillerées de farine et mélanger sur le feu. Mouiller avec du fond blanc ou du consommé, ajouter 1 bouquet garni et porter à ébullition. Cuire ensuite de 45 min à 1 heure à couvert et à petits bouillons. Préparer des champignons sautés au beurre et des petits oignons glacés. Retirer les

morceaux d'agneau de la sauteuse, les remplacer par les petits oignons et les champignons, mouiller avec la sauce et lier aux jaunes d'œuf. Verser dans un plat creux chauffé, y disposer les morceaux d'agneau et parsemer de persil ciselé.

fricassée de petits pois et gingembre au pamplemousse ▶ PETIT POIS

RECETTE DE GEORGES BLANC

fricassée de volaille de Bresse de la Mère Blanc

POUR 4 PERSONNES

« Peler et couper 1 gros oignon en quatre. Laver 10 champignons de Paris, les sécher puis les couper en quartiers. Écraser 2 gousses d'ail non pelées avec la lame d'un couteau. Prendre 1 poulet de Bresse de 2 kg environ, le découper en quatre après l'avoir vidé. Dans une sauteuse, mettre 100 g de beurre sur feu vif. Une fois le beurre bien chaud, déposer les morceaux de poulet côté peau, les assaisonner. Ajouter la garniture aromatique. Singer avec 2 cuillerées à soupe de farine, laisser dorer puis déglacer avec 20 cl de vin blanc sec. Faire réduire. Ajouter 1 litre de crème fraîche, bien mélanger le tout. Porter à ébullition, puis réduire le feu et faire mijoter 30 min environ. Retirer les morceaux de poulet, les disposer dans un plat de service. Passer la sauce dans une passoire fine au-dessus d'une casserole, assaisonner selon le goût. En napper les morceaux de volaille et servir aussitôt. »

FRICHTI Repas ou plat unique cuisiné à la maison et servi sans façon. Le mot, employé dans le langage familier, fut sans doute introduit dans les années 1860 par les soldats alsaciens, qui prononçaient « frichtik » le mot *Frühstück*, le petit déjeuner toujours assez copieux des pays germaniques.

FRINAULT Fromage orléanais de lait de vache (50 % de matières grasses), à pâte molle et à croûte naturelle bleutée (affinage en cave humide) ou cendrée (affinage en coffre dans de la cendre de bois). Il se présente sous la forme d'un disque de 9 cm de diamètre et de 2 cm d'épaisseur. Souple, le frinault a une saveur fruitée.

FRIRE Cuire un aliment, ou terminer sa cuisson, par immersion dans un corps gras porté à haute température (**voir** tableau des modes de cuisson page 295). Ce mode de cuisson, réalisé au dernier moment, s'applique surtout à de petites pièces crues ou cuites, soigneusement épongées et séchées.

L'aliment est souvent enrobé de farine, de mie de pain, de pâte à frire, de pâte à crêpes, de pâte à choux, etc., ce qui lui donne une belle croûte colorée.

▶ Recette : PÂTES DE CUISINE ET DE PÂTISSERIE.

FRITEUSE Appareil électrique remplaçant la traditionnelle bassine à friture. La friteuse se compose d'une cuve plus ou moins grande, d'une résistance électrique, incorporée ou non, d'un thermostat gradué, d'un couvercle, d'un panier d'égouttage et d'un voyant lumineux. La friteuse peut fonctionner sans couvercle : la profondeur de la cuve évite les éclaboussures.

Quand les aliments sont saisis juste à point, la pellicule qui se forme à leur surface empêche le corps gras de les imbiber ; elle évite également que le bain de friture ne prenne le goût des aliments.

FRITOT Beignet salé fait d'un morceau d'aliment, généralement cuit, mariné, puis trempé dans une pâte à frire assez légère et plongé dans un bain d'huile très chaude. À la différence du vrai beignet, il est toujours accompagné d'une sauce tomate.

Les fritots (ou friteaux) se font avec des cuisses de grenouille, des huîtres et des moules, du saumon en dés ou en escalopes, des filets de sole coupés en deux, des abats ou des légumes. Épongés, dressés sur une serviette ou du papier gaufré, ils se servent avec du persil frit et des quartiers de citron, en hors-d'œuvre chaud.

amourettes en fritots ► AMOURETTE

fritots de foies de volaille

Parer 500 g de foies de poulet ou de canard et les réduire en purée au tamis ou au mixeur. Éplucher et hacher finement et séparément 4 échalotes, 1 petit bouquet de persil et 1 petite gousse d'ail. Faire fondre légèrement les échalotes dans 25 g de beurre. Mélanger dans une terrine la purée de foie, l'ail, le persil, les échalotes, 1 tasse de mie de pain fraîche finement émiettée, 2 œufs battus en omelette, 2 cuillerées à soupe de madère, 2 cuillerées à soupe de crème, 1 cuillerée à soupe de farine, du sel et du poivre. Bien mélanger le tout et laisser reposer 1 heure. Diviser alors la préparation en petites portions de la gros d'une mandarine, les rouler en boules, les aplatir légèrement et les passer dans de la pâte à frire. Les plonger dans de l'huile très chaude (180 °C) et servir avec une sauce tomate relevée et du persil frit.

fritots de grenouilles

Aromatiser de l'huile avec un peu d'ail et de persil hachés, du jus de citron, du sel et du poivre ; y laisser mariner 30 min des cuisses de grenouille parées. Les raidir rapidement dans une poêle, laisser refroidir. Les tremper dans une pâte à frire et les plonger dans de l'huile très chaude (180 °C). Les égoutter, les éponger sur du papier absorbant et servir avec du persil frit, des quartiers de citron et une sauce indienne, gribiche ou de sauce tomate.

FRITTO MISTO Spécialité italienne (« mélange frit »), faite d'un assortiment de beignets salés : volaille escalopée, cervelle ou ris de veau, foie de volaille, grande variété de légumes frais et fromages comme la ricotta ou la mozzarella. Les éléments sont cuits – après marinage dans de l'huile d'olive pour les viandes –, puis passés dans une pâte à frire légère et plongés dans un bain d'huile très chaud.

Le fritto misto se sert avec des quartiers de citron et parfois de très petites escalopes de veau marinées, panées et sautées au beurre.

FRITURE Cuisson d'un aliment par immersion rapide dans un bain de matière grasse très chaud (**voir** tableau des modes de cuisson page 295). Bien menée, à la bonne température, la friture doit donner une préparation sèche, croustillante et dorée.

■ **Préparation des aliments.** Les aliments doivent être aussi secs que possible, car l'eau, qui s'évapore à 100 °C, dissocie la friture (chauffée entre 140 et 180 °C).

Les aliments qui contiennent de l'albumine (qui coagule), de l'amidon ou du sucre (qui caramélise) peuvent être plongés directement dans la friture : pommes de terre, épluchées, lavées, taillées (allumettes, chips, paille, pont-neuf, soufflées) et essuyées ; œufs ; très petits poissons, séchés quelques instants à l'air libre ; pâte à brioche et pâte à choux incorporées ou non à un aliment à frire, soit en cuisine, soit en pâtisserie. Les autres aliments doivent être d'autant plus isolés par enrobage qu'ils contiennent beaucoup d'eau.

Les poissons, entiers ou en tranches, sont d'abord trempés dans du lait froid, puis salés et passés dans la farine, dont on fait tomber l'excédent en les secouant légèrement.

Les viandes, abats, volailles et croquettes, humides, ont besoin d'être protégés par une triple couche de farine, d'œuf battu, puis de mie de pain fraîche et tamisée, ou séchée et écrasée (panure anglaise).

Enfin, les légumes et les fruits qui comportent une très forte proportion d'eau doivent être parfaitement isolés par de la pâte à frire.

Il faut que l'aliment à frire ne soit pas trop gros, car la température doit l'atteindre rapidement à cœur ; c'est pourquoi les pommes de terre sont coupées en bâtonnets ou en fines lamelles, les fruits et les légumes, en rondelles ou en petits bouquets, les préparations pâteuses, détaillées en grosses noix.

■ **Choix de la matière grasse.** La graisse ou l'huile doit être pure, résistante à la chaleur et relativement neutre de goût. Les huiles provenant d'un mélange sont déconseillées ; le beurre et la margarine

sont exclus, car ils se décomposent vers 100 °C. Les huiles d'olive, d'arachide, de palme, de tournesol, de pépins de raisin ou de courge et les margarines végétales conviennent pour tous les usages : elles ne rancissent pas et supportent les fortes températures (l'huile de tournesol, toutefois, n'est pas très résistante aux chauffages répétés). La graisse de rognon de bœuf, de veau, de cheval, ainsi que la panne de porc (éviter la graisse de mouton et la graisse d'oie clarifiée, qui ont une odeur de suint) s'emploient également à hautes températures ; les corps gras d'origine animale sont moins utilisés car peu diététiques.

L'entretien et la conservation du bain de friture nécessitent quelques soins. Après utilisation, il faut laisser refroidir celui-ci et le décanter avant de le passer au chinois.

Il est déconseillé de lui rajouter de la matière grasse fraîche ; mieux vaut l'utiliser jusqu'à saturation, puis le jeter. Il est toujours préférable de séparer les bains servant pour le poisson, le salé et le sucré, et de les conserver, pour six ou sept utilisations, dans des récipients étanches et bouchés.

■ **Conseils.** Il suffit de suivre quelques règles pour réussir de bonnes fritures.
– Respecter la proportion théorique d'un volume d'aliment pour trois volumes de friture.
– Ne remplir la bassine ou la friteuse qu'à moitié, pour éviter projections et débordements ; la température doit rester constante une fois que le degré de cuisson est atteint.
– Faire chauffer la friture seule avant de l'utiliser, ce qui l'empêchera par la suite de mousser ou de déborder, et de trop imbiber les aliments (qui, moins gras, seront alors plus digestes).
– Vérifier la température de cuisson idéale en y plongeant un petit morceau de l'aliment à frire : s'il remonte en bouillonnant au bout d'une vingtaine de secondes, la friture est prête.
– Ne jamais laisser une friture brunir ou fumer, car un corps gras qui a dépassé la température dite « critique » (en général 210 ou 220 °C) devient toxique.

■ **Degrés de friture.** Selon l'utilisation du bain de friture, on reconnaît trois degrés successifs de cuisson.
– La friture moyenne (entre 140 et 160 °C, obtenue en 15 min) convient pour le premier bain de certains apprêts de pommes de terre (sans coloration) et pour les poissons en tranches.
– La friture chaude (de 160 à 175 °C, obtenue en 25 min) concerne toutes les fritures enrobées, les beignets, qui doivent gonfler, et les préparations déjà cuites, qu'il faut juste colorer (croquettes).
– La friture très chaude (aux environs de 180 °C, avant qu'elle ne commence à dégager une odeur) est réservée aux petits poissons et aux pommes paille, chips ou gaufrettes, qui cuisent en même temps qu'ils se colorent (la manipulation doit être très rapide) ; elle permet aussi la seconde cuisson des pommes de terre pont-neuf, allumettes, mignonnettes, etc.

Quand l'aliment frit est cuit, il remonte à la surface (sauf les beignets, qui doivent être retournés). Il faut alors le sortir immédiatement, le laisser égoutter dans le panier de cuisson, puis le déposer sur du papier absorbant avant de le dresser, poudré de sel ou de sucre, sur du papier ou une serviette.

FROID Moyen de conservation des produits alimentaires, certainement le plus ancien, le froid était déjà utilisé dans l'Antiquité et au Moyen Âge (glacières rudimentaires creusées dans le sol et remplies de glace ou de neige).

Cependant, l'industrie du froid ne connut un essor considérable qu'à partir du milieu du XIXᵉ siècle, avec les inventions des Français Ferdinand Carré et Charles Tellier et de l'Américain Birdseye.

On a fixé le seuil du froid entre – 8 et – 10 °C, températures auxquelles le ralentissement des activités enzymatiques et bactériennes freine l'altération des aliments. Plus ce niveau s'abaisse, plus la conservation se prolonge.

On appelle « chaîne du froid » l'ensemble des conditions indispensables à la bonne conservation des produits frais, congelés, des surgelés et des glaces (**voir** CONGÉLATION, RÉFRIGÉRATEUR, SURGÉLATION). Pour que la chaîne du froid des surgelés ne soit jamais interrompue, même partiellement, les produits doivent être maintenus en permanence, entre le moment de la congélation et celui de l'utilisation, à – 18 °C au moins. Ils doivent par conséquent être stockés en chambre froide chez le fabricant et le distributeur, transportés dans des véhicules isothermes, mis en vente à la température souhaitée, dans des bacs ou des armoires spéciales.

Le consommateur doit respecter lui aussi la chaîne du froid, en transportant les produits surgelés qu'il a achetés dans un sac isotherme, en les mettant rapidement au congélateur et en ne recongelant jamais un produit décongelé.

FROMAGE Aliment obtenu par coagulation du lait, suivie d'un égouttage dans un moule (en latin *forma*, d'où le nom de fromage). On distingue les fromages frais (ou blancs), les fromages affinés (les plus nombreux et les plus variés) et les fromages fondus (plus récents). (**Voir** tableaux et planches des fromages français pages 389 à 395 et des fromages étrangers pages 396 à 400.)

■ **Histoire.** Les premiers fromages sont apparus en même temps que l'élevage. En effet, le lait que l'on ne buvait pas tout de suite et qui ne se conservait pas était utilisé autrement : on le laissait cailler, on le pressait, on le saupoudrait de sel et on le faisait sécher au soleil sur des pierres.

Dans la Grèce antique, nombre de pâtisseries étaient faites avec du fromage frais de chèvre ou de brebis ; séché, celui-ci constituait également un aliment de longue conservation pour les soldats et les marins. Les Romains maîtrisaient bien la fabrication des fromages, qu'ils appréciaient plus ou moins secs et parfois fumés, comme le précise un traité d'agronomie rédigé par Columelle, à l'époque où fut découverte la préparation des pâtes pressées, grâce à l'utilisation du pressoir (Ier siècle apr. J.-C.). Ils appréciaient notamment un « ragoût de fromage » à base de fromage, de poisson salé, de cervelle, de foie de volaille, d'œuf dur et d'aromates.

Au cours des siècles, les techniques artisanales introduisirent une extrême diversification dans les fromages, donnant naissance aux grandes dominantes régionales (pâtes molles de l'Ouest et du Nord, fromages de chèvre de Touraine et du Poitou, bleus du Centre, pâtes cuites des Alpes, etc.). Les ordres monastiques, en particulier, jouèrent un rôle important dans le perfectionnement des procédés de fabrication (munster, saint-paulin, fromages de trappistes, etc.).

Aliment complet, le fromage était consommé par les plus humbles (il fut de tout temps la base du repas des paysans). Il acquit ses lettres de noblesse au début du XVe siècle, lorsque Charles d'Orléans en offrit en étrennes aux dames de sa cour. Les produits de Hollande et de Suisse se vendaient aussi sur les marchés français.

Au XVIIe siècle, le fromage était très employé en cuisine, notamment dans les sauces et la pâtisserie. Pendant la Révolution, les difficultés d'approvisionnement lui firent perdre une partie de sa popularité, mais il la retrouva à partir de l'Empire, époque à laquelle on appréciait surtout le maroilles du Hainaut, le neufchâtel normand, le roquefort, le gruyère suisse et le parmesan italien, tandis que le brie était sacré « roi des fromages » lors d'un dîner du congrès de Vienne (1814-1815).

Au XXe siècle, la pasteurisation et l'industrialisation investirent les laiteries traditionnelles, et de nouveaux produits firent leur apparition. Aujourd'hui, les techniques les plus modernes de conservation permettent aux fromages d'arriver sur leur lieu de destination en ayant gardé toutes leurs qualités.

Les fromages fermiers, ou de petites « fromageries », fabriqués artisanalement selon les méthodes traditionnelles, sont souvent plus goûteux que les fromages laitiers, produits industriellement. Parmi ces derniers, ceux qui sont fabriqués avec du lait cru sont meilleurs que ceux qui sont « pasteurisés ». Pour tous, la saison d'achat a son importance.

■ **Fabrication.** Les centaines de variétés de fromages se différencient d'abord par la nature du lait utilisé, puis par les techniques de fabrication. Mais les étapes du processus restent les mêmes.

• **MATURATION DU LAIT (HORS LES PÂTES CUITES).** Elle se fait naturellement ou sous l'action de ferments lactiques. C'est une phase de développement des ferments lactiques naturellement présents dans le lait cru ou bien ensemencés pour le lait pasteurisé. Ils préparent le lait à la fabrication du fromage en l'acidifiant.

• **COAGULATION (OU CAILLAGE).** Le lait additionné de présure coagule la caséine (protéine de lait), qui devient floconneuse puis forme un gel : c'est le caillé (solide). Le petit-lait, ou lactosérum, peut alors être séparé par égouttage naturel ou forcé.

• **DÉCAILLAGE ET ÉGOUTTAGE.** Le caillé partiellement égoutté devient du fromage frais. Toutefois, il est possible de brasser ce caillé en grains plus ou moins grossiers, de le malaxer, voire le chauffer, pour obtenir, après moulage, une gamme étendue de produits.

• **MOULAGE.** Ce caillé éventuellement ensemencé de moisissures internes ou externes est moulé, puis pressé parfois pour finir l'égouttage et, enfin, salé au démoulage (en surface au sel sec ou par immersion dans de la saumure).

• **AFFINAGE.** C'est durant l'affinage que le caillé du fromage fermente. Cette opération dure plus ou moins longtemps, en milieu sec ou humide (de 70 à 90 % d'humidité relative), dans des caves, ou hâloirs, et permet au fromage d'acquérir ses qualités particulières de texture, de couleur et de goût.

■ **Familles.** Tous les fromages sont regroupés en grandes familles.

• **FROMAGES FRAIS.** Non affinés, ils sont obtenus par coagulation lactique, avec un ajout très réduit de présure ; égouttés lentement, ils sont toujours riches en eau, parfois salés ou battus avec de la crème fraîche.

• **FROMAGES À PÂTE MOLLE ET À CROÛTE FLEURIE.** Le caillé est obtenu par caillage mixte (maturation du lait et ajout de présure) ; rarement malaxé, égoutté spontanément, il est moulé et couvert de moisissures externes durant l'affinage.

• **FROMAGES À PÂTE MOLLE ET À CROÛTE LAVÉE.** Le caillé est obtenu par caillage présure ou mixte ; le caillé est légèrement brassé et pré-égoutté pour certains, puis moulé. Ces fromages sont lavés à l'eau salée, parfois additionnée de colorant (roucou), durant l'affinage.

• **FROMAGES À PÂTE PERSILLÉE.** Le caillé est découpé après le caillage, parfois légèrement brassé, puis ensemencé en moisissures (qui donnent les veinures) avant le moulage et l'affinage. Durant ce dernier, le « bleu » se développe dans les cavités du caillé ou le long des piqûres faites dans la pâte (veines).

• **FROMAGES À PÂTE PRESSÉE NON CUITE (OU « À PÂTE PRESSÉE »).** Ils sont obtenus par caillage à la présure, sans maturation. Le caillé est découpé, puis égoutté par pressage, ensuite brassé ou broyé, salé et, enfin, moulé et pressé à nouveau et mis en affinage.

• **FROMAGES À PÂTE PRESSÉE CUITE.** Le caillé obtenu à la présure est « cuit » à 55 °C environ et brassé pendant une heure au moins, puis soutiré et moulé avant le pressage. Le fromage est salé en saumure, puis affiné avec des frottages réguliers à la saumure mêlée de ferments spécifiques.

• **FROMAGES DE CHÈVRE.** Ce sont des pâtes molles à croûte fleurie, dont le caillé est obtenu après maturation du lait légèrement empresuré. En début d'affinage, ils sont ensemencés de moisissures, d'autres restent nus ou reçoivent du charbon de bois et sont alors dits « cendrés ».

• **AUTRES FROMAGES.** Les fromages de brebis (exclusivement au lait de brebis) peuvent entrer dans toutes ces familles, de même que les fromages au lait mélangé (chèvre-vache, brebis-vache). Les fromages à pâte filée, qui se consomment frais, secs ou fumés, subissent un traitement particulier : après découpage, le caillé est mélangé à du petit-lait, chauffé, puis pétri jusqu'à ce qu'il ait une consistance élastique. Enfin, les fromages fondus (**voir** ce mot) sont obtenus par fonte de plusieurs fromages.

■ **AOC.** Certains fromages – actuellement plus d'une quarantaine en France – bénéficient d'une appellation d'origine contrôlée garantissant leur provenance, leur mode de fabrication, leurs qualités et, pour certains d'entre eux, la fabrication au lait cru. Depuis le 14 juillet 1992, une directive européenne a créé un système d'appellation d'origine protégée (AOP), système proche des AOC à l'échelle européenne. En France, seuls les fromages AOC peuvent obtenir l'AOP.

■ **Diététique.** Les fromages sont énergétiques et riches en protéines ; 100 g de gruyère apportent davantage de protéines que 100 g de viande. Les pâtes pressées contiennent plus de lipides que les pâtes molles. Les fromages sont également riches en calcium (il y en a davantage dans les pâtes pressées cuites que dans les pâtes molles). Enfin, ils sont riches en vitamines B2, B12 et A.

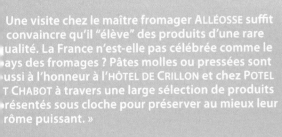

Une visite chez le maître fromager ALLÉOSSE suffit convaincre qu'il "élève" des produits d'une rare qualité. La France n'est-elle pas célébrée comme le pays des fromages ? Pâtes molles ou pressées sont aussi à l'honneur à l'HÔTEL DE CRILLON et chez POTEL T CHABOT à travers une large sélection de produits présentés sous cloche pour préserver au mieux leur arôme puissant. »

La teneur en matières grasses est calculée sur l'extrait sec (100 g de camembert à 45 % de matières grasses et à 45 g d'extrait sec renferment en totalité 20 g de matières grasses). Dans la plupart des autres pays, ce taux est calculé sur le poids total du fromage.

On distingue, selon le pourcentage de matières grasses, les fromages maigres (moins de 20 %), les fromages allégés (20 à 30 %), les fromages gras (50 à 60 %), les doubles-crèmes (au moins 60 %) et les triples-crèmes (au moins 75 %). Aucune appellation spécifique ne distingue les fromages contenant entre 30 et 50 % de matières grasses.

■ **Conservation.** Les fromages se conservent dans le bas du réfrigérateur, bien emballés. Il faut les en sortir une heure avant de les servir. Les pâtes molles, si elles ne sont pas « faites à cœur », gagnent à attendre quelques jours dans un endroit frais. Les bleus doivent être légèrement humides, et une vieille tradition veut que le gruyère se garde dans une boîte étanche avec un morceau de sucre (qui doit être changé lorsqu'il commence à fondre).

Quand un fromage a été entamé, sa surface de coupe doit être protégée du dessèchement, tout en laissant respirer le fromage. Il convient de l'envelopper dans un film transparent ou dans une feuille d'aluminium, à condition d'y percer des petits trous.

■ **Service.** Jadis, les fromages se servaient volontiers en guise de dessert. Au XIXe siècle, ils étaient considérés comme une gourmandise masculine, que l'on servait au fumoir, avec les alcools. Aujourd'hui, ils sont plutôt le prolongement du repas, et on les présente après ou avec la salade et avant le dessert.

Ils sont servis sur un plateau dont la matière ne risque pas de leur donner un goût, éventuellement avec du beurre, cette habitude étant sujette à controverse, tout comme la question de savoir s'il faut ou non manger la croûte du fromage : sur ces deux points, les experts sont partagés.

Généralement, on propose au moins trois fromages : une pâte cuite, une pâte persillée et une pâte molle à croûte fleurie ou lavée ; les amateurs apprécient néanmoins un choix de cinq ou six fromages de familles différentes, à moins que l'on ne présente qu'un seul fromage particulièrement bien choisi et affiné.

La coupe obéit à certaines règles de savoir-vivre ; le plateau portera un ou plusieurs couteaux spéciaux, terminés par deux pointes servant à piquer le morceau, car on ne touche pas le fromage avec une fourchette.

Le vin reste le meilleur accompagnement du fromage, mais en fonction de certaines associations qui mettent respectivement en valeur les deux produits.

En règle générale, on sert surtout des vins rouges et légers avec les pâtes molles à croûte fleurie, les chèvres et les pâtes pressées, des vins corsés avec les pâtes molles à croûte lavée et les pâtes persillées.

Mais les chèvres s'accommodent aussi d'un blanc sec et fruité, les pâtes cuites et les pâtes fondues se marient bien avec un rosé ou un blanc, les bleus et le roquefort avec un blanc moelleux ou un vin doux naturel, et le comté est délicieux avec un vin jaune du Jura.

La bière et le cidre conviennent fort bien avec certains fromages.

Enfin, pour bien apprécier le fromage, il est souhaitable de disposer d'un assortiment de pains au goût et à la consistance différents (de campagne, de seigle, voire crackers et *Knäckebrot*).

■ **Fromage et cuisine.** De nombreux fromages sont utilisés en cuisine, comme ingrédient de base ou comme condiment. On les emploie soit crus (canapés, pâtes, salades composées, tartines), soit, plus souvent, cuits (crêpes, feuilletés, gratins, omelettes, pizzas, sauces [Mornay], soufflés, soupes). Il existe une grande variété de plats typiques à base de fromage : aligot, croque-monsieur, croûte, flamiche, fondue, gougère, goyère, gratin, imbrucciata, keshy yena, patranque, raclette, truffade, welsh rarebit. Le fromage frais est plus particulièrement employé en pâtisserie.

▶ Recettes : BARQUETTE, CHOU, CRÊPE, CROISSANT, CROQUETTE, DIABLOTIN, FONDUE, PANNEQUET, SOUFFLÉ, TERRINE.

FROMAGE D'ABBAYE ▶ VOIR **TRAPPISTE** (FROMAGE)

FROMAGE DE CURÉ Fromage à base de lait cru entier de vache, plat à section carrée (de 3 cm de haut et de 7,5 cm de côté), pesant 200 g, ou en cylindre (de 15 cm de diamètre), pesant de 700 à 800 g (**voir** tableau des fromages français page 389). Sa croûte est fine, de couleur jaune uni à brun cuivré. La pâte affinée est souple et homogène. Il est fabriqué dans le pays de Retz, en Loire-Atlantique.

FROMAGE FONDU Fromage obtenu par une polymérisation des chaînes de caséine sous l'influence de la chaleur. À l'origine préparés uniquement avec des pâtes pressées cuites, les fromages fondus peuvent comporter aujourd'hui des fromages frais, des chèvres, des pâtes persillées, des pâtes cuites ou non cuites, etc. On y ajoute du lait, de la crème, du beurre, de la caséine et souvent divers aromates (jambon, paprika, poivre, goût fumé, noix, raisins secs et des sels de fonte).

Les fromages fondus se présentent sous des formes et des poids variables (de 20 g à 2 kg). Ils servent à confectionner tartines et canapés, amuse-gueule, croque-monsieur, gratins, sandwichs, etc.

FROMAGE FORT Fromage préparé avec un ou plusieurs fromages (généralement secs et affinés) broyés ou râpés, que l'on fait macérer avec de l'huile, du vin, de l'alcool, du bouillon, et souvent divers aromates, dans un pot en grès bouché, ce qui leur donne, au bout de quelques semaines (ou de quelques mois), une saveur très relevée, voire piquante. De fabrication surtout familiale, les fromages forts sont une spécialité du Beaujolais, du Lyonnais, des Cévennes, de Franche-Comté, de Savoie et du Dauphiné, mais on en trouve aussi en Provence, dans le Nord et en basse Normandie (fromagée percheronne). Ils se consomment en tartines, sur des rôties ou à la petite cuillère. Véritables « éperons à boire », ils appellent des vins à fort tempérament.

FROMAGE FRAIS Fromage non affiné, également appelé « fromage blanc », obtenu par fermentation lactique (acide) ou enzymatique (douce). Égoutté lentement, il contient entre 60 et 82 % d'eau. Les fromages frais industriels de lait de vache, vendus en pots avec une date limite, sont soit maigres (moins de 20 % de matières grasses), soit enrichis en matière grasse (jusqu'à 72 %). Le caillé peut être lissé, ce qui donne un grain fin, ou non lissé, il garde alors l'aspect de lait caillé. On consomme les fromage frais avec du sucre ou divers aromates, ou additionnés de fruits ou de compotes. Ils peuvent aussi accompagner des pommes de terre en robe des champs. On trouve aussi des fromages frais salés (demi-sel) comme la cervelle de canut (**voir** ce mot). Il existe en outre des fromages frais issus du lactosérum et/ou de babeurre, appelés parfois « faux-fromage » puisque sans lait : brousse, ricotte (ou ricotta) et serra (ou serai).

Le lait de brebis et le lait de chèvre fournissent des fromages frais, plus spécialement fabriqués dans les pays méditerranéens et balkaniques, où ils interviennent largement en cuisine.

La pâtisserie russe (paskha, vatrouchka, nalesniki, cyrniki), et certains apprêts orientaux (beurrecks, aubergines farcies) font souvent appel au fromage blanc. Dans la cuisine traditionnelle, le fromage frais remplace partiellement la crème dans des plats que l'on souhaite alléger en matières grasses ; il s'emploie également dans des sauces de salade, des farces de légumes et de poissons. Mais, surtout, il constitue des desserts diversement aromatisés et s'utilise en pâtisserie (galettes, glaces, soufflés, tartes, etc.).

cervelle de canut ▶ CERVELLE DE CANUT

---

gâteau au fromage blanc

Battre 200 g de fromage blanc frais (faisselle égouttée, ricotta) pendant 2 min. Sans cesser de fouetter, ajouter le zeste râpé de 1 orange non traitée, 3 cuillerées à soupe de jus d'orange, 40 g de sucre, 2 jaunes d'œuf, puis 25 g de fécule de pomme de terre. Préchauffer le four à 200 °C. Monter 2 blancs d'œuf en neige avec une pincée de sel. À mi-parcours, ajouter 40 g de sucre. Les incorporer à la pâte. Verser celle-ci dans un moule. Faire cuire 20 min. Laisser tiédir, puis démouler.

tarte au fromage blanc ▶ TARTE

Caractéristiques des principaux fromages français

NOM	LAIT, % M. G.	PROVENANCE	SAISON	CONSISTANCE ET SAVEUR DE LA PÂTE
pâtes fraîches				
boulette de Cambrai	vache, 45 %	Nord	mars-oct.	tendre, lactique, douce, aromatique
brocciu, ou brocciu corse (AOC)	brebis, chèvre et/ou vache, 40 %	Corse	nov.-juill.	molle ou dure, douce, salée, relevée
brousse du Var	brebis, 45 %	comté de Nice	déc.-mars	tendre, douce
	chèvre, 45 %	comté de Nice	mars-sept.	tendre, douce
caillebotte	vache ou chèvre, % variable	Poitou	juin-fin sept.	tendre, douce, crémeuse
crémet nantais	vache, 45-50 %	Anjou	toute l'année	molle, douce, crémeuse
fontainebleau	vache, 72-75 %	Île-de-France	toute l'année	onctueuse, molle, très douce
jonchée niortaise	chèvre, 45 %	Poitou	mars-sept.	très molle, acidulée
saint-florentin	vache, 50 %	Auxerrois	nov.-juin	tendre, douce, légèrement salée
pâtes molles à croûte fleurie				
banon (AOC) croûte naturelle	chèvre, 45 %	Provence	toute l'année	crémeuse, très relevée
brie de Meaux (AOC)	vache, 45 %	Brie	sept.-mars	onctueuse, souple, douce à très forte
brie de Melun (AOC)	vache, 45 %	Brie	nov.-juin	souple, élastique, douce à très forte
brillat-savarin	vache, 72 %	Champagne	toute l'année	très onctueuse, douce, acidulée
camembert de Normandie (AOC)	vache, 45 %	Normandie	mars-oct.	souple, onctueuse, fruitée, relevée
carré de l'Est	vache, 40-50 %	Lorraine, Alsace	toute l'année	souple, douce
chaource (AOC)	vache, 50 %	Champagne	juin-sept.	onctueuse, douce, un peu acide
coulommiers	vache, 45-50 %	Brie	oct.-avr.	moelleuse, relevée
feuille de Dreux	vache, 30 %	Île-de-France	oct.-juin	souple, très fruitée
fougeru	vache, 45 %	Brie	avr.-oct.	souple, relevée
neufchâtel (AOC)	vache, 50 %	pays de Bray	toute l'année	moelleuse, douce, acidulée
olivet	vache, 45 %	Orléanais	mars-oct.	moelleuse, douce, fruitée
riceys cendré	vache, 30-45 %	Champagne	juin-nov.	souple, noisetée
rigotte de Condrieu	chèvre, 40 %	Lyonnais	toute l'année	lisse, acidulée ou sèche et relevée
rocroi (cendré)	vache, 20-30 %	Ardennes	juin-déc.	souple, fruitée
saint-félicien	vache, 60 %	Dauphiné	avr.-oct.	souple, un peu noisetée, tendre
saint-marcellin	vache, 50 %	Dauphiné	avr.-sept.	souple, douce, un peu acide
vendôme	vache, 50 %	Orléanais	juin-déc.	molle, fruitée, bouquetée
pâtes molles à croûte lavée				
aisy cendré	vache, 45-50 %	Auxois	sept.-mai	ferme, très relevée
baguette de Laon ou de Thiérache	vache, 45-50 %	Picardie	toute l'année	souple, relevée
bergues	vache, 10-15 %	Flandre	toute l'année	ferme, crayeuse, douce
boulette d'Avesnes	vache, 45 %	Flandre	sept.-mai	moelleuse, avec épices, poivre, piquante
dauphin	vache, 50 %	Hainaut	sept.-mars	ferme, granuleuse, relevée, aromatisée
époisses (AOC)	vache, 50 %	Bourgogne	juill.-févr.	souple, onctueuse, très relevée
fromage de curé	vache, 40 %	pays nantais	toute l'année	tendre, souple, relevée, fermentée

Caractéristiques des principaux fromages français

NOM	LAIT, % M. G.	PROVENANCE	SAISON	CONSISTANCE ET SAVEUR DE LA PÂTE
pâtes molles à croûte lavée (suite)				
gris de Lille	vache, 45 %	Hainaut, Flandre	sept.-mars	souple, tendre, salée, très relevée
langres (AOC)	vache, 50 %	Champagne	juin-nov.	souple, relevée
livarot (AOC)	vache, 40-45 %	Normandie	mai-oct.	souple, fine, relevée à faisandée
maroilles, ou marolles (AOC)	vache, 45 %	Hainaut	juin-mars	souple, onctueuse, forte, piquante
mont-d'or, ou vacherin du haut Doubs (AOC)	vache, 45 %	Doubs	oct.-mars	crémeuse, très tendre, douce, un peu balsamique
munster, ou munster-géromé (AOC)	vache, 45 %	Alsace, Lorraine	juin-déc.	souple, onctueuse, franche, relevée
pavé d'Auge	vache, 50 %	Normandie	mars-nov.	ferme, souple, relevée, un peu amère
pierre-qui-vire	vache, 55-60 %	Bourgogne	juin-déc.	ferme, affirmée, bouquetée
pont-l'évêque (AOC)	vache, 45 %	Normandie	juin-mars	tendre, souple, relevée, de terroir
pâtes persillées				
bleu d'Auvergne (AOC), dont bleu de Laqueuille, bleu de Thiézac	vache, 50 % vache, 45 %	Cantal, Puy-de-Dôme, Haute-Loire	toute l'année	ferme, franche, un peu piquante
bleu de Bresse	vache, 50 %	Ain	toute l'année	souple, crémeuse, fondante, douce
bleu des Causses (AOC)	vache, 45 %	Rouergue	toute l'année	ferme, douce en été, relevée en hiver
bleu de Corse	brebis, 45 %	Corse	juill.-déc.	ferme, relevée, voire piquante
bleu de Gex ou du haut Jura ou de Septmoncel (AOC)	vache, 50 %	Ain, Jura	juill.-mars	souple, douce, un peu acidulée, noisetée
bleu du Vercors-Sassenage (AOC)	vache, 48 %	Vercors	toute l'année	onctueuse, un peu amère
fourme d'Ambert (AOC)	vache, 50 %	Forez	sept.-avr.	souple, onctueuse, relevée, noisetée
fourme de Montbrison (AOC)	vache, 50 %	Forez	sept.-avr.	souple, onctueuse, relevée, noisetée
roquefort (AOC)	brebis, 52 %	Rouergue	sept.-mars	souple, fine, relevée
saingorlon	vache, 50 %	Jura, Auvergne	toute l'année	tendre, assez relevée
pâtes pressées cuites				
abondance (AOC)	vache, 48 %	Haute-Savoie	nov.-mars	souple, à petits trous, fine, franche, noisetée
beaufort (AOC)	vache, 48-55 %	Savoie	déc.-sept.	souple, lisse, fruitée, salée
comté (AOC)	vache, 45 %	Franche-Comté	sept.-mai	souple, fruitée, noisetée
emmental français	vache, 45 %	toute la France	oct.-janv.	souple, à trous lisses et nets, douce, fruitée
pâtes pressées non cuites				
belval	vache, 40-45 %	Artois, Picardie	avr.-déc.	tendre, douce à relevée
cantal, ou fourme de Cantal (AOC)	vache, 45 % (min.)	Auvergne	toute l'année	souple, ferme, lactique à noisetée
chambaran, ou chambarand	vache, 45 %	Dauphiné	juin-déc.	souple, crémeuse, douce, noisetée
cîteaux	vache, 45 %	Bourgogne	juill.-déc.	tendre, souple, très fruitée à relevée
échourgnac	vache, 50 %	Périgord	toute l'année	tendre, élastique, douce, bouquetée
fromage des Pyrénées	vache, 50 %	Pyrénées	toute l'année	souple, tendre, douce, un peu acidulée
laguiole (AOC)	vache, 45 %	Aubrac	janv.-avr.	souple, ferme, franche, un peu aigrelette
mamirolle	vache, 40 %	Franche-Comté	toute l'année	ferme, souple, douce à relevée
mimolette	vache, 40 %	Flandre	toute l'année	ferme, délicate, noisetée
mont-des-cats	vache, 45-50 %	Flandre	toute l'année	tendre, douce, lactique
morbier	vache, 45 %	Franche-Comté	mars-oct.	souple, franche, fruitée

FROMAGES FRANÇAIS

brillat-savarin

banon

coulommiers

pithiviers au foin

chaource

cœur de Neufchâtel

camembert

brie de Meaux

pont-l'évêque

maroilles

munster

pierre-qui-vire

Caractéristiques des principaux fromages français

NOM	LAIT, % M. G.	PROVENANCE	SAISON	CONSISTANCE ET SAVEUR DE LA PÂTE
pâtes pressées non cuites (suite)				
murol	vache, 45 %	Auvergne	toute l'année	élastique, douce
ossau-iraty-brebis-pyrénées (AOC)	brebis, 50 %	Béarn, Pays basque	mai-déc.	souple, onctueuse à dure, riche de terroir, noisetée
providence de la trappe de Bricquebec, ou bricquebec	vache, 45 %	Cotentin	toute l'année	souple, douce, un peu fruitée
reblochon, ou reblochon de Savoie (AOC)	vache, 45 %	Haute-Savoie, Savoie	juin-déc.	onctueuse, très souple, crémeuse, noisetée
saint-nectaire (AOC)	vache, 45 %	Auvergne	juin-nov.	souple, onctueuse, noisetée, relevée
saint-paulin	vache, 40-42 %	Bretagne	toute l'année	ferme, tendre, douce, peu relevée
salers (AOC)	vache, 45 %	Auvergne	toute l'année	ferme, souple, relevée, fruitée
sarteno	brebis ou chèvre, 50 %	Corse	mars-déc.	ferme, homogène, soutenue à piquante
tamié	vache, 50 %	Savoie	juin-déc.	tendre, élastique, douce, un peu amère
tome des Bauges (AOC)	vache, 45 %	Savoie	juin-nov.	homogène, légèrement ferme à souple, douce, noisetée
tomme de Savoie	vache, 20-40 %	Savoie	juin-nov.	homogène, souple, douce, noisetée
chèvres				
bouton-de-culotte	chèvre, 45 %	Bourgogne	juin-déc.	cassante, sèche, forte, piquante
brique du Forez, brique du Livradois	chèvre, mi-chèvre, 40-45 %	Forez, Livradois	juin-nov.	souple, ferme, noisetée à forte
chabichou du Poitou (AOC)	chèvre, 45 %	Poitou	mai-nov.	ferme à cassante, relevée, un peu piquante
charollais	chèvre, 45 %	Charolais	mars-déc.	ferme à dure, noisetée
chevrotin (AOC)	chèvre, 45 %	Savoie	juill.-déc.	tendre, souple, douce, caprine
claquebitou	chèvre, % variable	Bourgogne	toute l'année	tendre, fraîche, aromatique
crottin de Chavignol, ou chavignol (AOC)	chèvre, 45 %	Sancerrois	mars-déc.	ferme, homogène, caprine, noisetée
grataron d'Arèches	chèvre, 45 %	Savoie	juin-déc.	ferme, très caprine
mâconnais (AOC)	chèvre, 40-45 %	Bourgogne	avr.-nov.	ferme, demi-dure, douce, noisetée
mont-d'or de Lyon	chèvre, 45 %	Lyonnais	mars-déc.	ferme, noisetée, sapide
mothais	chèvre, 45 %	Poitou	mars-sept.	tendre, noisetée à piquante
niolo	chèvre, 45 %	Corse	mai-nov.	dure, relevée, piquante
pélardon (AOC)	chèvre, 45 %	Cévennes	mars-déc.	compacte, ferme à dure, très noisetée
picodon (AOC)	chèvre, 45 %	Ardèche, Drôme	août-déc.	fine, ferme à cassante, caprine, relevée à piquante
pouligny-saint-pierre (AOC)	chèvre, 45 %	Berry	avr.-nov.	ferme, souple, relevée, caprine
rocamadour (AOC)	chèvre, 45 %	Quercy	avr.-nov.	tendre à ferme, lactique, noisetée
sainte-maure de Touraine (AOC)	chèvre, 45 %	Touraine	avr.-sept.	ferme, homogène, caprine, bouquetée
selles-sur-cher (AOC)	chèvre, 45 %	Berry, Orléanais	mai-nov.	très fine, ferme, douce, noisetée
valençay (AOC)	chèvre, 45 %	Berry	avr.-nov.	ferme, douce, noisetée

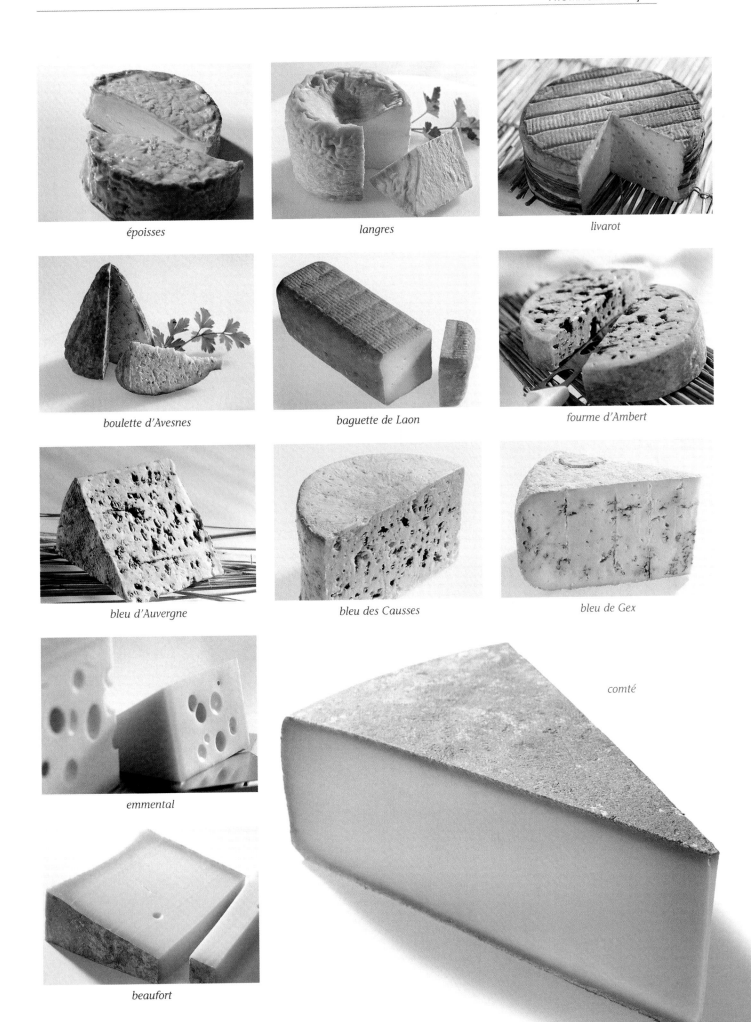

époisses

langres

livarot

boulette d'Avesnes

baguette de Laon

fourme d'Ambert

bleu d'Auvergne

bleu des Causses

bleu de Gex

comté

emmental

beaufort

salers

belval

saint-paulin

tomme de Savoie

morbier

cantal

mimolette

reblochon

saint-nectaire

gaperon

FROMAGE GLACÉ Nom donné, à la fin du XVIIIᵉ siècle et au début du XIXᵉ siècle, aux glaces moulées en cône. Ces « fromages », constitués à l'origine d'un simple appareil à glace diversement parfumé, devinrent plus tard les bombes glacées. À cette époque, on appelait « fromage » non seulement le produit de la fermentation du lait caillé, mais toutes les préparations à base de lait, de crème et de sucre, pourvu qu'elles soient moulées : ainsi, le bavarois était dit « fromage bavarois ». Parmi les fromages glacés appréciés sous le second Empire, on retient le fromage à l'italienne, parfumé à la marmelade de cédrat et à la fleur d'oranger ; le fromage de parmesan, à la cannelle et au clou de girofle, versé dans un moule saupoudré de parmesan râpé ; le fromage à la chantilly, additionné de crème fouettée et de zeste de cédrat.

FROMAGE DES PYRÉNÉES Terme générique désignant de nombreux fromages de lait de brebis ou de vache, voire de mélange (50 % de matières grasses), à pâte pressée non cuite et à croûte naturelle brossée, fabriqués dans l'Ariège, le Béarn et le Pays basque (**voir** tableau des fromages français page 390). Ils se présentent sous la forme d'un cylindre de 30 cm de diamètre et de 10 cm d'épaisseur, pesant de 3,5 à 4,5 kg. Leur pâte souple piquetée de minuscules ouvertures a une saveur acidulée.

FROMAGE DE TÊTE Préparation de charcuterie composée de morceaux de tête de porc (sauf la cervelle), avec parfois ajout de morceaux riches en matière tendineuse (jambonneau, par exemple), additionnés de gelée, cuits avec des aromates, puis moulés dans un récipient. Le fromage de tête se coupe en tranches et se mange en entrée. On l'appelle aussi « pâté de tête » et « fromage de cochon ».

FROMENT Nom générique des diverses variétés de blé (tendre, dur, épeautre) [**voir** tableau des céréales page 179]. En cuisine, on dit « froment » plutôt que « blé » pour éviter toute confusion avec le sarrasin, appelé communément « blé noir ».

FROMENTÉE Bouillie de céréales, d'origine tourangelle, cuite dans du bouillon gras ou du lait, et servie comme entremets. Cette recette apparaît souvent dans les traités culinaires médiévaux, et en particulier dans *le Ménagier de Paris* (1383).

FRONSAC Vin AOC rouge du Libournais, issu des cépages merlot, cabernet-sauvignon, cabernet franc et malbec, fruité et charnu. L'appellation « canon-fronsac » est réservée aux communes de Fronsac et de Saint-Michel-de-Fronsac (**voir** BORDELAIS).

FRUIT Organe comestible des plantes à fleurs, qui contient les graines et succède à la fleur. Bien que cette définition s'applique à certains légumes (aubergine, courgette, melon, tomate), on réserve l'appellation « fruits » à ceux que l'on mange en fin de repas et que l'on utilise en pâtisserie et en confiserie.

Pris dans ce sens, le fruit est généralement un aliment charnu ou pulpeux, riche en eau, en sucre et en vitamines, que son arôme et

brique du Forez

charollais

sainte-maure de Touraine

bouton-de-culotte

valençay

chabichou du Poitou

pouligny-saint-pierre

rocamadour

pélardon

Caractéristiques des principaux fromages étrangers

NOM	LAIT, % M. G.	PROVENANCE	SAISON	CONSISTANCE ET SAVEUR DE LA PÂTE
pâtes fraîches				
burgos	brebis ou vache	Espagne	toute l'année	blanche, ferme
cottage cheese	vache, 4-8 %	Angleterre, États-Unis	toute l'année	molle, douce, sans acidité
feta (AOP)	brebis ou chèvre, % variable	Grèce	toute l'année	blanche, acidulée et salée
Quark	vache, % variable	Allemagne	toute l'année	molle, douce, sans acidité
queso fresco	vache, chèvre ou brebis	Espagne	toute l'année	granuleuse, neutre
ricotta	lactosérum (brebis, vache et/ou chèvre), 20-30 %	Italie	toute l'année	granuleuse, acidulée, douce à forte
Topfen	vache	Autriche	toute l'année	molle, chauffée, au goût puissant
pâtes molles à croûte fleurie				
azeitão (AOP)	brebis, 45 %	Portugal	nov.-avr.	ferme, crémeuse, un peu piquante
serpa (AOP)	brebis, 45-50 %	Portugal	oct.-fin mars	molle, à petits yeux, douce, un peu acide
pâtes molles à croûte lavée				
fromage de Bruxelles	vache	Belgique	toute l'année	à croûte sursalée, d'aspect transparent, au goût très puissant
herve (AOP)	vache, 45 %	Belgique	fin juin-fin nov.	souple, tendre, relevée à forte
limbourg	vache, 20-50 %	Pays-Bas, Belgique	sept.-mars	souple, relevée
Mainzer Handkäse	vache	Allemagne	toute l'année	molle moulée à la main, fort puissante
quartirolo lombardo (AOP)	vache, 48 %	Italie	toute l'année	friable à compacte, délicate, bouquetée
serra-da-estrela (AOP)	brebis, 45-60 %	Portugal	déc.-févr.	onctueuse, compacte, suave, un peu acide
vacherin fribourgeois, ou fribourgeois (AOP)	vache, 45-50 %	Suisse	toute l'année	souple, délicate, fruitée, un peu acidulée
vacherin mont-d'or (AOP)	vache, 45-50 %	Suisse	sept.-juin	grasse, crémeuse, douce, onctueuse
Weisslacker	vache, 30-40 %	Allemagne	toute l'année	tendre, relevée, piquante
pâtes persillées				
cabrales (AOP)	brebis, chèvre ou vache, 45 %	Espagne	fin mars-fin sept.	onctueuse, compacte, relevée, piquante, puissante
danablu (AOP)	vache, 50-60 %	Danemark	toute l'année	molle, relevée, un peu piquante
Edelpilzkäse	vache, brebis, 55 %	Allemagne	toute l'année	lisse, crémeuse, piquante, relevée
gammelost	vache, chèvre, % variable	Norvège	juin-déc.	ferme, piquante
gorgonzola (AOP)	vache, 45-55 %	Italie	toute l'année	tendre, crémeuse, relevée, un peu piquante
lanark blue	brebis	Écosse	toute l'année	persillée, piquante quand il est vieux
stilton, ou blue stilton (AOP)	vache, 50 %	Angleterre	mi-sept.-mi-mars	friable, crémeuse, très relevée
pâtes pressées cuites				
Allgäuer Emmentaler (AOP)	vache	Allemagne	toute l'année	type emmenthal
appenzeller	vache, 50 %	Suisse	juin-mars	ferme, à petits trous, fruitée à corsée
asiago (AOP) semi-cuite	vache, 48 %	Italie	toute l'année	granuleuse, élastique, douce à un peu piquante
bagnes	vache, 45 %	Suisse	toute l'année	ferme, élastique, fruitée, aromatique
cantabria (AOP) semi-cuite	vache, 45 %	Espagne	toute l'année	élastique, crémeuse, douce, lactique

FROMAGES ÉTRANGERS

vacherin fribourgeois

taleggio

danablu

gorgonzola dolce latte

gorgonzola

asiago d'allevo

pecorino pepato

pecorino romano

fontina

montasio mezzano

stilton

tête-de-moine

Caractéristiques des principaux fromages étrangers

NOM	LAIT, % M. G.	PROVENANCE	SAISON	CONSISTANCE ET SAVEUR DE LA PÂTE
pâtes pressées cuites (suite)				
emmenthal	vache, 45 %	Suisse	toute l'année	ferme, à trous, grasse, douce, noisetée
fiore sardo (AOP)	brebis, 45 %	Italie	oct.-juin	compacte, forte, piquante
fontina (AOP) semi-cuite	vache, 45-50 %	Italie	sept.-déc.	lisse, souple, bouquetée, noisetée
grana padano (AOP)	vache, 32 %	Italie	toute l'année	dure, friable, délicate, parfumée à boucanée
grevé	vache, 28 %	Suède	toute l'année	ferme, de type gruyère
gruyère (AOP)	vache, 45 %	Suisse	sept.-févr.	tendre, grasse, à petits trous, noisetée, fine, corsée
herrgårdost	vache, 28 %	Suède	toute l'année	dure, lactique, puissante
Jarlsberg	vache	Norvège	toute l'année	blanche, douce
kasseri (AOP)	brebis, 40 %	Grèce	janv.-juill.	tendre à dure, douce, un peu sapide
Mondseer	vache	Autriche	toute l'année	douce, de type abbaye
montasio (AOP)	vache, 40 %	Italie	toute l'année	lisse, à petits trous, parfumée, noisetée
mysost	vache, 20 %	Scandinavie	toute l'année	très dure, douceâtre, un peu sucrée
Nieheimer Käse	vache	Allemagne	toute l'année	molle, affinée dans des feuilles de houblon, puissante
parmigiano reggiano, ou parmesan (AOP)	vache, 32-50 %	Italie	toute l'année	dure, granuleuse, fruitée, lactique
pecorino romano (AOP)	brebis, 36 %	Italie	nov.-juin	ferme à dure, relevée, piquante
pecorino sardo (AOP)	brebis, 45 %	Italie	déc.-juin	compacte, moelleuse à dure, affirmée
pecorino siciliano (AOP)	brebis, 40 %	Italie	fin mars-fin juin	compacte, à rares trous, piquante
pecorino toscano (AOP)	brebis, 40 %	Italie	toute l'année	tendre à dure, parfumée, un peu salée
sbrinz	vache, 45 %	Suisse	toute l'année	compacte, dure, relevée à corsée
schabzieger	vache, 0-5 %	Suisse	toute l'année	dure, corsée, rustique, très aromatisée
Vorarlberger Bergkäse (AOP)	vache	Autriche	toute l'année	de type emmenthal

parmigiano reggiano, ou parmesan

passendale

gouda vieux

derby

idiazábal

brick

manchego

cheshire

édam

cheddar

kefalotyri

samsø

tilsit

cacciocavallo

mozzarella di bufala

Caractéristiques des principaux fromages étrangers

NOM	LAIT, % M. G.	PROVENANCE	SAISON	CONSISTANCE ET SAVEUR DE LA PÂTE
pâtes pressées non cuites				
brick	vache, 45 %	États-Unis	toute l'année	douce à un peu piquante, noisetée
caerphilly	vache, 48 % environ	Pays de Galles	toute l'année	blanche, acidulée
cascaval, caşcaval, katschkawalj ou kashkaval	bufflonne et vache	Bulgarie, Hongrie, Roumanie	mars-sept.	crémeuse, douce, un peu salée, parfumée
cheddar, West Country farmhouse cheddar (AOP)	vache, 45-50 %	Angleterre	toute l'année	ferme, compacte, lisse, aromatisée à relevée
cheshire, ou chester	vache, 45 %	Angleterre	juin-sept.	friable, grasse, douce à relevée
chimay	vache, 45 %	Belgique	toute l'année	souple, onctueuse, de terroir
commissiekaas	vache, 45 %	Pays-Bas	toute l'année	ferme mais onctueuse
derby	vache, 45 %	Angleterre	toute l'année	ferme, noisetée à piquante
dunlop	vache, 45 %	Écosse	toute l'année	blanche, douce et friable
édam, Noord-Hollandse Edammer (AOP)	vache, 30-40 %	Pays-Bas	toute l'année	souple à dure, douce à prononcée
gloucester, Single Gloucester (AOP)	vache, 48-50 %	Angleterre	juin-oct.	demi-ferme, riche, moelleuse
gouda, Noord-Hollandse Gouda (AOP)	vache, 48 %	Pays-Bas	toute l'année	tendre à dure, douce, fine
idiazábal (AOP)	brebis, 45 %	Espagne	toute l'année	compacte, relevée, un peu piquante
kefalotyri	chèvre ou brebis, 45 %	Grèce	toute l'année	demi-dure, lactique, un peu acidulée
lancashire (AOP)	vache, 48 %	Angleterre	toute l'année	demi-ferme, friable, lactique
leicester, ou red leicester	vache, 45 %	Angleterre	toute l'année	friable, grasse et onctueuse
mahón (AOP)	vache, 38 %	Espagne	toute l'année	compacte, piquante, salée, un peu acide
manchego (AOP)	brebis, 50 %	Espagne	toute l'année	grasse, ferme, crémeuse, un peu piquante
maredsous	vache, 45 %	Belgique	toute l'année	souple, franche, relevée
nagelkaas	vache, 45 %	Pays-Bas	toute l'année	ferme, goût très marqué par les clous de girofle
oka	vache, 28 %	Québec	toute l'année	souple, fruitée
passendale	vache, 40 %	Belgique	toute l'année	ferme, aérée, à petits trous, douce
plateau de Herve	vache, 45 %	Belgique	toute l'année	onctueuse, homogène, franche de terroir
raclette du Valais (AOP)	vache, 30-35 %	Suisse	toute l'année	onctueuse et assez grasse, fine et ferme
roncal (AOP)	brebis, 60 %	Espagne	déc.-juill.	dure, poreuse, relevée, un peu piquante
samsø	vache, 45 %	Danemark	toute l'année	tendre, ferme, à petits trous, noisetée
são jorge (AOP)	vache, 45 %	Portugal	toute l'année	ferme, à petits trous, forte à piquante
taleggio (AOP)	vache, 48 %	Italie	fin sept.-mars	compacte, souple et fruitée
teasajt	vache, 45 %	Hongrie	avr.-déc.	homogène et moelleuse, franche et douce
tetilla (AOP)	vache, 40-55 %	Espagne	toute l'année	tendre, crémeuse, douce, un peu acidulée
tilsit, ou Tilsiter	vache, 45 %	Allemagne, Suisse	toute l'année	dense, à petits trous, douce, fruitée
wensleydale	vache, 45 %	Angleterre	toute l'année	douce à relevée, version persillée
chèvres				
gjetost, getost	sérum de vache	Norvège, Suède	toute l'année	brune ou caramel, ferme, sucré-salé
ibores	chèvre, 55 %	Espagne	oct.-juin	tendre, crémeuse, franche, acidulée
majojero (AOP)	chèvre, 50 %	Espagne	oct.-juin	compacte, crémeuse, acide, piquante
pâtes filées				
cacciocavallo silano (AOP)	vache, 44 %	Italie	toute l'année	ferme à très dure, douce à piquante
mozzarella di bufala campana (AOP)	bufflonne, 52 %	Italie	toute l'année	tendre, douce, un peu acidulée
provolone valpadana (AOP)	vache, 45 %	Italie	toute l'année	ferme, souple, subtile, douce à piquante

sa saveur sucrée destinent à des boissons et à des desserts variés. Qu'ils soient exotiques ou proviennent des régions tempérées, les fruits se répartissent en trois grands groupes.

– Les fruits riches en eau (jusqu'à 90 %) et en vitamine C sont désaltérants ; ils fournissent de l'acide ascorbique et des minéraux ; agrumes, ananas, fraises, pêches, poires, pommes, etc., sont plus ou moins caloriques selon leur proportion de sucre.

– Les fruits riches en glucides (châtaignes, dattes, fruits séchés, pruneaux, etc.) sont énergétiques.

– Les fruits riches en lipides et pauvres en eau (amandes, noisettes, noix, etc.) apportent beaucoup de calcium et de vitamines B ; très caloriques (environ 650 Kcal ou 2 717 kJ pour 100 g), ils occupent une place à part, mais ne peuvent se substituer aux fruits frais, qui restent indispensables pour l'équilibre alimentaire.

■ **Fruits exotiques.** Depuis de nombreuses années, on les trouve facilement sur les marchés. Certains sont arrivés en Europe dès l'Antiquité, des rivages de la Méditerranée (datte nord-africaine, grenade moyen-orientale) ; d'autres ont été rapportés par les navigateurs au temps des grandes découvertes, au XVIe siècle (ananas d'Amérique du Sud, figue de Barbarie du Mexique, mangue d'Asie) ; d'autres encore connaissent une mode beaucoup plus récente (**voir** planche des fruits exotiques pages 404 et 405).

Plusieurs fruits exotiques se sont bien acclimatés dans le sud de la France : fruit de la Passion, kiwi, tamarin. Souvent très sucrés et aqueux, ils conviennent à tous les apprêts de fruits classiques, et apportent en plein hiver toutes leurs vitamines et leur saveur.

■ **Desserts et pâtisseries.** Les fruits crus servis nature, en dessert, sont toujours des fruits de saison, bien mûrs et parfaitement sains. Les fruits frais se consomment aussi rafraîchis, pochés au vin, flambés, associés à un entremets au riz ou à la semoule, avec du fromage frais, en beignets ou en brochettes, ou cuits au four.

Ils entrent aussi dans la composition de bavarois, charlottes, crèmes, gelées, glaces, *kaltschales,* kissels, mousses, sorbets, soufflés et vacherins. Enfin, coupés en salpicon, ils fourrent ou farcissent couronnes, crêpes, omelettes, puddings et turbans ; en sauce ou en purée, ils nappent glaces et entremets.

Les fruits frais sont employés en pâtisserie ; ils garnissent croûtes, flans, tartes, timbales et tourtes, mais entrent également dans la composition des spécialités des grandes régions productrices de fruits (Val de Loire, Périgord, Lot-et-Garonne, Roussillon, Provence, vallée du Rhône, Côte-d'Or, Alsace).

■ **Conserves et cuisine.** Les fruits servent à confectionner compotes, confitures, gelées et marmelades, ainsi que des boissons, alcoolisées ou non.

Ils sont conservés de différentes manières, selon leur espèce. L'appertisation les conserve au naturel ou au sirop, mais on peut aussi les confire au sucre ou au vinaigre, ou bien encore les garder dans de l'alcool. La surgélation convient bien à certains fruits. Quant à la déshydratation, elle produit toutes les variétés de fruits secs. Enfin, les arômes naturels extraits des fruits servent en confiserie, en pâtisserie, dans les produits laitiers et dans les boissons.

Bien que les fruits s'emploient le plus souvent dans des apprêts sucrés, ils accompagnent également des viandes, des poissons, des volailles ou des légumes.

Le citron est le fruit le plus utilisé en cuisine, mais il faut citer aussi l'ananas et la banane, les airelles et les groseilles, les amandes, les figues, le pamplemousse, la cerise, le coing, la mangue, l'orange, la pêche, la noix de coco, le raisin, les marrons, les pruneaux et la pomme.

▶ Recettes : BAVAROIS, BRIOCHE, COULIS, GELÉE DE FRUITS, MERINGUE, PÂTE DE FRUITS, SALADE DE FRUITS, SAVARIN, SORBET.

FRUIT GIVRÉ Entremets glacé constitué d'un fruit dont on évide la peau ou l'écorce et que l'on garnit d'une glace, d'un sorbet ou d'un appareil à soufflé glacé préparé avec sa pulpe. Cet apprêt s'applique surtout aux agrumes et à l'ananas, ainsi qu'au melon et au kaki. Les fruits soufflés (dits « en surprise ») se préparent de la même manière, avec un appareil à soufflé classique, que l'on passe rapidement au four dans les fruits reconstitués servant de moule.

▶ Recettes : CITRON, ORANGE, PAMPLEMOUSSE.

FRUIT À PAIN Fruit de l'arbre à pain, ou jacquier, de la famille des moracées, originaire de Polynésie (**voir** planche des légumes exotique pages 496 et 497). Très tôt répandu dans toutes les îles du Pacifique, puis aux Antilles, il y constitue encore un aliment traditionnel. Ce sont les premiers explorateurs européens qui, fascinés par ce fruit dont ils pensaient pouvoir nourrir les esclaves, l'ont introduit aux Antilles. Il est de forme arrondie, mesurant jusqu'à 20 cm de diamètre, recouvert d'une peau rugueuse et un peu cireuse, de couleur vert jaunâtre. La pulpe blanche et ferme ne contient aucune graine, car le fruit se développe sans fécondation. On le consomme frit, grillé, bouilli ou réduit en purée. Sa teneur en hydrates de carbone est élevée.

FRUIT DE LA PASSION Fruit d'une liane, de la famille des passifloracées, originaire de l'Amérique tropicale, également cultivée en Afrique, en Australie et en Malaisie (**voir** planche des fruits exotiques pages 404 et 405).

La passiflore, appelée aussi « grenadille » ou « fleur de la Passion », doit son nom à la forme du cœur des fleurs, dont les organes évoquent les divers instruments de la Passion du Christ (couronne d'épines, marteau, clous).

Gros comme un œuf de poule, le fruit de la Passion est recouvert d'une peau jaunâtre (il est alors appelé aussi « maracuja ») ou brun-rouge, lisse et brillante quand il n'est pas mûr. Il possède une pulpe jaune-orangé, acidulée et très parfumée, garnie de petites graines noires comestibles. Peu calorique (46 Kcal ou 193 kJ pour 100 g), riche en provitamine A et en vitamine C, il se mange nature, à la petite cuillère, avec du sucre, éventuellement arrosé de kirsch ou de rhum. Il sert à la préparation de sorbets, de boissons, de gelées et de crèmes sucrées.

▶ Recettes : LANGOUSTINE, SORBET, SOUFFLÉ.

FRUITIER Local utilisé, à la campagne, pour la conservation des fruits frais (pommes et poires surtout, mais aussi raisins, coings, noix et fruits de cueillette, dont certains ne se consomment que blets). Le fruitier doit être frais et aéré, avec une hygrométrie modérée. Il est équipé d'étagères et de claies garnies de paille ou de feuilles de fougère, sur lesquelles on dispose les fruits sans qu'ils se touchent, et sans qu'ils soient directement exposés aux rayons du soleil.

Sous l'Ancien Régime, dans le service de la bouche du roi, le fruitier était l'officier chargé, avec ses aides, de veiller à l'approvisionnement en fruits, en chandelles et en bougies.

FRUITS À L'ALCOOL Fruits conservés dans de l'eau-de-vie (ou un autre alcool), parmi lesquels on peut citer les bigarreaux au marasquin, les grains de raisin au cognac, les griottes à l'eau-de-vie de marc, les mandarines à la liqueur d'orange, les mirabelles et les pruneaux à l'armagnac, les petites poires au calvados, etc. Ils agrémentent des salades de fruits ou des coupes glacées, sont utilisés en confiserie (fruits déguisés) et servis en digestif, après le café.

FRUITS CONFITS Fruits entiers ou en morceaux, conservés au sucre par des passages successifs dans des bains de sirop de plus en plus concentrés : peu à peu, le sirop se substitue à l'eau de végétation (**voir** planche des fruits séchés et fruits confits page 408). Les divers sirops sont dosés en fonction de l'espèce, de la taille et de l'origine des fruits. Ils sont chauffés à des températures précises, qui leur évitent de cristalliser ou de caraméliser. L'imprégnation doit être progressive pour « nourrir » la pulpe à cœur sans qu'elle se brise ou se racornisse.

Le principe du confisage est déjà très bien décrit par Olivier de Serres dans son *Théâtre d'agriculture* (1600). Dès la fin du XIVe siècle, les fruits confits d'Apt, dont la fabrication avait commencé à l'époque de l'arrivée des papes en Avignon, étaient réputés. Au Moyen Âge, les fruits confits, appelés alors « épices de chambre », étaient déjà très appréciés ; il s'agissait surtout de prunes, d'abricots, de pistaches, de pignons et d'avelines.

Théoriquement, on peut confire tous les fruits, mais, en pratique, certaines variétés, en raison de leur teneur en eau trop importante, ne se prêtent pas à ce mode de conservation.

Outre la pulpe d'un fruit (entier, comme la cerise, ou en tranches, comme l'ananas), on confit aussi les tiges de l'angélique, des écorces d'agrume (cédrat, citron, orange, pamplemousse), certaines fleurs (plus particulièrement les violettes) et certaines racines (gingembre).

■ **Fabrication.** Les fruits sont cueillis un peu avant maturité, afin qu'ils aient un maximum de saveur sans se « défaire », puis ils sont blanchis (sauf les fraises et les abricots), refroidis et égouttés.

La mise au sucre débute par un sirop léger, qui sera ensuite de plus en plus concentré. Entre une « façon » (opération consistant à réchauffer les fruits dans un poêlon en cuivre tout en augmentant la concentration en sucre) et la suivante, les fruits reposent avec leur sirop dans une terrine en grès. La durée du confisage est variable (quelques passages pour les bigarreaux, mais une douzaine pour les gros fruits, ce qui prend 1 ou 2 mois).

Cette méthode, dite « à l'ancienne », est toujours appliquée aux fruits dits « nobles » (abricots, ananas, figues, fraises, poires, prunes), alors que les éléments moins fragiles (bigarreaux, écorces, melon) et l'angélique sont confits « en continu », dans des batteries de bacs où le confisage s'effectue, en moyenne, en un délai de 6 jours.

Le glaçage améliore la présentation des fruits, les rend moins collants, plus résistants aux manipulations, et permet une meilleure conservation (jusqu'à 6 mois à l'abri de la chaleur) ; il consiste à enrober les fruits confits d'un sirop très concentré. Enfin, certains fruits sont reconstitués : les grosses fraises confites, creuses, sont mises dans des moules et fourrées avec des fraises confites plus petites. L'abricot, dénoyauté, est fourré avec de la pulpe confite d'abricot.

■ **Emplois.** Les fruits confits s'offrent comme friandises et s'utilisent en pâtisserie : on les incorpore à la pâte de certains gâteaux (brioches, cakes) et à des glaces, coupés en petits morceaux, et ils décorent nombre de desserts et d'entremets (surtout l'angélique, le cédrat et la cerise).

En Grande-Bretagne, où la pâtisserie en fait grand usage (ne serait-ce que dans les puddings), on les emploie même dans la cuisine. Cette pratique était courante au Moyen Âge, où les fruits confits figuraient dans des pâtés et des tourtes ; le pâté de Pézenas, au mouton et à l'écorce de cédrat confite, en est une survivance.

Certains fruits, enfin, sont confits au sel, notamment les citrons qui agrémentent les tagines marocains.

▶ Recettes : CERISE, CRÈMES DE PÂTISSERIE, DIPLOMATE.

FRUITS EN CONSERVE Fruits charnus conservés, au naturel ou dans un sirop, dans des bocaux ou des boîtes en fer-blanc, après avoir été stérilisés ; ils se présentent sous forme de fruits entiers ou en morceaux (par moitiés, ou « oreillons », pour les pêches et les abricots ; en tranches pour l'ananas ; en petits cubes dans les mélanges dits « macédoines » ou « cocktails »).

Les gros fruits sont parfois pelés (poires) ou dénoyautés (abricots), mais les bigarreaux, les mirabelles et les framboises restent entiers et nature.

La conserve modifie peu la valeur nutritive des fruits, qui restent aussi riches en vitamines que les fruits frais ; seule la teneur en sels minéraux est modifiée.

■ **Emplois.** Les fruits en conserve s'emploient moins que les fruits frais (ainsi, on ne les utilise pas pour les glaces ou les confitures).

Souvent trop chargés en eau ou en sirop pour les apprêts de pâtisserie (sauf en décor), ces fruits entrent surtout dans la composition d'entremets de riz ou de semoule, de compotes, de coupes glacées, de turbans et surtout de salades de fruits et de fruits rafraîchis. En cuisine, en revanche, ils peuvent remplacer judicieusement les fruits frais (ananas, abricots et pêches, notamment). On trouve également des purées de fruits en conserve.

FRUITS DÉGUISÉS Petits-fours faits de fruits soit glacés au caramel, soit trempés dans du fondant, soit trempés 12 heures dans du sucre candi, puis égouttés pour ne garder qu'une fine couche cristalline de sucre, ou encore fourrés ou décorés de pâte d'amande riche, peu sucrée.

● FRUITS GLACÉS AU CARAMEL. Ils peuvent être confits, coupés en quartiers et décorés de pâte d'amande, ou frais, ou à l'eau-de-vie. Le sucre doit être généreusement additionné de glucose pour ne pas tour-

ner, puis cuit au « grand cassé » (156 °C) ; les fruits y sont trempés à l'aide d'une fourchette ou d'une broche à tremper, puis posés sur un marbre huilé.

On peut glacer des amandes (**voir** ABOUKIR), des cerises à l'eau-de-vie, de l'angélique farcie de pâte d'amande, des triangles d'ananas confit, des dattes, des cerises, des pruneaux, des figues, des noix, des mirabelles, des quartiers d'orange, des mandarines fraîches entières, des grains de raisin noir ou blanc, frais ou à l'eau-de-vie, des marrons (glacés de caramel au chocolat).

● FRUITS DÉGUISÉS AU FONDANT. Tous les petits fruits à l'eau-de-vie et certains fruits frais (fraises, tranches de mandarine, quartiers d'ananas) peuvent se tremper dans du fondant. Les reines-claudes et les mirabelles sont généralement blanchies et mises au sirop avant d'être déguisées.

Le fondant est liquéfié, parfumé et éventuellement coloré : les petits abricots entiers à l'eau-de-vie (dont l'amande est remplacée par de la pâte d'amande) sont enrobés de fondant rose ou blanc ; les gros grains de cassis, de fondant violet parfumé au cognac ; les cerises à l'eau-de-vie, les framboises remplies de gelée de groseille et les fraises fraîches, de fondant rose ; les chinois, de fondant jaune ou blanc ; les petites poires infusées dans de l'eau-de-vie parfumée au kirsch et les raisins secs de Málaga conservés dans du cognac, de fondant orange ; les reines-claudes, de fondant vert parfumé à la vanille ou au kirsch.

▶ Recette : CERISE.

FRUITS DE MER Ensemble des mollusques (bigorneaux, bulots, huîtres, moules), coquillages (palourdes, praires), crustacés (araignées de mer, crevettes, langoustines, tourteaux) et animaux marins comestibles de petite taille (oursins). L'expression s'emploie surtout pour la présentation d'un assortiment servi en hors-d'œuvre sur de la glace pilée et du varech frais, accompagné de beurre et de pain de seigle.

Un bon plateau de fruits de mer parfait devrait comporter, par personne : six huîtres plates, six huîtres creuses, trois clams, trois praires, trois palourdes, quelques moules, six bigorneaux et quatre bulots, quatre crevettes roses ou dix crevettes grises, deux langoustines, avec, éventuellement, un demi-tourteau et quelques oursins.

Les fruits de mer, toujours assortis, entrent dans la préparation de nombreux apprêts (bouchée, omelette fourrée, risotto, etc.) ; on y ajoute parfois du crabe et des coquilles Saint-Jacques.

▶ Recettes : BOUCHÉE (SALÉE), BROCHETTE, DARTOIS.

FRUITS RAFRAÎCHIS Dessert composé de fruits en morceaux ou entiers, pelés, équeutés et dénoyautés, macérés avec du sucre et un alcool, un vin doux ou une liqueur, puis dressés dans une timbale ou une coupe, généralement arrosés de leur macération, et servis très frais. On peut utiliser des fruits au sirop et décorer avec des fruits confits, secs ou séchés.

fruits rafraîchis au kirsch et au marasquin

Éplucher 6 pêches, 3 poires à chair très tendre et 2 pommes ; les détailler en petites lamelles ; peler 4 bananes et les couper en rondelles ; couper 6 abricots en morceaux. Mettre tous ces fruits dans une terrine ; ajouter 25 g de fraises, 75 g de framboises, 125 g de grains de raisin blanc et noir. Poudrer de 5 ou 6 cuillerées de sucre en poudre ; arroser de 30 cl de kirsch et 30 cl de marasquin. Agiter légèrement la terrine pour mélanger les fruits, l'entourer de glace pilée et laisser macérer 1 heure, puis verser dans une coupe en verre, entourée aussi de glace pilée, et décorer avec 50 g de fraises, 50 g de framboises, des grains de raisin et 24 amandes fraîches, pelées et coupées en deux.

FRUITS SÉCHÉS Appelés souvent, à tort, « fruits secs », ce sont en fait des fruits pulpeux déshydratés au soleil ou dans un four (abricots, bananes, figues, pêches, poires, pommes, pruneaux, raisins) [voir planche des fruits séchés et fruits confits page 408]. Ils conservent leurs qualités de fruit frais, mais deviennent beaucoup plus énergétiques (280 Kcal ou 1 170 kJ pour 100 g environ) du fait de leur richesse en sucres. Ils se mangent nature, comme friandise (**voir** MENDIANT), ou après avoir trempé quelques heures dans du thé, de l'eau tiède ou un alcool. Ils peuvent remplacer les fruits frais dans des compotes et certains desserts, être utilisés en pâtisserie (cake, far breton, pudding, etc.) ou être flambés (raisins au rhum). Ils s'emploient également en cuisine (ragoût de mouton aux abricots, perdrix aux figues, farces aux raisins secs, lapin aux pruneaux, tagines). La confiserie y fait, elle aussi, appel (dattes et pruneaux, notamment).

FRUITS SECS Fruits sans pulpe, enveloppés dans une coque ligneuse, comme les amandes, les cacahouètes, les noisettes, les noix, les noix de cajou, les pignons, les pistaches (**voir** planche des noix, noisettes, autres fruits secs et châtaignes page 572). Très riches en lipides (on les appelle aussi « fruits oléagineux ») et pauvres en eau, ils sont particulièrement énergétiques. Secs, et le plus souvent salés, ils sont proposés comme amuse-gueule avec l'apéritif ; mais ils sont surtout employés en pâtisserie et en confiserie (pâte d'amande, nougat, parfums de crèmes et de glaces, pralin), ainsi qu'en cuisine (amandes avec les truites et dans certaines farces, noix ou pignons dans les salades composées, pistaches en charcuterie).

charlotte au pain d'épice et aux fruits secs d'hiver ▶ CHARLOTTE

fruits secs salés grillés

Préchauffer le four à 160 °C. Mettre dans un saladier 1 kg de fruits secs mélangés (amandes mondées, noisettes épluchées, noix de cajou, pistaches décortiquées, autres fruits secs) ou d'une seule sorte. Prélever le blanc de 2 œufs et en mouiller les fruits secs. Assaisonner avec 10 g de fleur de sel, 5 g de sel fin, 4 g de poivre noir du Sarawak moulu et 1,5 cl de vinaigre blanc. Disposer les fruits secs sur une plaque et les cuire au four pendant 20 à 30 min, selon la grosseur, jusqu'à ce qu'ils soient grillés à cœur.

FRUITS AU VINAIGRE Petits fruits mis en bocaux avec du vinaigre, des épices (cannelle, clous de girofle, poivre) et une petite proportion de sucre pour que la macération ne devienne pas trop aigre : il s'agit essentiellement de cerises, de grains de raisin très sains, de petits melons verts ou de noix vertes.

On utilise aussi des fruits dans les pickles et les chutneys. Les fruits à l'aigre-doux, eux, macèrent, sans cuisson, dans un mélange de vinaigre et d'épices où la proportion de sucre est plus importante. Tous ces apprêts servent de condiment avec les viandes froides, la charcuterie, voire les viandes bouillies.

FUDGE Caramel tendre, fondant et non collant. Cette confiserie, qui date du XIXᵉ siècle, est le résultat d'une erreur dans les proportions de la recette du caramel.

FULBERT-DUMONTEIL (JEAN CAMILLE) Journaliste et écrivain français (Vergt 1831 - Neuilly-sur-Seine 1912). Auteur fécond d'articles, de récits et d'une trentaine de volumes, passionné de zoologie et de voyages, il commença sa carrière au journal *le Mousquetaire* (de Dumas père) et la poursuivit au *Figaro*. Il publia en 1906 un recueil de chroniques gastronomiques, *la France gourmande,* qui reflète son esprit Belle Époque et périgourdin. Il s'était choisi comme blason : « Truffes et sourires sur champ de roses. »

FUMAGE Procédé très ancien de conservation des viandes et des poissons, consistant à les exposer plus ou moins longtemps à la fumée d'un feu de bois (**voir** BOUCANAGE). Le fumage provoque leur dessiccation, favorise le dépôt de substances antiseptiques à leur surface et leur donne une coloration plus foncée. Il confère aux aliments une saveur et un parfum caractéristiques.

Le fumage est surtout utilisé pour conserver certains morceaux de porc (échine, filet pour le bacon, jambon, palette, poitrine), des charcuteries (andouille, saucisse et saucisson), les volailles (oie, poulet cru ou cuit, rôti de dinde cuit), quelques gibiers (faisan, sanglier) et certains poissons (anguille, esturgeon, haddock, hareng, saumon, etc.). Il est toujours précédé d'un salage ou d'un passage en saumure.

On distingue deux techniques de fumage. Dans le fumage à froid (inférieur à 30 °C), le produit (viande et abats, poisson) est exposé à la fumée de bois ou de sciure de bois en combustion lente. Dans le fumage à chaud (saucisses, essentiellement), il est d'abord étuvé dans un courant d'air chaud et humide à 55-60 °C, puis passé à fumée dense à 50-55 °C. Lorsque la cuisson a lieu dans la même enceinte, la température est portée progressivement à 75-80 °C.

Le fumage peut durer de 20 minutes à plusieurs jours. Les bois les plus utilisés sont le hêtre et le châtaignier, ainsi que des essences aromatiques (bruyère, laurier, romarin, sauge). En Savoie, on fume certaines saucisses au bois de sapin. En Bretagne, on utilise les ajoncs pour le fumage du jambon. En Andalousie, le chorizo est fumé avec du genévrier, essence dont se servent aussi les Siciliens pour fumer le fromage de brebis. Aux États-Unis, une variété de noyer très parfumée, le hickory, est largement employée.

Il existe divers types de fumoirs. Outre les cheminées de brique, ou le « tuyé » en bois où sont fumées traditionnellement les saucisses de Morteau, le fumage se pratique le plus souvent dans des enceintes métalliques, la fumée provenant toujours de la combustion de sciure humide. Un procédé récent, contesté par certains, consiste à condenser de la fumée de feu de bois, préalablement débarrassée des substances nocives, et à la conditionner en fût sous forme liquide avant de la vaporiser dans un appareil de fumage.

Pour les particuliers, on trouve maintenant des petits fumoirs métalliques, dans lesquels la combustion lente de sciure ou de copeaux de bois est favorisée par une résistance électrique, un brûleur à gaz, ou les braises d'une cheminée ou d'un barbecue.

FUMET Arôme qui se dégage de certains aliments. En cuisine, le mot désigne une préparation liquide, corsée et sapide, obtenue en faisant réduire un bouillon, un fond ou une cuisson, et utilisée pour renforcer le goût d'une sauce ou d'un fond de cuisson, ou pour servir de mouillement. Le terme « fumet » est surtout utilisé pour les champignons et le poisson ; pour la viande, la volaille et le gibier, on utilise le mot « fond ».

● FUMET DE CHAMPIGNON. Obtenu par une cuisson très réduite de champignons de couche bouillis avec du beurre dans de l'eau citronnée et salée, ce fumet augmente la sapidité de certaines sauces.

● FUMET DE POISSON. Réalisé en cuisant des parures de poisson, ce fumet permet de braiser ou de pocher les poissons et de confectionner des sauces d'accompagnement (normande, suprême, au vin blanc).

fumet de poisson

Nettoyer, concasser et faire dégorger 2,5 kg d'arêtes et de parures de poisson correspondant à la future recette (barbue, limande, merlan, sole, turbot, etc.). Éplucher et émincer très finement 125 g d'oignons et d'échalotes et 150 g de champignons ; presser 1 demi-citron ; attacher ensemble 25 g de queues de persil. Faire suer le tout avec les arêtes et les parures de poisson dans une cocotte, ajouter 1 brin de thym, 1 feuille de laurier, 1 cuillerée à soupe de jus de citron et 10 g de gros sel. Mouiller d'eau non salée à hauteur. Porter à ébullition, dégraisser et écumer, puis laisser frémir 20 min à découvert. Passer au chinois-étamine en pressant les arêtes et laisser refroidir.

FUSIL Tige cylindrique, faite d'un acier très dur, mais cassant, servant à refaire le fil des couteaux. Cette tige à bout rond, finement rainurée, est fixée sur un manche terminé par un anneau destiné à la suspendre.

FÛT OU **FUTAILLE** Tonneau en bois (souvent du chêne) destiné à la conservation du vin. Les fûts portent différents noms régionaux – le plus classique étant la « barrique » (225 litres) du Bordelais. On les appelle aussi « foudre » (1 000 litres environ) ou « aume » (114 litres) en Alsace, « feuillette » (132 litres) à Chablis, « queue » (216 litres) en Champagne et « pièce » (de 215 à 225 litres) dans le Beaujolais, en Bourgogne, dans le Val de Loire et dans la vallée du Rhône.

FRUITS EXOTIQUES

rambutan

anone

durian

litchi

fruit de la Passion ovoïde

fruit de la Passion sphérique

kaki dur, ou sharon

kaki mou

maracuja

salak (Thaïlande)

pitahaya jaune

nèfle du Japon, ou loquat

sapote

longane

grenade

papaye (Brésil)

pepino (Colombie)

jujube

carambole

datte fraîche

mangue (Mali)

mangue « nam kun si » (Thaïlande)

mangue « choke anan » (Thaïlande)

grenadilla

kiwi

nashi

Ugli

banane

banane rose

noix de coco

FRUITS ROUGES

églantine

prunelle

épine-vinette

airelle

cynorrhodon,
ou gratte-cul

arbouse

groseille à maquereau rouge

cornouille mâle

sureau noir

fraise des bois

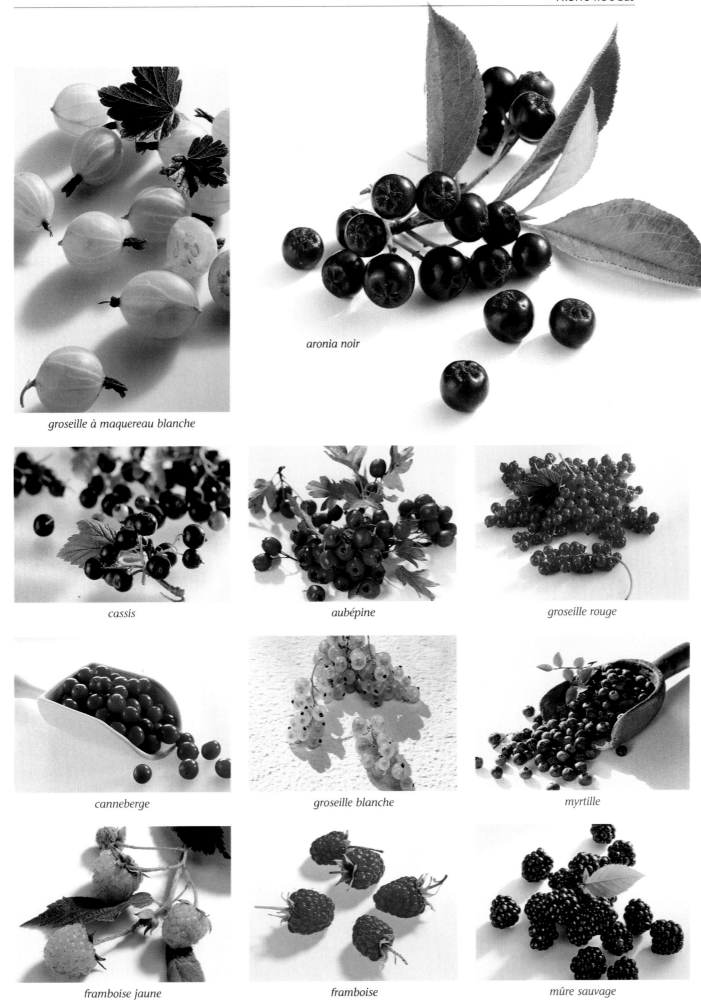

groseille à maquereau blanche

aronia noir

cassis

aubépine

groseille rouge

canneberge

groseille blanche

myrtille

framboise jaune

framboise

mûre sauvage

FRUITS SÉCHÉS ET FRUITS CONFITS

abricot séché

ananas séché

banane séchée

pomme séchée

figue d'Izmir séchée

figue d'Izmir au sirop

datte séchée

nectarine séchée

papaye séchée

cerise séchée

pêche séchée

poire séchée
(demi-fruit)

mangue confite

poire séchée (entière)

GAGNAIRE (PIERRE) Cuisinier français (Apignac 1950). Il accomplit un premier stage chez Paul Bocuse à l'âge de quinze ans. En 1968, il est commis chez *Tante Alice* à Lyon : c'est le temps des saladiers et des volailles demi-deuil. En 1976, après deux ans passés à courir le monde, il revient dans le restaurant de son père, *le Clos Fleuri* à Saint-Priest-en-Jarez. Quatre ans après, il ouvre un restaurant au centre de Saint-Étienne et obtient une étoile au Guide Michelin sous son nom. La deuxième étoile vient en 1986. Il voyage au Japon ; il invente les huîtres en feuilles de laitue aux endives cuites en aigre-doux et la gelée de queue de bœuf au chèvre frais. En 1993, il déménage dans un bel immeuble Art déco à Saint-Étienne et obtient sa troisième étoile. En 1996, le restaurant ayant fait faillite, il part tenter l'aventure à Paris. Il obtient dans la foulée deux étoiles (en 1997), puis trois étoiles (en 1998). Il est considéré comme le plus créatif des cuisiniers français. Sa carte est en perpétuel bouleversement.

GAILLAC Vin AOC blanc, rouge ou rosé, produit sur les deux rives du Tarn. La caractéristique principale de cette appellation réside dans une grande diversité de styles de vin (**voir** PYRÉNÉES). Le cépage essentiel en blanc, le manzac, peut produire des vins moelleux ou secs. Ces derniers présentent un léger « perlant » fort plaisant.

GALANGA Épice orientale, de la famille des zingibéracées, provenant d'un rhizome à la pulpe orange ou blanchâtre sous une écorce rougeâtre (**voir** planche des épices pages 338 et 339). Son arôme rappelle un peu le safran. Le galanga est très utilisé dans la cuisine de l'Indonésie et de la Thaïlande.

GALANTINE Préparation à base de morceaux maigres de gibier, de lapin, de porc, de veau ou de volaille, additionnés d'une farce avec des œufs, des épices et divers ingrédients (foie gras, langue écarlate, pistaches, truffes).

La galantine est cuite dans un fond, le plus souvent moulée dans une terrine rectangulaire. Elle peut aussi être enroulée dans un linge et prend alors le nom de « ballottine » (**voir** ce mot).

galantine de volaille

Flamber et vider une poularde de 2 kg, couper les pattes et les ailerons. Fendre la volaille sur le dos jusqu'à la naissance du croupion et, à l'aide d'un couteau d'office, la désosser complètement sans la déchirer. L'étaler sur la table et retirer les filets mignons, ainsi que les muscles des cuisses et des ailes, puis détailler ces chairs en carrés réguliers. Hacher finement dans un mixeur 250 g d'échine de porc désossée et 250 g d'épaule de veau. Couper en petits dés 150 g de lard gras, 150 g de jambon d'York, 150 g de langue écarlate, et les mélanger avec les morceaux de poularde, 150 g de pistaches mondées, le hachis, 2 œufs battus en omelette, 10 cl de cognac, du sel, du poivre et 1/2 cuillerée à café de quatre-épices. Travailler ce mélange avec les mains humides pour le rendre plus homogène ; le façonner en boule puis en rectangle. Disposer la farce sur la poularde et rabattre la peau tout autour, en l'étirant bien sans la déchirer. Mouiller un torchon de toile fine, l'essorer et y rouler la galantine, en serrant. Fermer les deux extrémités du torchon, puis la galantine, d'un tour de ficelle de cuisine dans un sens et de trois tours dans l'autre sens. Plonger celle-ci dans un fond de gelée préparé avec 2 pieds de veau partiellement désossés, 500 g de couennes fraîches dégraissées, 2 kg de jarret de veau, 2 grosses carottes coupées en rondelles, 1 gros oignon piqué de 2 ou 3 clous de girofle, 2 poireaux émincés, 1 bouquet garni enrichi de céleri, 5 litres de fond blanc de volaille, éventuellement 40 cl de madère, du sel et du poivre. Porter rapidement à ébullition, puis laisser frémir 3 heures. Égoutter la galantine en pressant le torchon, la placer sur un plan de travail, poser dessus une planche et un poids pour l'aplatir un peu. Dégraisser et passer la cuisson au tamis, puis la clarifier. Déballer la galantine, l'essuyer complètement, puis la masquer de plusieurs couches de gelée.

GALATHÉE Petit crustacé marin, à la carapace rouge-orangé bien calcifiée, plus longue que large, avec des stries transversales couvertes de soies. Son grand rostre est triangulaire, l'abdomen est rabattu ventralement sur lui-même et non contre le thorax. La galathée est très commune sur les fonds rocheux et graveleux profonds de 40 m en Atlantique et en Méditerranée. On l'utilise pour des bisques ou en remplacement des langoustines.

GALETTE Gâteau rond et plat, sans doute le plus ancien des apprêts de pâtisserie : la galette daterait du néolithique, époque à laquelle on cuisait des bouillies de céréales en les étalant sur des pierres chaudes. Aujourd'hui encore, on confectionne des galettes de pommes de terre (finement émincées ou en purée) ou de céréales (avoine, maïs, millet). En Bretagne, en Basse-Normandie et en Vendée, les galettes sont des crêpes de sarrasin que l'on garnit de fromage, d'un œuf, d'une saucisse, de sardines grillées, etc. (**voir** CRÊPE).

La galette est plus spécifiquement un petit biscuit sablé au beurre, grande spécialité bretonne. Mais on appelle encore « galettes » divers petits gâteaux secs et croquants, ronds, parfois dentelés, diversement parfumés, garnis ou glacés (surtout au café ou au chocolat).

Enfin, on nomme « galette des Rois » une galette feuilletée, parfois fourrée de frangipane, pâtisserie traditionnelle du jour de l'Épiphanie dans le Nord, à Lyon et dans la région parisienne. Dans le Sud, on célèbre ce jour avec un gâteau des Rois (voir ce mot). À cette occasion, un « roi » ou une « reine » est tiré grâce à une fève glissée dans le gâteau.

galette de pomme de terre

Préchauffer le four à 200 °C et y cuire pendant 40 min 6 grosses pommes de terre. Retirer la pulpe. En prendre 400 g et y incorporer 4 jaunes d'œuf, un par un, avec 1 cuillerée à café rase de sel et 150 g de beurre ramolli. Rouler la pâte en boule et l'aplatir avec la paume de la main. La rassembler à nouveau en boule et recommencer deux fois l'opération. Beurrer une tôle à pâtisserie et aplatir la pâte pour former une galette de 4 cm d'épaisseur ; la rayer avec la pointe d'un couteau, la dorer à l'œuf, et la cuire au four préchauffé à 220 °C.

RECETTE DE JEAN-LUC POUJAURAN
galette des Rois

« Étaler 500 g de pâte feuilletée à 5 tours et y découper 2 cercles. Dorer le tour de l'un d'eux au pinceau. Travailler 100 g de beurre ramolli avec 100 g de sucre, 100 g d'amandes râpées, 2 œufs entiers, quelques gouttes de vanille liquide et 1 cuillerée à soupe de rhum. Ajouter 20 cl de crème pâtissière ; bien mélanger. Étaler la préparation au centre de la galette et mettre la fève. Recouvrir avec le deuxième cercle de pâte et chiqueter. Dorer la surface au pinceau. Laisser reposer 1 heure au réfrigérateur et cuire 25 min au four préchauffé à 190 °C. »

galettes bretonnes ▶ BISCUIT
galettes de sarrasin et petit épeautre fraîchement moulu aux carottes et poireaux ▶ SARRASIN

---

petites galettes orangines

Verser 250 g de farine tamisée en fontaine. Y mettre 120 g de sucre, 150 g de beurre en morceaux, 1 pincée de sel, le zeste râpé de 2 oranges, 6 jaunes d'œuf et mélanger le tout. Former une boule avec cette pâte et la laisser reposer quelques heures au frais. Abaisser la pâte sur une épaisseur de 5 mm ; la découper à l'emporte-pièce cannelé de 5 à 6 cm de diamètre. Ranger ces galettes sur une tôle beurrée ; les dorer à l'œuf battu additionné d'une pincée de sucre et les cuire au four préchauffé à 240 °C.

soupe au lait d'huître et galettes de sarrasin ▶ HUÎTRE

GALICIEN Génoise fourrée de crème à la pistache, glacée en vert et décorée de pistaches hachées. Elle fut, dit-on, créée dans la maison de jeu *Frascati*.

---

galicien

Monder 200 g de pistaches et les hacher. En incorporer la moitié à une crème pâtissière additionnée de 3 gouttes de colorant vert. Laisser tiédir et ajouter 30 g de beurre. Découper une génoise en trois abaisses égales, en garnir deux de crème et les superposer ; les recouvrir avec la troisième. Préparer un glaçage avec 3 blancs d'œuf, le jus de 1 citron, 300 g de sucre glace et 3 gouttes de colorant vert, en masquer le gâteau, parsemer avec le reste des pistaches hachées et mettre au frais jusqu'au moment de servir.

GALLIANO Liqueur élaborée en 1896 en Toscane. Elle est obtenue à partir d'un grand nombre d'herbes et de fleurs, de baies et de racines (badiane, lavande, vanille, etc.) et colorée en jaune. Le galliano titre 30 % Vol. et entre dans la composition de divers cocktails.

GAMAY Cépage rouge à jus blanc, rustique et fertile, essentiellement cultivé en Beaujolais, mais aussi en Bourgogne, en Auvergne, en Val de Loire, en Savoie-Dauphiné. Il s'est bien acclimaté aux États-Unis, au Brésil et en Australie.

GAMMELOST Fromage norvégien de lait écrémé de chèvre ou de vache (taux de matières grasses variable), à pâte demi-dure, brun jaunâtre veiné de bleu et à croûte naturelle brune (voir tableau des fromages étrangers page 396). Se présentant sous la forme de pains rectangulaires ou cylindriques de 2 à 3 kg, il a une saveur forte et piquante.

GANACHE Crème de pâtisserie utilisée pour garnir des entremets, fourrer des gâteaux ou des bonbons, réaliser des petits-fours. Les chocolatiers l'aromatisent aux épices, aux fruits, au café, au thé pour confectionner de savoureux bonbons de chocolat.

---

ganache au chocolat

POUR 320 G DE GANACHE – PRÉPARATION : 10 min – CUISSON : 2 min environ
Mettre 150 g de beurre mou dans une jatte. L'écraser avec les dents d'une fourchette et le malaxer jusqu'à ce qu'il soit parfaitement mou et onctueux. Hacher 160 g de chocolat noir à 70 % de cacao (ou 180 g de chocolat au lait) au couteau-scie et le mettre dans une autre jatte. Porter 11 cl de lait entier à ébullition. En verser un petit peu au milieu du chocolat haché. Mélanger doucement en faisant des petits cercles concentriques avec une cuillère en bois. Verser peu à peu le reste de lait et continuer de mélanger lentement en faisant des cercles de plus en plus grands. Lorsque le mélange est à moins de 60 °C, y ajouter petit à petit le beurre mou en petits morceaux. Mélanger doucement sans trop travailler la préparation afin d'en préserver la texture moelleuse.

GAPERON Fromage produit dans quelques communes de Limagne (Puy-de-Dôme), à base de lait de vache partiellement écrémé additionné de 10 % de babeurre. À pâte non cuite et à croûte naturelle, il est en forme de boule aplatie à la base de 9 cm de diamètre. Il est aromatisé à l'ail et, éventuellement, au poivre ; il a une saveur prononcée.

GARAM MASALA Mélange d'épices, qui signifie littéralement « épice brûlante », très utilisé dans la cuisine indienne. Le garam masala comprend généralement de la cardamome, du cumin, des clous de girofle, de la cannelle et de la noix de muscade (avec ou sans macis). Mais, on peut y ajouter, selon les variantes, des grains de poivre noir, des graines de fenugrec, de coriandre ou de fenouil. Pour que les épices gardent toute leur force, il est préférable de les broyer et de les mélanger juste avant utilisation. Le garam masala intervient toujours en petites quantités ; il est ajouté plutôt en fin de cuisson.

GARBURE Potée béarnaise associant un bouillon de légumes, du chou et du confit d'oie, mais dont il existe plusieurs variantes, dont le briscat (garbure au maïs).

RECETTE DE STÉPHANE CARRADE
garbure béarnaise

POUR 8 PERSONNES
« Faire tremper 500 g de haricots maïs dans de l'eau froide pendant 12 heures. Éplucher et laver 800 g de pommes de terre, 200 g de carottes, 200 g de poireaux, 100 g de navet et 1 gros oignon. Couper le tout en gros dés et verser dans une marmite contenant un peu de graisse de canard. Faire suer sans coloration, puis mouiller avec 3,5 litres d'eau froide. Ajouter 1 os de jambon (camoc), 1 bouquet garni (thym, laurier, queue de persil et origan frais), 1 piment d'Espelette sec, équeuté et épépiné. Porter à frémissement, écumer, couvrir et laisser cuire 1 heure. Pendant ce temps, écosser 500 g de fèves et 500 g de petits pois frais. Préparer le chou vert en retirant le trognon, enlever les premières feuilles, le laver et le couper en quartiers. Au bout de 1 heure de cuisson, mettre le chou dans la marmite et assaisonner de sel et de poivre. Poursuivre la cuisson pendant 45 min. Au dernier moment, ajouter 8 manchons de canard gras confit, les petits pois et les fèves. Lier le bouillon avec 30 g de graisse de canard. Ajouter 3 gousses d'ail et 1/2 botte de persil commun hachés. Mélanger le tout et rectifier l'assaisonnement. Servir dans un toupin très chaud et placer dans chaque assiette 1 tranche de pain de campagne rassise, frottée à l'ail et à la graisse de canard, et légèrement toastée. »

GARDE-MANGER Sorte de cage à armature de bois, garnie de toile moustiquaire en métal ou en plastique, destinée à conserver les aliments à l'abri des mouches et autres insectes. Souvent muni d'une poignée, le garde-manger était autrefois suspendu à la cave ou dans un endroit frais, à l'extérieur, sous la fenêtre de la cuisine. Il est encore parfois utilisé pour conserver les fromages.

Au Moyen Âge et jusqu'à la fin du XVIIIᵉ siècle, on appelait également « garde-manger » le local frais et aéré où l'on conservait les provisions.

En cuisine professionnelle, le garde-manger désigne le local où l'on stocke, en chambres froides, les aliments périssables (poisson, viande, charcuterie, légumes, produits laitiers, etc.) et où l'on prépare toutes les marchandises crues (piéçage des viandes, préparation des poissons, confection des terrines, etc.). C'est également le lieu de dressage des préparations froides (salades, hors-d'œuvre, saumon fumé, etc.).

GARDON Petit poisson de la famille des cyprinidés, qui vit généralement dans les eaux douces herbeuses (**voir** planche des poissons d'eau douce pages 672 et 673). Pouvant atteindre 30 cm de long, le gardon a le dos brun verdâtre et le ventre argenté. On le prépare surtout en friture, et son goût est proche de celui du goujon.

GARGOULETTE Vase de terre poreuse, dans lequel l'eau se rafraîchit par évaporation. La gargoulette est le plus souvent munie d'une poignée et d'un bec permettant de boire à la régalade.

GARIN (GEORGES) Cuisinier français (Nuits-Saint-Georges 1912 – Solliès-Toucas 1979). Il quitte sa Bourgogne natale pour ouvrir, en 1961, rue Lagrange à Paris, le restaurant qui portera son nom et obtiendra deux étoiles au Guide Michelin. Maître formant à son tour de bons élèves (dont le plus célèbre est Gérard Besson), il régale un petit monde de gourmets assidus de homard à la chiffonnade ou poché au porto, de truite soufflée, de brouillade d'œuf aux truffes, de foie de veau aux raisins, de volaille à la serviette étuvée au meursault. « Curieux homme que Garin !, écrit Courtine. Une barbe de Roi mage où le sel domine le poivre, la tête grosse, un peu penchée, comme pour écouter des voix mystérieuses ou discrètes, la voix douce, sourde, lourdement veloutée, la main apaisante… On trouve dans les cathédrales des saints de pierre un peu semblables, très proches de la terre, mais avec le ciel dans les yeux. » Ce classique sage a fini par quitter Paris, achevant sa carrière en ouvrant *le Lingousto*, à Solliès-Toucas, sous le soleil de Provence.

GARLIN (GUSTAVE) Cuisinier de « maison bourgeoise » (Tonnerre 1838 - ?). On lui doit un manuel de cuisine fondamental, édité en 1887, *le Cuisinier moderne ou les Secrets de l'art culinaire*. En 1891, il participe à la création de l'École professionnelle de cuisine, rue Bonaparte à Paris.

GARNITURE Accompagnement simple ou composé d'un apprêt. La garniture est toujours réalisée en fonction du mets et avec, éventuellement, de la sauce.

Une garniture simple ne comporte qu'un seul élément, généralement un légume (braisé, sauté, lié au beurre, à la crème), du riz, des pâtes ou un farinage.

Une garniture composée réunit plusieurs ingrédients. Ceux-ci sont classiques (champignons diversement apprêtés, lardons, légumes frais, petits oignons) ou plus élaborés (crêtes de coq, croustades garnies, croûtons, légumes « rares », quenelles, queues d'écrevisse, truffes). Il peut aussi s'agir d'une sorte de ragoût, fait d'un salpicon composé (champignons, quenelles, ris de veau, volaille), lié de sauce, que l'on dresse en barquette, en bouchée, en cassolette, etc.

Dans la multitude des garnitures qui permettent de renouveler la présentation d'une même viande ou d'un même poisson, on peut distinguer celles qui ont été inventées par des chefs aujourd'hui disparus (Voisin, Choron, Foyot, Laguipière), celles qui sont dédiées à des personnages historiques (Cavour, Condé, Du Barry, Rossini, Talleyrand), celles qui portent le nom de la ville ou de la région de provenance de leur principal ingrédient (anversoise, Argenteuil, bordelaise, Clamart, Nantua, Périgueux), et celles qui évoquent soit l'apprêt qu'elles accompagnent (grand veneur, batelière, commodore), soit la façon dont elles sont disposées (bouquetière, jardinière).

GARNITURE AROMATIQUE Composition à base de légumes, d'aromates et de condiments, utilisée pour enrichir en saveurs et en odeurs une préparation, notamment pour les longues cuissons. Selon les cas, elle comprend ail, baies de genièvre, bouquet garni, carotte, céleri, oignon, éventuellement piqué de clous de girofle, poireaux, tiges de persil, etc. Elle est la pluârt du temps retirée de la préparation avant le service.

GARUM Condiment très employé par les Romains, obtenu en faisant macérer des viscères et des morceaux de poisson dans de la saumure avec des herbes aromatiques. D'une odeur et d'une saveur très fortes, le garum entrait dans de très nombreuses recettes et servait aussi de condiment à table.

GASCOGNE À base de graisse d'oie, de saindoux ou d'huile plutôt que de beurre, la gastronomie gasconne est relevée d'échalotes et d'aromates mais surtout d'ail. Haute en saveurs mais sans excès, cette cuisine de tradition qu'accompagnent si bien les vins du terroir offre des variantes en fonction des spécialités locales telles que la tomate de Marmande ou le chasselas de Moissac, le chapon fermier du Gers ou les melons, pommes, poires et reines-claudes de Montauban, sans oublier les célèbres pruneaux d'Agen. Ces prunes noires et ridées, séchées au four pour conserver tout leur parfum, se consomment aussi bien en entrée, entourées de bacon, qu'en dessert, marinées au thé et au rhum, ou dans un diplomate. Elles accompagnent également à merveille les viandes telles que le lapereau.

Les oies et les canards, nourris au maïs, sont une des gloires de la région. On les mange rôtis ou longuement mitonnés comme le canard à l'agenaise, qui allie pruneaux et armagnac. Les foies gras sont cuits en terrine, au torchon (enroulés dans un linge et plongés dans un bouillon), agrémentés de raisins et de truffes ou préparés au pacherenc-du-vic-bilh, à moins qu'on ne les préfère chauds, escalopés et accompagnés de fruits. Les morceaux de confit sont dorés doucement à la poêle ou viennent enrichir une garbure, une soupe mariant tous les légumes de saison. Bien que le gibier à plume devienne rare, sa chasse reste un rite, et bécasses ou palombes sont encore cuisinées en salmis ou rôties.

■ **Soupes et légumes.**

• TOURIN, ESCAUTON, CHAUDEAU, COUSINAT, OUILLAT. Bien des soupes gasconnes ont en commun l'eau, la graisse d'oie (parfois le lard), l'ail et l'oignon. En y ajoutant un œuf, d'abord le blanc puis le jaune, avec une cuillerée de vinaigre, on obtient le tourin (tourrin ou touri), parfois coloré de tomate. On peut le servir aussi épaissi de pain ou sur des croûtons. L'escauton est un plantureux bouillon gras préparé avec du jambon de pays, toutes sortes de légumes du jardin et des aromates. Le chaudeau réunit bouillon de volaille et vin blanc, aromatisés à la cannelle, au clou de girofle et au poivre, qui est ensuite versé sur des jaunes d'œuf battus avec du sucre en poudre. Dans le cousinat, ou cousinette, mijotent des bettes et des carottes subtilement aromatisées, et l'ouillat est une soupe à l'oignon.

Le chou s'emploie beaucoup, mais aussi le potiron, les fèves et la tomate. Les Gascons apprécient tellement l'ail qu'ils en font un légume : gousses d'ail en chemise ou purée d'ail garnissent et parfument le gigot. Les légumes préparés à la gasconne sont rissolés dans la graisse d'oie avec des oignons émincés. Les haricots blancs figurent en bonne place dans le cassoulet, l'estouffat, les soupes et les salades.

■ **Poissons et escargots.**

• ANGUILLE AUX PRUNEAUX ET ESCARGOTS EN RAGOÛT. Les Gascons servent souvent un poisson en entrée. Selon sa taille, le brochet est cuit au court-bouillon, frit à la graisse ou servi froid en escabèche. Le saumon de l'Adour frais et fumé offre une gourmandise de choix. L'anguille s'apprête à l'ail et au vin rouge, parfois en matelote avec des pruneaux. L'escargot gris de Gascogne mijote en ragoût avec aromates, jambon de pays, vin blanc et armagnac.

411

■ **Viandes et volailles.**
Le confit de porc au chou, les jarrets d'agneau au madiran, les paupiettes de bœuf aux cèpes, le ventre de veau à la gasconne (noix longuement mijotée), l'andouille et le boudin béarnais ou la daube au vin rouge témoignent d'une longue tradition, au même titre que le civet de lièvre à l'armagnac, la gasconnade (gigot à l'ail et à l'anchois), le poulet aux oignons de Trébons ou la poule au pot béarnaise.

• TRIPES ET ABATS : ALICOT, TRESCAT ET GALUTRES. Grands amateurs de tripes et d'abats, les Gascons cuisinent les cœurs en brochette, garnissent des salades de gésiers confits ou de cous d'oie farcis et font griller les carcasses d'oie et de canard sur la braise. L'alicot, ragoût d'abattis de volaille, est une spécialité que la Gascogne partage avec le Languedoc. Le trescat, plat de tripes de mouton tressées (d'où son nom), liées aux jaunes d'œuf, se retrouve dans tout le Sud-Ouest, alors que les galutres, tripes de mouton mijotées aux petits oignons, restent plutôt une spécialité de Tarbes.

• ŒUFS : ŒUFS FRITS À LA GASCONNE, MASSACANAT. Les œufs s'associent volontiers aux autres produits du terroir : œufs sur le plat au saucisson de Vic-Fezensac, œufs frits à la gasconne avec jambon cru, tomates et aubergines, omelette au foie gras ou aux morceaux de peau de canard ou d'oie rissolés. Le massacanat, plat rituel du matin de Pâques en Bigorre, est une omelette garnie de dés de veau rissolés avec des oignons et du persil.

■ **Fromages et desserts.**
La région produit peu de fromages, mis à part les cabécous divers et le rocamadour, chèvres plus ou moins affinés, et des pâtes pressées au lait de brebis (l'ossau-iraty-brebis-pyrénées AOC et ses nombreuses variantes).

• PASTIS GASCON. Le principal dessert, le pastis gascon, se présente comme un délicat feuilleté fourré de lamelles de pommes macérées à l'armagnac puis arrosé d'armagnac à la sortie du four. La galette agenaise à la frangipane, la cruchade (une fine galette de maïs), les feuillantines du Gers, les fruits à l'armagnac et les pruneaux fourrés figurent également au chapitre des douceurs. Dans le Béarn, des desserts robustes – broye, millas, galettes aux pruneaux, feuilletés à la graisse d'oie – terminent les repas arrosés de vins régionaux puissants.

■ **Vins et armagnac.**
Les vins, issus de cépages très anciens, ont une forte personnalité et une grande authenticité, qu'il s'agisse du madiran, un rouge tannique de solide charpente, du pacherenc-du-vic-bilh, un blanc aux arômes de fruits exotiques, d'amandes et de noisettes, du tursan, du buzet ou des côtes-du-marmandais. Enfin, n'oublions pas l'armagnac, cette eau-de-vie de vin, dont le vignoble s'étend essentiellement dans l'est du département du Gers.

GASPACHO Potage espagnol à base de concombre, de tomate, d'oignon, de poivron et de mie de pain relevé d'huile d'olive et d'ail, que l'on mange froid. Traditionnellement préparé dans une grande coupe d'argile qui lui donne un goût particulier, le gaspacho (ou *gazpacho*) est originaire de Séville, mais il en existe de nombreuses variantes. Ainsi, à Jerez, on le garnit de rondelles d'oignon cru ; à Ségovie, il est parfumé de cumin et de basilic, et monté sur un fond de mayonnaise.

RECETTE D'ALICE TOKLAS,
DANS *LIVRE DE CUISINE* (ÉD. DE MINUIT)

gaspacho de Séville

« Dans un bol, mettre 4 gousses d'ail écrasées, 1 cuillerée à café de sel, 1/2 cuillerée à café de poivre moulu, la pulpe de 2 tomates moyennes pelées et écrasées. Mélanger bien et ajouter goutte à goutte 4 cuillerées à soupe d'huile d'olive, puis 1 oignon d'Espagne coupé en lamelles aussi fines que du papier mouchoir, 1 poivron vert ou rouge épépiné et coupé en dés, 1 concombre épluché, épépiné et coupé en dés, 4 cuillerées à soupe de mie de pain. Ajouter 3 tasses d'eau, mélanger. Servir glacé. »

GASTRIQUE Réduction de vinaigre et de sucre ou de miel, conduite jusqu'au caramel, puis que l'on décuit avec un liquide (eau, vin, fond, etc.). Elle sert à préparer les sauces chaudes qui accompagnent des apprêts comportant des fruits (comme le canard à l'orange).

GASTRONOME (À LA) Se dit de volailles farcies et poêlées ou de ris de veau poêlés, garnis de petites truffes pochées, de marrons et de morilles au beurre, agrémentés de crêtes et de rognons de coq. La sauce est un déglaçage au champagne et à la demi-glace relevée d'essence de truffe.

L'appellation concerne aussi un apprêt de pommes de terre coupées en petits bouchons, sautées au beurre, roulées dans de la glace de viande et accompagnées de truffes.

GASTRONOMIE Art de faire bonne chère, que Charles Monselet, à la fin du XIXe siècle, définit comme « la joie de toutes les situations et de tous les âges ». Le mot fut en faveur à partir de 1801, date de la parution de *la Gastronomie ou l'Homme des champs à table*, de Joseph Berchoux ; deux ans plus tard paraissait *le Gastronome à Paris*, de Croze Magnan.

En 1835, l'Académie française officialisa le mot « gastronomie » en l'accueillant dans son dictionnaire. Mais, au XVIe siècle déjà, Rabelais, dans *le Quart Livre*, avait mis en scène messire Gaster, honoré par les gloutons. La meilleure trouvaille verbale revient au « Prince des gastronomes », fondateur de l'Académie des gastronomes, Curnonsky, qui créa le terme « gastronomades » pour désigner les touristes amateurs de spécialités régionales.

Le véritable gastronome, tout en estimant les productions les plus raffinées de l'art culinaire, n'en use qu'avec modération. Il recherche, au quotidien, les préparations les plus simples, mais les plus difficiles à réaliser dans leur perfection.

Cependant, comme le dit Jean-François Revel dans son livre *Un festin en paroles* : « Le gastronome est à la fois investigateur et craintif, il explore avec pusillanimité. Il passe la moitié de son temps à évoquer les satisfactions passées et l'autre moitié à supputer avec scepticisme les possibilités à venir […]. Il y a gastronomie lorsqu'il y a permanente querelle des Anciens et des Modernes et lorsqu'il y a un public capable, à la fois par sa compétence et par ses richesses, d'arbitrer cette querelle. »

GASTRONOMIE MOLÉCULAIRE Discipline scientifique, introduite en 1988 par Hervé This et Nicholas Kurti, qui considère que l'activité culinaire a une composante artistique, une composante technique et qu'elle doit procurer du bonheur. La gastronomie moléculaire explore, essentiellement d'un point de vue chimique et physique, ces domaines. Elle a donné naissance à plusieurs courants, entre autres la « cuisine moléculaire », qui utilise certains ingrédients et méthodes provenant des laboratoires scientifiques. À titre d'exemple, le chocolat Chantilly, qui est une mousse de chocolat sans œufs, est le résultat d'une réflexion sur le foisonnement des émulsions ; l'azote liquide permet d'obtenir des glaces et des sorbets à texture très fine et le siphon à gaz carbonique donne des écumes et des mousses.

RECETTE D'HERVÉ THIS

chocolat Chantilly

« Mettre dans une casserole 200 g de liquide (eau, café, thé ou jus d'orange) et 225 g de chocolat à croquer. Chauffer doucement jusqu'à l'obtention d'une émulsion de chocolat, puis poser la casserole sur des glaçons ou dans l'eau froide et foisonner à l'aide d'un fouet. Arrêter de battre quand la couleur s'éclaircit ou quand le fouet laisse une traînée dans la mousse formée. La consistance est celle d'une crème fouettée. »

GÂTEAU Nom générique désignant tout apprêt de pâtisserie sucrée, que l'on cuit et qui est fait à partir d'une pâte ou d'un appareil auxquels on ajoute, avant ou après cuisson, divers ingrédients.

Chaque gâteau a ses caractéristiques propres et peut, en outre, être diversement façonné ou moulé.

Les pâtes et les appareils de base sont relativement peu nombreux, mais les gâteaux peuvent varier à l'infini par la forme, la taille, la nature des ingrédients et le décor.

■ **Histoire.** Les premiers gâteaux étaient de simples galettes de farine et d'eau, auxquelles furent incorporés peu à peu du miel, des graines, des œufs, des épices, du beurre, de la crème, du lait. À la campagne, jusqu'à une époque récente, les gâteaux étaient souvent faits de pâte à pain améliorée, diversement enrichie : ils donnèrent naissance aux brioches, pognes, couques, fouaces et cramiques diverses.

Dans l'Antiquité, on confectionnait des gâteaux cuits entre des plaques de fer, ancêtres des gaufres, ainsi que des apprêts à base de fromage blanc. Au Moyen Âge, les préparations se diversifièrent, tout en restant assez rustiques ; les plus courantes étaient les beignets, les casse-museaux, les darioles, les échaudés, les nieules, les oublies, les talmouses et les tartes.

Bientôt, les pâtissiers, associés en corporation, devinrent des créateurs, notamment pendant la Renaissance, sous l'influence des cuisiniers italiens que Catherine de Médicis avait fait venir à la cour de France.

C'est alors que l'on vit apparaître les brioches, le feuilletage, les « gâteaux de voyage » à longue conservation, puis les biscuits mousseline, les meringues et, enfin, les grandes pièces montées architecturales, avant tout décoratives. Au XVIIIe et au XIXe siècle, les gâteaux devinrent des chefs-d'œuvre de raffinement et d'ingéniosité, surtout lorsque les pâtissiers étaient au service d'un prince ou d'une grande maison.

■ **Recettes traditionnelles et gâteaux du monde entier.** De nombreux gâteaux ont un caractère rituel ou symbolique, lié à une fête religieuse (Noël, Pâques, l'Épiphanie, la Chandeleur). La vie familiale a été elle aussi, de tout temps, l'occasion de déguster des gâteaux (de baptême, d'anniversaire, de mariage ou, simplement, le gâteau du dimanche). Dans les campagnes, la vie quotidienne était souvent rythmée par des gâteaux : ceux des veillées ou des réunions, ceux des jours de marché ou des jours de battage.

Certains gâteaux étrangers sont bien connus en France (baklava, Linzertorte, panettone, pudding, Strudel, vatrouchka, etc.). Jean-Paul Sartre donne, à ce sujet, un exemple surprenant d'anthropomorphisme culinaire : « Les gâteaux sont humains, ils ressemblent à des visages. Les gâteaux espagnols sont ascétiques avec des airs de fanfarons, ils s'effondrent en poussière sous la dent ; les gâteaux grecs sont gras comme de petites lampes à huile, quand on les presse, l'huile s'égoutte ; les gâteaux allemands ont la grosse suavité d'une crème à raser, ils sont faits pour que les hommes obèses et tendres les mangent avec abandon, sans chercher leur goût, simplement pour se remplir la bouche de douceur. Mais ces gâteaux d'Italie avaient une perfection cruelle : tout petits, tout nets, à peine plus gros que des petits-fours, ils rutilaient. Leurs couleurs dures et criardes ôtaient toute envie de les manger, on songeait plutôt à les poser sur des consoles, comme des porcelaines peintes. » (*Dépaysement*, éditions Gallimard.)

■ **Petits et gros gâteaux.** On distingue les gâteaux individuels, ou « à la pièce », et les grosses pièces ; les uns et les autres portent parfois le nom de celui qui les a créés ou de celui auquel ils furent dédiés, ou encore évoquent une origine géographique, mais ils sont le plus souvent baptisés d'une appellation fantaisiste ou d'un nom qui rappelle leur mode de fabrication. On désigne sous le nom de « gâteaux secs » les petits-fours secs, produits de biscuiterie, petites galettes, etc., servis avec le thé ou les glaces. Enfin, le mot « gâteau » s'applique à des préparations culinaires à base de purée de légumes ou de hachis divers, moulées et cuites au bain-marie, servies en entrée ou en garniture (gâteau de foie de volaille, de carotte, de chou-fleur) : ce sont en fait des « pains » de cuisine (**voir** ce mot).

gâteau alcazar

Foncer un moule à manqué avec 250 g de pâte sucrée. Piquer le fond et le garnir de 2 cuillerées à soupe de marmelade d'abricot. Monter en neige sur feu doux 4 blancs d'œuf et 125 g de sucre en poudre, puis y ajouter 60 g de poudre d'amande, 60 g de farine et 25 g de beurre fondu additionné de 1/2 verre à liqueur de kirsch. Verser cette préparation dans le moule et cuire au four préchauffé à 200 °C, jusqu'à ce que le dessus soit doré. Démouler et faire refroidir sur une grille. Remplir de pâte d'amande ramollie à blanc une poche munie d'une douille cannelée ; tracer des losanges sur le dessus du gâteau et une bordure autour. Remettre au four pour faire dorer le décor. Faire réduire à feu doux 400 g de marmelade d'abricot, abricoter le creux de chacun des losanges et en garnir le centre d'une demi-pistache.

gâteau Alexandra

Faire fondre 100 g de chocolat avec 1 cuillerée à soupe d'eau dans une petite casserole à fond épais. Mettre dans une jatte 3 jaunes d'œuf, 1 œuf entier et 125 g de sucre en poudre ; fouetter jusqu'à ce que le mélange blanchisse ; incorporer alors 75 g de poudre d'amande, puis le chocolat fondu, 20 g de farine et 80 g de fécule, bien mélanger. Battre 3 blancs d'œuf en neige très ferme avec 1 pincée de sel et les incorporer à la pâte, ainsi que 75 g de beurre fondu. Beurrer et fariner un moule carré de 18 cm de côté et y verser la pâte. Mettre à cuire 50 min dans le four préchauffé à 180 °C. Laisser refroidir. Abricoter le gâteau avec 200 g de marmelade d'abricot, puis le mettre 10 min dans le réfrigérateur. Faire fondre 80 g de chocolat avec 2 cuillerées à soupe d'eau et, dans une autre casserole, faire tiédir 200 g de fondant. Ajouter au fondant le chocolat fondu : le mélange doit être assez fluide pour s'étaler facilement. Masquer le gâteau de ce fondant au chocolat, égaliser avec la spatule et réserver au frais jusqu'au moment de servir.

RECETTE DE SUZY PELTRIAUX

gâteau au chocolat de Suzy

POUR 6 À 8 PERSONNES – PRÉPARATION : 10 min – CUISSON : 27 min
« Préchauffer le four à 180 °C. Hacher 250 g de chocolat noir à 60-64 % de cacao au couteau-scie et le faire fondre dans une casserole au bain-marie. Fouetter 4 œufs et 220 g de sucre en poudre. Y incorporer 250 g de beurre préalablement fondu, puis le chocolat fondu. Tamiser 70 g de farine et l'ajouter à la préparation. Beurrer un moule à manqué de 22 cm de diamètre. Le fariner. Y verser la préparation. Enfourner, faire cuire 25 min et maintenir la porte du four entrouverte en y coinçant une cuillère en bois. À la sortie du four, démouler le gâteau sur une grille à pâtisserie. Laisser refroidir avant de servir. »

gâteau à la mandarine ▶ MANDARINE

gâteau manqué

Faire fondre 100 g de beurre sans le laisser colorer. Séparer les blancs et les jaunes de 6 œufs. Mettre les jaunes dans une terrine, avec 200 g de sucre en poudre et 1 sachet de sucre vanillé ; fouetter le mélange jusqu'à ce qu'il soit mousseux, puis ajouter 150 g de farine en pluie, le beurre fondu et 1/2 verre à liqueur de rhum. Travailler encore pour obtenir un mélange homogène. Battre les blancs d'œuf en neige très ferme avec 1 pincée de sel, puis les incorporer délicatement à la pâte. Beurrer un moule à manqué avec 15 g de beurre ; y verser l'appareil ; cuire de 40 à 45 min au four préchauffé à 200 °C. Laisser tiédir dans le moule, puis démouler et faire refroidir sur une grille.

gâteau marbré

Faire fondre 175 g de beurre ; le mélanger au fouet avec 200 g de sucre, puis 3 jaunes d'œuf ; tamiser 175 g de farine en y ajoutant 1/2 sachet de levure chimique et l'incorporer à la préparation. Battre 3 blancs en neige très ferme et les ajouter à la pâte. Séparer celle-ci en deux parties égales ; incorporer 25 g de cacao à l'une de ces parties. Verser dans un moule à cake beurré les deux appareils en les alternant en couches peu épaisses. Cuire 50 min au four préchauffé à 200 °C.

gâteau aux marrons et au chocolat ▶ MARRON GLACÉ

gâteau moka

Faire fondre 90 g de beurre, sans le laisser colorer. Fouetter 5 jaunes d'œuf avec 150 g de sucre jusqu'à ce qu'ils blanchissent et deviennent mousseux ; ajouter alors, en pluie, 150 g de farine tamisée et 50 g de poudre de noisette ; mélanger, puis incorporer le beurre fondu et, délicatement, 5 blancs d'œuf battus en neige très ferme avec 1 pincée de sel. Verser cette pâte dans un moule à manqué beurré de 20 cm de diamètre ; cuire 35 min au four préchauffé à 180 °C. Démouler le biscuit sur une grille fine dès la sortie du four, le laisser refroidir, puis le couvrir et le mettre 1 heure dans le réfrigérateur. Porter très doucement à ébullition 150 g de sucre avec 2 cuillerées à soupe d'eau. Mélanger lentement ce sirop bouillant avec 4 jaunes d'œuf et battre énergiquement jusqu'à ce qu'il soit refroidi. Incorporer ensuite au fouet 175 g de beurre ramolli coupé en morceaux, puis 1 cuillerée à café d'essence de café. Concasser finement 150 g de noisettes mondées et grillées. Découper le biscuit en trois abaisses. En masquer deux, chacune avec un quart de la crème, parsemée de 50 g de noisettes. Superposer les trois abaisses pour former le gâteau et masquer celui-ci avec le troisième quart de la crème. Parsemer tout le tour du gâteau de 50 g de noisettes. Mettre le reste de la crème dans une poche à douille cannelée et dessiner des rosaces régulières sur le gâteau. Poser un grain de café au chocolat amer au centre de chaque rosace. Placer le gâteau dans une boîte hermétique et le mettre 2 heures au moins dans le réfrigérateur. Servir très frais. Le moka est meilleur le lendemain.

gâteau Montpensier

Faire tremper 50 g de fruits confits et 50 g de raisins de Smyrne dans 10 cl de rhum. Verser 125 g de farine dans une terrine avec 80 g de beurre coupé en morceaux ; travailler le tout du bout des doigts pour lui donner l'aspect d'une grosse semoule. Battre 7 jaunes d'œuf avec 125 g de sucre en poudre jusqu'à ce qu'ils blanchissent, puis y ajouter 100 g de poudre d'amande. Battre 3 blancs d'œuf en neige ferme avec 1 pincée de sel et les incorporer délicatement aux jaunes. Égoutter les fruits confits et les raisins, puis les verser dans la préparation, ainsi que le mélange de farine et de beurre ; travailler à la cuillère de bois. Beurrer un moule à génoise de 22 cm de diamètre et le parsemer de 50 g d'amandes effilées. Y verser la pâte et cuire 30 min au four préchauffé à 200 °C. Démouler sur une grille et laisser refroidir. Faire fondre sur feu doux 150 g de confiture d'abricot, la tamiser et abricoter la surface du gâteau. Mettre au frais jusqu'au moment de servir.

gâteau de patate douce

Faire tremper dans du rhum 150 g de raisins de Málaga épépinés. Cuire 5 patates douces avec leur peau dans de l'eau non salée. Les éplucher, les réduire en pâte très fine et incorporer vivement 1 sachet de sucre vanillé et 1 bonne cuillerée à soupe de farine. Assouplir l'appareil avec un peu de lait, puis ajouter 3 œufs, un par un, le jaune d'un quatrième œuf et les raisins de Málaga. Monter le blanc en neige à la dernière minute et l'incorporer à la pâte pour qu'elle soit lisse et légère. Verser celle-ci dans un moule à charlotte beurré. Placer le moule dans un bain-marie, porter à ébullition sur le feu, puis cuire 40 min au four préchauffé à 200 °C. Servir avec une crème anglaise.

RECETTE DE BARBARA NAVARRO
gâteau au potiron d'Halloween

« Dans une terrine, fouetter 4 œufs entiers avec 20 cl d'huile de tournesol et 400 g de chair de potiron cuite et bien écrasée. Ajouter 350 g de farine tamisée, 1 sachet de levure chimique, 1 cuillerée à café de bicarbonate de soude, 250 g de sucre en poudre, 3 cuillerées à café de cannelle en poudre, 1 pincée de sel et 200 g de noix hachées. Verser cette pâte dans un moule en couronne beurré et fariné, et cuire 1 heure au four préchauffé à 120 °C. Démouler sur une grille et glacer avec 100 g de sucre glace délayé dans du jus de citron et additionné d'une cuillerée à café de zeste du citron finement râpé. »

RECETTE D'ALEXANDRE DUMAINE
gâteau « le prélat »

« Préparer 1 litre de café très concentré, légèrement sucré et aromatisé de rhum blanc. Laisser refroidir. Fouetter ensemble 2 œufs entiers et 6 jaunes. Verser dessus 300 g de sucre cuit au filé et fouetter jusqu'à refroidissement. Ajouter encore 300 g de chocolat amer ramolli, des zestes d'orange râpés et 75 cl de crème double demi-fouettée. Bien mélanger. Tapisser le fond d'un moule rectangulaire beurré de biscuits à la cuillère imbibés d'un peu de café. Recouvrir de la composition. Faire une nouvelle couche de biscuits imbibés et ainsi de suite jusqu'en haut du moule, en terminant par des biscuits au café. Mettre au réfrigérateur 24 heures avant de démouler. Napper de chocolat fondu malaxé avec du beurre (1 kg de chocolat pour 300 g de beurre et un verre d'huile neutre), le tout à 34 °C. »

GÂTEAU À LA BROCHE Spécialité que revendiquent à la fois les Aveyronnais et les Ariégeois, faite d'une pâte épaisse et onctueuse, parfumée au rhum ou à la fleur d'oranger, que l'on verse par petites quantités, à la louche, sur une broche spéciale, munie d'un long cône de bois entouré de papier huilé, qui tourne lentement devant un feu très vif. Le gâteau se forme ainsi par couches successives (**voir** BAUMKUCHEN).

GÂTEAU DE RIZ Entremets froid à base de riz au lait, additionné de sucre et d'œufs. Il peut être enrichi de fruits (frais, secs ou confits) et servi avec une crème anglaise ou une purée de fruits rouges. Sa réussite dépend de la nature du riz (à grains ronds, non étuvé).

gâteau de riz au caramel
POUR 4 À 6 PERSONNES – PRÉPARATION : 30 min – CUISSON : 45 min

Préparer d'abord 400 g de riz au lait (voir page 747). Casser 3 œufs en séparant les blancs et les jaunes. Retirer la gousse de vanille du riz au lait et y ajouter 175 g de sucre en poudre et les jaunes d'œuf en mélangeant bien. Monter les blancs en neige très ferme avec 1 pincée de sel, puis les incorporer peu à peu au riz. Préchauffer le four à 200 °C. Mélanger 100 g de sucre, le jus de 1/2 citron et 1 cuillerée à soupe d'eau dans une grande casserole. Mettre à chauffer pour obtenir un caramel, en verser aussitôt la moitié dans un moule à charlotte de 20 cm de diamètre, en faisant pivoter le récipient pour répartir le caramel uniformément sur les parois. Réserver l'autre moitié. Verser le riz dans le moule en le tassant bien et placer celui-ci au bain-marie. Démarrer l'ébullition sur le feu, puis continuer la cuisson pendant 45 min au four. Laisser refroidir et démouler sur un plat de service. Diluer le caramel que vous avez gardé avec un peu d'eau chaude et en napper le gâteau de riz.

GÂTEAU DES ROIS Pâtisserie traditionnelle du jour de l'Épiphanie. À cette occasion, un « roi » ou une « reine » est désigné par le hasard, grâce à une fève glissée dans le gâteau. Ce rituel remonte sans doute à l'époque romaine ; lors des fêtes en l'honneur de Saturne (les saturnales), tous les interdits étaient transgressés, et le « roi d'un jour » était tiré au sort à l'aide d'une fève dissimulée dans une galette.

Actuellement, il existe en France deux grandes traditions pour le gâteau des Rois : dans le Nord, à Lyon et dans la région parisienne, c'est une galette feuilletée, parfois fourrée de frangipane, alors que, dans le Sud, c'est un gâteau brioché, souvent garni de fruits confits ou parfumé à l'eau-de-vie ou à la fleur d'oranger.

galette des Rois ▶ GALETTE

gâteau des Rois de Bordeaux
POUR 8 À 10 PERSONNES – PRÉPARATION : 30 min – REPOS : 3 h + 1 h – CUISSON : 30 min

Préparer 1,5 kg de pâte à brioche en y ajoutant le zeste râpé de 1 citron (non traité). La laisser reposer pendant 3 heures. Diviser la pâte en 4 parts égales. Les aplatir avec la paume de la main et les façonner en couronne. Enfoncer une fève dans le fond de chacune d'elles. Les déposer sur une plaque recouverte de papier sulfurisé et les remettre à lever dans un

« S'il existe une infinie variété de tailles, de formes et de natures de gâteaux, le traiteur POTEL ET CHABOT ainsi que le restaurant GARNIER jouent leur partition avec maestria pour rendre chacune des pièces unique et aussi alléchante à l'œil qu'au palais. »

endroit tiède pendant 1 heure au moins. Préchauffer le four à 200 °C. Battre 1 œuf et en dorer les couronnes à l'aide d'un pinceau. Faire cuire à 200 °C pendant 10 min environ, puis à 180 °C pendant 20 min. Retirer du four. Parsemer sur le dessus et les côtés du gâteau 250 g de cédrat confit et 250 g de melon confit en morceaux ainsi que du sucre en grains. Laisser refroidir avant de servir.

GÂTE-SAUCE Marmiton, dans le langage moderne. Le terme désignait, à l'origine, le « gars de sauce », c'est-à-dire l'employé de cuisine, le « galopin », chargé de préparer les sauces.

GAUFRE Pâtisserie mince et légère, alvéolée, de forme variable selon le moule utilisé. La pâte à gaufre est faite de farine, de beurre, de sucre, d'œufs et d'eau ou de lait, et souvent aromatisée. Plus ou moins fluide, cette pâte n'est pas cuite au four, mais versée dans le gaufrier préchauffé, dont on referme les plaques avant de le placer sur le feu.

Les Grecs faisaient cuire entre des plaques de métal chaudes des gâteaux très plats, les *obelios*. Ce mode de cuisson resta en usage au Moyen Âge, où les « obloyers » fabriquaient toutes sortes d'« oublies », plates ou roulées en cornet. L'oublie devint gaufre vers le XIIIᵉ siècle, quand un artisan eut l'idée de forger des plaques de cuisson reproduisant le dessin alvéolé des rayons de miel, que l'on appelait alors « gaufres ».

Comme les beignets et les crêpes, les gaufres ont été l'un des mets les plus courants de l'alimentation paysanne. Aujourd'hui encore, chaque région possède sa recette de gaufres, quelquefois salées.

Les gaufres continuent d'être vendues, comme les crêpes, dans la rue, ou lors des foires ; jadis, elles étaient de toutes les fêtes, kermesses et rassemblements populaires. La tradition survit en particulier dans les provinces du Nord et des Flandres.

Généralement, les gaufres se mangent chaudes, poudrées de sucre, accompagnées de crème fouettée ou de confiture ; elles peuvent aussi être fourrées.

gaufres : préparation

Dans une terrine, mettre 500 g de farine tamisée, 1 paquet de levure chimique, 10 g de sel, 30 à 40 g de sucre en poudre, 150 g de beurre fondu et refroidi, 5 œufs battus en omelette et 80 cl de lait (ou davantage pour plus de légèreté). Bien mélanger pour obtenir une pâte fluide et parfaitement lisse. Laisser reposer 1 heure au moins. Chauffer et graisser le moule à gaufre. Verser une petite louche de pâte dans une moitié du gaufrier ouvert, fermer, puis retourner pour que la pâte se répartisse également dans les deux parties du moule. Cuire des deux côtés. Ouvrir le gaufrier, détacher la gaufre et la poudrer de sucre glace.

GAUFRETTE Petit biscuit très sec et léger, souvent de fabrication industrielle, fait d'une pâte semblable à celle des gaufres mais moins liquide. Les gaufrettes sont vendues sèches, pliées en éventail, roulées en cigarette, ou fourrées à la confiture ou à la crème pralinée. Les cornets à glace sont réalisés en pâte à gaufrette.

L'appellation désigne aussi de fines lamelles de pomme de terre alvéolées puis frites, quelquefois en forme de nid (**voir** POMME DE TERRE).

gaufrettes hollandaises

Disposer 250 g de farine tamisée en fontaine ; mettre au milieu 125 g de sucre, 1 pincée de sel et le parfum choisi (vanille, cannelle, zeste de citron ou d'orange) ; mouiller le sucre avec 1 blanc d'œuf, puis ajouter 125 g de beurre ramolli et bien mélanger tous ces ingrédients. Réunir la pâte en boule, puis la détailler comme pour les gaufres et la cuire.

gaufrette de pomme de terre, crème au beurre noisette,
caramel au beurre salé ▶ POMME DE TERRE

GAUFRIER Moule de fonte articulé, composé de deux plaques alvéolées reliées par une charnière, entre lesquelles on met la pâte à gaufres pour la cuire.

Les gaufriers manuels sont parfois de véritables chefs-d'œuvre historiés. Ils se posent sur une source de chaleur (braises, brûleur, plaque électrique) et se retournent à mi-cuisson, leurs longs manches permettant de les manipuler sans se brûler.

Aujourd'hui, ils sont souvent électriques et possèdent parfois un jeu de plaques interchangeables pour réaliser des croque-monsieur, des grillades, voire des crêpes.

GAULOISE (À LA) Se dit de plusieurs apprêts assez recherchés, comportant des crêtes et des rognons de coq : consommé de volaille légèrement tomaté, garni de royale de maigre de jambon, éventuellement lié au jaune d'œuf ; œuf mollet sur croûton, avec un salpicon de jambon à la sauce tomate ; garniture pour bouchée ou tartelette additionnée d'un salpicon de truffe et de champignons, lié de sauce suprême au madère.

Rognons et crêtes sont toutefois absents de la garniture « à la gauloise » pour poissons : celle-ci est composée de barquettes garnies d'un salpicon de truffe et de champignons lié de sauce matelote, et agrémentée d'écrevisses troussées cuites au court-bouillon.

GAULT (HENRI) [Pacy-sur-Eure 1929 - Paris 2000] **ET MILLAU (CHRISTIAN)** [Paris, 1929]. Journalistes français à *Paris-Presse*, ils s'associent pour écrire avec succès de nombreux ouvrages gourmands (comme le *Guide Julliard de Paris* en 1963, le *Guide Gourmand de la France* en 1970, ou *Garçon, un brancard* en 1980) et fondent le guide et le magazine qui portent leur nom devenu un emblème. Ils connaissent la gloire en lançant, dans les années 1970, la formule de « la Nouvelle Cuisine », mouvement où s'illustrent notamment Jacques Manière, Michel Guérard et Alain Senderens, répudiant les cuissons trop longues, les mélanges alambiqués et les sauces lourdes, revendiquant, certes, la création libre, mais aussi la cuisine du marché, et les produits frais, à l'instar de Paul Bocuse, avant de se fâcher avec ce dernier. Ils ont créé un style bien à eux, à la fois littéraire et humoristique, sans dédaigner la polémique. Le sens de l'aphorisme et du jeu de mots appliqué à la chronique gourmande (« Gourmet à genoux, Chapel est une cathédrale ! »), tel est leur apport à un art qui ronronnait jusque-là.

Le premier a notamment publié sous son nom *À voir et à manger* (1963) et un guide des 50 meilleurs restaurants de France. Le second, après la vente du groupe qui porte son nom accolé à celui de son partenaire, poursuit une carrière d'écrivain. On lui doit notamment *Au galop des hussards* (1999), *Une campagne au soleil* (2002) et *Dieu est-il gascon ?* (2006).

GAZ PROPULSEUR ET GAZ D'EMBALLAGE Additifs alimentaires utilisés pour extraire des produits (crème fouettée en bombe, par exemple) de leur contenant (gaz propulseur), ou pour modifier l'atmosphère interne des emballages conçus pour conserver des aliments. Les gaz le plus couramment employés sont, dans le premier cas, l'oxyde d'azote et, dans le second cas, l'azote, le gaz carbonique et l'oxygène.

GAZETIN DU COMESTIBLE (LE) Publication périodique du XVIIIᵉ siècle dont ne subsistent que les douze numéros parus de janvier à décembre 1767. Cet ancêtre des guides culinaires modernes se proposait d'indiquer à ses lecteurs où se procurer toutes les denrées nécessaires à une bonne table.

GÉLATINE Substance incolore et inodore, extraite principalement de couenne de porc (la gélatine destinée aux cuisines juive et musulmane est extraite de peau de bœuf). La gélatine se présente sous forme de poudre ou de feuilles translucides. On la fait gonfler dans de l'eau froide, puis on la dissout à l'eau bouillante, ou on la fait fondre au bain-marie ou au four à micro-ondes (seule ou dans le liquide indiqué dans la recette), avant de l'incorporer. Elle s'utilise pour les plats « en gelée », pour de nombreux entremets froids ou glacés, ainsi que pour le collage des vins et des jus de fruits ; on l'emploie aussi en confiserie industrielle.

Un nouvel usage de la gélatine consiste à en intégrer quelques feuilles dans une purée de fruits ou de légumes pour confectionner, avec l'aide d'un siphon, une écume (**voir** ce mot) légère et goûteuse.

GELÉE DE CUISINE Préparation translucide qui, en refroidissant, se solidifie grâce aux éléments gélatineux qu'elle contient (notamment, les os). Il existe différentes gelées, blanches ou brunes, issues des fonds de base ; elles s'obtiennent naturellement lorsque les fonds sont préparés avec des éléments riches en gélatine. Dans le cas contraire, il faut leur ajouter, avant de les clarifier pour les rendre limpides, des feuilles de gélatine ramollies dans de l'eau froide.

Les gelées s'utilisent notamment pour confectionner des mets froids, dits « en gelée », pour garnir des plats froids et pour lustrer des pièces froides. Les gelées de viande, de volaille, de gibier sont réservées aux aspics, terrines, etc., dont l'élément dominant est le même que celui de la gelée ; les aspics de crustacés ou de poisson font appel à de la gelée en poudre ou en feuille délayée avec un fumet de poisson passé et clarifié. Les gelées peuvent être colorées et parfumées avec un alcool.

aiguillette de bœuf en gelée ▶ BŒUF
cailles farcies à la périgourdine en gelée ▶ CAILLE
côtes de veau à la gelée ▶ VEAU

RECETTE DE JOËL ROBUCHON

gelée de caviar à la crème de chou-fleur

« Mouiller d'eau salée 1 pied de veau flambé et coupé en deux, porter à ébullition, laisser frémir 2 min, puis rafraîchir sous un filet d'eau fraîche. Remettre le pied dans la casserole avec 30 g de sel et 4 litres d'eau, et laisser mijoter 3 heures. Passer au chinois. Faire blanchir un chou-fleur, le rafraîchir et l'égoutter. Le cuire 20 min dans 60 cl de bouillon de volaille avec 1 pincée de curry. Le presser dans une étamine et réduire le bouillon à 50 cl. Délayer dans un bol 30 g de fécule de maïs avec 4 cuillerées à soupe d'eau froide, puis incorporer au fouet une petite louche de bouillon. Porter à ébullition le reste du bouillon, sans cesser de fouetter, verser la fécule et cuire 3 min. Mettre dans le bol 1 jaune d'œuf avec 10 cl de crème liquide, mélanger, incorporer un peu de bouillon et verser le tout dans la casserole, en remuant. Retirer du feu aux premiers frémissements. Mixer la préparation ; la passer au chinois et laisser refroidir. Couper 1/2 pied de veau qui a servi pour la gelée en tout petits dés. Concasser 500 g de carcasses de homard et les faire revenir vivement dans 5 cl d'huile d'olive. Couper en mirepoix 50 g d'échalotes, 30 g de carottes, 20 g de céleri branche, 30 g de fenouil et 30 g d'oignons. Mettre tous ces légumes dans une casserole avec 3 cl d'huile d'olive, porter sur feu moyen, laisser suer 5 min, sans coloration, puis les ajouter aux carcasses de homard, avec du sel et du poivre mignonnette. Bien remuer et ajouter 1 cuillerée à soupe de concentré de tomate, ainsi que la gelée, les dés de pied et 1 bouquet garni. Porter à ébullition et laisser frémir 20 min, en écumant. Passer la gelée au chinois dans une autre casserole et faire réduire, en dépouillant les impuretés, jusqu'à ce qu'il ne reste plus que 50 cl de liquide. Laisser refroidir la gelée, en enlevant la graisse qui remonte à la surface. La clarifier, la passer au linge-étamine, la laisser refroidir puis prendre au réfrigérateur. Au moment de servir, la faire tiédir pour la ramollir. Mouler en forme de dôme 20 g de caviar au fond de chaque bol à consommé. Verser dessus 10 cl de gelée et faire prendre au réfrigérateur. Napper de 5 cl de crème de chou-fleur et remettre au frais. Décorer avec des points de mayonnaise à la chlorophylle d'herbes et du cerfeuil. »

gelée luxembourgeoise de porcelet ▶ PORC

---

gelée de poisson blanche

Réaliser un fumet de poisson (**voir** page 403). Préparer les éléments de la clarification, soit la chair hachée de 2 merlans et 2 blancs d'œuf pour 2 litres de gelée. Verser le fumet refroidi sur la clarification en remuant. Assaisonner de sel marin et additionner éventuellement, pour obtenir une gelée plus ferme, de feuilles de gélatine ramollies dans l'eau froide. Porter doucement à ébullition en remuant constamment, puis laisser frémir 20 min. Passer délicatement la gelée à l'étamine sans presser.

---

gelée de poisson au vin rouge

Elle s'obtient avec le fond de cuisson du poisson qui a été mouillé moitié avec vin rouge, moitié avec fumet. Cette gelée est clarifiée comme la gelée blanche.

---

gelée de viande

Dorer au four 1 kg de gîte de bœuf et 500 g de jarret de veau coupés en morceaux, 1 pied de veau, 500 g d'os de veau et 250 g de couennes dégraissées. Éplucher et émincer 2 oignons, 4 carottes et 1 poireau. Mettre dans un faitout les légumes, les viandes et les os, les couennes ficelées, 1 gros bouquet garni, 15 g de sel et du poivre ; mouiller de 5 litres d'eau et porter à ébullition. Écumer, puis ajouter 1 louche d'eau très froide et cuire 3 heures, à petits frémissements. Garnir une passoire d'un linge fin et y verser doucement le liquide. Laisser reposer celui-ci et le mettre dans le réfrigérateur pour enlever facilement la graisse solidifiée en surface. Clarifier le bouillon avec 200 g de viande maigre de bœuf, 2 blancs d'œuf et 1 petit bouquet de cerfeuil et d'estragon. On peut aromatiser la gelée au madère, au porto ou au xérès, ou à toute autre liqueur. De la même façon, mais sans laisser colorer les viandes et les os, on obtient un fond pour gelée blanche. En ajoutant à la gelée de viande 1,2 kg de carcasses et de parures de gibier colorées au four et des baies de genièvre, on obtient un fond pour gelée de gibier. En ajoutant à la gelée de viande une poule dorée au four ou 1,5 kg de carcasses et d'abattis de volaille, également colorés, on obtient une gelée de volaille.

jambon en gelée reine Pédauque ▶ JAMBON
perdreaux farcis à la gelée ▶ PERDREAU ET PERDRIX
poularde en gelée au champagne ▶ POULARDE

GELÉE D'ENTREMETS Entremets sucré et froid, à base de suc de fruits, de liqueur ou de vin de liqueur, et de gélatine, servi en dessert. Pour confectionner les gelées d'entremets, on prépare un fond de gelée (ou « fond collé à la gélatine ») auquel on ajoute une liqueur (10 cl pour 1 litre de fond) ou un vin de liqueur (40 cl pour 1 litre), ou encore un suc de fruits. Pour les fruits rouges, on ajoute 10 à 30 cl d'eau par 500 g de suc, suivant que ce dernier est plus ou moins gélatineux ; ce jus est filtré, puis on l'ajoute à la gélatine (50 cl pour 1 litre). Pour les fruits aqueux (citron, mandarine, orange, raisin, etc.), on ajoute simplement au fond de gelée le jus de fruits filtré. Pour les fruits à noyau, on ajoute au fond de gelée le sirop dans lequel ils ont cuit. En général, les fonds de gelée de fruits sont en outre parfumés avec de la liqueur.

Ananas, kiwi et litchi contiennent une enzyme qui détruit la gélatine. Pour annuler cet effet, il faut cuire ces fruits, ce qui supprime certaines de leurs qualités, ou utiliser un autre gélifiant.

GELÉE DE FRUITS Préparation obtenue en portant à ébullition un mélange de sucre et de jus de fruits. Seuls les fruits riches en pectine se prêtent à la préparation des gelées ; leur acidité et leur concentration en sucre jouent aussi un rôle. On utilise soit uniquement des coings, des groseilles, des mûres, des myrtilles ou des pommes, soit un mélange associant un fruit parfumé, mais pauvre en pectine (cassis, framboise), avec des groseilles ou des pommes.

Pour obtenir le jus, on commence par faire « crever » les baies, ou par faire macérer les fruits en morceaux avec leur cœur et leurs pépins, enfermés dans une mousseline. Dans les deux cas, cela se fait à chaud dans très peu d'eau. On les passe ensuite à la centrifugeuse ou dans une passoire très fine. Le jus est additionné de son poids de sucre et mis à cuire. On vérifie que la gelée est prise en versant quelques gouttes dans une assiette froide : elles doivent se solidifier rapidement.

gelée d'airelle ▶ AIRELLE

RECETTE DE BERNARD BERILLEY

gelée de fruits rouges

« Peser les fruits et les mettre dans une bassine avec 10 cl d'eau par kilo. Porter à ébullition pour les faire éclater, puis les écraser avec le dos d'une écumoire. Filtrer à travers un chinois le jus obtenu. Le peser et le remettre dans la bassine avec 800 g de sucre par kilo. (Pour le cassis, les groseilles, les myrtilles, qui ont beaucoup de pectine, utiliser du sucre de canne ou du sucre cristallisé ; pour les framboises et les mûres, préférer du sucre pour confiture, additionné de pectine.) Porter rapidement à ébullition, et la maintenir 5 min. Mettre en pots à chaud. »

GÉLIFIANT Agent de texture qui donne à une préparation la consistance et l'apparence d'un gel (**voir** ADDITIF ALIMENTAIRE). Les principaux gélifiants sont les pectines, l'acide alginique et ses dérivés, l'agar-agar, les carraghénates, l'amidon et la farine de caroube, dont le pouvoir gonflant est employé pour les bouillies, confitures, crèmes glacées, entremets, flans.

GÉLINE DE TOURAINE. Race de poule de Touraine, très rustique, appelée aussi « dame noire », à plumes noires et à crête très rouge. Elle bénéficie depuis 2001 du label rouge. Sa chair très savoureuse est appréciée des gastronomes.

GELINOTTE Gibier à plume, de la famille des tétraonidés. Appelée aussi « poule des bois » ou « poule des coudriers », la gelinotte, devenue très rare en France, ne subsiste plus que dans les Vosges, le Jura, certaines régions des Alpes et des Pyrénées. Ce gibier succulent se cuisine comme la perdrix, sans faisandage. Lorsque la gelinotte se nourrit de bourgeons de sapin, sa chair prend un goût de résine, que l'on atténue alors en faisant tremper l'animal dans le lait.

En Écosse, on l'appelle *grouse* ; le lagopède alpin est une gelinotte blanche. Au Canada, la gelinotte huppée, nettement plus grosse, est la plus recherchée des nombreux gibiers à plume qui vivent sur le territoire.

GENDARME Nom donné au hareng saur, en raison de sa raideur quand il est séché et fumé (**voir** HARENG).

Le terme désigne aussi une petite saucisse aplatie d'origine suisse, consommée également en Alsace, en Allemagne et en Autriche, à section rectangulaire, séchée et fumée, à base de maigre de bœuf et de gras de porc (**voir** planche de charcuterie pages 193 et 194).

GÉNÉPI Nom usuel d'une armoise de haute montagne, de la famille des astéracées, réputée pour ses vertus toniques. Le génépi entre dans la composition de tisanes et sert de base à des liqueurs de plantes, tel le « génépi des Alpes », très réputé.

GENEVOISE (À LA) Se dit d'apprêts de poissons servis avec une sauce à base de fumet de poisson, d'une mirepoix et de vin rouge, montée au beurre et parfumée à l'essence d'anchois. La sauce genevoise s'appelait primitivement « génoise », et certains manuels de cuisine proposent encore une sauce génoise, comparable, mais au vin blanc.

Une variante de la sauce genevoise, montée au beurre de homard et garnie de queues d'écrevisse, de quenelles et de truffes, pour napper des tronçons d'anguille cuits au court-bouillon, porte le nom de sauce « gourmet ». Enfin, il existe une sauce « génoise » pour poissons froids : c'est une purée d'herbes, pistaches et amandes, liée aux jaunes d'œuf, additionnée de jus de citron et montée à l'huile.

▶ Recette : SAUCE.

GENIÈVRE Nom usuel du genévrier, de la famille des cupressacées, dont les baies noirâtres sont utilisées en cuisine et en liquoristerie pour leur saveur poivrée et légèrement résineuse (**voir** planche des épices pages 338 et 339). Entières ou concassées, les baies de genièvre sont très appréciées dans les cuisines nordiques : apprêts de gibier à poil et à plume, marinades et courts-bouillons, plats de porc et choucroute.

Le genièvre est aussi une eau-de-vie très aromatique, surtout consommée dans le Nord (genièvre français, *genever* et *schiedam* néerlandais, pequet belge). Aux Pays-Bas, cette eau-de-vie, préparée avec de l'orge, du seigle et du maïs, distillée avec des aromates (anis, coriandre, cumin, genièvre), titre de 38 à 43 % Vol.

Le gin (déformation du mot « genever ») anglais et certains schnaps et aquavits sont également additionnés de baies de genièvre au cours de leur élaboration. Celles-ci aromatisent aussi certaines bières scandinaves.

▶ Recette : MOUSSE.

GÉNISSE Bovin femelle âgé en général de 2 ans ou plus, n'ayant pas vêlé. La génisse est appréciée pour la qualité de sa viande et de ses abats.

GÉNOISE Pâtisserie légère qui tient son nom de la ville de Gênes. La pâte à génoise est faite d'œufs entiers battus à chaud avec du sucre, additionnés de farine et de beurre fondu. On peut lui incorporer des amandes en poudre ou des fruits confits, la parfumer à la liqueur, au zeste d'agrume, à la vanille, etc. La génoise, souvent imbibée de sirop à l'alcool ou aux épices, sert de base à de nombreux gâteaux fourrés ; coupée en deux abaisses ou plus, qui sont masquées de confiture, d'une crème, de marmelade, etc., elle est nappée, glacée et décorée à volonté. Aujourd'hui, elle sert de support aux crèmes, mousses et bavarois.

pâte à génoise : préparation

Tamiser 200 g de farine. Faire fondre 60 g de beurre, en le gardant crémeux : laisser refroidir. Casser 6 œufs dans un cul-de-poule ; verser 200 g de sucre en poudre en pluie, en fouettant. Mettre le cul-de-poule dans un bain-marie et fouetter le mélange jusqu'à ce qu'il blanchisse et mousse (55-60 °C). Retirer du bain-marie, fouetter jusqu'à refroidissement. Incorporer 2 cuillerées de la préparation dans le beurre fondu, ajouter la farine en pluie en soulevant bien avec une spatule de bois, puis le reste de la préparation. Mettre la pâte dans 2 moules à génoise beurrés et farinés et cuire 30 min au four préchauffé à 180 °C.

GENTIANE Plante des montagnes d'Europe (notamment du Jura et des Alpes), de la famille des gentianacées, et dont la racine est un succédané du quinquina. La grande gentiane jaune (*Gentiana lutea*) était une véritable panacée pour les montagnards. Aujourd'hui, elle est utilisée pour ses vertus apéritives et digestives : l'essence de gentiane est un tonique amer, qui entre dans la composition de nombreux apéritifs.

GEORGETTE Nom donné, à la fin du XIXᵉ siècle, à divers apprêts, baptisés du titre d'une pièce de Victorien Sardou, jouée avec succès au théâtre du Vaudeville en 1885. Les pommes Georgette, servies pour la première fois au restaurant *Paillard,* proche du théâtre, sont des pommes de terre cuites entières, évidées, puis garnies, encore chaudes, d'un ragoût de queues d'écrevisse Nantua. Les œufs Georgette, pochés ou brouillés, sont servis dans des pommes de terre avec la même garniture.

Il existe aussi un potage Georgette (purées de tomate et de carotte mélangées, liées au tapioca et beurrées, ou velouté d'artichaut garni de perles Japon).

Enfin, les crêpes Georgette sont des crêpes sucrées, fourrées d'un salpicon d'ananas au rhum lié de confiture d'abricot, poudrées de sucre et glacées au four.

GÉORGIE La cuisine géorgienne bénéficie d'un sol fertile et d'un climat chaud et ensoleillé qui permettent la culture de très nombreux fruits et légumes.

■ **Une cuisine méditerranéenne.** Les plats y ressemblent beaucoup à ceux que l'on prépare tout autour du bassin méditerranéen, comme l'*adjersandal* (aubergines cuites au four avec tomates et oignons frits) ou le poulet en cocotte aux tomates.

Les viandes, mouton et agneau surtout, se préparent en brochettes (chachlik) ou bien macèrent avec des épices et de l'ail, avant d'être séchées (pasterma) ; elles sont traditionnellement accompagnées de riz.

Les sauces sont très originales : aux noix, pour les viandes, poissons et volailles ; aux fines herbes, pour les haricots rouges, largement consommés ; aux pruneaux, notamment pour le poulet en gelée.

D'autres spécialités sont très populaires comme le yaourt, le *touchouri* (fromage à pâte dure) et le *ghomi* (porridge à la semoule de maïs).

■ **Vins.** La Géorgie a une histoire viticole très ancienne, puisque les premières vignes y ont été plantées 7 000 à 5 000 ans av. J.-C. Son climat, corrigé par les influences des mers Noire et Caspienne, a grandement favorisé la viticulture. Près de mille cépages sont implantés dans le pays, dont une vingtaine pour la production de vin : chinuri, gurdzhaani, murkhranuli, saperavi, tasitska, tsinandali et tsolikouri essentiellement.

Les deux régions viticoles les plus connues sont la Khakétie et l'Imérétie. La Kakhétie, où les vignes sont tributaires de l'irrigation, produit des vins remarquables, notamment des blancs secs et parfumés, élevés 3 ans en fût de chêne, et des rouges tanniques, rubis sombre, dont certains rappellent des bourgognes. L'Imérétie donne à la fois des vins rouges (le khvantchkara était le préféré de Staline) et des blancs qui portent le nom de leur cépage. Enfin, divers mousseux sont obtenus selon la méthode champenoise.

GERMÉE (GRAINE) Jeune pousse qui se nourrit des réserves contenues dans une graine ou dans une semence que l'on a fait tremper pour en ramollir la peau (le tégument) [**voir** planche des graines germées page 420]. Outre les germes de soja (ou, plus exactement, de haricot mungo), originaires d'Asie, on trouve sur le marché des graines germées – ou des pousses – d'autres légumineuses (alfalfa ou luzerne, lentilles, pois chiches), de légumes (asperge, betterave, cresson, poireau, radis, daikon, etc.), et de céréales (blé, quinoa). Conditionnées en barquettes, les graines germées sont vendues au rayon frais des supermarchés. On peut aussi, en quelques jours, faire germer des graines chez soi.

Les graines germées sont très nutritives et riches en vitamines, car elles concentrent l'énergie nécessaire au développement de la plante. On les consomme crues, parsemées sur des salades, des légumes, des sandwichs. Elles sont particulièrement digestes, souvent plus que la céréale ou le légume sec dont elles sont issues.

▶ Recette : BLÉ.

GERMINY Nom d'un potage à l'oseille que Francis Amunategui qualifia de « potage pour gouverneur de la Banque de France » ; il fut en effet inventé par un cuisinier qui le dédia à son maître, Charles Gabriel Le Bègue, comte de Germiny, gouverneur de la Banque de France. Une autre version veut qu'il ait été créé, en l'honneur du même comte, par le chef du *Café Anglais*.

▶ Recette : POTAGE.

GERMON Petit thon de l'Atlantique et des mers tropicales, de la famille des scombridés, pêché surtout en France dans le golfe de Gascogne (**voir** tableau des thons page 848). Appelé aussi « thon blanc » à cause de sa chair pâle, il mesure souvent moins de 1 m, mais peut atteindre 1,50 m. Apprécié en Bretagne, il se cuisine piqué d'anchois, braisé au vin blanc avec tomates, oignons et ail, et servi avec des câpres. C'est le plus fin des thons de conserve, et son filet est très prisé.

GÉSIER Estomac musculeux des oiseaux de basse-cour, comestible après avoir été vidé et débarrassé de son aponévrose blanc bleuâtre. La volaille peut être vendue avec ou sans le gésier. Les gésiers sont souvent vendus confits, en conserve (pour faire des salades composées). Le gésier frais cuit plus facilement quand il est taillé en lamelles ou haché.

GET 27 ET **GET 31** Liqueurs de menthe fraîche et forte (de 21 à 24 % Vol.), à forte teneur en sucre ; on les désigne pour cette raison comme « crème de menthe ». Créé en 1796 à Revel, près de Toulouse, par Jean Get, qui le baptisa « pippermint » (menthe poivrée, en anglais), le Get 27 se sert sur glace ou complété d'eau plate. Les Anglo-Saxons le dégustent sur de la glace pilée. En Afrique et au Moyen-Orient, on l'allonge volontiers d'eau gazeuse. Le Get 31 est préparé avec de la menthe blanche et il est incolore.

GÉVAUDAN ▶ VOIR **ROUERGUE, AUBRAC** ET **GÉVAUDAN**

GEVREY-CHAMBERTIN Vin AOC de Bourgogne rouge, issu du cépage pinot noir, charpenté et puissant, provenant de l'une des communes les plus septentrionales de la côte de Nuits et comprenant deux crus d'une classe exceptionnelle, le chambertin et le chambertin-clos-de-bèze (**voir** BOURGOGNE).

GEWURZTRAMINER Cépage blanc qui donne son nom à un vin AOC d'Alsace, qui présente des arômes épicés, de la générosité et de l'élégance (**voir** ALSACE).

GHEE Beurre clarifié, couramment utilisé dans la cuisine indienne. Le plus réputé est à base de lait de bufflonne. Le ghee intervient comme ingrédient en pâtisserie, comme graisse de cuisson, pour condimenter les purées de légumes secs, le riz, etc. Chez les moins favorisés, le ghee est fait d'huile de sésame ou de moutarde. Au Népal, il est à base de lait de yack. Le ghee est commercialisé dans les épiceries orientales.

GIANDUJA Mélange de chocolat, d'origine italienne, ayant une teneur minimale en matière sèche de cacao de 32 % et en cacao sec dégraissé de 8 %, avec 20 % au minimum et 40 % au maximum de noisettes finement broyées. Spécialité de la région de Turin (on produit des noisettes dans le Piémont), le gianduja entre dans la composition de nombreux bonbons et bouchées de chocolat, soit pur, soit en mélange ou en superposition avec de la pâte pralinée, des ganaches, des pâtes de fruit ou d'amande.

GIBELOTTE Ragoût de lapin, préparé avec des lardons, des petits oignons et un bouquet garni, et mouillé de bouillon et de vin. En cours de cuisson, on ajoute des champignons et, à la fin, le foie pilé.

Au Québec, la gibelotte est un ragoût de légumes et de poisson.

---

gibelotte des îles Sorel

Faire revenir 25 g d'oignons hachés dans 12 cl d'huile très chaude. Mouiller de 25 cl d'eau aromatisée avec 1 cube de bouillon de bœuf. Y mettre 500 g de pommes de terre coupées en dés, saler et poivrer. Porter à ébullition et laisser mijoter 10 min. Verser 12,5 cl de crème de tomate et cuire 10 min. Ajouter 125 g de pois verts, 250 g de haricots verts cuits, 250 g de petites carottes cuites et 15 cl de maïs en crème. Chauffer et rectifier l'assaisonnement. Porter à ébullition 2,5 litres d'eau avec 30 g de gros sel et y cuire 5 min une barbotte de 1,5 kg. La servir sur le ragoût de légumes.

GIBIER Ensemble des animaux sauvages dont on pratique la chasse (**voir** tableau des gibiers page 421). Le gibier fut la base de l'alimentation carnée pendant des siècles ; il est consommé aujourd'hui de manière plus épisodique. La chasse est un loisir très encadré (on compte en France un chasseur pour 30 km²) et très utile pour la gestion de la faune sauvage. En effet, si le petit gibier (perdrix, faisan, lièvre, etc.) a décliné dramatiquement à la suite de pollutions de l'écosystème et des pratiques agricoles modernes, le gros gibier est devenu trop abondant. En revanche, certaines espèces, aujourd'hui trop rares, sont interdites de chasse.

GRAINES GERMÉES

moutarde

seigle

avoine

blé

orge

fève de soja noire

haricot mungo

cresson

fève de soja jaune

petite lentille marron

tournesol

alfalfa, ou luzerne

pois chiche

radis

lentille

Caractéristiques des différents gibiers commercialisés

NOM	PROVENANCE	ÉPOQUE	POIDS	ASPECT
gibier à poil				
cerf élaphe, ou cerf noble (*Cervus elaphus*)	Europe	sept.-fin févr. (France), sept.-déc. (Suisse, Belgique)	100-220 kg	pelage brun-rouge (été), marron-gris (hiver)
chevreuil (*Capreolus capreolus*)	Europe, Asie	1er juin-fin févr.	20-25 kg	pelage roux (été), gris foncé (hiver)
lapin de garenne (*Oryctolagus cuniculus*)	Europe, Chine	fin sept.-mi-mars	1,2-2 kg	dos gris-roux, ventre blanc
lièvre d'Europe, ou lièvre commun (*Lepus europaeus*)	Europe, Asie, Amérique, Océanie	sept.-fin févr.	3-5 kg	pelage brun-gris à blond-roux, queue noire sur le dessus, blanche en dessous, oreilles longues, noires à l'extrémité
sanglier				
bête rousse (5 mois-mue)	Europe, Asie, Afrique du Nord	mi-août-fin févr.	15-60 kg	pelage roux
bête de compagnie (mue)			60-80 kg	pelage foncé
ragot mâle (2-3 ans)			80-100 kg	pelage foncé
tiers-an mâle (3-4 ans)			100-110 kg	pelage foncé
quartenier mâle (4-5 ans)			110-120 kg	pelage foncé
solitaire (> 5 ans)			120-250 kg	pelage foncé
gibier à plume				
colvert (*Anas platyrhynchos*)	Europe	août-févr.	0,8-1,2 kg	plumage vert et gris, avec marron et blanc (mâle) ou brun (femelle)
faisan commun (*Phasianus colchicus*)	France, Amérique du Nord, Asie	nov.-févr.	1,2-1,5 kg	plumage brun-roux, coloré à reflets brillants (mâle) ou beige à brun (femelle), queue très longue (mâle)
faisan vénéré (*Syrmaticus reevesii*)	Chine du Nord et du Centre, Angleterre, France	sept.-fin févr.	1,4-1,6 kg	plumage brun doré, tête blanche rayée de noir, corps brun et or (mâle) ou plus terne, brun foncé et clair (femelle), queue longue (jusqu'à 1,80 m), brune et blanche striée de noir
pigeon ramier (*Columba palumbus*)	Europe	sept.-févr.	0,6 kg	plumage gris-bleu, côtés du cou et ailes barrés de blanc
perdrix grise (*Perdix perdix*)	hémisphère Nord	fin sept.-fin déc.	0,36 kg	plumage gris-marron tacheté de jaune crème, pattes et bec gris-bleu
perdrix rouge (*Alectoris rufa*)	sud-ouest de l'Europe	fin sept.-fin déc.	0,35-0,6 kg	plumage fond gris, dos brun-rouge, bavette blanche, pattes et bec rouges

Au Québec, le permis de chasser est demandé par un habitant sur six. Ce permis concerne des mammifères comme le lièvre et la marmotte, et des oiseaux, comme la gelinotte et le tétras. Pour le gros gibier, il autorise la chasse au cerf de Virginie, à l'orignal, à l'ours ou au caribou (pour les deux premiers, seulement les mâles). Les oiseaux migrateurs font l'objet d'une convention panaméricaine (Canada, États-Unis et Mexique). Le produit de la chasse n'est pas commercialisable, à la seule exception du caribou, parce qu'il connaît une surpopulation. En revanche, l'élevage des gibiers est autorisé, et l'on peut chasser toute l'année en enclos l'antilope d'Amérique, le daim, le sanglier et le wapiti.

En Europe, le gibier est toujours très apprécié et fournit des mets hautement gastronomiques. Il ne paraît cependant sur le marché que durant les périodes de chasse, à moins qu'il ne s'agisse de bêtes d'élevage (cailles, faisans) ou d'importation.

■ **De poil et de plume.** On distingue deux catégories de gibier : le gibier à poil et le gibier à plume.

Le gibier à poil comprend, dans le gros gibier, le bouquetin, le cerf, le chamois, le chevreuil, le daim, l'isard, le mouflon et le sanglier (que l'on regroupe sous le terme générique de « venaison » ou de « viande noire »), et, dans le petit gibier, le lièvre et le lapin de garenne.

Le gibier à plume englobe les oiseaux qui se chassent en montagne ou en plaine (bartavelle, bécasse, coq de bruyère, faisan, gelinotte, grouse, lagopède, perdrix, râle, ramier) ; on classe dans une catégorie spécifique le « menu gibier » (alouette, becfigue, grive, merle, ortolan), et dans une autre catégorie le gibier d'eau (barge, canard sauvage, courlis, oie sauvage, poule d'eau, sarcelle, vanneau).

■ **Une viande ferme et de haut goût.** Le mode de vie et d'alimentation de l'animal chassé déterminent la texture et la saveur de sa chair, en lui donnant un arôme parfumé et puissant qui s'accentue avec l'âge. La chair est plus compacte, plus colorée que la viande de boucherie, moins riche en graisse et plus riche en protéines ; elle est considérée comme difficile à digérer et doit être consommée avec modération.

La viande de gibier est une viande cadavérique (non saignée) qui peut être porteuse de maladies et de parasites. De plus, elle est parfois très riche en plomb. Une inspection sanitaire vétérinaire est donc pratiquée pour les gibiers vendus dans le commerce, ce qui n'est pas le cas pour les chasseurs indépendants.

DÉCOUPER UN GIGOT

1. *Maintenir le gigot par le manche. Inciser la souris à l'aide d'un tranchelard en tournant autour de l'os. La dégager et la réserver.*

2. *Placer le gigot sur la noix et détailler la sous-noix en tranches fines, parallèlement à l'os.*

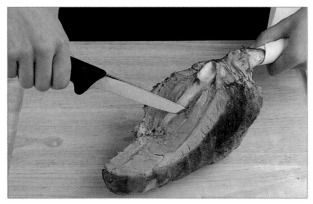

3. *Inciser sans excès de chaque côté du fémur à l'aide d'un couteau éminceur. Dégager légèrement le fémur de façon à trancher la noix plus facilement.*

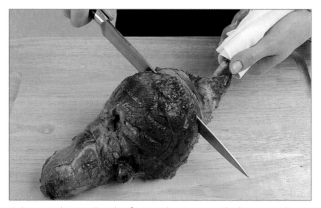

4. *Retourner le gigot. Trancher finement la noix perpendiculairement à l'os. Certains professionnels préfèrent, après avoir dégagé la souris, trancher d'abord la noix.*

Il faut toujours laisser reposer la viande de gibier avant de la cuisiner ; elle atteint ainsi un certain degré de maturation qui la rend plus tendre et savoureuse (**voir** FAISANDAGE).

S'il n'est pas faisandé, le gibier est très vite dépouillé ou plumé avant d'être vidé, puis pendu dans un endroit frais et/ou placé en chambre froide. Quelques oiseaux, comme la grive et la bécasse (interdite à la commercialisation), peuvent ne pas être vidés : le tube digestif se transforme en une pâte à l'arôme puissant, avec laquelle on masque les canapés d'accompagnement. Cette pratique culinaire dangereuse tend à disparaître.

Le gibier vendu dans le commerce est déjà maturé ; à l'achat, il convient de choisir un animal « frais » (non faisandé) et jeune : le bec et le bréchet d'un oiseau doivent plier, le poids et la présence de cartilages donnent une idée de l'âge des gibiers à poil.

■ **La cuisine du gibier.** Le détail de la viande du gros gibier et ses modes de préparation sont les mêmes que pour les animaux de boucherie. Toutefois, le gibier est souvent mariné : carrés, cuissots et selles sont rôtis ; colliers, épaules et poitrine se préparent en ragoût et en civet ; côtelettes et noisettes se font sauter ou griller. Il faut toujours bien faire cuire le gibier pour éviter tout risque sanitaire. Les côtelettes et noisettes voire les rôtis sont cependant souvent cuits rosés.

Un accompagnement sucré (fruits) permet parfois de mettre en valeur le goût prononcé de la viande brune, que l'on sert alors avec des sauces relevées. Le gibier à plume se traite comme la volaille.

Terrines et pâtés complètent la cuisine du gibier (20 % de viande de gibier suffisent pour que l'apprêt puisse être dit « de lièvre » ou « de sanglier »).

▶ **Recettes :** CONSOMMÉ, FOND, PAIN DE CUISINE, PURÉE, SAUCE, VELOUTÉ.

GIGONDAS Vin AOC rouge ou rosé, récolté au pied du mont Ventoux et issu des cépages grenache, syrah, mourvèdre et cinsault.

Le rouge, corsé et puissant, est l'un des meilleurs côtes-du-rhône, surtout quand il a attendu 2 ou 3 ans ; le rosé, sec et fruité, est au contraire plus agréable dans sa jeunesse (**voir** RHÔNE).

GIGOT Pièce de boucherie correspondant à l'ensemble formé par la selle et la cuisse du mouton ou de l'agneau ; le gigot « raccourci » ne comporte pas la selle (**voir** planche de la découpe de l'agneau page 22).

■ **Emplois.** On peut cuisiner les deux morceaux séparément : la selle de gigot ficelée est un rôti très fin, tandis que le gigot raccourci peut être grillé, rôti, poché, braisé, voire poêlé. C'est toujours le rôtissage qui lui convient le mieux, sans adjonction de corps gras ; si c'est un gigot maigre, on peut l'enduire d'huile. Une marinade préalable, suivie d'une cuisson au four, le transforme en « gigot chasseur », au goût de venaison.

Le gigot rôti, piqué d'ail et accompagné de flageolets, est le plat traditionnel des fêtes familiales et des repas fins. Il existe cependant d'autres apprêts du gigot : au vin blanc, au lard et aux oignons ; aux baies de genièvre, accompagné de chou rouge ; avec une sauce à la menthe, en viande de desserte, en brochettes à la turque, en daube ou en braisé, comme le célèbre « gigot de sept heures » (**voir** AGNEAU). Le gigot se sert aussi froid avec un aïoli, ou en gelée.

Le « manche de gigot » est l'extrémité de l'os long, que l'on garnit d'une papillote ; on y fixe le « manche à gigot », ustensile qui permet de le maintenir pour le découper. C'est sur cet os que se trouve la « souris », partie moelleuse en forme de grosse noix. Par extension, on appelle aussi « gigot » le pilon et la cuisse d'une dinde ou d'une poularde, réunis et ficelés, formant un morceau à rôtir ou à braiser, éventuellement farci. Le terme de gigot s'applique également à la lotte (braisée à la tomate et au vin blanc).

gigot braisé aux petits oignons nouveaux

« Faire cuire le gigot en cocotte 25 min au four, puis l'égoutter. Changer le beurre de la cocotte et y mettre à colorer 1 kg de petits oignons nouveaux poudrés de sucre. Remettre le gigot sur les oignons, au four. Quand les oignons sont bien fondus, ajouter 2 tomates pelées et coupées en huit et 2 verres de vin blanc. Achever la cuisson en retournant le gigot pour bien le glacer, en le mouillant au fur et à mesure avec du bouillon de bœuf réduit. Égoutter le gigot et le couper en tranches. Dresser celles-ci en assiettes. Lier les oignons avec du beurre et en couvrir les tranches. »

GIGUE Cuisse de gros gibier (chevreuil, cerf), également appelée « cuissot ». Une fois dénervée, la gigue est souvent piquée de lardons, parfois marinée, puis rôtie au four. La purée de céleri ou de marron, la fricassée de champignons des bois et la gelée de groseille en sont les garnitures classiques.

On appelle aussi « gigue » la cuisse de dinde ou de dindonneau.

GILBERT (PHILÉAS) Cuisinier français (La Chapelle-sur-Dreuse 1857 - Couilly-Pont-aux-Dames 1942). Après avoir fait son apprentissage de cuisinier-pâtissier à Sens et un « tour de France » – au cours duquel il eut l'occasion de travailler avec Auguste Escoffier, Émile Bernard, Ozanne et Prosper Montagné –, il devint un praticien talentueux, doublé d'un théoricien et d'un érudit.

Auteur de nombreux livres *(la Cuisine rétrospective, la Cuisine de tous les mois, l'Alimentation et la Technique culinaire à travers les âges)*, il collabora à la rédaction du *Guide culinaire* d'Escoffier et préfaça la première édition du *Larousse gastronomique* (1938). Il signa également de nombreux articles dans des revues professionnelles et des journaux de cuisine, dans lesquels il se fit remarquer par de violentes polémiques avec ses confrères.

GILLIERS Chef d'office du roi Stanislas Leszczynski. Il publia en 1751 *le Cannaméliste français* (ce mot vient de « cannamelle », ancien nom de la canne à sucre, ou « canne à miel »). Ce document est précieux pour connaître l'histoire des friandises et, surtout, celle de l'ornementation de la table, grâce aux illustrations de Dupuis, gravées par Lotha, représentant les chefs-d'œuvre de la verrerie et de l'orfèvrerie au XVIIIᵉ siècle.

GIMBLETTE Petite pâtisserie en forme de couronne, qui est une spécialité d'Albi. La pâte des gimblettes est cuite comme celle des échaudés (**voir** ce mot) : d'abord ébouillantés, les gâteaux sont égouttés, puis séchés et dorés au four. Fernand Molinier, pâtissier à Albi et auteur de *Recherches historiques sur les spécialités gourmandes du Tarn,* pense que cette friandise a été inventée par les moines de Nanterre, qui en auraient confié la recette aux chanoines d'Albi au XVᵉ siècle.

GIN Eau-de-vie de grain (maïs, orge ou seigle, principalement) fabriquée dans les pays anglo-saxons. Le gin est parfumé avec divers arômes d'origine végétale, notamment des baies de genièvre (gin vient de *genever*, « genièvre » en néerlandais), les premiers distillateurs britanniques (fin du XVIIᵉ siècle) ayant cherché à imiter le goût et l'aspect du *genever* hollandais, eau-de-vie de genièvre dont l'importation venait d'être interdite.

Le gin se boit pur, frappé ou sur des glaçons. Il est aussi à la base de nombreux cocktails (dont les classiques bronx, french 75, macka, etc.) et de boissons rafraîchissantes, dont la plus répandue est le gin-fizz, mélange de gin, de jus de citron, de sucre et de soda.

▶ Recette : COCKTAIL.

GINGEMBRE Plante de la famille des zingibéracées, originaire d'Extrême-Orient, cultivée dans les pays chauds, dont le rhizome aromatique, au goût piquant, est utilisé frais, confit dans du sucre ou en poudre (**voir** planche des épices pages 338 et 339). Très apprécié au Moyen Âge, le gingembre fournissait notamment la « poudre zinziberine », dont Taillevent (XIVᵉ siècle) parfumait cretonnées, dodines, galimafrées et soupes.

Il est utilisé en Europe pour faire de la pâtisserie et de la confiserie (biscuits, bonbons, confitures, gâteaux, en particulier en Alsace, aux Pays-Bas et en Grande-Bretagne), et pour aromatiser des boissons, Aujourd'hui, sous l'influence de la cuisine orientale, on redécouvre le gingembre comme condiment : en poudre (ou frais, râpé) pour relever soupes et plats de poissons et de crustacés ; sous la forme de lamelles marinées pour accompagner les sushis. En Chine et surtout au Japon, on l'emploie volontiers dans les courts-bouillons, marinades et potages. C'est le condiment le plus utilisé pour agrémenter les poissons. On le croque même frais entre les plats. En Inde et au Pakistan, le gingembre aromatise les viandes, les poissons en sauce, le riz et les purées de légumes, relève les caris et parfume le thé. Dans tout le Sud-Est asiatique, confit dans du sucre, le gingembre constitue la friandise la plus répandue.

▶ Recettes : BISCUIT, PETIT POIS, PORC, THON.

GINGER BEER Boisson mousseuse et légèrement alcoolisée, très consommée en Grande-Bretagne, obtenue par fermentation dans l'eau d'un mélange de sucre, de gingembre et de crème de tartre (bitartrate de potassium). Les Anglo-Saxons, qui apprécient le goût un peu âcre et pimenté du gingembre, l'utilisent aussi dans la *ginger ale* (eau gazéifiée additionnée de colorant et d'essence de gingembre, souvent employée pour allonger le gin ou le whisky) et le *ginger wine* (eau, gingembre, levure, sucre, citron, raisins secs, poivre et parfois alcool) ; mélangé avec du whisky, celui-ci donne le whisky mac.

GINSENG Racine de l'aralia, de la famille des araliacées, poussant dans les régions montagneuses de la Corée et de la Mandchourie. Considérée comme la « racine de vie » par les Chinois, qui lui ont attribué toutes sortes de vertus thérapeutiques et magiques, voire aphrodisiaques, le ginseng est utilisé principalement dans une boisson tonique, mais il est déconseillé en cas de tachycardie ou d'hypertension artérielle. Le ginseng entre aussi dans la confection de friandises, de pastilles, de teintures et d'onguents. On peut également le conserver entier, dans de l'alcool ou séché, et l'employer, finement râpé, comme condiment, à la manière du gingembre. Son goût est voisin de celui du fenouil.

GIRARDET (FREDY) Cuisinier suisse (Lausanne 1936). Après de bonnes études, il fait de fréquentes incursions en Beaujolais, puis à Roanne, chez les frères Troisgros, où il a la révélation de la grande cuisine française. Installé à l'hôtel de ville de Crissier, dans la banlieue de Lausanne, il y privilégie la parfaite qualité des produits quelle que soit leur provenance (il travaille aussi bien le homard de Bretagne que la crevette royale du Maroc), mais sans négliger les traditions du pays vaudois. Sa rigueur dans le mariage des saveurs, sans excès d'aucune sorte, est légendaire. Il est vite considéré comme le meilleur cuisinier du monde, Gault & Millau lui accordant en premier leur note maximale de 19,5/20. Signe de son aura incontestée, il a reçu d'emblée trois étoiles dans la première édition du Guide Michelin suisse en 1995. On lui doit des plats fameux comme le foie gras chaud au vinaigre ou froid à la gelée de pomerol et à la mignonnette de poivre, ou encore le rognon de veau Bolo. Son ouvrage de recettes de référence s'intitule *la Cuisine spontanée* (Robert Laffont, 1994). Joël Robuchon a dit de lui qu'il ne « cédait à aucune mode, tout en restant en avance sur toutes les tendances ». Fredy Girardet a passé le relais à son second, Philippe Rochat, en 1999.

GIRAUMON Sorte de courge, de la famille des cucurbitacées, cultivée aux Antilles et dans certains pays tropicaux, acclimatée en France. Il en existe plusieurs variétés, à gros fruits (plus de 3 kg) ou à fruits moins gros (1 kg environ), ces derniers étant préférables car le giraumon ne se conserve pas une fois entamé. Également appelé « bonnet turc » et « citrouille iroquoise », le giraumon est riche en eau et peu énergétique (31 Kcal ou 130 kJ pour 100 g).

Sa chair ferme est douce au goût et légèrement musquée. Il se mange cru, comme le concombre, mais surtout cuit, comme le potiron, notamment dans la cuisine antillaise (dans une ratatouille, dite « giraumonade », et des ragoûts). Vert, il sert à faire une confiture, telle celle de tomate. Les feuilles sont parfois accommodées comme l'oseille.

GIRELLE Petit poisson de roche, de la famille des labridés, vivant dans la Méditerranée, aux couleurs vives, portant des rayons épineux sur la nageoire dorsale. Sa chair est tendre et parfumée, mais remplie d'arêtes. La girelle se mange parfois en friture, mais entre surtout dans la composition de la bouillabaisse.

GIROFLE (CLOU DE) Bouton floral du giroflier, de la famille des myrtacées, cueilli avant son épanouissement et séché au soleil (**voir** planche des épices pages 338 et 339). Brun et dur, il mesure 12 mm de long environ, avec une tête de 4 mm de diamètre, et il a une saveur piquante et épicée.

Le clou de girofle, introduit en Europe vers le IVe siècle, fut longtemps aussi recherché que le poivre. Il est originaire de l'archipel des Moluques, où les Hollandais détinrent longtemps le monopole de sa culture, mais celle-ci ne fut introduite à La Réunion qu'au XVIIe siècle. Au Moyen Âge, l'école de médecine de Salerne le considérait comme une panacée. Les oranges cloutées de girofle étaient censées protéger les gens contre la peste. À Naples, on fabriquait des pastilles à la girofle réputées aphrodisiaques. Le clou de girofle était aussi utilisé pour conserver la viande et la charcuterie.

Aujourd'hui, en Europe, il se limite à quelques emplois bien précis : cornichons et pickles ; fruits à l'eau-de-vie ; marinades au vinaigre ; matelotes au vin rouge ; oignon piqué de quelques clous dans les bouillis et les braisés ; pâtisseries au miel et aux fruits secs ; dans le vin chaud, il est souvent associé à la cannelle. Il est présent dans plusieurs mélanges d'épices indiens, dans le ras el-hanout maghrébin et dans le cinq-épices chinois.

▶ **Recette** : VIN CHAUD.

GIROLLE Petit instrument à manivelle verticale servant à racler certains fromages, notamment la tête-de-moine. La girolle permet de réaliser facilement des copeaux de fromage, minces et réguliers, en forme d'œillets, appelés eux aussi « girolles ».

GIROLLE (CHAMPIGNON) Champignon comestible, de la classe des basidiomycètes, appelé aussi « chanterelle », en forme d'entonnoir, cueilli de juin à octobre dans les bois de feuillus et de conifères (**voir** planche des champignons pages 188 et 189). La face inférieure de son chapeau est généralement démunie de lamelles, lisse ou portant des plis plus ou moins charnus. La girolle la plus connue et la plus savoureuse est la crête de coq, espèce charnue, à pied court, épais, entièrement jaune d'œuf.

Deux autres espèces se partagent une excellente réputation gastronomique : la chanterelle en tube et la chanterelle jaune, toutes deux grêles, élancées, peu charnues mais très parfumées, et poussant en troupe dans les forêts de pins.

Sautées, les girolles garnissent des omelettes, des œufs brouillés, ou accompagnent du poisson, du lapin ou du veau. On peut aussi les manger crues, préalablement marinées dans une vinaigrette aux fines herbes. Il convient de les nettoyer avec précaution : simplement brossées dessus et dessous pour les plus petites, généralement assez propres ; passées rapidement sous le robinet, puis égouttées sur du papier absorbant pour les autres.

GÎTE ARRIÈRE Morceau de viande de bœuf situé dans la partie inférieure de la cuisse, derrière le gîte noix. Composé de muscles qui se rattachent au tendon d'Achille, le gîte enserre une partie du jarret arrière. Il y a encore peu de temps, on le nommait « nerveux de gîte à la noix », ou « gousse d'ail ». Il s'utilise soit en pot-au-feu, braisé ou bourguignon, soit en bifteck après avoir été paré et débarrassé de ses tendons (ou tendrons).

GÎTE NOIX Morceau de bœuf situé sur la face externe de la cuisse et composé d'une partie de la culotte et du milieu de gîte noix (**voir** planche de la découpe du bœuf pages 108 et 109). Anciennement dénommé « gîte à la noix » ou « semelle », il comprenait le rond et le nerveux de gîte à la noix. Il était considéré comme une pièce à braiser, mais la demande croissante en pièces à biftecks en a fait un morceau à cuisson rapide. Le gîte noix sert aussi à préparer des steaks tartares et des brochettes ; en une seule pièce, ou séparé en deux parties, bardé et ficelé, il peut être rôti. Il peut aussi, après congélation partielle, être tranché finement en carpaccio.

GIVRER Mettre quelques glaçons dans un verre vide et les faire tourner rapidement, afin de former sur la paroi une buée opaque, avant d'y verser un cocktail ou une eau-de-vie de fruit. On appelle « collerette de givre » le décor obtenu en humectant le bord d'un verre à cocktail avec du jus de citron ou du blanc d'œuf, puis en plongeant celui-ci à l'envers dans du sucre en poudre, parfois vanillé, du sel (éventuellement coloré), ou encore dans du chocolat en poudre.

Le « fruit givré » (**voir** ce mot) est un entremets glacé, fait d'un fruit évidé puis rempli d'un sorbet fait avec sa pulpe.

GIVRY Vin AOC, généralement rouge, de la côte chalonnaise, issu du cépage pinot noir, vif et généreux, aux arômes de cerise et de framboise. Le vin blanc est, lui, issu du cépage chardonnay (**voir** BOURGOGNE).

GLACE ET **CRÈME GLACÉE** Entremets glacé, obtenu par congélation d'une préparation sucrée à base de fruits, de café, de chocolat, etc., parfois parfumé d'un alcool ou d'une liqueur, comprenant le plus souvent du lait ou de la crème, et des jaunes d'œuf. Pour confectionner les glaces (comme les sorbets), on utilise un appareil qui malaxe le mélange tout en le réfrigérant. Dans les sorbetières électriques simples, le froid est fourni par un produit réfrigérant préalablement placé au congélateur. Les sorbetières automatiques ou « turbines à glace », plus rapides, sont les répliques des appareils de professionnels. La glace est généralement moulée, puis placée dans le congélateur. Il suffira de plonger rapidement le moule dans l'eau tiède et de le retourner pour en extraire la glace, qui pourra alors être servie décorée de fruits frais ou confits, de crème Chantilly, de grains de café à la liqueur, de copeaux de chocolat, etc.

■ **Du sharbet au fromage glacé.** Les Chinois connaissaient les boissons et les entremets glacés bien avant l'ère chrétienne. Ils en transmirent les secrets aux Arabes, qui préparèrent bientôt des sirops refroidis avec de la neige, les « sharbets » (d'où le mot *sorbet*). Chez les Grecs et les Romains, on servait des macédoines et des purées de fruit mélangées avec du miel et de la neige. Mais c'est au XIIIe siècle que Marco Polo rapporta d'Orient le secret d'une méthode de refroidissement sans glace, consistant à faire ruisseler un mélange d'eau et de salpêtre sur des récipients remplis d'une préparation à refroidir. Ainsi naquit en Italie la grande vogue des glaces à l'eau.

Venue en France en 1533 pour épouser le futur Henri II, Catherine de Médicis introduisit notamment à la cour les entremets glacés, mais les Parisiens ne découvrirent vraiment ceux-ci qu'un siècle plus tard, lorsqu'un certain Francesco Procopio ouvrit une « maison de café », où l'on pouvait déguster, entre autres, glaces et sorbets, qui firent bientôt fureur. Le successeur de Procope, Buisson, eut l'idée, vers 1750, d'en vendre en toutes saisons. Au fil des ans, les glaces devinrent plus délicates, plus riches, plus consistantes et s'enrichirent de lait, de crème, d'œufs. La fin du XVIIIe siècle vit la grande mode des « fromages glacés ».

■ **De la bombe glacée à l'ice-cream.** Puis apparut la bombe glacée, qui s'imposa. Les Italiens Tortoni et Pratti furent réputés pour la finesse de leurs apprêts, le dernier créant notamment, en 1798, le « biscuit glacé ». Le second Empire découvrit l'omelette surprise, puis les coupes glacées, les mousses et les parfaits. On imagina les accords de parfums les plus raffinés, inspirés des formules du *Préceptoral des menus royaux* de 1822. À l'aube du XXe siècle, les marchands de glaces ambulants parcouraient déjà les rues. Les États-Unis se révélèrent particulièrement inventifs dans le domaine de l'industrie des ice-creams.

Les recettes anciennes, modifiées peu à peu, ont été adaptées aux nécessités de la fabrication industrielle. Aujourd'hui, on admet des stabilisants, comme la gélatine alimentaire, le blanc d'œuf, l'agar-agar et la caroube. Les colorants sont les mêmes que ceux des bonbons, et les arômes sont obligatoirement naturels. Selon leurs composants, très réglementés, les glaces sont divisées en trois groupes.
– Glaces à la crème, ou crèmes glacées : mélanges de lait, de crème fraîche et de sucre, parfumés avec un arôme naturel ou des fruits (pulpe ou jus).
– Glaces aux œufs : jaunes d'œuf, lait, sucre, parfum.
– Glaces au sirop : sucre et parfum, additionnés d'eau si ce parfum est un extrait de fruit, de lait si c'est un arôme tel que cacao, café, praliné ou vanille.

banana split

Mettre une jatte à glacer 15 min au congélateur. Étaler uniformément 20 g de sucre en poudre dans le fond d'une casserole posée sur feu très doux. Laisser fondre le sucre puis verser de nouveau 20 g de sucre. Laisser fondre et renouveler l'opération jusqu'à avoir utilisé 175 g de sucre. Le caramel doit être d'une belle couleur ambrée foncée. Pendant ce temps, monter au batteur électrique dans la jatte glacée 5 cl de crème liquide en crème fouettée. Dès que le caramel est prêt, retirer la casserole du feu. Mettre 35 g de beurre demi-sel dans le caramel et remuer en formant des « 8 » avec une cuillère en bois. Incorporer la crème fouettée et mélanger. Dans une deuxième casserole, mélanger 3 jaunes d'œuf avec 85 g de sucre. Dans une troisième casserole, porter 50 cl de lait entier à ébullition avec 10 cl de crème fraîche. Verser le caramel au beurre dans la casserole où se trouve le lait en remuant à l'aide d'un fouet. Reverser ce lait au caramel en un mince filet dans la casserole où se trouve la préparation jaunes d'œuf-sucre tout en fouettant énergiquement. Poser la casserole sur feu doux, remuer en formant des « 8 » avec la cuillère et en allant jusqu'aux bords de la casserole. Vérifier la consistance de la crème en passant le doigt sur le plat de la cuillère ; la crème est cuite (85 °C) quand le trait laissé par le doigt reste visible. Elle ne doit surtout pas bouillir. Verser la crème dans une jatte posée dans une jatte plus grande remplie de glaçons et continuer de remuer 4 ou 5 min afin qu'elle devienne onctueuse. La laisser refroidir en la remuant de temps en temps. Verser la crème au caramel parfaitement refroidie dans une sorbetière et la faire prendre en glace en suivant le mode d'emploi de l'appareil utilisé. Réserver au congélateur. Préparer la glace et la sauce au chocolat noir (voir ci-après et page 785). Mettre de nouveau une jatte à glacer 15 min au congélateur. Y monter 20 cl de crème en crème fouettée. La verser dans une poche munie d'une douille à bout cannelé. La garder au réfrigérateur. Peler 6 bananes. Les fendre en deux dans le sens de la longueur. Les arroser de jus de citron. Dans une poêle à revêtement antiadhésif, faire griller 60 g d'amandes effilées en les mélangeant. Répartir les moitiés de banane dans 6 coupelles individuelles. Placer au centre de chaque coupelle 1 boule de glace au caramel et 1 boule de glace au chocolat. Décorer de 1 rosace de crème fouettée. Napper de sauce au chocolat froide.

glace à l'abricot

Passer des demi-abricots au mixeur, puis au chinois, et ajouter à cette purée une quantité égale de sirop de sucre (densité : 1,2850) et le jus de 2 citrons par litre de composition (densité du mélange : 1,1515). Faire prendre en glace dans une sorbetière et mettre en moule.

glace aux amandes ▶ AMANDE

glace au café

Dans une casserole, porter 50 cl de lait frais entier à ébullition. Ajouter 3 cuillerées à soupe de café soluble, puis filtrer. Dans une autre casserole, fouetter légèrement 6 jaunes d'œuf avec 200 g de sucre en poudre, ajouter le mélange café-lait bouillant et faire cuire jusqu'à 83 °C, comme pour une crème anglaise (voir page 272), en veillant à ne pas dépasser le stade de l'ébullition. Laisser complètement refroidir dans un récipient rempli de glaçons et incorporer 20 cl de crème Chantilly, en soulevant délicatement la préparation. Faire prendre en glace dans une sorbetière et mettre en moule. On pourra décorer cette glace avec des grains de café à la liqueur.

glace au chocolat noir

Hacher au couteau-scie 240 g de chocolat noir à 64 % de cacao. Porter à ébullition 75 cl de lait entier avec 30 g de lait en poudre et 80 g de sucre en poudre. Y incorporer le chocolat haché en remuant vivement. Porter de nouveau à ébullition et laisser cuire 1 min au maximum. Préparer une grande jatte de glaçons. Placer une jatte plus petite dans la grande. Y verser la crème au chocolat. La laisser refroidir dans le bain de glaçons en la remuant de temps en temps. Verser la crème au chocolat parfaitement refroidie dans une sorbetière et la faire prendre en glace en suivant le mode d'emploi de l'appareil utilisé. Conserver la glace au congélateur jusqu'au moment de la servir.

RECETTE DE JEAN-PIERRE VIGATO

glace au miel

« Faire infuser dans 1 litre de lait entier 10 g d'épices diverses (poivre noir, genièvre, clou de girofle, cannelle, etc.). Fouetter 10 jaunes d'œuf avec 400 g de miel noir de l'Yonne jusqu'à ce qu'ils blanchissent, verser le lait bouillant et pocher l'ensemble à 85 °C. Laisser refroidir et passer la préparation au chinois. Faire prendre en glace dans une sorbetière et mettre en moule. »

RECETTE D'EMMANUEL RYON

glace liqueur de Baileys

« Dans un récipient, mélanger au fouet 140 g de jaunes d'œuf avec 3 g de stabilisateur pour glace et 125 g de sucre en poudre. Dans une casserole, porter à ébullition 50 cl de lait et 22,5 cl de crème liquide. Ajouter le mélange jaunes d'œuf, stabilisateur et sucre en poudre, et cuire le tout à 85 °C (ou à la nappe) ; mixer et refroidir le plus rapidement possible à 3 °C. Ajouter 18 cl de liqueur de Baileys, laisser maturer 4 heures au minimum dans le réfrigérateur, mixer de nouveau et turbiner. »

glace plombières

Piler au mortier ou passer au mixeur 300 g d'amandes douces (et, éventuellement, 10 g d'amandes amères) mondées, en versant peu à peu 1/2 verre de lait. Ajouter alors 1,5 litre de crème liquide bouillie et bien mélanger. Passer au tamis fin en pressant au maximum. Travailler dans une terrine 12 jaunes d'œuf avec 300 g de sucre en poudre jusqu'à ce que le mélange blanchisse. Porter le lait d'amande à ébullition et le verser sur les jaunes d'œuf en fouettant. Faire épaissir doucement sur le feu, puis plonger le fond de la casserole dans de l'eau froide et continuer à fouetter jusqu'à ce que la crème ait refroidi. Faire prendre celle-ci en glace dans une sorbetière. Quand elle est froide, mais encore souple, l'additionner de 200 g de fruits confits taillés en salpicon et mis à macérer dans du rhum, et lui incorporer 40 cl de crème épaisse très froide fouettée avec 15 cl de lait également très froid. Mettre en moule et faire prendre dans le congélateur.

RECETTE D'ANDRÉ DAGUIN

glace aux truffes

« Mettre 3 belles truffes bien brossées dans 1 litre de lait et faire bouillir 1 heure environ. Pendant ce temps, travailler au fouet 8 jaunes d'œuf avec 250 g de sucre. Égoutter les truffes, les éponger et les parer. Verser le lait aromatisé à la truffe sur le mélange sucre et œufs pour faire une crème anglaise, la cuire au ruban et lui ajouter les parures de truffes hachées. Laisser refroidir, puis faire prendre en glace dans une sorbetière. Tailler les truffes en julienne. Garnir des verres tulipes de couches de glace et de julienne de truffes alternées en terminant par un décor de julienne. »

GLACE DE CUISINE Substance sirupeuse, obtenue par réduction d'un fond non lié de viande, de volaille ou, plus rarement, de gibier, voire de poisson.

RÉALISER UN GLAÇAGE AU SUCRE

1. Verser la glace de sucre en quantité suffisante pour qu'elle recouvre les bords du gâteau (le surplus s'écoulera par les interstices de la grille).

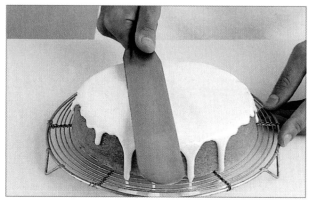

2. Étaler la glace avec la spatule tenue bien à plat, dans un mouvement circulaire, sans oublier les bords. Couper net les coulures à la base du gâteau.

La glace est utilisée dans la finition de certaines sauces, pour en corser le goût, ou pour napper des apprêts destinés à être glacés au four ; la glace est aussi employée comme fond de sauce, après addition d'autres éléments.

On utilise également les glaces pour préparer potages, coulis, gelées, etc. On trouve maintenant dans le commerce, sous le nom d'« extrait » ou d'« essence », des glaces de viande toutes préparées, le plus souvent à base de bœuf et de substances végétales ; elles offrent une gamme de saveurs plus restreinte que les glaces cuisinées, mais ces dernières, longues à réaliser, ne jouent plus un rôle aussi important que jadis.

glace de poisson

Faire réduire jusqu'à consistance sirupeuse un fumet de poisson, en le décantant et en le passant à la mousseline ; cette glace permet de rehausser la saveur d'une sauce ou de napper un poisson avant de le passer au four.

glace de viande

Dégraisser complètement un fond brun clair. Lorsqu'il est tout à fait limpide, le faire réduire de moitié. Le passer à travers une mousseline, puis le faire réduire à nouveau et le passer. Recommencer jusqu'à ce que le fond nappe le dos d'une cuillère, en réduisant chaque fois un peu plus la température de réduction. Verser la glace de viande dans de petits récipients et conserver dans le réfrigérateur.

glace de volaille ou de gibier

Procéder de la même façon avec un fond de volaille ou de gibier pour obtenir une glace de volaille ou de gibier. Pour obtenir une glace blonde de volaille, auxiliaire de certaines sauces ou élément de glaçage, réduire un fond blanc de volaille de la même façon.

GLACE À RAFRAÎCHIR Glace en pain, de fabrication industrielle, employée autrefois comme élément réfrigérant dans une glacière, et aujourd'hui pour présenter certains produits frais (fruits de mer, poissons) chez les commerçants et les restaurateurs. Les particuliers utilisent plus souvent les glaçons du réfrigérateur (notamment pour les boissons).

La glace à rafraîchir est préparée dans des établissements agréés.

GLACE DE SUCRE Préparation à base de sucre glace, utilisée comme glaçage en pâtisserie et en confiserie (**voir** GLACER).

GLACER Obtenir à la surface d'un mets une couche brillante et lisse. Le mot signifie également faire refroidir ou durcir une boisson ou un aliment.

■ **Glaçage à chaud.** Il consiste à enduire régulièrement une pièce cuite au four de jus ou de fond, au cours de la cuisson ou en fin de cuisson, pour qu'une mince couche brillante se forme sur le dessus. Le glaçage à chaud peut aussi se faire en soumettant à une chaleur vive (sous la salamandre ou le gril du four) une préparation salée ou sucrée, nappée d'une sauce contenant des jaunes d'œuf, de la hollandaise, un sabayon, du beurre frais incorporé petit à petit ou de la crème, réduite avec le fond de sauce, pour que la surface dore.

■ **Glaçage des légumes.** Il consiste à cuire des petits oignons, des carottes ou des navets tournés en gousses avec de l'eau, du sel, du beurre et du sucre jusqu'à ce que le liquide de cuisson se transforme en sirop et enrobe les légumes d'une pellicule brillante et caramélisée. Les petits oignons « glacés à blanc » (le sirop étant gardé clair) sont utilisés pour des mets en sauce blanche (blanquette) ; si l'on poursuit un peu la cuisson, le sirop brunit et l'on obtient des oignons « glacés à brun », qui entrent notamment dans les garnitures de mets en sauce brune (sauté de veau, matelote).

■ **Glaçage des entremets.** Il consiste à recouvrir les entremets, à chaud ou à froid, d'une fine couche de nappage de fruit ou de chocolat (appelée « miroir ») pour les rendre brillants et attrayants. Il est surtout appliqué aux pâtisseries dites « miroir ».

■ **Glaçage au sucre.** Il consiste à recouvrir le dessus d'un gâteau d'une couche de fondant (**voir** ce mot), de glace de sucre cru, de glace à l'eau (200 g de sucre pour un demi-verre d'eau), ou de glace royale, éventuellement parfumée ou colorée ; ainsi, le glaçage blanc est additionné de jus de citron, le glaçage de couleur, d'un ou de plusieurs colorants. En confiserie, le glaçage des fruits (confits ou à la liqueur) ou des petits-fours se fait en trempant ceux-ci dans du sucre cuit au cassé, pour les enrober d'une couche brillante et dure (les « marrons glacés », eux, sont des châtaignes confites au sirop de sucre). Enfin, ce glaçage peut se faire en poudrant de sucre glace, en fin de cuisson, un gâteau, un entremets, un soufflé, etc., pour que le dessus caramélise et devienne brillant.

■ **Glaçage au froid.** Il consiste à mettre certains mets à rafraîchir sur ou dans de la glace pilée. « Glacée » se dit aussi bien d'une boisson servie très froide que d'une préparation de pâtisserie mise à prendre dans le réfrigérateur ou sanglée.

Le terme de glaçage désigne aussi le fait de recouvrir d'une fine pellicule de gelée claire ou brune un aliment cuit destiné à être servi froid.

GLOUCESTER Fromage traditionnel anglais de lait de vache (de 48 à 50 % de matières grasses), à pâte pressée non cuite jaune clair et à croûte lavée, souvent recouverte d'un enduit cireux brun-rouge (**voir** tableau des fromages étrangers page 400). Le gloucester se présente sous la forme d'un cylindre de 20 à 30 cm de diamètre et de 10 à 15 cm (pour le *single*) ou de 20 à 35 cm (pour le *double*) d'épaisseur. Sous la croûte se développe parfois une pellicule bleue, signe de qualité. La pâte a une saveur crémeuse légèrement piquante. Le gloucester sert à préparer des sandwiches et des canapés, mais il se consomme aussi en dessert, avec une salade ou une compote de fruit.

GLOUCESTER (SAUCE) Sauce anglaise froide, à base de mayonnaise très serrée additionnée de crème aigre et de jus de citron, et aromatisée de fenouil haché finement. Selon les cas, elle est parfumée d'un peu de sauce Derby ou de sauce Escoffier.

GLUCIDE Principe énergétique (1 g de glucides apporte 4,1 Kcal ou 17,1 kJ) présent dans de nombreux aliments (céréales, fruits, légumes, légumes secs, pain, sucreries, boissons, etc.). Les glucides, aussi appelés « sucres » ou « hydrates de carbone », n'ont pas tous une saveur sucrée. On distingue deux grandes catégories de glucides :
– les glucides complexes (céréales, pâtes, riz, légumineuses, pommes de terre, etc.), dits « sucres lents » car ils sont lentement digérés, après transformation ; ils libèrent progressivement leur énergie sur plusieurs heures ;
– les glucides simples (sucre de table, confiseries, produits et boissons sucrés, mais aussi fruits, jus de fruits, etc.), dits « sucres rapides » car ils sont très rapidement digérés, sans transformation ; ces glucides agissent comme un coup de fouet sur l'organisme puisqu'ils apportent des sucres immédiatement utilisables. Mais consommés en trop grande quantité, ils sont à l'origine de désordres métaboliques (obésité, notamment).

Notons que certains glucides ne sont pas assimilés par l'organisme et ne participent donc pas à l'apport énergétique : ce sont les fibres, qui sont les résidus glucidiques des aliments d'origine végétale (**voir** FIBRE) : les légumes verts sont des glucides mais ne sont pas des sucres.

Une alimentation équilibrée doit comporter de 50 à 55 % de glucides, dont un dixième sous forme de sucres rapides. Pour une bonne digestion, les glucides complexes doivent être bien mastiqués.

Les associations d'aliments ou leur mode de préparation et de cuisson influent sur l'index glycémique, qui mesure l'élévation du taux de glucose dans le sang. Un glucide simple intégré à un repas sera absorbé plus lentement que lorsqu'il est consommé seul ; certains sucres complexes peuvent se transformer en sucres rapides (céréales soufflées, pâtes trop cuites, pomme de terre en purée, par exemple).

GLUCOSE Glucide le plus simple, élément énergétique majeur de toutes les cellules, celles du cerveau notamment. C'est en glucose que les sucs digestifs réduisent les glucides alimentaires pour les assimiler ; en effet, celui-ci est rarement présent tel quel dans les aliments. Il fermente sous l'action de la levure de bière pour donner de l'alcool.

Le sirop de glucose, ou « de fécule », est une matière visqueuse, transparente, formée de divers sucres ; on l'obtient par saccharification de l'amidon. Il est employé en confiserie pour graisser les sucres cuits et la marmelade d'abricot utilisée pour les nappages.

GLUTAMATE DE SODIUM Produit largement utilisé dans la cuisine orientale, où il est apporté par des algues. Le glutamate de sodium est chimiquement produit à partir du gluten et sert à renforcer le goût des aliments.

GLUTEN Terme désignant la réunion de deux types de protéines présentes dans certaines céréales : avoine, blé, orge, seigle. En médecine, on réserve ce terme aux glutens des céréales précitées alors qu'en meunerie, le mot « gluten » désigne les protéines de toutes les céréales. C'est le gluten qui forme, en présence d'eau, un réseau continu, élastique et imperméable au gaz permettant la panification.

Le gluten est parfois responsable de troubles intestinaux transitoires ou d'intolérance définitive, qui affectent surtout les enfants. Le riz complet, le sarrasin, le millet et le quinoa sont des céréales dépourvues de gluten. Les légumes secs et les pommes de terre en sont également dépourvus.

GNAEGI Terme employé en Suisse romande pour désigner les différentes parties salées du porc – groin, queue, oreilles, ainsi que jambonneau –, quand elles sont cuites avec des légumes tels que chou, haricots verts séchés ou raves en compote.

GNOCCHIS Apprêt à base de pomme de terre, de semoule, ou de farine et d'épinards. Façonnés en boulettes, les gnocchis sont généralement pochés, puis assaisonnés avec une sauce ou gratinés et servis en entrée chaude. D'origine italienne, ils ont inspiré les cuisines austro-hongroise et alsacienne sous la forme de Knödel, de noques ou de Spätzle, préparations toutes plus ou moins proches.

On distingue les gnocchis « à la romaine » des gnocchis « à la parisienne » et des gnocchis « à la piémontaise » ou « à la tyrolienne » (pommes de terre en purée sans lait, œufs et farine). Mais on peut varier à l'infini le principe de base.

RECETTE DE PAOLO PETRINI

gnocchis aux herbes et aux tomates

« Laver 500 g de pommes de terre et les cuire, sans les peler, 40 min au four préchauffé à 180 °C. Les éplucher tant qu'elles sont encore chaudes et les réduire en purée. Les disposer en fontaine et laisser tiédir. Éplucher et épépiner 500 g de tomates bien rouges, puis les couper en petits dés. Chauffer de l'huile d'olive dans une sauteuse et y faire revenir 1/2 oignon, 1 échalote et 1 petite branche de céleri, hachés, et 1 gousse d'ail. Retirer celle-ci dès qu'elle est dorée. Mettre alors les tomates, faire revenir quelques minutes, ajouter un peu de basilic, de romarin, de sauge et de menthe. Saler, poivrer et faire réduire de moitié. Incorporer à la purée de pomme de terre 120 g de farine, 2 pincées de noix de muscade, 3 jaunes d'œuf, 50 g de parmesan fraîchement râpé ; ajouter encore un peu de farine jusqu'à obtenir une boule ni trop sèche, ni trop humide. Débiter celle-ci en morceaux de 100 g et les rouler sur une plaque farinée. Couper les rouleaux en petits morceaux et les passer sur le dos d'une fourchette pour les creuser un peu à l'intérieur et les décorer à l'extérieur. Pocher ces gnocchis de 6 à 8 min dans de l'eau bouillante salée. Servir avec la sauce tomate. »

gnocchis à la parisienne

Préparer de la pâte à choux en remplaçant l'eau par du lait et en aromatisant à la muscade râpée ; y ajouter du parmesan râpé (150 g pour 1 kg de pâte). Porter à ébullition de l'eau salée (8 g par litre). Mettre la pâte à choux dans une poche à grosse douille lisse et en faire tomber dans l'eau des morceaux de 3 cm. Laisser pocher les gnocchis quelques minutes, puis les égoutter et les disposer sur un linge. Masquer de sauce Mornay un plat à gratin, y ranger les gnocchis, les napper de sauce, parsemer de gruyère râpé et arroser de beurre fondu. Gratiner dans le four préchauffé à 250 °C.

gnocchis à la romaine

Verser 125 g de semoule dans 50 cl de lait bouillant et remuer pour obtenir une bouillie lisse et très épaisse. Ajouter du sel, du poivre et de la muscade râpée, puis 100 g de parmesan râpé et 25 g de beurre ; laisser tiédir. Ajouter alors 1 œuf légèrement battu et 2 jaunes d'œuf. Étaler régulièrement la pâte sur une plaque à pâtisserie mouillée, la laisser refroidir, puis la détailler à l'emporte-pièce en disques de 5 cm. Beurrer un plat à rôtir, y disposer les gnocchis, les poudrer largement de parmesan râpé, les arroser de beurre fondu et les faire gratiner doucement.

GOBERGE Nom donné au lieu noir, au Canada. Il est pêché sur la côte nord de l'Atlantique, jusqu'au Massachusetts, où il est appelé *Boston bluefish*. On en fait notamment du surimi.

GOBET (PHILIPPE) Cuisinier et pâtissier français (Belleville-sur-Saône 1962). Il travaille chez Georges Blanc avant d'être engagé comme chef pâtissier-boulanger par Joël Robuchon (*Jamin, Restaurant Joël Robuchon*) avec qui il collabore pendant treize ans, ce qui l'amène à parcourir le monde. Meilleur Ouvrier de France 1993, il devient professeur de pâtisserie et de cuisine à l'école Lenôtre, puis en est nommé directeur en 2004. Il a apporté sa contribution à plusieurs publications de l'école Lenôtre et est l'auteur d'ouvrages sur la pâtisserie.

GOBO Racine d'une variété de bardane, plante de la famille des astéracées, longue, mince et brune, qui est utilisée couramment au Japon comme condiment, finement émincé, le plus souvent blanchi. Le gobo a un goût proche de celui du cardon et entre dans les fonds de cuisson et les mélanges de légumes.

GODARD Nom d'apprêts classiques de grosses pièces de boucherie, de poulardes ou de ris de veau. Ceux-ci sont entourés soit de petites et de grosses quenelles et de ris d'agneau braisés et glacés, soit de ris de veau piqués et braisés (dans le cas d'une volaille ou d'une viande), ainsi que de crêtes et de rognons de coq, de petites truffes et de têtes de champignon cannelées. La sauce qui les nappe se compose de vin blanc ou de champagne et d'une mirepoix au jambon.
▶ Recette : SAUCE.

GODIVEAU Farce fine à base de veau et de graisse, avec laquelle on façonne des quenelles servies en entrée chaude, ou pour garnir des vol-au-vent ou pour accompagner des viandes. Le godiveau se prépare également avec de la chair de poisson ou de volaille. L'appareil doit être bien lisse et ferme, ce qui est assez long à obtenir, la viande et la graisse étant pilées à froid avec de la crème ou de la panade, des œufs et des condiments.

godiveau à la crème

Hacher 1 kg de noix de veau et 1 kg de graisse de rognon de bœuf, et les piler séparément ; mélanger, ajouter 25 g de sel, 5 g de poivre, 1 g de muscade râpée, 4 œufs entiers et 3 jaunes d'œuf, un par un, en broyant vigoureusement au pilon. Passer la farce au tamis fin. L'étaler sur une plaque. La laisser sur de la glace ou dans le réfrigérateur jusqu'au lendemain. Glacer le mortier. Piler à nouveau la farce. Y ajouter petit à petit, toujours en pilant, 70 cl de crème fraîche. Faire pocher une boulette de godiveau pour en apprécier la consistance, ajouter un peu d'eau glacée s'il est trop ferme, un peu de blanc d'œuf s'il est trop léger. Façonner en quenelles et faire pocher.

godiveau à la graisse ou farce de veau à la glace

Couper en dés 1 kg de chair maigre de veau, parée et dégraissée, et en menus morceaux 500 g de graisse de rognon bien sèche, parée et dénervée ; les hacher séparément et les poudrer de 25 g de sel, 5 g de poivre blanc et 1 g de muscade râpée. Piler, toujours séparément, la chair et la graisse. Les réunir et les piler finement ou les passer au mixeur. Ajouter 8 œufs entiers, un par un, en continuant à piler. Passer la farce au tamis fin, puis l'étaler sur un plat et la laisser sur de la glace ou dans le réfrigérateur jusqu'au lendemain. La piler alors à nouveau au mortier, en y ajoutant 70 ou 80 cl d'eau glacée, par petites quantités. Bien mélanger. Façonner en quenelles et faire pocher celles-ci après en avoir apprécié la consistance.

godiveau lyonnais ou farce de brochet à la lyonnaise

Piler au mortier 500 g de graisse de rognon dénervée et parée, divisée en menus morceaux, avec 500 g de panade frangipane et 4 blancs d'œuf. Ajouter 500 g de chair de brochet. Saler et poivrer. Travailler vigoureusement à la spatule, puis au pilon. Passer au tamis fin. Mettre dans une terrine et lisser la préparation.

GOGUES Spécialité charcutière de l'Anjou à base de légumes, de lard, de crème fraîche et de sang (**voir** tableau des boudins page 120). Ces boudins sont pochés à l'eau, puis coupés en tranches et poêlés.

gogues

Hacher 250 g d'oignons, 250 g de feuilles de bette, 250 g de feuilles d'épinard et 250 g de feuilles de laitue. Saler et poivrer ce hachis ; le laisser reposer 12 heures et faire étuver à feu très doux avec 3 cuillerées à soupe de saindoux, dans une cocotte. Couper en très petits dés 250 g de lard gras, le faire fondre sans le laisser colorer, l'ajouter au hachis avec une pincée de cannelle et de quatre-épices. Hors du feu, ajouter 10 cl de crème fraîche épaisse et 25 cl de sang de porc ; rectifier l'assaisonnement. Emplir de cette préparation un boyau de porc, en tournant celui-ci tous les 10 à 15 cm après remplissage. Pocher les gogues 30 min à l'eau salée frémissante, sans ébullition. Lorsqu'elles montent à la surface, les piquer avec une épingle pour éviter qu'elles n'éclatent. Égoutter et laisser refroidir. Couper en rondelles très épaisses et dorer celles-ci au beurre ou au saindoux.

GOMASIO Condiment composé de sésame (**voir** ce mot) et de sel. Les graines de sésame mélangées à du gros sel gris sont torréfiées, puis broyées. Le gomasio sert à assaisonner crudités, salades, légumes, volailles, etc. Il se vend dans les magasins de produits diététiques ou biologiques.

GOMBO OU **OKRA** Plante potagère tropicale, de la famille des malvacées, originaire d'Afrique orientale ou d'Asie du Sud-Est, appelée également « corne grecque » ou « lady finger » en anglais (**voir** planche des légumes exotiques pages 496 et 497). Il existe plusieurs variétés de gombo qui se différencient par la forme du fruit. Strié de sillons longitudinaux, celui-ci est soit allongé (de 6 à 12 cm de long), soit court et trapu (de 3 à 4 cm de long) ; il porte alors souvent le nom de « bamya » (ou « bamia »).

Riche en calcium, en phosphore, en fer et en vitamine C, le gombo fournit 40 Kcal ou 167 kJ pour 100 g. On l'utilise avant maturité, quand il est tendre et pulpeux, bien vert, et que les graines ne sont pas complètement formées (celles-ci, très mûres, furent utilisées comme succédané du café).

Le gombo est disponible frais toute l'année dans les magasins de produits exotiques ; on le trouve aussi séché et en conserve au naturel. Une fois blanchi et rafraîchi, il s'apprête au beurre, braisé au gras, à la crème, en purée, au citron vert, étuvé, en fritots, avec du riz, etc. Il entre dans la préparation des tagines, du foutou, de la ratatouille créole ; il accompagne le mouton en Égypte et le poulet aux États-Unis.

GOMME Suc végétal visqueux et translucide, qui suinte de certains végétaux, naturellement ou après incision de l'écorce.
• GOMMES PROPREMENT DITES. Elles se répartissent en trois groupes.
– La gomme arabique provient de deux espèces d'acacias (*Acacia verek* et *Acacia arabica*) du Soudan et de l'Égypte. Connue depuis la plus haute antiquité, elle se présente en petits morceaux arrondis, blancs ou roux, très friables, et fond rapidement dans l'eau. Utilisée comme base pour les gommes à mâcher, les pâtes de guimauve et de réglisse, elle sert aussi à préparer l'intérieur des dragées et à lustrer certains articles de confiserie. Elle intervient en outre dans le traitement chimique des vins, comme stabilisant de la limpidité.
– La gomme adragante, la plus mucilagineuse, est extraite d'une variété d'astragale (*Astragalus gummifer*) poussant en Asie, en Syrie, en Iran et en Grèce. Elle est totalement insoluble. On en tire des stabilisants, des émulsifiants et des épaississants pour l'industrie alimentaire (entremets, gelées, mayonnaise, potages) ; elle empêche la formation de cristaux dans les crèmes glacées et la cristallisation du sucre dans les confitures. Elle est aussi utilisée dans l'industrie pharmaceutique. La gomme de guar, produite par une légumineuse, a les mêmes emplois que la gomme adragante.
– La gomme nostras, ou de pays, appelée aussi « gomme du cerisier » ou « de France », est produite par la plupart des arbres du genre *Prunus,* notamment l'abricotier, le cerisier et le prunier. Elle ne se dissout qu'imparfaitement dans l'eau, avec laquelle elle forme un mucilage très épais.
• GOMMES-RÉSINES. On classe sous ce nom des sucs opaques à odeur forte, qui proviennent de plusieurs familles de végétaux ; composées de gommes, de résines et d'essences, les gommes-résines sont très peu solubles dans l'eau. Regroupant notamment l'asa fœtida, l'encens, la gomme-gutte, la myrrhe, l'opoponas et la scammonée, les gommes-résines sont employées en thérapeutique.

GONDOLE Décor fait d'une serviette de table blanche apprêtée, renforcée par une feuille de papier sulfurisé ou d'aluminium, pliée selon une technique précise pour obtenir une corne recourbée. En restauration, les gondoles servent à orner les deux extrémités d'un plat long, pour le dressage d'un poisson.

GOOSSENS (PETER) Cuisinier belge (Zottegem 1964). Flamand, il se forme à l'école hôtelière Ter Duinen de Coxyde, puis en France au *Pavillon Élysées* et au *Pré Catelan* à Paris, à l'école Lenôtre à Plaisir et chez Paul Blanc à Thoissey. Il s'installe à quelques kilomètres de Courtrai, dans le village de Kruishoutem, fameux pour la fondation d'art Veranneman, dans une ferme sobrement décorée et ornée de toiles contemporaines. Il y joue avec l'air du temps, l'huile de Toscane, la truffe, la roquette, les champignons. Il obtient une première étoile au Guide Michelin en 1994, la deuxième en 2000, la troisième en 2005 après que la critique belge eut encensé le « petit génie » de son pays. Son feuilleté de céleri-rave avec sa caille laquée ou son dos d'agneau sur fondue de poireaux avec truffes, champignons sauvages, foie d'oie, céleri craquant, sauce au lard révèlent un vrai travail de ciseleur.

GORENFLOT Nom attribué, au milieu du XIXe siècle, d'une part à un gros baba hexagonal, d'autre part à une garniture de pièces de boucherie braisées, associant une julienne de chou rouge, des rondelles de cervelas et des pommes de terre farcies. Ce nom vient de celui d'un moine truculent, héros de plusieurs romans d'Alexandre Dumas.

GORGONZOLA Fromage italien AOC de lait de vache (de 45 à 55 % de matières grasses), à pâte persillée, blanche ou jaune clair veinée de vert, et à croûte naturelle grise marquée de rouge (**voir** tableau des fromages étrangers page 396). Le gorgonzola se présente sous la forme d'un cylindre de 25 à 30 cm de diamètre et de 16 à 20 cm d'épaisseur, emballé sous papier métallique portant sa marque. Il a une odeur prononcée et une saveur douce, accentuée ou encore piquante selon son degré d'affinage (à sec, en cave froide et humide). Sa technique de fabrication est particulière : le caillé chaud de la traite du matin est placé au fond des moules, sur les côtés et sur le dessus, tandis que le caillé froid du soir est introduit au milieu.

Servi en petits cubes à l'apéritif, incorporé, comme le roquefort, à des salades composées, étalé sur des canapés ou présenté sur un plateau, ce magnifique fromage millénaire peut aussi relever des sauces ou des farces, parfumer des gratins, des soufflés ou des feuilletés. En Lombardie, on sert parfois la polenta chaude avec un morceau de gorgonzola fondant au milieu. Dans la région de Trieste, on apprécie comme dessert un mélange de gorgonzola, de mascarpone (un fromage frais crémeux), de crème fraîche, de pâte d'anchois, de cumin, de ciboulette et de moutarde douce.

GOTTSCHALK (**ALFRED**) Médecin et érudit d'origine suisse (Genève 1873 - Paris 1954). Fondateur de la revue de gastronomie médicale *Grandgousier* (1934-1948), il publia en outre, en 1948, une *Histoire de l'alimentation et de la gastronomie* en deux volumes. Il a collaboré avec Prosper Montagné à la première édition du *Larousse gastronomique*, publié en 1938.

GOUDA Fromage hollandais de lait de vache (48 % de matières grasses), à pâte pressée non cuite et à croûte naturelle paraffinée (**voir** tableau des fromages étrangers page 400). Le gouda se présente sous la forme d'une petite meule à talon convexe, de 25 à 30 cm de diamètre et de 7 cm d'épaisseur, pesant 15 kg environ. Il est jaune clair à ocre jaune selon qu'il est affiné pendant 2 ou 3 mois (croûte paraffinée, teintée de jaune ou incolore), demi-étuvé (croûte rouge) ou étuvé (croûte jaune). Il est digeste et riche en calcium.

Le *noord-hollandse gouda* est protégé par une AOP. Selon sa durée de maturation, il est tendre, ferme ou très dur, et a une saveur douce ou prononcée. Copié un peu partout dans le monde, il s'emploie comme l'édam qui lui ressemble beaucoup.

GOUFFÉ (**JULES**) Cuisinier français (Paris 1807 - Neuilly 1877). Apprenti pâtissier chez son père, à Paris, Jules Gouffé devient le disciple d'Antonin Carême. De 1840 à 1855, il dirige un restaurant réputé du faubourg Saint-Honoré. Alors qu'il est déjà en semi-retraite, il est toujours sollicité par l'empereur Napoléon III pour les dîners d'apparat. Son fondamental *Livre de cuisine* (1867) est plusieurs fois réédité, revu et augmenté par Prosper Montagné. Citons encore le *Livre des conserves* (1869), le *Livre de pâtisserie* (1873) et le *Livre des soupes et des potages* (1875). On l'a surnommé l'« apôtre de la cuisine décorative ».

On a donné son nom à un apprêt de petites pièces de boucherie sautées, nappées d'un déglaçage au madère et au fond de veau lié, garnies de petites croustades en appareil à pommes duchesse, frites, évidées et remplies de morilles à la crème avec des bottillons de pointes d'asperge au beurre.

GOUGÈRE Pâte à choux façonnée en boulette ou en couronne additionnée de fromage (comté, emmental ou gruyère), poivrée et cuite au four. En Bourgogne, les gougères froides accompagnent les dégustations de vin en cave, mais on les sert aussi tièdes, en entrée.

gougères

Préparer 500 g de pâte à choux salée. Après avoir ajouté les œufs, incorporer 100 g de gruyère coupé en fines lamelles et un peu de poivre blanc. Beurrer une tôle à pâtisserie, y disposer la pâte en petites boules, façonnées avec deux cuillères, ou la pousser à la poche à douille pour former une couronne ; dorer à l'œuf ; parsemer de lamelles de gruyère. Cuire 20 min au four préchauffé à 200 °C, jusqu'à ce que les gougères soient bien dorées. Laisser tiédir dans le four éteint et entrouvert.

gougères aux céleri-rave
et céleri-branche, crème de caviar

Remplir une poche à grosse douille cannelée de 25 cl de pâte à gougère. Façonner 4 couronnes de 10 cm de diamètre et les cuire au four préchauffé à 240 °C ; les réserver au sec. Trier, laver et ciseler grossièrement 1 frisée fine : l'assaisonner de sel, de poivre et de jus de citron jaune. Trier et laver les céleris ; les couper en très fins bâtonnets. Mélanger la frisée et les céleris avec 20 cl de crème liquide montée et 30 g de caviar, en travaillant délicatement avec 2 fourchettes pour ne pas écraser les œufs de poisson. Dresser sur chaque assiette un tour de feuilles de mâche, déposer au centre 1 couronne de gougère coupée en deux dans l'épaisseur et largement garnie de céleri au caviar, et recouvrir avec l'autre moitié de la couronne.

GOUJON Petit poisson de rivière, de la famille des cyprinidés, à grosse tête et à lèvres épaisses, dont la chair est très fine. Jadis abondant, le goujon faisait la réputation des caboulots et guinguettes des bords de la Seine ou de la Marne, spécialisés dans les fritures.

Les goujons doivent être vidés, essuyés (mais non lavés), passés dans du lait ou de la bière, puis égouttés, salés et poivrés, roulés dans la farine et frits à l'huile très chaude ; dès qu'ils sont dorés et croustillants, ils sont égouttés, poudrés de sel fin et servis avec du citron, en hors-d'œuvre. (S'ils sont un peu gros, on les fait frire en deux temps, d'abord dans de l'huile pas trop chaude, pour les cuire, puis dans une friture très chaude, pour les dorer.)

Par extension, on appelle « goujonnettes » des languettes taillées en biais dans des filets de poisson, également frites, servies comme les goujons ou utilisées comme élément de garniture.

GOULACHE Plat hongrois portant le nom des gardiens de bœufs magyars *(gulyas)*. L'origine de cette soupe de bœuf aux oignons et au paprika, garnie de pommes de terre, remonte au IXe siècle, avant la fondation de l'État hongrois, lorsque les tribus nomades avaient une alimentation adaptée à leur mode de vie.

À cette époque, il s'agissait de lamelles de viande mijotées avec des oignons jusqu'à réduction complète du liquide puis séchées au soleil et transportées dans une outre ; au bivouac, on préparait un ragoût ou une soupe en faisant cuire cette viande dans de l'eau avec des raves. L'ajout du paprika dans le plat est plus tardif.

Le goulache se prépare traditionnellement dans un chaudron spécial (le *bogracs*). Il en existe des variantes régionales, mais les puristes s'accordent pour exclure toute liaison à la farine ou au vin, de même que l'ajout de crème aigre au moment de servir. Les Hongrois considèrent le *Goulasch* viennois (orthographe allemande) comme une version édulcorée de l'authentique goulache, qui s'accompagne localement soit de *tarhonya* (grains de pâte aux œufs, séchés puis sautés dans du saindoux avec des oignons et du persil), soit de *csipetke* (petites quenelles de pâte aux œufs, pochées au bouillon).

goulache

Éplucher 250 g d'oignons et les couper en rondelles. Couper 1,5 kg de paleron en morceaux de 80 g environ. Chauffer dans une cocotte 100 g de saindoux. Y faire rissoler la viande, puis mettre les rondelles d'oignon, les dorer, ajouter 500 g de tomates pelées, épépinées et coupées en quartiers, 1 gousse d'ail écrasée, 1 bouquet garni et, enfin, 1 cuillerée à dessert de paprika doux. Assaisonner de sel et de poivre. Mouiller à hauteur de fond de veau clair, porter à ébullition, puis réduire le feu et cuire 2 heures tout doucement, à couvert, ou 1 h 45 dans le four préchauffé à 220 °C. Rectifier l'assaisonnement. Verser dans un plat et servir très chaud avec des pommes de terre cuites à la vapeur.

GOUMI Baie sauvage originaire d'Extrême-Orient, de la famille des éléagnacées, aujourd'hui cultivée aux États-Unis. Le goumi possède une enveloppe pulpeuse, rouge ou orangée, piquetée d'argent. Crue, sa chair est un peu acide ; on l'utilise surtout cuite, en compote ou en garniture de tarte.

GOURGANE Grosse fève verte du Québec, de la famille des fabacées, qui entre dans la composition de diverses spécialités de cette province. Dans la région du Saguenay, on prépare ainsi la traditionnelle soupe aux gourganes. Les fèves sont cuites pendant 3 heures avec des morceaux de lard salé, des carottes, des oignons, des herbes salées (mélange de fines herbes saumurées) et de l'orge.
▶ Recette : SOUPE.

GOÛT Sensation synthétique qui résulte de la stimulation des organes des sens par les aliments. Les stimulations sont principalement gustatives, mais aussi visuelles, auditives et olfactives. Il n'existe pas moins de 8 000 bourgeons récepteurs du goût sur les papilles gustatives de la langue, du palais et de la cavité buccale.

On distingue classiquement quatre saveurs fondamentales : le salé et l'acide, le sucré et l'amer, qui, différemment combinées, définissent le goût de chaque chose. D'autres sensations n'entrent pas dans cette classification réductrice : le piquant, le frais, etc. Sur le plan gastronomique, on ne dissocie pas le sens du goût de celui de l'odorat qui, en percevant les odeurs, révèle l'arôme des mets.

Enfin, quand on parle du goût d'un plat, on fait autant allusion aux informations transmises par les nerfs olfactifs qu'à celles données par les papilles gustatives.

GOÛTER Identifier la saveur d'un mets inconnu, ou porter à sa bouche une petite quantité d'un aliment ou d'une boisson afin de contrôler sa saveur et sa consistance, en s'assurant qu'elles correspondent bien à l'idée qu'en donnaient leur apparence, leur couleur et leur odeur. En cuisine, on goûte les plats en cours de préparation pour en rectifier éventuellement l'assaisonnement et vérifier la qualité de l'apprêt.

GOÛTER (REPAS) Légère collation prise entre le déjeuner et le dîner (**voir** ces mots). Avec la modification des heures de ces derniers au XVIIIe siècle, le goûter, qui se prenait jadis vers 17 heures et constituait un véritable repas, généralement froid, avec des gâteaux, du fromage, des fruits et du vin, fut progressivement supprimé. En ville, il fut remplacé par la mode anglaise du *five o'clock tea*, avec thé et gâteaux, tandis que dans les campagnes on continua à servir le « goûter dînatoire » en fin d'après-midi, après les travaux des champs ; suffisamment copieux, ce goûter pouvait tenir lieu de dîner, une simple soupe ou du lait et du pain étant pris à la nuit.

Aujourd'hui, le goûter, ou « quatre heures », concerne presque exclusivement les enfants (biscuits, chocolat, jus de fruits, lait, pain). En Espagne, où les heures des repas sont décalées, c'est à 18 heures – milieu de l'après-midi – que l'on prend la *merienda* (avant le dîner, qui aura lieu vers 22 heures), généralement composée d'une tasse de café ou de chocolat et de pâtisseries.

GOÛTEUR Spécialiste qui apprécie la qualité d'une boisson ou d'un aliment par le goût (**voir** DÉGUSTATION). Aucun instrument n'est parvenu à égaler un palais humain bien exercé, dans le domaine du vin notamment. Il existe à Paris une Compagnie de courtiers-gourmets-piqueurs (du nom d'une sorte de vrille que l'on « piquait » dans le fût pour prélever un échantillon) de vins, dont les origines remontent à Philippe le Bel, et chargée, entre autres, de goûter les vins, à la demande des tribunaux ou des administrations. Les industries alimentaires font aussi appel à des goûteurs ou dégustateurs. Café, beurre, foie gras, huiles sont ainsi testés par des *panels*, mot anglais désignant des groupes de goûteurs dont on confronte les jugements.

GOYA Sorte de concombre amer, surtout consommé comme condiment au Japon, dans l'archipel d'Okinawa. On lui prête des vertus de longévité. À l'île Maurice, le goya, ou margose, se consomme en achards.

GOYAVE Fruit d'un arbre de la famille des myrtacées, originaire d'Amérique tropicale, dont les diverses variétés ont une forme de petite poire, de pomme ou de noix. Importée du Brésil ou des Antilles (décembre à janvier), ou de l'Inde et de la Côte d'Ivoire (novembre à février), la goyave est assez énergétique (52 Kcal ou 217 kJ pour 100 g) et surtout très riche en vitamines C, PP, en provitamine A, ainsi qu'en phosphore. Sa peau mince et jaune, piquetée de noir à maturité, parfois marbrée de vert, recouvre une pulpe rose-orangé, blanche ou jaune. Très parfumée et rafraîchissante, un peu acidulée, celle-ci renferme de nombreuses graines très dures. Celle qui est baptisée « poire des Indes », grosse comme un œuf de poule, est la plus appréciée.
■ **Emplois.** La goyave se consomme mûre, nature, pelée au couteau, comme une poire, soigneusement épépinée (on peut lui ajouter du sucre ou du rhum si elle n'est pas parfaitement à point) ; on en fait des boissons, des crèmes glacées et des gelées. Au Brésil, la pulpe récupérée après la préparation de la gelée permet de confectionner une pâte de fruit qui se sert en dessert avec du fromage de chèvre frais. La goyave existe aussi en conserve au sirop et entre dans la composition des salades de fruits exotiques. En Chine, on apprécie la « goyave-fraise », originaire du Brésil, grosse comme une cerise, à chair blanche, noire, jaune ou rouge, très parfumée.

GOYÈRE Spécialité du nord de la France, notamment de Valenciennes, dont l'origine remonte au Moyen Âge. C'était alors une tarte au fromage blanc, aux œufs et à la cassonade (ou au miel), aromatisée à la fleur d'oranger. C'est aujourd'hui une tarte riche au maroilles (affiné et blanc), qui se déguste très chaude, en entrée, avec une bière assez forte ou du vin rouge.

goyère

Préparer une pâte brisée avec 250 g de farine, 1 œuf, 125 g de beurre et 1 grosse pincée de sel. L'abaisser sur 3 mm et en garnir une tourtière, la cuire de 10 à 12 min à blanc et la laisser refroidir. Écrouter 1/2 fromage de maroilles, couper la pâte en cubes et les passer au tamis, avec 200 g de fromage blanc bien égoutté. Ajouter à ce mélange 3 œufs battus en omelette, 2 cuillerées à soupe de crème fraîche et 1 pincée de sel, poivrer généreusement et bien malaxer le tout. Verser la garniture sur le fond, égaliser la surface et cuire 20 min au four préchauffé à 220 °C. Sortir la goyère et tracer sur le dessus des losanges, avec la pointe d'un couteau. Parsemer de dés de beurre ; remettre au four 15 min. Servir très chaud.

GOZETTE Petite poche de pâte feuilletée, brisée ou levée dans laquelle on introduit des tranches de pomme à la cannelle, frites au beurre à la poêle et poudrées de cassonade. La gozette est fermée et dorée au jaune d'œuf, puis cuite à four doux (**voir** CHAUSSON).

GRADIN Socle, généralement taillé dans du pain de mie, utilisé pour le dressage de pièces froides, comme les chauds-froids, notamment pour les buffets. Les gradins étaient aussi autrefois très utilisés pour les pièces de pâtisserie. Il s'agissait alors de mandrins en bois tourné, décorés de pastillage, de pâte d'amande, de sucre travaillé, de nougat, etc. Plus tard, les gradins furent réalisés en préparations de pâtisserie comestibles.

GRAINER Manquer de cohésion et former une multitude de petits grains ; le mot s'applique aux blancs d'œuf qui se défont. Ce problème est souvent dû à un mauvais dégraissage du matériel ; on peut essayer d'y remédier en ajoutant deux ou trois gouttes de vinaigre au moment où les blancs commencent à faire des petites bulles avant de monter.

Grainer se dit aussi du sucre cuit qui tend à se cristalliser et à devenir trouble, ou encore d'une pâte de fondant qui a été trop chauffée.

GRAISSE ANIMALE Substance lipidique située dans les tissus adipeux des animaux. Onctueuse et fondant à basse température, elle sert de matière grasse en cuisine.
– La « graisse de couverture », ou « bardière », sur le dos du porc, ainsi que le gras de poitrine constituent le lard. Quant au saindoux (ou axonge), il s'agit de graisse de porc (panne et lard) fondue et purifiée. Employé notamment dans les cuisines du nord et de l'est de la France, il est riche en acides gras saturés.
– Le suif du bœuf n'est plus consommé, mais on utilise encore traditionnellement de la graisse de rognon de bœuf, en Écosse et en Angleterre pour des pâtisseries, des puddings, des ragoûts.
– La graisse des rognons ou la graisse de queue de mouton interviennent surtout dans les cuisines orientales.
– La graisse d'oie, de haute réputation gastronomique, a en France, une aire géographique précise : Aquitaine et Languedoc ; elle est aussi utilisée par les cuisines scandinaves et juives.
– La graisse de rognons de veau entre dans la préparation de certaines farces.

Les graisses animales sont surtout employées par l'industrie alimentaire (biscuiterie, margarines) ; elles sont souvent saturées (et étiquetées hydrogénées). Mais l'introduction des huiles de plantes tropicales et des graisses végétales, ainsi que le développement de l'utilisation du beurre, ont heureusement réduit le rôle des graisses animales dans la cuisine industrielle.
▶ Recettes : GODIVEAU, TRUFFE.

GRAISSER Enduire d'un corps gras une plaque à pâtisserie, l'intérieur d'un cercle ou d'un moule, pour éviter que les préparations n'attachent pendant la cuisson et pour faciliter leur démoulage.

GRAISSES VÉGÉTALES Corps gras traditionnels de nombreux pays africains et orientaux, les graisses végétales servent aussi à fabriquer des produits d'usage courant en Europe, telle la Végétaline, composée d'huile de noix de coco hydrogénée. Les graisses végétales sont pour la plupart extraites du chou palmiste, du coprah et du karité.

Elles se présentent souvent sous forme de pains rectangulaires blancs et cireux. Leur point de fusion est inférieur à celui des graisses animales, mais, comme les huiles, elles supportent les températures élevées, et peuvent donc être utilisées pour les fritures, qu'elles rendent ainsi plus digestes.

GRAMMONT Nom donné à un apprêt des crustacés froids, généralement réservé aux homards et langoustes. Ceux-ci sont d'abord cuits au court-bouillon, puis refroidis ; la chair de la queue est escalopée, ornée de tranches de truffe et glacée à la gelée. La carapace est garnie d'une mousse faite avec la chair des pinces additionnée du corail, puis des escalopes de chair alternées avec des huîtres pochées et glacées. Le plat est décoré de cœurs de laitue et de persil.

Le mot s'applique aussi à une préparation classique de poularde pochée, dont on lève les suprêmes et dont on retire les os du coffre. La cavité est garnie de filets de mauviette, de têtes de champignon, de crêtes et de rognons de coq, liés avec une béchamel parfumée à l'essence de truffe, sur lesquels on dépose les filets détaillés en aiguillettes. Le plat est ensuite nappé de sauce suprême, parsemé de parmesan et enfin gratiné au four.

GRAMOLATE Sorte de granité que l'on travaille comme un sorbet au moment de faire glacer. La gramolate, ou *gramolata*, se sert en « trou normand » ou en rafraîchissement au cours d'une soirée.

Il ne faut pas la confondre avec la *gremolata*, condiment de la cuisine italienne, fait d'un mélange de zestes d'orange et de citron, de persil et d'ail hachés, utilisé, entre autres, avec l'osso-buco.

GRANA PADANO Fromage italien AOC de lait partiellement écrémé de vache (32 % de matières grasses), à pâte pressée cuite et à croûte naturelle graissée à l'huile (**voir** tableau des fromages étrangers page 398). Il se présente sous la forme d'un cylindre à flanc légèrement convexe, pesant entre 24 et 40 kg. Connu depuis le XIIe siècle, il a une texture granuleuse et très dure, et un goût boucané, légèrement rance. En cuisine, il s'emploie souvent râpé, notamment dans le minestrone.

GRANCHER (MARCEL ÉTIENNE) Écrivain, éditeur et chroniqueur gastronome (Lons-le-Saunier 1897 - Le Cannet 1976). Lyonnais d'adoption, fondateur de l'académie Rabelais et de l'académie des Gastronomes lyonnais, il signa avec Curnonsky un ouvrage sur *Lyon, capitale de la gastronomie* (1937). Il est aussi l'auteur de romans où les mets tiennent une grande place, comme *le Charcutier de Mâchonville* (1942), de même que les vins, qu'il décrit en connaisseur dans *Des vins d'Henri IV à ceux de Brillat-Savarin* (1952).

Dans *Cinquante Ans à table* (1953), il note : « Magie des mets, magie des mots : un grand cuisinier est somme toute un grand poète […]. Car ne fut-il pas visité des Muses, celui qui, le premier, eut l'idée de marier le riz à la poule, le raisin à la grive, les pommes à l'entrecôte, le parmesan aux pâtes, l'aubergine à la tomate, le chambertin au coq, la fine champagne à la bécasse, l'oignon au gras-double ? »

GRAND-DUC Se dit de divers apprêts créés dans les restaurants parisiens du second Empire et de la Belle Époque fréquentés par l'aristocratie russe. Ils ont en commun la présence de pointes d'asperge et de truffe. La dinde étoffée grand-duc est une recette originale très élaborée, créée en 1906 par M. Valmy-Joyeuse, chef des cuisines de la marquise de Mazenda.

GRAND MARNIER Liqueur onctueuse et parfumée, à base d'orange et d'eau-de-vie de vin. Un alcoolat d'orange, obtenu par distillation d'une macération d'écorces d'orange bigarade dans de l'alcool, est mélangé soit à du cognac rigoureusement sélectionné pour obtenir le « Cordon Rouge », le plus fort (40 % Vol.), soit à des eaux-de-vie de vin pour donner le « Cordon Jaune ». L'assemblage vieillit plusieurs mois en fût de chêne avant d'être filtré et sucré. Le Grand Marnier, créé en 1880 par la société Marnier-Lapostolle, de Neauphle-le-Château, se sert comme liqueur et est fréquemment utilisé en pâtisserie. Il entre aussi dans la composition de cocktails.

GRAND-MÈRE Se dit d'apprêts voisins de ceux appelés « bonne femme » ou « en cocotte », et notamment d'une volaille cuite à la casserole, accompagnée de lardons, de petits oignons glacés à brun, de champignons sautés et de petites pommes de terre rissolées.
▶ Recette : BŒUF.

GRAND VÉFOUR (LE) Restaurant parisien, situé galerie de Beaujolais, au Palais-Royal, à Paris. Initialement appelé *Café de Chartres*, l'établissement fut racheté en 1820 par Jean Véfour. Napoléon Bonaparte, Anthelme Brillat-Savarin, Joachim Murat, Alexandre Grimod de La Reynière, puis Alphonse de Lamartine, Adolphe Thiers et Charles-Auguste Sainte-Beuve fréquentèrent ce restaurant réputé, appréciant le poulet Marengo et les mayonnaises de volaille. Lorsque, sous le second Empire, un frère de Jean Véfour ouvrit à son tour un restaurant au Palais-Royal, on prit l'habitude de distinguer le *Grand Véfour* et le *Petit Véfour* (lequel disparut en 1920). En 1948, Louis Vaudable, dont le restaurant *Maxim's* avait été fermé, racheta l'établissement et s'associa avec un jeune chef, Raymond Oliver, qui, deux ans plus tard, devint le maître des lieux. Jean Cocteau, Colette et Emmanuel Berl – dont la place habituelle est marquée par une plaque rivée au mur –, qui y venaient en voisins et à qui sont dédiées plusieurs recettes, contribuèrent à l'ascension de ce haut lieu de la gastronomie. On y déjeune ou dîne encore aujourd'hui, dans un décor gardé intact du XVIIIᵉ siècle.

GRAND VENEUR Se dit de petites ou de grosses pièces de gibier à poil rôties ou sautées, nappées d'une sauce poivrade additionnée de gelée de groseille et de crème fraîche, parfois avec le sang de l'animal, et le plus souvent accompagnées de purée de marron. La sauce grand veneur est également appelée « sauce venaison ».
▶ Recettes : CHEVREUIL, SAUCE.

GRANITÉ Sorte de sorbet à l'italienne, dont Tortoni lança la mode à Paris au XIXᵉ siècle. Cette préparation semi-prise est faite d'un simple sirop de fruit peu sucré, ou d'un sirop parfumé au café ou à la liqueur, qui doit son nom à sa texture grenue. On le sert dans un verre à sorbet ou dans une coupe, soit en « trou normand », soit en rafraîchissement.

D'exécution facile, le granité se prête aussi à de multiples variations culinaires à base de légumes, d'herbes aromatiques, d'infusions, etc.

granité au café

POUR 1 LITRE DE GRANITÉ
Dans une terrine, mélanger 50 cl de café expresso avec 10 g de sucre en poudre et 40 cl d'eau. Mettre au congélateur. Après 1 h 30, sortir la préparation et la mélanger avec une spatule, puis la remettre au congélateur jusqu'à ce que le granité soit complètement pris.

granité au citron

POUR 1 LITRE DE GRANITÉ
Hacher finement le zeste d'un citron. Presser 2 citrons en gardant la pulpe. On obtient 10 cl de jus. Mettre 70 cl d'eau dans une terrine et y faire fondre 200 g de sucre en poudre en remuant, puis ajouter le zeste, le jus et la pulpe de citron. Bien mélanger avec une cuillère en bois et mettre au congélateur. Après 1 h 30, sortir la préparation et la mélanger avec une spatule, puis la remettre au congélateur jusqu'à ce que le granité soit complètement pris.

granité au melon ▶ MELON
gratin de pommes granny smith à l'amande,
granité de cidre et raisins secs ▶ GRATIN

GRAPPA Eau-de-vie de marc fabriquée dans le nord de l'Italie. La grappa est obtenue en distillant les marcs de pressoir, notamment à partir de muscat ou de raisin de Barolo ; les meilleures grappas viennent du Piémont, de Vénétie, du Frioul et du Trentin. Pour atténuer le goût du tanin, on place l'alcool dans des tonneaux en chêne de Slavonie.

On utilise aussi la grappa en cuisine, notamment pour préparer le chamois braisé, aromatisé aux baies de genièvre et au thym, spécialité du Piémont.

GRAPPIN Fourchette à deux dents munie d'un long manche pour récupérer un morceau de viande au fond d'une marmite. À ne pas confondre avec la fourchette à rôti.

GRAS ▶ VOIR **MATIÈRE GRASSE**

GRAS-DOUBLE Préparation tripière composée uniquement de morceaux de panse de bœuf échaudés, grattés, lavés à grande eau, moulés en pains rectangulaires, précuits et vendus en tranches (**voir** tableau des abats page 10). Le gras-double fait l'objet de nombreux apprêts régionaux, généralement très relevés. On le mange mariné et frit ou grillé, ou sauté avec des oignons, mijoté avec une fondue de tomate, en gratin ou en ragoût. Le « tablier de sapeur » est composé de carrés de gras-double enduits de moutarde, panés et frits ; il est servi avec une sauce vinaigrette ou gribiche. Le gras-double de veau, un peu moins gras, s'accommode de la même manière, parfois aussi en blanquette et à la poulette ; il entre dans la réalisation d'une spécialité milanaise, la busecca (**voir** ce mot).

gras-double de bœuf à la bourgeoise

Couper en carrés 750 g de gras-double blanchi. Éplucher 24 petites carottes nouvelles et les blanchir. Peler 3 douzaines de petits oignons ; en cuire les deux tiers à moitié dans le bouillon. Faire revenir les autres dans 50 g de beurre ; les poudrer d'une cuillerée de farine, les dorer légèrement, les mouiller de 60 cl de bouillon, remuer et laisser bouillir 6 min. Ajouter le gras-double, du sel, du poivre, une pointe de poivre de Cayenne, un bouquet garni et faire partir sur feu vif. Ajouter les carottes et les oignons, couvrir et cuire 1 h 30. Dresser dans un plat creux avec du persil ciselé.

gras-double de bœuf à la lyonnaise

Détailler en minces lanières 750 g de gras-double cuit et bien égoutté. Le faire sauter à la poêle avec du beurre ou du saindoux brûlant ; le saler et le poivrer. Ajouter 4 cuillerées d'oignons émincés et sautés au beurre ou au saindoux. Mélanger et faire rissoler. Dresser dans un plat creux ; déglacer la poêle avec un filet de vinaigre et parsemer de persil ciselé.

soupe au gras-double à la milanaise ▶ SOUPE

GRATARON Fromage savoyard de lait de chèvre (45 % de matières grasses). Il se présente sous la forme d'un cylindre de 7 cm de diamètre et de 6 cm d'épaisseur, pesant de 200 à 300 g. Le grataron d'Arèches a une saveur caprine très prononcée (**voir** tableau des fromages français page 392).

GRATIN Croûte dorée qui se forme sous l'action de la chaleur à la surface d'un mets souvent recouvert d'une couche de fromage râpé, mélangé ou non avec de la mie de pain, ou de chapelure. Autrefois, le gratin était ce qui restait attaché au récipient de cuisson et que l'on « grattait » comme une friandise. Par extension, le gratin désigne un apprêt de poissons, de viandes, de légumes, des plats de pâtes et même des préparations sucrées.

La réalisation d'un gratin consiste à faire cuire ou réchauffer au four l'aliment à gratiner sous une couche protectrice qui doit éviter qu'il ne se dessèche tout en lui apportant du moelleux et de la saveur. Cet aliment peut être cru (gratin dauphinois) ou déjà cuit.

Dans tous les cas, il faut respecter quelques règles : employer des plats allant au four et pouvant passer directement à table, et les beurrer largement pour que la préparation n'attache pas ; si l'apprêt est simplement mis à dorer sous la rampe du gril, il doit être déjà très chaud ; pour un gratin complet, il faut que le plat soit isolé par une grille ou placé dans un bain-marie, notamment pour les cuissons délicates.

Servi directement dans son plat de cuisson, le gratin est souvent un plat familial, à base de viande de desserte hachée, restes de volaille par exemple, mais il peut également être un plat de grande cuisine.

GRATINS SALÉS

asperges au gratin ▶ ASPERGE
aubergines au gratin à la toulousaine ▶ AUBERGINE
bananes à la créole gratinées ▶ BANANE
cèpes au gratin ▶ CÈPE
chou-fleur au gratin ▶ CHOU-FLEUR
choux de Bruxelles gratinés ▶ CHOU DE BRUXELLES
courge au gratin ▶ COURGE
crêpes gratinées aux épinards ▶ CRÊPE
épinards au gratin ▶ ÉPINARD
farce à gratin ▶ FARCE

RECETTE DE JACQUES MANIÈRE

gratin de bettes au verjus

« Effiler 1 kg de bettes et les détailler en bâtonnets. Les faire cuire dans un blanc et les égoutter sans les rafraîchir. Faire chauffer sur feu doux, sans la laisser bouillir, 20 cl de crème fraîche, en la fouettant. La retirer du feu. Mélanger 1/2 verre de verjus (obtenu en pressant une grosse grappe de raisin vert), 2 jaunes d'œuf, 1 cuillerée à soupe de persil haché, du sel et du poivre. Ajouter petit à petit ce mélange à la crème. Disposer les bettes dans un plat à gratin ; les masquer de sauce. Poudrer de cantal râpé, ajouter de toutes petites noisettes de beurre et faire gratiner de 4 à 6 min suivant la température du four (de 250 à 280 °C). »

RECETTE D'ANNE-SOPHIE PIC

gratin dauphinois

POUR 6 PERSONNES

« Peler et laver 1,2 kg de pommes de terre à chair jaune (belle de Fontenay), puis les essuyer. Les couper en rondelles de 2 mm d'épaisseur dans le sens de la largeur. Porter à ébullition 50 cl de crème et 50 cl de lait salés légèrement et assaisonnés avec 1 pincée de noix de muscade râpée et 1 gousse d'ail dégermée, hachée. Y ajouter les pommes de terre. Laisser cuire doucement pendant 10 min sur feu moyen. Retirer du feu et laisser reposer 10 min. Retirer les pommes de terre cuites aux trois quarts du lait et de la crème. Préchauffer le four à 240 °C. Frotter un plat à gratin avec 1 gousse d'ail dégermée, beurrer, y déposer les pommes de terre et verser l'appareil réduit et chinoisé (crème + lait) pour napper les pommes de terre à hauteur. Déposer dessus 40 g de beurre doux très froid, coupé en petits cubes. Enfourner et laisser gratiner ; ce sont les morceaux de beurre froid qui vont donner une coloration au gratin. »

gratin d'écrevisses ▶ ÉCREVISSE

RECETTE DE PIERRE ORSI

gratin de macaronis

« Porter à ébullition 2,5 litres d'eau salée. Y cuire 5 min 300 g de macaronis et les séparer avec une cuillère de bois pour qu'ils ne collent pas. Les sortir, les égoutter, les rafraîchir sous l'eau froide, les égoutter de nouveau. Mettre les pâtes dans une terrine et les mouiller à hauteur de lait. Réserver 12 heures, à couvert, au réfrigérateur. Le lendemain, sortir les macaronis, saler et poivrer. Bien mélanger, verser dans un plat à gratin en une couche régulière et égaliser avec une spatule de bois. Parsemer de 75 g de gruyère râpé et répartir sur le dessus 30 g de beurre divisé en petites parcelles. Cuire 10 min au four préchauffé à 180 °C, puis faire gratiner 1 min sous gril moyen. Servir très chaud. »

RECETTE DU RESTAURANT *ANAHI*, À PARIS

gratin de maïs

« Couper en dés 2 blancs de poulet. Hacher très finement 2 oignons et 75 g d'olives ; ajouter du sel, du poivre, des feuilles de coriandre hachées, et bien dorer le tout. Retirer du feu. Faire revenir dans de l'huile d'olive 2 oignons hachés et 4 tomates pelées, épépinées et concassées, et 250 g de grains de maïs. Disposer dans un plat à rôtir une couche de poulet, une couche de purée de maïs, et continuer ainsi jusqu'à épuisement des ingrédients. Gratiner 5 min au four préchauffé à 275 °C et servir très chaud. »

gratin d'œufs brouillés à l'antiboise ▶ ŒUF BROUILLÉ

gratin de potiron à la provençale

Peler un potiron bien mûr, l'épépiner et retirer les filandres. Couper la pulpe en petits morceaux ; blanchir ceux-ci 10 min à l'eau bouillante, les rafraîchir et les égoutter. Éplucher des oignons (le quart du poids de potiron), les émincer et les étuver doucement 5 min. Frotter d'ail l'intérieur d'un plat à gratin, le beurrer et y disposer 1 couche de potiron, puis les oignons et le reste du potiron. Parsemer de fromage râpé, arroser d'huile d'olive et gratiner au four préchauffé à 230 °C.

hachis de bœuf en gratin aux aubergines ▶ HACHIS
navets au gratin ▶ NAVET
oreilles de porc au gratin ▶ OREILLE
poireaux au gratin ▶ POIREAU
salsifis au gratin ▶ SALSIFIS
sardines gratinées ▶ SARDINE

GRATINS SUCRÉS

RECETTE DE SIMONE LEMAIRE

gratin de fraises au sabayon de citron

« Couper 24 grosses fraises en deux et les disposer dans un plat à gratin, face coupée contre le fond. Confectionner un sabayon au citron en mettant dans une casserole en cuivre 4 œufs entiers, le zeste et le jus de 4 citrons jaunes, 100 g de sucre en poudre et 100 g de beurre en petits morceaux. Monter vigoureusement l'appareil au fouet, au bain-marie, jusqu'à ce qu'il blanchisse et soit bien mousseux. En masquer délicatement les fraises et faire gratiner rapidement sous la rampe du gril. »

RECETTE DE CHRISTOPHE FELDER

gratin de pommes granny smith à l'amande, granité de cidre et raisins secs

POUR 6 PERSONNES – PRÉPARATION : 30 min

« Mélanger 50 cl de cidre avec 5 cuillerées à soupe de sirop de pomme, verser dans un bac et faire durcir au congélateur 2 ou 3 heures. Pendant ce temps, couper 6 pommes granny smith en 10 quartiers, les épépiner soigneusement, presser le jus de 1/2 citron dessus et mélangez. Répartir les quartiers sur 2 assiettes et recouvrir soigneusement d'un film alimentaire de façon hermétique. Faire cuire au micro-ondes jusqu'à ramollissement complet, procéder de façon successive afin de ne pas compoter les fruits. (En l'absence de micro-ondes, pocher les quartiers dans de l'eau bouillante sucrée pendant 5 min.) Préparer un bain-marie, l'eau doit être frémissante. Mettre 6 jaunes d'œuf, 4 cuillerées à soupe de jus de pomme, 50 g de sucre en poudre dans un saladier et poser celui-ci dans le bain-marie. Fouetter au moins 5 min jusqu'à l'obtention d'une couleur jaune clair et d'une mousse crémeuse. Terminer en remuant, la casserole hors du feu : le sabayon doit être bien ferme. Ajouter 60 g de poudre d'amande et mélanger. Préchauffer le four en position gril. Répartir les pommes harmonieusement sur des assiettes creuses, recouvrir avec le sabayon et ajouter 50 g de raisins secs. Faire gratiner 3 ou 4 min. Saupoudrer de 30 g de sucre glace. Gratter le granité au cidre avec une fourchette afin d'obtenir des cristaux et présenter ceux-ci dans un verre pour accompagner le gratin. »

GRATINÉE Soupe à l'oignon versée dans un bol, une petite soupière ou un poêlon individuel en porcelaine à feu, garnie de pain séché et de fromage râpé, passée à four très chaud et servie gratinée. Alors que la soupe à l'oignon est lyonnaise, la gratinée est parisienne, servie traditionnellement dans les bistrots de Montmartre et du quartier des Halles, où l'on soupe tard.

En général, le fromage utilisé est du gruyère, du comté ou de l'emmental, mais on peut réaliser des gratinées au cantal ou au bleu d'Auvergne.

On appelle aussi « gratinée » une soupe de fruits rapidement passée au four pour la faire dorer.

soupe gratinée à l'oignon

POUR 4 PERSONNES

Éplucher, laver et émincer très finement 400 g de gros oignon. Mettre 80 g de beurre à fondre dans une casserole, puis ajouter les oignons et les faire cuire doucement pendant 30 min pour obtenir une belle couleur blonde uniforme. Dans un pain baguette, tailler uniformément 12 rondelles et les faire dessécher à four doux (150 °C) ; les réserver. Ajouter aux oignons 1 litre de consommé, porter à ébullition et laisser cuire doucement pendant 5 min. Vérifier l'assaisonnement en sel et ajouter quelques tours de moulin à poivre. Garnir 4 bols ou terrines à gratinée en répartissant équitablement les oignons. Disposer sur chacun des bols 3 rondelles de pain desséchées et les recouvrir avec 40 g de gruyère râpé. Faire gratiner vivement sous la salamandre ou dans un four préchauffé à 220 °C. Servir aussitôt.

GRATINER Cuire ou finir de cuire une préparation au four, afin qu'elle présente en surface une mince croûte dorée. Il est assez délicat d'obtenir qu'un plat auquel on n'a pas ajouté de chapelure soit entièrement cuit sans que sa couche de surface dépasse le stade de la coloration brune.

En revanche, on obtient assez facilement le dorage superficiel d'une préparation déjà cuite en la parsemant de fromage râpé ou de chapelure, ou de fromage mélangé à de la chapelure, avec quelques noisettes de beurre (gratinée, coquilles garnies, légumes nappés de sauce Mornay, etc.). Le gratinage se réalise au four pour une cuisson lente, ou sous le gril ou la salamandre dans le cas d'une finition rapide.

GRATTONS Résidus de graisse de porc ou d'oie fondue, additionnés de petits morceaux de viande, constituant des sortes de rillettes grossières et que l'on mange froids (on dit aussi « gratterons » ou « fritons »). Les grattons auvergnats contiennent gorge et gras de porc, découpés en lanières, cuits avec de la graisse, hachés, puis moulés et pressés (**voir** tableau des rillettes et autres viandes confites page 738).

Les grattons lyonnais sont rissolés et non moulés. Les grattons bordelais associent du gras fondu et de la viande maigre de porc. Les grattons réunionnais sont constitués de couennes de porc frites dans du saindoux ; très croustillants, ils accompagnent certaines spécialités créoles. Dans *Odeurs de forêt et fumets de table*, Charles Forot donne la recette des grattons du Vivarais : « La graisse de porc, coupée en petits morceaux, sera fondue pendant 5 ou 6 heures à feu très doux. Une fois bien fondue, elle sera mise en pots. On ajoutera aux débris de viande qui restent au fond de la marmite sel, poivre, épices, persil haché, une pointe d'ail, on tournera longtemps de façon à mélanger substances et arômes, que l'on mettra ensuite dans une terrine. »

Les grattons d'oie sont faits en égouttant à chaud les résidus de graisse d'oie et les menus fragments de viande, après la préparation d'un confit. Ils sont ensuite pressés, poudrés de sel fin et refroidis complètement.

GRAVES Vignoble situé sur la rive gauche de la Garonne, entre la forêt des Landes et le fleuve. Les graves sont produits à partir de cépages cabernet-sauvignon, cabernet franc et merlot : rouges bouquetés, et blancs, issus des cépages sémillon, sauvignon et muscadelle, fins et puissants. L'AOC graves supérieur ne s'applique qu'aux vins blancs moelleux (**voir** BORDELAIS).

GRÈCE La cuisine grecque se caractérise par une grande consommation de poisson, de mouton et de légumes méditerranéens, agrémentés d'herbes aromatiques, d'huile d'olive et de citron. L'influence orientale s'y retrouve également, avec le goût pour les petits amuse-gueule (mezze) que l'on grignote en buvant de l'ouzo, pour le café très fort servi avec de l'eau froide, pour les pâtisseries grasses et sucrées, etc.

■ **Viandes et poissons.** Dans le Nord, le mouton est relativement abondant et se prépare en ragoût (notamment avec des poireaux et des aromates, dans une sauce liée aux œufs et au jus de citron), en brochettes (souvlakis) ou en boulettes hachées et épicées (keftedes). Dans le Sud, la viande est plus rare, et l'on utilise les abats dans des mets typiques, comme le *kokoretsi* (foie, rate et poumon d'agneau enveloppés dans des intestins d'agneau).

Partout, le poisson est abondant ; il est le plus souvent grillé, badigeonné d'huile d'olive et garni de citron, ou cuit au four avec des herbes aromatiques (anis, coriandre, fenouil). Les œufs de poisson entrent dans la préparation du célèbre tarama. Les moules se dégustent à la sauce piquante et la viande est séchée à l'ail (pasterma). Le citron est omniprésent, depuis l'*avgolemono* (un consommé aux œufs et au jus de citron, épaissi de riz) jusqu'aux garnitures de ragoût, aux légumes marinés et aux entremets sucrés (crèmes aux œufs et gâteaux de semoule).

■ **Légumes.** Avec la préparation des légumes, la cuisine grecque marque vraiment son originalité, en particulier avec les aubergines, indispensables pour la moussaka, et qui s'apprêtent aussi farcies,

gratinées ou en purée (pour la préparation du *tarato*, potage épais et servi froid, agrémenté de poivrons, de yaourt et relevé de vinaigrette). Les courgettes sont farcies de risotto aux herbes, enrichi de mouton haché ; les artichauts, farcis à l'athénienne ; les feuilles de vigne ou de chou (dolmas) sont, elles aussi, farcies ; les légumes sont marinés « à la grecque ». Enfin, la pitta est une tourte aux épinards et au fromage de brebis, que l'on sert avec du yaourt liquide. Ce dernier intervient dans le *tzatziki*, hors-d'œuvre rafraîchissant fait de concombre, de yaourt et d'ail.

■ **Laitages.** Ils représentent une part importante de l'alimentation, comme dans tous les Balkans. Les fromages grecs, faits de lait de brebis ou de chèvre, sont réputés et assez variés : les uns sont à pâte dure, comme l'agrafaou, le kefalotyri (très salé) ou le skyros ; les autres, à pâte molle, comme la feta (la plus connue, affinée ou non), la mitzithra (fait à partir du petit-lait de la feta) ou le kasseri, qui se mange frais, sans oublier le kopanisti, un brebis à pâte persillée. Ces fromages sont souvent utilisés pour faire les farces, les gratins, les sauces ou pour fourrer les *bourekakia* (petites pâtisseries d'entrée, aux légumes, à la viande ou au poisson, hachés avec de la feta et des herbes) ; les fromages blancs sont agrémentés de fines herbes, d'oignon et de crème aigre ; les salades de tomate et de concombre sont mélangées avec de petits cubes de fromage frais salé et des olives noires.

■ **Vins.** Dès l'Antiquité, les vins grecs étaient les plus réputés du monde méditerranéen. Si la vigne est encore très présente en Grèce, elle donne essentiellement des raisins de table, qui seront éventuellement séchés (raisins de Corinthe, notamment). Elle produit cependant un vin très original, spécifiquement local : le retsina (**voir** ce mot), ou vin résiné. Parmi les vins de dessert, la réputation du muscat de Samos, sec et très alcoolisé (18 % Vol.), n'est plus à faire, et le mavrodaphne de Patras est également très bon. Quant au monemvasia, c'est un malvoisie (vin doux) produit dans tout le pays, qui peut être excellent.

GRÈCE ANTIQUE La cuisine ancienne grecque est peu connue car, au contraire de la cuisine romaine, aucun recueil de recettes ne nous est parvenu. Toutefois, Athénée, compilateur égyptien qui vécut au IIIᵉ siècle de notre ère, nous a apporté quelques précisions dans *le Dîner des savants*, notamment sur le célèbre Archestrate (milieu du IVᵉ siècle av. J.-C.).

Originaire de Sicile, en Grande-Grèce – siège d'une civilisation raffinée –, Archestrate était un riche armateur, un connaisseur éclairé, un gastronome voyageur, comme le fut au XIXᵉ siècle Anthelme Brillat-Savarin. Il parcourut tout le monde grec, notant aussi bien la qualité des produits locaux – en particulier celle des poissons, omniprésents dans ce pays d'îles – que la meilleure façon de les accommoder.

Il parle ainsi du thon et des civelles, déjà frites à l'huile – d'olive, évidemment. (Selon la mythologie, Athéna, déesse de l'Intelligence, aurait fait don à Athènes de l'olivier, à la fois fruit de la terre et symbole de la paix.)

Les Anciens utilisaient aussi comme matière grasse le fromage frais, qui entre dans la préparation de certains plats ; si l'on en croit Aristophane, poète comique contemporain d'Archestrate, l'ordinaire du soldat en campagne était « le fromage et l'oignon ».

À la même époque, une vive polémique semble avoir existé à propos de la cuisson des viandes (en particulier celles du lièvre et de la grive, l'un et l'autre appréciés). Certains étaient partisans de faire bouillir avant de rôtir, les autres préféraient rôtir directement. Or les Grecs considéraient que griller une viande était un procédé barbare.

Le développement de la boulangerie est aussi l'apanage de la Grèce antique : à Athènes, on préparait soixante-douze espèces de pain ; des siècles plus tard, les boulangers de Rome étaient presque tous grecs.

Le petit déjeuner des Grecs consistait d'ailleurs en pain trempé dans du vin pur (seul repas où ils ne le coupaient pas d'eau). Il était suivi, vers midi, d'un repas pris sur le pouce et généralement, en fin d'après-midi, d'un casse-croûte pour attendre le dîner. Seul ce dernier, pris très tard, donnait lieu à une réunion amicale, éventuellement suivie d'une fête plus prolongée et souvent très arrosée.

La pâtisserie n'était guère différente de celle que l'on trouve aujourd'hui dans tout le bassin méditerranéen : miel, huile et farine, pétris d'aromates divers, enrichis d'amandes, de dattes, de graines de pavot, de noix, de pignons, sous forme de galettes plates et de beignets, éventuellement agrémentés de graines de sésame, et accompagnés de fromage blanc et de vin doux.

GRECQUE (À LA) Se dit d'apprêts originaires de Grèce ou simplement inspirés de la cuisine méditerranéenne. Les légumes à la grecque sont cuits dans une marinade aromatisée à l'huile d'olive et au citron et servis froids, la plupart du temps en hors-d'œuvre ou en entrée.

Le pilaf à la grecque agrémente le riz de base de chair à saucisse, de petits pois et de dés de poivron rouge. Les poissons à la grecque sont nappés d'une sauce au vin blanc parfumée au céleri, au fenouil et aux grains de coriandre.

champignons à la grecque ▶ CHAMPIGNON DE PARIS

RECETTE D'HÉLÈNE DARROZE

légumes de printemps à la grecque

POUR 6 PERSONNES

« Pour les légumes à la grecque, nettoyer et laver 3 carottes à fanes orange, 3 carottes à fanes jaunes, 6 mini-fenouils, 12 mini-navets, 12 radis, 6 artichauts violets, 12 oignons nouveaux. Tailler les carottes en tronçons biseautés larges de 1 cm. Tailler les fenouils en deux, dans le sens de la longueur. Tourner les artichauts, les tailler en deux, puis ôter le foin. Dans un sautoir, faire revenir les légumes dans 60 g de graisse de canard. Une fois qu'ils sont légèrement colorés, ajouter 1 g de graines de coriandre, 1 g de genièvre, 1 g de grains de poivre, 1 g de clou de girofle, 3 gousses d'ail, 6 feuilles de laurier ; assaisonner de sel et de piment d'Espelette. Puis déglacer avec 30 cl de vinaigre de vin et 10 cl de vin blanc. Réduire à sec, puis mouiller avec 75 cl de fond blanc de volaille. Cuire doucement en mouillant régulièrement avec du bouillon au fur et à mesure que celui-ci est absorbé et en retirant les légumes au fur et à mesure qu'ils sont cuits. En fin de cuisson, récupérer le jus de cuisson des légumes, faire réduire si nécessaire. Pour les autres légumes, blanchir dans de l'eau bouillante salée 6 mini-courgettes, 6 mini-poireaux, 12 pointes d'asperges blanches (pas trop grosses), 12 pointes d'asperges vertes (pas trop grosses), 12 petites blettes, 50 g de févettes écossées. Pour la finition du plat, mélanger 15 cl de jus de cuisson des légumes à la grecque avec 10 cl d'huile d'olive. Rouler tous les légumes dans ce jus, puis ajouter quelques gouttes de vinaigre. Rectifier l'assaisonnement en sel et en piment d'Espelette. Décorer de copeaux de tomates confites. Servir dans un saladier. »

poissons marinés à la grecque ▶ POISSON

GRENADE Fruit du grenadier, de la famille des lythracées, originaire d'Asie, à la peau rouge coriace, dont la pulpe est constituée par un grand nombre de graines vermillon, enveloppées d'un tégument charnu et séparées par des cloisons blanches (**voir** planche des fruits exotiques pages 404 et 405). La grenade possède une saveur douce et parfumée. Peu énergétique (32 Kcal ou 134 kJ pour 100 g), elle est riche en phosphore et en pectine.

Les Égyptiens la faisaient fermenter pour en tirer un vin capiteux. Employée comme condiment par les Anciens (graines séchées), surtout utilisée comme médicament jusqu'à la Renaissance, elle apparaît dans des recettes à l'époque de Louis XIV, notamment pour des sauces et des potages. Cultivée dans de nombreux pays chauds (Amérique centrale, Inde, Liban, Pakistan), la grenade pousse aussi dans le Midi. En France, on la consomme surtout comme fruit frais et en boisson rafraîchissante, mais la mélasse de grenade, concentré qui apporte sa saveur acidulée à certains plats libanais, trouve maintenant la faveur des cuisiniers.

D'autres cuisines font appel à la grenade comme ingrédient ou comme condiment : graines fraîches dans les salades, les purées d'aubergine, les couscous sucrés ou la crème aux amandes dans la cuisine orientale ; graines écrasées dans les viandes en Inde et au Pakistan.

GRENADIER Poisson de la famille des macrouridés, qui vit dans les eaux profondes de l'Atlantique et se pêche du Groenland jusqu'au golfe de Gascogne. Il se reconnaît à son corps effilé se terminant en pointe. Sa chair très blanche, sans arêtes, vendue en filets, est idéale pour préparer des mousselines de poisson.

GRENADIN Tranche de veau épaisse (2 cm environ), peu large (6 ou 7 cm), ronde, taillée dans le filet, la noix ou la sous-noix. Éventuellement piqué de lard, le grenadin se traite grillé ou poêlé, voire braisé. Un petit grenadin de veau, poêlé au beurre, est appelé « noisette ». On prépare aussi des grenadins dans le blanc de dinde escalopé. Le grenadin est aussi appelé « médaillon », « mignon », « noisette ». Les tranches de veau détaillées à 4 ou 5 mm d'épaisseur sont appelées « piccata ». ▶ Recette : VEAU.

GRENADINE Boisson rafraîchissante à base d'eau et de sirop de grenadine. Ce dernier, autrefois fabriqué avec des grenades, est aujourd'hui élaboré à partir de substances végétales, d'acide citrique, de divers fruits rouges et d'arômes naturels.

Le sirop de grenadine colore en outre certains cocktails, des diabolos et des apéritifs (telle la « tomate », mélange d'anis et de sirop de grenadine allongé d'eau).

GRENOBLOISE (À LA) Se dit de poissons cuits à la meunière et garnis de câpres et de dés de citron pelés à vif, auxquels on peut ajouter des croûtons de pain de mie dorés.

GRENOUILLE Batracien des eaux douces, dont on consomme les cuisses. En France, la grenouille verte vit au bord des mares, des marais, le long des ruisseaux. Elle est plus savoureuse que la grenouille rousse, plus foncée, qui ne s'approche de l'eau qu'au moment de l'accouplement et séjourne dans les lieux humides, parfois dans les vignes. En Belgique, la capture de la grenouille est interdite, en France, elle fait l'objet d'une protection partielle. De ce fait, de nombreuses cuisses de grenouille sont importées d'Europe centrale et d'Asie ; elles sont souvent vendues surgelées (elles sont alors irradiées au césium 137 ou au cobalt 60, ou avec un accélérateur de particules, pour détruire d'éventuels agents pathogènes) et souvent prêtes à cuire.

Les cuisses de grenouille ont une saveur fade qui a besoin d'être relevée ; apprêtées en blanquette, à la crème, aux fines herbes, en potage, en omelette, en mousseline, elles peuvent aussi être frites ou sautées, à l'ail ou à la persillade.

---

grenouilles : préparation

Écorcher les grenouilles en fendant la peau du cou et en tirant vers l'arrière. Trancher la colonne vertébrale de façon à ne pas séparer les cuisses. Ôter les pattes. Mettre les cuisses 12 heures dans de l'eau très froide, que l'on changera plusieurs fois, pour faire gonfler et blanchir les chairs. Les essuyer.

---

cuisses de grenouille aux fines herbes

Saler et poivrer les cuisses de grenouille parées, les fariner – on peut aussi les paner à l'anglaise – et les faire sauter de 7 à 10 min au beurre ou à l'huile d'olive, sur feu vif, dans une sauteuse. Les égoutter et les dresser en buisson dans un plat de service chauffé ; parsemer de persil ciselé et arroser de jus de citron. Si elles ont doré au beurre, les arroser de leur cuisson ; sinon, les égoutter et les masquer de beurre maître d'hôtel. Servir avec des pommes de terre à l'anglaise.

RECETTE DE MICHEL TROISGROS

cuisses de grenouille poêlées à la pâte de tamarin

POUR 4 PERSONNES

« Dans un mortier, piler finement 20 g de pâte à tamarin avec 1 gousse d'ail, 1 tige de citronnelle, 1 pincée de cumin, 1 pincée de coriandre et 1 pincée de cacahuètes hachées. Incorporer 2 cuillerées à soupe d'huile d'arachide grillée et réserver. Émincer finement 4 sommités de chou-fleur cru et les assaisonner de jus de citron, d'huile d'arachide grillée, de sel et de poivre. Assaisonner et fariner 400 g de cuisses de grenouille et les poêler au beurre. Déposer sur chaque cuisse le mélange d'épices. Disposer sur 4 assiettes quelques zestes de citron jaune hachés et répartir dessus les cuisses de grenouille. Arroser avec le beurre de cuisson et arranger harmonieusement les tranches de chou-fleur dessus. »

fritots de grenouilles ▶ FRITOT

RECETTE DE GEORGES BLANC

grenouilles persillées

POUR 4 PERSONNES

« Prendre 800 g de cuisses de grenouille fraîches, les rincer, les égoutter puis les sécher soigneusement. Peler 4 gousses d'ail et les hacher très finement. Effeuiller, puis laver 1 gros bouquet de persil frisé, le hacher très finement et le mélanger avec l'ail. Réserver. Étaler les grenouilles sur un linge, puis bien les rouler dans un voile de farine. Mettre 2 grandes poêles sur feu vif. Faire fondre 100 g de beurre dans chacune. Lorsque le beurre est bien chaud et moussant, y déposer les cuisses de grenouille. Les assaisonner de sel et de poivre. Dès qu'elles commencent à dorer, les retourner une par une. Réduire le feu et ajouter 50 g de beurre dans chaque poêle. Lorsque le beurre a pris une belle couleur noisette, retirer les poêles du feu. Mettre les grenouilles dans un plat de service (qui va sur le feu), passer le beurre dans une passoire fine au-dessus des grenouilles. Faire chauffer le plat sur feu vif et, dès que le beurre commence à mousser à nouveau, ajouter le mélange d'herbes et d'ail. Servir sans attendre. »

RECETTE DE BERNARD LOISEAU

grenouilles à la purée d'ail et au jus de persil

« Équeuter et laver 100 g de persil ; le cuire 3 min à l'eau bouillante, le rafraîchir et le réduire en purée au mixeur. Pocher 2 min à l'eau bouillante salée les gousses de 4 têtes d'ail ; les peler ; les remettre dans l'eau bouillante 7 ou 8 min, et recommencer 6 ou 7 fois jusqu'à ce que l'ail soit très cuit. Le mixer. Mettre cette purée dans une casserole avec 50 cl de lait. Saler et poivrer. Saler et poivrer les cuisses de grenouilles et les dorer 2 ou 3 min dans de l'huile d'olive avec une noix de beurre. Faire chauffer la purée de persil dans 10 cl d'eau. Égoutter les cuisses de grenouille sur du papier absorbant. Dresser la sauce de persil sur un plat chaud. Disposer la purée d'ail au milieu et les cuisses de grenouille tout autour. »

RECETTE DE PAUL HAEBERLIN

mousseline de grenouilles

POUR 6 PERSONNES

« Hacher 4 échalotes. Dans une sauteuse, faire suer les écha-lotes avec un peu de beurre. Ajouter 1 kg de cuisses de grenouille, verser 35 cl de riesling, saler, poivrer et couvrir. Faire cuire 10 min. Retirer les cuisses de grenouille, les désos-ser et les réserver. Passer le jus de cuisson au chinois, puis le remettre dans la sauteuse et laisser sur le feu jusqu'à ce qu'il réduise de moitié pour servir de sauce. Prendre un deuxième kilo de cuisses de grenouille et prélever la chair à cru. La passer au hachoir muni d'une grille fine avec 200 g de chair de brochet. Mixer les chairs avec 2 blancs d'œuf, en ajoutant au fur et à mesure 50 cl de crème. Saler et poivrer. Verser cette mousse dans une terrine et réserver. Blanchir 500 g d'épinards dans de l'eau bouillante salée pendant 5 min. Les égoutter dans une passoire et les presser entre les mains pour en extraire toute l'eau. Dans une sauteuse, mettre 50 g de beurre et 1 gousse d'ail en chemise. Ajouter les épinards, saler, poivrer et faire cuire 5 min. Préchauffer le four à 180 °C. Beurrer 8 moules à ramequin. Mettre la mousse réservée dans une poche à douille ronde et masquer les parois des moules.

Remplir le centre creux avec les cuisses de grenouille cuites et recouvrir de mousse. Placer les ramequins au bain-marie et faire cuire 15 min au four. Les démouler et les servir avec les épinards. »

potage aux grenouilles ▶ POTAGE

GRÈS Céramique opaque, dense et dure. Les grès communs sont bruns, rouges, jaunes ou gris, suivant la couleur de l'argile vitrifiable qui les compose ; les grès fins, faits d'un mélange d'argile et de felds-path, sont le plus souvent émaillés (grès d'Alsace). Le grès sert à réaliser des pièces de service rustique ou des ustensiles destinés à conserver les aliments.

GRESSIN Bâtonnet sec et croustillant, de la grosseur d'un crayon, fait d'une pâte à pain additionnée d'huile. D'origine italienne, plus par-ticulièrement turinois, les gressins *(grissini)* servent d'amuse-gueule (enroulés dans une tranche de jambon) et remplacent le pain.

GREUBONS Résidu obtenu après avoir fait fondre doucement de la panne de porc pour préparer du saindoux. Ces fragments colorés, appelés aussi « rillons » ou « grabons » dans le Jura, entrent dans la composition d'une pâtisserie salée suisse : le taillé aux greubons.

GRIBICHE Sauce froide dérivée de la mayonnaise, dans laquelle le jaune d'œuf cru est remplacé par du jaune d'œuf dur. Additionnée de câpres, de fines herbes et de blanc d'œuf dur haché, la sauce gribiche accompagne la tête de veau ou des poissons froids.
▶ Recette : SAUCE.

GRIFFE Muscle plat du bœuf, recouvrant une partie de l'épaule et du collier. La griffe constitue une bonne viande de pot-au-feu, associée à d'autres morceaux plus gras ou plus moelleux.

GRIL Ustensile de cuisine servant à griller viandes, poissons et légumes. Le modèle le plus ancien consiste en une grille en fer forgé, dotée d'une poignée et montée sur quatre pieds, que l'on pose sur des braises. Préalablement huilé, ce gril convient pour les grosses pièces de viande. Un autre modèle est formé de deux grilles réunies par une charnière et entre lesquelles on emprisonne les aliments à griller. L'inconvénient est que la graisse qui tombe sur les braises dégage, en s'enflammant, des vapeurs nocives. Les grils faits d'une plaque de fonte ou de tôle sont placés en contact direct avec la plaque ou le brûleur de la cuisinière. Ils doivent être nettoyés avant chaque utilisa-tion pour éliminer le goût de fer.

L'un des éléments chauffants des fours électriques ou à gaz est un gril, ou grilloir, constitué par des brûleurs ou des éléments infrarouges situés dans la voûte, et qui fait aussi office de salamandre.

Enfin, les grils électriques indépendants agissent soit par rayon-nement, grâce à une résistance, soit par contact ; ces derniers, sou-vent dotés d'un revêtement antiadhésif, sont constitués d'une plaque épaisse, lisse ou cannelée, ou de deux plaques à charnière.

GRILLADE Pièce de viande, généralement de bœuf, cuite sur le gril ; en principe, le mot ne s'emploie pas pour les autres aliments.

La grillade est aussi une pièce de viande de porc, prise le long de la palette et du carré de côtes (**voir** planche de la découpe du porc page 699). C'est un morceau rare, car il n'y en a qu'une (de 400 à 500 g) par demi-porc. Légèrement grasse, croustillante et savoureuse, la grillade se caractérise par des fibres longues, que l'on cisèle dans le sens contraire avant de la cuire. On la fait poêler ou griller à feu moyen ; on peut aussi la paner, la farcir ou en faire une grosse paupiette.

GRILLE Ustensile de pâtisserie, rond ou rectangulaire, en fil de fer étamé ou en fil d'acier inoxydable, souvent doté de petits pieds. On y dépose certains gâteaux, dès leur démoulage à la sortie du four ; la vapeur s'échappe pendant qu'ils refroidissent, ce qui évite leur ramol-lissement. La grille est aussi un accessoire qui, placé dans un plat ou une lèchefrite, évite que la pièce à rôtir ne baigne dans son jus de cuisson.

GRILLE-PAIN Ustensile servant à faire griller des tranches de pain. Les modèles anciens sont dotés d'un long manche permettant de griller le pain sur les braises, ce qui le parfume, surtout s'il s'agit d'un pain à la mie assez aérée. D'autres modèles simples, employés sur des cuisinières, servent aussi de diffuseurs ; ils sont faits d'un treillis métallique, ou de deux plaques de tôle d'acier, dont l'une est perforée. Il vaut mieux ne pas utiliser ce modèle sur le gaz, qui donne une odeur désagréable au pain.

Les grille-pain électriques, ou toasters, sont semi-automatiques (il faut retourner le pain) ou automatiques (les tranches sont éjectées quand elles sont grillées, le degré de chaleur étant réglé par thermostat).

Le pain frais grille moins facilement que le pain rassis, et prend moins bien couleur. Qu'il s'agisse de pain de mie, de pain bis ou de pain de campagne, le pain grillé doit être consommé immédiatement.

GRILLÉ AUX POMMES Pâtisserie rectangulaire à base de compote de pomme, parfois aromatisée à la vanille, montée sur une base de pâte feuilletée et recouverte de croisillons de même pâte, que l'on fait griller au four très chaud.

GRILLER Cuire un aliment en l'exposant à l'action directe de la chaleur, par rayonnement ou par contact : braises de charbon de bois, de bûches ou de sarments ; pierre plate ou plaque de fonte très chaude ; gril. Cette technique de cuisson permet de saisir rapidement l'aliment pour lui conserver toute sa saveur (**voir** tableau des modes de cuisson page 295). Pour les viandes, en particulier, elle provoque une caramélisation superficielle des protides, le « croûtage », qui emprisonne les sucs nutritifs (pour que la viande ne saigne pas, il faut éviter de la saler ou de la piquer). Avant de poser les aliments sur le gril, on les badigeonne souvent d'huile ou de beurre fondu.

Les pièces de viande en contact avec le gril brûlant sont marquées de traits bruns ; en les faisant pivoter en cours de cuisson, on obtient un quadrillage décoratif. Si la cuisson doit être poussée à cœur, on procède d'abord au « croûtage » de la pièce à feu vif, puis on diminue l'intensité de la chaleur.

Griller des amandes effilées consiste à les placer sur une plaque, dans le four chaud, en les remuant souvent, afin de les colorer légèrement et uniformément.

GRILL-ROOM Restaurant où l'on ne sert théoriquement que des grillades. Cette expression anglaise, apparue dans les années 1890, s'applique plus particulièrement, dans les grands hôtels, à une salle de restaurant où le service est plus rapide et les plats moins élaborés que dans la salle à manger. On rencontre souvent la forme abrégée « grill ».

GRIMOD DE LA REYNIÈRE (ALEXANDRE BALTHASAR LAURENT)
Écrivain et gastronome français (Paris 1758 - Villiers-sur-Orge 1837). Dernier-né d'une riche lignée de fermiers généraux, infirme de naissance, avec une main en forme de griffe et l'autre en patte d'oie, l'enfant, repoussé par sa mère, se révolta contre sa famille et, tout en faisant des études de droit, se fit remarquer par ses extravagances.

■ **Le goût du scandale.** Alors qu'il venait d'obtenir son diplôme d'avocat, le jeune homme, qui avait publié des *Réflexions philosophiques sur le plaisir par un célibataire,* organisa un dîner mémorable, fin janvier 1783, où il convia ses invités par le faire-part suivant : « Vous êtes prié d'assister aux convoi et enterrement d'un gueuleton qui sera donné par Messire Alexandre Balthasar Laurent Grimod de La Reynière, écuyer, avocat au Parlement, correspondant pour sa partie dramatique du *Journal de Neuchâtel,* en sa maison des Champs-Élysées. On se rassemblera à neuf heures du soir et le souper aura lieu à dix. » Il y avait bien au milieu de la table un catafalque, et le maître des lieux affirma à plusieurs reprises que les divers mets avaient été préparés par « des cousins de son père ».

En clamant ainsi l'extraction plébéienne de ses ancêtres paternels, Alexandre, qui était effectivement petit-fils de charcutier, ne cherchait qu'à blesser sa mère, quant à elle d'origine aristocratique, mais il parvint surtout à se faire une réputation d'extravagance qu'il entretint soigneusement.

Dans l'hôtel particulier de son père, il tenait salon deux fois par semaine. Féru de littérature, il accueillait aussi bien Beaumarchais, Chénier ou Restif de La Bretonne que des rimailleurs ou des écrivains publics. La seule condition pour être admis était de pouvoir boire d'affilée dix-sept tasses de café. Il ne faisait servir que des tartines beurrées avec des anchois et, le samedi, de l'aloyau.

■ **De la retraite à l'épicerie.** À la suite d'un scandale particulièrement éclatant, la famille du jeune avocat obtint contre lui une lettre de cachet. En avril 1786, Alexandre fut envoyé dans un couvent de bernardins, près de Nancy, où il passa trois ans. C'est à la table du père abbé que Grimod découvrit l'art du bien manger, dans lequel il se perfectionna à Lyon et à Béziers, où il se réfugia ensuite.

Pour vivre, il choisit de se faire négociant. À Lyon, rue Mercière, il ouvrit un commerce d'épicerie, de droguerie et de parfumerie. Puis il parcourut longuement les foires du Midi.

Mais la mort de son père, en 1792, le rappela à Paris. Il renoua alors avec sa mère, qu'il sauva de l'échafaud, et entreprit de récupérer quelques bribes de l'héritage paternel, dont l'hôtel des Champs-Élysées, où il se remit à organiser des dîners extravagants.

■ **Une vocation de gastronome.** Grimod se tourna ensuite vers une institution nouvelle, les restaurants. C'est de cette façon que naquirent les huit numéros de l'*Almanach des gourmands,* 1804-1812, guide anecdotique et pratique de Paris, comportant un « itinéraire nutritif », qui connut un grand succès. En 1808, il publia un *Manuel des amphitryons,* pour enseigner aux parvenus du « Nouveau Régime » l'art de recevoir. Il avait en outre institué un jury dégustateur, qui délivrait aux mets et aux victuailles que lui envoyaient des fournisseurs désireux de se faire de la publicité une sorte de brevet appelé « légitimation ». Parmi les membres les plus influents de ce jury, on comptait Cambacérès, le marquis de Cussy et le médecin et gastronome Gastaldy. Le jury dégustateur dut cependant bientôt cesser de siéger, car certains jugements entraînèrent des protestations, et l'on accusa même Grimod de partialité intéressée.

Menacé de procès, il dut suspendre la publication de son almanach. À la mort de sa mère, il hérita des restes d'une immense fortune, épousa la comédienne avec laquelle il vivait depuis vingt ans et se retira à la campagne, où venaient le visiter ses amis de toujours. Il devait mourir un jour de réveillon.

GRIS DE LILLE Fromage au lait de vache, fabriqué en Thiérache (Aisne et Nord) [**voir** tableau des fromages français page 390]. Il est obtenu à partir d'un maroilles très affiné, en forme de pavé, de 8,5 ou de 13 cm de côté et de 6 cm de haut, pesant, selon le format, de 200 à 800 g. La couleur de la croûte est jaune ambré à gris, alors que la pâte est de couleur blanc crème. En raison d'un affinage poussé par immersion dans de la saumure, sa teneur en sel atteint 3,5 % du poids sec. Ce fromage supporte un accompagnement d'eau-de-vie.

GRIVE Petit oiseau de la famille des turdidés, comme le merle. Il en existe en France une douzaine d'espèces. Toutes sont chassées en automne et en hiver pour leur chair délicate, leur parfum dépendant de leur alimentation. Trois espèces sont plus particulièrement connues : la grive musicienne est la plus fine ; la draine est plus grosse ; le mauvis, plus petit, est lui aussi très apprécié.

Au Canada, les diverses variétés de grives, insectivores protégés, sont toutes interdites de chasse.

Les grives se préparent comme les cailles. Elles entrent dans la composition de certaines spécialités régionales, notamment de pâtés et de terrines. Elles sont souvent cuites avec des baies de genièvre.

---

grives bonne femme

Plumer, vider et brider les grives en leur donnant une forme bien ronde. Les dorer au beurre, dans une cocotte, puis ajouter de très petits lardons de poitrine et cuire de 15 à 18 min environ. Tailler des petits dés de pain et les frire au beurre. Les ajouter dans la cocotte au dernier moment. Arroser les grives d'un filet de cognac et de leur jus de cuisson. Servir en cocotte.

grives en croûte à l'ardennaise

Mettre à tremper une crépine de porc, puis l'essorer. Ouvrir les grives par le dos, retirer la colonne vertébrale, les côtes et le bréchet, assaisonner l'intérieur de sel, de poivre et d'un soupçon de poivre de Cayenne. Garnir chaque oiseau d'un peu de farce fine, additionnée de dés de foie gras et de truffe et de grains de genièvre écrasés, le tout salé et poivré. Reformer les grives, les envelopper une par une dans la crépine. Faire revenir dans une cocotte les os des oiseaux avec 1 carotte et 1 oignon émincés. Y ranger les grives, serrées les unes contre les autres, les arroser de beurre fondu et les cuire de 15 à 20 min au four préchauffé à 200 °C. Évider un pain rond, le beurrer et le dorer au four. Le tapisser de farce à gratin et le mettre de nouveau au four. Égoutter les grives, les déballer, les ranger dans le pain et tenir au chaud. Déglacer la cocotte avec 20 cl de xérès et 35 cl de demi-glace, et faire réduire. Passer au beurre quelques lamelles de truffe, les ajouter à la sauce. En napper les grives au moment de servir.

grives à la liégeoise

Plumer les grives sans les vider, retirer les yeux et le gésier. Les trousser ou les brider. Chauffer du beurre dans une cocotte, y dorer les grives uniformément, puis couvrir et cuire doucement de 15 à 18 min environ. Écraser finement 10 baies de genièvre et les ajouter dans la cocotte. Remuer. Frire au beurre des demi-tranches de pain de mie débarrassées de leur croûte, puis y dresser les grives et tenir au chaud. Déglacer la cocotte avec un peu de fond de gibier et faire réduire. Verser sur les grives et servir.

grives à la polenta

Préparer de la polenta (voir page 684) au fromage et la verser en une couche de 3 cm d'épaisseur dans un plat à rôtir rond. Cuire des grives 15 min au four préchauffé à 200 °C. Déglacer le plat de cuisson avec le vin blanc, faire réduire. Avec le dos d'une cuillère mouillée d'eau, marquer la polenta d'autant de creux qu'il y a de grives, la poudrer de fromage râpé et la faire colorer au four. Mettre un oiseau dans chaque cavité. Arroser les grives avec le jus de cuisson déglacé au vin blanc et réduit.

GROG Boisson traditionnelle en hiver, faite d'un mélange d'eau bouillante, de rhum (ou de cognac, de kirsch, de whisky), de sucre (ou de miel) et de citron. À l'origine, le grog était simplement un verre de rhum allongé d'eau.

Son nom vient du sobriquet d'un amiral britannique, Vernon, dit *Old Grog* parce qu'il portait un vêtement de gros-grain (*grogram*, en anglais) : en 1776, il ordonna aux marins de son équipage de mettre de l'eau dans leur ration d'alcool.

GRONDIN Appellation usuelle de plusieurs poissons de la famille des triglidés, très répandus sur les côtes européennes (voir planche des poissons de mer pages 674 à 677). Ce nom leur vient du bruit qu'ils émettent quand on les sort de l'eau.

Tous les grondins ont un corps cylindrique, une queue fuselée et une grosse tête cuirassée de plaques osseuses, avec un museau allongé et une large bouche. Longs de 20 à 60 cm, pesant de 100 g à 1,2 kg, ils se distinguent essentiellement par leur couleur : le perlon a le revers de la nageoire pectorale bleu ; le grondin gris est gris-brun ; le grondin rouge (ou rouget-grondin), le grondin-lyre et le rouget camus vont du rose au rouge, avec le ventre plus clair. Leur chair est maigre, blanche et ferme, parfois un peu fade. On les mange surtout pochés, en soupe ou en bouillabaisse, toujours soigneusement parés, avec les nageoires coupées. On peut aussi les cuire au four et même les griller, mais il faut alors les protéger, car leur peau fragile craint la chaleur trop vive.

grondins au four

Choisir 2 beaux grondins de 400 g environ, les vider, les nettoyer et les éponger. Pratiquer trois incisions en biais sur leur dos et y verser quelques gouttes de jus de citron. Beurrer un plat à gratin, le masquer d'un hachis fait de 2 oignons, 2 échalotes et 1 petite gousse d'ail ; parsemer de persil haché. Disposer les poissons dans le plat et les arroser de 20 cl de vin blanc et de 50 g de beurre fondu ; saler et poivrer, parsemer d'un peu de thym. Tailler des rondelles de citron et en garnir

le dos des grondins ; couper et répartir dans le plat 1 feuille de laurier. Cuire 20 min au four préchauffé à 240 °C, en arrosant plusieurs fois. On peut, au moment de servir, flamber les poissons avec 4 cuillerées à soupe de pastis chauffé.

GROSEILLE Petit fruit rond du groseillier, arbrisseau de la famille des grossulariacées, rouge ou blanc, disposé en grappes de sept à vingt baies (voir planche des fruits rouges pages 406 et 407).

Originaire de Scandinavie, la groseille – appelée « raisinet » en Suisse – fut introduite en France au Moyen Âge. Elle est peu nourrissante (30 Kcal ou 125 kJ pour 100 g). Riche en acide citrique, qui lui donne sa saveur aigrelette (la blanche est plus sucrée), elle contient des vitamines (vitamine C, notamment) et de la pectine. Une variété rose framboise, encore plus parfumée, la groseille-raisin, dont les grains sont gros comme ceux du chasselas (récolte en août), est très appréciée pour les tartes.

On la cultive surtout dans la vallée du Rhône, en Côte-d'Or et dans le Val de Loire, mais elle devient rare sur le marché, sauf localement (récolte en juillet). Des importations de Pologne et de Hongrie fournissent des groseilles congelées pour l'industrie des confitures.

■ **Emplois.** Les groseilles se mangent nature (lavées rapidement, puis égrappées et poudrées de sucre), seules ou en salade ; on en fait aussi des sirops, des jus et des ratafias, ainsi que des entremets froids et des tartes. Leur emploi principal est toutefois la préparation des confitures et des gelées, très utilisées en pâtisserie et même en cuisine.

gelée de fruits rouges ▶ GELÉE DE FRUIT

GROSEILLE À MAQUEREAU Fruit du groseillier épineux, de la famille des grossulariacées, se présentant comme une grosse baie, soit violacée, ovoïde et duveteuse (originaire du Val de Loire, très savoureuse, donnant un jus délicieux, vendue localement en juillet), soit verdâtre, jaune ou blanche, ronde et lisse (cultivée en petite quantité en Lorraine, disponible aussi en juillet) [voir planche des fruits rouges pages 406 et 407].

La groseille à maquereau est un fruit peu nourrissant (30 Kcal ou 125 kJ pour 100 g), peu sucré, riche en potassium, en vitamine C et en oligoéléments.

Les groseilles à maquereau sont produites à plus vaste échelle aux Pays-Bas et en Grande-Bretagne, où elles servent à préparer une sauce aigre-douce qui accompagne traditionnellement le maquereau (d'où leur nom), le gigot et la venaison. On les mange aussi crues, avec du sucre, et on en fait des tartes, des sorbets, des fools (voir ce mot), des gelées et des sirops. On les incorpore à des puddings, des chutneys, des salades de fruits, et on les utilise en cuisine pour accompagner certains poissons et le canard.

GROS-PLANT Cépage AOVDQS produit dans le pays nantais. Le vin, qui porte son nom, appelé à Cognac « folle blanche », est blanc et fringant (voir BRETAGNE).

GROUSE Nom anglais du lagopède d'Écosse, oiseau de la famille des gallinacés, proche de la gelinotte, qui se nourrit de bourgeons de bouleau, de baies de genièvre et d'airelles.

Très prisée en Angleterre et en Écosse où elle est abondante, la grouse se mange non faisandée, préalablement trempée dans du lait, et rôtie, braisée, en pâté ou en terrine, selon son âge. Le « glorieux douze » (12 août, jour de l'ouverture de la chasse à la grouse en Grande-Bretagne) est un événement d'importance nationale.

▶ Recette : TOURTE.

GRUAU Nom générique des grains de diverses céréales grossièrement broyés et dépouillés de leur enveloppe par une mouture incomplète. Le gruau est aussi la partie la plus dure du grain de blé, la plus riche en gluten (élément protéique de la farine). La farine de gruau est une farine de blé supérieure, obtenue en réduisant les semoules avec des broyeurs à cylindres lisses. Le pain de gruau, ou pain viennois, a un agréable goût de noisette.

GRUMEAU Petit fragment coagulé d'un liquide (lait, sang), ou petit agrégat qui se forme quand on délaye sans précautions une matière pulvérulente comme la farine, notamment pour les pâtes fluides (à crêpes, à frire), les bouillies, les sauces et les liaisons.

GRUYÈRE Fromage suisse au lait cru de vache (45 % de matières grasses), à pâte pressée cuite et à croûte brossée et lavée (**voir** tableau des fromages étrangers page 398).

Le gruyère, qui bénéficie d'une AOP, se présente sous la forme d'une meule ronde d'un diamètre de 55 à 65 cm et d'une hauteur de 9,5 à 12 cm, pour un poids de 25 à 45 kg. Il est fabriqué dans les cantons de Fribourg, de Neuchâtel, de Vaud et de Jura, les districts de Courtelary, La Neuveville, Moutier et quelques communes du canton de Berne.

Pour les Suisses, le gruyère porte le nom des comtes de Gruyère (dont le blason était orné d'une grue), installés dans le canton de Fribourg au début du IXe siècle (en France, le gruyère suisse est d'ailleurs appelé « fribourg »). L'AOC comté (**voir** ce mot) est aussi vendu sous le nom de « gruyère de comté ». Par ailleurs, et en dehors des accords d'appellation, le nom de « gruyère des Bauges » désigne un « comté » ou « gruyère » fabriqué hors du Jura. Enfin, par une extension de sens abusive, on utilise souvent le mot « gruyère », en France, pour désigner tous les fromages en grandes meules à pâte pressée cuite (beaufort, comté, emmental).

Affiné de 6 à 16 mois en cave humide, le gruyère a une délicieuse saveur fruitée. On le consomme en fin de repas ou en sandwich, et il se prête à de multiples emplois en cuisine : en dés, en lamelles ou râpé (fondue, gratin, soufflé, croûte, croque-monsieur, salades composées, condiment des pâtes alimentaires et du riz, etc.). Il entre aussi dans la fabrication des fromages fondus appelés « crèmes de gruyère » et servies avec des meringues à Gruyère et dans sa région.

GUACAMOLE Spécialité d'Amérique centrale, à base d'avocat, de tomate, d'oignon et d'épices. D'origine indienne, le guacamole s'accompagne de *totopos,* des chips de maïs.

guacamole

POUR 4 PERSONNES – PRÉPARATION : 20 min
Peler et ciseler 1 gros oignon. Monder, épépiner et concasser 1 grosse tomate. Presser le jus de 1 citron vert. Ouvrir 4 avocats dans la longueur, retirer la chair avec une cuillère à soupe, la citronner. Dans le bol d'un mixeur, réduire en purée la chair d'avocat, assaisonner avec du sel fin et du Tabasco. Débarrasser dans un saladier, incorporer l'oignon et la tomate à la purée d'avocat. Placer au froid pendant 1 heure.

GUADELOUPE ▸ voir **ANTILLES FRANÇAISES**

GUÊLON Mélange composé d'œufs, de lait et de sucre, comparable à une royale sucrée. Cette préparation, parfois additionnée de crème ou de babeurre, voire de farine, permet d'enrichir les tartes aux fruits tout en assurant une liaison du jus de cuisson.

GUÉRARD (MICHEL) Cuisinier français, né à Vétheuil (Val-d'Oise) en 1933. Après avoir été chef pâtissier au *Crillon* (1957), puis consacré « meilleur ouvrier de France » en pâtisserie (1958), il crée *le Pot-au-Feu,* à Asnières, en 1965. Avec Jacques Manière et quelques autres, il bénéficie de la vogue de la « nouvelle cuisine » et s'installe à Eugénie-les-Bains (1974), où il obtient la troisième étoile du Guide Michelin en 1977. Il développe ses propres recherches diététiques (sous le nom de « cuisine minceur »), notamment avec une ligne de produits surgelés, et publie plusieurs ouvrages qui connaissent un immense succès. On lui doit la mode du service sous cloche, mais aussi des plats fameux, comme le homard rôti et fumé à la cheminée, l'oreiller moelleux de mousserons ou le rouget ouvert au feu. Ses desserts (soufflé à la pulpe de citron, gâteau mollet du marquis de Béchamel) sont dignes d'une anthologie.

GUEUZE Bière de fermentation lactique, à base de céréales aromatisées, moyennement alcoolisée (de 3,5 à 4,5 % Vol.), acidulée et bien fruitée. Fabriquée en Belgique, la gueuze est obtenue par l'assemblage de différents lambics (**voir** ce mot), qui sont remis en fermentation dans des bouteilles champenoises pendant un an ou deux. La gueuze s'apprécie à la mode bruxelloise, avec de grandes tranches de pain tartinées de fromage crémeux et accompagnées de radis noir.

GUIGNOLET Liqueur à base de cerises (guignes et griottes) macérées dans l'alcool ; le mélange est ensuite soutiré, filtré et sucré.

Le « guignolet au kirsch », fait de cerises macérées dans du kirsch pur, est savoureux et parfumé ; plus sucré et moins alcoolisé que le cherry anglais, il se sert en apéritif. Le guignolet ordinaire est souvent amélioré par l'addition d'un peu de kirsch dans le verre : c'est le « guignolet kirsch ».

GUILLOT (ANDRÉ) Cuisinier français (Faremoutiers 1908 - 1993). Entré en apprentissage à l'âge de seize ans dans les cuisines de l'ambassade d'Italie auprès de Fernand Juteau, ancien élève d'Escoffier, il fit carrière en « maison bourgeoise » (chez Raymond Roussel, écrivain richissime et épicurien qui faisait venir ses primeurs de la Côte d'Azur en Rolls ; puis chez le duc d'Auerstedt).

En 1952, il s'installe à l'*Auberge du Vieux-Marly,* dont il fit un restaurant de haute renommée. Retiré, il a consigné son expérience dans *la Grande Cuisine bourgeoise* (1976) et dans *la Vraie Cuisine légère* (1981), sans hésiter à s'attaquer aux traditions les mieux établies. Parmi les grands cuisiniers d'aujourd'hui se réclamant de son influence, Marc Meneau de l'*Espérance* à Saint-Père-sous-Vézelay et Gérard Vié des *Trois Marches* à Versailles revendiquent son amour des apprêts grands bourgeois.

GUIMAUVE Plante médicinale, de la famille des malvacées, au goût douceâtre, entrant dans la composition de certaines pâtes pectorales. Par analogie d'aspect, la guimauve a donné son nom à des confiseries plus ou moins élastiques et souvent colorées qui n'en contiennent pas.
– La guimauve molle est un mélange de sucres cuits, allégé, moulé, séché et souvent enrobé de chocolat.
– Le marshmallow, très apprécié dans les pays anglo-saxons, est une variante de la guimauve molle, obtenue par extrusion de la pâte à travers une filière et par enrobage d'un mélange de sucre glace et d'amidon. Il se présente aussi sous forme de pâte à tartiner. Aujourd'hui, on réalise même des plats sucrés à base de marshmallow, comme, par exemple, le gratin de potiron au marshmallow.
– La pâte de guimauve est une dissolution de gomme battue avec du blanc d'œuf et du sucre ; parfumée et colorée, elle se présente en longs bâtons souples.

GUINGUETTE Cabaret de banlieue situé le plus souvent dans un cadre de verdure, où l'on va boire, manger et danser les jours de fête.

Au XVIIIe siècle, à Paris, les guinguettes s'échelonnaient le long de la Seine, dans le quartier des Tuileries. Leur souvenir reste surtout lié à l'époque romantique, où on les trouvait de l'autre côté des barrières de la capitale, comme celles des *Porcherons* à Sannois et du *Père la Galette,* ou encore sur les hauteurs de Belleville. La tradition survit sur les bords de Marne.

GUITARE Appareil manuel de professionnel comportant un jeu de cadres métalliques munis de fils tendus plus ou moins écartés pour découper rapidement en bandes, en carrés ou en rectangles du chocolat, des pâtes de fruit, des biscuits, etc.

La feuille « guitare », en polyéthylène, est utilisée pour mettre en forme le chocolat qui, une fois durci, se décolle facilement et a un aspect brillant.

GULAB JAMUN Spécialité indienne, composée de boules à base de farine de blé et de fromage *(panir)* frites dans l'huile puis mises à mariner dans un sirop de sucre.

GUYANE La cuisine du plus grand département français est riche en produits et en techniques culinaires, qui la différencient des Antilles françaises et des autres pays sud-américains. Aux nombreuses espèces indigènes se sont ajoutés, au fil des siècles, des végétaux importés d'Asie et d'Afrique, tels que le bananier, le citron vert, la mangue ou encore les épices d'Extrême-Orient (cannelle, girofle, curcuma, gingembre, poivre, etc.). Les plats et les techniques des Amérindiens qui y survivent encore, des Français des XVIIe et XVIIIe siècles, des Africains de l'époque esclavagiste ainsi que des recettes chinoises et indiennes, datant des vagues d'immigration du XIXe siècle, se sont mélangés pour donner naissance à un patrimoine culinaire extrêmement varié.

La forêt, dont la Guyane est presque entièrement couverte, abonde en gibier – pécari, maïpouri (tapir) ou lézard (iguane), par exemple –, qui se prépare en rôti, en fricassée ou en ragoût, accompagné de riz et de semoule de manioc. Les multiples rivières et les fleuves immenses qui traversent la région abritent de nombreuses espèces de poisson, comme le « jamais goûté » ou l'aïmara, alors que la côte de l'océan Atlantique regorge de poissons aux noms exotiques : machoirans, palikas et p'tites gueules, notamment. Comme les viandes, les poissons sont souvent boucanés – fumés et salés – pour permettre leur conservation jusqu'au moment de leur préparation, en brochette, en blaff (sorte de ragoût), en daube ou tout simplement grillés. Quant aux crevettes sauvages, elles sont longuement marinées dans un mélange d'épices, de citron et d'herbes aromatiques, avant d'être poêlées, passées au gril ou farcies d'une préparation à base d'oignons, de mie de pain et de chair de poisson. Le porc, viande la plus répandue sur le territoire guyanais, et le poulet se cuisinent en colombo (morceaux marinés dans un mélange d'épices puis revenus à l'huile avec des légumes et des fruits tropicaux).

Cultivés sur les brûlis et les abattis de la forêt ou de la savane, les plantes à tubercule (manioc, igname ou patate douce, par exemple), les haricots rouges et les concombres longes viennent agrémenter ragoûts et colombos et garnir de délicieuses tartes salées. Le manioc réduit en semoule donne le « couac » qui, préparé en galette, accompagne les fricassées de gibier. Muscade, gingembre, poivre, roucou, piment de Cayenne et d'autres épices relèvent de nombreux plats. Le palmier, dont on trouve un grand nombre de variétés, donne des produits originaux comme les farines-coco ou le bouillon d'awara (sorte de pâte à base de fruits de palmier pressés et cuits), qui entre dans la préparation des viandes et des poissons boucanés. Les fruits tropicaux – mangue, papaye verte, goyave, banane de Guyane, noix

de coco, etc. – sont présents dans les plats salés comme dans les desserts, tels que les tartes et les sorbets. L'ananas est également à l'origine d'une boisson fermentée, au goût acidulé et parfumé, aromatisée à la vanille, au citron, etc. La canne à sucre sert à fabriquer le tafia, un rhum agricole.

■ **Légumes.**

● CROQUETTES DE FRUIT À PAIN, AUBERGINES FARCIES ET CONCOMBRE LONGE FARCI. Le fruit à pain est utilisé comme légume. On confectionne ainsi des croquettes avec sa pulpe farineuse qui est cuite, écrasée et mélangée avec de la levure et des aromates (roucou, piment oiseau, ail, oignon, bouquet garni), puis façonnée en bâtonnets et frite, pour accompagner une viande ou un poisson. Les aubergines évidées sont farcies avec du lard, du jambon cru et de la chair à saucisse. Le concombre piquant, très populaire, entre dans la composition du colombo et du bouillon d'awara ; sauté avec des lardons, il est servi avec les ragoûts de viande ou le poisson. Le concombre longe, qui peut mesurer jusqu'à 70 cm de long, se consomme uniquement cuit, par exemple farci de restes de viande, de jambon cru ou de lard fumé et de pain de mie.

■ **Poisson.**

● DAUBE DE MACHOIRAN JAUNE ET RAGOÛT DE PAPAYE VERTE. Pour la daube de machoiran jaune, les tranches de poisson sont marinées dans du jus de citron aromatisé d'ail, puis panées et frites, avant de mijoter en cocotte, avec des tomates, des oignons, du jus de citron, du roucou, un bouquet garni et des clous de girofle. Cette daube, servie bien chaude, est accompagnée de riz ou de légumes, tels que l'igname. Le ragoût de papaye verte est un plat à base de poisson boucané ou fumé, dessalé puis cuit lentement avec du lard, de la queue de porc salée, des tomates et des papayes vertes.

■ **Viande.**

● COLOMBO DE PORC. Dans cette recette, les morceaux de porc (épaule), marinés dans un mélange de jus de citron, d'ail, de curry et de poivre, mijotent avec des haricots verts, des pommes de terre, des concombres piquants, des aubergines et des mangues vertes.

■ **Desserts.**

● SORBET COCO ET COMTESSES. Ce délicieux sorbet à base de noix de coco est parfumé à la vanille, au zeste de citron vert, à la noix muscade, à la cannelle et à l'orange amère. On le sert avec des comtesses, petits gâteaux qui accompagnent également les glaces et les salades de fruits.

HI

HAAS (HANS) Cuisinier germano-autrichien (Wildschönau 1957). Tyrolien discret, au physique sportif et aux doigts d'or, il est le cuisinier numéro un de Munich. Il s'est formé au *Erprinz* à Ettlingen, au *Brückenkeller* de Francfort, à *l'Auberge de l'Ill* d'Illhaeusern (France), puis à *l'Aubergine* de Munich aux côtés d'Eckart Witzigmann. Il est présent depuis 1991 au *Tantris*, dans un curieux édifice en béton des années 1970 à l'orée du quartier intellectuel de Schwabing. Il a pris la succession de Heinz Winkler, désormais à Aschau, couronné alors de trois étoiles au Guide Michelin. Il obtient deux étoiles pour ses saint-jacques marinées sur une compote de potiron, son turbot flanqué de raviolis aux œufs de caille et truffe blanche, sa très autrichienne assiette sur le thème de l'oie en soupe légère ou encore sa rustique, mais chic, roulade de veau aux navets.

HABILLER Préparer, avant cuisson, un poisson, une volaille ou un gibier à plume.
- **HABILLAGE D'UN POISSON.** Il consiste à l'ébarber, à l'écailler, à le vider et à le laver. Selon que le poisson est plat, rond, petit ou gros, et selon son utilisation, l'habillage varie : pour une « sole portion », par exemple, on n'enlève que la peau noire, tandis qu'une « sole à fileter » n'est pas ébarbée, mais débarrassée de ses deux peaux.
- **HABILLAGE D'UNE VOLAILLE OU D'UN GIBIER À PLUME.** Il consiste à plumer l'animal, à le flamber et à le parer. Les volailles sont ensuite vidées, en général bridées et parfois bardées. La préparation varie selon l'animal. Certains gibiers à plume ne sont pas toujours complètement vidés ; bridage ou troussage, et parfois bardage complètent l'habillage.

La préparation est différente lorsque les volatiles sont découpés en morceaux, ou que l'on prélève les abattis, les blancs, les suprêmes, etc. Dans ce cas, seuls interviennent le plumage, le flambage et le vidage.

HACCP (MÉTHODE) Cette méthodologie d'évaluation des risques physiques, chimiques et biologiques associés à tous les niveaux de la production et préparation de denrées alimentaires a été développée aux États-Unis dans les années 1970 sous le nom de *Hazard Analysis and Critical Control Points*. Elle repose sur les sept principes suivants : identifier les dangers et les risques ; déterminer les étapes (points critiques de contrôle) où ces risques peuvent être éliminés ou réduits à un niveau acceptable ; déterminer les seuils critiques ; instaurer un système de surveillance ; déterminer des mesures correctives ; mettre en place des procédures de vérification et établir un système de documentation pour les procédures et enregistrements appliqués. Adoptée progressivement par les grands fabricants de l'industrie agroalimentaire, la méthode HACCP est devenue, à partir des années 1990, une référence internationale pour la normalisation et la législation en matière de sécurité alimentaire. Introduite dans la réglementation européenne en 1993, elle est à la base des règlements en vigueur depuis le 1er janvier 2006 (« paquet hygiène »), qui l'étendent à l'ensemble de la filière alimentaire (hormis les producteurs dont l'activité est « marginale, localisée ou restreinte »).

HACHER Réduire un aliment en très menus fragments, à l'aide d'un couteau ou d'un hachoir, pour obtenir un apprêt plus ou moins fin, voire pâteux (pour farces, mousses, etc.), ou pour réaliser un décor (jaunes et blancs d'œuf dur, gelée).

HACHIS Préparation à base de viande, de poisson ou de légumes crus ou cuits, coupés en très menus fragments, utilisée comme base de farce. En cuisine, on appelle surtout « hachis » un apprêt de viande de desserte ; l'exemple le plus classique en est le hachis Parmentier, associant bœuf haché et purée de pomme de terre sous un gratin. Les pommes de terre peuvent être remplacées par une purée de légume.

Les hachis de bœuf, de mouton, de lapin ou de porc sont parfois enrichis de champignons, ceux de veau ou de volaille, de crème, de béchamel ou de sauce Mornay. Les hachis de viande servent aussi de base aux boulettes, caillettes, croquettes et fricadelles.

Les hachis de poisson sont faits avec des poissons à chair ferme comme le thon ou la morue ; il est préférable de n'employer qu'une seule espèce.

---

hachis de bœuf en gratin aux aubergines

Préparer et cuire la sauce comme pour le hachis à l'italienne, en ajoutant avec le bœuf une cuillerée à soupe de persil haché. Dorer à l'huile des rondelles d'aubergine. Les disposer dans un plat à gratin beurré, les napper de hachis, égaliser la surface, poudrer de parmesan râpé et de chapelure, arroser d'un filet d'huile d'olive et gratiner au four préchauffé à 230 °C.

---

hachis de bœuf à l'italienne

Faire fondre 2 cuillerées à soupe d'oignon haché dans un peu d'huile d'olive et laisser à peine blondir et poudrer de 1 cuillerée à soupe de farine et bien remuer. Mouiller de 20 cl d'eau (ou de bouillon) et de 2 cuillerées à soupe de concentré de tomate délayées dans 10 cl de bouillon. Ajouter 1 bouquet garni et 1 gousse d'ail écrasée ; laisser mijoter 20 min. Hors du feu, retirer le bouquet garni, laisser tiédir, puis ajouter du bœuf bouilli ou braisé haché et réchauffer.

hachis Parmentier

Couper en petits dés ou hacher grossièrement 500 g de bœuf bouilli ou braisé. Chauffer 25 g de beurre dans une sauteuse et y dorer 3 oignons hachés ; poudrer de 1 bonne cuillerée à soupe de farine, la laisser blondir et mouiller de 20 cl de bouillon de pot-au-feu. Cuire 15 min ; laisser refroidir, puis ajouter le bœuf et bien mélanger. Étaler le hachis dans un plat à gratin beurré. Recouvrir d'une couche de purée de pomme de terre, la parsemer de chapelure et l'arroser de beurre fondu ; gratiner 15 min au four préchauffé à 275 °C.

HACHOIR Ustensile destiné à hacher la viande, le poisson, les légumes ou les aromates. Le hachoir traditionnel, également appelé « berceuse », est constitué d'une large lame incurvée, munie d'une poignée à chaque extrémité ; on lui imprime un mouvement de bascule sur la planche à hacher. On trouve maintenant des berceuses à deux lames. Le hachoir manuel, muni d'une manivelle et fixé à la table par un serre-joint, est équipé d'un entonnoir où l'on met les éléments, qui sont entraînés vers le couteau par une hélice et ressortent par des grilles interchangeables selon la finesse souhaitée. Les hachoirs électriques suivent le même principe. Ils peuvent être l'accessoire d'un robot multifonction. D'autres modèles se présentent comme un cylindre vertical, terminé par un réceptacle transparent où tourne le couteau. On y hache la viande, le poisson, mais aussi les fruits secs (amandes, noix, etc.) et les légumes crus.

HADDOCK Églefin vidé, étêté, fendu en deux dans le sens de la longueur et fumé lentement à basse température. Sa couleur orangée caractéristique est souvent renforcée à la teinture de rocou. Sa chair moelleuse, délicatement parfumée, est généralement pochée dans du lait et servie avec des pommes vapeur, des épinards en branche, parfois avec un œuf poché et nappé d'une sauce blanche à la crème.

En Grande-Bretagne, le haddock désigne l'églefin frais ; quand il est fumé, il prend le nom de *finnan haddie*. Celui-ci, poché, figure au menu du breakfast écossais, voire du *high tea* ; il est aussi consommé grillé, avec du beurre fondu, ou cuit à l'étouffée, avec une sauce au cari.

gâteau de potimarron, fraîcheur de haddock ▶ POTIMARRON

haddock à l'indienne

Faire tremper 500 g de haddock 2 ou 3 heures dans du lait froid. Préparer une sauce indienne au cari. Bien éponger le poisson, le détailler en petits morceaux carrés, retirer les arêtes. Éplucher et émincer 2 gros oignons et les faire fondre au beurre ; laisser tiédir. Ajouter les morceaux de haddock, mouiller de sauce au cari et cuire 10 min, doucement, à couvert. Servir avec du riz à l'indienne.

HAEBERLIN (MARC) Cuisinier français (Colmar 1954), fils de Paul, le cuisinier, et neveu de Jean-Pierre, l'homme de salle. Il est le représentant de la quatrième génération de *l'Auberge de l'Ill*, à Illhaeusern, propriété de la famille depuis plus d'un siècle. Après des études à l'école hôtelière de Strasbourg, il fait son apprentissage chez *Lasserre*, Paul Bocuse, Jean et Pierre Troisgros, *Lenôtre* et à l'hôtel *Erbprinz*, à Ettlingen (Allemagne). Paul Haeberlin avait reçu la troisième étoile du Guide Michelin en 1967 ; depuis, son fils perpétue la tradition, comme celle du saumon soufflé et de la mousseline de grenouilles. Mais Marc a également apporté sa touche personnelle, avec des plats emblématiques telles la salade de tripes aux fèves et foie d'oie poêlé ou les sardines à la mousseline de pomme de terre au caviar. Il est le président du « Jockey Club » de la cuisine, *Traditions et Qualité*.

HAEBERLIN (PAUL) Cuisinier français (Illhaeusern 1923). *L'Arbre vert* au bord de l'Ill était une guinguette d'Illhaeusern, près de Colmar, où l'on venait manger la matelote et la tarte aux quetsches. Paul et son frère Jean-Pierre, l'homme de salle, la reprennent en 1925, à la suite de leur père Frédéric-Julien et leur mère Marthe-Eve. Ils la transformeront, sous le nom de *l'Auberge de l'Ill* ; elle sera reconstruite après la guerre, et deviendra l'une des maisons les plus réputées au monde grâce à la beauté champêtre du lieu, du jardin, à la décoration d'artiste (Jean-Pierre a fait les Beaux-Arts à Strasbourg), mais aussi à la grande cuisine classique revue à l'aune de la tradition alsacienne par Paul.

Paul Haeberlin a fait ses classes chez Georges Weber, ancien cuisinier du tsar, à *la Pépinière* de Ribeauvillé, mais aussi à la *Rôtisserie périgourdine* et chez *Poccardi* à Paris. La brioche au foie gras, le homard prince Wladimir, la soupe ou le soufflé de grenouilles, le saumon soufflé, la truffe Souvaroff (dont Paul Bocuse s'inspirera pour sa soupe aux truffes VGE), le filet de bœuf Nossi Bé ou la pêche flambée sont ses plats de mémoire. La demeure, qui obtient une étoile au Guide Michelin en 1952, parvient à la deuxième en 1957, avant de gravir le dernier échelon en 1967. Marc a désormais succédé à son père en cuisine, même si celui-ci surveille encore le passe.

HAGGIS Plat « national » écossais, fait d'une panse de brebis ou de mouton farcie avec la fressure de l'animal (cœur, foie, poumons) hachée avec des oignons, du gruau d'avoine et de la graisse de mouton. Ce mets au fumet corsé (**voir** planche de charcuterie pages 193 et 194) est poché 2 heures au moins dans un bouillon. Il se sert avec une purée de navet ou avec les légumes du pot cuits dans le bouillon. On l'accompagne de whisky pur malt ou de bière forte.

HALAL Mot arabe signifiant « permis » ou « licite », qui est utilisé pour désigner les aliments dont la consommation est autorisée par l'islam. Ces prescriptions diététiques, qui présentent quelques similarités avec celles de la religion juive (**voir** KASHER), interdisent notamment la consommation du porc, du sang et de tout animal qui n'a pas été égorgé et saigné rituellement, ainsi que de l'alcool. En France, la certification de la viande halal ne relève pas de la compétence de l'État, mais de celle des mosquées de Paris, d'Évry et de Lyon.

HALÉVY Nom de deux apprêts, l'un d'œufs pochés ou mollets, l'autre de poisson poché (cabillaud, turbot). Ces apprêts, assez désuets, ont l'originalité d'associer deux sauces pour le même mets.

Les œufs sont présentés par deux, servis sur des tartelettes garnies à moitié de fondue de tomate et de salpicon blanc de volaille lié au velouté ; nappés l'un de sauce tomate, l'autre de sauce parisienne, ils sont séparés par un cordon de glace de viande.

Le cabillaud, entouré d'une bordure en pommes duchesse, est servi avec les mêmes sauces, qui le nappent en deux moitiés, tandis que le turbot, lui aussi garni de pommes duchesse, est nappé pour moitié de sauce au vin blanc et de truffe hachée, et pour moitié de sauce Nantua et de blanc d'œuf haché.

HALICOT Ragoût de mouton, aussi appelé « haricot de mouton », bien qu'il ne comporte pas de haricots, du moins à l'origine ; on en trouve d'ailleurs des recettes, au XIVe siècle, chez Taillevent, alors que ces légumes n'étaient pas introduits en France. Le halicot comporte aujourd'hui, outre la viande coupée en morceaux, des navets, des oignons, des pommes de terre et parfois des haricots en grains.
▶ Recette : MOUTON.

HALLE Grand espace couvert où se tient un marché. Les grandes halles romaines s'ouvrant sur la rue présentaient déjà, selon les étages, des étalages de fruits, des jarres de vin et d'huile, des épices, des poissons, etc. Les principales halles parisiennes ont été les Halles centrales (qui remontaient à 1183, sous Philippe Auguste), la halle au blé et à la farine, de 1765, ainsi que la halle à la marée et la halle aux huîtres. Jusqu'en 1969, les Halles centrales de Paris groupèrent l'ensemble des marchés de gros de l'alimentation sous les pavillons métalliques, dits « parapluies », construits à partir de 1851, sous Napoléon III, par l'architecte Victor Baltard. Aujourd'hui, le marché en gros de l'alimentation parisienne est installé à Rungis.

HALLOUMI Fromage chypriote traditionnellement fabriqué avec du lait de chèvre et de brebis (et du lait de vache pour certains fromages fabriqués industriellement). Sa forme et sa texture rappellent celles de la mozzarella, mais le halloumi est beaucoup plus salé et contient souvent de la menthe hachée. Il se présente sous la forme de pain pesant environ de 220 à 270 g, conservé dans de l'eau salée ou du petit-lait. Ce fromage, une fois coupé en tranches, est le plus souvent frit ou grillé, et servi avec des légumes ou dans des salades.

HÂLOIR Local ventilé, à la température ou à l'hygrométrie strictement contrôlées, permettant de stabiliser l'humidité des fromages avant leur affinage. Ainsi, le camembert y séjourne de 4 à 7 jours, le munster une dizaine de jours, les chèvres de 2 à 3 semaines. C'est là que l'on ensemence les pâtes persillées, en les transperçant avec des aiguilles.

HALVA Confiserie orientale à base de graines de sésame torréfiées et malaxées en pâte fine (*tahin*), à laquelle on ajoute du sucre cuit. Moulé en plaquettes, le halva (ou *chalwa,* ou *halwa*) est riche en matières grasses et possède un goût sucré, mais un peu amer.

Il existe, notamment en Turquie, un halva (ou *helva*) à base de farine ou de semoule cuite avec des pignons, du sucre, du lait et de l'eau.

HAMBURGER Bifteck haché rond et épais, constituant un élément de base du barbecue américain traditionnel. Son nom est une abréviation de *hamburger steak*, « bœuf grillé à la mode de Hambourg », qu'introduisirent aux États-Unis les colons d'origine allemande. Aujourd'hui, largement popularisé par les snack-bars et les fast-foods, il est souvent servi avec un œuf à cheval et de la sauce tomate, ou glissé dans un petit pain rond avec une feuille de salade et des rondelles de tomate. Au Québec, on l'appelle plus justement « hambourgeois ».

HAMPE Muscle en forme de bande allongée et plate de 1,20 m de long, aux fibres apparentes et de couleur assez foncée, constituant la partie charnue du diaphragme d'un bovin adulte ou d'un cheval (**voir** planche de la découpe du bœuf pages 108 et 109). Débarrassée de ses aponévroses, légèrement aplatie et entaillée en surface, la hampe donne des biftecks longs, un peu fermes mais très juteux. Cette pièce est grillée à feu vif et se sert très saignante. On peut aussi la faire sauter.

HARENG Poisson de la famille des clupéidés, vivant dans l'Atlantique Nord (**voir** planche des poissons de mer pages 674 à 677). Dépassant rarement 30 cm, le hareng a le corps fuselé, bleuâtre avec des reflets verts, et le ventre argenté. Ses grosses écailles se détachent facilement. Il se différencie de la sardine par son opercule lisse. Le hareng a constitué une ressource alimentaire essentielle dès le Moyen Âge, surtout en Europe du Nord, où, pendant plusieurs siècles, il a joué sur le plan économique un rôle aussi important que les épices. Il est à l'origine des premières règles de droit maritime. Le hareng servait à la fois de nourriture, de monnaie d'échange, de rançon et de cadeau. Il est toujours l'objet de fêtes, comme à Dieppe, à la fin novembre.

■ **Emplois.** Le hareng plein, ou bouvard, pêché avec les œufs (la rogue) ou la laitance d'octobre à janvier, avant le frai, est le plus savoureux, mais le plus gras (6 % de lipides). Pêché après le frai, qui a lieu de janvier à mars, il est dit « guais » ou « vide » ; il est deux fois plus maigre et sa chair est plus sèche. Frais, il se prépare en papillote, au gril, à la poêle, au four, à la moutarde, farci, à la crème, etc. On consomme aussi la laitance et les œufs de hareng fumés. Aujourd'hui, les œufs sont salés, colorés en noir et conditionnés dans de petites boîtes métalliques. Ils portent le nom d'« avruga ». On peut les confondre avec le caviar (œufs d'esturgeon), mais ils n'en sont que des succédanés.

Dans tous les pays nordiques, le hareng connaît une grande diversité d'apprêts : en Russie, il fait partie des zakouski, en Scandinavie des smörgasbord ; à Berlin, il est frit, puis mangé chaud ou froid ; en Norvège, on le prépare à l'aigre-doux, au vinaigre, sucré, à la moutarde et au gingembre ; en Flandre, la salade de harengs saurs et de pommes de terre tièdes est un classique, devenu bien français.

■ **Conservation.** Le hareng peut se conserver de diverses façons, la plupart du temps par salage.
– Hareng salé. Il se présente sous deux formes : petit hareng entier de Dieppe ou de Boulogne, salé sur les bateaux de pêche et étêté ; gros hareng de la Baltique, en filets épais, mis en saumure dans un tonneau.
– Hareng saur (ou pec). Salé pendant 2 à 6 jours, il est ensuite fumé légèrement à froid et vendu en filets, sous sachet.
– Bouffi (ou bloater). À peine salé (une journée au maximum), il est fumé entier jusqu'à devenir jaune paille ; il se conserve une dizaine de jours dans le réfrigérateur.
– Buckling. Salé pendant quelques heures, il est fumé à chaud, subissant ainsi un début de cuisson.

– Kipper. Ouvert et mis à plat, il est salé pendant une heure ou deux, puis légèrement fumé des deux côtés sur des copeaux de bois ; c'est un plat classique du breakfast en Grande-Bretagne. Il se conserve une semaine dans le réfrigérateur.
– Gendarme. Salé pendant 9 jours, il est ensuite fumé pendant 10 à 18 heures.
– Rollmops et hareng de la Baltique. Ouverts comme le kipper, ils sont marinés dans du vinaigre et des aromates, le premier roulé sur un cornichon et maintenu avec un bâtonnet de bois, le second en filet à plat.

On trouve également de nombreuses conserves de harengs en sauce (aux champignons, au citron, au raifort, à la tomate, etc.).

Le hareng est porteur d'un ver parasite, qui provoque l'anisakidose. Pour éviter cette contamination, il suffit de cuire le poisson à plus de 70 °C ou de le congeler pendant au moins 2 jours.

harengs : préparation

Si les poissons sont frais, les écailler sans les fendre sur le ventre ; les vider par les ouïes sans trop les écarter, en laissant laitance ou œufs ; les laver et les essuyer. Pour les cuire entiers, les ciseler légèrement sur le dos, des deux côtés. Pour les préparer en filets, lever ceux-ci en partant de la queue, puis les parer, les laver et les éponger. Si les poissons sont saurs ou fumés, lever les filets, retirer la peau, les parer. Les faire dessaler dans du lait. S'ils sont salés, lever les filets, les faire dessaler dans du lait ou dans un mélange d'eau et de lait. Les égoutter, les parer, les éponger soigneusement.

filets de hareng marinés à l'huile

Mettre dans une terrine des filets de hareng doux fumés au feu de bois (le contenu d'un paquet) ; les mouiller à hauteur de lait ; couvrir et laisser tremper 24 heures au frais. Égoutter et éponger les filets. Nettoyer le récipient. Émincer 2 oignons et en disposer la moitié au fond de la terrine. Poser les filets dessus, ajouter le reste des oignons, des rondelles de carotte, quelques graines de coriandre et 1/2 feuille de laurier coupée en fragments. Émietter un peu de thym. Recouvrir d'huile d'arachide ; couvrir la terrine et laisser macérer 48 heures au minimum dans le bas du réfrigérateur.

harengs à la diable

Ébarber les harengs, les écailler, les laver, puis les vider par les ouïes en retirant éventuellement les œufs ou la laitance. Laver l'intérieur des poissons, bien éponger. Les ciseler légèrement sur le dos, en trois endroits, des deux côtés. Les enduire de moutarde, les passer dans de la chapelure blanche, les arroser d'huile et les faire griller doucement. Servir à part une sauce diable, moutarde ou ravigote.

harengs grillés

POUR 4 PERSONNES – PRÉPARATION : 15 min – CUISSON : 10 min
Écailler 4 ou 8 harengs, selon la grosseur, en les essuyant avec un papier absorbant. Couper les nageoires et les vider par les ouïes sans retirer la laitance ou les œufs. Les laver soigneusement et les éponger. Préchauffer le gril à 220 °C. Pratiquer de très petites incisions sur le dos des harengs pour faciliter la cuisson et permettre à la graisse de s'écouler. Les assaisonner de sel fin et de poivre du moulin. Les huiler très légèrement puis les placer sur le gril chaud pendant 3 ou 4 min, les retourner et laisser griller encore 3 ou 4 min. Les retirer, les placer sur un plat ou une plaque et terminer la cuisson 2 ou 3 min dans un four doux. Une sauce moutarde pour poissons froids (**voir** page 783) ou des pommes de terre cuites en robe des champs peuvent accompagner ces harengs.

harengs marinés

Nettoyer et parer une dizaine de petits harengs, les poudrer de sel fin et les laisser macérer 6 heures. Éplucher et émincer 3 oignons et 3 carottes. Choisir un plat juste assez grand pour contenir les poissons, y étaler la moitié des légumes, ajouter du persil ciselé, quelques grains de poivre, 2 clous de girofle, 1 feuille de laurier et du thym, émiettés. Disposer les harengs dans le plat, les mouiller juste à hauteur de vin blanc et de vinaigre mélangés ; terminer par le reste des légumes. Recouvrir d'une feuille d'aluminium. Porter à ébullition, puis cuire 20 min au four préchauffé à 225 °C. Laisser les harengs refroidir dans leur cuisson, puis mettre la terrine dans le réfrigérateur.

laitances de hareng au verjus ▶ LAITANCE

HARICOT À ÉCOSSER Graines légumineuses de la famille des fabacées, consommables après cuisson (**voir** tableau des haricots à écosser page 446 et planche ci-contre). Originaires d'Amérique, elles firent leur apparition en Europe au XVIᵉ siècle. Beaucoup de variétés de haricot à grains apparurent au cours des siècles, ainsi que le haricot vert (haricot filet). Les haricots à écosser cuits sont très nourrissants (100 Kcal ou 418 kJ pour 100 g), plus riches en protides que la viande de bœuf (avec d'autres acides aminés), riches en sels minéraux et en vitamine B.

Les haricots vendus frais dans leur cosse comprennent les cocos (appelés « mogettes » dans le Poitou et en Vendée) gros, blancs, denses, utilisés pour les ragoûts et le cassoulet, et les michelets, plus longs. On peut les faire sécher à l'abri de la chaleur et de l'humidité. Une fois cuits, ils peuvent être accommodés au beurre, à la crème, en purée, en gratin ou servis froids en salade. Ils sont la base de plusieurs spécialités régionales (à la berrichonne, à la charcutière, à la lyonnaise, en cassoulet, en estouffat, en garbure, en potée), ou étrangères (chili con carne, feijoada, puchero). Ils accompagnent bien le saucisson fumé et la saucisse de Toulouse.

estouffat de haricots à l'occitane ▶ ESTOUFFAT

───────────────

haricots blancs à la crème

Cuire les haricots et les égoutter ; les chauffer doucement dans une casserole, jusqu'à réduction presque complète du jus. Couvrir de crème fraîche et réchauffer. Beurrer un plat à rôtir, y verser les haricots, poudrer de chapelure blanche, arroser de beurre fondu et gratiner au four préchauffé à 250 °C.

───────────────

haricots à la tomate

Cuire 1 kg de haricots avec 500 g de lard maigre. Les égoutter, les mettre dans une cocotte, les lier à la sauce tomate ; sortir le lard, le tailler en dés et l'ajouter dans le récipient. Laisser mijoter une dizaine de minutes.

palette de porc aux haricots blancs ▶ PORC

───────────────

salade de haricots à écosser

POUR 4 PERSONNES – PRÉPARATION : 30 min – TREMPAGE : 2 h (facultatif) – CUISSON : de 1 h à 2 h 30
Préparer et cuire 600 g de haricots « cocos frais » écossés, mais ne pas les faire tremper et ramener le temps de cuisson à 1 heure (ou préparer et cuire 320 g de haricots secs, type mogette ou coco de Paimpol, **voir** ci-contre). Après cuisson, égoutter les haricots et les laisser tiédir. Éplucher et ciseler 1 oignon doux et 2 échalotes grises. Préparer une sauce vinaigrette avec 3 cl de vinaigre de vin, du sel fin, du poivre du moulin, 1 cuillerée à soupe de moutarde blanche et 10 cl d'huile de noix. Assaisonner les haricots encore tièdes avec cette vinaigrette relevée et terminer en ajoutant 2 cuillerées à soupe de persil, de cerfeuil et de ciboulette hachés.

HARICOT D'ESPAGNE Type de haricot de la famille des fabacées, dont on peut consommer les grains blancs tachetés de rouge ou rouges tachetés de noir (**voir** HARICOT À ÉCOSSER) ; on apprête aussi les gousses, lorsqu'elles sont jeunes, comme des haricots mange-tout (**voir** ce mot).

HARICOT DE LIMA Type de haricot de la famille des fabacées, cultivée dans les pays tropicaux, appelé aussi « haricot du Cap », « de Siéva », « de Madagascar » ou « du Tchad ». Ses graines, généralement vertes, grosses comme des fèves, s'apprêtent comme les haricots blancs frais (**voir** HARICOT À ÉCOSSER).

HARICOT MANGE-TOUT Type de haricot de la famille des fabacées, vert ou jaune (haricot « beurre »), gros et charnu, qui ne forme pas de fil (**voir** HARICOT VERT). Les haricots mange-tout, lorsqu'ils sont extrafins, sont de plus en plus consommés à la place des haricots filets. Les haricots « beurre » sont en général plus juteux que les verts.

HARICOT MUNGO Type de haricot originaire d'Extrême-Orient, à petits grains verts, jaunes ou bruns (**voir** HARICOT À ÉCOSSER). Le plus souvent, on en consomme les germes, dits « germes de soja » ou « pousses de soja », crus ou blanchis, comme légume d'accompagnement, en hors-d'œuvre ou dans les salades composées exotiques (**voir** planche des graines germées page 420). On trouve ces haricots en conserve au naturel, ou frais, chez les marchands de produits orientaux.

HARICOT ROUGE Type de haricot de la famille des fabacées, très consommé en Amérique, en Espagne et aux Antilles (**voir** HARICOT À ÉCOSSER). Les haricots rouges accompagnent le chili con carne (**voir** ce mot), ragoût de bœuf typique du Texas. En France, où ils sont assez peu cultivés, on les cuisine souvent au vin rouge et au lard.

───────────────

haricots rouges à la bourguignonne

Cuire les haricots (frais ou secs), avec du lard maigre, dans un mélange en parts égales d'eau et de vin rouge. Quand ils sont cuits, les égoutter sans excès et les mettre dans une sauteuse. Détailler le lard en dés, le faire doucement rissoler au beurre et l'ajouter dans le récipient. Incorporer enfin un peu de beurre manié et lier les haricots avec cette sauce.

HARICOT SEC Légumineuse de la famille des fabacées, produite essentiellement pour son grain sec (**voir** HARICOT À ÉCOSSER). Certaines variétés, écossées et séchées avant leur commercialisation, sont très réputées.
• FLAGEOLETS. Très fins, blancs ou verts, peu farineux, ils sont cultivés dans la région d'Arpajon, en Bretagne et dans le Nord ; cueillis avant maturité, d'août à septembre, les flageolets verts sont également appelés « chevriers » ; ils sont vendus après avoir été séchés à l'abri, en conserve ou surgelés.
• LINGOTS. Gros, allongés et très blancs, ils sont produits dans le Nord et en Vendée ; le séchage leur assure une longue conservation.

Produits en moindre quantité, les soissons, les rognons de coq, les suisses blancs, les cocos blancs sont tout aussi bons. Les haricots secs, comme les haricots à écosser frais, interviennent dans des apprêts régionaux typiques. Les flageolets sont une garniture classique du gigot et de la palette de porc.

───────────────

haricots secs : cuisson

Faire tremper les haricots 2 heures dans de l'eau froide. Les égoutter, jeter l'eau de trempage. Les mettre dans une grande casserole, les recouvrir largement d'eau froide, porter doucement à ébullition, écumer ; saler à mi-cuisson. Ajouter 1 bouquet garni, 1 oignon épluché et piqué de 2 clous de girofle, 1 gousse d'ail pelée et 1 carotte grattée et coupée en petits dés. Couvrir et cuire de 1 h 30 à 2 h 30 à toute petite ébullition.

blanquette d'agneau aux haricots et pieds d'agneau ▶ BLANQUETTE

HARICOT VERT Haricot de la famille des fabacées, dont on mange la gousse allongée (**voir** tableau des haricots verts page 446 et planche ci-contre). Assez digestes, peu nourrissants et peu énergétiques (39 Kcal ou 163 kJ pour 100 g), les haricots verts sont assez riches en fibres et riches en provitamine A (ou bêtacarotène).
• HARICOTS FILETS. Appelés aussi « haricots aiguilles », ils ont des gousses vertes, longues et fines ; ils sont récoltés jeunes, avant que les sutures (les fils) ne se forment. Actuellement, les variétés classiques à fil ont été remplacées par des mange-tout extrafins.
• HARICOTS MANGE-TOUT (**voir** ce mot). Ils sont génétiquement sans fil.
Il faut choisir les haricots bien verts ou jaune doré, un peu brillants, durs et cassants, de forme régulière ; pour vérifier l'absence de fils, il faut en casser un. Les haricots verts doivent être utilisés rapidement après l'achat. Il faut d'abord les effiler en brisant les extrémités, qui entraînent avec elles les fils, et en coupant les longs en deux, puis les laver et les égoutter. Ils sont toujours plongés dans de l'eau bouillante salée pour fixer leur couleur, et afin de les garder légèrement croquants, avant toute autre préparation.

───────────────

haricots verts : conserve

• CONGÉLATION. Choisir, préparer et blanchir les haricots comme pour la stérilisation en bocaux. Les éponger, les étaler sur un plateau et les mettre à congeler. Les enfermer ensuite dans des sacs spéciaux, fermer, étiqueter et remettre dans le congélateur.

HARICOTS

borlotti

flageolet vert

haricot rose d'Eyragues

lingot blanc

chevrier

rognon de coq

haricot mungo

coco blanc

haricot à œil noir (Chine)

haricot vert princesse

haricot beurre

mange-tout
(Kenya)

haricot kilomètre

Caractéristiques des principaux types de haricots à écosser

TYPE	PROVENANCE	ÉPOQUE	ASPECT
big borlotto, ou langue de feu	sud-est de la France, Italie	juill.-sept.	grain proéminent, moyen, blanc marbré de rouge vineux, gousse blanche marbrée de rouge vineux
coco blanc	sud-est de la France	juill.-sept.	grain proéminent, moyen, blanc, rond
coco de Paimpol (AOC)	Paimpol et sa région, Trégor	août-mi-nov.	cosse longue, jaunâtre marbrée de violet, gros grain
haricot cornille	États-Unis, Pérou, Turquie, Madagascar	été	grain blanc avec un « œil » noir
flageolet, ou chevrier	Brétigny, Arpajon et sa région, Bretagne, nord de la France	août-sept.	grain moyen en forme de rognon, toujours vert à l'état sec
flambo, ou borlotto amélioré	sud-est de la France, Italie	juill.-sept. (remontant)	mêmes caractéristiques que le big borlotto, mais avec une couleur vineuse très vive
haricot d'Espagne	Europe, Amérique du Sud et du Nord	août-sept.	grain blanc tacheté de rouge ou rouge tacheté de noir
haricot de Lima, ou haricot du Cap ou pois du Cap	Madagascar, Amérique du Sud, Afrique	févr.-juill.	gros grain blanc, aplati
	Amérique centrale, Caraïbes, Malaisie	juill.-déc.	
haricot mungo	Extrême-Orient, Antilles	toute l'année	petit grain, vert olive, taché de jaune et de brun (les germes sont souvent appelés à tort « germes de soja »)
haricot rouge	Amérique du Nord et du Sud, Chine	août-sept.	grain moyen à peau épaisse, rouge vineux foncé
haricot rouge borlotti, ou coco rose	France, Italie	été	grain moyen brun, marbré de rouge-brun, saveur douce
lingot du Nord (label rouge, IGP)	vallée de la Lys	été	gros grain blanc à peau fine (à utiliser sans trempage préalable)
michelet à longue cosse	sud de la France	août-oct.	grain proéminent, blanc veiné, taille moyenne
mojette de Vendée, ou coco et lingot de Vendée	bocage vendéen	été	grain blanc, rectangulaire, très tendre, à peau fine très brillante
pea bean	États-Unis, Canada (Ontario)	août-sept.	très petit coco blanc
rognon de coq	France, États-Unis, Amérique du Sud, Afrique	août-sept.	gros grain en forme de rognon, rouge foncé
soissons	région de Soissons, Aisne	août-sept.	gros haricot proéminent, farineux, blanc ivoire
tarbais (label rouge, IGP)	Hautes-Pyrénées	sept.-oct.	grain blanc, à peau fine, chair fondante (utilisé pour le cassoulet et la garbure)

Caractéristiques des principaux types de haricots verts

TYPE	PROVENANCE	ÉPOQUE	ASPECT
haricots filets			
morgane, garonel, finbel, césar, aiguillon, etc.	Aquitaine, Anjou, Provence, ceintures vertes	juin-oct.	gousse verte, allongée, sans fil
	Kenya	sept.-juin	
fin de Bagnols	Sud-Est, Aquitaine, Val de Loire, ceintures vertes des villes	mi-juin-mi-sept.	gousse entièrement verte, fine, assez longue
triomphe de Farcy	Val de Loire, ceintures vertes des villes	juin-sept.	gousse verte, panachée de violet, sans fil
haricots filets mange-tout			
talisman, delinel, angers, capitole, allegria, etc.	Sud-Est, Sud-Ouest, Bretagne, Val de Loire, Nord	juill.-sept.	gousse assez courte, moyenne, verte, sans fil
haricots mange-tout			
primel, radar, sonate, contender, etc.	Espagne, Maroc	nov.-juin	gousse assez grosse, verte, sans fil
	toute la France	juin-oct.	
haricots mange-tout beurre			
de Rocquencourt, rocdor, etc.	toute la France, ceintures vertes des villes	juill.-sept.	gousse assez grosse, longue, jaune d'or
coco plat	Sud-Est	juill.-sept.	gousse courte, très plate, verte
	Espagne	oct.-juill.	gousse très plate, longue, à bouts recourbés

• SALAGE. Ranger les haricots blanchis et épongés dans des pots de grès, en couches séparées par un peu de sel fin. Tasser avec une planchette et charger d'un poids lourd. Avant de les cuire, les essuyer, les plonger dans une grande quantité d'eau bouillante, puis les rafraîchir dans beaucoup d'eau froide.

• SÉCHAGE. Enfiler les haricots sur des fils, en longs chapelets. Les blanchir 3 ou 4 min à l'eau bouillante, puis les éponger et les sécher au four préchauffé à 70 °C. Avant de les cuire, les laisser tremper quelques heures dans de l'eau froide. Dans les régions méditerranéennes, on fait sécher les haricots au soleil, sur des claies.

haricots verts : cuisson

Casser les haricots verts aux deux extrémités, les effiler et les laver rapidement. Porter à ébullition 2 à 3 fois leur volume d'eau salée à 10 g par litre. Les plonger dans cette eau et cuire à gros bouillons sans couvrir. Les cuire environ 8 min pour des extra-fins, ou plus longtemps selon leur grosseur. Tester la cuisson en goûtant un haricot vert, il doit rester légèrement ferme sous la dent. Les égoutter et les accommoder. S'ils ne sont pas apprêtés tout de suite, les retirer de la cuisson avec une araignée (écumoire) et les plonger aussitôt dans de l'eau glacée pour stopper la cuisson. Dès qu'ils sont froids, les égoutter.

figues au cabécou en coffret,
    salade de haricots verts aux raisins ▶ FIGUE
haricots verts sautés à l'ail ▶ WOK
salade de haricots verts ▶ SALADE

HARISSA Condiment maghrébin et moyen-oriental. C'est une pâte de piment rouge pilé avec de l'ail (ou de l'oignon), de la tomate en conserve, du cumin, de la coriandre et de l'huile. Une fois prête, la harissa doit reposer une douzaine d'heures.

Dans les pays du Maghreb, elle accompagne le couscous, délayée dans un peu de bouillon, ainsi que les soupes et la viande séchée.

HÂTELET OU ATTELET Broche métallique surmontée d'un motif historié (coq, crustacé, lièvre, poisson, sanglier, etc.), utilisée pour présenter un plat chaud ou froid de grand style ; les hâtelets sont souvent disposés en éventail.

HAUSER (HELMUT EUGENE BENJAMIN GELLERT, DIT GAYELORD HAUSER) Nutritionniste américain (Tübingen, Allemagne, 1895 - Los Angeles 1984). Atteint de tuberculose de la hanche, il guérit grâce aux préceptes d'un médecin suisse, qui lui fit découvrir le pouvoir des « aliments vivants » : céréales, farine complète, légumes secs, levure de bière, soja, yaourt, etc. Auteur de *Message de santé* et d'un *Dictionnaire des aliments*, il connut un extraordinaire succès mondial avec *Vivez jeune, vivez longtemps* (1950). Il y énonce plusieurs idées de base sur l'équilibre alimentaire, l'importance des fruits et des herbes aromatiques, les méthodes de cuisson qui conservent les vitamines et les minéraux.

HAUT DE CÔTE Morceau de mouton ou d'agneau faisant partie de la poitrine (**voir** planche de la découpe de l'agneau page 22). Le haut de côte comporte plus ou moins de graisse et convient pour le halicot de mouton, le navarin, le sauté. Avec la poitrine, après désossage et parage, il constitue l'« épigramme », que l'on grille directement ou que l'on fait cuire préalablement dans un bouillon.

Le haut de côte de veau est une partie raccourcie des côtes (**voir** planche de la découpe du veau page 879). On l'utilise en blanquette ou en sauté.

Le haut de côte de porc porte le nom de « travers » (**voir** ce mot).

HAUTE PRESSION (CONSERVATION PAR) Moyen de conservation consistant à soumettre des aliments à des pressions de l'ordre de 3 500 à 6 000 bars (ou kilopascals) pendant plusieurs minutes, ce qui provoque la destruction des micro-organismes contaminants. La qualité hygiénique des produits est améliorée, et la texture, le goût et la valeur nutritionnelle restent presque intacts. Surtout utilisée au Japon (jus de fruits, produits laitiers), la haute pression se développe en France, en particulier pour la commercialisation de jus de fruits frais (**voir** PASCALISATION).

HAUT-MÉDOC Vin AOC rouge, issu des cépages cabernet-sauvignon, merlot, cabernet franc, petit verdot et malbec. Provenant de la partie du Médoc le plus en amont de la Gironde, il regroupe les plus célèbres « châteaux » des six appellations communales : Moulis, Listrac, Margaux, Saint-Julien, Pauillac et Saint-Estèphe (**voir** BORDELAIS).

HÉDIARD (FERDINAND) [La Loupe 1832 - Paris 1898] Épicier français. Charpentier de son état, il quitte son village natal proche du Havre pour accomplir son tour de France de compagnon et découvre sur le port du Havre les produits d'outre-mer. Il décide alors de les faire connaître à Paris où il s'installe comme épicier, tout d'abord rue Notre-Dame-de-Lorette, à l'enseigne du *Comptoir d'épices et des colonies*, en 1854, puis place de la Madeleine, sous le nom de *Comptoir des colonies et de l'Algérie*, à partir de 1880. Il fut le premier à vendre la cardamome de Ceylan, la vanille de Bourbon, le gombo de Turquie, le mangoustan d'Indonésie et à importer régulièrement des ananas. Sa maison existe toujours, place de la Madeleine à Paris, mais a développé désormais des boutiques à son nom dans le monde entier.

HELDER Nom d'un apprêt de pièces de boucherie, sautées et dressées sur un croûton frit, bordées de sauce béarnaise serrée, garnies d'une touche de fondue de tomate et nappées d'un déglaçage au madère et au jus de veau. L'appellation désigne également une recette de côtelettes de volaille où l'on retrouve la tomate, mais avec une garniture de légumes différente.

HELDER (CORNELIUS, DIT CEES) Cuisinier hollandais (Alkmaar 1948). Gestionnaire d'hôtel, caviste à l'*Hôtel de l'Europe* à Amsterdam, responsable des banquets sur la *Holland America Lijn*, puis chef de partie au *Dikker en Thijs*, il enfourche sur le tard les galons de chef fêté par ses pairs, après des stages chez Bernard Loiseau à Saulieu et au *Cerf* à Marlenheim. À Rotterdam, il a créé le *Parkheuvel*, un lieu à sa mesure : un pavillon en rotonde, en bout de parc, avec vue sur le port, où chaque table donne sur le large. Il est le premier Néerlandais à avoir obtenu trois étoiles au Guide Michelin (en 2002). Tout ce qui vient de la mer est traité par lui avec élan, à l'instar du turbot à la crème d'anchois avec sa galette de pommes de terre ou son homard poché dans sa coque au verjus et petits oignons.

HÉLIOGABALE (OU ÉLAGABAL) Empereur romain (204-222). Il se rendit célèbre, si l'on en croit l'*Histoire auguste*, par des excès de toutes sortes, notamment culinaires. Héliogabale fit donner des festins dont le service changeait de couleur chaque soir, et il raffolait des talons de chameau, des langues de paon et des crêtes de coq.

HENRI IV Nom d'un apprêt de petites pièces de boucherie ou d'abats (rognons) grillés ou sautés, garnis de pommes pont-neuf et de sauce béarnaise (d'où le nom de la préparation). Le dressage des tournedos sautés Henri IV obéit à des règles précises : cresson au milieu du plat, tournedos séparés par des pommes pont-neuf croisées deux par deux et superposées, la sauce étant disposée en cordon sur les tournedos.

L'appellation désigne aussi un suprême de volaille escalopé, sauté au beurre et dressé sur fond d'artichaut garni de glace de viande beurrée, avec une lamelle de truffe, et accompagné de sauce béarnaise.

HERBES AROMATIQUES Nom générique donné à diverses plantes sauvages ou potagères à feuilles vertes, consommées fraîches ou séchées, ainsi qu'à des aromates (**voir** planche des herbes aromatiques pages 451 à 454).

L'appellation « herbes » s'applique dans le langage courant à diverses plantes d'usage culinaire : herbe à âne (sarriette), herbe au citron (thym citron), herbe aux couronnes (romarin), herbe dragon (estragon), herbe à Maggi (livèche), herbe royale (basilic), herbe sacrée (hysope), herbe perce-pierre (criste-marine), etc.

En cuisine, on regroupe traditionnellement les herbes selon des critères qui n'ont rien d'absolu :
– Les herbes potagères ou brèdes : arroche, cresson, épinard, ficoïde glaciale, laitue, oseille, poirée, pourpier, tétragone, etc. Elles sont utilisées dans des soupes et des potages, dans des salades ou en garniture.

MENTHE CHOCOLAT

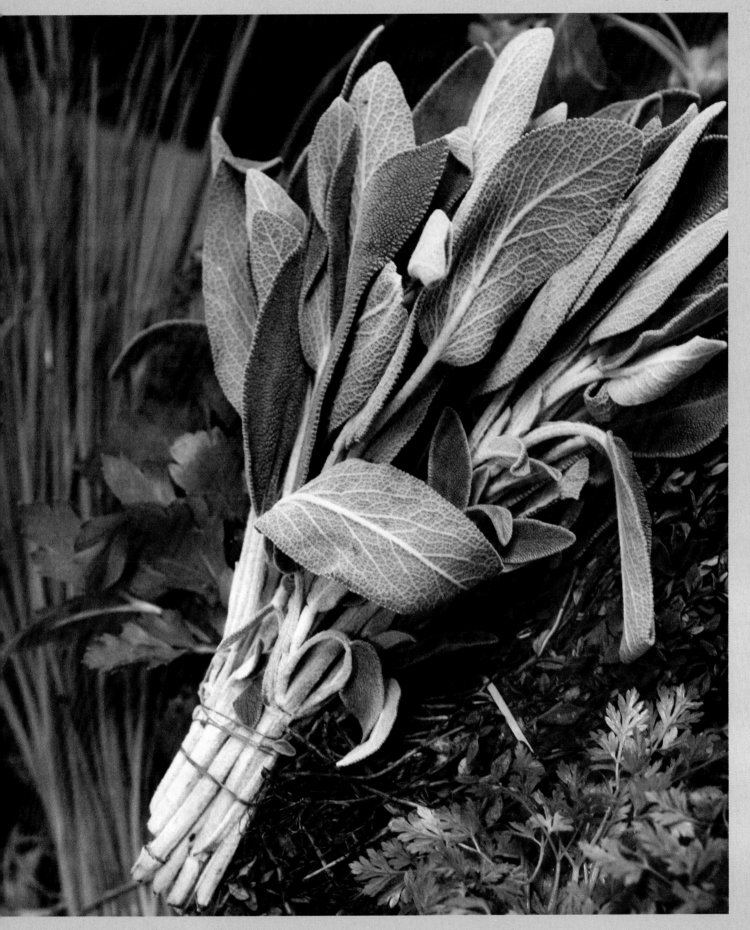

« En bottes ou en godets, sauge, persil plat, coriandre, aneth, ciboulette, menthe… embaument les cuisines des restaurants HÉLÈNE DARROZE et GARNIER, de l'école FERRANDI PARIS et de l'HÔTEL DE CRILLON. Qu'elles soient simplement effeuillées ou finement hachées, ces herbes parfumeront ou décoreront avec finesse sauces, grillades et autres plats raffinés. »

– Les herbes d'assaisonnement, appelées aussi « fournitures à salade » (roquette sauvage et cultivée, corne de cerf), englobent les fines herbes et les plantes aromatiques herbacées : ache, céleri, cerfeuil, coriandre, estragon, livèche, persil, etc.

– Les herbes de Provence (basilic, laurier, romarin, sarriette et thym), souvent mélangées et hachées, parfois séchées, déshydratées ou surgelées. Elles sont utilisées notamment pour parfumer les grillades.

– Les herbes vénitiennes sont un mélange de cerfeuil, d'estragon, de persil et d'oseille, finement hachés et incorporés à un beurre manié.

▶ Recettes : BOUILLON, GNOCCHIS, LANGOUSTE, NAGE, RAVIOLIS, SALADE, VINAIGRE.

HERBES À TORTUE Mélange de plantes aromatiques (basilic, cerfeuil, fenouil, marjolaine et sarriette), utilisé pour la « soupe à la tortue », mais servant aussi à relever la tête de veau et la langue de bœuf bouillie.

HÉRISSON Mammifère insectivore, de la famille des érinacéidés, dont on distingue en France deux espèces, le hérisson-chien et le hérisson-cochon (seul comestible) ; sa chair a un goût plus fort que celle du lapin de garenne. Bien qu'il soit protégé, il fait partie de la cuisine gitane.

HERMAN (SERGIO) Cuisinier hollandais (Oostburg 1970). Ce jeune cuisinier des Pays-Bas, proche de la frontière belge, est le troisième chef de son pays (après Cees Helder du *Parkheuvel* et Jonie Boer du *Librije*) à recevoir les trois étoiles du Guide Michelin. Ancien élève de l'école hôtelière de Bruges, il accomplit des stages chez Kaatje bij de Sluis et Cas Spijkers. En 1990, il travaille pour son père, Ronnie, dans le restaurant familial, *Oud Sluis*, jusque-là réputé pour ses moules. À partir de 1992, il s'oriente vers des plats plus créatifs. En 1995, il reçoit sa première étoile du Guide Michelin, la seconde vient en 1999. Il aura notamment la révélation d'une autre cuisine chez Pierre Gagnaire et Ferran Adrià. Il reçoit la consécration de la troisième étoile en 2005.

HISTORIER UN CITRON

1. Couper les extrémités du citron. Tenir le fruit couché et, de l'autre main, mettre le couteau dans la position d'un stylo. Pratiquer avec la pointe de la lame des incisions en forme de dentelure.

2. Traverser le citron jusqu'au centre et séparer les moitiés. Un citron ainsi présenté est historié « en dents de loup ».

Tartare de crabe vert avec son émulsion de foie gras et sa gelée de pomme verte ou turbot en « folie d'olive » avec crème d'artichaut et fondant d'aubergine sont représentatifs de sa manière.

HERMÉ (PIERRE) Pâtissier français (Colmar 1961). Héritier de quatre générations de boulangers-pâtissiers alsaciens, il a commencé sa carrière à l'âge de quatorze ans, auprès de Gaston Lenôtre. À vingt ans, il devient chef pâtissier de *Fauchon*, où il reste durant onze ans. Il apporte ensuite son savoir-faire à *Ladurée*, rue Royale à Paris, dont il ouvre l'enseigne à succès sur les Champs-Élysées. Après le lancement d'une boutique et d'un salon de thé à Tokyo, Pierre Hermé crée sa propre vitrine avec deux boutiques à Paris rive gauche. Il est le chef de file des pâtissiers français actuels. Son « deux mille-feuilles », son macaron à la rose (ou Ispahan), comme ses variations sur le chocolat (aux noix, aux pistaches, en mille-feuille) lui valent une renommée internationale de « couturier » de sa profession. On lui doit de nombreux ouvrages techniques et de recettes dont un important *Larousse des desserts* (1997).

HERMITAGE Vin AOC rouge ou blanc des côtes du Rhône septentrionales, réputé, produit sur les coteaux dominant Tain-l'Hermitage. Les vins rouges, issus du cépage syrah, sont corsés, harmonieux, aromatiques et aptes à un long vieillissement. Les vins blancs sont produits à partir des cépages roussanne et marsanne (voir RHÔNE).

HERVE Fromage belge AOP de lait de vache (45 % de matières grasses) à pâte molle et à croûte lavée, ocre rose (voir tableau des fromages étrangers page 396). Le herve se présente sous la forme d'un cube de 5 à 10 cm de côté. Il a une saveur douce après 6 semaines d'affinage, mais très relevée après 8 semaines.

HISTORIER Transformer un élément de présentation avant de le mettre en place pour décorer un plat. Il s'agit surtout de citrons ou d'oranges découpés en dents de loup, transformés en paniers ornés d'une lanière d'écorce formant ruban, etc. Les têtes de champignon historiées sont tournées ou cannelées.

D'une manière plus générale, l'historiage désigne le décor d'un plat enjolivé d'ornements, notamment un mets nappé de gelée ou de sauce chaud-froid, à la surface duquel on fixe, simplement avec une couche de blanc d'œuf, des détails de truffe ou de langue écarlate.

Enfin, on qualifie d'« historiés » des moules métalliques comportant des motifs en relief.

HOCHEPOT Pot-au-feu des Flandres, où peuvent intervenir les oreilles et la queue de porc, la poitrine et la queue de bœuf, l'épaule de mouton, le lard salé et tous les « légumes du pot ». Mais c'est souvent la queue de bœuf qui en est l'élément carné essentiel, parfois même unique. Les légumes sont servis entiers ou en purée.

Dans les campagnes flamandes, le hochepot était autrefois un plat fait de viande hachée, de navets et de châtaignes, cuits dans un pot de terre avec du bouillon.

hochepot de queue de bœuf

Blanchir 2 queues de bœuf écorchées et détaillées en tronçons, 3 beaux pieds de porc coupés, 2 oreilles de porc entières. Rafraîchir et mettre en marmite de terre vernissée. Mouiller largement d'eau froide. Porter à ébullition, écumer. Assaisonner de gros sel et de poivre en grains. Cuire 2 heures à feu doux. Ajouter 1 petit chou pommé divisé en quartiers et blanchi, 2 poireaux, 2 branches de céleri, 1 oignon piqué d'un clou de girofle, des gousses d'ail, des baies de genièvre, 4 carottes, 4 navets, 1/2 céleri-rave, tournés en grosses olives. Cuire encore 2 heures. Servir le bouillon avec du pain grillé, les queues de bœuf et les pieds de porc, entourés de leurs légumes. Détailler en lanières les oreilles de porc et les disposer sur les légumes.

HOLLANDAISE (À LA) Se dit d'œufs pochés, de légumes cuits à l'eau (artichaut, asperge, bette, chou) ou de poissons pochés, servis avec une sauce hollandaise (à part ou en nappage), ainsi que d'apprêts inspirés de la cuisine hollandaise, tels les œufs « en tasse ».

▶ Recettes : CAROLINE, GAUFRETTE.

HERBES AROMATIQUES

ache des marais

agastache

aneth

armoise commune

basilic citron

basilic fin rouge

basilic fin vert

basilic à grandes feuilles

basilic pourpre

basilic sauvage

basilic commun (ci-dessus et ci-contre)

ciboulette

bourrache

fenouil

cerfeuil cultivé

citronnelle

consoude

coriandre

cresson de fontaine

cresson de terre

estragon

hysope anisée, ou agastache fenouil

hysope officinale

laurier

livèche

marjolaine

mélisse

menthe gingembre

menthe poivrée anglaise mitcham

menthe verte

mertensie maritime

origan

ortie brûlante

oseille commune

oseille ronde ou à écusson

persil frisé

persil plat

pimprenelle

pourpier

raifort

romarin

roquette

rue

sarriette des jardins

sarriette de montagne

sauge ananas

sauge officinale à feuilles rouges

sauge officinale à grandes feuilles

serpolet

thym commun

thym citron

thym de Corse

verveine citronnelle

HOLLANDAISE (SAUCE) Sauce chaude à base d'œufs et de beurre émulsionné. Plusieurs autres sauces en sont dérivées : chantilly (ou mousseline), maltaise, mikado ou moutarde, selon les ajouts (crème fraîche, jus et zeste d'orange ou de mandarine, moutarde blanche). Elle accompagne les poissons cuits au court-bouillon, les légumes à l'anglaise et les œufs. Pour la réaliser, il faut utiliser une sauteuse en cuivre bien étamé ou en acier inoxydable, car l'aluminium fait virer la sauce au verdâtre. Très sensible à tout excès de chaleur, la sauce hollandaise se réserve au bain-marie juste tiède. Si elle tourne, on la remonte en lui incorporant progressivement une cuillerée d'eau, chaude si la sauce est froide, froide si la sauce est chaude.

PAS À PAS ▶ *Sauce hollandaise, cahier central p. II*

▶ Recette : SAUCE.

HOLLANDE (FROMAGES DE) Nom donné en France aux fromages provenant des Pays-Bas (édam, gouda). Lorsqu'ils sont d'origine, ces fromages portent toujours, sur une plaque de caséine incrustée dans la croûte, la mention « Holland ». Un traité de commerce conclu en 1935 par les Pays-Bas et la France protège l'appellation « fromage de Hollande ».

HOMARD Crustacé marin décapode, de la famille des néphropidés, qui vit dans les eaux froides (**voir** tableau des crustacés marins page 285 et planche pages 286 et 287) ; on le dit « marcheur », mais il nage assez vite à reculons. C'est le plus gros, le plus fin et le plus recherché des crustacés. Il mesure en général 30 cm (certains spécimens atteignent 75 cm) et pèse de 300 à 500 g. Il fournit une chair peu grasse (90 Kcal ou 376 kJ pour 100 g), riche en protéines et en sels minéraux, mais dense et un peu difficile à digérer.

Le homard est doté d'une épaisse carapace, ou test. Sa petite tête pointue porte de longues antennes rouges. L'abdomen possède sept anneaux remplis d'une chair blanche et dense. Le dernier segment, le telson, est élargi : il sert de stabilisateur, rôle attribué aux nageoires chez les poissons. Sous la queue se trouvent les petites pattes abdominales ; celles de la femelle sont plus développées et se croisent, car elles servent au maintien des œufs. La première paire de pattes porte des pinces puissantes, qui constituent des armes redoutables et sont très charnues. De forme différente, l'une sert à broyer, l'autre à couper ; selon leur place, on dit que le homard est droitier ou gaucher. Le thorax, ou coffre, renferme la masse viscérale et le corail, souvent utilisé en liaison dans les apprêts du homard en sauce.

■ **Variétés.** Jadis très abondant sur les côtes bretonnes, le homard s'y fait plus rare. On distingue le homard européen, d'Angleterre et de Norvège, bleu violacé ou verdâtre, très apprécié, le homard d'Amérique, jaune-orangé sous les pattes, pêché sur les côtes orientales du Canada et du Massachusetts, et le homard du Cap, plutôt marron.

Tous ont dû être protégés. Des expériences d'élevage ont été entreprises dans les années 1950, des deux côtés de l'Atlantique. L'élevage se révèle difficile en raison de la faible et lente croissance du crustacé, mais aussi de son cannibalisme prononcé. C'est pourquoi le homard reste un mets d'exception.

■ **Emplois.** À l'achat, le homard vivant ne doit porter ni traces de combat, ni mutilations (notamment des pattes), surtout s'il doit être poché. La femelle est souvent plus lourde et plus avantageuse que le mâle de même taille, bien que celui-ci passe pour avoir un goût plus fin.

Le homard poché est cuit vivant, dans de l'eau bouillante où on le plonge entier – il devient alors rouge cardinal –, bien attaché pour qu'il ne se débatte pas (la chair est ainsi plus onctueuse). Pour les autres modes de cuisson, il est découpé, vivant également. Dans tous les cas, il faut retirer la poche à graviers (à la naissance de la tête) et les intestins (sous la queue).

Ses apprêts, très réputés, sont nombreux et font partie des recettes les plus classiques de la gastronomie française. On en fait aussi des coquilles, des salades, des aspics, ainsi que des croquettes, des soufflés, des mousses, des garnitures de riz pilaf.

PAS À PAS ▶ *Découper un homard vivant, cahier central p. XIV*

aumônières de homard aux morilles ▶ MORILLE
civet de homard ▶ CIVET
coquilles froides de homard ▶ COQUILLE

RECETTE D'OLIVIER ROELLINGER

homard à l'américaine

« Détacher les pinces de 2 homards vivants de 800 g, couper les queues en 3 tronçons et les coffres en deux, dans la longueur. Réserver les coraux, les intestins et le sang. Mettre dans une cocotte 1 noix de beurre et y faire revenir à feu vif les tronçons salés, en remuant avec une spatule de bois. Après 4 ou 5 min, les sortir et cuire les pinces 5 min. Les sortir. Enlever la graisse, puis ajouter 6 échalotes émincées, 1 carotte en rondelles, 6 tomates en morceaux et 1 pointe de poivre de Cayenne. Laisser suer 2 ou 3 min, puis verser 4 cl de whisky, sans le flamber. Mélanger, puis verser 20 cl de vin blanc un peu rond et 20 cl d'eau. Porter à ébullition, ajouter les coffres et laisser cuire 45 min. Mélanger les coraux avec 100 g de

beurre ramolli et 4 cl de cognac. Saler et poivrer, mélanger et tamiser. Passer la sauce américaine au chinois avec les intestins et le sang, puis la réserver dans la cocotte. Sur feu très doux, incorporer petit à petit les coraux. Mettre les tronçons de queue et les pinces dans la sauce et réchauffer doucement 4 ou 5 min. Pour servir, casser les pinces, dresser les morceaux dans une soupière et napper avec la sauce. »

RECETTE DE MICHEL MIOCHE

homard breton aux angéliques

« Préparer une julienne de carotte, céleri et poireau, et la cuire dans du beurre. Couper dans des bâtons d'angélique confite une julienne, des petits dés et des losanges pour la décoration, et les blanchir rapidement. Mélanger l'eau des deux cuissons et y ajouter 1 oignon haché, 1 bouquet garni, des grains de poivre et 15 cl de xérès. Y cuire de 8 à 10 min 4 homards de 400 g. Les sortir, les décortiquer entièrement et casser les pinces. Préparer un beurre blanc ou une sauce hollandaise, et lui incorporer les dés d'angélique. Disposer dans des assiettes creuses chaudes un lit de julienne de légumes et d'angélique, puis les morceaux de homard et les pinces entières. Napper quelques morceaux de beurre blanc ou de hollandaise, faire briller les autres, ainsi que les têtes en carapace, avec un peu de beurre clarifié. Décorer avec les losanges d'angélique. »

homard cardinal

Cuire un homard au court-bouillon. L'égoutter, le laisser tiédir. Préparer une sauce cardinal (voir page 781). Nettoyer 750 g de champignons, les couper en dés et les étuver au beurre. Couper des truffes en dés. Fendre le homard dans le sens de la longueur. Retirer la chair de la queue et la détailler en escalopes d'égale épaisseur. Détacher les pinces, en sortir

la chair, la détailler en petits dés et lui ajouter les dés de champignon et de truffe. Lier d'un peu de sauce cardinal. Garnir de ce salpicon les moitiés de carapace. Dresser les escalopes sur le dessus, en les séparant par des lames de truffe. Napper de la sauce cardinal restante. Poudrer de fromage râpé. Disposer les moitiés de homard, en les calant bien, sur une plaque, et gratiner à four vif.

homard au court-bouillon

Préparer un court-bouillon avec 2 litres d'eau, 2 carottes, 1 blanc de poireau et 1 branche de céleri, coupés en dés, 1 bouquet garni, 1 oignon piqué de 2 clous de girofle, 1 petite gousse d'ail, 50 cl de bon vin blanc sec, 10 cl de vinaigre de vin, du sel, du poivre et 1 pointe de poivre de Cayenne. Porter à ébullition et laisser frémir 30 min. Laver et plonger un homard dans ce court-bouillon et le cuire à petite ébullition (8 min pour un homard de 400 g, 10 min pour un homard de 1 kg). L'égoutter. Le ficeler sur une planchette pour lui conserver une forme régulière et le laisser complètement refroidir. S'il pèse de 400 à 500 g, le fendre en deux et présenter les moitiés. S'il est plus gros, détacher la queue, la chair et la couper en médaillons, fendre le coffre en deux, détacher et casser les pinces. Présenter les médaillons sur la carapace de la queue et placer les moitiés de coffre pour reconstituer l'animal. Garnir avec les pinces. Servir avec une mayonnaise.

RECETTE D'ALAIN PÉGOURET

homard entier en salade

POUR 4 PERSONNES – PRÉPARATION : 20 min – CUISSON : 20 min
« Laver, gratter ou peler 3 carottes, 2 bulbes de fenouil, 4 branches de céleri, 2 oignons et les couper en morceaux. Réunir tous les légumes dans une grande casserole avec 4 bandes de zeste d'orange, 1 bouquet garni, 5 g de graines de coriandre, 1 badiane, 5 g de mignonnette de poivre noir et 50 g de gros sel. Mouiller avec 4 litres d'eau et laisser cuire pendant

20 min. Ajouter ensuite 50 cl de vin blanc et 10 cl de vinaigre d'alcool coloré. Plonger 4 pièces de homard bleu de 500 g dans la nage en ébullition pendant 5 min et laisser reposer hors du feu jusqu'à ce que la nage soit tiède. Pour la sauce, détendre 250 g de mayonnaise avec 4 cl de vinaigre de xérès, 4 cl d'eau froide et 4 g de sel fin. Pour la salade, équeuter 100 g de roquette, 100 g de riquette (pousses de roquette), 100 g de mizuna (salade japonaise). Séparer en feuilles 1 pièce de frisée, 1 pièce de trévise, 1 pièce de feuille de chêne pour ne garder que les sommités des feuilles avec un morceau de côte. Effeuiller aussi 200 g de cœur de mâche, 1 botte de cerfeuil, 2 branches d'estragon et 3 branches d'aneth. Laver les salades et les herbes à grande eau, en les gardant séparées ; les rincer puis les essorer et réaliser le mélange. Laver, éplucher et tailler en brunoise 1 poivron rouge et 1 poivron vert. Prélever les homards de la nage et les décortiquer. Couper les queues en médaillon, les napper de sauce ainsi que les pinces. Assaisonner la salade mélangée avec la brunoise de poivron et le restant de sauce. Disposer les homards sur la salade répartie dans 4 assiettes. »

homard grillé

Préchauffer le four à 225 °C. Ébouillanter 1 min 2 homards de 400 à 500 g. Les sortir et les couper en deux, dans le sens de la longueur. Retirer la poche à graviers de la tête et les intestins de la queue. Retirer le corail verdâtre et le mélanger avec 2 cuillerées de crème fraîche épaisse, 1 jaune d'œuf, 1 bonne pincée de paprika, du sel, du poivre, 1 cuillerée à café de xérès et 1 petite pincée d'herbes de Provence ou de basilic frais haché. Mixer légèrement le tout. Assaisonner les homards de sel et de poivre et les disposer dans un plat à rôtir, carapace vers le fond. Les napper d'un peu de la préparation au corail et les enfourner 1 min. Renouveler l'opération 2 ou 3 fois : les homards doivent cuire 8 min en tout. Dresser 2 moitiés de crustacé par assiette et servir éventuellement avec 1/2 fenouil braisé avec un peu de safran et de tomate concassée, ou avec des brocolis.

RECETTE DE CLAUDE TROISGROS

homard en moqueca, cœurs de palmier et noix de cajou

POUR 4 PERSONNES

« Cuire 4 homards de 500 g à l'eau bouillante salée puis les refroidir immédiatement dans de l'eau glacée. Décortiquer queues et pinces ; utiliser les carcasses pour faire un fumet. Pour la sauce coco, faire suer au beurre 100 g d'échalotes, 2 gousses d'ail et 5 g de gingembre hachés. Ajouter 100 g de tomates mondées et taillées en dés et 20 g de coriandre concassée. Déglacer avec 25 cl de fumet de homard et faire réduire de moitié. Ajouter 15 cl de lait de coco et porter à ébullition. Assaisonner de sel, de poivre et de sucre, et ajouter 20 g de coriandre. Pour la garniture, poêler dans 60 g de beurre 200 g de cœurs de palmier en dés et 80 g de noix de cajou concassées. Saler et poivrer. Pour finir, découper les pinces et les queues en morceaux, les poêler au beurre et les déposer dans des assiettes creuses. Couvrir de la sauce coco, parsemer de garniture et servir. »

homard à la Newburg

Laver et brosser 2 homards vivants de 500 g et les détailler en tronçons réguliers comme pour la préparation à l'américaine ; retirer et conserver le corail du coffre ; saler et poudrer légèrement de paprika. Chauffer 75 g de beurre dans un plat à sauter et y dorer les morceaux de homard, en remuant avec une spatule de bois ; les retourner, puis les cuire 10 min à couvert. Ôter le beurre du plat, mouiller de 30 cl de xérès et faire réduire à feu vif. Ajouter 30 cl de fumet de poisson et 30 cl de velouté, puis cuire 15 min encore, à couvert. Retirer les tronçons de homard et les dresser, décortiqués ou non, dans un plat creux ou une timbale. Ajouter 40 cl de crème fraîche à la cuisson. Lorsque la sauce nappe la cuillère, y incorporer le corail passé au tamis fin et mélangé à 100 g de beurre frais ; fouetter vivement et verser sur le homard.

RECETTE DE JEAN ET PAUL MINCHELLI

homard sauté à l'orange

« Fendre en deux un homard breton vivant de 450 à 650 g. Retirer la poche à graviers et réserver le corail, le sang et les intestins. Détacher les pinces, les casser avec précaution, les saler et les faire revenir dans de l'huile avec 2 gousses d'ail écrasées et 1 pointe de poivre de Cayenne. Mélanger, puis ajouter de l'huile à hauteur ; tenir à feu doux. Passer au tamis et réserver. Émincer 4 échalotes grises et 1 oignon moyen ; effeuiller 3 branches d'estragon frais. Partager 1 orange non traitée en deux, en couper une moitié en gros dés et réserver l'autre. Dans une sauteuse allant au four, chauffer 4 cuillerées à soupe de graisse de homard obtenue précédemment ; ajouter les échalotes, l'oignon, les dés d'orange et 2 branches d'estragon. Faire revenir vivement, puis repousser le tout sur le pourtour du récipient. Disposer dans la partie dégagée les 2 moitiés de homard, chair contre le fond. Laisser raidir 3 min, puis presser au-dessus la demi-orange réservée. Retirer du feu, allumer le gril du four, retourner les moitiés de homard et disposer les pinces autour. Mixer le corail et les intestins avec 2 cuillerées à soupe de crème fraîche. Ajouter le sang, 1 cuillerée à soupe de cognac, 1 pointe de curry, 1 pincée de poivre de Cayenne et les feuilles de 1 branche d'estragon. Mixer, puis remplir la tête du crustacé avec cette sauce. Mettre la sauteuse 2 ou 3 min sous le gril et servir aussitôt. »

RECETTE DE JOËL ROBUCHON

homard aux truffes et châtaignes en cocotte

« Ébouillanter 2 homards bretons femelles de 450 g chacun 1 min. Séparer les queues des têtes ; tronçonner chaque queue en 4 morceaux. Détacher les pinces et les décortiquer. Mélanger 50 g de beurre avec le corail tamisé. Saisir les têtes de homard concassées dans de l'huile d'olive très chaude. Ajouter 1 échalote et 1 gousse d'ail hachée, 1 cuillerée à café de concentré de tomate, 1 brindille de thym, 1 branche d'estragon, du sel et du poivre. Mouiller à hauteur d'eau froide, porter à ébullition et cuire 10 min à couvert, à frémissement. Presser fortement pour récupérer le jus. Dorer 10 châtaignes épluchées dans du beurre. Verser 10 cl de bouillon de volaille et ajouter 1 bouquet garni. Cuire au four à couvert et faire glacer. Assaisonner de sel, poivre et curry les tronçons de homard. Les saisir dans une poêle à l'huile d'olive très chaude, sans les cuire. Les retirer et mettre dans le récipient 20 g de dés de truffe. Mouiller du fumet de homard et porter à ébullition. Mettre les tronçons de homard dans une cocotte avec les pinces, ajouter 10 feuilles de basilic, 1 gousse d'ail, 1 anis étoilé, 1 branchette de romarin, le fumet avec les truffes, le beurre de corail et les châtaignes. Couvrir la cocotte, la luter avec de la pâte, dorer à l'œuf battu et cuire 10 min au four à air pulsé préchauffé à 240 °C. Servir dans le récipient de cuisson dès la sortie du four. »

RECETTE DE JEAN BARDET

minéralité de homard bleu de l'Atlantique

POUR 4 PERSONNES – PRÉPARATION : 30 min – CUISSON : 30 min

« Cuire 2 homards de casier au court-bouillon pendant 4 min. Décortiquer les queues entières en gardant le dernier segment attaché. Casser les pinces et extraire la chair en la gardant entière puis couper le coffre de chaque homard en deux, afin d'en ôter les pierres et les branchies. Préchauffer le four à 220 °C. Pour la sauce, faire revenir les coffres dans un sautoir dans 10 cl d'huile d'olive fumante pendant 5 min, puis les flamber avec 5 cl de cognac et glisser la sauteuse au four pendant 5 min. Les coffres une fois dorés, éponger la graisse et les concasser. Dans la sauteuse, ajouter 2 carottes et 2 oignons taillés en mirepoix fine, ainsi que 4 grains d'ail écrasé avec la peau. Faire suer et caraméliser l'ensemble 3 min. Ajouter 1/2 bouteille de Chinon et laisser réduire le vin à sec. Ajouter ensuite une autre 1/2 bouteille de vin de Chinon et 20 cl de fumet de poisson ; laisser réduire l'ensemble de moitié sur feu doux. Toujours dans la sauteuse, verser 20 cl de jus de fond de veau brun et incorporer 1 petit bouquet garni, 2 branches d'estragon, 10 grains de poivre de Sarawak, 10 graines de coriandre, 1 badiane écrasée. Faire cuire à feu doux jusqu'à l'obtention d'une sauce sirupeuse. Laisser reposer la sauce 30 min, puis passer délicatement au chinois dans une autre sauteuse. Avant de servir le plat, ajouter dans la sauce 5 feuilles de basilic, 3 zestes d'orange, puis lisser cette sauce avec 50 g de beurre et l'aromatiser avec 10 cl de vin de Maury et la repasser de nouveau au chinois étamine. Pour servir, dorer en sauteuse à l'huile d'olive et au beurre les queues de homard coupées en deux, les pinces et les coudes. Saler et poivrer. Disposer harmonieusement le homard nappé de sauce dans des assiettes individuelles décorées avec 3 feuilles de basilic frit. Servir avec des pommes de terre cuites sur un lit de gros sel au four, puis dorées au beurre. »

RECETTE DE CHRISTIAN CONSTANT (CUISINIER)

moelleux de homard à la civette, pommes rattes

« Préchauffer le four à 220 °C. Laver 1 kg de pommes de terre rattes, et en cuire 350 g en robe des champs dans de l'eau salée. Poser le reste des pommes de terre sur du gros sel, recouvrir d'une feuille d'aluminium et cuire au four pendant 40 min. Éplucher les pommes de terre en robe des champs, les tailler en rondelles et réserver au chaud. Faire chauffer 25 cl de crème liquide. Éplucher à chaud les pommes de terre cuites au four, écraser la chair avec une fourchette en incorporant la crème chaude, 80 g de beurre et un peu de noix de muscade. Saler et poivrer cette purée. Cuire 4 homards de 500 g en les plongeant dans une nage 8 à 10 min. Décortiquer puis découper les queues en 36 médaillons. Tailler en petits dés les pinces, les entre-pinces et le reste des queues. Mélanger la purée de pomme de terre avec les dés de homard. Dresser ce moelleux dans des cercles de 9 cm de diamètre sur 1 cm de hauteur posés sur un plat de service allant au four. Préchauffer le four en position gril pendant 3 min. Mélanger 8 cuillerées à soupe de crème liquide fouettée, 2 jaunes d'œuf, 50 g de gruyère râpé et de la noix de muscade, saler, poivrer et répartir dans les cercles. Disposer en rosace autour des cercles les médaillons de homard et les rondelles de pomme de terre. Terminer la coloration pendant 1 min environ sous le gril. Au moment de servir, préparer une sauce en faisant réduire 30 cl de crème liquide à feu moyen. Hors du feu, mélanger avec 60 g de caviar, 1 botte de ciboulette ciselée et 60 g d'œufs de saumon. Enlever les cercles des moelleux et entourer d'un filet de sauce. »

RECETTE DE BERNARD PACAUD

navarin de homard et de pommes de terre nouvelles au romarin

POUR 4 PERSONNES – PRÉPARATION : 2 h

« Plonger 4 homards femelles vivants de 600 g pièce dans de l'eau bouillante salée, et les cuire pendant 4 min. Les sortir, séparer coffres, queues et pinces, réserver queues et pinces. Préparer une mirepoix avec 100 g de carottes, 100 g d'échalotes et 1 tête d'ail. Confectionner un jus de homard en faisant revenir les coffres concassés avec la mirepoix, mouiller avec 1 litre d'eau et porter à ébullition. Écumer si nécessaire. Ajouter 3 tomates concassées et du romarin. Faire cuire 40 min avant de passer au tamis pour obtenir un jus de homard. Le réduire de moitié. Éplucher et laver 24 pommes de terre. Les disposer dans une sauteuse bien beurrée avec 12 gousses d'ail et du romarin en branche. Couvrir à hauteur avec 30 cl de jus de homard, et faire cuire jusqu'à évaporation complète du jus. Réserver au chaud. Pendant cette cuisson, décortiquer les pinces de homard et tronçonner les queues en morceaux réguliers tout en conservant la carcasse. Dans une sauteuse, faire revenir au beurre les morceaux de homard ainsi préparés et découpés.

Déglacer avec 10 cl de cognac et faire réduire. Le homard est cuit. Pour la sauce, faire réduire vivement de moitié les 20 cl de jus de homard restants, et monter au beurre. Dresser de façon harmonieuse dans les assiettes très chaudes les morceaux de homard, les pommes de terre et les gousses d'ail. Napper le tout de sauce réduite et montée au beurre. Ajouter au plat une petite branche de romarin frais. Servir très chaud. »

salade des pêcheurs au xérès ► LANGOUSTE
salpicon à l'américaine ► SALPICON

HOMOGÉNÉISATION Technique consistant à faire éclater, sous forte pression, les globules de la matière grasse du lait en très fines particules ; celle-ci se trouve alors répartie de manière homogène et ne remonte pas à la surface.

L'homogénéisation facilite le traitement thermique de conservation du lait (pasteurisation, stérilisation) et évite le dépôt de crème le long des parois des emballages. Elle rend le lait plus digeste.

HONGRIE La cuisine hongroise puise ses racines dans les antiques traditions des Magyars nomades, qui se nourrissaient d'aliments conservés, permettant des apprêts faciles et rapides, lors des haltes. Un exemple typique de cette survivance est le *tarhonya*, préparation séchée à base de farine et d'œufs, en forme de pois secs, que l'on consommait jadis bouilli avec de la viande séchée, et qui constitue aujourd'hui une garniture courante des plats en sauce.

■ **Au royaume du paprika.** Dans la cuisine moderne dominent, outre l'omniprésente pomme de terre, le saindoux et le lard, l'oignon et la crème aigre. Mais c'est le paprika (piment doux pourtant introduit seulement au XVIIIe siècle) qui y règne en maître, qu'il soit extradoux ou rose. Servant plutôt de condiment et de colorant que d'épice forte, ce poivron rouge long et de petite taille se trouve dans quatre apprêts de base : le goulache (soupe de bœuf aux oignons), le pörkölt (comparable, mais avec une viande plus grasse), le tokany (ragoût de viande en fines lamelles) et le paprikache (ragoût de viande blanche ou de poisson).

Un déjeuner hongrois commence souvent par une soupe épaisse, aromatisée au cumin, à l'ail et au paprika, par un farinage (*tarhonya* rissolé au saindoux, *galouchka*, petits gnocchis de farine, ou nouilles avec des assaisonnements salés ou sucrés, voire raviolis à la confiture de quetsche), ou encore par le *lecso*, sorte de ratatouille de « paprikas », de tomates et d'oignons, additionnée de lardons ou de tranches de saucisson – le mot « paprika », d'origine slave, désigne également des légumes gros et charnus de couleurs très différentes, du jaune au rouge foncé en passant par le vert et l'orange, et à la saveur piquante variable, indépendante de la couleur.

Le poisson de rivière occupe une place de choix, soit en soupe, soit en gelée, en filets au court-bouillon, en ragoût ou au four ; poivrons verts et lardons y sont souvent associés, ainsi qu'aneth, champignons et crème. Quant au *fogos* du lac Balaton, il s'agit en fait du sandre, qui est servi entier, grillé ou poché au vin blanc.

Les écrevisses s'apprêtent en ragoût, au paprika ou à la crème, pour garnir crêpes et feuilletés. Le foie gras est aussi couramment cuisiné.

■ **Des noms prestigieux.** La cuisine hongroise aime à baptiser ses mets de noms prestigieux de l'art ou de l'histoire, comme la poule au pot « Ujhàzi » (acteur célèbre), les œufs en gelée sur une macédoine à la rémoulade et à l'aneth, dits « Munkàcsy » (grand peintre du XIXe siècle), les œufs pochés sur un pörkölt d'œufs de carpe « à la Kapisztran » (en souvenir du moine franciscain Capistrano, héros de la défense contre les Turcs) et le gâteau « Rigò Jancsi » (violoniste tzigane), délicieux pavé fourré de mousse au chocolat et glacé au chocolat.

Toutes les viandes sont cuisinées au paprika, mais il faut citer quelques plats qui n'en comportent pas : la choucroute, aromatisée à l'aneth, et les grillades (*fatanyeros*), associant filet de bœuf, escalope de veau, côte de porc et lard fumé avec des crudités. L'entrecôte braisée à la marjolaine, à la tomate et au cumin, garnie de poivrons et de semoule, est également typique. Les côtes de porc connaissent les apprêts les plus variés, où dominent le saindoux et la tomate. Ces mets riches et consistants sont souvent accompagnés de salades variées (betterave au cumin et au raifort, concombre au sel, laitue à la vinaigrette, poivron vert frais ou mariné).

Les légumes aussi sont relevés de paprika, entre autres les asperges gratinées à la crème, les champignons en ragoût et les pommes de terre. La crème aigre parfume les haricots verts, le chou à l'estragon ou la courge à l'aneth.

Parmi les fromages, on notera le teasajt, « fromage de thé » au lait de vache, à pâte pressée non cuite, et le cascaval, dû à l'influence turque, que l'on trouve aussi en Bulgarie et en Roumanie.

La pâtisserie regroupe les rissoles ou les crêpes fourrées (au fromage blanc, à la confiture, aux noix pilées, etc.), les beignets soufflés, les tartes et les quenelles au fromage blanc, et surtout le rétès aux variations multiples, cousin du Strudel, que l'on peut farcir de pommes, de cerises, de graines de pavot, de griottes, de noix, mais aussi d'appareils salés.

Enfin, la *dobostorta*, un grand classique, est faite de sept abaisses en biscuit de Savoie, séparées par des couches de crème au chocolat, et glacée d'une épaisse couverture au caramel.

■ Vins. La Hongrie est considérée comme la plus grande nation viticole de l'Europe de l'Est. Le vignoble a été très éprouvé à la fin du XIXe siècle par le phylloxéra d'abord, puis par le mildiou ; il a été reconstitué avec des plants américains, comme en France, et la moitié de sa superficie a été sablée pour repousser les pucerons du phylloxéra.

Ce vignoble (93 000 ha) est aujourd'hui divisé en quatre grandes régions : la Grande Plaine, la Transdanubie du Nord, la Transdanubie du Sud et la Hongrie septentrionale. On y produit pour 60 % des vins blancs, issus de cépages hongrois (furmint et hárslevelü) ou européens (riesling italien, sylvaner, traminer, pinot blanc, sauvignon, etc.).

Les vins rouges sont surtout faits avec du kádárka, du pinot noir, du kekfrankos, du médoc noir et du cabernet. Tous les vins sont vendus sous l'appellation de leur région, souvent suivie du nom du cépage.

Le plus connu des vins blancs de « qualité supérieure » est celui de la région de Tokaj, le tokaji, connu sous le nom de « tokay » ; d'autres blancs sont dits « d'excellente qualité », comme certains rouges, dont l'egri bikavér (« sang du taureau d'Eger ») et le villanyi-burgundi. La Grande Plaine produit la majorité des vins de qualité courante. Les Hongrois consomment près des quatre cinquièmes de leur production.

HONGROISE (À LA) Se dit, d'une manière générale, des apprêts où intervient le paprika.

La sauce hongroise est à base d'oignon, de paprika et de vin blanc, additionnés de velouté ; selon ses emplois spécifiques, elle est complétée avec de la sauce Mornay (pour les œufs), du fumet réduit et monté au beurre (pour les poissons), de la demi-glace (pour des pièces de boucherie), du velouté ou de la sauce suprême (pour de la volaille).

La garniture hongroise pour pièces de boucherie est composée de boules de chou-fleur nappées de sauce Mornay au paprika, avec du jambon haché et gratinées, accompagnées de pommes de terre.

▶ Recettes : CÈPE, FRICANDEAU, PÂTÉ, SAUCE, SOUPE.

HOPLOSTÈTE ROUGE ▶ VOIR EMPEREUR

HORACE (QUINTUS HORATIUS FLACCUS) Poète latin (65 av. J.-C. - 8 av. J.-C.). Ami de Virgile et de Mécène, il fut l'un des favoris d'Auguste. Épicurien délicat et artiste raffiné, soucieux de perfection littéraire, il préférait la campagne au tumulte de Rome. Les *Odes* d'Horace sont une source de renseignements sur les vins romains, dont le poète faisait une consommation fréquente : il savait comparer leurs qualités respectives et estimer le degré de vieillissement qui leur convenait.

HORS-D'ŒUVRE Premier plat d'un repas. Étant, par définition, « en dehors du menu », le hors-d'œuvre doit mettre en appétit, mais sans être trop riche. Il est parfois confondu avec les amuse-gueule, et se compose alors d'un assortiment varié.

On distingue les hors-d'œuvre chauds des hors-d'œuvre froids. Ces derniers se composent de poissons ou de fruits de mer marinés, fumés, à l'huile, au vinaigre ; de charcuteries variées, de légumes à la grecque, d'œufs de poisson, de crudités et de mets cuisinés (cocktail de crevettes, œufs farcis ou en gelée, pamplemousse farci, salades composées, etc.).

Les hors-d'œuvre chauds, appelés autrefois « entrées volantes » ou « petites entrées », regroupent aussi bien les beignets que les bouchées, cromesquis, croquettes, fritots, petits pâtés, rissoles, etc. ; en fait, ce sont plutôt des entrées chaudes.

L'expression « hors-d'œuvre variés » désigne, en restauration, un assortiment en buffet ou sur un plateau (hors-d'œuvre « à la russe »).

HOT DOG Petit pain long brioché, garni d'une saucisse de Francfort chaude, enduite de moutarde légèrement sucrée.

Cette expression américaine, apparue vers 1930, signifiant « chien chaud », vient d'un dessin humoristique américain, représentant un teckel en forme de saucisse. Cette variante du sandwich a été largement popularisée par les snack-bars.

HÔTELIÈRE (À L') Se dit d'apprêts de viandes et de poissons grillés ou sautés, servis avec un beurre hôtelier. L'appellation s'applique aussi à un poulet de grain désossé et farci de chair à saucisse additionnée de duxelles séchée, bridé et sauté au beurre.

▶ Recette : BEURRE COMPOSÉ.

HOUBLON Plante vivace et grimpante des régions tempérées, de la famille des cannabinacées, dont les fleurs femelles sont surtout utilisées en brasserie, pour donner son amertume caractéristique à la bière (de 100 à 300 g suffisent pour aromatiser 100 litres de bière).

Les bourgeons, ou « jets de houblon », consommés comme les asperges, interviennent, surtout en Belgique, dans les apprêts « à l'anversoise » ; à la crème, ils accompagnent classiquement les œufs pochés ainsi que la sole pochée.

HOUMMOS Hors-d'œuvre traditionnel très populaire du Moyen-Orient, également appelé mezze (**voir** ce mot).

> **RECETTE DU RESTAURANT *AL DIWAN*, À PARIS**
>
> *hoummos*
>
> « Mettre à tremper 12 heures 350 g de pois chiches bien lavés. Les égoutter, les recouvrir d'eau additionnée de 1 cuillerée à soupe de bicarbonate de soude. Porter à ébullition sur feu vif, puis cuire doucement 2 heures. Rincer les pois chiches, les laisser refroidir, puis les écraser. Incorporer à la spatule de bois 35 cl d'huile de sésame, du sel et, éventuellement, 10 g d'ail. Bien mélanger en ajoutant 25 cl de jus de citron. Servir dans un plat en terre, décoré de persil, de pois chiches cuits ou de paprika, arrosé d'un filet d'huile d'olive. »

HUCHE Grand coffre de bois utilisé autrefois pour pétrir la pâte ou conserver le pain. (On utilise aujourd'hui un pétrin.) La maie, synonyme de huche, relève, comme elle, du mobilier régional.

HUILE Matière grasse, fluide à la température ambiante. Il existe des huiles minérales et animales (huiles de baleine, de foie de morue, de phoque), mais, en cuisine, le corps gras appelé « huile » est extrait de graines, de fruits, ou encore de racines. Il s'agit donc d'huiles végétales (**voir** tableaux des huiles page 462). Leur valeur énergétique est de 900 Kcal ou 3 762 kJ pour 100 g. Elles contiennent, en proportion variable, des acides gras bénéfiques à la fluidité du sang, la prévention des maladies cardio-vasculaires et la baisse du cholestérol : acides gras mono-insaturés et acides gras polyinsaturés, dont des acides gras essentiels, en particulier les oméga-6 et les oméga-3. Les huiles végétales apportent en outre de la vitamine E.

L'huile la plus ancienne est probablement l'huile de sésame, utilisée par les Égyptiens, alors que les Grecs employaient l'huile d'olive : à Athènes, l'olivier était un arbre sacré, symbole de la vie de la cité. L'huile servait à l'alimentation et à l'éclairage.

On distingue les huiles vierges des huiles raffinées. Les huiles vierges conservent le goût de la graine ou du fruit dont elles sont extraites. Les principales huiles vierges commercialisées sont l'huile d'olive, l'huile de tournesol ou d'autres graines (carthame, colza, soja, etc.), ou de fruits (noix, noisette, etc.). Les huiles raffinées sont celles

« Verrines, ravioles, petits pâtés, œufs de poissons, timbales de crudités… les hors-d'œuvre des restaurants GARNIER et HÉLÈNE DARROZE, de l'HÔTEL DE CRILLON et du RITZ PARIS rivalisent d'originalité pour mettre l'eau à la bouche avec finesse et légèreté. »

qui ont fait l'objet d'un traitement (raffinage) visant à produire une huile répondant à des critères d'aspect (limpidité, couleur), de qualité organoleptique (flaveur neutre), de sécurité alimentaire et de stabilité à la conservation. Enfin, il existe sur le marché des huiles de mélange (ou huiles combinées) visant à la fois l'équilibre nutritionnel et des utilisations variées ou spécifiques (comme la friture).

On appelle enfin « matières grasses concrètes » les graisses végétales solides à température ambiante (huile de coprah, de palme, de palmiste) ou animales (saindoux, suif). Très saturées, ces graisses doivent être consommées avec beaucoup de modération.

■ **Emplois.** Les huiles servent de corps gras de cuisson (friture, poêlage, rissolage), parfois mélangées avec du beurre ; elles interviennent en assaisonnement à froid (vinaigrette) ou à chaud, en ingrédient de sauce et de condiment (aïoli, brandade, mayonnaise) ; elles constituent un moyen de conservation (surtout de poissons, mais aussi de fromages de chèvre, de fines herbes) ; on les utilise pour les marinades et macérations de viande, de gibier et de poisson.

Parmi les huiles de table les plus utilisées en France, on trouve celles d'arachide, de colza, d'olive et de tournesol.

– L'huile d'arachide supporte bien la chaleur (jusqu'à 180 °C) ; soigneusement filtrée après chaque emploi, elle peut servir six ou sept fois.

– L'huile de colza supporte des cuissons douces, mais peu nombreuses ; elle est principalement utilisée en assaisonnement.

– L'huile d'olive, largement utilisée dans la cuisine méditerranéenne, jouit d'une grande réputation gastronomique (on la retrouve même dans des recettes sucrées, sorbet ou tarte, par exemple). Elle peut être qualifiée de « vierge » ou de « vierge extra », selon un taux maximal d'acidité oléique. Les huiles d'olive résultent le plus souvent d'assemblages d'huiles provenant de divers pays du bassin méditerranéen. Certaines bénéficient d'une AOC : celles d'Aix-en-Provence (deux types : fruité vert et olives maturées), de Corse, de Haute-Provence, de la Vallée des Baux-de-Provence, de Nice, de Nîmes, de Nyons et de Provence (fruité vert et olives maturées). On trouve aussi des huiles d'olive aromatisées (basilic, citron, piment, thym, etc.) et de l'huile d'olive au miel (en Corse).

– L'huile de tournesol convient pour les assaisonnements et les fritures.

D'autres huiles, moins consommées, n'en sont pas moins estimées.

– L'huile de soja, surtout utilisée par l'industrie agroalimentaire.

– L'huile de germes de maïs, qui possède les mêmes caractéristiques que l'huile de tournesol.

– L'huile de noix, traditionnelle dans certaines régions de France.

– L'huile de noisette, à la saveur parfumée.

– L'huile de pépins de raisin, à la saveur peu marquée, parfaite pour macérer les viandes.

– L'huile de pépins de citrouille, venue d'Amérique du Nord.

– L'huile d'argan, à l'arôme musqué.

– L'huile d'œillette, ou « huile blanche », extraite des graines du pavot noir ou pourpre.

Les huiles d'amande douce (qui sert en confiserie et en pâtisserie), de germes de blé, de pignon, de pistache, de noix de pécan, de moutarde, d'amandons de pruneaux sont moins consommées.

Les huiles de carthame et de sésame sont très répandues en Orient et en Asie. L'huile d'*inca-inchi*, produite au Pérou, a une teneur élevée en oméga-3. Dans certains pays où le coton est cultivé (Mali, Tchad, Togo, etc.), l'huile extraite de ses graines représente l'essentiel de la consommation d'huile alimentaire.

ceviche de daurade, rhubarbe et huile de piment ▶ CEVICHE
filets de hareng marinés à l'huile ▶ HARENG

huile d'ail

Ajouter à de l'huile d'olive soit des gousses d'ail blanchies finement broyées et passées à l'étamine, soit de l'ail râpé pressé fortement à travers un linge.

huile au basilic

Laver et éponger une dizaine de branches très fraîches de basilic. Les mettre dans un bocal et verser 2 litres d'huile d'olive. Ajouter 1 petite tête d'ail frais, juste épluchée pour faire apparaître les gousses et, éventuellement, 1 petite échalote ou un petit morceau d'échalote dite « de montagne ». Boucher le récipient et laisser macérer 2 mois à l'abri de la lumière. On aromatise de la même façon de l'huile d'olive avec de l'estragon, du fenouil, du romarin, de la sarriette, etc.

Huiles pour assaisonnement et cuisson

CATÉGORIE	SAVEUR	COMPOSITION
arachide*	neutre à léger goût de cacahouète	très riche en acides gras saturés
maïs	neutre à léger goût de graine	riche en acides gras polyinsaturés (avec une forte teneur en oméga-6)
olive vierge*	fruitée	très riche en acides gras mono-insaturés
tournesol	neutre à léger goût de graine	riche en acides gras polyinsaturés (avec une très forte teneur en oméga-6) et en vitamine E

* Les huiles d'arachide et d'olive supportent même les cuissons à haute température (friture, wok).

Huiles pour assaisonnement à froid

CATÉGORIE	SAVEUR	COMPOSITION
argan	forte et parfumée	riche en acides gras polyinsaturés et en acides gras mono-insaturés
colza*	neutre à léger goût de verdure	riche en acides gras polyinsaturés (avec une très bonne teneur en oméga-3) et en acides gras mono-insaturés
noisette	parfumée	riche en acides gras polyinsaturés
noix vierge	très parfumée	riche en acides gras polyinsaturés
pépins de raisin**	neutre	riche en acides gras polyinsaturés et en vitamine E
sésame	marquée	riche en acides gras polyinsaturés et en acides gras mono-insaturés
soja	neutre à léger goût de verdure	riche en acides gras polyinsaturés (avec une forte teneur en oméga-6)

* L'huile de colza peut supporter des cuissons douces.

** L'huile de pépins de raisin peut aussi convenir comme huile de fondue (cuisson de la viande dans la fondue bourguignonne).

huile pimentée

Ébouillanter 6 petits piments de Cayenne, les écraser légèrement, les mettre dans un bocal et verser 1 litre d'huile d'olive. Boucher, puis agiter. Laisser macérer 2 mois à l'abri de la lumière avant l'emploi.

sandre grillé aux cardons, filet d'huile d'olive
et citron ▶ SANDRE

HUILE ESSENTIELLE Substance huileuse, appelée aussi « essence naturelle », intensément parfumée, tirée d'une fleur, d'un fruit, de feuilles, de graines, d'une écorce, d'une résine ou d'une racine. Les huiles essentielles, obtenues soit par distillation à la vapeur, soit par expression, servent dans l'industrie des parfums, mais sont de plus en plus utilisées comme aromatisants alimentaires. On trouve des huiles essentielles de basilic, d'origan, de clou de girofle, de romarin, de thym, de vanille et d'agrumes. Quelques gouttes suffisent pour parfumer salades, légumes, sauces pour viandes et poissons, et desserts (crème, salade de fruits, glaces et sorbets, pâte à tarte). Les huiles essentielles issues de l'agriculture biologique sont garanties sans colorant ni conservateur. Il existe une huile essentielle de lavande de Haute-Provence AOC.

HUILIER Ustensile composé d'un support garni de deux burettes, l'une pour l'huile, l'autre pour le vinaigre ou le jus de citron, parfois accompagnées d'une salière, d'un poivrier et d'un moutardier. L'huilier est surtout aujourd'hui un accessoire de table de restaurant, dont les clients se servent pour compléter l'assaisonnement des salades.

HUÎTRE Mollusque à coquille bivalve, dont il existe plusieurs espèces comestibles (**voir** tableau des huîtres page 464 et planche des coquillages pages 252 et 253). Les Celtes, les Grecs (qui en faisaient l'élevage) et les Romains en consommaient beaucoup. Au Moyen Âge, on distinguait les « huîtres en écailles », vendues dans leur coquille, et les « huîtres huîtrées », moins estimées, expédiées à Paris sans les coquilles pour faciliter le transport. Le médecin de Louis XIV conseillait de manger les huîtres toujours cuites, grillées dans leur coquille ou frites. Jusqu'au XIXᵉ siècle, on les pêchait librement sur les bancs naturels ; celles d'Ostende étaient particulièrement recherchées.

■ **Élevage.** Aujourd'hui, les huîtres font l'objet d'un élevage, l'ostréiculture, qui permet d'assurer leur continuité et, surtout, présente des garanties d'hygiène. Comme tous les coquillages, elles sont accompagnées à la vente d'une étiquette de salubrité.

En France, deux espèces se partagent le marché : l'huître plate et arrondie, très appréciée, représente à peine 2 % de la production ; l'huître creuse, allongée, dite parfois « japonaise » car originaire du Pacifique (du Canada autant que du Japon), représente l'essentiel de la production. Cette dernière espèce a été à l'origine acclimatée pour remédier à une maladie qui décimait les bancs d'une autre espèce d'huîtres creuses, les portugaises (gryphées). On commercialise les creuses sous les calibres de 1 à 5, et les plates, de 000 à 6. Plus le numéro est petit, plus l'huître est grosse.

Au Canada, sur la côte est, l'huître de l'Atlantique (malpèque et caraquet) est creuse ; à l'ouest, l'huître creuse du Pacifique peut vivre jusqu'à 20 ou 30 ans, et atteindre 30 cm de long.

L'origine des larves (le naissain) importe peu. En France, 70 % proviennent du bassin d'Arcachon. Seules comptent les conditions d'élevage et d'affinage, typiques de chaque région. L'élevage dure de 3 à 4 ans et nécessite une surveillance constante. Plus l'huître grandit, plus elle réclame de place et doit donc être déplacée vers des parcs plus importants. Il faut lui éviter les pollutions et la préserver de ses nombreux ennemis (bigorneaux, crabes, étoiles de mer, oiseaux marins, pieuvres et raies).

Les huîtres creuses viennent pour une bonne part (50 % environ) du bassin de Marennes-Oléron, où elles ont la particularité d'être affinées en « claires ». Ces anciens marais salants possèdent une eau relativement douce, mais riche en plancton, dans laquelle se développe une algue microscopique, la navicule bleue, qui donne aux branchies une belle couleur verte. Selon la qualité du produit, les huîtres de claires sont affinées 3 semaines au minimum à plusieurs mois, et la densité varie de 40 à 1 ou 2 huîtres au mètre carré (la pousse en claire, par exemple, est affinée 5 à 6 mois à 2 huîtres au mètre carré).

Il existe de nos jours des huîtres triploïdes, qui possèdent trois chromosomes et sont donc stériles. L'avantage est évident : l'huître demeure bien charnue, grasse, tout au long de l'année, n'émet pas de laitance et est prête à être dégustée dès l'automne.

■ **Emplois.** Les huîtres sont vendues à la douzaine, à la demi-douzaine, en bourriche ou au poids. Elles sont vivantes, coquilles fermées ou se refermant quand on les frappe, et relativement lourdes, car elles doivent être pleines d'eau. On ne les ouvre qu'au dernier moment.

Même quand elles sont « grasses » en hiver ou « laiteuses » durant leur période de reproduction en été, les huîtres sont pauvres en lipides (1 %). En revanche, elles sont riches en protéines, en éléments minéraux, en oligoéléments et en vitamines.

On les consomme crues et vivantes, au naturel (avec un tour de moulin à poivre blanc ou du citron, du beurre frais et du pain de seigle) ou avec du vinaigre à l'échalote ; mais les huîtres se cuisinent aussi en apprêts froids ou chauds depuis très longtemps. Elles peuvent être pochées, puis refroidies et servies avec diverses sauces, parfois en barquettes, ou gratinées dans leurs coquilles ou sur des fonds d'artichaut, dans des croustades, etc. ; le gratinage doit toujours s'effectuer très rapidement et il n'est souvent pas nécessaire de les pocher préalablement. Les beignets, les brochettes, les croquettes, les soupes et consommés complètent la gamme des apprêts chauds. Les huîtres servent en outre parfois de garniture pour des recettes de poisson, et accompagnent même la viande rouge, le poulet ou, comme à Arcachon, des chipolatas grillées. Les cuisines anglaise et américaine les apprécient tout particulièrement (potage, sauce, *angels on horseback* [« anges à cheval »]).

attereaux d'huîtres ▶ ATTEREAU (BROCHETTE)
beignets d'huître ▶ BEIGNET
brochettes de coquilles Saint-Jacques
et d'huîtres à la Villeroi ▶ BROCHETTE
brochettes d'huîtres à l'anglaise ▶ BROCHETTE

huîtres à la Boston

Écailler une douzaine d'huîtres plates. Retirer délicatement la chair et l'égoutter. Dans le fond de chaque coquille, bien lavée, déposer un peu de poivre blanc du moulin et 1 bonne pincée de mie de pain frite. Remettre les huîtres dans les coquilles, les poudrer de gruyère râpé et d'un peu de mie de pain. Les coiffer d'une parcelle de beurre frais. Gratiner 6 ou 7 min au four préchauffé à 230 °C. Servir avec des beignets de légumes ou des paillettes de parmesan.

RECETTE DE GEERT VAN HECKE

huîtres creuses d'Ostende aux aromates

« Ouvrir 24 huîtres creuses et récupérer leur jus. Détacher les huîtres mais les laisser dans leur coquille. Séparer les blancs des jaunes de 2 œufs durs et les écraser finement à part. Mélanger les blancs d'œuf avec le jus des huîtres, 2 échalotes hachées, 2 cuillerées à soupe de coriandre et de ciboulette fraîchement hachées, le jus de 1/2 citron, 1 cuillerée à soupe de sauce soja et 6 cuillerées à soupe d'huile d'olive. Napper généreusement les huîtres. Décorer le tout d'un peu de jaune d'œuf. »

RECETTE DE GUY SAVOY

huîtres en nage glacée

« Mettre 1 pied de veau dans une casserole d'eau et porter à ébullition. Le cuire dans une eau claire avec 1 carotte, 1 oignon, 1 bouquet garni et des grains de poivre. Passer la cuisson au chinois, la faire refroidir et prendre en gelée au réfrigérateur. Écailler 24 huîtres spéciales n° 2, en réservant leur eau dans un bol. En garder 16 au frais. Dans une sauteuse, porter 20 cl de crème fraîche à ébullition, en fouettant, et la cuire quelques minutes. Hors du feu, y ajouter les huîtres restantes et les réduire en purée. Napper le fond de chaque assiette de cette crème et laisser refroidir. Disposer dessus les huîtres froides en les séparant par des rondelles de carotte cannelées cuites, parsemer de chair de citron hachée menu et décorer de feuilles d'épinard ciselées très finement. Mélanger l'eau des huîtres avec la gelée de pied de veau. En napper le plat et servir très frais. »

RECETTE DE GÉRARD BOYER

huîtres plates au champagne

« Tailler en julienne 3 carottes, 3 poireaux et 1 branche de céleri. Ouvrir 24 huîtres plates et récupérer leur jus dans une casserole. L'additionner de 50 cl de champagne brut et faire réduire de moitié. Ajouter 4 cuillerées à soupe de crème double. Monter la sauce au fouet, en incorporant petit à petit 300 g de beurre. Assaisonner de poivre de Cayenne. Cuire la julienne à l'eau salée, en la gardant croquante. Plonger les huîtres 30 secondes dans la sauce. Dresser sur des assiettes 3 huîtres par personne, parsemer d'un peu de julienne chaude et napper de sauce bouillante. »

pétoncles grillés et huîtres sautées au whisky canadien ▶ PÉTONCLE
potage aux huîtres ▶ POTAGE
poulet sauté aux huîtres ▶ POULET
sauce aux huîtres ▶ SAUCE

RECETTE D'OLIVIER ROELLINGER

soupe au lait d'huître et galettes de sarrasin

« Ouvrir 24 grosses huîtres plates de Cancale, filtrer leur jus et réserver. Émincer 1 oignon et 3 cm de blanc de poireau. Tailler en mirepoix très fine 1 carotte de sable et 1 vert de poireau. Ciseler des pluches de persil et quelques grosses cives. Couper en quatre 1 galette de sarrasin. Faire revenir au beurre l'oignon et le blanc de poireau, sans coloration, ajouter quelques queues de persil hachées et faire pincer très légèrement. Mouiller avec le jus des huîtres et 5 cl de vin blanc moelleux. Faire réduire. Ajouter 20 cl de bouillon de volaille. Laisser mijoter 20 min, sans ébullition. Passer au chinois fin. Verser 20 cl de lait et maintenir à 80 °C. Passer les morceaux de galette au beurre et les rouler. Tiédir les huîtres dans la soupe et ajouter la mirepoix. En mettre 6 avec la soupe dans chaque assiette, parsemer des cives et de persil ciselé, et accompagner des morceaux de galette. »

tartare de langoustines en fine gelée aux huîtres spéciales ▶ LANGOUSTINE
velouté de cèpes aux huîtres ▶ CÈPE

HUMECTANT Additif alimentaire destiné à compenser les effets d'une faible humidité ambiante. Les humectants permettent de protéger certaines denrées du dessèchement ou de faciliter la dissolution des aliments poudreux dans des préparations aqueuses. On utilise les triphosphates ou les polyphosphates dans les bouillons, potages ou soupes, et dans les produits alimentaires déshydratés vendus en poudre.

HURE Préparation de charcuterie comportant de la tête de porc ou de sanglier. La « hure à la parisienne » est à base de langues et de couennes prises en gelée et moulées, tandis que, en Alsace, on distingue la « hure rouge », fromage de tête mis dans une baudruche rouge, la « hure blanche » qui associe tête, jambonneau et couennes, et la « hure de Francfort », plus petite.

Le mot « hure » désigne aussi la tête de certains animaux, y compris des poissons à tête allongée.

▶ Recette : SANGLIER.

HUSSARDE (À LA) Se dit généralement d'une pièce de bœuf braisée garnie de pommes de terre et d'aubergines farcies, nappée d'un déglaçage à la demi-glace et servie avec du raifort râpé.

On qualifie aussi de « hussarde » une sauce espagnole tomatée, additionnée d'échalote et d'oignon émincés, de jambon en dés, de raifort râpé et de persil haché, ainsi qu'une garniture pour pièces de boucherie sautées, associant demi-tomates garnies de purée d'oignon et champignons farcis de purée d'épinard, le tout arrosé de demi-glace tomatée.

Le filet de bœuf à la hussarde est piqué et rôti, garni de rosaces en pommes duchesse dorées au four, de champignons grillés garnis de sauce Soubise serrée, et servi avec une sauce hussarde légère à part.

La paupiette de veau à la hussarde est masquée de godiveau, braisée et dressée en couronne avec une rosace en pommes duchesse, entourée de petites tomates farcies à la hussarde (garnies d'œufs brouillés aux champignons et au jambon dont la surface est parsemée de mie de pain frite au beurre).

Les rognons d'agneau à la hussarde sont coupés en deux, sautés, nappés de sauce hussarde et présentés dans une couronne en pommes duchesse additionnée de fondue d'oignon et détendue à l'œuf battu, saupoudrée de chapelure, puis gratinée.

Caractéristiques des principales huîtres

NOM	PROVENANCE	ASPECT	SAVEUR
plates (Ostrea edulis)			
belon	Bretagne	ronde, chair gris noisette	puissante, iodée
bouzigues	bassin de Thau	ronde, parfois grande	corsée, fruitée, salée
cancale	Bretagne nord	ronde, marron clair	iodée, salée
gravette	bassin d'Arcachon	petite, vert-jaune, charnue	peu salée
marennes	bassin de Marennes-Oléron	ronde, chair verte	marquée, raffinée
creuses (Crassostrea gigas)			
cancale	Bretagne nord	crème	salée
fine de claires*	bassin de Marennes-Oléron	chair verte ou blanche	délicate, marquée
spéciale de claires*	bassin de Marennes-Oléron	plus charnue, chair verte ou blanche	très fine, marquée
huître d'Arcachon	bassin d'Arcachon	vert pâle à gris perle, charnue	marine, de terroir
huître de Bouzigues	côte méditerranéenne	bien découpée	délicate
huître de Bretagne	Bretagne	assez claire	assez iodée
huître de Normandie	Normandie	gris perle, charnue	raffinée, iodée, salée
huître de Vendée	baie de Bourgneuf, Noirmoutier	petite, gris-vert, charnue	marquée d'algues

* *La fine de claires verte et la spéciale pousse en claire de Marennes-Oléron bénéficient d'un label rouge.*

HYDNE Champignon caractérisé par la présence d'aiguillons mous, détachables, tapissant le dessous du chapeau. Les diverses espèces poussent dans les bois feuillus, tard en saison, à la fin de l'automne, à l'arrivée du froid (**voir** planche des champignons pages 188 et 189).

Les meilleurs hydnes sont le pied-de-mouton et l'hydne rougeâtre, plus délicat. On les prépare comme des chanterelles, mais ils doivent cuire longtemps. D'une saveur très fine, ils parfument en particulier les tomates farcies ainsi que les ragoûts.

HYDROMEL Boisson à base de miel et d'eau. Très estimé par les Grecs (qui voyaient dans les abeilles un symbole d'immortalité), largement consommé par les Romains, bu autant que la bière par les Celtes, les Saxons, les Gaulois et les Scandinaves (sous le nom de *met*), l'hydromel était toujours préparé au Moyen Âge et même au XVIIIᵉ siècle, mais il a, plus encore que la bière, rapidement reculé devant le vin.

En Bretagne, il porte le nom de « chouchen », et il est parfois additionné de jus de pomme, comme en Angleterre, où on l'appelle *mead* (et où on lui ajoute aussi du jus de raisin) ; le Gâtinais et l'Orléanais en produisent également. Aujourd'hui, le chouchen reste couramment fabriqué et bu en Pologne et en Russie.

L'hydromel simple, eau miellée au goût douceâtre, est un mélange d'eau et de miel, mais l'hydromel vineux (de 13 à 15 % Vol.) est plus fort, avec un goût de muscat ; le mélange est chauffé, écumé, puis refroidi, décanté, mis à fermenter plusieurs semaines et soutiré. On favorise parfois la fermentation avec du vin blanc ou de la levure de bière, mais c'est surtout le miel qui importe : il doit être de premier choix, très fin et parfumé. L'hydromel donne aussi, par distillation, de l'eau-de-vie.

HYGROPHORE Champignon à chapeau visqueux, souvent conique, blanc ou très coloré, et à lamelles épaisses ; certaines espèces poussent en novembre ou en mars, époques de gelées alors que les autres champignons sont rares. Parmi les espèces d'hygrophores, certaines sont comestibles et plus ou moins savoureuses : hygrophore blanc-de-neige, très délicat, hygrophore de mars et hygrophore des prés. Ils se préparent comme les agarics, à condition de peler le chapeau avant cuisson.

HYSOPE Plante aromatique, de la famille des lamiacées, originaire du bassin méditerranéen, à saveur amère et à odeur forte, un peu âpre, utilisée dans l'Antiquité et au Moyen Âge pour parfumer les soupes et les farces (**voir** planche des herbes aromatiques pages 451 à 454). De nos jours, elle entre surtout dans la fabrication de liqueurs (Chartreuse, Bénédictine).

On peut utiliser ses jeunes feuilles en infusion, comme condiment pour la cuisson de divers poissons gras ou pour parfumer les farces, certaines charcuteries et même des salades ou des compotes de fruits, auxquelles elles donnent un goût original.

ICAQUE Fruit de l'icaquier, arbrisseau de la famille des rosacées, cultivé aux Antilles et en Amérique centrale. Sa peau est jaune, blanche, rouge ou violacée selon la variété ; sa chair blanche et molle, un peu astringente, renferme une amande comestible.

Appelée prune de coco, prune des anses ou prune de coton, l'icaque se mange nature ou confite au sucre ou au vinaigre.

IGNAME Tubercule d'une plante grimpante de la famille des dioscoréacées, dont une dizaine d'espèces, essentiellement tropicales, sont cultivées en Afrique, en Asie, en Océanie, au Brésil et aux Antilles. Une petite production existe en France, dans la région de Blois (**voir** planche des légumes exotiques pages 496 et 497). Les tubercules, en général allongés, peuvent peser jusqu'à 20 kilos. La chair est blanche, parfois jaune, ou tachetée de rouge ou de violet, selon les variétés.

Fournissant 102 Kcal ou 426 kJ pour 100 g, très riche en amidon, l'igname est un aliment de base dans de nombreux pays tropicaux. Les tubercules épluchés sont consommés bouillis, frits ou braisés. En Afrique de l'Ouest, la préparation la plus appréciée est le *foutu*, une pâte élastique obtenue par pilage au mortier en bois de morceaux d'ignames épluchées et cuites à l'eau. L'igname peut être préparée d'une multitude de façons (purée, gratin, ragoût, soupe, etc.). Dans certains pays d'Afrique, les ignames sont parfois réduites en farine après blan-

chiment et séchage naturel. Cette farine sert de base à différentes préparations sous forme de pâte (*amala*) ou de couscous (*wassa-wassa*).

IGP ► **VOIR INDICATION GÉOGRAPHIQUE DE PROTECTION**

ÎLE FLOTTANTE Entremets très léger, fait de blancs d'œuf sucrés cuits au bain-marie et démoulés sur une crème anglaise, nappés de caramel, décorés d'amandes grillées et effilées, de pralin haché, de pralines roses écrasées ou de zeste de citron en fine julienne (**voir** DAME-BLANCHE).

île flottante au caramel

Préparer une crème anglaise avec 1 litre de lait bouilli, 10 à 12 jaunes d'œuf et 150 g de sucre. Laisser refroidir complètement, et verser dans la coupe de service. Fouetter en neige ferme 10 blancs d'œuf avec 1 grosse pincée de sel et 1 sachet de sucre vanillé. Huiler un moule à manqué, y verser délicatement les blancs. Placer dans un bain-marie, mettre au four préchauffé à 150 °C et cuire 30 min, jusqu'à ce que le dessus commence à blondir ; laisser refroidir complètement, puis démouler sur la crème. Mettre 6 cuillerées à soupe de sucre en poudre dans une petite casserole avec juste assez d'eau pour le faire fondre et obtenir un caramel blond. Le verser brûlant sur les blancs démoulés en formant des lacets. Garder au frais.

ÎLE-DE-FRANCE « Il n'est bon bec que de Paris », disait, au XVᵉ siècle, François Villon, Parisien et poète. De nos jours encore, le plus grand marché de France reste celui de Rungis, car la capitale a toujours su drainer vers elle le meilleur et demeure la vitrine de la « grande cuisine ».

Il existe aussi à Paris, selon les mots de l'écrivain gastronome Curnonsky (1872-1956), une tradition « de bons plats simples, agréables, droits en goût, point tarabiscotés ni compliqués », les plats d'une « cuisine gaie, amicale, spirituelle et prompte » : soupe à l'oignon garnie de pain et de fromage puis gratinée au four ; veau Marengo sauté au vin blanc, à la tomate et à l'ail, inspiré d'un plat que Dunand aurait préparé pour Bonaparte le 14 juin 1800, au soir de la victoire de Marengo ; hachis Parmentier, art particulièrement savoureux d'accommoder des restes de bœuf bouilli ou braisé, etc.

Les asperges d'Argenteuil, les petits pois de Clamart et les morilles de Verrières, le vin de Suresnes, la friture de la Marne et le veau de Pontoise ne sont plus que des souvenirs, mais la culture maraîchère subsiste en de nombreux endroits, et l'Île-de-France a conservé diverses spécialités locales, comme la baguette de pain, le jambon, le boudin noir et le saucisson à l'ail de Paris, la confiture de rose de Provins, les sucres d'orge des religieuses de Moret-sur-Loing ou la moutarde de Meaux.

En matière de pâtisserie, la région peut s'enorgueillir de son très riche patrimoine, depuis les talmouses de Saint-Denis et la tarte Bourdaloue jusqu'au paris-brest, cette moelleuse couronne de pâte à choux en forme de roue de bicyclette, fourrée de crème légère pralinée, inventée en 1891 par un pâtissier en l'honneur d'une course cycliste entre Paris et Brest. Enfin, n'oublions pas les liqueurs fétiches de cette cuisine : Noyaux de Poissy et Grand Marnier.

■ Potages et légumes.
● POTAGE À LA PARISIENNE ET POMMES DUCHESSE. L'appellation « à la parisienne » s'applique souvent aux recettes accompagnées de divers légumes tels que pommes de terre, laitues braisées, fonds d'artichaut, champignons de Paris ou macédoine de légumes. Le potage à la parisienne, adouci de lait et parsemé de cerfeuil, rassemble pommes de terre et poireaux. Le potage Argenteuil à base d'asperge, la cressonnière et le potage Saint-Germain aux petits pois ont également vu le jour en Île-de-France. La pomme de terre bénéficie de nombreuses préparations : pommes parisienne (tournées et rissolées au beurre et à l'huile), pommes duchesse (croquettes de purée muscadée), pommes soufflées (coupées en rondelles et jetées dans deux bains d'huile successifs de chaleur croissante) ou frites, qu'il s'agisse de pommes allumettes ou de pommes pont-neuf.

■ Viandes et volailles.
● NAVARIN, BŒUF MIROTON ET POULET FRANCHARD. Ces fameux « plats du jour » que sont le navarin (ragoût de mouton aux légumes), le miroton (bœuf bouilli nappé de sauce à l'oignon et gratiné) ou la tête de veau

gribiche (avec une sauce à base d'œufs durs, de câpres, de fines herbes et de moutarde), voire les simples steaks au poivre appartiennent au répertoire francilien typique. Ils côtoient d'autres spécialités plus raffinées comme le tournedos Rossini, garni de foie gras et de lames de truffe, ou le veau Orloff, tartiné de béchamel aux champignons.

Les volailles de Houdan, fort réputées, se prêtent à des plats populaires tels que le poulet Franchard, sauté en morceaux avec champignons et fines herbes, ou plus élaborés, comme le chaud-froid de volaille. Quant au poulet du Père Lathuile, sauté avec fonds d'artichaut et pommes de terre, il doit sa recette à un aubergiste de Clichy qui la créa en 1814 lors du siège de Paris par les Russes.

■ **Sauces et crèmes.**

• HOLLANDAISE, SAUCE MORNAY, MAYONNAISE. Les sauces constituent l'un des grands apports des cuisiniers d'Île-de-France à la gastronomie : hollandaise (jaunes d'œuf et beurre) ou béarnaise (jaunes d'œuf et beurre avec échalotes, fines herbes et vinaigre), béchamel (roux au beurre et à la farine, délayé au lait) ou Mornay (béchamel enrichie de fromage). La mayonnaise accompagne les plats typiques de bistrot, tels que le céleri en rémoulade et les œufs mayonnaise. Elle accommode aussi « à la parisienne » poissons froids et crustacés entourés de fonds d'artichaut à la macédoine ou d'œufs durs garnis.

• BERCY. Quartier de Paris qui abrita longtemps un immense marché aux vins, bordé de petits restaurants, Bercy a donné son nom à toutes sortes de plats cuisinés au vin et à l'échalote ou servis avec un beurre d'échalote : entrecôte, rognons au foie de veau, fritures et matelotes, œufs garnis de chipolatas et de sauce tomate.

• CHANTILLY. L'appellation « Chantilly » recouvre des créations qui ont en commun la présence de crème fouettée, servie dans les restaurants parisiens à partir de 1821. Non sucrée, la chantilly sert à alléger les sauces comme la mayonnaise ou la hollandaise. Sucrée, elle agrémente vacherins, meringues et coupes glacées ou entre dans la préparation des bavarois et des charlottes.

■ **Fromages.**

La lignée des fromages de Brie remonte aux XVIIe et XVIIIe siècles. Quant au fontainebleau, c'est un onctueux mélange de fromage blanc et de crème fouettée.

■ **Pâtisseries.**

Traditionnelle pour le jour des Rois, la fabrication de la galette feuilletée est très ancienne. L'idée de la fourrer d'une crème aux amandes du nom de frangipane revient à Frangipani, parfumeur italien installé à Paris au XVIIe siècle. La capitale a vu naître bien d'autres spécialités, dont le puits d'amour (titre d'un opéra-comique), le mille-feuille, le savarin, dérivé du baba et dédié au gastronome Brillat-Savarin (1755-1826), le saint-honoré, créé en 1846 par le pâtissier Chiboust, à qui on doit aussi une crème délicate.

IMAM BAYILDI Plat de la cuisine turque, dont le nom signifie « l'imam s'est évanoui de bonheur devant la succulence du mets ». Des aubergines sont farcies avec leur pulpe, de l'oignon et de la tomate, auxquels on peut ajouter du riz cuit et divers ingrédients (notamment des raisins secs), des épices et des aromates, mais pas de viande. Ce plat se sert chaud ou très froid.

Les aubergines tiennent une grande place dans la cuisine turque. On les retrouve, farcies ou non, en garniture d'agneau ou de mouton rôtis.

En cuisine classique, la garniture « à l'imam bayildi », comprenant des lames d'aubergine frites, des demi-tomates sautées et du riz pilaf, accompagne les tournedos ou les noisettes d'agneau.

▶ Recette : AUBERGINE.

IMBIBER Mouiller certains gâteaux avec un sirop, un alcool ou une liqueur pour les rendre moelleux et les aromatiser (abaisse de génoise, baba, biscuit à la cuillère, plum-pudding, savarin). On dit aussi « siroper ».

IMBRIQUER Disposer des éléments pour qu'ils se recouvrent partiellement, telles les tuiles d'un toit. On découpe ainsi le dessus de certaines pièces froides avec des lames de truffe fixées avec de la gelée.

IMBRUCCIATA Nom de diverses pâtisseries corses contenant du brocciu (**voir** ce mot), notamment une tarte salée et des beignets sucrés.

▶ Recette : BEIGNET.

IMPÉRATRICE (À L') Se dit de préparations sucrées ou salées de la cuisine classique, caractérisées par des ingrédients assez riches.

Le consommé à l'impératrice, à base de volaille, est garni de crêtes et de rognons de coq en dés, de petits morceaux de royale, de pointes d'asperge et de pluches de cerfeuil.

Les volailles à l'impératrice et la sole à l'impératrice sont apprêtées à la sauce suprême.

Mais cette dénomination concerne surtout un entremets fait de riz au lait, de fruits confits et d'un appareil à bavarois, qui sert de base à tous les apprêts de fruits à l'impératrice (abricots, ananas, fraises, etc.).

IMPÉRIALE (À L') Se dit de divers mets de grande cuisine, dont un consommé de volaille lié au tapioca, garni de quenelles, de crêtes et de rognons de coq, de petits pois et de cerfeuil, plusieurs apprêts de poissons (sole, truite) garnis de queues d'écrevisse, de laitances pochées et d'une julienne de truffe, ou encore d'apprêts de volaille garnis de lames de foie gras et de truffe.

▶ Recette : CONSOMMÉ.

INCISER Pratiquer une entaille plus ou moins profonde à l'aide d'un couteau bien aiguisé. On incise le ventre d'un poisson pour le vider, un gigot pour y glisser une gousse d'ail, un fruit pour en faciliter l'épluchage ou la coupe (**voir** CERNER).

L'importance de l'incision dépend du but recherché : faciliter la cuisson des poissons grillés ou frits (**voir** CISELER), ou incruster des lames de truffe dans un mets (**voir** CONTISER).

INCONNU Poisson migrateur, de la famille des salmonidés, qui se trouve dans le Grand Nord canadien, dans les rivières Anderson et Kuskokwim en Alaska. Il peut mesurer jusqu'à 1,50 m pour 40 kg à plus de 20 ans. Son dos est bleu-brun, ses flancs sont argentés, et il possède une grande bouche. Son nom pittoresque lui fut donné par les coureurs des bois au XVIIe siècle, du temps de la Nouvelle-France. Sa chair est blanche, douce et légèrement huileuse. Il se vend frais ou congelé.

INCORPORER Adjoindre un élément à une préparation, à un appareil, et les mélanger intimement. Les œufs d'une pâte à choux sont incorporés un par un. Les blancs d'œuf battus en neige d'une pâte à biscuit, à beignet, sont incorporés délicatement, en coupant la pâte.

INDE ET PAKISTAN La cuisine indienne est dominée par le riz et les épices, les légumes secs et les fruits ; l'influence des religions et la pratique du végétarisme sont également déterminantes sur le continent. Chaque région possède néanmoins des spécialités originales : le Cachemire est renommé pour ses viandes et ses pois chiches, Delhi pour ses tandooris, Bombay pour son porc au vinaigre, le Bengale pour ses desserts très sucrés et ses poissons, et le Tamil Nadu pour ses plats végétariens au tamarin, à la semoule et à la noix de coco.

La domination anglaise a contribué à diffuser dans le monde apprêts et condiments inspirés de la cuisine indienne, en particulier le cari et les chutneys, mais les préparations typiquement indiennes en diffèrent sensiblement.

■ **Usages de table et ingrédients de base.** Les Indiens prennent la nourriture avec un morceau de galette tenue dans la main droite ; l'assiette est parfois remplacée par une feuille de bananier.

Pendant les repas, ils boivent de l'eau ; le thé se prend le matin ou l'après-midi. Sirops de fruits et lait de noix de coco, ainsi que yaourts dilués et aromatisés, sont également très appréciés. Quant à la chique de bétel (à la noix d'arec et aux épices), certains en mâchent à longueur de journée.

La cuisine indienne repose sur le riz, les légumes secs (dals) et les galettes (chapati).

L'ananas entre dans les plats de longue cuisson ; l'arachide se mange fraîche, salée ou grillée ; l'arrow-root sert à préparer gâteaux et sucreries ; la moelle de bananier est un légume courant au Bengale, tandis que les graines de concombre amer constituent un hors-d'œuvre apprécié et que la châtaigne d'eau se croque comme une friandise ; les dattes sont indispensables aux nombreuses confiseries ; la figue, la mangue et la papaye sont utilisées surtout comme légumes ; les feuilles de margousier fraîches et frites sont servies en entrée, avec du riz, ou séchées, comme condiment. Chacun prépare sa propre poudre de cari au fur et à mesure des besoins et en fonction de chaque plat.

Deux autres ingrédients sont indispensables dans la cuisine indienne : le ghee (beurre clarifié) et le lait concentré (souvent utilisé, en particulier pour la préparation des desserts).

■ **Amuse-gueule et plats de riz.** Les Indiens apprécient beaucoup les petits plats variés, servis en apéritif ou pour le thé, salés ou sucrés, tels le *chanachur* (pois cassés, cacahouètes, citron, piment et farine de lentille, frits séparément), les petits pâtés à la viande, les boulettes de poisson épicées, les beignets d'œufs de poisson, d'aubergine ou de soja, servis avec un *chatni* (chutney), les beignets de farine de lentille à la sauce au yaourt, les noix de cajou grillées et les petits gâteaux frits à la nigelle, nappés de sirop.

Le « pain » est constitué par des galettes de farine de blé (les *naan*), de farine de lentille ou de pulpe de pomme de terre, parfois farcies, dorées dans le *kodai* (ustensile fondamental, en forme de poêle sans manche) avec du ghee.

Le riz accompagne chaque plat salé, mélangé avec une sauce ou des légumes écrasés, ou cuit avec des oignons revenus et des épices.

Pour les plats de fête, on utilise le riz parfumé à grain long (basmati), notamment dans le *polao*, où il est cuit avec des raisins secs, des amandes effilées, des petits pois, de la cardamome, de la cannelle et du clou de girofle, servi avec des crevettes ou de la viande, ou dans la recette du *murhi biryani*, où il est agrémenté de poulet mariné dans des épices et du yaourt, aromatisé de fleurs de muscade, accompagné de légumes.

■ **Poissons et viandes.** Le poulet, le mouton et le porc sont apprêtés en ragoûts épicés ou marinés et grillés : le poulet en morceaux à la sauce au yaourt, à l'ail et au piment ; le poulet à la noix de coco ou au vinaigre, garni d'œufs durs.

Le *murhi tandoori* est une spécialité renommée : morceaux de poulet marinés au piment rouge et aux épices, enduits de safran et enfin grillés, servis avec des salades de crudités.

Le mouton se cuisine aux épices et au yaourt, en ragoût, mais aussi en boulettes de viande hachée ; quant au porc, il est souvent apprêté à l'aigre-doux.

Les caris d'agneau et de poulet sont multiples, mais on cuisine aussi au cari les abats et de nombreux légumes.

Les poissons connaissent des apprêts très variés : petits tronçons frits, enduits de curcuma, servis avec un dal ; beignets de bar accompagnés d'une salade d'oignons ; dorade aux épices et au yaourt ; cari de carpe avec du riz aux légumes ; alose en sauce aux aubergines ; gambas bouillies au gingembre, à la noix de coco ou à la menthe ; ragoût épicé de mulet à l'huile de moutarde, typiquement bengali.

■ **Légumes et desserts.** Les plats de légumes, qui se servent avec du riz ou des galettes, associent des saveurs très contrastées : cornichon amer aux pommes de terre et au piment ; courgettes farcies aux gambas, au gingembre et au curcuma ; pommes de terre au pavot ; le *chachadi* (ratatouille aigre-douce à la moutarde ou à la noix de coco).

Les plats végétariens proprement dits, assez fréquents, font largement intervenir le fromage frais, le citron, ainsi que les dals. L'abondance des plats très épicés entraîne une diversité aussi grande de crudités, indispensables pour rafraîchir la bouche.

Le yaourt se retrouve dans les desserts avec les fruits secs, le lait, garni de raisins secs, d'amandes et de cardamome ; le vermicelle au lait est parfumé à la cannelle et aux noix de cajou ; on apprécie aussi le fromage frais aux pistaches, aux raisins secs et aux pétales de rose, ainsi que les mangues vertes au lait et des gâteaux à la banane, aux amandes ou au riz. Le *khir* est fait à base de lait bouilli dans lequel on ajoute du riz, des fruits secs et de la cardamome pour le parfumer. Le *sandesh*, fait de caséine, de sucre et de lait, s'aromatise à la noix de coco ou s'apprête en beignets.

INDICATION GÉOGRAPHIQUE DE PROTECTION (IGP)

Signe européen de qualité. L'IGP désigne un produit originaire d'une région, d'un lieu déterminé et dont la qualité, la réputation ou une autre caractéristique peuvent être attribuées à cette origine géographique et dont la production et/ou la transformation et/ou l'élaboration ont lieu dans l'aire géographique délimitée (règlement communautaire du 14 juillet 1992). Seuls les produits possédant déjà un label ou une certification de conformité peuvent prétendre à cette protection.

INDIENNE (À L') Se dit de nombreux apprêts de poisson, d'œufs, de viande ou de volaille, voire même de légumes, accommodés au cari et souvent accompagnés de riz à l'indienne.

▶ **Recettes :** CABILLAUD, COURGETTE, HADDOCK, RIZ, SAUCE, THÉ.

INDONÉSIE La cuisine indonésienne est basée sur le riz, accompagné de garnitures diverses et d'un cortège d'épices et de sauces.

Son apprêt occidentalisé le plus connu est le rijsttafel, ou « table de riz », devenu un classique aux Pays-Bas ; mais il faut citer aussi le nasi goreng, plat de riz garni de poulet, de homard, de poivrons et de tomates. Les autres ressources de la gastronomie sont le poulet et le porc, l'igname et le cœur de palmier, ainsi que les fruits de mer.

Certains condiments et épices sont familiers en Europe (ail, clou de girofle, échalote, laurier, muscade, oignon, safran, etc.), mais ils comportent aussi des racines séchées en poudre, certains fruits comme le *djeruk purut* (petit citron très aromatique) ou le tamarin, le piment rouge et des condiments cuisinés comme le trasi (pâte de crevette fermentée) et surtout le sambal, qui accommode riz, légumes et viandes. Par ailleurs, on retrouve des influences venues de l'Inde, avec le cari, ou de Chine, avec les vermicelles de riz et la sauce soja.

Les fruits exotiques se mangent nature ou en salade, notamment dans le *rudjak* (ananas, concombre, mangue verte et *bengkuang* [gros navet], relevés de sucre, de tamarin, de vinaigre et de trasi).

La spécialité demeure le *saté*, des petits morceaux de viande enfilés sur des bâtonnets de bambou, grillés et trempés dans une sauce épicée. On prépare aussi le saté avec du poulet, du mouton, du porc, du poisson, des crevettes, des fruits de mer.

Les boissons courantes sont le thé, le lait de noix de coco et les jus de fruits, mais on consomme aussi des alcools locaux, comme l'arak, à base de fibres végétales fermentées, et le *bromi*, à base d'alcool de riz.

INDUCTION (PLAQUE À) La plaque à induction, ou table à induction, est un appareil électrique de cuisson qui équipe de plus en plus les cuisines ménagères et professionnelles. À l'intérieur de la plaque, recouverte de vitrocéramique, un générateur de champ magnétique alimente et commande une bobine : l'inducteur. Tout récipient métallique et magnétique (ce qui exclut le verre trempé, l'aluminium et le cuivre) posé sur la surface ferme le champ magnétique, et il se crée des courants d'induction qui chauffent le fond du récipient puis son contenu, tandis que le reste de la plaque reste froid. L'échauffement cesse dès que le récipient est retiré de la plaque. Un disque spécial, en acier ferromagnétique, que l'on pose sur la plaque, peut servir de relais et permettre de cuisiner avec des récipients non compatibles avec l'induction.

INFUSER Verser un liquide chaud sur une substance aromatique et attendre qu'il se charge des composés odorants et sapides de celle-ci, lors de son refroidissement. On fait surtout infuser le thé et les plantes « à tisane », mais aussi des pelures de truffe dans du vin blanc (pour obtenir une « essence » qui aromatisera des sauces), la vanille dans du lait, ou encore la cannelle et le clou de girofle dans du vin rouge.

INFUSION Préparation obtenue quand on infuse une substance aromatique dans un liquide chaud qu'on laisse refroidir. Le terme désigne aussi la boisson obtenue, thé et tisanes notamment. Les infusions s'apprécient surtout après le dîner, pour leurs qualités digestives.

INSTANTANÉ Qualificatif désignant un produit qui a été soumis à une dessiccation et auquel il suffit d'ajouter de l'eau ou du lait chaud : bouillon en tablettes ou potage déshydraté, par exemple. Leur volume et leur poids sont réduits et ils se conservent longtemps.

INTERDITS ALIMENTAIRES Toutes les sociétés humaines semblent connaître des règles qui interdisent la consommation de certains aliments. Ces interdits peuvent porter sur des aliments spécifiques (surtout d'origine animale), sur leur mode de transformation ou de préparation (abattage, mode de cuisson, mélange de différents aliments, etc.). Ils peuvent concerner les membres d'un groupe social ou religieux (**voir** HALAL, KASHER) ou certaines catégories de personnes, en fonction de critères comme le sexe, l'âge, le statut social ou un état particulier, telle la grossesse. Ces interdits peuvent être limités dans le temps. Leur mode d'acquisition, au cours notamment de l'enfance, et leur grande variété en font un phénomène social ou culturel qu'il faut distinguer de l'intolérance alimentaire (au lait de vache, au gluten, etc.), qui a des origines physiologiques, et d'autres interdits, comme les mesures légales visant à protéger certaines espèces animales ou végétales (baleine, ortolan, etc.). Chez les individus, les aliments interdits sont parfois associés à une réaction de dégoût qui rend leur absorption difficile, voire impossible.

IODE Oligoélément indispensable à l'organisme pour la synthèse des hormones thyroïdiennes (sa carence est responsable notamment du goitre). Les principales sources alimentaires d'iode sont les produits de la mer, l'oignon, l'ail, le lait et le pain. Elles ne couvrent en général que 50 à 60 % des besoins journaliers (150 microgrammes) ; c'est pour éviter les risques de carence que la commercialisation de sel enrichi en iode a été autorisée en France (dans d'autres pays, c'est le pain qui est enrichi).

IONISATION Procédé de conservation des aliments par des rayons ionisants – rayons gamma, rayons X et rayons de faisceaux d'électrons accélérés. Réglementée par l'Organisation mondiale de la santé (OMS), l'ionisation a débuté en France en 1982. Elle permet de freiner la germination de certains légumes, de tuer ou stériliser les insectes qui infestent les céréales ou les fruits secs, d'éliminer les micro-organismes pathogènes, de différer la maturation de certains fruits (fraise, mangue, etc.). Par contre, elle entraîne une destruction partielle des vitamines, et demeure onéreuse. L'ionisation concerne surtout les produits secs, les épices ou les plats cuisinés (la viande de volaille séparée mécaniquement est, par exemple, ionisée pour éliminer la salmonelle). La mention « produit traité par rayonnement ionisant » (ou le logo correspondant) devrait figurer sur l'étiquette des aliments, ce qui n'est pas toujours le cas.

IRANCY Vin AOC rouge de Bourgogne, issu des cépages pinot noir et césar, dont le vignoble est situé à 15 km au sud-ouest de Chablis. Coloré, très fruité et d'une bonne structure (grâce au cépage césar), ce vin vieillit bien dans les bonnes années.

IRISH COFFEE Boisson alcoolisée à base de café noir, de whiskey et de crème fraîche, parfois servie en dessert. La préparation du « café irlandais » consiste à chauffer un verre à long drink et à y verser une bonne mesure de whiskey ; puis on remplit le verre d'un café très fort et on couvre de crème fraîche.

L'irish coffee a été inventé en 1942 par le barman Joe Sheridan, qui travaillait à l'aéroport de Foynes en Irlande, où il eut l'idée de servir cette boisson pour réchauffer les voyageurs américains.

▶ Recette : CAFÉ (BOISSON).

IRISH STEW Ragoût de mouton aux pommes de terre. La pomme de terre, introduite en Irlande au XVIe siècle, y est devenue la base de l'alimentation ; elle s'associe dans ce mets au goût corsé à du mouton. Les morceaux de collier sont disposés par couches alternées avec des rondelles de pomme de terre et des oignons émincés, mouillés d'eau et mis à mijoter à petit feu. L'accompagnement classique prévoit du chou rouge mariné aux épices. De manière moins traditionnelle, l'irish stew peut être préparé avec de l'agneau et accompagné de navets, carottes, panais ou d'orge, ou même de stout.

IRLANDE La cuisine de ce pays, grand producteur de viande et de produits laitiers, est caractérisée par des plat simples, ragoûts de viande, surtout de bœuf ou d'agneau, et de légumes (pomme de terre, carotte, navet, panais, etc.), les sauces étant très rares. La pomme de terre est entrée dans la composition de presque tous les mets depuis son introduction au XVIe siècle, et son rôle crucial dans l'alimentation a été à l'origine de nombreuses famines dans le passé, notamment celles de 1739 et 1845 (à cette époque, le mildiou détruisait les récoltes). La pêche, autre secteur économique important, offre du poisson (hareng, maquereau, avant tout) et des fruits de mer (homard, crevettes, coques, etc.), surtout le long du littoral, où l'on apprécie beaucoup le saumon fumé, les huîtres et les moules. Parmi les mets sucrés, on notera la tarte aux pommes et le *barmbrack* (pain aux raisins secs), dégusté avec le thé.

■ **Petit déjeuner.** Dans sa version traditionnelle, il est composé d'un ensemble de fritures : tranches de lard, saucisses de porc, œufs, puddings noir et blanc (sortes de boudin parfois sans sang) et aussi de pommes de terre, de tomates ou de champignons sautés, accompagnés de pain grillé ou de *soda farls* (galettes de farine et de lait fermenté, où le bicarbonate de soude remplace la levure), dégustées avec du thé ou du café. Le 16 juin (*Bloomsday*), on sert des rognons de porc frits pour commémorer le petit déjeuner pris par Leopold Bloom dans la scène inaugurale d'*Ulysse* de James Joyce. Dans l'*Ulster fry*, variante courante dans la province du même nom, les puddings sont absents, mais on trouve les *potato farls* (galettes à base de pommes de terre) et les *soda farls*.

■ **Légumes.** Outre la pomme de terre omniprésente, comme dans le *champ* (purée de pomme de terre aux échalotes) ou le *boxty* (galette à base de pomme de terre), on utilise surtout le chou, cuit à l'eau avec du bacon salé, par exemple. Le *colcannon* est préparé avec du chou frisé et de la purée de pomme de terre, parfois complétés de lait ou de crème et aromatisés de poireau, d'oignon de ciboule ou d'ail.

■ **Viandes et abats.** Les ragoûts à base de bœuf ou d'agneau sont nombreux. Le plus célèbre – et sans doute le plus populaire – est l'irish stew (**voir** ce mot), que l'on retrouve dans *le Guide culinaire* d'Auguste Escoffier. À Dublin, on apprécie le *coddle*, dans lequel des saucisses de porc cuites et des tranches de lard, disposées en plusieurs couches, mijotent avec des rondelles de pomme de terre et d'oignon, aromatisées seulement de sel, de poivre et de persil. Les abats du porc sont utilisés pour confectionner des puddings, des saucisses et des tripes.

■ **Bière et eaux-de-vie.** Associée étroitement au nom de la brasserie *Guinness*, l'irish stout, ou *dry stout*, est une bière brune épaisse et forte, de fermentation haute, brassée à partir d'un moût dont les grains ont été torréfiés, ce qui lui confère une légère saveur de café ; elle existe en deux variantes : douce et amère. Moins nombreux que les whiskys écossais, les whiskeys – le nom prend un « e » en Irlande – sont plus légers et plus doux, sans la saveur fumée que confère l'utilisation de la tourbe. Ils entrent dans la composition de l'irish coffee (**voir** ce mot) et de liqueurs mélangés avec de la crème.

IROULÉGUY Vin AOC rouge, rosé ou blanc du Pays basque, produit sur un vignoble réduit et très morcelé, proche de Saint-Étienne-de-Baïgorry. Le rouge, élaboré à partir de cabernet-sauvignon, de cabernet franc et de tannat, est aromatique et souvent tannique (**voir** BASQUE [PAYS]).

IRRORATEUR Ustensile destiné à parfumer les salles à manger, qu'Anthelme Brillat-Savarin (1753-1826) aurait inventé et même présenté à la Société nationale d'encouragement pour l'industrie. Il y fait allusion dans la préface à sa *Physiologie du goût*.

ISARD Nom donné dans les Pyrénées à un animal voisin du chamois des Alpes, pesant entre 30 et 35 kg. Tendre et savoureuse, la chair de l'isard est très recherchée, notamment le cuissot et les filets, qui se préparent en civet ou en rôti. L'isard est particulièrement protégé. Sa chasse n'est autorisée que quelques jours par an, ou régie par des plans de chasse. Des recherches génétiques ont montré que l'isard et le chamois étaient deux espèces différentes.

ISSUES Terme de boucherie désignant les parties non consommables du cinquième quartier (cornes, glandes, peau, poils, etc.). Selon les régions, le mot peut aussi désigner soit le cinquième quartier tout entier (abats consommables et parties destinées à la transformation industrielle), soit les viscères et les abats, ou encore les éléments

Vignobles de l'Italie du Nord et du Centre

Régions viticoles du Nord

- Albana di Romagna DOCG
- Asti ou Asti Spumante-Moscato d'Asti DOCG
- Barbaresco DOCG
- Bardolino Superiore DOCG
- Barolo DOCG
- Brachetto d'Acqui ou Acqui DOCG
- Franciacorta DOCG
- Gattinara DOCG
- Gavi ou Cortese di Gavi DOCG
- Ghemme DOCG
- Ramandolo DOCG
- Recioto di Soave DOCG
- Roero DOCG
- Valtellina Superiore DOCG et Sforzato della Valtellina DOCG
- Principales zones DOC (Denominazione di origine controllata)

Régions viticoles du Centre

- Brunello di Montalcino DOCG
- Chianti DOCG
- Chianti Classico DOCG
- Montefalco Sagrantino DOCG
- Rosso Cònero Riserva DOCG
- Torgiano Rosso Riserva DOCG
- Vernaccia de Serrapetrona DOCG
- Vernaccia di San Gimignano DOCG
- Vino Nobile di Montepulciano DOCG

traités du cinquième quartier. Les issues sont considérées comme des sous-produits d'abattoir. En meunerie, les issues sont les produits de mouture autres que la farine.

ITALIE La cuisine italienne est surtout réputée à l'étranger pour ses pâtes, son risotto, son fritto misto et sa pizza. Outre ces spécialités, excellentes quand elles sont authentiques, on connaît aussi la charcuterie de Milan ou de Bologne, mortadella, prosciutto et salami, le jambon de Parme, et parfois le zampone de Modène, et on admet la qualité des huiles et des vins, des fromages (gorgonzola, grana padano et ses variantes, parmigiano reggiano ou parmesan, pecorino, ricotta, etc.), la supériorité des *gelati*, des granités, des cassates, ainsi que du café. Mais, en réalité, ces quelques exemples ne représentent qu'une infime partie des produits régionaux que l'on trouve dans tous les domaines de l'alimentation, qu'il s'agisse de la boulangerie, de conserves diverses, de charcuteries fabriquées avec toutes sortes de viande, de fromages, très nombreux, ou encore de liqueurs. Ces produits, ô combien excellents, font que ce pays possède une diversité alimentaire bien plus grande que celle de la France.

Il y a méconnaissance d'une cuisine que l'on croit pourtant connaître parce qu'elle a pénétré depuis longtemps en France. Or, la gastronomie italienne, héritière de longues traditions, a su perpétuer notamment d'antiques apprêts, dont témoigne, par exemple, la polenta, directement calquée sur la bouillie de céréales des légionnaires de César, que consommaient aussi couramment de nombreux Romains.

■ **Une cuisine régionale.** Il y a peu de temps encore, une frontière culinaire séparait le Nord, pays du beurre, du fromage de vache, du riz et du barolo ou du valpolicella, et le Sud, royaume de l'huile d'olive, des pâtes, du marsala et du lait de jument. Les Toscans firent le trait d'union en ouvrant des restaurants où triomphaient l'huile de Lucques, l'entrecôte à la florentine, les haricots blancs et le chianti.

D'autres régions suivirent : la pizza conquit le Nord, tandis que le risotto et la polenta étaient adoptés dans le Sud. De fortes dominantes demeurent pourtant.

La Lombardie est toujours fidèle aux apprêts à la milanaise, riches en beurre, aux soupes de légumes et à l'osso-buco.

En Vénétie s'imposent les poissons et les fruits de mer au safran.

En Ligurie triomphent les farces de haut goût et les préparations à base de basilic comme le pesto ; et, en Émilie, tout converge vers Bologne, qui est à l'Italie ce que Lyon est à la France, surtout avec sa charcuterie et sa gamme inépuisable de pâtes.

La Toscane s'enorgueillit de son huile d'olive et de sa viande rouge, la fameuse *razzia chianina*.

Les Marches ne sont pas en reste, avec leur gibier et leurs olives, ni le Latium, avec ses fritures ou ses tripes en ragoût, ni la Campanie, avec ses cuisines populaire et aristocratique et ses différents assaisonnements de macaronis, ni la Pouille, véritable jardin potager du pays, ni la Calabre, avec ses aubergines renommées, ni la Sicile, terre des agrumes et des poissons en papillote aux herbes aromatiques, ni la Sardaigne, avec son miel et sa poutargue (œufs de poisson).

■ **Riz et pâtes.** Si l'on s'en tient à des mets aussi simples que le riz et les pâtes, on découvre que les Italiens ont su élaborer sur ces bases des produits raffinés. Le riz est le support idéal de tous les parfums. On le déguste gorgé de bouillon odorant, doré de safran à la milanaise, en timbale à la piémontaise (avec du poulet et des truffes blanches), comme farce de tomates ou de poivrons, avec de l'ail et du basilic, et comme garniture de poissons et de fruits de mer, agrémenté de champignons sautés ou de petits pois, comme dans le célèbre *risi e pisi* vénitien.

Quant aux fameuses pâtes italiennes, leur réputation a fait le tour du monde. En Italie, on les sert au début du repas, avec beurre et parmesan, nappées de coulis de tomate, de ragoût à la viande (à la bolognaise) ou de sauce à la carbonara (à base de poitrine fumée, de jaunes d'œuf, de crème fraîche, de poivre et de fromage râpé).

Elles donnent lieu à des raffinements surprenants, comme les spaghettis *con le vongole* de Naples (assaisonnées de palourdes ouvertes dans une poêle, d'huile d'olive, d'ail et de persil) ; quant au pesto (pistou), condiment génois fait de basilic, de persil et de marjolaine pilés avec de l'huile, du parmesan, de l'ail et des pignons, il accommode les *trenette* (spaghettis plats).

Tout le monde connaît les cannellonis, les raviolis ou les tortellinis, mais pas toujours les *cappelletti* d'Émilie (« petits chapeaux » farcis d'un hachis de poulet, de fromage et d'œuf), les *pansotti* de Rapallo, fourrés aux épinards et à la ricotta et servis avec une sauce aux noix, les spaghettis à la sicilienne, nappés d'aubergines frites, de ricotta, de sauce tomate et de basilic, ou la *pasta con le sarde* (macaronis nappés de sauce au fenouil, aux raisins secs et aux pignons, et recouverts de sardines fraîches).

■ **Viandes et poissons.** L'Italie fait honneur à la viande avec, là encore, une diversité qui ne saurait se réduire à l'osso-buco.

Les Piémontais, solides mangeurs, apprécient le bollito misto, agrémenté de sauce verte (persil, ail et huile d'olive) et le *stracotto al barolo* (daube au vin).

Les Lombards accompagnent le premier d'une sauce piquante à la célèbre moutarde de fruits de Crémone *(mostarda di Cremona)* ; ils apprécient la busecca (soupe épaisse aux tripes de veau, aux haricots et aux légumes verts).

Les Toscans sont fidèles à la *bistecca* à la florentine, le Latium à l'agneau de lait, et la Campanie au poisson. L'apprêt à la pizzaiola (veau sauté à l'huile très chaude, puis parfumé aux tomates, à l'ail et à l'origan) est commun à tout le pays.

La variété des apprêts de veau est d'ailleurs étonnante : saltimbocca romain, *involtini* milanais (paupiettes au jambon), piccata au citron ou au marsala, carré de veau en papillote avec des petits artichauts, célèbre *vitello tonato* (veau au thon et à l'anchois garni de câpres), veau aux olives de Livourne, *messicani* (très minces escalopes farcies, embrochées, sautées au beurre et déglacées au vin blanc et au marsala) et *farsu magru* sicilien (large tranche fine de viande roulée avec des œufs durs, du céleri, du fromage, du saucisson et du jambon, puis rôtie).

Les volailles bénéficient de préparations moins nombreuses, mais il faut néanmoins mentionner les suprêmes de poulet à la Valdostana (recouverts de truffes blanches et de fontina, sautés et déglacés au vin blanc) et le poulet frit à la toscane, tandis que les petits oiseaux en brochettes se servent sur un lit de polenta.

Les poissons procurent des ressources tout aussi variées, et en premier lieu ceux de la mer, qui sont cuits à l'huile d'olive, au vin blanc, et parfumés à l'ail et au persil, ou bien, comme en Sicile, cuits en papillotes et farcis d'amandes.

Les poissons de rivière sont aussi très importants, dans un pays où les lacs sont nombreux (truites saumonées des lacs, au court-bouillon, servies avec une huile d'olive très fruitée et du citron ; lamproie nappée de purée de tomate à l'ail).

Les soupes de poissons sont d'ailleurs courantes et appréciées dans toute l'Italie, et très différentes d'une région à l'autre.

■ **Légumes et desserts.** L'Italie produit des légumes en abondance et sait fort bien les accommoder : épinards au beurre et au parmesan, courgettes et poivrons farcis, artichauts cuits à l'étouffée.

Des apprêts moins connus justifient d'être découverts : cardons à la piémontaise, que l'on trempe dans une sauce émulsionnée chaude, à base d'huile, de beurre et d'ail ; *fagioli* (haricots blancs) dégustés tièdes à l'huile d'olive ; asperges accompagnées d'œufs pochés, parmesan et beurre fondu ; fèves, petits pois et artichauts au jambon, à l'oignon,

mijotés avec une chiffonnade de laitue ; *cappon magro* (chapon maigre), composé de tranches de pain séché au four frottées d'ail, superposées avec des couches de légumes cuits, le tout recouvert de rascasse cuite au court-bouillon et d'un pesto aromatisé et monté comme une mayonnaise avec de l'huile d'olive.

On termine souvent le repas par du fromage (gorgonzola, provolone, Bel Paese, voire mozzarella) et des fruits, avant de déguster un expresso bien serré, mais n'oublions pas les douceurs, comme le panettone milanais, les *baicoli* vénitiens (délicats biscuits au citron), le massepain sicilien, le *zabaione* (sabayon) florentin, les *amaretti* piémontais (macarons aux amandes), la cassate sicilienne, la *torta di ricotta*, aux diverses recettes, les crèmes à base de mascarpone (**voir** ce mot), ou les glaces.

■ **Vins.** Étirée du sud au nord entre l'Afrique et les Alpes, l'Italie ensoleillée est un immense vignoble de 910 000 ha, le plus productif du monde. Si sa consommation intérieure est importante, elle est aussi le premier exportateur du monde (15 millions d'hectolitres).

Depuis 1963, le gouvernement italien, pour répondre aux impératifs de l'Union européenne, s'efforce de réglementer cette production colossale mais quelque peu anarchique. Un institut national contrôle les appellations d'origine, qui peuvent être « simples », « contrôlées » ou « contrôlées et garanties ». La *denominazione di origine controllata* (DOC) s'applique à des vins répondant à certaines normes, produits par des vignes recensées. La *denominazione di origine controllata e garantita* (DOCG) s'applique à des vins de qualité, vendus en récipient ne dépassant pas cinq litres, sous des étiquettes précisant l'origine, le nom du vigneron, le lieu d'embouteillage, la teneur en alcool, etc.

Pays vinicole depuis l'Antiquité, l'Italie possède plus de 1 000 cépages, parmi lesquels 400 sont hautement conseillés ; les plus connus sont le sangiovese (qui sert notamment à faire le chianti) et le nebbiolo, rouges tous les deux. Au cours des siècles, d'autres cépages ont été importés, notamment de France (merlot, cabernet, pinot, sauvignon) et de la vallée du Rhin (riesling, sylvaner, traminer). De nombreux vins portent le nom de leur région d'origine et celui de leur cépage.

Au sud, la Pouille (le talon de la botte) bat le record de la production avec des vins très colorés et très riches en alcool, dont une bonne partie est utilisée comme vin de coupage ou pour fabriquer du vermouth.

Le Piémont, au nord, produit le très célèbre asti spumante, mais aussi deux des meilleurs rouges italiens, le barolo et le barbaresco, et d'autres excellents vins comme le barbera.

La Toscane est la patrie du célèbre chianti, la Sicile celle du marsala et du farot, la Vénétie celle du valpolicella, la Campanie celle du prestigieux falerne et du fameux lacrima-christi, le Latium celle du frascati.

ITALIENNE (À L') Se dit, en cuisine française classique, de plats de viande, de poisson, de légumes ou d'œufs accommodés avec de la sauce italienne, à base de duxelles de champignon, de jambon et de fines herbes hachés, ou accompagnés d'une garniture comportant des artichauts en quartiers et des macaronis.

On baptise également « à l'italienne » les pâtes cuites al dente et divers autres apprêts typiques de la cuisine de la péninsule. Se dit également d'une salade composée d'un mélange de légumes additionné de filets d'anchois et de dés de salami, le tout lié avec de la mayonnaise.

Il existe une sauce italienne froide, qui est une mayonnaise citronnée dans laquelle on ajoute une purée de cervelle et de persil haché.

▶ **Recettes :** AUBERGINE, BETTE, BISCUIT, MERINGUE.

IVOIRE Se dit d'une sauce suprême additionnée de glace de viande blonde ou de fond de veau réduit, utilisée pour napper une volaille pochée ou, suffisamment épaissie, pour réaliser un chaud-froid, généralement aussi de volaille, dit « à l'ivoire ».

IZARRA Liqueur verte (48 % Vol.) ou jaune (40 % Vol.) dont le nom en langue basque signifie « étoile ». La préparation de l'Izarra se fait sur une quinzaine de mois. Quatre éléments sont travaillés séparément puis mélangés : des plantes distillées avec de l'alcool neutre dans un alambic simple, des fruits macérés dans de l'armagnac vieilli, un sirop de sucre et de miel d'acacia régional, une infusion de couleur, dont une grande part de safran. L'Izarra verte contient quarante-huit plantes, l'Izarra jaune, trente-deux.

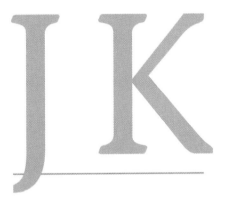

JALOUSIE Petit gâteau feuilleté fourré de frangipane, dont le dessus ajouré évoque la jalousie d'une fenêtre. La frangipane peut être remplacée par de la compote de pomme, de la marmelade d'abricot ou une confiture.

jalousies à l'abricot

Abaisser 500 g de pâte feuilletée en rectangle sur 3 mm d'épaisseur et y tailler deux bandes égales de 10 cm de large. Dorer à l'œuf tout le tour de l'une des bandes. Étaler sur la partie sèche 500 g de marmelade d'abricot. Plier la seconde abaisse de feuilletage en deux dans le sens de la longueur et y faire des entailles au couteau, en biais, du côté du pli, en laissant intact 1 cm de pâte de l'autre côté. Déplier cette bande et la poser sur la première. Appuyer sur les bords pour bien les souder ; rogner les bords pour les égaliser, puis les chiqueter. Dorer le dessus à l'œuf, et cuire de 25 à 30 min au four préchauffé à 200 °C. Abricoter le dessus avec de la marmelade additionnée du double de son volume d'eau et un peu réduite sur le feu, puis le parsemer de petits grains de sucre. Découper la bande en morceaux de 4 cm de large et servir tiède ou froid.

JAMBALAYA Spécialité de La Nouvelle-Orléans, inspirée de la paella, faite de riz très épicé garni de poulet et de jambon. On y ajoute parfois saucisse, poivrons, tomates, crevettes ou huîtres.

jambalaya de poulet

POUR 4 PERSONNES – PRÉPARATION : 30 min – CUISSON : de 18 à 20 min pour le riz
Faire pocher un poulet dans un fond blanc de volaille et le laisser refroidir dans la cuisson. L'égoutter, ôter la peau, le désosser ; découper la chair en petits dés. Découper aussi en petits dés 300 g de jambon cru, à faire sauter avec 50 g de beurre dans une poêle à couvert. Préparer du riz pilaf avec 300 à 400 g de riz, la cuisson du poulet, 100 g de chair à saucisse, 100 g de poivron rouge et 100 g d'oignons en petits dés. L'agrémenter de 50 g de petits pois cuits à l'issue de sa cuisson. Quand le jambon est cuit, ajouter les dés de poulet, assaisonner de sel fin, poivre du moulin et piment de Cayenne. Mélanger le tout avec le riz et servir brûlant.

JAMBE DE BOIS Expression désignant un morceau non désossé de jarret de bœuf, qui constitue l'un des éléments du pot-au-feu. Le « potage à la jambe de bois » était jadis une préparation gargantuesque, où entraient, selon une recette de 1855, une poule, deux perdrix, deux livres de rouelle de veau et une profusion de légumes. Paul Bocuse a élaboré une version moderne de ce plat d'origine lyonnaise.

JAMBON Cuisse du porc généralement préparée pour être conservée (**voir** planche de la découpe du porc page 699). Le jambon est vendu entier ou en tranches, frais, cuit, « cru » ou sec et parfois fumé. Un beau jambon cuit doit être de couleur rose clair homogène, charnu et entouré, sous la couenne, d'une fine couche de graisse. L'épaule de porc s'apprête de la même façon, mais elle n'a pas droit à l'appellation « jambon » ; de saveur moins fine, elle est souvent intégrée aux plats cuisinés comportant du jambon. Celui-ci figurait déjà sur la table des Romains. Les Gaulois savaient le conserver en frottant la viande avec du sel, des herbes et du vinaigre, puis en le séchant et en le fumant. Considéré au Moyen Âge comme un symbole de richesse, il est aujourd'hui consommé dans tous les pays d'Europe.

■ **Emplois.** Lorsqu'il est cuisiné frais et entier, le jambon constitue une pièce de choix, bouilli, braisé, grillé, rôti (accompagné de riz, de champignons ou d'ananas), ou encore cuit en croûte. Lorsqu'il est vendu cuit, il est couramment employé dans de nombreux apprêts (aspic, canapé, cornet fourré, crêpe, croque-monsieur, farce, gratin, mousse et pâté, omelette et autres apprêts à base d'œuf, quiche, salade composée, sandwich et soufflé). Les jambons crus et les jambons secs se dégustent en hors-d'œuvre froid, mais entrent aussi dans la composition de plats cuisinés (à l'alsacienne, à la basquaise, à la limousine, etc.).

Au Québec, le jambon, salé par injections de saumure et parfois fumé au bois d'érable, est souvent servi entier, désossé ou non. Il est bouilli à l'eau, plus ou moins longtemps selon qu'il a été ou non précuit. Le gras est entaillé en losanges, piqué d'un clou de girofle et nappé d'un mélange de moutarde sèche et de sirop d'érable (ou de cassonade délayée dans du jus de pomme ou d'ananas). On termine la cuisson du jambon au four pour qu'il se couvre d'une belle croûte dorée.

Les caractéristiques des jambons crus ou cuits étaient jadis liées à la nature du sel, au procédé de conservation, à la race, à l'alimentation et à l'âge du porc, d'où leurs appellations géographiques. Celles-ci restent justifiées pour de nombreux jambons régionaux, mais certains d'entre eux font désormais l'objet d'une réglementation européenne et, aujourd'hui, l'appellation ne correspond souvent plus qu'à une technique de préparation, quel que soit le lieu de production. Le jambon de Bayonne, le jambon sec du Limousin et des Ardennes bénéficient du label rouge.

■ **Jambon cuit** (**voir** tableau page 472 et planche de charcuterie pages 193 et 194) La méthode d'immersion du jambon dans de la saumure n'est plus utilisée. Le jambon est salé par injection de saumure puis désossé et paré, ou dans les muscles après désossage et parage. Il est cuit à la vapeur ou au bouillon, en moule ou dans un

Caractéristiques des principales présentations de jambons cuits

PRÉSENTATION	FABRICATION	ASPECT	FLAVEUR
jambon « à l'ancienne »	seuls additifs autorisés : nitrates et nitrites ; matières premières non congelées (réfrigérées)	de formes variées (rectangulaire, miche, tonneau), avec ou sans couenne, tranche rose	tendre, moelleuse
jambon braisé	cuit en vase clos, à très court mouillement	brun doré, tranche rose, tendre	spécifique du braisage
jambon bruni	noirci par enrobage de substances colorantes, passé au four, non brûlé à la flamme	noir, tranche rose	un peu fumée
jambon choix	frais ou congelé, avec ajout de 0,2 % max. de phosphates	tranche légèrement humide, ronde ou rectangulaire	neutre
jambon cuit des Ardennes	cuit, de qualité supérieure, avec couenne, paré, désossé, moulé, fortement fumé	en forme de poire, brun foncé, tranche rose foncé	puissante, souvent très fumée
véritable jambon cuit à l'os	non désossé, parfois étuvé et fumé, souvent cuit en bouillon aromatisé, sans compression	présenté avec os, tranche rose	très tendre, inimitable
jambon supérieur	à partir de jambon frais, sans ajout de phosphates ; le « supérieur maison » est fabriqué sur le lieu de vente	de formes variées (rectangulaire, miche, tonneau), avec ou sans couenne, tranche rose, commercialisé entier ou prétranché	assez à très délicate
jambon au torchon	cuit dans un torchon, entouré d'un linge, sac, filet ou bandelettes	tranche ronde, rose	spécifique du bouillon
jambon de Prague	salé lentement (15-21 jours), égoutté, étuvé, parfois fumé, cuit à l'os, vite séché, vendu cuit ou à cuire	couenne brun foncé (fumé) ou brun clair (étuvé), tranché à la main, tranche rose pâle	moelleuse, tendre à marquée (fumé)
jambon d'York	salé lentement (7 jours min.), égoutté, étuvé, parfois fumé, cuit à l'os	couenne brun foncé (fumé) ou brun clair (étuvé), tranché à la main, tranche rose pâle	tendre, moelleuse

torchon. Certains jambons sont cuits « à l'os » et vendus tels quels : c'est le cas du jambon d'York.

Les techniques de fabrication modernes, industrielles mais aussi artisanales, font appel à une salaison par injection dosée (environ 10 %), puis à un malaxage en cuve rotative sous vide, suivi d'un moulage en sac plastique rétractable et préalablement dégazé sous vide. Mis ensuite dans un filet élastique ou dans un moule parallélépipédique ou oblong, le jambon est cuit soit à la vapeur, soit en milieu liquide, selon des méthodes sophistiquées d'augmentation de la température visant à limiter les pertes de poids. Le refroidissement est également contrôlé et le jambon doit reposer 1 ou 2 jours avant d'être commercialisé.

Diverses spécialités ont une place à part, comme le « jambon de Reims », pané, ou le « jambon persillé de Bourgogne ou du Morvan », associant, lui aussi, épaule et jambon cuits, additionnés de gelée et de persil, qui est moulé.

■ **Jambons crus et jambons secs.** Ce sont des jambons fumés ou non (**voir** tableaux page ci-contre et planche de charcuterie pages 193 et 194). La tradition exige des frottages répétés au sel, sans injections de saumure (néanmoins pratiquée pour certains jambons crus « de pays » ou « de montagne »). La maturation constitue la phase la plus importante de la fabrication. Le label rouge garantit la qualité des porcs, la composition du mélange de salage et la durée du séchage.

aspic de jambon et de veau ▶ ASPIC
crêpes au jambon ▶ CRÊPE
endives au jambon ▶ ENDIVE

jambon braisé

Frotter un jambon frais avec du sel additionné de thym et de laurier pulvérisés ; laisser macérer quelques heures. L'essuyer et le dorer légèrement dans 50 g de beurre. Préparer une matignon maigre avec 250 g de rouge de carotte en dés et 100 g de céleri en branche effilé ; éplucher et hacher 50 g d'oignons. Faire étuver ces légumes 30 min dans 50 g de beurre avec 1 feuille de laurier, 1 branche de thym, du sel, du poivre et 1 pincée de sucre. les mouiller de 20 cl de madère ou de riesling. Laisser réduire. Déposer le jambon sur une plaque, le masquer de matignon, l'arroser de beurre fondu, et couvrir d'un papier sulfurisé beurré. Cuire au four préchauffé à 200 °C, à raison de 20 à 25 min par livre, en arrosant du beurre de cuisson. Retirer le papier sulfurisé et la matignon,

puis dresser le jambon dans un plat chaud. Déglacer la plaque de cuisson avec un mélange d'un tiers de madère et de deux tiers de bouillon, et faire réduire de moitié. Passer ensemble au mixeur la matignon et le fond de cuisson, et en napper le jambon.

RECETTE DE CHRISTOPHE CUSSAC

jambon à la chablisienne

« Équeuter et laver 1,5 kg d'épinards, les cuire rapidement à l'eau salée, les refroidir à l'eau glacée et les presser pour en retirer l'eau. Ciseler 1 petite échalote et la faire suer dans une casserole avec 10 g de beurre, sans coloration. Ajouter 20 cl de chablis et faire réduire à 2 cl ; ajouter 20 cl de bouillon de volaille et faire réduire de moitié. Verser 20 cl de crème liquide et cuire pour obtenir une liaison légère. Saler et poivrer. Faire chauffer 50 g de beurre jusqu'à ce qu'il soit noisette, y mettre les épinards et remuer avec une fourchette piquée de 1 gousse d'ail pelée. Rectifier l'assaisonnement. Dresser les épinards dans un plat, poser dessus 4 tranches épaisses de jambon blanc préalablement réchauffées dans du bouillon et égouttées. Napper de la sauce et mettre quelques minutes au four préchauffé à 180 °C. »

jambon en gelée reine Pédauque

Détailler en tranches la noix d'un jambon d'York poché au meursault et refroidi. Tartiner ces tranches d'une couche de purée de foie gras additionnée de truffe en dés et reconstituer la noix. Napper celle-ci de sauce chaud-froid au porto. Décorer de lames de truffe et lustrer à la gelée au porto. Dresser le jambon glacé sur un plat, entouré de dés de gelée.

jambon poché en pâte à l'ancienne

Pocher complètement un jambon d'York. L'égoutter, le parer et le glacer sur une face au caramel, puis le laisser complètement refroidir. Préparer 600 g de pâte à foncer, 250 g de mirepoix de légumes et 3 cuillerées de duxelles de champignon. Mélanger mirepoix et duxelles en y ajoutant 1 truffe hachée. Abaisser la pâte sur 4 mm d'épaisseur, en masquer le centre avec le mélange de légumes, sur une surface égale à celle du jambon. Y poser celui-ci, partie glacée en dessous, l'enfermer dans l'abaisse de pâte et souder les bords. Le mettre sur une plaque à rôtir beurrée, partie soudée

Caractéristiques des principales présentations de jambons « crus » et jambons « secs » français

PRÉSENTATION	PROVENANCE	FABRICATION	ASPECT	FLAVEUR
jambon d'Auvergne	Auvergne	salé au sel sec, séché	avec os, ou désossés et reformés après séchage, tranche claire, brun foncé	selon fabricant, salage, degré de séchage, qualité matière première
jambon de Bayonne (IGP)	Sud-Ouest	salé au sel sec, séché, tête du fémur et jambon enduits de graisse de porc et piment		
jambon de Lacaune	Tarn, Aveyron sud, haut Languedoc	salé au sel sec, séché		
jambon de Luxeuil	Haute-Saône	salé au sel sec, macéré dans du vin, fumage léger à base de résineux	brun foncé, tranche brun clair	très particulière, de sapin
jambon de Savoie	Savoie	parfois fumé	brun foncé, tranche brun clair	puissante, souvent assez salée
jambon de Vendée	Vendée	désossé, salé au sel sec ou saumuré, frotté aux herbes et à l'eau-de-vie	demi-sec, rose foncé, tranche rose	marquée d'herbes, active, d'eau-de-vie

Caractéristiques des principales présentations de jambons « crus » et jambons « secs » étrangers

PRÉSENTATION	PROVENANCE	FABRICATION	ASPECT	FLAVEUR
Allemagne				
jambon de la Forêt-Noire	haute Forêt-Noire	salé, fumé lentement à froid (2-3 mois) à la sciure avec brindilles de sapin, séché	tranche assez foncée	spécifique du fumage
jambon de Westphalie	Westphalie	salé en saumure, fumé lentement à froid avec essences de bois locales, séché	brun, tranche assez foncée	caractéristique, très typée
Belgique				
jambon des Ardennes (AOP)	Ardennes	salé, fumé à froid, séché	brun à brun foncé	spécifique du fumage
Espagne				
jambon ibérique	Huelva (Andalousie), Guijelo (Salamanque), Badajoz (Estrémadure)	séché, affiné 18 mois à 2 ans et plus	avec patte, tranche très foncée, veinée de gras	puissante, ronde, très légèrement « rance »
jambon serrano	toute l'Espagne	salé, séché	souvent avec patte, tranche assez foncée	goûteuse, variable selon production
Italie				
jambon de Parme (AOP)	Émilie-Romagne, Lombardie, Vénétie, Piémont	10 mois (7-9 kg) à 12 mois (>7-9 kg)	tranche brun rosé assez clair	très fine, très spécifique
jambon de San Daniele (AOP)	Udine, Frioul sud	voisine de celle du Parme pour une pièce un peu plus grosse	avec patte, tranche brun rosé clair	exceptionnelle, ronde, au goût de noisette

en dessous. Dorer le dessus de la pâte et décorer avec des détails découpés dans les chutes. Ménager une cheminée pour l'échappement de la vapeur et cuire 1 heure au four préchauffé à 190 °C. Dresser le jambon sur le plat de service ; verser par l'ouverture quelques cuillerées de sauce Périgueux.

mousse froide de jambon ▶ MOUSSE
pâté de veau et de jambon en croûte ▶ PÂTÉ
petits pois au jambon à la languedocienne ▶ PETIT POIS
sandwich jambon-beurre à boire ▶ AMUSE-GUEULE

JAMBONNEAU Jarret avant ou arrière du porc, situé au-dessous du jambon ou de l'épaule. Il se consomme frais, demi-sel ou fumé (**voir** planche de la découpe du porc page 699). Braisé et poché, avec un temps de cuisson plus long, il intervient dans la choucroute et les potées. En charcuterie cuite, le jambonneau arrière est salé, cuit dans un bouillon aromatisé, puis désossé et moulé à chaud en forme conique, en moule ou au torchon. Souvent pané, il est présenté avec son manche orné d'une papillote.

JAMBONNETTE ARDÉCHOISE Charcuterie cuite de l'Ardèche, composée d'épaule et de lard de porc, hachés, assaisonnés et emballés dans une couenne en forme de poire. La jambonnette est consommée découpée en tranches fines.

JAMBONNETTE DE VOLAILLE Charcuterie cuite réalisée à partir de cuisses de gros poulets fermiers ou de poulardes, ouvertes, désossées et farcies (farce à galantine, foie gras, dés de jambon de pays, vieux comté, etc.).

jambonnettes de volaille
Désosser à cru des cuisses de poulet bien charnues, en les fendant d'un seul côté. Garnir chaque cuisse d'une grosse cuillerée à soupe de farce (farce de volaille pour pâtés et terrines, farce pour volaille pochée, braisée ou rôtie, ou farce aux champignons). Rouler les cuisses en enfermant la farce pour leur donner la forme de petits jambonneaux ; les ficeler. Les faire braiser comme le jambon braisé.

473

JANCE Sauce d'accompagnement fréquente dans la cuisine médiévale, caractérisée par sa couleur claire. Dans la version « en gras » du *Ménagier de Paris* (vers 1393), elle est à base de lait, liée au jaune d'œuf et parfumée au gingembre.

Dans la recette en « maigre », le lait est remplacé par des amandes pilées, du pain, du verjus ou du vinaigre.

JAPON La cuisine japonaise, raffinée, se fonde sur des éléments peu nombreux, mais mis en valeur avec une poésie et une délicatesse incomparables.

La gastronomie nipponne repose autant sur la saveur des aliments, dons de la nature généreuse envers les hommes, souvent subtilement associés (légumes, produits de la mer, riz et soja), que sur la présentation et les ustensiles de table.

Cependant, elle a été influencée par des apports occidentaux : la technique de la friture (tempura), importée par les jésuites portugais au XVIIᵉ siècle, et l'augmentation sensible de la consommation de viande (poulet et porc surtout), autrefois condamnée par les préceptes bouddhistes ; le sukiyaki, devenu « mets national nippon », était jadis cuisiné clandestinement par les paysans.

■ **Mets en harmonie avec les saisons.** L'un des grands principes de la cuisine japonaise est que tout produit doit être servi à la saison propice.

Le printemps se fête avec le « gâteau du rossignol », à base de riz gluant pilé, farci de pâte de haricot sucrée et poudré de farine de pois, sucrée elle aussi. En avril, on mange des « calmars-lucioles » crus ; en mai, c'est le moment du *shincha*, le « thé nouveau », vert comme le veut la coutume, mais moelleux et parfumé, et de l'*ayu*, petit poisson d'eau douce à la chair délicate, grillé au sel.

Au cours du printemps a également lieu la « fête des enfants », jadis dédiée exclusivement aux garçons avec différents mets préparés évoquant la virilité et le courage : langoustines présentées pinces dressées, tel un casque de samouraï, gâteaux de riz enveloppés dans des feuilles de chêne, symbole de croissance vigoureuse.

En été, on déguste l'anguille grillée au charbon de bois, le pâté de soja garni de bonite séchée, de ciboule et de gingembre, ou les nouilles de sarrasin glacées. En août, où il fait très chaud, les mets sont alors légers et rafraîchissants : poulet frit, concombres farcis à la pâte de prune, truite au court-bouillon et oursins.

L'automne est la saison des champignons, notamment le *matsutake*, à l'exquise saveur de viande grillée, que l'on fait mariner dans de la sauce soja et du saké, puis rôtir ou cuire à la vapeur avec du poulet, du poisson et des noix de ginkgo ; c'est aussi le temps du kaki et des châtaignes, excellentes avec le riz sucré. En septembre, mois de la Lune, c'est l'époque des tranches d'abalone cuites à la vapeur de concombre, des pousses de bambou bouillies, des rouleaux aux anguilles et aux œufs durs.

L'hiver impose des repas plus robustes : terrine de poulpe au daikon (gros radis légèrement amer), soupe aux champignons séchés. En novembre, le riz est particulièrement savoureux. Son nom japonais, *gohan*, désigne le riz cuit et signifie aussi, par extension, « repas ». L'hiver est également la saison des poissons à chair blanche, servis crus, grillés ou frits, en ragoût ou en soupe. Les soupes de nouilles agrémentées de viande et de légumes, appréciées toute l'année, conviennent bien aux rigueurs de l'hiver, durant lequel on peut déguster la délicieuse mandarine, symbole du Soleil, cadeau rituel du jour de l'An.

■ **Variations sur des éléments de base.** Les mêmes aliments se retrouvent sans cesse, mais toujours diversement préparés. Au premier rang figurent le soja, qui se démultiplie en miso, en tofu et en sauces, et le riz, aux innombrables apprêts salés ou sucrés.

Les autres ingrédients courants sont spécifiques : vin de riz, doux (mirin) ou fort (saké), vinaigre de riz, huile de sésame, moutarde de raifort *(wasabi)*, daikon, courge séchée, bardane, *shirataki* (fécule extraite d'une sorte d'igname et façonnée en pâtes fines), pousses de bambou et racines de lotus.

Le goût des marinades se déploie dans une gamme de pickles (prunes, radis, gingembre, oursins). Les nouilles et les vermicelles, à base de farine de sarrasin, de blé ou de riz, sont multiples, épais ou très fins.

Enfin, les produits de la mer s'imposent avec la gamme des algues séchées, pulvérisées, comprimées, que l'on ajoute aux sauces, aux potages, aux garnitures (nori, kombu, *wakame*). Un ingrédient très utilisé est la bonite séchée (*katsuobushi*).

Gingembre, poivre, piment, moutarde, glutamate et toutes les épices et fines herbes fraîches, surtout le persil et la ciboulette, sont indispensables.

La préparation des mets fait appel à des techniques caractéristiques. Ainsi, le poisson est souvent mangé cru, finement émincé (sashimi). Le poulet est grillé au sel ou mariné à l'aigre-doux, puis frit et arrosé de la marinade. Le minutage des cuissons est toujours d'une extrême précision. Le bœuf, rare, est presque toujours découpé en tranches fines, grillé puis rapidement passé dans un bouillon de légumes.

Deux techniques nipponnes sont typiques : le *nabemono* (mets cuit à table, sur un gril ou dans un récipient à fondue) et le *nimono* (aliment bouilli dans un liquide aromatique). La cuisson à la vapeur est aussi très usuelle.

Le véritable orgueil de la cuisine japonaise est la friture. Celle-ci exige des mélanges d'huiles soigneusement dosés, en particulier pour les beignets servis en assortiment, avec un éventail de sauces. Enfin, il faut mentionner l'art du découpage, tant pour la préparation que pour la présentation, qui requiert des ustensiles spéciaux et une grande dextérité.

■ **Richesses de la mer.** Avec un très grand nombre d'espèces de poissons de mer, une multitude d'algues comestibles, des cétacés, des coquillages et des crustacés (abalones, clams, crabes, crevettes, homards et huîtres), d'une saveur et d'une diversité exceptionnelles – dues à la présence d'un courant chaud et d'un courant froid qui font office de vivier géant –, les Japonais sont parmi les plus gros consommateurs de poissons et de fruits de mer. Le thon, la bonite, la dorade et la seiche sont les plus consommés, surtout sous forme de filets crus, servis avec une sauce soja à la moutarde et au raifort, ou encore de sushi (boulettes de riz au vinaigre et rouleaux d'algues, farcis de chair de poisson ou de crustacé).

Une spécialité réputée est le *fugu*, ou diodon, un poisson dont les organes contiennent un poison violent, mais dont la chair est très prisée : on le sert dans certains restaurants, dont le chef possède un brevet spécial, garantissant une dégustation sans danger. Le poisson s'apprête aussi très largement en friture.

■ **Quotidien et fêtes.** Le petit déjeuner se compose généralement d'un bol de riz et d'algues séchées, d'une soupe à base de miso ou d'un plat d'œufs.

Le déjeuner, relativement frugal et très rapide, se réduit le plus souvent à du riz accompagné d'œufs et de viande (côtelette de porc ou steak haché) ou à des nouilles, froides ou en soupe. Le dîner est, en revanche, beaucoup plus complet et raffiné. Il comporte classiquement au moins quatre variétés de mets, associant des apprêts liquides, croquants et mijotés, certains relevés et d'autres rafraîchissants. L'alternance des consistances et des saveurs est en effet l'une des règles d'or de la cuisine japonaise, la couleur, la texture et la forme comptant autant que le goût.

Le thé reste, avec la bière, la boisson d'accompagnement la plus répandue. Il est même l'occasion d'une cérémonie traditionnelle, le *chadô*, au cours de laquelle tout (bols, théière, plateaux et mets raffinés) concourt à faire de sa préparation un rituel symbolique d'une grande harmonie, qui se déroule en famille ou lors de la visite d'amis.

Les friandises et les petits gâteaux sont réservés aux fêtes traditionnelles ou savourés entre les repas, comme les fruits frais. Lors des fêtes et des grands événements, on sert des mets chargés de symboles, comme le potage de clams le jour du mariage shinto (les deux parties de la coquille évoquent l'union) ; de même, le riz rouge (cuit avec des *azuki*, petits haricots rouges) est un symbole de bonheur.

Pour le Nouvel An, les mets sont présentés dans des boîtes gigognes, à la seule exception des préparations de *mochi*, riz gluant pilé, façonné en galettes et mijoté avec des légumes (pour les mets salés) ou bien avec des haricots rouges et du sucre (en dessert). On consomme également de la carpe, des châtaignes, des feuilles de chrysanthème, des fougères porte-bonheur, des oranges et du pain de poisson.

JAPONAISE (À LA) Se dit des apprêts de cuisine classique française où figurent les crosnes du Japon. Il s'agit notamment de grosses pièces de boucherie rôties, garnies de crosnes (étuvés au beurre ou préparés avec le jus de la pièce et de la demi-glace, et servis en croustades), ou d'une omelette fourrée. La salade japonaise est un autre nom de la salade Francillon ; il existe aussi une salade japonaise aux fruits, servie en hors-d'œuvre, associant des dés d'ananas, d'orange et de tomate sur des feuilles de laitue, nappés de crème fraîche au citron et poudrés de sucre. On appelle enfin « japonaise » une bombe glacée composée de mousse au thé chemisée de glace à la pêche.
▶ Recette : PÂTES DE CUISINE ET DE PÂTISSERIE.

JAQUE Fruit du jaquier, arbre tropical de la famille des moracées, originaire de l'Inde. Ovoïde et hérissé de petites pointes, le jaque peut peser jusqu'à 30 kg. Sa peau bleuâtre, vert pâle, jaune ou brune recouvre une chair blanche ou jaunâtre, semée de grosses graines. Blanchi avant d'être épluché, il se consomme en ragoût ou grillé au four, en légume. Les graines s'apprêtent comme les châtaignes, grillées ou en purée.

JARDINIÈRE Mélange de légumes à base de carottes, de navets et de haricots verts, servi en garniture de viandes rôties ou sautées, de volailles poêlées, de ris de veau braisés, etc. Les carottes et les navets sont coupés en bâtonnets de 0,5 cm de section et de 3 à 4 cm de longueur, les haricots verts sont détaillés en tronçons, parfois en losanges de 3 à 4 cm de long ; chacun de ces éléments est cuit séparément, à l'anglaise, puis ils sont mélangés avec des petits pois frais et liés au beurre. La jardinière est souvent complétée par des flageolets et des petits bouquets de chou-fleur. On peut la saucer de jus de rôti ou de fond de veau clair.

JARRE Grand vase de grès pansu, à orifice large, surtout destiné à conserver l'huile, les poissons et les viandes en salaison selon les procédés traditionnels.

JARRET Partie inférieure musclée des pattes arrière d'un bœuf, que l'on appelait anciennement « gîte-gîte » (**voir** planche de la découpe du bœuf pages 108 et 109). Le jarret de bœuf est cuisiné en pot-au-feu.

Le jarret de mouton ou d'agneau correspond au morceau appelé « souris » du gigot (**voir** planche de la découpe de l'agneau page 22).

Le jarret de veau, avant ou arrière, est gélatineux et maigre, avec un os riche en moelle (**voir** planche de la découpe du veau page 879) ; désossé et coupé en cubes, il est associé au sauté, au braisé, à la blanquette ; entier, il peut être cuit au court-bouillon ou ajouté à une potée ; coupé en rouelles épaisses, il devient un *osso-buco* ou « os à trou ».

Le jarret de porc désossé se cuisine en sauté ; entier, il forme le jambonneau. Le jarret arrière, plus charnu, est soit rôti, braisé ou bouilli comme le jambon, mais il est moins tendre ; le jarret avant est braisé ou bouilli, ou cuisiné en ragoût, une fois coupé en morceaux. Le jarret de porc demi-sel est un morceau de choix pour la choucroute et les potées.

jarret de veau à la provençale

Couper 800 g de jarret de veau en rouelles de 4 cm d'épaisseur. Saler, poivrer et dorer dans une sauteuse avec 3 cuillerées à soupe d'huile d'olive très chaude. Éplucher et hacher finement 150 d'oignons, les faire blondir dans la sauteuse. Verser 600 g de tomates pelées, épépinées et concassées, 15 cl de vin blanc sec et 1 bouquet garni. Bien remuer, puis ajouter 10 cl de bouillon et 2 gousses d'ail écrasées. Couvrir et cuire 1 h 20, puis laisser réduire 10 min à découvert.

JASMIN Fleur très odorante d'un arbuste de la famille des oléacées. En Extrême-Orient, le jasmin « sambac » parfume le thé, et le jasmin « chinois » est utilisé en pâtisserie et même en cuisine. En Europe, le jasmin est utilisé principalement en parfumerie.
▶ Recette : MARMELADE.

JASNIÈRES Vin AOC blanc de la vallée de la Loire, issu du cépage chenin, vif, plein ou tendre selon les années, et qui vieillit admirablement (**voir** TOURAINE).

JATTE Coupe ronde, peu profonde, sans rebord ni pied, utilisée principalement pour les crèmes et les laitages ; elle est souvent en grès, parfois en faïence ou en verre trempé.

JESSICA Nom d'une garniture pour suprêmes de volaille, escalopes ou grenadins de veau, œufs mollets ou pochés. Cette garniture associe de très petits artichauts étuvés au beurre, farcis d'un salpicon de moelle à l'échalote, et des morilles sautées au beurre, le tout étant dressé sur des pommes Anna façonnées en tartelettes ; la sauce d'accompagnement est une allemande additionnée de fond de veau réduit, parfumé à l'essence de truffe.

L'omelette Jessica est fourrée de morilles émincées et de pointes d'asperge liées à la crème, puis roulée et entourée d'un cordon de sauce Chateaubriand.

JÉSUITE Petit gâteau feuilleté triangulaire, fourré de frangipane et couvert de glace royale. Autrefois, ces gâteaux étaient recouverts d'un glaçage sombre (praliné, chocolat) et façonnés de manière à évoquer le chapeau à bord roulé des jésuites.

JÉSUS Saucisson sec de gros diamètre embossé dans un morceau de gros intestin de porc (**voir** tableau des saucissons page 787). Sa pâte, généralement pur porc, parfois porc et bœuf, est identique à celle de la rosette. Le séchage dure plus de 2 mois.

On appelle également « jésus » un saucisson cuit de gros diamètre emballé en boyau naturel, qui était à l'origine préparé à la ferme et consommé traditionnellement à l'époque de Noël dans tout l'est de la France, notamment dans le Doubs, à Morteau. Poché, il garnit des potées ou des apprêts régionaux.

RECETTE DU RESTAURANT *JEAN-PAUL JEUNET*, à ARBOIS

jésus à la vigneronne

« Préparer un court-bouillon avec 2 litres d'eau, 1 bouteille de vin d'Arbois, 2 oignons épluchés et cloutés de girofle, 1 bouquet garni, du sel et du poivre. Y mettre 1 poignée de sarments de vigne, frais ou secs, à faire dépasser du liquide et cuire 30 min. Piquer à la fourchette 2 jésus de Morteau de 400 g et les cuire avec 8 bandes de lard fumé du haut Jura et coupées finement. Ajouter 1,5 kg de pommes de terre dans leur peau (si possible des quenelles) et continuer la cuisson 40 min. Dresser sur un plat les sarments de vigne, puis les tranches de morteau, les bandes de lard, enfin, les pommes de terre épluchées, et parsemer de 50 g de persil plat ciselé. »

JICAMA Tubercule mexicain sphérique de la famille des fabacées. Le jicama a la taille d'un melon ; sa pulpe blanche, croquante, juteuse, légèrement sucrée et acidulée, se consomme crue en salade ou cuite.

JOINTOYER Boucher et lisser les lignes de jonction de certaines pâtisseries, formées d'abaisses superposées. L'opération, effectuée à l'aide de crème, est destinée à obtenir une surface et des pourtours uniformes, pour une bonne présentation ou un glaçage.

JOINVILLE Nom d'une garniture et d'une sauce pour poissons plats pochés. La garniture – ou salpicon – Joinville associe queues de crevette, champignons pochés et truffes, tandis que la sauce est faite d'un velouté de sole lié à la crème et aux jaunes d'œuf, agrémenté d'essence de champignon, de jus d'huître et d'un beurre de crevette et d'écrevisse. Il peut s'agir aussi d'une sauce normande au beurre de crevette ou encore d'une sauce crevette au beurre d'écrevisse, additionnée de julienne de truffe, lorsqu'elle accompagne des poissons braisés.

En pâtisserie, le gâteau Joinville est fait de deux carrés de feuilletage fourrés à la confiture de framboise.
▶ Recettes : POIRE, SOLE.

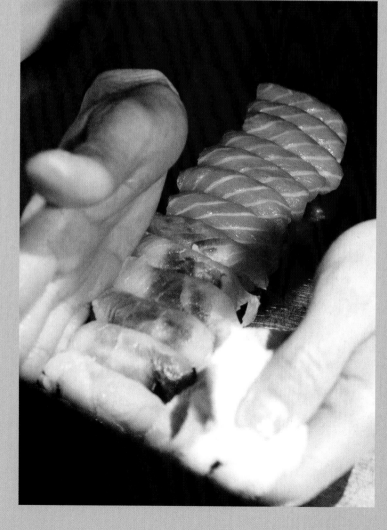

« Poissons crus, crustacés, riz, fruits et légumes frais, toujours de saison, composent la subtile partition de la cuisine nippone.
Pour le restaurant KAISEKI, l'harmonie d'un plat repose sur un juste équilibre entre techniques, saveurs et couleurs.
Le chef s'inspire dans ses créations d'émotions ou de méditations philosophiques ou poétiques. »

JONCHÉE Fromage jadis fait de lait de brebis ou de chèvre (jonchées niortaise, d'Aunis ou d'Oléron) [**voir** tableau des fromages français page 389]. De nos jours, la jonchée est fabriquée avec du lait de vache, dans les environs de Rochefort (Charente-Maritime). Cette pâte fraîche à caillé présure est moulée en forme de fuseau dans un « tapis » fait de joncs de marais qui sert de moule jusqu'à la vente. Elle est égouttée en eau pure. Son goût est neutre, ce qui permet un accompagnement de crème, de coulis de fruits, voire de liqueur de sucre.

JOUANNE Restaurant parisien fondé en 1823, près du marché de la viande et de la triperie, dans l'ancien quartier des Halles. Il était célèbre pour ses tripes à la mode de Caen, comme son voisin *Pharamond*. *Jouanne* émigra en 1891 vers l'avenue de Clichy, et sa clientèle le suivit, attirée aussi par le « gigot bretonne ». Plus tard, installé rue Dauphine, il survécut jusqu'en 1972, tandis que *Pharamond* garde toujours sa spécialité de tripes, de cidre et de pommes soufflées.

JOUBARBE Plante grasse, de la famille des crassulacées, à feuilles charnues en rosette, ressemblant à l'artichaut. La grande joubarbe, ou artichaut des murailles, se prépare comme ce dernier. La petite joubarbe (ou orpin, ou tripe madame) est également comestible : ses feuilles coupées se mangent en salade.

JOUE Muscles masticateurs (masseters) d'un animal de boucherie (**voir** tableau des abats page 10). La joue – de bœuf, de veau, de porc – constitue un très bon morceau à bouillir, à braiser ou à préparer en bourguignon. Elle est moelleuse après cuisson, très gélatineuse et de saveur forte. Cet abat est toujours vérifié par les services vétérinaires pour y rechercher les larves de parasites.

La joue de certains poissons (lotte et raie notamment) est une bouchée délicate.

joue de bœuf en daube

La veille, nettoyer 2 ou 4 joues de bœuf en éliminant les déchets et la graisse. Les tailler en gros morceaux. Les laisser mariner 12 heures, à couvert, dans une terrine, avec du sel et du poivre, 3 cuillerées à soupe d'huile d'olive, 1 verre de vin blanc sec, du thym et du laurier. Tailler 4 carottes en petits cubes. Blanchir 3 min 300 g de poitrine salée détaillée en lardons, et les rafraîchir. Dénoyauter 300 g d'olives vertes et les blanchir 3 min. Chauffer 50 g de beurre dans une daubière. Y dorer la viande égouttée ou épongée, les carottes, les lardons et les olives. Verser dessus la marinade tiède, 75 cl de vin blanc, 4 gousses d'ail écrasées et 6 oignons pelés et coupés en quartiers. Porter à ébullition et maintenir celle-ci 15 min, puis couvrir la daubière et laisser cuire 3 heures au moins à feu très doux.

JOULE Unité de mesure officielle internationale (depuis 1980) de l'énergie. Le kilojoule (kJ) remplace, en théorie, la grande calorie (Cal) ou kilocalorie (Kcal) [1 kJ = 0,24 Kcal, soit 239 calories], mais, en pratique, on trouve les deux unités sur les étiquettes, la kilocalorie étant la plus usitée.

JUDIC Nom d'une garniture pour pièces de boucherie, poulet sauté, ris de veau braisé, composée de laitues braisées, de petites tomates farcies et de pommes château. La sauce est un déglaçage au madère et à la demi-glace, ou à la demi-glace tomatée.

On a également baptisé « Judic » des filets de sole pochés, garnis de laitue et de quenelles de poisson, le tout nappé de sauce Mornay et glacé à la salamandre.

Le potage Judic est une crème de volaille et de laitue à la Choisy, garnie de petites feuilles de laitue fourrées de farce de volaille et de truffe, et de rognons de coq.

JUDRU Saucisson morvandiau, court et gros, composé d'un hachis grossier macéré dans le marc (**voir** tableau des saucissons page 787).

JUIVE (À LA) Se dit surtout d'un apprêt de la carpe, servie le plus souvent froide. Cet apprêt connaît une adaptation en cuisine classique, où le poisson est sauté à l'oignon puis braisé au vin blanc avec des aromates ; le fond de cuisson est additionné d'amandes hachées et de safran, de persil frais ou encore de raisins secs, de sucre et de vinaigre.

On dit également « à la juive » des artichauts farcis de mie de pain, de menthe et d'ail, cuits à l'huile.

▶ Recette : CARPE.

JUIVE (CUISINE) La gastronomie juive, intimement liée à la célébration des fêtes du calendrier juif et du repos sabbatique, a néanmoins intégré des spécialités culinaires de tous les pays de la Diaspora.

Les règles de la *kashrout* (**voir** KASHER), loin de limiter la diversité de cette cuisine, garantissent une grande fraîcheur des produits. La tradition demeure très présente : le poisson, préparé le vendredi, est consommé le samedi, frit chez les juifs d'Orient, farci chez les juifs d'Europe ; l'œuf, symbole de totalité et de mort, figure dans de nombreux plats de fête ; le miel rappelle la Terre promise. Le pain tressé, ou *hallah,* évoque les pains de sacrifice. Les jeûnes (3 jours au moins durant l'année) sont souvent suivis de repas fastueux car, si la religion s'élève contre la gourmandise et l'ivrognerie, elle ne condamne pas les plaisirs de la table.

La gastronomie des séfarades (juifs des pays méditerranéens) et celle des ashkénazes (juifs d'Europe centrale) ont une source commune.

Ainsi, le même procédé de cuisson pour la tfina des premiers et pour le tchoulend des seconds (sortes de pot-au-feu cuits à l'étouffée dans le four du boulanger ou toute la nuit à la maison) permet de consommer ces plats chauds le samedi, jour où la religion interdit d'allumer du feu. Mais les recettes et les produits locaux ont profondément influencé les goûts.

Les juifs d'Afrique du Nord préparent volontiers le couscous, ceux d'Iran affectionnent la *gipa* (estomac de bœuf farci de riz) et le pilaf, tandis que les ashkénazes préfèrent les pommes de terre, les puddings *(kugel),* les pâtes (*lokshen,* nouilles à l'eau, ou *kreplech,* pâtes farcies à la viande) et les plats russes ou autrichiens (borchtch, Strudel, *Torten*).

D'une façon générale, la cuisine juive privilégie la friture, surtout pour les entremets, et les mélanges sucrés-salés : carpe farcie, oignons au sucre et à la viande (plat servi lors des mariages séfarades), ou *pastelas* marocains (rissoles de pâte farcies de viande, de miel et de légumes).

Depuis la création de l'État d'Israël, en 1948, une gastronomie originale s'est développée dans ce pays. Chaque vague d'immigrants a tendance à garder ses traditions culinaires, mais, dans la vie quotidienne, la nourriture reste simple, et les crudités (notamment le concombre et l'avocat), les laitages et les agrumes occupent une place prépondérante.

Les Israéliens partagent avec leurs voisins moyen-orientaux certaines spécialités très courantes, purées de légumes, boulettes de viande épicée, etc. Ils élèvent en grande quantité dindes et canards, dont ils ont créé une nouvelle espèce. Ils exportent aussi du foie gras.

JUJUBE Fruit ovoïde du jujubier, arbre de la famille des rhamnacées, originaire d'Asie centrale, gros comme une olive, dont la peau rouge-orangé, lisse et coriace recouvre une chair jaunâtre ou vert pistache, douce et sucrée, enveloppant un noyau très dur (**voir** planche des fruits exotiques pages 404 et 405). Beaucoup plus énergétique sec (314 Kcal ou 1 310 kJ pour 100 g) que frais (135 Kcal ou 560 kJ pour 100 g), à cause de son sucre (de 32 à 74 %), le jujube est produit dans le midi de la France. Il est consommé nature, frais ou sec ; on l'utilise aussi en pâtisserie (gâteaux, beignets) et en cuisine (farces pour viandes ou soupes).

JULES-VERNE Nom d'une garniture pour grosses pièces de boucherie, composée de pommes de terre et de navets farcis et braisés, dressés en alternance avec des champignons sautés.

JULIÉNAS Cru classé parmi les dix du Beaujolais, ferme et nerveux, aux arômes de cerise, qui vieillit parfaitement (**voir** BEAUJOLAIS).

JULIENNE Préparation de un ou plusieurs légumes taillés en bâtonnets. Ceux-ci sont d'abord coupés au couteau (ou à la mandoline) en tranches régulières de 1 à 2 mm d'épaisseur, puis superposés et ciselés en filaments de 3 à 5 cm de long. La julienne, cuite comme une fondue de légumes, est utilisée pour diverses garnitures, notamment des potages et des consommés.

La julienne est également une façon de tailler des légumes crus, servis en hors-d'œuvre, et bien d'autres ingrédients : blanc de poulet, champignons, cornichons, jambon, langue, poivrons, truffes, zestes.

▶ Recettes : CÉLERI-RAVE, DAURADE ROYALE ET DORADES.

JULIENNE (POISSON) ▶ **VOIR LINGUE**

JUMEAU Morceau de l'épaule de bœuf, que l'on utilise en cuisine de deux façons (**voir** planche de la découpe du bœuf pages 108 et 109). Le « jumeau à bifteck », situé sur le scapulum (palette), comporte des parties plus ou moins tendres ; il est détaillé en tranches ou en pièces pour brochettes. Le « jumeau à pot-au-feu », situé le long de l'humérus, gélatineux et moelleux, est préparé en bœuf mode, braisé, bourguignon ou daube.

JUNG (ÉMILE) Cuisinier français (Masevaux 1941). Il est le sage de la cuisine alsacienne, son conservateur éclairé. Formé classiquement à *la Maison rouge* à Strasbourg, puis au *Fouquet's*, chez *Maxim's* et *Ledoyen* à Paris, à *la Mère Guy* à Lyon, il s'installe en 1965 à *l'Hostellerie alsacienne* tenue par ses parents à Masevaux, où il obtient la première étoile du Guide Michelin dès 1966. Il la transporte en 1971 au *Crocodile*, au cœur de Strasbourg, une demeure cossue ornée d'un animal empaillé rapporté de la campagne d'Égypte par un officier de Napoléon. Il y reçoit la deuxième étoile en 1975. La troisième vient en 1989, récompensant aussi un service plus que parfait supervisé par son épouse Monique. Le Guide Michelin la lui retire en 2002. Mais ni la demeure ni l'homme ne changeront. Sudiste haut-rhinois, aux airs de poète rêveur, Jung donne l'impression de disserter, mais cuisine avec précision et sûreté. Il compose des menus de « célébration » pour de grands hommes comme Victor Hugo, Mozart ou Jules Verne. Ses classiques se nomment flan de cresson aux grenouilles, caille confite au foie d'oie, paupiette de sandre à la choucroute « père Woelffle », jets de houblon Princesse. Ils demeurent des mets de référence.

JURANÇON Vin AOC blanc issu des cépages petit-manseng et courbu (célèbre depuis qu'il servit à baptiser en 1553 le futur roi de France Henri IV), produit sur des vignobles très pentus au pied des Pyrénées. Il est moelleux, gras et harmonieux. Quand l'étiquette précise « sec », il est alors vif, fruité et nerveux (**voir** PYRÉNÉES).

JUS DE CUISSON Liquide plus ou moins riche en saveurs et en principes nutritifs, qui se forme au cours de la cuisson d'une viande ou d'un légume. Surtout abondant lorsque cette cuisson est faite à couvert, le jus s'écoule aussi des viandes rôties et sert à les arroser. Certains apprêts sont dits « au jus » quand ils sont cuisinés ou finis avec un jus de cuisson sapide et bien aromatisé, notamment les légumes, les œufs cocotte, les pâtes alimentaires et le riz. Le « jus » est aussi la base aromatique, obtenue par mijotage prolongé d'os de porc rissolés et de gelée, des charcuteries cuites.

▶ Recettes : BETTE, GRENOUILLE, PIGEON ET PIGEONNEAU, SALSIFIS.

JUS DE FRUIT Suc naturel tiré d'un fruit par pression ou par centrifugation, constituant une boisson rafraîchissante, riche en vitamines (vitamine C notamment). Le jus de fruit se consomme nature ou allongé d'eau gazéifiée ou plate. La législation européenne en vigueur distingue le « jus de fruit » (obtenu à partir de fruits sains et mûrs, frais ou conservés par le froid, d'une espèce ou de plusieurs espèces en mélange, possédant la couleur, l'arôme et le goût caractéristiques du jus de fruit dont il provient) ; le « jus de fruit à base de concentré » (obtenu en remettant dans le jus de fruit concentré l'eau extraite du jus lors de la concentration ainsi qu'en restituant les arômes et, le cas échéant, la pulpe et les cellules perdues) ; le « jus de fruit concentré » (élimination d'au moins 50 % de l'eau de constitution) ; le « jus de fruit déshydraté » ou « en poudre » (élimination quasi totale de l'eau de constitution) ; enfin, le « nectar de fruit » (**voir** ce mot).

La valeur calorique d'un tel produit dépend bien entendu du fruit dont il est extrait (1 litre de jus de raisin, par exemple, contient l'équivalent de 30 morceaux de sucre), mais aussi de la proportion de sucre ajouté. Pour les jus de fruits auxquels des sucres ont été ajoutés à des fins d'édulcoration, la dénomination de vente doit comporter la mention « sucré » ou « avec addition de sucres », suivie de l'indication de la quantité maximale de sucres ajoutés, calculée en matière sèche et exprimée en grammes par litre. Seuls les jus de fruits sans sucres ajoutés peuvent être conseillés sur le plan diététique, notamment à ceux qui mangent peu de fruits.

Les jus de fruits sont surtout des boissons, mais entrent aussi dans la préparation de glaces et de sorbets. En cuisine, on utilise principalement les agrumes et l'ananas. Le jus de citron a des emplois spécifiques.

▶ Recettes : COCKTAIL, FAISAN.

JUS LIÉ Jus de cuisson, en général de viande, dont la consistance est épaissie grâce à un roux ou à un autre féculent délayé à cru. Cette pratique est de moins en moins utilisée, les cuisiniers préférant aujourd'hui obtenir la consistance souhaitée par la réduction des sauces.

JUSSIÈRE Nom d'une garniture pour petites pièces de boucherie, composée d'oignons farcis, de laitues braisées et de pommes château, et parfois de carottes tournées et glacées.

KACHA Préparation de la cuisine russe et polonaise, à base de semoule de sarrasin mondé, cuite à l'eau ou au gras. En Russie, elle est traditionnellement cuite au four dans un moule en terre vernissée, puis additionnée de beurre, abaissée et détaillée en petites galettes pour garnir potages ou ragoûts. On peut enrichir la kacha de fromage, d'œufs, de champignons, ou bien la gratiner.

KADAÏF Également appelée « cheveux d'ange », ou « knafé » au Moyen-Orient, la pâte kadaïf est présente dans diverses pâtisseries orientales. Composée de farine, d'eau et d'amidon de maïs, elle est façonnée sous forme de fins vermicelles et conditionnée en pelotes. En Europe, on l'utilise aussi pour confectionner des plats salés (crevettes ou fromage enrobés de kadaïf et cuits au four, par exemple).

KAKI Fruit d'un arbre originaire d'Orient, le plaqueminier (*kaki* en japonais), de la famille des ébénacées, dont la culture fut introduite en Europe au XIXᵉ siècle. Le kaki (ou plaquemine, figue caque, abricot du Japon) ressemble à une tomate orangée (**voir** planche des fruits exotiques pages 404 et 405). Sa chair assez molle, elle aussi orangée, contient de une à huit graines suivant les variétés et a une saveur aigre-douce, un peu astringente. Fournissant 64 Kcal ou 268 kJ pour 100 g, le kaki est assez riche en potassium (200 mg) et en vitamine C (de 7 à 22 mg). Disponible sur le marché français en décembre et janvier, importé d'Italie, d'Espagne et du Moyen-Orient, le kaki doit être consommé bien mûr, et sa pulpe se déguste à la petite cuillère. On en fait des compotes, des confitures, des sorbets.

KARITÉ Arbre d'Afrique tropicale, de la famille des sapotacées, dont les fruits ovoïdes, à pulpe sucrée, contiennent une amande. Une fois séchées et pilées, les amandes donnent une pâte crémeuse, riche en calcium et en vitamines, appelée « beurre de karité » et utilisée comme corps gras en cuisine dans certains pays d'Afrique où ne poussent ni le palmier ni l'arachide.

KASHER Mot hébreu signifiant « permis et rituel, conforme à la Loi », qui qualifie tout aliment reconnu propre à la consommation selon la religion juive. (On trouve aussi les orthographes *kascher, kosher, casher, cascher, cacher* et *cawcher*.)

La *kashrout* (ensemble des lois de purification) établit dans ce domaine des principes fondamentaux. D'une part, elle interdit de consommer du sang : ainsi, la viande de boucherie doit provenir d'un animal abattu par égorgement, puis salé et lavé ; la traite est très surveillée. D'autre part, elle prescrit « de ne pas cuire le veau dans le lait de sa mère » : sont par conséquent interdits les plats qui mêlent le lait (ou ses dérivés, comme le beurre ou les préparations qui en contiennent) et la viande, ainsi que ces produits dans un même repas.

Enfin, elle distingue les chairs *tahor* (autorisées) et *tame* (proscrites), des interdits stricts s'appliquant à certains animaux : le porc, le gibier à sabot non fendu, le cheval, les crustacés, les coquillages, les poissons sans écailles, les reptiles, sans parler du chameau et de l'hippopotame, sont prohibés, tout comme les boissons fermentées – sauf le vin, soumis à d'autres règles.

En revanche, fruits et légumes sont considérés comme immédiatement consommables ; cependant, si l'aliment autorisé entre en contact avec une substance interdite, il devient alors lui-même proscrit.

Les juifs de stricte observance n'achètent par conséquent que des produits certifiés kasher.

KEBAB Brochette turque de viande grillée ou rôtie (*kebabi* en turc), que l'on retrouve aussi dans les Balkans et au Moyen-Orient. Ainsi, le *sis kebab* alterne, sur une brochette de bois ou de métal, des cubes de mouton et des dés de graisse de mouton. Il en existe de nombreuses variantes, avec ou sans légumes, avec du veau, voire du buffle ou même des boulettes de viande hachée.

Le kebab désigne également la « grillade tournante » (*döner kebab* en turc) ou « sandwich grec », un sandwich chaud garni le plus souvent de veau, de poulet ou de dinde, présenté prêt à la découpe sur une broche verticale.

KEDGEREE Mets anglais d'origine indienne, également appelé *cadgery* ou *kadgéri* (mot indien). Le kedgeree est un riz au cari garni de restes de poisson (généralement du haddock, mais aussi du saumon, ou même du turbot – apport britannique au plat originel) et d'œufs durs.

KÉFIR Lait fermenté et alcoolisé, dont la flore dominante est un cocktail de lactobacilles et d'une levure spécifique à l'origine de la production d'alcool. Le kéfir est fait de lait de brebis, de vache ou de chèvre. Il est originaire du Caucase.

KEFTEDES Apprêt typique de la cuisine turque, à base de viande hachée additionnée de lard et d'épices, parfois liée avec des œufs, façonnée en palet, qui sont ensuite farinés et sautés. Le mot lui-même est magyar, mais les keftedes se retrouvent dans les cuisines allemande, autrichienne et grecque, où ils sont relevés d'oignon haché.

KELLER (THOMAS) Cuisinier américain (Camp Pendleton, Oceanside, Californie 1955). Élevé en Californie, puis en Floride, il apprend les rudiments de la cuisine française classique avec Roland Henin au *Dunes Club* à Rhode Island, puis obtient sa première place de chef au restaurant *la Rive*, dans la vallée de l'Hudson, à Catskill. Il travaille à New York, au Polo de l'hôtel *Westbury*, puis suit les cours de l'école Ritz-Escoffier à Paris, accomplit des stages chez Guy Savoy, Gérard Besson, au *Taillevent*, au *Pré Catelan*. Il revient à New York en 1984, devient chef à *la Réserve* puis chez *Rakel*. Il déniche le restaurant de ses rêves avec la *French Laundry*, à Yountville, qu'il ouvre en 1994, au cœur de la Napa Valley. Dans ce cabanon de pierre et bois, ancienne maison close, puis blanchisserie, au temps de la construction du chemin de fer, le succès arrive très vite. Son tartare de saumon servi en cornet ou ses huîtres pochées au tapioca et caviar attirent le meilleur monde des gourmets, qui accomplissent le voyage vers Yountville en avion privé. Il ouvre *Bouchon* à Las Vegas en 1998, enfin, *Per Se* à New York, qui obtient les trois étoiles dans le premier Guide Michelin New York en 2005. En 2006, il obtient les premières trois étoiles accordées à un restaurant californien pour *French Laundry*, qu'il tient toujours en parallèle. L'art de jongler avec les saveurs justes, les mariages précis et les produits de luxe comme les légumes biologiques, sans émulsion, ni facilité d'aucune sorte, en font le premier maître 100 % américain digne des très grands français.

KELLOGG (WILL KEITH) Industriel américain (Battle Creek, Michigan, 1860 - *id.* 1951). Travaillant avec son frère, médecin nutritionniste célèbre et directeur d'un hôpital consacré aux désordres d'origine alimentaire, il découvrit, en 1894, un procédé permettant de transformer les grains de maïs en flocons. Ceux-ci convenant au régime végétarien prôné par les adventistes (secte à laquelle appartenaient les deux frères), le procédé fut industrialisé en 1898. Dès 1906, une société assura la distribution des corn-flakes, devenus un des éléments de base du breakfast américain.

KETCHUP Condiment anglo-saxon vendu en flacon, à la saveur aigre-douce. Dans sa version moderne, le ketchup est le plus souvent constitué de tomates (*tomato ketchup*) additionnées de vinaigre, de sucre, de sel et d'épices plus ou moins fortes (poivre de la Jamaïque, clous de girofle, cannelle, etc.). Le terme « ketchup » désigne aussi une sauce à base de champignon (*mushroom ketchup*) ou de noix (*walnut ketchup*).

Le ketchup est utilisé pour relever les sauces de viande ; il accompagne œufs, pâtes, poisson, riz, frites, steak haché et tartare.

KIMCHI OU **GIMCHI** Préparation coréenne à base de chou de Pékin (ou pé-tsaï) et, souvent, de radis blancs, salés et aromatisés de piments rouges, d'ail, de gingembre, etc., soumis à la fermentation, traditionnellement dans des jarres enterrées. Elle connaît de nombreuses variantes et peut comporter jusqu'à 87 ingrédients. Le kimchi sert d'accompagnement ou d'ingrédient à de nombreux mets de la cuisine coréenne (**voir** CORÉE).

KIR Apéritif confectionné avec de la crème de cassis sur laquelle on verse du bourgogne blanc (généralement un aligoté). Le « blanc cassis » est né à Dijon en 1904 à l'initiative d'un garçon de café, monsieur Faivre, qui eut l'idée d'associer ces deux produits locaux ; cet apéritif est donc bien antérieur au chanoine Kir, maire de Dijon de 1945 à 1968, qui lui a donné son nom le 20 novembre 1951 et l'a rendu célèbre en en faisant la boisson des vins d'honneur de l'hôtel de ville. Quand le vin blanc est remplacé par du champagne, on parle de « kir royal ». En remplaçant le vin blanc par un vin rouge, on obtient le « communard ».

KIRSCH Eau-de-vie de cerise (*Kirsche,* en allemand), originaire d'Alsace, de Franche-Comté et de Forêt-Noire, élaborée généralement avec des cerises noires ou des merises, fermentées naturellement en tonneau, puis distillées. D'un bouquet puissant et d'un goût très fin, le kirsch se déguste en digestif, mais il est également employé en pâtisserie et en confiserie (biscuits imbibés, bouchées fourrées, crèmes aromatisées, salades de fruits, ainsi que pour le flambage). Il entre aussi dans la composition du punch et de certains cocktails.
▶ **Recette :** FRUITS RAFRAÎCHIS.

KISSEL Entremets froid de la cuisine russe, fait d'une gelée sucrée, épaissie avec de la fécule et parfumée aux fruits rouges, au vin blanc ou au café. Le kissel se sert aussi chaud, accompagné de crème fraîche.

KIWANO Concombre ovoïde, jaune marbré de vert. Fruit d'une plante de la famille des cucurbitacées, originaire d'Afrique australe, il est également cultivé au Portugal (**voir** planche des concombres et cornichons page 238). Aussi appelé « métulon » ou « melon (ou concombre) à cornes », en raison des petites protubérances présentes sur sa peau, le kiwano a une saveur qui rappelle celle du concombre et du melon, bien que plus acide. Il se consomme frais ou en jus.

KIWI Fruit d'une plante grimpante originaire de Chine, l'actinidia, de la famille des actinidiacées, surtout cultivée en Nouvelle-Zélande, mais aussi en Californie, en Italie, dans le sud-ouest de la France et en Corse (**voir** planche des fruits exotiques pages 404 et 405). Couvert d'une peau velue brun verdâtre, le kiwi, appelé aussi « groseille de Chine », a une chair vert clair, juteuse, parfumée et acidulée. Fournissant 53 Kcal ou 220 kJ pour 100 g, il est très riche en vitamine C. Il se mange en dessert, ouvert en deux et à la petite cuillère, ou épluché et coupé en cubes ou en rondelles ; il entre également dans la composition de salades de fruits, de tartes. Il accompagne les cailles rôties, les maquereaux au four ou les côtes de porc poêlées. On en fait également une sauce aigre-douce pour viandes et poissons froids.

KLEIN (JEAN-GEORGES) Cuisinier français (Ingwiller 1950). Formé à l'école hôtelière de Strasbourg, il exerce en salle dans la demeure familiale, dans une clairière du pays de Bitche, au cœur des Vosges. Sa mère, Lily, qui est en cuisine, obtient une étoile au Guide Michelin en 1988. Après de courtes expériences (chez Alain Senderens et Lenôtre à Paris), il quitte la salle pour prendre en main les fourneaux. Il s'oriente vers une cuisine créative, sous l'impulsion de sa sœur Cathy (Ingwiller, 1956) qui dirige la salle après des études à l'école hôtelière de Glion (Suisse) et des stages au *Savoy* à Londres et à *l'Hermitage* à Monaco. Il accomplit notamment des visites d'études chez Pierre Gagnaire, puis chez Ferran Adrià *(El Bulli)* avec qui il lie des rapports d'amitié. Il obtient deux étoiles en 1998, puis trois en l'an 2002. Son goût des gelées et des émulsions ne l'empêche pas de travailler les grenouilles, le foie gras et le cochon de lait (cuit en cocotte au foin et laqué au miel), reprenant à son compte la tradition de ses racines lorraines et alsaciennes.

KLÖSSE Farinage de la cuisine allemande et autrichienne, fait de boulettes pochées à l'eau bouillante. On sert les Klösse avec du beurre fondu et de la chapelure rissolée, ou en garniture de potage ou de plat en sauce. On retrouve un apprêt analogue dans la cuisine polonaise, les *klouski,* boulettes à base de farine, d'œuf, de sucre et de levure, servies en entremets.

Klösse à la viennoise

Écroûter 550 g de pain bis et l'émietter. Laisser tremper quelques temps la mie dans un peu de lait bouillant. Couper en tout petits dés 250 g de jambon maigre. Faire ensuite fondre à couvert 175 g d'oignons hachés avec 15 g de beurre. Hacher finement 1 cuillerée à soupe de cerfeuil ainsi que 1 cuillerée à soupe d'estragon. Mélanger le tout. Ajouter 1 cuillerée de farine et 3 œufs battus en omelette ; saler, poivrer et muscader. Diviser cette pâte en portions de 50 g, les façonner en boulettes à l'aide de deux petites cuillères et les fariner. Porter à ébullition une grande quantité d'eau salée et y cuire les Klösse pendant 12 min. Émietter finement de la mie de pain et la frire dans du beurre. Égoutter les boulettes puis les arroser de beurre noisette et de mie frite.

KNEPFLES Farinage alsacien, dont l'orthographe et la définition diffèrent selon les régions. Ce sont des sortes de quenelles, des gnocchis ou des boulettes de pâte fraîche aux œufs, ou encore à base de purée de pomme de terre. Elles sont servies en entrée ou en garniture de viande, arrosées de beurre noisette et de chapelure dorée, ou gratinées, ou mélangées avec des croûtons rissolés et arrosées d'un peu de lait.

Knepfles

Verser 375 g de farine dans une terrine ; incorporer 2 œufs entiers battus avec 1 pincée de sel et de muscade, puis incorporer petit à petit 25 ou 30 cl de lait. Laisser reposer la pâte pendant environ 2 heures. Porter à petite ébullition 2 litres d'eau salée. Y faire tomber la pâte au préalable façonnée en boulettes à l'aide de deux petites cuillères et les faire pocher 10 min, puis les égoutter et les éponger. Les disposer ensuite dans un plat à gratin beurré. Les parsemer de 100 g de gruyère râpé et les arroser de 75 g de beurre fondu. Les gratiner dans le four préchauffé à 250 °C.

KNÖDEL Sorte de quenelle, sucrée ou salée, très répandue dans l'est de l'Europe. En Alsace et en Allemagne, les Knödel (ou *Knödl,* ou *Knoedel)* sont des boulettes de pâte à nouilles, accommodées avec de la crème ou du beurre fondu ; la pâte est parfois additionnée de

moelle *(Markknödel)* ou de foie en purée *(Leberknödel).* Les Tchèques et les Slovaques les préparent aussi avec de la mie de pain trempée de lait, de la purée de pomme de terre ou de la pâte levée, un hachis d'oignon et de viande. En Roumanie, on les appelle *galuchte.* Ils sont mangés principalement non sucrés, dans de la soupe de poulet. Les Knödel d'entremets sont soit de grosses prunes dénoyautées, enrobées de pâte à beignet et frites (les *Zwetschenknödel* autrichiennes), soit des carrés de pâte fourrés de compote de cerise ou d'abricot ou farcis de prunes (en Transylvanie).

KNORR (CARL HEINRICH) Industriel allemand (Meedorf 1800 - Heilbronn 1875). Fils d'instituteur, il épousa en secondes noces une riche fermière, dont la dot lui permit de créer, en 1838, une usine de torréfaction de chicorée et de café. Après 1875, ses deux fils y ajoutèrent la production de farines de pois, de lentille, de haricot et de sagou, vendues en paquet, à l'origine des premiers potages en sachet.

KOMBU Algue comestible (**voir** tableau des plantes marines page 660), courante dans la cuisine japonaise, se présentant sous forme de grandes feuilles noires, séchées, que l'on réhydrate pour garnir des bouillons, accompagner le poisson, relever des garnitures, par exemple.

KORN Eau-de-vie de grain allemande, qui se boit traditionnellement en même temps que la bière : le type de grain qui a servi à sa fabrication est généralement précisé sur l'étiquette. Le Korn, dont il existe des centaines de marques, est distillé dans le nord de l'Allemagne et dans la vallée de la Ruhr.

KOUGLOF Brioche alsacienne garnie de raisins secs, moulée en couronne haute et torsadée. Le kouglof est la friandise des petits déjeuners du dimanche. On le prépare la veille, car il est meilleur légèrement rassis. Il accompagne bien, également, les vins d'Alsace.

kouglof

Tremper 40 g de raisins de Corinthe dans un peu de thé léger tiède et faire ramollir 175 g de beurre à température ambiante. Délayer 22 g de levure de bière fraîche avec 3 cuillerées à soupe de lait tiède ; y ajouter 90 g de farine et mélanger le tout. Verser un peu de lait tiède pour obtenir une pâte molle. Façonner le levain en boule, le mettre dans une terrine, l'inciser en croix sur le dessus et le laisser lever dans un endroit tiède. Disposer 260 g de farine en fontaine et casser 2 œufs au milieu avec 1 cuillerée d'eau tiède ; incorporer les œufs et travailler la pâte en la rompant plusieurs fois. Dissoudre 40 g de sucre en poudre et 1 cuillerée à café de sel dans très peu d'eau : les ajouter à la pâte, avec le beurre ramolli, puis 2 autres œufs entiers, un par un, sans cesser de travailler la pâte. Étaler celle-ci sur un plan de travail, mettre le levain par-dessus, puis mélanger le tout en le rassemblant et en le projetant sur la table. Incorporer enfin les raisins. Mettre la pâte dans un récipient creux, la couvrir d'un torchon et la laisser doubler de volume dans un endroit tiède. Beurrer un moule à kouglof, parsemer la paroi de 100 g d'amandes effilées. Allonger la pâte en un long boudin et la disposer dans le moule, en tournant : elle doit l'emplir à mi-hauteur. La laisser lever de nouveau, dans un endroit tiède, jusqu'à ce qu'elle atteigne le haut du moule. Cuire 40 min au four préchauffé à 210 °C. Démouler le kouglof sur une grille et le laisser refroidir, puis le poudrer légèrement de sucre glace.

KOUIGN-AMANN Gâteau breton de la région de Douarnenez. C'est une grosse galette de pâte à pain, à laquelle on incorpore du beurre, demi-sel ou non, et du sucre. La pâte est pliée comme une pâte feuilletée, ce qui lui donne croustillant et légèreté. Cuit à four chaud et bien caramélisé au sucre, le kouign-amann se sert en Bretagne de préférence tiède.

RECETTE DE PIERRE HERMÉ

kouign-amann

POUR 25 PIÈCES INDIVIDUELLES (OU 2 GÂTEAUX DE 8 PERSONNES) – PRÉPARATION : 20 min – CUISSON : 30 min (ou 40 min pour les 2 gâteaux)

« Mélanger 550 g de farine type 55, 15 g de fleur de sel, 10 g de levure de boulangerie, 35 cl d'eau et 20 g de beurre fondu, jusqu'à obtenir une pâte souple et homogène. La laisser reposer 30 min à température ambiante. Entre deux feuilles de film alimentaire, étaler au rouleau à pâtisserie 450 g de beurre de façon à obtenir un carré de 1 cm d'épaisseur. Étaler la pâte pour former un carré plus grand, poser le carré de beurre en travers et replier la pâte par-dessus. Garder au réfrigérateur 20 min. Étaler au rouleau à pâtisserie en un long rectangle et plier en trois comme pour une pâte feuilletée (premier tour) [voir page 361]. Garder 1 heure au réfrigérateur, sous un film alimentaire. Renouveler l'opération, en ajoutant 450 g de sucre en poudre avant de donner le deuxième tour. Laisser reposer à nouveau 30 min au froid. Préchauffer le four à 180 °C. Aplatir la pâte à 4 mm d'épaisseur et la couper en carrés de 8 cm de côté. Rabattre les coins de pâte vers le centre. Mouler dans des petits cercles beurrés et saupoudrés de sucre, posés sur une plaque antiadhésive également beurrée et saupoudrée. Laisser lever pendant 1 h 30 à une température de 24 à 26 °C. Le volume initial de la pâte doit avoir doublé. Enfourner et cuire pendant 25 à 30 min. À déguster le jour même à température ambiante. »

KOULIBIAC Pâté en croûte russe farci de viande ou de poisson, de légumes, de riz et d'œufs durs. Cet apprêt a connu en Europe de nombreuses adaptations et variantes.

On fait souvent cuire le koulibiac – écrit aussi « coulibiac » – comme un pâté « pantin », c'est-à-dire sans moule, mais les moules traditionnels sont en terre cuite, en forme de poisson.

koulibiac de saumon

Préparer une pâte feuilletée et la laisser reposer. Faire durcir 3 œufs. Cuire 100 g de riz. Faire pocher 12 min un morceau de saumon frais de 400 g, débarrassé de sa peau et de ses arêtes, dans de l'eau salée additionnée de 1 verre de vin blanc, 1 bouquet garni et 10 g de paprika, puis le laisser refroidir dans sa cuisson. Dorer 3 échalotes et 350 g de champignons hachés dans 15 g de beurre, avec du sel et du poivre. Cuire 3 cuillerées à soupe de semoule dans de l'eau salée. Abaisser les deux tiers de la pâte feuilletée en un rectangle sur 3 mm d'épaisseur. Y étaler, en couches, sans aller jusqu'aux bords, le riz, le saumon émietté, les champignons, la semoule, et les œufs durs écalés et coupés en quatre. Relever les bords du rectangle et les replier sur la garniture. Abaisser le reste de la pâte et en recouvrir le pâté. Pincer les bords pour les souder. Décorer avec des bandes de pâte, puis dorer à l'œuf battu. Cuire 30 min au four préchauffé à 230 °C. Servir très chaud, avec du beurre fondu en saucière.

KOULITCH Brioche russe de Pâques, de forme haute, dont la pâte est agrémentée de raisins secs, de fruits confits, de safran, de cardamome, de macis et de vanille. Le koulitch est glacé au sucre. On le déguste, selon la coutume, avec des œufs durs.

KOUMIS Lait de jument, d'ânesse ou de vache fermenté par adjonction de levures. Cette boisson très digeste, que les Russes apprécient beaucoup, est aussi utilisée dans le traitement des diarrhées du nourrisson.

KOUNAFA Pâtisserie orientale, faite de couches superposées de longs fils de pâte rissolés dans du beurre ou de l'huile de sésame, alternées avec des amandes et des noisettes – ou d'autres fruits secs – pilées avec du sucre ; le gâteau est arrosé après cuisson d'un sirop épais au citron et à l'eau de rose.

KRAPFEN Beignet allemand et autrichien, en pâte levée, généralement fourré de confiture d'abricot ou de framboise, voire de pâte d'amande, servi chaud avec une crème anglaise ou une sauce à l'abricot.

KRIEK Bière de fermentation belge, à base de céréales et aromatisée à la cerise, de couleur rouge. Faiblement alcoolisée, la kriek a lancé la mode, sans rapport avec une quelconque tradition, des lambics (**voir** ce mot) aux fruits, aromatisés au cassis, à la framboise, à la pêche, au muscat et même à la banane.

KUMMEL Liqueur au goût anisé, d'origine hollandaise, élaborée à partir du carvi, appelé autrefois « cumin des prés » (*Kümmel*, en allemand). Souvent très sucré, le kummel est servi sur des glaçons. Il aromatise également glace et fruits rafraîchis.

KUMQUAT Agrume de la famille des rutacées, originaire de la Chine centrale, cultivé en Extrême-Orient, en Australie et en Amérique. De la taille d'un œuf de caille, jaune ou orange foncé, cette orange naine possède, sous une peau tendre et sucrée, une pulpe acidulée, fournissant 65 Kcal ou 272 kJ pour 100 g, riche en provitamine A, en potassium et en calcium. Consommé frais (avec sa peau) ou confit, le kumquat sert aussi à préparer confitures, marmelades et certains gâteaux ; il est également utilisé en cuisine, notamment dans des farces pour volailles.

KWAS Bière russe de fabrication artisanale, à base de moûts de seigle et d'orge, ou de pain noir émietté, trempé et fermenté, aromatisés à la menthe ou aux baies de genièvre. De couleur brune, peu alcoolisé, le kwas est à la fois aigre et douceâtre. On le vend l'été, à Moscou, à l'arrière de petits camions-citernes qui sillonnent les rues. On le boit nature et frais, ou additionné d'eau-de-vie ou de thé. Il est également utilisé en cuisine, notamment dans certaines soupes.

L

LABEL Mot anglais signifiant « étiquette », utilisé en français pour désigner une marque collective, attestant qu'un produit alimentaire possède un ensemble de caractéristiques préalablement fixées et établissant un niveau de qualité supérieure.

Un produit « sous label » présente donc un intérêt particulier pour le consommateur, lié à son origine (bœuf charolais du Bourbonnais, crème fluide d'Alsace), à ses conditions de production (volailles fermières de Loué, dinde noire des fermiers du Sud-Ouest) et de fabrication (emmenthal français « grand cru », salaisons de Lacaune). Tout label géographique doit être enregistré en indication géographique de protection (**voir** ce mot). Le label est distinct de l'AOC (**voir** APPELLATION D'ORIGINE CONTRÔLÉE), qui garantit une protection juridique contre tout risque d'imitation.

Créé en 1960, le « label rouge » se reconnaît à son graphisme en forme de sceau avec ruban. En France, il est homologué par le ministère de l'Agriculture (sans qu'il s'agisse pour autant d'une garantie de l'État). Tout label est détenu par une structure collective qui rassemble généralement l'ensemble des opérateurs de la filière concernée, communément qualifiée de « groupement qualité ».

Son attribution n'est jamais définitive, et les critères de labellisation font l'objet d'une réactualisation périodique qui tient compte de l'amélioration des produits courants. Le label s'applique surtout aux poulets, mais aussi à la pomme de terre belle de Fontenay, aux salaisons de Bretagne, aux oignons à repiquer d'Auxonne, aux cailles de Challans ou de Vendée, au saumon écossais, etc. Il existe également des certifications de conformité (**voir** ce mot).

Le mot « label » revêt à peu près la même signification dans tous les pays francophones.

LABNE Fromage libanais à la consistance crémeuse, qui peut être additionné d'herbes aromatiques, et qui est servi arrosé d'un filet d'huile d'olive et accompagné de pain arabe.

LABSKAUS Plat du nord de l'Allemagne, constitué d'un hachis de bœuf en saumure, d'oignon et de harengs (ou d'anchois) revenus au saindoux, additionné d'une purée de pomme de terre muscadée et poivrée. Le Labskaus est servi avec un œuf poché, des betteraves marinées et des cornichons.

LACAM (PIERRE) Pâtissier et historien français de l'art culinaire (Saint-Amand-de-Belvès 1836-Paris 1902). Il créa nombre de petits-fours et de gâteaux, notamment des entremets à la meringue italienne. Auteur du *Nouveau Pâtissier-Glacier français et étranger* (1865), du monumental *Mémorial historique et géographique de la pâtisserie* (1890), du *Glacier classique et artistique en France et en Italie* (1893), il dirigea également une revue professionnelle, *la Cuisine française et étrangère*.

LACCAIRE Terme générique désignant un ensemble de très petits champignons roux-orangé, roses ou améthyste, à lames espacées charnues et à pied grêle (**voir** planche des champignons pages 188 et 189). Ce sont des champignons très communs, qui vivent en symbiose avec les arbres forestiers. Les laccaires comestibles se mangent en garniture, mélangés à d'autres champignons.

LA CHAPELLE (VINCENT) Cuisinier français (1703-?). Il exerça son art en Angleterre, au service de lord Chesterfield, et publia, en 1733, *The Modern Cook*, en trois volumes, qui fut plusieurs fois réédité. Il passa ensuite au service du prince d'Orange-Nassau, puis de Mme de Pompadour et enfin de Louis XV. En 1735 parut la version française de son ouvrage, en quatre volumes, qui fut même augmentée d'un volume en 1742. *Le Cuisinier moderne* était encore considéré en 1930 comme un ouvrage d'actualité par Édouard Nignon. Les recettes de La Chapelle restent aujourd'hui toujours réalisables.

LA CLAPE Vin AOC rouge, rosé ou blanc de l'appellation coteaux-du-languedoc, produit près de Narbonne. Les rouges sont très riches et harmonieux, les blancs, issus du cépage bourboulenc, sont secs et très fins (**voir** LANGUEDOC).

LACRIMA-CHRISTI Vin blanc italien, issu des cépages greco et fiano, produit sur les pentes du Vésuve. Doré, il est à la fois moelleux et assez sec, pouvant rappeler par certains côtés les graves, cependant, il n'a jamais été abondant ; il était autrefois réservé au roi de Naples.

LACROIX (EUGÈNE) Cuisinier allemand (Altdorf 1886 - Francfort 1964). Fils de restaurateurs de Heidelberg, il fut l'apprenti d'un cuisinier de Napoléon III. Il se fixa à Strasbourg, où sa renommée s'affirma, mais dut quitter la ville en 1918 et s'établit à Francfort. Il créa un apprêt de foie gras en croûte et le potage clair de « tortue ».

LACTAIRE Champignon qui laisse écouler à la cassure un lait blanc, rouge, orange, violet, jaune ou grisâtre, qui peut changer de couleur par oxydation au contact de l'air (**voir** planche des champignons pages 188 et 189). Les lactaires sont souvent âcres. Aucun d'entre eux n'est franchement vénéneux, cependant, beaucoup sont sans grande valeur gustative. En fait, ils sont surtout recherchés pour leur chair croquante qui les distingue des autres espèces comestibles.

LADOIX Située au nord de la côte de Beaune avec pour voisin le célèbre Corton, Ladoix produit un vin rouge, issu du pinot noir, franc, au bouquet chaleureux et de bonne conservation, ainsi qu'un peu de vin blanc, issu du chardonnay, gras, vigoureux et aromatique.

LAGOPÈDE ALPIN Gibier à plume de la famille des phasianidés, appelé aussi « perdrix des neiges ». On le chasse en France dans les Alpes et les Pyrénées et au Canada.

Cette espèce est menacée en France par le tourisme et les chasses abusives.

LA GRANDE-RUE Vin AOC rouge de Bourgogne, issu du cépage pinot noir, élevé au rang de Grand Cru en 1992. À l'égal de ses glorieux voisins – la tâche, la romanée-saint-vivant, la romanée-conti – la grande-rue est un vin séveux, profond, soyeux, de grande garde.

LAGUIOLE Fromage AOC du Rouergue (Auvergne) au lait cru de vache (45 % de matières grasses), à pâte pressée non cuite et à croûte naturelle brossée, grise (**voir** tableau des fromages français page 390). Le laguiole se présente sous la forme d'un cylindre de 40 cm de diamètre et de 35 à 40 cm d'épaisseur, et pèse de 30 à 40 kg. Proche du cantal, fabriqué dans les burons de montagne, sur les pâturages, il est plus ou moins foncé selon la durée de son affinage (de 3 à 6 mois en cave humide) et a une saveur prononcée ; il est meilleur de juillet à mars-avril. On le sert en fin de repas ou en casse-croûte ; on peut aussi mettre du laguiole demi-frais dans la soupe au chou et au pain. Frais, il est la base de l'aligot (**voir** ce mot).

LAGUIPIÈRE Cuisinier français (?-1812). Ayant gravi les échelons de son métier dans la maison du prince de Condé, qu'il suivit en exil, il dirigea ensuite, à son retour en France, les cuisines de Napoléon ; Antonin Carême travailla alors sous ses ordres. Il se mit ensuite au service de Murat, qu'il accompagna à Naples, puis pendant la campagne de Russie. Il mourut de froid à Vilna, et son corps fut ramené attaché derrière la voiture de son maître. Ce grand chef n'a laissé aucun écrit, mais son nom reste lié à plusieurs recettes, dont certaines lui furent peut-être seulement dédiées par d'autres cuisiniers.

LAIT Liquide blanc, opaque et naturellement sucré, « produit intégral de la traite totale et ininterrompue d'une femelle laitière bien portante, bien nourrie et non surmenée » (définition légale).

Le lait, aliment équilibré sécrété par les femelles mammifères pour nourrir les petits, fut de tout temps un symbole de fertilité et de richesse : dans la Bible, la Terre promise est un pays où coulent « le lait et le miel ». Moïse cite les laits de brebis et de vache comme des dons de Dieu.

En Asie et en Inde, le lait de zébu ou de bufflonne est sacré. Les Grecs et les Romains prisaient surtout les laits de chèvre et de brebis ; ces derniers appréciaient les laits de jument, de chamelle et d'ânesse.

Aujourd'hui, en France, le terme « lait », sans indication d'espèce animale, est réservé au lait de vache, le seul qui soit commercialisé et consommé couramment (**voir** tableau des présentations de lait de vache ci-dessous). Aliment essentiel (65 Kcal ou 272 kJ pour 100 g), le lait de vache contient, en moyenne, par litre : 870 g d'eau, 35 g de lipides, 32 g de matières azotées (95 % de protéines, dont l'une, la caséine, coagule sous forme de caillé), 45 g de lactose (sucre à faible pouvoir sucrant), de nombreux minéraux (de 7 à 10 g ; en particulier du calcium) et une grande variété de vitamines. Selon sa composition, le lait influe sur la nature du fromage fabriqué : pour le gruyère, il doit être très frais et peu acide ; pour le pont-l'évêque, il est utilisé aussitôt après la traite ; pour le camembert, il doit être un peu acidifié. La saveur du beurre dépend également de l'alimentation des vaches.

Le lait renferme une population microbienne abondante. Celle-ci intervient dans la coagulation naturelle du lait, mais elle peut aussi être pathogène. Il est donc nécessaire, pour conserver le lait, d'utiliser le froid qui inhibe le développement des micro-organismes, ou la chaleur qui les détruit (pasteurisation et stérilisation).

Caractéristiques des principales présentations de lait de vache

PRÉSENTATION	DÉNOMINATION	TRAITEMENT THERMIQUE	CONSERVATION	
			AVANT OUVERTURE	APRÈS OUVERTURE
cru	« lait cru », « lait cru frais »	refroidi juste après la traite, conditionné sur place	48 h après la traite, ≤ 4 °C	≤ 24 h
pasteurisé	« lait pasteurisé conditionné », « lait frais pasteurisé », « lait pasteurisé de haute qualité »	72-85 °C (15-20 s), 72 °C (15 s) pour « haute qualité », refroidissement rapide à – 4 °C	DLC* : 7 j, ≤ 4 °C	2-3 j (DLC incluse), 24 h en collectivité
UHT***	« lait stérilisé UHT »	140-150 °C (1-5 s), refroidissement rapide et conditionnement aseptique	DLC : 90 j, ≤ 15 °C	1-2 j, 3 °C
stérilisé	« lait stérilisé »	115 °C (15-20 min) dans son conditionnement	DLC : 150 j, ≤ 15 °C	≤ 1-2 j, 3 °C
concentré	« lait concentré » (non sucré)	pasteurisé, concentré sous vide, stérilisé	DLUO** : 12-18 mois, ≤ 15 °C	1-2 j, 4 °C
	« lait concentré sucré »	additionné de 70 % de saccharose et concentré sous vide		
en poudre	« lait en poudre », « poudre de lait », « à dissolution instantanée »	pasteurisé, concentré, déshydraté dans un courant d'air chaud	DLUO : ± 14 mois, température ambiante	10 j (entier), 2 semaines (demi-écrémé), 3 semaines (écrémé)

* DLC : date limite de consommation.

** DLUO : date limite d'utilisation optimale, cette indication a valeur de conseil pour préserver les qualités organoleptiques du produit.

*** UHT : ultra haute température.

■ **Emplois.** La consommation du lait est relativement faible en France : 77 litres par an et par habitant, contre 171 en Irlande, au premier rang mondial. On utilise le lait de multiples façons. Élément de base de la crème fraîche, du beurre, des fromages et des yaourts, il constitue également une boisson appréciée : nature, aromatisé avec un sirop de fruit, vanillé ou chocolaté. Il peut être ajouté en « nuage » dans le thé et le café, et sert à préparer le chocolat. Il entre même dans certains cocktails (milk-shake aux fruits, notamment). Il peut être additionné de produits épaississants et aromatisé (lait gélifié) pour constituer des desserts. Sous l'action de ferments lactiques et, éventuellement, de levures, il devient du « lait fermenté » (*leben*, koumis, képhir du Moyen-Orient, *khir* indien, *gioddu* sarde, *skyr* islandais, etc.). Le « lait caillé », ou « lait battu », servait de base à de nombreux apprêts dans les campagnes (lait « ribot », c'est-à-dire baratté et versé sur des pommes de terre écrasées), lait « cuit » (caillé naturellement et chauffé doucement, dégusté avec des galettes de sarrasin), lait « marri » (mis à bouillir, additionné de lait ribot, servi sucré), etc.

En cuisine, le lait est indispensable dans un grand nombre de préparations, notamment pour les sauces Béchamel, Nantua et Soubise, en finition dans les soupes et potages, pour les gratins, le court-bouillon de certains poissons, et même pour la cuisson de certaines viandes. Desserts, flans et entremets, crème anglaise, crème aux œufs et crèmes cuites en contiennent en proportions notables, ainsi que les glaces et les pâtes de base, surtout les plus fluides (beignets, crêpes, gaufres). Enfin, on prépare une confiture de lait réduite en caramel et très sucrée, aromatisée à la vanille.

▶ Recettes : COURT-BOUILLON, ŒUFS AU LAIT, PAIN AU LAIT, RIZ, TAPIOCA, THÉ, TURBOT.

LAIT D'AMANDE
Apprêt liquide à base d'amandes pilées. Le lait d'amande peut se préparer avec des amandes pilées, délayées, additionnées de gélatine, pour servir de base à des entremets froids ou des coupes glacées, complétés par des fruits et de la glace.

En pâtisserie classique, le lait d'amande est un gâteau rond, à base de pâte aux amandes, au sucre et aux œufs ; abricoté après cuisson, il est recouvert d'une abaisse de pâte d'amande abricotée et glacée en blanc, le tour étant décoré d'amandes hachées et grillées.

lait d'amande

POUR 50 CL – PRÉPARATION : 10 min (la veille) – RÉFRIGÉRATION : 12 h au moins – CUISSON : 3 min environ

La veille, porter à ébullition dans une casserole 25 cl d'eau et 100 g de sucre en poudre. Retirer du feu. Incorporer en mélangeant 170 g de poudre d'amande et 1 cl de kirsch pur. Mixer à chaud. Filtrer au-dessus d'une jatte. Laisser reposer au moins 12 h au réfrigérateur. Le lendemain, ajouter 1 goutte d'essence d'amande amère, pas plus, car cela donnerait un goût très désagréable au lait d'amande.

lait d'amande aux framboises ▶ AMANDE
pigeons au lait d'amandes fraîches ▶ PIGEON ET PIGEONNEAU

LAIT DE POULE
Boisson onctueuse et réconfortante, consommée chaude ou froide. Le lait de poule est fait d'un jaune d'œuf battu avec une cuillerée à soupe de sucre, le mélange étant ensuite délayé et fouetté avec un verre de lait. On l'aromatise parfois avec de l'eau de fleur d'oranger.

LAITANCE
Sécrétion des glandes génitales des poissons mâles, se présentant dans une poche blanche et molle, riche en phosphore. On consomme les laitances, ou laites, lorsque les poissons sont « pleins » ; on peut également les conserver, à l'huile ou fumées. On utilise surtout les laitances de hareng, de carpe (plat favori de Brillat-Savarin en garniture d'omelette) et de maquereau. Pochées au court-bouillon ou cuites à la meunière, elles se servent en hors-d'œuvre chauds. Elles peuvent aussi accompagner des poissons.

beurre de laitance ▶ BEURRE COMPOSÉ
bouchées aux laitances ▶ BOUCHÉE (SALÉE)
canapés aux laitances ▶ CANAPÉ

RECETTE DE JOËL ROBUCHON
laitances de hareng au verjus

« Faire dégorger 1 heure 500 g de laitances de hareng dans de l'eau froide additionnée de 10 cl de vinaigre d'alcool blanc. Les débarrasser ensuite du petit vaisseau sanguinolent. Les égoutter, les éponger soigneusement avec du papier absorbant et les assaisonner de sel et de poivre du moulin. Les passer dans de la farine, les secouer pour en enlever l'excès, puis les piquer en 5 ou 6 endroits différents avec une aiguille fine pour éviter qu'elles n'éclatent. Chauffer dans une poêle 40 g de beurre et 5 cl d'huile d'olive, y poser très délicatement les laitances et les dorer légèrement 3 ou 4 min de chaque côté. Dans une autre poêle, faire chauffer 80 g de beurre et y faire rissoler 4 min 80 g de petits dés de champignons de Paris et 80 g de petits dés de pommes fruits acides. Ajouter 80 g de petits dés de tomate puis, après 1 min, 50 g de câpres surfines ; saler et poivrer. Dresser les laitances sur des assiettes. Les parsemer de pluches de persil simple. Les recouvrir de la garniture. Dégraisser la poêle des laitances et la déglacer avec 5 cl de vinaigre de cidre et 5 cl de verjus. Napper les assiettes de cette sauce et servir ce plat très chaud. »

LAITUE
Nom générique d'une plante potagère annuelle, de la famille des astéracées, dont on consomme les feuilles crues ou cuites. Il existe différents types de laitue (voir tableau des laitues page 487 et planche page 486). Dans presque chacun d'eux, on retrouve des variétés vertes, blondes ou rouges. Ainsi, il y a des batavias blondes et des batavias rouges, des lollo rossa (rouges) et des lollo bionda, qui sont vert pâle (blondes), ou encore des grasses rouges, comme les rougettes. Cultivée, de façon ininterrompue depuis la plus haute antiquité, la laitue doit son nom à son latex qui ressemble à du lait et qui a, semble-t-il, des propriétés assoupissantes. La laitue a toujours été considérée comme le « balai de l'intestin » permettant de réguler le transit digestif et de diminuer la constipation. Les Romains la consommait déjà exactement comme nous actuellement.

La laitue fut introduite en France au Moyen Âge, certains prétendent par Rabelais, qui aurait rapporté des graines d'Italie, d'autres par les papes en exil à Avignon. Jusqu'au règne de Louis XVI, on la consommait en apprêt chaud. La laitue crue à la vinaigrette fit vivement sensation à Londres, où un émigré, le chevalier d'Albignac, fit fortune en assaisonnant des salades dans les hôtels privés et les restaurants de luxe. Brillat-Savarin évoque la figure de ce *fashionable salad maker*, qui passait de salle à manger en salle à manger avec son nécessaire en acajou et ses ingrédients (huiles parfumées, caviar, sauce soja, anchois, truffes, jus de viande, vinaigres aromatisés, etc.).

■ **Emplois.** Toutes les laitues sont très riches en eau (95 %) et peu énergétiques (18 Kcal ou 75 kJ pour 100 g, contre près de 50 Kcal ou 209 kJ pour 100 g de pissenlit). Elles renferment de nombreux sels minéraux (nitrates) et des vitamines du groupe B. La laitue beurre et la sucrine sont plus savoureuses au printemps, la romaine et la batavia en été. Celles qui sont cultivées en pleine terre sont d'un goût meilleur et plus riches en sels minéraux. Elles doivent toujours être lavées (à grande eau potable pour les débarrasser de toute trace de terre, de pesticides, de pollutions atmosphériques et de parasites), puis épluchées et essorées très soigneusement. La taille des feuilles est fonction de l'apprêt (voir CHIFFONNADE).

Les laitues sont servies en crudités, en salades simples ou composées ; on utilise souvent les feuilles crues en décor et en garniture, en particulier pour les types lollo.

Elles se mangent aussi braisées, farcies ou à la crème et entrent dans la préparation des petits pois à la française et des haricots mange-tout.

chiffonnade de laitue cuite ▶ CHIFFONNADE
crème de laitue, fondue aux oignons
  de printemps ▶ CRÈME (POTAGE)

LAITUES

lollo bionda

sucrine

romaine romea

pommée verte

iceberg

pommée rouge

little gem (Espagne)

romaine

feuille de chêne arlequin

feuille de
chêne rouge

batavia blonde

lollo rossa

feuille de
chêne verte

batavia rouge

laitues braisées au gras

Parer les laitues en supprimant les feuilles vertes et dures du tour. Les blanchir 5 min à l'eau bouillante salée, les rafraîchir, les presser pour en extraire le maximum d'eau. Les attacher par deux ou trois. Beurrer une cocotte, la foncer de couennes de lard, de carottes et d'oignons émincés et y ranger les laitues. Les couvrir de bouillon un peu gras. Porter à ébullition sur le feu, puis couvrir et cuire 50 min dans le four préchauffé à 200 °C. Égoutter alors les laitues et déficeler les paquets. Partager chaque laitue en deux, dans le sens de la longueur. Parer l'extrémité des feuilles et replier chaque moitié sur elle-même. Les mettre dans une timbale beurrée. Les arroser de quelques cuillerées de fond de veau passé au tamis.

purée de laitue ▶ PURÉE

LALANDE-DE-POMEROL Vin AOC rouge de Bordeaux, Proches de Pomerol, les vins de lalande (issus des cépages merlot, cabernet franc, cabernet-sauvignon et malbec) le sont aussi par leur saveur moelleuse et leur bouquet de violette (**voir** BORDELAIS).

LAMBALLE Nom donné à un potage lié, constitué d'une purée de pois frais ou de pois cassés, additionnée de consommé au tapioca. Ce terme désigne aussi un apprêt de caille farcie en caisse.

LAMBI Gastéropode des Antilles, ressemblant, en plus gros, au bulot des côtes françaises (**voir** tableau des coquillages page 250). Il atteint couramment 35 cm. Sa coquille jaune-rose orangé est spiralée. Le lambi vit dans les herbiers, près de la côte. On le consomme coupé en dés, en tapas ou en plat principal, avec une sauce assez relevée. Sa coquille sert d'objet de décoration. En Polynésie, on utilise ce type de coquillage comme instrument de musique.

LAMBIC Bière belge de fermentation spontanée, assez peu alcoolisée, à base de malt d'orge et de froment cru, aromatisée au houblon suranné et ensemencée de levures (*Brettanomyces bruxellensis* et *Brettanomyces lambicus*), caractéristiques de la seule vallée de la Senne, près de Bruxelles. Le lambic n'est produit qu'en hiver et ne se consomme qu'à la pression, dans les cafés traditionnels. Additionné de sucre candi, il devient le faro, disponible en bouteilles.

Caractéristiques des principaux types de laitues

TYPE	PROVENANCE	ÉPOQUE	ASPECT
pommées beurre			
variétés de printemps (elsa, florian, etc.)	Sud-Est, Sud-Ouest, ceintures vertes des villes	avr.-juin	pomme plutôt arrondie, assez ferme et souple, feuilles arrondies non craquantes
variétés d'été (balisto, tropica, etc.)	Sud-Est, Sud-Ouest, ceintures vertes des villes	juin-oct.	
variétés d'automne (elvira, nancy, etc.)	Sud-Est, Sud-Ouest, ceintures vertes des villes	sept.-janv.	
variétés d'hiver (judy, merveille d'hiver, etc.)	Roussillon, Languedoc, Provence, Val de Loire	nov.-fin avr.	
pommées batavia			
batavias blondes (dorée de printemps, laura, etc.)	Sud-Est, Sud-Ouest	nov.-mai	pomme ronde et dense, feuilles arrondies et craquantes à bord finement dentelé
	ceintures vertes des villes	avr.-oct.	
batavias rouges (rossia, rouge grenobloise, etc.)	Sud-Est, Sud-Ouest, Italie	nov.-mai	
	ceintures vertes des villes	avr.-nov.	
types iceberg (saladin, lambada, calona, etc.)	Bretagne	mai-nov.	pomme ronde et dure, feuilles très craquantes
romaines			
blonde maraîchère (blonde de Frontignan, padox, etc.)	Nord, Sud-Est, Sud-Ouest, Île-de-France	mars-juill.	pomme oblongue, feuilles épaisses, craquantes, avec une grosse nervure centrale
grise maraîchère (rive, etc.)	Nord, Sud-Est, Sud-Ouest, Île-de-France	mars-juill.	
verte maraîchère (romance, etc.)	Nord, Sud-Est, Sud-Ouest, Île-de-France	mars-juill.	
grasses			
craquerelle	Sud-Est	mars-fin oct.	petite pomme serrée, feuilles arrondies, épaisses et cloquées
sucrine	Sud-Est, Val de Loire, Touraine	juill.-sept.	
têtue de Nîmes	Sud-Est	juill.-fin sept.	
feuille de chêne (krizet, raisa, hussarde, etc.)	Provence, Roussillon, Val de Loire	nov.-mai	non pommé, feuilles souples lobées en bouquet
	ceintures vertes des villes	avr.-oct.	
lollo rossa ou lollo bionda (diverses variétés)	Provence, Roussillon, Val de Loire, Italie	nov.-mai	non pommé, feuilles souples profondément lobées et frisées, à bord dentelé
	ceintures vertes des villes	avr.-oct.	

Le lambic sert également, par coupage, à l'élaboration de la gueuze et de la kriek (**voir** ces mots). Toutes ces bières bénéficient d'une protection légale au titre de spécialité traditionnelle garantie.

▶ Recette : CHOESELS.

LAMPROIE Nom d'un petit groupe de vertébrés de la classe des agnathes, à côté des poissons. Il en existe plusieurs espèces, la plus courante étant la lamproie marine. Elle mesure 1 m au maximum. Son corps est anguilliforme, sans écailles ; son dos est marbré de noir, et l'abdomen est pourpre chez les mâles. Elle possède sept petits orifices branchiaux circulaires en arrière de la tête. Avec sa bouche fixe en forme de ventouse qui porte des dents concentriques, la lamproie marine parasite les poissons en se fixant sur eux. On la pêche surtout dans la Dordogne, au printemps, lors de sa remontée en eaux douces pour se reproduire.

Sa chair grasse, mais délicate, est très appréciée depuis le Moyen Âge. Les captures ne suffisent pas à satisfaire la demande, d'où son prix très élevé. Elle se cuisine comme l'anguille, mais la recette la plus classique reste à la bordelaise.

lamproie à la bordelaise

Saigner une lamproie et réserver le sang pour lier la sauce. L'échauder et ôter la peau en la grattant. Enlever la corde dorsale en incisant le cou et en la tirant. Détailler la lamproie en tronçons de 6 cm et mettre ceux-ci dans un plat à sauter beurré, foncé d'oignons et de carottes émincés ; ajouter 1 bouquet garni et 1 gousse d'ail écrasée. Saler et poivrer, mouiller largement avec du bordeaux rouge. Cuire 10 min à bonne ébullition, puis égoutter. Nettoyer 4 blancs de poireau, les couper en trois et les étuver au beurre dans un autre plat à sauter avec 4 cuillerées de jambon sec coupé en petits dés. Ajouter la lamproie. Préparer un roux avec 2 cuillerées de beurre et autant de farine, mouiller avec la cuisson de la lamproie et cuire 15 min. Passer la sauce, la verser sur celle-ci. Achever la cuisson à très petite ébullition. Dresser la lamproie sur un plat rond et la napper de sauce liée avec le sang réservé.

pâté de lamproie à la bordelaise ▶ PÂTÉ

LANCASHIRE Fromage anglais de lait cru de vache (48 % de matières grasses), à pâte pressée non cuite et à croûte naturelle grattée (**voir** tableau des fromages étrangers page 400). Le lancashire se présente sous la forme d'un cylindre de 25 à 30 cm de diamètre et de 20 à 25 cm d'épaisseur. Il a une saveur assez relevée. Il existe un lancashire sage, parfumé à la sauge, à pâte veinée de vert, en pièces de six kilos.

LANÇON ▶ VOIR ÉQUILLE

LANDAISE (À LA) Se dit de diverses préparations inspirées de la cuisine des Landes, utilisant en particulier le jambon de Bayonne, la graisse d'oie et les cèpes. L'appellation « à la landaise » s'applique à des mets rustiques (pommes de terre) ou plus recherchés (becfigues, foie d'oie ou de canard) ainsi qu'aux grands classiques régionaux (confit).

▶ Recettes : CONFIT, POMME DE TERRE.

LANGOUSTE Crustacé marcheur décapode (dix pattes), de la famille des palinuridés, caractérisé par de très longues antennes, la présence d'épines sur le côté des segments abdominaux et l'absence de pinces (**voir** tableau des langoustes page 489 et planche des crustacés pages 286 et 287).

La langouste vit sur les fonds rocheux, entre 20 et 150 m de profondeur. La larve, minuscule, doit subir plus de vingt mues avant que l'animal ait atteint l'âge de 5 ans et la taille légale pour la consommation, c'est-à-dire 23 cm. Plus vieille, la langouste peut atteindre 50 cm et peser 4 kg. Malgré des pontes prolifiques (jusqu'à 100 000 œufs), elle se raréfie.

■ **Emplois.** Les langoustes fraîches doivent être achetées bien vivantes (elles battent alors fortement de la queue lorsqu'on les saisit) et intactes (ni trou dans la carapace, ni membre arraché) ; seules les antennes, fragiles, peuvent avoir souffert. Les femelles, reconnaissables aux palmes destinées à retenir les œufs sous l'abdomen, sont peut-être plus avantageuses.

Comme tous les crustacés, la langouste fraîche est mise à cuire vivante. Sa chair fine, serrée, blanche et délicate, a une saveur moins accentuée que celle du homard, mais elle s'apprête de la même façon.

Les préparations les plus relevées lui conviennent particulièrement bien (langouste sautée et flambée, avec une sauce au cari, grillée et servie avec un beurre de basilic, cuisinée au cognac, etc.) ; les apprêts classiques les plus décoratifs sont les présentations « en bellevue » et « à la parisienne ».

Deux préparations de cuisine étrangère sont typiques : la langouste au chocolat de Catalogne, cuite à la casserole avec un ragoût de tomates et de condiments, relevé d'amandes et de noisettes hachées, de piment et de chocolat à la cannelle ; la langouste au gingembre de Chine, en morceaux décortiqués, frits puis poêlés à l'huile de sésame avec des oignons, de la ciboulette et du gingembre frais.

aspic de langouste ▶ ASPIC
canapés à la langouste ▶ CANAPÉ

RECETTE DE ROGER VERGÉ

langouste grillée au beurre de basilic

POUR 4 PERSONNES

« Trancher une langouste en deux. Ranger les moitiés dans un plat à rôtir (côté carapace en contact avec le plat). Saler et poivrer la chair des demi-langoustes, arroser d'huile d'olive. Passer sous le gril du four 5 min côté chair, puis 5 min côté carapace. Retourner les demi-langoustes chair au-dessus et arroser abondamment de beurre fondu additionné de feuilles de basilic frais grossièrement hachées. Continuer à arroser régulièrement jusqu'à cuisson complète (20 min environ) et servir brûlant. »

RECETTE DE LOUIS OUTHIER ET JEAN-MARIE MEULIEN

langouste aux herbes thaïes

« Griller dans une poêle sèche 4 cuillerées à soupe de graines de coriandre et autant de graines de cumin, les laisser refroidir, puis les moudre. Hacher 4 cuillerées à soupe de galanga, 8 tiges de citronnelle et 4 cuillerées à soupe de racines de coriandre. Mélanger tous ces ingrédients avec 100 g de purée d'échalote, 100 g de purée d'ail, 2 cuillerées à soupe de pâte de piment, 8 cuillerées à soupe de purée de poivron rouge doux, 60 g de pâte de crevette, 1 cuillerée à soupe de safran, 3 cuillerées à soupe de curcuma, 1 cuillerée à soupe de sel et 1 pointe de makroud (appellation thaïlandaise de la bergamote) ou de kaffir (feuilles du combava). Passer le tout au mixeur, puis au tamis. Ébouillanter 2 langoustes de 800 g et les couper en deux, en longueur. Retirer la chair des queues. Mettre les carapaces à rôtir au four. Dans un sautoir, cuire 2 min la chair avec 50 g de beurre, sans la colorer ; la réserver. La remplacer par la pâte thaïe et 2 cuillerées à café de gingembre frais râpé. Faire revenir, puis mettre 20 cl de porto blanc, 20 g de julienne de pomme, 40 g de julienne de carotte et 2 feuilles de kafir. Réduire à sec, puis ajouter 1 cuillerée à café de curcuma et 50 g de beurre. Incorporer doucement, hors du feu, 20 cl de crème fraîche liquide bien montée. Verser enfin 4 cl d'alcool de noix de coco et autant d'alcool de gingembre. Dresser la chair de langouste dans des assiettes creuses, porter la sauce à ébullition et napper le plat. Parsemer de cerfeuil ciselé. »

RECETTE DE JACQUES PIC

salade des pêcheurs au xérès

POUR 4 PERSONNES

« Cuire individuellement au court-bouillon un homard breton de 600 g (en comptant 1 min pour 100 g), une langouste royale de 800 g (en comptant 2 ou 3 min pour 100 g) ainsi que 1 kg d'écrevisses (pendant 2 min). Les rafraîchir, les décortiquer, réserver les pinces et les pilons. Tailler 1 médaillon de langouste et 2 médaillons de homard par personne. Détailler les pilons en brunoise de 1 cm de côté. Préparer une première

Caractéristiques des principales espèces de langoustes

ESPÈCE	PROVENANCE	ÉPOQUE	ASPECT	SAVEUR
langouste du Cap	Afrique du Sud	sept.-déc.	carapace écailleuse, brique foncé uniforme	un peu sucrée
langouste de Cuba	Antilles	toute l'année	carapace brun-rouge, 2 taches blanches rondes sur les 2e et 6e segments	un peu sucrée
langouste rose ou du Portugal	Atlantique	fin mars-fin août	un peu trapue, carapace constellée de petites taches claires	assez fine
langouste rouge, royale ou bretonne	Manche, Atlantique, Méditerranée	fin mars-fin août	trapue, carapace brun-rouge ou rouge violacé, à tubercules aigus, 2 taches claires triangulaires sur chaque segment	très fine
langouste verte ou de Mauritanie	Afrique de l'Ouest	juin-oct.	antennes longues avec antennules, carapace bleu-vert, chaque segment étant marqué d'une bande claire et de 2 taches blanches et rondes	peu marquée

sauce avec 50 g de mayonnaise, 10 g de fumet, 1 trait de vinaigre de xérès et 2 g de ciboulette ciselée. Préparer une deuxième sauce avec 50 g de mayonnaise, 10 g de fumet, 1 trait de vinaigre de xérès, 2 g d'aneth ciselé et 5 g de vert végétal. Préparer une troisième sauce avec 50 g de mayonnaise, 10 g de fumet, 1 trait de vinaigre de xérès, 10 g de tomates concassées et 1 feuille de basilic ciselée. Préparer une quatrième sauce avec 50 g de mayonnaise, 10 g de fumet, 1 trait de vinaigre de xérès et 2 g de basilic. Assaisonner les médaillons de homard et langouste avec un peu de mayonnaise, 1 trait de vinaigre de xérès, un peu de fumet de poisson, rectifier l'assaisonnement. Disposer le salpicon de homard et la pince assaisonnés au centre de l'assiette. Faire poêler 4 belles noix de saint-jacques. Sur chaque assiette, répartir autour du salpicon les 4 sauces en disposant dessus : 1 noix de saint-jacques sur la première sauce (mayonnaise et ciboulette), 1 médaillon de homard sur la deuxième sauce (mayonnaise et aneth), 1 médaillon de langouste sur la troisième sauce (mayonnaise tomatée), les écrevisses sur la quatrième sauce (mayonnaise et basilic). On pourra agrémenter cette salade de haricots verts ou d'asperges suivant la saison. »

LANGOUSTINE Crustacé marcheur décapode (dix pattes), de la famille des néphropidés, très répandu sur les côtes d'Europe occidentale, morphologiquement peu proche de la langouste, malgré son nom (**voir** tableau des crustacés marins page 285 et planche pages 286 et 287).

Les langoustines ont une carapace rose jaunâtre, et leur taille varie de 15 à 25 cm. Elles ne vivent pas longtemps hors de l'eau. À l'achat, elles doivent avoir l'œil bien noir et être brillantes. On les sert entières, pochées, mais de nombreux apprêts n'utilisent que les queues. Elles entrent dans la composition de la paella et remplacent souvent les crevettes géantes dans les recettes sino-vietnamiennes à l'européenne.

beignets de langoustines ▶ BEIGNET
crème de langoustine à la truffe ▶ CRÈME (POTAGE)

RECETTE D'OLYMPE VERSINI

langoustines frites aux légumes

« Couper en bâtonnets fins 1 carotte épluchée et 1 courgette avec sa peau. Peler 4 gros oignons doux et les couper en rondelles. Décortiquer les queues de 8 grosses langoustines. Préparer une pâte (assez liquide) en mélangeant 250 g de farine avec un peu d'eau et 1 ou 2 glaçons puis 2 blancs d'œuf battus en neige ferme. Chauffer vivement 500 g d'huile de palme. Tremper dans la pâte les bâtonnets de légumes et les rondelles d'oignon doux, les faire frire 1 min dans l'huile. Procéder de même avec les queues de langoustine

en les faisant frire 30 secondes. Égoutter, saler et servir avec du citron. »

RECETTE DE GUY MARTIN

langoustines juste saisies, d'autres assaisonnées aux fruits de la Passion

POUR 4 PERSONNES

« Prévoir 12 langoustines de 250 g chacune. Décortiquer 8 de ces langoustines en prenant soin de garder le bout de la queue de la carapace attaché. Préparer un chutney fenouil-passion : verser dans une casserole 200 g de fenouil taillé en petits dés, 50 g d'oignons ciselés, 5 g de sucre roux et 40 g de pulpe de fruit de la Passion. Ajouter de l'eau à hauteur du fenouil, porter à ébullition et cuire à feu doux jusqu'à absorption du liquide. Mixer ensuite le tout en gardant des morceaux, puis assaisonner. Préparer le lait de fenouil : tailler 200 g de fenouil en petits morceaux et le cuire pendant 20 min dans 200 g de boisson au soja nature. Mixer et passer au chinois fin avant de saler et poivrer. Préparer la purée de coriandre : plonger 1 botte de coriandre dans de l'eau bouillante salée et cuire pendant 5 min. Rafraîchir, égoutter et mixer en une fine purée. Passer ensuite au tamis puis saler et poivrer. Décortiquer les 4 langoustines restantes pour préparer le tartare. Les couper grossièrement au couteau, ajouter 1 cuillerée à café de ciboulette ciselée et 10 g de pulpe de fruit de la Passion. Saler et poivrer ce tartare ainsi que les 8 langoustines décortiquées avant de les poêler pour leur donner une belle coloration. Terminer en les passant 1 ou 2 min au four préchauffé à 220 °C. Dresser harmonieusement les langoustines, le tartare et la purée de coriandre dans 4 assiettes et accompagner avec le chutney et le lait de fenouil. »

langoustines Ninon

Fendre 4 poireaux en deux sur toute leur longueur. Les débarrasser de leurs grosses feuilles vertes. Séparer les feuilles et les laver. Décortiquer les queues de 24 langoustines. Mettre les têtes dans une sauteuse avec 1 cuillerée à soupe d'huile d'olive. Les écraser grossièrement. Saler et mouiller à hauteur d'eau froide. Porter à ébullition, couvrir et cuire 15 min. Filtrer. Prélever le zeste de 1 orange en fines lanières. La presser, ainsi qu'une autre. Chauffer 30 g de beurre dans une sauteuse. Ajouter les lanières de poireau et mouiller d'eau à hauteur. Cuire à découvert sur feu vif jusqu'à évaporation complète du liquide. Dans une casserole, verser 2 verres de bouillon de langoustine, et 1 verre de jus d'orange. Ajouter le zeste. Porter à ébullition et faire réduire de moitié. Incorporer en fouettant 50 g de beurre en parcelles. Retirer du feu, saler et poivrer. Poêler de 2 à 3 min les queues de langoustine dans 50 g de beurre. Disposer langoustines et poireaux sur un plat de service chaud. Napper délicatement de sauce à l'orange.

RECETTE DE JACQUES CHIBOIS

papillon de langoustines à la chiffonnade de mesclun

POUR 4 PERSONNES

« Cuire 20 langoustines à la vapeur de 8 à 10 min puis les décortiquer entièrement, sauf 4 dont les queues resteront attachées au coffre. Les garder au four tiède. Effiler 200 g de haricots verts et les cuire dans de l'eau très salée pendant 4 à 8 min selon la grosseur (30 g de gros sel pour 1,5 litre d'eau). Les plonger dans l'eau froide avec quelques glaçons puis les égoutter. Dans 100 g de courgette, couper 16 fines lamelles sur une longueur de 6 cm et les cuire à la vapeur pendant 2 ou 3 min. Pour la vinaigrette, peler à vif et extraire les quartiers sans peau de 2 oranges moyennes et de 1 citron. Passer les quartiers au mixeur avec la moitié des feuilles d'une branche de basilic, 10 cl d'huile d'olive, 1/2 cuillerée à café de coriandre écrasée, du sel et du poivre. Bien tourner pour obtenir une belle liaison. Verser cette sauce dans une petite casserole et ajouter 200 g de dés de tomate (épépinés et sans peau), puis faire chauffer peu de temps à feu doux. Pour le dressage, choisir 8 belles feuilles de mesclun d'une salade de 100 g. Assaisonner le reste de la salade, les haricots verts, les lamelles de courgettes et les langoustines avec sel et poivre. Faire chauffer les langoustines au four. Monter l'assiette en disposant à partir de la moitié du bord 4 lamelles de courgettes en éventail. À l'intérieur, disposer 2 éventails de haricots verts l'un face à l'autre. Au centre, placer un peu de mesclun et ajouter 2 feuilles choisies en les rangeant en forme de triangle. Sortir les langoustines du four et les placer tête au centre du triangle avec la queue sur la salade. Verser la sauce chaude sur les queues et sur les courgettes. Parsemer avec quelques feuilles de basilic finement coupées dans le sens de la largeur, et disposer 2 tomates cerise près des haricots verts. »

risotto noir de langoustines au basilic thaï ▶ RISOTTO
salade de chicon, pomme verte aux langoustines
et lanières de poulet ▶ ENDIVE

RECETTE DE RICHARD COUTANCEAU

tartare de langoustines en fine gelée aux huîtres spéciales

POUR 4 PERSONNES

« Préparer la sauce : mélanger 50 g de mayonnaise avec 2 cuillerées de vinaigre de xérès, ajouter ensuite délicatement 3 cl de crème liquide montée et assaisonner de sel et de poivre. Préparer la gelée de langoustines et d'huîtres : mettre 1 feuille de gélatine à ramollir dans de l'eau froide pendant quelques minutes, l'égoutter puis la faire fondre dans une casserole à feu doux. Ajouter 10 cl de jus d'huître et 30 cl de fumet de langoustine et réserver au frais. Préparer le tartare de langoustines : hacher au couteau 300 g de queues de langoustine extra-fraîches et décortiquées à cru. Mélanger avec 2 cuillerées à soupe de ciboulette ciselée et ajouter au tartare 2 cuillerées de sauce au vinaigre de xérès et 10 g de citron confit. Vérifiez l'assaisonnement. Pour terminer, déposer au centre de chaque assiette un cercle et le remplir de 60 g de tartare de langoustines. Enlever le cercle puis disposer autour 3 huîtres spéciales n° 3 ainsi que 3 petits bouquets de mâche, la fine gelée de langoustines, quelques pluches de cerfeuil et les dés de 1 tomate émondée et épépinée. »

LANGRES Fromage AOC au lait de vache (50 % de matières grasses), à pâte molle et à croûte lavée (**voir** tableau des fromages français page 390). De forme cylindrique, il possède un creux sur sa face supérieure, car il n'est pas retourné lors de l'égouttage. Il existe en deux formats : le gros, de 16 à 20 cm de diamètre et de 5 à 7 cm de haut, pesant 800 g ; le petit, de 7,5 à 9 cm de diamètre et de 4 à 6 cm de haut, pesant 150 g. Sa croûte fine et lisse est de couleur jaune clair à brun-rouge en raison de l'apport de rocou. C'est un fromage de Haute-Marne que l'on fabrique aussi dans les Vosges et, en petite quantité, en Côte-d'Or.

LANGUE Organe charnu comestible provenant de la tête d'un animal de boucherie. La langue est classée parmi les abats (**voir** tableau des abats page 10). La langue de bœuf, une fois parée, pèse plus de 2 kg. Comme la langue de veau (la meilleure), de porc ou de mouton (150 g), elle connaît de multiples apprêts : à l'étouffée, bouillie et servie avec des sauces relevées, en beignets, en gratin, ou froide, à la vinaigrette.

Les Romains appréciaient les langues de flamant rose, et, au Moyen Âge, on préparait des pâtés de langues de merle. Quant aux langues de morue frites à la sauce tartare, c'est un apprêt typiquement canadien.

langue : préparation

Faire tremper la langue 12 heures dans une grande quantité d'eau froide, en changeant celle-ci 2 ou 3 fois. La parer en retirant les parties grasses, puis l'ébouillanter. La dépouiller en incisant la peau à la base, sur le dessus, et en la tirant vers la pointe. La laver et l'éponger, puis la saler et la laisser macérer 24 heures au frais. La laver à nouveau, puis l'éponger.

langue de bœuf à l'alsacienne

Faire blanchir puis pocher avec une garniture aromatique une langue de bœuf pendant 1 h 30. Préparer de la choucroute à l'alsacienne, avec un morceau de lard de poitrine blanchi. Foncer une braisière avec des couennes de lard fumé et y verser la choucroute avec sa garniture et le lard. Loger la langue au milieu, couvrir et poursuivre la cuisson 1 heure. Cuire des pommes de terre à l'eau ; pocher à part quelques saucisses de Strasbourg. Dresser la choucroute sur un plat. Découper en tranches la langue et le lard, les disposer sur la choucroute et les entourer de pommes de terre et de saucisses.

LANGUE-DE-BŒUF Appellation usuelle de la fistuline hépatique, champignon poussant sur le tronc des chênes et des châtaigniers, et formant une masse rouge, en forme de langue charnue, gluante en surface. Sa chair épaisse, gorgée d'un suc rougeâtre à saveur acidulée, se mange cuite (en tranches, sautées comme du foie) ou crue (en lamelles dégorgées au sel et assaisonnées à la vinaigrette), avec une salade verte.

LANGUE-DE-CHAT Petit gâteau sec en forme de languette arrondie et plate. Délicates et friables, mais se conservant bien, les langues-de-chat accompagnent généralement les entremets glacés, les crèmes, les salades de fruits, le champagne et les vins de liqueur.

langues-de-chat au beurre et aux œufs entiers

Travailler en pommade très lisse 125 g de beurre en morceaux. Ajouter 1 sachet de sucre vanillé et 75 à 100 g de sucre en poudre ; travailler 5 min au fouet ou à la spatule de bois. Incorporer 2 œufs, un par un. Verser enfin 125 g de farine tamisée, en pluie, et l'incorporer au fouet. Huiler légèrement la tôle à pâtisserie. Avec une poche à douille unie, coucher la pâte en baguettes de 5 cm de long, espacées les unes des autres de 1,5 cm. Cuire au four préchauffé à 250 °C.

LANGUEDOC De la Camargue jusqu'à Carcassonne, entre la montagne cévenole, la garrigue, la plaine couverte de vignes et la côte méditerranéenne, les riches terres de la « langue d'oc » recèlent des trésors. Graisse d'oie et huile d'olive, ail et oignon, herbes, viandes confites ou salées, poissons frais ou séchés s'emploient couramment dans les cuisines du Languedoc.

La Méditerranée offre une grande variété de poissons et de fruits de mer, auxquels s'ajoutent les coquillages et les anguilles des étangs qui bordent le littoral. La cuisine du bas Languedoc est, par conséquent, consacrée aux produits de la mer avec, en tête, le thon et la morue : de la tranche de thon à la languedocienne aux étonnantes tripes de thon au vin blanc, spécialité de Palavas. Mais c'est la brandade de morue de Nîmes qui tient le haut de l'affiche, suivie de près par la bourride (soupe de poissons).

Dans l'arrière-pays, les légumes et les fruits, le porc et l'agneau ont donné naissance à des plats généreux aux saveurs fortes et colorées, comme le cassoulet de Carcassonne et celui de Castelnaudary, qui réunit dans une même « cassole » en argile lingots blancs du Lauragais, charcuteries diverses et parfois mouton, perdrix ou confit d'oie. L'important est que ce plat soit préparé avec ail, couennes et gros haricots blancs, qui donnent un moelleux inimitable. Traditionnels aussi, les apprêts à base de cèpes et d'ail (toujours). Dans les garnitures dites « à la languedocienne », ils accompagnent rondelles d'aubergine et tomates. Dans un registre plus simple, ce sont l'aïgo boulido, que l'on retrouve ailleurs dans le sud de la France, la soupe à l'ail, épaissie avec des tranches de pain arrosées d'huile d'olive, les oignons doux cuits au four ou sous la cendre, les poivrons, tomates, aubergines ou oignons, farcis de chair à saucisse et accompagnés d'aïoli, ou la flèque, pommes de terre en ragoût avec échalotes et ventrèche.

Haut et bas Languedoc se rejoignent enfin pour offrir aux gourmets une de leurs nombreuses sauces : la rouzole (hachis de lard, jambon, ail, persil, menthe), l'aïoli, le beurre de Montpellier, composé riche en fines herbes, la sauce verte du Languedoc, etc.

Le citron, la fleur d'oranger et l'anis parfument souvent les pâtisseries, qui associent parfois le salé et le sucré, tels que le mouton et la cassonade dans la tarte de Gruissan.

■ **Poissons et fruits de mer.**

● LOTTE, MOULES, HUÎTRES, ESCARGOTS DE MER, PINYATA D'ANGUILLE. De Nîmes au cap d'Agde, les regards sont tournés vers la mer : Palavas est célèbre pour son gigot de lotte rôti et sa soupe au safran, réunissant crustacés et poissons ; Bouzigues, pour ses huîtres et ses moules dégustées crues ou cuites (farcies de chair à saucisse, en « brasucade », cuites sur un feu de bois en plein air, ou en cassolette, arrosées d'une sauce à l'huile au vin blanc, au jambon, à l'ail et au persil). À Sète, on propose les seiches à la rouille, une soupe rouge mêlant petits poissons et petits crabes des étangs dans un bouillon tomaté ainsi que la bourride de lotte, alors que la bourride d'Agde s'accommode de poissons divers cuits avec poireau et herbes. Les fruits de mer ne sont pas oubliés avec la soupe de crabe d'Agde, les clovisses en sauce, les escargots de mer à l'aïoli. La pinyata d'anguille aux pommes de terre et au lard, arrosée de vin blanc, doit mijoter dans un pot de terre.

■ **Viandes et charcuteries.**

● MOUTON ET BŒUF. À Nîmes, la gardiane de bœuf (voire de taureau, qui bénéficie d'une AOC) aux olives s'inspire des mets de la Camargue, tandis que Béziers et Pézenas se disputent la paternité des petits pâtés à la viande de mouton sucrée.

● CHARCUTERIE. Parmi les spécialités de la région, on note la bougnette (boulette de porc), le foie de porc séché (fetge), le pâté au genièvre, la rayolette et le saucisson sec fumé de Vallabrègues.

■ **Fromages.**

Les meilleurs fromages viennent des Cévennes. Ce sont les savoureux pélardons de chèvre.

■ **Desserts.**

● OREILLETTES, FOUGASSES, ALLÉLUIAS, BERLINGOTS. La pâtisserie du Languedoc est originale : brioches et biscuits sont parfumés de citron et de bergamote, les oreillettes de Montpellier sont frites à l'huile d'olive, la fougasse de Béziers se fait avec des gratelons (panne de porc fondue) et du citron. La confiserie n'est pas en reste avec les réglisses, les alléluias de Castelnaudary, friandises au cédrat, et les berlingots de Pézenas, bonbons de sucre parfumés à toutes sortes d'essences et d'arômes.

■ **Vins.**

Vaste région viticole, de 41 000 ha, le Languedoc produit des vins très divers. Les importants vignobles du Minervois et des Corbières fournissent avant tout des rouges ; ces vins ont acquis leur AOC tardivement (en 1985), excepté le fitou, un rouge puissant et bouqueté. De Montpellier à Narbonne, les coteaux-du-languedoc, qui ont fait des progrès spectaculaires, donnent des vins rouges d'un excellent rapport qualité-prix. À l'est, les côtes du Rhône produisent d'excellents côtes-du-rhône-village et abritent l'appellation tavel, des rosés secs d'une grande distinction. Enfin, dans le haut Languedoc, les vins de Gaillac offrent une diversité étonnante : rouges corsés, rosés, blancs secs et nerveux, blancs doux et vins effervescents. Mais, parmi les blancs du Languedoc, la blanquette de Limoux tient la vedette : elle revendique le titre de plus vieux vin effervescent de France.

LANGUEDOCIENNE (À LA) Se dit d'apprêts où interviennent la tomate, l'aubergine et le cèpe, ensemble ou séparément. Les œufs frits à la languedocienne sont dressés sur des rondelles d'aubergine et accompagnés d'une fondue de tomate à l'ail.

La garniture languedocienne, disposée en bouquets autour de pièces de boucherie, ou autour de volailles, comprend des cèpes sautés au beurre ou à l'huile, des aubergines en rondelles ou en gros dés, frits à l'huile, et des pommes château (ou bien des cèpes escalopés, des rondelles d'aubergine frites et des tomates concassées) ; la sauce est une demi-glace tomatée, souvent condimentée à l'ail.

On baptise également « à la languedocienne » des apprêts de la cuisine du Languedoc, où prédominent l'ail, les cèpes et l'huile d'olive ou la graisse d'oie.

▶ Recettes : AGNEAU, PETIT POIS, SAUCISSE.

LAPÉROUSE Restaurant du quai des Grands-Augustins, à Paris. Créé par un certain Lauvergniat au XIXe siècle, ce modeste bouchon proposait des huîtres et des entrecôtes. En 1850, du fait de l'affluence, le neveu du propriétaire, Jules Lapérouse, ouvrit une salle au premier étage ; puis des cabinets particuliers dans les chambres de domestique de ce vieil hôtel, et l'établissement devint un restaurant de luxe. Parmi ses grandes créations, il compte le « caneton de Colette » (voir CANETON ET CANETTE), baptisé par la romancière, et la « poularde docteur », dédiée au docteur Paul, médecin légiste de la première moitié du XXe siècle (la poularde, cuite aux trois quarts, est imbibée de porto, mijotée dans du jus de veau et servie avec de l'estragon et des lamelles de veau).

▶ Recette : SOUFFLÉ.

LAPIN Petit mammifère duplicidenté de l'ordre des lagomorphes, originaire de la péninsule Ibérique (voir tableaux des gibiers page 421, des volailles et lapins pages 905 et 906 et planche page 904). Déjà élevé et consommé à l'époque romaine, il fut introduit en France sous Philippe Auguste et élevé dans les garennes des domaines des abbayes. Très rapidement, ce mammifère (Oryctolagus cuniculus) a envahi la France sous sa forme sauvage en causant, au passage, des dégâts considérables aux cultures, au point d'être classé parmi les espèces nuisibles. Le développement des races modernes a permis de produire plus spécifiquement des lapins pour la qualité de leur viande (lapin néo-zélandais ou fauve de Bourgogne), leur peau (mutation génétique du lapin rex) ou leurs poils (lapin angora). Ce n'est que vers les années 1970 que l'élevage rationnel a commencé en France. La production annuelle française est estimée aujourd'hui à 130 000 tonnes. Les lapins sont également élevés et largement consommés en Italie, en Espagne et en Belgique.

Une autre espèce (Oryctolagus sylvilagus), d'origine américaine, pourrait à terme remplacer les lapins sauvages d'Europe, car elle offre l'avantage d'être insensible à la myxomatose.

■ **Races :** Les lapins domestiques sont tous des lapins de garenne à l'origine. Certaines races, comme le géant des Flandres, peuvent donner des sujets pesant jusqu'à 10 kg, alors que d'autres présenteront des lapins miniatures de 400 g environ. Les lapins les plus couramment commercialisés pèsent de 1,2 à 1,4 kg en carcasse et sont âgés de moins de 12 semaines. Leur viande de couleur blanc rosé est très tendre et très peu grasse (environ 135 Kcal ou 564 kJ pour 100 g). Il est préférable de choisir un lapin à la carcasse ramassée avec un râble large et des cuisses rebondies. Les lapins de clapiers, que l'on achète sur les marchés de campagne, sont plus lourds, ont un goût plus fort et sont moins tendres. Par ailleurs, on importe de plus en plus des lapins congelés en provenance de Chine.

Les apprêts du lapin sont innombrables : rôtis, à la moutarde, en cocotte avec des champignons, en civet et, pour les vieux lapins, en terrine en association avec de la gorge de porc. La viande, peu grasse et donc relativement fade, supporte bien les aromates, sans excès : thym, serpolet, farigoule, laurier, etc.

crépinettes de lapin ▶ CRÉPINETTE

DÉCOUPER UN LAPIN À CRU

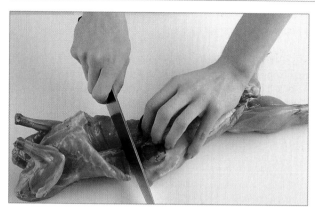

1. Après avoir retiré le foie du lapin, séparer la cage thoracique de l'arrière-train au niveau de la jonction des côtes et du râble.

2. Détacher d'un seul tenant les cuisses arrière du râble, puis les séparer l'une de l'autre et les couper chacune en deux.

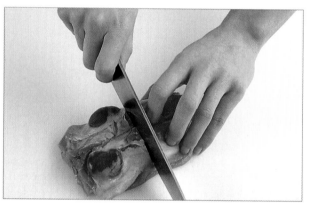

3. Partager le râble en deux ou trois morceaux égaux, selon la grosseur du lapin. Séparer les pattes avant en donnant un mouvement tournant.

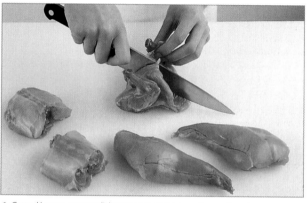

4. Cette découpe permet d'obtenir onze morceaux : deux pattes, deux morceaux de cage thoracique, trois morceaux de râble et quatre morceaux de cuisse.

estouffade de lapin au citron et à l'ail

Découper en morceaux et retirer la tête d'un lapin de 1,5 kg environ. Frotter 20 gousses d'ail sans les peler, uniquement pour éliminer la petite pellicule extérieure. Presser le jus de 2 citrons non traités et râper le zeste d'un seul des deux. Préchauffer le four à 180 °C. Mettre à chauffer 1 cuillerée à soupe d'huile d'olive à feu modéré dans une cocotte allant au four. Y faire dorer doucement les morceaux de lapin pendant 10 min en les retournant souvent. Les poser ensuite sur un plat, mettre les gousses d'ail dans la cocotte et les faire revenir 3 ou 4 minutes, toujours à feu assez doux pour qu'elles ne durcissent pas. Remettre les morceaux de lapin dans la cocotte, verser 15 cl de vin blanc sec et le jus des citrons ; ajouter le zeste, 1 feuille de laurier et 1 branche de thym puis saler et poivrer. Faire démarrer l'ébullition à feu doux, puis couvrir la cocotte et enfourner. Faire cuire environ 1 heure en retournant une ou deux fois les morceaux jusqu'à ce que la chair du lapin soit bien fondante. Sortir la cocotte du four et disposer son contenu sur un plat de service bien chaud. Servir sans attendre.

RECETTE DE PATRICK JEFFROY

lapereau de campagne au cidre fermier

« Désosser le baron (râble et cuisses) d'un lapereau de 1,5 kg. Préparer une brunoise de carotte, céleri-rave, céleri-branche et vert de poireau. Blanchir ces légumes séparément et les rafraîchir aussitôt. Réunir le tout dans un bol et le lier de 3 jaunes d'œuf. Saler et poivrer. Préparer 20 cl de fumet de lapereau avec les os, 1 carotte, 1 oignon, 1 bouquet garni, 25 cl de cidre fermier, 25 cl d'eau, du sel et du poivre. Étaler le baron sur le dos, le saler, le poivrer, le farcir de la brunoise. Rabattre les côtés des cuisses et du ventre et ficeler. Déposer le lapereau dans un plat en terre sur un lit de mirepoix (2 carottes, 2 oignons rouges, 2 échalotes, coupés en dés), additionnée de pulpe de pomme reinette coupée en dés. Le

rôtir au beurre (four préchauffé à 260 °C) de 15 à 20 min pour le maintenir rosé. Le conserver au chaud, recouvert d'une feuille d'aluminium. Faire bouillir 1 litre de lait, le laisser refroidir. Éplucher 1 kg de pommes de terre, les laver, les couper en rondelles. Émincer un demi-chou vert, le blanchir et le rafraîchir. Beurrer un plat, en terre de préférence. Y ranger une couche de pommes de terre, saler et poivrer ; puis une couche de chou, une couche d'emmental et ainsi de suite, en terminant par une couche de pommes de terre et d'emmental. Ajouter au lait refroidi 4 œufs entiers battus en omelette et quelques noix de beurre. En couvrir les pommes de terre et faire cuire ce gâteau 45 min à four moyen (210 °C). Conserver au chaud. Pour la sauce d'accompagnement du lapereau, déglacer le plat avec 50 cl de cidre fermier et faire réduire aux deux tiers ; ajouter une petite louche de demi-glace, le fumet de lapin et 25 cl de crème fraîche. Faire cuire à petit feu pendant 5 min. Ciseler de la ciboulette et du cerfeuil ; en parsemer la sauce. Entourer le lapereau de bouquets de cresson et présenter en même temps la sauce et le gâteau aux pommes de terre. »

RECETTE DE GHISLAINE ARABIAN

lapereau aux pruneaux

« Désosser 1 lapereau, en gardant les râbles et les cuisses entiers, et réserver au frais. Faire mariner la carcasse et les os 24 heures dans 3 litres de bière de garde. Détailler en morceaux 1 vert de poireau, 1 carotte, 1 oignon. Éponger la carcasse et les os et les colorer à four chaud. Les remettre dans la bière avec les légumes, 1 gousse d'ail et 1 bouquet garni. Ajouter 1 litre d'eau. Porter doucement à ébullition. Couvrir et cuire de 4 à 5 heures à petits frémissements. Passer alors ce fond en le pressant à travers un tamis au-dessus d'une casserole. Remettre sur le feu et faire réduire des trois quarts à découvert. Faire tremper 200 g de pruneaux 1 heure dans de l'eau tiède. Badigeonner l'intérieur des cuisses et des râbles de moutarde forte, les fourrer chacun de 3 pruneaux, et les maintenir avec de la ficelle. Préchauffer le four à 180 °C. Dans une sauteuse légèrement graissée, dorer rapidement les morceaux de lapin. Poursuivre la cuisson au four, 20 min pour les cuisses, 10 min pour le râble. Ajouter dans le fond réduit 30 g de cassonade, 1 barre de chocolat (5 g) et le reste des pruneaux, et cuire 10 min. Dresser les morceaux de lapin sur des pâtes fraîches roulées dans un peu de beurre, et servir la sauce bien chaude à part. »

lapin coquibus

Dépecer un lapin et le laisser mariner 12 heures dans du vin blanc. L'égoutter, l'éponger et le couper en morceaux. Éplucher 24 petits oignons. Blanchir 24 petits lardons demi-sel. Chauffer 30 g de beurre dans une sauteuse, y dorer les morceaux de lapin, ajouter les oignons et les lardons. Poudrer de farine et faire blondir ; mouiller avec 20 cl de vin blanc, quelques cuillerées de la marinade passée et du bouillon ; ajouter 1 bouquet garni et 1 branche de sarriette. Cuire 15 min. Mettre dans la sauteuse 500 g de pommes de terre nouvelles pelées, couvrir et poursuivre la cuisson 45 min.

lapin à la moutarde

Préchauffer le four à 180 °C. Faire chauffer 3 cuillerées à soupe d'huile d'olive dans une poêle, y ajouter les morceaux d'un lapin de 1,5 kg environ. Dorer à feu vif 5 min en retournant les morceaux plusieurs fois pour qu'ils soient uniformément colorés. Les ranger dans une cocotte en les ayant au préalable enduits de moutarde, saupoudrés de thym, salés et poivrés. Couvrir la cocotte, enfourner et laisser cuire pendant 40 min environ. Retirer la cocotte du four, ôter le couvercle, sortir les morceaux de lapin, les racler avec un couteau pour récupérer la moutarde dans le plat de cuisson. Ajouter 8 cuillerées à soupe de crème fraîche et bien mélanger. Remettre les morceaux de lapin dans la sauce, couvrir la cocotte et enfourner à nouveau. Laisser cuire 20 min. Servir très chaud accompagné par exemple de pommes de terres cuites à l'eau.

rillettes de lapin ▶ RILLETTES

LA QUINTINIE (JEAN DE) Agronome français (Chabanais 1626 - Versailles 1688). Avocat à Poitiers, il abandonna le barreau pour se consacrer à l'étude et à la culture des arbres fruitiers. Il fit également connaître la culture en espaliers. On lui doit enfin la création de potagers célèbres, dont ceux de Versailles, de Chantilly, de Vaux et de Rambouillet. Le « potager du roi », proche du château de Versailles, bénéficiant d'un système d'irrigation remarquable, était équipé de châssis et de serres chaudes créés par La Quintinie ; ce jardin fournissait ainsi à la table royale des asperges en décembre, des choux-fleurs en mars, des fraises en avril et des melons en juin. La Quintinie écrivit *Instructions pour les jardins fruitiers,* publié par son fils en 1690.

LARD Graisse située sous la peau du porc. Selon que le lard est ou non entremêlé de chair, on distingue le lard maigre (qui peut être frais, fumé ou salé) et le lard gras. Jadis base de l'alimentation (dans les soupes essentiellement), le lard joue aujourd'hui davantage le rôle de condiment ou de corps gras.

Le lard maigre (ou ventrèche) est constitué par la poitrine de porc, dont les muscles sont séparés par des couches de gras. On y découpe des lardons de taille variable et d'emplois divers : pour larder les viandes maigres et piquer les rôtis, pour cuisiner les sautés, les ragoûts, les fricassées et les civets, et accompagner légumes et salades (pissenlit, chicorée) ; très souvent associés aux pommes de terre et aux omelettes, les lardons figurent aussi dans les brochettes (à griller). Le lard de poitrine en tranches fines intervient dans de nombreuses garnitures, ainsi que pour des apprêts d'œuf (**voir** BACON).

Le lard gras, ou de couverture, se situe entre la chair et la couenne : c'est la bardière ; la couche proche de la chair, dite « lard fondant », sert

à préparer le saindoux, tandis que la couche voisine de la couenne, dite « lard dur », fournit les bardes pour les rôtis, les volailles ou les pâtés.

▶ Recette : SALADE.

LARDER ET **ENTRELARDER** Ajouter du lard à une pièce de viande ou à certains poissons pour leur donner du moelleux.

Larder consiste à enfoncer de place en place, à l'aide d'une lardoire, des bâtonnets plus ou moins gros de lard gras ou maigre, éventuellement salés, poivrés, saupoudrés de persil haché ou marinés dans du cognac, dans une pièce de boucherie. La même opération peut se faire avec des bâtonnets de jambon ou de langue écarlate, mais l'élément doit toujours être bien ferme (à la sortie du réfrigérateur) pour être introduit dans la pièce sans difficulté. Celle-ci voit son goût et sa présentation (notamment à la coupe) largement améliorés.

Entrelarder consiste à recouvrir de minces bardes de lard des tranches de viande appelées à cuire ensemble. Ainsi, les chairs maigres alternent avec le gras.

LARDOIRE Ustensile servant à larder les viandes à cuire. C'est une broche creuse en acier inoxydable, pointue à une extrémité et emboîtée à l'autre dans un manche de bois. On garnit la gouttière d'un bâtonnet de lard ; on enfonce la lardoire dans la pièce de viande et, quand on la retire, le lard reste dans la chair.

LARUE Restaurant parisien qui ouvrit ses portes en 1886, à l'angle de la rue Royale et de la place de la Madeleine. À Larue, son fondateur, succéda, en 1904, Édouard Nignon, un des grands chefs de l'époque. Marcel Proust et Abel Hermant en étaient des habitués. Le club des Cent, association de cent gastronomes fondée en 1912, y tenait ses assises ; lorsque le restaurant disparut, en 1954, les Cent émigrèrent chez *Maxim's.*

LASAGNES Pâtes italiennes en forme de larges rubans, plats ou ondulés, parfois de couleur verte (au jus d'épinard), que l'on apprête en gratin, alternées avec des couches de ragoût à la bolognaise, nappées de béchamel et recouvertes de parmesan râpé.

lasagnes à la sauce bolognaise

Préparer une sauce bolognaise (**voir** page 780). Cuire 600 g de lasagnes, par petites quantités pour qu'elles ne collent pas entre elles, dans du bouillon léger, en les gardant al dente. Les sortir délicatement à l'aide d'une écumoire et les étendre une par une sur un torchon humide. Préparer une sauce béchamel. Beurrer un plat à gratin, napper le fond d'un peu de sauce bolognaise, puis alterner les couches de lasagnes, de sauce blanche et de sauce bolognaise, en terminant par deux couches bien épaisses de l'une et l'autre sauces. Cuire 30 min au four préchauffé à 250 °C. Servir avec beaucoup de parmesan fraîchement râpé, à part.

LASSERRE (RENÉ) Restaurateur français (Bayonne 1912 - Morsang-sur-Seine 2006). Il quitte Bayonne en compagnie de sa mère, Irma, qui ferme son restaurant, et monte à Paris ; il travaille à seize ans comme chef de rang chez *Drouant,* puis se retrouve au *Normandy* à Deauville, au *Lido,* au *Pré Catelan,* au *Pavillon d'Armenonville,* avant de devenir maître d'hôtel chez *Prunier.* En 1942, il achète un bistrot en planches construit pour l'Exposition universelle de 1937 et y fera venir le tout-Paris. Sa mère est d'abord aux fourneaux, tandis qu'il veille sur la salle. De simple et ménagère, la cuisine s'enhardit vers des propositions grandes-bourgeoises. Le pigeon André Malraux (farci au foie gras) ou le canard à l'orange avec ses pommes soufflées, qui donneront l'occasion d'un travail de découpe au guéridon, feront beaucoup pour sa gloire. Il obtiendra une première étoile au Guide Michelin en 1949, une seconde en 1951. Débutent alors les grands travaux qui feront de son bistrot une maison de belle allure, avec son ascenseur intérieur et son plafond ouvrant peint par Touchagues. Il recevra trois étoiles en 1962, qu'il conservera jusqu'en 1984.

LATRICIÈRES-CHAMBERTIN Vin AOC rouge Grand Cru de Bourgogne, issu du cépage pinot noir. À l'égal des autres chambertins, le latricières-chambertin présente une belle richesse virile et une remarquable finesse aromatique.

LAURENT Restaurant parisien créé en 1842 dans les jardins des Champs-Élysées. Construit dans le style pompéien, il remplaça une buvette, le *Café du Cirque*, ainsi nommée en raison de la proximité du cirque d'Été. En 1860, l'établissement devint le *Café Laurent*, après avoir été le *Café Guillemin*. Jadis connue pour ses salons discrets et ses dîners galants, cette maison élégante est aujourd'hui fréquentée par le monde des affaires et de la politique.

LAURIER Arbuste à feuillage persistant de la famille des lauracées, dont les feuilles à la flaveur épicée et amère sont utilisées comme aromate (**voir** planche des herbes aromatiques pages 451 à 454). Il porte, en cuisine, le nom de laurier-sauce ; c'est aussi le laurier noble, ou laurier d'Apollon, qui couronnait les poètes et les généraux victorieux de l'Antiquité.

Le bouquet garni en comporte toujours une feuille. Fraîches ou séchées, entières ou réduites en menus fragments, ces feuilles relèvent civets, courts-bouillons, pâtés, ragoûts et terrines. Le laurier est un aromate puissant qui peut largement dominer les autres saveurs du plat.

Il ne faut pas confondre le laurier-sauce avec deux autre plantes très toxiques, qui se distinguent par la taille de leurs feuilles : le laurier-cerise et le laurier rose.

LAVALLIÈRE OU **LA VALLIÈRE** Nom de plusieurs apprêts de grande cuisine : volailles ou ris de veau ou d'agneau garnis d'écrevisses troussées et de truffes à la serviette ; velouté ou crème de volaille au céleri, garni d'un salpicon de céleri et de royale, servi avec des profiteroles fourrées de mousse de volaille ; filets de sole pochés, garnis d'huîtres pochées, de quenelles de poisson, de laitances et de champignons, le tout nappé d'une sauce normande parfumée au beurre d'écrevisse ; côtes d'agneau grillées, garnies de fonds d'artichaut remplis de purée de pointes d'asperge, servies avec une sauce bordelaise à la moelle.

LA VARENNE (**FRANÇOIS PIERRE**) Cuisinier français (Dijon 1618 - *id.* 1678). Il fut écuyer de cuisine du marquis d'Uxelles et s'imposa également par ses écrits, d'une grande rigueur théorique. Il publia *le Cuisinier français* (1651), *le Pâtissier français* (1653), puis *le Confiturier français* (1664) et *l'École des ragoûts* (1668). Ces ouvrages (le premier surtout), réédités plusieurs fois, marquent la première grande révolution de l'art culinaire français. La Varenne inventa de nombreuses recettes encore réalisables de nos jours. Son nom reste attaché à divers apprêts ayant en commun les champignons, en salpicon ou en duxelles.

▶ Recette : SAUCE.

LAVARET ▶ **VOIR CORÉGONE**

LAVER Éliminer les impuretés des aliments (sable, terre, insectes, etc.) en les plongeant dans de l'eau froide, éventuellement additionnée d'un peu de vinaigre. Les produits de la terre, dont la surface est souvent souillée, doivent être, surtout s'ils sont consommés crus, lavés soigneusement dans des bains successifs. La salade, notamment, nécessite plusieurs bains, mais avec précaution, car elle est fragile. Certains aliments très délicats sont simplement essuyés (champignons de cueillette, framboises).

LÈCHEFRITE Plat rectangulaire en tôle émaillée, légèrement creux, dont les dimensions s'adaptent à celles du four dans lequel il se glisse, sous la grille ou bien le tournebroche, pour recueillir le jus des viandes et la graisse fondue, ou encore les débordements d'une pâtisserie.

LÉCITHINE Phospholipide présent dans certains aliments : les œufs, le soja, etc. La lécithine est utilisée en cuisine et dans l'industrie alimentaire comme émulsifiant. On l'emploie notamment lors de l'opération de conchage du chocolat (**voir** ce mot), afin de disperser les sucres dans le beurre de cacao.

LECKERLI Biscuit suisse en pâte à pain d'épice, spécialité de Bâle, très parfumé par des aromates, parfois glacé au sucre.

leckerli de Bâle

Faire fondre 500 g de miel, ajouter 250 g de sucre puis 600 g de farine, 250 g d'amandes hachées, 100 g d'orange et de citron confits, 25 g de cannelle, 5 g de girofle et de muscade moulus, et 5 cl de kirsch. Bien travailler le tout et l'étaler sur un plan de travail en une couche de 8 mm d'épaisseur. Cuire au four préchauffé à 180 °C jusqu'à coloration brun clair. Découper les leckerlis en carrés, les brosser pour enlever l'excédent de farine et les glacer avec un sucre cuit au filé.

LEDOYEN Restaurant créé, à la fin du XVIIIe siècle, dans les jardins des Champs-Élysées, à Paris. C'était à l'origine une modeste guinguette à l'enseigne du *Dauphin*, à proximité de la place de la Concorde. À partir de 1791, Antoine Nicolas Doyen en devint locataire et sut y attirer la clientèle des Conventionnels. Vers 1848, *Ledoyen* s'installa près du Rond-Point, dans un pavillon ayant appartenu, semble-t-il, à Marie de Médicis ; l'établissement devint un lieu à la mode sous le second Empire. Aujourd'hui, il demeure un restaurant réputé.

LEGENDRE (**PHILIPPE**) Cuisinier français (les Essarts, 1958). Fils d'un père bourrelier, puis devenu tapissier-décorateur, formé au goût par une grande-tante cuisinière dans un château des environ, il apprend le métier de cuisinier à Saint-Gilles-Croix-de-Vie. Passé à Paris au *Sheraton*, sous la houlette du méconnu Georges Buffeteau, puis au *Lucas-Carton* et au *Ritz*, ce Vendéen bûcheur devient chef du *Taillevent*, après avoir été le brillant second de Claude Deligne. En l'an 2000, il ouvre le restaurant le *Cinq* au *Four Seasons George V* et fait une progression foudroyante, obtenant trois étoiles au Guide Michelin dès 2003. Meilleur Ouvrier de France (promotion 1996), il est fanatique du produit de qualité, dont il rehausse le goût avec des éléments discrets, mais précis. Le blanc-manger au caviar sevruga avec son avocat mariné à l'huile de noisette et la côte de veau relevée d'une écrasée de câpres de Pantellaria sont exemplaires de son travail. Ce chef d'école est un maître du néo-classicisme revisité.

LEGRAND D'AUSSY (**PIERRE JEAN BAPTISTE**) Historien français (Amiens 1737 - Paris 1800). Cet érudit se proposait d'écrire une monumentale *Histoire de la vie privée des Français, depuis l'origine de la nation jusqu'à nos jours*, qui aurait traité du logement, de l'habillement, des distractions et de l'alimentation de ceux-ci, mais trois volumes seulement, sur ce dernier sujet, parurent en 1782. Nommé conservateur à la Bibliothèque nationale, Legrand d'Aussy consacra ensuite son temps à d'autres recherches.

LÉGUME Plante potagère utilisée pour l'alimentation humaine, quelle que soit la partie consommée :
– fruit (aubergine, courgette, poivron, tomate) ;
– graine (fève, haricot, pois) ;
– inflorescence (artichaut, chou-fleur, brocoli) ;
– fleurs (chrysanthème comestible) ;
– feuille (chou, épinard, laitue, chicorée, oseille) ;
– tige (asperge, jet de houblon) ;
– bulbe (fenouil, oignon) ;
– tubercule (igname, pomme de terre) ;
– germe (haricot mungo, graines germées) ;
– racine (carotte, navet, radis, rave).

De façon arbitraire, sur le plan culinaire, on distingue généralement la pomme de terre, présente toute l'année et les légumes frais de saison – dits « verts » –, les légumes secs et les salades (**voir** CHICORÉE, CRESSON, LAITUE, MÂCHE).

Les légumes ont une importance considérable dans l'alimentation. Sur le plan nutritionnel, ils renferment des nutriments autres que ceux présents dans les produits d'origine animale : glucides, protides végétaux, sels minéraux, vitamines du groupe B et fibres qui facilitent le transit digestif. Sur le plan gastronomique, ils apportent des arômes puissants et spécifiques. En cuisine ils permettent une grande diversité de préparations (conserves, garnitures simples ou composées, hors-d'œuvre, potages, etc.).

■ **Légumes frais.** Ils jouent un grand rôle dans l'équilibre alimentaire et nutritionnel.

Riches en potassium, et autres nutriments minéraux, ainsi qu'en provitamine A et vitamines (B1, B2, PP et C), ils participent à la plupart des réactions chimiques de l'organisme. Les légumes frais se consomment crus ou cuits, nature ou assaisonnés, avec ou sans corps gras.

Les cuissons à l'anglaise (cuits directement dans l'eau) leur font perdre une partie de leurs substances utiles solubles (sels minéraux et vitamines hydrosolubles) ; ils en perdent moins s'ils sont cuits à l'étuvée ou à la vapeur.

Ils servent souvent de garniture à une viande ou à un poisson, mais ils constituent, à eux seuls, des plats complets : soupes, gratins, tartes, etc. Fromages, œufs, beurre ou sauces, permettent de les lier ou d'en relever le goût lorsqu'ils sont un peu fades.

Les légumes frais peuvent être conservés plusieurs jours (de préférence emballés s'ils ont une odeur forte) dans le bas du réfrigérateur sans perdre leurs qualités nutritionnelles. Les légumes surgelés ont l'avantage d'être disponibles toute l'année ; ils sont excellents du point de vue nutritionnel.

Grâce aux progrès de la conservation et du conditionnement, ainsi qu'aux importations de légumes « exotiques », ils sont commercialisés toute l'année, mais ils sont toujours meilleurs en saison. Aujourd'hui, les nouveaux légumes, venus d'autres continents, s'imposent toujours davantage (banane plantain, chayote, gombo, patate douce, soja, etc.) [**voir** planche des légumes exotiques pages 496 et 497].

■ **Légumes secs.** Ce sont des graines qui se conservent bien, au sec, d'une saison à l'autre et qui se mangent toujours cuites. Leur pouvoir énergétique est élevé (330 Kcal ou 1 380 kJ, en moyenne pour 100 g), et leur teneur en eau est très faible (11 %) comparée à celle des légumes frais (jusqu'à 95 %).

Par leur richesse en protides (autour de 23 %), les légumes secs jouent un rôle important lorsque l'apport en protéines animales est insuffisant. Cependant, ils ne contiennent pas tous les acides aminés indispensables à la nutrition et ne peuvent donc pas se substituer entièrement aux produits animaux. Certains renferment du fer, notamment les haricots et les lentilles, mais celui-ci est peu assimilable par l'organisme. Très riches en glucides (jusqu'à 60 %) et pauvres en matières grasses, ces légumes sont faciles à digérer.

Les légumes secs sont toujours la base de l'alimentation en Inde (dals) et dans de nombreux pays d'Afrique du Nord (pois chiches, fèves, lentilles, haricots) et d'Amérique du Sud (haricots rouges). En France, comme dans la plupart des pays industrialisés, leur consommation, après avoir beaucoup diminué, s'est aujourd'hui stabilisée et a même augmenté avec le développement des salades composées.

achard de légumes au citron ▶ ACHARD
blanc pour légumes ▶ BLANC DE CUISSON
bouillon de légumes ▶ BOUILLON
charlotte de légumes ▶ CHARLOTTE
couscous aux légumes ▶ COUSCOUS

RECETTE DE MICHEL BRAS

gargouillou de légumes

« Éplucher, parer, tourner, effeuiller, laver tous les légumes choisis. Suivant les approvisionnements et les saisons, puiser dans les légumes vivaces, à racines, à fruits, etc., dont la liste ne peut, bien entendu, jamais être exhaustive, et jouer sur les tonalités pour façonner un gargouillou personnalisé. Tailler les légumes en fonction de leur forme et de leur maturité. Les cuire à l'eau bouillante salée individuellement, les rafraîchir et les égoutter. Dans une sauteuse, faire rissoler 1 tranche de jambon de campagne. Dégraisser et déglacer avec du bouillon

de légumes. Ajouter 1 noix de beurre qui va s'émulsionner avec le jus du jambon. Y faire rouler et chauffer tous les légumes. Dresser en donnant du mouvement aux légumes et en personnalisant la présentation. Au dernier moment, "fleurir" de pluches d'herbes fines de printemps (estragon, persil, ciboule, ciboulette, etc.), des premières herbes champêtres (pimprenelle, achillée, tamier), de graines germées, etc. »

langoustines frites aux légumes ▶ LANGOUSTINE

---

légumes chop suey

Tailler en julienne 500 g de jeunes légumes de saison (carotte, courgette, navet, oignon, poireau, poivron, etc.). Les mettre dans une sauteuse avec 2 cuillerées à soupe d'huile, bien remuer, couvrir et laisser étuver doucement 4 ou 5 min. Tailler en bâtonnets de l'oignon vert ; ébouillanter des pousses de soja, les rafraîchir, les égoutter ; hacher finement 1 petite gousse d'ail ; couper en dés de la pulpe de tomate. Mettre dans la sauteuse les pousses de soja, bien mélanger et cuire 1 min. Ajouter la tomate, l'oignon vert, l'ail, du poivre, 1 cuillerée à soupe de sauce soja, un peu de sel et 1 cuillerée à café d'huile de sésame. Mélanger.

macédoine de légumes au beurre ou à la crème ▶ MACÉDOINE
ragoût de légumes à la printanière ▶ RAGOÛT
terrine de légumes aux truffes « Olympe » ▶ TERRINE

LÉGUMINEUSE Plante de la famille des fabacées portant des fruits en gousse (fèves, haricots, lentilles, pois, etc.). Le terme « légumineuse » s'applique également en botanique, au soja et à l'arachide. Les graines des légumineuses se caractérisent par leur pouvoir énergétique élevé (330 Kcal ou 1 380 kJ pour 100 g en moyenne). Elles ont une teneur importante en protéines et en glucides (amidon), mais sont en revanche très pauvres en sel et en matières grasses ; les graines de soja et d'arachide sont riches en lipides.

LEIDEN OU **FROMAGE DE LEYDE** Fromage néerlandais de lait de vache écrémé, à pâte pressée non cuite et à croûte brossée, lavée et paraffinée. Il se présente sous la forme d'un disque de 30 à 40 cm de diamètre et de 8 à 10 cm d'épaisseur, pesant de 5 à 10 kg. Parfumé au cumin ou aux clous de girofle, le leiden a une saveur ou douce ou piquante selon sa durée d'affinage.

LEMON CURD Spécialité anglaise au citron, avec laquelle on garnit des tartelettes ou que l'on peut aussi tartiner comme de la confiture. La préparation se conserve dans le réfrigérateur, dans un pot bien fermé.

---

lemon curd

Râper finement le zeste de 2 citrons, presser les fruits et réserver leur jus. Mettre 125 g de beurre à fondre au bain-marie, à feu très doux ; y ajouter progressivement 500 g de sucre en poudre, 6 jaunes d'œuf, le jus et le zeste des citrons. Mélanger intimement. Battre en neige ferme 4 blancs d'œuf et les incorporer délicatement à la préparation. Mettre encore chaud en pots.

LENÔTRE (GASTON) Pâtissier, traiteur et restaurateur français (Saint-Nicolas-du-Bosc 1920). Pâtissier en 1945 à Pont-Audemer, il décide de monter à Paris en 1957 et crée, à partir de 1960, une activité de traiteur, organisant de grandes fêtes parisiennes, notamment pour la société Europe 1. Il révolutionne le genre en préparant des plats entiers découpés en salle et non plus simplement des toasts ou des canapés, comme c'était l'usage ; il allège la pâtisserie, développe les « miroirs » aux fruits, les bavaroises et gâteaux de saison. Il démultiplie ses activités, avec ses boutiques Lenôtre, son école Lenôtre à Plaisir au service de la pâtisserie (1971). Il forme bon nombre de grands professionnels, gère en outre des restaurants de prestige comme le *Pré Catelan* (1976) et le *Pavillon Élysées* (1984). Il a été propriétaire en Anjou du château de Fesles, a publié de nombreux ouvrages (*Faites votre pâtisserie comme Lenôtre*, 1975, *Desserts traditionnels de France*, 1992). Il a revendu la maison et les succursales qui portent son nom au groupe ACCOR.

LÉGUMES EXOTIQUES

taro

rhizome de lotus

manioc

patate douce

patate douce rosa

patate douce violette

igname

wasabi

pousse de bambou

coqueret, ou tomatillo

fleur mâle de bananier

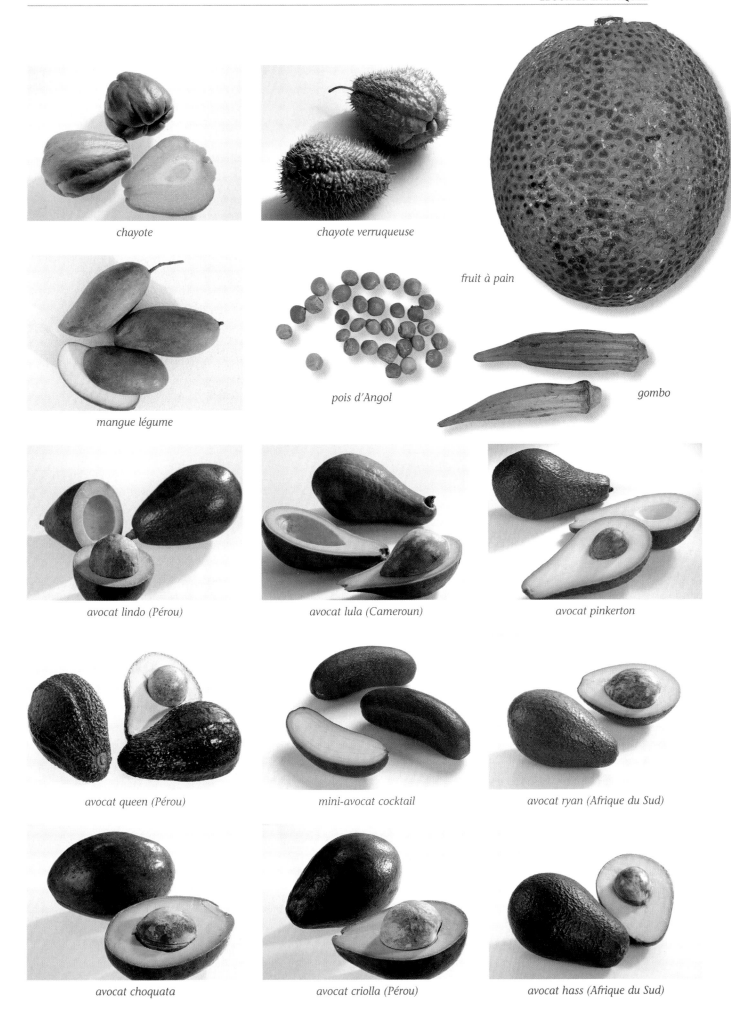

chayote

chayote verruqueuse

fruit à pain

mangue légume

pois d'Angol

gombo

avocat lindo (Pérou)

avocat lula (Cameroun)

avocat pinkerton

avocat queen (Pérou)

mini-avocat cocktail

avocat ryan (Afrique du Sud)

avocat choquata

avocat criolla (Pérou)

avocat hass (Afrique du Sud)

LÉGUMES-RACINES

radis long blanc

radis demi-long à bout blanc

radis rond rouge

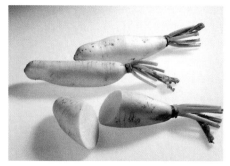

daikon, ou radis du Japon

radis rond blanc

radis toupie

navet blanc

radis blanc transparent

radis noir rond

betterave rouge
sphérique

navet d'automne

radis noir

carotte nouvelle

chou-rave violet

carotte parisienne
type grelot

rave

topinambour

céleri-rave

chou-rave blanc

hélianthe

cerfeuil tubéreux

panais

scorsonère

persil tubéreux

« Certes, les citrouilles ne se transformeront jamais en carrosses, mais au restaurant HÉLÈNE DARROZE, au RITZ PARIS, chez POTEL ET CHABOT ou à l'école FERRANDI PARIS, les chefs détiennent les formules magiques et les gestes précis pour révéler les saveurs des panais, céleris-branches, tomates, potirons et autres légumes, en une infinité de préparations. »

LENTILLES

lentille blonde

lentille rouge

lentille corail

lentille verte du Puy

LENTILLE Graine circulaire biconvexe de la famille des fabacées. Elle se consomme toujours cuite (**voir** tableau des lentilles ci-dessous et planche ci-dessus). La lentille, originaire du Moyen-Orient, est cultivée et appréciée depuis la plus haute antiquité. Les apprêts de lentilles portent souvent le qualificatif d'Ésaü en référence à l'histoire biblique (Ancien Testament, livre de la Genèse) selon laquelle Ésaü aurait cédé son droit d'aînesse à son frère cadet, Jacob, contre un plat de lentilles.

On cultive en France plusieurs variétés de lentilles. Énergétiques (336 Kcal ou 1 404 kJ pour 100 g), les lentilles sont riches en protides (24 %), en glucides (56 %), en phosphore, en fer et en vitamines du groupe B. On les cuit et on les apprête comme les haricots blancs, mais il ne faut pas les faire tremper.

Chaudes, les lentilles sont utilisées comme garniture, ainsi qu'en potage. Elles accompagnent bien le petit salé. Elles se préparent aussi en salade.

RECETTE DE RÉGIS MARCON

lentilles vertes confites façon confiture

« Blanchir 150 g de lentilles vertes du Puy à l'eau froide ; les égoutter et refroidir. Cuire les lentilles dans beaucoup d'eau claire pendant au moins 40 min. Elles doivent être bien cuites. Les égoutter à nouveau. Faire bouillir 50 cl d'eau minérale avec 250 g de sucre, 1 gousse de vanille et 1/2 tête de gingembre. Blanchir les zestes de 1 citron, laisser infuser. Mettre à confire les lentilles cuites dans le sirop à petite ébullition, jusqu'à ce que le sirop ait absorbé toutes les lentilles. Après cuisson, réserver au froid. Mixer 3/4 des lentilles pour obtenir une confiture, ajouter le restant de lentilles entières. Mettre en bocaux. »

petit salé aux lentilles ▶ PORC
purée de lentilles ▶ PURÉE
salade de lentilles tièdes ▶ SALADE

RECETTE DE RÉGIS MARCON

tarte soufflée aux lentilles

« Dans une terrine, mélanger 100 g de beurre ramolli, 75 g de sucre, 1 œuf battu et 1 pincée de sel. Incorporer 150 g de farine. Mettre ensuite en boule et garder au frais enveloppé dans un linge humide. Après repos, étaler la pâte et foncer un moule de 20 cm de diamètre, le garnir de légumes secs avant de cuire au four préchauffé à 180 °C pendant 10 min. Faire ramollir et tiédir 150 g de lentilles vertes confites façon confiture (**voir** recette précédente), ajouter 100 g de beurre fin. Pendant ce temps, fouetter 2 jaunes d'œuf et 1 œuf entier avec 30 g de sucre. Monter jusqu'à l'obtention d'un ruban. Ajouter le mélange purée de lentilles et beurre ; bien mélanger. Garnir le fond de tarte avec ce mélange et cuire au four à 180 °C pendant 8 à 10 min. Servir tiède avec de la glace à la verveine. »

LÉPIOTE Champignon des taillis et des clairières, ou encore des prairies et des jachères, dont le chapeau est généralement couvert de grosses écailles (**voir** planche des champignons pages 188 et 189). La plupart des petites lépiotes sont très toxiques. Les grandes lépiotes, en revanche, sont souvent comestibles, et parfois excellentes ; elles ont un long pied fibreux, entouré d'un anneau épais et mobile, qu'il vaut mieux éliminer car il est coriace. La plus savoureuse est sans aucun doute la « grande coulemelle », ou « lépiote élevée », la seule qui mérite d'être cuisinée, à l'allure élancée et au long pied ornementé de zébrures. On la fait frire, sauter ou griller.

Caractéristiques des principaux types de lentilles

TYPE	PROVENANCE	ASPECT, PARTICULARITÉS, FLAVEUR
lentille verte du Berry (label rouge et IGP)	Indre, Cher	jaune-vert, marbrée de bleu, goût de châtaigne
lentille rouge ou brune, ou lentillon	Champagne	brun rougeâtre vif
lentille verte du Puy (AOC)	Haute-Loire (Velay), Auvergne	beau vert, marbré de vert foncé, sucrée
lentille blonde (type Laird)	pays méditerranéens, États-Unis, Canada, Argentine, Chili, Chine, Australie	blonde, de gros calibre, plate avec un tégument résistant
lentille blonde (type Eston)	pays méditerranéens, États-Unis, Canada, Argentine, Chili, Chine, Australie	blonde, de petit calibre, plate avec un tégument résistant
lentille blonde de Saint-Flour (variété Flora® ou Santa®)	plateau volcanique de la Planèze Saint-Flour (Auvergne)	précoce et blond cendré (variété Flora®) ou blond paille (variété Santa®), amande ferme avec un tégument fin, sucrée
lentille brune	Turquie, Australie, Chine	brune, petite avec un tégument résistant à la cuisson
lentille corail ou rose	Maghreb, Moyen-Orient, Inde	couleur corail (mais qui jaunit à la cuisson), goût poivré (cette lentille a la particularité de cuire très vite)
lentille germée	dans tous les lieux de production	lentilles germées à l'humidité, sucrées, utilisées en salade

LE SQUER (CHRISTIAN) Cuisinier français (Lorient 1962). Breton d'origine, fils d'un menuisier, il s'embarque à bord d'un chalutier à quatorze ans. Il aura la révélation de la cuisine en faisant mijoter des plats pour les marins. Il travaille à Paris chez Jacques Le Divellec, au *Lucas-Carton*, au *Taillevent*, au *Ritz*. Il sera chef au restaurant *Opéra* où il obtient deux étoiles au Guide Michelin. Il recevra la troisième étoile chez *Ledoyen* (2002), où il réalise une cuisine ouvragée dont un bel exemple est le blanc de turbot braisé avec ses pommes rattes écrasées à la fourchette et montées au beurre de truffe.

L'ÉTOILE Vin AOC blanc du Jura issu des cépages savagnin, poulsard et chardonnay, produit par un vignoble situé sur la commune de l'Étoile et les communes voisines, qui donne un peu de vin jaune (cépage savagnin seul), de vin de paille ainsi que des mousseux fins obtenus par la méthode champenoise (**voir** FRANCHE-COMTÉ).

LEVAIN Substance susceptible de provoquer une fermentation. En boulangerie, il s'agit d'un mélange de farine et d'eau ayant fermenté non pas par l'apport de levure industrielle, mais grâce aux ferments naturels présents dans la farine. De consistance plutôt ferme, cette pâte est utilisée pour ensemencer le pain dit « au levain ». Chaque jour, le boulanger doit « rafraîchir » son levain, en le pétrissant avec de la farine et de l'eau. Il en utilise une partie dans la journée, et garde l'autre, le « chef », pour recommencer la même opération le lendemain. Les pains au levain sont denses, avec une mie irrégulière, à l'odeur riche et un peu aigre ; ils accompagnent bien les plats en sauce et les charcuteries.

LEVER Prélever des morceaux d'une viande, d'une volaille, d'un poisson ou d'un légume.

L'opération s'effectue différemment selon la nature de l'élément et l'ustensile utilisé : un couteau à « filets de sole » pour lever les filets des poissons ou des aiguillettes de canard ; un petit couteau à désosser pour lever la noix sur un cuisseau de veau, une cuisse ou une aile sur un poulet ; une cuillère parisienne pour lever des boules rondes ou ovales, unies ou cannelées, dans la pulpe des légumes ou des fruits.

Lever, c'est aussi, pour une pâte à pain, à brioche, à savarin, à baba, augmenter de volume sous l'effet de la fermentation, qui provoque la formation de gaz carbonique. Pour faire lever une pâte, on l'additionne de levain ou de levure, on la laisse reposer dans un endroit tiède à l'abri des courants d'air et protégée par un linge, pour qu'elle ne se couvre pas d'une croûte.

LEVURE Champignon microscopique, unicellulaire, utilisé pour la fermentation des pâtes dites « levées ». Les travaux scientifiques sur les levures ont débuté au XVIIe siècle avec l'invention du microscope ; en 1857, Louis Pasteur montre que c'est la levure qui, en l'absence d'oxygène, provoque la fermentation.

La levure de boulanger, ou levure de bière, qui s'achète fraîche, a besoin d'un certain temps pour agir quand elle est introduite dans la pâte ; elle se nourrit des sucres apportés par l'amidon de la farine et transforme ceux-ci en gaz carbonique et en alcool éthylique, ce qui fait augmenter le volume de la pâte. Cette fermentation « alcoolique » entraîne la formation d'alvéoles dans la mie du pain ou la pâte des gâteaux (baba, brioche, cramique, kouglof, etc.).

La levure chimique, ou poudre à lever, dite aussi « levure alsacienne » (la *baking powder* des Britanniques), est un mélange de substances chimiques (bicarbonate de soude ou carbonate d'ammoniaque associé avec de la crème de tartre, de l'acide tartrique ou du phosphate d'aluminium sodique, et avec un excipient – farine, amidon ou carbonate de chaux alimentaire). Elle a les mêmes effets que la levure de bière, mais elle agit directement à la chaleur de la cuisson. On l'emploie couramment en pâtisserie ménagère, mais elle ne possède pas les qualités nutritionnelles de la levure naturelle (riche en protéines et en vitamines B).

Les levures permettent également d'obtenir des boissons fermentées (vin, bière, cidre, poiré), car elles transforment les sucres des végétaux en alcool et en gaz carbonique.

LIAISON Opération destinée à donner de la consistance à un liquide (crème, potage, sauce).

On distingue divers types de liaison, selon l'ingrédient utilisé et la température à laquelle on travaille.

– Les liaisons à l'amidon (arrow-root, farine, fécule de maïs ou de pomme de terre, crème de riz, de maïs ou d'orge) entraînent la formation d'un empois stable à chaud. Le produit liant, délayé à froid, est versé dans le liquide bouillant, que l'on remue sans arrêt sur le feu pendant qu'il épaissit. La liaison à l'arrow-root est particulièrement légère.

– Les liaisons au jaune d'œuf, au sang, à la crème ou au foie relèvent de l'émulsion et concernent en général la mise au point ou la finition d'un potage ou d'une sauce destinée à un civet, à un coq au vin, à un canard au sang, à une blanquette. Ces liaisons ne doivent jamais bouillir.

– Les liaisons à base de roux (farine ou fécule cuite dans le beurre) s'obtiennent en versant le liquide à lier bouillant sur le roux froid, que l'on remue au fouet jusqu'à l'ébullition, suivie de quelques minutes de cuisson (**voir** BÉCHAMEL, VELOUTÉ). Le même type de liaison, dite « sèche », se fait en poudrant de farine des éléments revenus dans un corps gras, avant d'ajouter le liquide de cuisson (**voir** BRAISER, RAGOÛT, SINGER).

– Les liaisons à base d'œuf et de farine mélangés, éventuellement avec ajout d'autres ingrédients dans le liquide bouillant, ont pour modèle la crème pâtissière.

– Les liaisons de finition, moins cuisinées, se font au dernier moment : la liaison à la crème fouettée termine la sauce Chantilly ; la liaison au beurre concerne aussi les sauces (**voir** MONTER) ; dans les deux cas, l'apprêt ne doit pas bouillir. On utilise aussi le beurre manié, ajouté en parcelles dans la préparation à lier.

LIBAN La cuisine libanaise, qui puise aux traditions européennes, arabes et orientales, est marquée par un cosmopolitisme gastronomique que caractérisent néanmoins le riz et les légumes méditerranéens. Mais la prédominance de l'huile de sésame et l'emploi du blé concassé (boulghour) lui donnent sa spécificité.

■ **Entrées.** L'originalité de la table libanaise réside dans la diversité des hors-d'œuvre, les mezze (**voir** ce mot), qui servent souvent de repas.

On déguste ainsi des abats à la vinaigrette (langue de mouton, cervelle, foie de volaille, amourettes, etc.), des feuilletés aux épinards ou à la viande hachée, des fèves en salade chaude *(foul)* ou en purée à l'huile de sésame, garnie de salade (falafel), de la purée d'aubergine ou de pois chiches à l'huile de sésame (*baba ghannouj* et hommos). Concombre à la menthe et au yaourt, feuilles de vigne farcies, poissons en marinade et boulettes de courgette au fromage, panées et frites, sont appréciés.

Le plat typiquement libanais reste le taboulé, associant le boulghour, la menthe, le persil, les épices et les tomates dans une macération au citron et à l'huile.

■ **Viandes.** Le poulet est cuisiné, souvent garni de riz, farci de viande hachée, de pignons de pin ou d'amandes, mariné et grillé en morceaux, servis en brochettes, ou encore grillé entier, parfumé à l'ail.

Le mouton est omniprésent comme dans tous les pays du Moyen-Orient : grillé, rôti, en brochettes, en boulettes hachées.

Le plat « national » est le *kebbé* : boulettes ou palets de mouton haché, mélangé de boulghour, d'oignon, de persil, de pignons ou d'amandes, rôti ou grillé au four, souvent en brochettes ; cet apprêt existe dans de nombreux pays voisins sous des noms proches : *kobba* syrien ou jordanien, *koubba* irakien. D'autres plats sont également courants : le *moghrabié* : couscous sans légumes, aux grains assez gros, au poulet et assaisonné de safran, ou le *chawourma*, viande de mouton grillée sur une broche verticale, coupée en lamelles, servie avec une salade au riz.

Les Libanais préparent aussi des plats raffinés pour les jours de fête, comme le faisan désossé, fourré de lard râpé, de pignons, de clous de girofle et de cannelle, enveloppé dans une crépine, puis cuit au bouillon, terminé à la broche et servi avec du riz et une sauce au poivron.

Les Libanais aiment les pâtisseries sucrées : dattes confites, baklava, loukoum, halva, confitures de figue ou de tranches de coing, mais aussi glaces délicates, au lait et au raisiné, aromatisées à la fleur d'oranger.

■ **Vins.** La viticulture libanaise, vieille de 5 000 ans, couvre aujourd'hui 15 000 ha. Surtout situé dans la plaine de la Bekaa, le vignoble produit des vins rouges remarquables par leur richesse et leur finesse.

LIE Résidu qui se dépose au fond des tonneaux et des cuves où fermentent les vins et que l'on élimine par soutirage. La lie est formée essentiellement de tartre et de levures mortes. L'élevage du vin sur lie, pratiqué notamment pour le muscadet, permet d'enrichir le vin en arômes et lui confère un « perlant » très agréable. Certains cuisiniers vont chercher chez des vignerons des lies qui leur serviront à élaborer des sauces spécifiques.

LIEBIG (JUSTUS, BARON VON) Chimiste allemand (Darmstadt 1803 - Munich 1873). Professeur de chimie, il s'intéressa aux *Applications agricoles et industrielles de la chimie organique* (titre de son principal ouvrage publié en 1840). Il s'associa avec un ingénieur allemand pour tirer des viandes produites en abondance en Amérique des extraits variés : concentrés, tablettes de bouillon, etc.

LIÈGE Partie externe de l'écorce du chêne-liège, arbre de la famille des fagacées, qui pousse au Portugal, au Maroc, dans les Landes et dans l'ouest du bassin méditerranéen. C'est un matériau de faible densité, isolant, imputrescible, peu combustible et très peu perméable, possédant une élasticité particulière, qui lui permet d'être comprimé sans dilatation latérale ; il adhère en outre aux parois lisses, même humides, ce qui en fait le matériau idéal pour les bouchons.

LIÉGEOISE (À LA) Se dit d'apprêts utilisant l'alcool et les baies de genièvre, comme les rognons à la liégeoise, cuits en cocotte, garnis de genièvre écrasé, de pommes de terre et de lardons, saucés du jus déglacé au genièvre et au vin blanc. Les petits oiseaux à la liégeoise sont flambés au genièvre et cuits en cocotte, avec du genièvre et du jambon des Ardennes.
▶ Recette : GRIVE.

LIER Donner une consistance supplémentaire à un mets en fin de préparation. Selon l'apprêt, les techniques et les ingrédients varient (**voir** LIAISON).

Un potage, selon qu'il est crème ou velouté, sera lié à la crème épaisse ou aux jaunes d'œuf et à la crème ; une sauce, selon qu'elle est blanche ou brune, sera liée au roux blanc ou brun.

LIEU Nom de deux grands poissons marins, de la famille des gadidés, voisins du merlan, mesurant de 70 à 80 cm (**voir** planche des poissons de mer pages 674 à 677). Le lieu jaune, à ventre gris et à dos gris-vert ou vert foncé, fréquente l'Atlantique jusqu'au golfe de Gascogne, tandis que le lieu noir, plutôt olivâtre, avec le ventre cuivré ou argenté, remonte jusqu'au nord de la Norvège et descend rarement au sud de la Bretagne ; celui-ci est aussi largement commercialisé outre-Atlantique, où il porte le nom de « goberge ».

Tous deux sont des poissons maigres (1 % de lipides), mais le lieu jaune est plus fin. Ils sont vendus entiers, en tronçons, en tranches ou en filets ; le lieu noir est souvent surgelé. Leurs modes de préparation sont identiques à ceux de l'églefin, du merlan ou du merlu, mais le lieu noir, dont la chair se défait assez facilement, doit cuire un peu moins longtemps. Dans les pays nordiques, les deux espèces se dénomment *klippfisch* quand elles sont séchées.

LIÈVRE Gibier à poil, de la famille des léporidés, à chair foncée (**voir** tableau des gibiers page 421). La femelle porte le nom de « hase », le mâle, celui de « bouquin ». Les populations sauvages ont été considérablement réduites par les techniques agricoles, le remembrement et la disparition des haies. Les plans de chasse, après comptage des populations, et la pose d'un bracelet inviolable sur le gibier capturé (comme pour le chevreuil), permettent de gérer efficacement les prélèvements.

Le lièvre vit en plaine ou en lisière des couverts dans un gîte. La chair du lièvre est maigre, elle apporte 132 Kcal ou 551 kJ environ pour 100 g. Le lièvre vendu mort avec la peau s'altère vite. Il faut l'éviscérer rapidement et garder les morceaux au froid.
■ **Emplois.** Selon son âge, le lièvre reçoit des apprêts différents. Le « levraut » (de 2 à 4 mois, 1,5 kg) se fait rôtir ; le « trois-quarts » (lièvre de l'année) pèse de 2,5 à 3 kg et fournit de bons râbles à rôtir et des sautés ; le « capucin » (à partir de 1 an) pèse de 4 à 5 kg, parfois plus, et se cuisine surtout en civet. C'est le lièvre de l'année qui convient le mieux en cuisine ; plus vieux, il sera préparé en daube ou en terrine. Une marinade à base de vin rouge corsé convient pour les civets. On lève sur le lièvre les filets, les cuisses, les noix, qui font l'objet d'apprêts spécifiques. Le lièvre aux cerises est une spécialité allemande.

Au Québec, le lièvre entre notamment dans la composition du cipâte et de la tourtière.

ballottine chaude de lièvre à la périgourdine ▶ BALLOTTINE
civet de lièvre ▶ CIVET
civet de lièvre à la française ▶ CIVET
civet de râble de lièvre aux pâtes fraîches ▶ CIVET

_____

lièvre en cabessal

La veille, dépouiller et vider un lièvre. Réserver le foie et le sang. Faire mariner l'animal avec vin rouge, huile, carottes, oignons et échalotes émincés, thym, laurier, 1 clou de girofle, sel et poivre. Préparer une farce avec 500 g de rouelle de veau, 250 g de jambon cru, 250 g de porc frais, 2 gousses d'ail et 2 échalotes, le tout haché, salé et poivré ; lier avec un œuf. Éponger le lièvre, le remplir de la farce, puis coudre l'ouverture. Le barder de lard, le ficeler en rond et le braiser dans une tourtière ronde, avec un peu de graisse d'oie, quelques lardons et des petits oignons. Mouiller de 1 petit verre d'eau-de-vie et de 1 bouteille de très bon vin blanc ou rouge. Ajouter un roux préparé avec de la graisse d'oie. Couvrir la tourtière et laisser mijoter de 4 à 5 heures. Aux trois quarts de la cuisson, mettre 1 gousse d'ail, le foie pilé et le sang additionné de 1 cuillerée de vinaigre. Retirer les fils, les bardes et les os. Présenter le lièvre nappé de sa sauce bien réduite avec des croûtons de pain frit.

RECETTE D'ALAIN DUTOURNIER

lièvre au chocolat

« Dépouiller un beau lièvre, détailler le râble et les deux cuisses, saler, poivrer, saupoudrer de muscade et de genièvre écrasé. Faire mariner 3 jours dans de l'huile. Concasser le coffre, les membres antérieurs, les abats. Laisser réduire à couvert 2 bouteilles de vin de Madiran. Tailler en mirepoix 2 oignons, 2 carottes et 1 poireau, ajouter 5 gousses d'ail et faire sauter vivement avec un peu de ventrèche de porc séchée. Déglacer avec la réduction de vin, ajouter du thym, du laurier, de la muscade râpée, du poivre, du gingembre ciselé, de la cannelle, 1 ou 2 clous de girofle, et réserver cette marinade 3 jours au froid. Y mettre alors la viande et les os et cuire doucement 4 heures. Filtrer et dégraisser la sauce, puis la lier avec 50 g de chocolat amer et 80 g de beurre cru ; ajouter le jus de 1/2 citron et 5 cl de sang de volaille, chauffés sans ébullition. Dans une cocotte, cuire le râble et les cuisses au beurre "à la goutte de sang" (avant que le sang ne coagule, moment où l'on passe d'une cuisson "rosée" à une cuisson "à point"). Les découper, les napper de sauce et servir avec des poires sautées au beurre et épicées. »

RECETTE DE JOËL ROBUCHON

lièvre à la royale du sénateur Couteau à la façon poitevine

« Mettre 500 g de crépine à tremper. Verser 3 bouteilles de vin rouge dans une casserole, porter à ébullition, flamber et retirer du feu. Peler 10 gousses d'ail. Couper en mirepoix 1 carotte et 1 oignon. Réduire en hachis fin foie, cœur et rognons d'un lièvre de 3 kg coupé en morceaux, sans le râble, avec 10 échalotes pelées et la moitié des gousses d'ail ; réserver dans une boîte hermétique au frais. Concasser 4 grains de genièvre. Assaisonner les morceaux de lièvre avec du sel, du poivre, 4 pincées de thym, le genièvre, et les emballer chacun dans une tranche de lard gras. Les envelopper dans de la crépine essorée et la maintenir avec un bâtonnet de bois. Déposer dans une cocotte la mirepoix de carotte et d'oignon, 1 bouquet garni, 10 échalotes pelées et le reste des gousses d'ail. Y ranger les morceaux de lièvre. Les assaisonner de sel et de poivre, mouiller avec le vin rouge flambé, couvrir et cuire 6 heures dans le four préchauffé à 170 °C. Désosser entièrement les morceaux de lièvre et réserver la chair avec les échalotes et les gousses d'ail dans une autre cocotte. Passer le liquide de cuisson au chinois au-dessus d'une casserole, en appuyant pour exprimer tous les sucs. Laisser refroidir et dégraisser. Mettre le hachis dans un saladier, mouiller avec une louche de cette cuisson froide et fouetter. Ajouter encore une louche, fouetter de nouveau, puis reverser dans la casserole avec le liquide de cuisson. Porter sur feu doux et laisser frémir 1 heure. Passer la sauce au chinois en appuyant bien, puis la faire réduire 15 min sur le feu en écumant les impuretés remontant à la surface. Mettre 40 cl de sauce dans une petite casserole et y ajouter le mélange de sang et de crème. Verser le reste de sauce dans la cocotte où attend la chair de lièvre et réchauffer doucement à couvert. Réchauffer aussi la sauce, terminer par un filet de cognac et rectifier l'assaisonnement. Sortir la chair de lièvre de la cocotte, la dresser dans un plat creux et napper de sauce. »

mousse de lièvre aux marrons ▶ MOUSSE
pâté de lièvre ▶ PÂTÉ

LIGURIENNE (À LA) Se dit de viandes garnies de tomates farcies alternant avec un risotto safrané, moulé en darioles, et des rosaces en pommes duchesse passées au jaune d'œuf et dorées au four.

LIMANDE Poisson plat, de la famille des pleuronectidés, commun dans l'Atlantique et la mer du Nord (**voir** planche des poissons de mer pages 674 à 677). Il existe des espèces avec les yeux à droite (limande blonde, limande-sole), d'autres à gauche (arnoglosse, cardine, ou limande sloop). Elles mesurent en moyenne 40 cm. Leur rendement est de l'ordre de 50 % en filets. La chair des limandes est blanche et maigre.

La limande blonde, ou franche, a la forme d'un losange ; son museau est pointu et la face oculaire est brunâtre, pigmentée de jaune. L'arnoglosse, ou fausse limande ou limande rouge, est brun-gris sur la face oculaire (la face aveugle étant gris sable) et de forme ovale, assez allongée. La limande-sole, la plus arrondie, est brun plus ou moins foncé, avec un opercule bordé d'une ligne orange. C'est celle dont le goût est le plus fin. Les limandes sont vendues entières ou en filets (également surgelés), et se cuisinent comme la barbue.

LIMBOURG Fromage belge de lait de vache (de 20 à 50 % de matières grasses), à pâte molle et à croûte lavée, jaune rougeâtre à rouge brique (**voir** tableau des fromages étrangers page 396). Le limbourg se présente sous la forme d'un parallélépipède rectangle de 500 à 600 g. Il a une saveur relevée et corsée.

LIME OU **LIMETTE** Agrume de la famille des rutacées (**voir** tableau des citrons page 223 et planche page 222), sphérique (de 4 à 6 cm de diamètre), vert et parfumé. Appelée abusivement « citron vert », la lime produit un jus acide à saveur térébenthinée et piquante. Elle sert à préparer des cocktails exotiques, des long drinks (gin tonic), des salades de fruits ou de légumes, assaisonne des ragoûts et des poissons à l'orientale. Son écorce râpée parfume des chutneys et des pâtisseries.

LIME DOUCE OU **LIMONETTE DE MARRAKECH** Préparation culinaire de la lime, qui est confite en saumure, et utilisée pour parfumer les ragoûts en tagines dans la cuisine marocaine (poulets, poissons). Les citrons véritables peuvent être confits et utilisés à l'identique.

LIMONADE Boisson rafraîchissante faite d'eau, de sucre et de jus de citron. De nos jours, l'appellation s'applique à des boissons sucrées gazéifiées, incolores, additionnées d'arômes extraits d'agrumes acides.

LIMONADIER Personne qui fait le commerce de boissons au détail. À l'origine, le mot désignait un fabricant ou un marchand de limonade. Les limonadiers distillaient aussi essences et eaux-de-vie. C'est à la fin du XVIIᵉ siècle que, devant le succès des « limonades », un corps de métier spécifique fut créé. Les limonadiers se séparèrent alors des distillateurs. En 1776, ils furent rattachés aux vinaigriers.

LIMONER Éliminer avant cuisson la peau, les parties sanguinolentes et les impuretés de certains aliments (cervelle, par exemple) en les passant sous un filet d'eau ou en les laissant tremper dans de l'eau courante.

LIMOUSIN La cuisine limousine regroupe des spécialités variées dues à la diversité des sols et du climat. Les plateaux couverts de prairies et de forêts fournissent gibier et champignons ; ils permettent aussi un élevage de grande qualité ; ils fournissent des légumes et des fruits excellents. Les châtaignes, qui ont été la base de l'alimentation paysanne, se dégustent encore, bouillies, grillées ou blanchies, et servent à fabriquer une liqueur. Rivières et étangs sont encore poissonneux. Les soupes rustiques sont typiques, avec notamment les bréjaudes au chou, au petit salé, aux haricots ou aux miques, couronnées par le chabrot.

■ **Viandes et charcuteries.**
● **BŒUF ET VEAU.** La viande persillée réputée de la race limousine se prête à merveille aux grillades ou aux daubes. Le Limousin est aussi l'une des régions de France où perdure la tradition du « veau sous la mère », c'est-à-dire nourri exclusivement au lait de sa mère ou d'une autre vache, ce qui permet d'obtenir une viande pâle, fine et juteuse, au goût de noisette, avec laquelle on prépare fricandeaux et rôtis.
● **CHARCUTERIE.** Le porc « cul noir » nourrit une solide tradition charcutière : goguas (boudins) aux châtaignes, saucisses fleurant bon le cognac ou le vin blanc, fromage de hure au persil ou à l'estragon, grilhous ou grautous (grillons), indules (andouilles) et petits salés indispensables à la potée limousine. Le giraud, un boudin gris clair, est détaillé en rondelles, puis frit à la poêle et servi avec une persillade.

■ **Gibiers.**
Les produits de la chasse font l'objet de tous les soins : perdrix au choix, terrine de lièvre, de sanglier ou de faisan et lièvre en cabessal, ancêtre du prestigieux « lièvre à la royale » de la cuisine classique.

■ **Poissons.**
Les anguilles sont préparées en matelote, les gardèches (gardons) frites ou en omelette, les truites fario cuites au bleu ou enrichies de lard fondu, de chou ou de noix, les carpes farcies de lard.

■ **Desserts.**
Abondantes, cerises, myrtilles, pommes, noix ou noisettes sont à l'origine de nombreux desserts rustiques. Outre le célèbre clafoutis, il faut citer la flognarde aux pommes ou aux poires, le gâteau aux noisettes, les boulaigous, grosses crêpes garnies de confiture de myrtilles et de miel, ou encore les madeleines de Saint-Yrieix.

■ **Vins, eaux-de-vie et cidre.**
Les vignobles des coteaux corréziens et de la vallée de la Vienne donnent des petits vins locaux, mais les paysans limousins font aussi du cidre et de bonnes eaux-de-vie de fruits, avec lesquelles on prépare cerises, prunes et pruneaux à l'eau-de-vie, ainsi que différentes liqueurs de ménage, dont le brou de noix.

LIMOUSINE Race bovine rustique, originaire du Limousin, à robe fauve et aux muqueuses claires (**voir** tableau des races de bœufs page 106). La limousine est une très bonne mère, vêlant toute seule dans 92 % des cas. En France, on dénombre 720 000 vaches limousines. La finesse du squelette et le grain de viande de la limousine sont appréciés partout dans le monde : on en élève dans 64 pays et sur 5 continents.

Le jeune bovin limousin est commercialisé sous les appellations de : « taurillon » – rendement en carcasse de 63 %, à viande maigre –, « veau de Saint-Étienne » – animal non sevré, âgé de 9 à 12 mois et fournissant des carcasses de 200 à 220 kg –, et de « veau de Lyon » – sevré, âgé de 13 à 15 mois et pesant de 250 à 320 kg en carcasse (**voir** VEAU). Les génisses ont un rendement en carcasse voisin de 60 %. Les vaches de réforme (âgées de plus de 6 ans) fournissent des carcasses de 380 kg environ.

LIMOUSINE (À LA) Apprêt de chou rouge en julienne, cuit à la graisse de porc avec du bouillon, un filet de vinaigre et une pincée de sucre, auquel on ajoute, en fin de cuisson, de la pomme (râpée ou en petits dés) et des marrons crus brisés. Cette garniture, courante dans la cuisine allemande, accompagne des pièces de boucherie ou de porc rôties.
▶ **Recette :** CHOU POMMÉ.

LIMOUX ▶ VOIR **BLANQUETTE DE LIMOUX**

LINGUE Nom usuel de deux poissons de la famille des gadidés, voisins de la morue, appelés aussi « juliennes » (**voir** planche des poissons de mer pages 674 à 677). La grande lingue, commune en mer du Nord, mesure jusqu'à 1,50 m ; la petite lingue, méditerranéenne, ne dépasse pas 90 cm. Très allongées, gris olivâtre avec une ligne latérale argentée, les lingues, vendues en filets, se cuisinent comme les filets de merlan.

LINGUE BLEUE Poisson de la famille des gadidés, appelé aussi « élingue » à Boulogne et à Lorient. La lingue bleue vit en général entre 350 et 500 m de profondeur dans l'Atlantique Nord jusqu'au Groenland. Souvent vendue en filets, elle s'apprête alors comme le cabillaud ; mais, parfois, elle est également salée comme la morue.

LINXE (ROBERT) Chocolatier français (Bayonne, 1929). Jeune basque, fraîchement débarqué à Paris, il achète la pâtisserie-confiserie *La Marquise de Presles* en 1955, avenue de Wagram. Pendant une vingtaine d'années, il sera traiteur. Puis en 1977, il ouvre la première *Maison du chocolat* au 225, rue du Faubourg-Saint-Honoré à Paris sur les conseils de ses clients qui apprécient ses recettes originales au chocolat. Il y installe ses ateliers et la boutique devient très vite un lieu incontournable. D'autres ouvriront à Paris, mais aussi à New York, Tokyo et Londres. Il est « le sorcier de la ganache » (d'après Jean-Paul Aron), à qui l'on doit « garrigue » au fenouil, « andalousie » au citron, « sylvia » au lait, mais aussi « rigoletto », « roméo », ou « habanera » pêche-mirabelle, lingot à la saveur corsée.

LINZERTORTE Tarte autrichienne faite en pâte sablée, souvent parfumée à la noisette, au citron et à la cannelle, garnie de confiture de framboise et décorée de croisillons de pâte.

Linzertorte

Faire ramollir 70 g de beurre. Lever le zeste de 1 citron, en tailler les deux tiers en julienne ; la blanchir et l'égoutter, puis la hacher. Disposer 175 g de farine en fontaine, y incorporer 75 g d'amandes en poudre, 75 g de sucre en poudre, 1 œuf, 1 cuillerée à café de cannelle en poudre, le beurre, la julienne de citron et une pincée de sel ; bien pétrir cette pâte. La mettre 2 heures dans le réfrigérateur. Beurrer une tourtière de 22 cm de diamètre. Abaisser la pâte sur une épaisseur de 3 à 4 mm et en foncer la tourtière ; la faire descendre jusqu'au fond et couper l'excédent au ras du bord. Piquer la pâte à la fourchette ; y étaler 125 g de confiture de framboise avec pépins. Rassembler en boule les chutes de pâte et les abaisser en rectangle sur une épaisseur de 2 mm. Y découper des bandelettes de 8 mm de large. Les disposer sur la confiture, en croisillons ; souder leurs extrémités à la pâte du bord. Cuire 30 min au four préchauffé à 200 °C. Démouler et laisser refroidir.

LIPIDE Nom scientifique des graisses composées d'acides gras et source importante de l'énergie fournie par l'alimentation (1 g de lipides apporte 9 Kcal ou 39 kJ). Les lipides présents dans le corps, comme ceux que fournissent les aliments, sont à 95 % des triglycérides (combinaison d'une molécule de glycérol avec trois acides gras) et des phospholipides. Notre cerveau contient entre 50 et 70 % de lipides. Les lipides alimentaires sont soit saturés (issus des graisses animales, excepté le poisson) soit insaturés (issus des graisses des poissons ou des végétaux comme l'avocat et les graines oléagineuses). La consommation des premiers est à limiter car leur excès peut être responsable des maladies cardio-vasculaires ; les seconds sont à privilégier car ils ont un rôle bénéfique sur l'immunité, la protection cardio-vasculaire et celle du cancer. Certains lipides apportent des acides gras essentiels, les oméga-3 et oméga-6 (**voir** ACIDE GRAS ESSENTIEL).

Les lipides apportés par l'alimentation sont soit les corps gras d'ajout utilisés en cuisine ou pour les assaisonnements, comme l'huile, le beurre, la crème, soit les graisses de constitution des aliments (charcuterie, fromage, chocolat, viandes grasses, fruits oléagineux, etc.). Celles-ci sont des graisses dites « cachées » car constitutives des aliments ou ajoutées lors de la fabrication des produits qu'ils soient industriels ou artisanaux (biscuits, saucisses, etc.). La consommation excessive de lipides (en quantité et en proportion) constatée dans les pays à haut niveau de vie provient surtout de ces aliments « gras ». Ainsi, les Belges en mangent quotidiennement 160 g, les Canadiens entre 66 et 89 g, et les Français de 80 à 100 g, soit entre 37 et 40 % de leur ration énergétique totale, alors que la ration journalière recommandée se situe entre 30 et 35 %. Il est conseillé d'équilibrer les corps gras entre le beurre d'une part, l'huile et la margarine d'autre part, pour veiller à un bon équilibre d'apport entre les graisses mono-insaturées, polyinsaturées et les graisses saturées, de modérer la consommation des aliments riches en graisses de constitution (choisir des morceaux peu gras et enlever le gras de la viande) et de limiter les graisses d'ajout (**voir** MATIÈRE GRASSE).

LIPP Brasserie du boulevard Saint-Germain, à Paris, fondée en 1871, à l'enseigne de la *Brasserie des bords du Rhin,* par un Alsacien, Léonard Lipp. Ses successeurs (Hébrard, puis Cazes) l'agrandirent, la rebaptisèrent et surent y attirer la clientèle littéraire et politique qui fréquentait déjà *le Flore* et *les Deux Magots.*

Léon-Paul Fargue (1876-1947) disait que c'était le seul endroit de la capitale « où l'on puisse avoir, pour un demi, le résumé fidèle et complet d'une journée politique ou intellectuelle française », jugement encore valable aujourd'hui, même si l'on y sert plutôt du champagne et du bordeaux.

LIQUEUR Boisson spiritueuse, obtenue par mélange d'alcool et d'eau-de-vie avec des aromates, qui se boit pure à la fin des repas, comme digestif, parfois allongée d'eau comme apéritif, ou qui entre dans la composition d'un cocktail comme additif aromatique (le Cointreau dans le margarita, par exemple). La teneur en alcool, variant de 15 à 55 % Vol., est de 40 % Vol. en moyenne ; mais la liqueur, étant sucrée (de 100 à 250 g de sucre par litre), paraît moins forte. Les liqueurs sont également utilisées en confiserie et en pâtisserie.

Les préparations médiévales, à base de vin, de miel, de fleurs, d'herbes et de racines, étaient élaborées par les moines, à des fins thérapeutiques. Les liqueurs commencèrent à jouer un rôle gastronomique en France à partir du XVe siècle. Avec les progrès de la distillation, de véritables industries se créèrent.

■ **Formule de base.** Toutes les liqueurs utilisent comme matières premières de l'eau-de-vie ou de l'alcool neutre à 96 % Vol., une substance aromatique (fruit, plante, graine ou essence) et du sirop de sucre (parfois de miel). La fabrication se fait par distillation, par infusion quand un fruit ou une plante ne supporte pas ce traitement, ou par addition d'essence dans l'alcool.

Pour les liqueurs de fruit (cherry, curaçao, marasquin), baies ou écorces commencent par macérer dans l'alcool, puis le liquide est soutiré et distillé deux fois. La préparation des liqueurs de plantes (Bénédictine, Chartreuse, Izarra) est plus longue ; une seule liqueur nécessite plusieurs alcoolats, et ceux-ci sont mis à vieillir séparément en fûts de chêne avant d'être mélangés, additionnés de sucre (ou de miel), filtrés et mis en bouteilles. Pour les liqueurs de graines (anisette, Drambuie, kummel), l'esprit s'obtient par macération des graines dans un alcool ; on ajoute un sirop concentré, puis on pratique brassage et filtrage. Notons que, lorsque la teneur en sucre d'une liqueur est supérieure à 250 g par litre, on parle plutôt de crème (crème de cassis, crème de cacao, crème de menthe, etc.).

■ **Liqueurs de ménage.** Sans alambic ni appareillage particulier, on réalise des liqueurs à base de fruits (ratafias) par infusion ou par macération dans un alcool dit « de bon goût ». Le filtrage est important, de même que le collage, parfois nécessaire, pour obtenir une liqueur limpide. On peut le colorer avec des produits naturels (caramel, jus de guigne, thé, vert d'épinard). Les liqueurs maison gagnent à vieillir à l'abri de la lumière et de l'humidité, dans des cruchons en grès.

LIRAC Vin AOC rouge, blanc ou rosé de la vallée du Rhône (très proche du célèbre tavel, son voisin immédiat) produit dans le Gard, aux environs de Roquemaure. Les rouges et les rosés sont issus des cépages grenache, syrah, mourvèdre, cinsault et carignan ; les vins blancs, des cépages clairette, bourboulenc et picpoul (**voir** RHÔNE).

LISETTE Poisson de la famille des scombridés, de moins d'un an. En été, ce jeune maquereau vit en bancs près de la surface, et on le retrouve du golfe de Gascogne, où il est pêché à la senne (à la traîne), jusqu'en Méditerranée et en mer du Nord, où il est capturé au chalut. La lisette, excellente nageuse, a une chair savoureuse et moins grasse que celle du maquereau adulte ; on l'apprécie grillée, marinée au vin blanc ou fumée.

▶ Recette : MAQUEREAU.

LISTAO Appellation normalisée de la bonite à ventre rayé, poisson de la famille des thunnidés, mesurant jusqu'à 1,20 m et pesant alors 25 kg, qui vit dans les mers tropicales et le golfe de Gascogne (**voir** tableau des thons page 848). Ses apprêts sont les mêmes que ceux du thon.

LISTRAC-MÉDOC Vin AOC rouge du haut Médoc issu des cépages cabernet-sauvignon, cabernet franc, merlot et petit verdot. D'une belle couleur rubis, nerveux et agréablement bouqueté, ce vin présente une forte charpente. En 1986, « listrac » est devenu « listrac-médoc » (**voir** BORDELAIS).

LITCHI Fruit originaire de Chine, de la famille des sapindacées, cultivé en Asie et dans l'océan Indien (**voir** planche des fruits exotiques pages 404 et 405). Gros comme une reine-claude, couvert d'une écorce rugueuse rose ou rouge, il possède une pulpe blanche et juteuse, translucide, autour d'un gros noyau brun-noir. Encore appelé « cerise de Chine », « letchi » ou « lychee », le litchi apporte 68 Kcal ou 285 kJ pour 100 g ; assez riche en vitamine C, il contient 16 % de glucides. Sa chair agréablement sucrée a une saveur de rose, légèrement acidulée. La cuisine chinoise l'associe souvent à la viande ou au poisson. En France, on le trouve frais de novembre à janvier, et il rehausse les salades de fruits, mais il est surtout vendu en conserve, au sirop et dénoyauté. On le trouve aussi parfois séché ou confit.

LITEAU Grande serviette blanche utilisée en restauration, notamment pour le transport des couverts, la mise en place des assiettes chaudes et le service du vin ; elle est généralement pliée en trois dans le sens de la longueur et gardée à disposition sur le bras gauche.

LIVAROT Fromage AOC augeron au lait de vache (de 40 à 45 % de matières grasses), à pâte molle à croûte lavée (**voir** tableau des fromages français page 390). Dans son format « standardisé », il est nommé « colonel » en raison des cinq bandes de laîche (rubans taillés dans un roseau) qui l'entourent. En forme de cylindre plat, il existe sous cinq formats : le grand, de 20 cm de diamètre ; le quatre-quarts de 12 cm de diamètre ; le trois-quarts de 10,6 cm de diamètre ; le petit, de 9 cm de diamètre; et le quart, de 7 cm de diamètre. Le poids varie donc selon la taille ; le quatre-quarts pesant 500 g est le type standard dit « colonel ». Sa croûte est lavée, lisse, de couleur variant du rosé au rouge-orangé quand il y a un apport de rocou. Sa pâte est de couleur jaune-orangé et possède quelques ouvertures (trous) issues du moulage du caillé. Il est fabriqué dans le seul pays d'Auge (est du Calvados, nord de l'Orne et bord ouest de l'Eure). Il est affiné de 4 à 12 semaines et possède un goût marqué.

LIVÈCHE Plante aromatique, de la famille des apiacées, originaire de Perse, appelée également « ache de montagne » en raison de son parfum (**voir** planche des herbes aromatiques pages 451 à 454). Assez peu utilisée en France, la livèche est, en revanche, très appréciée des Anglais et des Allemands, qui emploient ses feuilles et ses graines pour aromatiser salades, potages et plats de viande. Les pétioles des feuilles, blanchis, se mangent en salade ; confits, ils rappellent l'angélique. Les tiges et les racines, très aromatisées, servent à des préparations de fond pour les daubes et les ragoûts.

LIVONIENNE Nom donné à une sauce à base de velouté de poisson monté au beurre et garni d'une fine julienne de carotte, de céleri, de champignon et d'oignon étuvée au beurre, complétée par une julienne de truffe et du persil haché. La livonienne accompagne surtout la truite et le saumon, ou tout poisson de mer plat à chair maigre.

▶ Recette : CROÛTE.

LIVRE DE CUISINE Recueil de recettes ou de considérations gastronomiques. En Occident, la tradition de l'écrit culinaire remonte à l'œuvre d'Archestrate (IVᵉ siècle av. J.-C.), dont nous ne connaissons que des fragments. De l'Antiquité romaine, il ne nous est parvenu qu'un recueil composite de recettes datant de la fin du IVᵉ siècle apr. J.-C. et dont plusieurs copies circulèrent jusqu'à l'époque carolingienne sous la signature d'Apicius, célèbre épicurien du Iᵉʳ siècle de notre ère. Il faut attendre la seconde moitié du XIIIᵉ siècle pour voir renaître la tradition avec les premiers réceptaires (recueils de recettes) donnant à voir une véritable « nouvelle cuisine ».

■ **Naissance.** Au cours des XIVᵉ et XVᵉ siècles, nombre de livres de cuisine virent le jour. Ils se présentent sous forme de rouleaux (peu d'exemplaires) ou de codex, soit en parchemin, pour les versions les plus luxueuses, soit en papier, matériau qui va peu à peu s'imposer et qui, par sa maniabilité et son prix réduit, contribuera à la diffusion de cette forme de littérature.

Le livre de cuisine médiéval s'insère généralement dans un ouvrage à vocation scientifique où il côtoie des sujets aussi variés que la médecine, l'astrologie, l'agronomie. Il s'agit généralement d'une mise par écrit de recettes jusque-là transmises oralement ou d'une compilation de réceptaires plus anciens. Cependant, on voit apparaître des créations de grands maîtres queux, qui connurent un succès considérable.

C'est le cas du *Libro de arte coquinaria,* de maître Martino, qui compose la partie culinaire de l'œuvre de Il Platina (le Platine), *De honesta voluptate,* premier livre de cuisine imprimé (1474). C'est aussi le cas du *Viandier,* attribué, bien que probablement plus ancien, à Guillaume Tirel, dit Taillevent, cuisinier de Charles V, puis de Charles VI, qui, constamment augmenté, jouit d'une grande faveur pendant plusieurs siècles. Premier livre de cuisine français à être imprimé, *le Viandier* inaugurait la très riche lignée des livres de recettes portant la griffe de grands cuisiniers.

■ **Floraison.** Depuis Taillevent et, surtout, La Varenne, qui marque avec son *Cuisinier françois* (1651) le début du règne de l'art culinaire français sur le monde occidental, tous les grands cuisiniers ont laissé une œuvre écrite : *le Cuisinier* (1656), de Pierre de Lune ; *l'Art de bien traiter* (1674), signé L.S.R. ; *le Cuisinier royal et bourgeois* (1691), de Massialot ; mais aussi *l'École des officiers de bouche* (1662) et *la Maison réglée* (1692), d'Audiger, qui détaillent le service de table et la gestion de la maison.

Au XVIIIᵉ siècle, on assiste à une floraison de nouveaux textes : *le Cuisinier moderne* (1733 en anglais, 1735 en français), de Vincent La Chapelle ; *les Dons de Comus ou les Délices de la table* (1739), attribué à Marin ; *la Cuisinière bourgeoise* (1746) et *les Soupers de la cour* (1755), de Menon. D'autres titres, plus spécialisés, connurent aussi de beaux succès : *le Traité des aliments* (1702), de Louis Lémery ; *le Cuisinier gascon* (1740), qui ne traite d'ailleurs pas, malgré son titre, de cuisine régionale ; *le Festin joyeux* (1738), de Lebas, où les recettes sont mises en musique sur des airs à la mode ; *le Cannaméliste français* (1751), de Gilliers, et *l'Art de bien faire les glaces d'office* (1768), d'Émery.

Le souffle démocratique de la Révolution pénètre dans les cuisines. Une libraire parisienne, madame Mérigot, écrit et publie en 1794 *la Cuisinière républicaine,* recueil suivi, un an après, par *le Petit Cuisinier économe,* de Jannet, qui publiera en 1796 *le Manuel de la friandise ou les Talents de ma cuisinière Isabeau mis en lumière* (inspiré de Menon).

■ **Révolution.** À partir des premières décennies du XIXᵉ siècle se révèlent les grands rénovateurs de l'art culinaire français : Viard, avec son *Cuisinier impérial* (1810), et surtout Antonin Carême, dont les œuvres sont aussi fondamentales en cuisine qu'en pâtisserie : *le Pâtissier royal parisien* (1815) ; *le Cuisinier parisien* (1828) ; *l'Art de la cuisine française au XIXᵉ siècle,* ouvrage terminé par Plumerey (1843-1844).

Le XIXᵉ siècle est aussi la période où apparaissent les restaurateurs, dont certains prennent déjà la plume, comme Beauvilliers avec *l'Art du cuisinier* (1814), et que fréquentent les gourmets, eux aussi hommes de lettres : Berchoux (*la Gastronomie,* 1801) ; Grimod de La Reynière (*Almanach des gourmands,* de 1803 à 1812) ; Cadet de Gassicourt (*les Dîners de Manant-Ville,* 1809) ; Colnet (*l'Art de dîner en ville,* 1810) et le marquis de Cussy (*l'Art culinaire,* 1835).

La gastronomie et l'art culinaire deviennent dès lors un genre littéraire, dans lequel s'illustre notamment Alexandre Dumas père (*le Grand Dictionnaire de cuisine,* 1873), et même journalistique, avec Charles Monselet (*Almanach des gourmands,* 1863-1870, et *la Cuisinière poétique*) ou le baron Brisse (366 menus parus dans *la Liberté*).

507

Mais les grands praticiens continuent de publier des sommes théoriques et pratiques, reflet fidèle de la cuisine telle qu'elle se fait et s'enseigne à leur époque, notamment Urbain Dubois (*la Cuisine classique*, 1856), Jules Gouffé (*Livre de cuisine*, 1867) et Garlin.

Bientôt, le livre de cuisine devient un genre diversifié à l'extrême. Auguste Escoffier, « roi des cuisiniers et cuisinier des rois », marque le début du XXᵉ siècle en publiant en 1903 son célèbre *Guide culinaire* (avec Philéas Gilbert et Émile Fétu).

À sa suite, les grands chefs prennent tous, un jour ou l'autre, la plume. Et ce d'autant plus facilement que les médias les accueillent : désormais, ils donnent leurs recettes sous forme de livres traditionnels (illustrés en couleurs), mais aussi dans des revues spécialisées, dans les rubriques de magazine, sur les ondes radiophoniques et sur le petit écran. En outre, un autre genre connaît un essor extraordinaire, celui des chroniques de gourmets et de critiques, dont la voie fut ouverte par Curnonsky : le public se découvre une passion pour l'histoire de la gastronomie, les recettes régionales ou exotiques, l'évolution de l'alimentation et de l'art culinaire en général, d'où une production riche et variée, allant des encyclopédies aux « fiches », des réimpressions d'éditions anciennes aux manuels de diététique.

LOCHE Poisson d'eau douce, de la famille des cobitidés, au corps allongé et visqueux, gris verdâtre ou jaune-orangé, tacheté de noir, avec des écailles très fines. Trois espèces vivent en Europe.
– La loche d'étang peut atteindre 35 cm et porte dix barbillons.
– La loche de rivière, la plus petite (de 8 à 10 cm), ne porte que six barbillons et possède une épine sous chaque œil.
– La loche franche (de 10 à 12 cm), la plus appréciée, porte six barbillons, mais pas d'épine.
La chair des trois espèces est excellente d'octobre à mars, mais, ces poissons vivant dans la vase, il faut les laisser tremper quelques heures dans de l'eau vinaigrée avant de les apprêter, en matelote ou à la meunière.

LOIRE (VINS DE LA) Sur un peu plus de la moitié de son parcours, entre Pouilly-sur-Loire et Nantes, le plus long fleuve de France est bordé de douces collines où, depuis au moins la conquête romaine, prospère la vigne. Sur les différents terroirs poussent divers cépages, où dominent les cabernets pour les rouges et les rosés, le chenin blanc et le sauvignon pour les blancs, donnant toutes sortes de vins doux ou secs, tranquilles ou mousseux. Tous sont élégants et rafraîchissants, et la plupart se boivent relativement jeunes.

D'est en ouest, le Val de Loire comporte neuf subdivisions viticoles. En amont, le secteur de Pouilly-sur-Loire produit, avec du sauvignon, l'excellent pouilly fumé, et celui, tout proche, de Sancerre, des blancs secs réputés et un très bon rosé. Les petits secteurs de Quincy et de Reuilly sont spécialisés dans les blancs secs, tandis que la Touraine donne tous les types de vins, rouges, rosés et blancs, les plus connus étant les bourgueils, le chinon et surtout les vouvrays. Au nord, le terroir de Jasnières ne donne que des blancs doux, alors que celui des coteaux du Loir est plus connu pour ses rosés. L'Anjou fournit toutes les catégories, mais produit surtout de prestigieux blancs moelleux (quarts-de-chaume, saumur, savennières, coteaux-du-layon). Enfin, la région nantaise s'est acquis une grande popularité avec ses muscadets et son gros-plant.

LOISEAU (BERNARD) Cuisinier français (Chamalières 1951 - Saulieu 2003). Après avoir effectué son apprentissage chez les frères Troisgros, à Roanne, il devient chef à *la Barrière de Clichy*, puis à *la Barrière Poquelin*. Il s'installe à *la Côte-d'Or*, à Saulieu, en 1975. Deux ans plus tard, il obtient sa première étoile au Guide Michelin, la seconde en 1981, et la troisième en 1991. Sans cesse taraudé par l'angoisse de demeurer au sommet, il se suicide, chez lui, d'un coup de fusil. On a évoqué à son propos Vatel. Mais les hantises de Bernard Loiseau ne concernaient pas le devenir de son art sur lequel il s'était exprimé en toute liberté. Il avait diminué drastiquement l'emploi des matières grasses et du sucre dans sa cuisine, prôné à la fois l'attachement au terroir, à la majesté du produit (« la seule vedette » selon lui) et les liaisons « à l'eau » qui imposent un style. Sa maison demeure, sous la houlette de son épouse Dominique et de son chef, Patrick Bertron. Ses plats comme les jambonnettes de grenouilles à la purée d'ail,

le sandre au vin rouge ou la volaille à la vapeur aux truffes, en hommage à Alexandre Dumaine, demeurent sur la carte de la *Côte-d'Or*. Il a publié de nombreux livres, comme *l'Envolée des Saveurs* (1991).

LOLLO Nom générique de diverses variétés de laitues caractérisées par leur petite taille (20 cm au maximum) et leur forme de bouquet non pommé. Les feuilles nervurées et découpées ont les extrémités plus ou moins teintées. Les lollos, servies en salade, sont tendres et un peu croquantes (**voir** tableau des laitues page 487 et planche page 486).

LONGANE Fruit d'un arbre de la famille des sapindacées, originaire d'Inde et de Chine, ovoïde et gros comme une mirabelle, voire parfois comme une reine-claude (**voir** planche des fruits exotiques pages 404 et 405). Le longane ressemble au litchi, mais il est moins parfumé ; riche en vitamine C, il fournit 65 Kcal ou 272 kJ pour 100 g. Sa peau rouge, rosée ou jaune couvre une chair translucide, assez peu sucrée, renfermant un gros noyau noir, marqué d'une tache blanche en forme d'œil (d'où son nom chinois d'« œil de dragon »). On le trouve en conserve au sirop, parfois confit. Il entre dans la composition de salades de fruits, ainsi que dans celle d'une boisson rafraîchissante.

LONGANIZA Saucisse mi-sèche, mi-fumée, ressemblant à un gros chorizo (**voir** planche de charcuterie pages 193 et 194). Espagnole, la longaniza est faite de chair à saucisse colorée et aromatisée avec du piment et de l'anis. On la mange frite, notamment dans des apprêts d'œufs, ou crue.

LONGCHAMP Nom donné à un potage lié, dérivé d'une purée Saint-Germain, par référence au nom du principal hippodrome parisien.
▶ Recette : POTAGE.

LONG DRINK Boisson « longue » servie dans un verre de 12 à 33 cl (ou plus) ou dans une cup (**voir** COCKTAIL). Diversement composé de spiritueux, jus de fruits, sirop, soda, eau gazeuse, etc., le long drink est peu alcoolisé ou pas du tout. Il se sert parfois avec une paille.

LONGE Région cervicale et dorsale du porc comprenant l'échine, le carré de côtes et le filet (**voir** planche de la découpe du porc page 699). La longe est aussi un morceau du veau, formé des cinq demi-vertèbres lombaires fendues en long et garnies des muscles du même nom, prolongés par les muscles abdominaux ; on y taille des côtes-filets assez larges, à griller ou à poêler, mais surtout des rôtis : elle est alors désossée (**voir** planche de la découpe du veau page 879). Si on laisse le rognon, on l'appelle « rognonnade ».
▶ Recette : VEAU.

LORAIN (JEAN-MICHEL) Cuisinier français (Migennes 1959). Son père Michel, formé chez Marc Alix à Sens, avait fait de la maison de sa grand-mère, *la Côte Saint-Jacques* à Joigny, une grande maison, cumulant les étoiles au Guide Michelin (une en 1971, deux en 1976), avec des plats fameux comme les huîtres aux quatre saveurs, la truffe au chou, le ris de veau Saint-Jean-Cap-Ferrat. Lorsque la maison obtient les trois étoiles au Guide Michelin, en 1986, Jean-Michel, qui a travaillé chez *Troisgros*, au *Taillevent* et chez Frédy Girardet, le seconde. Il allégera le style maison, combinant novation et tradition, créant la terrine d'huître en gelée océane, promouvant la poularde au champagne, demeurant fidèle au boudin noir maison aux pommes. Il perd la troisième étoile en 2001, la retrouve en 2004. *La Côte Saint-Jacques* est devenue une maison moderne, qui a depuis été déplacée dans une demeure de bord de fleuve, face à l'Yonne.

LORETTE Nom d'une garniture pour grosses pièces de bœuf rôties et petites pièces sautées, composée de croquettes de volaille, de bottillons de pointes d'asperge, avec un décor de lames de truffe ; la sauce est une demi-glace pour les premières, un déglaçage au madère et à la demi-glace pour les secondes. Les pommes de terre Lorette sont des pommes dauphine au fromage frites en forme de croissant.

La salade Lorette associe, en parties égales, mâche, céleri-rave en julienne et betteraves cuites.

LORRAINE Cette province comprend des régions nettement diffé-renciées : les Vosges, habillées de forêts et de pâturages ; la Vôge, riche en forêts de chênes et de hêtres, avec leurs sangliers, champignons et myrtilles, caractérisée par l'élevage des bovins ; le plateau lorrain, aux troupeaux de moutons, de porcs et surtout de bovins ; les côtes de Meuse, aux cultures variées, couvertes de vigne, pâturages et vergers, réputés pour leurs fruits avec, en tête, la mirabelle.

Entre la France et l'Allemagne, la région a subi les influences des deux pays, avec une Lorraine de culture française et une autre de culture germanique, circonscrite à la Moselle. Le porc, sans conteste la viande favorite, entre dans la potée, la choucroute de Saint-Dié, le civet de porc frais et le cochon de lait en gelée. La charcuterie procède des deux traditions. Les saucisses et les jambons fumés et parfumés au genièvre, les quenelles de foie de porc, les saucisses à tartiner, les knacks – d'origine viennoise – sont germaniques ; les jambons séchés, les saucisses blanches, le boudin de Nancy, les pâtés (faits avec des viandes marinées au vin blanc) et les tourtes (à la viande, aux œufs et à la crème) viennent plutôt de la tradition française. L'oie est fréquemment accommodée en daube, et les pâtés de foie gras rivalisent avec ceux d'Alsace.

Les poissons des rivières (Meuse, Moselle et Ornain) donnent des matelotes, tandis que grenouilles et écrevisses se cuisinent en gratin.

La pâtisserie a une grande réputation, depuis l'époque où Stanislas Leszczynski régnait à Nancy ; mais ici, comme ailleurs, elle est sollicitée d'abord pour le repas, la tarte emblématique de la Lorraine étant bien sûr la célèbre quiche. Les traditions locales ont donné les tartes aux mirabelles, aux quetsches, aux myrtilles et au raisin, les biscuits de Stenay, les choux à la crème de Pont-à-Mousson, sans oublier les macarons, les madeleines, les nonnettes et les pains d'anis, ni la confiserie (bergamotes, visitandines et dragées, sucre d'orge et bonbons de chocolat au kirsch de Charmes, confitures de groseille de Bar-le-Duc et de myrtille de Remiremont).

■ **Viandes et charcuteries.**

● RÔTI DE PORC AUX QUETSCHES, POTÉE LORRAINE, BOUDIN DE NANCY, JAMBON AU FOIN. Le rôti de porc aux quetsches est une recette à l'aigre-doux d'influence germanique ; l'échine de porc est servie avec des quartiers de chou vert et des quetsches confites. La riche potée lor-raine est composée d'épaule de porc fumée, de lard maigre fumé, de saucisson, d'oignons, de carottes, de navets, de haricots blancs et verts, de petits pois frais et de chou, le tout aromatisé d'un bouquet garni, de clous de girofle et d'ail ; le bouillon est servi en soupière avec des tranches de pain grillées. Le boudin noir de Nancy, parfois additionné de compote de pommes ou de mirabelles, est frit à la poêle et servi accompagné de purée ou entre dans la composition d'une omelette. Pour le jambon au foin, un jambon fumé et dessalé cuit dans un bouillon frémissant, aromatisé de thym, de laurier, de girofle et de genièvre, sur un lit de foin.

■ **Fromages.**

Le mégin, fromage frais affiné en pot, est la cancoillotte lorraine. Le carré de l'Est et le géromé sont des fromages au lait de vache à pâte molle, l'un à croûte fleurie, l'autre à croûte lavée. Le géromé frais est à la base de la « chique » (agrémenté de crème fraîche, de poivre, de ciboulette et d'ail) et du « roncin », mélangé avec des œufs battus.

■ **Vins et eaux-de-vie.**

Le petit vignoble des côtes de Toul produit des vins rosés appelés « gris » (car peu colorés). Sur les rives escarpées de la Moselle, l'appellation « moselle » donne des vins le plus souvent blancs, vifs et aromatiques. Si la brasserie lorraine est quelque peu délaissée, les eaux-de-vie de mirabelle, de framboise, de quetsche et de cerise restent justement appréciées.

LORRAINE (À LA) Se dit de grosses pièces de boucherie, généralement braisées, garnies de chou rouge braisé au vin rouge et de pommes fondantes. Le fond de braisage bien dégraissé constitue la sauce d'accompagnement, souvent servie avec du raifort râpé. L'appellation concerne d'autres spécialités lorraines, comme la potée ou la quiche, ainsi que divers apprêts d'œufs, qui ont en commun le lard fumé et le gruyère.

▶ Recettes : ŒUF SUR LE PLAT, OMELETTE, POTÉE, QUICHE.

LOTE Poisson d'eau douce, de la famille des gadidés, dont le corps allongé et cylindrique, jaunâtre marbré d'ocre et de brun, est couvert d'un enduit visqueux. La lote peut atteindre 1 m ; elle abonde surtout dans les lacs savoyards. Dépouillée, elle se prépare comme l'anguille ou la lamproie ; son foie, volumineux, très recherché, sert à préparer des terrines, et on le fait poêler comme du foie de veau.

LOTTE DE MER Appellation usuelle de la baudroie, poisson de mer de la famille des lophiidés, que sa laideur fait surnommer « crapaud » ou « diable de mer » (**voir** planche des poissons de mer pages 674 à 677).

Sa tête énorme et très laide, dotée d'une large gueule terminant un corps brunâtre et sans écailles, qui peut atteindre 1 m de long, reste inconnue du consommateur, car la lotte est toujours commercialisée étêtée, sous le nom de « queue de lotte ». Sa chair maigre, sans arêtes, fine et ferme, se cuisine un peu comme de la viande (en brochettes, en rôti, en sauce, sautée). Les déchets sont peu abondants, et le cartilage central est très facile à retirer.

lotte à l'américaine

Laver et éponger 1,5 kg de petites lottes, en laissant le cartilage central qui retient les 2 filets. Laver et éponger des têtes et des carapaces de langoustine. Peler, épépiner et concasser 500 g de tomates bien mûres ; éplucher et hacher 4 belles échalotes ; peler et écraser 1 grosse gousse d'ail ; hacher 1 petit bouquet de persil et 2 cuillerées à soupe de feuilles d'estragon. Chauffer 10 cl d'huile d'olive dans une cocotte, y mettre à reve-nir les têtes et les carapaces des crustacés avec les tranches de lotte. Dès que celles-ci ont commencé à dorer, ajouter le hachis d'échalote et lais-ser blondir. Verser dans la cocotte 1 verre à liqueur de cognac chauffé et faire flamber. Ajouter la gousse d'ail écrasée, 1 morceau d'écorce d'orange séchée, l'estragon et le persil, les tomates, 1 bouquet garni, 1 cuillerée à soupe de concentré de tomate délayé dans 1/2 bouteille de vin blanc sec, du sel, du poivre, du poivre de Cayenne. Couvrir et poursuivre la cuis-son 15 min : le poisson doit rester un peu ferme. L'égoutter et le tenir au chaud. Retirer le bouquet garni, passer la sauce au chinois et ajouter 5 cl de crème. Dresser sur les assiettes de service le poisson au centre, nappé de la sauce et entouré d'une couronne de riz basmati.

RECETTE DE GUY SAVOY

médaillons de lotte au beurre de poivron rouge

« Préparer un court-bouillon à l'eau et au vinaigre blanc, avec 1 carotte et 1 oignon émincés, 1 bouquet garni, du sel et du poivre. Le cuire 20 min. Ouvrir en deux un poivron rouge, l'épépiner, et le cuire lentement 6 min à l'huile d'olive, à couvert. Le passer au tamis fin. Détailler 700 g de lotte en médaillons de 1 cm d'épaisseur. Faire réduire à sec, au vin blanc, 2 petites échalotes hachées ; ajouter 2 cuillerées à soupe de crème fraîche, laisser bouillir, en fouettant pendant 2 min, puis, à feu doux, incorporer 150 g de beurre, toujours en fouettant. Verser alors la purée de poivron, saler, poivrer et ajouter un filet de citron. Mettre les médaillons de lotte, bien séparés les uns des autres, dans un plat à gratin. Saler et poivrer. Arroser du court-bouillon et laisser frémir 4 min sur le feu. Retirer, égoutter. Disposer sur le plat de service chaud et napper de la sauce. »

LOTUS Plante asiatique, de la famille des nélumbonacées, voisine du nénuphar, dont on consomme les grosses graines (crues, bouillies ou grillées), les racines (comme du céleri) et parfois les feuilles (comme des épinards) [**voir** planche des légumes exotiques pages 496 et 497].

Au Viêt Nam, les graines de lotus, au goût d'amande, s'utilisent dans un potage sucré très populaire ; à Java, les feuilles de lotus sont farcies de riz aux crevettes, en Chine, elles le sont de viande et d'oignon hachés, et les graines, confites au vinaigre ou au sirop, sont appréciées comme friandises.

On trouve en Europe des conserves de rhizomes de lotus au naturel, dont les tranches, percées de trous, sont caractéristiques, et servent de garniture de viandes et de volailles.

LOUCHE Grande cuillère sphérique, assez profonde, munie d'un long manche, utilisée pour servir potages et soupes. Elle peut être en matériau synthétique pour récipients à revêtement antiadhésif. En cuisine, la petite louche à bec, en aluminium ou en fer-blanc, sert à puiser les jus et les sauces. Il existe aussi une louche à punch ou à vin chaud, parfois en verre, dont le cuilleron est aussi muni d'un bec.

LOUISIANE Nom d'un apprêt de volaille, farcie de maïs à la crème et de dés de poivron, colorée sur le feu, puis cuite au four, à couvert, avec une petite garniture aromatique. On l'arrose souvent et, vers la fin de la cuisson, on ajoute du fond de volaille et du madère. La volaille est dressée avec du maïs à la crème, du riz moulé en darioles et des rondelles de banane frites, accompagnée du jus de cuisson passé et dégraissé.

LOUKOUM Confiserie orientale à base de sucre, de miel, de sirop de glucose et de farine, aromatisée et colorée, et parfois garnie d'amandes, de pistaches, de pignons ou de noisettes. Élastique, très sucré, le loukoum (ou *rahat loukoum,* « repos de la gorge ») se présente en cubes poudrés de sucre glace.

LOUP Appellation donnée en Provence au bar (**voir** ce mot). La réputation de férocité de ce poisson de la famille des moronidés lui a valu ce surnom imagé sur les côtes méditerranéennes.

RECETTE DE JACQUES PIC

filet de loup au caviar

POUR 4 PERSONNES

« Faire suer au beurre 10 g de fenouil émincé, 1 échalote ciselée, 1 tête de champignon de Paris épluchée et émincée. Mouiller avec 25 cl de champagne et 15 cl de fumet de loup, et réduire de moitié. Ajouter 50 cl de crème fraîche liquide, porter à ébullition 2 min et laisser infuser environ 15 min. Passer au chinois étamine, assaisonner de sel et de poivre blanc du moulin. Lever un loup en filets, le désarêter, le couper en tronçons, l'assaisonner et le cuire 3 min à la vapeur. Le napper de sauce et le recouvrir de 30 g de caviar au moment de servir. »

---

loup au céleri-rave ▶ PLANCHA

RECETTE DE PAUL BOCUSE

loup en croûte sauce Choron

POUR 4 PERSONNES

« Ôter la peau d'un loup d'environ 1,5 kg ; saler et poiver. Dans un bol réfrigéré, mixer les chairs très froides de 100 g de saint-jacques décortiquées et 100 g de filets de sandre sans peau avec du sel marin et du poivre noir du moulin. Incorporer 2 jaunes et 1 blanc d'œuf, 20 cl de crème double, 50 g de beurre en pommade, puis ajouter 30 g de pistaches hachées. Farcir le loup avec cette mousse de saint-jacques et de sandre. Diviser 500 g de pâte feuilletée en deux, étendre les 2 pâtons au rouleau. Préchauffer le four à 200 °C. Placer le loup sur une abaisse, le couvrir avec l'autre en pressant fortement sur les bords. Découper au couteau selon la forme du poisson pour ôter le surplus de pâte. Dorer avec 1 jaune d'œuf, puis marquer les écailles avec une douille unie et décorer avec ce qui reste de pâte. Glisser au four, faire cuire 10 min, baisser la température à 180 °C et laisser encore au four de 25 à 30 min. Pendant la cuisson, préparer une sauce Choron en faisant réduire à sec 3 échalotes hachées et 15 cl de vinaigre rouge. Monter au bain-marie 3 jaunes d'œuf avec 1 cuillerée à soupe d'eau, incorporer délicatement 150 g de beurre clarifié puis assaisonner. Ajouter la réduction d'échalotes, une pointe de concentré de tomate et 1 cuillerée à soupe d'estragon ciselé. Sortir le loup du four et servir sans attendre accompagné de la sauce. »

---

loup « demi-deuil » ▶ BAR (POISSON)
mariné de loup de mer, saumon
et noix de saint-jacques ▶ COQUILLE SAINT-JACQUES

RECETTE DE JACQUES PIC

tresse de loup et saumon au caviar

POUR 4 PERSONNES

« Couper un filet de loup de 500 g en 8 lanières dans le sens de la longueur et un filet de saumon de 300 g en 4 lanières. Placer sur le plan de travail 2 lanières de loup et au milieu 1 lanière de saumon, les tresser ensemble comme on tresse les cheveux, puis les tourner en rond. Répéter l'opération trois fois. Faire griller au four 1 poivron rouge, retirer la peau et passer la chair au mixeur. Faire revenir 100 g d'échalotes hachées au beurre sans coloration ; mouiller avec 20 cl de vin blanc, faire réduire de moitié. Ajouter 10 cl de crème fraîche, faire bouillir 5 min, puis ajouter 100 g de beurre en morceaux et passer au chinois. Partager ensuite la sauce en deux parties : dans l'une, ajouter 50 g d'épinards hachés, dans l'autre, le poivron rouge. Cuire les tresses à la vapeur 4 min. Poser une tresse sur chaque assiette ; disposer les sauces verte et rouge assaisonnées autour en intercalant les couleurs. Disposer 20 g de caviar sevruga au centre de la tresse et servir. »

RECETTE DE GÉRALD PASSÉDAT

tronçon de loup comme l'aimait Lucie Passédat

POUR 4 PERSONNES – PRÉPARATION : 2 h

« Écailler, vider, laver puis lever les filets d'un loup de 1,5 kg. Tronçonnez les 2 filets en 4 portions égales de 160 g net en conservant la peau légèrement incisée sur le dessus. Pour le fumet, préparer la garniture aromatique : laver, éplucher et ciseler 1 échalote, 1 carotte, 1/2 poireau et 1 bouquet garni. Concasser l'arête du poisson, puis la faire revenir avec 25 cl d'huile d'olive, rajouter la garniture et mouiller d'eau à la hauteur de 1,5 litre. Ajouter le bouquet garni. Cuire 20 min, passer au chinois. On doit obtenir 1,2 litre de fumet bien clair. Réserver. Pour préparer la sauce, faire réduire de moitié 1 litre du fumet de poisson, 400 g de tomates légèrement concassées, 1 cuillerée à café de concentré de tomate, 8 g de graines de coriandre et 1/2 cuillerée à café de sucre ; puis passer au chinois et réserver. Pendant ce temps, zester 1 citron, le blanchir, rafraîchir et réserver. Monder 4 tomates en grappes mûres et les couper en petits dés. Effeuiller 20 g de basilic et 20 g de coriandre frais, les laver puis les hacher. Tailler une truffe de 20 g en fines lamelles régulières, puis réserver. Tailler l'intérieur de 1 concombre en forme de tagliatelles, ainsi que la peau de 2 courgettes. Les blanchir et les rafraîchir. Installer sur du papier sulfurisé les portions de poisson et les recouvrir de tagliatelles de légume. Cuire les 4 portions de 160 g net de loup à la vapeur assaisonnés de fleur de sel de Camargue et d'huile d'olive. Ajouter 1 cuillerée à soupe du fumet de poisson, 2 g de graines de fenouil sauvage, du poivre mignonnette et 1 tomate verte en lamelles. Ajouter à la base la coriandre et le basilic hachés, les zestes de citron, les dés de tomate, les lamelles de truffe, 25 cl d'huile d'olive, le jus de citron, 10 cl de jus de truffe, du sel et du poivre selon le goût. Chauffer légèrement, sans faire bouillir. Prendre 4 lamelles de truffe, les badigeonner d'huile d'olive, de sel et de poivre, puis les faire chauffer au four à 150 °C avant de les poser délicatement sur les tagliatelles. Dresser dans chaque assiette creuse la sauce et poser délicatement dessus le poisson recouvert de tagliatelles et de lamelles de truffe. Terminer avec un trait d'huile d'olive et saupoudrer de fleur de sel de Camargue. »

LOUP DE L'ATLANTIQUE Poisson de la famille des anarhichadidés, souvent confondu avec le bar, appelé « loup » en Méditerranée. Mesurant de 1,20 à 1,50 m, il s'en différencie par son corps allongé, sa tête forte, son museau arrondi et ses très grosses canines proéminentes. Le loup vit dans des eaux froides et profondes de 450 m environ, du sud des îles Britanniques jusqu'au Groenland. Sa chair, voisine de celle de la lingue, s'apprête de la même façon que celle du merlan.

LOUP MARIN Nom que l'on donne sur la côte est du Canada au phoque, mammifère marin de la famille des phocidés, autrefois très chassé. On tente aujourd'hui de le commercialiser, mais le succès est timide. Sa chair, extrêmement nutritive, doit être débarrassée de sa graisse, au goût prononcé. On la farine pour la saisir, puis on la laisse longuement mijoter en cocotte. Les nageoires braisées constituent un mets de choix.

LOUPIAC Vin AOC blanc liquoreux, issu des cépages sémillon, sauvignon et muscadelle, corsé et parfumé, proche du sauternes, produit sur la rive droite de la Garonne, en face de Barsac (**voir** BORDELAIS).

LUCAS Restaurant situé place de la Madeleine, à Paris. En 1862 s'installa à cet emplacement *la Taverne anglaise*, créée trente ans plus tôt par un Anglais, Richard Lucas, et où l'on servait du rosbif froid et du plum-pudding ; on disait alors qu'un repas y valait plusieurs leçons d'anglais. Racheté par M. Scaliet, qui en fit le restaurant *Lucas*, décoré par Majorelle et consacré à la cuisine française, l'établissement passa, en 1925, aux mains de Francis Carton, président de la Société des cuisiniers de France, qui ajouta son nom à l'enseigne. Alec Allegrier, maître d'hôtel et gendre du propriétaire, s'efforça de maintenir le renom gastronomique de l'établissement. Celui-ci est aujourd'hui le domaine d'Alain Senderens.

LUCULLUS (LUCIUS LICINIUS) Général romain (106-56 av. J.-C.), qui a laissé le souvenir du luxe et du raffinement de sa table. Retiré près de Tusculum, il menait grand train et possédait plusieurs salles à manger, utilisées selon la dépense affectée aux repas qui y étaient servis. Un soir qu'il dînait seul, il réprimanda son cuisinier qui lui servait un repas moins élaboré que les jours de réception, et lui lança ce mot demeuré célèbre : « Aujourd'hui, Lucullus dîne chez Lucullus ! » Cette expression s'emploie à propos d'un repas intime particulièrement somptueux.

Le nom de Lucullus a été donné à divers apprêts classiques, caractérisés par la richesse des ingrédients (truffe, foie gras, crêtes de coq, madère).

▶ Recette : MACARONIS.

LUMP OU **LOMPE** Nom commercial du cycloptère, poisson de la famille des cycloptéridés, très abondant en mer du Nord et en Baltique, des îles Britanniques à l'Islande, où il mène une existence sédentaire en se fixant sur les rochers. Long de 50 cm environ, le lump est surtout pêché pour ses petits œufs (**voir** ŒUFS DE POISSON). Pondus en grande quantité entre février et avril – c'est le mâle qui surveille la ponte, d'où son nom de « poule de mer » –, ceux-ci sont naturellement jaunâtres : colorés artificiellement en noir ou en rouge, ils sont vendus comme « succédané de caviar ».

LUNCH Nom du repas que prennent les Anglo-Saxons au milieu de la journée. Le lunch, plus léger que le déjeuner continental (le breakfast étant nettement plus consistant que le petit déjeuner continental), se compose souvent de viandes froides, de charcuterie, d'œufs, de salades composées et de sandwichs, accompagnés de thé, de café ou de bière. Introduit en France dès la première moitié du XIXᵉ siècle, le mot « lunch » y désigne aussi un buffet froid dressé notamment à l'occasion d'une réception où l'on doit traiter un grand nombre d'invités, qui se restaurent debout (**voir** BUFFET).

LUSSAC-SAINT-ÉMILION Vin AOC du Bordelais. Les vins rouges, issus des cépages merlot, cabernet franc, cabernet-sauvignon et malbec, sont à l'image du grand voisin saint-émilion : aromatiques, souples, goûteux et persistants.

LUSTRER Rendre une préparation culinaire brillante en l'enduisant d'un élément qui en améliore la présentation. Pour les mets chauds, le lustrage se réalise au pinceau, avec du beurre clarifié. Pour les mets froids, il se fait avec de la gelée prête à prendre. Pour certains entremets et pâtisseries, le brillant est obtenu avec de la gelée de fruits ou du nappage.

LUTER Fermer hermétiquement le couvercle d'un récipient à l'aide d'une détrempe de farine et d'eau. Appelé « lut » ou « repère », ce joint de pâte durcit sous l'action de la chaleur et permet une cuisson à l'étouffée, sans évaporation, préservant les arômes des aliments.

LU WENFU Écrivain chinois (province du Jiangsu 1928), vivant à Suzhou, Venise chinoise, proche de Shanghai, où sa fille Lu Jen tient le restaurant *Lao Suzhou*. Après avoir été banni et exilé pendant la Révolution culturelle, Lu Wenfu reprit la plume pour écrire notamment *Vie et passion d'un gastronome chinois* (1994). Les deux héros de ce roman, un gourmet invétéré et le narrateur chargé de « moraliser » le monde de la haute gastronomie de Suzhou, symbolisent par le combat qu'ils se livrent la lutte fratricide que connut le pays à l'époque où Lu Wenfu était exilé. La gourmandise l'emportera, car, en Chine, ce qui est bon plaît à tout le monde, aux pauvres comme aux riches.

LUXEMBOURG Proche et méconnue à la fois, la cuisine du grand-duché offre pourtant quelques particularités gastronomiques.

■ **Soupes et légumes.** Le Luxembourg a longtemps été un pays pauvre où le pain était chose rare. Les paysans consommaient beaucoup de fèves, des pois et des pommes de terre, celles-ci restant aujourd'hui une des bases de l'alimentation, auxquels s'ajoutent l'avoine (en bouillies) et le sarrasin (en galettes et en quenelles).

Le déjeuner et le dîner commencent souvent par une soupe, plus légère à midi, à base de légumes. La plus célèbre *(bouneschlupp)* se prépare avec des haricots verts ; avec des haricots blancs et des prunes, elle porte le nom de *bohnensuppe*.

Les légumes rois restent les pommes de terre et les choux. Les premières sont de tous les repas. Elles sont servies en plat unique, enrichies de lardons, ou avec des potages, des viandes et des poissons. Les seconds accompagnent aussi bien la viande que la charcuterie ou la pomme de terre.

■ **Viandes et poissons.** L'autre pilier de la cuisine luxembourgeoise est sans aucun doute le porc ; le bœuf n'a d'ailleurs fait son apparition dans le pays que tardivement. Si le gras-double et les tripes font partie des menus typiques, le plat national est sans conteste le collet de porc fumé aux fèves des marais *(Judd mat gaardebounen)*. En rôti, en côtelettes, braisé, grillé, en ragoût, le porc s'apprête d'innombrables façons, et les restes sont toujours très bien accommodés, comme dans le *tirtech*, réunissant viande, pommes de terre et choucroute.

Les nombreuses saucisses ont des goûts très variés, et les jambons sont différemment aromatisés et fumés – tel le jambon d'Oesling, fumé au bois de hêtre, de chêne et de genévrier.

Les poissons les plus consommés sont, bien sûr, pêchés dans les rivières, comme le brochet (au riesling) et la truite (au bleu). Les écrevisses à la luxembourgeoise sont très appréciées lors des repas de fête. Cependant, les poissons de mer et les coquillages les supplantent peu à peu, pour répondre à la demande d'une population de plus en plus internationale.

Le kachkéis, préparé avec du lait écrémé, caillé et égoutté, ressemble beaucoup à la cancoillotte ; il s'étale sur des tartines beurrées, éventuellement additionné de crème fraîche ou de jaune d'œuf, et s'accompagne traditionnellement de moutarde.

Enfin, les desserts – crêpes, préparations aux fruits, tartes et crème fouettée – restent simples, à l'exception du Baumkuchen, gâteau cuit à la broche selon une recette venue d'Autriche à la fin du XVIIIᵉ siècle.

■ **Vins.** De Schengen, au sud, à Wasserbillig, au nord, la Moselle évolue dans un écrin de vignes comportant 98 % de cépages blancs, dans lesquels le pinot noir ne s'immisce que très timidement : elbling, rivaner, auxerrois, pinots blanc et gris, riesling et gewurztraminer. Ils donnent des blancs classiques, mais aussi des mousseux et, depuis 1988, des crémants. L'elbling traditionnel, établi depuis l'époque romaine, produit en abondance un vin rustique, très apprécié par les connaisseurs dans sa pureté originale.

LUXEMBOURGEOIS Macaron lisse, aussi appelé « macaron gerbet » (**voir** MACARON), fourré de crème, de confiture ou d'une ganache. C'est la spécialité de *Sprüngli*, une célèbre pâtisserie à Zürich.

LYCOPERDON Champignon globuleux ou piriforme, sans pied ni chapeau, communément appelé « vesse-de-loup ». Comestible avant la maturité des spores, le lycoperdon se consomme en tranches panées et frites, ou en omelette. La vesse-de-loup géante, la plus savoureuse, a cependant une peau dure et doit être pelée avant d'être apprêtée.

LYONNAIS ET FOREZ Lyon doit la place qu'elle occupe dans la gastronomie française en partie à ses propres ressources, notamment à ses spécialités charcutières, mais aussi aux apports variés des provinces voisines : bœufs du Charolais et primeurs de la vallée du Rhône, volailles de la Bresse et poissons des Dombes. Implantée dès l'Antiquité, la tradition de bonne chère s'est perpétuée jusqu'à nos jours. Et le Lyonnais – aujourd'hui patrie des « grandes toques », qui ont succédé aux « mères » – a su rester le berceau d'une cuisine traditionnelle riche et solide.

Les légumes couramment employés sont les plus simples. Au premier rang figure l'oignon, venu du Forez, pour préparer la soupe ou accompagner légumes, foie de veau, gras-double, entrecôte ou morue ; il est d'ailleurs à la base de toutes préparations dites « à la lyonnaise », dans lesquelles il se retrouve le plus souvent finement haché. Tout aussi appréciées, les pommes de terre, sous forme de paillassons ou de galettes – comme dans le Forez –, la courge (potiron), qui se cuisine en soupe ou en gratin, les épinards, les salsifis, les artichauts, etc. Mais la cuisine lyonnaise fait également un emploi remarquable de deux légumes bien particuliers : les cardons, préparés à la moelle, à la poulette ou en gratin, et les crosnes, qui accompagnent le veau ou les volailles.

Au carrefour du Rhône et de la Saône, la région a su intégrer à ses spécialités carpe, brochet et écrevisse du Forez, mais aussi tanche, sandre, truite, perche, goujon, qui donnent lieu à de savoureux apprêts. En tête, les quenelles de brochet, gloire de la gastronomie locale.

La vocation charcutière de la région existait déjà du temps où Lyon s'appelait Lugdunum. L'éventail des produits dérivés du porc est impressionnant : le saucisson dit « de Lyon » se fait rare, mais la rosette reste un vrai symbole. Le jésus est plus dodu, plus gros, séché plus longtemps. Le saucisson à cuire (ou sabodet) se sert chaud, en rondelles, avec une salade de pommes de terre. La viande de boucherie est avant tout représentée par les bœufs du Charolais tout proche, qui fournissent de savoureuses grillades, comme celle dite « à la moelle ». Mais le veau n'est pas oublié : accommodé avec des oignons, il devient « sauté à la lyonnaise ».

Les volailles de Bresse, de haute qualité, ont permis la création de deux grandes recettes : la poularde demi-deuil de la célèbre mère Filloux et le fameux poulet Célestine.

Enfin, la gastronomie lyonnaise tire merveilleusement partie de la prestigieuse production viticole des régions voisines, Beaujolais, Bourgogne et Côtes-du-Rhône. Il ne faut pas pour autant oublier qu'à Saint-Galmier, dans le Forez, jaillissent les eaux pétillantes de Badoit, du nom de monsieur Badoit, qui, le premier, eut l'idée de les commercialiser en bouteilles.

■ **Soupes et Légumes.**
● SOUPE À L'OIGNON, « SALADE DU GROIN D'ÂNE », SALADIER LYONNAIS. L'éventail des spécialités lyonnaises peut commencer avec la soupe à l'oignon, dont la gratinée est une variante parisienne. Il faut citer aussi la soupe à la courge avec crème, lait, oignons, cerfeuil, ou celle à la crème d'orge et à l'oseille. Les Lyonnais sont très friands de copieuses salades composées, où le pissenlit et la mâche ont la meilleure place : la « salade du groin d'âne » réunit pissenlit, lardons, croûtons aillés et œufs mollets. Quant au saladier lyonnais, il se compose de pieds de mouton, foies de volaille sautés, œufs durs et fines herbes. Les salades de lentilles, de cervelas, filets de hareng marinés, etc., sont aussi très appréciées.

■ **Poissons.**
● MATELOTE, FRITURE, CATIGOT, CUISSON AU BLEU. Les recettes de poissons d'eau douce sont toutes simples, comme la matelote au vin rouge, la friture de goujons du Rhône, le catigot, qui est une matelote d'anguille ou de carpe, sans oublier les poissons cuits au bleu. La proximité du Beaujolais permet aussi de savoureux apprêts, comme le brochet à la beaujolaise, qui mijote dans du vin avec des petits légumes.

■ **Charcuterie et abats.**
● ANDOUILLETTES, GRAS-DOUBLE ET TABLIER DE SAPEUR. Tout le génie de la cuisine lyonnaise se retrouve dans les préparations charcutières : la tête de porc roulée, le cervelas, truffé et pistaché, les paquets de couennes, les andouillettes à la fraise de veau, les pâtés en croûte, les galantines de volaille et de gibier, les grattons (résidus de lard frit), ainsi que les oreilles et les queues de porc. Mais Lyon apprécie tout spécialement les abats que l'on sert traditionnellement dans les bouchons, petits bistrots lyonnais : le gras-double à la lyonnaise, coupé en lanières et sauté aux oignons et au vin blanc, et le tablier de sapeur, morceau de panse de bœuf panée et poêlée, sont de grandes spécialités.

■ **Viandes.**
● POTAGE À LA JAMBE DE BOIS, GRILLADE DES MARINIERS. Les plats de viande les plus typiques sont le gigot braisé à la lyonnaise, dit « de sept heures », et le magistral potage à la jambe de bois, un pot-au-feu particulièrement plantureux. Citons aussi la grillade des mariniers, morceau de filet de bœuf piqué d'anchois. Veau et agneau ne sont pas oubliés avec la rouelle de veau farcie ou les côtes à l'oseille.

■ **Volailles.**
● POULET AU VINAIGRE, POULARDE AU GROS SEL. Poules et poulets de Bresse deviennent des plats de choix, tels le poulet au vinaigre, la fricassée de poulet à la crème, la poularde au gros sel, en morceaux sautés au beurre avec des champignons, le chapon rôti ou les abattis de dindon aux marrons ou, comme en Franche-Comté, le gâteau de foies blonds de volaille.

■ **Fromages.**
● CERVELLE DE CANUT. Plat typique du bouchon lyonnais, la cervelle de canut (**voir** ce mot) est un fromage blanc battu auquel on ajoute des fines herbes, des échalotes, de la crème et parfois de l'ail, du vin blanc ou de l'huile d'olive. Le plateau de fromages offre la fourme de Montbrison, de lait de vache, le cabrion au lait de chèvre, la rigotte de Condrieu, la brique du Forez et, surtout, le saint-marcellin. Les arômes de Lyon sont de petits fromages affinés en pot avec du vin blanc ou en fût avec du marc ou des rafles de raisin.

■ **Desserts.**
● BUGNES ET MATEFAIMS. Les bugnes, beignets de Mardi gras, illustrent la pâtisserie populaire des « vogues » (foires), ainsi que les radisses (brioches) ou les gâteaux de courge à la vanille et au lait. Mais les desserts lyonnais connaissent d'autres raffinements, comme les vacherins (à la meringue et à la crème fouettée), les bouchées au chocolat, les beignets de fleurs d'acacia, ou encore le flan forézien de marron, saupoudré de pistaches ou de pralines broyées. Dans ce registre, il ne faut pas oublier non plus les délicieuses pâtes de fruits de Saint-Étienne.

■ **Vins.**
Les coteaux du Lyonnais se répartissent autour de Lyon sur 400 ha et produisent surtout un vin rouge friand et léger issu du cépage gamay. Un peu de vin blanc est élaboré à partir du chardonnay et de l'aligoté.

LYONNAISE (À LA) Se dit de diverses préparations, généralement sautées, caractérisées par l'emploi d'oignons émincés, fondus au beurre et blondis, souvent avec un déglaçage au vinaigre et l'ajout de persil ciselé. Sont également dits « à la lyonnaise » des mets accompagnés de sauce lyonnaise, elle aussi à base d'oignon.
▶ **Recettes :** ANDOUILLETTE, ARTICHAUT, BŒUF, BUGNE, FOIE, GODIVEAU, GRAS-DOUBLE, QUENELLE, SAUCE, SAUCISSON.

LYOPHILISATION Procédé de conservation fondé sur la déshydratation par le froid, également appelé « cryodessiccation ». Le traitement comporte trois étapes en continu : une surgélation classique, puis un chauffage sous vide du produit surgelé pour réaliser sa sublimation (son eau passe directement du stade solide de la glace à l'état gazeux de la vapeur sans retrouver l'état liquide), et enfin un chauffage rapide pour éliminer l'eau résiduelle.

Un aliment solide lyophilisé devient très léger, car il ne contient plus que 1 à 2 % de son eau initiale, mais il conserve pratiquement tout son goût et ses qualités nutritives. Les meilleurs résultats sont obtenus avec les denrées de petite taille et les liquides, notamment le café.

Gestes & savoir-faire

Mayonnaise

Pour 30 cl : 2 jaunes d'œufs • 1 cuill. à café de moutarde de Dijon • 1 cuill. à café de vinaigre de vin blanc • 25 cl d'huile de tournesol ou de colza • 2 cuill. à café de jus de citron • sel et poivre blanc

1 Mettez les jaunes d'œufs, la moutarde et le vinaigre dans un saladier avec une pincée de sel et une de poivre, blanc de préférence.

2 Posez le saladier sur un linge humide pour le stabiliser. Ajoutez l'huile, goutte à goutte, puis en filet, en remuant constamment au fouet.

3 Ajoutez l'huile en filet continu à mesure que le mélange commence à épaissir, sans cesser de remuer, pour que l'émulsion se stabilise.

4 Une fois l'huile incorporée et la mayonnaise bien épaisse, ajoutez le jus de citron et rectifiez l'assaisonnement.

1

2

3

4

1

2

3

4

Sauce hollandaise

Pour 60 cl : 2 cuill. à soupe d'eau • 2 cuill. à soupe de vinaigre de vin blanc • 1 cuill. à café de grains de poivre blanc légèrement concassés • 4 jaunes d'œufs • 250 g de beurre doux clarifié • le jus de 1/2 citron • 1 pincée de piment de Cayenne • sel et poivre blanc

1 Portez à ébullition l'eau, le vinaigre et le poivre dans une petite casserole à fond épais, faites mijoter 1 minute pour que le mélange réduise d'un tiers (environ 2 cuillerées à soupe et demie). Laissez refroidir hors du feu, puis filtrez le liquide au-dessus d'un récipient résistant à la chaleur. Incorporez les jaunes d'œufs au fouet.

2 Posez le saladier sur une casserole d'eau frémissante, le fond du saladier juste au-dessus de la surface de l'eau. Fouettez le mélange 5 ou 6 minutes pour qu'il épaississe et devienne crémeux.

3 Posez le saladier sur un linge humide pour le stabiliser. Ajoutez lentement le beurre clarifié en un mince filet en fouettant constamment jusqu'à ce que la sauce soit épaisse et brillante.

4 Ajoutez le citron, du sel, du poivre blanc et le piment de Cayenne. Servez sans tarder. Pour garder la sauce au chaud, utilisez un bain-marie.

Beurre blanc

Pour 30 cl : 2 échalotes finement ciselées • 3 cuill. à soupe de vinaigre de vin blanc • 4 cuill. à soupe de vin blanc sec • 2 cuill. à soupe d'eau froide • 200 g de beurre doux ou légèrement salé, très froid et détaillé en dés • 1 filet de jus de citron • sel et poivre blanc

1 Mettez dans une petite casserole les échalotes ciselées, le vinaigre et le vin blanc, portez à ébullition.

2 Baissez le feu, faites réduire le mélange 2 minutes environ pour n'obtenir que 1 cuillerée à soupe de liquide ayant une consistance légèrement sirupeuse.

3 Ajoutez l'eau, puis, à feu doux, incorporez petit à petit le beurre en fouettant jusqu'à ce que le mélange soit totalement émulsionné. Ajoutez du sel, du poivre blanc et le jus de citron.

4 Filtrez pour obtenir une texture plus homogène.

Sauce Béchamel

Pour 60 cl : 60 cl de lait entier • 1 petite feuille de laurier • 1 petit oignon coupé en deux • 4 clous de girofle entiers • 45 g de beurre doux • 45 g de farine • noix de muscade fraîchement râpée • 10 cl de crème fraîche épaisse (facultatif) • sel et poivre

1 Mettez dans une casserole le lait, le laurier et l'oignon piqué de girofle, portez presque à ébullition, puis faites cuire 4 ou 5 minutes à feu doux. Laissez refroidir.

2 Faites fondre le beurre à feu doux dans une autre casserole. Ajoutez la farine, faites cuire de 30 à 40 secondes en remuant jusqu'à ce que le roux devienne jaune pâle.

3 Éloignez la casserole du feu, filtrez le lait refroidi au-dessus du roux et fouettez vigoureusement pour obtenir un mélange homogène.

4 À feu moyen, continuez à fouetter le mélange 4 ou 5 minutes jusqu'à ce que la sauce épaississe et avoisine l'ébullition. Faites mijoter de 20 à 25 minutes à feu plus doux, en fouettant de temps à autre. Une fois la sauce lisse et brillante, ajoutez la noix de muscade, salez et poivrez.

Désosser une selle d'agneau

1 Ôtez la membrane qui couvre le gras de la selle. Retournez-la, détachez les filets de part et d'autre de la colonne vertébrale. Glissez la lame d'un couteau à désosser sur un côté le long des vertèbres, en travaillant vers l'extérieur. Répétez l'opération de l'autre côté. Réservez les filets mignons.

2 Avec la pointe du couteau, dégagez progressivement l'un des côtés de la colonne vertébrale en partant de l'extrémité, puis en coupant autour et en dessous. Coupez ensuite le long de l'os, et détachez-le de la viande au fur et à mesure.

3 Répétez l'opération de l'autre côté. Glissez la main sous la colonne vertébrale pour la dégager. Veillez à ne pas percer la peau.

4 À l'aide du couteau, parez les panoufles (graisse et muscles qui recouvrent les côtes flottantes) en une surface lisse, du centre vers l'extérieur. Continuez jusqu'à atteindre la graisse sous la peau. Taillez les bords des panoufles au carré, en laissant 12 cm de part et d'autre. Retournez la viande et incisez légèrement le gras et la peau.

Désosser un gigot d'agneau

1 Posez le gigot sur une planche, sur son côté le plus charnu. Commencez par le haut de la cuisse. Trouvez l'os du quasi, maintenez-le d'une main tandis que, de l'autre, vous en travaillez le contour au couteau pour le dégager. Restez au plus près de l'os.

2 Après avoir dégagé l'os du quasi, creusez peu à peu une cavité à l'intérieur du gigot, en suivant de la lame le fémur jusqu'au bout. Progressez en retournant la chair pour une meilleure prise. Veillez à ne pas vous éloigner de l'os pour ne pas entailler la chair.

3 Une fois que vous avez atteint la rotule, là où le fémur rejoint l'os du jarret, attrapez l'extrémité du fémur. Servez-vous du couteau pour sectionner l'articulation, tout en tirant et en tordant le fémur pour le détacher.

4 Après avoir retiré le fémur, répétez l'opération avec l'os du jarret, jusqu'à atteindre le fond du gigot. À ce stade, vous pouvez voir la cavité que vous avez creusée. Sortez l'os du jarret pour le travailler au couteau plus facilement. Dégagez-le entièrement. Gardez les os pour faire un fond ou un jus.

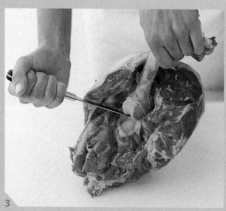

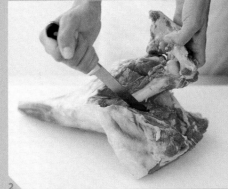

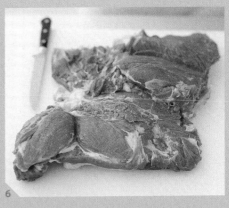

Découper un gigot d'agneau en papillon

Pour désosser une pièce de viande, il faut connaître sa constitution. Un gigot se compose de trois os : celui du quasi (à son extrémité la plus large), puis ceux de la cuisse (fémur) et du jarret (sur la partie plus étroite). La découpe en papillon est idéale pour une viande grillée.

1 Placez le gigot sur sa partie la plus charnue. Commencez par l'extrémité la plus large : maintenez l'os du quasi d'une main, tandis que, de l'autre, vous en travaillez le contour au couteau pour le dégager. Incisez la peau et la chair jusqu'au bas du gigot.

2 En restant au plus près de l'os, travaillez au couteau le contour du fémur pour le dégager de la chair. Servez-vous de la pointe du couteau et découpez par à-coups jusqu'à l'articulation, en évitant de déchirer la chair.

3 Dépassez l'articulation en veillant à maintenir la lame du couteau contre l'os. Poursuivez la découpe le long de l'os du jarret.

4 Quand vous atteignez la base du gigot, coupez les nerfs et les tendons afin de dégager l'extrémité de l'os. Vous pouvez alors retirer les trois os (quasi, fémur et jarret).

5 Étalez le morceau de viande à plat, incisez horizontalement par à-coups la chair épaisse située sur les côtés. Ouverte, elle formera les « ailes » du papillon.

6 Déployez le gigot désossé en papillon. Si la viande est d'épaisseur inégale, coupez-en de fines tranches sur les parties épaisses et disposez-les sur les parties moins charnues.

Farcir et rouler une selle d'agneau

Lorsque la selle entière est désossée (voir page ci-contre, Désosser une selle d'agneau), les filets mignons et la farce peuvent être placés dans le sillon.

1 Assaisonnez la viande. Garnissez le sillon d'un peu de farce. Placez l'un des filets mignons sur le dessus. Recouvrez-le de farce. Répétez l'opération avec le second filet mignon, comme pour faire un « double sandwich ». Réservez le reste de farce : vous le servirez avec la viande.

2 Rabattez les panoufles de façon à envelopper les filets et la farce. Rentrez les extrémités des panoufles pour faire un rouleau bien net. Saupoudrez l'ensemble de sel. La selle est maintenant prête à être enveloppée et rôtie.

Découper
une volaille à cru
en quatre morceaux

Anatomiquement, toutes les volailles sont semblables. La seule différence entre la découpe d'une dinde et celle d'une perdrix est liée à la taille, pas à la technique. Il faut savoir, tout de même, que l'oie et le canard ont les filets plus allongés et les pattes plus courtes.

1 Retirez la fourchette (voir p. VII), puis incisez la peau entre la cuisse et la carcasse.

2 Tirez la cuisse vers l'arrière pour la séparer de la carcasse. La cuisse va alors se désarticuler.

3 Coupez la cuisse au niveau de l'articulation. Répétez ensuite l'opération pour l'autre cuisse.

4 Tirez l'aile pour tendre la peau, puis, à l'aide de ciseaux à volaille, détachez l'aileron au niveau de l'articulation du manchon.

5 Si vous voulez cuisiner seulement la poitrine (les 2 filets et les 2 manchons avec os), séparez la colonne vertébrale du bréchet.

6 À l'aide de ciseaux à volaille, débarrassez-vous de toute la partie dorsale, qui est peu charnue.

7 Si vous prévoyez de faire cuire les filets avec l'os, découpez le bréchet en longueur, de la pointe vers le cou. Débarrassez-vous des parures.

8 Vous obtenez 4 morceaux. Les cuisses nécessitent une cuisson plus longue que les filets, il faudra donc parfois les cuire séparément.

1

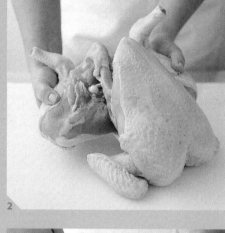
2

3

4

5

6

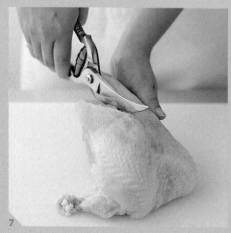
7

8

Découper une volaille en crapaudine

Préparer une volaille en crapaudine consiste à l'aplatir pour la rendre beaucoup plus facile à cuire uniformément. C'est le principal intérêt de ce procédé de découpe. Ce sont les coquelets qui se prêtent le mieux à la découpe en crapaudine. On peut également appliquer cette méthode à d'autres petits gibiers et volailles, comme les jeunes pintades, cailles et pigeons.

1 Posez le coquelet sur la poitrine. À l'aide de ciseaux à volaille, découpez le long d'un côté de la colonne vertébrale. Faites de même de l'autre côté pour la détacher. Ouvrez l'oiseau et retournez-le.

2 Avec le plat de la main ou d'un couteau lourd, écrasez légèrement l'oiseau pour l'aplatir et lui assurer une cuisson uniforme.

3 Pour la même raison, pratiquez à l'aide d'un couteau tranchant plusieurs incisions sur les cuisses et les hauts-de-cuisse.

4 Faites passer une brochette métallique de la cuisse gauche à l'aile droite et une autre de la cuisse droite à l'aile gauche. Vous pouvez maintenant faire mariner le coquelet avant de le griller ou de le faire rôtir au four.

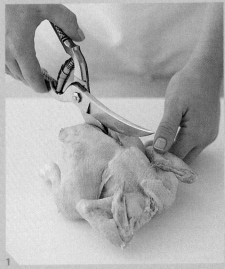

1

2

3

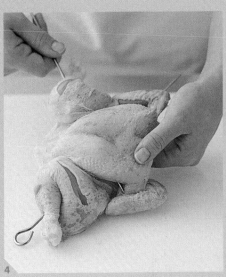

4

1

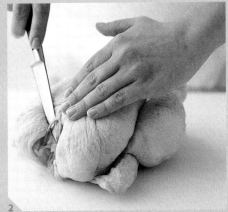

2

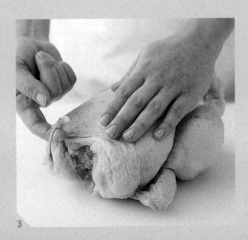

3

Retirer la fourchette d'une volaille

1 Posez la volaille sur le dos, écartez la peau à la base du cou. Glissez les doigts autour du cou pour sentir la pointe de l'os en « V », appelé « fourchette ».

2 À l'aide d'un petit couteau bien aiguisé, écartez la peau pour faire saillir la pointe de la fourchette.

3 Faites glisser la lame du couteau juste derrière l'os, soulevez celui-ci avec les doigts et tordez-le légèrement pour le libérer. Remettez la peau en place.

Brider une volaille
à rôtir

1 Posez la volaille sur le dos, en tenant les pattes à gauche. À l'aide d'une aiguille à brider et de ficelle, traversez de part en part à la jointure des pilons et des gras de cuisse. Tirez en gardant un peu de ficelle pour nouer.

2 Retournez la volaille, en tenant toujours les pattes. Rabattez la peau du cou sur le dos. Traversez l'aileron, puis cette peau en passant sous la colonne vertébrale. Piquez dans l'autre aileron, tirez et nouez la première bride.

3 Remettez la volaille sur le dos. Passez la ficelle sous le gras de cuisse et traversez de part en part au-dessus de la colonne vertébrale.

4 Repiquez dans les flancs en passant par-dessus les pattes. Tirez la ficelle, nouez-en les deux brins, puis coupez les extrémités qui dépassent.

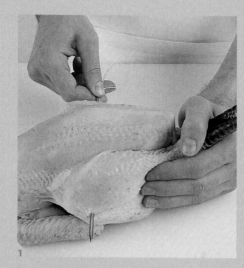

1

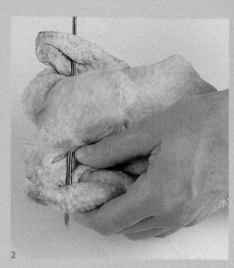

2

3

4

1

2

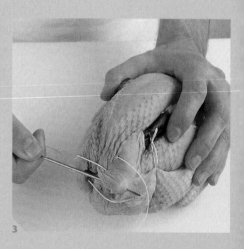

3

Farcir une volaille

1 Rabattez la peau du cou contre la colonne vertébrale. Effectuez le premier bridage de la volaille, qui est réalisé côté ailerons.

2 Garnissez la volaille de farce, en glissant celle-ci à la main à travers l'orifice anal dont on a juste ôté la bague. Veillez à bien la pousser pour garnir l'avant de la volaille.

3 Rentrez le croupion à l'intérieur de la volaille. À l'aide d'une aiguille et de ficelle de cuisine, cousez l'ouverture à points réguliers.

Rôtir un poulet

1 poulet d'environ 2 kg, sans la fourchette
(voir p. VII) • 2 cuill. à soupe d'huile d'olive •
15 g de beurre • 10 cl d'eau

1 Préchauffez le four à 220 °C (therm. 7-8).
Badigeonnez le poulet d'huile, frottez-le
de beurre, assaisonnez. Placez-le dans un plat
à rôtir, versez-y l'eau, glissez-le au centre du
four. Après 15 minutes, baissez la température
à 190 °C (therm. 6-7) et prolongez la cuisson
de 25 minutes.

2 Arrosez le poulet avec le jus de cuisson,
retournez-le pour que la chaleur, plus
intense en haut du four, se diffuse sur les
hauts-de-cuisse. Arrosez de nouveau le poulet et prolongez la cuisson de 25 minutes.

3 Tournez le poulet sur le dos, vérifiez la
cuisson en piquant une brochette dans
les morceaux qui cuisent le moins bien : haut-
de-cuisse ou partie épaisse des filets. Si le
jus est clair, la viande est cuite. S'il est rosé,
prolongez la cuisson de 10 minutes.

4 Déposez le poulet sur un plat, recouvrez
d'une feuille d'aluminium sans serrer, laissez reposer 10 minutes avant de découper.

1

2

3

4

1

2

3

4

Découper une volaille ou du gibier à plume

1 Une fois que la viande a reposé et que
tous les sucs se sont ajoutés au jus, déposez la volaille sur le dos sur une planche à
découper. Tenez-la en y plantant la fourchette à découper et, à l'aide du couteau à
découper, incisez la peau entre la cuisse et
le filet. Découpez ensuite de haut en bas
le long du filet.

2 Soulevez la cuisse vers l'arrière pour la
détacher de la carcasse, de façon à récupérer toute la viande. Répétez l'opération
pour l'autre cuisse.

3 Tenez fermement la volaille avec la fourchette. En maintenant le couteau au plus
près de l'os, incisez le long de l'os du bréchet pour détacher les filets. Répétez l'opération de l'autre côté. Vous avez maintenant
2 cuisses et 2 filets. Coupez-les en deux pour
pouvoir servir des parts égales en viande
blanche et en viande brune. Découpez les
filets légèrement en biais en pièces d'égale
grosseur, réservez.

4 Séparez le pilon du haut-de-cuisse en
coupant au niveau de l'articulation.

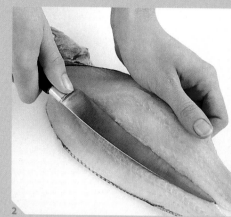
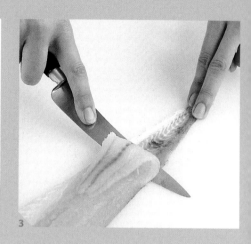

Lever les filets d'un poisson rond

1 Habillez le poisson : coupez les nageoires dorsale, ventrale et latérales. Maintenez le poisson de côté horizontalement devant vous. Avec un couteau à filets de sole, incisez au-dessus de la nageoire dorsale.

2 Détachez progressivement le filet, en appuyant fermement le couteau sur l'arête.

3 Placez le poisson queue vers vous et arête contre la planche. Tenez le couteau parallèle à l'arête, et faites-le remonter de la queue vers la tête pour lever peu à peu les filets.

Découper un filet de poisson rond

1 **En goujonnette :** Posez le filet sur une planche. En tenant la lame du couteau verticale, coupez à 45 ° par rapport à l'axe du filet, de façon à détailler des tranches rappelant la forme d'un petit goujon.

2 **En aiguillette :** Posez le filet sur une planche. En tenant la lame du couteau verticale, coupez des tranches étroites dans toute la longueur du filet. Le couteau doit être parfaitement aiguisé.

3 **En escalope :** Posez le filet sur une planche. En tenant la lame du couteau inclinée à 45 °, découpez, en biais, des tranches minces dans la largeur du filet. Le couteau doit être parfaitement aiguisé.

4 **En médaillon :** Posez le filet sur une planche. En tenant la lame du couteau verticale, coupez des tranches, plus ou moins épaisses, dans la largeur du filet.

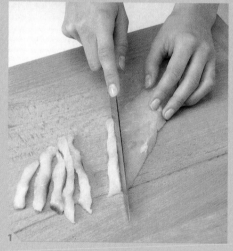

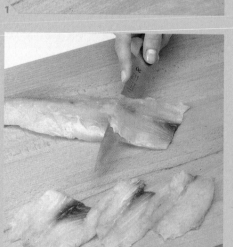

Farcir un poisson par le dos

1 En maintenant le poisson par le ventre, pratiquez avec un couteau une incision allant de la tête à la nageoire caudale.

2 Écartez la peau et détachez l'arête centrale. Sectionnez-la au niveau de la tête et de la queue, puis retirez-la.

3 Videz le poisson par le ventre, écaillez-le, rincez et épongez-le.

4 Salez et poivrez l'intérieur du poisson. Déposez-y la farce, tassez-la bien. Maintenez fermé en ficelant le poisson en plusieurs endroits.

Préparer un gros poisson rond cuit

1 Posez le poisson sur un plat chaud. À l'aide de la lame d'un couteau, incisez la peau le long du dos et au niveau de la tête et de la queue pour pouvoir retirer la peau délicatement. Éliminez les parties noires qui peuvent subsister.

2 Avec le bord d'une cuillère, incisez la chair en demi-cercle au niveau des ouïes. Après avoir incisé le long de la ligne médiane jusqu'à l'arête centrale, faites glisser, en vous aidant d'une fourchette, les deux filets de part et d'autre de cette arête.

3 À l'aide de gros ciseaux de cuisine, coupez l'arête centrale au niveau de la tête et de la queue, puis retirez-la en la soulevant avec la cuillère et la fourchette. Reconstituez ensuite la forme du poisson en posant les filets détachés sur ceux qui sont restés en place.

Vider et ébarber un poisson plat

1 À l'aide d'un couteau éminceur, faites une petite incision le long du ventre. Retirez les viscères et les œufs. Jetez-les.

2 À l'aide de ciseaux de cuisine, découpez les nageoires en laissant une base de 5 mm pour être sûr de ne pas entailler le ventre du poisson.

3 Au besoin, écaillez la face blanche. Coupez les ouïes à l'aide des ciseaux, jetez-les. Rincez sous l'eau froide l'intérieur et l'extérieur du poisson.

Habiller un turbot en portions

1 Posez le turbot sur une planche, la peau noire au-dessus. À l'aide de gros ciseaux de cuisine, découpez le pourtour du turbot pour éliminer les nageoires, en veillant à ne pas entamer la chair. Ébarbez le turbot et coupez un quart de la queue.

2 Retournez le turbot. À l'aide d'un gros couteau parfaitement aiguisé, coupez la tête en suivant l'arrondi.

3 En partant de l'emplacement de la tête vers la queue, coupez la chair au couteau jusqu'à atteindre l'arête centrale. Fendez celle-ci. Éliminez le sang coagulé qui subsiste.

4 En coupant à travers les arêtes, découpez la moitié, côté dos, en trois morceaux de taille à peu près semblable. Du côté du ventre, il ne restera de la seconde moitié qu'un seul morceau, qui peut être découpé en deux si le turbot est très gros.

Préparer
un poisson plat cuit

1 Posez le poisson sur un plat chaud. À l'aide d'une cuillère et d'une fourchette, détachez et écartez la frange d'arêtes sur le pourtour du poisson.

2 Avec le bord de la cuillère, incisez le long de l'arête centrale, puis faites glisser les deux filets en les écartant l'un de l'autre.

3 Après avoir coupé la tête, retirez, avec la cuillère et la fourchette, l'arête centrale (avec la queue) en la détachant des deux filets du dessous.

4 Présentez le poisson en replaçant les filets du dessus sur ceux du dessous, sans les recouvrir entièrement.

Habiller une sole et lever les filets

1 Incisez la peau noire sur la nageoire caudale et tirez de la queue vers la tête pour la décoller. Retournez la sole et enlevez la peau blanche de la même façon. Videz le poisson et rincez-le ; on dit qu'on l'« habille ».

2 Retournez de nouveau la sole. Avec la pointe du couteau à filets de sole, détachez délicatement le haut des deux filets en contournant la tête. Incisez tout le long de l'arête centrale.

3 Glissez le couteau entre l'arête et le filet et levez celui-ci en appuyant bien la lame sur l'arête pour la prélever sans la déchirer. Procédez de la même façon pour les autres filets. Rincez-les à l'eau courante et épongez-les délicatement.

Découper
un homard vivant

1 Lavez et brossez le homard. Posez-le
à plat, tête vers vous. Insensibilisez-le
en enfonçant le couteau entre les deux
antennes. D'un geste vif, séparez la tête de
l'abdomen.

2 Après avoir détaché les deux pinces,
coupez la tête en deux dans le sens de
la longueur.

3 Enlevez la poche à graviers à l'aide
d'une cuillère à café. Retirez le corail et
réservez-le.

4 Tronçonnez l'abdomen en suivant les
articulations de la carapace, en veillant
à ne pas la briser.

Préparer une seiche
(ou un calmar)

1 Tirez sur la tête et passez le doigt à l'intérieur du corps pour retirer les organes et
l'« os » central (ou la « plume » transparente
du calmar).

2 Coupez à l'aide d'un couteau l'ensemble
des tentacules, juste au-dessous des
yeux. Retirez le bec corné situé à la base des
tentacules, en exerçant une légère pression.

3 Retirez la fine pellicule qui recouvre
le corps et éventuellement celle qui
recouvre les tentacules (gardez les nageoires
triangulaires du calmar).

4 Les organes et la poche d'encre sont rassemblés dans une membrane. Extrayez la
poche d'encre en veillant à ne pas la crever,
et éliminez tout ce qui reste.

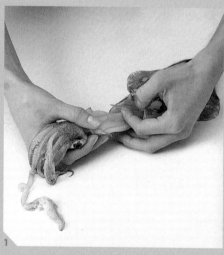

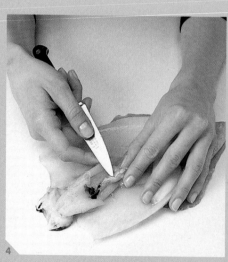

Décortiquer un crabe cuit

Pinces, pattes et abdomen sont communs à tous les crabes charnus. Le tourteau, présenté ici, contient également de la chair brune, substance crémeuse située entre la chair blanche et la carapace.

1 Sur une planche à découper, posez le crabe sur le dos. Arrachez les pinces et les pattes d'un mouvement ferme de torsion.

2 Dépliez la membrane de la queue (« tablier ») placée sous l'abdomen, détachez-la de la même façon que les pattes.

3 Brisez la carapace sous la queue. Utilisez vos pouces afin d'écarter la partie centrale de l'abdomen, puis de la décoller entièrement de la carapace. Enlevez la chair blanche à la petite cuillère.

4 Ôtez les ouïes de chaque côté de la partie centrale de l'abdomen. Dégagez également les intestins, placés de chaque côté de la carapace ou accrochés au corps.

5 Découpez la partie centrale de l'abdomen en morceaux. Servez-vous d'une fourchette à crustacés pour en extraire la chair blanche, en écartant les petits bouts de membrane. Réservez la chair dans un saladier.

6 Retirez à la cuillère la chair brune de la carapace, réservez-la pour la servir avec la chair blanche. Débarrassez-vous du sac de la tête. S'il y a des œufs, ôtez-les à la cuillère et réservez-les.

7 Frappez chaque patte avec des ciseaux de volaille ou le dos d'un couteau pour fissurer la carapace. Sortez la chair, en une pièce si possible, avec une fourchette à crustacés. Ajoutez-la à la chair blanche de l'abdomen.

8 Brisez les pinces à l'aide d'une pince à homard, d'un casse-noix ou d'un petit marteau, puis récupérez la chair. Vérifiez, avant de servir, qu'elle ne contient pas de morceaux de membrane ou de carapace.

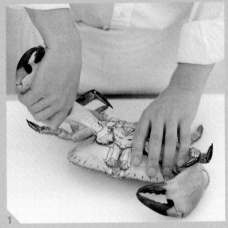
1

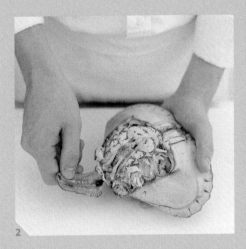
2

3

4

5

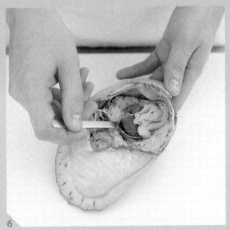
6

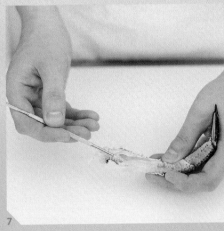
7

8

Ouvrir et nettoyer des coquilles Saint-Jacques

1 Posez la coquille, partie bombée vers le bas, en tenant la charnière opposée à vous. Introduisez la lame d'un couteau fort entre les deux valves. Cherchez le muscle interne et sectionnez-le en glissant la lame le long du couvercle.

2 Ouvrez la coquille. Passez-la sous l'eau pour en éliminer le sable. Décollez la noix à l'aide d'une cuillère.

3 Retirez d'une pression des pouces le muscle interne ainsi que la membrane, les barbes et la poche noirâtre.

4 Coupez la ventouse du corail. Faites dégorger la coquille pendant quelques minutes dans de l'eau froide.

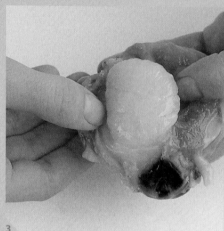

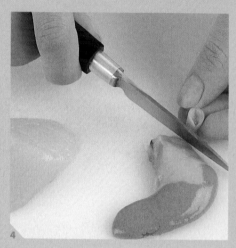

Ouvrir une palourde, une praire ou un autre bivalve

1 En tenant le coquillage dans la main gauche (pour les droitiers), glissez la lame d'un couteau entre les deux coquilles et forcez jusqu'à les écarter.

2 Le coquillage s'ouvre complètement lorsque le muscle qui relie les deux valves est sectionné.

3 Selon la forme et la taille du coquillage, il peut être plus facile d'introduire la lame au niveau de la charnière. Les deux coquilles sont alors détachées l'une de l'autre.

Ouvrir une huître

1 En tenant l'huître côté plat dessus, enfoncez la pointe de la lame d'un couteau à huîtres entre les deux coquilles, près de la charnière.

2 Glissez la lame pour couper le muscle, puis écartez les deux coquilles.

Ouvrir un oursin

1 Décalottez l'oursin en faisant une incision circulaire sur le dessus avec des ciseaux.

2 Détachez les langues de corail à l'aide d'une petite cuillère.

Préparer des crevettes

Décortiquer et déveiner

1 Arrachez la tête, retirez la carapace et les pattes. On laisse parfois la queue sur la crevette. Réservez la tête et la carapace pour un bouillon, si vous le désirez.

2 Incisez le dos de la crevette à l'aide d'un couteau d'office. Retirez avec la pointe du couteau la veine intestinale ainsi exposée. Rincez la crevette sous un jet d'eau froide et séchez-la avec du papier absorbant.

Déveiner sans couper

3 Décortiquez la crevette ou retirez-lui seulement la tête. Crochetez la veine à l'aide d'un cure-dent et extirpez-la. Rincez la crevette sous un jet d'eau froide et séchez-la avec du papier absorbant.

Découper en papillon

4 Décortiquez la crevette. Incisez le dos en longueur de manière à l'ouvrir comme un livre. Ne coupez pas jusqu'en bas. Ôtez la veine, rincez la crevette sous un jet d'eau froide et séchez-la avec du papier absorbant.

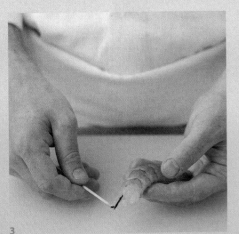

Monder, épépiner et concasser des tomates

Quand on prépare des tomates pour une soupe ou une sauce non passée, on a coutume de les monder et de les épépiner. On monde de la même manière les pêches, les prunes ou les châtaignes.

1 Supprimez le pédoncule de la tomate avec la pointe d'un couteau d'office.

2 Tracez une croix à la base de la tomate. Plongez-la dans une casserole d'eau bouillante.

3 Laissez-la dans l'eau bouillante environ 10 secondes, jusqu'à ce que la peau se fende.

4 Retirez la tomate de la casserole, refroidissez-la dans un saladier d'eau glacée.

5 Mondez la tomate à l'aide d'un couteau d'office.

6 Coupez-la en deux dans la largeur, puis pressez pour ôter les pépins.

7 Posez les moitiés de tomate bien à plat sur une planche à découper, émincez-les en lanières puis en dés.

Éplucher et ciseler des oignons

1 À l'aide d'un couteau éminceur, coupez l'oignon en deux dans sa longueur. Épluchez-le, sans entamer le talon de la racine pour que chaque moitié reste compacte.

2 Posez une moitié bien à plat. Coupez 2 ou 3 rondelles horizontales sans aller jusqu'au talon de la racine (qui maintient les couches).

3 Ciselez maintenant le demi-oignon à la verticale, en traversant toute l'épaisseur, toujours sans aller jusqu'au talon de la racine.

4 Ciselez le demi-oignon verticalement dans l'autre sens pour obtenir des cubes réguliers, retirez le talon.

1

2

3

4

1

2

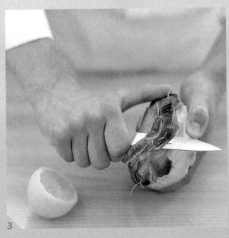

3

4

Tourner des fonds d'artichaut

Une fois les feuilles enlevées, il ne reste plus que le fond ou cœur, qui est parfaitement comestible, hormis le foin. Pour la cuisson, vous pouvez le couper en morceaux, après avoir ôté le foin, ou le conserver entier. Dans ce dernier cas, débarrassez-le du foin seulement après la cuisson. Pendant la préparation, frottez régulièrement la chair de l'artichaut avec du jus de citron pour l'empêcher de noircir.

1 Retirez les feuilles épineuses de l'artichaut cru, puis cassez la tige à ras.

2 Coupez le « cône » tendre de feuilles au centre, en incisant juste au-dessus du foin.

3 Retirez les petites feuilles du dessous à l'aide d'un couteau d'office, égalisez la base pour l'aplatir légèrement.

4 Si vous coupez le fond pour le faire cuire, retirez le foin avec une cuillère à café, en prenant soin d'enlever tous les poils. Arrosez généreusement le centre de jus de citron. Vous pouvez maintenant le couper pour faire cuire votre cœur d'artichaut.

Battre des blancs en neige

1 Séparez les blancs des jaunes. Commencez par un petit mouvement circulaire peu rapide pour briser la structure des blancs.

2 Amplifiez votre mouvement jusqu'à ce que les blancs aient perdu leur aspect translucide et commencent à mousser. Pour plus de facilité, relâchez les épaules et travaillez avec le poignet.

3 Battez plus vite en amplifiant encore votre mouvement de manière à incorporer le maximum d'air. Continuez à battre jusqu'à ce que les blancs soient fermes.

4 Les blancs doivent être fermes sans perdre leur élasticité. Pour vous en assurer, retirez le fouet des blancs : la pointe qui se forme au bout du fouet doit être ferme et brillante.

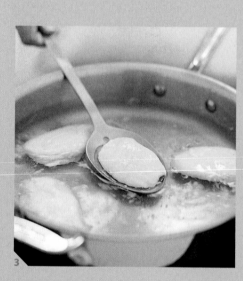

Pocher des œufs

1 Portez une casserole d'eau à légère ébullition et ajoutez un peu de vinaigre. Dans une autre casserole, faites frémir de l'eau salée. Un par un, cassez délicatement les œufs dans une soucoupe puis faites-les glisser dans la casserole d'eau vinaigrée.

2 À l'aide d'une écumoire, rabattez 20 secondes le blanc sur le jaune pour bien l'envelopper, jusqu'à ce que le blanc commence à prendre. Répétez l'opération avec les autres œufs. Réglez le feu pour que l'eau frémisse. Pochez de 3 à 5 minutes jusqu'à ce que le blanc soit cuit.

3 Retirez les œufs de l'eau à l'aide de l'écumoire, plongez-les 30 secondes dans la casserole d'eau salée frémissante. Égouttez-les quelques secondes sur un linge propre. Les œufs sont prêts.

Confectionner des œufs brouillés

Pour 2 personnes : 4 œufs • 15 à 30 g de beurre • 4 cuill. à café de crème fraîche (liquide ou épaisse) • sel et poivre

1 Battez les œufs, salez et poivrez à votre convenance. À feu moyen, faites fondre le beurre dans une poêle antiadhésive. Versez-y les œufs battus. Pour éviter des œufs brouillés trop compacts, laissez-les prendre un peu avant de les brouiller.

2 À l'aide d'une cuillère en bois ou d'une spatule en caoutchouc, ramenez les œufs battus vers le centre de la poêle pour obtenir une cuisson homogène. Continuez ainsi 2 minutes en évitant que les œufs ne se solidifient irrégulièrement. Pour des œufs brouillés plus compacts, ne les laissez pas trop prendre avant de les brouiller et remuez plus vivement.

3 Juste avant que les œufs soient cuits comme vous les aimez, retirez la poêle du feu et ajoutez la crème fraîche. Mélangez-la rapidement aux œufs brouillés, servez.

Préparer une omelette roulée

Pour 2 personnes : 6 œufs • 30 à 40 g de beurre • sel et poivre

1 Battez les œufs, salez et poivrez. Faites fondre le beurre dans une poêle de 15 à 20 cm de diamètre à feu moyen. Quand il commence à mousser, versez les œufs. Imprimez à la poêle un mouvement de va-et-vient pour bien les répartir.

2 Tout en continuant votre mouvement de va-et-vient, mélangez de 20 à 30 secondes avec le dos d'une fourchette, jusqu'à ce que les œufs prennent, tout en restant baveux.

3 À l'aide de la fourchette, rabattez le bord aux deux tiers de l'omelette. Puis soulevez le manche de la poêle de manière à l'incliner à 45 °.

4 De l'autre main, tapez fermement sur le manche (au plus près de la poêle) pour ramener l'autre bord de l'omelette sur la partie repliée. Fermez l'omelette à l'aide de la fourchette. Inclinez la poêle de manière à faire glisser l'omelette retournée sur l'assiette. Servez immédiatement.

Préparer une pâte sablée

Pour 1 kg de pâte : 250 g de beurre à température ambiante coupé en dés • 500 g de farine • 2 œufs • 250 g de sucre en poudre • 2 pincées de sel

1 Mélangez délicatement tous les morceaux de beurre de façon à les enrober de farine. Écrasez-les et roulez-les entre les mains, doigts écartés, pour obtenir le sablage.

2 Creusez une fontaine dans le sablage. Versez-y les œufs entiers, un peu d'eau, le sucre et le sel. Mélangez avec une seule main.

3 Incorporez peu à peu, du bout des doigts, le sablage au contenu de la fontaine. Écrasez à pleine main sans pétrir. Formez des boules de pâte et farinez-les légèrement.

4 Fraisez les boules de pâte avec la paume de la main en une seule fois. La pâte sablée est prête à l'emploi.

Préparer une pâte brisée

Pour 1 kg de pâte : 375 g de beurre doux à température ambiante, coupé en dés • 2 petites cuill. à café de sel • 1 jaune d'œuf • 2 petites cuill. à café de sucre en poudre • 10 cl de lait entier à température ambiante • 500 g de farine, plus de quoi abaisser la pâte

1 Dans un saladier, faites ramollir le beurre en l'écrasant à l'aide d'une cuillère en bois. Incorporez le sel et le jaune d'œuf. Dans un autre saladier, mélangez le sucre et le lait. Versez progressivement le lait sur le beurre ramolli sans cesser de remuer.

2 Tamisez la farine, puis incorporez-la petit à petit au mélange de lait et de beurre. Mélangez à l'aide d'une cuillère en bois ou délicatement à la main.

3 Fraisez la pâte : écrasez-la sur le plan de travail fariné avec votre paume, sans trop la travailler, afin de la rendre plus homogène.

4 Rassemblez la pâte en boule et enveloppez-la de film alimentaire. Laissez-la reposer au moins 2 heures au réfrigérateur.

Préparer une pâte feuilletée (ou un feuilletage)

Pour 1 kg de pâte : 500 g de farine • 10 g de sel fin • 25 cl d'eau froide • 500 g de beurre

Préparez la détrempe. Disposez la farine en fontaine sur le plan de travail. Soupoudrez de sel et versez l'eau au centre. Tournez à la main de l'intérieur vers l'extérieur de façon que l'eau imprègne la farine progressivement sans faire de grumeaux. Mélangez rapidement pour rendre cette détrempe homogène, rassemblez-la en boule, posez-la sur une assiette, puis laissez-la reposer 30 minutes dans un endroit frais. Ramollissez le beurre à l'aide d'une spatule en bois (il doit avoir la même consistance que la détrempe). Vous pouvez maintenant passer au tourage de la pâte.

1 Abaissez la détrempe en cercle en laissant une petite épaisseur au centre. Marquez le milieu d'une croix.

2 Étalez la pâte en formant 4 languettes aux angles bien droits et posez le beurre au milieu de la détrempe.

3 Repliez les languettes de pâte sur le beurre de manière à former un carré aux angles bien nets.

4 Abaissez la pâte en rectangle et commencez par former un premier pli.

5 Rabattez la pâte sur le premier pli déjà formé comme pour plier une lettre commerciale.

6 Faites faire un quart de tour à la pâte et étalez-la à nouveau pour recommencer le pliage.

7 Répétez deux fois l'opération, qui porte le nom de « tourage » de la pâte, en marquant à chaque fois le tour effectué.

8 Enveloppez la pâte et laissez-la reposer. Les marques permettent de se souvenir du nombre de tours donnés.

Crème pâtissière

Pour 500 g environ : 25 cl de lait entier • 25 g de fécule de maïs • 65 g de sucre en poudre • 1 gousse de vanille • 3 jaunes d'œufs • 25 g de beurre à température ambiante

1 Fouettez le lait, la fécule et 30 g de sucre dans une casserole à fond épais. Fendez la gousse de vanille en deux dans la longueur et raclez les graines avec la pointe d'un couteau. Ajoutez-les au lait avec la gousse, portez à ébullition sans cesser de fouetter.

2 Dans un saladier, fouettez les jaunes d'œufs avec le sucre restant. Versez le lait chaud tout doucement sans cesser de fouetter. Transférez dans une casserole et portez à ébullition, en fouettant constamment, puis retirez immédiatement du feu.

3 Placez la casserole dans un saladier d'eau glacée. Retirez la gousse de vanille. Sur une assiette, détaillez le beurre en dés.

4 Lorsque la crème a un peu refroidi (jusqu'à 60 °C), ajoutez le beurre en fouettant vivement jusqu'à ce qu'il ait fondu et que la crème soit homogène et brillante.

Crème anglaise

Pour 500 g de crème : 2 gousses de vanille • 15 cl de lait entier • 20 cl de crème liquide • 4 jaunes d'œufs • 85 g de sucre en poudre

1 Avec un couteau tranchant, fendez les gousses de vanille en deux dans la longueur et raclez les graines. Versez le lait et la crème dans une casserole à fond épais et fouettez. Ajoutez les graines et les gousses de vanille, portez à ébullition. Retirez du feu. Couvrez et laissez refroidir le lait, puis mettez-le au réfrigérateur. Laissez infuser toute la nuit.

2 Le lendemain, sortez la casserole du réfrigérateur. Jetez les gousses de vanille. Portez le lait vanillé à ébullition. Fouettez les jaunes d'œufs et le sucre dans un saladier pendant 3 minutes. Versez le lait en un filet régulier sur le mélange tout en fouettant.

3 Versez le mélange œufs-lait à nouveau dans la casserole et faites chauffer à feu moyen en remuant constamment jusqu'à ce que la crème atteigne 85 °C.

4 La crème doit être assez épaisse pour napper une cuillère en bois. Retirez la casserole du feu et remuez la crème doucement 4 ou 5 minutes, pour qu'elle soit bien

homogène. Remplissez un grand saladier de glaçons, puis mettez-en un autre plus petit à l'intérieur. Versez-y la crème passée au chinois. Laissez-la refroidir en remuant de

temps en temps. Couvrez et mettez au réfrigérateur toute la nuit pour que les parfums aient le temps de bien se diffuser.

Crème au beurre

Pour 500 g de crème : 250 g de beurre très mou • 5 cl d'eau • 140 g de sucre en poudre • 2 œufs entiers • 2 jaunes d'œufs

1 Dans un grand bol, travaillez le beurre en pommade avec une spatule en bois.

2 Versez l'eau dans une petite casserole, ajoutez le sucre. Portez à ébullition sur feu doux, en passant un pinceau plat trempé dans l'eau sur les bords intérieurs de la casserole. Laissez cuire ce sirop jusqu'au « petit boulé », c'est-à-dire lorsque la température atteint 120 °C au thermomètre à sucre.

3 Mettez les œufs entiers et les jaunes dans une terrine et fouettez-les avec un batteur électrique jusqu'à ce qu'ils blanchissent et moussent. Lorsque le sirop est prêt, versez-le en un mince filet sur les œufs en battant toujours à petite vitesse. Continuez ainsi jusqu'à complet refroidissement, en utilisant un robot ménager si vous en possédez un. Le travail de refroidissement est effectué ainsi beaucoup plus rapidement.

4 Incorporez le beurre sans cesser de fouetter. Lorsque la crème est lisse et homogène, réservez-la au réfrigérateur.

Crème Chantilly

Pour 500 g de crème : 50 cl de crème liquide pasteurisée • 30 g de sucre en poudre

1 Entreposez la crème liquide 2 heures au moins au réfrigérateur : elle doit être à 4 °C. Versez-la dans un cul-de-poule, plongé éventuellement dans un grand saladier rempli de glaçons.

2 Fouettez-la énergiquement au fouet à main. Si vous utilisez un petit batteur électrique, faites-le tourner à vitesse moyenne. Ajoutez le sucre, en le versant en pluie, lorsque la crème est encore neigeuse mais qu'elle commence déjà à monter.

3 Arrêtez de travailler la pâte dès qu'elle est ferme. Au-delà, elle se déferait et se transformerait en beurre.

Meringue française

Pour 500 g de meringue : 5 blancs d'œufs • 340 g de sucre en poudre • 1 cuill. à café d'extrait naturel de vanille

1 Cassez les œufs un par un et mettez à part les blancs dans un saladier. Veillez à ce qu'il ne reste aucune trace de jaune dans les blancs : ils ne monteraient pas bien. À l'aide d'un batteur électrique, montez les blancs en neige en leur incorporant petit à petit 170 g du sucre.

2 Quand ils ont doublé de volume, versez encore 85 g du sucre et la vanille. Continuez à les fouetter jusqu'à ce qu'ils deviennent très fermes, lisses et brillants.

3 Ajoutez-leur le reste du sucre, en le versant en pluie. Lorsque celui-ci est bien incorporé, la masse doit être ferme et tenir solidement sur les branches du fouet.

4 Mettez la meringue dans une poche munie d'une douille lisse et disposez-la sur une plaque beurrée et farinée selon la forme souhaitée.

Meringue italienne

Pour 500 g de meringue : 8,5 cl d'eau • 280 g de sucre en poudre • 5 blancs d'œufs

1 Dans une casserole, faites bouillir l'eau avec le sucre, en nettoyant régulièrement les parois du récipient avec un pinceau mouillé. Faites chauffer le mélange jusqu'au « grand boulé » (126 à 135 °C).

2 À l'aide d'un batteur électrique, montez dans un grand bol les blancs d'œufs en neige, en « bec d'oiseau », c'est-à-dire pas trop fermes. Mettez le batteur électrique en vitesse moyenne et versez le sirop préparé avec le sucre sur les blancs en neige.

3 Fouettez jusqu'à léger refroidissement. La meringue doit être bien épaisse et satinée. Mettez la meringue dans une poche à douille lisse et disposez-la sur un gâteau selon la forme souhaitée.

Pâte à génoise

Pour 500 g de pâte : 140 g de farine • 40 g de beurre • 4 œufs • 140 g de sucre en poudre

1 Tamisez la farine. Faites fondre le beurre doucement dans une petite casserole, en le gardant mousseux, et laissez-le tiédir. Cassez les œufs dans un cul-de-poule et versez par-dessus le sucre en pluie, en remuant. Mettez le cul-de-poule dans un bain-marie frémissant et commencez à fouetter. Continuez jusqu'à ce que le mélange ait épaissi (55-60 °C, température encore supportable au doigt).

2 Retirez cette préparation du bain-marie et fouettez-la au batteur électrique jusqu'à complet refroidissement.

3 Mettez 2 cuillerées de ce mélange dans un petit bol et incorporez-y le beurre fondu et tiède.

4 Versez ensuite la farine en pluie dans le cul-de-poule, en soulevant la pâte avec une spatule, puis ajoutez le contenu du petit bol, en mélangeant très délicatement.

Pâte à choux

Pour 750 g de pâte : 12 cl d'eau • 12 cl de lait entier • 1 cuill. à café de sucre en poudre • 1 cuill. à café de sel • 110 g de beurre • 140 g de farine • 5 œufs

1 Mettez l'eau, le lait, le sucre, le sel et le beurre dans une casserole. Portez à ébullition. Versez toute la farine d'un seul coup. Mélangez vivement à la spatule jusqu'à ce que la pâte soit homogène.

2 Remuez vigoureusement encore 2 ou 3 minutes jusqu'à ce que la pâte s'assèche, se détache des bords de la casserole et forme une boule. Transvasez dans un grand saladier.

3 Ajoutez les œufs un par un en battant vigoureusement. Attendez que chaque œuf soit bien incorporé avant d'ajouter le suivant.

4 La pâte est prête quant elle retombe en ruban souple. Vous pouvez alors la façonner et la faire cuire aussitôt.

  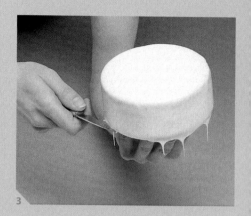

Glaçage au fondant

Pour 500 g de glaçage : 400 g de fondant ou de fondant pâtissier tout prêt • 10 cl de sirop de densité 1,2624 (30 degrés Baumé)

1 Travaillez d'abord le fondant entre vos mains pour le ramollir. Faites-le fondre doucement dans une casserole au bain-marie (moins de 34 °C) et ajoutez enfin le sirop en mélangeant bien. Posez le gâteau à glacer sur une grille à pâtisserie. Versez le fondant légèrement refroidi sur le dessus, régulièrement.

2 Étalez-le avec une spatule en la tenant bien à plat, en une fine couche et en une seule fois. Laissez-le s'égoutter le temps qu'il fige.

3 Enlevez le fondant qui a coulé sous le gâteau à l'aide d'un couteau, en le rabattant vers l'intérieur.

 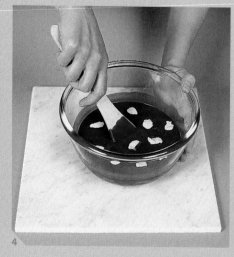

Ganache au chocolat pour garnir

Si la ganache devient trop compacte en refroidissant, faites-la très légèrement revenir à une texture souple en la faisant fondre doucement dans une casserole au bain-marie ou au four à micro-ondes ; remuez-la le moins possible.

Pour 320 g de ganache : 150 g de beurre mou • 160 g de chocolat noir à 70 % de cacao ou 180 g de chocolat au lait • 11 cl de lait entier

1 Mettez le beurre dans un saladier. Écrasez-le avec les dents d'une fourchette et malaxez-le jusqu'à ce qu'il soit parfaitement mou et onctueux.

2 Hachez le chocolat au couteau-scie et mettez-le dans un autre saladier. Portez le lait à ébullition. Versez-en un petit peu au milieu du chocolat haché. Mélangez doucement en faisant des petits cercles concentriques avec une cuillère en bois.

3 Versez peu à peu le reste de lait et continuez de mélanger lentement en faisant des cercles de plus en plus grands.

4 Lorsque le mélange est à moins de 60 °C, ajoutez-y petit à petit le beurre mou coupé en petits morceaux. Mélangez doucement sans trop travailler la préparation afin d'en préserver la texture moelleuse.

Mousse au chocolat

Pour 500 g de mousse : 180 g de chocolat noir • 2 cl (1 bonne cuill. à soupe) de lait frais entier • 10 cl de crème liquide • 20 g de beurre • 3 œufs entiers • 15 g de sucre en poudre

1 Sur une planche en bois, hachez le chocolat au couteau et mettez-le dans un grand bol. Portez à ébullition le lait et la crème liquide. Versez ce liquide bouillant sur le chocolat en mélangeant au fouet 1 ou 2 minutes pour que la préparation atteigne la température de 40 °C.

2 Coupez le beurre en petits morceaux et incorporez-le au mélange en tournant avec le fouet.

3 Séparez les blancs d'œufs des jaunes. À l'aide d'un batteur électrique, montez les blancs en neige avec le sucre, puis ajoutez les jaunes quelques secondes avant d'arrêter l'appareil.

4 Incorporez 1/5 des blancs dans la ganache et mélangez. Puis reversez le tout dans le reste des blancs, en soulevant délicatement la préparation. Entreposez au réfrigérateur.

Glaçage au chocolat

Ce glaçage, qui s'utilise entre 35 et 40 °C, s'étalera sur les gâteaux d'autant plus facilement que vous en aurez mis beaucoup. En revanche, il fige facilement tout en restant bien brillant.

Pour 250 g de glaçage : 80 g de chocolat noir mi-amer • 8 cl de crème fraîche • 15 g de beurre ramolli • 80 g de sauce au chocolat

1 Hachez ou râpez finement le chocolat dans un bol. Dans une casserole, portez la crème fraîche à ébullition. Retirez du feu et ajoutez le chocolat peu à peu.

2 À l'aide d'une spatule en bois, mélangez délicatement en petits cercles concentriques, en partant du centre du récipient.

3 Quand la température du mélange est descendue en dessous de 60 °C, coupez le beurre en petits morceaux et incorporez- le, ainsi que la sauce au chocolat que vous aurez préparée juste avant, en tournant délicatement.

Détailler une orange en segments

1 À l'aide d'un couteau, ôtez un morceau d'écorce au sommet et à la base de l'orange. Maintenez-la en place à l'aide d'une fourchette. Pelez du haut vers le bas en suivant le galbe. Retirez la peau blanche. Éliminez les filaments restants.

2 Détachez tous les segments en tranchant au plus près à l'intérieur de chacune des membranes qui les séparent.

Peler les pêches et les nectarines

1 Incisez la peau en croix à la base du fruit.

2 Plongez le fruit de 10 à 30 secondes (selon sa maturité) dans de l'eau bouillante, rafraîchissez-le dans un saladier d'eau froide, ressortez-le et retirez la peau avec les doigts.

Confire des zestes d'agrumes

4 pamplemousses (rubis de préférence ou, à défaut, roses) ou 8 citrons ou 6 oranges sans pépins, non traités

Pour le sirop : 10 grains de poivre noir • 1 l d'eau • 500 g de sucre en poudre • 4 cuill. à soupe de jus de citron • 1 étoile de badiane • 1 gousse de vanille

1 Lavez, brossez et séchez les fruits. Coupez-en les deux extrémités sur une planche. Avec un couteau bien aiguisé, taillez de haut en bas de larges bandes d'écorce en gardant 1 cm d'épaisseur de pulpe.

2 Plongez les zestes dans une casserole d'eau bouillante. Dès que l'eau bout à nouveau, laissez-les cuire 2 minutes, puis égouttez-les. Rafraîchissez-les sous l'eau froide. Recommencez cette même opération deux fois de suite. Égouttez les zestes.

3 Préparez le sirop. Fendez la vanille en deux et grattez les graines. Concassez les grains de poivre. Mettez-les dans une casserole avec l'eau, le sucre, le jus de citron, la badiane et la gousse et les graines de vanille. Portez à ébullition à feu doux. Ajoutez les

zestes. Couvrez la casserole aux 3/4. Laissez mijoter à très petits frémissements pendant 1 h 30. Laissez refroidir les zestes et le sirop dans un saladier. Couvrez de film étirable et gardez au réfrigérateur jusqu'au lendemain.

4 Le jour même, laissez égoutter pendant 1 h les zestes dans une passoire posée sur un saladier. Détaillez-les en lanières de 1 cm de large.

Préparer une mangue

1 Posez le fruit de côté sur une planche à découper. Coupez une moitié en longeant le gros noyau plat avec la lame du couteau. Recommencez l'opération pour la seconde moitié en tranchant le long de l'autre côté du noyau.

2 Posez ensuite les deux demi-mangues à plat, côté peau sur la planche. Entaillez la chair en damier jusqu'à la peau, en veillant à ne pas transpercer celle-ci. Appuyez enfin au milieu de chaque demi-mangue, côté peau, de façon qu'elle soit bombée et que les segments de chair s'écartent.

Préparer un ananas

1 Retirez le haut et la base de l'ananas, puis posez-le droit et ôtez l'écorce du haut vers le bas en épousant le contour du fruit pour ne pas gaspiller de chair au niveau de la partie médiane renflée.

2 Si vous avez envie de rondelles, tournez l'ananas sur le côté, coupez-le en tranches de l'épaisseur désirée puis retirez le cœur de chacune avec un emporte-pièce. Si vous préférez des morceaux, débitez l'ananas en tranches plus épaisses : retirez le cœur à l'emporte-pièce, puis recoupez ces tranches en morceaux.

Réaliser un coulis à la framboise

Pour 50 cl de coulis : 1 citron • 750 g de framboises • 80 g de sucre en poudre • 10 cl d'eau

1 Pressez le citron : vous devez avoir 5 cl de jus. Réduisez les framboises en purée dans un grand bol à l'aide d'un mixeur : vous devez obtenir 400 g de purée.

2 Filtrez la purée de framboise en la faisant passer dans une passoire tout en pressant bien à l'aide d'une spatule ou d'une cuillère en bois.

3 Incorporez à l'aide d'une spatule le sucre en poudre et le jus de citron. Allongez petit à petit le coulis avec l'eau jusqu'à la consistance souhaitée.

M

MACAIRE Appellation donnée à des pommes de terre cuites au four, écrasées à la fourchette avec du beurre, puis façonnées en galettes et cuites à la poêle dans du beurre clarifié. Ces galettes sont servies en garniture de pièces de boucherie rôties ou poêlées.

▶ Recette : POMME DE TERRE.

MACARON Petit gâteau rond, croquant à l'extérieur et moelleux à l'intérieur, fait d'une pâte à base d'amandes pilées, de sucre et de blancs d'œuf, souvent parfumée au café, au chocolat, à la fraise, à la noisette, à la pistache, à la noix de coco, à la vanille, etc. Les macarons sont parfois présentés accolés par deux, comme le macaron gerbet de Paris.

Leur origine est très ancienne. La recette en serait venue d'Italie, plus particulièrement de Venise, sous la Renaissance, mais certains évoquent l'antériorité des macarons de Cormery (791). De nombreuses villes de France s'en firent par la suite une spécialité.

À Nancy, où ces petits gâteaux étaient particulièrement réputés au XVIIe siècle, ils étaient fabriqués par des religieuses carmélites appliquant à la lettre le précepte de Thérèse d'Ávila : « Les amandes sont bonnes pour ces filles qui ne mangent pas de viande. »

À Paris, le macaron le plus prisé, dit « gerbet », est rond, lisse et garni de crème, de confiture ou de ganache. Le macaron dit « hollandais » a une croûte fendue avec la pointe d'un couteau après un séchage en étuve et avant une cuisson au four.

macarons gerbet : préparation

POUR 80 PETITS MACARONS (OU 20 GROS) – PRÉPARATION : 45 min – CUISSON : de 10 à 12 min pour les petits (ou de 18 à 20 min pour les gros) – REPOS : 15 min

Tamiser 480 g de sucre glace et 280 g d'amandes en poudre. Pour des macarons au chocolat, tamiser aussi 40 g de cacao en poudre. Verser le tout en pluie sur 7 blancs d'œuf battus en neige ferme. Mélanger du centre vers les bords en tournant la jatte. Ajouter le colorant choisi. Préchauffer le four à 150 °C. Mettre 2 plaques à pâtisserie l'une sur l'autre. Poser sur le dessus une feuille de papier sulfurisé. Verser la pâte dans une poche à douille lisse n° 8 pour des macarons de 2 cm de diamètre et n° 12 pour des macarons de 7 cm de diamètre. Façonner les macarons. Les laisser reposer 15 min. Les enfourner de 18 à 20 min pour les gros, de 10 à 12 min pour les petits, porte du four entrouverte. À la sortie du four, verser un peu d'eau sous la feuille de papier sulfurisé. Décoller les macarons. Laisser refroidir avant de les garnir avec de la crème, de la confiture ou une ganache.

RECETTE DE PIERRE HERMÉ

macarons au chocolat au lait passion

POUR 80 PETITS MACARONS (OU 20 GROS) – PRÉPARATION : 45 min – CUISSON : de 10 à 12 min pour les petits (ou de 18 à 20 min pour les gros) – REPOS : 15 min

« Préparer la pâte. Tamiser 480 g de sucre glace et 280 g d'amandes en poudre. Monter 7 blancs d'œuf en neige ferme dans une jatte. Verser rapidement en pluie le mélange sucre-amande. À l'aide d'une spatule, incorporer à l'ensemble 3 gouttes de colorant alimentaire rouge. Verser la pâte dans une poche munie d'une douille lisse n° 8 pour des petits macarons de 2 cm de diamètre, ou n° 12 pour des macarons de 7 cm de diamètre. Répartir la pâte en formant des ronds sur la plaque du four tapissée d'une feuille de papier sulfurisé et en les espaçant tous les 3 cm. Saupoudrer très légèrement de cacao en poudre. Laisser reposer les macarons 15 min à température ambiante. Préparer la ganache. Couper 8 fruits de la Passion en deux. Gratter la pulpe au-dessus d'un tamis en récupérant le jus. Porter le jus à ébullition avec 30 g de miel d'acacia. Hacher 460 g de chocolat au lait à 35 % de cacao au couteau-scie et le faire fondre à demi dans une casserole au bain-marie. Incorporer la moitié du mélange jus-miel dans le chocolat à demi fondu. Mélanger en partant du centre. Incorporer l'autre moitié et remuer de la même façon. Ajouter ensuite peu à peu 80 g de beurre coupé en morceaux. Mélanger jusqu'à ce que la ganache soit lisse. La garder au frais. Poser la plaque avec les macarons sur une autre de taille identique, afin d'éviter qu'ils ne cuisent trop en dessous. Cuire les petits de 10 à 12 min, les gros de 18 à 20 min au four préchauffé à 140 °C, et maintenir la porte du four entrouverte en coinçant une cuillère en bois. Tout de suite après la sortie du four, soulever un coin du papier sulfurisé et verser un filet d'eau froide sur la plaque. L'humidité va permettre de décoller facilement les macarons du papier. Laisser refroidir les macarons sur une grille de pâtisserie. Garnir la base plate d'un macaron sur deux avec la ganache crémeuse et poser un autre macaron dessus. Les disposer au fur et à mesure sur une feuille de papier sulfurisé. Les recouvrir d'un film étirable. Afin qu'ils développent leurs arômes, les garder 2 jours au réfrigérateur avant de les déguster. »

macarons à la tomate et olive ▶ OLIVE

MACARONIS Pâtes alimentaires en forme de longs tubes de 5 à 6 mm de diamètre. Cuits à l'eau bouillante salée, les macaronis sont servis avec du fromage râpé, une sauce à la tomate, aux légumes, ou encore en gratin, en timbale, en couronne garnie de fruits de mer, de légumes, de champignons, etc.

On les apprête sous diverses appellations : *all'amatriciana, alla carbonara, alla ciociara* (à la paysanne), avec des légumes émincés et sautés, du jambon fumé et des rondelles de saucisson, *all'arrabbiata* (en sauce piquante avec du piment), ou, comme en Sicile, *alla norma* (avec des cubes d'aubergine frite, de la ricotta, de la sauce tomate et du basilic). Venus d'Italie, les macaronis sont connus en France depuis le XVIIe siècle. Au XIXe siècle, on en faisait aussi des entremets sucrés.

gratin de macaronis ▶ GRATIN

macaronis à la calabraise

Rincer 1 kg de tomates bien mûres ; les couper en deux et les presser pour éliminer leur eau de végétation. Les disposer dans un plat à gratin, saler et poivrer, et les arroser d'une bonne quantité d'huile d'olive. Les mettre dans le four préchauffé à 180 °C jusqu'à ce qu'elles soient presque rôties, mais pas tout à fait cuites. À mi-cuisson, ajouter des olives noires dénoyautées et des câpres. Cuire 600 g de macaronis à grande eau bouillante salée, puis les égoutter et les garnir avec les tomates juste sorties du four. Parsemer d'un peu de basilic, arroser de quelques gouttes d'huile et servir très chaud.

macaronis Lucullus

Cuire des macaronis en les tenant al dente. Préparer une sauce madère très réduite, puis un salpicon de truffe et de foie gras, et le lier de sauce madère. Disposer macaronis et salpicon dans une timbale, en couches alternées. Décorer de lames de truffe.

macaronis à la napolitaine

Larder 2 kg de bœuf ou de porc de petits bâtonnets de jambon cru roulés dans du poivre et des feuilles de marjolaine. Ficeler la viande et la dorer dans une cocotte avec 1 verre d'huile d'olive, sur toutes les faces, puis la retirer et la garder au chaud. Faire rissoler lentement dans la graisse de cuisson 2 gros oignons, 2 carottes et 2 branches de céleri taillés en petits dés, avec 1 branche de thym, pour obtenir une bouillie brun doré. Remettre la viande dans la cocotte sur feu moyen et mouiller peu à peu de 15 cl de vin rouge. Diluer dans le fond de cuisson 2 cuillerées de concentré de tomate et bien remuer ; en ajouter 2 autres cuillerées et continuer jusqu'à en avoir incorporé 400 g. Allonger de quelques louches de bouillon léger, couvrir et laisser mijoter en mouillant d'un peu de bouillon de temps en temps. Cuire 600 g de macaronis à grande eau bouillante salée en les tenant al dente, les égoutter et les napper de la sauce, appelée *ragù alla napoletana*.

macaronis à la plancha avec pageots et seiches ▶ PLANCHA

MACCIONI (SIRIO) Restaurateur américain (Montecatini Terme 1932). Il suit une formation dans les écoles hôtelières de Montecatini Terme, en Toscane, et à Hambourg, avant de travailler dans différents établissements en France, en Italie et en Allemagne. Il émigre aux États-Unis à partir de 1956, travaille comme maître d'hôtel au *Delmonico*, au *Colony* et à *la Forêt*. Il crée *le Cirque*, à New York, en 1974, où il promeut un service de grande classe et une cuisine française de haute tenue (avec des chefs différents mais de grande valeur, comme Daniel Boulud ou Sottha Kuhnn et un pâtissier d'exception comme Jacques Torrès). Sa crème brûlée sera immortalisée par son ami Paul Bocuse qui la découvre chez lui et la fera connaître au monde entier sous le nom de « crème brûlée Sirio ».

MACÉDOINE Mélange de légumes taillés en dés et de haricots verts en tronçons. La macédoine comprend des carottes et des navets coupés, parés, détaillés en tranches de 3 ou 4 mm d'épaisseur, puis en bâtonnets et enfin en cubes de 3 ou 4 mm de côté, auxquels on ajoute des haricots verts coupés en tronçons. Cuits séparément, ces légumes sont mélangés avec des petits pois bien égouttés, et éventuellement d'autres légumes. Lorsqu'il s'agit d'une conserve, la macédoine de légumes se compose de 35 % de petits pois et haricots verts et de 65 %

de carottes, navets et flageolets ; dans la macédoine « extra », il s'agit des mêmes légumes, mais dans la proportion moitié-moitié.

La macédoine beurrée, souvent additionnée de jus de rôti, de fond de veau, de fines herbes ciselées ou de crème fraîche, peut accompagner les grosses pièces de boucherie et les volailles ou garnir des fonds d'artichaut. Elle s'utilise aussi froide, liée de mayonnaise, pour farcir des tomates ou accompagner des œufs durs, des cornets de jambon, ou moulée en aspic (**voir** SALADE RUSSE).

On appelle également « macédoine » un mélange de fruits, taillés en dés et macérés avec du sirop, que l'on sert rafraîchi, souvent arrosé d'un alcool (kirsch, rhum), ou dans divers entremets.

macédoine de légumes au beurre (ou à la crème)

Éplucher et couper en dés des carottes et des navets nouveaux, des haricots verts et des pommes de terre (250 g de chaque légume). Écosser des petits pois pour en obtenir 500 g. Jeter les dés de carotte et de navet dans de l'eau bouillante salée. À la reprise de l'ébullition, ajouter les haricots verts, puis les petits pois, et enfin les pommes de terre. Maintenir à gros bouillons sans couvrir. Égoutter les légumes, les verser dans un légumier, les additionner de beurre frais ou de crème. Parsemer de fines herbes.

MACÉRER Faire tremper, plus ou moins longtemps, des substances alimentaires (fruits crus, secs ou confits, herbes, épices, etc.) dans un liquide (alcool, liqueur, huile, mélange aigre-doux, sirop, vin) soit pour les conserver, soit pour les parfumer, soit pour dissoudre dans le liquide des composés sapides et odorants. La macération concerne plus spécialement les fruits ; pour les viandes, les poissons ou les légumes, on emploie plutôt le terme « mariner ».

Quand on fait macérer des fruits dans un alcool plus ou moins dilué ou sucré, celui-ci pénètre la pulpe, qui lui cède en retour une partie de son eau de végétation et de ses principes aromatiques et sapides. Pour préparer les marmelades, on fait auparavant macérer les fruits dans le sucre avec lequel ils cuiront. La macération est pratiquée en cuisine, en pâtisserie et, plus récemment, dans la préparation de certains cocktails (macération de fruits et d'épices).

MACERON Plante herbacée, de la famille des apiacées, également appelée « persil noir », que l'on cultivait autrefois dans le Midi pour ses jeunes pousses, qui se mangent comme le céleri-branche. Dénommé également « ache large » et « gros persil de Macédoine », le maceron a une forte odeur aromatique, un peu âcre. Son goût est proche de celui du céleri.

MÂCHE Plante de la famille des valérianacées, aux feuilles arrondies, en rosette, qui se consomme surtout crue, en salade. Appelée aussi « doucette », « valérianelle potagère », « raiponce » ou encore « oreille-de-lièvre », elle pousse spontanément dans les champs, surtout en automne ; aujourd'hui cultivée de septembre à mars, elle donne une salade d'hiver au goût marqué. La mâche est peu nutritive (36 Kcal ou 150 kJ pour 100 g), riche en oméga-3, en cellulose et en vitamines. Il en existe plusieurs variétés : la verte du Nord, à larges feuilles, est plus rustique que la ronde maraîchère, à petites feuilles très vertes, savoureuse, juteuse et tendre ; la mâche d'Italie, à feuillage plus clair, légèrement denté et velu, est moins fruitée. La mâche nantaise bénéficie du label rouge et d'une IGP.

La mâche doit toujours être lavée à grande eau et bien égouttée. Elle se marie dans des salades composées avec des pommes, des noix, des betteraves, etc., et enrichit les farces de volaille. Elle peut également se cuire comme des épinards.

MACIS Condiment constitué par le prolongement rameux et charnu de l'enveloppe (arille) de la noix de muscade, originaire des régions tropicales (**voir** planche des épices pages 338 et 339). C'est une résille de fibres, rouge écarlate quand elle est fraîche, que l'on fait sécher – elle devient alors rosée – et que l'on réduit en poudre. Le macis a un parfum de cannelle et de poivre, et s'emploie surtout en charcuterie et dans les mélanges d'épices ; il relève aussi les potages et les viandes en sauce et remplace la noix de muscade dans les omelettes, la béchamel ou la purée de pomme de terre.

MÂCON Vin du Mâconnais, région méridionale de la Bourgogne. Si les AOC « mâcon » et « mâcon supérieur » désignent aussi bien des vins rouges, rosés ou blancs, le « mâcon-villages », lui, est toujours un vin blanc. Les rouges et les rosés sont produits par les cépages gamay, pinot noir et pinot gris, et les blancs sont issus des cépages chardonnay et pinot blanc (**voir** BOURGOGNE).

MÂCONNAIS Fromage bourguignon AOC de lait cru de chèvre, à pâte molle et à croûte fleurie (**voir** tableau des fromages français page 392). Le mâconnais se présente sous la forme d'un petit cône tronqué de 3 à 4 cm d'épaisseur, pesant de 50 à 60 g. Il a une saveur légèrement caprine et noisetée, et entre dans la fabrication des fromages forts bourguignons ou lyonnais.

MÂCONNAISE (À LA) Se dit d'apprêts de poissons coupés en tronçons ou levés en filets, parfois traités en matelote toujours cuisinée au vin rouge avec des fines herbes, et dressés avec des petits oignons glacés à brun, des champignons sautés, des croûtons et, selon l'apprêt, accompagnés ou non d'écrevisses.

MACRE ▶ VOIR CHÂTAIGNE D'EAU

MACREUSE Pièce de viande de bœuf située dans l'épaule, du côté opposé aux jumeaux (**voir** planche de la découpe du bœuf pages 108 et 109). La macreuse « à bifteck » se prépare en grillades, en brochettes et même en rosbif ; la macreuse dite « gélatineuse » est utilisée pour les braisés, les carbonades, les daubes et le bœuf mode ; elle est une des viandes du pot-au-feu.

MACROBIOTIQUE Mode d'alimentation inspiré du zen, école bouddhiste du Japon, basé sur l'équilibre des principes yin (féminin) et yang (masculin). Fondée par Sakurazawa Nyoiti, dit Oshawa (1893-1966), la macrobiotique, apparue en France à la fin des années 1950, comprend une dizaine de régimes, adaptés à l'identité de l'individu, plus ou moins yin ou yang. Les aliments de base sont les céréales complètes et les légumes secs. Les régimes les plus larges acceptent quelques légumes verts et du poisson en petites quantités. Viandes, fruits crus, alcool et café sont proscrits ; le seul breuvage autorisé est le thé. Très déséquilibrés, ces régimes ont de moins en moins d'écho en France.

MACTRE Coquillage lisse triangulaire, de la famille des mactridés, parent de la palourde, que l'on ramasse sur les côtes atlantiques de l'Europe et de l'Amérique du Nord. Mesurant environ 10 cm, les mactres sont vendues, aux États-Unis et au Canada, cuites et congelées. Elles se consomment aussi crues.

MACVIN Vin de liqueur fabriqué dans le Jura, peut-être depuis le IXe siècle, avec du jus de raisin réduit par cuisson, des aromates et du marc, d'où son nom (marc et vin), dans les proportions de deux tiers/un tiers. Vieilli plusieurs années en fût, le macvin titre de 16 à 20 % Vol. et se boit comme apéritif ou comme digestif.

MADAGASCAR La cuisine malgache est l'héritière de plusieurs traditions : africaine, chinoise, indienne, britannique, française. Elle se caractérise par des plats relevés, associant les épices et les condiments les plus divers : ail, cannelle, cardamome, cari, gingembre, piment, mais aussi ciboulette, laurier, thym, etc.

Maïs, manioc, patates douces et riz voisinent avec tomates et légumes verts – cresson, haricots, épinards. Ils accompagnent les viandes (bœuf et mouton) ou les poissons pour donner des soupes, des bouillons *(romazava)* ou des ragoûts, qui constituent souvent le plat unique, comme le *vary amin'anana* (littéralement « riz aux brèdes »), à base de riz et de plusieurs sortes de légumes verts appelés *anana*, consommé souvent au petit déjeuner dans les campagnes des plus hauts plateaux. Les Malgaches apprécient particulièrement le *ravitato*, plat composé de viande de porc, de feuilles vertes de manioc pilées et d'ail, qui accompagne le riz blanc. Les produits de la mer sont consommés presque tous les jours, notamment sur les côtes, où la langouste figure dans la plupart des menus. Là, le poisson est souvent cuit dans du lait de coco, alors que sur les hauts plateaux il est plutôt accommodé avec du gingembre, du cari et du piment.

La boisson traditionnelle malgache s'appelle *ranon'ampango*, *ranovola* ou *ampangoro* selon les régions. Elle s'obtient en dorant un reste de riz blanc cuit avec de l'eau. Les fruits tropicaux, préparés en beignets, en gâteaux ou en flans, composent de délicieux desserts.

MADELEINE Petite pâtisserie en forme de coquille, faite de sucre, de farine, de beurre fondu et d'œufs, parfumée au citron ou à l'eau de fleur d'oranger. La pâte est cuite dans des moules ovales et striés, qui donnent aux gâteaux l'apparence de coquilles. Le secret de la fabrication de ce « petit coquillage de pâtisserie, si grassement sensuel sous son plissage sévère et dévot » (Marcel Proust) fut longtemps gardé à Commercy, ville lorraine sujette de Stanislas Leszczynski. On raconte que le souverain découvrit, en 1755, cette pâtisserie, réalisée par une petite paysanne ; il l'apprécia fort et la baptisa « madeleine », du prénom de la jeune fille. Le gâteau conquit bientôt la cour de Versailles, puis Paris.

madeleines classiques

Faire fondre 100 g de beurre sans le laisser chauffer. Verser le jus de 1/2 citron dans une terrine avec 1 pincée de sel, 125 g de sucre en poudre, 3 œufs entiers et 1 jaune. Bien travailler ces éléments à la spatule en bois, puis ajouter en pluie 125 g de farine tamisée et l'incorporer ; quand le mélange est lisse, y ajouter rapidement le beurre fondu. Verser la pâte dans les creux d'une plaque à madeleines bien beurrée, en ne les emplissant qu'aux deux tiers. Cuire 20 min au four préchauffé à 180 °C. Démouler et laisser refroidir sur une grille.

madeleines de Commercy

Travailler 150 g de beurre en pommade avec une spatule en bois. Ajouter 200 g de sucre en poudre et bien mélanger. Incorporer ensuite 6 œufs entiers, un par un, puis 200 g de farine tamisée, 1 cuillerée à café de levure chimique et 1 cuillerée à dessert d'eau de fleur d'oranger. Beurrer et fariner très légèrement une plaque à madeleines ; verser la pâte dans les creux et cuire 10 min au four préchauffé à 220 °C. Démouler et laisser refroidir sur une grille.

MADÈRE Vin muté (additionné d'eau-de-vie), titrant jusqu'à 20 % Vol., produit dans l'île portugaise de Madère, au large des côtes marocaines. Très apprécié aux États-Unis, en Grande-Bretagne et dans le nord de l'Europe, le madère est, en France, utilisé surtout en cuisine. Le vignoble, planté en terrasses depuis le littoral jusqu'à près de 1 000 m d'altitude, produit des vins très différents.

On en distingue quatre types principaux, portant le nom du cépage dont ils sont issus : le sercial, le plus sec et le plus bouqueté ; le verdelho, plus doux ; le boal, vin de dessert type, le plus apprécié des Français ; le malmsey, particulièrement sucré et généreux. Le rainwater, pâle et léger, et le southside, plus capiteux, sont des coupages. Les madères ont la réputation, sans doute exagérée, d'être éternels ; mais il est certain qu'ils peuvent être centenaires ; il est d'ailleurs souvent nécessaire de les décanter.

▶ Recettes : ROGNON, SAUCE.

MADIRAN Vin AOC rouge du Sud-Ouest auquel la majorité du cépage tannat donne bouquet et structure. Avec l'âge, il acquiert des arômes giboyeux et un riche fondu.

MADRILÈNE (À LA) Se dit essentiellement d'un consommé de volaille au fumet de céleri et de tomate, relevé de piment, parfois servi chaud, mais le plus souvent froid, voire glacé, comme de nombreux potages de la cuisine espagnole.

▶ Recette : CONSOMMÉ.

MAFÉ Plat traditionnel sénégalais, à base de bœuf (tranche ou pointe de culotte), de légumes, d'oignon, d'ail, de tomate et de pâte d'arachide, qui se sert avec du riz blanc. Le bœuf peut être remplacé par du poulet ou de l'épaule de mouton.

MAGISTÈRE Consommé concentré très revigorant, inventé au début du XIXᵉ siècle par Anthelme Brillat-Savarin pour combattre les effets de « l'épuisement musculaire, intellectuel ou sexuel ».

Il en existe deux variantes : l'une pour les « tempéraments robustes », à base de bouillon de coq (ou de perdrix) et de bœuf, additionné de la chair pilée de ces animaux, l'autre pour les « tempéraments faibles », fait de jarret de veau, de pigeon, d'écrevisses et de cresson. Ces apprêts étaient déjà conseillés au XVᵉ siècle par Ambroise Paré pour nourrir les malades sans les « échauffer ».

MAGNANI (LUIGI) Fabricant bolognais de pâtes alimentaires (1910-1982). Installé au Québec, il ouvrit à Montréal en 1952, à une époque où l'on n'y connaissait que la pizza et les spaghettis, la *Torre di Pisa*, où il fit découvrir la vraie cuisine italienne. Son restaurant fut bientôt connu sous le nom de *Chez Magnani*, et son propriétaire commença à importer des vins de son pays, qui rivalisèrent bientôt avec les vins français.

MAGNÉSIUM Élément minéral présent dans les céréales complètes, les fruits secs, certaines eaux minérales et surtout le cacao. Le magnésium est indispensable à l'organisme – il catalyse un grand nombre de réactions enzymatiques – et son action sur le système nerveux central est identique à celle du calcium, qu'il renforce. Il participe notamment à la transmission de l'influx nerveux, à la contraction musculaire et à l'équilibre émotionnel. Les besoins quotidiens, évalués entre 5 et 7 mg par kilo de poids, ne sont pas toujours couverts par l'alimentation.

MAGNY Restaurant parisien en vogue sous le second Empire, créé par le chef cuisinier du restaurant *Philippe*, nommé Magny, qui se mit à son compte en 1842, en rachetant le fonds d'un marchand de vins, rue Mazet. La qualité de sa cuisine et de sa cave attira une clientèle littéraire et artistique. S'y réunissaient notamment les « lundistes » des dîners Magny, lancés par les Goncourt, Gavarni et Sainte-Beuve, que rejoignirent George Sand, Théophile Gautier, Renan, Flaubert, Taine, etc. C'est Magny qui inventa la « petite marmite », pot-au-feu citadin destiné aux soupeurs. L'autre grande spécialité de la maison était les pieds de mouton à la poulette.

MAGRET Muscle de la poitrine d'un canard engraissé pour la production de foie gras. Présentés avec la peau et la couche de graisse attenante, les magrets de canard furent longtemps traités uniquement en confit. Ils connaissent un regain d'intérêt depuis que des restaurateurs landais ont repris la tradition campagnarde, en les grillant (d'abord sur le côté de la peau, pour que la graisse imprègne la chair) et en les servant saignants ou rosés, bien croustillants. Les meilleurs magrets proviennent de canards désossés le lendemain du jour où ils sont tués, pour être servis le surlendemain.

MAID OF HONOUR Petite tartelette aux amandes et au citron, servie en Angleterre à l'heure du thé. Ce serait Anne Boleyn qui en aurait imaginé la recette alors qu'elle était, au début du XVIᵉ siècle, demoiselle d'honneur de Catherine d'Aragon, reine d'Angleterre ; le roi, Henri VIII, séduit, aurait alors baptisé ce gâteau *maid of honour* (« demoiselle d'honneur »). Les plus savoureuses de ces pâtisseries viennent, dit-on, de Richmond, un faubourg de Londres.

MAIGRE Qualificatif désignant les produits alimentaires naturelle-ment pauvres en lipides. Les poissons (brochet, colin, lieu, raie, sole, turbot, etc.) et certaines viandes maigres (cheval, foie, poulet) en comptent moins de 5 % ; d'autres viandes maigres (veau et lapin), entre 5 et 10 %. Selon la loi, la mention « maigre » peut figurer sur l'éti-quette de produits comme les fromages (moins de 20 % de matières grasses), la viande hachée (moins de 7 %), le cacao, etc.

MAIGRE (POISSON) Poisson de la famille des sciænidés, appelé aussi « courbine », « haut-bar » ou « sciène ». Le maigre commun vit dans l'Atlantique, de la Manche au golfe de Guinée, mais aussi en Méditerranée ; pouvant atteindre 2 m, il apprécie les fonds sableux du golfe de Gascogne, où il fait le bonheur des pêcheurs pour ses qualités sportives. L'ombrine côtière, de la même famille que le maigre, mais qui s'en distingue par son barbillon mentonnier, affectionne les fonds rocheux et sableux du littoral, de la Méditerranée au golfe de Gascogne. Pêchées au chalut ou à la ligne, les deux espèces ont une chair très appréciée, aussi fine, sinon plus, que celle du bar ; elles se préparent grillées et éventuellement flambées à l'alcool d'anis.

MAILLARD (RÉACTIONS DE) Ensemble de réactions chimiques découvertes en 1912 par Louis Camille Maillard et qui sont importantes dans de nombreuses transformations alimentaires parce qu'elles contribuent à apporter de la couleur et du goût aux aliments. Les réactions de Maillard interviennent dans la formation de la croûte du pain, des rôtis, ou donnent le goût du café torréfié.

MAILLE (ANTOINE-CLAUDE) Moutardier-vinaigrier du XVIIIᵉ siècle. En 1720, Maille invente le vinaigre des « quatre voleurs », dont les propriétés antiseptiques protégèrent les médecins et les sœurs de la Charité en contact avec les malades de la grande épidémie de peste de Marseille. De ses laboratoires, installés à Paris, rue Saint-André-des-Arts, en 1747, sortent une centaine de vinaigres de toilette et de santé, ainsi que cinquante-trois variétés de vinaigres aromatisés pour la table, autant de moutardes (dont celles – à l'estragon ou aux « trois fruits rouges » – vantées par Grimod de La Reynière), et des fruits au vinaigre. En 1769, Maille succède au sieur Leconte comme vinaigrier-distillateur du roi.

MAINE ► VOIR ANJOU ET MAINE

MAINTENON Nom d'un appareil salé, fait de champignons, d'oignons et de béchamel, complété parfois d'un salpicon de truffe, de langue écarlate et de blanc de volaille.

Les apprêts Maintenon où figure cet appareil concernent des viandes délicates (côtes d'agneau, de veau, ris de veau, etc.), mais aussi une omelette fourrée, des œufs pochés et des pommes de terre farcies. Les ris de veau Maintenon peuvent également être braisés, dressés sur des croûtons, surmontés d'une lame de truffe et garnis d'une purée Soubise et d'un cordon de sauce suprême qui nappe le fond du plat.

appareil à Maintenon

Nettoyer et tailler en julienne 150 g de champignons ; les faire étuver avec 10 g de beurre. Préparer une purée Soubise avec 500 g d'oignons émincés, blanchis et étuvés au beurre, et 50 cl de béchamel bien réduite ; saler, poivrer et râper un peu de muscade. Ajouter les champignons et lier avec 2 jaunes d'œuf ; rectifier l'assaisonnement.

MAÏS Céréale de la famille des poacées, dont les grains blancs, jaunes ou roux, forment un épi allongé (**voir** tableau des céréales page 179 et planche pages 178 et 179). Le maïs est énergétique (350 Kcal ou 1 463 kJ pour 100 g), riche en glucides (amidon), en lipides et en protides. Il est pauvre en certains acides aminés essentiels.

Originaire du Mexique, le maïs fut introduit par Cortés à la fin du XVᵉ siècle et resta surtout cultivé en Espagne et en Italie, puis dans le Sud-Ouest de la France. Les variétés actuelles sont maintenant adaptées aux régions septentrionales. Sur tout le continent amé-ricain, il a une place essentielle dans l'alimentation des hommes et des animaux.

■ **Emplois.**

• **MAÏS À GRAINS.** Grain jaune foncé, dur, porté par un petit épi, il est surtout destiné à l'alimentation animale (80 %). Cependant, réduit en semoule ou en farine, il permet de préparer beignets, bouillies (gaudes, millas, miques, polenta, etc.), crêpes, galettes, gâteaux divers et pains.

Les flocons de maïs (corn-flakes), ou encore les tortillas (galettes) et les chips de la cuisine mexicaine, sont faits avec de la farine de maïs. L'amidon de maïs (Maïzena) sert de liant et d'épaississant en cuisine, charcuterie, confiserie, biscuiterie et pâtisserie.

Le maïs à grains est la base de la fabrication du bourbon et de certaines bières. Quelques variétés enfin sont destinées à l'extraction d'une huile de table diététique très riche en acides gras polyinsaturés (**voir** tableau des huiles page 462).

• MAÏS DOUX (OU MAÏS SUCRÉ). On l'achète frais, en épi, de juillet à novembre. Ses grains, jaune pâle, sont portés par un grand épi. Il doit être cueilli immature et consommé rapidement, sinon le sucre se transforme en amidon et le légume devient sans intérêt gastronomique. Il faut le choisir avec des grains laiteux, entourés de feuilles vert pâle. On le vend aussi en grains, en conserve au naturel.

Les épis frais sont débarrassés de leurs feuilles et cuits à l'eau bouillante salée, ou grillés dans leur gaine de feuilles légèrement humectées ou dans une feuille d'aluminium (**voir** BLÉ D'INDE). Ils sont présentés avec du beurre demi-sel. Les petits épis se font confire au vinaigre avec des cornichons et autres pickles.

Le maïs en grains accompagne les viandes ou les volailles rôties ; les grains cuits entrent dans les salades composées.

• MAÏS POP-CORN. Égrené, il sert à faire le maïs soufflé : quand on chauffe ses grains dans un récipient hermétique, ils éclatent et gonflent, formant des masses blanches, légères, à déguster au naturel, salées ou sucrées.

gratin de maïs ▶ GRATIN

maïs frais à la béchamel

Choisir des épis très frais, à grains tendres ; ne laisser qu'une seule épaisseur de feuilles et les cuire 15 min à l'eau salée. Les égoutter, puis ôter les feuilles et égrener les épis ; lier les grains avec une béchamel légère.

maïs frais grillé

Choisir des épis très frais, à grains tendres ; les débarrasser de leurs feuilles et filandres et les griller au four ou sur un gril. Les servir bien dorés, entiers ou égrenés, avec du beurre fondu, citronné ou non.

maïs frais au naturel

Choisir des épis de maïs très frais ; ne laisser qu'une seule épaisseur de feuilles et les cuire 15 min dans de l'eau salée à gros bouillons. Les égoutter et ôter les feuilles. Les dresser sur une serviette et les servir avec du beurre frais ou du beurre fondu légèrement citronné, ou les égrener et y ajouter du beurre frais.

maïs en soso aux abattis de poulet

POUR 4 PERSONNES – PRÉPARATION : 5 min – CUISSON : 30 min

Découper 700 g d'abattis de poulet en morceaux réguliers et les faire dorer dans 40 g de graisse d'oie dans une cocotte. Ajouter 25 cl d'eau et 2 cuillerées à soupe de concentré de tomate, saler et poivrer. Porter à ébullition, puis cuire à feu doux 15 min. Égoutter les abattis. Lier le bouillon de cuisson en le versant sur 3 cuillerées à soupe de farine de maïs (*soso*). Ajouter un peu d'eau au besoin pour que le bouillon lié ne soit pas trop épais. Verser sur les abattis remis dans la cocotte, ajouter 1 oignon ciselé et cuire encore doucement pendant 10 min.

RECETTE DE PIERRE LAPORTE

purée de maïs au foie gras

« Faire pocher 4 épis de maïs à l'eau salée pendant 40 min environ. Les égoutter, les égrener et les passer au tamis. Laisser évaporer sur le feu, puis ajouter 10 cl de crème fraîche et laisser frémir quelques minutes. Hors du feu, lier avec 100 g de foie gras passé au tamis. Verser dans des plats à gratin individuels beurrés et passer rapidement au four. »

soupe mousseuse au blé d'Inde (maïs) et champignons ▶ BLÉ D'INDE

MAISON Appellation signifiant qu'un plat est confectionné par le restaurateur lui-même, selon une recette dont il revendique l'originalité ; ce plat ne vient pas d'une autre « maison » que celle où il est servi.

MAISON DORÉE (LA) Restaurant du boulevard des Italiens, à Paris, établi vers 1840 à l'emplacement occupé auparavant par le *Café Hardy*. *La Maison dorée* – ou *Maison d'or*, comme l'appelaient Balzac, puis Zola, qui y firent dîner nombre de leurs personnages (Proust la mentionne aussi dans *Un amour de Swann*) – connut surtout une grande vogue pour ses soupers. Les noctambules allaient y déguster notamment le boudin Richelieu, cuit sous leurs yeux sur un gril d'argent. Le champagne était de rigueur, mais les caves renfermaient le plus grand choix de vins du second Empire. L'établissement fut remplacé après 1870 par d'autres commerces ; sa façade, avec ses balcons en bronze doré et ses frises où se pourchassent des bêtes fauves, a été cependant classée monument historique.

MAÎTRE D'HÔTEL Personne qui, dans les grands restaurants, dirige le service de la salle. Le maître d'hôtel a sous ses ordres plusieurs chefs de rang, qui, à leur tour, commandent aux commis de salle. Il doit veiller à la bonne marche générale du service, et donc connaître aussi bien la cave que la cuisine ; il achève parfois certaines préparations devant les clients (découpage, flambage, voire préparation du steak tartare, présentation des poissons à servir en filets, etc.) et joue, en outre, avec diplomatie un rôle de conseiller auprès des clients dans le choix de leur menu.

Jadis, dans les demeures nobles, le maître d'hôtel était l'officier de cuisine responsable de tout ce qui concernait le service de la table. À la cour, il s'agissait d'une charge importante – l'insigne en était un bâton de vermeil –, toujours tenue par un grand seigneur, richement vêtu, portant l'épée au côté et un diamant au doigt.

Audiger, dans *la Maison réglée* (1692), précise les charges du maître d'hôtel dans une maison privée : ce dernier devait veiller aux dépenses, choisir les cuisiniers, acheter le pain, le vin et la viande, et « régler et disposer les services de toutes les différentes tables dont le seigneur pourrait vouloir être servi ».

MAÎTRE D'HÔTEL (BEURRE) Nom d'un beurre composé (avec persil haché et jus de citron) servi avec viandes et poissons grillés, poissons frits ou légumes frais (haricots verts notamment), soit en saucière (réduit en pommade), soit en rondelles (solidifié dans le réfrigérateur).
▶ Recette : BEURRE.

MAKI Signifiant « rouleau » en japonais, cette spécialité culinaire nippone se présente sous la forme d'un rouleau de riz entouré d'une feuille d'algue nori séchée, contenant à l'intérieur du poisson ou divers ingrédients, tels des shiitake, du radis blanc.

MÁLAGA Vin de dessert espagnol, issu des cépages pedro ximenez, airén et moscatel, produit aux environs du port de Málaga, en Andalousie. Comme le xérès et le manzanilla, le málaga est vieilli en *solera*, chai dont les fûts contiennent des vins d'âge différent, et où chaque prélèvement est compensé par un apport de vin plus jeune, les plus vieux fûts restant ainsi toujours pleins.

Jadis très apprécié en Grande-Bretagne et aux États-Unis, ce vin est aujourd'hui surtout exporté vers l'Allemagne et les pays scandinaves.

MALAKOFF Nom donné à divers gâteaux de la cuisine classique. Le plus connu est fait de deux abaisses en dacquoise, séparées et enrobées par de la mousse au café, dont le dessus est poudré de sucre glace et le tour garni d'amandes grillées effilées. Une autre version se compose d'une couronne en pâte à choux posée sur un fond en feuilletage ou en génoise, le centre étant rempli de glace plombières, de chantilly ou d'une autre préparation froide et mousseuse. Dans le canton de Vaud, en Suisse, notamment à Vinzel, le malakoff est un beignet au fromage.

MALANGA Grosse racine alimentaire très ferme, à peau brune et à chair blanche. Aux Antilles, on l'utilise râpée pour préparer les acras.

MALAXER Travailler une substance pour la ramollir ou l'assouplir. Ainsi, pour réussir une pâte feuilletée, il faut malaxer le beurre pour lui donner une consistance égale à celle de la détrempe. Les ingrédients de certaines pâtes doivent être longuement malaxés pour devenir homogènes. Le malaxage d'une pâte ou d'une farce se fait à la main, sur le plan de travail ou dans une terrine, mais parfois aussi à l'aide d'un robot.

« En salle, ils veillent à la bonne marche du service qu'assurent chefs de rang et commis. Rien n'échappe à l'œil expert des maîtres d'hôtel du restaurant HÉLÈNE DARROZE, du RITZ PARIS ou de l'HÔTEL DE CRILLON. Ici contrôlant la présentation des tables, là conseillant un client sur le choix d'un menu, discrets et efficaces, ils participent au prestige des grandes maisons. »

MALIBU Liqueur à la noix de coco, de saveur douce, qui se consomme rafraîchie sur des glaçons ou additionnée de jus de fruit ou de soda.

MALT Mot d'origine anglaise désignant l'orge dont la germination artificielle est interrompue. Cette céréale, une fois séchée, torréfiée et réduite en farine, est ensuite utilisée comme matière première pour la fabrication de la bière.

Le malt contient surtout de l'amidon, qui se transforme en dextrine et en sucre sous l'action d'enzymes, permettant d'obtenir le moût de la bière. Selon la température à laquelle est porté le malt – parfois jusqu'à la caramélisation –, on obtient des bières diversement colorées. Après distillation, le moût sert également à fabriquer le whisky. Le malt a, par ailleurs, été employé comme succédané du café.

Le malt fait partie des additifs autorisés dans la panification par la législation française. Il favorise la fermentation de la pâte et améliore la coloration de la croûte lors de la cuisson.

MALTAIS Petit-four frais à base d'orange confite et de poudre d'amande, glacé au fondant.

maltais

Mélanger 100 g de sucre en poudre et 100 g de poudre d'amande. Incorporer 1 verre à liqueur de rhum, 60 g d'écorce d'orange confite très finement hachée et éventuellement, pour la consistance, 2 ou 3 cuillerées de jus d'orange passé. Abaisser cette pâte – délicatement car elle est très fragile – sur une tôle, sur 5 mm d'épaisseur ; la détailler à l'emporte-pièce en disques de 3 cm de diamètre et laisser sécher 12 heures. Faire fondre 100 g de fondant à 35 °C ; en colorer la moitié avec du carmin. Glacer une moitié des disques avec le fondant rose et l'autre moitié avec le fondant blanc. Tailler de l'angélique confite en losanges très allongés et garnir chaque gâteau d'une petite étoile d'angélique. Mettre au frais jusqu'au moment de servir.

MALTAISE (À LA) Se dit de préparations sucrées ou salées contenant de l'orange (de l'espèce sanguine dite « maltaise », en principe). L'appellation désigne notamment une sauce hollandaise additionnée de jus et de zeste d'orange, qui accompagne des poissons pochés ou des légumes cuits à l'eau (asperge, bette, cardon). La bombe glacée à la maltaise est chemisée de glace à l'orange, l'intérieur étant garni de crème chantilly parfumée à la mandarine.
▶ Recettes : FRAISE, SALADE DE FRUITS, SAUCE.

MAMIROLLE Fromage de lait pasteurisé de vache (40 % de matières grasses), à pâte pressée non cuite et à croûte lavée rouge et lisse (**voir** tableau des fromages français page 390). Le mamirolle se présente sous la forme d'un pain rectangulaire de 15 cm de long et de 5 à 6 cm de côté, pesant de 500 à 600 g ; il a une saveur relevée. Il est fabriqué en Franche-Comté, dans la célèbre école nationale d'industrie laitière, établie à Mamirolle, à l'est de Besançon,

MANCELLE (À LA) Se dit de divers apprêts caractéristiques de la cuisine de la ville du Mans et de sa région, notamment la volaille, les rillettes de porc, le lapin de garenne et une omelette dont les œufs sont mêlés de fonds d'artichaut et de pommes de terre en dés.

MANCHE À GIGOT Pince munie d'une clef à vis et d'une poignée. On y engage l'extrémité de l'os d'un gigot ou d'un jambon pour le maintenir, en serrant la clef, pendant le découpage. Le manche à gigot accompagne généralement le couvert à découper (fourchette et couteau), auquel il est assorti.

MANCHEGO Fromage espagnol AOP de lait de brebis (50 % de matières grasses), originaire de la Manche, à pâte pressée non cuite et à croûte naturelle lavée (**voir** tableau des fromages étrangers page 400). Il se présente sous la forme d'un cylindre de 25 cm de diamètre et de 10 cm d'épaisseur ; il est vendu *fresco*, *curado* ou *viejo* après 5, 20 ou 60 jours de maturation. Sa pâte très grasse, ferme sous le doigt quand il est affiné, parfois piquée de petits trous, a un goût assez fort et âpre. Le manchego *en aceite* est conservé dans de l'huile d'olive.

MANCHETTE Garniture de papier blanc, découpée en forme de grosse papillote, que l'on place, au moment du dressage, sur l'os manchonné – c'est-à-dire dégagé de sa chair – de certaines pièces comme le cuissot de chevreuil, les côtes, le gigot ou le jambon.

MANCHON Petit-four frais, composé d'une cigarette en pâte à biscuit ou en pâte d'amande, fourrée de crème Chiboust ou de crème au beurre pralinée. Les deux bouts du manchon sont trempés dans de la poudre d'amande colorée ou des pistaches hachées.

MANCHONNER Dégager à l'aide d'un couteau à désosser l'extrémité d'un os (côte d'agneau, de bœuf, de veau, pilon de volaille) de façon à soigner la présentation ; on peut ensuite le garnir d'une papillote.

MANDARINE ▶ Fruit du mandarinier, agrume de la famille des rutacées, originaire de Chine (**voir** tableau des mandarines ci-contre et planche des oranges, mandarines et clémentines page 597). Sphère aplatie à ses deux pôles, la mandarine est sucrée et a un parfum très spécifique, mais elle a de nombreux pépins, et la clémentine l'a, hélas, presque totalement remplacée. Peu énergétique (40 Kcal ou 167 kJ pour 100 g), elle est riche en eau (88 %), en potassium (200 mg pour 100 g), en calcium (33 mg), en vitamine C (30 mg) et en acide salicylique. Elle est présente sur les marchés de la mi-décembre à mai. Généralement dégustée nature, elle est également confite et employée en cuisine et en pâtisserie comme l'orange ; on peut relever sa saveur, dans les emplois sucrés, avec du kirsch ou de la vieille fine. Son écorce, quant à elle, sert à élaborer des liqueurs.

gâteau à la mandarine

Piler au mortier 125 g d'amandes mondées, en y incorporant 4 œufs, un par un. Ajouter 4 morceaux d'écorce de mandarine confite finement hachés, ainsi que 125 g de sucre en poudre, 3 gouttes de vanille liquide, 2 gouttes d'essence d'amande amère et 2 cuillerées à soupe de marmelade d'abricot passée au tamis fin. Bien mélanger le tout. Abaisser 300 g de pâte à foncer et en garnir un cercle à flan. Étaler au fond une couche de marmelade de mandarine. Emplir avec la préparation aux amandes. Bien lisser le dessus. Cuire 25 min au four préchauffé à 200 °C. Sortir le gâteau et le laisser refroidir. Passer au tamis 3 cuillerées à soupe de marmelade d'abricot et abricoter le dessus du gâteau. Décorer de feuilles de menthe fraîche, de quartiers de mandarine coupés en deux dans l'épaisseur et d'amandes effilées passées quelques instants sous le gril du four pour les colorer. Mettre au frais. Au moment de servir, dresser le gâteau sur le plat de service et en couper 1 ou 2 parts afin d'apercevoir l'intérieur du gâteau.

mandarines givrées

Décalotter de belles mandarines à écorce épaisse. Les évider sans percer l'écorce. Placer écorces et calottes dans le congélateur. Presser la pulpe, passer le jus et ajouter 300 g de sucre en poudre pour 500 g de jus. Dissoudre ce sucre dans le jus (densité : 1,1799). Faire prendre à la sorbetière, mais en gardant la glace souple. Emplir de glace les écorces de mandarine, les couvrir de leur calotte et les remettre dans le congélateur pour achever la prise de la glace.

rougets à la mandarine et à la purée
de chou-fleur ▶ ROUGET-BARBET

MANDOLINE Ustensile de coupe qui sert à émincer certains légumes (chou, carotte, navet) en julienne, les pommes de terre en frites, en gaufrettes, ou en chips, à trancher finement les fruits, à râper le fromage ou le chocolat, etc. La mandoline est généralement composée d'une planche métallique, d'un jeu de lames et de peignes très tranchants, et d'un poussoir qui permet de se protéger la main. Il en existe de nombreux modèles. À défaut de mandoline, et pour des légumes tendres, on peut utiliser un « couteau à julienne » ou « découpe-julienne », petit appareil muni d'un manche.

Caractéristiques des principales variétés de mandarines et hybrides de mandarines

VARIÉTÉS	PROVENANCE	ÉPOQUE	ASPECT	FLAVEUR
mandarines				
mandarine commune	Italie, Tunisie	début janv.-mi-mars	lisse, jaune, aplati, chair jaune-orangé, nombreux pépins	un peu sucrée, peu acide
dancy (ou lady, morgane, trimble, bijou)	Floride	mi-janv.-mi-mars	piqueté, orange foncé, aplati, chair orange, rares à nombreux pépins	un peu sucrée, peu acide
fortune (clémentine x tangerine)	Espagne, Maroc	mi-févr.-fin mars	lisse, jaune-orangé, sphérique, chair orangée, rares à nombreux pépins	un peu sucrée, peu acide
nova (mandarine commune x tangelo orlando)	Espagne, Maroc	début janv.-fin févr.	lisse, rouge-orangé, sphérique, chair orangée, quelques pépins, peau adhérente	un peu sucrée, peu acide
palazelli (clementina x king)	Italie (Palazelli, Sicile)	janv.-févr.	pôles aplatis, peau bosselée, orangée, cassante, peu de pépins	peu juteuse, peu acide, peu sucrée
satsuma commune	Espagne, Amérique du Sud	début oct.-fin déc.	lisse, vert-jaune, aplatie, chair orangée, sans pépins	peu sucrée, peu acide
satsuma clausellina	Espagne, Amérique du Sud	mi-sept.-fin oct.	lisse, vert-jaune, aplatie, chair orangée, sans pépins	peu sucrée, peu acide
satsuma okitsu	Espagne, Amérique du Sud	mi-sept.-mi-nov.	lisse, vert-jaune, aplatie, chair orangée, sans pépins	peu sucrée, peu acide
tangelos (mandarine x pomelo)				
ellendale (mandarine dancy x pamplemousse duncan)	Amérique du Sud, Afrique du Sud	juill.-sept.	lisse, orange, aplati, chair orange, rares pépins	un peu à très sucrée et acide
minneola (mandarine dancy x pamplemousse duncan)	Israël, Afrique du Sud	mi-janv.-mi-mars	lisse, orange foncé, sphérique avec goulot, chair orange, pépins rares	très peu sucrée, un peu acide
orlando	États-Unis, Israël, Espagne	mi-janv.-mi-mars	piqueté, orange, aplati, chair orange, pépins rares	un peu sucrée et acide
tangors (mandarine x orange)				
murcott	Israël, Amérique du Sud, Afrique du Sud	début mars-mai	lisse, orange foncé, piriforme, aplati, chair orangée, rares à nombreux pépins	un peu sucrée, peu acide
ortanique (tangerine unique x orange)	Espagne, Maroc, Israël	début mars-fin mai	rugueux, orange, piriforme, chair orange, pépins rares	un peu sucrée et acide

MANGANÈSE Oligoélément présent dans les céréales complètes, les noix, le foie et le thé, en faible quantité dans les légumes secs et verts, et pratiquement absent des laitages et des viandes. Le manganèse, nécessaire à l'activité de nombreuses enzymes, joue un rôle important dans le fonctionnement du cerveau, augmente la sécrétion d'insuline et facilite l'assimilation du glucose par les cellules ; il est en outre indispensable pour la croissance des os et des cartilages.

MANGOUSTAN Fruit arrondi et côtelé du mangoustanier, arbre de la famille des clusiacées, originaire de Malaisie. Gros comme une mandarine, il a une peau épaisse et coriace, rouge sombre à maturité, qui recouvre une chair blanche, délicate et très parfumée, contenue dans cinq ou six loges internes. Le mangoustan, ou mangouste, se déguste bien mûr, nature, pelé et coupé en deux. Il entre dans la composition de confitures, de sorbets et de salades exotiques. En Indonésie, on en fait un vinaigre et on extrait de ses graines une huile concrète, le beurre de « kokum ».

MANGUE Fruit du manguier, arbre exotique de la famille des anacardiacées, dont il existe de nombreuses variétés (**voir** planches des fruits exotiques pages 404 et 405 et des légumes exotiques pages 496 et 497). Plus ou moins grosse, ronde, ovoïde ou pointue, la mangue a une peau verdâtre, marbrée de jaune, de rouge ou de violet. Sa chair orangée, juteuse et très parfumée, adhère à un très gros noyau aplati. Fournissant 62 Kcal ou 260 kJ pour 100 g, la mangue est très riche en fer, en provitamine A et en vitamines C et B. Sa pulpe est généralement fondante et sucrée, avec un petit arrière-goût acidulé ;

mais elle peut aussi être filandreuse, avec une saveur de citron, de banane ou encore de menthe.

Originaire de Malaisie et connu en Asie depuis très longtemps, le manguier fut introduit en Afrique, puis en Amérique du Sud, vers le XVIe siècle. En Asie et aux Antilles, on utilise les mangues encore vertes, crues ou cuites, en hors-d'œuvre ou en garniture de viandes et de poissons ; les chutneys aux mangues sont parmi les plus réputés. On trouve des mangues presque toute l'année, en provenance du Brésil (septembre à janvier) ou d'Afrique de l'Ouest (mars à juillet).

Les mangues mûres accompagnent certains plats, mais elles entrent surtout dans des salades composées et servent à préparer sorbets, confitures, marmelades et gelées. Enfin, on les déguste nature, coupées en deux comme un avocat, à la petite cuillère, ou détaillées en tranches épaisses, avec la peau, la pulpe étant découpée en dés, ou encore sans leur peau.
▶ Recettes : CANARD, SORBET.

MANHATTAN Cocktail short drink, aux nombreuses variantes, préparé traditionnellement dans un verre à mélange avec du rye whisky, du vermouth rouge et de l'Angostura bitter, et servi en apéritif, glacé ou sur des glaçons. Il aurait été créé par Jenny Churchill en 1874, à une époque où l'art des cocktails en était encore à ses balbutiements.
▶ Recette : COCKTAIL.

MANIER Travailler un ou plusieurs ingrédients dans un récipient à l'aide d'une spatule pour obtenir une préparation homogène. Cette opération est surtout connue pour réaliser le beurre manié (**voir** BEURRE).

521

MANIÈRE (JACQUES) Cuisinier français (Le Bugue 1923 - Paris 1991). Périgourdin, fou de cuisine, il rejoint la France libre comme officier parachutiste en 1943. Après la guerre, il sera fabricant de conserves alimentaires, puis ouvre son premier restaurant en 1956. Le premier *Pactole* attirera les gourmets à Pantin, avant de déménager, boulevard Saint-Germain. Jacques Manière crée un genre neuf : celui du grand cuisinier autodidacte, frondeur et gouailleur à la Jean Gabin, renvoyant un inspecteur du Guide Michelin venu l'interroger sur les « toilettes à la turque » avec une repartie à la Audiard (« vous êtes venu pour manger ou pour ch… ») ou un client râlant contre un service trop lent à qui il jette un canard avec sa marmite (« tenez le canard, il vole »), mais tout à la fois proposant une cuisine légère et révolutionnaire pour son temps. Il promeut la cuisine à la vapeur dans un ouvrage demeuré célèbre, le *Grand Livre de la cuisine à la vapeur* (1985) et crée quelques-uns des plats emblématiques de la « nouvelle cuisine » des années 1970, comme la salade folle (haricots verts et foie gras émincé) et le foie à la vapeur clouté aux truffes. Après *le Pactole*, que le président François Mitterrand, en voisin de la rue de Bièvre, honore de ses visites, il crée le *Dodin-Bouffant*, place Maubert. Il achèvera sa carrière modestement, aux *Trois Canards*, à Grange-lès-Valence.

MANIOC Plante de la famille des euphorbiacées, dont les racines tubérisées, à chair blanche sous une écorce brune, sont utilisées en légume et pour la fabrication du tapioca (**voir** planche des légumes exotiques pages 496 et 497). Supportant des conditions climatiques extrêmes, les tubercules peuvent rester longtemps dans le sol sans se détériorer. Originaire du Brésil, répandu dans toute l'Amérique du Sud et l'Amérique centrale, le manioc fut introduit en Afrique lors du trafic des esclaves, et il y demeure l'une des bases de l'alimentation (pilé, réduit en semoule, salé ou sucré, en galettes, en bouillies et dans le foutou). Il fut également implanté en Asie.
– Le manioc doux, très énergétique (262 Kcal ou 1 095 kJ pour 100 g), est riche en glucides, mais pauvre en protides, en vitamines et en sels minéraux. Épluchée, lavée et coupée en morceaux, la racine, cuite à l'eau salée et apprêtée comme la pomme de terre, accompagne la viande et le poisson. On en tire aussi une farine qui permet de préparer galettes, gâteaux, pains, potages, ragoûts, ainsi que la *farofa* qui accompagne la feijoada brésilienne (**voir** ce mot).
Les feuilles de l'arbrisseau s'accommodent comme des épinards (brèdes des Antilles).
– Le manioc amer est destiné à l'industrie alimentaire ; la fécule, extraite par centrifugation, cuite, concassée et séchée, donne le tapioca.
Au Brésil, le manioc sert à fabriquer d'une eau-de-vie, le cavim.

MANON Friandise en forme de coque en chocolat garnie d'une crème à base de crème fraîche et de sucre. La crème peut être aromatisée au café, à la pistache, etc. Les manons sont des spécialités belges. Elles sont souvent vendues à part, en dehors des ballotins.

MANQUÉ Gâteau parisien dont l'invention est attribuée à un chef pâtissier célèbre au XIXᵉ siècle, Félix. Ayant « manqué » la préparation d'un biscuit de Savoie, dont les blancs d'œuf avaient grainé, il eut l'idée, pour ne pas perdre la pâte, d'y ajouter du beurre fondu et des amandes pilées, puis de recouvrir le biscuit de praliné après la cuisson.
Son « invention » devint une spécialité si réputée et si courante qu'on inventa un moule spécial, dit « moule à manqué » (**voir** MOULE [USTENSILE]). Aujourd'hui, la recette du manqué s'est quelque peu modifiée, et elle fait partie des grands classiques de la pâtisserie. On peut parfumer le manqué avec des noisettes pilées, des raisins secs, des fruits confits, de l'anis, une liqueur, un alcool, etc., le garnir de crème, de confiture, de fruits confits, ou le glacer au fondant.

pâte à manqué : préparation

Faire fondre 100 g de beurre, sans le laisser colorer. Séparer les blancs des jaunes de 6 œufs. Mettre les jaunes dans une terrine avec 200 g de sucre en poudre et 1 sachet de sucre vanillé. Travailler ce mélange au fouet jusqu'à ce qu'il blanchisse et gonfle, puis ajouter 150 g de farine tamisée en pluie, le beurre fondu et 1/2 verre à liqueur de rhum agricole. Bien remuer afin d'obtenir une préparation homogène. Battre les blancs

d'œuf en neige très ferme avec 1 pincée de sel, puis les incorporer délicatement à la pâte. Aromatiser selon le goût.

manqué au citron

Blanchir le zeste de 1 citron 2 min à l'eau bouillante, puis le rafraîchir à l'eau froide, l'éponger et le tailler en julienne très fine. Couper en petits dés 100 g de cédrat confit. Préparer une pâte à manqué en y ajoutant, juste avant les blancs en neige, le cédrat et le zeste de citron. Cuire le manqué 40 à 45 min au four préchauffé à 200 °C, puis le laisser tiédir, le démouler et le faire refroidir complètement. Fouetter légèrement 2 blancs d'œuf, y incorporer 1 cuillerée à soupe de jus de citron et, peu à peu, du sucre glace, pour obtenir un mélange pouvant s'étaler facilement. Masquer le gâteau avec cette glace et décorer avec des morceaux de cédrat confit.

MANZANILLA Vin espagnol, produit en Andalousie, tout près de Jerez, avec les mêmes raisins (palomino et pedro ximenez) et selon les mêmes méthodes que le xérès, et légalement considéré comme une de ses variétés. Il s'agit pourtant d'un vin différent, plus clair, très sec, qui acquiert couleur et force en vieillissant.
Les tapas accompagnent particulièrement bien la manzanilla que l'on boit dans un verre spécial appelé *catavino*.

MAQUÉE Fromage blanc cru d'origine wallonne de lait de vache présuré et mis à égoutter dans une étamine. Après égouttage, il est légèrement fouetté et devient crémeux. La maquée se déguste étalée sur une tranche de pain, soit salée et accompagnée de radis rouge, soit sucrée et saupoudrée de cassonade.

MAQUEREAU Poisson de la famille des scombridés, qui vit dans l'Atlantique, sur toutes les côtes de l'Amérique du Nord et de l'Europe, en mer du Nord et en Méditerranée (**voir** planche des poissons de mer pages 674 à 677). Il mesure 50 cm au maximum. Le maquereau est pêché toute l'année, en surface l'été et en profondeur l'hiver, mais surtout de mars à novembre, quand il s'approche des côtes. Il se déplace en bancs importants, apparaissant chaque année en des lieux et à des moments précis, en raison de la ponte. Il existe un autre maquereau dénommé le « maquereau espagnol », qui vit plus au sud des côtes européennes. Il est jaunâtre sur les flancs, avec des taches rondes grisâtres. Fragile, il se conserve moins longtemps.
En France, les petits maquereaux, dits « lisettes », très appréciés, proviennent de la Manche, notamment de Dieppe. Les maquereaux « de ligne » sont toujours plus frais et de meilleur goût que les maquereaux « de chalut », qui ont séjourné dans la glace.
Abondants et bon marché, les maquereaux sont aussi de très beaux poissons, fuselés, avec le dos et les flancs bleu acier ou verts rayés de vert sombre, et le ventre argenté à reflets dorés. Lorsqu'ils viennent d'être pêchés, ils sont rigides, avec l'œil brillant et des reflets métalliques.
Le maquereau est un poisson mi-gras (de 6 à 8 % de lipides, un peu plus avant la ponte, un peu moins après). Il se prête à de nombreuses préparations : grillé (accompagné d'une compote de groseille à maquereau), farci, à la provençale, au vin blanc, en soupe (cotriade) ou poché et servi avec une sauce à la moutarde, à la tomate, à la crème. Vers 1885, les Boulonnais eurent l'idée de commercialiser les filets de maquereau marinés au vin blanc et aux aromates, stérilisés en boîte. Cette fabrication a ensuite gagné la Bretagne. On trouve également d'autres conserves de filets de maquereau, diversement aromatisés.

filets de maquereau à la dijonnaise

Lever les filets de 4 gros maquereaux ; les saler, les poivrer et les enduire de moutarde blanche. Éplucher et émincer 2 oignons ; les dorer dans une casserole avec 2 cuillerées à soupe d'huile. Poudrer de 1 cuillerée de farine et mélanger. Verser 15 cl de fumet de poisson et autant de vin blanc sec, remuer, ajouter 1 bouquet garni et cuire de 8 à 10 min. Beurrer un plat allant au four, y déposer les filets et les arroser de la sauce. Porter à ébullition sur le feu, puis cuire 10 min au four préchauffé à 200 °C. Égoutter les filets de maquereau et les dresser dans un plat de service. Retirer le bouquet garni, ajouter un peu de moutarde, rectifier l'assaisonnement et verser la sauce sur les filets. Garnir de rondelles de citron et de petits bouquets de feuilles de persil.

lisette de petit bateau

POUR 10 PERSONNES – PRÉPARATION : 1 h 15 – CUISSON : 23 min

« Mélanger 225 g de farine, 135 g de beurre, 4,5 g de sel, 7,5 g de sucre et 13,5 cl d'eau, puis laisser reposer. Abaisser très finement la pâte et la mouler dans une boîte à sardine vide et graissée. Cuire au four préchauffé à 180 °C pendant 12 min à blanc, avec des haricots secs à l'intérieur pour éviter que la pâte gonfle, puis retirer les haricots. Tailler un petit concombre en dés sans les pépins, puis les blanchir 15 secondes et les rafraîchir. Tailler en dés 400 g de tomates roma. Mélanger les dés de concombre et de tomate, assaisonner de sel et de poivre, ajouter 5 cl de vinaigre de xérès, 5 feuilles de basilic et du raifort râpé. Lever 10 lisettes de 120 g par pièce, les désarêter et les cuire 3 min au four à 160 °C avec une fleur de thym, de l'huile d'olive, 1 gousse d'ail écrasée et 100 g de myrtilles. À la sortie du four, ajouter 25 g d'oignons nouveaux en rondelles et déglacer au vieux vinaigre de xérès. Détailler et rouler 5 feuilles de pâte à brik pour donner la forme d'un couvercle mi-ouvert. Parsemer le dessus de fleur de thym après les avoir huilées. Cuire 5 min au four à 180 °C. Pour finir, garnir la boîte en pâte avec les dés de tomate et de concombre au raifort et poser les lisettes dessus. Placer ensuite le couvercle en pâte à brik et glisser 1 botte de fleur d'ail. Disposer les rondelles d'oignons sur la lisette, ainsi que quelques pluches de cerfeuil et de basilic. »

maquereaux à la boulonnaise

Nettoyer des moules et les faire ouvrir avec un peu de vinaigre sur feu vif. Préparer une sauce au beurre en y ajoutant le jus passé des moules. Vider des maquereaux, les détailler en gros tronçons et les pocher 10 min dans un court-bouillon fortement vinaigré. Égoutter les morceaux de poisson, les dépouiller et les dresser dans un plat long ; tenir au chaud. Décoquiller les moules, en entourer les morceaux de maquereau. Napper le tout de sauce au beurre.

rillettes de maquereau

POUR 4 PERSONNES – PRÉPARATION : 30 min – CUISSON : 15 min

« La veille, lever les filets de 8 gros maquereaux avec un couteau souple en incisant en oblique derrière la tête. Ramener le couteau parallèle à l'arête en taillant jusqu'à la queue. Retourner le poisson et lever le second filet à l'identique. Coucher le filet côté peau sur la planche de travail et ôter les arêtes transversales en divisant les filets en deux. Le jour même, mélanger 3 échalotes ciselées, 50 cl de vin blanc sec, 1 grosse noix de beurre, 2 cuillerées à soupe de crème fraîche épaisse. Saler, poivrer et ajouter les filets de maquereau à cette préparation. Cuire 15 min à couvert. Laisser refroidir et ajouter 2 noix de beurre ramolli. Mélanger le tout à l'aide d'une spatule en bois afin d'émietter et d'en faire une rillette. Mouler dans une terrine et mettre 12 heures au réfrigérateur. Se conserve 5 jours au frais. »

MARACUJA ► VOIR FRUIT DE LA PASSION

MARAÎCHÈRE (À LA) Se dit d'apprêts où interviennent des produits maraîchers. L'appellation s'applique notamment aux grosses pièces de boucherie, rôties ou braisées, garnies de carottes tournées en gousses et glacées, de petits oignons glacés, de tronçons de concombre farcis et braisés, et de quartiers de fond d'artichaut étuvés au beurre. Une autre garniture maraîchère associe des choux de Bruxelles au beurre, des salsifis liés au velouté et des pommes château. La sauce d'accompagnement est soit un déglaçage au jus lié, soit le fond de braisage passé et dégraissé.

► Recette : ŒUF SUR LE PLAT.

MARANGES Vin AOC rouge et blanc de la côte de Beaune. La production des vins rouges, vigoureux et charmeurs, issus du cépage pinot noir, est de 7 000 hectolitres ; celle des vins blancs, nerveux et fruités, issus du cépage chardonnay, est de seulement 310 hectolitres.

MARASME D'ORÉADE Petit champignon, agréablement parfumé, assez abondant dans les prés (où il pousse en cercle, ou « rond de sorcière »), appelé également « faux mousseron » (**voir** planche des champignons pages 188 et 189). Le pied, coriace, ne se consomme pas ; le chapeau se fait sécher. Réhydratés, les marasmes agrémentent omelettes, plats de viande, potages, sauces. Secs et pulvérisés, ils servent de condiment.

MARASQUIN Liqueur préparée par édulcoration de l'eau-de-vie, élaborée avec les noyaux de marasque, variété de cerise amère, originaire de Dalmatie. La ville de Zara (l'actuelle Zadar, en Croatie) en était autrefois un centre de production réputé. Le marasquin sert surtout d'arôme en confiserie et en pâtisserie, mais il est aussi utilisé dans la préparation de certains cocktails.

► Recette : FRUITS RAFRAÎCHIS.

MARBRE Plan de travail traditionnellement en marbre, utilisé par les professionnels de la pâtisserie et de la confiserie pour travailler le chocolat, le sucre et les pâtes, qui nécessitent une certaine fraîcheur. Pour les pâtes délicates (sablée ou feuilletée), on utilise même des marbres réfrigérés par convection. Pour le caramel, on emploie une petite plaque de marbre huilée. Ce matériau présente l'avantage de n'absorber ni la graisse ni l'humidité ; il reste toujours propre et frais (à condition que les acides ne l'attaquent pas). De nos jours, on préfère souvent au marbre des plans de travail en Inox, en granit ou en pierre de Comblanchien.

MARBRÉ Amas de graisse situé entre les muscles (gras intermusculaire), qu'il faut distinguer du persillé représenté par l'infiltration de graisse dans les muscles (gras intramusculaire) [**voir** PERSILLÉ].

MARC Eau-de-vie provenant de la distillation du résidu solide des grappes de raisin pressées, lui-même appelé « marc » : peaux, pépins et rafles sont mis à fermenter, puis distillés dans un alambic à vapeur. La teneur en alcool des éléments eux-mêmes est faible, mais leur richesse en huiles essentielles produit des alcools à l'arôme puissant, titrant jusqu'à 70 % Vol. Les régions productrices de vins donnent chacune des marcs de qualité différente. Ainsi, en France, les marcs de Bourgogne, du Bugey, de Champagne et de Franche-Comté peuvent rivaliser avec les eaux-de-vie de vin des mêmes régions. En cuisine, le marc remplace bien le cognac ou le calvados pour flamber viandes et volailles ; il corse bien les préparations culinaires telles que civet, matelote, voire soupe à l'oignon.

MARCASSIN Jeune sanglier, mammifère de la famille des suidés, âgé de moins de 6 mois (**voir** tableau des gibiers page 421). Jusqu'à 3 mois, son pelage est strié, de la tête aux cuisses, de longues bandes noires : on dit qu'il est « en livrée ».

La chair du marcassin, tendre et savoureuse, n'a pas le goût de fauve de celle de l'adulte. On ne la fait pas mariner. On lève sur l'animal des côtelettes et des escalopes ; le filet donne des rôtis à barder. On cuisine aussi la viande de marcassin en fricassée ou en civet, avec du vin.

côtelettes de marcassin aux coings

« Éplucher et couper en petits dés 100 g de carottes, autant d'oignons, 1 blanc de poireau et 1 branche de céleri. Faire revenir 500 g d'os et de déchets de sanglier avec les légumes, 1 gousse d'ail et 1 petit bouquet garni. Lorsque le tout est bien coloré, verser dans la cocotte 1 bouteille de vin rouge corsé, puis ajouter 10 cl de crème fraîche. Saler, mélanger et cuire 1 h 30. Dégraisser, passer au chinois et laisser réduire pour obtenir environ 30 cl de liquide. Réserver cette sauce. Cuire 400 g de salsifis épluchés et coupés en dés dans de l'eau citronnée ; éplucher et émincer 200 g d'oignons et les cuire 30 min à couvert avec une noix de beurre et 200 g de poires coupées en dés ; ajouter les salsifis cuits et rectifier l'assaisonnement. Beurrer un plat à gratin. Répartir la farce de légumes sur 6 crêpes, rouler celles-ci, les ranger dans le plat et les cuire 15 min au four préchauffé à 200 °C. Couper 300 g de coings épluchés en dés ou en quartiers et les cuire dans de l'eau citronnée, en les maintenant un peu fermes. Cuire 12 côtelettes de marcassin comme des côtelettes de porc, en les gardant un peu rosées. Les recouvrir des coings, arroser d'un trait de rhum. Porter la sauce à ébullition et y incorporer 100 g de beurre en remuant, sur feu doux ; lorsque la sauce est brillante, en napper les côtelettes. Servir celles-ci avec les crêpes fourrées. »

cuissot de marcassin à l'aigre-doux

Mettre à tremper dans de l'eau froide, séparément, 12 pruneaux, 30 g de raisins de Corinthe et 30 g de raisins de Smyrne. Braiser la pièce de marcassin comme un jambon de porc. L'égoutter et la disposer dans un plat allant au four. Passer le fond de braisage, en verser quelques cuillerées sur la viande, la poudrer de 1 cuillerée à soupe de sucre et faire glacer au four. Préparer un caramel avec 4 morceaux de sucre ; ajouter 4 cuillerées de vinaigre de vin et 40 cl de fumet de gibier ; laisser bouillir 10 min, puis passer au chinois. Griller au four 4 cuillerées de pignons, puis les hacher ; les ajouter à la sauce, ainsi que les raisins, les pruneaux égouttés et 24 cerises confites au vinaigre. Au moment de servir, délayer dans cette sauce 30 g de chocolat noir dissous dans très peu d'eau. Lier avec 1 cuillerée à dessert de beurre manié.

MARCELIN Gâteau fait d'un fond de pâte recouvert de confiture de framboise, puis d'un appareil à base d'œufs et de poudre d'amande, et poudré de sucre glace.

MARCHAND DE VIN Se dit d'apprêts cuisinés au vin rouge et aux échalotes, notamment d'un beurre composé qui accompagne les viandes grillées. Les poissons « marchand de vin » sont pochés au vin rouge avec des échalotes ciselées, puis nappés de la cuisson réduite et montée au beurre, et, éventuellement, glacés sous la salamandre.
▶ Recettes : BEURRE, BŒUF.

MARCHESI (GUALTIERO) Cuisinier italien (Milan 1930). Il apprend son métier dans le restaurant paternel, *Il Mercato*, poursuit son apprentissage de 1948 à 1950 au *Kulm* à Saint-Moritz et à l'école hôtelière de Lucerne. Revenu dans l'établissement familial, il s'attache à promouvoir les produits français, sans cesser de plonger au cœur de la tradition italienne et de la renouveler en s'inspirant notamment de Marinetti et du futurisme. Il affine ses connaissances des techniques culinaires françaises chez *Ledoyen* à Paris, puis chez Troisgros à Roanne, avant de repartir les mettre en application en Italie. Il inaugure son restaurant milanais en 1977 où il reçoit immédiatement la première étoile du Guide Michelin, puis la deuxième dès 1978. En 1986, il obtient les premières trois étoiles d'Italie. Amateur d'art et musicien, établi aujourd'hui à l'*Albereta* à Erbusco, il conseille diverses tables en Italie, de Milan à Rome. Il se rend fameux avec des plats provocateurs comme les raviolis ouverts, le risotto or et safran, ou les spaghettis au caviar.

MARCILLAC Vin AOC rouge ou rosé du Sud-Ouest. Le cépage mansoi donne des vins rouges tanniques et colorés et des rosés légers et fruités.

MARCON (RÉGIS) Cuisinier français (Saint-Bonnet-le-Froid 1956). Autodidacte pur, formé chez sa mère, dans son café-auberge à Saint-Bonnet-le-Froid, Régis Marcon a pratiqué un menu à petits prix, puis s'est lancé dans la course aux étoiles. Il est vite devenu le roi de Haute-Loire, essaimant une multitude de bons élèves et de tables exquises autour de lui. Artiste du midi de l'Auvergne, il cuisine le cèpe sous toutes ses formes, l'ail des montagnes, la lentille verte du Puy, imagine même la brochette de ris de veau Margaridou, en hommage à une cuisinière cévenole. Il conquiert le prix Taittinger (1989), puis le

Bocuse d'or (1995) sans jamais abandonner son village. Il obtient la première étoile au Guide Michelin en 1988 dans la demeure familiale, la deuxième en aménageant son *Clos des Cimes*, un hôtel de charme contigu, face aux monts des Cévennes et du Velay. Il reçoit la troisième en 2005, juste avant de déménager sur une hauteur de son petit bourg. Il est aujourd'hui relayé par son fils Jacques (Annonay, 1978), qui est notamment passé chez Frédy Girardet.

MARÉCHAL Se dit de petites pièces de boucherie panées à l'anglaise et sautées. La garniture se compose de bottillons de pointes d'asperge et d'une lame de truffe par élément ; un cordon de sauce chateaubriand ou de jus de veau lié termine l'apprêt, on peut le servir avec un beurre maître d'hôtel. Les poissons « maréchal » sont pochés au vin blanc et au fumet de poisson, avec des champignons et des tomates concassées ; la réduction de la cuisson, montée à la glace de viande et au beurre, constitue la sauce.

MAREDSOUS Fromage belge de type « abbaye », au lait de vache (45 % de matières grasses), à pâte pressée non cuite et à croûte lavée (**voir** tableau des fromages étrangers page 400). Il se présente sous la forme d'un pain ou d'un cube pesant de 0,5 à 2,5 kg. Il a une texture souple et dense et une saveur douce.

MARÉE Ensemble des poissons, crustacés et fruits de mer vendus sur les marchés. La marée fraîche parvenait déjà régulièrement à Paris au Moyen Âge. Au XIIIe siècle, Saint Louis fit ajouter deux bâtiments aux Halles pour le commerce du poisson, qui arrivait de la Manche et de la mer du Nord jusqu'au centre de la capitale, par la voie qui deviendra plus tard le faubourg Poissonnière. Un service spécial de voitures assurait l'approvisionnement en poisson frais (**voir** CHASSE-MARÉE).

MARENGO Nom d'un sauté de veau ou de poulet au vin blanc, à la tomate et à l'ail. La recette originale serait un poulet frit à l'huile, que Dunand aurait cuisiné pour Bonaparte le soir de la victoire remportée par les Français sur les Autrichiens dans le village de Marengo, en Italie, le 14 juin 1800. Le cuisinier du Premier consul n'avait, dit-on, qu'un poulet, quelques œufs et des écrevisses, pas même de beurre ; il fit donc frire la volaille, découpée à cru, à l'huile d'olive avec des tomates et de l'ail, puis la servit garnie d'œufs frits, d'écrevisses troussées et de croûtons dorés. Ces derniers ingrédients ont depuis disparu de la recette.
▶ Recette : SAUTÉ.

MARGARINE Matière grasse inventée en 1869 par le chimiste français Henri Mège-Mouriès, composée à l'origine d'une émulsion de graisses animales et d'eau ou de lait. Les premières margarines étaient solides du fait de leur richesse en acides gras saturés issus des graisses animales puis de l'huile de palme ou de coprah. Grâce au procédé d'hydrogénation qui permet de solidifier les graisses végétales, des huiles végétales comme le tournesol, le soja et le maïs ont pu être utilisées à partir de 1910. La définition actuelle s'applique à « toutes les substances alimentaires autres que le beurre, quelles que soient leur origine, leur provenance et leur composition, qui présentent l'aspect du beurre et sont préparées pour le même usage que celui-ci ». Ce produit doit être conditionné en pains, portant le mot « margarine » ; la présentation en barquette est autorisée depuis 1985.

La margarine est une émulsion d'eau, ou de lait écrémé et d'eau (de 16 à 18 %), et d'un mélange d'huiles animales et végétales, ou uniquement de ces dernières (82 %). Les margarines apportent autant de calories que le beurre (légalement 82 % de matières grasses), mais, contrairement au beurre, elles ne contiennent pas de cholestérol. Les huiles animales proviennent du cachalot et de certains clupéidés (hareng, anchois, sprat), parfois du suif et du saindoux ; les huiles végétales sont des huiles d'arachide, de colza, de coton, de maïs, de soja, de tournesol, de coprah, de palmiste ou de palme. Les margarines où prédominent les huiles de palme et de coprah sont riches en acides gras saturés, celles riches en huile de tournesol contiennent essentiellement des acides gras polyinsaturés. Certains additifs sont autorisés comme le carotène pour donner une jolie couleur au produit.

■ **Emplois.** Ceux-ci sont multiples.

– Les margarines de cuisson sont mixtes ou uniquement végétales ; elles supportent la cuisson, sauf la friture.

– Les margarines à tartiner sont végétales et se rapprochent du beurre tant par la texture que par le goût ; elles se consomment crues, servent en pâtisserie ménagère (notamment pour le feuilletage) et remplacent le beurre pour certains emplois en cuisine comme la cuisson à la poêle. Elles ne doivent pas être utilisées en friture.

– Les margarines professionnelles se différencient par leur consistance et leur point de fusion, en fonction des emplois auxquels elles sont destinées : préparation des pâtes feuilletées, des pâtes levées, des pâtes à croissant, des pâtes à cake ou des crèmes et fourrages.

– Les margarines allégées ont la même composition, mais elles ne contiennent que 41 à 65 % de matières grasses (plus la margarine est allégée en graisses, plus elle est riche en eau).

– Les margarines enrichies en phytostérols, conseillées uniquement en cas de taux de cholestérol élevé, font baisser ce taux, à raison de 20 g par jour. On en trouve pour assaisonnement seul ou pour cuisson et assaisonnement.

MARGARITA Cocktail short drink composé de tequila, de curaçao triple sec et de jus de citron vert. Préparé au shaker, le margarita est servi dans un verre givré au sel fin. Selon la légende, ce cocktail aurait été créé en 1948 à Acapulco par une Mexicaine, Margarita Sames.

▶ Recette : COCKTAIL.

MARGAUX Vin AOC rouge du haut Médoc, issu des cépages cabernet-sauvignon, merlot, cabernet franc et petit verdot. D'une grande finesse aromatique, souple et élégant, il vieillit très bien (**voir** BORDELAIS).

MARGGRAF (ANDREAS SIGISMUND) Savant allemand (Berlin 1709 - id. 1782). Il découvrit, en 1747, que la racine de la betterave contenait une matière blanche, cristallisable, de saveur sucrée. Il pensa que cette substance pourrait remplacer celle produite par la canne à sucre, mais il ne trouva pas d'application pratique à sa découverte. Ce furent d'autres chercheurs (Franz Karl Achard et Benjamin Delessert) qui reprirent ses travaux et mirent au point, au début du XIXe siècle, le sucre de betterave dont il avait eu la prescience.

MARGUERY (NICOLAS) Cuisinier français (Dijon 1834 - Paris 1910). Ancien plongeur chez *Champeaux*, à Paris, il épousa la fille de son patron, puis fit son apprentissage de cuisinier au *Rocher de Cancale* et chez *les Frères provençaux* ; enfin, en 1887, il ouvrit un restaurant à son nom, boulevard Bonne-Nouvelle. Le *Marguery* devint un rendez-vous élégant, cossu et gourmand, célèbre pour sa cave et, surtout, pour ses filets de sole au vin blanc. Marguery a laissé son nom à divers apprêts, notamment des tournedos sautés, dressés sur des fonds d'artichaut.

▶ Recette : SOLE.

MARIAGE Événement à la fois social et religieux au cours duquel le repas de cérémonie occupe une place privilégiée. Selon le Nouveau Testament, c'est aux noces de Cana que Jésus changea l'eau en vin, ce qui montre que, dès la plus haute antiquité, la table était le lieu par excellence où se réunissaient deux familles qui venaient de s'allier.

Lors des repas de mariage seigneuriaux ou royaux d'autrefois, les festivités duraient plusieurs jours. Pour la circonstance, le peuple se voyait offrir viandes rôties, gâteaux et fontaines publiques de vin. À l'occasion de mariages avec des princes ou des princesses venus de pays étrangers, diverses denrées (fruits et légumes d'Italie, chocolat d'Espagne) furent ainsi introduites en France.

Plus près de nous, c'est dans les campagnes, où l'ordinaire fut longtemps assez pauvre et monotone, que le repas de noce durait le plus longtemps, parfois plusieurs jours, et accumulait le plus grand nombre de plats carnés.

Le principal élément qui distingue le repas de noce des autres repas de fête reste le ou les gâteaux, remarquables par leurs dimensions ou par leur quantité.

De nos jours, la pièce montée est souvent de rigueur, mais les pâtisseries nuptiales, jadis plus différenciées, sont encore appréciées. Ainsi, dans le Sud-Est et en Bourgogne, des massepains et des biscuits de Savoie superposés formaient des pièces montées de belle hauteur. Dans les Pyrénées et en Rouergue, le « gâteau à la broche », dentelé et doré, cuit devant l'âtre, était impressionnant. Mais c'est en Vendée que le gâteau de noce est resté le plus extraordinaire : le gâtais, offert par les parrains et marraines des époux, est une énorme brioche, ronde (jusqu'à 1,30 m de diamètre) ou rectangulaire (2,50 m sur 80 cm), pouvant peser 35 kg. La mariée découpe ce gâteau monumental et distribue une part à chaque convive, et autant de portions qu'il y a de parents non présents au mariage. Les rites de partage et de distribution se retrouvent dans toutes les régions. Souvent, le gâteau n'était mangé qu'au bout de quelques jours, dans chaque foyer, pour mieux évoquer le souvenir de la cérémonie. Cette coutume se rapprochait de la tradition britannique qui voulait que des morceaux du *wedding cake*, également découpé par la mariée, soient expédiés par la poste, dans de petites boîtes dorées et décorées, spécialement destinées à cet usage, aux parents et amis éparpillés aux quatre coins de l'empire.

MARIE-BRIZARD Liqueur anisée obtenue à partir de différents végétaux, dont l'anis vert d'Espagne, et d'une vingtaine d'éléments aromatiques. La Marie-Brizard est fabriquée par la société bordelaise du même nom, qui produit également d'autres liqueurs très appréciées dans la préparation des cocktails.

MARIE-LOUISE Nom d'une garniture de pièces d'agneau ou de mouton. Elle est composée soit de pommes noisettes et de fonds d'artichaut garnis d'une duxelles de champignon additionnée de purée d'oignon, avec une sauce obtenue par déglaçage à la demi-glace, soit de tartelettes emplies de petits pois et de petites boules de carotte et de navet.

MARIGNAN Gâteau fait de pâte à savarin, abricoté, nappé de meringue italienne et orné d'un ruban d'angélique figurant une anse de panier.

MARIGNY Nom de divers apprêts, notamment de petites pièces de boucherie sautées, composés soit de pommes fondantes, de petits pois et de bâtonnets de haricot vert (liés au beurre et dressés en tartelette), soit de fonds d'artichaut emplis de grains de maïs à la crème et de petites pommes noisettes. La sauce est obtenue par déglaçage au vin blanc (ou au madère) et au fond de veau lié.

Le potage Marigny se prépare à base de petits pois cuits au consommé blanc, garni de haricots verts, petits pois, chiffonnade d'oseille et cerfeuil.

MARIN (FRANÇOIS) Auteur supposé des *Dons de Comus ou les Délices de la table*, dont la première édition date de 1739. L'ouvrage fut réédité quatre fois et régulièrement augmenté. Sa préface, signée par deux jésuites, les pères Brumoy et Bougeant, constitue un excellent abrégé de l'histoire de la cuisine jusqu'au début du XVIIIe siècle et souligne les progrès accomplis dans l'art culinaire vers la simplification des préparations. Parmi les recettes originales de Marin, il faut citer les « œufs à l'infante » (pochés, nappés d'une sauce au vin de Champagne, à l'orange, à l'ail, à l'échalote), la blanquette de filets de sole, les filets d'agneau à la Condé (piqués de cornichons et d'anchois, masqués d'un hachis de champignon aux aromates et aux câpres, mis en crépine et rôtis), la langue de bœuf aux concombres, le poulet au persil et les laitues de dame Simone (farcies de volaille et de riz).

MARINADE Liquide bien condimenté, dans lequel on laisse baigner plus ou moins longtemps soit des viandes, des abats, du gibier ou du poisson, soit des légumes ou des fruits. La marinade permet d'abord d'aromatiser les éléments, ensuite d'attendrir sensiblement les fibres de certaines viandes et, enfin, de conserver plus longtemps les produits (poissons et légumes surtout). La durée de la marinade dépend de la nature et du volume de la pièce à traiter, ainsi que des conditions extérieures.

– La marinade cuite (à base d'ail, bouquet garni, carotte, échalote, huile, oignon, poivre, queue de persil, sel, vinaigre et vin rouge ou blanc) concerne les viandes de boucherie et la venaison ; tous les ingrédients sont mis à cuire, puis refroidis et versés sur la pièce.

– La marinade crue, qui se prépare dans un récipient en verre, en porcelaine ou en terre vernissée, s'emploie, au contraire, directement.

– La marinade instantanée, toujours crue, se compose d'ingrédients variables selon qu'elle sert à traiter des poissons (citron, huile, laurier, thym), des éléments de beignet ou de fritot (citron, huile, persil, poivre, sel) ou bien des ingrédients pour galantine, pâté, terrine, etc. (cognac, madère ou porto, échalotes, sel, poivre).

En général, on retourne les pièces dans leur marinade, plus ou moins fréquemment, avec une écumoire. Au moment de la préparation culinaire, les viandes et gibiers marinés sont bien égouttés, puis le plus souvent rôtis au four ; la marinade sert ensuite pour le déglaçage ou la confection de la sauce d'accompagnement.

Lorsque les viandes sont traitées en sauce ou braisées, elles sont mouillées totalement ou partiellement avec la marinade.

Au Québec, le mot « marinade » désigne également un condiment de fruits et de légumes marinés dans du vinaigre épicé et aromatisé, que l'on appelle en France du nom anglais de « pickles ».

marinade crue pour éléments de pâté et de terrine

Saler, poivrer et saupoudrer de quatre-épices tous les éléments à mariner. Ajouter un peu de fleur de thym et 1 feuille de laurier émiettée. Arroser de cognac ou d'armagnac, ainsi que d'un trait de madère ou de porto. Laisser reposer 24 heures à couvert et au frais.

marinade crue pour grosse viande de boucherie et gibier

Saler, poivrer et saupoudrer de quatre-épices la pièce à mariner. La mettre dans une terrine juste assez grande pour la contenir. Ajouter 1 gros oignon et 2 échalotes hachés, 1 carotte émincée, 2 gousses d'ail écrasées, 2 ou 3 queues de persil, 1 brindille de thym, 1/2 feuille de laurier grossièrement hachée, 1 clou de girofle. (Pour une daube, ajouter 1 morceau d'écorce d'orange séchée.) Recouvrir complètement de vin rouge ou blanc et d'un peu de vinaigre, selon la recette, additionnés de 1 verre à liqueur de cognac et d'un peu d'huile. Couvrir et laisser mariner au frais de 6 heures à 48 heures en retournant la viande 2 ou 3 fois.

marinade cuite pour viande de boucherie et venaison

Faire suer à l'huile, jusqu'à légère coloration, 1 gros oignon et 2 échalotes hachés, et 1 carotte émincée. Recouvrir de vin rouge ou blanc (selon la recette) et d'un peu de vinaigre. Ajouter 2 ou 3 queues de persil, 1 brindille de thym, 1/2 feuille de laurier grossièrement hachée, 1 branche de céleri, 1 gousse d'ail, des grains de poivre, 1 clou de girofle, des baies de genièvre, des graines de coriandre, quelques aiguilles de romarin et du sel. Porter à ébullition et laisser frémir 30 min. Faire alors refroidir rapidement cette marinade, puis la verser sur la pièce. Ajouter une légère pellicule d'huile, couvrir et conserver au frais.

marinade cuite pour viande en chevreuil

Hacher grossièrement 75 g d'oignons, 75 g de carottes, 2 belles échalotes, 3 ou 4 branches de céleri (effilées) et 1 gousse d'ail. Faire colorer légèrement ce mélange à l'huile, en y ajoutant 1 cuillerée à café de persil haché, un peu de thym émietté, 1 clou de girofle, 1 fragment de feuille de laurier, du poivre du moulin, un peu de basilic et une pincée de romarin en poudre. Mouiller de 3/4 de litre de vin blanc et d'un verre de vinaigre blanc, et cuire doucement 30 min. Laisser refroidir complètement avant de verser sur la pièce salée et poivrée.

marinade instantanée pour poissons grillés

Saler et poivrer toutes les pièces à mariner et les arroser d'huile. Ajouter quelques tranches de citron pelé à vif et parsemer d'un peu de fleur de thym et de laurier pulvérisé. Laisser mariner 10 min environ.

MARINER Mettre à tremper dans un liquide aromatique un ingrédient pendant un temps déterminé, pour l'attendrir et le parfumer. Cette pratique culinaire est très ancienne : vin, vinaigre, eau salée, herbes et épices permettaient non seulement d'adoucir le goût très fort du gibier, mais aussi de conserver plus longtemps des pièces de viande. Aujourd'hui, on fait mariner les aliments surtout pour les parfumer, les aromatiser ou renforcer leur saveur.

Diverses traditions gastronomiques font appel à ce procédé : dans les pays méditerranéens, pour les légumes et les poissons (sardines, charmoula, thon, achards, rougail, poivrons ou oignons marinés, champignons à la grecque) ; dans les pays nordiques, pour l'oie (salée et marinée, en Suède), la langue de bœuf à l'écarlate, le jambon, les quetsches (au vinaigre), les maquereaux (marinés au vin blanc), etc. ; en Inde, pour de nombreux ingrédients, marinés au lait caillé et aux épices ; au Japon et au Pérou, pour le poisson cru, mariné au citron (sashimi et ceviche).

▶ **Recettes :** BROCHETTE, CÈPE, COQUILLE, HARENG, POISSON.

MARINETTI (FILIPPO TOMMASO) Écrivain italien (Alexandrie 1876 - Bellagio 1944), fondateur du futurisme, mouvement d'avant-garde artistique lancé à Paris en 1909. Les futuristes s'attaquaient à l'académisme et prônaient un art plus adapté au XX siècle. Ils se sont exprimés dans les domaines les plus divers de la création, et même en cuisine. En publiant à Turin *la Cuisine futuriste*, ils voulaient défier la tradition en mettant notamment à l'index les pâtes alimentaires par la célèbre formule : « *Basta la pastacciutta.* » Les recettes du manifeste sont basées sur des associations insolites qui privilégient cependant davantage les formes et les couleurs que les goûts.

MARINIÈRE (À LA) Se dit de poissons, de crustacés ou de coquillages cuits au vin blanc, généralement avec des oignons ou des échalotes, et, en premier lieu, des moules, dont le fond de cuisson, décanté, est ensuite lié au beurre manié. La sauce marinière est une sorte de sauce Bercy préparée au jus de moule, et la garniture marinière comporte toujours des moules, parfois aussi des queues de crevette. La cuisson à la marinière s'applique aussi aux langoustines et aux écrevisses, aux grenouilles et à divers fruits de mer utilisés en garniture de croûte, de timbale, de bouchée, etc.

RECETTE DE FRÉDY GIRARDET

marinière de petits coquillages au cerfeuil

POUR 4 PERSONNES

« Brosser et laver séparément 1 litre de moules, 500 g de coques et 500 g de praires dans plusieurs eaux. Faites-les ouvrir séparément : faire suer la moitié d'une échalote hachée dans 10 g de beurre, ajouter les coquillages, 1 bouquet garni (thym, persil et laurier) et 10 cl de vin blanc. Couvrir et attendre environ 2 min en secouant la casserole deux ou trois fois. Égoutter les coquillages en récupérant le jus de cuisson puis les décoquiller à moitié. Réunir les 3 jus de cuisson des coquillages et les filtrer dans une casserole à travers une passoire tapissée d'une étamine (ou de gaze) mouillée et essorée. Porter à feu vif et faire réduire de moitié. Préparer les pluches de 3 brins de cerfeuil et les réserver au frais, à l'abri de l'air. Pour finir, réchauffer le jus des coquillages réduit et le lier en incorporant au petit fouet 70 g de beurre. Dès que tout le beurre est absorbé, retirer du feu, poivrer généreusement et rectifier si nécessaire l'assaisonnement en sel. Répartir les différents coquillages dans 4 assiettes creuses chaudes ; les napper avec le bouillon beurré et parsemer de pluches de cerfeuil. »

---

moules marinière ▶ MOULE
sauce marinière ▶ SAUCE

MARIVAUX Nom d'une garniture pour grosses pièces de boucherie rôties, saucées de fond de veau lié et accompagnées, d'une part, de haricots verts au beurre, d'autre part, de croustades ovales en appareil à pommes duchesse, dorées au four et remplies d'une brunoise de carotte, de céleri, de fond d'artichaut et de champignon (fondue au beurre, liée à la béchamel), puis gratinées avec du parmesan râpé.

MARJOLAINE Plante aromatique de la famille des lamiacées, originaire d'Asie, à la saveur plus douce que celle de l'origan (**voir** planche des herbes aromatiques pages 451 à 454). La marjolaine est surtout employée dans la cuisine méditerranéenne et orientale : pizza, daube à la romaine, sauce tomate, brochettes d'agneau grillées, goulache, poisson au four, etc. Elle accompagne les légumineuses et les vinaigrettes. On en tire en outre une huile essentielle parfumée, utilisée dans l'industrie alimentaire.

MARMELADE Préparation de fruits, laissés entiers ou coupés en morceaux, macérés 24 heures dans du sucre et cuits avec celui-ci jusqu'à avoir la consistance d'une purée (1 kg de sucre pour 1 kg de fruits). Dans une marmelade, les fruits ne sont plus identifiables, à la différence de la confiture. Depuis 1981, une directive européenne réserve la dénomination « marmelade » aux seules préparations à base d'agrumes ; mais, en cuisine ménagère, on peut préparer des marmelades avec tous les fruits.

RECETTE DU *DICTIONNAIRE PORTATIF DE CUISINE* (1770)

marmelade de jasmin

« Éplucher puis piler finement au mortier 250 g de fleurs de jasmin. Passer la purée au tamis. Faire cuire 750 g de sucre (1,070 au pèse-sirop) et y délayer à chaud la purée de jasmin. Mettre en pots. »

---

marmelade d'orange

Éplucher 16 grosses oranges et 2 citrons, les peser, les peler en retirant les filaments blancs, les défaire en quartiers. Retirer la partie blanche de la moitié des écorces et couper celles-ci en lamelles très fines. Verser fruits et écorces taillées dans une bassine et ajouter un poids d'eau égal à celui des oranges et des citrons. Laisser tremper 24 heures. Verser le tout dans la bassine à confiture et cuire jusqu'à ce que les fruits s'écrasent facilement. Retirer du feu ; peser un récipient assez grand pour contenir les fruits cuits, y verser ceux-ci, peser le tout, en déduire le poids des fruits et attendre 24 heures. Remettre les fruits dans la bassine à confiture avec un poids égal de sucre, porter à ébullition et cuire 5 ou 6 min. Mettre en pots.

---

marmelade de pomme

Peler des pommes, les couper en quartiers et les peser. Pour 500 g de pulpe, peser 300 g de sucre cristallisé ; verser les pommes et le sucre dans une bassine à confiture et ajouter 2 cuillerées à soupe d'eau. Cuire doucement jusqu'à ce que les pommes s'écrasent facilement. Les passer au tamis au-dessus d'une terrine. Remettre la purée dans la bassine, porter à ébullition en remuant sans arrêt et cuire jusqu'à ce que la marmelade ait atteint une température de 106 °C (densité 1,2899). Mettre en pots.

---

marmelade de prune

Dénoyauter des prunes, peser la pulpe et compter 750 g de sucre cristallisé par kilo de pulpe. Mettre les fruits dans une bassine à confiture avec 10 cl d'eau par kilo de fruits ; porter à ébullition et cuire 20 min en remuant à la spatule de bois. Passer les fruits et leur jus au moulin à légumes ; remettre cette purée dans la bassine et ajouter le sucre. Cuire jusqu'à ce que la marmelade nappe la cuillère (104 °C). Mettre en pots.

MARMITE Récipient cylindrique à poignées latérales, muni d'un couvercle, dont la hauteur est au moins égale au diamètre. En raison de sa grande contenance (jusqu'à 50 litres), la marmite est utilisée pour cuire à l'eau de grandes quantités d'aliments (bœuf à la ficelle, coquillages et crustacés, pâtes, pot-au-feu, soupe, etc.). Les cuisines des restaurants et des collectivités utilisent même des marmites dites « à bouillon », d'une telle capacité (de 100 à 500 litres) qu'elles sont munies à la base d'un robinet de vidange. Les marmites sont en terre,

en fonte (émaillée ou non), en aluminium, en acier inoxydable ou en cuivre étamé intérieurement. Les plus hautes sont appelées « pot-au-feu », les plus basses, « faitouts ». La « huguenote » est une marmite en terre montée sur des pieds très bas (**voir** PETITE MARMITE).

MARMITE PERPÉTUELLE (LA) Établissement installé rue des Grands-Augustins, à Paris, à proximité de l'ancien marché de la volaille, et très réputé à la fin du XVIIIe siècle. On y préparait des chapons et de la viande de bœuf, bouillis dans du consommé, que l'on pouvait manger sur place ou emporter. On dit que le feu ne s'éteignait jamais sous la marmite et que plus de trois cent mille volailles se seraient ainsi succédé dans un bouillon que le propriétaire, Deharme, se contentait de rallonger chaque jour.

MAROC La cuisine marocaine, originale et parfois complexe, a su marier une multitude d'influences : berbère, égyptienne, espagnole, française, juive. Les repas quotidiens sont souvent composés d'un plat unique et copieux, qui peut être une soupe *(harira)* associant viande, ou volaille, ou poisson avec des légumes. Relevés par des mélanges subtils d'épices (ras el-hanout), mijotés pendant des heures dans le tagine ou cuits à la vapeur *(chaoua)*, ceux-ci acquièrent une saveur et un fondant étonnants.

■ **Mille parfums.** Le raffinement de la cuisine marocaine tient notamment aux multiples épices, condiments et aromates qu'elle utilise : ail, anis, cannelle, cantharide, cardamome, carvi, coriandre, cumin, curcuma, eaux de rose ou de fleur d'oranger, macis, menthe, noix de muscade, oignon, persil, piment, poivre, réglisse, safran, sésame, thym, etc. Cette cuisine doit aussi beaucoup aux associations de goûts (sucré/salé) : tagine de mouton aux coings et au miel, tagine aux oignons et aux amandes, etc. Les Marocains font par ailleurs un grand usage du citron confit, que l'on retrouve dans de nombreux plats comme le tagine de poulet, aux citrons confits et aux olives.

Sur les côtes, on mange presque tous les jours du poisson (dorade, pageot, rouget, sardine, thon, etc.). Celui-ci est mariné, puis grillé, comme les sardines à la charmoula, ou farci (dorade farcie au riz et aux épices), ou bien encore cuit au four comme la *tagra*. Quant au couscous – parfois servi avec du poisson –, il est généralement garni de viande de mouton ou de volaille, mais souvent de façon plus simple que dans les autres pays du Maghreb : une seule sorte de viande accompagnée de nombreux légumes (comme le couscous *Bidaoui*, qui propose un assortiment de sept légumes – aubergine, carotte, chou, navet, poivron, potiron, tomate) et, parfois, de deux sortes de bouillon.

Au Maroc, l'art de préparer la pâte feuilletée atteint son summum avec la pastilla, qui alterne de très fines couches de pâte feuilletée, des amandes et une farce faite de volaille (pigeon ou poulet) ou de bœuf, hachés et épicés, le tout saupoudré de cannelle et de sucre. Fourrée aux amandes avec de la crème pâtissière, la pastilla est également un dessert. Le principe est le même pour les *briouats*, chaussons de pâte feuilletée farcis de viande hachée ou d'amandes et de miel.

■ **Pâtisseries et boissons.** Les pâtisseries marocaines sont moins sirupeuses que celles des autres pays méditerranéens : on y trouve toujours des amandes et du sucre, mais les desserts sont souvent plus secs (corne de gazelle, couscous sucré à la cannelle).

Les boissons les plus appréciées sont les jus de fruits (citronnade, orangeade, jus de pastèque, lait aux amandes ou eau parfumée très légèrement à la fleur d'oranger), sans oublier le thé à la menthe, véritable institution qui rythme la journée et qui est le symbole de l'hospitalité.

■ **Vins.** Colonie romaine dans l'Antiquité, le Maroc était alors un gros producteur de vins, expédiés en grande partie vers Rome. Mais, au début du VIIIe siècle, le pays s'étant converti à l'islam (qui interdit de consommer des boissons fermentées), les vignobles produisant du vin ne furent plus exploités et on ne conserva que les vignes destinées au raisin de table. Ce n'est qu'au début du XXe siècle, après l'établissement du protectorat français, que le vignoble se reconstitua. Aujourd'hui, le Maroc, bien que musulman, consomme la moitié de sa production vinicole, le reste – des vins de coupage – étant exporté vers les pays de l'Union européenne. Le vignoble couvre 12 000 ha.

La plupart des vins marocains sont rouges ou rosés, le climat convenant mal aux vins blancs, qui ont tendance à madériser.

Les agréables vins gris de Boulaouane et d'El Jadida, à la fois secs et fruités, sont considérés comme les meilleurs vins du pays. Tous les vins exportés doivent titrer au moins 11 % Vol.

MAROCAINE (À LA) Se dit de noisettes de mouton ou d'agneau sautées, dressées sur des petits socles de riz pilaf légèrement safrané et nappées d'un déglaçage du fond de cuisson au coulis de tomate. Ce plat est accompagné de courgettes en dés sautées à l'huile et, éventuellement, de poivrons farcis de volaille et braisés.

MAROILLES OU **MAROLLES** Fromage AOC de lait de vache (45 % de matières grasses) à pâte molle et à croûte lavée, rouge-orangé, lisse et brillante (**voir** tableau des fromages français page 390). Le maroilles, en forme de pavé plat, est produit en Avesnois-Thiérache (Nord et Aisne) et se présente en quatre formats : le gros ou quatre-quarts (12,5 cm de côté pour 5,2 cm de haut et 720 g), le moyen ou sorbais (11,5 cm de côté pour 4,2 cm de haut et 540 g), le mignon (10,5 cm de côté pour 3,8 cm de haut et 350 g) et le petit ou quart (8 cm de côté pour 3,6 cm de haut et 180 g). Il possède une pâte souple et onctueuse ; la croûte, lisse et brillante, a une couleur rouge à orangé, obtenue par le « ferment du rouge ». Il entre dans des recettes régionales comme la flamiche.

MARQUER Réunir et disposer dans un ustensile de cuisson tous les ingrédients nécessaires à la confection d'un mets. Ainsi, la préparation d'une mirepoix, d'une part, et la réunion, d'autre part, d'un corps gras, de farine, de concentré de tomate et d'un liquide de mouillement permettent de « marquer » une sauce tomate. Marquer une pièce à braiser, c'est la placer dans un récipient graissé, foncé de couennes, de carottes et d'oignons.

MARQUISE Nom de divers desserts, qui doivent sans doute leur nom au raffinement qui les caractérise. La marquise au chocolat est un entremets, intermédiaire entre la mousse et le parfait ; à base de chocolat, de beurre très fin, d'œufs et de sucre, elle est moulée à froid et servie avec une crème anglaise à la vanille ou une chantilly. Les marquises sont aussi des sortes de granités, généralement à la fraise, à l'ananas ou au kirsch, que l'on additionne, au moment de servir, d'une chantilly très ferme. On appelle aussi « marquise » soit une dacquoise au chocolat, soit une génoise (ou un biscuit aux amandes) fourrée de crème pâtissière au chocolat et glacée au fondant au chocolat.

Enfin, la marquise était autrefois une boisson rafraîchissante, faite de vin blanc ou de champagne sucré et additionné d'eau de Seltz, que l'on servait glacée avec des tranches de citron très fines.

cerises déguisées dites « marquises » ▶ CERISE

marquise au chocolat

Casser en petits morceaux 250 g de chocolat noir et le faire fondre tout doucement à couvert au bain-marie. Faire fondre d'autre part 175 g de beurre sans le laisser colorer. Séparer les blancs et les jaunes de 5 œufs ; ajouter aux jaunes 100 g de sucre en poudre et travailler le mélange au fouet jusqu'à ce qu'il blanchisse et mousse ; lui incorporer le chocolat et le beurre fondus ; bien mélanger le tout. Fouetter les 5 blancs d'œuf en neige très ferme, avec 1 pincée de sel, et les ajouter délicatement à la préparation au chocolat. Passer sous l'eau froide un moule à manqué (ou à charlotte) et y verser la préparation, en tassant bien. Mettre 12 heures dans le réfrigérateur avant de démouler.

MARRON ▶ VOIR **CHÂTAIGNE**

MARRON GLACÉ Marron confit au sucre, dégusté en friandise ou utilisé en pâtisserie. Une fois leurs deux peaux retirées, les marrons sont cuits à l'eau 1 à 2 heures pour attendrir leur chair. Maintenus dans une mousseline, ils sont ensuite confits pendant 7 jours dans un sirop de sucre et de glucose légèrement vanillé à une température constante de 60° C. Après avoir été égouttés, ils sont enrobés d'une fine pellicule obtenue avec le sirop de confisage et du sucre glace. Ils sont emballés individuellement dans des feuilles d'aluminium « or » et se conservent dans le bas du réfrigérateur.

RECETTE DE *LA MAISON DU CHOCOLAT*, À PARIS

gâteau aux marrons et au chocolat

« Couper une génoise au chocolat en trois abaisses. Porter à ébullition pendant 3 min 20 cl d'eau avec 150 g de sucre ; hors du feu, ajouter 1 cuillerée à soupe de rhum. Imbiber les trois abaisses de ce sirop, refroidi. Porter à ébullition 15 cl de lait ; y verser 250 g de chocolat amer râpé et remuer jusqu'à ce que le mélange soit lisse et onctueux. Ajouter 25 g de beurre, puis 25 cl de crème liquide montée en chantilly. Napper la première abaisse de génoise de cette mousse au chocolat. Laisser un peu durcir et couvrir de la deuxième abaisse. Mélanger 200 g de pâte de marron avec 50 g de beurre mou. Battre vivement et incorporer 1 cuillerée à soupe de rhum flambé, puis 30 cl de crème liquide montée en chantilly. À l'aide d'une palette, étaler cette mousse aux marrons sur le biscuit. Disposer 75 g de débris de marrons glacés dans la mousse et recouvrir avec la troisième abaisse. Mettre le gâteau 1 heure au réfrigérateur. Porter à ébullition 20 cl de lait avec 20 g de sucre. Ajouter 150 g de chocolat amer râpé, puis 25 g de beurre. Bien mélanger et laisser tiédir. Recouvrir le gâteau de cette ganache, décorer de quelques marrons glacés et réserver au frais. »

MARSALA Vin de dessert, le plus connu des vins de liqueur italiens, produit aux alentours de Marsala, port situé à la pointe occidentale de la Sicile. Le marsala est fait avec un vin blanc aromatique, le passito, auquel on ajoute de l'eau-de-vie. On obtient ainsi le marsala *vergine,* qui est blanc, très sec, et titre 17 ou 18 % Vol. Plus ou moins additionné de sirop de raisin, qui lui donne une teinte brune et un goût de caramel, il devient *superiore* ou *italia,* selon sa douceur. Il est aussi utilisé en cuisine (piccata de veau, sabayon).

MARSANNAY Aux portes sud de Dijon, l'AOC marsannay ouvre la marche des crus de la côte de Nuits. Bien que remarqué pour ses vins rouges, issus du cépage pinot noir, et ses rares vins blancs, issus du cépage chardonnay, les vins rosés produits ici, floraux et gourmands à souhait, restent très appréciés.

MARTINIQUE ▶ VOIR ANTILLES FRANÇAISES

MARTIN (GUY) Cuisinier français (Bourg-Saint-Maurice 1957). Savoyard, formé au goût dans la cuisine de sa mère, il travaille sur « le tas » dans une pizzeria d'Annecy, puis au *Faisan doré,* aux *Roches fleuries* à Cordon, au *Brasero* à Tignes et au *Graciosa* à La Plagne, avant de découvrir sa vérité dans l'ouvrage *Gastronomie pratique* d'Ali-Bab. Il sera chef au bord du Léman, au château de Coudrée, au château de Divonne, avant de monter à Paris au *Grand Véfour,* auquel il rend (en 2000) sa troisième étoile au Guide Michelin. On lui doit de nombreux ouvrages dont *Légumes* (2000), *Toute la cuisine* (2003), *la Route des étoiles* (2006). Des plats comme le fromage de tête au pied de porc et sa gelée de raifort ou le fameux persillé d'artichaut au beaufort, qui a fait école, indiquent qu'il n'a jamais oublié ses racines.

MARYSE Petite spatule en matière souple, avec un côté arrondi et l'autre à angle droit, servant à racler les récipients. Elle est parfois appelée « ramasse-pâte » ou « lécheuse » en Suisse. La Maryse sert aussi à mélanger avec douceur des blancs d'œuf ou de la crème fouettée avec d'autres ingrédients dans nombre de recettes de dessert.

MASA HARINA Servant à l'élaboration des tortillas (**voir** ce mot), produit incontournable du Mexique et d'Amérique du Sud, la masa harina est une fine farine de maïs, obtenue en faisant bouillir les grains avec de la chaux. Dépouillés de leur enveloppe, ceux-ci sont ensuite moulus. Cette farine donne aux tortillas une légère acidité.

MASCARPONE Fromage frais italien, à la saveur douce, légèrement aigre, d'une texture compacte et d'une couleur blanc nacré. Il est élaboré à partir de crème de lait de vache (parfois de bufflonne) chauffée à 90 °C, additionnée d'une solution d'acide citrique, qui favorise la coagulation. Riche en matières grasses (de 50 à 80 %), le mascarpone peut être associé à des légumes, mais il se marie surtout avec les fruits, le miel, le chocolat, les biscuits et entre dans la composition de nombreux desserts : tartes, gâteaux, mousses, crèmes glacées, sorbets. Enfin, il est un ingrédient essentiel du tiramisu. Le mascarpone se conserve au réfrigérateur et doit être consommé rapidement après ouverture.

▶ Recettes : FRAISE DES BOIS, MILLE-FEUILLE.

MASCOTTE Gâteau composé d'une meringue aux amandes et d'une génoise imbibée de kirsch ou de rhum, fourrée de crème au beurre pralinée (ou parfumée au café), puis masquée de la même crème et recouverte de pralin ou d'amandes effilées grillées et parfois caramélisées.

MASCOTTE (À LA) Nom d'une garniture pour petites pièces de boucherie et volailles sautées, composée de pommes cocotte et de fonds d'artichaut escalopés, avec quelques lamelles de truffe et, parfois, des petites tomates étuvées entières. La sauce s'obtient par déglaçage au vin blanc et au fond de veau lié. L'appellation « à la mascotte » aurait été créée par un chef du XIXᵉ siècle en hommage à la Mascotte, une opérette d'Edmond Audran datant de 1880.

MASKINONGÉ Nom amérindien de la plus grande espèce de brochet, propre aux lacs du Canada (notamment au Québec, dans l'Ontario et le Manitoba). De couleur variable, le maskinongé arbore toujours de légères rayures. Il peut atteindre 1,80 m pour 32 kg à 30 ans. Extrêmement combatif, il constitue une prise de choix pour les pêcheurs, qui le gardent pour leur consommation personnelle.

MASQUER Couvrir entièrement une préparation, en une couche lisse, de beurre, d'une crème, d'une sauce, d'une gelée, ou d'un autre mélange assez consistant, sucré ou salé (masquer un canapé de beurre d'anchois, une génoise de crème au beurre, un œuf poché de sauce béarnaise, etc.).

On masque aussi le fond d'un plat avec une préparation ou des ingrédients divers que l'on étale régulièrement.

MASSE Appareil ou pâte servant à la réalisation d'une pâtisserie. On prépare ainsi une « masse meringuée » pour confectionner un vacherin. Parmi les « masses à biscuit », certaines sont travaillées à chaud (génoise), d'autres à froid (biscuit roulé, biscuit de Savoie).

MASSÉNA Nom d'un apprêt de tournedos ou de noisettes d'agneau sautés, déglacés à la sauce Périgueux, accompagnés de fonds d'artichaut et garnis de lames de moelle de bœuf pochées.

Les fonds d'artichaut servent aussi de support pour les œufs mollets ou pochés Masséna, saucés de béarnaise et surmontés également d'une lame de moelle.

▶ Recette : BŒUF.

MASSENET Nom d'une garniture pour grosses et petites pièces de boucherie, composée de pommes Anna cuites dans des moules à dariole, de petits artichauts remplis d'un salpicon de moelle et de haricots verts au beurre ; la sauce est le fond de cuisson de la pièce ou une demi-glace au madère.

Le patronyme du célèbre compositeur français baptise également divers apprêts d'œufs, garnis de pointes d'asperge et de fonds d'artichaut.

▶ Recette : ŒUF BROUILLÉ.

MASSEPAIN Petite confiserie à base d'amandes pilées, de sucre et de blancs d'œuf, colorée, aromatisée et façonnée diversement, en général glacée au sucre ou pralinée.

Le massepain a peut-être été mis au point par des religieuses, les ursulines d'Issoudun. Dispersées pendant la Révolution, celles-ci ouvrirent alors une pâtisserie dans la ville. Au milieu du XIXᵉ siècle, la renommée des massepains d'Issoudun gagna la cour de Russie, les Tuileries et même le Vatican (Napoléon III et Pie IX en étaient friands). Balzac en fit l'éloge dans la Rabouilleuse, dont l'action passe à Issoudun.

On appelle aussi « massepains » des petits articles de confiserie à base de pâte d'amande, colorée et moulée en forme de fruits, de légumes et de sujets divers, qui constituent une spécialité dans la région d'Aix-en-Provence, de même qu'en Castille, Sicile et Allemagne.

_____

massepains

Piler au mortier 250 g d'amandes douces et 2 ou 3 amandes amères mondées en les mouillant de temps en temps avec un peu d'eau froide. Les mettre dans un poêlon en cuivre avec 500 g de sucre en poudre, 1 pincée de vanille en poudre et quelques gouttes d'eau de fleur d'oranger. Faire dessécher sur feu doux, en remuant avec une cuillère de bois. Remettre la pâte dans le mortier et la broyer de nouveau au pilon. La poser sur un marbre et la travailler à la main pour la lisser en y incorporant une petite poignée de sucre fin passé au tamis de soie. L'abaisser sur une épaisseur de 2 cm ; la placer sur du pain azyme et la découper à l'emporte-pièce. Ranger les motifs sur une plaque garnie d'une feuille de papier sulfurisé et laisser sécher à four très doux (120 °C).

RECETTE DU *CONFITURIER ROYAL* (1692)

massepains communs

« Prenez 3 livres d'amandes douces et pelez-les dans de l'eau chaude ; égouttez-les et essuyez-les ; après quoi, vous les pilez dans le mortier de marbre, en les arrosant de temps en temps de blanc d'œuf, afin qu'elles ne deviennent point en huile. Quand elles seront parfaitement bien pilées, vous clarifierez 1 livre et demie de sucre que vous ferez cuire à la plume ; ensuite, vous jetterez vos amandes dedans et incorporerez le tout ensemble avec la gâche ou spatule, frottant au fond et partout avec soin, de peur qu'il ne s'attache à la poêle (poêlon), quoique hors du feu. Vous connaîtrez que votre pâte sera faite en touchant du revers de la main, si rien ne s'y attache. Alors vous tirerez de la poêle et la mettrez sur une planche, y poudrant du sucre en poudre, dessus et dessous, et la laisserez reposer et refroidir. Pour la travailler, vous en étendrez des abaisses d'une épaisseur raisonnable, sur lesquelles vous découperez vos massepains avec des moules, les faisant bomber doucement du bout du doigt sur les feuilles de papier, pour les faire cuire. On ne leur donne le feu que d'un côté et on les glace ensuite de l'autre, que l'on fait cuire de même. Il s'en fait de longs, d'ovales, de ronds, de frisés, en cœur, etc. »

MASSIALOT (FRANÇOIS) Cuisinier français (1660-1733). Officier de bouche de personnages illustres (le frère du roi, les ducs de Chartres, d'Orléans et d'Aumont, le cardinal d'Estrées et le marquis de Louvois), il publia anonymement, en 1691, le Cuisinier royal et bourgeois ; son nom n'apparut que lors de la réédition de l'ouvrage, en 1712. On lui doit également une Instruction nouvelle pour les confitures, les liqueurs et les fruits (1692). Ces deux ouvrages, peu connus du public, mais tenus en très haute estime par les cuisiniers professionnels du XVIIIᵉ siècle, exercèrent une influence certaine sur l'évolution de la cuisine. On peut retenir, parmi ses recettes, une poularde aux olives vertes et aux fines herbes, une hure de saumon en ragoût au vin blanc, avec du verjus, des câpres et des champignons, ainsi que des « benoiles » (pets-de-nonne parfumés à l'eau de fleur d'oranger et servis très chauds, poudrés de sucre).

MATAFAN OU **MATEFAIM** Grosse crêpe épaisse et nourrissante, sucrée ou salée, que l'on confectionne en Bourgogne, en Bresse, dans le Lyonnais, en Franche-Comté, en Savoie et dans le Dauphiné. Son nom vient de l'espagnol mata hambre, « tue la faim ».

_____

matafan bisontin

Délayer dans du lait 5 cuillerées à soupe de farine, 1 œuf entier et 2 jaunes d'œuf, un peu de sucre en poudre, 1 pincée de sel et 1 cuillerée à café d'huile de faine. Parfumer cette pâte au kirsch et la laisser reposer 1 heure à la température ambiante. Faire fondre un peu de beurre dans une poêle ; lorsqu'il est bien chaud, y verser de la pâte et la laisser s'étendre en inclinant rapidement la poêle dans tous les sens pour éviter qu'elle ne colle. Quand la crêpe est cuite d'un côté, la retourner et faire dorer l'autre côté.

matefaim savoyard

Préparer une pâte à crêpes avec 125 g de farine, 20 cl de lait, 4 œufs entiers, du sel, du poivre et un peu de muscade râpée. Incorporer alors 1 cuillerée à soupe de beurre fondu. Faire fondre 20 g de beurre dans une poêle épaisse et y verser la pâte en inclinant la poêle rapidement dans tous les sens pour éviter qu'elle ne colle. Cuire doucement jusqu'à ce que le dessus de la crêpe ne coule plus. La retourner dans une tourtière beurrée, la parsemer largement de gruyère râpé et mettre 5 min au four préchauffé à 280 °C.

MATÉ Arbrisseau originaire d'Amérique du Sud, de la famille des aquifoliacées, appelé « houx du Paraguay » et « yerba mate ». Ses feuilles séchées, torréfiées et pulvérisées donnent, en infusion, une boisson tonique, riche en caféine, qui porte aussi le nom de « maté », ou « thé des jésuites ».

Cette infusion, largement consommée au Brésil et plus encore en Argentine, est parfois parfumée avec du citron, du lait ou de l'alcool.

MATELOTE Étuvée de poisson (généralement d'eau douce : anguille, carpe, brocheton, truite, alose, barbeau) préparée au vin rouge ou au vin blanc avec des aromates. La matelote est une recette courante dans les pays de la Loire et du Rhône, en Languedoc et en Aquitaine, jusqu'à Hendaye. Divers apprêts régionaux en sont des savoureuses : bouilleture, catigot, meurette, pochouse. Il existe aussi une matelote de poissons de mer, apprêt typique du littoral normand, qui se prépare avec du turbot, du grondin, du congre, de la barbue, etc. ; elle est d'abord flambée au calvados, puis cuite au cidre, liée au beurre et additionnée de crevettes et de moules ou d'huîtres.

Par extension, le mode de préparation en matelote (à l'origine, « plat de matelots ») concerne aussi la cervelle, le sauté de veau et les œufs durs ou pochés. Les matelotes ont généralement pour garniture des petits oignons, des champignons et des lardons, parfois des écrevisses au court-bouillon, et des croûtons frits.

matelote d'anguille à la meunière

Dépouiller 1 kg d'anguilles et les couper en tronçons. Les faire raidir avec 60 g de beurre, puis les flamber avec 1 verre à liqueur de marc. Ajouter 2 oignons, 1 branche de céleri et 1 carotte, épluchés et finement émincés. Mouiller de 1 litre de vin rouge. Saler et ajouter 1 bouquet garni, 1 gousse d'ail épluchée et écrasée, 1 clou de girofle, 4 ou 5 grains de poivre, du sel. Porter à ébullition et maintenir celle-ci très doucement 20 min. Préparer 24 petits oignons glacés et les tenir au chaud, puis dorer dans du beurre 250 g de champignons émincés. Quand les tronçons d'anguille sont cuits, les égoutter et les tenir au chaud. Passer la cuisson au mixeur et la lier avec 1 cuillerée à soupe de beurre manié. Remettre le poisson dans la sauce, ajouter les champignons et laisser mijoter 5 min. Faire frire 12 petits croûtons. Verser la matelote dans un plat creux, ajouter les oignons glacés et garnir de croûtons frits. On peut ajouter au moment de servir une vingtaine de petits lardons blanchis et dorés au beurre.

RECETTE DE PAULE CASTAING

matelote Charles Vanel

« Tuer, dépouiller, ébarber et tronçonner 2,5 kg d'anguilles du Rhône. Préparer une mirepoix fine (oignon, blanc de poireau, céleri, carotte, ail) ; la faire revenir à l'huile d'olive. Mouiller de 2 litres de très bon vin rouge plutôt épais. Ajouter les têtes et les parures des anguilles, 1 bouquet garni et si possible quelques arêtes de poisson d'eau douce, et faire réduire de moitié. Cuire 25 min. Passer ce fond sur les tronçons d'anguille, saler, poivrer et cuire 10 min à forts bouillons. Sortir les tronçons d'anguille. Les ranger dans un plat et réserver au chaud. Réduire le fond de cuisson de moitié. Préparer une garniture de petits oignons, cuits et glacés, de lardons grillés et de têtes de champignon. Tenir au chaud. Dans une casserole à fond épais, réduire à sec deux grands verres du vin déjà utilisé. Verser dessus le fond d'anguille. Lier avec 50 g de beurre et 3 filets d'anchois dessalés réduits en purée. Bien remuer la sauce, sans laisser bouillir. En napper les tronçons d'anguille et disposer la garniture autour du plat. Décorer de croûtons frits légèrement aillés et d'écrevisses troussées. »

---

matelote de poissons à la canotière

POUR 4 À 6 PERSONNES

Beurrer un plat à sauter et le tapisser de 150 g d'oignons émincés et de 4 gousses d'ail écrasées. Y disposer pour 1,5 kg de carpe et d'anguille détaillés en morceaux de même grosseur, avec 1 gros bouquet garni, ajouter 5 cl de cognac, faire flamber. Mouiller de 50 cl de vin blanc sec et 50 cl de fumet de poisson. Porter à frémissements et pocher 25 min à feu doux. Égoutter les morceaux de poisson. Les mettre dans une autre sauteuse ; ajouter 125 g de petits champignons cuits et 125 g de petits oignons glacés. Réduire des deux tiers le bouillon de cuisson des poissons, le lier de beurre manié et finir avec 150 g de beurre. En mouiller le poisson et faire mijoter doucement. Dresser la matelote dans un grand plat rond et creux. Garnir éventuellement d'écrevisses cuites au court-bouillon et de petits goujons panés en manchons et frits.

sauce matelote ▶ SAUCE

MATÉRIEL À RISQUES SPÉCIFIÉS (MRS) Organe ou tissu d'origine animale, retiré de la consommation et détruit, car présentant un risque de contamination pour l'homme par l'encéphalopathie spongiforme bovine et la tremblante du mouton et de la chèvre (**voir** tableau des matériels à risques spécifiés ci-contre).

MATIÈRE GRASSE Corps gras alimentaire d'ajout utilisé en cuisine et en pâtisserie comme graisse de cuisson, condiment ou assaisonnement, comme ingrédient de base ou complémentaire, ou encore comme moyen de conservation.

■ **Types de matières grasses.**

• CORPS GRAS SOLIDES. Ils comprennent le beurre, corps gras « noble » par excellence mais inadapté à la friture, la margarine et les graisses végétales qui, elles, supportent les hautes températures.

Parmi les graisses animales, également solides, on emploie surtout le saindoux et le lard, notamment comme corps gras de cuisson ; la graisse de veau sert d'ingrédient pour nombre de farces et apprêts de cuisine ; les graisses de rognon de bœuf et de mouton, appréciées en Grande-Bretagne, ont des emplois plus limités ; la graisse d'oie, d'importance régionale, convient pour les confits, mais aussi pour les ragoûts, les sautés et les grillades. Mis à part la graisse d'oie, riche en acides gras insaturés, les autres matières grasses d'ajout sont riches en graisses saturées ; c'est pourquoi on recommande de limiter leur consommation.

• CORPS GRAS LIQUIDES. Ils comprennent principalement les huiles extraites de la cacahouète, de l'olive, de la noix, du colza, de l'œillette, du sésame, etc. Elles sont riches en acides gras, excepté l'huile de palme ou de coprah. Ces huiles interviennent soit comme graisse de cuisson (en particulier pour les fritures lorsqu'elles le supportent), soit comme condiment, ou comme agent de conservation (**voir** HUILE).

La crème fraîche, enfin, s'emploie surtout comme ingrédient et condiment.

■ **Choix.** Certaines matières grasses ne s'utilisent que cuites (saindoux, Végétaline), d'autres connaissent des emplois crus ou cuits (beurre, certaines huiles), d'autres enfin ne supportent aucune cuisson du fait de leur richesse en acides gras insaturés qui les rend fragiles (huile de noix ou d'amande).

Le choix d'un corps gras dépend bien sûr d'abord de son goût (l'huile de noix, la graisse d'oie, le beurre frais confèrent une saveur particulière à l'apprêt cuisiné), mais aussi de sa température de décomposition (de 130 °C pour le beurre jusqu'à 220 °C pour l'huile d'arachide).

Diverses matières grasses sont liées à des traditions culinaires bien précises : beurre de karité en Afrique, huile de sésame en Asie, smeun en Afrique du Nord, ghee en Inde, graisse de rognon de bœuf en Grande-Bretagne. Par ailleurs, les matières grasses sont également des composants importants de certains aliments (**voir** LIPIDE).

En cuisine, les apprêts sont dits « au gras » quand ils contiennent des éléments carnés, et « au maigre » lorsqu'ils sont à base de poisson ou de légumes.

MATIGNON Fondue de légumes préparée au gras ou au maigre (avec ou sans jambon), employée comme garniture aromatique dans divers apprêts braisés ou poêlés.

Le mot désigne aussi une garniture pour pièces de boucherie, composée de fonds d'artichaut farcis de fondue de légumes, poudrés de chapelure et gratinés, accompagnés de laitues braisées, avec parfois une sauce au madère ou au porto.

appareil à matignon

Pour un appareil au maigre, éplucher et tailler en paysanne 125 g de rouge de carotte, 50 g de céleri-branche et 25 g d'oignon. Les faire étuver doucement au beurre puis déglacer avec 10 cl de vin blanc ou de madère. Ajouter 1 brindille de thym, 1/2 feuille de laurier et faire réduire presque à sec. Pour un appareil au gras, ajouter à la préparation précédente 100 g de maigre de jambon cru détaillé en petits dés.

filet de bœuf à la matignon ▶ BŒUF

MATURATION Transformation lente que subit un produit brut ou élaboré pour pouvoir être consommé ou donner lieu à une fabrication ultérieure.

La maturation d'une viande de boucherie ou d'un gibier consiste à les laisser attendre pendant un certain temps : la chair qui vient d'être abattue passe ainsi de l'état de viande « pantelante » (encore chaude) à celui de viande « rigide », puis à celui de viande « rassise », plus tendre et plus savoureuse, les nerfs étant détendus et les muscles relâchés. Cette transformation prend également le nom de « mortification » (**voir** FAISANDAGE). Elle s'effectue dans un endroit frais et aéré, et dépend surtout de la température ambiante. La viande de bœuf, par exemple, demande théoriquement une maturation de 3 à 4 semaines à – 1,5 °C, 15 jours à 0 °C, 2 jours à 20 °C ou 1 jour à 43 °C. En pratique, cette opération s'effectue en chambre froide à 2 °C pendant 5 ou 6 jours, mais une maturation à l'air libre de quelques jours en été, d'une semaine en hiver, produit les mêmes effets.

La maturation des fromages correspond à la dernière phase de leur fabrication, après la coagulation et l'égouttage (**voir** AFFINAGE).

MAULTASCHEN Gros raviolis allemands, originaires de la Souabe, farcis à la viande et aux épinards, relevés de marjolaine, de muscade et d'oignon, et pochés dans un bouillon de viande. Les Maultaschen constituent le plat traditionnel du vendredi. Ils garnissent une soupe de légumes, avec de la ciboulette et des oignons rissolés, ou un pot-au-feu. On les sert aussi soit gratinés sous une couche d'oignons sautés, soit rissolés avec de la chapelure, à la sauce tomate, ou encore en garniture d'omelette.

MAURESQUE Boisson du sud de la France, préparée avec un mélange de sirop d'orgeat (amandes broyées dans de l'eau, fleurs d'oranger et sucre) et de pastis.

MAURY Vin AOC doux naturel, issu pour au moins 50 % de grenache noir et souvent vinifié par longues macérations, qui, en vieillissant, exhale des arômes de cacao, café et fruits cuits (**voir** ROUSSILLON).

MAUVE Plante de la famille des malvacées, très commune dans les champs, les haies et sur les bords des chemins. Il en existe une vingtaine d'espèces, répandues dans le monde entier. En France, la variété la plus connue est la grande mauve, qui peut atteindre 1 m de hauteur. On utilise ses fleurs et ses feuilles, qui contiennent un abondant mucilage aux propriétés émollientes et pectorales, notamment en infusion ; elle entre dans la composition de la tisane des quatre-fleurs.

MAXIM'S Restaurant de la rue Royale, à Paris. L'établissement fut créé en 1893 par Maxime Gaillard, qui travaillait dans un café voisin, et son ami Georges Everaert. Grâce à l'appui financier du président du syndicat des distillateurs, d'un boucher et d'un marchand de champagne, les deux hommes en firent un café-glacier à l'enseigne de *Maxim's et George's*.

Le cuisinier et le maître d'hôtel de Maxime Gaillard, Henri Chauveau et Eugène Cornuché, lui succédèrent. Ce dernier, qui avait fait ses classes chez *Durand*, place de la Madeleine, amena au *Maxim's* – à la suite de Max Lebaudy, richissime industriel du sucre – une clientèle de snobs qui avaient déjà leurs habitudes dans l'immeuble, où *le Club* de la rue Royale occupait le premier étage.

Le local fut remis à neuf dans le goût « modern style » et devint le rendez-vous des milliardaires, des princes et des chanteurs d'opéra. Les plus célèbres « cocottes » de 1900 trônèrent dans l'« omnibus », petite salle surnommée « le saint des seins », où seuls étaient admis les *happy few*.

Liste des matériels à risques spécifiés retirés des circuits alimentaires

MATÉRIELS À RISQUES SPÉCIFIÉS	BŒUF	MOUTON, CHÈVRE
cervelle et yeux	crâne (sauf la mandibule), cervelle des bovins âgés de plus de 12 mois	crâne : y compris les yeux, sauf cervelle des animaux âgés de moins de 6 mois ; yeux et cervelle des animaux âgés de plus de 6 mois ; yeux et cervelle des animaux nés ou élevés au Royaume-Uni, quel que soit leur âge
amygdales	quel que soit leur âge	animaux quel que soit leur âge, y compris ceux nés ou élevés au Royaume-Uni
moelle épinière	bovins âgés de plus de 12 mois	animaux âgés de plus de 12 mois
rate	–	animaux quel que soit leur âge
intestins	ensemble des intestins, du duodénum au rectum, plus le mésentère des bovins quel que soit leur âge	uniquement l'iléon des animaux quel que soit leur âge
colonne vertébrale, y compris les ganglions rachidiens (à l'exclusion des vertèbres caudales, des apophyses épineuses et transverses, des vertèbres cervicales, thoraciques et lombaires, de la crête sacrée médiane et des ailes du sacrum)	bovins âgés de plus de 24 mois (dérogation permettant la sortie de l'abattoir en vue du retrait dans les ateliers de découpe agréés ou dans les boucheries autorisées)	–

Source : Ministère de l'Agriculture, DGAL (liste évolutive depuis 1996, mise à jour le 1er janvier 2006).

Racheté en 1907 par une société anglaise, puis, après la Première Guerre mondiale, par Oscar Vaudable, et enfin par le couturier Pierre Cardin dans les années 1980, *Maxim's* poursuit une carrière brillante. Chaque jeudi (sauf le dernier ou les deux derniers de chaque mois) s'y déroulent les déjeuners du club des Cent.

Plusieurs plats illustres ont été créés au *Maxim's* par de grands chefs : la selle d'agneau Belle Otéro, le soufflé Rothschild et les filets de sole Albert (dédiés au maître d'hôtel Albert Blazer, qui y régna pendant cinquante ans).

MAXIMIN (JACQUES) Cuisinier français (Rang-du-Fliers 1948). Formé dans la demeure familiale de ses parents dans le Pas-de-Calais et au Touquet, il se retrouve à *l'Hermitage* à La Baule, sous les ordres de Christian Willer, puis sur la Côte d'Azur, avec Roger Vergé au *Moulins de Mougins* et Jo Rostang à *la Bonne Auberge* d'Antibes. Il prend en mains, à vingt-huit ans, les fourneaux du *Négresco* à Nice, rénovant la cuisine du palace qui s'endormait. Élu Meilleur Ouvrier de France 1979, il fait figure de chef d'école et donne au style maison les couleurs et les saveurs du marché du cours Saleya (titre de son premier livre de recettes) et y obtient deux étoiles au Guide Michelin, avec des plats comme la courgette-fleur farcie aux truffes, les petits farcis niçois au beurre de basilic, le tian d'agneau aux aubergines. Il ouvre ensuite un restaurant dans un ancien théâtre de Nice, puis s'installe dans sa maison à Vence. Il a également publié des livres sur les légumes et sur les tartes.

MAYONNAISE Sauce émulsionnée froide, à base de jaune d'œuf, de moutarde, de vinaigre, d'huile, de sel et de poivre. En doublant la quantité de moutarde (avant ou après l'émulsification à l'huile), elle se transforme en rémoulade.

Certains en attribuent l'invention au duc de Richelieu, qui, ayant pris aux Anglais et aux Prussiens Port-Mahon (île de Minorque) le 28 juin 1756, aurait baptisé « mahonnaise » cette sauce qu'il fut (lui ou son cuisinier) le premier à réaliser.

D'autres assurent que son nom est lié à celui de la ville de Bayonne, dont elle aurait été une spécialité. Le cuisinier Antonin Carême, quant à lui, prétendait que le terme dérivait du verbe « manier » et l'appelait la « magnonnaise » ou « magnionnaise ». Enfin, Prosper Montagné suggéra que le mot était « une déformation populaire de *moyeunaise*, dérivant de l'ancien français *moyeu* signifiant jaune d'œuf ».

Des ingrédients complémentaires, incorporés dans une mayonnaise simple, permettent d'obtenir une gamme très variée de sauces dérivées : andalouse, italienne, tartare, verte, cambridge, indienne.

Pour que l'émulsion soit réussie, tous les ingrédients doivent être à la même température ; certains suggèrent de laisser reposer quelques minutes le jaune dans la moutarde avant d'ajouter l'huile. On peut éventuellement remonter une mayonnaise tournée en lui incorporant petit à petit un nouveau jaune d'œuf, un peu de moutarde, quelques gouttes de vinaigre ou d'eau. On ne la réserve jamais dans le réfrigérateur, mais dans un endroit frais.

La mayonnaise est servie en saucière pour accompagner des mets froids ; elle peut aussi être employée comme élément de décor (dressée à la poche à douille cannelée) ou encore comme assaisonnement, par exemple dans la salade russe et les macédoines salées que l'on appelle parfois aussi, par extension, « mayonnaises » (**voir** COCKTAIL [HORS-D'OEUVRE]). Collée à la gelée, elle sert à napper et à enrober des articles froids, ou à lier une salade.

mayonnaise classique

Réunir dans un saladier (qui ne soit ni en argent, ni en cuivre, ni en cuivre étamé) 4 ou 5 jaunes d'œuf, selon leur grosseur, 2 cuillerées à soupe de moutarde blanche, quelques gouttes de vinaigre non coloré, du sel fin, du poivre de Cayenne ou du poivre blanc. Mélanger au fouet tous ces ingrédients, qui doivent être à température ambiante. Incorporer 1 litre d'huile, également à température ambiante, en filet, en fouettant énergiquement. On ajoute souvent en cours de réalisation quelques gouttes de vinaigre, de citron ou d'eau pour rompre la consistance parfois trop ferme et éviter que la mayonnaise ne tourne. On peut ensuite l'aromatiser.

mayonnaise collée

Préparer 10 cl de gelée de viande et la laisser refroidir. Avant qu'elle ne se solidifie, lui ajouter au fouet 25 cl de mayonnaise. Employer la sauce avant qu'elle ne prenne. Elle peut être aromatisée comme la mayonnaise classique.

MAZAGRAN Tasse haute, de forme conique, dans laquelle on sert le café et certains entremets glacés. À l'origine, le café servi dans un mazagran était froid, additionné d'eau-de-vie ou de rhum, et présenté avec des glaçons et une paille.

MAZAGRAN (ENTRÉE) En cuisine classique, petite entrée chaude, faite d'une tartelette en appareil à pommes duchesse, remplie d'un hachis ou d'un salpicon, comme ceux des bouchées, croustades et rissoles, et recouverte de pommes duchesse avec une poche à douille cannelée ; les mazagrans, cuits à four chaud, sont démoulés et servis avec une sauce correspondant à leur garniture. Les grands mazagrans se préparent dans un moule à manqué.

MAZARIN Gâteau composé de deux fonds à dacquoise séparés par une couche de mousse pralinée. Autrefois, le mazarin était une génoise très épaisse, évidée au centre en cône, puis garnie de fruits confits au sirop, et recouverte du cône renversé et glacé au fondant ; le gâteau était décoré de fruits confits. Par ailleurs, au XIXe siècle, le cuisinier Jules Gouffé baptise « mazarin » un gâteau en pâte levée, fourré d'une crème au beurre additionnée de petits dés de cédrat confit.

MAZARINE (À LA) Se dit de petites pièces de boucherie garnies de champignons de Paris et de fonds d'artichaut emplis d'une jardinière de légumes étuvée au beurre, ainsi que de croquettes de riz ornées de quenelles.

MAZIS-CHAMBERTIN Ce grand cru rouge AOC, issu du cépage pinot noir, est tout aussi digne que ses grands voisins : il a des arômes de sous-bois ; il est subtil, harmonieux et très raffiné au palais.

MAZOYÈRES-CHAMBERTIN Grand cru AOC, cousin direct de la noble famille Chambertin. Ces vins ne manquent ni de présence tannique, ni d'un fruité épanoui.

MÉCHOUI Plat de festin maghrébin, et plus généralement arabe, dont la cuisson est traditionnellement surveillée par les hommes. Le méchoui traditionnel est constitué par un agneau ou un mouton entier, vidé, condimenté intérieurement et rôti en plein air à la broche au-dessus des braises d'un feu de bois. Ce mets (*kharouf machwi* en arabe) est également préparé avec un petit chameau, une gazelle ou un mouflon. Le baron (**voir** ce mot) peut également être cuit à la broche comme un méchoui.

méchoui

Choisir un agneau gras de 1 an au maximum. Le dépouiller en laissant la tête attachée. Fendre le ventre, dans le sens de la longueur, sur 30 cm environ, à la hauteur des reins : vider l'animal par cette ouverture, en retirant les viscères, à l'exception des rognons. Laver l'intérieur, puis le saler avec une poignée de sel fin, y introduire 250 g de beurre, un peu de poivre et quelques oignons hachés menu, ou bien un gros bouquet de menthe fraîche, de thym et de romarin. Refermer l'ouverture en la maintenant avec une brochette de bois placée en oblique. Enduire l'agneau de beurre fondu, le saler, le poivrer et l'embrocher de la tête à la queue sur une perche bien pointue, assez longue pour dépasser largement des deux côtés. Attacher les pattes avant le long du cou avec un morceau de boyau ; étirer celles de l'arrière le long de la broche et les maintenir également avec du boyau. Creuser dans le sol une fosse longue de 1 m et profonde de 50 cm environ ; y allumer du feu, en prévoyant une réserve de bois suffisante pour alimenter toute la cuisson. Enfoncer à chaque extrémité un chevalet de bois en X et placer l'agneau embroché au-dessus de la fosse. Le faire tourner lentement, pour qu'il soit exposé au feu entièrement et de façon régulière. L'enduire de beurre

« La base d'une meringue réussie est d'ajouter aux blancs d'œuf montés en neige deux fois leur poids en sucre.
Il n'est pas rare que les chefs, comme ceux de l'école FERRANDI PARIS et de POTEL ET CHABOT, montent
les meringues au fouet à main, à la force du poignet. Couchées avec des poches à douille autorisant
toutes les fantaisies, les meringues prennent alors les formes les plus inattendues. »

à l'aide d'un pinceau quand une partie semble être sur le point de brûler. Sortir l'agneau lorsqu'il ne laisse plus filtrer de gouttelettes de jus rose quand on le pique avec la pointe d'un couteau et que sa peau est bien croustillante. Offrir les rognons, selon la tradition, à l'hôte de marque. La coutume voulant que le méchoui se mange avec les doigts, prévoir des rince-doigts d'eau tiède parfumée à la rose ou au citron. Mettre à la disposition des convives du sel, du cumin en poudre, du piment. Accompagner de couscous ou de boulghour et de pois chiches.

MÉDAILLON Morceau de forme ronde ou ovale, plus ou moins épais, détaillé dans une viande (grenadin, filet de volaille, noisette, tournedos), un poisson ou un crustacé, voire du foie gras (escalope). Les médaillons de veau ou de volaille se font sauter ou poêler et sont servis chauds ou froids. Les médaillons composés sont réalisés avec un appareil à croquette, façonnés en palets de 70 g environ, panés à l'anglaise, sautés au beurre clarifié et dressés en turban.

▶ Recettes : LOTTE DE MER, VOLAILLE.

MÉDIANOCHE Mot espagnol (signifiant « minuit ») désignant autrefois un repas « gras » pris au milieu de la nuit, au moment où le « maigre » de la veille prenait fin. Ce terme finit par désigner un repas fin pris à une heure très tardive, tel le réveillon de la Saint-Sylvestre. De nos jours, on ne parle plus que de « souper ».

MÉDICIS Nom d'un apprêt de noisettes d'agneau ou de tournedos sautés, dont il existe deux versions.

L'une comprend une garniture de tartelettes remplies de macaronis et de truffes coupés en dés, liés à la purée de foie gras, et de petits pois au beurre, accompagnée d'un jus lié.

L'autre se compose de fonds d'artichaut garnis de petits pois, de carottes et de navets en toutes petites boules, de pommes noisettes et de sauce Choron nappée sur la viande.

MÉDOC Vin AOC rouge de Bordeaux, issu des cépages cabernet-sauvignon, merlot, cabernet franc et petit verdot. Produit sur la rive gauche de la Gironde, il est joliment bouqueté, rond et souple, ou ferme et charpenté, selon les terroirs (**voir** BORDELAIS).

MÈGE-MOURIÈS (HIPPOLYTE) Savant français (Draguignan 1817 - Neuilly-sur-Seine 1880). Chargé par Napoléon III de mettre au point, pour la marine, un corps gras bon marché et de longue conservation, Mège-Mouriès obtint en 1869, à partir du suif, une graisse qu'il baptisa « margarine » en raison de son apparence nacrée (du grec *margaron*, « perle »). Plus tard, on fabriqua la margarine (**voir** ce mot) avec des huiles végétales.

MÉLANGER Réunir des ingrédients solides ou liquides dans un ustensile de préparation et les mêler pour confectionner un appareil, une pâte, un salpicon. Le mélange se réalise à la main (pâtes feuilletée, brisée, sablée), à l'aide d'un instrument (spatule, mouvette, fouet, fourchette, couverts) ou à la machine (robot, mixeur, moulin). Lorsqu'il s'agit d'ajouter à une préparation des éléments fouettés (blancs d'œuf, crème fraîche), on doit « mélanger délicatement » avec une spatule de bois, pour « couper » la pâte en conservant à l'apprêt toute sa légèreté. Au contraire, certains mélanges se font « grossièrement », pour garder une certaine texture à l'apprêt (farce, terrine).

MÉLASSE Résidu non cristallisable de la fabrication du sucre de canne ou de betterave, se présentant comme une substance brune, visqueuse et dense.

La mélasse de première extraction est pâle et très sucrée ; à l'extraction suivante, elle est plus foncée et moins sucrée ; à la dernière extraction, elle est noire, très nutritive, avec une saveur âcre. Une fois le jus sucré chauffé et concentré plusieurs fois, on sépare le sucre cristallisé de la mélasse, qui contient encore 50 % de poids de sucre, ainsi que de l'eau, des sels minéraux et des matières azotées. L'industrie de la « sucraterie » (désucrage de la mélasse) permet de récupérer une partie de ce sucre ; elle est surtout pratiquée en Allemagne et en Italie.

Seule la mélasse de canne, « mélasse noire », est vendue au détail pour les emplois domestiques (tarte à la mélasse et cuisine à l'aigre-doux) ; elle est un des supports de fermentation alcoolique pour la fabrication du rhum. Longtemps utilisée au Québec à la place du sucre, elle entre dans la préparation des fèves au lard et de la tarte à la ferlouche.

La mélasse de betterave sert de façon analogue à la production d'alcool industriel ; elle donne également des levures de panification et permet diverses fermentations microbiennes (acides aminés, vitamines, etc.).

▶ Recette : TIRE.

MELBA Nom de divers apprêts dédiés à une célèbre cantatrice australienne du XIXe siècle, Nelly Melba. Le plus connu d'entre eux est la pêche Melba, créée par le cuisinier Escoffier en 1892, alors qu'il était chef au *Savoy*, à Londres, où Nelly Melba chantait *Lohengrin* : il fit servir des pêches pochées sur un lit de glace à la vanille, dans une timbale d'argent enchâssée entre les ailes d'un cygne taillé dans un bloc de glace et recouvert d'un voile de sucre filé.

Ce n'est qu'en 1900, pour l'inauguration du *Carlton* de Londres dont il dirigeait les cuisines, qu'Escoffier inscrivit les pêches Melba sur un menu, mais elles étaient alors nappées de gelée de groseille et sans cygne. Aujourd'hui, l'entremets glacé appelé « pêche Melba » se compose classiquement d'une coupe masquée de glace à la vanille, sur laquelle on place des demi-pêches mondées, pochées au sirop et nappées de gelée de groseille.

Melba est aussi le nom d'une garniture pour petites pièces de boucherie, composée de tomates farcies.

▶ Recette : PÊCHE.

MÉLISSE Plante aromatique de la famille des lamiacées, que son odeur citronnée fait aussi appeler « citronnelle » (**voir** planche des herbes aromatiques pages 451 à 454). La mélisse sert à préparer l'eau des Carmes, cordial qui contient de l'alcool de mélisse. On l'utilise également, surtout en Allemagne, pour la cuisson des volailles et des champignons, et pour la préparation de potages et de farces ; elle relève aussi les viandes blanches et les poissons. Mais c'est en pâtisserie qu'elle intervient le plus, dans des gâteaux et des entremets à base d'orange ou de citron. Elle est aussi excellente en infusion.

MELON Légume de la famille des cucurbitacées, qui, selon les variétés et les régions, peut être récolté vert ou mâture (**voir** tableau des melons ci-contre et planche page 536). Dans le premier cas il est peu sucré et consommé cru comme le concombre, cuit ou confit dans le vinaigre comme un cornichon. Ces melons peuvent être allongés et dépasser 1,20 m ; ils se trouvent maintenant sur tous les continents. Parmi les fruits récoltés mûrs, il existe des variétés à chair orangée, verte ou blanche. En France, le type charentais (cantaloup) est le plus cultivé (80 %). Il est sphérique, de taille moyenne et il est orné de bandes vert foncé. Sa chair est orangée, sucrée, fondante et parfumée.

Originaire d'Afrique tropicale et subtropicale, connu depuis l'Antiquité, le melon fut introduit tardivement en France à la fin du XVe siècle, par Charles VIII, qui le rapporta, lors des guerres d'Italie, de Cantalupo, domaine voisin de Rome appartenant à la Papauté. À cette époque, la culture se développa surtout dans le comtat Venaissin et le Sud.

Sous Louis XIV, La Quintinie améliora les variétés dans le potager du roi à Versailles. Parmi les hommes célèbres, amateurs de melon, on compte notamment Henri IV et Alexandre Dumas.

La production française, pour l'essentiel et par importance décroissante, se situe principalement dans les Deux-Sèvres, l'Hérault, le Vaucluse, la Vienne, le Tarn-et-Garonne et les Bouches-du-Rhône.

Parmi les variétés cultivées en France, le charentais classique représente 80 % de la production, mais sa durée de conservation est faible (de 2 à 3 jours), le charentais intermédiaire à écorce jaunissante se garde 8 jours, le charentais de longue conservation reste vert et se conserve 15 jours. Ces deux dernières variétés sont moins aromatiques que la première. À maturité, un sillon irrégulier se forme autour du pédoncule des melons charentais classiques et intermédiaires. L'écorce de ces trois variétés peut être : lisse, « écrite » ou brodée. D'autres cultivars sont également produits en France : ils sont moins aromatiques, ont une chair blanche ou verdâtre. Ils peuvent se conserver assez longtemps après récolte, environ 10 jours pour galia et honeydew et jusqu'à 2 mois pour les melons vert olive.

Peu énergétique (30 Kcal ou 125 kJ pour 100 g), le melon est riche en eau (90 %) ; il contient du carotène (provitamine A) et de la vitamine C. Il doit être lourd, avec une peau sans tache. L'apparition d'une craquelure circulaire à la base du pédoncule indique une bonne maturité. Un très fort arôme n'est pas un critère de choix suffisant, car il peut témoigner d'une maturité trop avancée.

Le melon se conserve dans un endroit frais et aéré. Au réfrigérateur, il faut l'enfermer dans un sac hermétique en raison de son odeur puissante. Il se congèle très bien, épluché, coupé en tranches citronnées et sucrées, enveloppées dans des sachets de congélation.

Servi frais (7 °C), le melon constitue un hors-d'œuvre ou un fruit de dessert. Dans le premier cas, on peut l'assaisonner de sel et de poivre blanc du moulin, dans le second cas le déguster nature ou poudré de sucre fin. Coupé en dés, il entre dans la confection des fruits rafraîchis. On peut le servir avec de très fines tranches de jambon cru (Parme, San Daniele, serrano, Aoste). Un vin doux naturel (rivesaltes, maury, frontignan) ou un porto rouge, l'accompagne agréablement. Confit au sucre, il entre dans la fabrication des calissons (Provence). Le melon vert olive fait partie des treize desserts de Noël en Provence.

Le melon confit au vinaigre se prépare, coupé en morceaux, comme les cornichons ; il accompagne les viandes et les volailles froides.

confiture de melon ▶ CONFITURE

RECETTE DE PHILIPPE GOBET

granité au melon

POUR 4 PERSONNES

« Prendre 1 kg de pulpe de melon bien mûr puis la mixer avec le jus de 1/2 citron pour obtenir une purée. Prendre 1/5 de cette purée, y ajouter 170 g de sucre, faire bouillir et laisser refroidir. Ajouter ensuite le reste de la purée de melon et mélanger à froid. Verser la préparation dans une sorbetière, et laisser turbiner jusqu'à ce que la glace prenne. Pour effectuer cette opération sans sorbetière, mettre la préparation au congélateur dans un récipient plat sur une épaisseur de 2 cm. Battre à l'aide d'un fouet toutes les 15 min jusqu'à ce que les copeaux obtenus ne se recollent pas ensemble. Conserver le granité au congélateur. »

melon frappé

Prendre 6 petits melons et 2 gros. Préparer un granité avec la pulpe de ces derniers. Décalotter largement les petits melons côté pédoncule ; par cette ouverture, retirer d'abord les graines, puis extraire délicatement la pulpe en veillant à ne pas percer l'écorce. Détailler cette pulpe en cubes, dans une jatte, en y ajoutant 1 grand verre de porto. La réserver dans le réfrigérateur, ainsi que les écorces et les calottes des melons ; laisser macérer 2 heures. Au moment de servir, garnir les petits melons de couches alternées de granité et de cubes de melon. Arroser de porto. Remettre les calottes en place. Présenter les melons dans des coupes individuelles garnies de glace pilée.

RECETTE DE PHILIPPE CONTICINI

nage de melon, verveine et passion

POUR 12 PERSONNES

« Peler à vif 1 melon (réserver la peau), le couper en tranches (réserver les pépins) et couper la chair en cubes de 1 cm de côté. Préparer un jus de melon en chauffant doucement 375 g de miel d'acacia avec la peau du melon, les pépins ainsi que 25 g de menthe fraîche hachée dans une casserole recouverte d'un papier film. Porter le tout à ébullition. Laisser refroidir avant de passer au chinois ; ajouter 9 cl de jus de citron vert et lier l'ensemble avec 3 g de pectine. Réserver au réfrigérateur. Préchauffer le four à 170 °C. Préparer une pâte à crumble pistachée en sablant 200 g de beurre, 250 g de sucre glace ainsi que 50 g de pâte de pistache. Ajouter 250 g de farine de type 45 et 250 g de poudre d'amande. Abaisser entre deux règles d'une épaisseur de 5 mm puis passer au froid. Détailler en cubes de 5 mm de côté, disposer sur une plaque et cuire au four à air pulsé pendant 10 min. Réserver à l'abri de l'humidité. Réaliser un sirop en chauffant à la limite de l'ébullition 4 cl d'eau, 90 g de sucre en poudre, 40 g de sucre inverti. Verser ce sirop tiède sur 100 g de pulpe de fruits de la Passion sucrée à 10 %. Conserver au congélateur. Infuser ensuite 6 g de verveine dans 60 cl d'eau frémissante 2 ou 3 min en fonction de la concentration de goût souhaitée. Passer au chinois fin, puis ajouter 20 g de gélatine fondue. Réserver au froid. Dans une sorbetière, faire turbiner le sirop passion jusqu'à obtenir la consistance d'un sorbet. Verser le jus de melon dans 12 coupes de service, déposer dans chacune 70 g de fraises des bois et 70 g de cubes de melon ainsi que les morceaux de crumble

Caractéristiques des principaux types de melons

TYPE	PROVENANCE	ÉPOQUE	ASPECT EXTÉRIEUR	ASPECT DE LA CHAIR
charentais lisse	Guadeloupe, Martinique, Maroc	janv.-mai	rond, moyen, tranches marquées, écorce lisse vert clair, sillons vert foncé, virant au jaune à maturité	orangée, sucrée, juteuse, fondante
	Espagne	fin avr.-oct.		
	Provence, Sud-Est	mai-oct.		
	Sud-Ouest	juin-oct.		
	Poitou-Charentes	juill.-mi-sept.		
charentais brodé	Sud-Est, Sud-Ouest, Poitou-Charentes	début mai-oct.	rond, moyen, écorce épaisse, brodée, sillons lisses	orangée, ferme, sucrée
galia	Espagne	fin avr.-oct.	rond, écorce légèrement brodée, orangée à maturité	vert clair, sucrée, parfumée
	Sud-Est, Sud-Ouest, Poitou, Anjou	début mai-mi-oct.		
jaune canari	Espagne, midi de la France	juin-nov.	gros, allongé, écorce dure, lisse ou ridée, jaune vif	vert clair, sucrée, juteuse
vert olive	Espagne, midi de la France	août-nov.	gros, allongé, écorce dure, lisse ou plissée, vert clair (précoce) à vert foncé	vert clair, sucrée, croquante
autres types	Israël, hémisphère Sud	nov.-juin	sphérique, peau lisse ou légèrement bombée	verte, parfumée (ogen), peu parfumée (honey dew)

MELONS ET PASTÈQUES

charentais brodé

charentais cavaillon
(blanc)

galia

charentais cavaillon
(jaune)

charentais lisse

melon verruqueux

vert olive

jaune canari

ogen

mini pastèque

pastèque

charleston gray

pistache et une quenelle de sorbet passion. Émulsionner au batteur l'infusion de verveine très froide pendant 3 min, laisser reposer 2 min au frais, puis, à l'aide d'une cuillère, prélever les bulles sur le dessus et déposer le nuage sur le sorbet passion. Décorer d'un bouquet de menthe fraîche avant de servir. »

RECETTE DE FERRAN ADRIÁ

soupe de jambon au caviar de melon

POUR 10 PERSONNES

« Pour préparer le consommé de jambon, enlever l'excédent de graisse de 250 g de jambon ibérique (ou de chutes) et les couper en morceaux irréguliers de 1 cm. Couvrir les morceaux avec 8 litres d'eau et faire cuire à feu doux en dégraissant et en écumant sans arrêt pendant 15 min. Passer à la passoire à grille fine avec une étamine sans troubler le bouillon et dégraisser. Laisser refroidir et mélanger avec 0,6 g de gomme xanthane à l'aide d'un batteur électrique jusqu'à dissolution complète. Réserver au réfrigérateur. Peler et épépiner 500 g de melon canteloup. Passer la pulpe au mixeur et filtrer le jus obtenu à la passoire à grille fine avec une étamine. Mélanger ensuite 2 g d'alginate de sodium dans un tiers du jus de melon et passer au batteur électrique. Ajouter le reste de jus et mélanger. Passer et réserver à température ambiante. Dans un bol, dissoudre 2,5 g de chlorure de calcium dans 50 cl d'eau à l'aide d'un batteur. Réserver. Remplir 4 seringues avec la solution de jus de melon. Faire couler goutte à goutte dans la solution de chlorure de calcium et laisser reposer 3 min pour obtenir des billes. Passer et laver ce caviar à l'eau froide. Verser 25 g de consommé froid de jambon dans un verre de champagne. Introduire dans chaque verre 10 g de caviar de melon. Mélanger et terminer en saupoudrant de poivre noir du moulin. »

MÉNAGÈRE Nécessaire de table réunissant des burettes à huile et à vinaigre, une salière, une poivrière et parfois un ou deux flacons d'épices. Réalisée en acier inoxydable ou en métal argenté, cette ménagère s'appelle également « service à condiments ». Ce premier sens date de la fin du XIXᵉ siècle. Dans les années 1930, le mot a désigné aussi un ensemble de couverts de table vendus dans un coffret : fourchettes, couteaux, cuillères, cuillères à café et, éventuellement, louche.

Enfin, on appelle parfois « ménagère » un ustensile de table formé de petites coupelles en porcelaine ou en verre, de taille décroissante, fixées sur une tige verticale en métal ; on y dresse des amuse-gueule, de menus hors-d'œuvre ou des petits-fours.

MÉNAGÈRE (À LA) Se dit de divers apprêts de cuisine « bourgeoise », c'est-à-dire ne comportant que des éléments simples et assez peu coûteux, accommodés selon des recettes accessibles à tous.

MÉNAGIER DE PARIS (LE) Traité anonyme de morale et d'économie domestique, composé vers 1393 par un riche bourgeois parisien à l'intention de sa jeune femme. L'ouvrage fut publié, pour la première fois, en 1846, par un érudit, le baron Jérôme Pichon, qui suppose que l'auteur, inspiré sans doute par *le Viandier* de Taillevent, était le prévôt des marchands, un avocat ou même le trésorier du roi Charles VI. *Le Ménagier*, entrecoupé de récits et de poèmes, donne une image vivante de la vie privée d'un grand bourgeois de Paris au XIVᵉ siècle.

MENDIANT Nom donné à un assortiment de quatre sortes de fruits secs : amandes, figues, noisettes et raisins de Málaga, dont les couleurs évoquent les robes des ordres mendiants (dominicains en blanc, franciscains en gris, carmes en brun et augustins en violet foncé). Un prédicateur du XVIᵉ siècle, le père André, aurait, quant à lui, expliqué à Louis XIII que « les franciscains capucinaux représentent des raisins, les récollets, des figues sèches, les minimes, des amandes avariées, et les moines déchaux, des noisettes vides ».

En Alsace, on appelle « mendiant » une sorte de pain perdu aux pommes, aux fruits confits et à la cannelle, également très populaire en Allemagne sous le nom de *armer Ritter* (« pauvre chevalier »).

MENEAU (MARC) Cuisinier français (Avallon 1943). Après ses études à l'école hôtelière de Strasbourg, il reprend à Saint-Père-sous-Vézelay le café-épicerie de sa mère, le transforme en acquérant une demeure bourgeoise adjacente, et *l'Espérance* obtient une première étoile au Guide Michelin en 1972, la deuxième en 1975, la troisième en 1983 (jusqu'en 2007). Marc Meneau, qui se dit autodidacte, fait cependant souvent référence à des maîtres de grande cuisine bourgeoise, Alex Humbert et André Guillot, qui l'influencèrent et eurent l'intuition de la cuisine allégée mais néanmoins riche de beaux apprêts dans laquelle il s'illustre. Ce fils d'un maître bourrelier « meilleur ouvrier de France » a le sens du travail parfait et porte une grande attention aux goûts et aux saveurs de sa région. Il s'est rendu fameux avec les huîtres en gelée d'eau de mer, le foie gras en cromesquis, la vinette de lapin ou l'ambroisie de volaille.

MENETOU-SALON Vin AOC du Berry, essentiellement blanc, produit au sud-ouest de Sancerre sur des collines de calcaire. Issu du cépage sauvignon, les vins sont secs, vigoureux et très aromatiques (**voir** BERRY).

MENON Signature sous laquelle parurent, au XVIIIᵉ siècle, plusieurs livres de cuisine très appréciés en leur temps et qui le furent aussi par les chefs des générations suivantes. Citons notamment *le Nouveau Traité de cuisine* (1739), *la Nouvelle Cuisine* (1742), *la Science du maître d'hôtel* (1750), *les Soupers de la cour* (1755) et surtout *la Cuisinière bourgeoise* (1746), ouvrage réédité plus d'une trentaine de fois. Menon, partisan de la simplicité, n'est pas ennemi de l'invention et du raffinement, comme le prouvent, par exemple, son « omelette au joli cœur » (farcie d'épinards, d'anchois et de queues d'écrevisse), sa raie au fromage, sa marinade de pigeons au citron ou ses beignets de feuilles de vigne fourrées de frangipane.

MENTHE Plante aromatique de la famille des lamiacées, très odorante, utilisée en infusion, pour parfumer liqueurs, pastilles et sirops, et pour aromatiser certains apprêts de cuisine (**voir** planche des herbes aromatiques pages 451 à 454). Il existe plusieurs variétés de menthe, dont les emplois sont différents.

– La menthe verte, ou douce, est la plus répandue ; ses feuilles fraîches aromatisent les sauces (notamment la mint sauce anglaise, pour accompagner le gigot), relèvent les salades de concombre, accompagnent le taboulé libanais, servent à cuisiner les petits pois frais, enveloppent les rouleaux de printemps vietnamiens ; séchée, la menthe verte parfume le thé, les rôtis et grillades d'agneau et de mouton, les boulettes de viande et le *chiche kebab* de la cuisine moyen-orientale.

– La menthe poivrée est la plus odorante : elle intervient plutôt en confiserie et en liquoristerie (bonbons, chocolats fourrés, gelées, liqueurs, pastilles et sirops).

– La menthe pouliot, moins prisée à cause de sa petite taille et de son parfum âcre, a presque les mêmes emplois que la menthe poivrée.

– La menthe aquatique, au feuillage vert foncé, souvent nuancé de pourpre, a une saveur piquante.

– La menthe citronnée, ou menthe bergamote, est plus rare mais recherchée pour son arôme fruité ; elle aromatise les boissons et certaines marinades.

– La menthe du Japon, enfin, donne le menthol.

Les feuilles de menthe séchées peuvent garder leur saveur pendant deux ans. On appelle couramment « menthe à l'eau » une boisson rafraîchissante, faite de sirop de menthe allongé d'eau plate ou d'eau gazeuse.

▶ Recettes : SAUCE, THÉ.

MENTONNAISE (À LA) Se dit de divers apprêts inspirés de la cuisine méridionale. Les poissons à la mentonnaise sont accompagnés de tomates, d'olives noires et d'ail, tandis que les petites pièces de boucherie sont garnies de tronçons de courgette farcis de riz à la tomate, de petits artichauts étuvés et de pommes château. Quant aux courgettes à la mentonnaise, elles sont farcies d'épinards.

▶ Recette : COURGETTE.

MENU Détail des mets qui composent un repas et, par extension, carton sur lequel ces mets sont inscrits. En restauration, où la liste de l'ensemble des plats pouvant être servis est appelée « carte », le menu est une proposition de repas – parmi d'autres –, dont la composition est fixée par le restaurateur. Le mot « menu » date de 1718, mais la coutume d'établir une liste des mets servis est bien plus ancienne.

Jadis, l'« escriteau » des repas de cérémonie était affiché au mur et permettait surtout aux officiers de bouche de suivre la marche du service. C'est au début du XIXe siècle qu'apparurent les menus modernes, chez les restaurateurs parisiens du Palais-Royal ; ceux-ci eurent l'idée de faire exécuter pour leurs clients des reproductions réduites de la carte affichée à la porte, parfois illustrées par de grands dessinateurs et des peintres célèbres.

La variété et la quantité des mets servis dans les banquets du Grand Siècle seraient inconcevables si l'on ignorait que les convives ne touchaient qu'à quelques plats servis « à la française », c'est-à-dire dressés en ordre tous ensemble sur la table, à l'intérieur d'un même service.

Au début du XIXe siècle, après la Révolution – qui, selon Alexandre Grimod de La Reynière, fit perdre les notions élémentaires de savoir-vivre –, le Manuel des amphitryons (1808) propose encore à ses lecteurs une vingtaine de menus comportant chacun au moins deux potages, huit entrées, deux relevés, deux grosses pièces, deux plats de rôt et huit entremets. Antonin Carême estimait pourtant qu'il fallait réduire le nombre des plats et « les servir l'un après l'autre, ils n'en seraient que plus chauds et meilleurs ».

Jusqu'aux premières décennies du XXe siècle, le déséquilibre des menus sur le plan diététique n'en resta pas moins flagrant. L'absence presque totale de légumes et de crudités, la place minime accordée aux laitages, la surabondance des viandes, des gibiers, des poissons et des salaisons, ainsi que la richesse en corps gras, en faisaient de meurtrières combinaisons, mais il ne s'agissait heureusement que de repas d'exception.

De nos jours, le souci d'une alimentation équilibrée prévaut sur l'abondance des plats, sans pour autant exclure les plaisirs de la gastronomie, les techniques de l'art culinaire ayant su évoluer vers une plus grande légèreté, notamment dans les sauces et les modes de cuisson.

Les grands chefs proposent désormais des « menus dégustation » grâce auxquels, avec plusieurs plats servis en petite quantité, le client peut goûter leurs meilleures spécialités

Auguste Escoffier disait déjà que le menu est l'un des aspects les plus difficiles du métier de restaurateur ; il faut en effet trouver le juste équilibre entre les produits disponibles, les spécialités qui font le renom de l'établissement, le renouvellement indispensable et le bon plaisir du client (repas copieux ou léger, traditionnel ou original).

Une seule règle reste fondamentale : aucun plat ne doit voir le jour sans que le chef n'en soit absolument sûr, et celui-ci passe souvent des mois, voire des années, à essayer une nouvelle création avant de décider qu'elle est digne de prendre place sur le menu.

MENU-DROIT Languette de 2 cm de large sur autant d'épaisseur, taillée dans un filet de volaille (poulet, poularde ou dinde). Préalablement marinés dans de la crème double, les menus-droits sont ensuite grillés deux minutes de chaque côté et servis avec du jus de citron et du beurre noisette, ou mijotés quelques minutes dans une sauce pour volaille. Jadis, le mot désignait la langue, le mufle et les oreilles du cerf, apprêtés en ragoût ou bouillis.

MÉOT Restaurant ouvert au 10 de la rue de Valois, à Paris, en 1791, par un ancien officier de bouche du prince de Condé, nommé Méot. Le luxe des salons, l'abondance et la variété de la carte et la richesse de la cave (quarante-neuf vins) attirèrent les puissants du jour, Robespierre, Saint-Just, Desmoulins, Fouquier-Tinville, puis les hommes du Directoire. On prétend que la Constitution de 1793 fut élaborée au cours d'un déjeuner chez *Méot* et que le tribunal qui condamna la reine Marie-Antoinette y fêta l'événement. L'établissement disparut en 1847.

MERCÉDÈS Nom d'une garniture pour grosses pièces de boucherie, composée de tomates et de gros champignons grillés, de laitues braisées et de pommes croquettes. L'appellation concerne également un consommé de volaille au xérès, relevé de poivre de Cayenne, garni de rognons et de crêtes de coq en rondelles, et parsemé de pluches de cerfeuil.

MERCIER (LOUIS SÉBASTIEN) Écrivain, critique et auteur dramatique français (Paris 1740 - id. 1814). Il est connu pour son *Tableau de Paris* en douze volumes, publiés à partir de 1781, auxquels s'ajoutèrent, en 1800, les six volumes du *Nouveau Paris*. Cette suite de courts articles, abordant tous les sujets de la vie quotidienne dans la capitale, contient de précieux renseignements sur l'histoire de l'alimentation et de la restauration à ses débuts. L'auteur témoigne qu'il existe bien une révolution gastronomique durant les vingt années qui précèdent la Révolution française. Ainsi écrit-il : « Dans le siècle dernier, on servait des masses considérables de viandes… Les petits plats, qui coûtent dix fois plus cher qu'un gros, n'étaient pas encore connus. On ne mange délicatement que depuis un demi-siècle. »

MERCUREY Vin AOC de Bourgogne, fin et distingué, le plus connu des quatre grands « climats » de la Côte chalonnaise. Le vin rouge, issu du cépage pinot noir, représente 95 % de la production ; le vin blanc est issu du cépage chardonnay (**voir** BOURGOGNE).

MÈRE SAGUET (CABARET DE LA) Guinguette du quartier Montparnasse, à Paris, connue sous le nom de *Moulin de la Grande-Pinte*, reprise sous la Restauration par Anne Baudrillier (1776-1849), mariée à Saguet, demi-solde des armées impériales. Abel Hugo y entraîna les romantiques, son frère Victor, Nerval, Delacroix, Musset, Dumas, Balzac et même Lamartine, qui firent le succès des omelettes, des andouilles et du poulet à la crapaudine de la mère Saguet. En 1830, celle-ci laissa son commerce florissant à son gendre, Bolay, qui compta parmi ses habitués Thiers, Béranger et des chansonniers ; l'enseigne disparut en 1859.

MÈRES LYONNAISES Surnom affectueux donné à plusieurs cuisinières qui s'installèrent à leur compte à Lyon, à la fin du XIXe siècle. Françoise Foujolle fut l'une des toutes premières à connaître la célébrité sous le nom de « mère Filloux » : après dix ans passés au service d'un maître gourmet et exigeant, elle épousa un marchand de vins, Louis Filloux, et ajouta aux plats de cochonnailles servis dans le bistrot de son mari quelques-unes des spécialités qu'elle cuisinait pour son ancien patron (potage velouté aux truffes, quenelles au gratin au beurre d'écrevisse, fonds d'artichaut au foie gras, poularde demi-deuil).

De 1890 à 1925, son succès suscita de nombreuses émules : les mères Brigousse, Blanc, Niogret, Bigot, Brazier, Guy, Brijean, Pompon, Charles, etc., anciens cordons-bleus de maisons bourgeoises, qui ouvrirent de petits restaurants, les « bouchons », fréquentés par une clientèle fidèle. La dernière des mères lyonnaises, Léa, née avec le siècle, a cessé d'exercer en 1981.

Ces cuisinières, à l'accueil souvent bourru, ne proposaient jamais un choix de plats très étendu, mais, exécutant ceux-ci à la perfection, elles portèrent haut le renom de la cuisine lyonnaise, ouvrant la voie aux plus grands cuisiniers de la région : Fernand Point, Paul Bocuse, Alain Chapel se sont en partie formés à leur école.

MERGUEZ Saucisse à frire ou à griller sur la braise, souvent en brochettes, originaire d'Afrique du Nord et d'Espagne, traditionnellement à base de bœuf et de mouton (**voir** tableau des saucisses crues page 786). Sa consommation s'est largement répandue en France à partir des années 1950.

De petit calibre (de 18 à 20 mm de diamètre), la merguez se caractérise par un assaisonnement de piment et de poivre, qui lui donne sa couleur rouge sombre. Certaines merguez renferment du porc, dont la mention est alors obligatoire. Les merguez s'utilisent surtout comme garniture du couscous.

MERINGUE Appareil de pâtisserie, à base de blancs d'œuf fermement battus en neige et d'une quantité deux fois plus importante de sucre, très léger, mousseux, moelleux ou croquant selon son degré de cuisson. Jusqu'au début du XIXe siècle, les meringues cuites au four se moulaient à la cuillère ; c'est Carême qui eut l'idée de les coucher à la poche à douille.

On distingue trois sortes de meringues.

– La meringue ordinaire (ou meringue française) se fait avec des blancs d'œuf fouettés auxquels on incorpore traditionnellement deux sortes de sucre (moitié sucre glace, moitié sucre en poudre) ; utilisée telle quelle, elle entre dans la préparation des œufs à la neige, permet de réaliser l'omelette norvégienne et de meringuer les tartes. Mise au four préchauffé à 100-120 °C, porte entrouverte pour l'empêcher de retomber et pour la faire cuire sans coloration, cette sorte de meringue produit la gamme des coquilles sèches que l'on peut aromatiser et colorer diversement, ainsi que les fonds de vacherin. Quand on y ajoute des amandes ou des noisettes pilées, on obtient les fonds à progrès, à succès, à dacquoise.

– La meringue italienne se réalise en versant du sucre cuit à 118-120 °C sur des blancs d'œuf battus. Rarement utilisé seul, cet appareil sert à « meringuer » les tartes, flancs et entremets, à recouvrir la zuppa inglese et à masquer la brioche polonaise avant de les passer au four ; non cuite, la meringue italienne entre dans la composition des biscuits glacés, crèmes au beurre, sorbets, spooms et soufflés glacés ; on en fait aussi des petits-fours. Cependant, la législation interdit d'incorporer de la meringue dans les glaces pour les faire gonfler et tenir.

– La meringue suisse, très ferme, se prépare en mélangeant les blancs d'œuf et le double de leur poids de sucre, que l'on chauffe ensuite au bain-marie. Lorsque la température atteint 55-60 °C, on laisse complètement refroidir la préparation et on la fouette à la main. La meringue est alors mise en forme, puis séchée dans un four à 100 °C (ou dans une étuve à 60 °C). Les meringues suisses sont surtout utilisées pour le décor.

PAS À PAS ▶ *Meringue italienne, meringue française, cahier central p. XXVI*

meringue française

POUR 500 G DE MERINGUE – PRÉPARATION : 5 min

Casser 5 œufs un par un et mettre à part les blancs dans un saladier. À l'aide d'un batteur électrique, monter les blancs en neige en leur incorporant petit à petit 170 g de sucre en poudre. Quand ils ont doublé de volume, verser encore 85 g de sucre en poudre et

1 cuillerée à café d'extrait naturel de vanille. Continuer à les fouetter jusqu'à ce qu'ils deviennent très fermes, lisses et brillants. Leur ajouter 85 g de sucre en poudre, en le versant en pluie. Lorsque celui-ci est bien incorporé, la masse doit être ferme et tenir solidement sur les branches du fouet. Mettre la meringue dans une poche munie d'une douille lisse et la disposer sur une plaque beurrée et farinée selon la forme souhaitée.

meringue de fruits exotiques à la vanille

Fouetter 20 cl de crème fraîche liquide en chantilly, ajouter 30 g de sucre en poudre et réserver au froid. Éplucher 1 mangue, 2 kiwis et 1 ananas ; les couper en dés ou en bâtonnets, et les enrober dans 200 g de crème pâtissière. Leur ajouter la pulpe de 8 fruits de la Passion, les graines d'un bâton de vanille et des graines de grenade ; alléger ce mélange avec la crème Chantilly. Déposer une couche de fines lamelles de fruits exotiques sur le dessus de la préparation. Monter 2 blancs d'œuf en neige très ferme et leur incorporer 30 g de sucre. Dresser dans des assiettes creuses la mousse de fruits à la vanille, napper de meringue, lisser à la spatule et passer au dernier moment sous le gril du four.

meringue italienne

Verser dans une casserole à fond épais 300 g de sucre en poudre et 10 cl d'eau. Cuire le sucre au filé (110 °C). Battre en neige ferme 4 blancs d'œuf. Verser par-dessus le sucre bouillant en un filet mince, en continuant à battre jusqu'à ce que la meringue soit froide.

meringue suisse

Mettre 6 blancs d'œuf avec 360 g de sucre glace dans un cul-de-poule. Le poser dans un bain-marie à 40 °C. Fouetter le mélange jusqu'à ce qu'il ait épaissi (55-60 °C, température supportable au doigt). Retirer le cul-de-poule. Fouetter le mélange jusqu'à ce qu'il soit ferme. Aromatiser avec un parfum (1 cuillerée à café d'extrait de vanille liquide, 1 cuillerée à café d'eau de fleur d'oranger ou le zeste de 1 citron).

MERINGUER Masquer ou décorer de pâte à meringue (meringue italienne ou blancs d'œuf battus avec du sucre) un entremets ou une pâtisserie, passés ensuite au four sous le gril pour leur donner un dorage de surface, appelé « meringage ». Se dit aussi lorsque l'on incorpore le sucre en poudre dans les blancs d'œuf battus en neige.

▶ Recettes : FLAN, TARTE.

MERISE Fruit du merisier, arbre de la famille des rosacées, variété sauvage de cerisier qui est à l'origine des espèces cultivées. Juteuse et parfumée, mais acide, la merise (dont le nom dérive d'*amerise*, « cerise amère ») est surtout utilisée pour la préparation des confitures et la fabrication de sirops et de liqueurs. Elle entre également dans l'élaboration du kirsch.

MERLAN Poisson de la famille des gadidés, comme l'églefin et la morue, dont il se distingue par l'absence de barbillons (**voir** planche des poissons de mer pages 674 à 677). Long de 25 à 40 cm, le merlan est gris verdâtre sur le dos, doré sur les flancs et argenté sur le ventre, avec, au-dessus de la nageoire pectorale, une ligne de petits traits jaune-brun (merlan brillant du Nord et merlan de chalut de Bretagne). Vivant à proximité des côtes, il est surtout pêché dans l'Atlantique, du nord de la Norvège à l'Espagne. C'est un poisson maigre (moins de 1 % de lipides), à chair fine et feuilletée, qui se « défait » assez facilement, mais qui se digère très bien s'il est préparé sans trop de corps gras. D'un prix abordable, disponible une grande partie de l'année, il est vendu entier ou en filets.

Le merlan s'impose dans les soupes du littoral, où il « fond » littéralement en leur apportant du moelleux. Il s'apprête de très nombreuses façons : frit, grillé, pané ou poché au vin ; il se mange aussi farci ou en paupiettes, intervient dans les farces, pains et mousses ; il demande néanmoins à être assez relevé.

RECETTE DE RAYMOND OLIVER

merlan hermitage

« Enlever l'arête d'un gros merlan et le vider par le dos. Le farcir d'un mélange composé de mie de pain, de beurre en pommade, d'échalote hachée, d'œuf, de fines herbes hachées, de sel et de poivre de Cayenne (très peu). Le disposer dans un plat à gratin beurré, le faire cuire au four 15 min, recouvert d'un papier beurré, avec un peu de crème fraîche et de fumet de poisson. Égoutter le merlan, le tenir au chaud. Faire réduire la cuisson ; ajouter à cette cuisson réduite du beurre, de la crème, du sel et du poivre. Donner un bouillon et napper le poisson de cette sauce. »

merlans frits Colbert

PRÉPARATION : 50 min – CUISSON : de 5 à 7 min

Choisir 4 merlans non vidés de 250 g chacun. Les habiller en les vidant par les ouïes. De la tête vers la queue, les ouvrir par le dos, en suivant l'arête centrale, sans inciser la partie ventrale. Les rincer sous un filet d'eau froide et les éponger. Les paner à l'anglaise en maintenant les filets ouverts : assaisonner, les passer dans la farine, puis dans l'anglaise et, enfin, dans 200 g de mie de pain. Bien faire adhérer la panure puis quadriller l'intérieur avec le dos d'une lame de couteau. Réserver au frais. Chauffer un bain de friture à 180 °C. Préparer 80 g de beurre maître d'hôtel, le maintenir en pommade dans une poche munie d'une douille cannelée. Frire les merlans à plat pendant 5 à 7 min environ. Égoutter sur du papier absorbant. Dresser en diagonale sur un plat ovale. Garnir l'intérieur des merlans avec le beurre maître d'hôtel. Accompagner de persil frit et de demi-citrons historiés. Servir aussitôt.

merlans au vin blanc

Vider 2 gros merlans, les saler et les poivrer. Beurrer un plat à gratin, le masquer d'un hachis d'oignon et d'échalote, et placer dessus les merlans. Mouiller, à mi-hauteur des poissons, de vin blanc et de fumet de poisson en parts égales. Couvrir le plat, commencer la cuisson sur le feu, puis cuire 20 min au four préchauffé à 220 °C. Égoutter les merlans et les tenir au chaud dans le plat de service. Faire réduire la cuisson de moitié et y ajouter 20 cl de crème. Faire réduire encore et napper les poissons de cette sauce. Glacer 5 min dans le four porté à 250 °C.

MERLAN (VIANDE) Muscle goûteux de la cuisse du bœuf situé dans le tende-de-tranche (**voir** planche de la découpe du bœuf pages 108 et 109). Il est nommé ainsi car sa forme longue et plate rappelle celle du poisson. C'est un des « morceaux du boucher » ; il pèse 300 g

environ. Il existe un autre merlan dans l'épaule (filet d'épaule) chez le bœuf et le cheval.

MERLE Passereau de la famille des muscicapidés, à plumage brun chez la femelle et noir chez le mâle, qui a en outre le bec jaune. La chasse du merle à plastron est interdite. La chair du merle a un goût variable selon la région et l'époque, car son fumet, souvent légèrement amer et parfumé, surtout en automne, dépend de la nourriture de l'oiseau. Les merles, moins fins que les grives, se cuisinent comme elles. En Corse, on fait de succulents pâtés de merle.

Le merle d'Amérique a le ventre orange vif. Il fait partie des insectivores protégés, dont la chasse est interdite.

MERLOT Cépage à baies bleu-noir, cultivé dans le Sud-Ouest et dans la région Languedoc-Roussillon. Le merlot doit son nom à la couleur de ses baies et aux merles, qui en sont très friands.

Cinquième cépage noir cultivé en France, il produit un vin de belle couleur, fruité et soyeux, parfois d'une grande richesse. Dans le Bordelais, il est souvent associé au cabernet-sauvignon et au cabernet franc. Il est à l'origine du célèbre pétrus, un des plus grands vins du monde.

Il existe aussi un merlot blanc, utilisé en mélange pour les AOC bordeaux, entre-deux-mers, graves-de-vayres, sainte-foy-bordeaux, blayais et bourgeais.

MERLU Poisson marin de la famille des gadidés, allongé et cylindrique, dont il existe une dizaine d'espèces caractérisées par l'absence de barbillons ; en outre, il ne possède que deux nageoires dorsales et une nageoire anale (**voir** planche des poissons de mer 674 à 677). Au Canada, on trouve de proches parents du merlu appelés « merluches ». Le merlu peut mesurer jusqu'à 1 m (il pèse alors 4 kg environ) ; son dos est gris à reflets dorés et son ventre blanc. Le merlu de petite taille prend souvent le nom de « merluchon ». Le petit merlu argenté, pêché à l'ouest de l'Atlantique, est particulièrement savoureux.

Appelé « colin » dans de nombreuses recettes, le merlu est un poisson maigre (1 % de lipides), très apprécié, sans doute parce qu'il a peu d'arêtes et qu'on retire celles-ci facilement.

Bien qu'il fasse l'objet d'une pêche intensive, son prix est toujours élevé. Le merlu est vendu entier lorsqu'il est de taille moyenne (les déchets sont alors de 40 %), en tronçons ou en tranches (respectivement 25 % ou 10 % de déchets). Sa carcasse et sa tête donnent de l'onctuosité aux soupes de poisson.

La cuisson du merlu, surtout au court-bouillon, doit être courte et bien surveillée, la chair ayant tendance à se défaire. Les apprêts sont nombreux, aussi bien chauds (avec des sauces délicates, mousseline, normande ou aux câpres, et très souvent Mornay, en gratin) que froids (à la mayonnaise, à la sauce verte, à la vinaigrette) ; d'une façon générale, toutes les recettes du cabillaud conviennent au merlu.

RECETTE DE JUAN MARI ARZAK

merlu aux palourdes à la sauce verte

« Laver 4 tranches de merlu de 200 g environ chacune, les éponger puis les assaisonner. Faire chauffer 12 cuillerées à soupe d'huile d'olive à feu doux dans un poêlon en terre (assez grand pour contenir le merlu), y mettre 4 gousses d'ail et 1 cuillerée de persil, hachés. Avant que l'ail ne commence à dorer, ajouter éventuellement un peu de farine pour bien délayer. Mettre dans le poêlon 250 g de palourdes et les tranches de merlu avec la peau vers le haut. Ajouter 10 cl d'eau froide, de bouillon de poisson ou de vin blanc, et poursuivre la cuisson pendant 3 min environ, selon l'épaisseur des tranches, en remuant le poêlon pour lier la sauce. Retourner les tranches et laisser cuire encore 3 min pendant lesquelles les palourdes s'ouvriront. Couvrir alors le poêlon. Avant de servir, s'assurer que la sauce est bien liée. Si ce n'est pas le cas, retirer les tranches de merlu et lier la sauce hors du feu en remuant le poêlon. Servir une tranche de merlu par assiette, l'entourer de palourdes et napper le tout de la sauce verte. Saupoudrer avec 1 cuillerée à soupe de persil haché et décorer avec des feuilles de persil. »

MÉROU Poisson de la famille des serranidés, massif et de grande taille, plus de 1,50 m pour 50 kg, dont il existe deux espèces voisines : l'une méditerranéenne, l'autre – appelée également « cernier » et plus répandue – à la fois méditerranéenne et atlantique (**voir** planche des poissons de mer pages 674 à 677). Un poisson proche de la badèche rouge porte aussi le nom de « mérou » : le mérou badèche. Brun tacheté de jaune et d'ocre, le mérou est un poisson paisible des mers chaudes. Sa tête énorme est dotée d'une large bouche à la lèvre inférieure débordante et armée de nombreuses dents. Proie favorite des pêcheurs sous-marins, il est de plus en plus commercialisé. Ce poisson à la chair excellente se cuisine comme le thon, mais il est particulièrement savoureux grillé sur la braise.

RECETTE DE PAUL MINCHELLI

ceviche de mérou

« Parer 4 darnes de mérou de 200 g, congelées au préalable 48 heures en raison de l'éventuelle présence de vers parasites. Les détailler en dés de 1 cm de côté. Presser 4 citrons verts. Mettre les dés de poisson dans un grand saladier posé sur un lit de glaçons. Arroser du jus de citron et laisser mariner 2 ou 3 heures, en remuant plusieurs fois le saladier pour cuire le mérou, qui doit rester saignant à cœur. L'égoutter et le placer dans un grand plat. Peler et émincer en biais 4 oignons nouveaux et leurs tiges ; éplucher, épépiner et concasser 3 tomates olivettes ; mettre le tout dans le plat. Saler. Ajouter 1/2 cuillerée à café de gingembre frais râpé, 1 pointe de curcuma, de la ciboulette et du persil plat, ciselés. Arroser enfin d'huile d'olive et poudrer de piment, de préférence d'Espelette. Mélanger et servir. »

MERVEILLE Petit beignet de pâte, parfois levée, préparé avec un appareil assez épais, abaissé et découpé soit en bandes, pour former de petites tresses appelées « nœuds » ou « bunyètes », soit à l'emporte-pièce, en diverses formes. Après cuisson dans le bain de friture, les merveilles sont servies chaudes, tièdes ou froides, poudrées de sucre. Les merveilles sont communes à plusieurs régions méridionales, où elles étaient préparées pour le carnaval. En Provence, on les fait à l'huile d'olive, dans les Landes, on utilise de la graisse d'oie, avant de les cuire au four comme des sablés.

merveilles

Disposer 500 g de farine tamisée en fontaine. Verser au centre 4 œufs très légèrement battus en omelette, 150 g de beurre ramolli, 1 grosse pincée de sel, 30 g de sucre et 1 verre à liqueur d'eau de fleur d'oranger, de rhum ou de cognac. Bien mélanger, rouler la pâte en boule et la laisser reposer 2 heures sous un torchon. L'abaisser alors sur une épaisseur de 5 mm et la détailler avec des emporte-pièce cannelés de formes différentes. Plonger les merveilles dans de l'huile très chaude (175 °C). Quand elles sont dorées, les égoutter, les éponger, les poudrer de sucre glace additionné de sucre vanillé et les dresser en buisson. Laisser reposer 2 heures au frais.

MESCAL OU **MEZCAL** Eau-de-vie mexicaine titrant 40 % Vol., obtenue par double distillation de la sève de l'agave. Le mescal est produit surtout dans la région d'Oaxaca, à partir de huit variétés d'agave, alors que la tequila (**voir** ce mot) n'est élaborée que dans la région de Jalisco, à partir de *Agave tequilana* Weber, variété bleue.

MESCLUN Mélange de jeunes feuilles de salades (cerfeuil, chicorée, feuille de chêne, mâche, pissenlit, pourpier, scarole, trévise).
▶ Recette : LANGOUSTINE.

MESURE Accessoire employé par les barmen professionnels pour doser avec précision la proportion de chacun des ingrédients d'un cocktail. Ce doseur se compose en général de deux mesures différentes, et varie d'un pays à l'autre selon les unités de capacité en usage. En France, un doseur double permet de mesurer 2 et 4 cl. La mesure est aussi utilisée dans les bars pour servir les apéritifs.

MÉTAL Corps dense, opaque, insoluble dans l'eau et dans les solvants usuels, et bon conducteur de chaleur : c'est la raison pour laquelle la plupart des ustensiles de cuisson sont en métal. Les métaux, susceptibles en outre d'acquérir un beau poli et faciles à travailler, à chaud par fusion ou forgeage, à froid par laminage, estampage, emboutissage, sont utilisés depuis la plus haute antiquité pour fabriquer de la vaisselle.
– Le cuivre s'échauffe et se refroidit rapidement, autorisant des temps de cuisson très précis, mais il est coûteux et doit être entretenu avec soin, car il s'oxyde ; il est donc souvent étamé intérieurement.
– L'aluminium, moins onéreux, plus léger et plus facile à entretenir, se déforme facilement et réagit avec certains produits alimentaires.
– La fonte s'échauffe et se refroidit lentement ; elle présente l'inconvénient d'être cassante, lourde, et de rouiller, sauf quand elle est émaillée, mais l'émail est fragile et réduit encore les échanges thermiques.
– L'acier inoxydable, solide, inaltérable, est mauvais conducteur ; le fond des ustensiles en Inox est donc souvent doublé d'un autre métal.
– Le fer est utilisé sous forme de tôle, émaillée ou non, pour fabriquer des poêles et des bassines à friture ; recouverte d'une couche d'étain, et transformée ainsi en fer-blanc, la tôle reste irremplaçable pour la fabrication des boîtes de conserve.

MÉTHODE CHAMPENOISE Ensemble des opérations qui permettent l'élaboration du champagne. D'abord, le vin de base, ou cuvée, est préparé à partir des trois cépages autorisés : pinot noir, pinot meunier et chardonnay ; le pressurage (traditionnellement de 4 000 kg de raisin) est fractionné pour donner la cuvée, d'environ 20 hectolitres de jus (2 050 litres), et la deuxième presse, ou première taille (410 litres) ; ces moûts sont ensuite vinifiés de façon classique. Ensuite, on procède au tirage – mise en bouteilles avec addition d'une liqueur de tirage (mélange de sucre et de levures) –, afin de provoquer un dégagement de gaz carbonique engendrant une pression de cinq ou six atmosphères : la « prise de mousse ». Puis viennent la mise sur pupitre et l'opération de remuage afin de faire descendre le dépôt au niveau du goulot, avant de réaliser le dégorgement (élimination de ce dépôt). On termine par l'égalisage, ou ajout d'une liqueur d'expédition (combinaison de vieux vin, d'esprit de cognac et de sucre, en quantité variable), qui permet d'obtenir du champagne plus ou moins sec.

METTON Fromage à pâte pressée non cuite. Fabriqué avec du lait de vache entièrement écrémé, il est soit acidifié avec des ferments lactiques (pour le metton lactique), soit coagulé directement, sans ferment. Dans les deux cas, on ajoute de la présure à 32 °C. Le caillé est ensuite brassé, égoutté par pression et mis en pain. Il subit un émiettement mécanique avant son emballage en sac, pour le fromage lactique, ce qui permet un report de production pendant plusieurs mois ; le fromage neutre est transformé immédiatement en cancoillotte (**voir** ce mot).

MÉTULON ▶ **VOIR** KIWANO

MEULE Nom désignant la forme de certains grands fromages, pour la plupart des pâtes pressées cuites (beaufort, comté, emmental, gruyère), qui ont l'aspect d'un large disque très épais, semblable à une meule de moulin. Une meule d'emmental peut peser 130 kg.

MEUNIÈRE (À LA) Se dit d'un mode de cuisson applicable à la plupart des poissons, entiers, en darnes ou en filets, farinés et poêlés au beurre. Ils sont arrosés de jus de citron, puis de beurre noisette et enfin parsemés de persil. Grenouilles, saint-jacques, cervelles et laitances sont également préparées à la meunière.
▶ Recettes : BROCHET, CERVELLE, DAURADE ROYALE ET DORADES, MATELOTE, SOLE.

MEURETTE Matelote de poissons de rivière, mais aussi de veau ou de poulet, préparée au vin rouge. Cette spécialité bourguignonne se rencontre aussi dans la Dombes et en Bresse. Traditionnellement, on incorpore au plat des lardons, des petits oignons et des champignons, et on le sert avec des croûtons frits. On accommode aussi « en meurette » les œufs et la cervelle de veau, en les pochant dans cette sauce bourguignonne.

cervelle de veau en meurette ▶ CERVELLE

meurette de poisson

Nettoyer 1,5 kg de poissons d'eau douce (barbeau, brocheton, carpillon, petite anguille, tanche, etc.) et les couper en tronçons. Les faire revenir au beurre dans une cocotte, puis les flamber au marc de Bourgogne (1 verre à liqueur au moins). Ajouter 1 carotte, 1 oignon et 1 échalote épluchés et finement émincés ; bien remuer dans la cocotte. Mouiller à hauteur de vin rouge de Bourgogne, ajouter 1 petite gousse d'ail écrasée, 1 bouquet garni, du sel et du poivre. Couvrir et cuire 20 min à tout petits frémissements. Frire au beurre de petits croûtons de pain frottés d'ail. Lier la sauce avec 1 cuillerée à soupe de beurre manié, rectifier l'assaisonnement et verser dans un plat creux chauffé. Garnir avec les croûtons.

œufs en meurette ▶ ŒUF POCHÉ

MEURSAULT Vin AOC de Bourgogne, généralement blanc, issu du cépage chardonnay, toujours d'une classe exceptionnelle. Les meursaults réussissent le tour de force d'être à la fois secs et moelleux, subtils et puissants (**voir** BOURGOGNE).

MEXICAINE (À LA) Se dit de grosses pièces de boucherie garnies d'éléments grillés (grosses têtes de champignon remplies de tomate concassée, poivrons et demi-aubergines). La sauce d'accompagnement est une demi-glace tomatée, additionnée d'une julienne de piment (d'où le nom de l'apprêt). Les paupiettes de poisson à la mexicaine sont pochées et garnies de champignons, grillés puis remplis de tomate concassée ; la sauce au vin blanc qui les accompagne est tomatée et complétée, elle aussi, de dés de piment.

MEXIQUE La cuisine mexicaine est l'héritière des anciennes pratiques indiennes et des apports des colons espagnols, qui introduisirent l'élevage du porc et la culture du riz, ainsi qu'un mode de cuisson encore inconnu outre-Atlantique : la friture. La tradition des Indiens précolombiens se retrouve dans la cuisson à la vapeur, à l'étouffée ou sur la braise, ce qui explique la diversité des ragoûts et des sauces *(moles)* qui relèvent aussi les mets bouillis ou rôtis. Le maïs a toujours été la base de l'alimentation. Il se consomme cuit, bouilli, grillé, en grains ou en farine. Celle-ci permet de préparer les tortillas, qui se mangent soit nature, avec certains plats, soit grillées *(tostadas)* pour l'apéritif, ou diversement fourrées (tacos). Quant aux feuilles des épis, elles sont farcies de viande, volaille, légumes, piments et épices, et sont cuites à la vapeur pour donner les tamales aux multiples saveurs.

■ **Légumes.** Les haricots (rouges, bruns, noirs, jaunes) sont omniprésents, de même que les tomates (rouges ou vertes, tels les tomatillos, au goût acidulé) et les champignons (près de 80 espèces).

Quant aux piments *(chiles),* forts ou doux, il en existe au moins cent variétés, de taille, de couleur et de saveur différentes : ancho, cascabel, colorado, mulato, serrano, etc., sans oublier le piment oiseau. Frais ou en poudre, les piments sont partout : ils accommodent les sauces, les ragoûts, les soupes et les salades, ou sont servis farcis.

■ **Viandes et volailles.** À part le porc et le cabri, grillés, hachés et cuits à l'étouffée dans des feuilles de bananier, les Mexicains cuisinent essentiellement la volaille. La plupart du temps, celle-ci mijote longuement avec de nombreux épices et aromates.

Le plus célèbre de ces ragoûts est sans aucun doute le mole poblano (**voir** ce mot), qui réunit poulet ou dinde, raisins secs, tomates, piments, oignons, coriandre, sésame, anis, cacahouètes, amandes, cannelle, tortilla bien sûr… et chocolat !

■ **Fruits et desserts.** Parmi les très nombreux fruits tropicaux, l'avocat tient la première place, car il s'accommode aussi bien cru en salade que réduit en purée pour le fameux guacamole, ou même en glace. La banane (dont il existe plus de vingt variétés), l'ananas ou la papaye entrent aussi dans la composition de plats sucrés ou salés.

■ **Vins.** La viticulture a été introduite au Mexique en 1521 par les conquistadors espagnols ; le vignoble est ainsi le plus ancien du continent nord-américain.

Les grandes zones viticoles sont surtout Baja California (Basse-Californie), puis Sonora, Zona centrale, Aguascalientes et Zacatecas. 80 % de la production sont toujours réservés à la fabrication d'eau-de-vie. En fait, la boisson nationale est la tequila (**voir** ce mot), obtenue par seconde distillation du mescal, lui-même obtenu par distillation de la sève d'un cactus, l'agave.

Les cépages cultivés, entre 100 et 2 100 m d'altitude, sont nombreux : barbera, cabernet-sauvignon, cardinal, carignan, chenin blanc, grenache, malbec, merlot, mission, muscat, nebbiolo, petite syrah, rubis cabernet, sauvignon blanc, trebbiano, zinfandel.

Le vignoble mexicain (39 000 ha), longtemps resté médiocre, connaît actuellement un renouveau, et les spécialistes fondent de grands espoirs sur les années à venir.

MEYERBEER Nom d'un apprêt d'œufs sur le plat dédié au compositeur allemand Meyerbeer (1791-1864), dont les opéras eurent à l'époque beaucoup de succès à Paris. Après cuisson, les œufs sont garnis de rognons d'agneau grillés, nappés de sauce Périgueux et dressés entourés d'un cordon de cette même sauce.

MEZZE Assortiment d'amuse-gueule, le plus souvent froids, que l'on mange en Grèce, en Turquie et dans tout le Moyen-Orient, en buvant du vin ou plus souvent du *raki*, apéritif aromatisé à l'anis. Les mezze peuvent tenir lieu de repas : outre le tarama, les feuilles de vigne farcies et les beurrecks, ils comprennent des moules à la sauce piquante, des olives vertes et noires, de la viande séchée à l'ail (pasterma), des champignons marinés, des haricots blancs en sauce et soit du saucisson sec pimenté *(sucuk),* soit du cacik (hachis de concombre au yaourt, relevé d'ail et servi très froid).

MICHE Pain rond de pur froment, pesant de 500 g à 3 kg. Originairement destinée aux citadins aisés, la miche est devenue progressivement le pain usuel des campagnes. De petite taille au début, elle gagna en poids et en dimension en devenant un pain classique de consommation familiale.

En Suisse romande, ce terme désigne un pain mi-blanc, en général oblong, de un kilo environ ; la « michette » est un pain d'une livre.

MIEL Substance sucrée comestible produite par les abeilles à partir du nectar des fleurs et/ou des miellats (excrétions d'insectes qui se nourrissent de la sève des plantes), et qu'elles entreposent dans les rayons de la ruche (**voir** tableau des miels ci-contre).

Selon l'origine florale et le moment de la récolte, le miel contient de 17 à 20 % d'eau, de 76 à 80 % de sucres (glucose, fructose, et autres sucres dont le saccharose), des protides en faible quantité (gommes, dextrines et matières albuminoïdes), des acides, des protéines, des sels minéraux (calcium, magnésium, phosphore, potassium), plus abondants dans les miels foncés, mais pratiquement pas de vitamines. Son pouvoir énergétique est supérieur à celui du sucre, il est mieux toléré, et ses sucres sont parfaitement assimilés par l'organisme.

L'appellation « miel » correspond à un produit extrait des rayons de la ruche par centrifugation, puis décanté et épuré. Elle peut être suivie du nom de la plante d'origine lorsque le miel provient essentiellement de celle-ci (miel de lavande, d'acacia, de sapin, etc.), d'une indication topographique (miel de montagne, de maquis, de plaine) ou géographique (miel d'Auvergne, d'Alsace, etc.). Les miels de Corse et de sapin des Vosges bénéficient d'une AOC ; ceux de Provence et d'Alsace font l'objet d'une IGP et peuvent bénéficier d'un label rouge.

On trouve également sur le marché français des miels en provenance d'Argentine, du Mexique, du Canada (trèfle blanc), de Hongrie (acacia) de Roumanie (tilleul, menthe, acacia et tournesol) et de Turquie (pin), ainsi que d'Espagne (miels de romarin, d'oranger ou d'eucalyptus) et, plus récemment, de Chine.

On distingue les miels polyfloraux, ou « toutes fleurs » (qui peuvent résulter d'assemblages), des miels monofloraux issus essentiellement d'une seule plante. La consistance (fluide, épaisse ou cristallisée) varie selon les fleurs et la température. La couleur et la saveur varient elles aussi selon les plantes que butinent les abeilles. Le miel « bio » répond à des critères précis : entre autres, il est essentiellement butiné sur des cultures soumises au mode de production biologique et/ou sur une flore spontanée ; il ne doit pas être porté à plus de 40 °C.

Dans l'Antiquité, le miel était la nourriture des dieux, symbole de richesse et de félicité. Dans la Bible, la Terre promise est la contrée où « coulent le lait et le miel ». Au Moyen Âge, le miel était encore une denrée précieuse et un remède ; il servait de base pour la confiserie et de condiment pour des plats salés ou sucrés (cochon au miel, hydromel et vin miellé, pain d'épice). Aujourd'hui, il règne en maître dans la pâtisserie : pain d'épice, couques, nonnettes, biscuits, gâteaux orientaux, nougats, bonbons, sucettes, pâtes de fruits. Le miel de bouche est de plus en plus apprécié et il reste inégalé en édulcorant de boissons chaudes (thé, grog, etc.).

Enfin, le miel trouve sa place en cuisine : en Afrique du Nord (couscous, pigeons farcis, agneau rôti, tagine de poulet et de mouton), aux États-Unis (jambon de Virginie) et en Chine (canard), et maintenant en France (plats d'inspiration exotique).

▶ Recettes : CAKE, CANARD, CANETON ET CANETTE, GLACE ET CRÈME GLACÉE, PAIN D'ÉPICE, POMME, TARTELETTE.

MIGNON Nom d'un apprêt de volaille, de ris de veau ou de petites pièces de boucherie sautés, accompagnés de fonds d'artichaut remplis de petits pois à la française et surmontés de lames de truffe, les pièces étant nappées préalablement de demi-glace au madère.

MIGNONNETTE Petit sachet de mousseline empli de grains de poivre et de clous de girofle, qui aromatisait autrefois soupes et ragoûts.

Aujourd'hui, la mignonnette désigne du poivre grossièrement concassé ou moulu, notamment le poivre blanc, plus parfumé, que l'on utilise pour le steak au poivre, les marinades, etc.

Par ailleurs, certains chefs baptisent « mignonnette » la noisette d'agneau, le suprême de volaille, le filet mignon, etc., lorsque ceux-ci sont préparés avec un certain raffinement ; Escoffier réalisa ainsi des mignonnettes de poulet (suprêmes taillés en arrondi, contisés de langue écarlate et de truffe) et des mignonnettes de foie gras (petites escalopes masquées d'une mousseline de volaille, panées et sautées). On appelle également « mignonnettes » des pommes de terre taillées deux fois plus épaisses que les « allumettes ».

MIGNOT Traiteur parisien du XVIIᵉ siècle, que Boileau, dans une satire, traita d'« empoisonneur ». Vexé, Mignot s'adressa à la justice, qui le débouta. Pour se venger, le traiteur imagina de vendre à ses clients des biscuits enveloppés dans un papier fin, sur lequel était imprimée une épigramme très mordante, signée de l'abbé Cottin, dirigée contre Boileau. L'idée amusa beaucoup les Parisiens et Boileau lui-même. Les biscuits firent de Mignot un homme riche et célèbre.

MIJOTER Faire cuire lentement des mets, généralement en sauce, ou terminer leur cuisson. En boucherie, les « viandes à mijoter » sont des pièces de deuxième et de troisième catégories, qui, en cuisant longtemps dans un bouillon, du vin ou de la bière avec des aromates, deviennent tendres et savoureuses.

MIKADO Nom de divers apprêts de cuisine classique française utilisant des ingrédients évoquant le Japon. Les escalopes de veau ou de volaille sont dressées sur des croquettes de riz au cari, nappées d'une sauce au cari additionnée d'un peu de sauce soja et accompagnées de tartelettes remplies de germes de soja à la crème. Les tournedos ou les noisettes sont dressés sur des demi-tomates grillées, nappées de tomate légèrement concassée, détendue de sauce tomate, et garnies de crosnes étuvés au beurre. Quant à la sauce, c'est une hollandaise additionnée de jus de mandarine et de zeste de ce fruit, taillé en julienne et blanchi.

MILANAIS Nom donné à divers apprêts de pâtisserie. Parmi les petits-fours secs, le milanais se prépare avec une pâte aux amandes, parfumée au citron ou à l'orange ; découpé diversement à l'emporte-pièce, il est décoré avec des amandes ou des fruits confits ; il peut également être façonné à la main en forme de petit pain, de petite tresse ou de grosse olive, décorés d'amandes effilées. Les milanais sont, par ailleurs, des petites galettes en pâte à biscuit ou à génoise (aromatisée au rhum et farcie de raisins secs ou parfumée à l'anisette), abricotées et parfois glacées au fondant. Enfin, on appelle « milanais » un double sablé ovale fourré à la confiture et poudré de sucre glace, dit aussi « lunette » à cause des deux trous dont il est percé sur le dessus.

▶ Recette : SABLÉ.

Caractéristiques des principales variétés de miel

VARIÉTÉ	PROVENANCE	ÉPOQUE	DESCRIPTION	PROPRIÉTÉS
acacia	toute la France, Hongrie	juin	liquide, blond, translucide, doux	régulateur intestinal
bruyère, callune	Landes, Sologne, Massif central	août-sept.	gélatineux, brun, roux, corsé	diurétique, reconstituant, désinfectant intestinal
châtaignier	toute la France	juin	épais, brun foncé	dynamogénique
eucalyptus	Espagne	juin-août, déc.	liquide, ambré, très aromatique	désinfectant des bronches
lavande	Provence	juill.	blond, aromatique	antispasmodique, sédatif
oranger	Espagne, Maroc	avr.-mai	un peu pâteux, pâle	antispasmodique, sédatif
rhododendron	Pyrénées	juill.-août	clair, fleuri, délicat	désinfectant des bronches
romarin	Sud, Espagne	mars-avr.	blanc, parfum riche, subtil ou léger	stimulant hépatique et digestif
sapin	Vosges, Jura, monts du Lyonnais	juill.-août	liquide, brun foncé ou verdâtre	antispasmodique
thym	Provence	juill.	clair, très parfumé	antispasmodique
tilleul	toute la France	juin	jaune clair, doux	sédatif
tournesol	toute la France	juill.-août	pâteux, jaune d'or	fébrifuge, riche en bore et en silicium
toutes fleurs	toute la France	avr.-sept.	onctueux, doux	très riche en oligo-éléments
trèfle blanc	toute la France	juin-juill.	crémeux, blanc ivoire	énergétique

MILANAISE (À LA) Se dit d'escalopes ou de côtes de veau passées à l'œuf battu et à la chapelure, parfois additionnée de parmesan râpé, puis poêlées au beurre. La garniture milanaise, servie avec une timbale de macaronis ou un risotto, comprend des champignons émincés, du jambon et de la langue écarlate détaillés en julienne, et des lamelles de truffe ; le tout est chauffé au beurre, déglacé au madère, puis mouillé de fond de veau lié. On appelle « à la milanaise » des apprêts gratinés au parmesan, et les macaronis au beurre, servis avec du fromage râpé et de la sauce tomate.

▶ Recettes : CÉLERI-BRANCHE, OSSO-BUCO, PANURE, PERCHE, RISOTTO, SOUPE, VEAU.

MILLAS Bouillie languedocienne de farine de maïs (ou de froment et de maïs) refroidie, découpée et frite, servie sucrée ou salée. En Anjou, la millière, bouillie de millet salée ou sucrée, se prépare également avec du riz ou du maïs.

millas en bouillie

Porter à ébullition 1 litre d'eau dans une grande casserole. La parfumer avec de l'eau de fleur d'oranger et un petit morceau de zeste de citron, puis verser en pluie de 300 à 350 g de farine de maïs. Cuire à petit feu en tournant avec une spatule de bois. Lorsque la bouillie est épaisse, la servir dans des assiettes plates chaudes avec du sucre en poudre. On peut aussi la laisser refroidir, la découper en morceaux et dorer ceux-ci au beurre dans une poêle, puis les poudrer de sucre en poudre ou de sucre glace, ou encore les faire rissoler au saindoux ou à la graisse d'oie.

MILLE COLONNES (CAFÉ DES) Établissement du Palais-Royal, à Paris, ouvert en 1807 au premier étage de la galerie de Montpensier. Son nom lui venait d'une vingtaine de colonnes qui se reflétaient à l'infini dans de grandes glaces placées sur les murs. La célébrité du café devait aussi beaucoup à la silhouette de la patronne des lieux, Mme Romain, dite « la Belle Limonadière », qui trônait à la caisse. À la mort de son mari, elle se fit religieuse, et le café ferma ses portes.

MILLE-FEUILLE Gâteau fait d'abaisses de pâte feuilletée, superposées, souvent caramélisées, séparées par de la crème pâtissière au kirsch, au rhum, à la vanille, etc., et recouvertes de sucre glace ou de fondant.

Le mot s'applique aussi à des feuilletés salés, fourrés d'un appareil à base de poisson ou de crustacés, servis en entrées chaudes.

RECETTE D'OLIVIER ROELLINGER

mille-feuille à l'ananas, grog de cidre breton et rhum de Marie-Galante

POUR 4 PERSONNES

« Peler 1 ananas avec un couteau à filets de sole. Le couper en huit puis retirer la partie dure centrale. Réserver 1 part et couper les 7 autres en lamelles. Mettre dans une casserole 50 cl d'eau avec 250 g de sucre et la moitié de 1 bâton de cannelle. Lorsque ce sirop est en ébullition, y plonger les morceaux d'ananas. Laisser cuire 20 min puis passer au mixeur. Ajouter 2 feuilles de gélatine préalablement trempées dans l'eau froide, mélanger, laisser refroidir et prendre en mousse. Préparer une infusion pour le grog. Dans une grande casserole, mettre 1,5 litre d'eau, 1 litre de cidre, 30 cl de rhum de Marie-Galante, 300 g de cassonade, 100 g de sucre, 1/2 bâton de cannelle, 1 gousse de vanille fendue sur la longueur et égrenée, 1 clou de girofle, 1 noix de muscade écrasée, 20 g de gingembre frais coupé en lamelles et les zestes de 2 citrons verts. Faire bouillir puis infuser 2 heures hors du feu avant de passer dans une passoire fine. Réserver. Pour le caramel à la noix de coco, chauffer 250 g de sucre dans une casserole en remuant avec une spatule. Lorsque l'on obtient un caramel blond, verser 40 cl de lait de coco et le jus de 1 citron vert. Laisser bouillir afin que le caramel soit complètement fondu. Réserver. Pour le feuilletage ; étaler 200 g de pâte feuilletée en forme de rectangle de 20 cm sur 30 cm et 2 mm d'épaisseur. Cuire dans un four à 180 °C durant 15 min environ. Le feuilletage doit avoir une belle couleur brune. Laisser refroidir, puis, à l'aide d'une règle et d'un cutter, couper

des rectangles de 6 cm sur 1,5 cm. Pour la garniture, éplucher 1 mangue puis la tailler, avec la part d'ananas réservée, en cubes de 2 mm de côté. Ajouter les graines et la pulpe de 4 fruits de la Passion et réserver. Couper 2 bananes en lamelles, les poêler et les déglacer avec le caramel à la noix de coco. Réserver au chaud. Passer de la noix de coco râpée au four pour lui donner une couleur blonde. Pour servir, monter sur l'assiette le mille-feuille à plat, en intercalant entre les plaques de feuilletage la mousse à l'ananas à l'aide d'une poche à douille. Disposer les bananes tièdes en les superposant sur le côté, et parsemer la noix de coco râpée et grillée. Ajouter 1 brin de mélisse pour décorer. Chauffer le grog, ajouter au dernier moment le jus de 2 citrons verts et le rhum. Verser le grog dans des tasses à café avec 2 cuillerées à soupe du mélange mangue-ananas en cubes. »

RECETTE D'ALAIN PASSARD

mille-feuille au chocolat

« Mélanger 1,5 kg de farine, 30 g de sel fin et 600 g de beurre. Ajouter 35 cl de lait et 40 cl de crème UHT. Remuer, sans donner trop de corps à la détrempe. La laisser reposer 4 heures. Incorporer 300 g de chocolat en poudre à 1,2 kg de beurre. Étaler en forme de carré et réserver au froid. Mettre le beurre marbré au milieu de la détrempe et rabattre la pâte dessus. Donner un premier tour, puis laisser reposer 6 heures. Répéter cette opération 5 fois, en laissant reposer 6 heures à chaque tour. Abaisser le feuilletage sur 2,5 mm d'épaisseur. Le détailler en bandes et laisser reposer 6 heures. Parer les extrémités des bandes et les poser sur une plaque. Cuire 5 min à 200 °C, puis 70 min à 150 °C. Porter 80 cl de lait à ébullition. Dans un cul-de-poule, fouetter 8 jaunes d'œuf et 100 g de sucre en poudre jusqu'à ce qu'ils blanchissent, ajouter 50 g de farine, et 150 g de chocolat en poudre sans mélanger. Verser le lait bouillant sur la préparation, remuer, porter à ébullition et cuire 3 min. Débarrasser, poser un film sur la crème. Laisser refroidir. Garnir. »

mille-feuille de tomate au crabe ▶ CRABE

RECETTE DE PHILIPPE CONTICINI

mille-feuille à la vanille (version classique)

« La veille, faire bouillir 1 litre de lait demi écrémé avec 2 gousses de vanille fendues et grattées. Laisser infuser toute la nuit. Mélanger 500 g de farine, 22 cl d'eau, 9,5 cl de crème et 11 g de sel fin. Former un pâton et laisser reposer 1 heure au frais. Réaliser un beurre manié en mélangeant 750 g de beurre et 255 g de farine. Étaler entre deux feuilles de papier sulfurisé afin de réaliser une abaisse rectangulaire de 30 x 50 cm et de 1 cm d'épaisseur. Conserver 1 heure au frais. Sortir le pâton et le beurre manié du réfrigérateur. Déposer le pâton de détrempe au centre de l'abaisse de beurre manié, rabattre les bords (droit et gauche) de l'abaisse sur le pâton puis donner un premier tour. Tourner l'abaisse d'un quart de tour et donner un deuxième tour. Laisser reposer 12 heures au frais. Renouveler deux fois l'opération en respectant les heures de repos (soit 6 tours en tout et 36 heures de repos). Abaisser le pâton de feuilletage à 1 mm d'épaisseur et 60 x 40 cm puis laisser reposer 2 heures. Cuire l'abaisse de feuilletage 25 min à 170 °C entre deux plaques de cuisson avec du papier sulfurisé dessus et dessous, sortir l'abaisse de mille-feuille et saupoudrer de sucre glace sur toute la surface ; repasser au four à 220 °C pour obtenir une surface lisse et brillante, réserver. Pour la crème pâtissière, porter de nouveau à ébullition le litre de lait (après avoir retiré la vanille) en ajoutant 50 g de sucre en poudre. Dans un cul de poule, faire blanchir au batteur 8 jaunes d'œuf et 100 g de sucre en poudre 2 à 3 min. Mélanger 50 g de farine type 55, 50 g de fécule de maïs et 30 g de poudre à crème du commerce. Les ajouter au mélange œufs-sucre. Verser le lait bouillant sur cette préparation, remuer, porter à ébullition et cuire 3 min sans cesser de remuer. Hors du feu, ajouter petit à petit 150 g de beurre froid coupé en petits cubes. Verser la crème dans un récipient approprié et tapoter le dessus de la crème avec du beurre piqué sur une fourchette, ou appliquer directement dessus un film alimentaire pour empêcher la formation d'une croûte. Pour le montage, découper le mille-feuille cuit en trois bandes de 12 cm de large et 60 cm de long avec un couteau scie. À l'aide d'une poche à douille, dresser la crème pâtissière sur une première bande de pâte feuilletée, recouvrir d'une deuxième bande de feuilletage, renouveler une fois l'opération. Réserver au frais puis découper les mille-feuilles terminés en portions individuelles. Enfin, glacer au sucre glace ou avec un fondant pâtissier. »

RECETTE DE PIERRE HERMÉ

mille-feuille à la vanille (version au mascarpone)

POUR 12 GÂTEAUX INDIVIDUELS – PRÉPARATION : 35 min – CUISSON : 30 min

« Préparer et cuire 15 à 20 min 2 pâtons de 400 g de pâte feuilletée. Faire infuser 30 min 2 gousses de vanille dans 400 g de crème préalablement bouillie. Mélanger 5 jaunes d'œuf et 140 g de sucre en poudre. Verser la crème à la vanille dessus. Cuire comme une crème anglaise à 85° C, puis incorporer 4 feuilles de gélatine préalablement ramollies dans de l'eau froide. Assouplir 340 g de mascarpone. Y incorporer peu à peu 640 g de la crème à la vanille. Garder au réfrigérateur jusqu'à ce que la crème soit prise. Étaler un quart de cette crème sur un premier rectangle cuit de pâte feuilletée caramélisée. Poser dessus un deuxième rectangle de pâte feuilletée. Étaler un quart de crème. Terminer par le dernier rectangle de pâte feuilletée. Saupoudrer de sucre glace. Procéder de la même façon avec l'autre moitié des rectangles de pâte feuilletée. Garnir les bords de 10 à 12 gavottes émiettées. Découper en 12 petits gâteaux. »

mille-feuilles de tofu mariné au carvi et tombée d'épinards, riz basmati aux échalotes ▶ TOFU

MILLÉSIME Année de production d'un vin. Les conditions climatiques influant beaucoup sur la maturation du raisin, plus abondant dans les années humides, plus sucré dans les années sèches, les vins n'ont pas la même qualité tous les ans. L'année de la récolte n'est indiquée que pour les « vins de qualité produits dans une région déterminée » (AOC, AOVDQS, vins de pays). Certaines « grandes années » ont laissé un souvenir impérissable dans la mémoire des œnophiles (1921 ; 1929 ; 1947 ; 1949 ; 1953 ; 1955 ; 1959 ; 1961 ; 1985 ; 1990 ; 2000 ; 2003 ; 2005).

MILLET Nom usuel de plusieurs espèces de céréales, cultivées sous les climats chauds et secs, et souvent désignées sous l'appellation collective de mil. Le millet commun et le fonio, notamment, jouent un rôle important dans l'alimentation des pays africains et asiatiques (**voir** tableau des céréales page 179 et planche pages 178 et 179). Riche en magnésium, en fer, en manganèse et en vitamine B, le millet (encore cultivé dans certaines régions de France) se vend en grains, en flocons, en semoule ou en farine. On le fait cuire 20 minutes dans le double de son volume de liquide. Les grains, dorés à la poêle avant d'être cuits, prennent des arômes de noisette. On les consomme nature avec des légumes, dans une omelette ou dans un potage, en farce, en boulettes ou en petites galettes.

MIMOLETTE Fromage à pâte pressée non cuite au lait de vache (40 % de matières grasses), dont le nom découle de « mi-mou et mi-dur » (**voir** tableau des fromages français page 390). De forme sphérique de 20 cm de diamètre, il pèse 3 kg environ. Il est fabriqué en Normandie depuis le XIXᵉ siècle à partir d'une technique néerlandaise ; il ne faut pas le confondre avec le produit frison de *commissiekaas* (« fromage de la commission »). La pâte est colorée au jus de carotte, et la croûte sèche est parsemée de petites cavités. Vieillie en cave humide, à Lille, la mimolette prend le nom de « boule de Lille ». Très affiné et dur, ce fromage, accompagné de figues, peut être dégusté en morceaux ou en fines lamelles avec un vin muté.

MIMOSA Nom d'un apprêt d'œufs durs farcis, servis en hors-d'œuvre froid. Les demi-blancs évidés sont garnis à la poche à douille cannelée avec les jaunes, tamisés et mélangés à de la mayonnaise et du persil. On appelle aussi « mimosa » des salades composées, parsemées de jaune d'œuf dur haché.

« Mimosa » est enfin le nom d'un cocktail short drink composé de champagne et de jus d'orange pressée, servi dans une flûte.

MINCEMEAT Préparation aigre-douce de la cuisine anglaise à base de graisse de rognon de bœuf, de raisins secs, de fruits confits, d'épices et, parfois, de dés de filet de bœuf cuit, macérée dans de l'alcool et utilisée traditionnellement pour garnir les mincepies.

Le mincemeat sert aussi à préparer divers entremets chauds : des beignets ou des fritots servis avec une sauce à l'abricot et au rhum, une omelette sucrée parfumée au brandy, des rissoles.

MINCEPIE Tartelette garnie de mincemeat, ou plus généralement de graisse de rognon de bœuf, d'épices et de fruits secs macérés dans du brandy, et recouverte d'une abaisse de pâte ; on ne la sert que pendant les fêtes de Noël.

Au XVIIᵉ siècle, le mincepie était une tourte volumineuse, garnie de langue de bœuf, de poulet, d'œufs, de sucre, de raisins secs, de zestes de citron et d'épices.

mincepie

Mettre dans une terrine 500 g de graisse de rognon de bœuf hachée, 500 g de filet de bœuf coupé en petits dés, 500 g de raisins de Málaga épépinés et hachés, 500 g de raisins de Corinthe et de Smyrne hachés, 500 g de pommes reinettes épluchées et hachées, 150 g de cédrat confit coupé en petits dés, 100 g d'écorces d'orange confite hachées, le zeste haché de 1 orange et son jus, 500 g de cassonade blonde, 30 g d'épices mélangées (cannelle, clou de girofle, muscade), 15 g de sel, 1/2 bouteille de cognac, 1 verre de rhum, 1 verre de madère. Bien mélanger et laisser macérer 1 mois au frais, à couvert, en remuant tous les 8 jours. Garnir de pâte à foncer de grands moules à tartelette beurrés à bords élevés, puis les emplir de mincemeat. Recouvrir d'une fine abaisse de feuilletage et bien souder le bord. Pratiquer une petite cheminée au centre de ce feuilletage. Dorer à l'œuf. Cuire 20 min au maximum dans le four préchauffé à 220 °C. Servir chaud.

MINERVOIS Vin AOC rouge, rosé ou blanc du Languedoc, fruité et généreux, produit par un vignoble créé par les légionnaires romains. Les rouges et les rosés sont produits par les cépages carignan, grenade, lladoner pelut, syrah et mourvèdre ; les blancs sont issus du bourboulenc et du maccabeo (**voir** LANGUEDOC).

MINESTRONE Soupe de légumes italienne enrichie de pâtes ou parfois de riz. Les Italiens commencent volontiers le repas par une *minestra* (soupe de légumes), une *minestrina* (potage plus léger, aux petites pâtes), ou un minestrone.

C'est la diversité des légumes qui caractérise cet apprêt, variable selon les régions. En Toscane, les haricots blancs sont indispensables, comme les courgettes, les poireaux, les oignons, les tomates, les carottes et le chou noir, et on le sert avec de l'huile d'olive crue et une tranche de pain parfumé à l'ail. À Gênes, il est réalisé avec du potiron, du chou, des fèves, des courgettes, des haricots rouges, du céleri et des tomates. À Venise, on trouve un minestrone fait avec des pâtes et des haricots *(pasta e fagioli)*. On l'accompagne surtout de pesto, une sauce onctueuse faite de basilic, d'huile d'olive, d'ail et de parmesan râpé. Ailleurs, on le déguste classiquement avec du fromage râpé à part, et une garniture d'ail et d'aromates.

minestrone florentin

Cuire 300 g de petits haricots blancs dans de l'eau parfumée avec 1 gousse d'ail, 1 bouquet de sauge et 1 cuillerée d'huile d'olive extravierge. En réduire la moitié en purée en l'écrasant au tamis. Faire revenir dans une grande casserole avec de l'huile d'olive 1 tranche de jambon cru haché, 1 branche de céleri, 1 bouquet de persil, 1 oignon haché et 1 branche de thym. Ajouter 2 poireaux et 2 courgettes détaillés en gros dés, 1 chou

« Gare au péché de gourmandise ! Les chefs des restaurants Hélène Darroze et Garnier et de Potel et Chabot travaillent la pâte feuilletée avec patience et dextérité. Ils façonnent des feuilletages délicats, qui fourrés d'une composition de crustacés, pour une entrée chaude, qui séparés de crème savamment disposée et couverts de sucre glace, pour un dessert bien tentant. »

coupé en lamelles et 500 g d'épinards, puis, au bout de 10 min, la sauce tomate. Quand le tout a bien mijoté, ajouter les haricots entiers avec leur eau de cuisson et la purée. Allonger avec 1 litre de bouillon pour obtenir une consistance onctueuse. Cuire à petit feu 1 heure, poivrer et saler. Mettre dans une poêle 1 verre d'huile d'olive, 2 gousses d'ail écrasées, 1 branche de thym et 2 brins de romarin. Porter sur le feu puis, quand l'ail commence à blondir, verser cette huile aromatisée sur le minestrone à travers une passoire, de façon à retenir les aromates. Servir chaud ou froid.

MINT JULEP Cocktail short drink préparé en écrasant à l'aide d'un pilon quelques feuilles de menthe au fond d'un verre, puis en ajoutant du sucre, de la glace pilée et du bourbon. D'autres juleps, additionnés de menthe, sont faits avec du champagne ou du gin et du jus d'orange. Ils se servent tous décorés de menthe fraîche et poudrés de sucre.

MINT SAUCE Sauce typiquement anglaise composée d'une julienne de feuilles de menthe mélangée à de la cassonade et du vinaigre, relevée de sel et de poivre et détendue avec quelques gouttes d'eau. La mint sauce se sert froide et accompagne l'agneau chaud ou froid.

MIQUE Boulette périgourdine de farine de maïs et de froment, ou de froment seul, et de saindoux, de graisse d'oie ou de beurre, à laquelle on peut ajouter de la levure, du lait et des œufs. Les miques sont pochées à l'eau salée ou dans un bouillon ; elles accompagnent les plats en sauce, le pot-au-feu, le petit salé au chou, la soupe ou le civet. Aplaties, elles peuvent, une fois pochées et refroidies, être frites à la poêle et servies en dessert avec de la confiture ou du sucre. Coupées en tranches, elles sont rissolées à la graisse d'oie et servies en entrée avec du lard grillé. On trouve aussi des miques en Béarn et dans le Pays basque, notamment les miques « noires » (ou *pourrous negres*), faites de maïs et de froment, pochées dans l'eau de cuisson des boudins, puis grillées.

mique levée du Périgord noir

Bien pétrir à la main 500 g de farine de froment, 3 œufs entiers, 10 g de levure de boulanger (délayée dans un peu de lait tiède 10 min avant de travailler la pâte), 100 g de beurre ramolli (ou de graisse d'oie), 1 pincée de sel et 1,5 verre de lait. Travailler jusqu'à ce que la pâte soit ferme et homogène. En faire une boule et la laisser reposer 5 heures dans une jatte, sous un torchon. Trois quarts d'heure avant la fin de la cuisson d'un pot-au-feu, mettre la mique dans le bouillon en la retournant à mi-cuisson. Servir en tranches, avec les légumes et la viande.

MIRABEAU Nom d'un apprêt des viandes de boucherie grillées (de bœuf notamment), mais aussi des filets de sole et des œufs sur le plat, qui sont garnis de filets d'anchois, d'olives dénoyautées, de feuilles d'estragon et de beurre d'anchois.
▶ Recette : BŒUF.

MIRABELLE Petite prune jaune, à chair ferme, douce et parfumée, produite principalement en Alsace et en Lorraine ; celles de Nancy et de Metz sont très estimées.

La mirabelle (**voir** tableau des prunes page 716 et planche page 715) se consomme fraîche, mais sert surtout à faire des conserves au sirop, des confitures et une eau-de-vie blanche, ainsi que des flans et des tartes. En Lorraine, l'eau-de-vie bénéficie d'une appellation réglementée et le fruit frais d'une IGP et du label rouge.

compote de mirabelle ▶ COMPOTE

confiture de mirabelle

POUR ENVIRON 4 POTS DE 375 G – PRÉPARATION (la veille) : 30 min – MACÉRATION : 12 h – CUISSON : 20 min environ
Rincer et sécher 1,1 kg (soit 1 kg net) de mirabelles. Les fendre en deux, les dénoyauter. Les arroser avec le jus de 1 petit citron. Les verser dans une bassine à confiture avec 25 cl d'eau et 800 g de sucre cristallisé. Porter à ébullition en remuant. Écumer. Verser dans une jatte. Couvrir d'une feuille de papier sulfurisé. Le lendemain, filtrer le jus dans un tamis posé sur la bassine à confiture. Faire cuire sur feu vif au petit filé (103 °C). Ajouter les mirabelles. Porter à ébullition. Écumer. Cuire sur feu vif 5 min. Vérifier la cuisson sur une assiette très froide (la confiture doit prendre

la forme d'une goutte bombée sans couler) ou avec un thermomètre à sucre. Retirer du feu. Verser la confiture bouillante dans les pots. Couvrir aussitôt. Retourner les pots. Laisser refroidir.

mirabelles au sauternes et au miel

POUR UN BOCAL DE 2 LITRES – PRÉPARATION : 30 min – STÉRILISATION : 1 h 10
Stériliser un bocal de 2 litres à l'eau bouillante. Laver et sécher 1,2 kg de mirabelles, les mettre dans le bocal. Presser le jus de 1/2 citron. Ouvrir et gratter 1 gousse de vanille. Faire bouillir dans une casserole 50 cl d'eau de source, 200 g de miel de fleur ou d'acacia, 200 g de sucre en poudre, la vanille et le jus de citron. Verser ensuite ce mélange sur les mirabelles. Ajouter 50 cl de sauternes. Bien fermer le bocal. Le faire stériliser pendant 1 h 10 dans un faitout d'eau bouillante. Laisser refroidir. Ces mirabelles en bocal se gardent plusieurs mois dans un endroit frais.

RECETTE DE CHRISTINE FERBER

tarte aux mirabelles de Lorraine

« Préparer une pâte brisée en sablant 250 g de farine et 125 g de beurre salé froid, creuser un puits et disperser 10 g de sucre sur les rebords. Verser 1 œuf au centre du puits et mélanger pour obtenir une pâte homogène et lisse. Laisser reposer au frais 1 heure avant de l'utiliser. Pour le fond de tarte, beurrer un moule à tarte de 20 cm de diamètre et 3 cm de hauteur. Fariner légèrement le plan de travail, puis étaler la pâte brisée, à l'aide d'un rouleau, en un rond de 26 cm de diamètre. Disposer la pâte dans le moule, et presser délicatement du bout des doigts la pâte dans le fond et sur les côtés du moule. Piquer la pâte avec une fourchette et déposer le moule au réfrigérateur pendant 30 min. Préchauffer le four à 210 °C. Rincer les mirabelles à l'eau fraîche. Les sécher dans un linge et les fendre en deux pour retirer les noyaux. Disposer les mirabelles sur le fond de la tarte en conservant leur forme ronde initiale. Les parsemer d'un peu de sucre cristallisé et enfourner en baissant la température à 180 °C pendant 30 à 40 min environ. La pâte prendra une jolie couleur dorée et les mirabelles seront confites. »

MIREPOIX Préparation culinaire créée au XVIIIe siècle par le cuisinier du duc de Lévis-Mirepoix, maréchal de France et ambassadeur de Louis XV, et composée de légumes taillés en dés plus ou moins gros selon le temps de cuisson à prévoir pour le mets principal. On distingue trois sortes de mirepoix :
– la mirepoix « au maigre », utilisée comme garniture aromatique des fonds, préparations poêlées, braisés et jus, comporte carottes, oignons, céleri, thym et laurier ;
– la mirepoix « au gras » est préparée avec les mêmes ingrédients auxquels on ajoute du lard de poitrine ou des dés de jambon ; elle sert de garniture aromatique pour certaines sauces (tomate, espagnole) ou pour des potages de légumes secs (purée de pois cassés) ;
– la mirepoix à la bordelaise pour laquelle les légumes sont taillés en brunoise puis sués au beurre ; elle est employée pour la cuisson des crustacés sautés (écrevisses à la bordelaise, par exemple).

attereaux de foies de volaille à la mirepoix ▶ ATTEREAU (BROCHETTE)
oreilles de veau braisées à la mirepoix ▶ OREILLE

MIRLITON Tartelette en pâte feuilletée garnie d'une crème aux amandes et décorée de trois demi-amandes en étoile. La préparation dite « appareil à mirliton » entre dans la composition de nombreuses tartes (aux myrtilles, à la rhubarbe, etc.). On appelle aussi « mirliton » des petits-fours secs à la fleur d'oranger.

mirlitons de Rouen

Abaisser 250 g de pâte feuilletée sur 2 mm d'épaisseur et en garnir 10 moules à tartelette. Mélanger dans une terrine 2 œufs battus, 4 gros macarons écrasés, 60 g de sucre en poudre et 20 g de poudre d'amande. Emplir les moules, aux trois quarts, de cet appareil. Laisser reposer 30 min au frais. Séparer en deux 15 amandes mondées et disposer 3 demi-amandes sur chaque tartelette. Poudrer de sucre glace et cuire 15 à 20 min au four préchauffé à 200 °C. Servir tiède ou froid.

MISCHBROT Pain préparé avec 70 % de farine de seigle et 30 % de farine de blé. Le levain obtenu avec la moitié (ou davantage) de la farine de seigle donne au Mischbrot une saveur légèrement acidulée et une mie peu aérée. Ce pain, le plus consommé en Allemagne, est parfois aromatisé au lard, aux oignons, etc. Il se déguste plusieurs jours après sa fabrication.

MISO Pâte de soja fermentée, épaisse et parfumée, faite de germes de soja cuits, malaxés avec du riz, du blé, ou de l'orge. Selon le degré de fermentation, sa saveur va du douceâtre au salé, et sa couleur du jaune clair au brun foncé. Le miso est utilisé comme condiment dans la cuisine japonaise, notamment pour la soupe qui porte son nom.

MISTELLE Jus de raisin auquel on a ajouté de l'alcool pour l'empêcher de fermenter. Le sucre naturel reste ainsi dans le moût. Les mistelles, dont la production est réglementée, servent à fabriquer des vermouths. Le pineau, le floc de Gascogne, le ratafia de Champagne sont des mistelles dont l'alcool est une eau-de-vie de vin.

MITONNER Cuire doucement et longtemps des tranches de pain de campagne rassis dans une soupe ou un bouillon. Le pain absorbe ainsi le liquide et la soupe devient plus consistante. Par extension, le mot est devenu synonyme de « mijoter », et on l'emploie même dans le sens de préparer minutieusement un plat de cuisine ménagère.

MIXED GRILL Assortiment typiquement anglo-saxon de diverses viandes grillées (côtelettes d'agneau, dés de foie, saucisse fine, steak) au barbecue ou sur un gril en fonte, servi avec une garniture de verdure et de tomates grillées persillées.

MIXEUR Appareil électrique servant à broyer ou à mélanger les aliments. On utilise le mixeur pour réduire la soupe en velouté, les fruits cuits en compote, les tomates en coulis, certains légumes non féculents en purée, ainsi que pour monter une mayonnaise très ferme ou préparer des farces fines, des mousses et des mousselines.
– Le mixeur plongeant est formé d'un bloc-moteur muni d'une poignée, prolongé par une colonne portant un couteau qui tourne à près de 10 000 tours par minute. Il est introduit soit directement dans le récipient de cuisson ou de préparation, soit dans un gobelet-tamis, qui retient tous les déchets (pépins, peaux, fibres). Il est parfois doté d'un accessoire presse-purée, moins rapide pour que la préparation ne devienne ni collante ni visqueuse.
– Le mixeur à bol comporte un bloc-moteur servant de socle, sur lequel repose un bol où on plonge le couteau. Il a une capacité limitée, et il faut fractionner les quantités à traiter.

MIXOLOGISTE Personne qui contribue à l'évolution de la profession de barman en effectuant des recherches sur les ingrédients, les mélanges, les techniques de travail ou l'historique du bar, et reconnue par les professionnels, qui lui attribuent ce titre. Apparu au milieu du XIXᵉ siècle, le terme « mixologie » (science des mélanges) a été utilisé à San Francisco en 1882 par Jerry Thomas, auteur du premier livre pratique sur les cocktails, publié en 1862.

MODE Se dit d'un apprêt de grosses pièces de bœuf braisées, auxquelles on ajoute, aux trois quarts de la cuisson, du pied de veau désossé et détaillé en cubes, des carottes tournées et des petits oignons. Le bœuf « mode » se consomme chaud ou froid, en gelée.
De nombreux autres apprêts sont dits « à la mode » d'une ville ou d'une région lorsqu'il s'agit d'une spécialité locale.
▶ **Recettes :** BŒUF, CHEVREUIL, TRIPES.

MODERNE (À LA) Se dit de grosses pièces de boucherie dont la garniture comprend toujours de la laitue braisée (farcie ou non), complétée à volonté de pommes noisettes et de quenelles décorées de lames de truffe ou de langue écarlate, et aussi d'une timbale de chou braisé, cuite dans un moule de forme hexagonale foncé en chartreuse et ornée d'une lame de truffe ; la sauce est un jus de veau lié.

Les tournedos et noisettes d'agneau « à la moderne » sont sautés, dressés sur des têtes de champignons grillées, nappés de leur déglaçage au madère et à la demi-glace, et garnis de pommes croquettes, de laitues braisées et de tomates entières mondées et étuvées.

MOELLE OSSEUSE Tissus gras contenu dans la cavité des os longs des animaux de boucherie (bœuf et veau). La moelle cuit en moins de 20 minutes dans un bouillon aromatique ou au four. Il faut la saler avant cuisson et pour éviter qu'elle ne se détache de l'os emballer celui-ci dans une feuille d'aluminium.
Le pot-au-feu, le bœuf à la ficelle, doivent comporter un tronçon d'os à moelle. La moelle accompagne aussi le bœuf grillé ou poêlé (entrecôte et faux-filet). C'est un ingrédient de la sauce bordelaise. Classiquement, elle accommode les cardons. On peut encore la déguster sur croûte ou sur canapé.

cardons à la moelle ▶ CARDON
croûtes à la moelle ▶ CROÛTE

RECETTE DE FRÉDÉRIC ANTON
l'os à moelle
POUR 4 PERSONNES – PRÉPARATION : 45 min – CUISSON : 15 min
« Gratter 4 os à moelle de 12 cm de hauteur, 4 os évidés de 7 cm de hauteur et 4 os évidés de 4 cm de hauteur. Pour enlever la pellicule de viande restant autour, faire dégorger les os pendant 24 heures, puis les égoutter. Mettre les 4 os de 12 cm de hauteur à mariner dans 10 cl d'huile d'olive, ajouter 10 g de poivre concassé et réserver 12 heures au réfrigérateur. Mettre 200 g de pomme de terre à cuire au four préchauffé à 180 °C dans une feuille d'aluminium, sur une plaque contenant du gros sel. Éliminer les côtes de 200 g de feuilles de chou vert blanchies. Mélanger le chou avec la pulpe de pomme de terre cuite et 80 g de beurre. Assaisonner de sel et de poivre. Faire revenir 25 g de poitrine fumée taillée en petits bâtonnets. Ajouter 50 g de fine julienne de chou blanchi, lier le tout avec 15 g de beurre, assaisonner. Nettoyer 8 têtes de cèpes de 6 cm de diamètre. Les colorer dans un filet d'huile d'olive, assaisonner de sel et de poivre, puis les égoutter. Remettre le tout dans une poêle avec 20 g de beurre. Ajouter 3 g d'ail haché, 10 g d'échalote confite et 2 cuillerées à soupe de cerfeuil concassé. Mélanger et rectifier l'assaisonnement. Mettre à chauffer la grillade, déposer les 4 os à moelle de 12 cm et les griller sur toutes les faces pendant 15 min. Déposer au centre de chaque assiette 2 os à moelle évidés de 7 et de 4 cm de hauteur. Les remplir à moitié de compotée de chou, ajouter la julienne de chou et les lardons. Poser les têtes de cèpe dessus, décorer chacun avec 1 copeau de parmesan et 1 pluche de mouron des oiseaux (plante sauvage à fleurs blanches). Déposer 1 os à moelle grillé à côté. Napper les quatre assiettes avec 20 cl de jus de veau. Ajouter un cordon de crème de cèpes émulsionné et 1 tranche de pain tranché, frotté avec une gousse d'ail dans chaque assiette. Insérer une longue cuillère dans l'os avec la moelle et parsemer de poivre concassé et de fleur de sel. »

sauce bordelaise ▶ SAUCE
turbotin sur pilotis de moelle ▶ TURBOT

MOÏNA Nom d'un apprêt de filets de sole pochés, garnis de quartiers d'artichaut étuvés au beurre et de morilles à la crème.

MOKA Variété de café provenant d'Arabie. Seuls les cafés récoltés aux confins de la mer Rouge ont droit à l'appellation « moka », du nom du port yéménite par où ils étaient traditionnellement exportés. Le moka est un café puissant, fortement aromatique. Certains le trouvent amer, voire musqué. On le sert très fort et très sucré, dans de petites tasses. C'est un parfum de choix pour la pâtisserie, les glaces et la confiserie.
Le moka est aussi un gâteau individuel ou en grosse pièce, constitué d'abaisses de génoise ou de biscuit imbibées de sirop au café et séparées par des couches de crème au beurre parfumée au café ou au chocolat.
▶ **Recette :** GÂTEAU.

MOLE POBLANO Plat de fête de la cuisine mexicaine, dont le nom complet est *mole poblano de guajolote,* qui est un ragoût de dinde en sauce au cacao. À l'origine, la volaille était cuite au pot, mais on peut aussi la rôtir au four ou la préparer en cocotte, au saindoux. Découpée en morceaux, elle est ensuite nappée de sauce *(mole)* : celle-ci est faite en pilant d'abord divers piments avec du bouillon de volaille ; on ajoute des oignons, des tomates, de la tortilla émiettée, de l'ail et des amandes écrasées, ainsi que des graines d'anis et de sésame, puis on épice avec de la cannelle, des clous de girofle et de la coriandre. Le tout est bien écrasé et tamisé, mijoté dans du saindoux, mouillé de bouillon et additionné de cacao amer. Largement nappé de sauce, le plat est servi parsemé de graines de sésame, avec des épis de maïs ou de petites tortillas.

RECETTE DE MARIE CARMEN ZAMUDIO

mole poblano du couvent de Santa Rosa

POUR 10 PERSONNES – PRÉPARATION : 30 min – CUISSON : 2 h 30

« Dans un faitout, mettre 1 dinde de 3 kg coupée en morceaux avec 2 carottes, 2 oignons, 2 tiges de céleri, 2 gousses d'ail et 1 poireau coupés en gros morceaux. Recouvrir d'eau à hauteur, porter à ébullition, écumer et ajouter 3 grains de poivre noir, du gros sel. Poursuivre la cuisson sur feu doux pendant 2 heures. Pour le mole, faire revenir 2 min à la cocotte dans 150 g de saindoux 250 g de piments mulatos et 375 g de piments pasillas écrasés au pilon. Les retirer, les ébouillanter 2 min, les égoutter et les réserver. Peler et émincer 1 oignon et 3 gousses d'ail. Piler au mortier 75 g de pépins de citrouille, 125 g d'amandes, 125 g de graines de piment mulato, 3 grains de poivre, 3 clous de girofle, 15 g de bâtons de cannelle et 1 cuillerée à café d'anis. Faire revenir dans la même cocotte 2 tortillas de maïs et 125 g de pain rassis émiettés, avec l'oignon et l'ail émincés, les épices pilées au mortier et 35 g de graines de sésame. Mélanger le tout et ajouter 175 g de pulpe de tomate, 4 louches de bouillon de la dinde. Laisser mijoter 30 min. Incorporer le hachis de piments réservé et 200 g de chocolat haché. Mélanger et laisser cuire 2 min. Retirer les morceaux de dinde du faitout. Filtrer le jus de cuisson au-dessus d'une casserole et le faire chauffer jusqu'à ce qu'il réduise de moitié. Le mélanger au mole. Mixer puis filtrer au-dessus des morceaux de dinde. Mélanger. Donner un bouillon. Verser dans un plat. Parsemer de 40 g de graines de sésame. »

MOLLUSQUE Invertébré au corps mou possédant en général une coquille pour se protéger. Les mollusques sont apparus sur terre il y a environ 530 millions d'années et ont colonisé l'ensemble de la planète. Ils sont de taille très variable, allant de 1 mm pour un gastéropode à plus de 20 m pour les calmars géants. On estime à 100 000 le nombre d'espèces actuelles. On distingue trois principales familles. Les bivalves, ou lamellibranches, qui ont une coquille à deux valves articulées, sont les plus consommés. Les gastéropodes, les plus nombreux et les plus répandus, se rangent en trois sous-groupes selon la forme de leur coquille : spiralée (l'escargot), aplatie (l'ormeau) ou conique (la patelle). Les céphalopodes, les plus évolués, possèdent une coquille externe spiralée et cloisonnée (le nautile), interne (la seiche) ou absente (le poulpe).

Les mollusques se commercialisent et se consomment sous de multiples préparations. On pratique l'élevage pour certains d'entre eux.

MOMBIN Fruit jaune ou rouge foncé, d'un arbre de la famille des anacardiacées, arrondi, oblong ou légèrement piriforme, de 3 à 5 cm de long. Appelé aussi « spondias » ou « prune d'Espagne », le mombin est cultivé au Mexique, aux Philippines et aux Antilles ; la saveur de sa chair jaune, douce et juteuse, rappelle celle de l'orange. On le consomme nature, en compote, en confiture ou séché. Une autre variété (jaune pâle, à chair ferme et juteuse, au goût plus acidulé) est cultivée en Inde et dans le Pacifique ; elle accompagne de nombreux plats salés (notamment le poulet) et entre dans la composition des chutneys (surtout quand le fruit est vert), mais se déguste également crue, bien mûre.

MONACO Nom d'un apprêt de filets de sole pochés, nappés de sauce au vin blanc à la tomate et aux fines herbes, garnis d'huîtres pochées et de croûtons en dents de loup. L'appellation s'applique aussi à un consommé de volaille garni de petites boules de carotte et de navet, de truffes et de profiteroles, ou lié aux jaunes d'œuf et garni de tranches de pain poudrées de sucre. Ce dernier apprêt est assez voisin du consommé Monte-Carlo (consommé de volaille lié à l'arrowroot, garni de disques de pâte à génoise fromagée, dorés au four).

« Monaco » est aussi le nom d'un cocktail composé de bière, de limonade et de sirop de grenadine.

MONARDE Plante condimentaire herbacée de la famille des lamiacées (**voir** planche des fleurs comestibles pages 369 et 370). Les feuilles fraîches ciselées et les fleurs rouges servent à aromatiser et à orner les salades et les crudités. On l'utilise aussi en tisane.

MONBAZILLAC Vin AOC blanc, liquoreux, riche et aromatique du Sud-Ouest, issu des mêmes cépages que le sauternes et produit au sud de Bergerac.

MONDER Retirer la peau d'un fruit (amande, pêche, pistache, tomate) que l'on a d'abord mis dans une passoire et plongé quelques secondes dans de l'eau en ébullition. Le mondage proprement dit se fait avec la pointe d'un couteau d'office, délicatement, sans entamer la pulpe. Les amandes sont prêtes à monder quand leur peau se détache sous la pression des doigts.

PAS À PAS ▶ *Monder, épépiner et concasser des tomates, cahier central p. XVIII*

MONÉGASQUE (À LA) Se dit de tomates farcies froides, servies en hors-d'œuvre. Coupées aux trois quarts de leur hauteur, les tomates sont évidées, salées, poivrées, assaisonnées d'huile et de vinaigre, puis garnies d'un mélange lié de mayonnaise, de thon au naturel émietté, d'oignons ciselés, de fines herbes et, éventuellement, d'œufs durs hachés.

MONSELET (CHARLES PIERRE) Journaliste, poète et écrivain français (Nantes 1825 - Paris 1888). Cet ami de Baudelaire écrivit notamment la *Cuisinière poétique* (1859), ouvrage auquel collaborèrent Dumas, Banville, Gautier, etc. Du 21 février au 1er août 1858, Monselet fit paraître chaque dimanche *le Gourmet*, baptisé « journal des intérêts gastronomiques ». Cette feuille éphémère fut reprise ensuite sous le titre d'*Almanach des gourmands,* emprunté à Grimod de La Reynière, dont elle se voulait la continuatrice. L'*Almanach* parut en 1861 et 1862, puis de 1866 à 1870. Ami de nombreux restaurateurs de son époque, Monselet s'est vu dédier des recettes, toujours riches, dont certaines ont en commun les artichauts et les truffes : attereaux associant huîtres pochées, quartiers d'artichaut étuvés et lames de truffe, enrobés de sauce Villeroi, panés à l'anglaise et frits ; omelette fourrée d'un salpicon de fond d'artichaut et de truffe mijoté dans de la crème, garnie de lames de truffe chauffées au beurre et servie avec une sauce madère bien réduite.

▶ Recettes : BOMBE GLACÉE, CAILLE, PERDREAU ET PERDRIX.

MONTAGNÉ (PROSPER) Cuisinier français (Carcassonne 1864 - Sèvres 1948). Fils d'un hôtelier de Carcassonne, il se destinait à l'architecture, mais adopta le métier paternel lorsque ses parents ouvrirent un hôtel à Toulouse. Il gravit dès lors tous les échelons de la profession, dans les brigades des plus grands établissements de Paris, de Cauterets, de San Remo, de Monte-Carlo, puis revint à Paris, où il devint chef au *Pavillon d'Armenonville,* chez *Ledoyen* et enfin au *Grand Hôtel,* où il finit « gros bonnet », là même où il avait débuté. Il rédigea alors, avec Prosper Salles, son premier ouvrage culinaire, *la Grande Cuisine illustrée* (1900), suivi du *Grand Livre de la cuisine* (1929). Avec le concours du docteur Gottschalk, il rédigea le *Larousse gastronomique,* dont la première édition date de 1938. On lui doit également *la Cuisine fine* (1913), le *Trésor de la cuisine du bassin méditerranéen, le Festin occitan* (1929), *Cuisine avec et sans ticket* (1941), etc. Pendant la guerre de 1914-1918, Prosper Montagné organisa les cuisines centrales des armées. Après un séjour en Amérique du Nord, au cours duquel il conseilla la direction des abattoirs de Chicago, il revint à Paris et ouvrit, rue de l'Échelle, un restaurant que certains ont considéré comme la meilleure table de France. Il organisa aussi les premiers concours de cuisine des expositions gastronomiques. Son nom se perpétue notamment grâce au club Prosper Montagné, association de gastronomes et de professionnels fondée par René Morand en souvenir du maître, pour « mettre en honneur la qualité » (**voir** MONT-BRY).

MONTAGNE-SAINT-ÉMILION Vin AOC du Bordelais. Immédiatement après saint-émilion, montagne-saint-émilion propose des vins rouges du même style : ces vins, issus des cépages merlot, cabernet franc, cabernet-sauvignon et malbec, sont aromatiques, généreux et fruités.

MONTAGNY Vin AOC blanc de Bourgogne, issu du cépage chardonnay, bouqueté, légèrement épicé, sec, léger, produit dans quatre communes de la Côte chalonnaise (**voir** BOURGOGNE).

MONTBAZON Nom d'une garniture pour volailles, composée de ris d'agneau poêlés et de quenelles, et complétée par des têtes de champignon tournées et des lames de truffe.

MONT-BLANC Entremets froid, fait de vermicelle de purée de marron vanillée et de meringue sèche, décoré de crème Chantilly. Ce gâteau est aussi appelé « torche aux marrons » en Alsace et dans les pays germaniques.

RECETTE DE PIERRE HERMÉ

mont-blanc

POUR 6 PERSONNES – PRÉPARATION : 1 h – CUISSON : 2 h 45
« Préchauffer le four à 120 °C. Verser 200 g de meringue dans une poche à douille de 1 cm. Façonner des spirales de meringue de 24 cm de diamètre sur une plaque à pâtisserie recouverte d'une feuille de papier sulfurisé. Enfourner 45 min au four à 120 °C, puis 2 heures à 100 °C. Mélanger 150 g de pâte de marron à 330 g de purée de marron et 15 g de cognac. Ajouter 150 g de crème de marron. Verser cette crème dans une poche à douille à petits trous. Étaler 150 g de confiture d'églantine sur la meringue. Recouvrir de 200 g de crème Chantilly. Répartir dessus des vermicelles de crème de marron. Verser 200 g de crème Chantilly dans une poche à douille cannelée. Façonner des petites rosaces de Chantilly sur la crème de marron. Parsemer chaque rosace de brisures de marrons glacés. »

MONT-BRY Pseudonyme de Prosper Montagné, ayant servi à baptiser divers apprêts dont il fut le créateur ou qui lui furent dédiés. La garniture Mont-Bry sert à apprêter de petites pièces de boucherie, qui sont disposées sur des palets de purée d'épinard liée au parmesan, nappées d'un déglaçage au vin blanc et au fond de veau lié, et garnies de cèpes à la crème.

MONT-D'OR Fromage lyonnais de lait de chèvre, ou de laits de vache et de chèvre mélangés (45 % de matières grasses), à pâte molle et à croûte naturelle bleutée, légèrement tachée de rouge (**voir** tableau des fromages français page 392). Il se présente sous la forme d'un disque de 8 à 9 cm de diamètre et de 1,5 cm d'épaisseur. Doux et délicat au goût, il se rapproche un peu du saint-marcellin affiné.

MONT-DORE Nom d'un apprêt de pommes de terre. C'est une purée, liée avec des jaunes d'œuf, parfois enrichie de crème, additionnée de fromage râpé, puis dressée en dôme dans un plat à gratin, parsemée encore de fromage et mise à gratiner.

MONTER Battre au fouet à main ou électrique des blancs d'œuf, de la crème fraîche ou un appareil sucré (génoise, pâte à meringue), pour que la masse de l'apprêt emmagasine une certaine quantité d'air, ce qui le fait augmenter de volume en lui donnant une consistance et une couleur spécifiques.

Monter des jaunes d'œuf, c'est les mélanger énergiquement avec un fouet à sauce sur feu doux, jusqu'à obtenir une préparation crémeuse, nécessaire à la confection d'une sauce émulsionnée chaude. On monte aussi les émulsions, à chaud ou à froid (béarnaise ou mayonnaise), en incorporant le corps gras dans le jaune.

Monter une sauce au beurre, c'est lui ajouter du beurre par petites parcelles pour la rendre plus lisse ou plus brillante ; on incorpore celui-ci soit en tournant avec une cuillère, soit en donnant un mouvement de rotation au récipient.

MONTGLAS Nom d'un salpicon de langue écarlate et de champignons pochés (ou, plus rarement, de ris d'agneau pochés, de crêtes et de rognons de coq), additionnés de moitié moins de foie gras et de truffe ; le tout est taillé en julienne et lié soit de sauce madère réduite, soit de demi-glace au madère (pour la seconde composition).

Les côtes d'agneau Montglas, cuites d'un côté, sont recouvertes de ce salpicon, puis de chapelure et gratinées au four ; elles sont dressées avec un cordon de demi-glace. Ris de veau et volaille Montglas sont braisés et nappés de leur déglaçage, dans lequel on intègre le salpicon. Les bouchées feuilletées Montglas sont garnies de salpicon et ornées de petites escalopes de foie gras et de lames de truffe.

MONTHÉLIE Vin AOC rouge (cépages pinot noir et pinot gris) ou blanc (cépages chardonnay et pinot blanc) de la côte de Beaune, à la fois ferme et délicat. Les premiers crus portent souvent le nom du vignoble (**voir** BOURGOGNE).

MONTLOUIS Vin AOC blanc de Touraine, issu du cépage chenin, sec, demi-sec ou liquoreux, tranquille ou effervescent, qui fut longtemps vendu comme « vouvray » (**voir** TOURAINE).

MONTMARTRE (VIN DE) Vin produit sur la butte Montmartre, à Paris. La vigne, vendangée en grande pompe, donne chaque année quelque quatre cents bouteilles, vendues aux enchères au profit des œuvres sociales du quartier.

MONTMORENCY Nom de divers apprêts salés ou sucrés, caractérisés par la présence de cerises aigres (de Montmorency). Le caneton Montmorency, poêlé avec une garniture aromatique, est garni de cerises dénoyautées pochées au vin de Bordeaux et servi nappé du fond de cuisson déglacé au cherry brandy puis mouillé de fond de veau, lié et passé au chinois.

De tous les apprêts de pâtisserie baptisés « Montmorency », le plus classique est une génoise garnie de cerises au sirop masquées de meringue italienne, le dessus étant décoré de cerises glacées ou confites. Glaces, bombes et mousses glacées, croûtes, tartes et tartelettes Montmorency utilisent toutes des cerises, fraîches, confites ou macérées à l'eau-de-vie.

Il existe en cuisine classique d'autres apprêts Montmorency, sans cerises : ainsi, la garniture pour petites et grosses pièces de boucherie est composée de fonds d'artichaut remplis de boules de carotte glacées et de petites pommes noisettes de même grosseur.
▶ Recettes : BOMBE GLACÉE, CROÛTE.

MONTPENSIER Nom de divers apprêts sucrés ou salés. Le gâteau Montpensier est fait d'une pâte de type génoise, enrichie d'amande en poudre, de raisins secs et de fruits confits. Par extension, on appelle parfois « Montpensier » des gâteaux cuits dans un moule chemisé avec l'ingrédient qui parfume la préparation.

Quant aux tournedos, petites pièces de boucherie et escalopes de volaille Montpensier, ils sont garnis de pointes d'asperge et d'une julienne de truffe.

MONTRACHET Fromage bourguignon de lait de chèvre (45 % de matières grasses), à pâte molle et à croûte naturelle bleutée. Il se présente sous la forme d'un cylindre de 6 cm de diamètre et de 8 à 9 cm d'épaisseur. Présenté dans une feuille de vigne, le montrachet a une odeur caprine et un goût noiseté marqué.

MONTRACHET (VIN) Vin AOC blanc sec, issu du cépage chardonnay, un des plus célèbres de France, à la fois puissant et très élégant. Le montrachet, produit par deux communes de la Côte de Beaune, Puligny-Montrachet et Chassagne-Montrachet, est considéré par certains comme le meilleur vin blanc du monde (**voir** BOURGOGNE).

MONTRAVEL Vin AOC blanc, sec ou moelleux, issu des cépages sémillon, sauvignon et muscadelle, récolté sur la rive droite de la Dordogne, dans un secteur enclavé dans le Bordelais, mais qui est considéré comme un bergerac.

MONTREUIL Nom d'une garniture pour tournedos et petites pièces de boucherie, composée de fonds d'artichaut étuvés au beurre et garnis les uns de petits pois, les autres de petites boules de

carotte glacées, de même grosseur que les pois. Les poissons pochés Montreuil sont nappés de sauce au vin blanc et garnis de boules de pomme de terre cuites à l'eau, nappées d'un velouté au coulis de crevette.

MONTROUGE Nom de divers apprêts comportant des champignons de couche, ainsi baptisés en souvenir des champignonnières installées autrefois à Montrouge, aux portes de Paris.
▶ Recettes : CROQUETTE, CROUSTADE.

MONTSÉGUR Fromage pyrénéen de lait de vache (45 % de matières grasses), à pâte pressée non cuite et à croûte naturelle paraffinée noire. Il se présente sous la forme d'un disque à talon convexe de 20 cm de diamètre et de 8 à 12 cm d'épaisseur, pesant de 2 à 3 kg. Fabriqué industriellement, il est piqueté de quelques ouvertures.

MOQUES Spécialité de la pâtisserie gantoise. Ce gros boudin de pâte levée, parfumée à la cassonade et aux clous de girofle, est roulé dans du sucre cristallisé, coupé en tranches épaisses et cuit à four doux.

MORBIER Fromage franc-comtois AOC de lait de vache (45 % de matières grasses), à pâte pressée non cuite et à croûte naturelle gris clair ou orangée (**voir** tableau des fromages français page 390). Le morbier a la forme d'un disque de 30 à 40 cm de diamètre et de 5 à 8 cm d'épaisseur. Il présente une raie centrale composée de charbon végétal, qui réfère à l'époque où les fromages, collés les uns contre les autres pendant plusieurs mois dans la cheminée (le tuyé), se trouvaient marqués par la suie. Affiné à sec durant 45 jours au minimum, il a une saveur assez prononcée.

MOREAU (ANDRÉ) Cuisinier français (Collan 1909 - Paris 1999). Né dans un petit village de l'Yonne, il fait son apprentissage à Chablis à *l'Hôtel de l'Étoile*. Compagnon du Tour de France des devoirs unis, maître cuisinier, il est formé dans de grandes maisons parisiennes telles que *Lucas-Carton*, *Prunier*, le *George V*, assurant une activité saisonnière à Saint-Raphaël, La Baule ou Le Touquet. Devenu chef de partie (de 1938 à 1939), puis sous-chef et chef de cuisine au restaurant *Berkeley*, avenue Matignon à Paris (de 1945 à 1969), il y a notamment sous ses ordres Joël Robuchon, Alain Senderens et Henri Faugeron. Il termine sa carrière au *Sabot de Bernard* à Saint-Germain-des-Prés en 1972. Doué pour la cuisine artistique froide, il participe à maintes reprises aux grands concours nationaux et internationaux. En 1954, il remporte le prix Prosper Montagné et devient Meilleur Ouvrier de France en 1958.

MOREY-SAINT-DENIS Vin AOC rouge de la côte de Nuits issu du cépage pinot noir, dont la plupart des grands crus sont commercialisés sous leur propre appellation : clos-de-la-roche, clos-saint-denis, clos-de-tart et bonnes-mares (**voir** BOURGOGNE).

MORGON Vin issu du cépage gamay, faisant partie des dix crus classés du Beaujolais, plus corsé et un peu moins fruité que les autres, mais célèbre pour son arôme de kirsch (**voir** BEAUJOLAIS).

MORILLE Champignon de printemps très savoureux, mais assez rare (**voir** planche des champignons pages 188 et 189). Son chapeau conique étant creusé de profondes alvéoles, il faut le nettoyer avec beaucoup de soin dans plusieurs eaux pour le débarrasser de la terre, du sable ou des insectes qui s'y logent.

Les morilles à chapeau foncé, de couleur brune à noirâtre, sont les plus estimées ; la « blonde » est un peu moins savoureuse ; les morillons, à pied plus long, sont également moins fins.

Toutes les morilles demandent à être bien cuites, car la cuisson détruit certaines substances toxiques qu'elles contiennent ; elles sont souvent étuvées au beurre, puis liées à la crème fraîche ou dégla-cées au madère. Elles constituent une garniture « forestière » pour une omelette, une volaille, une viande rouge ou des ris de veau, se cuisinent aussi en gratin et relèvent les potages et les sauces. On les conserve au naturel, à l'huile ou par dessiccation.

aumônières de homard aux morilles

Faire dégorger 2 ris de veau 1 heure dans l'eau froide. Les égoutter, les couvrir d'eau et les blanchir 5 min. Les rafraîchir, les éplucher, les mettre sous presse et les garder au frais jusqu'au lendemain. Réhydrater 50 g de morilles séchées 30 min dans de l'eau tiède, puis les blanchir 3 min à l'eau bouillante salée. Faire revenir dans 30 g de beurre 2 carottes, 4 échalotes et 3 gousses d'ail, émincées très finement. Ajouter les ris de veau coupés en dés et laisser braiser doucement 10 min. Mouiller avec 5 cl de vin blanc sec, laisser réduire et ajouter 10 cl de fumet de crustacés, 2 tomates épépinées et concassées, assaisonner de sel et de poivre, couvrir et cuire 10 min. Égoutter les dés de ris. Mixer le contenu de la sauteuse et tenir cette sauce au chaud. Couper en cubes la chair de 2 homards de 900 g, cuits 5 min à l'eau bouillante salée et décortiqués. Les mélanger avec les ris et les morilles, grossièrement hachées. Découper 6 feuilles de brik en carrés de 20 cm de côté. Les disposer sur une plaque beurrée. Placer au centre de chaque carré 2 cuillerées de la préparation refroidie, badigeonner les bords de beurre fondu et les réunir pour former des aumônières. Les cuire au four préchauffé à 210 °C jusqu'à obtention d'une coloration parfaitement blonde. Servir les aumônières avec la sauce à part.

RECETTE DE RÉGIS MARCON

crème renversée au caramel de morilles

POUR 8 PERSONNES

« La veille, faire tremper 60 g de morilles séchées extra dans de l'eau tiède. Le lendemain, les égoutter, enlever l'excédent de sable après les avoir triées et lavées. Faire réduire le jus de trempage filtré jusqu'à obtenir 5 cl de jus. Pour préparer le caramel, faire cuire 250 g de sucre avec un peu d'eau jusqu'à obtenir une couleur caramel blond (**voir** page 160). Déglacer avec 10 cl de vermouth Noilly Prat. Ajouter le jus de 1/2 citron, le jus des morilles, faire réduire à nouveau puis verser ce caramel dans 8 ramequins. Faire cuire les morilles dans un peu d'eau. En disposer 40 g hachés dans les ramequins et les garder au frais afin que le caramel durcisse. Pour le flan, cuire 200 g de sucre avec un peu d'eau jusqu'à obtenir un caramel brun. Déglacer avec 25 cl de crème puis faire bouillir. Ajouter 75 cl de lait, les 20 g de morilles restantes et faire bouillir à nouveau en mélangeant avec un fouet. Faire blanchir 4 œufs, 8 jaunes d'œuf et 50 g de sucre. Verser sur ce mélange le lait bouillant ; mélanger et passer au chinois. Disposer un papier sulfurisé sur une plaque allant au four. Déposer les ramequins dessus, verser le flan à ras bord dans chaque ramequin puis verser de l'eau sur la plaque à mi-hauteur des ramequins. Faire cuire au bain-marie 45 min environ. Vérifier la cuisson en piquant l'intérieur du flan avec la lame d'un couteau qui doit ressortir lisse. Retirer les ramequins du four et les placer au frais. Au moment de servir, démouler chaque ramequin dans une assiette : passer un couteau fin sur les bords du ramequin, faire pénétrer un peu d'air dans le moule, le flan se démoule facilement. Servir avec un cake aux poires. »

gigot de poularde de Bresse au vin jaune et morilles ▶ POULARDE

morilles à la crème

Nettoyer 250 g de morilles. Les laver à l'eau tiède. Les éponger à fond. Les laisser entières si elles sont petites, les couper en deux si elles sont grosses. Les mettre dans une sauteuse avec 1 cuillerée à soupe de beurre, 1 cuillerée à café de jus de citron, 1 cuillerée à café d'échalotes hachées, du sel et du poivre. Les faire étuver 5 min, puis les couvrir de crème fraîche bouillante. Faire réduire jusqu'à ce que la sauce ait épaissi. Au moment de servir, ajouter 1 cuillerée à soupe de crème fraîche et du persil ciselé.

RECETTE DE GÉRARD RABAEY

morilles farcies aux fèves et poireaux

POUR 4 PERSONNES

« Nettoyer 24 morilles moyennes avec soin puis bien les sécher. Couper les pieds et les hacher. Pour la farce, faire suer dans 20 g de beurre 20 g d'échalotes ciselées. Ajouter les pieds de morille. Saler. Étuver pendant 15 à 20 min. Laisser refroidir. Mélanger ensuite 50 g de foie gras cru et 50 g de pain de mie. Avec une poche à douille fine, garnir les morilles de cette farce. Écosser 400 g de fèves. Les cuire à l'eau bouillante salée pendant 2 min. Rafraîchir, égoutter puis réserver. Laver 1 petit poireau et le découper en sifflets. Le faire étuver 4 ou 5 min avec 20 g de beurre. Assaisonner de sel et de poivre du moulin et réserver. Mettre 20 g de beurre dans une casserole, faire étuver doucement les morilles farcies pendant 10 min. Saler. Retirer les morilles puis déglacer avec 1 cl de porto rouge. Ajouter 5 cl de fond brun de volaille. Réduire la cuisson et y remettre les morilles. Chauffer les fèves et les poireaux avec une noix de beurre. Disposer les morilles farcies dans 4 assiettes creuses chaudes, répartir la garniture puis napper du jus de cuisson. »

sot-l'y-laisse aux morilles ▶ VOLAILLE

RECETTE DE PHILIPPE ROCHAT

tarte croustillante de morilles du Puy-de-Dôme aux févettes

POUR 4 PERSONNES

« Préparer le jus de champignon sauvage. Faire fondre 80 g d'échalotes ciselées dans 70 g de beurre, puis ajouter 300 g de mélange de champignons nettoyés (chanterelles, bolets, marjolus et pieds de mouton). Faire revenir le tout avec 2 gouttes d'huile d'ail. Déglacer avec 2 cuillerées à soupe de porto blanc et 2 cl de vin blanc. Ajouter 5 cl de bouillon de volaille, 1 cuillerée à soupe de brindille de thym et 3 tours de poivre du moulin. Faire cuire 15 min. Passer au chinois fin et monter au beurre. Faire suer 200 g d'oignons cébette émincés dans 70 g de beurre, ajouter 150 g de févettes fraîches mondées, assaisonner de sel et de poivre puis ajouter 1 g de sarriette fraîche concassée. Verser uniformément cette préparation dans 4 cercles. Poêler au beurre 500 g de morilles brunes françaises (calibre 4-6 cm) bien nettoyées ; les couper en deux et les disposer en rond sur les cercles. Répartir dessus 12 rouelles d'oignons cébette ainsi que 24 demi-févettes mondées et assaisonnées d'un peu d'huile de noisette. Dans un four à 150 °C, placer 4 fonds de tarte en pâte feuilletée durant 5 min. Les poser ensuite sur 4 assiettes sans oublier d'ôter les cercles autour de la pâte. Ajouter 15 cl de jus de champignons sauvages et 3 pluches de cerfeuil par assiette avant de servir. »

terrine de ris de veau aux morilles ▶ RIS

MORNAY Nom d'une sauce dérivée de la béchamel, additionnée de jaunes d'œuf et de gruyère râpé, dont on nappe divers apprêts cuits destinés à être glacés à la salamandre ou gratinés au four : œufs pochés, brouillés, poissons, coquillages, légumes, crêpes fourrées, hachis variés, etc. La sauce Mornay entre aussi, sous forme d'appareil, dans la préparation de certaines entrées chaudes (allumettes, talmouse, gougère).

▶ Recettes : COQUILLE, SAUCE, SOLE.

MORTADELLE Charcuterie d'origine italienne, qui est une spécialité de Bologne (**voir** tableau des saucissons page 787). La mortadelle est un gros saucisson cuit à sec, légèrement fumé et aromatisé diversement (originellement, c'était avec de la myrte – *mortella* en italien –, d'où son nom). On la truffe aussi de pistaches. D'un diamètre de 25 cm au moins, elle se présente à la coupe comme une pâte fine et claire, où sont répartis des dés de gras ; on la sert en hors-d'œuvre, en tranches très fines.

MORTIER Récipient arrondi de grandeur variable, en bois, en porcelaine épaisse, en marbre ou en pierre, dans lequel on écrase à l'aide d'un pilon des aliments que l'on veut réduire en purée, en pâte ou en poudre. Son usage en cuisine remonte à l'Antiquité. Au XIXe siècle, dans les campagnes, on réduisait le sel en poudre dans des mortiers de granite. En Provence, ces derniers sont en bois d'olivier et servent toujours à émulsionner l'aïoli et à piler les herbes aromatiques avec de l'huile. Le mortier reste très utile pour certaines préparations, comme les farces et les beurres composés, ainsi que pour l'aïoli et la brandade. Dans les cuisines indienne (mélange d'épices, farine de lentille), africaine (pilage du manioc et du mil) et d'Amérique centrale (farine de maïs), c'est encore un ustensile de base.

MORUE Poisson des mers froides, de la famille des gadidés, qui n'est commercialisé sous ce nom que salé et séché ; vendu frais ou surgelé, il est appelé « cabillaud » (**voir** ce mot). La morue, qui pèse de 200 ou 300 g à 50 kg, était pêchée à Terre-Neuve, mais sur une telle échelle qu'elle est aujourd'hui pratiquement décimée. Au Canada, elle est toujours très appréciée fraîche. La distinction entre la morue et le cabillaud n'existe qu'en France, seul pays à avoir longtemps pratiqué deux pêches bien différentes, l'une pour la morue fraîche, l'autre pour la morue salée à bord. Actuellement, les poissons vendus sous les deux appellations sont congelés ou salés sur les mêmes bateaux.
■ **Présentations.** Elles diffèrent essentiellement en fonction du salage.
– La morue verte, salée mais non séchée, vendue en tonneaux, à l'odeur forte, n'est presque plus commercialisée en France, mais on en trouve beaucoup dans le bassin méditerranéen et au Portugal *(bacalao)*.
– La morue salée, la plus traditionnelle en France, est salée à bord, rincée et brossée au port, puis resalée (repaquée) ; elle se vend « en queue » ou emballée.
– Les filets de morue, brossés, lavés, pelés et désarêtés, blanchis et salés moins fortement, sont vendus préemballés, en portions de 200 g, 1 kg et multiples de 1 kg.
– Le stockfisch (« morue de Norvège ») est séché à l'air.
■ **Emplois.** La morue est plus énergétique que le cabillaud (350 Kcal ou 1 463 kJ pour 100 g), car le poisson, desséché, est plus « concentré ». Son foie, riche en vitamine A et en vitamine D, fut longtemps utilisé comme remède sous forme d'huile ; il est aujourd'hui mis en conserve, fumé, et sert à préparer des hors-d'œuvre froids.
La morue a constitué, pendant des siècles, un aliment de base, notamment pour les jours maigres. C'était en outre une denrée « stratégique », car elle permettait de tenir en cas de siège. Les tripes de morue étaient également un mets apprécié ; elles s'apprêtaient, après lavage, comme de la fraise de veau. Les langues de morue donnent toujours lieu à des recettes savoureuses. On utilise aussi les joues salées, la tête, la carcasse. Le cœur était apprécié des pêcheurs d'Islande. La peau sert désormais en maroquinerie.
Avant toute préparation, la morue doit être soigneusement dessalée. On peut ensuite soit la pocher et la servir froide ou chaude, généralement avec une sauce, soit la faire sauter directement dans un corps gras, ou encore la servir en brandade. Il existe plus de 400 recettes de morue.

morue : dessalage et pochage
Si la morue est sèche, la brosser sous le robinet d'eau froide, puis, suivant le cas, la laisser entière ou la diviser en fragments (ce qui accélère le processus de dessalage). Mettre le poisson (la peau au-dessus, car elle est imperméable et empêcherait le sel de se déposer au fond de l'eau) dans une passoire et celle-ci dans une bassine remplie d'eau froide. Laisser dessaler 24 heures (12 heures s'il s'agit de filets) en changeant l'eau 3 ou 4 fois. Égoutter alors la morue et la placer dans une casserole en la couvrant largement d'eau froide légèrement salée ; ajouter 1 bouquet garni, porter à ébullition et cuire 10 min à petit frémissement.

acras de morue ▶ ACRA
brandade de morue nîmoise ▶ BRANDADE
croquettes de morue ▶ CROQUETTE

filets de morue maître d'hôtel
Dessaler des filets de morue entiers, puis les détailler en languettes. Les aplatir légèrement, les éponger, les paner à l'anglaise, puis les faire cuire au beurre. Les dresser dans un plat de service et les napper de beurre maître d'hôtel mi-fondu ; servir avec des pommes de terre à l'anglaise.

morue à la bénédictine
Dessaler 1 kg de morue. Pocher le poisson à l'eau, sans le laisser bouillir. Cuire également à l'eau 500 g de pommes de terre farineuses. Égoutter la morue, l'effeuiller en ôtant la peau et les arêtes, et la faire sécher au four

quelques instants. Égoutter les pommes de terre. Broyer au mortier le poisson et les légumes. Incorporer ensuite au pilon 20 cl d'huile d'olive et 30 cl de lait. Beurrer un plat à gratin et y dresser la préparation en lissant la surface. Arroser de beurre fondu et faire colorer au four.

morue à la créole
Dessaler et pocher 750 g de morue. Avec 1 kg de tomates et de l'huile d'olive, préparer une fondue riche en ail et en oignon, additionnée de 1 pointe de Cayenne. Couper en deux et épépiner 6 tomates ; ouvrir et nettoyer intérieurement 2 poivrons verts et les détailler en languettes ; dorer à l'huile tomates et poivrons. Étaler la fondue de tomate dans un plat à gratin huilé ; disposer dessus la morue égouttée et effeuillée ; la recouvrir avec les demi-tomates et les languettes de poivron. Arroser avec un peu d'huile et cuire 10 min au four préchauffé à 230 °C, en arrosant avec un peu de jus de citron vert. Servir brûlant avec un riz créole.

morue à la « Gomes de Sa »
Faire dessaler 48 heures dans de l'eau froide 600 g de morue, en changeant l'eau 3 ou 4 fois. Dans une casserole, porter de l'eau à ébullition et y plonger la morue. Couvrir et envelopper 20 min dans une couverture. Égoutter la morue et enlever la peau et les arêtes. Défaire le poisson en petits morceaux. Le plonger dans 1 litre de lait chaud et le laisser infuser 2 heures environ pour qu'il devienne moelleux. Éplucher 400 g d'oignons et les couper finement en forme de demi-lunes. Hacher 6 gousses d'ail. Chauffer 30 cl d'huile d'olive dans un plat à rôtir et y faire blondir l'oignon et l'ail. Y mettre 800 g de pommes de terre cuites en robe des champs, épluchées et coupées en fines rondelles. Égoutter la morue et la mettre dans le plat. Ajouter 5 œufs durs coupés en tout petits morceaux, 1 bouquet de persil haché, 1 feuille de laurier, du sel, du poivre et des olives. Mélanger le tout. Couper 3 autres œufs durs en rondelles et les répartir sur le plat. Dorer à four chaud. Au moment de servir, parsemer de persil ciselé.

RECETTE DE MIGUEL CASTRO E SILVA
morue aux pousses de navet (cuisson sous vide)
POUR 4 PERSONNES
« Prendre 4 tranches de morue portugaise de 200 g chacune et les dessaler à l'eau froide pendant 48 heures. Retirer toutes les arêtes et mettre la morue dans un sac de cuisson sous vide (sac plastique pouvant supporter une température de – 30 à + 100 °C) contenant 8 cl d'huile d'olive. Chasser l'air du sac et fermer dans une machine à sous vide, ou en pressant soigneusement la fermeture d'un bout à l'autre. Plonger le sac dans une casserole d'eau à 66 °C pendant 20 min. Avant de servir, ouvrir le sac, verser le liquide dans une petite casserole et réserver la morue au chaud. Faire bouillir le liquide tout en fouettant et rajouter un peu de persil haché. Servir avec des pousses de navet blanchies mélangées avec des pommes de terre cuites en robe des champs épluchées et coupées en bâtonnets. Sauter le tout à l'huile d'olive avec quelques gousses d'ail émincées. »

morue à la provençale
Préparer 50 cl de fondue de tomate à l'huile d'olive, condimentée à l'ail. Verser cette fondue dans une sauteuse, y ajouter 800 g de morue dessalée, coupée en morceaux, pochée et épongée. Faire mijoter 10 min, en veillant à ne pas laisser bouillir, rectifier l'assaisonnement, puis verser dans le plat de service et parsemer de persil ciselé. Accompagner de pommes de terre à la vapeur ou de légumes à la provençale.

RECETTE DE CARME RUSCALLEDA
morue à la santpolenque, au chou vert et pommes de terre, sauce légère à l'ail
POUR 4 PERSONNES
« Préparer une mayonnaise avec 20 cl d'huile, 1 œuf pasteurisé, 2 g d'ail et 1 pincée de sel. Réserver au frais. Faire bouillir de l'eau minérale dans une grande casserole, y plonger 500 g de pommes de terre "del bufet" épluchées et taillées grossièrement. Saler et laisser cuire 9 min. Ôter la grosse côte de 16 feuilles

tendres de chou, puis les ajouter dans la casserole. Au bout de 3 min, retirer 8 feuilles de la cuisson et les réserver. Continuer la cuisson des pommes de terre et des 8 feuilles de chou restantes pendant 3 min. Assaisonner puis réserver l'eau de cuisson. Sortir et écraser les pommes de terre et les feuilles de chou à la fourchette pour obtenir une purée à l'ancienne. L'égoutter et l'assaisonner avec 1 cuillerée à soupe de la mayonnaise préparée. Réchauffer l'eau de cuisson jusqu'à ce que la température atteigne 30 °C ; y déposer 500 g de morue dessalée sans peau ni arêtes, détaillée grossièrement. Cuire à feu doux jusqu'à ce que la température atteigne 33 °C à l'intérieur des morceaux de morue. Prendre 4 cercles en Inox de 9 cm de diamètre. Poser 1 feuille de chou à l'intérieur de chaque cercle. Déposer ensuite une couche de purée puis les morceaux de morue. Recouvrir avec les 3 feuilles de chou restantes en donnant un aspect bombé. Chauffer 3 min à la vapeur. Chauffer 40 cl d'eau de cuisson jusqu'à 85 °C. Mixer avec la mayonnaise pour obtenir une sauce douce et crémeuse parfumée à l'ail. Servir à part les dômes de choux farcis et la sauce chaude. »

piments rouges de Lodosa (dits « piquillos »)
farcis à la morue ▶ PIMENT

MORVANDELLE (À LA) Se dit de divers apprêts où figure du jambon cru du Morvan (côtes de veau, omelette, œufs sur le plat, potée, tripes, notamment).

MOSAÏQUE Décor réalisé sur le dessus d'une terrine ou d'une galantine avec des éléments de diverses couleurs, découpés en rond, en carré, en étoile, etc.

En pâtisserie, la mosaïque est une génoise ronde, fourrée de crème au beurre et abricotée, dont le dessus est glacé au fondant blanc ; on y trace à la poche à douille des lignes parallèles et alternées avec de la confiture d'abricot et de groseille, que l'on raie ensuite transversalement avec la pointe d'un couteau.

MOSCOVITE Nom donné à divers entremets froids et moulés, dont la préparation ressemble à celle du bavarois.

Autrefois, les moscovites étaient des préparations glacées, sanglées dans des moules hexagonaux hermétiques, à dôme, dits « moules à moscovite ». Aujourd'hui, le moscovite est soit un bavarois aux fruits, soit une glace plombières, ou un biscuit glacé imbibé de kirsch et surmonté d'un dôme de crème glacée ou de fruits mêlés de crème.

MOSCOVITE (À LA) Se dit de divers apprêts inspirés de la cuisine russe ou mis au point par des chefs français ayant travaillé en Russie au XIXe siècle.

Le saumon à la moscovite est poché entier, refroidi, dépouillé, recouvert de mayonnaise à la gelée, décoré de détails de truffe, de jaune et de blanc d'œuf dur, de feuilles d'estragon blanchies et, pour finir, lustré à la gelée ; la garniture comprend des fonds d'artichaut remplis de salade russe et des moitiés d'œuf dur garnis de caviar.

La sauce à la moscovite, pour gibier, est une sauce poivrade additionnée de pignons, de raisins secs de Smyrne et de baies de genièvre.

Le consommé à la moscovite, à base d'esturgeon et de concombre, est garni d'une julienne de champignons russes et de dés de vésiga (moelle d'esturgeon).

Quant aux œufs à la moscovite, ils sont pochés et servis froids avec de la salade russe, ou chauds avec de la choucroute.

MOTELLE Petit poisson de la famille des gadidés, au corps cylindrique et visqueux, long de 60 cm au maximum, qui vit dans l'Atlantique nord-est, des îles Féroé jusqu'au Portugal, et en Méditerranée. Brun-rouge tacheté de noir sur le dos, la motelle, ou loche, à ne pas confondre avec la mostelle, est dotée de 3 à 5 barbillons selon les espèces. Elle a une chair maigre, très fine et délicate, qui se conserve assez mal. Elle s'apprête comme le merlan.

MOTHAIS Fromage poitevin au lait cru de chèvre (45 % de matières grasses), à pâte molle et à croûte fleurie, appelé aussi mothais sur feuille ou à la feuille (**voir** tableau des fromages français page 392). Il est apparenté au Bougon. Le mothais est fait à la Mothe-Saint-Héray dans les Deux-Sèvres.

Présenté sur feuille de châtaignier ou de platane séchée, il est en forme de disque de 10 à 13 cm de diamètre pour 3 cm de haut, pesant 250 g environ. Sa croûte, fleurie naturellement ou après ensemencement, est de couleur crème ; la pâte est blanche, lisse et homogène.

MOU Nom donné par les professionnels aux poumons des animaux de boucherie. Qu'il soit de bœuf, de veau, de mouton ou de porc, le mou est aujourd'hui généralement réservé à l'alimentation des chiens et des chats. Autrefois, on le préparait en civet, en matelote, à la poulette ou à la persillade.

MOUCLADE En Aunis et en Saintonge, préparation de moules de bouchot, cuites au vin blanc avec des échalotes et du persil, et nappées de leur cuisson allongée de crème, montée au beurre et liée.

RECETTE DE GUY ÉPAILLARD

mouclade des boucholeurs

« Nettoyer et laver 4 kg de moules. Les faire ouvrir avec 2 litres d'eau. Enlever une de leurs coquilles, ou les deux. Mettre dans le jus de cuisson 8 gousses d'ail finement pilées, 150 g de beurre, du persil haché, 1 pincée de curry, un peu de safran et 20 cl de crème fraîche. Porter à légère ébullition. Lier avec un peu de fécule délayée dans de l'eau, en remuant et, hors du feu, ajouter les moules. Servir très chaud. »

MOUFLON Mammifère sauvage originaire des îles méditerranéennes, très répandu en Corse (où sa chasse est interdite, comme en Sardaigne et à Chypre), mais présent aujourd'hui dans plus de vingt départements français. Le mouflon vit de préférence dans les milieux ouverts d'altitude. La femelle, ou brebis, pèse de 25 à 40 kg ; le mâle (35 à 50 kg) porte des cornes puissantes.

La chair du mouflon, à la saveur forte, doit être longuement marinée avant d'être préparée en rôti, en ragoût ou en civet.

MOUILLER Ajouter un liquide dans une préparation culinaire, que ce soit pour la faire cuire ou pour confectionner la sauce, le jus, etc. Le liquide, que l'on appelle « mouillement », peut être de l'eau, du lait, du bouillon, un fond, du vin.

Le mouillage consiste aussi bien à verser de l'eau ou du fond blanc pour recouvrir les viandes et la garniture d'une blanquette au moment de la mettre à cuire qu'à ajouter du fond de veau lié à un sauté de veau dont on vient de faire revenir les viandes, ou à déglacer le récipient de cuisson, après un rôtissage, avec du vin ou un alcool.

Mouiller « à hauteur », c'est ajouter le liquide de cuisson de manière qu'il affleure juste le dessus des éléments à cuire. Dans certains cas, on mouille seulement à mi-hauteur (poissons au four).

MOULE Petit coquillage, dont il existe de nombreuses espèces dans le monde (**voir** planche des coquillages pages 252 et 253). En Europe, les moules ont une coquille oblongue, mince et finement striée, d'un bleu plus ou moins foncé.
– La moule commune se pêche ou s'élève sur les côtes de l'Atlantique, de la Manche et de la mer du Nord, surtout entre l'embouchure de la Gironde et le Danemark ; elle est petite, bombée et tendre.
– La moule de Toulon, plus grosse, plus plate et moins fine, est présente uniquement en Méditerranée, où elle est très menacée par la pollution. Il existe quelques bancs naturels de moules (dites « de banches »), plus petites et moins charnues que les moules d'élevage.

■ **Élevage.** L'élevage des moules, ou mytiliculture, se pratique depuis le XIIIᵉ siècle, mais les Romains entretenaient déjà des moulières. On raconte que c'est un Irlandais, Patrick Walton, qui, ayant fait naufrage dans la baie de l'Aiguillon, en 1235, inventa la mytiliculture. Pour capturer des oiseaux, il tendait des filets entre de hauts piquets plantés en mer. Ceux-ci se couvrirent de moules qui grossissaient remarquablement. Il eut l'idée de rapprocher les piquets par des faisceaux de branchages appelés « bout choat » ou « bousches ». Le bouchot était né, et avec lui, le métier de boucholeur.

Aujourd'hui, les bouchots sont des alignements de 50 à 100 m de pieux en chêne, avec leur écorce, hauts de 4 à 6 m et à moitié enfouis ; on les garnit de jeunes moules provenant de cordes de captage des larves, ou naissain. La culture sur bouchots se pratique surtout du Cotentin à la Charente, et produit des moules petites, mais savoureuses et très charnues.

Deux autres méthodes d'élevage sont employées : l'élevage « à plat », apparenté à l'ostréiculture, qui a débuté au Croisic, où les bouchots ne réussissaient pas, et l'élevage « sur cordes », propre à la Méditerranée (« bouzigues » de l'étang de Thau). La mytiliculture française ne suffisant pas à la demande, des moules sont importées d'Espagne, des Pays-Bas et du Portugal.

■ **Conditionnement.** Les moules sont vendues sous divers conditionnements, mais toujours accompagnées, comme tous les coquillages frais, d'un étiquetage comportant une marque sanitaire européenne. Désormais, elles sont commercialisées au poids, et non au litre comme auparavant. On trouve aussi des moules en conserve ou en semi-conserve, au naturel ou en sauce piquante ou à la tomate.

Les moules achetées vivantes doivent être bien fermées, non desséchées, et cuisinées dans les 3 jours qui suivent l'expédition depuis le lieu de production (les coquilles cassées ou entrouvertes, qui ne se referment pas quand on les choque, doivent être systématiquement éliminées).

Avant l'emploi, il faut les débarrasser de tous les filaments (byssus) et des petits animaux calcaires coniques (comme les balanes) qui peuvent être accrochés à leurs coquilles, en les brossant et en les grattant sous l'eau courante. Les moules consommées crues doivent l'être le jour même de l'achat.

■ **Emplois.** Sur le plan diététique, la moule fournit 80 Kcal ou 334 kJ pour 100 g ; elle est riche en calcium, en fer et en iode.

Très populaire, elle se cuisine souvent à la bonne franquette : à la marinière, à la crème, frite, sautée, en gratin ou en omelette. Les apprêts régionaux (éclade, mouclade, moules farcies de l'île de Ré) sont originaux et savoureux.

Les moules sont également présentes dans nombre de recettes étrangères : garniture de la paella, de la *zuppa di cozze* (soupe à l'ail, au céleri et à l'oignon) de Ligurie ou du *mussel broth* anglais (soupe au cidre et au lait, avec des poireaux et du persil, liée de crème fraîche), sans oublier les divers apprêts belges, au vin blanc ou à la crème et au persil. Les Belges, qui sont en effet les plus gros consommateurs de moules du monde, importent celles-ci des Pays-Bas et les dégustent « à la mode de Bruxelles », avec une sauce à base de céleri et d'oignon, hachés et revenus dans du beurre. Les moules sont alors accompagnées de frites croquantes.

attereaux de moules ▶ ATTEREAU (BROCHETTE)
brochettes de moules ▶ BROCHETTE

hors-d'œuvre de moules ravigote

POUR 4 PERSONNES – PRÉPARATION : 30 min – CUISSON : 15 min
Préparer et cuire à la marinière 1,2 kg de moules (voir recette ci-après). Faire cuire un œuf dur, l'écaler et le hacher. Éplucher, laver et ciseler 1 petit oignon doux et 1 échalote grise. Hacher 1 cuillerée à soupe de câpres ainsi que 2 cuillerées à soupe de persil plat, de cerfeuil, d'estragon et de ciboulette mélangés en quantités égales. Décoquiller les moules, les ébarber, les mettre dans un saladier et les laisser refroidir. Conserver le jus de cuisson filtré pour une autre utilisation. Préparer la sauce ravigote avec 3 cl de vinaigre de cidre, du sel fin, du poivre du moulin, 1 cuillerée à soupe de moutarde blanche et 10 cl d'huile d'arachide. Incorporer toute la garniture aromatique. Lier les moules avec la sauce ravigote, vérifier l'assaisonnement et les dresser dans un saladier. Servir frais.

moules frites

Préparer des moules marinière (voir recette ci-dessous), les décoquiller et les laisser refroidir. Les faire mariner 30 min avec de l'huile d'olive, du jus de citron, du persil ciselé et du poivre. Les tremper ensuite dans de la pâte à frire et les plonger dans de l'huile à 180 °C. Les égoutter, les éponger sur du papier absorbant et les servir en hors-d'œuvre, avec des quartiers de citron, ou à l'apéritif, piquées sur des bâtonnets.

moules marinière

Gratter, laver et ébarber 2 kg de moules. Éplucher et hacher 2 grosses échalotes. Jeter ce hachis dans un faitout beurré, avec 2 cuillerées à soupe de persil haché, 1 petite branche de thym, 1/2 feuille de laurier en morceaux, 20 cl de vin blanc sec, 1 cuillerée à soupe de vinaigre de vin et 2 cuillerées à soupe de beurre divisé en parcelles. Ajouter les moules, les couvrir et les faire ouvrir sur feu vif, en secouant plusieurs fois le récipient. Dès qu'elles sont ouvertes, retirer le faitout du feu et les verser dans un saladier. Enlever le thym et le laurier. Incorporer à la cuisson 2 cuillerées à soupe de beurre en petits morceaux, en fouettant, et verser sur les moules. Parsemer de persil ciselé.

moules à la poulette

Préparer des moules marinière (voir recette ci-dessus), les égoutter, retirer une de leurs coquilles et les mettre dans un légumier. Passer la cuisson à travers un tamis fin, faire réduire de moitié, ajouter 30 cl de sauce poulette. Ajouter un peu de jus de citron, verser sur les moules et parsemer de persil ciselé.

RECETTE DE JEAN-FRANÇOIS PIÈGE

moules à la Villeroi

POUR 6 PERSONNES

« Gratter 1 kg de moules, les ébarber et les laver en les frottant les unes contre les autres, puis les égoutter dans une passoire. Éplucher et ciseler finement 100 g d'échalotes. Placer les moules dans un sautoir, ajouter les échalotes et 10 cl de vin blanc sec. Couvrir le sautoir et porter rapidement à ébullition sur feu vif. Lorsque les moules sont juste ouvertes, les égoutter dans une passoire posée sur un récipient en Inox. Récupérer le jus des moules pour la sauce et les décoquiller. Pour préparer la sauce Villeroi, porter à ébullition 5 cl de crème liquide, le jus des moules, puis ajouter 20 g de roux blanc. Cuire à feu vif en remuant à l'aide d'une spatule jusqu'à ce que la sauce soit suffisamment épaisse. Égoutter ensuite les moules sur un linge. Tartiner une feuille de film alimentaire de sauce Villeroi et rouler les moules dans le film bien serré pour les mettre en forme. Les retirer et les poser sur une plaque à mesure qu'elles sont enrobées de sauce et laisser refroidir. Les paner à l'anglaise deux fois. Pour la panure, mélanger 1 cl de sauce de soja, 3 œufs frais, un peu d'huile d'olive, de la fleur de sel, 200 g de farine tamisée, 500 g de chapelure blanche, 5 cl de jus de truffe et 10 cl d'eau des moules. Une fois panées, les disposer sur une feuille de papier sulfurisé. Faire chauffer deux bains de friture de 2,5 litres d'huile de pépins de raisin chacun et les porter à une température de 180 °C. Plonger les moules dans l'huile et, lorsqu'elles ont pris une belle coloration blonde et régulière, les sortir à l'aide d'une écumoire et les mettre sur du papier absorbant. Les assaisonner de poivre du moulin et de piment de Cayenne. Dresser à l'assiette avec une sauce tartare (voir page 784). Servir chaud. »

soupe glacée aux moules ▶ SOUPE

MOULE (USTENSILE) Récipient creux, utilisé pour réaliser ou cuire nombre d'apprêts (aspic, confiserie, entremets, gâteau, gelée, glace, pain, pâté, etc.). On verse dans le moule une pâte, une farce, une crème ou un appareil, qui prend la forme du contenant sous l'action de la chaleur ou du froid et la conserve après démoulage.

Les moules sont aujourd'hui le plus souvent en fer-blanc, en métal à revêtement antiadhésif, ou en matériau souple à base de silicone (compatible avec le micro-ondes), mais ils peuvent aussi être en aluminium (moules bon marché, mais déformables), en verre trempé ou en porcelaine à feu (moules lourds et fragiles, mais pouvant passer du four à la table) et même en terre cuite vernissée, pour certaines recettes spécifiques (kouglof, koulibiac, terrines).

• MOULES DE CHARCUTERIE. Les plus gros d'entre eux sont souvent munis d'une plaque de charge, ou presse, destinée à comprimer la masse pour lui donner une forme déterminée et accroître son homogénéité : moules à jambon, à hure, à cochon de lait, à galantine, à pâté, à roulade, à jambonneau ; ces moules lourds sont généralement en fonte d'aluminium ou en acier inoxydable. Pour les petites pièces, on utilise des moules à aspic, à pâté ou à tripes en aluminium léger, voire en matière plastique.

• MOULES DE PÂTISSERIE. Leur éventail est particulièrement large : moules à barquette pour tartelette, à baba, à biscuit, à brioche, à bombe glacée, à cake, à charlotte, à croquembouche, à dariole, à flan, à génoise, à glace, à madeleine (individuels ou en plaques de 12 à 24 pièces), à manqué, à petits-fours, à savarin.

Les moules à tarte ou à tourte sont des cercles ou des tourtières, à fond amovible ou non, ronds ou rectangulaires, lisses ou godronnés. Le diamètre de 22 cm convient pour quatre convives, celui de 24 cm pour six, celui de 28 cm pour huit.

Tous ces moules peuvent servir pour différentes préparations, sucrées ou salées, alors que d'autres ont un emploi très spécifique : plaque à bûche, moules à kouglof, à trois-frères. Les moules à beignet en pâte à gaufre sont en forme de champignon, d'étoile, de barquette, de rose, de cœur. Le gaufrier, lui aussi, fait office de moule alvéolé.

Pour les confiseries en chocolat, on utilise une gamme variée de moules en forme de poisson, d'œuf et de motifs divers. Les moules à pain de mie rectangulaires ou cylindriques sont fermés par un couvercle, tandis que les moules à pâtés sont dotés de charnières ou formés de deux moitiés. On peut citer également les faisselles, qui servent à mouler le fromage blanc en forme de rond ou de cœur. Mentionnons, enfin, le « moule à œufs », ustensile permettant de maintenir quatre œufs au plat séparés pendant leur cuisson.

MOULER Mettre une substance fluide ou pâteuse dans un moule, dont elle prendra la forme en changeant de consistance par cuisson, refroidissement ou congélation. Le moulage est soumis à des modalités différentes selon la nature de l'apprêt (**voir** BARDE, BEURRER, CARAMÉLISER, CHEMISER, FARINER).

MOULIN Instrument manuel ou électrique destiné à réduire une denrée solide en poudre.

Le moulin à café à manivelle (dont certains modèles sont pourtant réédités) a été délaissé au profit du moulin électrique à couteau, lui-même détrôné par le broyeur électrique à meule, qui n'échauffe pas les grains.

Le moulin à poivre et le moulin à gros sel (ainsi que les moulins à épices et à piment) sont des broyeurs mécaniques, à molette ou à meule, actionnés par une manivelle ou par un mouvement de rotation du couvercle. Ils existent en bois, en verre, en plastique, en acier inoxydable, en métal argenté, etc.

Le moulin à légumes à manivelle, à grilles interchangeables, est souvent préféré aux appareils électriques, en particulier pour les purées de féculent. Il sert généralement à préparer les potages et les compotes.

MOULIN DE JAVEL Logis accueillant et lieu de rendez-vous galants qu'un pêcheur d'Auteuil, Bréant, ouvrit en 1688 dans la plaine de Grenelle, en bordure de Seine. On y servait, entre autres, des écrevisses et des matelotes d'anguille, dont le fleuve regorgeait.

MOULIN-À-VENT Vin issu de cépage gamay, faisant partie des dix crus classés du Beaujolais. Il est le plus corsé, apte au vieillissement, et, pour beaucoup d'amateurs, le meilleur d'entre eux (**voir** BEAUJOLAIS).

MOULIS Vin AOC du haut Médoc, issu des cépages cabernet-sauvignon, merlot, cabernet franc et malbec, généreux et bien équilibré, qui présente un moelleux caractéristique (**voir** BORDELAIS).

MOUSSAKA Plat commun à la Turquie, à la Grèce et aux Balkans, fait de tranches d'aubergine disposées par couches, en alternance avec un hachis de bœuf ou de mouton, d'oignon, de tomate fraîche, de menthe et d'épices, souvent additionné d'une béchamel épaisse. La moussaka est cuite dans un moule rond, souvent tapissé de peaux d'aubergine.

moussaka

Couper 5 aubergines en tranches et les frire à l'huile d'olive. Les laisser s'égoutter 24 heures sur du papier absorbant. Mélanger 750 g de viande de bœuf hachée, 3 cuillerées à soupe de sauce tomate très réduite, de la menthe fraîche hachée, du persil plat, de l'huile d'olive, du sel et du poivre. Huiler un plat ovale allant au four et le remplir de couches alternées de hachis et de tranches d'aubergines en terminant par du hachis. Placer le plat dans un bain-marie, porter à ébullition sur le feu, puis cuire 1 heure au four préchauffé à 180 °C. Éteindre le four et y laisser 15 min la moussaka, porte entrouverte. La démouler et servir.

MOUSSE Dispersion d'un gaz sous la forme de bulles dans un liquide (mousse liquide) ou dans un solide (mousse solide). En cuisine, il s'agit d'une préparation salée ou sucrée, légère, composée d'ingrédients finement mixés, qui sont foisonnés ou additionnés d'une mousse (blancs d'œuf battus en neige, sabayon, crème fouettée, etc.). Les mousses sont parfois moulées (additionnées d'un agent gélifiant, telle la gélatine). On peut également en servir quelques-unes chaudes.

En pâtisserie, les mousses aux fruits sont composées de purées de fruit, de gélatine, de crème fouettée et de meringue italienne. Au chocolat, elles comportent du chocolat fondu, de la crème liquide ou du sucre cuit, des jaunes d'œuf, des blancs d'œuf et/ou de la crème fouettée. L'apparition des mousses dans les années 1970 a permis d'alléger les pâtisseries, en particulier les entremets et les petits gâteaux.

MOUSSES SALÉES

choux à la mousse de foie gras ▶ CHOU

RECETTE DE PIERRE WYNANTS

mousse de crevettes

« Rassembler dans une casserole 150 g d'épluchures de crevettes grises, 50 cl d'eau, 1 branche de thym, 1 feuille de laurier, 20 g de branche de céleri blanc émincé, 10 boules de poivre blanc concassées et 1 lobe de badiane. Porter à ébullition, écumer, réduire le feu, laisser frémir 15 min, puis passer à l'étamine. Chauffer 5 cl de ce fond de crevettes, y faire fondre 4 g de gélatine en feuilles trempées dans de l'eau froide. Garder en attente. Rassembler dans le bol d'un blender 100 g de crevettes grises de la mer du Nord épluchées à la main, 40 g de king crabe décortiqué et trié, et le fond de crevettes avec la gélatine. Mixer le plus finement possible, verser dans un bol, ajouter 20 cl de crème liquide (40 % de matières grasses), un trait de Ricard, un peu de jus de citron et assaisonner. Mouler dans un bol et laisser prendre au réfrigérateur. Chauffer 10 cl de fond de crevettes, y faire fondre 2,5 g de gélatine en feuilles trempées dans de l'eau froide. Passer au chinois fin, assaisonner, laisser légèrement refroidir et faire couler sur la mousse prise. Garnir la surface du bol selon les goûts. Servir avec des toasts. »

mousse de foie gras de canard (ou d'oie)

Cuire au naturel un foie gras de canard, le passer au tamis fin et mettre la purée obtenue dans une terrine. Ajouter, pour 1 litre de purée, 25 cl de gelée fondue et 40 cl de velouté de volaille. Travailler légèrement ce mélange sur de la glace. L'assaisonner et lui incorporer 40 cl de crème fraîche à moitié fouettée. Chemiser de gelée un moule rond uni ou historié. Le décorer avec des lames de truffe, des blancs d'œuf dur en fines rondelles et des feuilles d'estragon. L'emplir de mousse jusqu'à 1,5 cm du bord. Couvrir la mousse d'une couche de gelée, laisser refroidir et mettre dans le réfrigérateur. Démouler sur le plat de service, éventuellement sur un croûton beurré. Entourer de gelée hachée.

mousse froide de jambon

Passer au hachoir électrique 500 g de maigre de jambon cuit, en ajoutant 20 cl de velouté réduit, froid. Tamiser le mélange, puis le mettre dans une terrine ; caler celle-ci sur de la glace. Saler et poivrer cette purée, puis la travailler quelques minutes à la spatule, en y ajoutant peu à peu 15 cl de gelée fondue. Incorporer enfin, délicatement, 40 cl de crème à moitié fouettée. Verser le tout dans un moule chemisé de gelée. Faire prendre dans le réfrigérateur. Démouler dans le plat de service et garnir de gelée hachée.

RECETTE DE JEAN ET PIERRE TROISGROS

mousse de grive aux baies de genièvre

« Plumer et désosser des grives pour obtenir 500 g de chair. Ôter le gésier. Ajouter les foies, les cœurs, les entrailles et 100 g de poitrine de porc fumée à la chair, et hacher le tout. Assaisonner de sel, de poivre et de 15 g de baies de genièvre. Concasser les carcasses, les faire revenir à la poêle et les mouiller d'eau à hauteur. Cuire 1 heure, passer et réduire à glace. Disposer les chairs dans une casserole avec 100 g de saindoux, et cuire 2 h 30 au bain-marie, à couvert, dans le four préchauffé à 100 °C. Laisser tiédir, puis passer au tamis très fin. Dans un bol, grouper la farce, la glace de grive et 100 g de graisse d'oie fondue. Remuer la mousse, puis la mettre dans des petites terrines. Couler sur le dessus une fine pellicule de saindoux pour les conserver. »

---

mousse de lièvre aux marrons

Hacher très finement au hachoir 500 g de chair de lièvre dénervée et la poudrer de 9 g de sel fin et de 1 grosse pincée de poivre blanc. Incorporer peu à peu 2 ou 3 blancs d'œuf, toujours dans le hachoir, puis passer au tamis. Verser la chair dans une sauteuse et la travailler sur feu doux à la cuillère de bois pour la rendre bien lisse, puis la mettre dans une jatte 2 heures au réfrigérateur. Braiser 400 g de marrons. Poser ensuite cette jatte dans un récipient plein de glaçons et incorporer vigoureusement et peu à peu 50 cl de crème fraîche épaisse et 300 g des marrons, après les avoir coupés en morceaux. Remettre 1 heure au froid. Beurrer des moules à dariole. Y répartir la mousse de lièvre en la tassant un peu. Placer les moules dans un bain-marie, porter à ébullition sur le feu, couvrir d'une feuille d'aluminium et cuire de 25 à 30 min au four préchauffé à 200 °C. Napper d'un peu de sauce Périgueux aux truffes et décorer de 1 ou 2 marrons entiers.

---

mousse de poisson

Nettoyer des filets de poisson pour obtenir 500 g de chair et les piler au mortier ou les mixer ; poudrer de 5 g de sel fin et de 1,5 g de poivre moulu. Verser la préparation dans un grand bol à mélange et ajouter 2 ou 3 blancs d'œuf, un par un, sans cesser de piler. Tamiser cette farce, puis la mettre 2 heures dans le réfrigérateur. Poser le bol sur de la glace pilée et incorporer peu à peu à la spatule 60 cl de crème fraîche épaisse. Rectifier l'assaisonnement, puis verser la mousse dans un moule uni, légèrement huilé ; cuire 20 min au bain-marie dans le four préchauffé à 190 °C. Attendre une dizaine de minutes avant de démouler et servir tiède, nappé d'une sauce pour poissons.

MOUSSES SUCRÉES

figues à la mousse de framboise ▶ FIGUE

---

mousse au chocolat

Faire fondre 150 g de chocolat à croquer au bain-marie, puis, hors du feu, ajouter 80 g de beurre. Lorsque le mélange est très lisse, incorporer rapidement 2 gros jaunes d'œuf. Monter 3 blancs en neige ; quand ils commencent à mousser, y incorporer 25 g de sucre en poudre et 1 sachet de sucre vanillé, et continuer à fouetter pour obtenir une neige ferme. Mélanger la préparation chocolatée et les blancs battus en retournant l'ensemble à la spatule de bois. Verser dans une coupe et mettre 12 heures au moins au réfrigérateur.

RECETTE D'ALAIN CHAPEL

mousse de citron

« Battre 2 jaunes d'œuf et 5 cuillerées à soupe de sucre. Quand le mélange est mousseux, y ajouter 2 cuillerées à soupe de fécule, puis le jus chaud de 6 citrons verts et de 2 citrons jaunes. Faire bouillir en remuant. Monter et incorporer à chaud 2 blancs d'œuf battus en neige ferme. Verser cette mousse dans des ramequins et la servir fraîche, pour accompagner une salade d'oranges sanguines et de pamplemousses roses. »

---

mousse glacée à la fraise

Faire fondre 900 g de sucre dans 50 cl d'eau et cuire jusqu'à ce que la densité du sirop soit de 1,25. Y ajouter 900 g de purée de fraise fraîche tamisée. Incorporer enfin au mélange 1 litre de crème Chantilly très ferme. Terminer la glace suivant la méthode habituelle. On prépare de la même façon une mousse de framboise.

petites mousses de banane au gingembre ▶ BANANE

MOUSSELINE Mousse salée ou sucrée, qui a été cuite dans un linge fin nommé « mousseline ». Le nom a également été donné à des préparations dont on voulait souligner la délicatesse : une sauce dérivée de la mayonnaise ou de la hollandaise, une farce à quenelles, une pâte à biscuit, une purée de pomme de terre, etc.
▶ Recettes : BISCUIT, FARCE, GRENOUILLE, OMELETTE, POMME DE TERRE, QUENELLE, SAUCE, TIMBALE.

MOUSSERON Nom usuel de plusieurs espèces de petits champignons blancs ou beiges, de saveur délicate (voir CLITOPILE PETITE-PRUNE, MARASME D'ORÉADE, TRICHOLOME), qui s'apprêtent comme les girolles.

MOUSSEUX Vin effervescent, à l'exception du champagne. La présence de gaz carbonique, qui rend le vin pétillant, est obtenue de différentes façons.

La méthode la plus ancienne, dite « rurale », retarde la fermentation naturelle jusqu'à la mise en bouteilles. La méthode champenoise, quant à elle, provoque une fermentation dite « secondaire » par l'introduction de sucre dans les bouteilles. Dans le procédé de Charmat, la fermentation a lieu en cuve close, avant la mise en bouteilles. Les mousseux sont le plus souvent blancs, mais certaines régions vinicoles telles que la Touraine, le Bordelais et la Bourgogne fabriquent des mousseux rosés.

MOÛT Jus de raisin non fermenté. Le moût contient de 70 à 85 % d'eau et de 140 à 225 g de sucre par litre. La fermentation transforme ce sucre en alcool : 17 g de sucre donnent 1 % Vol.

MOUTARDE Plante herbacée, de la famille des brassicacées, originaire du bassin méditerranéen (voir tableau des moutardes page 560). Ses graines servent à préparer le condiment du même nom, de couleur jaune et de saveur plus ou moins piquante.

L'appellation « moutarde » est réservée, en France, à un produit résultant du broyage des graines de moutarde noires ou brunes, ou des deux. La seule exception est la « moutarde d'Alsace », fabriquée avec des graines de moutarde blanches. En France, la capitale de la moutarde est Dijon, suivie de Meaux. La grande majorité des graines de moutarde utilisées en France proviennent du Canada, mais la tendance est à la réimplantation de cette culture, en Bourgogne en particulier.

■ **Histoire.** La moutarde est connue depuis la plus haute antiquité. On mentionne déjà le « grain de sénevé » dans la Bible. Les Grecs et les Romains utilisaient les graines de moutarde réduites en farine ou

« Si chaque recette a son propre moule, chaque moule sert à de nombreuses recettes, salées ou sucrées. Les cuisines de POTEL ET CHABOT et de l'école FERRANDI PARIS regorgent de moules à cake et à brioche en métal, de plaques à biscuits en silicone, de moules à manqué antiadhésifs, d'emporte-pièces de toutes tailles, etc. De quoi satisfaire l'imagination des pâtissiers. »

délayées dans de la saumure de thon (muria), pour épicer viandes et poissons. Le sénevé fut ensuite introduit en Gaule. Une première « recette » apparut au IVᵉ siècle et se répandit en Bourgogne.

Au début du XIVᵉ siècle, le pape Jean XXII, grand amateur de moutarde, créa pour son neveu une sinécure, la charge de « grand moutardier du pape ». Par ailleurs, les vertus médicinales de la plante étaient très appréciées.

La corporation des vinaigriers-moutardiers naquit à la fin du XVIᵉ siècle à Orléans et vers 1630 à Dijon, où, au XVIIIᵉ siècle, un nommé Naigeon fixa la recette de la moutarde « forte », ou « blanche ».

■ **Emplois.** La moutarde est un condiment gastronomique dont le succès va croissant, comme en témoignent les nombreuses variantes aromatisées proposées (au cassis, aux baies roses, au raifort, au vinaigre balsamique, etc.). On peut aussi fabriquer sa moutarde soi-même, avec de la poudre de moutarde anglaise (disponible dans certaines épiceries), ou bien en broyant des graines brunes ou blanches (chez le grainetier) et en les délayant dans du vin blanc et un peu d'huile, ou dans du vinaigre macéré avec des fines herbes ou des plantes aromatiques. La moutarde se conserve, au frais, dans un pot hermétique.

Outre ses emplois comme condiment, la moutarde intervient en cuisine pour enduire avant cuisson le lapin, le porc, le poulet et certains poissons (les plus gras) ; elle peut relever le mouillement d'un ragoût ou la cuisson d'une blanquette ; elle est, en outre, à la base de nombreuses sauces, chaudes ou froides.

Dans la cuisine anglaise, la moutarde s'utilise surtout en sauce, souvent rehaussée de jaune d'œuf ou de pâte d'anchois, pour accompagner des poissons. En Italie, la moutarde de Crémone ressemble davantage à un chutney qu'à une moutarde, car elle est faite de fruits macérés dans une sauce aigre-douce à la moutarde ; elle accompagne souvent la viande bouillie.

▶ Recettes : LAPIN, ROGNON, SAUCE.

MOUTARDIER Petit pot dans lequel on présente la moutarde à table. Le moutardier fait parfois partie de l'huilier. Il est muni d'un couvercle comportant une encoche pour le passage de la cuillère de service.

MOUTON Terme générique désignant un mammifère ruminant consommé pour sa viande, donnant aussi du lait utilisé pour la fabrication de fromages célèbres (roquefort, etorki, brebiou, feta), mais aussi de la laine et du cuir (basane). Le mâle est appelé bélier, le mâle castré est désigné par le terme de mouton, le jeune mâle par celui d'agneau. La femelle est la brebis ; on parle d'agnelle pour une jeune femelle et de piane pour une femelle très âgée.

Dans la viande de mouton, on recherche plutôt une chair ferme, dense, bien colorée provenant d'un animal peu âgé. L'odeur forte de la viande du mouton peut être atténuée en enlevant les muscles peauciers et en dégraissant au maximum les pièces de viande. Cette viande sert surtout à confectionner des tagines, des couscous et des merguez.

■ **Production.** Il n'y a pas, en France, de label officiel pour le mouton comme il en existe pour l'agneau de boucherie. La viande des animaux de plein air prend le goût de l'herbe consommée (onctueux en Limousin, subtil et parfumé dans les Alpes du Sud, iodé pour les prés-salés), tandis que les moutons de bergerie, dans les régions céréalières, ont une viande plus grasse.

L'Australie est le plus gros exportateur mondial. La Grande-Bretagne est également exportatrice et consommatrice de mouton, comme en témoigne sa cuisine : irish stew, potage mutton broth, haggis, gigot à la menthe. Le mouton est aussi la viande de base des pays du Maghreb, du Moyen- et du Proche-Orient, ainsi que de ceux du sous-continent indien.

Il est beaucoup moins consommé en France que jadis, le public lui préférant maintenant l'agneau. La laine est devenue accessoire, mais, pendant des siècles, sa production a imposé de garder les ovins longtemps, et les plus anciennes recettes sont conçues pour attendrir la viande et éliminer le goût de suint : pochage du gigot en Angleterre, marinade et lardage en France, rôtissage de la bête entière en plein air dans les pays méditerranéens. Les ragoûts, sautés et braisés, qui constituent les apprêts les plus nombreux, très souvent avec des féculents, apportent l'onctuosité nécessaire aux viandes fermes. Pour les rôtis et les grillades, on choisira un animal le plus jeune possible.

■ **Emplois.** Ils varient en fonction des différents morceaux du mouton. La découpe est la même que celle de l'agneau (**voir** planche de la découpe de l'agneau page 22).
– Les pièces à rôtir sont fournies par le gigot (qui peut se faire pocher), la selle anglaise, le carré entier et l'épaule, désossée ou non ; le baron, comprenant les deux gigots et la selle anglaise, se fait également rôtir.
– Les morceaux à griller sont essentiellement les côtelettes premières, secondes, découvertes, filets et côtes, avec ou sans os, détaillées dans le gigot ; les noisettes proviennent des noix du carré ou du filet désossés.

Caractéristiques des principales catégories de moutardes

CATÉGORIE	PROVENANCE	COMPOSITION	ASPECT	SAVEUR
moutardes à graines noires ou brunes				
moutarde de Dijon	toute la France	verjus, sel	pâte lisse, jaune clair	forte à très forte
moutarde picarde	Picardie	vinaigre de cidre, épices	pâte lisse, jaune	douce, de pomme
moutarde de Normandie	Normandie	vinaigre de cidre de Normandie, sel	pâte lisse, jaune foncé	forte, aromatique
moutarde « à l'ancienne »	toute la France	verjus, épices, aromates	graines apparentes	piquante, aromatique
moutarde de Charroux®	Allier	verjus, vin de Saint-Pourçain	graines apparentes	très piquante
moutarde de Meaux®	Seine-et-Marne	vinaigre, parfois herbes, épices	graines apparentes	piquante, épicée
moutarde millénaire ou antique	Oise	vinaigre de miel, hydromel	graines apparentes	douce, très marquée de miel
moutarde à graines blanches				
moutarde d'Alsace	Haut-Rhin, Bas-Rhin, Moselle	graines blanches, aromates	pâte jaune	assez douce
moutardes aromatisées	toute la France	fruits, légumes, épices, aromates cuisinés	selon composants (poivre vert, échalote, estragon, etc.)	peu piquante, aromatique
moutardes violettes (dont violette de Brive®)	toute la France	moût frais de raisin noir, épices, vinaigre	pâte violette	douce, peu sucrée

– Les morceaux pour brochettes se détaillent en général dans la poitrine, l'épaule ou le collier, mais ils sont moins tendres que dans l'agneau.

– Les morceaux à braiser, à sauter ou à bouillir sont fournis par le collier, la poitrine et le haut de côtelettes, ainsi que par l'épaule, ce qui donne les ragoûts, navarins, irish stew et halicot de mouton.

– Certains abats du mouton sont recherchés. Les tripes (estomacs) ne sont cuisinées que dans quelques régions (tripous dans le Massif central, pieds et paquets à Marseille).

Il existe chez le mouton des matériels à risques spécifiés (**voir** ce mot) dont la consommation est interdite.

côtes de mouton Champvallon

POUR 4 PERSONNES – PRÉPARATION : 40 min – CUISSON : 1 h 20

Parer 8 côtes découvertes de mouton. Éplucher et laver 3 gros oignons, 1 kg de pommes de terre à chair ferme, 4 gousses d'ail. Émincer les oignons, dégermer et écraser les gousses d'ail. Émincer en rondelles de 3 mm d'épaisseur les pommes de terre, sans les laver. Préparer 1 bouquet garni, concasser 2 cuillerées à soupe de persil plat, confectionner 50 cl de bouillon de volaille. Préchauffer le four à 220 °C. Assaisonner les côtes de mouton de sel et poivre. Dans une cocotte, faire fondre 40 g de beurre et y faire colorer les côtes. Les débarrasser et les tenir au chaud. Dégraisser partiellement la cocotte et faire suer les oignons dans la graisse restante. Ajouter les gousses d'ail ainsi que les pommes de terre, saupoudrer de 1 cuillerée à soupe de fleur de thym. Mouiller avec le bouillon de volaille, ajouter le bouquet garni et porter à ébullition. Ajouter le persil plat et vérifier l'assaisonnement. Beurrer un plat allant au four, disposer la moitié des pommes de terre au fond puis placer dessus les côtes de mouton ainsi que le jus qui a pu s'écouler des côtes. Recouvrir avec le restant des pommes de terre. Verser dessus le bouillon. Mettre dans le four et cuire 1 h 30 environ. En cours de cuisson, tasser cette préparation et la couvrir d'une feuille d'aluminium pour éviter une coloration trop importante. Servir dans le plat de cuisson.

épaule de mouton en ballon (ou en musette)

Désosser une épaule de mouton, la saler, la poivrer, l'étaler sur un plan de travail. Préparer une farce avec 200 g de chair à saucisse fine, 150 g de cèpes hachés avec 1 petit bouquet de persil, 1 échalote et 2 gousses d'ail épluchées, 1 œuf battu, un peu de thym émietté, du sel et du poivre. Façonner cette farce en boule et la poser au milieu de l'épaule étalée. Replier celle-ci et la ficeler pour lui donner la forme d'un melon (les fils figurant les côtes de ce fruit). Chauffer 3 cuillerées à soupe d'huile d'olive dans une cocotte ronde et y dorer l'épaule ; mouiller alors la viande d'un grand verre de vin blanc et d'autant de fond brun corsé. Couvrir et cuire 1 h 30 au four préchauffé à 200 °C. Déficeler l'épaule et la couper en tranches, comme un melon. Dégraisser le fond de cuisson, ajouter 4 cuillerées à soupe de fondue de tomate épaisse et faire réduire si nécessaire. Passer cette sauce au chinois et la servir en saucière.

épaule de mouton en pistache ► ÉPAULE

RECETTE DU RESTAURANT *MICHEL RUBOD*

gigot de mouton de sept heures

« Manchonner et ficeler un gigot de mouton de 3 kg. Le dorer en cocotte, sur feu doux. Ajouter 1 brin de thym, 1 feuille de laurier, 6 gousses d'ail et 200 g de poitrine de porc fraîche détaillée en lanières, puis 200 g de carottes, 200 g de navets, 200 g de céleri et 2 oignons, coupés en grosse mirepoix. Faire rissoler le tout, puis dégraisser la cocotte, déglacer avec 10 cl de cognac, flamber avec un peu de cognac chauffé et mouiller avec 1 litre de saint-pourçain et 1 litre de fond de volaille. Ajouter 2 pieds de porc cuits et coupés en lanières. Couvrir, luter la cocotte et cuire 7 heures au four préchauffé à 120 °C. Dresser sur un plat chaud le gigot et les lanières de poitrine et de pied, bien fouler les légumes dans le jus de cuisson, et napper de cette sauce. Ce plat se sert à la cuillère. »

---

halicot de mouton

Saler, poivrer et mettre à rissoler dans une cocotte, avec 3 cuillerées à soupe d'huile, 800 g environ de collier ou de poitrine de mouton en morceaux. Ajouter 1 gros oignon émincé ; poudrer avec 1 cuillerée à café de sucre en poudre et 2 cuillerées à soupe rases de farine. Bien mélanger le tout. Délayer 2 cuillerées à soupe de purée de tomate avec un peu de bouillon ; verser dans la cocotte. Mouiller largement la viande de bouillon, mélanger. Ajouter 1 petite gousse d'ail écrasée et 1 bouquet garni ; cuire 45 min. Dégraisser complètement la sauce et ajouter dans la cocotte 500 g de pommes de terre coupées en quartiers ou tournées en gousses, 400 g de très petits navets et 200 g de petits oignons épluchés. Compléter éventuellement avec un peu de bouillon pour que les légumes baignent dans la sauce. Poursuivre la cuisson 40 min.

pieds de mouton à la poulette ► PIED

---

poitrine de mouton farcie à l'ariégeoise

Ouvrir en poche une poitrine de mouton bien dégraissée. Saler et poivrer l'intérieur. Le garnir d'une farce assez consistante, composée de mie de pain trempée dans du bouillon et bien pressée, de jambon cru gras et maigre, de persil et d'ail hachés, et liée avec des œufs. Bien assaisonner. Coudre l'ouverture de la poitrine. Beurrer une braisière, la foncer de couennes fraîches, d'oignons et de carottes en rouelles ; y mettre la poitrine et un bouquet garni. Cuire doucement 15 min à couvert. Mouiller avec 15 cl de vin blanc sec. Faire réduire. Ajouter 3 cuillerées de purée de tomate et 30 cl de jus brun lié. Couvrir et cuire de 45 min à 1 heure au four préchauffé à 200 °C. Égoutter la poitrine, la dresser sur un plat long. Entourer d'une garniture composée de choux farcis (en boules) et de pommes de terre cuites avec du bouillon et du beurre. Passer, dégraisser, faire réduire le fond de braisage et en arroser la viande.

potage au mouton (mutton broth) ► POTAGE

MOUVETTE Cuillère de bois ronde et plate, de taille variable, servant surtout à remuer (ou « mouvoir ») les sauces et les crèmes, et à mélanger divers apprêts.

MOYEN-ORIENT La cuisine moyen-orientale est à la fois simple et raffinée. Depuis des millénaires, le patrimoine culinaire de chaque pays de la région s'est enrichi des apports des voyageurs, mais aussi de ceux des envahisseurs successifs. C'est ainsi que la plupart des noms de plats arabes sont originaires de Perse : *dolmeh* est devenu dolma, et *polo*, pilaf. De même, la distillation des pétales de rose, spécialité raffinée des Perses, s'est répandue, et de très nombreux desserts sont parfumés à l'eau de rose, comme ils le sont d'ailleurs à l'eau de fleur d'oranger, un arbre venu de Chine. L'influence de l'islam est aujourd'hui prépondérante au Moyen-Orient, où la consommation de viande de porc ainsi que celle d'alcool sont interdites.

■ **Saveurs aromatiques.** La subtilité des plats de ces pays est due principalement aux innombrables épices et herbes aromatiques qui entrent dans leur composition ; les graines de sésame, notamment, grillées et réduites en purée, donnent la *tahina*.

La cuisine moyen-orientale se fonde aussi sur l'association du sucré et du salé : le yaourt, par exemple, est un élément essentiel des préparations salées. Les fruits secs y sont très souvent présents, ainsi dans la sauce tarator, à base de pignons, de pain et d'ail, qui accompagne généralement le poisson.

■ **Hors-d'œuvre.** La tradition des mezze (**voir** ce mot) est tenace, comme dans tout le bassin méditerranéen. Symbole de l'hospitalité et de la convivialité, ces assortiments de plats sont servis en hors-d'œuvre, et chaque pays cultive cette coutume en variant les compositions.

Ensuite, le repas s'organise souvent autour d'un plat unique, soupe ou ragoût : soupes aux lentilles, aux épinards ou à l'avocat, préparées la veille pour que les saveurs se mêlent et se révèlent. La soupe aigre-douce aux fruits, au goût très particulier, est une spécialité iranienne.

■ **Légumes et céréales.** Courgettes, épinards, gombos, lentilles, pois chiches, poivrons sont très souvent utilisés. Mais l'aubergine et la tomate prédominent : en salade, en purée (séparées ou mélangées avec de l'oignon), simplement frites ou farcies (*dolmeh*), elles sont de toutes les préparations, chaudes ou froides, seules ou associées.

Le boulghour (**voir** ce mot) se sert en accompagnement ; il est à la base du *tabbouli* et du *kibbeh*. Mais c'est le riz qui tient la première place ; servi nature, il se marie à tous les plats. Les Iraniens préfèrent le riz basmati, plus parfumé, éventuellement cuit avec du safran, qui prend alors le nom de *tchelo*.

■ **Viandes et poissons.** Le mouton et l'agneau sont les viandes les plus courantes dans les pays du Moyen-Orient ; tous les morceaux sont consommés, y compris les abats. Les parties les plus tendres permettent de faire les *kaba* ou *sis kebab*, des brochettes cuites sur un feu de bois. Avant d'être grillée, la viande marine souvent dans un mélange épicé. Elle peut aussi être hachée pour farcir les légumes ou les fruits, ou coupée en morceaux pour servir de base aux ragoûts : le *khoreche* iranien, un mélange de toutes sortes de viandes (agneau, veau, volaille), mijote pendant des heures avec des légumes, des fruits frais et secs, des noix et des herbes aromatiques. Le poulet, le pigeon, les cailles sont couramment cuisinés, eux aussi grillés ou en ragoût. Les poissons se mangent surtout dans les pays côtiers, souvent grillés et servis avec une sauce tarator.

■ **Desserts.** Dans cette région du monde, où ont été inventés le massepain et le nougat, l'art de la pâtisserie et de la confiserie s'est particulièrement surpassé : loukoums parfumés à la fleur d'oranger ou à l'eau de rose, bouchées fourrées aux dattes, gâteaux au miel et aux noix, pâtes de coing, gâteau à l'anis, gâteau feuilleté aux amandes et aux pistaches *(baghlava)*, halva (**voir** ce mot). Les saveurs sont multiples et le sucre est toujours présent. Ces sucreries sont servies avec le café, turc ou arabe, ce dernier étant parfumé de girofle, de cardamome, de fleur d'oranger ou d'eau de rose.

MOZART Nom d'une garniture pour petites pièces de boucherie, faite de fonds d'artichaut étuvés au beurre et emplis de purée de céleri, et de pommes de terre taillées en rubans (dits « copeaux ») et frites.

MOZZARELLA Fromage italien fait avec du lait de bufflonne (52 % de matières grasses) dans le Latium et en Campanie, ou avec du lait de vache dans le reste de l'Italie, à pâte cuite filée et à croûte inexistante (**voir** tableau des fromages étrangers page 400). La mozzarella di latte di bufala se présente sous forme de boules ou de pains de grosseur variable (100 g à 1 kg), conservés dans de l'eau salée ou du petit-lait. Elle a une saveur douce, légèrement acidulée, et se mange en fin de repas. La mozzarella fabriquée dans les communes des province de Caserta et de Salerno ou certaines communes des provinces voisines bénéficie d'une AOP sous le nom de mozzarella di bufala campana. Quand la mozzarella est fumée, elle est dite *afumata*. Quand elle est faite de lait de vache, elle est surtout utilisée en cuisine, notamment pour la pizza. La *mozzarella in carrozza* (« en carrosse »), petit sandwich fourré de fromage, roulé dans de la farine, trempé dans de l'œuf battu, frit à l'huile et mangé très chaud, est un mets napolitain très populaire.

RECETTE DE SERGIO MEI

crème de mozzarella de bufflonne avec tartare de bœuf, raifort et câpres

POUR 4 PERSONNES

« Mettre dans un mixeur 300 g de mozzarella de bufflonne fraîche coupée en petits dés avec 150 g de bouillon de légumes et 15 cl de crème fraîche. Mixer, puis terminer en ajoutant 10 cl d'huile d'olive vierge extra et rectifier l'assaisonnement en sel et poivre. Assaisonner 300 g de viande de bœuf bien dégraissée avec 20 g de céleri et 10 g d'échalotes coupées en petits dés. Ajouter 1 g de ciboulette et 2 g de marjolaine finement coupées ainsi que 10 g de câpres et 5 g d'anchois dessalés et hachés, puis 2 g de raifort frais haché, 10 cl d'huile d'olive vierge extra et enfin 2 g de basilic. Servir la crème de mozzarella avec le tartare de bœuf au centre et assaisonner avec un trait d'huile d'olive parfumée au basilic. »

tomates à la mozzarella ▶ TOMATE

MUESLI Mélange de flocons de céréales et de fruits secs originaire de Suisse alémanique, sur lequel on verse du lait froid et que l'on consomme généralement au petit déjeuner (**voir** BIRCHERMÜESLI). On trouve dans le commerce du muesli déjà préparé, pouvant se conserver plusieurs mois.
▶ Recette : PARMEGIANO REGGIANO.

MUFFIN Petit pain anglais, rond, au lait, servi chaud pour le thé, avec du beurre frais et de la confiture. Il désigne aussi un petit biscuit américain cuit dans des caissettes en papier, garni de myrtilles, de bananes, d'airelles, de pépites de chocolat, etc.

---

muffins

Mettre 180 g de farine dans une terrine avec 1 grosse pincée de sel, 35 g de sucre, 6 cuillerées à soupe de lait et 12 g de levure de boulanger. Bien mélanger. Faire fondre 80 g de beurre sur feu doux, l'incorporer à la pâte et travailler l'ensemble pour obtenir une pâte homogène. Parsemer le plan de travail de farine de riz. Aplatir cette pâte au rouleau à pâtisserie sur 1 cm d'épaisseur, la découper en 10 disques de même taille et en garnir des moules à tartelette beurrés. Cuire 12 min au four préchauffé à 200 °C. Dès que les muffins ont blondi, les démouler et les faire dorer des deux côtés sur la plaque du four.

MUG Mot anglo-saxon désignant une grande tasse cylindrique ou légèrement évasée, dans laquelle on sert généralement du café peu concentré.

MULET Équidé issu du croisement d'un âne et d'une jument (le bardot est obtenu par celui d'un étalon et d'une ânesse). La viande du mulet, voisine de celle de l'âne, est maigre, noire et sèche. Rare, elle est vendue dans certaines boucheries chevalines.

MULET (POISSON) Poisson côtier, de la famille des mugilidés, très courant, qui fréquente les estuaires et les étangs littoraux, où on peut même l'élever. Il en existe plusieurs espèces, aussi appelées « muges » (**voir** planche des poissons de mer pages 674 à 677).
– Le mulet cabot possède une membrane adipeuse sur les paupières. Il mesure 60 cm, il est gris argenté sur le dos, brun sur les flancs. Son espace jugulaire est ovale et ses deux opercules ne se touchent pas.
– Le mulet doré est le plus petit (40 cm). Il ne possède pas de membrane sur l'œil, mais porte une tache dorée sur l'opercule, d'où son nom.
– Le mulet lippu, ou mulet à grosses lèvres, mesure 50 cm ; ses grosses lèvres sont épaisses. Il a un espace jugulaire étroit avec une fente très fine. Ses opercules se touchent.
– Le mulet porc, ou ramada, ressemble, en plus grand (50 cm), au mulet doré, mais il ne possède pas de tache jaune sur l'opercule.
Les deux premiers sont les plus appréciés et les plus répandus. On les prépare comme le bar, au court-bouillon, au four ou au gril, après les avoir soigneusement écaillés. Leur chair est maigre, blanche, un peu molle ; elle contient peu d'arêtes, mais sent parfois la vase (on les fait souvent dégorger). Les poches des œufs de mulet sont très recherchées pour réaliser la poutargue (**voir** ŒUFS DE POISSON).
▶ Recette : POUTARGUE.

MÜLLER (DIETER) Cuisinier allemand (Auggen 1948). Ses parents tiennent une auberge au sud de la Forêt-Noire. Il décide de s'adonner à la cuisine créative, apprend son métier en Allemagne et en Suisse, travaille en duo avec son frère Jorg (qui créera une table sous son nom dans l'île de Sylt) aux *Schweizer Stuben* de Wertheim-Bettingen. Il y obtient deux étoiles au Guide Michelin en 1977. En 1992, il rejoint le groupe hôtelier Althoff, qui ouvre le *Schlosshotel Lerbach*, à Bergisch Gladbach, à 20 km de Cologne, et lui propose de créer « sa »maison. Il obtient une première étoile au Guide Michelin en 1993, la deuxième en 1994, la troisième en 1997. Produits français ou germaniques et idées de voyages font bon ménage chez ce technicien hors pair qui invente sans renier la tradition. Tête de veau ou veau en pot-au-feu d'écrevisses, loup croustillant au citron ou chevreuil de l'Eifel au poivre du Bengale sont quelques-uns de ses mets fétiches.

MULLIGATAWNY Mets d'origine indienne, adopté par les Britanniques et surtout par les Australiens. Ce consommé de poulet est agrémenté de légumes étuvés, fortement relevé de cari et d'épices, garni de chair de poulet et de riz cuit à la créole. Dans l'apprêt original indien, la garniture comporte également des amandes mondées et du lait de coco (éventuellement remplacé par de la crème). Les Australiens ajoutent en général des tomates et du lard fumé.

MUNSTER OU **MUNSTER-GÉROMÉ** Fromage AOC de lait cru ou pasteurisé de vache (45 % de matières grasses), à pâte molle et à croûte lavée, portant également le nom de géromé, ou de munster-géromé, quand il est fait dans la région de Gérardmer (**voir** tableau des fromages français page 390). Quelques spécialités locales faites à partir du munster, lavées au marc de gewurztraminer, au jus de sureau, ou fumées, n'ont pas droit à l'appellation.

En forme de cylindre plat, à talon droit, le munster possède deux formats : le gros, pesant 450 g à 1 kg, pour 13 à 19 cm de diamètre et 2,4 à 8 cm de hauteur ; le petit, pesant au moins 120 g, pour un diamètre de 7 à 12 cm et une hauteur de 2 à 6 cm. La croûte est lisse et humide, de couleur orange à rouge orangé. La pâte est à texture molle, onctueuse. Le munster est produit en Alsace et dans quelques zones de la Lorraine et de la Franche-Comté. En Alsace, il se sert traditionnellement accompagné de pommes de terre en robe des champs et de graines de cumin, servies à part.

RECETTE DE JEAN-GEORGES KLEIN

cappuccino de pommes de terre et munster

POUR 4 OU 8 PERSONNES

« Cuire 300 g de pommes de terre (monalisa) en robe des champs, les éplucher encore tièdes et les passer au tamis fin. Dans un batteur, incorporer à la pulpe tiède, 180 g de beurre frais coupé en morceaux, puis rectifier la consistance avec 5 cl de lait tiède. Vérifier l'assaisonnement en sel et réserver. Préparer la mousse de munster. Faire bouillir 16 cl de consommé de volaille, 12 cl de crème liquide et 8 cl d'huile d'arachide. Ajouter 4 feuilles de gélatine préalablement ramollies dans de l'eau froide. Verser cet ensemble bouillant dans un mixeur contenant 160 g de munster détaillé en morceaux et mixer. Remplir un siphon d'un demi-litre aux trois-quarts et mettre une cartouche de gaz. Secouer et le maintenir dans un bain-marie à 40-50 °C. Remplir le tiers de 4 mazagrans ou de 8 grandes tasses avec la purée de pommes de terre, ajouter 1 cuillerée d'oignons fraîchement ciselés puis terminer avec la mousse de munster. Parsemer de poudre de cumin et servir tiède (50 °C). »

MURAT Nom d'un apprêt de filets de sole taillés en « goujonnettes » et cuits à la meunière, dressés en timbale avec des pommes de terre (cuites en robe des champs et pelées) et des fonds d'artichaut pochés, coupés en dés et sautés. L'ensemble est parsemé de persil ciselé et arrosé d'un jus de citron et de beurre noisette.

MÛRE Fruit du mûrier, ou ronce sauvage, de la famille des rosacées (**voir** planche des fruits rouges pages 406 et 407). D'un rouge presque noir, assez ferme, la mûre arrive à maturité en septembre-octobre. Elle est peu énergétique (37 Kcal ou 155 kJ pour 100 g), mais riche en vitamines B et C. On en fait de la compote, de la confiture, des entremets glacés, de la gelée, de la liqueur, des pies, du ratafia, du sirop et des tartes. On l'utilise aussi en confiserie (bonbons fourrés, pâtes de fruits).

Le fruit du mûrier, de la famille des moracées, aussi appelé « mûre » et « meuron » en Suisse romande, est plus énergétique (57 Kcal ou 239 kJ pour 100 g), mais moins riche en vitamines ; il a les mêmes emplois.

▶ Recette : CONFITURE.

MURÈNE Poisson de la famille des murénidés, au corps serpentiforme plat, de couleur brun chocolat, marbré de jaune. Il atteint 1,30 m. La murène ne possède ni nageoires pelviennes, ni nageoires pectorales, mais de longues et fines nageoires dorsale et anale. Très vorace, elle vit et chasse la nuit à l'affût dans les zones rocheuses. Sa morsure est redoutée en raison de sa grande bouche, de ses nombreuses dents et d'une toxine sécrétée par ses tissus buccaux.

La chair de la murène est grasse, mais fine et sans arêtes. Les Romains en raffolaient et ils l'élevaient en vivier. Aujourd'hui, on ne la trouve plus guère que sur certains marchés du Midi. On la mange froide, à l'aïoli ; elle entre dans la préparation de la bouillabaisse et peut recevoir les apprêts de l'anguille.

MURFATLAR Vin de dessert roumain, issu des cépages chardonnay, muscat ottonel et pinot gris, titrant de 16 à 18 % Vol., produit dans la Dobroudja, non loin de la mer Noire. Les raisins surmaturés donnent un vin doré, liquoreux, dont le bouquet évoque la fleur d'oranger. On le considère comme le meilleur vin de Roumanie.

MUROL Fromage auvergnat de lait de vache (45 % de matières grasses), à pâte pressée non cuite et à croûte lavée (**voir** tableau des fromages français page 392). Le murol se présente sous la forme d'un disque plat de 15 cm de diamètre et de 3,5 cm d'épaisseur, percé au centre d'un trou de 4 cm de diamètre (pratiqué pour accélérer l'affinage). Sous sa belle croûte rouge-orangé, il a une saveur douce.

MUROLAIT Partie centrale extraite du murol (**voir** ce mot), façonnée en tronc de cône et enrobée de paraffine rouge. Le murolait se présente sous la forme d'un cylindre de 4 cm de diamètre et de 3,5 cm d'épaisseur. Il a une saveur proche de celle du saint-paulin.

MUSC Substance très odorante, tirée des glandes de certains animaux (chevrotin asiatique, civette d'Éthiopie) ou de diverses graines ou amandes (l'ambrette, cultivée en Afrique et aux Antilles). La graine de la mauve musquée est parfois appelée « musc ». Végétal ou animal, le musc servait jadis d'épice, au même titre que l'ambre. Il intervient encore aujourd'hui dans certaines recettes africaines ou orientales.

MUSCADE Fruit aromatique du muscadier, arbre des régions tropicales d'Asie et d'Amérique, de la famille des myristicacées, dont il existe de nombreuses espèces, la plus connue étant le muscadier des îles de la Sonde (**voir** planche des épices pages 338 et 339).

■ **Emplois.** Ovoïde, de la taille d'une amande, brun cendré et ridée, la « noix de muscade » a une saveur et un arôme fortement épicés ; elle doit être dure et lourde, et s'utilise toujours râpée, à l'aide d'une petite râpe spéciale bien mordante. On la conserve dans un flacon hermétique. Elle contient environ 30 % de matières grasses ; ses noix cassées permettent de fabriquer un « beurre de muscade », friable et très odorant, qui peut servir de corps gras culinaire ou aromatiser des beurres composés (**voir** MACIS).

La noix de muscade relève surtout les préparations à base de pomme de terre, d'œuf et de fromage. En pâtisserie, elle parfume les gâteaux au miel ou au citron, les compotes, les tartes aux fruits, le cake anglais, les leckerli de Bâle et certains entremets à la vanille. Enfin, elle est la touche finale apportée à de nombreux cocktails et punchs, et joue un rôle en liquoristerie.

MUSCADET Vin AOC blanc du Pays nantais, issu du cépage éponyme, qui se répartit en trois appellations : à l'ouest, le muscadet générique, qui donne des vins courants ; sur la rive nord de la Loire, le muscadet des coteaux-de-loire, qui s'étend entre Nantes et Ancenis ; sur la rive sud, le muscadet de sèvre-et-maine et le muscadet côtes-de-grand-lieu. Sec et léger, le muscadet possède un goût fruité, avec un léger picotement, encore plus évident quand il est mis en bouteille « sur lie » (**voir** NANTAIS [PAYS]).

MUSCAT Nom générique de cépages caractérisés par un arôme musqué et une saveur de raisin prononcée. Le muscat à petits grains a des baies blanches ambrées et fermes, et donne de nombreux vins doux naturels. Le muscat d'Alexandrie, cultivé à l'air libre sur la Côte d'Azur et sous serre à Antibes, a un bouquet qui tend vers un goût de figue sèche. Mélangées, ces deux variétés permettent d'obtenir le muscat de Rivesaltes.

Le muscat donne aussi du raisin de table.

MUSCAT (VIN) Vin doux naturel provenant du cépage muscat, dont les variétés, blanches ou noires, ont un goût musqué. En France, les muscats – dont le frontignan – sont pour la plupart produits dans le Languedoc et le Roussillon. Celui d'Alsace est le seul qui soit sec. On trouve de nombreux muscats en Italie et en Grèce.

MUSCAT-DE-BEAUMES-DE-VENISE Vin AOC blanc situé à Beaumes-de-Venise dans le Vaucluse. Issu du cépage muscat à petits grains, c'est un des meilleurs vins doux naturels de France. Très parfumé, il ne gagne pas à vieillir (à consommer dans les trois ans).

MUSCAT-DE-FRONTIGNAN Vin AOC blanc doux naturel, produit aux portes de Montpellier, face à la Méditerranée. Issu du cépage muscat à petits grains, c'est le plus doux et le plus gras des vins de ce type.

MUSCAT-DE-LUNEL Vin AOC blanc doux naturel, produit dans l'Hérault, au nord-est de Montpellier. Issu du cépage muscat à petits grains, il est très suave et pénétrant.

MUSCAT-DE-MIREVAL Vin AOC blanc doux naturel issu du cépage muscat à petits grains. Produit en bord de mer, contigu au muscat-de-frontignan, il présente les mêmes caractéristiques en plus léger.

MUSCAT-DE-RIVESALTES Vin AOC blanc doux naturel, produit sur deux terroirs, Rivesaltes, au nord-ouest de Perpignan, et Banyuls, aux portes de l'Espagne. Le muscat-de-rivesaltes, issu des cépages muscat à petits grains et muscat d'Alexandrie, propose des vins assez légers, aux délicats arômes musqués.

MUSCAT-DE-SAINT-JEAN-DE-MINERVOIS Vin AOC blanc doux naturel du nord-ouest de Béziers. Le cépage muscat à petits grains produit ici une belle sucrosité, surlignée par une vigoureuse acidité.

MUSEAU Abat des animaux de boucherie – bœuf et porc, essentiellement (**voir** tableau des abats page 10). Le museau de bœuf, constitué par la partie comestible du mufle et du menton, est échaudé, salé et cuit ; il sert à préparer un hors-d'œuvre froid, accompagné d'une vinaigrette aux fines herbes. Le museau de porc est une spécialité de charcuterie cuite, préparée avec la tête entière, parfois la langue et la queue, désossées, cuites, pressées et moulées (le fromage de tête, le pâté de tête et le fromage de cochon sont des apprêts voisins).

MUSIGNY Vin AOC rouge (issu du cépage pinot noir) ou blanc (issu du cépage chardonnay), provenant de la commune de Chambolle-Musigny, en Côte de Nuits. Le rouge, classé « grand cru », est un des plus grands climats locaux, à la fois généreux et très fin (**voir** BOURGOGNE).

MUSQUÉ Qualificatif désignant un arôme qui rappelle celui du musc. Aujourd'hui, on parle d'arômes « muscatés » quand on évoque des végétaux dont on fait des infusions, ou des vins qui mêlent des senteurs d'abricot sec, de pêche blanche, de figue sèche et de miel.

MYE Mollusque marin bivalve, de la famille des myidés, proche de la palourde. La mye vit dans les eaux froides de l'Atlantique et du Pacifique nord. De couleur crème, elle atteint 15 cm. Sa coquille fine l'empêchant de survivre hors de l'eau, elle est toujours vendue cuite. La chaudrée de myes est un plat traditionnel de la côte est de l'Amérique du Nord.

MYRTE Arbuste méditerranéen, de la famille des myrtacées, dont les feuilles toujours vertes, très odorantes, ont une saveur qui tient à la fois du genièvre et du romarin. Les baies aromatiques interviennent surtout dans les cuisines corse et sarde. On en tire aussi une essence qui sert à préparer une liqueur, le *nerto*.

MYRTILLE Petit arbrisseau sauvage de la famille des éricacées, poussant dans les régions septentrionales ou montagnardes de l'Europe et dont les fruits, gros comme des pois, d'un bleu plus ou moins violacé, ont une saveur légèrement astringente et acidulée (**voir** tableau ci-dessous et planche des fruits rouges pages 406 et 407). Il existe des variétés cultivées, à grosses baies, moins savoureuses. Moyennement énergétique (60 Kcal ou 250 kJ pour 100 g), la myrtille est très riche en vitamine E et riche en vitamine C. Elle contient des polyphénols (anthocyanines) qui ont un rôle antioxydant. Les myrtilles sauvages doivent être soigneusement lavées pour éviter l'ingestion de parasites d'animaux sauvages. La myrtille, ou airelle bleue, ou « brimbelle », permet de préparer tartes, glaces, sorbets ainsi que compotes, confitures, gelées, sirops et liqueurs.

_____

confiture de myrtilles

POUR 4 POTS DE 375 G – PRÉPARATION LA VEILLE : 20 min – MACÉRATION : 24 h – CUISSON : environ 20 min
La veille, rincer et sécher 1 kg de myrtilles. Les verser dans une bassine à confiture avec 800 g de sucre en poudre, 25 cl d'eau et le jus d'un petit citron. Porter à ébullition en remuant. Cuire 2 min. Verser dans une jatte. Couvrir d'une feuille de papier sulfurisé. Garder 24 heures au réfrigérateur. Le lendemain, filtrer le jus dans un tamis posé sur la bassine à confiture. Porter le jus à ébullition. Écumer. Cuire jusqu'au petit perlé (110 °C). Ajouter les myrtilles. Porter à ébullition. Écumer de nouveau. Cuire sur feu vif pendant 5 min. Vérifier la cuisson sur une assiette très froide (la confiture doit prendre la forme d'une goutte bombée sans couler) ou avec un thermomètre à sucre. Retirer du feu. Verser la confiture bouillante dans les pots. Couvrir aussitôt. Retourner les pots. Laisser refroidir.

tarte aux myrtilles à l'alsacienne ▶ TARTE

MYSOST Fromage scandinave de babeurre, de lactosérum et de lait de vache, de chèvre ou en mélange (20 % de matières grasses), à pâte pressée brune (**voir** tableau des fromages étrangers page 398). Le mysost se présente sous la forme d'un pavé cubique pesant de 500 g à 1 kg. C'est le plus populaire des fromages norvégiens.

Caractéristiques des principales variétés de myrtilles et d'airelles

VARIÉTÉ	PROVENANCE	ÉPOQUE	ASPECT	FLAVEUR
myrtilles sauvages				
airelle rouge	Scandinavie, France	juill.-oct.	petit, fragile, rouge vif	acidulée, astringente
bleuet nain	Canada	juill.-août	moyen, ferme, bleu clair ou noir	acidulée, astringente
myrtille des bois	Europe centrale, France	juill.-sept.	petit, fragile, bleu-noir foncé	acidulée, astringente, très parfumée (évoque le cassis)
myrtilles cultivées				
canneberge, ou airelle américaine	États-Unis	oct.	gros, rond ou ovoïde, très ferme, rouge-brun	acidulée, douceâtre
myrtille arbustive	États-Unis, Allemagne, France	mi-juin-fin août	moyen à gros, ferme, juteux, bleu clair ou noir	sucrée et acidulée, spécifique

NAAN Pain indien, préparé avec de la farine de blé, de la levure, du lait, un peu de sucre et d'eau, et cuit au four (tandoori).

NAGE Court-bouillon aromatisé, dans lequel on fait cuire des coquillages ou des crustacés – des coquilles Saint-Jacques, des écrevisses, des langoustes ou des petits homards – qui sont ensuite servis chauds ou froids, dans leur cuisson, relevés d'un condiment ou additionnés de crème fraîche : ils sont dits alors « à la nage ».

coquilles Saint-Jacques à la nage ▶ COQUILLE SAINT-JACQUES
écrevisses à la nage ▶ ÉCREVISSE
huîtres en nage glacée ▶ HUÎTRE
nage de melon, verveine et passion ▶ MELON

nage de pétoncles au thym citron

Décoquiller 2,5 kg de pétoncles, les nettoyer, les ébarber et les laver plusieurs fois. Réserver au frais. Ciseler 1/4 de botte de ciboulette. Presser le jus de 1 citron ; peler à vif, puis couper en petits dés la pulpe d'un autre citron. Éplucher et laver 400 g de carottes, 1 poireau moyen et 1 céleri-rave de 300 g. Les couper en dés de 3 à 4 mm de section. Porter à ébullition 40 cl de fumet de poisson légèrement salé et poivré, et 20 cl de vin blanc, et y cuire de 5 à 8 min les dés de légumes, avec 4 brins de thym citron et le jus de citron. Ajouter les noix de pétoncle et 10 cl de crème épaisse, faire pocher 2 min à petits frémissements. Hors du feu, incorporer la ciboulette ciselée et les dés de citron. Dresser dans des assiettes creuses, décorer de pluches de cerfeuil et de dés de tomate.

RECETTE DE CLAUDE LEGRAS

*nage de poissons du lac à l'aligoté
et aux herbes fraîches*

« Faire revenir dans un sautoir beurré 100 g d'échalotes épluchées et ciselées, puis y mettre 250 g d'omble chevalier, 250 g de féra, 250 g de sandre et 150 de perche, en morceaux. Laisser étuver de 2 à 3 min avec 20 cl de bourgogne aligoté et 8 cl de Noilly Prat ; les poissons doivent rester rosés au centre. Les disposer dans des assiettes creuses, faire réduire légèrement la cuisson et ajouter 4 cuillerées à soupe d'herbes fraîches (cerfeuil, ciboulette, estragon, persil plat). Monter la sauce avec 300 g de beurre, napper les poissons, et décorer avec quelques petits navets, carottes et asperges préalablement cuits. »

rougets pochés à la nage au basilic ▶ ROUGET-BARBET

NAM PLA Sauce de couleur claire, utilisée dans la cuisine thaïlandaise, fabriquée avec de l'extrait de jus de poisson (ou de crevette), proche du nuoc-mâm vietnamien et de la sauce de poisson utilisée dans les autres cuisines asiatiques (Cambodge, Laos, Philippines).

NANTAIS (GÂTEAU) Gâteau moelleux à base de beurre, de sucre en poudre, de farine et de poudre d'amande, délicatement parfumé au rhum. Dès la sortie du four, il est également arrosé de rhum puis recouvert, une fois refroidi, d'un glaçage au sucre glace mélangé à de la marmelade d'abricot. Il est meilleur dégusté le lendemain.

NANTAIS (PAYS) Nantes se situe au carrefour de trois pays : la Bretagne, la Vendée et le Val de Loire. Sa cuisine reste marquée par ses origines bretonnes, mais elle est plus sophistiquée, plus urbaine, peut-être parce que l'ancien fief des ducs de Bretagne est aujourd'hui le chef-lieu des Pays de la Loire. Au Pays nantais se rejoignent le monde du fleuve et celui de la mer, offrant aux cuisiniers une large palette d'espèces de poisson. Dans la Loire, on pêche l'alose, le saumon, le sandre et le brochet, mais aussi les rares lamproies et les précieuses civelles. En mer, ce sont les langoustines et les saint-jacques, les rougets, les soles et les bars. Le long de la côte, les moules de bouchot, orangées et charnues, alternent avec les parcs à huîtres. Les marais de Brière et le lac de Grand-Lieu fournissent grenouilles et anguilles. Enfin, la presqu'île de Guérande produit un sel exceptionnel au goût de violette. On y prépare le bar en croûte de sel, servi avec un beurre blanc ou accompagné de petites pommes de terre de Noirmoutier cuites à l'eau et d'une sauce hollandaise.

Le cidre cède ici sa place au vin : le gros-plant et le muscadet sont largement utilisés dans les préparations « à la nantaise », divers apprêts comportant une sauce au vin blanc montée au beurre. Les coquilles Saint-Jacques à la nantaise sont pochées, escalopées, réchauffées dans du vin blanc avec des huîtres et des moules pochées, puis servies en coquille, saucées et glacées à la salamandre. Les poissons grillés à la nantaise sont servis avec une sauce au vin blanc et aux échalotes montée au beurre. Les viandes rôties ou braisées à la nantaise sont garnies de navets glacés, de petits pois et de purée de pomme de terre.

La région est également réputée pour sa production de primeurs : mâche, carottes et poireaux, mais aussi pois, haricots verts, salades, épinards, tomates, céleris, radis ; même des melons sont cultivés sous châssis depuis plus de cent cinquante ans.

Nés des nécessités de l'approvisionnement de la flotte de commerce, les biscuits nantais font aujourd'hui partie du patrimoine culinaire français. Riche en amandes, le gâteau nantais est parfumé au rhum des Antilles ; il faut le préparer quelques jours à l'avance pour que les arômes du rhum et de l'abricot se développent pleinement.

■ **Vins.**
Le Pays nantais produit des vins simples à boire jeunes. Le muscadet, issu du cépage du même nom, est un vin vif et fruité, de couleur or pâle ; mis en bouteilles sur lies, il acquiert un léger pétillant qui lui conserve une fraîcheur certaine. Le gros-plant, issus du cépage folle-blanche, est apprécié pour sa fraîcheur rustique et sa pointe d'amertume.

NANTAISE (À LA) Se dit de divers apprêts comportant une sauce au vin blanc montée au beurre. Les coquilles Saint-Jacques à la nantaise sont pochées, escalopées, réchauffées dans du vin blanc avec des huîtres et des moules pochées, puis servies en coquille, saucées et glacées à la salamandre. Les poissons grillés à la nantaise sont servis avec une sauce au vin blanc et aux échalotes montée au beurre. Sont aussi dites « à la nantaise » des viandes rôties ou braisées, garnies de navets glacés, de petits pois et de purée de pomme de terre.

NANTUA Se dit des apprêts comportant des écrevisses, entières ou utilisées dans un beurre composé, une purée, une mousse ou un coulis ; les apprêts Nantua comportent aussi généralement de la truffe.
▶ **Recettes :** CHOU, POULARDE, QUENELLE, SAUCE, SAUMON, TIMBALE.

NAPOLITAIN Grosse pièce de pâtisserie cylindrique ou hexagonale, constituée d'abaisses de biscuit aux amandes superposées, évidées et masquées de marmelade d'abricot, de gelée de groseille ou d'une autre préparation. Le décor se compose de pâte d'amande et de fruits confits. Le napolitain ne se fait plus guère, mais on réalise des « fonds napolitains » (disques de pâte sucrée à la poudre d'amande), qui sont garnis après cuisson de crème au beurre ou de confiture. On appelle aussi « napolitain » une très petite tablette de chocolat fin, souvent amer, que l'on déguste avec le café.
▶ **Recette :** FOND DE PÂTISSERIE.

NAPOLITAINE (À LA) Se dit de pâtes nappées de sauce tomate ou garnies de tomates et accompagnées de fromage râpé, servies en entrée ou en garniture de petites pièces de boucherie. La sauce napolitaine, créée par Carême, sans rapport avec la cuisine de Naples, associe raifort, jambon, madère, sauce espagnole, gelée de groseille et raisins secs, voire cédrat confit.
▶ **Recettes :** MACARONIS, PIZZA, RAGOÛT.

NAPPAGE Gelée liquide à base de marmelade d'abricot tamisée ou de gelée de groseille, additionnée le plus souvent de gélifiant. Le nappage blond ou rouge donne une finition brillante aux tartes aux fruits, ainsi qu'aux babas, aux savarins et à divers entremets. Il a aussi une action protectrice, car il évite aux fruits de s'oxyder ou de se dessécher.
Un nappage au chocolat s'appelle aussi « miroir ».

NAPPER Verser sur un mets une sauce, un coulis, une crème, etc., de manière à le recouvrir aussi complètement et uniformément que possible.

NASHI Fruit d'un arbre de la famille des rosacées, originaire du Japon (**voir** planche des fruits exotiques pages 404 et 405). Jaune moucheté, le nashi a une chair qui rappelle celle de la poire ; croquante et juteuse, elle a un léger parfum d'amande et se consomme crue.

NASI GORENG Spécialité indonésienne, faite de riz sauté avec du poulet émincé, ou du bœuf ou du porc, de l'oignon, puis garnie de chair de homard en dés. Ce plat est accompagné de sauces épicées et de rondelles d'oignon frites. Le nasi goreng a été adopté, à l'époque coloniale, par la cuisine néerlandaise, qui en a fait un apprêt européanisé, le rijsttafel, ou « table de riz ».

NASI KUNING Plat de fête javanais. Le riz, coloré en jaune au curcuma, est dressé en cône et présenté au centre d'un buffet qui réunit du poulet frit, des légumes crus sucrés, ou cuits au lait de coco, des brochettes de poulet, des boulettes de bœuf haché et de pomme de terre. Le tout est accompagné de divers condiments épicés.

NAVARIN Ragoût de mouton garni de pommes de terre et/ou de légumes divers (notamment, dans le navarin « printanier », de légumes nouveaux). Cet apprêt a sans doute été ainsi baptisé par déformation de « navet », légume qui constituait, à l'origine, sa garniture principale. L'appellation « navarin » appliquée par certains chefs à d'autres ragoûts, de crustacés, de volaille ou de lotte, garnis de navets, serait donc justifiée.

navarin d'agneau

POUR 4 PERSONNES – PRÉPARATION : 40 min – CUISSON : 40 min
Couper 400 g d'épaule d'agneau en 8 morceaux et 400 g de collier d'agneau en 4 tranches. Tailler en dés 1 gros oignon, préparer 1 bouquet garni, éplucher et écraser 2 gousses d'ail. Faire chauffer 2 cuillerées à soupe d'huile dans une grande cocotte. Y faire rissoler les morceaux d'agneau sur toutes les faces. Les égoutter et vider deux tiers de la graisse. Faire suer l'oignon, puis remettre la viande dans le récipient et saupoudrer de 30 g de farine ; cuire 3 min en remuant. Saler, poivrer et mouiller avec de l'eau froide à hauteur. Porter à ébullition sur feu modéré. Peler, épépiner et concasser 1 tomate. L'ajouter dans la cocotte avec le bouquet garni et l'ail. Dès que l'ébullition est atteinte, couvrir et laisser mijoter 40 min (ou cuire au four à 200 °C). Peler et gratter 200 g de carottes nouvelles et 200 g de navets nouveaux. Éplucher 125 g de petits oignons. Glacer séparément carottes, navets et petits oignons. Effiler 100 g de haricots verts, les cuire à la vapeur. Cuire à l'anglaise 100 g de petits pois écossés. Décanter le ragoût et passer la sauce au chinois sur la viande et les légumes réunis. Laisser mijoter le tout pendant 5 min. Parsemer de persil haché. Servir très chaud, dans la cocotte.

NAVET Plante potagère de la famille des brassicacées, cultivée pour sa racine charnue, allongée ou arrondie, jaune pâle ou blanche, souvent teintée de violet à la base des feuilles (**voir** planche des légumes-racines pages 498 et 499). Originaire d'Europe, il fut longtemps une « racine » très couramment utilisée en cuisine, surtout dans les soupes et le pot-au-feu ; les navets de Nantes ainsi que ceux du département de la Manche sont réputés depuis des siècles ; les navets d'Écosse sont considérés comme le légume « national ».
■ **Emplois.** Les variétés de navets potagers sont classées selon leur forme : le milan, rond, blanc à collet violet ; le nantais et le croissy, allongés et blancs. Il existe aussi des navets jaunes (dits « boule d'or », très savoureux) et noirs (longs ou ronds).
Peu énergétique (36 Kcal ou 150 kJ pour 100 g), le navet est riche en eau, en soufre, en potassium et en sucre. Les navets primeurs sont vendus avec leurs feuilles (qui se préparent comme des épinards et qui, sous le nom de *turnip tops*, sont appréciées en Grande-Bretagne).
Les navets sont épluchés et lavés, ou simplement brossés s'ils sont tout petits. Indispensables dans le pot-au-feu et les potées, ils s'apprêtent comme les carottes ou en purée, en pain, en soufflé. Parce qu'ils absorbent la graisse, ils accompagnent bien les viandes grasses.

morue aux pousses de navet (cuisson sous vide) ▶ MORUE

navets en choucroute

Peler de gros navets, enlever les parties ligneuses et râper le reste en longs filaments assez fins. Tasser une première couche de 10 cm d'épaisseur environ dans un grand pot de terre. Saler. Ajouter du poivre en grains et des baies de genièvre. Superposer ainsi 5 ou 6 couches, toujours en tassant bien. Placer un poids sur le pot rempli, recouvrir d'un linge et laisser 12 jours environ dans le réfrigérateur. Vider l'eau de fermentation et rincer longuement les navets avant de les blanchir quelques instants dans de l'eau bouillante. Cette choucroute de navet, éventuellement braisée, se sert avec les mêmes garnitures que la choucroute traditionnelle.

RECETTE D'ALAIN SENDERENS

navets farcis braisés au cidre

« Éplucher et blanchir 600 g de petits navets ronds nouveaux. Les creuser légèrement. Faire cuire à l'eau salée les parties retirées et les réduire en purée. Dans un mélange de beurre et d'huile d'olive, laisser rissoler les navets. Saler et poivrer. Faire réduire de moitié 1/2 bouteille de cidre sec. Y mettre les navets égouttés. Mouiller d'un peu de bouillon et faire cuire 15 min au four. Égoutter les navets. Ajouter la purée au fond de braisage, pour le lier. Ajouter 50 g de beurre, en fouettant, et tenir au chaud. Mélanger 100 g de chair à saucisse, 30 g de farce à gratin, du basilic, du romarin et de la fleur de thym. Façonner ce mélange en petites boulettes et les faire cuire au beurre à feu doux ; les mettre dans les navets évidés. Napper de sauce. »

navets farcis à la duxelles

Peler et évider des navets nouveaux moyens, tous de même grosseur ; les cuire 8 min dans de l'eau bouillante salée, les égoutter, puis les rafraîchir sous l'eau froide ; les égoutter à nouveau et les saler légèrement à l'intérieur. Faire étuver au beurre la pulpe retirée et la passer au tamis. Préparer une duxelles de champignon (1 cuillerée à soupe par navet), lui ajouter la pulpe passée et en garnir les navets. Ranger ceux-ci dans un plat à gratin beurré. Verser dessus quelques cuillerées de bouillon de bœuf ou de volaille, parsemer de chapelure et arroser de beurre fondu. Cuire au four préchauffé à 210 °C jusqu'à ce que les légumes soient tendres ; il suffit pour s'en assurer de les piquer avec une aiguille.

navets au gratin

Détailler en rondelles des navets pelés et les blanchir à l'eau bouillante salée ; les égoutter, les rafraîchir et les étuver au beurre. Beurrer largement un plat à gratin et y disposer les navets ; égaliser le dessus, masquer de sauce Mornay, puis poudrer de fromage. Les passer à four très chaud jusqu'à ce que le dessus soit bien doré.

purée de navet et de pomme de terre ▶ PURÉE

RECETTE DE GÉRARD VIÉ

raviolis de navet, gelée de yuzu au thé

POUR 4 PERSONNES

« La veille, préparer 25 cl d'infusion de thé vert. Ajouter le jus de 1 yuzu (ou de 6 citrons de Menton non traités), les zestes taillés en cheveux d'ange et 2 cuillerées à soupe de sucre en poudre. Faire cuire dans une petite casserole à frémissement environ 10 à 15 min en remuant jusqu'à obtenir une réduction légèrement concentrée (comme une gelée). Préparer une vinaigrette en mélangeant 4 cuillerées à soupe d'huile d'olive, le jus de 1 citron, 1 cuillerée à soupe de

Caractéristiques des principales variétés de nectarines et brugnons

VARIÉTÉ	ÉPOQUE	FORME	COULEUR
à chair blanche			
émeraude	début juill.-mi-juill.	sphérique	rouge foncé à rouge rosé, très lumineuse
Flavour Giant®	début août	oblongue à ovoïde	rouge rosé, unie, lumineuse
Mild Silver® (brugnon)	fin août	ovoïde à oblongue	rouge foncé
queen giant	mi-juill.	ovoïde	rouge grenat, unie, lumineuse
Queen Ruby®	début août	ovoïde	rouge brillant
ruby gem (brugnon)	mi-août	à tendance ovoïde	rouge à rosé, marbrée, lumineuse
September Queen®	mi-août-fin août	sphérique à tendance ovoïde	rouge grenat
Silver Gem®	fin juill.-mi-août	sphérique	rouge foncé
snow queen	début juill.	sphérique à ovoïde	rouge grenat
super queen	début juill.-mi-juill.	ovoïde	rouge grenat à rouge rosé
Zéphyr®	début août	ovoïde à sphérique	rouge foncé, unie
à chair jaune			
arm king	fin juin	oblongue	plus ou moins rouge
bel top	fin juill.	sphérique à ovoïde	rouge grenat à rouge
Bigtop® (brugnon)	mi-juill.	ovoïde, régulière	rouge grenat
fairlane (brugnon)	mi-sept.	sphérique, régulière	rouge grenat sur fond jaune
fantasia	mi-août	ovoïde	rouge foncé à rouge-orangé
Flavor Gold®	mi-juill.	sphérique, régulière	rouge vif
flavor top	fin juill.	ovoïde	rouge foncé sur fond orangé
nectaross	mi-août	sphérique	rouge foncé, épiderme très ponctué
red diamond	fin juill.	ovoïde	rouge foncé à rouge-orangé
Summer Grand®	fin juill.	ovoïde	rouge foncé à rouge-orangé sur fond jaune
super crimson	début juill.	ovoïde	rouge vif à rouge-orangé

vinaigre, 1 cuillerée à soupe de jus de viande (fond de veau), sel et poivre. Réserver. Émincer 2 blancs de poireau, les faire fondre doucement dans une cuillerée à soupe d'huile d'olive avant de saler et réserver. Le jour même, découper 1 navet long bien ferme en 24 tranches très fines. Les faire blanchir 2 min à l'eau bouillante salée puis égoutter. Mettre à plat 12 tranches de navet. Cuire à la vapeur environ 4 min 250 g de moules, 100 g de coques et 4 pièces de praires. Cesser la cuisson dès que les coquillages s'ouvrent. Les hacher grossièrement et les mélanger à la fondue de poireaux. Réserver. Déposer sur chaque tranche de navet le mélange haché de moules, de coques et de praires ; ajouter un peu de persil plat haché puis recouvrir d'une autre tranche de navet. Au moment de servir, étuver à four chaud (180 °C) pour faire tiédir 1 min. Incorporer 2 cuillerées de gelée de yuzu à la vinaigrette. Dresser sur chaque assiette 3 raviolis de navet, déposer dessus une pincée de roquette préalablement assaisonnée. Ajouter sur les raviolis un trait de vinaigrette. »

NAVETTE (BISCUIT) Biscuit sec en forme de barquette, fait de beurre et de farine additionnés de sirop de sucre parfumé à l'eau de fleur d'oranger. Depuis 1781, la navette de Saint-Victor est une spécialité du Four des navettes à Marseille où elles sont exclusivement fabriquées. Ce biscuit y est associé aux fêtes de la Chandeleur qui sont célébrées non loin de là en l'abbaye Saint-Victor, en l'honneur d'une statue de la Vierge découverte échouée sur les rives du Lacydon au XIIIe siècle.

NEBBIOLO Cépage rouge du nord de l'Italie, l'un des trois principaux, avec le barbera et le moscato. Le nebbiolo, très fin, avec un goût de fumé, est célèbre pour le barolo qu'il produit. Il est souvent additionné d'un autre cépage, le bonarda, qui joue le même rôle que le merlot dans le Bordelais. Les vins qu'il donne doivent « mûrir » deux ans au moins, en fût de chêne.

NECTAR Jus ou purée de fruits (de 25 à 50 % minimum), additionnés d'eau et de sucre, et, éventuellement, d'additifs alimentaires.
En botanique, le nectar est le liquide sucré sécrété par les fleurs et transformé en miel par les abeilles.

NECTARINES ET BRUGNONS

bel top

Queen Ruby

queen giant

Flavour Giant

lourdes

nectared

Silver Gem

red sun

NECTARINE ET **BRUGNON** Fruits de la famille des rosacées à peau rouge et jaune, lisse et brillante. La nectarine, d'origine chinoise, est une mutation naturelle de la pêche (**voir** tableau des nectarines et brugnons page 567 et planche ci-contre). La peau est lisse. La chair se détache du noyau ; elle est blanche, jaune, orangée ou sanguine. Ce fruit voyage bien, il a été introduit en Europe vers 1950 par les États-Unis, très gros producteurs. Le brugnon, de création française, est obtenu par greffage d'un prunier sur un pêcher. La chair du brugnon, ferme, plus ou moins colorée, adhère au noyau. La peau est lisse. Récemment, on a greffé une pêche de vigne sur une nectarine et obtenu la nectavigne.

Ces fruits savoureux et parfumés sont peu énergétiques (50 Kcal ou 209 kJ pour 100 g) et riches en carotène. Comme les pêches, ils sont consommés frais, en salade de fruit, en coulis, en sorbet et dans les pâtisseries. Ils peuvent être mis en conserve au sirop, confits au sucre ou congelés.

NECTAVIGNE ▶ VOIR NECTARINE ET BRUGNON

NÈFLE Fruit du néflier, arbre de la famille des rosacées, piriforme et brun, de 3 à 4 cm de diamètre, dont la pulpe grisâtre contient cinq noyaux (certaines variétés en sont dépourvues). Originaire d'Europe, la nèfle n'est comestible que blette, après avoir subi les premières gelées sur l'arbre ou avoir doucement surmûri sous de la paille, dans un fruitier. Apportant 97 Kcal ou 405 kJ pour 100 g, elle a une saveur douce et acidulée, un peu vineuse. On en fait surtout des compotes.

NÈFLE DU JAPON Fruit du bibacier, ou néflier du Japon, arbre de la famille des rosacées, qui pousse en Orient, mais aussi dans le bassin méditerranéen (**voir** planche des fruits exotiques pages 404 et 405). Il a une peau résistante et un peu duveteuse jaune pâle ou orangée, une chair blanche, jaune ou orangée, ferme ou fondante selon la variété, autour d'un ou de plusieurs noyaux. Cultivée à petite échelle en Provence, et surtout importée de Madagascar, la nèfle du Japon, appelée aussi « bibace », « bibasse » ou « loquat », apparaît sur le marché d'avril à fin juin. Peu énergétique (38 Kcal ou 159 kJ pour 100 g), riche en calcium, elle se mange nature, bien mûre en dessert, ou sert à préparer confitures, gelées, sirops et liqueurs.

NEIGE Nom donné aux blancs d'œuf battus ou fouettés jusqu'à consistance ferme, servant à préparer nombre d'entremets et de pâtisseries. On appelle aussi « neige » une sorte de sorbet fait d'un jus de fruits rouges additionné de sucre. Enfin, on baptise « neige de Florence » des flocons blancs très légers de pâtes alimentaires, utilisés pour garnir des consommés.
▶ Recette : ŒUFS À LA NEIGE.

NÉLUSKO Petit-four frais constitué par une cerise à l'eau-de-vie équeutée et dénoyautée, fourrée de confiture de groseille épépinée de Bar-le-Duc, puis glacée au fondant parfumé avec l'eau-de-vie des cerises.

On appelle aussi « nélusko » une bombe glacée au chocolat et au praliné relevé de curaçao.

NEM Pâté vietnamien frit à base de galette de riz farcie, voisin du pâté impérial chinois (**voir** ce mot). La farce est constituée de viande de porc hachée, de vermicelles, de champignons noirs parfumés et séchés, de germes de soja, d'oignon, de poivre, de sel, et souvent d'œufs. On remplace parfois la viande par de la chair de crabe, de crevette ou de poisson.

NEMOURS Nom d'une garniture pour petites entrées, composée de pommes duchesse, de petits pois au beurre et de carottes tournées et glacées. Le mot désigne aussi un apprêt de filets de sole pochés, nappés de sauce crevette, surmontés d'une lame de truffe et garnis de quenelles et de petits champignons liés de sauce normande et entourés de petites croquettes de crevette roulées dans de la truffe pochée. Quant au potage Nemours, c'est un consommé de volaille légèrement lié au tapioca.

NEMROD Nom d'un personnage biblique, « vaillant chasseur devant l'Éternel » (Genèse), donné à divers apprêts de cuisine classique comportant du gibier.

La garniture Nemrod, pour gibier à poil, se compose de compote d'airelle dressée en barquettes ou en bouchées, de pommes croquettes et de grosses têtes de champignon grillées, garnies de purée de marron. Le consommé de gibier Nemrod est additionné de porto, lié à l'arrow-root et garni de quenelles de farce à gibier enrichie de truffe hachée. Enfin, les atteraux Nemrod sont formés de quenelles de farce à gibier et de jambon, de champignons et d'œufs de vanneau, cuits durs.

NESSELRODE Nom de divers apprêts de cuisine et de pâtisserie, ayant en commun de la purée de marron.

Salée, la purée sert de garniture à des ris de veau braisés ou à des noisettes de chevreuil sautées, nappées de sauce poivrade ; on la retrouve en garniture de profiteroles et avec le consommé de gibier Nesselrode.

Parmi les apprêts sucrés, le pudding glacé Nesselrode se prépare avec de la crème anglaise additionnée de purée de marron, de fruits confits, de raisins secs et de crème fouettée. La bombe glacée Nesselrode est faite de pâte à bombe à la purée de marron glacé, parfumée au kirsch, chemisée de glace à la vanille.
▶ Recettes : CONSOMMÉ, PUDDING.

NEUFCHÂTEL Fromage brayon AOC au lait de vache cru ou pasteurisé, à pâte molle et à croûte fleurie (**voir** tableau des fromages français page 389). Le neufchâtel se présente sous trois formes : la bonde, cylindrique, mesure 4,5 cm de diamètre et 8 cm de haut, pesant 200 g ; la briquette mesure 7 cm de long, 5 cm de large et 3 cm de haut, pesant 100 g ; enfin, le cœur mesure 8,5 cm du centre à la pointe, 10 cm d'un arrondi à l'autre et 3,2 cm de haut, pesant 200 g. Un gros cœur, réalisé pour le marché « à la coupe », pèse 600 g. La pâte, homogène, lisse et moelleuse, est nettement salée, le taux dépassant 3 % ; elle contient 50 % de matières grasses sur extrait sec. Le neufchâtel est apprécié frais ou affiné à divers stades.

NÉVA (À LA) Se dit d'un apprêt de poularde garnie d'une farce au foie gras et aux truffes, nappée de sauce chaud-froid, décorée à la truffe et lustrée à la gelée. La volaille est accompagnée d'une salade russe (justifiant la référence au fleuve qui arrose Saint-Pétersbourg) et ornée de dés de gelée.

NEWBURG Nom donné à un apprêt de homard par son créateur, Alessandro Filippini, chef d'un restaurant de New York célèbre depuis la fin du XIXᵉ siècle, le *Delmonico's*. Le homard à la Newburg est sauté à la crème, et il existe plusieurs variantes de part et d'autre de l'Atlantique.

La sauce Newburg, obtenue en préparant le homard comme à l'américaine, mais en le mouillant de crème et de fumet de poisson, sert également à accommoder des poissons (sole notamment, entière ou en filets) garnis de médaillons de homard.
▶ Recette : HOMARD.

NICE ET **PAYS NIÇOIS** La cuisine niçoise subit les influences de la Provence et de l'Italie, mais l'authentique gastronomie « niçarde » possède son originalité.

Si la pêche locale ne suffit plus à approvisionner cette région, le poisson reste très présent dans la cuisine locale. Le rouget et le loup sont accommodés à la niçoise, dans une fondue de tomate à l'ail agrémentée d'olives noires, ou simplement grillés avec du fenouil sur un barbecue. Plus typiques encore, la poutine (alevins de sardines et d'anchois) se déguste en omelette tandis que le sartagnado, mélange de petits poissons que l'on tasse dans une sartan, grande poêle, se cuit comme une grosse crêpe, dorée sur les deux faces, et se déguste arrosée d'un filet de vinaigre. Les nonats (alevins de poisson) se préparent pochés, en beignets, en friture, en omelette et en salade avec huile d'olive et fines herbes. On se régale aussi de sardines grillées, frites ou farcies aux épinards, de soupe de favouilles (petits

569

crabes) et surtout de stockfisch, que l'on prépare en estoficada, mijoté avec une fondue de tomate à l'ail, complétée par des pommes de terre en rondelles, des olives noires et du basilic frais. Mais le poisson roi est sans conteste l'anchois, ingrédient indispensable de la salade niçoise et de l'anchoïade. Dans la pissaladière, sa saveur contraste avec la douceur des oignons. Il entre également dans la composition du pissalat (purée de poissons ayant mariné avec sel et aromates) que l'on retrouve dans de nombreuses préparations typiques du pays niçois.

Dans l'arrière-pays poussent l'olivier (qui donne l'huile et les fameuses petites olives noires), la vigne, dont sont issus les vins de Bellet, rouge, blanc et rosé à la forte personnalité, et l'oranger, qui produit l'orange amère, ou bigarade. Les fleurs cultivées ou sauvages sont la source d'un miel réputé.

■ **Au royaume des légumes.** Aubergines, tomates, courgettes et poivrons s'associent dans la célèbre ratatouille et se cuisinent aussi séparément, sautés ou farcis. Les feuilles de blette, à la base du célèbre tian de blettes aux sardines, donnent de fabuleuses tourtes, où elles se mêlent aux figues sèches, aux raisins secs et au parmesan. Mais il ne faut pas oublier la soupe au pistou, les petits artichauts violets, les fèves fraîches, les nèfles et les fraises. Le basilic et l'ail rose parfument de nombreux plats, dont la socca, crêpe fine de farine de pois chiche poivrée.

De l'Italie voisine sont venues les pâtes fraîches, les gnocchis et les ravioles, inséparables de la daube ou de l'estouffade de bœuf « à la niçoise », avec une garniture de tomates et d'olives ; elles accompagnent également les tripes, le ragoût de chevreau, les noisettes d'agneau et les paupiettes de veau. On apprécie parmi les fromages le cachat provençal et la brousse de la Vésubie.

Quant aux friandises et gâteaux, ils sont surtout représentés par les fleurs et les fruits confits, et par la pompe à l'huile.

NICKEL Métal blanc brillant, résistant à l'oxydation et à la corrosion. Son principal emploi est le nickelage, effectué par électrolyse, généralement sur un premier revêtement de cuivre ; il sert de base au chromage. Le nickel fait aussi partie de nombreux alliages, dont l'acier inoxydable et le maillechort (nickel, cuivre et zinc), utilisé pour la fabrication de couverts et de plats qui sont ensuite argentés (ruolz).

NIÇOISE (À LA) Se dit de divers apprêts inspirés de la cuisine de la région de Nice, où figurent essentiellement l'ail, les olives, les anchois, les tomates et les haricots verts. Les poissons grillés à la niçoise (rouget, sole, merlan) sont servis avec une concassée de tomate, des filets d'anchois, des olives, etc. La garniture niçoise pour grosses pièces de boucherie et volailles associe tomates mondées étuvées à l'huile et relevées d'ail, haricots verts liés au beurre (ou bien courgettes et petits artichauts étuvés) et pommes château.

▶ **Recettes :** AGNEAU, ARTICHAUT, ATTEREAU (BROCHETTE), COURGETTE, PIGEON ET PIGEONNEAU, RATATOUILLE, SALADE, STOCKFISCH.

NID (AU) Se dit de petits oiseaux rôtis, dressés dans des nids de pommes paille ou gaufrettes. On les décore parfois de cerises pochées et de petits bouquets de persil ou de cresson. On appelle aussi « au nid » des œufs mollets ou pochés dressés dans des tomates évidées ou placés sur un « nid » en beurre de Montpellier façonné à la poche à douille, puis garnis de gelée hachée et de cresson.

_____

nid en pommes paille ou en gaufrettes

POUR 4 PERSONNES
Éplucher, laver des pommes de terre à chair ferme (type charlotte), sans les laisser séjourner dans l'eau. Faire chauffer la friture à 180 °C. À l'aide d'une mandoline, tailler les pommes de terre en pommes paille (coupées en longue julienne et frites) ou en pommes gaufrettes (lamelles ajourées) ; ne pas les laver. Garnir la plus grande partie du panier à nids (louche grillagée à double paroi) avec les pommes de terre, les presser et uniformiser l'épaisseur en épousant la paroi. Placer la petite partie du panier à l'intérieur pour maintenir les pommes de terre en cours de cuisson. Maintenir les deux manches avec l'agrafe prévue à cet effet. Plonger le panier pendant 5 ou 6 min dans la friture chaude et être attentif à la cuisson pour éviter le débordement de l'huile et une coloration trop

prononcée des pommes. Sortir le panier de la friture, l'ouvrir et retirer délicatement les deux parties du panier. Le nid en forme de demi sphère creuse se détache facilement. Garnir et servir aussitôt.

tomates farcies chaudes en nid ▶ TOMATE

NID D'ABEILLE Gâteau traditionnel très populaire en Allemagne et en Alsace. C'est une brioche ronde, épaisse de 5 cm, recouverte avant cuisson d'un mélange de beurre et de sucre, de miel et d'amande, puis fendue en deux et garnie de crème pâtissière.

NID D'HIRONDELLE Fragments séchés des nids que la salangane, hirondelle des côtes de la mer de Chine, fabrique avec sa salive, après avoir ingurgité les substances gélatineuses des algues. Blanchâtre et poreux, le produit est surtout utilisé dans la cuisine traditionnelle chinoise pour garnir un potage (après avoir gonflé dans de l'eau) et lui donner une consistance visqueuse et un parfum caractéristique. Il intervient aussi dans les ragoûts et certaines garnitures composées.
▶ **Recette :** CONSOMMÉ.

NIGELLE Nom de plusieurs plantes de la famille des renonculacées, dont les graines servaient autrefois de condiment. Les graines de la nigelle de Damas sont utilisées comme les graines de pavot ou de sésame pour parsemer pains ou pâtisseries orientales.

NIGIRI Boulettes japonaises de riz à la vinaigrette, recouvertes de tranches de poisson. Le nigiri est une des deux sortes de sushis (**voir** ce mot).

NIGNON (ÉDOUARD) Cuisinier français (Nantes 1865 - ? 1934). Son apprentissage et sa carrière exceptionnelle le conduisent dans les plus grands établissements en France et à l'étranger : il est chef des cuisines du tsar de Russie, de l'empereur d'Autriche et du président américain Wilson, après avoir exercé au *Claridge's* à Londres puis à *l'Ermitage* à Moscou. En 1918, il prend la direction du restaurant *Larue*, à Paris, et troque la veste blanche du chef contre l'habit noir du maître d'hôtel, passant ainsi les deux tiers de sa vie « tout en blanc ou tout en noir », selon le mot de Sacha Guitry. Il est l'auteur de trois ouvrages de cuisine, où est consignée son expérience : *l'Heptaméron des gourmets ou les Délices de la cuisine française* (1919), *Éloges de la cuisine française* (1933), préfacé par Sacha Guitry, et *les Plaisirs de la table* (1926). Certaines de ses recettes, comme la beuchelle tourangelle (à base de ris, de rognons de veau et de morilles dans une sauce crème), font encore les délices des gourmets.

NINON Nom de divers apprêts de cuisine classique. La garniture Ninon pour petites pièces de boucherie sautées, accompagnées de sauce à la moelle, comporte des petites croustades en appareil à pommes duchesse, remplies d'un salpicon de crêtes et de rognons de coq, et des bouquets de pointes d'asperge. Le salpicon de crêtes et de rognons de coq, additionné de pointes d'asperge, nappé de sauce à la moelle, sert aussi à garnir les canapés Ninon, taillés dans du pain de mie rond et passés à four chaud. La salade composée Ninon associe feuilles de laitue et tranches d'oranges pelées à vif.

NIOLO Fromage corse de lait de chèvre (45 % de matières grasses), à pâte molle et à croûte naturelle blanc-gris (**voir** tableau des fromages français page 392). Le niolo se présente sous la forme d'un pavé de 13 cm de côté et de 4 à 6 cm d'épaisseur. Affiné de 3 à 4 mois avec macération en saumure, il a une saveur piquante et une odeur forte.

NITRATE Additif alimentaire utilisé comme conservateur dans la fabrication des conserves, des salaisons et de la charcuterie. Associés au chlorure de sodium, les nitrates de sodium et de potassium évitent les proliférations microbiennes. Ils participent à la coloration rouge des charcuteries.

Utilisés aussi comme engrais, les nitrates peuvent se retrouver dans les eaux potables et les légumes (betteraves, carottes, épinards, haricots verts, salades).

NIVERNAISE (À LA) Se dit de grosses pièces de boucherie rôties ou braisées et d'un canard braisé, garnis de carottes tournées et glacées et d'oignons glacés à blanc, éventuellement complétés de laitues braisées. La garniture est parfois dressée en croustades, et le fond de braisage nappe généralement l'ensemble.

NOËL Cuisinier français de la fin du XVIIIᵉ siècle, qui officia longtemps à la cour de Frédéric II de Prusse. Son maître l'avait baptisé « le Newton de la cuisine ». On le connaît notamment par l'*Histoire de ma vie*, de Casanova, qui fit honneur à sa cuisine et rendit même visite à son père à Angoulême ; celui-ci, pâtissier de renom, promit au célèbre séducteur voyageur, de lui envoyer ses pâtés, où qu'il se trouve en Europe.

NOËL (FÊTE) Fête familiale par excellence, qui associe la célébration religieuse de la naissance de Jésus-Christ et les réjouissances païennes du renouveau, du Nouvel An. Le trait commun de ces festivités est le cadeau, l'offrande d'une friandise, surtout quand celle-ci est faite par l'intermédiaire d'une des grandes figures des mythes populaires (saint Martin en Belgique, en Allemagne, aux Pays-Bas ; saint Nicolas dans le nord et l'est de la France ; partout ailleurs, le Père Noël).

■ **La fête des gâteaux.** Un usage ancien, établi dans de nombreuses régions, voulait que parrains et marraines offrent à leurs filleuls un gâteau anthropomorphe : pantin, enfant emmailloté ou simple fuseau.

En Ardèche, ce gâteau est le « père Janvier » ; dans le Nord, c'est le « cougnou » (le *kerstbroden* flamand), en pâte briochée garnie de raisins et poudrée de sucre ; dans le Berry, c'est le « naulet ». La tournée des maisons du village par les enfants dans la nuit de Noël est une coutume très ancienne. Vœux de prospérité et chansons rituelles se traduisaient en contrepartie par diverses offrandes, essentiellement alimentaires. En Bourgogne, la « cornette », gaufre de maïs roulée en cornet, donnait même son nom à la quête. En Touraine, les enfants recevaient le « guillaneu », galette allongée et fendue aux deux bouts, spécialement préparée pour la circonstance.

Mais le Nouvel An et surtout Noël restent consacrés par un repas, qui, dans la plupart des pays d'Europe, comporte encore souvent un gâteau spécifique : en France, c'est la bûche ; en Angleterre, le Christmas pudding ; en Allemagne, le Stollen aux fruits confits, l'équivalent de la bûche française. En Alsace, ce sont le Bireweck, pain aux fruits secs et aux fruits confits, et les Lebkuchen (pains d'épice), de tradition avant la messe de minuit. En Corse, la *strenna*, tourte au brocciu, plus particulièrement préparée pour le jour de l'An. En Provence, le « gros souper » de la veillée de Noël se termine encore bien souvent par les « treize desserts de Noël » : pompe à l'huile, raisins secs, pâte de coing, calissons, nougat, fougasse, cédrats confits, noix et noisettes, poires d'hiver, prunes de Brignoles, figues sèches, amandes, dattes.

Dans d'autres provinces, le repas de Noël était au contraire très frugal, comme en Bretagne, où le jeûne était un moyen de faire exaucer ses vœux ; on se rassemblait alors après la messe pour manger des crêpes chaudes ou une collation très simple, terminée par la traditionnelle fouace en étoile.

NOËL PETER'S Restaurant parisien, ouvert passage des Princes en 1854. Il s'appela d'abord *Peter's*, prénom américanisé du propriétaire, Pierre Fraisse. Ayant séjourné aux États-Unis, celui-ci servait des plats nouveaux, tels le potage à la tortue, le roastbeef, et surtout le homard à l'américaine, dont il fut le créateur dans les années 1850. Très fréquenté par les journalistes, l'établissement, racheté par Vaudable, père du directeur de *Maxim's*, prit ensuite le nom de *Noël Peter's*, en raison d'une association avec un certain Noël. Dans les années 1880, on y inventa la formule du « plat du jour ».

La désaffection du public pour les passages couverts entraîna son déclin, puis sa disparition.

NOISETTE Fruit du noisetier, arbrisseau de la famille des bétulacées qui pousse dans les contrées tempérées de l'Europe, dont la coque dure renferme une graine (amandon) ovoïde ou arrondie, croquante, grasse et parfumée (**voir** tableau des noisettes page 573 et planche page 572).

En France, les noisettes, ou avelines, proviennent principalement du Sud-Ouest, où existent désormais des vergers rationnels ; on en importe aussi beaucoup de Turquie, d'Italie et d'Espagne. Très énergétique (400 Kcal ou 1 670 kJ pour 100 g), riche en lipides (40 %), la noisette sèche apporte beaucoup de vitamine E (20 mg pour 100 g) du phosphore (200 mg pour 100 g), du potassium (350 mg pour 100 g) du calcium (45 mg pour 100 g) et de la vitamine PP (1,5 mg pour 100 g).

■ **Emplois.** Les noisettes fraîches sont toujours vendues avec leur enveloppe (involucre) verte. Les noisettes sèches entières doivent avoir une coque brillante, pas trop épaisse, sans tache, ni trou, ni fissure. Un casse-noisettes est nécessaire pour briser leur coque. Une fois décortiquées, elles doivent être conservées à l'abri de l'air pour leur éviter de rancir.

Elles s'utilisent entières, râpées ou broyées. On les sert salées, parfois grillées, en amuse-gueule, et elles interviennent également en cuisine (dans des farces, des terrines, pour accommoder le poulet, voire le poisson meunière, comme les amandes). On en fait aussi un beurre composé. Néanmoins, leurs emplois principaux sont la pâtisserie, la confiserie (nougats) et la chocolaterie.

On extrait des noisettes une huile très fine, coûteuse, utilisée froide comme condiment et qui ne doit pas chauffer (**voir** tableau des huiles page 462).

▶ **Recettes :** FOND DE PÂTISSERIE, POMME DE TERRE, SALADE, SPÄTZLES.

NOISETTE (BEURRE) Se dit du beurre chauffé à la poêle jusqu'à ce qu'il prenne une teinte noisette ; on l'utilise pour finir nombre de mets poêlés, notamment le poisson.

La « sauce noisette » est une hollandaise additionnée de quelques cuillerées de beurre noisette. Elle accompagne saumon, truite et turbot sautés à la poêle.

▶ **Recettes :** BEURRE, RAIE.

NOISETTE (VIANDE) Préparation de boucherie dans les côtes-filets et les côtes premières désossées (**voir** planche de la découpe de bœuf pages 108 et 109). Le morceau comportant essentiellement la noix est roulé, parfois bardé légèrement, ficelé et détaillé en petites pièces individuelles destinées à être grillées ou poêlées.

Par extension, l'appellation « noisette » s'applique à une petite tranche ronde de filet de bœuf, à un petit grenadin de veau, auquel on peut appliquer toutes les recettes prévues pour les escalopes de veau, et, enfin, à la noix d'une côtelette de chevreuil, grillée à feu vif ou sautée au beurre.

▶ **Recette :** CHEVREUIL.

NOISETTES (POMMES) Petites boules de pulpe de pomme de terre, levées à la cuillère parisienne, dorées au beurre et légèrement rissolées, utilisées dans de nombreuses garnitures simples ou composées, généralement pour des petites pièces de boucherie.

NOIX Pièce de viande de forme plutôt sphérique, ou partie la plus épaisse d'un morceau (**voir** planche de découpe des viandes pages 108, 109 et 879). Elle se prépare poêlée, grillée ou rôtie, diversement garnie, ou braisée, ce qui lui donne plus de moelleux.

Dans le veau, la noix correspond à la région interne du cuisseau, mais l'appellation a été étendue à la noix pâtissière et à la sous-noix.

Dans le bœuf, la noix d'entrecôte correspond à la partie centrale du morceau ; la noix de côtelette est la partie la plus charnue de celle-ci.

La noix de jambon est un produit de salaison, traité au sel sec, étuvé, et consommé après séchage, coupé en tranches très fines comme le jambon sec entier.

▶ **Recette :** VEAU

NOIX (FRUIT) Fruit du noyer, de la famille des juglandacées, recouvert d'une enveloppe verte. La noix (**voir** tableau des noix page 573 et planche page 572) est formée d'une coque dure, renfermant un cerneau en forme d'hémisphères cérébraux. Le cerneau est recouvert d'une mince pellicule jaune plus ou moins foncé, qu'il faut enlever quand la noix est consommée fraîche. Les noix de Grenoble et du Périgord bénéficient d'une AOC.

NOIX, NOISETTES,
AUTRES FRUITS SECS ET CHÂTAIGNES

amande en coque

amande verte

amande décortiquée

arachide

marron

châtaigne

pistache

noix de ginkgo

noix de pécan

noisette commune

pignon de pin

noix du Brésil

noisette jumbo

noix de macadam

noix franquette

Caractéristiques des principales variétés de noisettes en coque sèche

VARIÉTÉ	PROVENANCE	ÉPOQUE	DESCRIPTION	SAVEUR
butler	toute la France	début sept.	grosse, un peu allongée, coque mi-épaisse	sucrée, assez fine
daviana	toute la France	sept.	assez grosse, allongée, coque fine	sucrée, parfumée
ennis	toute la France	fin sept.	très grosse, arrondie, coque mi-épaisse	assez fine, sucrée
Fercoril-Corabel®	toute la France	fin sept.	très grosse, arrondie, coque mi-épaisse	sucrée, parfumée
fertile de Coutard	toute la France	sept.	grosse, arrondie, coque mi-épaisse	parfumée
merveille de Bollwiller	toute la France	sept.	grosse, conique, coque dure, épaisse	sucrée, parfumée
pauetet	Aquitaine, Midi-Pyrénées	mi-sept.	petite, arrondie, coque fine	sucrée, parfumée
segorbe	Aquitaine, Midi-Pyrénées	sept.	assez petite, arrondie, coque mi-épaisse	parfumée
tonda di giffoni	Aquitaine, Midi-Pyrénées	sept.	assez grosse, arrondie, coque mi-épaisse	parfumée
tonda romana	Italie	début sept.	assez grosse, arrondie, coque fine	parfumée

Caractéristiques des principales variétés de noix

VARIÉTÉ	PROVENANCE	ASPECT DE LA COQUE	ASPECT DU CERNEAU	SAVEUR
américaines				
ashley	Californie	moyenne à assez grosse, ovoïde, fine	assez clair, facile à extraire	assez marquée
chandler	Californie	grosse, oblongue, très fine	très clair, très facile à extraire	très marquée
eureka	Californie	grosse, elliptique, assez fine	blond, facile à extraire	marquée
hartley	Californie	grosse, conique, assez fine	blond clair, très facile à extraire	marquée
payne	Californie	moyenne à assez grosse, ovoïde, fine	blond clair, très facile à extraire	marquée
serr	Californie	moyenne à assez grosse, oblongue à ovoïde, fine	blond clair, très facile à extraire	marquée
vina	Californie	moyenne à petite, conique, longue, très fine	assez clair, facile à extraire	peu marquée
françaises				
corne	Dordogne, Corrèze	moyenne, elliptique, épaisse	blond clair, assez facile à extraire	très fine
fernor	toute la France	moyenne à assez grosse, elliptique, épaisseur moyenne	très clair, facile à extraire	marquée, fine
franquette	toute la France	moyenne à assez grosse, elliptique, épaisseur moyenne	blond clair, facile à extraire	marquée, fine
grandjean	Dordogne	petite, rectangulaire, courte, épaisseur moyenne	blond clair, très facile à extraire	marquée
grosvert	Dordogne	petite, assez globuleuse	blond, facile à extraire	assez marquée
lara	toute la France	grosse, globuleuse, assez fine	généralement blond, très facile à extraire	peu marquée
marbot	Lot, Corrèze	assez grosse à grosse, épaisseur moyenne	généralement blond, tendance à foncer, facile à extraire	marquée
mayette	Isère	assez grosse, base plane, épaisseur moyenne	blond clair, facile à extraire	très marquée, très fine
parisienne	Isère	grosse, rectangulaire, épaisseur moyenne	généralement blond, parfois veiné, facile à extraire	marquée
italiennes				
feltrina	Piémont, Lombardie, Abruzzes	moyenne, allongée, fine, tendre	assez clair, assez facile à extraire	agréable
sorrento	Campanie	moyenne, elliptique, fine	blond, assez facile à extraire	agréable

Particulièrement énergétique (500 Kcal ou 2 010 kJ pour 100 g) la noix est très riche en lipides (52 % dont 70 % sont polyinsaturés), en protides (11 %), en phosphore (500 mg pour 100 g) et en potassium (700 mg pour 100 g), mais pauvre en vitamines.

Certaines variétés à coque fine se cassent à la main, mais la plupart des autres nécessitent un casse-noix.

■ **Emplois.** À partir de la mi-septembre environ, la noix, est commercialisée fraîche (à consommer dans les 8 jours après la récolte et à conserver au réfrigérateur). En octobre, elle est vendue séchée.

La noix intervient beaucoup en pâtisserie, broyée comme ingrédient ou en cerneaux entiers comme décor. Elle est très utilisée en cuisine : dans les salades composées, avec des apprêts de viande, de volaille ou de poisson. Elle aromatise des sauces, des farces, des rissoles, ainsi qu'un beurre composé ; elle est aussi apprêtée au verjus ou confite au vinaigre. Les noix en coques vertes ramassées à la Saint-Jean et les feuilles de noyer permettent de préparer des vins de noix et des liqueurs (dont le « brou de noix »), ainsi que des vins aromatisés. L'huile de noix, très diététique, au goût très fruité, est réservée à l'assaisonnement des salades ou des haricots (flageolets) [**voir** tableau des huiles page 462].

confit de foie gras, quenelles de figue et noix ▶ FOIE GRAS
crottins de Chavignol rôtis sur salade aux noix
  de la Corrèze ▶ CROTTIN DE CHAVIGNOL
délice aux noix ▶ DÉLICE ET DÉLICIEUX
diablotins aux noix et au roquefort ▶ DIABLOTIN
fond noix ou noisettes ▶ FOND DE PÂTISSERIE
moelleux aux pommes et noix fraîches ▶ POMME

_____

noix au vinaigre

Choisir des noix assez grosses, encore recouvertes de leur péricarpe charnu vert. Les essuyer et les piquer profondément en plusieurs endroits. Les laisser mariner 3 jours dans une saumure à 100 g de sel par litre. Les faire bouillir quelques instants dans la saumure, puis les remettre à macérer 3 jours de plus. Répéter cette opération trois fois, avec un intervalle de 3 jours entre deux ébullitions. Égoutter les noix, les mettre dans des bocaux fermant hermétiquement. Les mouiller à hauteur de 5 litres de vinaigre bouilli pendant 15 min avec 80 g de poivre noir en grains, 35 g de quatre-épices, 35 g de clous de girofle, 35 g de macis et 40 g de racine de gingembre écrasée. Fermer les bocaux et les conserver au frais. Servir avec des viandes froides ou du jambon.

pigeons de la Drôme en croûte de noix ▶ PIGEON ET PIGEONNEAU
tartelettes aux noix et au miel ▶ TARTELETTE
tourte aux noix de l'Engadine ▶ TOURTE

NOIX DU BRÉSIL Fruit oblong, d'un arbre de la famille des lécythidacées, à coque brune très dure, originaire du Brésil et du Paraguay (**voir** planche des noix, noisettes, autres fruits secs et châtaignes page 572). Son amande blanche, grasse et très nutritive, a une saveur proche de celle de la noix de coco, dont elle a les mêmes emplois.

NOIX DE CAJOU Fruit de l'anacardier, arbre de la famille des anacardiacées, originaire d'Amérique du Sud et implanté vers le XVIe siècle en Inde. La noix de cajou, ou noix d'acajou, contient une amande lisse, blanc crème, en forme de rein, très énergétique une fois grillée (612 Kcal ou 2 558 kJ pour 100 g), riche en matières grasses et en phosphore. En Europe, on la consomme séchée, grillée et salée. Dans la cuisine indienne, elle intervient dans de nombreux apprêts : cari d'agneau, ragoût de bœuf, riz aux crevettes, garniture de légumes, farce de volaille, gâteau et biscuit.

NOIX DE COCO Fruit du cocotier, arbre de la famille des arécacées, grand palmier originaire de Mélanésie, répandu surtout aux Philippines, en Inde, en Indonésie et en Polynésie, ainsi qu'en Afrique tropicale (**voir** planche des fruits exotiques pages 404 et 405). La noix fraîche, ovale, grosse comme un melon d'Espagne, est constituée d'une coque fibreuse, charnue, verte à orange, et d'un noyau très dur. Celui-ci renferme un liquide sucré, blanc opalin, très rafraîchissant, l'eau de coco ; lorsque le fruit est mûr, ses parois internes sont tapissées d'une pulpe blanche et ferme, délicatement parfumée et savoureuse,

issue du liquide devenu consistant ; cette pulpe contient une forte proportion de matières grasses. Très nourrissante (fraîche : 370 Kcal ou 1 547 kJ pour 100 g ; sèche : 630 Kcal ou 2 633 kJ pour 100 g), la noix de coco contient en outre du phosphore, du potassium et des glucides. Le premier spécimen de noix de coco parvenu à Paris fut présenté à l'Académie française par Charles Perrault en 1674.

■ **Emplois.** La noix de coco est un ingrédient à part entière dans les cuisines indienne, indonésienne, africaine et sud-américaine. Le produit de base est la pulpe fraîche, râpée et tamisée, ou la pulpe séchée, elle aussi râpée, puis mélangée avec de l'eau : elle permet de préparer nombre de condiments, assaisonne les crudités et les poissons crus et sert à cuisiner les ragoûts de volaille, de bœuf ou de crustacés. Le lait de coco, très utilisé dans la cuisine indienne, donne aux caris, aux sauces et à la cuisson du riz une onctuosité et un parfum spécifiques. En Polynésie, on l'utilise pour préparer des potages, des confitures et dans les marinades de poissons. Au Brésil et au Venezuela, la crème de coco nappe entremets et pâtisseries. Au Viêt Nam et aux Philippines, on y fait mijoter le porc, le bœuf et la volaille, préalablement marinés. En France, ce fruit est surtout utilisé sous forme de pulpe râpée, en biscuiterie et en pâtisserie ; on en fait également de la confiture et des glaces.

On ouvre la noix de coco soit en la cassant au marteau, soit en la perçant aux deux extrémités, en faisant couler le liquide qu'elle contient, puis en la passant au four pour la faire éclater : la pulpe se détache alors très facilement. On tire de la pulpe rance (coprah) une huile qui, une fois purifiée et désodorisée, donne le beurre de coco, utilisé comme corps gras culinaire.

▶ Recette : TARTE.

NOIX D'ENTRECÔTE Morceau de bœuf correspondant à la partie centrale de l'entrecôte, la plus épaisse et la plus homogène, constituée de muscles particulièrement tendres. Le mot désigne aussi une tranche découpée dans ce même morceau.

NOIX DE GINKGO Fruit ovale et vert pâle d'un arbre asiatique de la famille des ginkgoacées (**voir** planche des noix, noisettes, autres fruits secs et châtaignes page 572). L'amande, grosse comme une olive, est très employée dans la cuisine japonaise, rôtie ou grillée, en garniture de poisson ou de volaille, ou comme fruit de dessert en automne. Un plat typique associe de grosses crevettes mélangées avec des noix de ginkgo, des morceaux de poulet et des champignons cuits à l'étouffée sur du gros sel brûlant, dans une cocotte en terre.

NOIX DE MACADAM OU DE MACADAMIA Fruit d'un arbre tropical, de la famille des protéacées, d'origine australienne (**voir** planche des noix, noisettes, autres fruits secs et châtaignes page 572). Appelée aussi « noix du Queensland », cette noix possède une mince enveloppe charnue et verte, autour d'un noyau brun clair très dur ; celui-ci renferme une amande blanche, dont la saveur rappelle celle de la noix de coco. En Asie, on utilise la noix de macadam dans les caris et les ragoûts ; aux États-Unis, on l'emploie pour parfumer des glaces et préparer des gâteaux, et on la mange aussi enrobée de miel ou de chocolat.

NOIX PÂTISSIÈRE Ensemble des muscles de la face interne du cuisseau de veau, équivalent du tende-de-tranche de la cuisse de bœuf (**voir** planche de la découpe du veau page 879). La noix pâtissière donne des rôtis tendres et savoureux et des escalopes.

NOIX DE PÉCAN OU PACANE Fruit du pacanier, arbre de la famille des juglandacées, abondant dans le nord-est des États-Unis (**voir** planche des noix, noisettes, autres fruits secs et châtaignes page 572). La noix de pécan a une coque lisse, brune et mince, qui renferme une amande à deux lobes, dont la saveur rappelle celle de la noix. La tourte à la pacane est très appréciée en Amérique du Nord.

NONNETTE Petit pain d'épice très moelleux, rond ou ovale, recouvert de glaçage. Autrefois préparées par les nonnes, dans les couvents, les nonnettes sont aujourd'hui fabriquées industriellement. Celles de Reims et de Dijon sont réputées.

NONPAREILLE Nom usuel d'une petite câpre ronde, confite au vinaigre. Le mot désigne aussi une minuscule confiserie dragéifiée, sans amande, faite de cristal de sucre très fin, diversement coloré.

NOQUE Quenelle alsacienne ronde, à base de farine, d'œuf et de beurre ; les noques, ou knepfles, sont pochées. Les noques « à l'allemande » sont faites de farine additionnée de foie de porc, ou de pâte à choux et de maigre de veau, servies avec une viande au jus ou en garniture de potage. Les noques « à la viennoise » sont des boulettes très légères, faites avec une pâte aux œufs, à la crème fraîche et au beurre, pochées dans le lait vanillé et servies avec une crème anglaise.

noques à l'alsacienne

Couper en morceaux dans un saladier 250 g de beurre à température ambiante. Saler, poivrer, ajouter un peu de muscade râpée, puis le réduire en pommade à la spatule de bois. Incorporer 2 œufs entiers et 2 jaunes, puis, en pluie, 150 g de farine tamisée et enfin 1 blanc battu en neige ferme. Bien rassembler cette pâte dans une jatte et la laisser reposer au frais 30 min. La diviser ensuite en boulettes grosses comme des noix. Pocher celles-ci à l'eau frémissante salée. Quand elles ont gonflé d'un côté, les retourner pour faire gonfler l'autre côté. Les égoutter, les verser dans une timbale, les poudrer de parmesan, les arroser de beurre noisette et les servir en entrée, ou avec un consommé.

noques à la viennoise

Ramollir 125 g de beurre en pommade à la spatule de bois. Dans un saladier, y incorporer 3 g de sel, 30 g de semoule, puis, un par un, 5 jaunes d'œuf et enfin 5 cl de crème fraîche très épaisse. Battre énergiquement le mélange ; quand il est mousseux et qu'il a blanchi, y verser en pluie 100 g de farine tamisée, en fouettant sans arrêt, puis 1 blanc d'œuf battu en neige très ferme avec 1 pincée de sel, et, un par un, 3 blancs d'œuf non battus. Porter à ébullition 50 cl de lait additionné de 60 g de sucre et de 1 sachet de sucre vanillé. Prendre la pâte cuillerée par cuillerée et la pocher dans le lait frémissant. Retourner les noques pour faire gonfler l'autre côté. Les égoutter, les disposer dans un compotier, les laisser refroidir et les arroser de crème anglaise (faite avec le lait qui a servi au pochage, 5 cl de crème fraîche très épaisse et 5 ou 6 jaunes d'œuf).

NORD ▶ VOIR FLANDRES, ARTOIS ET PLAINES DU NORD

NORI Algue comestible, utilisé dans la cuisine nipponne depuis des siècles et cultivé sur le littoral selon des méthodes traditionnelles (**voir** tableau des plantes marines page 660 et planche page 659).

Riche en vitamines, le nori est généralement vendu en poudre, en feuilles ou en filaments, sous Cellophane, parfois séché, éventuellement parfumé au saké ou à la sauce soja, voire sucré. On l'emploie pour envelopper le riz, que l'on roule en petits cylindres (pour la confection des sushi), et en garniture de potage, de pâtes ou de riz.

NORMANDE Race bovine ancienne, à robe pie rouge bringée (**voir** tableau des races de bœufs page 106). Cette race mixte (lait et viande), de grande taille (1,40 m au garrot), produit également des bœufs et des taurillons. Elle donne un lait particulièrement riche. Sa viande, souvent persillée de gras jaune, est très savoureuse.

NORMANDE (À LA) Se dit de divers apprêts inspirés de la cuisine normande ou utilisant ses produits les plus typiques (beurre, crème fraîche, fruits de mer, mais aussi pommes, cidre et calvados).

La sole à la normande (le modèle de nombreux apprêts de poissons braisés au vin blanc), dérivée d'une étuvée de poisson à la crème (qui était, à l'origine, préparée au cidre et non au vin blanc), est devenue un plat de haute gastronomie, dont la garniture complexe (associant huîtres, moules, queues de crevette, champignons, truffes, goujons frits et écrevisses au court-bouillon) n'est plus spécialement normande.

La sauce normande, qui accompagne de nombreux poissons, est un velouté de poisson à la crème et au fumet de champignon.

Les petites pièces de boucherie et le poulet à la normande sont sautés, puis déglacés au cidre, mouillés de crème et, éventuellement, relevés de calvados.

Quant au perdreau à la normande, il est cuit à couvert avec des pommes reinettes et de la crème.

▶ Recettes : BAVAROIS, BOUDIN NOIR, COURONNE, CRÊPE, FAISAN, OMELETTE, SAUCE, SOLE.

NORMANDIE Ce « pays gras et savoureux en toute chose », tel que le décrivait le chroniqueur Froissart (XIVᵉ siècle), possède des ressources abondantes mises au service d'un art culinaire réputé. Beurre et crème fraîche, pommes, cidre et calvados sont les produits emblématiques de la région. Lorsqu'ils figurent, seuls ou ensemble, dans une préparation, celle-ci prend alors le nom de « à la normande », comme la sole ou le faisan, par exemple. Mais cette province à la fois maritime et agricole est faite de terroirs qui possèdent chacun leurs spécialités. L'appellation « à la cauchoise » appartient ainsi au pays de Caux : le lapin mariné, rôti, servi en sauce crème à la moutarde, la sole braisée au cidre, ou la salade de pommes de terre au céleri et jambon en vinaigrette à la crème en sont les exemples les plus typiques. Rouen s'est faite la spécialiste des apprêts de canard, qui sont dits alors « à la rouennaise », tel le canard à la presse, devenu la prestigieuse spécialité du restaurant parisien *la Tour d'Argent*.

Les poissons sont appelés « à la dieppoise » dès lors qu'ils mijotent avec du vin blanc. Les recettes de la vallée d'Auge font la part belle aux pommes et au calvados. Quant à la cuisine du Cotentin, elle utilise la fameuse graisse salée (graisse périrénale de veau) fondue avec des légumes et des aromates, qui donne aux soupes, daubes et tripes une saveur inimitable.

Haricots verts, pois et fèves, oseille, fines herbes, salades, poireaux et navets prospèrent sous ce climat océanique. Ainsi les cultures maraîchères du Val-de-Saire, dans le Cotentin, produisent des légumes particulièrement savoureux parmi lesquels les carottes de Créances qui ont droit à une appellation d'origine contrôlée depuis 1960.

La diversité de l'approvisionnement en poissons, coquillages et crustacés alimente un riche répertoire de recettes, parfaitement représenté par la sole normande, une création parisienne du XIXᵉ siècle, inspirée par une matelote locale au cidre et à la crème. Le plateau de fruits de mer regorge de produits réputés : huîtres de Saint-Vaast, coquilles Saint-Jacques pêchées en Manche, buccins, praires mais aussi les célèbres « demoiselles de Cherbourg », ces petits homards à déguster nature.

Nourri d'herbus recouverts régulièrement par la mer, l'agneau de pré salé est succulent. Une autre viande rivalise en finesse, celle du veau de la vallée de la Seine, nourri au lait écrémé.

Les produits laitiers sont évidemment à l'honneur dans cette région d'élevage. Crème, lait et beurre se marient donc pour donner une pâtisserie d'excellente qualité. À Isigny, crème et beurre bénéficient même d'une appellation. Mais la ville s'enorgueillit aussi d'une célèbre production : les caramels, qui, avec le sucre de pomme de Rouen, constituent les douceurs les plus connues de la région.

Enfin, pas de gastronomie normande sans la pomme : en accompagnement des poissons, volailles et viandes, ou en dessert (tartes, bourdelots, douillons, etc.), elle est aussi à la base des deux boissons régionales, le cidre et le calvados (**voir** ces mots), qui est indispensable pour « creuser » le trou normand !

■ **Légumes.**

• **LÉGUMES EN SOUPE, AU CIDRE OU À LA CRÈME.** Les légumes normands sont particulièrement bien traités : étuvés au beurre et saucés de crème, ce sont de vrais délices. Ils sont aussi préparés au cidre, comme les navets, et à la crème, comme les carottes, les champignons ou les pommes de terre nouvelles.

■ **Poissons et fruits de mer.**

• **MARMITE DIEPPOISE.** Soles, turbots, barbues, limandes et carrelets se marient parfaitement au cidre. La « marmite dieppoise » est une soupe confectionnée avec diverses sortes de poissons, du vin blanc, des moules et des coquilles Saint-Jacques, le tout lié de crème, comme toujours. Crevettes et moules, coques, palourdes, bulots et couteaux, étrilles et crabes se dégustent nature ou agrémentés des omelettes.

■ **Viande et volailles.**

• ANDOUILLES, BOUDINS, TRIPES, FOIE ET PIEDS DE VEAU. La viande de boucherie est cuisinée en finesse : crème, fines herbes et champignons pour les côtes de veau, ou petits légumes pour accompagner le gigot d'agneau poché. L'élevage de porc se traduit par une charcuterie abondante et variée : andouille de Vire, longuement fumée au bois de hêtre, andouillette et boudin blanc de Rouen, boudin noir de Mortagne ou d'ailleurs. Moins connues que les tripes à la mode de Caen, celles de la Ferté-Macé sont tout aussi appréciées. Enfin, le foie de veau piqué braisé aux carottes et les pieds de veau à la rouennaise font également partie de ces recettes populaires.

• CANARD À LA BROCHE, POULET À LA CRÈME, LAPIN AU CIDRE. Fleuron de la haute gastronomie, le canard de Rouen, à la chair ferme et fine teintée de rouge, connaît de nombreuses préparations : cuit au four ou à la broche, il demande un feu vif ; on le cuisine aussi aux pommes, comme le faisan, voire le perdreau.

Autre spécialité normande, le poulet à la crème fraîche et au calvados, ou sauté aux pommes reinettes. Le lapin se prépare au cidre, farci aux pieds de porc (à la havraise), en pâté ou aux oignons.

■ **Fromages.**

Le camembert, qui n'est pas le plus ancien des fromages normands mais de loin le plus connu, est le modèle des pâtes molles à croûte fleurie. Le meilleur, au lait cru, vient du pays d'Auge, terroir de prédilection de deux autres célébrités, à pâte molle et croûte lavée : le livarot et le pont-l'évêque. Le pays de Bray est le second berceau des fromages normands : neufchâtel (bonde, briquette ou cœur) et gournay, mais aussi double-crème et triple-crème sur le modèle du brillat-savarin. Le petit-suisse et le demi-sel sont aussi originaires de cette région. Celle du Cotentin offre le Providence de la trappe de Bricquebec.

■ **Pâtisseries.**

• BRIOCHES, FEUILLETÉS, FALLUES, FOUACES ET TARTES. La pâtisserie normande ne saurait être que « pur beurre ». Brioches, feuilletés et sablés sont ainsi d'une excellente qualité. Chaque ville, ou presque, possède ses spécialités : brioches d'Évreux, de Gisors ou de Gournay, Biscuits de Lisieux et de Caen, galettes du Vexin ou de Bayeux, fallue de Bayeux, brioche qui accompagne la teurgoule, gâteau de riz au lait, cuit au four durant des heures et aromatisé à la cannelle. Les tartes aux pommes connaissent de multiples variantes. La tarte au sucre d'Yport, les cochelins d'Évreux (chaussons aux pommes), les bourdelots (pommes ou poires entières cuites dans une chemise de pâte) complètent ce répertoire gourmand.

NORME DE PRODUIT Document de référence décrivant l'ensemble des spécifications requises pour un produit, les méthodes d'essai ou d'analyse de ces spécifications et leur seuil d'acceptation. En France, la norme de produit est établie sous la responsabilité de l'Association française de normalisation (Afnor) pour et par l'ensemble des producteurs ou fabricants, des distributeurs, des acheteurs, des consommateurs, des organismes techniques et de recherche, et des pouvoirs publics. En Belgique, elle dépend de l'Institut belge de normalisation, au Canada, de l'Association canadienne de normalisation et, en Suisse, de l'Association suisse de normalisation.

Dans le domaine agroalimentaire, les premières normes ont concerné les épices et les arômes, et les jus de fruits ; elles sont utilisées pour faciliter les échanges nationaux et internationaux.

NORVÈGE La gastronomie de ce pays de pêcheurs se fonde sur la morue et le saumon, mais aussi sur la truite et le hareng. Consommé frais, fumé ou salé, le poisson est donc de tous les repas. Il apparaît déjà au petit déjeuner, qui est consistant : poisson salé ou mariné, fromage fort, bacon, pommes de terre sautées, œufs, divers pains et brioches, accompagnés de beurre et de confiture. Le déjeuner, surtout en ville, se réduit souvent à des sandwichs. Le vrai repas de la journée est le dîner. Comme dans toute la Scandinavie, les repas se font sous forme de grands buffets *(koldtbord)* qui réunissent salades, œufs, charcuteries, poissons et pains (comme les *knekkebrød*), sauces et crème aigre.

■ **Viandes et gibier.** Le renne et le mouton sont les viandes les plus consommées. Celle de renne s'apprête comme celle du bœuf : rôtie, bouillie ou grillée, mais aussi fumée et séchée, comme celle du mouton *(fenalår, gigot détaillé en longues tranches fines)*.

Le mouton est préparé de multiples façons : côtelettes salées et grillées sur un feu de bouleau *(pinnekjøt)*, côtes fumées et cuites à la vapeur *(smalahoved)*, tête de mouton rôtie, et il entre dans la composition de plats plus complets comme le *fårikål* (ragoût de mouton au chou et au poivre noir).

Les apprêts du gibier sont originaux : perdrix des neiges aux airelles, chevreuil rôti nappé de sauce au fromage de chèvre, élan fumé, accompagnés de légumes rustiques : pomme de terre, betterave, chou (rouge, surtout), navet, céleri, mais aussi champignons.

■ **Poissons.** Outre la truite, que l'on consomme fraîche ou fermentée, le cabillaud, ou skrei, traditionnellement poché dans de l'eau, et le saumon, souvent cuit au court-bouillon et servi froid (avec beurre de raifort et concombre, ou sauce à l'aneth), ou grillé, ou encore fumé, les ressources de la mer sont très importantes.

La morue salée, bouillie, se sert avec du beurre fondu et une sauce aux œufs, ou mijotée avec des pommes de terre et des pois jaunes, avec une sauce à la moutarde. Pour le *lutefisk* de Noël, la morue est mise à dessaler dans une cuve de bois, avec changement d'eau tous les jours ; plusieurs jours après, on saupoudre la cuve de chaux, sur laquelle on dépose le poisson, qui est lui-même recouvert de chaux et d'une solution de soude. Le *lutefisk* est enfin cuit dans une serviette et accompagné de pommes de terre et de sauce à la crème.

Comme partout en Scandinavie, le hareng connaît de nombreux apprêts. Le maquereau est également très apprécié : mariné, puis grillé, il est servi avec un beurre de tomate, de l'aquavit et de la bière. Le poisson est souvent un ingrédient de base pour les salades (au raifort, à l'aneth et aux oignons) ou les soupes (soupes de poisson de Bergen, aux légumes verts, à la crème aigre et aux jaunes d'œuf).

■ **Fromages et fruits.** Le gjetost est un « faux » fromage tout à fait étonnant au lactosérum de lait de chèvre, parfois complété de lait de chèvre écrémé, au goût sucré-salé et qui se déguste en fines lamelles. Le sérum est mis à réduire sur le feu jusqu'à obtention d'une pâte épaisse caramélisée et mise en moule. Ancien et traditionnel, le Jarlsberg est un fromage au lait de vache, à pâté cuite.

Les desserts privilégient les f uits (pommes et poires) mais surtout les fruits rouges et les baies (airelles, fausses mûres, myrtilles, etc.) ; nature, pochés, accompagnés de crème, ou en entremets, ces fruits constituent toujours des desserts légers.

NORVÉGIENNE (À LA) Se dit de divers apprêts froids de poissons et de crustacés, en général lustrés à la gelée et dressés avec du concombre farci de purée de saumon fumé, des demi-œufs durs garnis de mousse de crevette, des cœurs de laitue, des petites tomates, etc.

On appelle également « à la norvégienne » des plats de poisson chauds, tels un soufflé au haddock et aux anchois, et des dartois au poisson et au beurre d'anchois, décorés de filets d'anchois.

L'omelette norvégienne est un entremets glacé fait d'une couche de biscuit imbibé, de glace vanille, masqué de meringue, passé sous le gril et flambé.

▶ Recette : OMELETTE NORVÉGIENNE.

NOSTRADAMUS Médecin et astrologue français (Saint-Rémy-de-Provence 1503 - Salon 1566). Michel de Nostre-Dame, médecin particulier de Catherine de Médicis et de Charles IX, est surtout connu pour les prophéties de ses *Centuries astrologiques* (1555). Or, la même année, il publia également un *Excellent et Moult Utile Opuscule à tous nécessaire qui désirent avoir connaissance de plusieurs exquises recettes*. On y trouve notamment les formules des confitures de guigne, de gingembre, de petit limon et d'orange, ainsi que la manière de faire du sucre candi, des cotignacs, du pignolat, des massepains, etc.

NOUGAT Confiserie à base de sucre, de miel et de fruits secs. C'est vers 1650, lorsque les amandiers furent implantés dans le Vivarais, ainsi que l'avait préconisé cinquante ans auparavant l'agronome Olivier de Serres, que Montélimar devint capitale du nougat.

■ **Fabrication.** La fabrication du nougat est aujourd'hui entièrement mécanisée (et les Montiliens n'en ont plus l'exclusivité) : la pâte de sucre, additionnée de sirop de glucose, de miel et de sucre inverti, est ensuite battue, généralement allégée (au blanc d'œuf, à la gélatine ou à l'albumine d'œuf ou de lait), puis garnie de fruits ; étalée dans des cadres de bois tapissés de pain azyme, cette pâte refroidit, puis est débitée à la scie.

Plusieurs types de nougat sont fabriqués en France.

– L'appellation « nougat » (ou « nougat blanc ») correspond à une proportion de garniture de fruits qui doit être au moins égale à 15 % du produit final.

– Le « nougat de Montélimar » en contient au moins 30 % et associe des amandes douces grillées (28 %) et des pistaches (2 %).

– La « pâte de nougat » renferme un pourcentage de garniture inférieur à 15 %.

– Le « nougat au miel » comporte 20 % de miel parmi les matières sucrantes.

– Le « nougat de Provence », non aéré, est composé d'un sirop de sucre et de miel (25 %) fortement caramélisé, garni d'amandes, de noisettes, de coriandre et d'anis (30 %), et parfumé à l'eau de fleur d'oranger.

– Les nougats « noir », « rouge » et « parisien » ne sont pas aérés non plus, mais ils ne comportent que 15 % de garniture.

– Le nougat « tendre » contient du sucre glace.

– Le nougat « liquide », d'apparition récente, est un produit semi-fini destiné à la réalisation de glaces et de desserts.

– Le nougat vietnamien, croquant ou mou, est fait à base de graines de sésame, de cacahouètes et de sucre.

RECETTE D'ÉRIC ESCOBAR

nougat

POUR 40 FRIANDISES – PRÉPARATION : 40 min – CUISSON : 25 min

« Préchauffer le four à 130 °C. Y faire chauffer 350 g d'amandes mondées et 75 g de pistaches mondées non salées. Cuire dans un poêlon en cuivre jusqu'au grand cassé (145 °C), 250 g de sucre en poudre, 150 g de glucose, 10 cl d'eau et 250 g de miel. Verser aussitôt avec précaution sur 3 blancs d'œuf montés en neige ferme sans cesser de remuer. Faire dessécher la pâte au bain-marie. Vérifier la cuisson en plongeant la pointe d'un couteau dans la pâte. Refroidir celle-ci sous l'eau froide, frapper la lame d'un coup sec, la pâte est cuite lorsqu'elle se détache du couteau. Y incorporer les amandes et les pistaches chaudes. Verser la pâte dans un cadre sans fond garni de feuilles de pain azyme. La recouvrir de feuilles de pain azyme. Couper le nougat refroidi au couteau-scie en cubes ou en tranches. Les emballer dans du film étirable. »

NOUGATINE Préparation à base de caramel blond et d'amandes hachées effilées, parfois additionnées de noisettes. La nougatine est d'abord laminée sur un marbre huilé, puis découpée en plaques ou en bouchées plus ou moins fines, ou encore moulée en forme d'œuf, de cornet, de coupe et d'autres sujets utilisés en décor de pâtisserie.

Parmi les nombreux bonbons et bouchées dont l'intérieur est en nougatine, deux spécialités sont renommées : les nougatines de Saint-Pourçain (petits pavés de nougatine caramélisée) et celles de Poitiers (bonbons faits d'amandes broyées et caramélisées, puis enrobées de meringue).

Enfin, la nougatine est une génoise fourrée de pralin ou de noisettes pralinées, abricotée et garnie d'amandes ou de noisettes grillées ou hachées. La nougatine de Nevers est une génoise, fourrée de crème pralinée et glacée de fondant au chocolat. On incorpore parfois de la nougatine concassée, alors appelée « craquelin », dans les crèmes destinées à garnir des entremets. Aujourd'hui on prépare aussi des nougatines au sésame, au grué de cacao, aux grains de café concassées, avec d'autres fruits secs (cacahouètes, par exemple).

NOUILLES Pâtes alimentaires à base de farine ou de semoule de blé dur, d'œufs et d'eau, découpées en minces lanières plates. Les nouilles (de l'allemand *Nudel*) se consomment fraîches ou sèches ; en Alsace (Spätzles), en Savoie (crozets) et en Provence, notamment, elles sont une préparation ménagère traditionnelle. Cuites dans une grande quantité d'eau bouillante salée, elles s'accommodent au fromage, au gratin, au jus, à la sauce tomate, etc., mais elles peuvent être servies aussi en garniture. Les nouilles enrichissent des potages ou des

consommés (souvent sous forme de « nouillettes », petites nouilles coupées). Dans le langage courant, les nouilles désignent des pâtes alimentaires rondes ou plates, pleines, de taille moyenne.

La cuisine sino-vietnamienne utilise très largement les nouilles. Elles accompagnent viandes sautées ou soupes. On distingue : les nouilles jaunes, aux œufs et à la farine de blé, rondes ou plates ; les nouilles de riz (rondes ou plates) et les vermicelles de riz ; les vermicelles de soja (ou cheveux d'ange), brillants et translucides.

On trouve également des nouilles dans les cuisines japonaise et chinoise, consommées chaudes ou froides (**voir** planche des nouilles page 578). Les somen (très fines), les udon (plus épaisses) et les ramen sont des nouilles de blé. Ces dernières existent en version instantanée. Les soba sont des nouilles de sarrasin ou de sarrasin et de blé qui peuvent être aromatisées (au thé vert, par exemple).

NOUVELLE CUISINE Formule lancée en 1972 par deux critiques gastronomiques, Henri Gault et Christian Millau, qui entendaient distinguer plusieurs jeunes chefs de cuisine, désireux de se libérer d'une certaine routine en matière culinaire.

Au début des années 1970, la nouvelle cuisine s'élabore à partir d'un refus et d'un choix : refus de préparations considérées comme trop riches, alors que l'excès de graisse a été dénoncé comme la cause de graves maladies ; choix de saveurs naturelles, de plus en plus précieuses dans un monde où l'industrie agroalimentaire est en passe de devenir le quotidien de l'alimentation.

De ces principes découlent quelques règles strictes : fraîcheur parfaite des aliments, légèreté et harmonie naturelle des accommodements, simplicité des modes de cuisson. La présence visible de corps gras, les liaisons à la farine et, comme l'écrivait Voltaire, les plats « déguisés » sont désormais bannis.

La nouvelle cuisine préconise les sauces légères, à base de jus de viande, de fumet, d'essences et d'aromates ; elle réhabilite les produits vraiment naturels, les modestes légumes du potager ; elle privilégie les cuissons courtes, al dente, qui, selon les diététiciens, conservent au mieux la valeur nutritive des aliments, et sans corps gras.

En outre, pour consommer la rupture avec le passé, l'insolite du mot soulignera la nouveauté du mets : la carte proposera des gigots de poisson encore roses, des darnes de viande, des écailles d'aubergine, des brouets (au sens propre), des produits rares, des compotes de légumes ou des soupes en dessert. Les plats sont servis individuellement, à l'assiette.

Révolution gastronomique ? Peut-être pas, car la bonne cuisine a profité des recettes du passé et des acquis de la cuisine classique. Mais nul doute que la nouvelle cuisine a consacré le déclin des plats de parade, des formules toutes faites, des préparations pompeuses ou académiques, et qu'elle convienne davantage au mode de vie moderne, comme la cuisine dite « bourgeoise » convenait aux mœurs du XIXe siècle.

NOUVELLE-ZÉLANDE La cuisine néo-zélandaise, simple et rustique, repose en très grande partie sur la production de l'île : élevage de moutons, légumes et fruits tropicaux (surtout le kiwi), produits laitiers, poissons et crustacés, et gros gibier. Grillades et ragoûts *(hot pot)*, agrémentés d'herbes aromatiques, alternent sur la table des Néo-Zélandais et constituent l'essentiel des préparations culinaires. Le kiwi est de tous les repas. Consommé frais en dessert ou en salade, il entre également dans la confection des tartes ou des gâteaux, mais aussi dans certains plats salés.

■ **Vins.** La viticulture en Nouvelle-Zélande date du XIXe siècle. Limitée dans un premier temps à des vins de liqueur et aux sherrys, la production prendra un véritable essor dans les années 1950-1960. La vigne est cultivée sur les deux îles principales. Sur l'île du Nord, elle a été plantée sur des terrains plats et certaines pentes ensoleillées exposées au nord, sur les zones d'Auckland, d'Hawke's Bay et de Poverty Bay ; le climat y est frais, mais la pluviosité abondante. Sur l'île du Sud, la vigne est installée sur des terrains plats ou des pentes douces, autour de Marlborough, de Canterbury et de Nelson. Ces terrains bénéficient d'une température plus fraîche que ceux de l'île du Nord, mais de la même pluviosité ; en revanche, ces vignobles souffrent des vents du nord-ouest, chauds et secs.

La Nouvelle-Zélande produit des rouges et des blancs sur 15 000 ha. Les rouges, souvent d'une verdeur excessive, sont issus de cépages de cabernet-sauvignon, gamay, pinot noir et merlot. Les blancs sont agréables et d'une bonne acidité, caractéristique des vins du pays ; ils sont produits à partir de chardonnay, chenin blanc, sauvignon et müller-thurgau.

Récemment, des vins mousseux de méthode champenoise sont apparus dans la région de Marlborough.

Les vins néo-zélandais sont classés selon un système de dénominations, enregistré et hiérarchisé sur quatre niveaux de zone géographique. Ils portent le nom de leur cépage, accompagné de la mention de leur origine.

NOYAU Partie centrale ligneuse de certains fruits charnus renfermant une amande. L'infusion des amandes de certains noyaux (d'abricot et de cerise, notamment) sert à préparer des liqueurs, eaux-de-vie et ratafias divers, appelés « noyau », « eau de noyau » ou « crème de noyau ». Ainsi, le célèbre noyau de Poissy, à base de noyaux de cerise, se boit sec ou allongé d'eau et s'utilise pour parfumer glaces, sorbets et fruits rafraîchis, ainsi que pour confectionner divers cocktails.

NUITS-SAINT-GEORGES Vin AOC rouge (issu du cépage pinot noir) et blanc (issu du cépage chardonnay) provenant de la partie la plus méridionale de la côte de Nuits. Les rouges sont solides et aromatiques (**voir** BOURGOGNE).

NULLE Entremets sucré à base de crème, de jaunes d'œuf et d'eau de senteur, en vogue au XVIIe siècle, et qui s'apparente à la crème brûlée moderne.

NUOC-MÂM Sauce de couleur brun clair, fabriquée avec de l'extrait de jus de poisson, et typique de la cuisine vietnamienne. Le poisson, disposé en couches dans des tonneaux, en alternance avec du sel, fermente pendant plusieurs mois. Pressé, il se transforme en pâte et le liquide obtenu est filtré.

Le nuoc-mâm pur dégage une forte odeur et sa saveur est très salée. Il entre dans la composition de marinades et est utilisé comme assaisonnement et pour la cuisson de certains aliments. Le nuoc-cham est une sauce à base de nuoc-mâm, diluée avec de l'eau, du vinaigre, du sel et du piment pilé, voire de l'ail haché. On le sert en particulier avec les nems.

NUTRITIONNISTE Médecin ayant un diplôme de spécialité en endocrinologie-diabète-nutrition ou ayant simplement suivi une formation spécifique en nutrition. Son rôle est de dépister la ou les causes (hormonales, familiales, environnementales, etc.) des maladies métaboliques (diabète, obésité, cholestérol, problèmes cardio-vasculaires, etc.) ; il assure également le suivi médical de leurs complications. Il est donc habilité à prescrire des régimes alimentaires ainsi que des traitements médicamenteux d'accompagnement ; il propose une rééducation hygiéno-diététique globale adaptée à chaque cas.

Il peut également avoir des activités de conseil, de prévention et d'éducation (auprès de collectivités, par exemple).

NYLON Polyamide utilisé en cuisine et en pâtisserie pour sa solidité. Le Nylon permet de fabriquer des tissus filtrants, des poils de pinceau et certaines brosses à farine. Moulé, il entre dans la composition des manches de raclette et de spatule.

NOUILLES

mee (pâtes chinoises)

long life noodles (pâtes chinoises)

aji no udon (pâtes japonaises à la farine de blé non affinée)

somen (pâtes japonaises à la farine de blé fine)

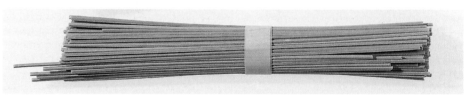

chasoba (pâtes japonaises à la farine de sarrasin et au thé vert)

pâtes japonaises faites aux farines de sarrasin et de blé

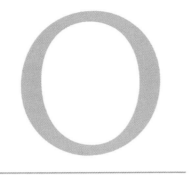

ŒIL-DE-PERDRIX Vin rosé suisse issu du cépage pinot noir. Originaire du canton de Vaud, l'œil-de-perdrix est fruité et harmonieux.

ŒILLETTE Variété de pavot, herbe de la famille des papavéracées, dont les petites graines grisâtres sont riches en huile (de 40 à 50 %) et en protéines (de 17 à 23 %). Peu teintée et d'un goût agréable, l'huile d'œillette de première pression, aussi appelée « huile blanche », « olivette » ou « petite huile », a les mêmes emplois culinaires que l'huile d'olive, sans en avoir la saveur fruitée (**voir** HUILE). Les graines d'œillette sont aussi employées en pâtisserie, comme celles du pavot.

ŒNOLOGIE Science qui étudie l'élaboration et la conservation des vins. L'œnologue, dont le titre est reconnu par la loi française du 19 mars 1955 et qui est détenteur d'un diplôme, est un technicien ; l'œnophile est seulement un amateur de vin, plus ou moins connaisseur. En Suisse, l'œnologue est un ingénieur agronome qui a fait une spécialisation.

ŒUF Corps organique, sphérique ou oblong, produit et pondu par la plupart des animaux pluricellulaires, notamment les oiseaux femelles. Protégé par une coquille, il contient le germe d'un embryon et des réserves alimentaires (**voir** planche des œufs page 581). Le mot « œuf », sans autre mention, désigne exclusivement l'œuf de poule ; les autres œufs commercialisés sont obligatoirement vendus avec la mention d'origine de l'animal : caille, cane, oie, pluvier, vanneau. Les œufs d'autruche ou de crocodile relèvent de la rareté exotique. Le jaune d'œuf de tortue, consommé dans toute la ceinture tropicale, possède un blanc qui ne coagule pas, même à haute température.

■ **Histoire.** Grâce à ses qualités nutritives et à la diversité de ses emplois, l'œuf a très tôt fait partie de l'alimentation humaine sous toutes les latitudes. Il fut toujours associé aux rites et aux traditions. Au Moyen Âge, on en faisait une grande consommation, comme dans la Rome antique, on écrasait la coquille dans son assiette pour empêcher que des esprits mauvais ne s'y cachent. L'œuf était interdit, comme « gras », pendant le carême, d'où sa bénédiction le samedi saint et son apparition en nombre à Pâques. Le jaune se nommait alors « moyeu », et le blanc « aubun ».

■ **Composition.** Dans un œuf de poule de 60 g, la coquille pèse 7 g ; calcaire et poreuse, elle est doublée d'une membrane qui, au sommet le plus arrondi, laisse un espace appelé « chambre à air », qui augmente de volume quand l'œuf vieillit (moins l'œuf est frais, plus il flotte près de la surface dans une casserole d'eau). Le blanc (35 g), masse translucide d'eau et d'albumine, renferme la moitié des 14 % de protides de l'œuf. Le jaune (18 g) contient le germe (visible si l'œuf est fécondé, ce qui ne l'empêche pas d'être comestible), ainsi que le reste des protides et tous les lipides, en particulier la lécithine (graisses phosphorées) ; il contient aussi du fer, du soufre et des vitamines A, B, D et E. L'œuf est un aliment parfaitement équilibré et nourrissant, relativement peu énergétique (76 Kcal ou 318 kJ pour 100 g), car il est pauvre en sucre, et contenant tous les acides aminés indispensables à l'homme. On le digère facilement s'il n'est pas associé à des préparations trop grasses.

■ **Variétés et qualités.** Un œuf roux n'est ni meilleur ni plus « naturel » qu'un œuf blanc, généralement plus petit et moins solide, mais plus facile à mirer, car sa coquille est mince et non opaque. L'œuf de ferme (parfois sale) n'est pas préférable à l'œuf d'élevage ; toujours dépourvu de germe, ce dernier se conserve mieux. La couleur du jaune n'a aucun rapport avec la qualité de l'œuf, et les traces de sang éventuelles, sans doute dues à un début de fécondation, dans le blanc ou le jaune sont sans incidence sur sa qualité.

Un œuf « extra » se conserve 3 semaines au maximum, dans la partie la moins froide du réfrigérateur, pointe en bas et coquille non lavée (afin de ne pas être perméable aux odeurs). Un œuf dur se conserve 4 jours non écalé, 2 jours écalé ; un jaune d'œuf cru se conserve 24 heures ; un blanc cru, même dans une préparation, de 6 à 12 heures. Enfin, on peut congeler les œufs frais, cassés et battus dans des boîtes spéciales.

La vente des œufs au sein de la Communauté européenne est régie par une directive qui prévoit leur classement selon des critères physiques – catégorie A (ou « œufs frais »), B (ou « de deuxième qualité » ou « déclassé » ; œufs destinés aux entreprises de l'industrie), et « œufs lavés » – et selon le poids – XL (très gros : 73 g au moins), L (gros : de 63 à 73 g exclu), M (moyen : de 53 à 63 g exclu) et S (petit : moins de 53 g) –, ainsi que des règles d'étiquetage précises.

Les mentions obligatoires, qui doivent figurer sur l'emballage ou être affichées à proximité des œufs vendus en vrac, comprennent l'identification du producteur, le numéro distinctif du centre d'emballage, la catégorie de qualité et de poids, la date de durabilité minimale (suivie des recommandations d'entreposage), le mode d'élevage (« œufs de poules élevées en plein air », « au sol » ou « en cage ») et, le cas échéant, l'indication « œufs lavés ». La date de durabilité minimale est limitée au 28e jour suivant la ponte. Le qualificatif « extra », ou « extra frais », doit être suivi de la mention « jusqu'au » et de deux séries de chiffres indiquant le 7e jour suivant celui de l'emballage ou le 9e jour suivant celui de la ponte. En France, il existe quatre labels rouges : œufs fermiers Le Campagnard, œufs fermiers Cocorette, œufs fermiers de Loué et œufs Mas d'Auge Pleine Saveur. Les appellations « œuf du jour », « œuf coque » ou « œuf de ferme » n'ont aucune valeur légale.

En Suisse, la réglementation est similaire, mais prévoit, le cas échéant, une mention obligatoire supplémentaire (« élevage en batterie non admis en Suisse ») pour les œufs du commerce et les préparations à base de ces œufs. Au Canada, la réglementation, par ailleurs similaire, distingue 4 catégories de classement (A, B, C et Œufs tout-venant) et 6 calibres (« jumbo », au moins 70 g ; « extra gros », au moins 63 g ; « gros », au moins 56 g ; « moyen », au moins 49 g, « petit », au moins 42 g ; « très petit », moins de 42 g).

■ **Emplois.** L'œuf occupe une place de choix dans beaucoup d'industries alimentaires, notamment celles des pâtes, des glaces, de la biscuiterie et de la pâtisserie. Ses emplois sont multiples en cuisine et en pâtisserie ; il entre dans un grand nombre de pâtes de base, ainsi que dans la composition de certaines préparations comme le lait de poule ou l'egg-nog (cocktail froid ou chaud, fait d'un œuf entier ou d'un jaune battu dans un alcool ou un vin de liqueur avec du sucre et du lait, servi avec de la noix de muscade râpée), etc.

Mais l'œuf est un aliment par lui-même, que l'on cuisine sous les formes les plus diverses (brouillé, en cocotte, à la coque, dur, filé, frit, mollet, moulé, sur le plat, poché, poêlé, en omelette, etc.) et avec toutes sortes de garnitures.

▶ Recette : PÂTES ALIMENTAIRES.

ŒUF BROUILLÉ Œuf délayé plutôt que vraiment battu (en fait, il suffit de crever les jaunes et de remuer légèrement) et cuit avec du beurre à feu doux. Les œufs brouillés se servent nature ou garnis de divers ingrédients.

œufs brouillés : cuisson
Beurrer l'intérieur d'une sauteuse ou d'une casserole à fond épais. Ajouter les œufs cassés, simplement mélangés, et non battus ; les assaisonner de sel fin et de poivre du moulin. Les cuire sur feu doux ou au bain-marie en remuant constamment à l'aide d'une spatule de bois. Dès que les œufs ont atteint une consistance crémeuse, retirer du feu, ajouter quelques noisettes de beurre frais et mélanger.

barquettes aux œufs brouillés et aux asperges ▶ BARQUETTE

brouillade de truffes
Préparer des œufs brouillés. Couper des truffes fraîches en dés ou en julienne et les passer au beurre. Les ajouter aux œufs et dresser la brouillade en timbale. Garnir de lames de truffe et de petits croûtons frits au beurre.

gratin d'œufs brouillés à l'antiboise
Faire sauter à l'huile d'olive des rondelles de courgette et préparer une fondue de tomate très réduite. Cuire des œufs brouillés et les dresser dans un plat à gratin, alternés par couches avec les rondelles de courgette et la fondue de tomate. Terminer par les œufs. Poudrer de parmesan râpé, arroser de beurre fondu et faire gratiner vivement au four.

œufs brouillés Argenteuil
Cuire des asperges à l'eau salée. Émincer les queues d'asperge, les étuver au beurre et les mélanger aux œufs brouillés. Étuver au beurre les pointes d'asperge. Dresser les œufs en timbale et disposer harmonieusement les pointes au centre.

œufs brouillés aux crevettes
Additionner des œufs brouillés de queues de crevette décortiquées et chauffées au beurre. Les dresser en timbale. Disposer au milieu des queues de crevette décortiquées passées au beurre, ou liées avec un velouté crémé monté au beurre de crevette. Décorer de croûtons frits au beurre et d'un cordon de sauce crevette. On procède de même avec des queues d'écrevisse, en utilisant de la sauce Nantua.

œufs brouillés Massenet
Cuire au beurre des pointes d'asperges vertes ; cuire à l'eau ou à la vapeur des fonds d'artichaut. Couper ces derniers en dés et les dorer au beurre. Préparer des œufs brouillés après y avoir incorporé les fonds d'artichaut, les garnir avec les pointes d'asperge ; ajouter des petites escalopes de foie gras et des lames de truffe.

œufs brouillés à la romaine
Nettoyer 750 g d'épinards et les faire étuver au beurre. Préparer 8 œufs brouillés et les additionner de 50 g de parmesan râpé. Beurrer un plat à gratin. Couper en petits morceaux 8 filets d'anchois à l'huile, les ajouter aux épinards et en masquer le plat. Verser les œufs brouillés dessus et poudrer de 30 à 40 g de parmesan râpé ; arroser de beurre fondu et faire gratiner. Servir dès que le dessus est blond.

œufs brouillés Sagan
Préparer et pocher 1 cervelle de veau ; la faire refroidir. La détailler en 4 escalopes ; fariner celles-ci, les faire sauter au beurre et les réserver. Chauffer 4 lames de truffe dans le même beurre. Préparer 8 œufs brouillés avec 50 g de parmesan râpé. Les dresser en timbale, disposer dessus les escalopes de cervelle et les lames de truffe ; servir en même temps une saucière de beurre fondu citronné.

ŒUF EN COCOTTE Œuf cassé dans une petite cocotte ou un ramequin, préalablement beurré ou garni d'un appareil quelconque.

œufs en cocotte : cuisson
Beurrer l'intérieur de cocottes à œuf ou de ramequins avec du beurre en pommade, puis assaisonner de sel fin et de poivre du moulin (mis directement sur les jaunes, ceux-ci y feraient apparaître des points blancs). Casser un œuf dans chaque récipient. Cuire au bain-marie de 6 à 8 min soit sur la plaque de la cuisinière, soit au four préchauffé à 150 °C, à découvert. Seul le blanc doit être coagulé, le jaune restant crémeux.

œufs en cocotte Bérangère
Beurrer des ramequins, les tapisser d'une légère couche de farce à quenelle de volaille truffée. Casser 1 ou 2 œufs par ramequin et cuire au bain-marie. En fin de cuisson, garnir de 1 cuillerée à soupe de ragoût de crêtes et de rognons de coq lié de sauce suprême.

œufs en cocotte à la rouennaise
Beurrer légèrement des petites cocottes en verre à feu, puis masquer le fond et les parois de farce à gratin, préparée avec des foies de caneton rouennais. Casser 2 œufs dans chaque cocotte, mettre 1 noisette de beurre sur les jaunes ; cuire au bain-marie. En fin de cuisson, entourer les jaunes d'un cordon de sauce au vin rouge montée au beurre.

ŒUF À LA COQUE Œuf cuit à l'eau bouillante dans sa coquille, assez rapidement pour que le jaune reste liquide et que le blanc soit juste coagulé.

œufs à la coque : cuisson
Avant la cuisson, vérifier que la coquille de chaque œuf ne soit pas fêlée. On peut procéder de trois façons : plonger les œufs dans l'eau bouillante et les y laisser 3 min ; les plonger dans l'eau bouillante et les faire bouillir 1 min, puis retirer la casserole du feu et attendre 3 min avant de les sortir de l'eau ; les mettre dans une casserole d'eau froide, faire chauffer et retirer les œufs lorsque l'eau bout. Les œufs doivent toujours être à la température ambiante lorsqu'on les plonge dans l'eau.

RECETTE DE MICHEL ROSTANG

œufs de caille en coque d'oursin
« Ouvrir 36 petits oursins violets à l'aide d'une paire de ciseaux à bout pointu. Retirer l'intérieur en laissant les coraux attachés. Récupérer le jus et le passer au chinois fin. Dans une casserole, faire réduire 20 cl de crème liquide d'un tiers, y ajouter un tiers du jus des oursins, assaisonner et tenir cette crème d'oursin au chaud. Casser 36 œufs de caille

ŒUFS

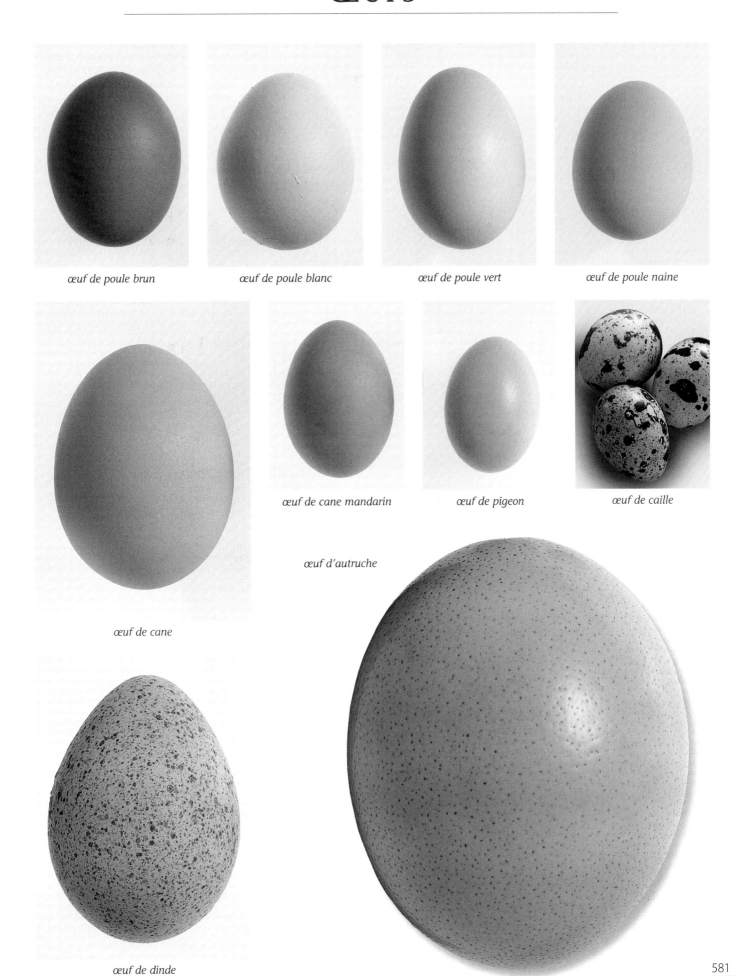

œuf de poule brun

œuf de poule blanc

œuf de poule vert

œuf de poule naine

œuf de cane mandarin

œuf de pigeon

œuf de caille

œuf d'autruche

œuf de cane

œuf de dinde

à déposer dans chacun des oursins. Les cuire à la vapeur environ 2 min. Émulsionner la crème d'oursin, en déposer 1 ou 2 belles cuillerées dans chaque oursin. Donner un tour de moulin à poivre et servir aussitôt. »

RECETTE D'HENRI FAUGERON

œufs à la coque Faugeron à la purée de truffe

« Mettre 24 heures dans une boîte hermétique au réfrigérateur 12 œufs très frais et 120 g de truffes noires crues dites "du Périgord". Réduire les truffes en purée très fine à l'aide d'un petit robot cutter ou d'un mixeur. Déposer cette purée dans une petite casserole. Incorporer 1 cuillerée à café de porto ou de madère et 1 de cognac. Ajouter 30 g de demi-glace de veau et cuire doucement 5 min tout en remuant. Sortir les œufs du réfrigérateur 2 heures avant l'emploi à température ambiante. Retirer la croûte de 6 tranches de pain de campagne. Les tartiner de beurre des deux côtés puis les dorer à la poêle pour qu'elles soient croustillantes. Les découper en mouillettes de 1 cm d'épaisseur et les garder au chaud. Incorporer dans la purée de truffe 6 cl de crème double et réchauffer à feu doux 5 min ; finir de lier en ajoutant 60 g de beurre en petits cubes et en fouettant vivement. Saler, poivrer et réserver à chaleur très douce. Cuire les œufs à la coque 3 min dans de l'eau salée. Décalotter le haut de la coquille à l'aide d'un coupe-œuf ou d'une cuillère à café et retirer le peu de blanc qui n'est pas cuit. Remplir la cavité de chaque œuf avec une partie de la purée de truffe et servir de le reste à part pour compléter au fur et à mesure de la dégustation. Servir avec les mouillettes croustillantes. »

ŒUF DUR Œuf cuit à l'eau bouillante dans sa coquille jusqu'à ce que le blanc et le jaune soient entièrement pris.

œufs durs : cuisson

Cuire les œufs une dizaine de minutes, les plonger 7 ou 8 min dans l'eau froide pour les rafraîchir, puis les écaler. Il ne faut jamais les laisser bouillir plus longtemps, car le blanc devient alors caoutchouteux, et le jaune, friable.

œufs durs à la Chimay

Faire durcir des œufs, les écaler, les couper en deux dans le sens de la longueur et retirer les jaunes. Piler ces jaunes et ajouter le même volume de duxelles de champignon bien sèche. Garnir les blancs avec cette farce et les ranger dans un plat à four beurré. Napper de sauce Mornay et parsemer de gruyère râpé. Arroser de beurre fondu et passer quelques minutes à four très chaud.

œufs à la tripe

Faire durcir 9 min à l'eau bouillante 8 œufs, puis les rafraîchir et les écaler ; les couper en rondelles assez épaisses, les disposer dans un plat creux beurré et les tenir au chaud. Faire fondre, sans les laisser colorer, 100 g d'oignons avec 50 g de beurre ; poudrer de 40 g de farine tamisée et bien remuer sur le feu. Verser d'un coup 50 cl de lait froid et cuire 10 min en tournant. Saler et poivrer. Napper les œufs de cette sauce très chaude et servir aussitôt.

ŒUF FILÉ Œuf poché sous forme de fins filaments, utilisé pour garnir soit un consommé, soit un potage, ou une crème.

œufs filés : cuisson

Poser une passoire au-dessus d'une casserole d'eau bouillante et y verser des œufs battus en omelette de façon que les minces filets qui s'en échappent coagulent immédiatement à la surface du liquide.

ŒUF FRIT Œuf versé dans un bain de friture ou dans une poêle contenant de l'huile, de la graisse d'oie ou encore du saindoux brûlant.

œufs frits : cuisson

Casser séparément les œufs dans des tasses. Chauffer vivement de l'huile dans une petite poêle et y faire glisser délicatement chaque œuf. Laisser frire quelques secondes puis, à l'aide d'une spatule de bois, enrober le jaune avec le blanc en ramenant l'œuf contre le rebord de la poêle et le rouler contre le fond pour lui redonner sa forme naturelle. Après 1 min de cuisson, le retirer et l'égoutter sur un linge ou du papier absorbant. Assaisonner de sel fin.

œufs frits en bamboche

Lier à la crème une macédoine de légumes chaude et la dresser en couronne dans un plat. Garnir le centre du plat de languettes de morue frites. Disposer des œufs frits sur la couronne de macédoine.

ŒUF AU MIROIR Œuf sur le plat cuit au four, dont le blanc, coagulé après cuisson, prend une teinte laiteuse, alors que le jaune est recouvert d'une pellicule translucide qui le fait miroiter.

œufs au miroir : cuisson

Beurrer et assaisonner le fond d'un plat à œuf. Y casser 1 ou 2 œufs. Arroser les jaunes avec un peu de beurre clarifié. Cuire au four préchauffé à 180 °C, plus ou moins longtemps selon le degré de coagulation désiré. Le blanc doit rester très brillant et une sorte de vernis translucide doit apparaître sur le jaune.

ŒUF MOLLET Œuf cuit à l'eau bouillante dans sa coquille, plus longtemps qu'un œuf à la coque et moins longtemps qu'un œuf dur, de façon que le jaune soit épais, mais encore coulant. (Toutes les recettes d'œufs mollets sont applicables aux œufs pochés.)

œufs mollets : cuisson

Poser des œufs délicatement dans l'eau bouillante. Dès que l'ébullition reprend, la maintenir 6 min. Sortir les œufs et les rafraîchir aussitôt. Les écaler doucement sous l'eau courante et les réserver dans l'eau froide. Le blanc doit être coagulé et le jaune doit rester crémeux.

œufs Bernis

Garnir de mousse de volaille des croustades feuilletées. Y dresser les œufs mollets et napper de sauce suprême. Disposer les croustades en couronne et garnir le centre de pointes d'asperges vertes liées au beurre.

œufs mollets Aladin

Préparer du riz au gras safrané. Peler et couper en dés des poivrons et les faire étuver à l'huile avec des oignons hachés. Masquer de riz un plat chauffé, garnir le centre de poivrons. Dresser en turban des œufs mollets. Les napper de sauce tomate relevée d'une pointe de cayenne.

œufs mollets Amélie

Préparer de la sauce crème et des morilles à la crème. Cuire à blanc des croustades feuilletées. Préparer une mirepoix fine de légumes fondue au beurre et déglacée avec un peu de madère. Réchauffer les croustades et les garnir de mirepoix ; dresser 1 œuf mollet sur chacune d'elles. Napper de sauce crème. Ajouter les morilles à la crème.

œufs mollets Brillat-Savarin

Garnir une croûte à flan cuite à blanc de morilles sautées dans du beurre. Y dresser en couronne des œufs mollets (ou pochés). Garnir le centre de pointes d'asperge chauffées au beurre clarifié. Napper de sauce madère ou de sauce au xérès bien réduite.

œufs mollets Brimont

Additionner de madère et de crème un velouté de volaille ; faire réduire. Garnir de champignons à la crème une croustade en pâte feuilletée à rebord peu élevé. Y dresser les œufs mollets en couronne. Garnir le centre de petites croquettes de volaille. Napper de velouté réduit. Décorer chaque œuf d'une lame de truffe.

œufs mollets Carême

Étuver des fonds d'artichaut à l'eau salée citronnée. Les garnir d'un ragoût de ris d'agneau, de truffe et de champignon puis y dresser des œufs mollets. Crémer une sauce madère, en napper les œufs. Décorer chaque œuf d'une rondelle de langue écarlate découpée en dents de scie.

œufs mollets à l'écossaise

Préparer 4 grosses cuillerées à soupe de purée de saumon en mélangeant du saumon poché finement émietté avec la même quantité de béchamel bien réduite. Chauffer cette purée et en garnir 4 croustades feuilletées chaudes. Déposer dans chaque croustade 1 œuf mollet (ou poché) et napper de sauce crevette.

œufs mollets à la florentine

Blanchir des épinards en branches, les presser et les faire sauter au beurre. Beurrer des petits plats à œuf et les masquer d'épinards en ménageant deux alvéoles pour y loger 2 œufs mollets (ou pochés). Napper de sauce Mornay et parsemer de fromage râpé. Faire gratiner sous le gril.

œufs mollets à la provençale

Préparer une fondue de tomate à l'ail. Couper en deux dans l'épaisseur de très grosses tomates fermes, les épépiner et les étuver au four, arrosés d'un filet d'huile d'olive. Dorer également à l'huile d'olive des rondelles d'aubergine ou de courgette. Préparer autant d'œufs mollets que de demi-tomates. Les rouler dans du beurre fondu puis dans une persillade. Garnir les demi-tomates de fondue et placer un œuf sur chacune. Les ranger en couronne dans un plat de service rond chauffé. Disposer les rondelles de légumes au centre et parsemer de fines herbes ciselées.

ŒUF MOULÉ Œuf cuit au bain-marie dans une dariole beurrée et poudrée d'un élément haché (jambon, persil, truffe, etc.), puis démoulé sur une croustade, un toast ou un fond d'artichaut et nappé de sauce. Cette préparation de grande cuisine est peu pratiquée de nos jours.

œufs moulés : cuisson

Beurrer l'intérieur de moules à dariole. Décorer selon la recette adoptée. Faire prendre quelques minutes au froid. Casser 1 œuf dans chaque moule décoré et cuire au bain-marie de 8 à 10 min, à couvert. Sortir les moules et les laisser reposer quelques instants. Démouler les œufs sur le support choisi. Les napper de la sauce correspondant à la recette.

RECETTE DE JEAN-FRANÇOIS PIÈGE

blanc à manger d'œuf, truffe noire

« Séparer le jaune du blanc de 4 œufs de poule fermiers, réserver les jaunes d'œuf individuellement. Préchauffer le four à 120 °C. Dans la cuve d'un petit batteur, monter les blancs d'œuf en neige avec du sel fin, assaisonner de jus de citron, de poivre du moulin, de 10 g de truffe hachée et de 5 g de ciboulette ciselée. Chemiser 4 cercles avec du blanc d'œuf en formant un puits. Déposer au centre un jaune d'œuf et lisser avec le restant des blancs montés. Cuire au four pendant 4 min, retirer et laisser reposer 1 min. Pour préparer les galettes de truffe, nettoyer 120 g de truffes fraîches sous l'eau froide. Les essuyer et les éplucher avec un couteau à fine lame. Couper 32 lamelles de truffe de 1 mm d'épaisseur à l'aide d'une mandoline, puis retailler ces lamelles avec un emporte-pièce de 3,2 cm de diamètre. Frotter 4 disques de papier sulfurisé avec une gousse d'ail coupée en deux. Poser ces disques sur des plaques rondes en Inox, déposer au centre de chacun d'eux une rondelle de truffe et monter une rosace de 8 lamelles de truffe dans le sens des aiguilles d'une montre en trempant chacune des extrémités dans du beurre clarifié pour les coller, puis recouvrir le tout de disques de papier sulfurisé et de 4 autres plaques rondes. Réserver au froid. Pour le coulis de truffe, rôtir 500 g de parures de volaille dans une cocotte en fonte ; ajouter 2 échalotes, 2 gousses d'ail et 1 brindille de thym. Déglacer avec 2 cl de madère et 2 cl de porto puis faire réduire. Ajouter 45 cl de jus de volaille, amener à consistance puis passer au chinois étamine. Lier le jus

obtenu avec 110 g de purée de truffe. Parfumer avec 2 cl de jus de truffe et un peu d'huile de truffe puis rectifier l'assaisonnement. Disposer l'œuf démoulé dans une assiette, recouvrir d'une rosace de truffe noire, de fleur de sel et d'un tour de moulin à poivre. Saucer d'huile de ciboulette et de coulis de truffe. Présenter le reste de coulis de truffe en cassolette. »

œufs moulés en chartreuse

Préparer du chou braisé. Couper du rouge de carotte et des navets en dés, et des haricots verts en petits tronçons réguliers. Les cuire à l'eau salée : ils doivent être juste fermes. Cuire également des petits pois. Égoutter le tout et le rouler dans du beurre fondu un peu refroidi. En tapisser le fond et la paroi de moules à dariole beurrés. Casser 1 œuf dans chaque moule, saler, poivrer et cuire au bain-marie de 6 à 8 min. Masquer de chou braisé le plat de service et démouler les œufs dessus.

ŒUF SUR LE PLAT Œuf cuit à feu doux dans un petit plat individuel. Il est recommandé de ne saler que le blanc, car le sel fait apparaître des points blancs sur le jaune.

œufs sur le plat : cuisson

Beurrer et assaisonner le fond d'un plat à œuf. Le faire chauffer puis y casser les œufs. Cuire doucement pour que le blanc coagule sans « cloquer » et que le jaune ne cuise pas. Servir dans le plat de cuisson.

œufs sur le plat au bacon

POUR 4 PERSONNES – PRÉPARATION : 20 min – CUISSON : 10 min

Sous le gril du four ou dans une poêle antiadhésive sans matière grasse, faire rissoler 8 tranches fines de bacon (ou de poitrine fumée). Beurrer, puis poivrer légèrement 4 plats à œuf, placer 2 tranches de bacon dans chacun d'eux. Casser 2 œufs dans chaque plat. Faire cuire doucement sur la plaque de cuisson. Servir aussitôt. Il est possible également de placer le bacon sur les œufs après la cuisson.

RECETTE DE BERNARD LOISEAU

œufs sur le plat en cassolette

POUR 4 PERSONNES – PRÉPARATION : 10 min – CUISSON : 3 min 30

« Préchauffer le four à 240 °C. Casser 8 œufs extra frais en séparant les blancs des jaunes. Mettre chaque jaune dans une tasse différente, et les blancs deux par deux. Faire griller 4 tranches de pain de campagne pour préparer des mouillettes. Prendre 4 petits plats ronds à oreille, y déposer une petite cuillerée à soupe d'eau, une pincée de sel et un tour de moulin à poivre. Ajouter 2 blancs d'œuf par plat. Les mettre au four et les cuire 1 min 30 en veillant à ce que le dessus des blancs reste bien tremblotant. Les sortir et assaisonner le dessus des blancs avec du sel et du poivre du moulin, parsemer également de 3 gouttes de vinaigre balsamique. Déposer 2 jaunes d'œuf sur les blancs de chaque plat et remettre au four environ 2 min. Servir aussitôt avec les mouillettes. »

œufs sur le plat à la lorraine

Griller 3 ou 4 tranches fines de poitrine fumée. Beurrer un petit plat à œuf et y placer le lard, ainsi que 3 ou 4 fines lames de gruyère. Casser 2 œufs dans le plat, disposer un cordon de crème fraîche autour des jaunes et cuire au four.

RECETTE DE LOUIS OLIVER

œufs sur le plat Louis Oliver

« Faire chauffer dans un grand plat à œuf, sur ses deux faces, une tranche de 40 g environ de foie gras frais dans un soupçon de beurre. Assaisonner de sel et de poivre de Cayenne. Ajouter encore un peu de beurre et, lorsqu'il est bien chaud, casser 2 œufs, de part et d'autre de la tranche de foie gras. Recouvrir celui-ci d'un peu de velouté de volaille bien chaud et faire cuire 2 min à feu vif. Ajouter autour des œufs un cordon de sauce Périgueux et servir aussitôt. »

œufs sur le plat à la maraîchère

Ciseler 250 g de feuilles de laitue et 100 g d'oseille ; les faire fondre dans 30 g de beurre avec un peu de cerfeuil ciselé. Verser cette chiffonnade en couronne dans un plat à œuf. Casser 4 œufs au centre, saler, poivrer et cuire au four. Dorer au beurre 4 petites tranches de poitrine fumée. En garnir les œufs.

ŒUF POCHÉ Œuf cuit sans coquille dans un liquide bouillant (le jaune est alors enveloppé de son blanc comme d'une « poche »). Le liquide employé est généralement de l'eau fortement vinaigrée. PAS À PAS ▶ *Pocher des œufs, cahier central p. XX*

œufs pochés : cuisson

Porter à ébullition 2 litres d'eau non salée (le sel liquéfie l'albumine du blanc) et ajouter 10 cl de vinaigre blanc. Casser les œufs séparément dans des tasses et les faire glisser délicatement dans l'eau frémissante. Les laisser pocher 3 min, sans bouillir ; le blanc doit être suffisamment coagulé pour enrober le jaune. Les égoutter et les déposer dans un récipient contenant de l'eau froide, puis les parer en éliminant les petits filaments qui se sont formés autour.

œufs en meurette

Préparer une sauce bourguignonne en quantité suffisante pour y pocher des œufs. Frire au beurre des petits croûtons et des petits lardons de poitrine fumée. Casser les œufs un par un et les faire glisser dans la sauce bourguignonne. Après 3 min de cuisson, les dresser dans un plat, nappés de sauce, garnis avec les lardons et les croûtons.

œufs pochés Rachel

Préparer d'une part des croûtons de pain de mie ronds, dorés au beurre ou à l'huile, et d'autre part une sauce à la moelle ; faire pocher dans du bouillon des rondelles de moelle de bœuf. Préparer des œufs mollets ou pochés (ébarbés régulièrement). Poser un œuf sur chaque croûton ; napper de sauce et placer une rondelle de moelle sur chaque œuf.

ŒUF POÊLÉ Œuf cuit sur feu moyen en faisant tourner la poêle de façon à faire coaguler et dorer légèrement le blanc et à ne pas cuire le jaune.

œufs poêlés à la catalane

Cuire à l'huile d'olive, séparément, des demi-tomates épépinées et des rondelles d'aubergine. Saler, poivrer, ajouter un peu d'ail écrasé et de persil haché. Masquer un plat avec ces légumes. Cuire des œufs à la poêle et les faire glisser sur les légumes.

ŒUFS DE CENT ANS Œufs de cane que les Chinois enveloppent dans un emplâtre de chaux, de boue, de salpêtre, d'herbes odoriférantes et de paille de riz, qui leur assure une conservation « infinie ». On les consomme à partir du troisième mois, mais leur saveur se bonifie avec l'âge. Une fois débarrassés de leur gangue, les œufs sont noirs et luisants. Ils sont consommés froids, nature ou accompagnés de lamelles de gingembre, de rondelles de concombre ou de fragments de gésiers de poulet confits.

ŒUFS AU LAIT Entremets réalisé en versant du lait bouillant et sucré sur des œufs battus en omelette, diversement aromatisés. Les œufs au lait sont servis froids dans leur plat de cuisson.

œufs au lait

Faire bouillir 1 litre de lait avec 125 g de sucre et 1 gousse de vanille. Battre 4 œufs en omelette dans un saladier. Ôter la gousse de vanille et ajouter peu à peu le lait bouillant, en remuant sans arrêt. Verser dans un plat allant au four ou dans des ramequins, puis cuire 40 min au bain-marie dans le four préchauffé à 220 °C. Servir froid.

ŒUFS À LA NEIGE Entremets froid composé d'une crème anglaise sur laquelle sont posés des blancs d'œuf battus en neige, moulés à la cuillère et pochés à l'eau bouillante ou dans le lait qui servira à faire la crème anglaise (l'entremets donne alors des blancs moins moelleux). Les œufs à la neige (ou en neige) sont servis arrosés de gouttes de caramel blond ou décorés de pralines écrasées (**voir** ÎLE FLOTTANTE).

œufs à la neige

Faire bouillir 80 cl de lait avec 1 gousse de vanille. Fouetter 8 blancs d'œuf en neige ferme avec une pincée de sel, puis 40 g de sucre. Avec une cuillère à soupe, prélever une portion de blanc d'œuf et la faire tomber dans le lait bouillant. Procéder cuillerée par cuillerée, en retournant les blancs pour qu'ils cuisent sur toutes les faces. Les égoutter sur un linge après 2 min de cuisson. Préparer une crème anglaise avec le même lait, filtré, les 8 jaunes d'œuf et 250 g de sucre. Laisser refroidir complètement. Verser la crème dans une coupe, poser les blancs cuits dessus et mettre au frais.

CONFECTIONNER DES ŒUFS À LA NEIGE

1. Prélever une cuillerée de blanc d'œuf monté et sucré et, avec une autre cuillère, commencer à former une quenelle.

2. Façonner la quenelle en la faisant passer d'une cuillère à l'autre, dans un mouvement tournant.

3. Faire pocher les blancs par trois dans de l'eau frémissante. Les retourner avec une écumoire lorsqu'ils sont suffisamment coagulés.

ŒUFS DE POISSON Œufs de poissons de mer ou de rivière, souvent très délicats de goût, et utilisés en cuisine pour préparer des canapés, des toasts (**voir** tableau des œufs de poisson ci-dessus). On les désigne collectivement par le terme de « rogue ».

Il existe trois types de préparation des œufs de poisson.

– Au naturel, suivant la tradition russe, à savoir : prélèvement des poches, tamisage, lavage, salage et conditionnement (en seaux ou congelés pour le marché industriel, ou mis en boîtes métalliques ou en pots en verre ou en plastique et vendus comme semi-conserves). Les œufs de saumon et de truite, produits nobles de haut de gamme, sont toujours présentés au naturel, à l'inverse des œufs de brochet, de lump, de capelan, de poisson volant qui peuvent aussi être colorés, souvent en rouge ou en noir.

– Une autre préparation concerne les œufs de cabillaud, de mulet, de thon et d'autres rogues. Elle consiste à prélever la poche naturelle, à la saler, la sécher (généralement au soleil), puis à la mettre sous vide ou

Caractéristiques des principaux œufs de poisson

NOM	PROVENANCE	ASPECT	PRÉSENTATION
œufs de cabillaud	Danemark, Islande	bruns, fumés	en poche sous vide
œufs d'esturgeon, ou caviar*	Russie, Iran	gris foncé à gris-noir, petits à gros	en boîte métallique
œufs de hareng	Espagne	noirs	en boîte métallique
œufs de lump	Islande	noirs, rouges ou rose pâle (naturels)	en bocal
œufs de mulet, ou poutargue	Tunisie, Sicile, Grèce, Mauritanie	bruns, séchés	en poche sous cire
œufs de saumon	Norvège, Alaska, Russie, Canada, Danemark, France	rouge-orange, assez gros	en bocal
œufs de truite	France, Espagne, Danemark	rose-orangé	en bocal

* Voir tableau des caviars page 172.

à la recouvrir de cire naturelle ou d'huile. Ce mode de conservation est utilisé depuis l'Antiquité, en particulier pour la célèbre poutargue (**voir** ce mot) à base d'œufs de mulet séchés.

– D'autres types de préparation sont des mélanges à base d'œufs de poisson parfois travaillés sous forme de pâte appelée « tarama » (**voir** ce mot). Ce mélange traditionnel grec a pris dans l'industrie alimentaire l'aspect d'une émulsion de couleur rose vif sous l'effet de colorant.

▶ **Recette :** CORNET.

œufs de poisson grillés

Saler et poivrer des œufs de poisson. Les huiler, les arroser d'un peu de jus de citron et les laisser reposer 30 min. Les arroser alors de beurre clarifié et les faire griller doucement, ou les poêler au beurre, à feu doux. Servir avec du pain de seigle, du beurre et du citron.

OFFICE Pièce attenante à la cuisine, où l'on dispose tout ce qui est nécessaire au service et où l'on prépare divers plats. On y met également des vins à chambrer.

OIE Palmipède migrateur de la famille des anatidés, qui, en raison de ses passages réguliers au-dessus des régions tempérées, a d'abord été un gibier de choix, puis un oiseau domestique, déjà réputé chez les Égyptiens, les Grecs et les Romains (**voir** tableau des volailles et lapins pages 905 et 906 et planche page 904). Toutes les oies élevées en France descendent de l'oie cendrée sauvage, hormis l'oie de Guinée, issue de l'oie cygnoïde, une espèce asiatique. L'oie grise, la plus répandue, peut peser jusqu'à 12 kg après engraissement ; c'est elle qui donne les meilleurs foies gras. Selon la région, elle est dite « de Toulouse », « des Landes », « d'Alsace », etc. Les oies au plumage blanc (du Bourbonnais ou du Poitou) sont plus légères (5 à 6 kg).

■ **Emplois.** Les oies, quand elles sont engraissées, sont bien sûr célèbres pour leur foie (**voir** FOIE GRAS). Les animaux reproducteurs peuvent être gardés jusqu'à cinq ou six ans. Cependant, les oies sont souvent sacrifiées vers 3 mois (les filets sont bien développés et la chair est délicate) pour être cuisinées. Tous les morceaux sont utilisés. La carcasse (viande et os), appelée « paletot », est vendue telle quelle ou découpée et préparée en confit ou en rillettes. Gésier, cœur, langue, cou et abattis connaissent des apprêts régionaux savoureux (Landes, Gers). La graisse est utilisée pour de nombreuses préparations et le confit d'oie entre notamment dans la composition du cassoulet. Malgré la concurrence de la dinde dont elle emprunte d'ailleurs les apprêts, l'oie reste le plat typique des fêtes de fin d'année dans de nombreux pays d'Europe du Nord.

« Quoi de plus basique qu'un œuf ! Avec doigté, les chefs des restaurants HÉLÈNE DARROZE, de chez POTEL ET CHABOT
et de l'école FERRANDI PARIS cassent les œufs et les transforment en entremets d'œufs brouillés, hors-d'œuvre d'œufs pochés,
garnitures d'œufs filés, œufs sur le plat d'une parfaite régularité… La simplicité pour toute sophistication. »

OIGNONS

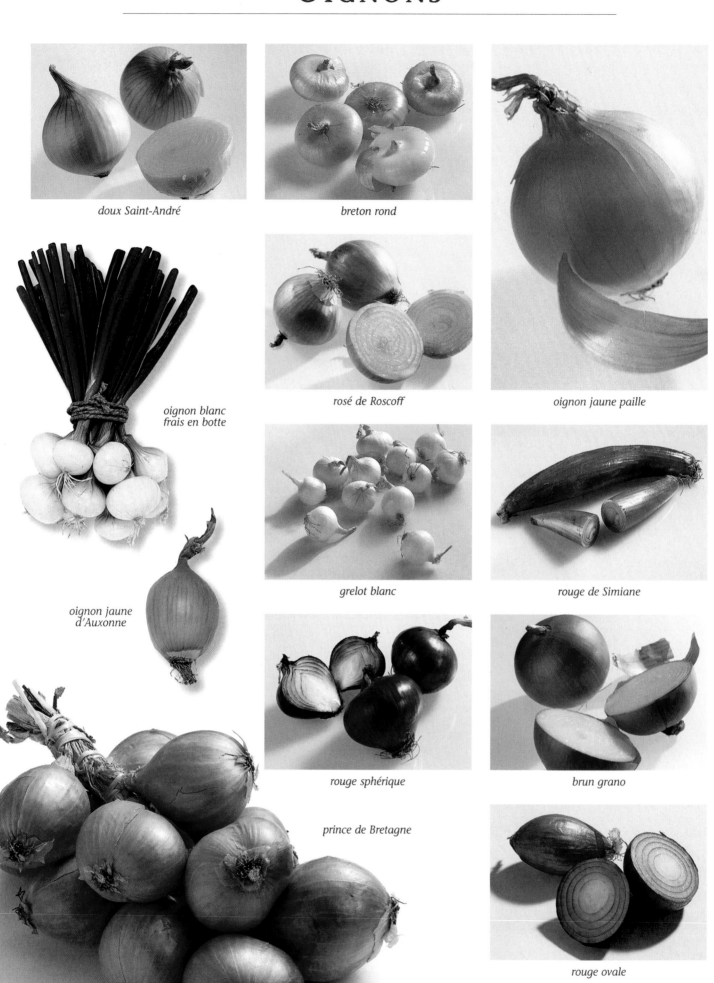

doux Saint-André

breton rond

oignon blanc
frais en botte

rosé de Roscoff

oignon jaune paille

oignon jaune
d'Auxonne

grelot blanc

rouge de Simiane

rouge sphérique

brun grano

prince de Bretagne

rouge ovale

confit d'oie ▶ CONFIT
confit d'oie à la landaise ▶ CONFIT
conserve de truffe à la graisse d'oie ▶ TRUFFE

cous d'oie farcis

Désosser complètement des cous d'oie en laissant adhérer une bonne partie de la peau de la poitrine. Hacher grossièrement la chair désossée et l'additionner d'un volume au moins égal de farce fine de porc. Incorporer des dés de foie gras frais avec, éventuellement, de la truffe. Saler, poivrer et ajouter 1 pincée de quatre-épices. Farcir les cous de ce mélange, puis nouer leurs extrémités. Faire fondre de la graisse d'oie dans une cocotte et y mettre les cous 1 heure à cuire, comme pour un confit. Les placer dans des pots de grès et les recouvrir de graisse d'oie fondue. Couler sur le dessus une petite couche de panne de porc, boucher et conserver au frais. Les cous d'oie farcis se consomment froids ou chauds, accommodés comme le confit.

mousse de foie gras d'oie ▶ MOUSSE

oie à l'alsacienne

Faire braiser de la choucroute en y ajoutant un morceau de lard maigre. Farcir une oie avec de la chair à saucisse fine, salée, poivrée, poudrée d'une pincée de quatre-épices, puis d'un peu d'oignon et de persil hachés. La brider et la rôtir en l'arrosant souvent. Quand elle est à moitié cuite, ajouter un peu de sa graisse à la choucroute et laisser la cuisson s'achever. Faire pocher doucement des saucisses de Strasbourg. Étaler la choucroute dans un plat long. Déposer l'oie au milieu. Découper le lard en morceaux et le disposer autour de l'oie, en alternant avec les saucisses. Tenir le tout au chaud. Dégraisser le plat de cuisson, le déglacer avec du vin blanc et le même volume de bouillon, et faire réduire le jus ; servir celui-ci à part.

profiteroles de petits-gris à l'oie fumée ▶ ESCARGOT
rillettes d'oie ▶ RILLETTES
truffe en papillote et son foie gras d'oie ▶ TRUFFE

OIGNON Plante potagère de la famille des alliacées, produisant un bulbe formé de feuilles blanches et charnues, recouvertes de fines pelures jaunes, brunes, rouges ou blanches, plus ou moins sèches (**voir** tableau des oignons page 590 et planche ci-contre). L'oignon se consomme frais, demi-sec ou sec, cru ou cuit, comme légume, ingrédient de cuisson ou condiment. Originaire du nord de l'Asie et de la Palestine, l'oignon est cultivé depuis plus de 5 000 ans. Il joue un rôle très important dans la gastronomie des pays du Nord et de l'Est ; dans les pays méditerranéens, on mange surtout de l'oignon doux, cru.

On appelle « grelots » ou « bulbilles » les oignons de petits calibres, issus de semis très denses.

■ **Variétés.** Il existe une grande diversité d'oignons. Ils se distinguent principalement par la couleur et la forme du bulbe, l'époque de semis et de formation de ce bulbe (certaines variétés se mettent en place à l'automne et forment un bulbe dès le printemps ; d'autres, plantées au printemps, produisent leur bulbe en été), et leur destination. En France, cinquième producteur européen, cinq départements (Côte-d'Or, Loiret, Aisne, Eure-et-Loir, Marne) assurent la moitié de la production en volume, essentiellement de l'oignon jaune. Les oignons blancs, les oignons rouges ou rosés sont produits dans les ceintures vertes autour de Paris, dans le Sud-Est et en Bretagne.

La France importe également des oignons des Pays-Bas, d'Espagne, d'Italie et un peu de Nouvelle-Zélande et d'Australie.
– Les oignons blancs sont principalement destinés à la vente en botte, avec les fanes, ou à la transformation industrielle (confit d'oignon). Les petits oignons en botte se dégustent d'avril à juillet, à la croque-au-sel ou dans une jardinière (les tiges peuvent s'utiliser en aromate). Ceux vendus au poids en septembre sont préparés à la grecque, glacés ou sont conservés au vinaigre. On trouve également d'avril à septembre des oignons blancs aux bulbes secs, qui ne se conservent guère. Ceux du mois d'août, originaires du Midi, sont frais et très croquants.
– Les oignons colorés sont, pour leur grande majorité, destinés à une consommation en bulbe sec. Les oignons jaunes présentent de bonnes qualités gustatives et de conservation. On les trouve

toute l'année. Quelques variétés se distinguent par des qualités particulières : l'oignon des Cévennes AOC, qui présente une saveur très douce et sucrée, l'oignon de type espagnol (grano de oro), au bulbe très gros que l'on peut farcir, le jaune paille des Vertus, plat, bien brillant, idéal pour les soupes, les tartes, les purées et les plats mijotés. Les oignons rouges ou rosés sont vendus de juin à mars. Ils se mangent surtout crus en salade ; cuits, ils sont moins parfumés que les jaunes, avec une saveur un peu sucrée.

■ **Emplois.** Peu énergétique (47 Kcal ou 196 kJ pour 100 g), l'oignon est riche en soufre, en sélénium et en polyphénols, mais il est assez indigeste cru. À l'achat, il faut qu'il soit bien ferme ; l'oignon blanc doit être brillant, et le jaune ou le rouge doivent être protégés par une pelure sèche et cassante. Il se conserve au frais, dans un endroit sec et bien ventilé.

Pour éplucher des oignons sans désagrément, il suffit de les laisser séjourner au préalable dix minutes dans le congélateur ou une heure dans le réfrigérateur, ou de les couper sous l'eau. De même, on enlève facilement la peau des petits oignons après les avoir ébouillantés une minute. Une fois épluché, l'oignon doit être consommé très rapidement.

Dans la cuisine, l'oignon joue un rôle privilégié. On l'utilise tout d'abord comme condiment et en garniture aromatique dans nombre de plats mijotés. Il constitue la base d'apprêts typiques, comme le bœuf miroton, la morue à la bretonne, la pissaladière, la soupe gratinée, la tarte à l'oignon alsacienne, le tourin bordelais, les tripes, tous les apprêts à la lyonnaise, etc. ; il accompagne très bien le lapin ou les saucisses au vin blanc, et caractérise tous les mets Soubise. Farci, l'oignon constitue une entrée chaude ou une garniture de viande rôtie ou braisée. On l'utilise frit en anneaux dans la présentation de nombreux mets et haché en « oignonade », pour faire des vinaigrettes, des marinades ou des garnitures froides. Il se marie à la pomme de terre en maintes occasions, ainsi qu'au chou et aux œufs. Quant aux petits oignons glacés à blanc ou à brun, ils sont nécessaires à toute une gamme d'apprêts de viande ou de poisson.

Comme condiment, l'oignon se prépare aussi au vinaigre ; en hors-d'œuvre, il s'accommode à la grecque. On le consomme haché avec le steak tartare et en quartiers dans les brochettes de mouton grillées.

chutney aux oignons d'Espagne ▶ CHUTNEY
crème de laitue, fondue aux oignons
    de printemps ▶ CRÈME (POTAGE)
gigot braisé aux petits oignons nouveaux ▶ GIGOT

oignons farcis

Éplucher des oignons de Valence de grosseur moyenne sans déchirer la première couche blanche. Les couper transversalement, du côté de la tige, aux trois quarts de leur hauteur. Les blanchir 10 min à l'eau salée ; les rafraîchir et les égoutter. Les évider en ne gardant tout autour qu'une épaisseur de 2 couches. Réduire en très menus morceaux toute la pulpe et lui ajouter de la viande finement hachée, de porc, de veau, de bœuf ou de mouton. Garnir les oignons de cette viande. Les mettre dans un plat à sauter beurré, les mouiller de quelques cuillerées de jus brun de veau légèrement lié, ou encore de bouillon. Porter à légère ébullition sur le feu, à couvert, puis poursuivre au four, en arrosant souvent afin de glacer les oignons ; quelques minutes avant la fin de la cuisson, saupoudrer d'un peu de chapelure, de mie de pain blanche ou de parmesan et arroser de beurre fondu. Faire gratiner sous le gril du four.

tarte à l'oignon ▶ TARTE
tarte à la viande et aux oignons ▶ TARTE
tendron de veau aux oignons caramélisés ▶ TENDRON

OISEAU Volatile sauvage (gibier à plume) ou domestique (volaille) utilisé en cuisine. Tous les petits oiseaux d'une taille inférieure à celle de la grive sont interdits de chasse, sauf, dans certains départements, l'alouette, l'ortolan et le moineau.

Autrefois, le corbeau était très recherché pour confectionner des bouillons (et des pâtés, en Angleterre). Les oiseaux sauvages les plus appréciés étaient alors les hérons rôtis entiers, les macreuses

Caractéristiques des principaux types d'oignons

TYPE	PROVENANCE	ÉPOQUE	DESCRIPTION
oignons blancs			
barletta, élody, printanier parisien, de la reine, de Vaugirard	Sud-Est, ceintures vertes des villes	mars-sept.	petits bulbes blancs, feuilles vertes (en botte)
blanc de Pompéi, blanc d'Italie	Italie	mars-avr.	petits bulbes blancs, feuilles vertes (en botte)
printon, white dry, divino	Bourgogne, Marne, Aisne	août-sept.	bulbe rond, blanc
de Rebouillon	Sud-Est	avr.-août	gros bulbes aplatis, blancs, feuilles vertes
oignons jaunes			
dinaro	Pays-Bas, Pologne	sept.-juin	bulbe rond, jaune clair à jaune paille
doux des Cévennes (AOC), cénol	Cévennes, Sud-Est	juill.-sept.	bulbe rond, jaune clair
grano de oro ou de Valence	Espagne, Sud-Est	août-avr.	gros bulbe rond, jaune paille
jaune paille des Vertus	toute la France	juill.-août	bulbe plat, jaune clair
liria	Espagne	juill.-août	bulbe rond, aplati, jaune doré, chair jaunâtre
de Mazères	toute la France	sept.-avr.	bulbe rond, jaune doré
de Mulhouse (type auxonne ou sélestat), sturon, centurion	Bourgogne, Marne, Aisne	août-oct.	bulbe rond à aplati, jaune cuivré
stuttgarter	Bourgogne, Marne, Aisne	juill.-oct.	bulbe plat, jaune cuivré
takmark, spirit, barito, summit, hyfield	Bourgogne, Marne, Aisne, Aube, Beauce, Nord	toute l'année	bulbe rond à rond épaulé, jaune cuivré
de Trébons	Hautes-Pyrénées	mai-sept.	bulbe allongé
yellowstone, radar	Sud-Est, Bourgogne, Beauce	juin-juill.	gros bulbe rond à allongé, en général jaune clair
oignons rouges			
bronzé d'Amposta	Sud-Est	août-oct.	gros bulbe rond, rouge brillant
figaro, tropea lunga	Italie, Pays-Bas, est de la France	août-oct.	bulbe très allongé, rouge-violet
rosé de Roscoff	Bretagne	sept.-mars	bulbe rond, rouge rosé
rouge de Brunswick	Sud-Est	août-mars	gros bulbe plat épais, rouge foncé
rouge de Simiane ou de Florence	Sud-Est, Sud-Ouest	juill.-oct.	gros bulbe très allongé, rouge foncé
rouge de Tropea	Italie	août-oct.	bulbe rond à allongé, rouge-violet

et pluviers en rôt au poivre chaud, les perdrix, tourterelles et gélines lardées, en rôt, à la sauce à la cannelle ou au gingembre, les tourterelles en pâté.

Aujourd'hui, l'élevage et la consommation des oiseaux de basse-cour (poulet, pintade, oie, dinde et canard) connaissent en revanche un développement continu. La réduction du gibier a encouragé par ailleurs l'élevage de la caille.

OISEAU SANS TÊTE Nom donné en cuisine à la paupiette de viande (veau, bœuf, voire mouton). Également appelée « alouette sans tête », celle-ci est farcie, ficelée, éventuellement bardée et, le plus souvent, cuite en sauce ou braisée.

En Flandre, les *vogels zonder kop* (traduction littérale de l'expression française) sont des paupiettes de bœuf farcies de chair à saucisse (ou d'un seul gros lardon assaisonné de sel épicé) soit mijotées dans un bouillon aromatisé, servies avec une purée de pomme de terre et nappées de la cuisson liée au beurre manié, soit braisées avec des oignons et mouillées de bière, comme une carbonade.

OKROCHKA Potage froid de la cuisine russe, à base de kwas et de légumes, servi avec des œufs durs en quartiers, des fines herbes et des concombres émincés, et accompagné d'une garniture au maigre ou au gras – salpicon de filet de bœuf de desserte, de blanc de volaille, de langue écarlate et de jambon, ou queues d'écrevisse et du saumon en petits dés. L'okrochka est toujours présenté avec de la crème aigre.

OLÉAGINEUX Nom générique des fruits, graines et plantes riches en matières grasses (de 40 à 60 %) et en protéines végétales : amandes, arachides, noisettes, noix, olives et pistaches, graines de carthame, colza, œillette, sésame, soja, tournesol, etc. Outre leur rôle de matière première pour la fabrication des huiles, les oléagineux tiennent une grande place en cuisine et en gastronomie. On en sert certains crus, grillés ou salés en amuse-gueule. Ils interviennent souvent dans la préparation des apprêts exotiques, mais aussi des salades de fruits, compotes, gâteaux, etc. Comme tous les corps gras, les oléagineux, qui se marient bien aux légumes verts, sont un élément de base des régimes végétariens.

OLIGOÉLÉMENT Corps chimique simple ne représentant qu'un pourcentage infime des constituants des organismes vivants, mais dont la présence est néanmoins nécessaire à la croissance et au développement. Les oligoéléments les mieux connus, les plus essentiels et les plus actifs sont le manganèse, le cuivre, le zinc, le cobalt (dont les effets sont accrus lorsqu'ils sont associés entre eux), l'aluminium, le bismuth, le chrome, le fer, le fluor, le lithium, le molybdène et le sélénium.

OLIVE Fruit (drupe) de l'olivier, arbre de la famille des oléacées. Ovoïde et de petite taille, l'olive (**voir** tableau des olives ci-dessous et planche ci-contre) a une « peau » vert tendre qui devient, en mûrissant, violette, rouge, puis noire. Le noyau, fusiforme ou en arc de cercle, est très dur. L'histoire de l'olivier est liée à celle du bassin méditerranéen, son habitat privilégié depuis la préhistoire.

Actuellement, 93 % de la production mondiale d'olives est utilisée pour les huileries (**voir** tableau des huiles page 462), le reste étant consacré à la préparation des olives de table (surtout en Espagne pour les olives vertes et en Grèce pour les olives noires). Très énergétique (300 Kcal ou 1 254 kJ pour 100 g d'olive noire en saumure ou 120 Kcal ou 501 kJ pour 100 g d'olive verte en saumure), l'olive est très riche en sodium (2 g pour 100 g) et riche en lipides (20 g pour 100 g pour les vertes, 30 pour les noires).

Les olives de table françaises se répartissent en deux groupes :
– Les olives vertes (picholine du Gard, de Corse, des Bouches-du-Rhône et des Alpes-Maritimes ; lucques de l'Hérault et de l'Aude ; salonenque des Bouches-du-Rhône), récoltées avant maturité (octobre en France), sont désamérisées dans une solution de soude caustique, puis rincées et mises en saumure.

– Les olives noires, récoltées à maturité complète (décembre-janvier en France), non désamérisées, sont mises en saumure, puis éventuellement dans de l'huile ; parmi les meilleures olives françaises, il faut citer l'olive noire de Nyons (AOC), ou tanche, et l'olive de Nice (AOC), ou cailletier. L'olive noire de la vallée des Baux-de-Provence, ou grossane, bénéficie aussi d'une AOC.

On trouve, par ailleurs, diverses préparations :
– Les olives cassées (vertes), dites « cachado », sont préparées presque exclusivement dans la vallée des Baux-de-Provence (AOC), mais elles ne se conservent que très peu de temps. La pulpe est éclatée sans abîmer le noyau, puis les olives sont trempées dans une solution alcaline, rincées et mises en saumure.

– Les olives à l'eau (vertes) sont seulement désamérisées par trempage répété dans de l'eau ; elles gardent un bon goût de fruit, mais restent toujours un peu amères.

– Les olives noires au vinaigre de vin (de Calamata, en Grèce) sont préparées dans une saumure additionnée d'huile et de vinaigre.

– Les olives noires au sel sec sont disposées en couches alternées avec du sel ; elles ont un bon goût de fruit, avec de l'amertume, mais se conservent peu.

– Les olives noires du Maroc, lavées et séchées au soleil, sont légèrement salées au sel sec, puis mises en sachets ou en fûts avec de l'huile.

Les olives de table interviennent dans de nombreux hors-d'œuvre et plats méditerranéens (mezze grecs, tapas espagnoles, apprêts à la niçoise et à la provençale, tapenade, pizza, etc.) ; elles se servent en amuse-gueule, natures ou farcies, notamment les picholines et les lucques, et jouent un rôle important en cuisine.

OLIVES

olive noire séchée   *olive de Séville*

olive de Nice   *olive noire mammouth*

RECETTE DE GÉRARD VIÉ

macarons à la tomate et olive

POUR 50 PIÈCES ENVIRON

« Dans une casserole, verser 750 g de sucre et 19 cl d'eau et cuire le tout à 121 °C au petit boulé (**voir** page 825). Verser le sucre cuit sur 280 g de blancs d'œuf en réalisant une meringue (**voir** page 539) jusqu'à complet refroidissement. Dans une jatte ou un cul-de-poule, mélanger 750 g de poudre d'amande, 50 g de sucre glace et 80 g de blancs d'œuf jusqu'à obtenir une pâte lisse et homogène. Une fois la meringue refroidie, y incorporer la pâte lisse. Préchauffer le four à 140 °C. Se munir d'une poche et d'une douille ronde unie n° 10, puis commencer à dresser les macarons selon la taille voulue sur une feuille de papier sulfurisé. Mettre les macarons à l'air libre pendant 45 min de façon à laisser une croûte se former sur le dessus. Enfourner de 12 à 15 min. Pour la ganache à la tomate

Caractéristiques des principaux types d'olives françaises

TYPE	PROVENANCE	CUEILLETTE	ASPECT ET FLAVEUR
olives vertes			
lucques, ou lucques de Bize	Languedoc-Roussillon	sept.-oct.	longue, légèrement incurvée et pointue, charnue, croquante et juteuse, goût de noisette beurrée
picholine	Gard, Corse, Bouches-du-Rhône, Alpes-Maritimes	oct.	verte, lisse, bombée d'un côté, à noyau fin long et aplati, charnue, croquante
salonenque, ou olive verte cassée de la vallée des Baux-de-Provence (AOC)	Bouches-du-Rhône, vallée des Baux	sept.	piriforme, bosselée, souvent cassée
olives noires			
cailletier, ou olive de Nice (AOC)	Alpes-Maritimes	déc.-avr.	marron-rouge ou noire, petite, allongée, charnue, très fruitée
grossane, ou olive noire de la vallée des Baux-de-Provence (AOC)	Bouches-du-Rhône	nov.-déc.	grosse, à noyau non adhérent, saveur de pomme mûre et de tomate confite
tanche, ou olive noire de Nyons (AOC)	Nyonais et Baronnies	déc.-janv.	marron-noir, fripée, moelleuse, saveur de pruneau

et aux olives, verser dans une casserole 1 litre de crème liquide à 35 % de matières grasses et 200 g de sucre inverti. Faire bouillir le tout et incorporer, à l'aide d'une spatule, 1,2 kg de chocolat de couverture à 61 % de cacao jusqu'à une bonne homogénéisation de la ganache et l'obtention d'une pâte lisse. Égoutter 300 g de purée d'olive noire au travers d'un chinois étamine afin d'éliminer tout excédent de gras. Faire de même avec 300 g de purée de tomate séchée, puis incorporer le tout dans la ganache. Garnir les macarons à l'aide d'une poche à douille n° 8. »

sandre grillé aux cardons,
filet d'huile d'olive et citron ▶ SANDRE

OLIVE DE MER Petit coquillage de la famille des donacidés, long de 3 à 4 cm, à coquille allongée de teinte pastel, qui vit dans le sable à la limite de l'eau (**voir** planche des coquillages et autres invertébrés pages 252 et 253). L'olive de mer, qui porte le nom scientifique de « donax », est appelée aussi « haricot de mer », « flion », « vanneau », etc. Elle a un goût très fin et se mange comme la coque, crue ou cuite après avoir dégorgé dans de l'eau salée pour recracher son sable.

OLIVER (RAYMOND) Cuisinier français (Langon 1909 - Paris 1990). Fils d'un hôtelier du Bordelais, qui fut chef au *Savoy* de Londres, Raymond Oliver commença son apprentissage chez son père, fit son tour de France, puis, en 1948, s'associa avec Louis Vaudable, propriétaire du *Maxim's* (qui avait été fermé à la Libération), pour rouvrir le *Grand Véfour* et redonner à ce restaurant tout son lustre. En 1950, il prit la direction de l'établissement et assura son succès. Il y obtient trois étoiles au Guide Michelin dès 1953. Colette et Jean Cocteau, suivis du Tout-Paris, consacrèrent la célébrité de ce lieu de haute gastronomie. Raymond Oliver fut l'un des novateurs et rénovateurs de la cuisine française, réintroduisant le régionalisme dans la haute cuisine parisienne. En témoignent des plats hommages au Sud-Ouest comme l'œuf au plat Louis Oliver (au foie gras et aux truffes) ou le pigeon Prince Rainier III (farci de foie gras au cognac et de truffes). Son humour, son accent chantant et son érudition ont fait beaucoup pour le renom de l'art culinaire français, grâce aux émissions de télévision au cours desquelles il réalisait lui-même ses recettes (formule reprise par son fils Michel), à ses conférences à l'étranger et à ses ouvrages dont *la Gastronomie à travers le monde* (1963), *la Cuisine* (nouvelle édition, 1983) et *Cuisine pour mes amis* (1976).

OLIVET Fromage de l'Orléanais au lait de vache, à pâte molle et à croûte fleurie (**voir** tableau des fromages français page 389). L'olivet se présente sous la forme d'un cylindre plat de 12 cm de diamètre pour 2,5 cm de haut, pesant 230 g pour l'olivet bleu à croûte fleurie et 240 g pour les autres olivets. La croûte peut être recouverte de foin (olivet au foin), de cendre de bois (olivet cendré) ou de poivre (olivet au poivre). La pâte, de couleur ivoire, est moelleuse.

L'affinage est modifié dès qu'il bleuit. Vieux d'un mois environ, l'olivet au foin est affiné dans le foin de pied préparé à cet usage, et celui au poivre est enrobé de poivre noir concassé. Le cendré est placé dans la cendre de bois pour neutraliser la pâte, puis sur une planche. La potasse contenue dans la cendre diffuse dans le fromage et se combine à l'acide lactique pour former du lactate de potasse ; la fermentation reprend et l'affinage se poursuit. Une variante de l'olivet existait sous le nom de « pithiviers » dans la région proche de cette ville.

OLLA PODRIDA Pot-au-feu espagnol, dont le nom signifie littéralement « marmite pourrie ». Cette spécialité originaire de la Castille constitue un repas traditionnel, associant viandes et volailles diverses, légumes et riz ou lentilles, cuits dans une grande marmite et dressés en plusieurs services, avec des sauces relevées. Le premier service comprend, après le bouillon, la viande de bœuf ou de veau, accompagnée de pois chiches, de navets, de citrouille et de patates douces ; on sert ensuite la perdrix ou la poule avec les lentilles ou le riz ; on poursuit avec le mouton et les abats garnis de tomates, et l'on termine par le saucisson fumé et le jambon, servis avec du chou.

OMBIAUX (MAURICE DES) Écrivain et gastronome belge (Beauraing 1868 - Paris 1943). Surnommé « prince des conteurs wallons » et « cardinal de la gastronomie », rival et ami de Curnonsky, derrière lequel il arriva second lors du référendum qui couronna celui-ci « prince des gastronomes », il écrivit de nombreux ouvrages, dont *le Gotha des vins de France* (1925), *les Fromages* (1926), *le Nobiliaire des eaux-de-vie et liqueurs de France* (1927), *l'Art de manger et son histoire* (1928), *Traité de la table* (1930). On lui doit une réédition du *Pâtissier français*, attribué à La Varenne.

OMBLE CHEVALIER Poisson de la famille des salmonidés, voisin du saumon, vivant dans les lacs froids en France (Alpes, Pyrénées), en Écosse, en Irlande et au Canada, où il se fait de plus en plus rare (**voir** planche des poissons d'eau douce pages 672 et 673). Grand et assez trapu, avec une très large bouche, un dos gris-vert piqueté de taches pâles arrondies et un ventre orangé, il pèse jusqu'à 8 kg ; c'est l'un des plus fins poissons d'eau douce. L'omble chevalier reçoit tous les apprêts de la truite saumonée. Les Anglais l'utilisent pour préparer le *potted char*, une conserve de pâte de poisson au beurre en petits pots de grès.

Le « saumon de fontaine » est aussi un omble, importé à la fin du XIXᵉ siècle du Canada, où on l'appelle « truite mouchetée ». Plus petit que l'omble chevalier, entièrement gris-vert, zébré de clair sur le dos et les flancs, il est également très délicat.

RECETTE DE CLAUDE LEGRAS

coussinet d'omble chevalier du lac Léman
à la crème de parmesan

POUR 4 PERSONNES – PRÉPARATION : 40 min

« Lever les filets de 4 ombles de 300 g par pièce et retirer les arêtes. Saler le côté chair. Plonger dans l'eau bouillante 12 brins de ciboulette pendant 5 secondes et les plonger ensuite dans l'eau froide. Préchauffer le four à 200 °C. Ficeler les filets deux par deux, chair contre chair, avec les brins. Les couper en tronçons puis les braiser dans une casserole avec 10 g de beurre, 1 échalote ciselée, 5 cl de vin blanc pas trop sec (chardonnay) pendant 10 min. Enfourner ensuite pendant 5 min. Égoutter sur du papier absorbant, maintenir au chaud. Faire réduire le fond de braisage de moitié, additionner de 25 cl de crème liquide portée à ébullition 3 min et ajouter 100 g de parmesan râpé puis cuire pendant 5 min. Mettre les coussinets d'omble sur les assiettes avec un peu de fleur de sel de Guérande et verser la sauce autour. Décorer avec un peu de cerfeuil, de persil plat, d'estragon, de marjolaine effeuillée et servir en garniture des petites ravioles d'artichauts niçois au tartuffon. »

RECETTE DE GÉRARD RABAEY

filets d'omble chevalier du lac,
vinaigrette de fenouil

POUR 4 PERSONNES

« Déposer 4 filets d'omble chevalier dans un plat. Arroser de 2 cuillerées à soupe d'huile d'olive. Réserver au frais et recouvrir d'un papier sulfurisé. Couper finement 1 fenouil préalablement lavé puis le faire étuver à feu doux dans 2 cuillerées à soupe d'huile d'olive pendant 3 ou 4 min. Saler. Ajouter 5 cl de bouillon de légumes. Cuire pendant 6 ou 7 min. Écosser et cuire 200 g de fèves pendant 2 min à l'eau bouillante salée. Refroidir à l'eau glacée puis enlever la petite membrane qui entoure les fèves. Détailler 1 petit fenouil en dés. Le faire suer à feu doux avec 2 cuillerées à soupe d'huile d'olive. Ajouter 5 cl de vin blanc. Saler et poivrer. Cuire pendant 2 ou 3 min. Au terme de la cuisson, ajouter hors du feu 2 cuillerées à soupe de vinaigre de xérès, 6 cuillerées à soupe d'huile d'olive, 1 cuillerée à café d'aneth haché, 20 g de dés de tomates confites ainsi que les fèves. Saler et poivrer les filets d'omble chevalier. Mettre à pocher dans un four préchauffé à 100 °C pendant 8 à 10 min environ selon l'épaisseur. Dresser sur chaque assiette un filet d'omble chevalier. Disposer le fenouil étuvé, parsemer de fleur de sel et répartir la vinaigrette de fenouil avant de servir. »

omble chevalier aux asperges vertes et aux morilles

« Éplucher 24 asperges vertes et couper les pointes à 5 cm. Les cuire al dente. Couper le pied de 40 morilles à 5 mm de la tête, puis partager les champignons en deux verticalement. Les laver et les égoutter. Faire suer dans 50 g de beurre les arêtes et les parures de 2 ombles chevaliers de 500 g et une brunoise composée de 1 cuillerée à soupe d'oignon, 1 cuillerée à soupe de carotte et 1 cuillerée à soupe de céleri-branche ; ajouter 40 cl de vin blanc, 1 brin de thym, 1 feuille de laurier, les parures de morille et les tiges de 100 g de cerfeuil ; saler légèrement et cuire 20 min, pour n'avoir plus que 10 cl de fumet. Le filtrer. Chauffer 30 g de beurre dans une poêle, y mettre 1 échalote hachée menu, puis les morilles et 5 cl de vin blanc. Cuire 3 min à couvert, à petit feu, en remuant souvent. Réserver 28 belles demi-morilles et hacher finement les autres. Blanchir 12 feuilles vertes de poireau, les rafraîchir, les égoutter et réserver. Les couper en minces lanières de 20 cm de long. Mettre les filets d'omble, côté peau en dessous, entre 2 couches de film alimentaire et les aplatir. Enlever le film du dessus, saler et poivrer, et répartir les morilles hachées sur 2 des filets. Recouvrir des 2 autres filets. Couper le poisson reconstitué en 6 parts égales. Ficeler chacun des petits paquets avec 2 lanières de poireau. Préparer de la même manière les autres filets. Mettre 5 jaunes d'œuf dans un cul-de-poule, au bain-marie. Verser en fouettant le fumet d'omble tiède et 10 cl de vin blanc ; quand le sabayon est ferme, lui incorporer 75 g de beurre clarifié et 2 cuillerées à soupe de pluches de cerfeuil, du sel, du poivre et un filet de jus de citron. Réserver au chaud. Mettre dans un plat à rôtir ovale 10 cl de vin blanc, 20 g de beurre, 1 échalote hachée et du thym. Glisser dans le four préchauffé à 225 °C. Saler et poivrer les ombles côté peau. Les dorer au beurre, puis les disposer dans le plat et les cuire 2 ou 3 min en arrosant souvent. Partager les asperges en deux verticalement et les réchauffer, avec les morilles, à la poêle, dans du beurre. Ajouter au sabayon le jus de cuisson des ombles. Napper le fond des assiettes de sabayon au cerfeuil, poser les paquets de poisson au centre et répartir en étoile les asperges et les morilles. Décorer de pluches fraîches de cerfeuil. »

OMBRE Poisson d'eau douce, de la famille des salmonidés, voisin de la truite, dont il se distingue par sa petite bouche et sa grande et haute nageoire dorsale. Mesurant communément 40 cm, il peut atteindre 60 cm pour 2 kg. Il est savoureux et se cuisine comme la truite. Son nom d'espèce *(Thymallus thymallus)* fait référence au thym, car sa chair en a le goût.

OMBRINE Poisson de mer de la famille des sciénidés, commun en Méditerranée et dans le golfe de Gascogne. Mesurant jusqu'à 1 m, l'ombrine est argentée, avec des rayures dorées ou gris-bleu sur le dos et une ligne latérale marquée ; sa mâchoire inférieure porte un court barbillon. Sa chair est aussi fine (sinon plus) que celle du bar, dont elle connaît tous les apprêts.

OMÉGA-3 ET **OMÉGA-6** Acides gras essentiels qui doivent impérativement être apportés par l'alimentation car l'organisme ne les synthétise pas. Oméga-3 (dont l'acide alphalinolénique) et oméga-6 (dont les acides linoléique et arachidonique) jouent donc un rôle fondamental et interviennent chacun à différents niveaux sur les systèmes cardio-vasculaire, endocrinien et immunitaire. Tout apport excessif de l'un entraîne une perturbation du métabolisme de l'autre et une carence relative. L'alimentation industrielle étant trop riche en oméga-6, il faut veiller à consommer régulièrement des aliments riches en oméga-3 pour rétablir l'équilibre (huiles de colza, de soja et de noix, poissons gras et semi-gras, mâche, pourpier, épinards, noix, amandes, germes de blé).

OMELETTE Apprêt sucré ou salé, fait d'œufs entiers, battus et cuits sans coloration à la poêle, et servi nature ou diversement garni. La réussite d'une omelette dépend de la qualité de la poêle, de la quantité et de la répartition du beurre, ainsi que de la cuisson.

Diverses garnitures peuvent être incorporées ou ajoutées lors du dressage. Servie plate ou roulée, l'omelette constitue, selon qu'elle est salée ou sucrée, un plat d'entrée ou un dessert d'entremets, le plus souvent chaud, voire brûlant. Enfin, elle garnit des potages.

– L'omelette salée à garniture incorporée renferme des éléments qui ont été mélangés avec les œufs battus avant cuisson.

– L'omelette salée fourrée est garnie d'éléments chauds après cuisson, puis roulée sur elle-même dans le plat de service.

– L'omelette salée garnie comporte, en plus du fourrage intérieur, une petite proportion de garniture disposée sur le dessus ou dans une fente longitudinale ; la plupart des omelettes garnies sont entourées d'un cordon de sauce.

– L'omelette salée plate se prépare comme l'omelette classique, mais avec moins d'œufs ; elle cuit plus longtemps et est retournée à mi-cuisson ; on obtient une sorte de crêpe épaisse, parfois servie froide, qui s'agrémente des mêmes garnitures que l'omelette classique.

– L'omelette sucrée d'entremets est généralement fourrée à la confiture ou aux fruits pochés parfumés à la liqueur, sucrée et glacée au four, parfois flambée.

– L'omelette soufflée, plutôt qu'une véritable omelette, est une sorte de soufflé cuit dans un plat long, et non dans une timbale à bord haut ; elle est diversement aromatisée, à la liqueur, aux fruits, au café, etc.

– L'omelette norvégienne (**voir** ce mot) est un entremets glacé à l'intérieur et brûlant à l'extérieur.

OMELETTES SALÉES

omelette nature : cuisson

Battre 8 œufs à la fourchette, mais sans excès ; ajouter du sel fin et, éventuellement, du poivre fraîchement moulu. Chauffer dans une poêle parfaitement propre, de préférence à revêtement antiadhésif, de 25 à 30 g de beurre. Verser les œufs dans la poêle et mettre sur feu vif. Mélanger avec une spatule de bois. Ramener les œufs du bord vers le centre quand ils commencent à prendre. Lorsque l'omelette est cuite, la faire glisser dans le plat de service chauffé, en la repliant en trois pour la rouler. Passer à sa surface un morceau de beurre pour la rendre brillante. On peut ajouter aux œufs battus 2 ou 3 cuillerées à soupe de lait ou 1 cuillerée de crème liquide.

omelette brayaude

Couper en dés des pommes de terre crues et du jambon cru d'Auvergne. Dorer au beurre, dans une poêle, les dés de jambon, les égoutter ; faire bien rissoler les pommes de terre. Remettre le jambon, puis verser les œufs battus en omelette et assaisonner de sel et de poivre. Cuire l'omelette sur une face, puis sur l'autre. Parsemer de tout petits dés de tomme fraîche et arroser de crème fraîche.

omelette Diane

Faire une omelette avec 8 œufs et 200 g de champignons émincés, sautés, salés et poivrés. La fourrer, au moment de la rouler, d'un salpicon de perdreau (ou d'un autre gibier à plume) et de truffe, lié de velouté réduit au fumet de gibier. Garnir le dessus de l'omelette de lames de truffe chauffées au beurre. Entourer d'un cordon de demi-glace au fumet de gibier.

omelette aux fines herbes

Hacher du persil, concasser du cerfeuil, de l'estragon et ciseler de la ciboulette, pour en avoir 3 cuillerées à soupe. Les mélanger à 8 œufs battus et cuire l'omelette jusqu'à la consistance désirée (baveuse, à point ou bien cuite). La rouler puis la faire glisser délicatement sur un plat ovale de service beurré. Lustrer la surface de l'omelette avec du beurre pommade pour lui donner un aspect brillant.

omelette mousseline

Battre 6 jaunes d'œuf avec 2 cuillerées à soupe de crème, saler et poivrer. Ajouter les 6 blancs montés en neige très ferme. Mélanger délicatement. Cuire cette préparation en grosse crêpe retournée ou bien la rouler.

omelette plate Du Barry

Cuire à la vapeur de petits bouquets de chou-fleur, en les gardant un peu fermes. Les dorer au beurre dans une poêle. Verser dessus les œufs battus avec du sel, du poivre et du cerfeuil haché. Cuire l'omelette plate jusqu'à la consistance désirée (baveuse, à point ou bien cuite). La retourner comme une crêpe, puis la faire glisser délicatement sur un plat rond de service beurré. Lustrer la surface de l'omelette avec du beurre pommade pour lui donner un aspect brillant.

omelette plate à la lorraine

Couper en lardons plats 150 g de lard de poitrine fumée et les dorer au beurre. Tailler en copeaux 60 g de gruyère. Hacher de la ciboulette pour en obtenir 1 cuillerée à soupe. Battre 6 œufs avec tous ces éléments et poivrer. Chauffer 15 g de beurre dans la poêle, y verser l'appareil et cuire sur une face, puis retourner pour cuire l'autre face.

OMELETTES SUCRÉES

omelette flambée

Battre les œufs avec du sucre et une petite pincée de sel, puis faire cuire l'omelette au beurre en la gardant très moelleuse. La poudrer de sucre, l'arroser de rhum chauffé et enflammer au moment de servir. (On peut remplacer le rhum par de l'armagnac, du calvados, du cognac, du whisky ou un alcool de fruit.)

omelette reine Pédauque

Battre 8 œufs avec 1 grosse cuillerée à soupe de sucre fin, 1 cuillerée à soupe de poudre d'amande, 1 cuillerée à soupe de crème et 1 pincée de sel. Confectionner 2 omelettes plates. En placer une dans un plat rond allant au four. Mélanger sur feu doux 6 cuillerées à soupe de compote de pomme avec 2 cuillerées à soupe de crème épaisse et 1 cuillerée à soupe de rhum. Recouvrir l'omelette de cet appareil, poser la seconde omelette dessus, poudrer de sucre glace et faire dorer vivement sous le gril.

omelette soufflée

Mélanger dans une terrine 250 g de sucre en poudre et 6 jaunes d'œuf avec 1 sachet de sucre vanillé ou 1 cuillerée à soupe de zeste d'orange ou de citron râpé ; travailler la préparation jusqu'à ce qu'elle blanchisse et fasse le ruban. Incorporer 8 blancs d'œuf battus en neige très ferme avec une pincée de sel. Mettre les trois quarts de cette composition dans un plat long allant au feu, beurré et poudré de sucre fin ; lisser l'omelette avec la lame d'un couteau en lui donnant la forme d'un monticule ovale. Mettre le quart restant dans une poche munie d'une douille ronde unie et décorer d'entrelacs le dessus de l'omelette. Poudrer de sucre fin. Cuire 25 min au four préchauffé à 200 °C. Poudrer de sucre glace et faire glacer sous le gril du four ou la salamandre.

omelette sucrée à la normande

Peler, épépiner et tailler en tranches 3 pommes reinettes ; les cuire avec 50 g de beurre et du sucre en poudre. Ajouter 20 cl de crème fraîche épaisse et faire réduire pour rendre le mélange onctueux, puis parfumer avec 2 ou 3 cuillerées à soupe de calvados. Battre 10 œufs avec 1 pincée de sel, du sucre et 2 cuillerées à soupe de crème fraîche. Cuire l'omelette, la fourrer avec la garniture aux pommes et la passer sous le gril ou la quadriller avec une broche chauffée.

RECETTE DE FERRAN ADRIÀ

omelette surprise 2003

POUR 4 PERSONNES

« Travailler la peau de lait de vache en faisant chauffer 1 litre de lait dans une casserole de 32 cm de diamètre jusqu'à 70 °C. Attendre 15 min jusqu'à formation d'une peau à la surface. La retirer en la prenant par la partie la plus large et la plier

en deux. Maintenir la température du lait à 70 °C. Toutes les 15 min se formera une nouvelle peau. Placer les peaux (une par personne) sur un papier film enduit de crème fraîche et les découper en rectangles de 13 x 18 cm. Recouvrir chaque peau avec de la crème et placer dessus du papier film. Réserver au froid. Pour l'écume froide de yaourt, dissoudre 1/2 feuille de gélatine dans 1,5 cl de crème fraîche et 225 g de yaourt. Bien mélanger à l'aide d'un batteur. Passer et introduire dans un siphon avec un entonnoir. Fermer et charger le siphon. Réserver 4 heures au froid. Retirer le papier film de la partie supérieure des peaux. Avec le siphon, appliquer l'écume de yaourt au milieu de la peau sur 2 cm d'épaisseur. Rabattre un bord sur l'autre afin de former une omelette. Placer l'omelette de lait sur un plat rectangulaire. Saupoudrer de sucre et caraméliser avec un chalumeau. Terminer en ajoutant 4 fleurs de romarin sur l'omelette. »

OMELETTE NORVÉGIENNE Entremets dont l'originalité réside dans le contraste entre l'intérieur de crème glacée et la couverture brûlante. L'omelette norvégienne est faite d'une abaisse de génoise sur laquelle repose une glace et que recouvre une couche de meringue ordinaire ou à l'italienne. L'entremets est passé dans le four chaud, de façon que la meringue se colore sans que la glace ne fonde. On sert sans attendre, éventuellement flambé. C'est au physicien américain le comte de Rumford (1753-1814) qu'est attribuée la paternité de cet entremets, basé sur le principe de « l'inconductibilité du blanc d'œuf battu ».

omelette norvégienne

Préparer de la glace à la vanille en faisant prendre dans une sorbetière une crème anglaise confectionnée avec 7 ou 8 jaunes d'œuf, 200 g de sucre en poudre, 3/4 de litre de crème fraîche et 1 gousse de vanille. Quand la glace est prise, la tasser dans un moule à cake et la mettre 1 heure dans le congélateur. Confectionner un biscuit en travaillant au fouet 125 g de sucre en poudre avec 4 jaunes d'œuf et en y ajoutant, quand le mélange a blanchi, 125 g de farine tamisée, en pluie, puis 40 g de beurre fondu et 4 blancs d'œuf battus en neige très ferme avec 1 pincée de sel. Verser la pâte dans un moule à cake beurré et cuire 35 min au four préchauffé à 200 °C. Démouler et laisser refroidir. Pousser la température du four à 250 °C. Préparer une meringue en fouettant 4 blancs d'œuf avec 1 petite pincée de sel et 75 g de sucre en poudre ; la mettre dans une grande poche à douille. Couper le biscuit en deux dans l'épaisseur et dresser les 2 morceaux bien rapprochés côte à côte dans un plat allant au four, en taillant les extrémités pour leur donner une forme ovale. Arroser ce biscuit avec 1/3 de verre de sirop, additionné de 1 petit verre à liqueur de Grand Marnier ou de Cointreau. Démouler la glace et la répartir en deux moitiés posées sur le fond de biscuit. Masquer entièrement glace et biscuit avec la moitié de la meringue, lisser avec une spatule métallique ; utiliser le reste de la meringue pour décorer le dessus d'entrelacs. Poudrer de sucre glace. Mettre le plat dans le four chaud pour dorer la meringue. Servir aussitôt.

OMELETTE SURPRISE Entremets réalisé sur le principe de l'omelette norvégienne : biscuit imbibé, glace, puis meringage. Le socle est arrosé de liqueur, recouvert d'une pâte à bombe, d'une glace aux fruits ou d'un appareil à parfait – avec parfois fruits confits, violettes pralinées, etc. –, puis masqué de blancs d'œuf battus en neige et glacé au four. L'omelette surprise est entourée de fruits pochés, de cerises à l'eau-de-vie, etc. On appelle également « omelette surprise » une omelette soufflée fourrée de glace, sans socle de biscuit.

ONGLET Muscle du diaphragme du bœuf, du mouton et du porc, entourant la veine cave, l'aorte et l'œsophage, situé à la limite des cavités thoracique et abdominale (**voir** planche de la découpe du bœuf pages 108 et 109). L'onglet est constitué par deux petits muscles séparés par une épaisseur de tissu conjonctif. C'est un morceau à fibres longues qu'il faut éplucher avec soin ; il donne une viande tendre et sapide s'il est suffisamment rassis. Il est aujourd'hui très recherché. Grillé ou poêlé, il doit être mangé saignant, sinon il devient dur.

ONO (MASAKICHI) Cuisinier japonais (Yokohama 1918 - *id.* 1997). Il fut le doyen des chefs japonais pratiquant dans son pays la cuisine française. Fils d'un restaurateur de Yokohama, il est très tôt au contact de la gastronomie occidentale et, tout en apprenant les règles strictes de la tradition nipponne, il devient un disciple d'Escoffier. Après avoir travaillé en cuisine, il prend la direction de l'hôtel *Okura,* dont il tient le restaurant *la Belle Époque.*

OPÉRA Nom d'une garniture pour noisettes d'agneau et tournedos sautés, composée de foies de volaille sautés au madère, dressés en tartelette ou en croustade, et de bottillons de pointes d'asperge. La sauce est un déglaçage au madère et à la demi-glace. On retrouve les asperges et les foies de volaille sautés en garniture d'œufs sur le plat Opéra, entourés d'un cordon de fond de veau réduit et beurré.

La charlotte Opéra est formée en moule avec des « Sugar Wafers Palmer's », garnis de moscovite à la vanille additionnée de purée de marron glacé et de salpicon de fruits confits macérés au marasquin.

La crème renversée Opéra se prépare à base de crème pralinée dont le centre est garni de crème Chantilly parfumée aux violettes pralinées ; la bordure est ornée d'une couronne de fraises macérées au kirsch et recouverte d'un voile de sucre filé. La crème froide Opéra est une crème caramel moulée dont le centre est garni d'une crème Caprice ornée sur l'extérieur de grosses fraises macérées au kirsch.

OPÉRA (GÂTEAU) Gâteau rectangulaire composé de trois feuilles de biscuit Joconde imbibé d'un sirop de café fort et garni de crème au beurre au café et de ganache au chocolat. Le dessus est recouvert d'un glaçage au chocolat profondément noir, décoré de feuilles d'or, sur lequel est inscrit le mot « opéra ». Ce gâteau a été inventé en 1955 par Cyriaque Gavillon de la maison Dalloyau. Il voulait créer une nouvelle forme d'entremets avec des tranches apparentes pour lequel une seule bouchée suffisait à donner le goût du gâteau entier. C'est son épouse Andrée Gavillon qui le baptisa « opéra » en hommage à une danseuse étoile et à ses petits rats qui faisaient des entrechats dans la boutique. L'opéra reste le gâteau le plus vendu chez Dalloyau. En Asie, on l'offre en coffret-cadeau.

OR Métal précieux dont les emplois en orfèvrerie de table sont limités à des décors et au placage (vermeil). L'or connaît par ailleurs certains emplois alimentaires. Au Moyen Âge, on enveloppait pâtés et oiseaux rôtis dans de minces feuilles d'or. Aujourd'hui encore, on décore des chocolats d'un mince éclat d'une très fine feuille d'or (palets d'or) ; de minuscules parcelles d'or se trouvent en suspension dans la liqueur de Dantzig, qui parfume notamment le soufflé Rothschild. Par ailleurs, l'or est un additif (E 175) autorisé pour la coloration en surface des confiseries, décors de pâtisserie, pastillages, sucreries et, en charcuterie, pour celle des boyaux, vessies et autres enveloppes.

ORANAIS Viennoiserie en pâte feuilletée composée de deux oreillons d'abricot et de crème pâtissière. Les oreillons sont disposés aux deux angles opposés d'un carré de pâte, sur un lit de crème. Les deux autres angles sont rabattus vers le centre avant cuisson pour donner à l'oranais sa forme hexagonale.

ORANGE Fruit de l'oranger, agrume de la famille des rutacées, sphérique, à peau orange, parfois veinée de rouge, dont la pulpe acidulée, orangée ou rouge foncé, est divisée en quartiers, contenant ou non des pépins (**voir** tableau des oranges page 596 et planche page 597).

Originaire de Chine, cet agrume était vraisemblablement connu des Anciens ; les mythiques « pommes d'or » du jardin des Hespérides étaient, semble-t-il, des oranges, mais des oranges amères, ou bigarades, que le héros Hercule dut aller cueillir au cours de ses douze travaux.

Les oranges douces furent introduites en Europe au XVᵉ siècle par les marchands génois ou portugais revenant des pays arabes.

Pendant des siècles, l'orange est restée un fruit très rare, que l'on faisait surtout confire ou qui décorait les tables. Offerte en cadeau, apportée à un malade, elle était synonyme de délicatesse et de luxe.

Aujourd'hui, elle est devenue le deuxième fruit le plus consommé en France, derrière la pomme. Peu énergétique (44 Kcal ou 184 kJ pour 100 g), l'orange est très riche en vitamines, surtout en vitamine C (50 mg pour 100 g). À l'achat, elle doit être bien ferme et lourde.

Peu fragile, elle se conserve plusieurs jours à la température ambiante. Les produits chimiques de traitement qui pénètrent dans la pulpe doivent être mentionnés. Ceux qui restent en surface ne s'éliminent pas au lavage : il faut donc acheter des oranges non traitées quand on veut utiliser le zeste ou l'écorce.

■ **Emplois.** Fruit de dessert, l'orange est largement utilisée en pâtisserie et en confiserie : beignets, biscuits et gimblettes, confitures et marmelades, crèmes d'entremets, fruits givrés, génoises fourrées (dont le type est l'orangine), glaces et sorbets, mousses, salades de fruits, soufflés. L'écorce confite intervient également dans de nombreux entremets et gâteaux, comme ingrédient ou comme décor.

La gamme des boissons est tout aussi variée : jus et orangeades, liqueurs et vins de fruits, punchs, sirops, sodas.

En cuisine, l'orange entre dans la composition de mets que connaissait déjà la cuisine ancienne, mais on utilisait alors des variétés amères. Canard, foie et jarret de veau, langue de mouton, omelette, perdreau, salades, sole et truite s'accommodent avec des oranges.

biscuit mousseline à l'orange ▶ BISCUIT
canard à l'orange Lasserre ▶ CANARD
confiture d'orange ▶ CONFITURE

écorces d'orange confites

Choisir des oranges à écorce épaisse. Les peler et retirer la partie blanche qui se trouve sous le zeste ; ne conserver que celui-ci et le couper en lamelles. Verser dans une bassine 25 cl d'eau, 125 g de sucre et 10 cl de sirop de grenadine pour chaque orange. Porter à ébullition. Ajouter les zestes, couvrir à moitié, puis faire réduire le sirop des trois quarts, à petits bouillons. Laisser les zestes refroidir complètement dans le sirop, puis les égoutter. Poudrer largement le plan de travail de sucre glace, y déposer les écorces, les rouler dedans et les faire sécher sur une grille.

---

entremets à l'orange

Confectionner une génoise de 24 cm de diamètre avec 4 œufs, 125 g de sucre en poudre et 125 g de farine, et la réserver sur grille. Préparer un sirop avec 30 cl d'eau et 200 g de sucre. Laver, couper en deux et émincer en tranches régulières 2 belles oranges maltaises. Les confire quelques minutes dans le sirop, les égoutter et les réserver. Lever les zestes de 2 oranges maltaises, les blanchir deux fois et les confire 10 min dans le sirop. Partager en 3 parties le sirop restant : en détendre une avec 5 cl de liqueur d'orange pour imbiber la génoise ; détendre la deuxième avec un peu de jus d'orange et lui ajouter 100 g de gelée d'orange pour obtenir la sauce d'accompagnement ; la passer au chinois fin ; détendre la troisième avec 100 g de gelée d'orange et un peu de jus d'orange, et ajouter 1 feuille de gélatine fondue pour réaliser le glaçage final. Faire une crème pâtissière avec 50 cl de lait aromatisé avec 1/2 gousse de vanille, 4 jaunes d'œuf, 100 g de sucre en poudre et 60 g de farine. La coller avec 2 feuilles de gélatine fondues et la faire refroidir rapidement. La lisser au fouet ; lui ajouter 5 cl de liqueur d'orange, 150 g de zestes confits détaillés en petits dés puis, très délicatement, 30 cl de crème fouettée pas trop ferme. Séparer la génoise en 3 épaisseurs. Appliquer contre les parois d'un cercle à entremets de 24 cm de diamètre, posé sur un carton glacé un peu plus grand, les demi-lamelles d'orange confite, en les faisant chevaucher légèrement. Placer au fond du cercle un disque de génoise. L'imbiber avec le sirop et le garnir avec la moitié de la crème. Placer le deuxième disque, l'imbiber et le garnir avec le reste de la crème. Poser le dernier disque, côté doré sur le dessus, l'aplatir légèrement et l'imbiber avec le reste de sirop. Mettre quelques heures au réfrigérateur. Lustrer l'entremets avec la gelée et faire prendre de nouveau au froid. Le décercler délicatement, répartir tout autour un fin cordon de sauce et décorer avec des zestes confits et quelques feuilles de menthe.

faisan en filets au jus d'orange ▶ FAISAN
filets de canard rouennais glacés à l'orange ▶ CANARD
homard sauté à l'orange ▶ HOMARD
marmelade d'orange ▶ MARMELADE

Caractéristiques des principales variétés d'oranges

VARIÉTÉ	PROVENANCE	ÉPOQUE	DESCRIPTION DU FRUIT	FLAVEUR
blondes fines				
salustiana	Espagne, Maroc (très répandue)	déc.-mars	ronde à aplatie, peau fine et grenue, calibre moyen, très peu de pépins	très juteuse, bien parfumée
shamouti	Israël (en régression)	janv.-mars	grosse, oblongue, peau rugueuse et épaisse	parfumée, assez juteuse
valencia late	Israël	mars-juin	ronde, peau lisse, colorée, pulpe blonde (orange à jus)	juteuse, acidulée (orange à jus)
	Espagne, Maroc	avr.-juill.		
	Uruguay, Argentine, Afrique du Sud	juill.-oct.		
blondes navels				
cara, caranavel	Maroc, Afrique du Sud	déc.-févr.	grosse, moyenne, ombilic très marqué, pulpe rose	assez juteuse, bien parfumée
naveline	Espagne, Maroc	nov.-janv.	moyenne, peau fine lisse, sans pépins	juteuse, sucrée
	Afrique du Sud	mai-juill.		
navelate, ou navel tardia (mutation de washington)	Espagne, Maroc	mars-avr.	moyenne, peau rugueuse, ombilic en pointe	juteuse, bien sucrée
	Amérique du Sud, Afrique du Sud	juill.-oct.		
newhall	Espagne, Maroc, Californie	mai-juill.	très voisine de la naveline	moyennement juteuse
washington navel	Espagne, Maroc	déc.-févr.	très grosse, ombilic très marqué (petit fruit surnuméraire ou « navel » au niveau pistillaire), sans pépins, facile à peler, peau rugueuse	assez juteuse, très parfumée, pulpe croquante
	Uruguay, Argentine, Afrique du Sud	juin-sept.		
sanguines				
double fine (washington sanguine)	Espagne, Maroc, Italie	févr.-mai	grosse, peau mince, rouge vif, chair demi-sanguine	juteuse
maltaise	Tunisie	déc.-fin avr.	sphérique, un peu ovale, peau rouge, pulpe rouge ou marbrée de rouge violacé, petit fruit	très juteuse, acidulée, très parfumée
moro	Italie	nov.-avril	moyenne, sphérique, un peu aplatie, peau rugueuse	très juteuse, jus orange foncé
sanguinello muscato	Italie	nov.-avril	sphérique, peau granitée, tachée de rouge, chair sanguine	goût musqué
tarocco	Italie (Sicile)	nov.-avril	assez grosse, piriforme, peau lisse	charnue, assez juteuse, excellente
orange amère				
bigarade, ou orange de Séville	Espagne	nov.-avril	allongée, écorce rougeâtre, peau rugueuse, teintée de vert	goût musqué prononcé

oranges givrées

Choisir des oranges très saines, à écorce bien épaisse ; les décalotter du côté du pédoncule. Avec une cuillère à bord tranchant, retirer toute la pulpe, en prenant bien soin de ne pas percer l'écorce, puis, avec une petite douille lisse, retirer le pédoncule de la calotte. Réserver les écorces et les calottes dans le congélateur. Avec la pulpe, confectionner un sorbet à l'orange à l'aide d'une sorbetière. Quand il est complètement pris, en garnir les écorces en finissant par un petit monticule. Replacer les calottes perforées par-dessus et glisser dans le petit trou un morceau d'angélique confite taillé en losange allongé afin de représenter une feuille. Remettre dans le congélateur et ne sortir les oranges qu'au moment de servir.

orangine

Préparer une génoise (voir page 418) avec 150 g de sucre en poudre, 6 œufs, 150 g de farine, 60 g de beurre et 1 pincée de sel ; la cuire 45 min dans le four préchauffé à 200 °C. La laisser refroidir complètement. Confectionner 25 cl de crème pâtissière (voir page 274) aromatisée à la liqueur d'orange, y incorporer 25 cl de crème fraîche fouettée en chantilly avec 1 sachet de sucre vanillé et 30 g de sucre en poudre. Mettre au réfrigérateur. Trancher la génoise en trois abaisses égales. Les imbiber de 2 cuillerées à soupe de sirop aromatisé à la liqueur d'orange, puis masquer deux des abaisses de crème pâtissière et reconstituer le gâteau. Glacer le dessus et le tour avec du fondant aromatisé à la liqueur d'orange. Décorer de morceaux d'écorce d'orange confite et d'angélique.

petites galettes orangines ▶ GALETTE

quartiers d'orange glacés

Choisir de grosses oranges, les peler et retirer soigneusement tous les filaments blancs, sans entamer la pellicule qui entoure les quartiers. Séparer ceux-ci et les faire sécher quelques minutes à l'entrée du four. Préparer un sirop cuit au « grand cassé ». Saupoudrer le plan de travail de sucre glace. Piquer les quartiers d'orange séchés avec une aiguille, les plonger dans le sirop et les déposer sur le sucre glace. Quand ils ont complètement refroidi, les mettre dans des caissettes de papier.

ORANGES,
MANDARINES ET CLÉMENTINES

clémentine commune

mandarine tangerine

tangelo (mandarine x pomelo)

clémentine niagawa

ortanique (tangerine unique x orange)

fortuna (mandarine x tangerine)

orange salustiana

orange valencia

orange valencia late

orange navel

orange washington navel

orange moro

orange sanguinello

orange tarocco

orange amère

salade de carotte à l'orange ▶ SALADE
salade d'oranges maltaises aux zestes confits ▶ SALADE DE FRUITS
sirop d'orange ▶ SIROP

ORANGEADE Boisson rafraîchissante à base de jus d'orange et de sucre, allongée d'eau plate ou gazeuse, éventuellement additionnée d'un peu de jus de citron ou d'un trait de curaçao ou de rhum. L'orangeade est toujours servie très fraîche, avec des glaçons.

ORANGEAT Petit-four en forme de palet plat, fait de pâte d'amande mélangée avec de l'écorce d'orange confite hachée, glacé au fondant blanc et décoré d'écorce d'orange.

L'orangeat perlé est un bonbon fait d'une lamelle d'écorce d'orange confite, séchée, puis recouverte de plusieurs couches de sucre cuit au perlé. On prépare de la même façon l'écorce de citron (citronnat perlé).

OREILLE Abat de boucherie (essentiellement de porc), utilisé en cuisine (**voir** tableau des abats page 10). Autrefois, les oreilles étaient souvent grillées, sautées ou farcies à la Sainte-Menehould. Aujourd'hui, elles sont encore incorporées à diverses préparations de charcuterie : museau, hure ou fromage de tête.

oreilles de porc braisées

Flamber et nettoyer intérieurement 4 oreilles de porc. Les blanchir 5 min, les égoutter et les partager chacune en deux dans la longueur. Beurrer une cocotte, la foncer de couennes de lard, ajouter 1 oignon et 1 carotte émincés et y disposer les moitiés d'oreille bien à plat, en mettant 1 bouquet garni au milieu. Commencer la cuisson à couvert, puis mouiller de 20 cl de vin blanc et faire réduire complètement. Ajouter 40 cl de jus de veau lié ou de bouillon et cuire à couvert 50 min dans le four préchauffé à 180 °C. Égoutter les oreilles et les dresser dans un plat de service. Les garnir de cœurs de céleri braisés ou de chou-fleur à l'étuvée. Les arroser du fond de braisage réduit et passé.

oreilles de porc au gratin

Faire braiser des oreilles entières, les égoutter et les partager en deux dans le sens de la longueur. Les ranger dans un plat beurré allant au four. Les entourer de champignons escalopés et sautés au beurre. Les napper d'une duxelles allongée du fond de braisage des oreilles. Poudrer de chapelure, arroser de beurre clarifié et faire gratiner doucement au four préchauffé à 220 °C. Servir avec quelques gouttes de jus de citron.

oreilles de porc pochées

Flamber 4 oreilles bien nettoyées intérieurement ; les mettre à pocher dans de l'eau additionnée de 9 g de sel par litre, avec 2 carottes, 1 oignon piqué de 2 clous de girofle et 1 bouquet garni. Pocher 50 min à petite ébullition. Égoutter les oreilles. On peut alors les accommoder en fritot (détaillées et passées dans une pâte à frire), grillées (panées au beurre et à la mie de pain fraîche) et servies avec une sauce à la moutarde ou au raifort et une purée de pomme de terre ou de céleri-rave, à la lyonnaise (détaillées en grosse julienne et sautées au beurre avec de l'oignon émincé), froides à la vinaigrette, en gratin à la sauce blanche ou Mornay.

oreilles de veau braisées à la mirepoix

Faire blanchir pendant 8 min 4 oreilles de veau bien nettoyées intérieurement. Les rafraîchir, les égoutter, les parer, les éponger. Les mettre dans une cocotte en les recouvrant de 150 g de mirepoix de légumes ; ajouter un bouquet garni, du sel, du poivre et 10 cl de vin blanc. Faire réduire complètement sur feu vif, puis mouiller avec 30 cl de jus brun de veau et cuire 1 h 30, à couvert, au four à 180 °C. Égoutter les oreilles ; retirer la peau qui recouvre l'intérieur et l'extérieur de la partie mince ; rabattre cette partie et la ciseler. Disposer les oreilles dans un plat rond, en les dressant éventuellement sur des croûtons de pain de mie rond, frits au beurre ; les napper de leur fond de braisage dégraissé.

oreilles de veau grillées à la diable

Braiser des oreilles de veau avec une mirepoix. Les égoutter, les diviser en deux dans la longueur et les laisser refroidir sous presse. Les enduire largement de moutarde et les arroser de beurre fondu, puis les rouler dans de la chapelure blanche et les faire griller doucement. Les servir avec une sauce diable.

salade d'oreilles de cochon confites ▶ SALADE

OREILLER DE LA BELLE AURORE Pâté en croûte carré, dédié à la mère du gastronome Anthelme Brillat-Savarin (1755-1826), Claudine-Aurore Récamier. L'oreiller de la Belle Aurore est fait de deux farces (l'une de veau et de porc, l'autre de foie de poulet, de perdreau, de champignons et de truffes), auxquelles sont ajoutés des filets de noix de veau marinés, des aiguillettes de perdreau rouge et de canard, un râble de lièvre, des blancs de poulet et des ris de veau blanchis.

OREILLETTES Beignets de pâte languedociens, traditionnels à l'époque du carnaval. Les oreillettes sont faites avec une pâte sucrée, découpée en rectangles allongés, fendus en leur milieu (on passe parfois une extrémité du rectangle de pâte dans l'entaille pratiquée pour obtenir une sorte de nœud), puis frits à l'huile. Celles de Montpellier, parfumées au rhum et au zeste d'orange ou de citron, sont réputées.

oreillettes de Montpellier

Disposer en fontaine 1 kg de farine. Incorporer peu à peu, en les versant au centre, 300 g de beurre fondu, 5 œufs, 2 cuillerées à soupe de sucre en poudre, quelques cuillerées de rhum, 1 petit verre de lait et le zeste finement râpé de 2 oranges. Bien pétrir pour obtenir une pâte homogène. Travailler celle-ci pour la rendre élastique, puis la rouler en boule et la laisser reposer 2 heures. L'abaisser ensuite sur 2 mm d'épaisseur environ et la découper en rectangles de 5 x 8 cm avec une roulette à pâtisserie. Entailler l'intérieur de chaque rectangle de deux coups de roulette. Jeter les morceaux de pâte dans de l'huile à 175 °C : les oreillettes gonflent aussitôt et dorent rapidement. Les égoutter, les éponger sur du papier absorbant et les poudrer de sucre glace. Les dresser dans une corbeille garnie d'une serviette blanche.

ORGANISME GÉNÉTIQUEMENT MODIFIÉ (OGM)

« Organisme (à l'exception des êtres humains) dont le matériel génétique a été modifié d'une manière qui ne peut s'effectuer naturellement par multiplication et/ou par recombinaison », selon la directive communautaire 2001/18/CE. Les techniques de modification mises en œuvre visent à accentuer ou, au contraire, à atténuer certaines caractéristiques de cet organisme, à lui en conférer de nouvelles jugées désirables ou à éliminer celles considérées comme indésirables. Les transformations génétiques déjà effectuées portent notamment sur les espèces végétales de grande culture comme le maïs, le soja, la betterave ou le colza.

■ **Réglementation.** Au sein de l'Union européenne (comme en Suisse), la dissémination volontaire d'OGM dans l'environnement (« essais au champ ») et leur mise sur le marché obéissent à une réglementation très stricte, mais en constante évolution. Une directive rend notamment obligatoire l'étiquetage des OGM et des produits obtenus à partir de tels organismes pour les denrées alimentaires et leurs ingrédients (y compris arômes et additifs) considérés individuellement dès lors que leur présence (sauf de façon fortuite) y dépasse un seuil de 0,9 %. Lorsque le produit contient ou est constitué d'OGM (par exemple, du maïs doux), l'étiquette porte l'information suivante : « génétiquement modifié » ou « contient (nom de l'ingrédient) produit à partir de (nom de l'organisme) génétiquement modifié ». Lorsqu'une denrée contient plusieurs ingrédients, l'information sur la présence d'OGM doit être précisée pour chaque ingrédient dans la liste des ingrédients ou en bas de cette liste. Pour les denrées alimentaires non préemballées (hors celles proposées dans la restauration), l'information doit être affichée, de façon lisible, soit sur le présentoir de la denrée ou à proximité de celle-ci, soit sur le matériau d'emballage. En revanche, l'obligation d'étiquetage ne vise pas les produits obtenus à l'aide d'un OGM (par exemple, lait, viande ou œufs issus d'animaux nourris avec des OGM), ni certaines substances utilisées lors de la fabrication d'une denrée alimentaire (auxiliaires technologiques, supports d'additifs et d'arôme, etc.). L'utilisation d'OGM ou de leurs produits dérivés (sauf celle de médicaments vétérinaires) est interdite pour l'agriculture biologique, dont les produits ne peuvent toutefois être qualifiés de « sans OGM » du seul fait de leur protection (possibilité d'une pollinisation croisée au champ, par exemple). Toute allégation négative est régie par des critères stricts auxquels l'opérateur doit se conformer. Le principe et l'utilisation de ces OGM est aujourd'hui sujet à controverse.

Au Canada, l'un des principaux producteurs d'OGM, l'étiquetage est facultatif depuis 2004.

ORGANOLEPTIQUE Se dit d'une impression que l'on acquiert directement par les organes des sens et qui détermine l'appétence ou le dégoût pour l'aliment. Les qualités organoleptiques d'un aliment (ou d'une boisson) permettent de le définir par sa flaveur (odeur, arômes, saveur), son odeur, sa couleur, son aspect, sa texture (consistance au toucher, à la mastication), etc.

ORGE Céréale cultivée, difficilement panifiable, car pauvre en gluten (**voir** tableau des céréales page 179 et planche pages 178 et 179). Aujourd'hui encore, l'orge, transformée en malt, reste la matière première de la fabrication de la bière, et aussi du whisky. En cuisine, on utilise l'orge « perlé », dont les grains ont été mondés et réduits à l'état de petites perles rondes par un passage entre deux meules. Il entre dans la composition de soupes et de potages, s'emploie comme garniture de ragoût, et peut être cuisiné en risotto. Il est également présent dans certains desserts (entremets, gâteaux, galettes). On trouve aussi de l'orge en flocons et, sous forme de semoule, du « couscous d'orge ».

crème d'orge ▶ CRÈME (POTAGE)

RECETTE D'ALAIN SOLIVÉRÈS

orge perlé du pays de Sault

« Faire suer dans 10 cl d'huile d'olive 3 échalotes ciselées et la moelle d'un os de bœuf taillée en petits dés. Incorporer 240 g d'orge perlé. Bien mélanger. Verser 20 cl de vin blanc, réduire à sec et cuire 12 min en mouillant progressivement de 1,5 litre de bouillon de poule. Ajouter 1 cébette ciselée, 20 g de truffe écrasée et 40 g de parmesan fraîchement râpé. Au dernier moment, incorporer hors du feu 1 cuillerée à soupe de crème fouettée. Assaisonner de sel fin de Guérande et de poivre du moulin. On peut ajouter à ce risotto des abattis, des cèpes, des écrevisses, des grenouilles, des seiches, etc. »

ORGEAT Sirop à base de sucre et de lait d'amande, parfumé à la fleur d'oranger, que l'on sert comme rafraîchissement, allongé d'eau. À l'origine, il s'agissait d'une décoction d'orge, d'où son nom.

ORGIE Festin où l'on mange et où l'on boit avec excès, dans la débauche. Ce sens moderne du mot « orgie » (qui appartient au domaine littéraire) a perdu sa dimension religieuse. Chez les Grecs et chez les Romains, les orgies étaient en effet des fêtes en l'honneur du dieu de la Vigne, Dionysos chez les Grecs, Bacchus chez les Romains : les adeptes, comme possédés par le dieu, exaltés par le vin, la danse et la musique, perdaient toute contenance.

ORIENTALE (À L') Se dit de divers apprêts inspirés de la cuisine turque ou balkanique, dans lesquels on retrouve nombre d'ingrédients et d'épices méditerranéens (aubergines, oignons, poivrons, riz, safran, tomates, etc.). La garniture orientale pour grosses et petites pièces de boucherie comprend des petites tomates farcies de riz pilaf, parfois safrané, des gombos étuvés au beurre, des poivrons pelés et étuvés, avec une demi-glace tomatée comme sauce.

On qualifie d'orientale une sauce pour entrée froide, composée d'une mayonnaise agrémentée de fondue de tomate, de safran et d'un salpicon de poivron doux, ou une sauce pour poisson, qui est une sauce américaine condimentée au curry et crémée.

▶ Recette : RIZ.

ORIGAN Plante aromatique de la famille des lamiacées, parfois confondue avec la marjolaine (**voir** planche des herbes aromatiques pages 451 à 454). L'origan pousse de préférence sur les talus ensoleillés du bassin méditerranéen. D'une saveur suave ou âcre, un peu mentholée ou poivrée, les feuilles vert foncé, petites et ovales, parfument de nombreux plats : les pizzas, la daube à la romaine, les brochettes d'agneau, le poisson au four, la sauce tomate, la ratatouille ou les plats à base de feta.

ORIGNAL Élan d'Amérique, de la famille des cervidés. Cet animal robuste, très prolifique, est, avec le cerf, le gibier le plus chassé au Canada, et, bien que sa chair ne soit pas commercialisée, on la trouve souvent sur les tables familiales en automne. Sa viande se cuisine comme celle du cerf ; on l'accompagne d'une sauce corsée et d'une compote de baies sauvages.

ORLÉANAIS, BEAUCE ET SOLOGNE Ces trois pays offrent des paysages de forêts et d'étangs au sud, et de plaines céréalières au nord. La Sologne est vouée à la chasse et à la pêche. Comment s'étonner si ses spécialités ont des odeurs de sous-bois, de gibier et de champignons, ou des saveurs de poissons d'eau douce ? En entrée, on sert volontiers un pâté de lièvre ou de faisan, une terrine de sanglier aux noisettes ou aux pignons de pin, voire une terrine de carpe. Cette tradition des pâtés s'étend à tout l'Orléanais : pâtés de lapin de Beaugency, pâté d'alouette de Pithiviers, ou pâté de Chartres, aujourd'hui préparé au perdreau.

Quand vient la saison, on se régale d'une selle de chevreuil grand veneur, longuement marinée et servie entourée d'airelles et de marrons, à moins de préférer en savourer les côtelettes (à condition que la bête soit jeune), juste sautées quelques minutes puis flambées et accompagnées de champignons sauvages.

Faute de gibier, ou pour varier, le cuisinier mitonne un gigot de mouton à la solognote, piqué d'ail et cuit à l'eau avec des légumes, un civet de porc au vin rouge, dit « charbonneux », ou une culotte de bœuf à la beauceronne, en terrine avec pommes de terre, oignons, lard et aromates.

Un grand classique pour la préparation des poissons porte l'appellation « Chambord ». Le nom de ce château Renaissance évoque en cuisine un plat somptueux. Farcie puis braisée au vin rouge, la carpe à la Chambord se présente garnie de quenelles de farce de poisson, de filets de sole, de laitances sautées, de têtes de champignon, de truffes et d'écrevisses.

Lorsque vient la fin du repas, la Sologne se vante d'être le pays des sœurs Tatin, qui tenaient un restaurant à Lamotte-Beuvron, et Pithiviers se targue d'avoir donné son nom à un célèbre feuilleté fourré de crème frangipane.

■ **Soupes et légumes.**
• ASPERGES À LA BÉCHAMEL SAFRANÉE, COULEMELLES GRILLÉES. Le Val de Loire, autour d'Orléans, est propice aux cultures maraîchères : pois de Jargeau, crosnes de Sully-sur-Loire, navets de Mainvilliers, etc., tandis que les terrains sablonneux de l'est de la Sologne se prêtent surtout à la culture des asperges. Les plus humbles de ces légumes donnent la traditionnelle soupe de « poriaux » (poireaux), celle au potiron ou celle au cresson alénois (déformation d'orléanais). Les haricots rouges, dits « rognons de coq », accompagnent la queue de porc. Les pommes de terre sont préparées à la blésoise (sautées en cocotte avec de la panne de porc), à la forestière (cuites au four puis farcies de champignons) ou à la solognote (mijotées dans du lait et de la crème avec du thym, de l'estragon et du laurier).

Les asperges, blanches, révèlent toute leur saveur cuites à la vapeur. Elles s'accommodent aussi fort bien d'une béchamel ou d'une hollandaise safranée (le safran fut longtemps une production du Gâtinais), sauces qui peuvent également accompagner poireaux, fenouil et céleri.

Cueillis dans les bois, les cèpes se font sauter à la poêle avec ail, persil ou ciboulette, les girolles parfument délicieusement toutes les sauces, les coulemelles (ou lépiotes élevées) constituent un plat en soi. Pour apprécier leur délicat parfum, il suffit de déposer une noisette de beurre malaxé avec un soupçon d'échalote ou d'ail hachés dans leur large chapeau, et de les laisser quelques minutes sur le gril.

■ **Poissons.**

● **PAUPIETTES DE CARPE À LA MENTHE, ANGUILLE À L'OSEILLE.** Le sandre de Loire s'accommode de mille façons : à la crème de carotte ou à la crème de mousseron, au cabernet rouge d'Orléans, aux poires ou aux poireaux. La carpe est souvent farcie de chair à saucisse, de mie de pain et de lait. Mais, pour savourer ce poisson, mieux vaut goûter les filets d'une belle carpe de 4 à 5 kg, rouges comme du thon, simplement sautés avec des lardons. Sur la chaussée des étangs, lorsqu'on les vide, une fois l'an, les pêcheurs se délectent souvent de ces filets de carpe ou de poisson-chat grillés sur place aussitôt pêchés. Plus originales, les paupiettes de carpe, farcies de tanche, de brochet, de menthe aquatique (cueillie au bord des étangs) et de menthe poivrée, cuisent à la vapeur, enveloppées dans une algue. Les filets d'anguille, sautés puis flambés au marc, sont accompagnés d'une sauce à la crème et à l'oseille.

■ **Gibier.**

● **MAGRET DE COLVERT AU PORTO ET PAIN DE PERDREAU.** Chevreuil ou sanglier, marinés, accompagnés d'une sauce poivrade, réduction de la marinade avec du cognac et du poivre concassé, sont des plats traditionnels dans ce pays de chasseurs. Quand ces animaux sont plus jeunes, ils se passent fort bien de marinade et peuvent alors se cuisiner comme du bœuf, en rôti ou en steak. Le gibier, qui se marie avec le sucré, est volontiers accompagné de fruits : pommes, poires ou coings, gelée de mûre, confiture de framboise ou de myrtille. Il se prête également à d'autres recettes tout aussi savoureuses : épaule de cerf au vin rouge, filet de chevreuil aux noisettes, etc. Les magrets d'un colvert sont sautés à la poêle, puis déglacés avec du porto ou du malaga et parsemés de ciboulette. Le reste du canard est alors cuisiné en ragoût, avec oignons et vin blanc. Le pain de perdreau est un délicieux pain safrané fourré d'un hachis mêlant la chair du volatile et une julienne de petits légumes frais. Plus classiques, le faisan est apprêté « en barbouille » et le lapin de garenne en gibelotte.

■ **Viande.**

● **BŒUF DE LA SAINT-JEAN, QUEUE DE COCHON.** Face à la variété des recettes de gibier à poil ou à plume, celles qui concernent la viande de boucherie sont plus discrètes. Le bœuf de la Saint-Jean, avec lard, saucisses, légumes, herbes, vin blanc, moutarde et cornichons, se distingue pourtant, tout comme la queue de porc aux haricots rouges.

■ **Fromages et douceurs.**

● **TAPINETTE, CREUSIOT ET PATELINS SOLOGNOTS.** Sur le plateau de fromages, on trouve la feuille de Dreux et l'olivet. La tapinette, une tarte au caillé dans l'Orléanais, ou le creusiot solognot, pain fourré de fromage blanc aux échalotes, tiennent lieu de fromage et de dessert.

Au chapitre des douceurs figurent le miel du Gâtinais et celui de Sologne, les pâtes de fruits de Beaugency, le cotignac d'Orléans, sorte de « roudoudou » au coing, les patelins solognots, chocolats fins aux noisettes, le financier de Sully et la praline de Montargis.

■ **Vin.**

La petite appellation vins de l'Orléanais produit des vins rouges fruités, à boire jeunes. L'AOC cour-cheverny donne un vin blanc typé et acide issu du cépage romorantin, celle de cheverny des vins rouges, rosés et blancs ; le rouge, fruité dans la jeunesse, évolue sur des notes animales.

ORLÉANAISE (À L') Se dit de grosses pièces de boucherie garnies de chicorée braisée liée aux œufs et de pommes maître d'hôtel, servies à part.

ORLÉANS Nom de divers apprêts d'œufs (pochés, mollets ou sur le plat) dressés en tartelette et garnis soit d'un salpicon de moelle et de truffe lié de sauce madère, soit de dés de blanc de volaille à la sauce tomate. L'appellation peut s'appliquer à des filets de sole roulés et masqués de farce de merlan, garnis d'un salpicon de crevettes et de champignons, nappés de sauce crevette et ornés d'une lame de truffe.

ORLOFF Nom d'un apprêt traditionnel de la selle de veau braisée, tranchée, fourrée de purée de champignons et d'oignons, avec des lames de truffe, puis reconstituée, nappée de sauce Maintenon, poudrée de parmesan et glacée au four. Ce plat fut sans doute mis au point par Urbain Dubois, qui, dans la première moitié du XIXᵉ siècle, resta au service du prince Orloff pendant plus de vingt ans.

La garniture Orloff pour grosses pièces de boucherie comprend du céleri braisé (ou des darioles foncées de branches de céleri braisé et garnies de purée de céleri mousseline), des tomates, des pommes château et des laitues braisées.
▶ Recette : VEAU.

ORLY Nom d'un apprêt de poisson frit. Les poissons, de mer ou de rivière, filetés à cru ou entiers suivant leur taille, sont trempés dans une pâte à frire ou panés à l'anglaise, puis frits, égouttés et servis avec de la sauce tomate et du persil frit. Cet apprêt s'applique aussi à de petites pièces frites de viande ou de volaille.

ORMEAU Nom usuel de l'haliotide, gastéropode marin de la famille des haliotidés, dont la coquille ourlée, légèrement creuse et arrondie, évoque la forme d'une oreille, d'où son surnom d'« oreille-de-mer » (**voir** tableau des coquillages page 250 et planche pages 252 et 253). Le bord de la coquille porte une série de trous ; l'intérieur est nacré et l'extérieur brun rougeâtre. L'ormeau mesure de 8 à 12 cm. Tout le muscle est consommable : arraché de la coquille, paré et bien battu pour l'attendrir, il possède une chair blanche et savoureuse, qui se cuit à la cocotte, avec des légumes frais, ou à la poêle, comme une escalope de veau.

Il est apprécié aussi bien sur les côtes de la Manche (« ormiers » de Jersey braisés) que sur celles de la Méditerranée (« oreilles de Saint-Pierre » sautées à l'ail) ; sa pêche est aujourd'hui réglementée ; les professionnels, notamment, doivent obtenir une licence. L'ormeau a déjà fait l'objet de plusieurs tentatives d'élevage en Atlantique et en Méditerranée, mais sa production reste mineure comparativement au fruit de la pêche.

En Amérique du Nord, on ne le trouve que sur la côte occidentale. C'est l'ormeau du Pacifique, à la chair tendre, qui est le plus apprécié.

RECETTE D'OLIVIER ROELLINGER

ormeaux à la cancalaise

« Placer 8 gros ormeaux, ou 12 moyens, vivants, 48 heures dans le bas du réfrigérateur, afin de les affaiblir. Les décoquiller tant qu'ils sont froids, les ébarber en gardant les barbillons, les frotter sous l'eau courante pour enlever toute trace noirâtre. Les remettre 24 heures au réfrigérateur sur un linge humide. Avant de les cuisiner, les masser délicatement. Dorer les barbillons d'ormeaux bien lavés et séchés dans 100 g de beurre. Ajouter 1 échalote épluchée et ciselée, 1 carotte coupée en rondelles, 3 champignons lavés et émincés, 5 cl de coteaux-du-layon, puis 1 gousse d'ail rôtie au four, les queues de la moitié d'une botte de persil plat et l'équivalent de 2 cuillerées à soupe de nori séché ciselé. Mouiller avec 10 cl de bouillon de volaille. Laisser frémir 1 heure, puis passer à travers une passoire fine ; ce fumet d'ormeaux est très parfumé. Blanchir à l'eau bouillante salée 4 belles feuilles de chou nouveau ; les égoutter et réserver. Chauffer 25 cl d'huile dans une casserole et y frire rapidement les feuilles de 20 petites branches de persil plat. Les ressortir, les égoutter sur du papier absorbant et réserver. Réchauffer le fumet d'ormeaux et le monter avec 50 g de beurre. Dorer 2 min sur chaque face les noix d'ormeau. Réserver 15 min afin que la chair se détende. Déglacer la poêle avec le jus et 2 cl de vinaigre de cidre. Filtrer à travers une passoire fine. Réchauffer les feuilles de chou avec une noix de beurre et un peu d'eau. Disposer une belle coquille chaude sur chaque assiette, avec sur le côté une feuille de chou et, à cheval sur celle-ci, 2 ou 3 ormeaux émincés et reconstitués. Parsemer de persil frais haché, napper du jus d'ormeau et décorer de quelques feuilles de persil frites. »

ORNITHOGALE Petite plante sauvage herbacée de la famille des liliacées, encore appelée « aspergette » ou « dame-d'onze-heures » (**voir** planche des asperges et ornithogale page 55). Elle est récoltée dans les bois, avant maturité des fleurs, en mai, et consommée comme les asperges dont elle a la flaveur.

ORONGE VRAIE ▶ **VOIR AMANITE DES CÉSARS**

ORPHIE Poisson de mer, de la famille des bélonidés, très allongé, prolongé par un bec pointu qui lui a valu le surnom de « bécasse de mer » et, en Bretagne, celui d'« aiguillette ». Bleu verdâtre sur le dos, blanchâtre sur le ventre, l'orphie peut atteindre 80 cm pour 1,5 kg. Elle possède une arrête verte très phosphorescente. De goût très fin, surtout au printemps, l'orphie s'apprête comme le congre et se mange également en friture.

ORTIE BRÛLANTE Plante herbacée, de la famille des urticacées, aux poils urticants, dont on méconnaît généralement la valeur alimentaire et les qualités thérapeutiques (**voir** planche des herbes aromatiques pages 451 à 454).

Les jeunes feuilles hachées de la petite ortie, dite grièche et annuelle, s'utilisent dans des salades. Les feuilles de la grande ortie, commune et vivace, se cuisinent dans des soupes vertes, seules ou mélangées avec de l'oseille, du poireau, du cresson ou du chou, épaissies de fèves ou de pommes de terre. On peut aussi accommoder les deux orties à la façon des épinards. L'ortie est d'ailleurs plus riche en fer que ceux-ci et contient également de la provitamine A et de la vitamine C.

ORTOLAN Petit gibier à plume, de la famille des embérizidés, considéré depuis l'Antiquité comme le plus fin et le plus délicat des oiseaux. C'est un migrateur dont le vrai nom est bruant ortolan ; devenu rare, l'ortolan est maintenant officiellement protégé, tant en Europe qu'au Canada, où il niche à la lisière des solitudes glacées de l'Arctique.

Néanmoins, dans le sud-ouest de la France, notamment dans les Landes, s'il est interdit de servir l'ortolan dans les restaurants, les amateurs continuent à le capturer vivant et à l'engraisser. Sa nourriture (baies, bourgeons, grains de raisin, millet et petits insectes) donne à sa chair saveur et délicatesse. Pesant 30 g lors de sa capture, il quadruple son poids en un mois.

Les ortolans sont le plus souvent rôtis en brochettes ou au four, cuits dans leur propre graisse ; celle-ci se recueille sur des « lèches » de pain, que certains recommandent de tartiner de roquefort. On peut aussi farcir ces petits oiseaux à la purée de foie gras truffée et les cuire sous un boyau naturel.

OS Élément solide de la carcasse d'un animal vertébré. Les os sont constitués de matière minérale, d'osséine, de graisse et d'eau. Plongés dans un liquide porté à ébullition, surtout quand ils sont de veau, ils donnent de la gélatine, indispensable pour le moelleux et la sapidité de certains fonds de cuisson. En règle générale, les os, concassés, parfois colorés au four, puis additionnés d'aromates, servent à préparer des fonds de sauce.

Certains os, de bœuf surtout, contiennent de la moelle. Pour les amateurs d'« os à moelle », on inclura dans le pot-au-feu du jarret avec os. Le jarret de veau, lui, fournit l'osso-buco, mijoté en ragoût.

La côte de bœuf « à l'os » est un morceau à cuire avec son os. Le jambon « cuit à l'os » (façon York) est particulièrement savoureux.

OSEILLE Plante potagère de la famille des polygonacées, originaire d'Asie septentrionale et d'Europe, dont on consomme les feuilles vertes au goût acide (à cause de l'acide oxalique qu'elles contiennent) [**voir** planche des herbes aromatiques pages 451 à 454]. Peu calorique (25 Kcal ou 104 kJ pour 100 g), l'oseille est riche en fer, en potassium, en magnésium, en flavonoïdes ainsi qu'en vitamines B9 et C.

Il en existe trois variétés principales : d'abord l'oseille commune, à feuilles très larges, dont le cultivar le plus répandu est l'oseille de Chambourcy ; puis l'oseille épinard, ou patience, originaire d'Orient, à feuilles planes, minces et lancéolées ; enfin, l'oseille vierge, à feuilles oblongues, en forme de fer de lance.

■ **Emplois.** À l'achat, l'oseille doit être brillante et ferme ; elle se conserve quelques jours dans le bas du réfrigérateur. Elle se prépare et s'accommode comme les épinards ; en purée ou en chiffonnade, elle est parfois adoucie avec un roux blond ou de la crème. L'oseille accompagne traditionnellement le poisson (alose, brochet) et le veau (fricandeau, tendron). Elle sert aussi à fourrer des omelettes, à accommoder des œufs en cocotte et à préparer un velouté. Lorsque les feuilles sont jeunes et tendres, on peut les manger en salade.

alose grillée à l'oseille ▶ ALOSE
chiffonnade d'oseille ▶ CHIFFONNADE

_____

conserve d'oseille

Nettoyer et cuire au beurre de l'oseille en chiffonnade, en la faisant dessécher parfaitement. La tasser dans un bocal à large orifice. Lorsqu'elle est bien refroidie, fermer le bocal et le stériliser. On peut aussi verser l'oseille dans des barquettes et les congeler.

escalopes de saumon à l'oseille Troisgros ▶ SAUMON
fricandeau de veau à l'oseille ▶ FRICANDEAU
purée d'oseille ▶ PURÉE
sauce à l'oseille ▶ SAUCE
saumon à l'oseille (version moderne) ▶ SAUMON

OSEILLE DE GUINÉE Variété d'hibiscus des tropiques, de la famille des malvacées, utilisée comme condiment. Les pétales, blancs ou rouges au goût acide, aromatisent les sauces de poisson et de viande en Inde et à la Jamaïque ; les fruits rouges servent à préparer des confitures et une infusion rafraîchissante et acidulée, le *karkadé*, populaire en Égypte.

OSMAZÔME Nom donné à la sapidité de la viande par le chimiste français Louis Jacques Thenard (1777-1857), inventeur de l'eau oxygénée.

Anthelme Brillat-Savarin, qui employait beaucoup ce terme désuet, aujourd'hui remplacé par celui d'osmose, disait : « L'osmazôme fait le mérite des bons potages ; c'est lui qui, en se caramélisant, forme le roux des viandes ; c'est par lui que se forme le rissolé des rôtis ; enfin, c'est de lui que sort le fumet de la venaison de gibier. […] À l'osmazôme succède, par le traitement à l'eau bouillante, ce qu'on entend plus spécialement par matière extractive : ce dernier produit, réuni à l'osmazôme, compose le jus de viande. »

OSSAU-IRATY-BREBIS-PYRÉNÉES Fromage AOC au lait de brebis, à pâte pressée non cuite et à croûte naturelle, jaune-orangé à grise (**voir** tableau des fromages français page 392). Il se présente sous la forme d'une meule à talon droit ou convexe de deux formats : de 24,5 à 28 cm de diamètre et de 12 à 14 cm d'épaisseur (4 à 7 kg), ou de 20 cm de diamètre et de 10 à 12 cm d'épaisseur (2 à 3 kg). Il a une saveur prononcée et se déguste en fin de repas, sur canapés et en casse-croûte, ainsi que dans des salades mélangées, mais aussi accompagné d'une confiture de cerises d'Itxassou.

OSSO-BUCO Plat de la cuisine italienne, originaire de Milan, dont le nom signifie « os à trou ». Il s'agit d'un ragoût de rouelles de jarret de veau non désossé, braisées au vin blanc, à l'oignon et à la tomate. L'osso-buco est souvent servi avec du riz.

La variante traditionnelle dite alla gremolata, préparée sans tomate, est agrémentée d'un hachis d'ail et de zestes de citron.

_____

osso-buco à la milanaise

Hacher 1 oignon, 3 branches de céleri et 1 gousse d'ail. Les dorer dans un faitout avec 10 cl d'huile d'olive et 50 g de beurre mélangés. Dans une poêle, dorer 4 tranches d'osso-buco (prises dans un jarret de veau) de 2 cm d'épaisseur, légèrement farinées, avec 2 cuillerées d'huile. Les sortir et les mettre dans le faitout avec 1 feuille de laurier. Mouiller petit à petit de 1 verre de vin blanc sec, faire réduire, puis ajouter 500 g de tomates épluchées, épépinées et concassées. Cuire quelques minutes et couvrir avec 2 litres de fond blanc frais. Mettre 1 h 30 au four préchauffé à 200 °C. Dresser les tranches d'osso-buco sur un plat, napper avec le fond de cuisson déglacé et parfumé d'un hachis composé de 50 g de persil plat et 10 g de romarin. Servir avec un risotto au safran.

OUANANICHE Nom d'origine amérindienne, désignant, au Québec, le saumon atlantique dans son stade de vie en eau douce. La ouananiche, plus petite que le saumon, vit uniquement dans le lac Saint-Jean et les rivières avoisinantes. Elle s'apprête de la même façon que le saumon ou la truite.

OUASSOU Écrevisse antillaise qui vit en eau douce (« ouassou » signifie en créole « roi des sources ») et qui s'apprête en friture dans les petits restaurants, mais aussi en ragoût, avec de nombreux légumes.

OUBLIE Petit gâteau plat ou roulé en cornet, apprécié au Moyen Âge, mais probablement beaucoup plus ancien. Les oublies, qui furent peut-être les premiers gâteaux de l'histoire de la cuisine, sont les ancêtres des gaufres. Faites le plus souvent d'une pâte à gaufres un peu épaisse, elles étaient cuites dans des fers plats et ronds, finement sculptés.

Les oublies étaient fabriquées par les oubloyers (ou oublieux), dont la corporation avait été créée en 1270. Ceux-ci préparaient et vendaient leurs gâteaux en pleine rue, s'installant sur la place du marché les jours de foire, sur le parvis de l'église les jours de fête. Ils emboîtaient souvent ces pâtisseries les unes dans les autres et les vendaient par cinq, ce qui formait une « main d'oublies ».

Au XVIᵉ siècle, la majorité des pâtissiers parisiens étaient établis dans la Cité, rue des Oubloyers ; de jour comme de nuit, les apprentis en partaient, chargés de leurs corbeilles, en criant « Voilà le plaisir, mesdames ! », ce qui leur valut le nom de « plaisirs ». Les derniers marchands d'oublies ambulants ont disparu entre les deux guerres.

oublies à la parisienne

Travailler ensemble, dans une terrine, 250 g de farine tamisée, 150 g de sucre, 2 œufs et un peu d'eau de fleur d'oranger ou de jus de citron. Quand le mélange est bien homogène, ajouter petit à petit 60 ou 70 cl de lait, 65 g de beurre fondu et le zeste râpé de 1 citron. Chauffer le fer à oublies et le graisser régulièrement ; faire couler dessus 1 cuillerée à soupe de pâte et cuire à feu vif, en retournant le fer à mi-cuisson. Détacher l'oublie du fer, la laisser plate ou la rouler en cornet autour d'un cône de bois.

OUIDAD Plat traditionnel de la cuisine maghrébine et plus spécialement marocaine. Le ouidad (ou ouided) se compose de semoule de blé dur, comme le couscous, et de poissons, telles la rascasse et la daurade.

OUILLAGE Opération consistant à maintenir les fûts pleins lors de leur séjour en cave, afin d'éviter le développement de ferments nuisibles dans le vin.

OURSIN Échinoderme cousin de l'étoile de mer, l'oursin invertébré marin hérissé de piquants est communément appelé « châtaigne de mer » ou « hérisson de mer » (**voir** planche des coquillages et autres invertébrés pages 252 et 253). Une carapace sphérique, le test, formée de plaques calcaires, porte des piquants mobiles et enferme l'appareil digestif, l'appareil locomoteur (les « pieds » passent à travers le test) et les glandes génitales. Ces dernières, au nombre de cinq, de couleur jaune ou orangée, constituent la partie comestible (le « corail »).

Il existe de nombreuses espèces d'oursins, mais l'oursin que l'on consomme en Europe est relativement aplati et mesure de 6 à 8 cm (de couleur brun verdâtre ou violette). En France, où l'oursin se ramasse plutôt en Méditerranée, mais aussi en Bretagne, la pêche et la vente sont interdites de mai à septembre.

■ **Emplois.** Un oursin frais a des piquants fermes et un orifice buccal très serré. On l'ouvre (avec des gants), à partir de la partie molle qui entoure la bouche, avec des ciseaux pointus ; on découpe tout autour à mi-hauteur et, après avoir retiré la calotte, on élimine l'appareil digestif. La saveur du corail est très iodée. L'oursin se consomme soit cru, soit en coulis, pilé ou réduit en purée, pour parfumer des sauces, des soufflés, des œufs brouillés, fourrer des omelettes, accommoder des poissons ou des fruits de mer, garnir des croûtes, etc. L'oursinade est une sauce épaisse qui, en Provence, accompagne les poissons à la nage ; c'est aussi une soupe de poissons aux oursins.

▶ Recettes : CROSNE, ŒUF À LA COQUE, SAUCE.

OURTETO Hachis d'épinards, d'oseille, de céleri et de poireau, bouilli et condimenté d'ail écrasé, de sel et de poivre, que l'on mange en Provence sur des tranches de pain de campagne humectées d'huile d'olive.

OUTARDE Oiseau migrateur de la famille des oditidés, devenu très rare, appelé bernache au Canada, qui constituait un gibier recherché, aujourd'hui interdit de chasse. La grande outarde est parfois observée en Champagne, en hiver, lors de sa migration. La petite outarde, ou canepetière, beaucoup plus petite, est strictement protégée. On cuisinait autrefois cet oiseau de la même façon que l'oie et le canard.

OUTHIER (LOUIS) Cuisinier français (Belfort 1930). Fils de garagiste, petit-fils de meunier, il est formé dans sa ville natale au *Tonneau d'Or*, avant de découvrir Fernand Point à Vienne en 1951. Il a le coup de foudre pour la Côte d'Azur, créant, en 1954, *l'Oasis* à la Napoule près de Cannes. Il demeure à l'écart dans un patio qui obtient une étoile au Guide Michelin en 1963, la seconde en 1966, la troisième en 1970. Il les garde jusqu'à son retrait de la vie de cuisinier en 1987. Foie gras en brioche ou en gelée aux truffes, langouste Belle Aurore, turbot au champagne, loup en croûte (avec sauce à l'estragon et purée de tomates fraîches) constitueront les « plats signature » de ce technicien de haute volée. Après des voyages en Thaïlande (il est le conseiller de *l'Oriental* à Bangkok), il s'oriente vers une cuisine française intégrant les épices lointaines. Sa langouste aux herbes thaïes en est un bel exemple.

OUZO Boisson traditionnelle grecque, à base d'anis et d'alcool blanc, titrant entre 40 et 45 % Vol. L'ouzo se boit en apéritif ou au cours de la journée, pur, sur glaçons ou allongé d'eau.

OVOPRODUITS Œufs transformés selon des normes d'hygiène très strictes. Les ovoproduits sont obtenus à partir de l'œuf entier, de ses différents composants ou de leur mélange, après élimination de la coquille et des membranes. Les ovoproduits disponibles sur le marché ont d'abord été l'œuf entier, le blanc ou le jaune. Ils sont présentés sous forme liquide, concentrée, séchée, cristallisée ou surgelée. Ils sont systématiquement pasteurisés avant d'être transformés. Les ovoproduits ont été créés pour répondre à un impératif de sécurité alimentaire et aux contraintes techniques des professionnels pour qui casser les œufs un par un est une perte de temps (pâtissiers, cuisiniers de la restauration, industriels de l'agroalimentaire).

De nouveaux produits ont récemment vu le jour, davantage destinés à la restauration : les œufs durs écalés, mollets ou pochés, et des omelettes. Ceux-ci sont conditionnés en saumure, sous vide ou sous atmosphère modifiée, soit frais, soit surgelés. En France, les ovoproduits représentent environ 3 milliards d'œufs par an.

OXTAIL Potage classique de la cuisine anglaise. C'est un consommé clarifié, à base de queue *(tail)* de bœuf *(ox)*, parfumé aux « herbes à tortue » (ou par une braisière classique). L'oxtail (ou oxtail soup) est servi garni de petites boules de légumes, ou d'une brunoise, et de viande de queue de bœuf ; on l'aromatise au xérès, cognac ou madère.

▶ Recette : POTAGE.

OYONNADE Civet bourbonnais de jeune oie au vin de Saint-Pourçain, lié avec le foie et le sang de l'animal délayés avec de l'eau-de-vie. L'oyonnade était traditionnellement préparée pour la Toussaint et s'accompagnait de rutabagas.

oyonnade

Réserver le sang d'une oie et lui ajouter 2 cuillerées à soupe de vinaigre pour l'empêcher de cailler. Découper la volaille en morceaux et les faire rissoler dans une cocotte, sur feu doux, avec 100 g de lard gras émincé. Ajouter 24 petits oignons entiers et les dorer légèrement ; puis incorporer 2 gousses d'ail écrasées, 1 bouquet garni, 50 cl de vin rouge et 25 cl d'eau chaude ; saler et poivrer. Couvrir, commencer la cuisson sur le feu, puis mettre 2 heures au four préchauffé à 200 °C. Passer le foie à la moulinette ; y ajouter le sang additionné de vinaigre, 15 à 20 cl de crème épaisse et 1 verre à liqueur d'eau-de-vie ou de cognac. Égoutter les morceaux d'oie et les tenir au chaud dans un plat de service creux. Verser la liaison dans la cocotte, fouetter avec la cuisson, réchauffer sans laisser bouillir et verser la sauce sur les morceaux d'oie. Garnir le plat de croûtons frits à la graisse d'oie.

P

PACAUD (BERNARD) Cuisinier français (Rennes 1947). Orphelin très jeune, placé par sa tante à quinze ans chez la Mère Brazier au col de la Luère, il y apprend sur le tas l'exigence en cuisine, la science des beaux produits, l'art de faire simple et ouvragé à la fois. Il est commis chez *Tante Alice*, puis il monte à Paris, devient chef de partie à *la Méditerranée*, second à *la Coquille*. En 1976, il entre au *Vivarois*, aux côtés de Claude Peyrot, où il retrouve « le don du partage » avec des plats éblouissants comme la tourte de canard aux truffes et foie gras ou le bavarois de poivrons. Il s'installe à son compte quai de la Tournelle, où il crée sa première *Ambroisie* en 1981, adresse à laquelle le président François Mitterrand fait honneur, en voisin immédiat. Il y obtient, un record, deux étoiles au Guide Michelin en vingt-deux mois. La troisième arrive place des Vosges, en 1988, dans une demeure bourgeoise revisitée par le décorateur F.-J. Graf. Le navarin de homard, la queue de bœuf au vin rouge ou la tarte au chocolat amer sont ses « nouveaux classiques ».

PACHERENC-DU-VIC-BILH Vin AOC blanc, issu des cépages arrufiac, courbu, gros et petit manseng, du sud-ouest de la France produit dans la vallée de l'Adour. Le pacherenc-du-vic-bilh peut se présenter sous deux versions. Sec, il est aromatique, frais et long avec des notes de noisette. Quand il est moelleux, il offre des notes florales de fruits exotiques et une belle douceur parfumée en finale (**voir** GASCOGNE).

PAELLA Plat célèbre de la cuisine espagnole, fait de riz garni d'ingrédients variés (légumes, volaille, crustacés, mollusques, etc.). Son nom vient du récipient dans lequel on le prépare, une grande poêle épaisse et profonde, sans manche et à deux poignées, la *paellera*.

La paella est originaire de la région de Valence. Ses trois éléments de base sont le riz, le safran et l'huile d'olive. La garniture, qui cuit dans le riz, au bouillon, s'est considérablement enrichie et diversifiée lorsqu'elle s'est répandue dans toute l'Espagne et même au-delà (**voir** JAMBALAYA). Il en existe de nombreuses variantes (avec lapin, homard, grosses crevettes, calmar, haricots verts, fonds d'artichaut, etc.), mais elles comportent presque toujours au moins haricots, poulet, lapin, moules, langoustines, petits pois, etc.

_____

paella

Découper en 8 morceaux un poulet de 1,5 kg, les saler et les poivrer. Mettre 40 cl d'huile d'olive dans la paellera. Y dorer 12 langoustines, 12 praires et 1 poignée de coques, lavées et brossées. Mettre ensuite le poulet, 500 g de calmars détaillés en lanières, 2 poivrons épépinés et coupés en lanières, 2 oignons hachés, 6 grosses tomates concassées, 2 gousses d'ail. Saupoudrer d'une dose de safran, et ajouter 250 g de petits pois, 250 g de haricots verts et 1 pincée de poivre de Cayenne. Cuire environ 15 min. Faire ouvrir 12 moules d'Espagne dans de l'eau peu salée. Les retirer, mettre 400 g de riz à grain long dans le jus et le laisser gonfler. Le verser dans la paellera avec tous les autres ingrédients, couvrir d'une feuille d'aluminium, porter à ébullition sur le feu, puis cuire de 25 à 30 min au four préchauffé à 220 °C. Attendre 10 min avant de servir.

PAGEOT Poisson de la famille des sparidés, voisin des dorades, appelé aussi « pageau » et « rousseau », pêché en Méditerranée et dans le golfe de Gascogne (**voir** planche des poissons de mer pages 674 à 677). En forme de fuseau trapu, il se distingue cependant des dorades par son ventre rectiligne. Long de 30 à 50 cm, il a le dos rose plus foncé, et pèse jusqu'à 1 kg. On l'accommode comme la dorade, mais il est un peu moins savoureux.

▶ Recette : PLANCHA.

PAGRE Poisson de la famille des sparidés, vivant en Méditerranée (surtout sur la côte espagnole) et dans l'Atlantique (au sud du golfe de Gascogne), mais qui se raréfie (**voir** planche des poissons de mer pages 674 à 677). Atteignant 0,75 m et 1,2 kg, de forme ovale, à grosses écailles, le pagre a le dos gris rosé, les flancs argentés et les nageoires marquées de brun-rouge. Sa chair, moins fine que celle de la dorade, est néanmoins savoureuse ; elle se cuisine comme cette dernière.

PAILLARD Célèbre restaurateur parisien du XIXe siècle. En 1880, il prit la direction de l'établissement situé à l'angle de la rue de la Chaussée-d'Antin et du boulevard des Italiens, tenu depuis 1850 par les frères Bignon. Fréquenté par tout le gotha d'Europe, *Paillard* devint très en vogue. Son propriétaire ouvrit un autre restaurant de luxe, *le Pavillon de l'Élysée*, surnommé le « petit Paillard ».

Par allusion à l'un des apprêts créés chez Paillard, on appelle « paillarde » une mince escalope de veau (parfois aussi une fine tranche de bœuf), bien aplatie et grillée ou poêlée.

PAILLASSON (GABRIEL) Pâtissier français (Feurs 1947). Fils d'un ouvrier tisseur, il fait son apprentissage à quatorze ans chez *Imbert* à Panissières, puis exerce chez Émile Barbet, Maurice Dessales, André Brochon et *Au Péché mignon*, avant de s'installer à son compte en 1973, à Saint-Fons dans la banlieue lyonnaise. En 1972, il est Meilleur Ouvrier de France en pâtisserie et, en 1976, Meilleur Ouvrier de France

Caractéristiques des principales recettes de base du pain

RECETTE	COMPOSITION	ASPECT DE LA CROÛTE	ASPECT DE LA MIE	SAVEUR
bis	farine dont le taux d'extraction est compris entre 80 et 82 %	foncée, uniforme	foncée, un peu rugueuse, alvéoles serrées	légère de son
blanc	fleur de froment	craquante, dorée	blanc crème, alvéoles régulières	non acide
campagne	farine bise, avec parfois farine de seigle	foncée, épaisse, en général farinée	alvéoles grossières, irrégulières	un peu acidulée
aux céréales	blé, orge, sarrasin, millet, maïs, etc., réduits en farine ou pilés	céréales apparentes broyées et son	serrée, marquée de céréales	de céréales
complet ou intégral	tout le grain de blé	épaisse, brun foncé	claire avec particules foncées, ferme au toucher, rugueuse	de froment, de son
de gruau	farine blanche pure	dorée	très blanche, alvéoles plutôt régulières	de froment
au lait	farine, lait, œufs, beurre, sucre, levure	moelleuse, marron clair, brillante	jaune, tendre, moelleuse, régulière	de brioche, non acide
au levain	levain naturel	épaisse	alvéoles irrégulières	typée, acide
de mie	pâte enrichie de lait, beurre, sucre, œufs	fine, lisse, blond foncé	moelleuse, blanche	de brioche
de seigle	farine de seigle (≥ 65 %), farine de froment	lisse, brune, brillante	brune, dense, alvéoles serrées	un peu aigre
de son	farine de blé, avec une part variable d'enveloppes de grains (son)	tigrée	teintée, son apparent, alvéoles fines, régulières	de son

glacier. Il mène avec passion des recherches sur la technique de la sculpture sur glace à la tronçonneuse, le sucre ajouré et le sucre carbone. En 1989, il est sacré Prévôt des Pâtissiers de France. Il fonde et préside la Coupe mondiale de la pâtisserie, qui se déroule tous les deux ans à Lyon dans le cadre du Salon international de la restauration, de l'hôtellerie et de l'alimentation. Ses biscuits glacés (ardéchois, poire, chocolat, rhum, ou mozart, disque de biscuit amande punché au sirop d'abricot, avec sorbet framboise couvert de sorbet abricot et mousse passion) ont beaucoup fait pour sa réputation.

PAILLE Se dit d'un apprêt de pommes de terre détaillées en longue julienne et frites. Évoquant par leur aspect de la paille dorée, les pommes paille accompagnent surtout les grillades.

PAILLETTE Petit-four sec en pâte feuilletée, souvent épicée ou aromatisée au parmesan, en forme de bâtonnet. Les paillettes se servent à l'apéritif et accompagnent consommés, poissons, fromages.

PAIN Aliment fait de farine pétrie avec de l'eau et du sel, fermentée, diversement façonnée ou moulée, et cuite au four. C'est l'action d'un agent levant qui donne au pain son caractère propre.
■ **Histoire.** On attribue l'invention du pain levé aux Égyptiens, qui confectionnaient des galettes à base de millet et d'orge, cuites sur des pierres chauffées, et qui auraient découvert la fermentation.
Lors de l'Exode hors d'Égypte (vers 1250 av. J.-C.), les Hébreux n'emportèrent pas de levain, d'où la tradition du pain azyme, non levé, pour commémorer le passage de la mer Rouge. Les Grecs faisaient cuire sur un gril ou dans une sorte de poêle des pains de froment, mais surtout de seigle ou d'avoine ; quant aux Romains, ils cuisaient leurs pains dans des fours domestiques, faits de brique et de terre, et les aromatisaient souvent. Les Gaulois faisaient intervenir de la cervoise dans le pétrissage, et obtenaient un pain bien levé de grande réputation. C'est au Moyen Âge que commença à se développer la profession de boulanger ; à partir de cette époque, les pains sont extraordinairement variés. Au XVIIe siècle apparut un nouveau mode de fermentation, avec du lait, du sel et de la levure de bière. On fabriqua dès lors d'autres pains, plus délicats et façonnés en long. Pendant longtemps, la qualité du pain fut liée à celle de la farine employée et donc à sa couleur : pain blanc et fin pour les riches, pain noir et grossier pour les pauvres. En 1840, le pain « viennois » fut introduit en France par un certain Zang, secrétaire de l'ambassade d'Autriche à Paris, qui créa la première boulangerie utilisant les procédés viennois.
■ **Fabrication.** La panification comporte trois opérations principales : le pétrissage, la fermentation et la cuisson, après mise en forme.
● **PÉTRISSAGE.** Il consiste à mélanger de façon homogène l'eau, la levure ou le levain et la farine, avec un peu de sel pour améliorer le goût final. Autrefois, le pétrissage était fait « à bras », ce qui était fatigant et peu hygiénique ; aujourd'hui, le pétrissage mécanique s'est généralisé. L'autolyse est un procédé qui permet d'améliorer souplesse et volume de la pâte et d'éviter le cintrage des pains. Il consiste à mélanger d'abord l'eau et la farine pendant 4 ou 5 minutes puis, après un repos de 20 à 40 minutes, la levure ou le levain et un peu de sel.
Il existe plusieurs types de pétrissage, plus ou moins longs, et dans lesquels la température et le taux d'hydratation de la pâte (pourcentage d'eau par rapport à la quantité de farine employée) jouent un rôle très important. La « pétrie » dure entre 10 et 20 minutes. La pâte douce (pour les pains au lait, brioches, etc.) contient de 65 à 70 % d'eau ; la pâte bâtarde (utilisée pour le pain de consommation courante) est hydratée aux environs de 60 à 65 %, et la pâte ferme (pour le feuilletage et les pâtons surgelés) comporte entre 55 et 60 % d'eau.
C'est au cours du pétrissage que la pâte est ensemencée, soit avec du levain de pâte, soit avec de la levure industrielle.
● **FERMENTATION.** Ce phénomène naturel et spontané se produit à une température favorable quand on mélange un agent levant à la farine pétrie avec de l'eau.
On distingue la fermentation « sauvage », ou « endogène », faite au levain (pâte levée de la fournée précédente, ajoutée à la nouvelle), et la fermentation génétiquement contrôlée, ou « exogène », faite avec de la levure industrielle (obtenue par sélection de souches de ferments cultivés sur des terrains biologiques).

Caractéristiques des principales spécialités régionales françaises de pains

SPÉCIALITÉ	PROVENANCE	RECETTE DE BASE	DESCRIPTION
Nord			
faluche	Nord	pain blanc	façonné en disque plat, cuit très blanc
régence	Picardie	pain blanc	petites boules juxtaposées en long
Ouest, Centre-Ouest			
brié	Normandie	pain sur levain, à mie serrée	écrasé avec une bric (plateau de bois) pour éviter air et moisissures
fouace	Anjou	pain au levain	palette ajourée, souvent avec lardons
fouée	Touraine	restes de pâtes	ronde, plate
maigret	Mayenne	pain bis	pain à potage, à croûte épaisse
pain mirau	Côtes-d'Armor	recette secrète	boule fendue ou en bande, mie dense, ferme
pain de Morlaix	pays de Léon	pain blanc	dense, aplati, replié en portefeuille
tourton	Vendée	pain fermenté, enrichi de lait, beurre, œufs	boule d'aspect rustique, croûte terne, un peu rouge
Centre			
cordon	Côte-d'Or	froment bise	double ligne de fracture sur le dessus
pain à tête	Auvergne	pain de campagne	rond coiffé avant fermentation d'une boule de pâte aplatie au rouleau
polka	Centre	pain blanc fermenté au levain	croûte épaisse quadrillée
tourte	Massif central	pain rustique, farine blanche, complète, seigle	rond en boule
Est, Centre-Est			
couronne	Ain	pain blanc ou campagne	galette trouée au centre, à croûte très cuite
pistolet	Est	pain de gruau	petit, rond, fendu
tabatière	Doubs, Jura	pain au levain	rond refermé d'une pliure de pâte
Sud			
charleston	Aude, Hérault	pain blanc	fendu en biais
coiffé	Pyrénées-Orientales	pain blanc	rond, peu épais, replié quatre fois sur lui-même vers le centre
couronne bordelaise	Bordeaux	pain blanc au levain	disque percé au centre avant fermentation
fougasse	Provence	pain au levain	épaisse galette entaillée
main provençale	Nice	pain blanc	garni de quatre « doigts »
michette	Midi	pain blanc	à croûte très mate
pain de Lodève	Hérault	pain bis, enrichi avec levain	croûte très grignée en longueur
porte-manteau	Haute-Garonne	pain blanc ou bis	long, aplati aux extrémités, roulé sur lui-même
ravaille	Ariège	pain blanc	pain au fromage
tignolet	Pays basque	pain blanc	plié avec protubérance sur le dessus
tordu	Pyrénées	pain blanc	étiré, fendu, tordu comme un torchon
tresse	Toulouse	pain blanc à l'anis	tresse
Corse			
coupiette	Corse	pain blanc	à deux lobes, croûte épaisse
toute la France			
benoîton	toute la France	pain au seigle avec raisins de Corinthe	individuel, en général long
empereur	toute la France	pain de gruau	petit, rond, individuel

Dans le premier cas, le boulanger prélève dans une fournée du jour le « chef » (dit encore « mère » ou « pied de cuve ») qui assurera la fermentation du lendemain. Celle-ci, qui rend le pain plus léger en y créant des alvéoles, lui confère aussi ses caractères organoleptiques et sa personnalité. Les ferments rencontrent dans la pâte humide et chaude des glucides, sur lesquels ils agissent en produisant des bulles gazeuses, qui finissent par soulever la pâte : c'est la phase du « pointage en masse », qui a lieu dans le pétrin. Vient ensuite le moment du pesage et du façonnage, c'est-à-dire de la mise en forme de la pâte, suivie de la mise sur couches ou parfois en bannetons, où la pâte poursuit son travail de « pousse » : c'est l'apprêt.

• CUISSON. Elle peut se faire au fuel, au gaz ou à l'électricité, mais la traditionnelle cuisson au feu de bois conserve ses adeptes.

Les pains sont enfournés le plus rapidement possible, à l'aide d'un tapis enfourneur ou d'une pelle en bois à très long manche ; une fois cuits, brûlants et bien colorés, ils sont défournés et déposés dans la « pièce à ressuer », aérée mais sans courant d'air, où ils prennent doucement la température ambiante. Le ressuage est l'opération ultime de la panification : le pain perd son humidité avant de passer sur les étagères du magasin. Dans la boulangerie industrielle actuelle, toutes ces opérations sont mécanisées.

La panification dite « fine » concerne l'ensemble des produits spéciaux comme les longuets, les pains de mie, les gressins, les pains grillés, les pains braisés (qu'il ne faut pas confondre avec la biscotterie proprement dite), de fabrication industrielle.

Quant à la néopanification, c'est le secteur de la boulangerie industrielle qui englobe les pains diététiques et les pains pouvant se conserver plusieurs jours, voire plusieurs semaines, en général prétranchés (pains briochés, pains « de campagne », « aux céréales », de seigle, « goût étranger », enrichis au son, sans sel, au gluten, etc.) et vendus souvent dans les magasins à grande surface (voir BOULANGERIE).

■ **Réglementation et dénominations.** En France, la vente du pain est réglementée par un décret du 13 septembre 1993 qui stipule, notamment, que : « peuvent seuls être mis en vente ou vendus sous la dénomination de "pain maison" ou sous une dénomination équivalente les pains entièrement pétris, façonnés et cuits sur leur lieu de vente au consommateur final. Toutefois, cette dénomination peut également être utilisée lorsque le pain est vendu au consommateur final, de façon itinérante, par le professionnel qui a assuré sur le même lieu les opérations de pétrissage, de façonnage et de cuisson ».

Certaines catégories de pains sont encadrées par ce même décret : « Peuvent seuls être mis en vente ou vendus sous la dénomination de "pain de tradition française", "pain traditionnel français" ou "pain traditionnel de France" ou sous une dénomination combinant ces termes les pains, quelle que soit leur forme, n'ayant subi aucun traitement de surgélation au cours de leur élaboration, ne contenant aucun additif… ». La composition de la pâte est également strictement définie : elle doit, notamment, être exclusivement composée d'un mélange de farines panifiables de blé, d'eau potable et de sel de cuisine ; elle doit être fermentée à l'aide de levure de panification et de levain, ou de l'un seul de ces agents.

Le « pain au levain » et le « pain biologique » doivent également répondre à des critères bien spécifiques.

Outre le pain de consommation courante, on trouve en France des pains spéciaux (pain de mie, pain complet, de seigle, au son, au gluten, etc.), mais aussi des pains dont la saveur et le parfum varient selon les aromates, condiments ou graines entrant dans leur composition (ail, algues, cumin, emmental, figue, herbes de Provence, lin, noix, oignon, olive, pavot, raisin, roquefort, sésame, tournesol, etc.).

■ **Pains du monde entier.** Qu'il soit fermenté ou très peu levé, fait de blé, de riz, de maïs ou de seigle, le pain se trouve partout, avec des techniques de cuisson variées : dans l'huile, en terrine, comme certains pains d'Afrique du Nord, au contact de la chaleur sèche (la grande majorité des pains sont cuits au four), mais parfois à la vapeur, comme en Chine.

En Scandinavie, les pains (souvent de seigle) sont très divers. En Allemagne, il existe une très grande variété de pains (au blé, au froment, au seigle, parfumés de graines de cumin, de lin, de sésame, de tournesol, etc.) dont l'étonnant *Pumpernickel*, un pain de seigle à mie presque noire. On y déguste aussi le pain Graham (nutritionniste américain de la fin du XIXe siècle, qui lança la production industrielle de pain de farine intégrale) et des pains blancs au babeurre ou aux amandes, quand ils ne sont pas de pur froment, et façonnés en forme de salamandre, de tortue, de tresse, de soleil, de violon, etc.

Dans les pays méditerranéens, les pains ont souvent une pâte compacte, très blanche, parfois pétrie avec de l'huile, comme le pain d'Alger, ovale et à bouts pointus, ou le pain tunisien, plat et rond.

Aux États-Unis comme en Angleterre, on consomme souvent du pain de mie, parfois légèrement brioché ; le *corn bread*, jaune car fait de farine de maïs, est une spécialité américaine.

En Russie, on retrouve les boules de pain de seigle à mie dense et brune, typique des pays de l'Est.

■ **Gastronomie et diététique.** Seul aliment qui, comme le vin, est en France présent sur la table du début à la fin du repas, le pain constitue l'accompagnement traditionnel de tous les mets.

Mais il intervient également en cuisine et en pâtisserie comme ingrédient. Il joue un rôle important dans de nombreuses soupes ; indispensable pour la fondue savoyarde, il fournit, réduit en poudre ou tamisé, la chapelure et la panure. Imbibé de lait, il s'emploie pour les panades, les farces et divers appareils. Enfin, on le retrouve dans certains entremets (pudding).

Un « bon » pain doit avoir une croûte craquante, bien dorée, relativement épaisse, et une mie fondante. Un rassissement trop rapide est signe de mauvaise qualité, de même que la fadeur.

Le pain se sert frais, mais non chaud, légèrement rassis pour le pain de seigle, de préférence le lendemain de la cuisson pour les gros pains de campagne au levain. On le taille au dernier moment, en tranches pas trop minces pour qu'il conserve toute sa saveur, ou en petits tronçons pour la baguette et autres pains longs.

Une ration quotidienne de 300 g de pain fournit 125 g de glucides à absorption lente, 25 g de protides d'origine végétale, 2 g environ de lipides, des sels minéraux (calcium, magnésium, phosphore, potassium), et donne 750 Kcal ou 3135 kJ (le tiers de la ration quotidienne moyenne), mais l'apport varie selon la nature de la farine.

Les nutritionnistes s'accordent à reconnaître qu'un « bon » pain constitue une base alimentaire indispensable, parfaitement équilibrée.

---

pâte à pain : préparation

Verser 500 g de farine (type 55 ou 65) sur le plan de travail, creuser une fontaine et y ajouter 9 g de sel puis 7 à 10 g de levure et 315 g d'eau. Faire dissoudre le sel et la levure dans l'eau, en remuant à la main, puis prélever progressivement de la farine sur la périphérie intérieure de la fontaine et mélanger jusqu'à ce que toute la farine soit intégrée (compter environ 5 min). Effectuer quelques étranglements dans la pâte avant de la découper. Prendre avec les mains 1/3 de la pâte et la plaquer énergiquement contre la boule restante ; recommencer cette opération pendant environ 5 min pour obtenir une pâte homogène. Étirer ensuite le morceau de pâte verticalement puis le replier sur lui-même en effectuant des gestes rapides afin d'emprisonner le maximum d'air (environ 12 min). Mettre la pâte en boule et la déposer dans un récipient légèrement fariné ; couvrir avec un film alimentaire ou un torchon pour qu'elle ne dessèche pas et laisser reposer de 45 à 60 min dans un lieu tempéré (de 20 à 22 °C). La pâte doit doubler de volume. Diviser la pâte en plusieurs morceaux selon les formes choisies (boule, miche, etc.) et la capacité du four et laisser de nouveau reposer 20 min. Procéder ensuite au façonnage. Pour faire une boule, aplatir la pâte, prendre une partie de celle-ci, la placer au centre de la boule avec le bout des doigts et répéter cette opération tout autour de la pâte. Reformer une boule avec les mains. Laisser reposer la pâte dans un endroit tempéré pendant 90 min environ ; le pâton va de nouveau doubler de volume. Inciser la pâte, à l'aide d'un cutter réservé à cet usage, pour éviter que le pain n'éclate sous la pression du gaz carbonique produit pendant la cuisson. Préchauffer le four ; prévoir la température et le temps de cuisson en fonction de la taille du pain : 240-250 °C pendant 22 à 25 min pour un pain court de 350 g ; 220 °C pendant 45 min pour une boule de 800 g ; 240 °C pendant 12 à 15 min pour des petits pains de 80 g. Placer si possible dans le four un récipient rempli d'eau à côté du pain pour obtenir de la vapeur d'eau qui donnera au pain un aspect brillant.

pain aux lardons

Griller 300 g de lard fumé, coupé en tranches fines, puis le détailler en très petits morceaux. Pétrir 500 g de farine bise de blé avec 150 cl d'eau et 15 g de levure fraîche jusqu'à ce que la pâte soit souple. Ajouter les lardons et laisser fermenter 2 heures à 20-22 °C. Façonner la pâte en masse oblongue et la déposer dans une terrine de 1 kilo. Laisser de nouveau lever 2 heures, toujours à 20 °C. Cuire au four préchauffé à 200-220 °C. Démouler et laisser reposer 2 heures.

panade au pain ▶ PANADE
pudding au pain à la française ▶ PUDDING

PAIN (MACHINE À)

Appareil électroménager destiné à fabriquer sans effort du pain chez soi. Il suffit d'introduire les bonnes quantités de farine, de sel, de levain (on trouve dans le commerce des mélanges prêts à l'emploi) et d'eau ; la machine assure le mélange, le pétrissage et, après un temps de repos, la cuisson. Selon le modèle et le programme choisis, l'opération dure de une à plusieurs heures et permet de confectionner de 500 g à 1,2 kg de pain, plus ou moins cuit. Avec un peu d'expérience, on peut ainsi faire du pain frais à son goût personnel, mais aussi de la brioche ou du cake.

PAIN AU CHOCOLAT

Petit apprêt de viennoiserie fait d'un rectangle de pâte à croissant replié en portefeuille sur deux barres de chocolat et cuit au four.

PAIN DE CUISINE

Apprêt fait d'une farce moulée, généralement cuit au four, au bain-marie. L'élément de base de la farce est de la chair de poisson, de crustacé, de volaille, de viande blanche ou de gibier, voire du foie gras ; les pains de légumes se préparent souvent avec des plantes herbacées, braisées et additionnées d'œufs battus, mais aussi avec des aubergines, du chou-fleur, des carottes, des fonds d'artichaut.

Moulés en rond, en couronne ou en brique (moules à cake, à charlotte, à savarin et même à dariole, s'il s'agit de garniture), les pains de légumes, nappés ou non d'une sauce crème, se servent en entrée ou en accompagnement. Certains pains de poisson, de crustacé ou de volaille sont également moulés en gelée, comme des aspics.

pain d'épinard à la romaine

Cuire à la vapeur 500 g d'épinards en branches, bien les presser, puis les mélanger avec du beurre fondu. Ajouter 4 ou 5 filets d'anchois complètement dessalés et coupés en très petits dés, puis 2 œufs battus. Rectifier l'assaisonnement en sel, poivre, noix de muscade et verser dans un moule à cake chemisé de papier sulfurisé et beurré. Cuire 45 min, au bain-marie, au four préchauffé à 200 °C.

pain de poisson

Détailler en dés 500 g de chair débarrassée de sa peau et de ses arêtes (brochet, carpe, saumon). Saupoudrer avec 6 g de sel, une pincée de poivre blanc et un peu de muscade râpée. Piler finement au mortier ou passer au mixeur. Piler également 250 g de panade à la farine (voir page 613), y ajouter 250 g de beurre et les incorporer à la purée de poisson. Mélanger le tout au mortier ou au mixeur. Ajouter alors, toujours en travaillant, 1 œuf entier et 4 jaunes, un par un. Passer l'appareil au tamis fin ; le mettre dans une terrine et le remettre dans le mixeur pour le rendre bien lisse. Le verser dans un moule rond, uni et beurré. Cuire de 45 à 50 min, au bain-marie, dans le four préchauffé à 200 °C. Démouler sur un plat de service et présenter avec un beurre blanc ou une sauce pour poisson poché chaud.

pain de viande, de gibier ou de volaille

Préparer une farce mousseline (voir page 353) avec du veau, de la volaille ou du gibier (bécasse, chevreuil, faisan, levraut ou perdreau). Emplir de cette farce, jusqu'à 1 cm du bord, un moule à savarin beurré. Cuire de 45 min à 1 heure, au bain-marie, dans le four préchauffé à 200 °C. Laisser reposer quelques instants, puis démouler sur un plat rond chauffé. Napper de sauce crème ou d'une autre sauce qui déterminera en principe son appellation.

PAIN D'ÉPICE

Gâteau de diverses formes fait d'une pâte à base de farine, de miel et d'épices. La confection de pains ou de galettes additionnés de miel, seul produit sucrant connu pendant longtemps, est très ancienne.

■ **Histoire.** Il semble que ce soit au XIe siècle, à la faveur des croisades, que l'Europe découvrit le pain d'épice. À Pithiviers, on soutient que celui-ci fut introduit dans la ville par saint Grégoire, un évêque arménien qui s'y serait réfugié à la même époque. Quoi qu'il en soit, c'est à ce moment que la fabrication du pain d'épice se répandit dans les pays correspondant aujourd'hui à la Hollande, l'Angleterre, l'Allemagne, la Belgique, la France et l'Italie.

Fondée à Reims, la corporation des « pain d'épiciers » fut reconnue officiellement par Henri IV en 1596. Cette ville en conserva la primauté jusqu'à la Révolution, puis Dijon, où la production locale donna naissance à un commerce florissant, prit définitivement le relais.

Jadis, le pain d'épice s'imposa surtout comme une friandise de foire. À Paris, la Foire au pain d'épice, qui devint la Foire du Trône au XIXe siècle, se tenait depuis le XIe siècle à l'emplacement de l'actuel hôpital Saint-Antoine, où se trouvait alors une abbaye. Les moines y vendaient leur propre production, en forme de petits cochons et autres animaux, un des multiples aspects que prit le pain d'épice au cours des siècles et dans différents pays, outre le gros pavé classique ou la boule ; on moulait également des scènes de la mythologie ou de la vie quotidienne. Les « épices » restent, avec le miel, la caractéristique du pain d'épice, qui se nomme Pfefferkuchen (« gâteau au poivre ») en Allemagne et gingerbread (« pain au gingembre ») en Angleterre.

■ **Fabrication.** Aujourd'hui, on distingue en France deux types de pain d'épice : celui de Dijon, à la farine de blé et aux jaunes d'œuf, et la couque, à la farine de seigle ; la demi-couque, ou couque bâtarde, fabriquée avec un mélange de farines, est surtout employée pour les gros pains d'épice en pavé. Dans les fabrications industrielles, le miel est remplacé, totalement ou en partie, par des matières sucrantes, et les aromates sont souvent des essences artificielles, mais la préparation respecte toujours la méthode traditionnelle : la « pâte mère », obtenue en mélangeant la farine et les matières sucrantes, subit une maturation au frais et au sec pendant un mois environ ; ensuite, elle est additionnée de poudre levante et d'épices, mise en forme, enduite d'un mélange de lait et d'œuf pour dorer le dessus, et cuite au four. Le pain d'épice courant est conditionné en pavés tranchés, tandis que le pain d'épice fantaisie est découpé en cœurs et sujets divers.

Consommé essentiellement au goûter ou comme friandise, à l'occasion de fêtes (notamment en Belgique et en Allemagne), le pain d'épice connaît aussi quelques emplois en cuisine, pour épaissir une sauce, un ragoût, une carbonade, en particulier lorsqu'il s'agit d'une recette à la bière.

carottes nouvelles confites en cocotte,
caramel au pain d'épice ▶ CAROTTE
charlotte au pain d'épice et aux fruits secs d'hiver ▶ CHARLOTTE

RECETTE DE CHRISTINE FERBER

pain d'épice à découper

POUR 60 PETITES FORMES (sapin, langues, animaux, etc.)
– PRÉPARATION : 15 min + 40 min – REPOS DE LA PÂTE :
1 semaine – CUISSON : 8 à 10 min

« Une semaine à l'avance, faire chauffer 500 g de miel de sapin jusqu'à 40 °C. Avec une cuillère en bois, le mélanger à 500 g de farine tamisée. Couvrir la pâte. La garder une semaine à température ambiante. Le jour même, mettre dans un robot ménager équipé d'un crochet la pâte au miel coupée en morceaux, le jaune de 1 œuf moyen, 5 g de cannelle, 10 g d'épices à pain d'épice, 3 pointes de couteau de zestes d'orange et autant de zestes de citron, 5 g de bicarbonate de potassium et 5 g de bicarbonate d'ammonium dilué chacun dans 1 cuillerée à café d'eau. Mélanger jusqu'à ce que la pâte soit homogène. Préchauffer le four à 170 °C. Faire cuire 8 à 10 min la pâte étalée sur 3 mm d'épaisseur et découpée avec l'emporte-pièce choisi puis badigeonnée de lait. Ces pains d'épices se conservent plusieurs mois dans des boîtes métalliques. »

« De la farine, du sel, un peu d'eau, du levain et des gestes simples. Les boulangers de POTEL ET CHABOT et de l'HÔTEL DE CRILLON pétrissent et apprêtent le pain maison en petites miches ou en bannetons. La croûte sera craquante et la mie fondante… L'essentiel est là. »

PAIN DE GÊNES Grosse pâtisserie en pâte à biscuit, riche en beurre et en amandes pilées, à ne pas confondre avec la génoise. Plus ou moins léger selon que les blancs d'œuf sont ou non incorporés séparément, montés en neige, le pain de Gênes se cuit dans un moule spécial, rond et plat, à bord cannelé.

pain de Gênes

Fouetter énergiquement 125 g de beurre en pommade avec 150 g de sucre en poudre, puis incorporer 100 g de poudre d'amande. Ajouter 3 œufs, un par un, 40 g de fécule de maïs, puis 1 pincée de sel ; bien travailler. Parfumer avec 1 petit verre de liqueur. Beurrer un moule à pain de Gênes, garnir le fond d'un disque de papier sulfurisé beurré et verser la pâte. Cuire 40 min au four préchauffé à 180 °C. Démouler chaud et retirer le papier.

PAIN AU LAIT Produit de viennoiserie (**voir** ce mot) en pâte levée, au lait, de forme allongée ou ronde, parfois semé de grains de sucre. On sert le pain au lait au petit déjeuner ou au thé, et on l'utilise aussi pour faire des petits sandwichs (il en existe de format miniature, les navettes, pour les buffets).

pains au lait

Disposer 500 g de farine tamisée en fontaine sur un plan de travail ; ajouter au centre 1 grosse pincée de sel, 20 g de sucre en poudre et 125 g de beurre ramolli. Mêler les éléments, puis mouiller de 25 cl de lait bouilli tiède. Pétrir, puis ajouter 200 g de levain de pain ; rassembler la pâte en boule, la couvrir d'un torchon et laisser lever 12 heures à l'abri des courants d'air. Diviser alors la pâte en une vingtaine de boules de 50 g environ, les fendre en croix sur le dessus, les dorer à l'œuf et les cuire 45 min à four chaud.

PAIN DE MIE Pain de section carrée ou ronde, caractérisé par une mie dense et blanche et une croûte presque inexistante, utilisé grillé ou légèrement rassis pour réaliser toasts, sandwichs, canapés et croûtons. Fait de farine, de sel, de sucre, de lait, de beurre et de levure fraîche et cuit en boule, le pain de mie ne doit pas être confondu avec le pain brioché, qui est beaucoup plus riche en beurre.

PAIN DE NANTES Petit gâteau rond, fait d'une pâte aromatisée au citron ou à l'orange et cuit dans un moule tapissé d'amandes effilées ; il est abricoté, puis nappé de fondant et poudré de grains de sucre.

pains de Nantes

Mettre dans une terrine 100 g de beurre ramolli à la cuillère de bois, 100 g de sucre en poudre, 1 pincée de sel, 1/2 cuillerée à café de bicarbonate de soude et le zeste de 1 citron ou de 1 orange frotté sur du sucre ou râpé. Bien travailler ces éléments jusqu'à consistance de crème. Incorporer alors 2 œufs entiers et 125 g de farine tamisée en battant vivement la pâte. En garnir des moules à tartelette beurrés et parsemés d'amandes effilées bien sèches. Cuire 20 min au four préchauffé à 190 °C. Démouler les gâteaux sur une grille. Les masquer de marmelade d'abricot, puis les napper de fondant parfumé au marasquin. Poudrer de sucre en grains rose.

PAIN PERDU Entremets réalisé avec des tranches de pain (ou de brioche, ou de pain au lait) rassis, trempées dans du lait, passées dans des œufs battus avec du sucre, puis poêlées au beurre. Le pain perdu se sert chaud et croustillant.

Autrefois conçu pour ne pas laisser perdre de pain, le pain perdu se faisait avec les croûtes et les morceaux laissés sur la table ; aujourd'hui, on utilise souvent du pain brioché. On peut l'accompagner d'une crème anglaise, de confiture, de compote ou de fruits poêlés.

pain perdu brioché

Faire bouillir 1/2 litre de lait avec 1/2 gousse de vanille et 100 g de sucre, puis le laisser refroidir. Couper 250 g de brioche rassise en tranches assez épaisses et de même dimension. Les faire tremper dans le lait refroidi, sans les laisser se défaire, puis les passer une à une dans 2 œufs battus

en omelette avec du sucre en poudre ; les dorer dans une poêle avec 100 g de beurre. Quand les tranches sont bien dorées d'un côté, les retourner pour faire dorer l'autre face. Les dresser sur un plat rond, les poudrer de sucre fin et servir.

PAIN DE POIRES Pâtisserie suisse consistante, composée d'une pâte brisée au beurre, fourrée généralement de poires séchées, cuites et réduites en purée.

PAIN AUX RAISINS Viennoiserie en pâte levée briochée garnie de crème pâtissière ou de crème d'amandes et de raisins secs. La pâte est enroulée en spirale, détaillée en morceaux de 1,5 cm d'épaisseur, mise à lever puis dorée à l'œuf et cuite sur plaque au four. Le pain aux raisins est aussi appelé « escargot » ; quand il est garni de fruits confits et recouvert de fondant blanc, il est appelé « brioche suisse ».

Dans le nord de la France, on prépare un « carré raisins », produit de viennoiserie fabriqué en pâte feuilletée agrémentée de raisins secs et débitée en carrés de 9 x 9 cm.

pains aux raisins

Délayer 15 g de levure de boulanger avec 3 cuillerées à soupe de lait et 3 cuillerées à soupe de farine ; poudrer avec 3 cuillerées à soupe de farine et laisser lever 30 min dans un endroit tiède. Mettre 300 g de farine dans une terrine, ajouter le levain, puis 30 g de sucre en poudre, 3 œufs et 6 g de sel fin ; pétrir 5 min en tapant la pâte sur la table pour la rendre élastique ; ajouter 3 cuillerées de lait et bien mélanger. Ramollir 150 g de beurre à la spatule, l'incorporer à la pâte, puis ajouter 100 g de raisins de Corinthe, préalablement gonflés à l'eau tiède et égouttés. Pétrir encore un peu et laisser reposer 1 heure dans un endroit tiède. Rouler la pâte en boudins, enrouler ceux-ci en spirale et les laisser lever 30 min sur une tôle à pâtisserie, à l'abri des courants d'air. Dorer les pains à l'œuf, les poudrer de sucre en grains, et cuire 20 min au four préchauffé à 210 °C. Servir tiède ou froid.

PAK-CHOÏ ▶ **voir** CHOU CHINOIS

PALAIS Membrane charnue de la partie supérieure de la cavité buccale des animaux de boucherie, classée dans les abats rouges. Très estimé jusqu'au XIXe siècle, le palais de bœuf (et parfois aussi de mouton) était dégorgé, blanchi et rafraîchi, détaillé puis accommodé en fritots, en gratin, à la lyonnaise, etc. Aujourd'hui, on l'utilise parfois comme complément dans la préparation du museau de bœuf.

PALAY (MAXIMIN, DIT SIMIN) Écrivain régionaliste français (Casteide-Doat 1874 - Gelos 1965). « Majoral » du félibrige (école littéraire), ce Béarnais rassembla dans un *Dictionnaire du béarnais* (1932) de nombreuses traditions culinaires du Sud-Ouest ; il réunit aussi, sous le titre *la Cuisine du pays* (1936), les recettes typiques de l'Armagnac, du Pays basque, du Béarn, de la Bigorre et des Landes, émaillées de dictons, de tours de main et d'indications sur les ustensiles et les ingrédients utilisés dans ces régions.

PALÉE Poisson de la famille des salmonidés, cousin de la féra. Cette variété de corégone, qui peut atteindre 60 cm de long, se pêche en Suisse, dans les lacs Léman et de Neuchâtel. Elle se prépare généralement pochée au vin blanc.

PALERON Morceau de viande de bœuf composé des muscles situés sur la face externe de l'omoplate, à l'exclusion du jumeau à bifteck. De consistance gélatineuse après cuisson aqueuse, le paleron est parfait pour les braisés ou le pot-au-feu ; paré, il peut être aussi utilisé en biftecks. Parfois, les professionnels l'appellent encore, comme autrefois, « macreuse gélatineuse », « palette de macreuse », « macreuse à braiser » ou encore « filet de corneille » à Rouen.

Le paleron désignait, dans l'ancienne découpe parisienne, le morceau de gros du bœuf comprenant l'épaule avec le collier attenant (**voir** planche de la découpe du bœuf pages 108 et 109).

PALET Petit-four sec, plat et rond, fait d'une pâte à biscuit plus ou moins riche en beurre, aromatisée de différentes façons (rhum, anis, vanille, cassonade, etc.), additionnée d'amandes en poudre, de zeste confit, etc. Les palets de dames comportent traditionnellement des raisins de Corinthe.

palets de dames

Laver 80 g de raisins de Corinthe et les faire macérer dans 1 petit verre de rhum. Mélanger 125 g de beurre ramolli et 125 g de sucre en poudre ; travailler la pâte au fouet, puis incorporer 2 œufs, un par un, et mélanger intimement. Ajouter ensuite 150 g de farine, les raisins avec leur rhum et 1 pincée de sel. Bien mélanger. Beurrer une tôle à pâtisserie, la poudrer légèrement de farine et y déposer des petites masses de pâte bien séparées les unes des autres. Cuire 25 min au four préchauffé à 240 °C.

PALET D'OR Bonbon de chocolat, de forme ronde ou carrée, composé d'une ganache nature épaisse de 6 mm, enrobé d'une fine couche de chocolat noir dont un seul côté est lisse et brillant et décoré d'une pointe d'or. Aujourd'hui beaucoup de bonbons au chocolat sont appelés « palets » avec une autre appellation : palet au café, par exemple.

PALETOT Carcasse de palmipède (oie grasse ou canard), partiellement désossée. Après séparation du cou et des ailerons, le désossage s'effectue à partir du dos, de l'intérieur, pour prélever les os de la cage thoracique, de la colonne vertébrale, du bassin et du bréchet. La pièce a alors un aspect qui la fait ressembler à un vêtement. La peau, grasse, est découpée en petits morceaux et cuite ; elle fournit la graisse qui recouvre les morceaux de confit. Hachée très fin, elle est parfois utilisée dans certains produits de charcuterie pour en rehausser la saveur.

PALETTE Ustensile formé d'une lame large et souple en acier inoxydable, non coupante, de forme carrée, rectangulaire ou légèrement trapézoïdale à bout arrondi. Montée sur un manche court, la palette sert à décoller les pâtisseries de la tôle du four, à retourner certains apprêts en cours de cuisson ou à les faire passer sur le plat de service sans les briser. La palette en caoutchouc, à spatule courte aux bords amincis, sert à racler sur les parois d'un récipient de préparation la totalité d'un appareil (crème, farce, pâte, sauce) que l'on transvase dans un moule, un compotier, une coupe, etc.

PALETTE (VIANDE) Partie de l'épaule du porc comportant l'omoplate (**voir** planche de la découpe du porc page 699). La palette s'utilise crue, rôtie ou à la casserole, en demi-sel ou fumée. Elle accompagne certains légumes secs, la choucroute et la potée. La « palette à la diable » est une spécialité alsacienne, chaude ou froide : le morceau légèrement saumuré est recouvert de moutarde mélangée à du persil et à des oignons hachés, le tout entouré d'une crépine.
▶ Recette : PORC.

PALETTE (VIN) Aux portes d'Aix-en-Provence, le petit vignoble de Palette produit des vins AOC rouges et rosés, issus des cépages mourvèdre, grenache et cinsault, ainsi que des blancs, issus des cépages clairette, grenache blanc et ugni blanc. Tous présentent une grande finesse des arômes, du fruit et de l'équilibre.

PALLADIN (JEAN-LOUIS) Cuisinier français (Toulouse 1946 - New York 2002). Formé à l'école hôtelière de Toulouse, il travaille à l'*Hôtel de Paris* à Monaco et au *Plaza Athénée*. Il obtient deux étoiles au Guide Michelin en 1974 à *la Table des Cordeliers* de Condom (Gers) : à vingt-huit ans, il est alors le plus jeune chef à obtenir cette récompense. Il quitte la France pour les États-Unis en 1979 et se lance à la conquête de Washington avec le restaurant *Jean-Louis at Watergate*. Il travaille avec succès les produits locaux : crabe bleu et poissons de roche de la baie de Chesapeake, légumes de Virginie, volailles et viandes rouges pour lesquels il encourage les fermiers locaux à travailler. Il marie la soupe de maïs aux crevettes et truffes noires, ou les algues en consommé avec homard et gingembre. Décédé trop tôt, il a formé de nombreux chefs qui ont créé une fondation portant son nom, dont le but est de faire travailler les cuisiniers américains avec des produits de qualité.

PALMIER Arbre tropical de la famille des arécacées, dont les nombreuses espèces fournissent des produits alimentaires variés. On mange les fruits du palmier (dattes, noix de coco) et ses bourgeons (chou palmiste ou « cœur de palmier »). La fécule extraite du tronc donne le sagou. De la sève, on tire le vin de palme. Certaines espèces de palmier donnent du sucre, de l'huile et un « beurre » végétal.

cœurs de palmier aux crevettes

Égoutter des cœurs de palmier en conserve, les rafraîchir sous l'eau froide, les éponger et les détailler en une grosse julienne. Préparer une mayonnaise légère assez relevée et colorée soit avec du ketchup, soit avec une fondue de tomate très réduite et tamisée. Décortiquer des queues de crevettes cuites à l'eau salée. Ébouillanter des germes de soja, puis les rafraîchir à l'eau froide et les essorer. Mélanger tous les éléments et mettre au frais. Tapisser des coupes individuelles d'une chiffonnade de laitue, répartir le mélange dedans et réserver au réfrigérateur jusqu'au moment de servir.

*homard en moqueca, cœurs de palmier
et noix de cajou* ▶ HOMARD

PALMIER (GÂTEAU) Petit gâteau de pâte feuilletée, tourée au sucre glace ou semoule, fait d'une double roulade de pâte détaillée en tranches, dont la forme caractéristique évoque le feuillage d'un palmier. Le palmier est soit un gâteau individuel, soit un petit-four sec (pour accompagner les glaces et les entremets).

palmiers

Prendre du feuilletage à 4 tours et lui donner 2 nouveaux tours en poudrant copieusement de sucre glace. Étendre la pâte en une abaisse rectangulaire de 20 cm de large sur 1 cm d'épaisseur. Poudrer encore de sucre glace. Replier chacun des grands côtés du rectangle sur lui-même en trois fois, puis plier la bande obtenue en portefeuille, ce qui donne une sorte de boudin. Diviser ce boudin en tronçons de 1 cm d'épaisseur, puis mettre ceux-ci à plat sur une plaque, en les espaçant pour qu'ils ne collent pas les uns aux autres, car la pâte s'étale à la cuisson. Cuire 20 min au four préchauffé à 200 °C, en retournant les palmiers à mi-cuisson pour qu'ils dorent sur les deux faces.

PALOISE (À LA) Se dit de petites pièces de boucherie grillées, garnies de haricots verts à la crème et de pommes noisettes (éventuellement dressées en nids) ; la garniture paloise pour grosses pièces grillées, plus rare, comprend des carottes et des navets glacés, des haricots verts au beurre, des bouquets de chou-fleur nappés de sauce hollandaise et des pommes croquettes. La sauce paloise proprement dite est une béarnaise à la menthe et non à l'estragon.

PALOMBE Pigeon ramier, ainsi appelé dans le Sud-Ouest, dont les passages migratoires par les cols pyrénéens donnent lieu à une chasse traditionnelle au filet (**voir** tableau des gibiers page 421). La palombe s'apprête comme le pigeon d'élevage, mais sa chair, plus savoureuse, est très tendre quand l'animal est jeune. On l'apprécie en salmis ou rôtie, grillée, saignante, ou bien en confit.

En Amérique du Nord, la palombe, ou « tourte », a été totalement exterminée ; certains affirment qu'elle est à l'origine de la tourtière, un plat québécois typique.

RECETTE DE JEAN COUSSAU

magret de palombes aux cèpes

POUR 4 PERSONNES

« Désosser soigneusement 4 palombes et prélever chaque suprême avec la cuisse en prenant soin de les conserver en un seul morceau. Réserver au réfrigérateur et conserver les carcasses. Verser 1 litre de vin rouge dans une petite casserole. Porter à ébullition, puis faire flamber. Laisser le vin sur le feu jusqu'à ce qu'il réduise de moitié. Réserver. Concasser les carcasses des palombes. Éplucher, laver et couper 2 carottes et 3 oignons en rondelles. Dans une sauteuse, faire chauffer 5 cl d'huile et 10 g de beurre et y faire revenir les carcasses concassées pendant quelques minutes. Saupoudrer avec

611

20 g de farine, laisser torréfier et ajouter les oignons et les carottes. Laisser cuire pendant 10 min. Incorporer le vin rouge réduit et bien mélanger le tout à l'aide d'une cuillère en bois afin de décoller les sucs de cuisson. Laisser cuire à nouveau doucement pendant 20 min. Passer le tout au chinois et continuer la cuisson jusqu'à l'obtention de 20 cl de sauce. Réserver au chaud. Laver, égoutter, puis hacher une botte de persil. Éplucher et hacher 2 échalotes. Nettoyer soigneusement 1 kg de cèpes. Dans une sauteuse, faire chauffer 20 cl d'huile. Quand elle est bien chaude, y jeter les champignons. Laisser cuire sur feu vif pendant 5 min environ, jusqu'à évaporation complète de l'eau de végétation des cèpes. Remuer de temps en temps, égoutter, assaisonner de sel et de poivre et ajouter le persil et les échalotes. Faire sauter le tout pendant 1 min. Réserver au chaud. Dans une sauteuse, faire chauffer l'huile et le beurre restants. Y faire revenir les suprêmes de palombe sur feu vif pendant environ 2 min de chaque côté. Avant de servir, verser 2 cuillerées à soupe de sauce dans le fond de l'assiette et dresser élégamment palombes et champignons. »

PALOURDE Coquillage de la famille des vénéridés (**voir** tableau des coquillages page 250 et planche pages 252 et 253), qui vit surtout sur le littoral atlantique et dans la Manche, mais aussi en Méditerranée (où on l'appelle « clovisse »). On en trouve plusieurs variétés dans tous les océans de la planète. Certaines ont été utilisées pour l'élevage, appelé « vénériculture ». La palourde a une coquille mince, de 3 à 8 cm de long, bombée au centre, jaune clair à gris foncé, avec des taches brunes, qui porte deux séries de stries très fines, les unes rayonnantes, les autres concentriques et parallèles aux bords, bien marquées et formant un treillis visible à l'œil nu. Les palourdes se mangent crues sur le plateau de fruits de mer, ou farcies, comme les moules.
▶ **Recette :** MERLU.

PAMPLEMOUSSE ET POMELO Agrumes voisins, de la famille des rutacées. Les fruits communément appelés « pamplemousses », consommés en hors-d'œuvre, en dessert ou comme garniture de plat salé, sont en réalité des pomelos (**voir** tableau ci-contre et planche ci-dessous).

Le pomelo a de 9 à 13 cm de diamètre et une peau jaune ou marbrée ; sa pulpe est sucrée, jaune ou rose plus ou moins foncé, acidulée ou douce. Il s'agirait d'un hybride naturel du véritable pamplemousse et de l'orange, découvert dans les Caraïbes au XVIIIᵉ siècle et introduit aux États-Unis au siècle suivant. Vendu toute l'année en France, le pomelo (ou grape-fruit) est peu énergétique (43 Kcal ou 180 kJ pour 100 g), moins riche en sucre que l'orange, mais bien pourvu en vitamines C, B, PP et A, ainsi qu'en potassium. On distingue les variétés à pulpe blonde des variétés à pulpe rose ou rouge, plus douces.

Le pamplemousse vrai, en forme de poire ou rond, a de 11 à plus de 20 cm de diamètre et une peau jaune, parfois verdâtre ; sa pulpe, rose pour certaines variétés, a une saveur très douce.

■ **Emplois.** Le pomelo se sert en hors-d'œuvre, coupé en deux (chaque demi-fruit étant préalablement détaché de la peau à l'aide d'un couteau-scie spécial à lame recourbée), soit nature et très frais, soit grillé à feu vif après avoir été badigeonné de beurre fondu. On le consomme aussi en cocktail, garni ou en salade. Le pomelo accompagne également le poulet et le porc, au même titre que l'ananas.

En dessert, le pomelo se sert divisé par moitié, poudré de sucre et orné d'une cerise confite, ou caramélisé sous la salamandre ; il entre dans la confection de glaces, de salades de fruits, de gâteaux et d'entremets divers. Enfin, il joue un rôle important dans les boissons aux fruits.

Le pamplemousse vrai est consommé frais en Asie, d'où il est originaire, aux Antilles et en Océanie, confit ou en marmelade, très rarement en jus, hormis en Polynésie où il est particulièrement juteux.

PAMPLEMOUSSES ET POMELOS

pomelo star ruby

pomelo vert à chair rouge

pomelo doux (ou sweetie)

pomelo sunrise

pomelo d'Israël

Caractéristiques des principales variétés de pamplemousses et pomelos

VARIÉTÉ	PROVENANCE	ÉPOQUE	ASPECT DE LA PEAU	SAVEUR
à pulpe blonde				
marsh seedless	Israël	nov.-mai	peau jaune, chair jaune clair, sans pépins	assez amère, assez parfumée
	Afrique du Sud, Argentine	mai-sept.		
à pulpe rose				
thompson ou pink marsh	États-Unis (Floride)	déc.-mai	peau jaune, chair rose pâle, pulpe rose pâle	parfumée
ruby red	Floride, Israël	nov.-mai	peau jaune à plages roses, chair rose	parfumée
	hémisphère Sud	mai-sept.		
à pulpe rouge				
star ruby	Floride, Texas, Israël	déc.-mai	peau jaune à plages rose foncé, chair rouge intense	très parfumée
	Corse	mai-juill.		

pomelos aux crevettes

Préparer une vinaigrette avec 1 cuillerée à soupe de vinaigre, 3 cuillerées à soupe d'huile d'arachide, du poivre, 1/2 cuillerée à café de sucre, 1 cuillerée à soupe de sauce soja, 1 cuillerée à café rase de gingembre en poudre, 1 cuillerée à soupe de ketchup et 1 cuillerée à soupe de miel. Bien mélanger le tout. Décortiquer 150 g de queues de crevettes roses. Éplucher un petit concombre, l'épépiner et le couper en lamelles. Peler à vif 2 pomelos et prélever la pulpe des quartiers. Incorporer la sauce aux crevettes et au concombre ; rectifier l'assaisonnement. Ajouter les pomelos, remuer très délicatement, dresser dans des coupes et réserver au frais.

pomelos glacés

Décalotter des pomelos, les évider avec une cuillère à bord tranchant en veillant à ne pas percer l'écorce, et séparer la pulpe des membranes blanches. Presser cette pulpe. Avec le jus recueilli, préparer un sorbet au pomelos de la même façon qu'un sorbet au citron. Mettre les calottes de pomelos dans le congélateur. Quand la glace a commencé à prendre, mais qu'elle est encore souple, en garnir les pomelos ; poser les calottes sur les fruits et remettre ceux-ci dans le congélateur. Les sortir 40 min avant de servir et les placer dans le réfrigérateur.

PANACHÉ Mélange de deux boissons en quantités à peu près égales. Il s'agit la plupart du temps de bière et de limonade, mais le terme peut, éventuellement, s'appliquer à d'autres boissons.

En cuisine et en pâtisserie, le panaché est aussi un mélange de deux ou plusieurs ingrédients de couleur, de saveur ou de forme différentes.

PANACHER Mélanger deux ou plusieurs ingrédients de couleur, de saveur ou de forme différentes. Ainsi, les haricots panachés associent à parts égales des haricots verts et des flageolets.

Le panachage est une technique de préparation très courante pour les glaces et les bombes glacées, où l'alternance des couleurs et des parfums joue un rôle important.

PANADE Appareil à base de farine, utilisé pour lier les farces à quenelles, grasses ou maigres. Comme pour une pâte à choux, la farine est versée en une seule fois dans de l'eau bouillante, salée et beurrée ; la préparation est ensuite desséchée sur le feu. D'autres appareils à panade utilisent comme base, outre la farine, des jaunes d'œuf, du pain, de la pulpe de pomme de terre ou du riz.

La panade est aussi une sorte de soupe ou de bouillie faite de pain, de bouillon, de lait (ou d'eau) et de beurre ; elle doit mitonner un certain temps et se sert bouillante, parfois enrichie d'œufs (entiers, ou jaunes) ou de crème fraîche.

panade à la farine

Mettre dans une casserole 30 cl d'eau, 50 g de beurre et 2 g de sel. Porter à ébullition. Ajouter 150 g de farine tamisée, bien mélanger sur le feu en remuant avec une cuillère de bois et faire dessécher. Verser dans un plat beurré en formant une couche bien lisse, couvrir d'un papier beurré et laisser refroidir.

panade au pain

Laisser s'imbiber complètement 250 g de mie de pain blanc de 30 cl de lait bouilli. Verser cette préparation dans une casserole et la faire dessécher sur le feu, en la travaillant, jusqu'à ce qu'elle se détache de la casserole. Verser dans un plat beurré et laisser refroidir.

panade à la pomme de terre

Faire bouillir 30 cl de lait avec 2 g de sel, 1 g de poivre et une pincée de muscade râpée jusqu'à ce qu'il ait réduit d'un sixième. Y mettre alors 20 g de beurre et 250 g (poids net) de pommes de terre émincées bouillies. Cuire doucement 15 min. Bien mélanger pour obtenir une purée homogène. Employer encore tiède.

soupe panade au gras ▶ SOUPE

PANAIS Plante potagère de la famille des apiacées, dont la racine blanche, conique, à flaveur citronnée et sucrée, se consomme comme légume (**voir** planche des légumes-racines pages 498 et 499). Le panais était déjà cultivé par les Grecs anciens, et il fut très apprécié au Moyen Âge et sous la Renaissance. Récolté en automne et en hiver, assez énergétique (74 Kcal ou 310 kJ pour 100 g), riche en fibres et en potassium, il connaît tous les emplois du navet et il est même souvent plus savoureux ; on peut aussi le cuisiner comme la carotte.

RECETTE DE PASCAL BARBOT

consommé de poule faisane et panais

« Préparer 2 poules faisanes ; réserver les filets, les abats et les carcasses. Passer au mixeur les carcasses, les abats et 200 g de chair de veau. Ajouter 1 litre d'eau minérale, de nage de légume ou de fond blanc léger, 1 bouquet garni, 20 g de gingembre, 1 clou de girofle et 2 baies de genièvre légèrement passés à la poêle, 1 gousse d'ail, 10 cl de jus de gibier, du sel et du poivre. Mettre ensuite le tout à cuire dans une casserole à double fond. Ajouter 1/2 oignon brûlé, 1 gousse de thym et remuer en permanence pendant 15 min puis laisser mijoter pendant 1 heure. Filtrer délicatement, vérifier l'assaisonnement et ajouter 2 cuillerées à soupe de sauce soja. Pour la garniture, tailler en bâtonnets 4 branches de céleri,

400 g de panais et les 200 g de filets de poule faisane. Pocher le tout dans le consommé qui vient d'être filtré en ajoutant 1 cuillerée à soupe de persil, de la fleur de sel et du poivre du moulin. Râper 100 g de raifort. Servir dans une assiette creuse très chaude avec le consommé. Présenter le raifort à part. »

RECETTE D'ALAIN PASSARD

parmentier de panais, châtaignes et truffe noire du Périgord

POUR 6 PERSONNES

« Éplucher 500 g de panais, les tailler finement et les faire suer avec 25 g de beurre. Mouiller avec 20 cl de lait entier puis laisser cuire à couvert à feu très doux sans coloration jusqu'à complète évaporation du liquide. Passer le tout au moulin à légumes. Ajouter 20 g de beurre puis rectifier la texture avec le restant de lait. Assaisonner et réserver au chaud. Dans un sautoir, faire colorer 200 g de châtaignes effilées cuites sous vide et légèrement concassées avec 15 g de beurre, puis ajouter 60 g de fenouil émincé et 80 g d'oignons confits au beurre. Assaisonner à la fleur de sel et aux quatre-épices. Remplir à moitié un grand moule à gratin avec les châtaignes confites et les recouvrir de 30 g de lamelles de truffes noires du Périgord. Recouvrir le tout de la mousseline de panais ; ajouter quelques copeaux de beurre, saupoudrer de 20 g de chapelure fine puis faire colorer doucement sous un gril. Servir avec une belle salade à l'huile de noisette. »

PAN-BAGNAT Spécialité niçoise, dont le nom signifie « pain baigné » (d'huile d'olive), qui est une sorte de sandwich garni d'ingrédients méridionaux.

---

pan-bagnat

Fendre en deux et ouvrir un petit pain rond sans séparer les deux moitiés. Retirer les deux tiers de la mie. Frotter d'ail la mie restante et l'arroser d'un peu d'huile d'olive. Garnir de rondelles de tomate, d'oignon et d'œuf dur, de lanières de poivron, d'olives noires dénoyautées et de filets d'anchois à l'huile. Arroser le tout de vinaigrette à l'huile d'olive et refermer le pain.

PANCAKE Petite crêpe nord-américaine, un peu épaisse, qui se mange très beurrée et nappée de sirop d'érable, ou fourrée aux airelles, à la banane, au babeurre, aux fraises ou à la marmelade de pomme. On la prépare parfois avec de la farine de maïs.

PANCETTA Spécialité de charcuterie italienne, à base de poitrine maigre de porc désossée, découennée, salée en cuve pendant une dizaine de jours, étuvée avant d'être roulée et saupoudrée de poivre concassé et moulu. Embossée en boyau cellulosique, la pancetta est à nouveau étuvée et séchée durant 3 semaines. Elle se consomme crue, en tranches minces, et entre dans la composition de différents plats de pâtes.

PANER Enrober un mets de chapelure ou de panure avant de le faire frire, sauter ou griller. Les articles panés « à l'anglaise » sont d'abord passés dans de la farine, puis enrobés de panure anglaise et enfin recouverts de panure ou de chapelure. Ceux qui sont panés « à la milanaise » sont passés dans de la mie de pain additionnée d'un tiers de son volume de fromage râpé, éventuellement après avoir été enrobés de panure anglaise. Enfin, les viandes « panées au beurre », ou « à la française », destinées à être grillées, sont badigeonnées de beurre clarifié, puis roulées dans de la mie de pain fraîchement tamisée (**voir** PANURE).

PANETERIE Office important du service de la « bouche du roi », chargé essentiellement, sous l'Ancien Régime, de l'approvisionnement en pain. Au début du XVe siècle, la paneterie comprenait : un grand panetier et six panetiers, six valets tranchants (pour préparer les « tranchoirs »), trois « sommeliers » (pour le transport des meubles,

du linge et du couvert de table), trois porte-chapes (chargés de surveiller les coffres à pain, de « chapeler » [couper] le pain et de mettre une partie du couvert), un oubloyer (pour préparer les oublies), un baschonier (pour guider les chevaux chargés de pain) et un lavandier (pour laver les nappes), ainsi que cinq valets de nappes (pour la surveillance du linge). Le grand panetier exerçait aussi certains droits de justice sur la corporation des boulangers ; ainsi, il vendait la maîtrise aux apprentis et, comme le prix de celle-ci n'était pas fixé, il l'estimait à sa convenance. Les droits du panetier, qui dataient de Philippe Auguste (début du XIIIe siècle), furent supprimés en 1711.

PANETIÈRE Petite armoire à claire-voie, suspendue au mur ou au plafond, qui servait autrefois, notamment en Bretagne et en Provence, à conserver le pain. La panetière est aujourd'hui un coffre, un tiroir, une boîte à abattant ou un sac où l'on range le pain.

PANETIÈRE (À LA) Se dit d'articles divers qui, après cuisson, sont dressés dans un pain rond évidé en croustade et doré au four. L'apprêt peut être individuel ou réalisé en une seule grosse pièce.

PANETTONE Gros gâteau brioché italien, confectionné traditionnellement à base de levain naturel, spécialité de la ville de Milan, qui connaît de nombreuses variantes régionales. Il est proposé pour Noël, cette pâtisserie se mange aussi au petit déjeuner et on la sert parfois en dessert, accompagnée d'un vin de liqueur.

PANGA Poisson d'eau douce, de la famille des pangasiidés, proche du poisson-chat et cousin du silure glane. De couleur verte, avec une peau lisse sans écailles, le panga a une croissance très rapide puisqu'il pèse 1 kg vers l'âge de 6 mois. De constitution robuste, on l'élève en cage flottante dans le delta du Mékong, au Viêt Nam, où il est commercialisé sous le nom de « tra fish » ou « basa catfish ». Sa chair

PANER À L'ANGLAISE

1. Après avoir fariné la goujonnette en la roulant avec les mains, la passer dans la panure anglaise, mélange d'œuf battu, d'huile, de sel et de poivre moulu.

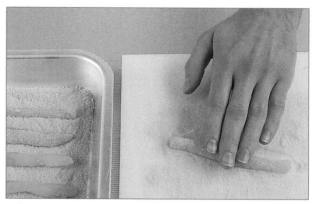

2. Égoutter la goujonnette et la rouler dans la mie de pain fraîche passée au tamis. La rouler de nouveau entre les mains pour enlever l'excédent de mie de pain.

est blanche, rose ou jaunâtre selon les conditions d'élevage, ce qui lui procure une texture et une saveur différentes (la chair a parfois un goût de vase prononcé si l'élevage est fait dans des eaux de mauvaise qualité). Seul le panga à chair blanche semble être élevé en eau vive. Sa chair est ferme, sans arêtes, avec une saveur neutre qui permet de multiples préparations. La progression du volume d'élevage de ce poisson est fulgurante, au point de concurrencer directement le tilapia et la perche du Nil. On le commercialise principalement en filets congelés.

PANIER Récipient muni d'une anse ou de poignées, utilisé pour transporter, conserver des provisions, ou préparer divers aliments.
– Le panier de vannerie, d'osier ou de lamelles de bois, est destiné aux fruits et aux légumes, voire aux coquillages (bourriche).
– Le panier à bouteilles est un casier à compartiments, en métal ou en plastique, utilisé pour transporter des bouteilles à la verticale.
– Le panier à friture, en fil métallique, est un accessoire de la bassine à frire ou de la friteuse électrique.
– Le panier à légumes, grillagé, cylindrique, en fil de fer, est utilisé en restauration pour cuire certains légumes « à l'anglaise » et les sortir de l'eau sans les abîmer.
– Le panier à nids est une sorte de louche grillagée à double paroi, en fil de fer étamé, servant à réaliser les nids de pommes de terre frites.
– Le panier à salade, en fil de fer étamé ou en matière plastique, rigide ou pliant, sert à secouer la salade lavée.

PANINI Sandwich chaud italien. Son pain très blanc, dont la pâte est souvent aromatisée d'huile d'olive, est garni de crudités, de charcuterie, de tapenade ou de crème d'olive, de petits oignons blancs ou d'aromates. Le panini est ensuite légèrement grillé et consommé chaud.

PANISSE La panisse ou « panissa », élaborée à base de farine de pois chiche, est en quelque sorte la frite niçoise. Une fois préparée, la pâte fraîche est mise à reposer dans de petites soucoupes huilées avant d'être découpée en bâtonnets.

RECETTE D'ALAIN DUCASSE

panisses

POUR 8 PERSONNES – PRÉPARATION : 1 h (à préparer le matin pour le soir)

« Le matin, tamiser 250 g de farine de pois chiches. Faire chauffer 50 cl d'eau avec 25 g de beurre et un filet d'huile d'olive. Porter à ébullition et saler légèrement. Verser progressivement 50 cl d'eau froide sur la farine de pois chiches en mélangeant bien pour la diluer. Passer au chinois fin. Incorporer ce mélange à l'eau en ébullition et baisser le feu au ralenti. Cuire à feu doux pendant 45 min en fouettant toutes les 5 min. Filmer la surface d'une plaque à pâtisserie (plus pratique que les traditionnels petites soucoupes) de 40 x 60 cm. Placer 2 règles de bois de 1 cm de hauteur et verser l'appareil entre ces 2 règles. Recouvrir d'une feuille de papier film. Abaisser la pâte au rouleau sur une épaisseur de 1 cm en s'appuyant sur les règles. Piquer à l'aide d'une aiguille pour chasser les bulles d'air. Laisser refroidir 6 heures. Découper en bâtonnets de 10 x 1 cm (ou d'autres formes). Les éponger et les faire frire à 170 °C en friteuse jusqu'à ce qu'ils soient dorés. Égoutter et sécher les panisses. Les poivrer fortement. »

PANNE Amas de graisse qui se trouve dans l'abdomen du porc et qui recouvre les rognons. Fondue, la panne donne un excellent saindoux. Elle est aussi utilisée dans la préparation des boudins et des rillettes.
En Lorraine, les petits résidus secs (les « chons ») obtenus en faisant fondre doucement de la panne dans une cocotte servent à garnir une pâte, avec laquelle on prépare une grosse galette croustillante, servie avec une salade de pissenlit et du vin gris.

PANNEQUET Apprêt salé ou sucré, fait d'une crêpe fourrée d'un hachis, d'une purée ou d'une crème. Le pannequet est servi en entrée ou en hors-d'œuvre chaud, en garniture de potage ou en entremets sucré. Masquée sur toute sa surface de l'appareil choisi, la crêpe est roulée en paupiette ou pliée en quatre, puis gratinée ou glacée sous le gril, parfois panée et frite.

PANNEQUETS SALÉS

pannequets aux anchois

Préparer 8 crêpes salées et 30 cl de béchamel sans sel assez épaisse. Dessaler 8 anchois, lever les filets et les réduire en purée. Couper en petits morceaux 8 filets d'anchois à l'huile. Mélanger la béchamel et la purée d'anchois. Masquer chaque crêpe de béchamel à l'anchois et parsemer de petits morceaux de filets. Replier les crêpes en quatre et les ranger dans un plat beurré allant au four. Parsemer de chapelure fraîche frite au beurre et passer 3 ou 4 min sous le gril ou 10 min dans le four préchauffé à 250 °C.

pannequets au fromage

Préparer 8 crêpes salées et 30 cl de béchamel épaisse, additionnée de 100 g de gruyère ou de parmesan râpé. Cuire comme les pannequets aux anchois, mais en ajoutant du fromage râpé à la chapelure frite.

pannequets panés et frits

Farcir des crêpes, les rouler en cigare et les détailler en tronçons de 3 cm environ. Paner ceux-ci à l'anglaise et les frire au dernier moment. Les servir garnis de persil frit. Les pannequets frits peuvent être farcis comme les autres pannequets, ou encore à la brunoise, à la hongroise (avec un salpicon d'oignons et de champignons fondus au beurre, additionné de béchamel au paprika), à la grecque (avec un salpicon de mouton braisé haché et d'aubergine sautée, lié de sauce tomate très épaisse), à l'italienne (garnis de duxelles de champignon, de jambon maigre coupé en petits dés et de sauce tomate), à la Saint-Hubert (garnis de purée de chevreuil liée au fumet de gibier) ou à la strasbourgeoise (garnis de purée de foie gras et de truffes hachées).

pannequets à potage

Préparer des crêpes salées et une brunoise, une béchamel au fromage ou une duxelles de champignon bien sèche. Masquer chaque crêpe avec la garniture choisie. Rouler pour bien souder l'ensemble, puis détailler les crêpes en biais et les dresser sur un plat chaud. Servir ces pannequets avec un consommé brûlant.

PANNEQUETS SUCRÉS

pannequets aux abricots

Préparer 8 crêpes sucrées et 12 cuillerées à soupe de crème pâtissière aromatisée au rhum. Additionner celle-ci de 12 abricots bien mûrs (ou au sirop, égouttés), dénoyautés et coupés en dés, et de 75 g d'amandes effilées, grossièrement hachées. Masquer les crêpes de cette préparation et les rouler. Les disposer dans un plat beurré allant au four, bien les poudrer de sucre glace et les passer de 8 à 10 min dans le four préchauffé à 275 °C. Servir brûlant.

pannequets à la cévenole

Préparer 8 crêpes sucrées. Mélanger 16 cuillerées à soupe de purée de marron sucrée, aromatisée au kirsch, 3 cuillerées à soupe de crème fraîche et 3 cuillerées à soupe de débris de marron glacé. Garnir les crêpes et cuire comme les pannequets aux abricots.

pannequets à la créole

Préparer 8 crêpes sucrées. Mélanger 30 cl de crème pâtissière légèrement aromatisée au rhum avec 4 tranches d'ananas au sirop coupées en salpicon. Garnir les crêpes de cet appareil et cuire comme les pannequets aux abricots.

PANOUFLE (GRAS DE) Graisse granuleuse de la région du gras-set (graisset ou œillet) du bœuf et du veau, aplatie ou dédoublée, servant à barder les rôtis. Par extension, le mot s'applique aux autres espèces animales.

PANSE Première poche de l'estomac des ruminants, ou rumen, les trois autres : réseau, feuillet, caillette étant beaucoup moins volumineuses (**voir** tableau des abats page 10). Avant toute utilisation, la panse est vidée, lavée, retournée, échaudée dans de l'eau à 70 °C, puis grattée dans une parmentière pour la débarrasser des particules alimentaires qui adhèrent à sa paroi. Elle est ensuite « raidie » dans de l'eau bouillante : on obtient ainsi le « bœuf blanc ».

Celui-ci entre dans la fabrication des tripes, ou du gras-double « à la lyonnaise », « à la florentine », ou encore du « tablier de sapeur ».

Avec la panse d'agneau et les autres viscères, on prépare les tripous auvergnats et le haggis écossais.

PANURE Mie de pain fraîche finement émiettée, faite avec du pain de mie écroûté et passé au tamis fin, que l'on utilise seule ou mélangée soit avec du fromage (apprêts à la milanaise), soit avec de l'ail et du persil hachés (persillade).

La panure est employée, comme la chapelure, pour les préparations panées, ainsi que pour parsemer le dessus des gratins. Elle entre également dans la composition de certaines farces.

anglaise pour panure
Battre des œufs avec un filet d'huile, du sel fin, du poivre moulu et, éventuellement, un peu d'eau pour les rendre plus fluides. En enduire les aliments (croquettes, escalopes, légumes, filets de poisson, etc.) que l'on veut faire sauter ou frire « à l'anglaise », après les avoir passés dans la farine et avant de les enrober de chapelure.

panure au beurre
POUR 4 PERSONNES
Cette technique s'applique particulièrement aux filets de poisson et aux suprêmes de volaille qui sont grillés. Prévoir 8 filets de sole ou 4 suprêmes de volaille. Retirer la croûte colorée de 250 g de pain de mie frais, tamiser très finement la mie. Faire clarifier 160 g de beurre (voir page 95). Assaisonner de sel fin et de poivre blanc les éléments à paner puis les passer dans le beurre fondu. Les rouler dans la mie de pain. Avec le plat de la lame d'un couteau, appuyer pour faire adhérer la mie de pain, puis avec le dos de la lame, pratiquer un léger quadrillage. Au moment de cuire, arroser délicatement avec le restant de beurre fondu.

panure à la milanaise
Saler et poivrer l'aliment à paner. Le passer dans de la farine, puis dans de l'œuf battu et enfin dans de la mie de pain fraîche finement tamisée et additionnée du tiers de son volume de parmesan râpé. Faire sauter au beurre clarifié.

PAPAYE Gros fruit d'un arbre tropical de la famille des caricacées, allongé et globuleux, dont la peau côtelée, jaunâtre, recouvre une chair orangée ; le centre du fruit est occupé par une cavité remplie de grains noirs (**voir** planche des fruits exotiques pages 404 et 405). Originaire d'Amérique tropicale, la papaye est maintenant cultivée en Amérique du Sud, en Asie et en Afrique. Peu énergétique (44 Kcal ou 184 kJ pour 100 g), elle est très riche en bêtacarotènes et riche en vitamines C et PP ainsi qu'en potassium. Elle se consomme verte, comme légume, ou mûre, comme fruit. En Europe, on la consomme surtout sous forme de confiture ou de jus et dans des salades exotiques.

La papaye verte, une fois « saignée » (pour laisser s'écouler le suc blanc et acide qu'elle renferme, un latex dont on extrait la papaïne, enzyme utilisée notamment en médecine) et débarrassée de ses pépins, peut se râper comme une carotte crue ; on la cuisine comme la courge, en gratin, en bouillie ou frite, en tranches (comme au Viêt Nam).

Bien mûre, la papaye se sert en hors-d'œuvre comme le melon, arrosée d'un jus de citron vert, en salade ou en dessert avec du sucre et de la crème. Sa pulpe juteuse et rafraîchissante gagne à être relevée d'un peu de rhum.

PAPET Potée traditionnelle suisse (canton de Vaud). Le papet, composé de poireaux et de pommes de terre, et souvent accompagné d'un morceau de viande de porc fumé, est généralement servi avec une boucle de saucisse au chou.

papet vaudois aux poireaux
Détailler 1,2 kg de poireaux pas trop verts en petits tronçons de 1 cm de large. Les faire suer dans 50 g de beurre avec 80 g d'oignons émincés. Ajouter 30 cl de vin blanc sec et 30 cl de bouillon. Cuire 15 min, puis ajouter 600 g de pommes de terre épluchées et émincées. Poser sur le tout un saucisson vaudois et éventuellement une saucisse au chou ou au foie. Cuire à feu doux 50 min, en ajoutant un peu de liquide si nécessaire. Retirer la charcuterie et brasser pour que les légumes se défassent. Servir la viande découpée sur la potée.

PAPETON Spécialité avignonnaise à base d'aubergines en purée et d'œufs, cuite dans un moule dont la forme rappelait, à l'origine, celle de la tiare papale, et dont on dit que certains souverains pontifes étaient friands.

papeton d'aubergine
Préparer 1/2 litre de fondue de tomate très réduite. Éplucher 2 kg d'aubergines, les tailler en cubes, les poudrer de sel fin et les laisser dégorger 1 heure pour qu'elles perdent leur eau de végétation. Les laver à l'eau froide, les éponger à fond, puis les fariner légèrement et les faire fondre très doucement dans 1/2 verre d'huile d'olive ; les saler, les laisser refroidir et les passer au mixeur. Mélanger 7 gros œufs battus en omelette avec 10 cl de lait, 2 gousses d'ail finement écrasées, du sel, du poivre et un soupçon de poivre de Cayenne ; ajouter la purée d'aubergine et verser le tout dans un moule à manqué beurré. Placer ce moule dans un bain-marie, commencer l'ébullition sur le feu, puis cuire 1 heure au four préchauffé à 180 °C. Réchauffer la fondue de tomate. Démouler sur un plat de service chaud et napper de fondue bouillante.

PAPIER Matériau employé en cuisine pour la préparation, la cuisson, le service ou la conservation des aliments et des mets.

Le papier sulfurisé, souvent appelé « papier cuisson » par les fabricants, est traité pour résister à la chaleur (jusqu'à 220 °C) et supporter le four à micro-ondes. Le papier siliconé supporte des températures supérieures. On les utilise au four pour enfermer des préparations à cuire en papillote, pour recouvrir une plaque avant d'y cuire un mets qui risque d'attacher (tarte, par exemple), ou pour couvrir des apprêts afin qu'ils ne se colorent pas trop vite.

On se sert également de papier-filtre, et on recouvre les aliments de film alimentaire ou on les emballe dans une feuille d'aluminium.

Le papier dentelle, de format variable, rond ou ovale, avec des bords dentelés, est utilisé pour présenter entremets et gâteaux ; les petits-fours glacés et les bouchées sont rangés dans des caissettes en papier plissé.

Quant au papier absorbant, il intervient pour nettoyer certains éléments, éponger des denrées délicates et égoutter les mets frits.

PAPILLOTE Petite garniture en papier blanc découpé, dont on coiffe l'os d'une côte d'agneau ou de veau, le pilon d'une volaille, l'extrémité d'une croquette façonnée en côtelette, etc.

En cuisine, la papillote est un mets cuit et servi dans une enveloppe de papier sulfurisé ou une feuille d'aluminium. L'apprêt « en papillote » concerne un élément cru ou déjà cuit, souvent accompagné d'une garniture aromatique, d'une sauce, d'un hachis de légumes, etc.

Le papier est beurré ou huilé, puis, une fois garni, replié en plissant le bord comme un ourlet, de façon à obtenir une enveloppe bien fermée. La papillote gonfle à la chaleur du four, et on la sert brûlante, avant qu'elle ne « retombe ».

rougets en papillote ▶ ROUGET-BARBET
truffe en papillote et son foie gras d'oie ▶ TRUFFE

PAPILLOTE (BONBON) Friandise enveloppée dans du papier siliconé où figurent des illustrations, devinettes, charades, blagues ou citations et entourée d'un papier brillant de couleur vive, aux extrémités frangées. Les papillotes peuvent contenir des fondants, des pâtes de fruits, des chocolats fourrés, des pralines, des nougats, etc. La papillote est originaire de Lyon. À la fin du XVIIIe siècle, un apprenti confiseur eut l'idée d'écrire des mots d'amour à sa belle sur un papier et d'en envelopper une friandise. Son patron, monsieur Papillot, s'appropria cette idée. La papillote était née.

Le « cosaque » est une papillote enveloppée de deux papiers de couleur différente, dont un doré, et contient en outre un petit pétard.

PAPIN (DENIS) Physicien et inventeur français (Chitenay, près de Blois, 1647 - Londres 1714). Célèbre pour ses travaux sur la vapeur, il donna son nom à la « marmite » à soupape de sûreté, ancêtre de l'autoclave, qui est à l'origine de l'autocuiseur, comme en témoigne son traité publié en 1682 à Paris : *la Manière d'accommoder les os et de faire cuire toutes sortes de viandes en fort peu de temps et peu de frais, avec une description de la machine dont il faut se servir.*

PAPRIKA Variété de piment doux (*paprika* en hongrois) de la famille des solanacées, qui est réduit en poudre après dessiccation, et utilisé pour aromatiser des ragoûts, des farces, des plats en sauce et des soupes, ainsi que pour parfumer des fromages frais.

Le paprika caractérise surtout la cuisine hongroise (dans laquelle il n'a été introduit qu'au XIXe siècle bien qu'il soit connu en Europe depuis Christophe Colomb), mais il relève aussi nombre d'apprêts français qui en sont plus ou moins inspirés.

L'arbuste qui fournit ce piment doux est originaire d'Amérique. Ses gousses, longues de 7 à 13 cm et larges de 3 cm, sont récoltées à la fin de l'été, quand elles sont rouges, puis mises à sécher et broyées. Szeged, dans le sud de la Hongrie, est la capitale du paprika, dont la meilleure variété est le « rose », ou « doux », à saveur piquante, mais sans arrière-goût âcre, et très riche en vitamine C.

C'est dans les cuissons à l'oignon et au saindoux (de préférence au beurre) que le paprika développe le mieux son arôme. Il est cependant préférable de l'incorporer hors du feu ou dans un mouillement, sinon le sucre qu'il contient risque de caraméliser et de compromettre la saveur et la couleur du plat.

PAPRIKACHE Ragoût hongrois au paprika et à la crème aigre, fait avec de la viande blanche ou du poisson (alors que le goulache est fait avec du bœuf), cuisiné avec des oignons hachés ou émincés et garni de tomates, de poivrons ou de pommes de terre.

PÂQUES Fête chrétienne qui célèbre la résurrection du Christ. Elle est en fait le prolongement de la fête annuelle célébrée par les juifs en mémoire de la sortie d'Égypte du peuple hébreu. La religion hébraïque prescrit que, pendant la semaine du 14 au 21 du mois de nisan (début du printemps), les fidèles doivent s'abstenir de tout aliment fermenté ; le jour de la Pâque, le repas comporte un agneau rôti, immolé suivant la pratique kasher.

Le jour de Pâques, fixé au premier dimanche après la première pleine lune qui suit l'équinoxe de printemps, tombe entre le 22 mars et le 22 avril : c'est la pleine époque du renouveau de la nature et, comme Pâques succède également à l'abstinence du carême, de nombreuses traditions culinaires marquent cette fête.

■ **Des plats traditionnels.** Née en Alsace, l'habitude d'offrir des œufs peints ou décorés ne remonte, en France, qu'au XVe siècle. L'omelette pascale, parfois faite avec des œufs « quêtés » ou avec ceux pondus le vendredi saint, est souvent agrémentée de lard ou de saucisson, pour bien marquer la fin de la période maigre. À l'omelette succède un plat de viande, le plus souvent d'agneau ou de chevreau, mais on consomme aussi du porc (cochon de lait grillé à Metz, jambon de Pâques persillé en Côte-d'Or). La Charente, le Poitou, la Touraine, le Berry et la Bresse inscrivent ce jour-là à leur menu un pâté en croûte garni d'un hachis de viandes diverses et d'œufs durs. Les petites nouilles en vinaigrette (totelots) sont caractéristiques en Lorraine, et les beignets dans le Roussillon ; en Auvergne, on sert des pachades, grosses crêpes épaisses. Le pain que l'on mangeait le jour de Pâques était plus blanc que le pain de ménage quotidien et faisait figure de friandise. Quant à la pâtisserie, elle est présente par toutes sortes de gâteaux spécifiques.

FAIRE UNE PAPILLOTE

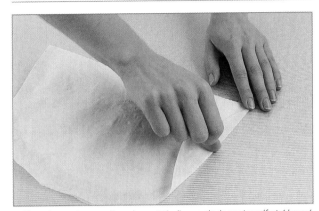

1. *Placer la garniture sur l'une des moitiés d'un cercle de papier sulfurisé beurré. Rabattre l'autre moitié. Marquer avec l'ongle un premier pli sur le bord.*

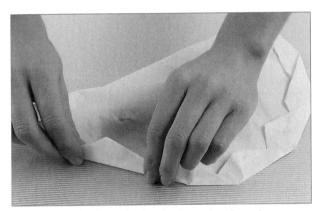

2. *Marquer avec l'ongle une série de petits plis en suivant l'arrondi du cercle de papier sulfurisé. Terminer en rabattant l'extrémité du dernier pli sous la papillote.*

La cuisine russe, elle aussi, conserve, outre les œufs multicolores, plusieurs recettes traditionnelles du jour de Pâques, comme le koulitch et la paskha.

En Allemagne, l'Ostertorte est un gâteau fait d'une pâte à biscuit fourrée de crème au beurre au moka et décoré d'œufs en chocolat.

PARAFFINE Mélange d'hydrocarbures solides, caractérisés par leur neutralité. Blanche, translucide, insipide, inodore, fondant facilement, la paraffine est employée pour l'enrobage des fruits et des légumes, et pour le glaçage de la croûte des fromages. On l'utilise aussi pour boucher les pots de confiture.

L'huile de paraffine, également composée d'hydrocarbures, de consistance onctueuse, n'est ni une huile, ni un corps gras, malgré son nom. N'apportant ni lipides, ni calories, elle a été employée dans les régimes hypocaloriques comme un ersatz d'huile alimentaire. On sait à présent qu'elle ne doit pas être consommée régulièrement et qu'il ne faut en prendre que de petites quantités, car elle a un effet laxatif ; par ailleurs, elle entrave l'assimilation des vitamines liposolubles (A, D, E et K). Elle n'est donc utilisée que sur avis médical, en cas de constipation opiniâtre. Réservée exclusivement aux emplois crus (vinaigrette, mayonnaise) elle ne doit ni chauffer ni servir à graisser un ustensile de cuisson.

PARAGUAY ET URUGUAY Les cuisines du Paraguay et de l'Uruguay sont très proches de celle de l'Argentine. On y retrouve la même préférence pour la viande de bœuf grillée.

L'abondance des poissons d'eau douce et du gibier permet quelque variété dans les menus. Le poisson est souvent grillé, mais aussi cuit dans sa marinade à base de citron. Outre les poivrons et tomates, les cœurs de palmier sont très appréciés. Les fruits tropicaux, consommés frais ou en entremets, offrent une grande variété de desserts.

PARER Supprimer les parties non utilisables d'une viande, d'une volaille, d'un poisson ou d'un légume au moment de sa préparation. Le parage facilite les opérations ultérieures : celui des légumes permet de les tailler en bâtonnets, en brunoise, de les tourner, etc. Le parage d'une volaille, deuxième opération de l'habillage, prépare au vidage. Le parage d'une viande à rôtir consiste à enlever les nerfs et l'excédent de graisse, mais également à la ficeler et à la décorer. Il permet aussi de détailler certains morceaux : le tournedos, par exemple, est prélevé dans le filet « paré à vif ». Le parage favorise la présentation de certains apprêts. Parer une tarte, c'est égaliser ses extrémités ou son pourtour ; parer des œufs pochés, c'est les ébarber pour qu'ils soient bien ronds avant de les dresser.

PARFAIT Entremets glacé, caractérisé par une proportion importante de crème fraîche qui lui donne son onctuosité et sa tenue : il ne fond pas trop vite et peut être détaillé en tranches. Le parfait se sert tel quel ou s'emploie comme base pour préparer un biscuit glacé, un soufflé glacé ou un vacherin.

parfait glacé

Mélanger 8 cl d'eau et 200 g de sucre en poudre et cuire au filé (110 °C). Casser 8 gros œufs en séparant les blancs des jaunes ; mettre ces derniers dans un saladier et verser dessus le sucre bouillant, petit à petit, en fouettant ; continuer à fouetter jusqu'à ce que le mélange ait refroidi. Ajouter alors le parfum choisi : de 6 à 8 cl d'eau-de-vie ou de liqueur ; de 7 à 10 cl d'extrait de café ; 200 g de chocolat à croquer fondu au bain-marie ; 150 g de pralin en poudre ; une dizaine de gouttes d'extrait de vanille. Fouetter fermement 20 cl de crème épaisse avec 10 cl de lait, tous deux très froids. Incorporer cette crème fouettée à la préparation aux œufs. Verser dans un moule à parfait et mettre 6 heures dans le congélateur.

PARFAIT AMOUR Liqueur d'origine hollandaise, à base de citron (ou de cédrat), de girofle, de cannelle et de coriandre macérés dans de l'alcool et additionnés de sirop. Datant du XVIIIe siècle, elle fut très populaire dans les années 1930. L'alcoolat était édulcoré, coloré en rouge ou en violet et parfumé à la violette.

PARFUMER Donner à un aliment ou à une préparation cuisinée un parfum supplémentaire, en accord avec son arôme naturel, par l'adjonction d'un condiment, d'une épice, d'un aromate, d'un vin, d'un alcool, etc. Jusqu'au XVIIIe siècle, on employait non seulement des plantes aromatiques « simples », mais aussi des essences de rose et d'autres fleurs, du benjoin, de l'ambre, du musc, etc. L'eau de fleur d'oranger et l'essence d'amande amère, la vanille, les zestes d'agrume et les extraits interviennent essentiellement en pâtisserie et en confiserie.

La cuisine classique utilise comme parfums nombre de vins de liqueur, d'alcools et d'eaux-de-vie, pour parfumer sauces et coulis, rehausser la saveur d'un civet, d'un salmis, de crustacés, de viandes et de volailles. Extraits, essences et fumets fournissent toutes les possibilités de parfum. On peut conférer un parfum particulier à un apprêt en le faisant cuire à la vapeur avec des aromates, en le fumant avec des essences de bois particulières, en le faisant macérer avec des épices, etc.

PARIS-BREST Gâteau en forme de couronne, fait de pâte à choux, fourré d'une crème mousseline pralinée et parsemé d'amandes effilées. Il fut créé en 1891 par Monsieur Durand, pâtissier à Maisons-Lafitte dont la boutique se trouvait sur le parcours de la course cycliste entre Paris et Brest ; en hommage à cette course, cet artisan imagina des éclairs circulaires évoquant des roues de bicyclette. Le paris-brest se vend en gâteau individuel ou familial, en général pour 6 à 8 personnes.

RECETTE DE PIERRE HERMÉ

paris-brest

« Préparer 300 g de pâte à choux sucrée (**voir** page 213) et la mettre dans une poche à douille munie d'une douille cannelée n° 12. Beurrer l'intérieur d'un cercle de 22 cm de diamètre et poser sur une plaque recouverte de papier sulfurisé. Déposer une couronne de pâte à l'intérieur du cercle, puis une

deuxième contre la première et une troisième à cheval entre les deux. Poudrer de sucre cristallisé et d'amandes hachées ou effilées. Faire cuire de 40 à 45 min au four préchauffé à 180 °C en entrouvrant la porte du four après 15 min de cuisson pour que la pâte sèche bien. Sur une autre plaque recouverte de papier sulfurisé, déposer une quatrième couronne d'un diamètre inférieur et la faire cuire de 8 à 10 min. Mettre 300 g de crème au beurre au sirop (**voir** page 274) dans une terrine et la fouetter pour l'alléger ; y ajouter un praliné de choix en mélangeant au fouet, puis 225 g de crème pâtissière (**voir** page 274). Couper la grande couronne refroidie en deux, horizontalement, et en garnir le fond d'une couche de crème à l'aide d'une poche munie d'une douille cannelée. Poser la petite couronne par-dessus puis, sur le dessus, déposer un cordon de crème en feston, débordant un peu de la pâte. Poudrer la partie supérieure de sucre glace et la poser sur la crème. Garder au frais jusqu'à 1 heure avant de servir. »

PARISIEN Entremets de pâtisserie classique, fait d'un biscuit au citron fourré de frangipane et de fruits confits, masqué de meringue italienne et doré à four doux.

En boulangerie, « parisien » désigne un meuble utilisé pour entreposer les pâtons façonnés pendant l'apprêt, lorsque celui-ci se fait sur plaques. C'est aussi le nom donné à un pain pesant 400 g.

parisien

Râper le zeste de 1 citron ; battre 3 jaunes d'œuf avec 110 g de sucre en poudre ; ajouter sans remuer 30 g de farine, 30 g de fécule, 1/2 cuillerée à café de vanille en poudre et le zeste râpé. Battre 3 blancs d'œuf en neige ferme et les incorporer aux autres éléments. Verser cette pâte dans un moule à manqué beurré de 22 cm de diamètre et cuire 35 min au four préchauffé à 180 °C. Préparer une frangipane en chauffant sur feu très doux 40 cl de lait avec 1 gousse de vanille ouverte ; battre 3 jaunes d'œuf dans une jatte avec 80 g de sucre en poudre, ajouter 30 g de fécule de maïs, bien remuer et arroser petit à petit avec le lait bouillant, en mélangeant. Remettre le tout dans la casserole, porter à ébullition en fouettant, puis laisser tiédir la crème ; incorporer 80 g de poudre d'amande et bien mélanger. Laisser refroidir le gâteau, puis le couper en abaisses de 1 cm et les recouvrir d'une couche de frangipane. Hacher 100 g de fruits confits, en parsemer les abaisses et superposer celles-ci. Emplir une poche à douille cannelée de meringue italienne et recouvrir tout le gâteau. Poudrer de sucre glace et dorer au four à 180 °C. Servir froid.

PARISIENNE (À LA) Se dit d'apprêts très divers, représentatifs de la restauration classique parisienne, notamment de petites et grosses pièces de boucherie ou de volaille dont la garniture comprend des pommes parisiennes (noisettes, avec des fines herbes), accompagnées de laitues braisées ou de fonds d'artichaut.

L'appellation concerne aussi nombre d'apprêts froids de poissons ou de crustacés où intervient de la mayonnaise collée (fonds d'artichaut garnis de macédoine à la mayonnaise ou œufs durs diversement garnis), ainsi que des petits pâtés ronds en feuilletage garnis de godiveau truffé. Divers apprêts « à la parisienne » comportent du blanc de volaille, des champignons de Paris, de la langue écarlate ou de la macédoine de légumes. Enfin, le potage « à la parisienne » est à base de poireau et de pomme de terre, fini au lait et garni de pluches de cerfeuil.

▶ Recettes : BRIOCHE, CANAPÉ, CROISSANT, GNOCCHIS, OUBLIE, PETITE MARMITE, POULARDE, SAUMON.

PARMENTIER (ANTOINE AUGUSTIN) Pharmacien militaire et agronome français (Montdidier 1737 - Paris 1813). Contrairement à la légende, Parmentier n'a pas « inventé » la pomme de terre, connue et cultivée en France depuis l'agronome Olivier de Serres (1539-1619), mais que les Français considéraient comme un aliment pour le bétail ou pour les indigents. Il en fut le propagateur convaincu. Pourtant, ailleurs en Europe, la pomme de terre était très répandue. En 1772, l'académie de Besançon fonde un prix pour la découverte de végétaux susceptibles de compléter l'alimentation des populations en cas de disette. Parmentier fait partie des sept concurrents qui préconisent l'emploi de la pomme de terre. Il est lauréat en 1773. Cinq ans plus tard, il publie son *Examen chimique de la pomme de terre* ; bientôt, Louis XVI lui-même encouragea les efforts du savant.

En 1786, après un an de famine, un terrain lui est concédé à Neuilly, dans la plaine des Sablons, près de Paris ; plus tard, il obtient aussi de faire planter des pommes de terre dans la plaine de Grenelle, l'actuel Champ-de-Mars. Durant la journée, les cultures sont gardées par des militaires, ce qui est bien la preuve pour les Parisiens que l'on fait pousser là quelque précieuse denrée ; la nuit, des chapardeurs viennent clandestinement s'approvisionner, devenant ainsi les propagandistes les plus efficaces du nouveau légume.

Antoine Parmentier, expert en meunerie, créa une école de boulangerie à Paris ; il fit paraître de nombreux mémoires sur le topinambour, le maïs, la châtaigne, les vins, les sirops, les conserves, et l'hygiène alimentaire. Son nom est associé à la pomme de terre, à plusieurs apprêts à base de chair de ce tubercule et, en particulier, à un hachis de viande de bœuf dressé entre deux couches (ou recouvert d'une seule couche) de purée et gratiné, appelé « hachis Parmentier ».
▶ Recette : HACHIS.

PARMIGIANO REGGIANO OU **PARMESAN** Fromage italien AOC de lait de vache partiellement écrémé (de 32 à 50 % de matières grasses), à pâte pressée cuite et à croûte naturelle graissée (**voir** tableau des fromages étrangers page 398). Le « roi des fromages italiens », très ancien puisqu'il est né en Toscane au XIᵉ siècle, se présente sous la forme d'un gros cylindre de 35 à 40 cm de diamètre et de 18 à 25 cm d'épaisseur, pesant de 24 à 40 kg. Qualifié de *vecchio* après un an d'affinage, de *stravecchio* après 3 ans (certains amateurs le préfèrent quand il a 10 ans), il a une saveur lactique boucanée, fruitée, salée, parfois piquante. Il se sert en fin de repas, mais aussi fraîchement râpé dans de nombreuses préparations culinaires ou en accompagnement de pâtes.

RECETTE DE FERRAN ADRIÀ

air glacé de parmesan avec muesli

POUR 4 PERSONNES

« Faire bouillir 90 cl d'eau et ajouter 1 kg de parmesan râpé en mélangeant sans arrêt jusqu'à formation d'une masse élastique. Retirer du feu et laisser infuser 1 heure. Passer au chinois étamine et réserver le liquide au froid. Préchauffer le four à 150 °C. Mélanger 1,5 g d'acide ascorbique avec 15 cl de sirop 100 % (proportion égale de sucre et d'eau). Couper une pomme golden en lamelles de 1 mm d'épaisseur. Les introduire dans le mélange acide ascorbique-sirop. Égoutter les lamelles et les étendre sur une plaque. Enfourner 20 min. Augmenter la température du four à 170 °C. Laisser refroidir hors du four et casser en morceaux irréguliers de 1 cm. Réserver dans un endroit frais et sec. Faire griller 50 g de noix mondées pendant 7 min dans le four à 170 °C. Les casser légèrement afin d'obtenir des morceaux de 5 mm. Faire chauffer le liquide de parmesan à 45 °C. Ajouter 5 g de lécithine de soja et mélanger. Battre le mélange au batteur électrique à la surface du mélange jusqu'à obtenir une émulsion. Laisser stabiliser 1 min. Ramasser avec une grande cuillère et remplir 4 terrines à glace jusqu'à 3 cm au-dessus du bord. Couvrir d'une feuille de papier et placer au congélateur. Accompagner chaque terrine d'une petite poche qui contiendra 8 g de muesli, c'est-à-dire le mélange de pommes caramélisées, de noix grillées et 5 g de framboises lyophilisées en morceaux. »

---

coussinet d'omble chevalier du lac Léman
à la crème de parmesan ▶ OMBLE CHEVALIER
polenta au parmesan ▶ POLENTA

PARTIR (FAIRE) Commencer la cuisson d'une préparation relativement longue, en la faisant débuter sur le feu avant de mettre le plat dans le four. On fait aussi partir sur le feu la cuisson d'un apprêt au bain-marie (jusqu'à ce que l'eau commence à bouillir), puis on met le tout à four doux pour entretenir le pochage du mets.

PARURES Parties d'un légume, d'une viande, d'un poisson, d'une volaille ou d'un gibier non utilisées lors de la préparation d'un apprêt et parfois réservées pour un emploi ultérieur. Il peut s'agir de déchets non consommables ou d'éléments peu « nobles », qui interviennent comme ingrédients soit dans la cuisson de l'apprêt principal (parures de poisson et de gibier pour les fumets), soit dans une autre préparation.

PASCALINE Apprêt de l'agneau, jadis réservé au jour de Pâques, dont les écrivains Alexandre Dumas et Charles Monselet donnent au XIXᵉ siècle la même recette. Simon Arbellot, pour sa part, cite une pascaline d'agneau bien différente, réalisée plus tard par Prosper Montagné, qui en avait trouvé la recette « dans les papiers de Talleyrand et de Carême » : il s'agit cette fois de têtes d'agneau farcies de foie, de lard et de fines herbes, poêlées au gras, puis dressées dans un plat rond avec des pieds d'agneau cuits au blanc, des ris d'agneau piqués, des croquettes de langue et de cervelle et des croûtons frits, le tout nappé d'une sauce veloutée additionnée de champignons émincés.

PASCALISATION Également dénommée « haute pression », cette technique de conservation des aliments consiste à faire régner de très fortes pressions (4 000 à 6 000 fois la pression atmosphérique) dans des enceintes spéciales à température normale, ce qui détruit les micro-organismes sans modifier la saveur des produits frais. Ce procédé commence à être utilisé au Japon, notamment pour conserver des jus de fruits, mais son application reste limitée en raison de son coût.

PASKHA Gâteau de Pâques traditionnel en Russie, fait de fromage blanc, de sucre, de crème aigre et de beurre, fourré de raisins secs, de fruits confits et de noix ou d'amandes, et moulé en pyramide. Le moule de la paskha était jadis en bois ; ses faces sculptées en creux représentaient les attributs de la Passion. Aujourd'hui, les fruits confits servent toujours à dessiner, au moment du dressage du gâteau, les deux lettres X et B (initiales, dans l'alphabet cyrillique, des mots *Khristos Voskress*, « Christ est ressuscité »).

PASSARD (ALAIN) Cuisinier français (La Guerche-de-Bretagne 1956). Formé dans son bourg natal chez le pâtissier Yves Briand, il apprend la cuisine au *Lion d'or* à Liffré avec Michel Kéréver, à *la Chaumière* de Reims avec Gérard Boyer, à l'*Archestrate* à Paris avec Alain Senderens. Il est le chef, sous la signature de Kéréver, du *Duc d'Enghien*, puis part à Bruxelles où il obtient au *Carlton* deux étoiles au Guide Michelin. Il rachète l'*Archestrate* en 1986, rue de Varenne, qui devient l'*Arpège*. Dans un cadre austère, égayé de panneaux bois précieux incrustés de cristal Lalique, où figure le portrait de sa grand-mère Louise, jadis cuisinière en maison bourgeoise à Rennes, il donne libre cours à ses créations légères. Il obtient la troisième étoile au Guide Michelin en 1996. De haute volée technique, ses mets épousent la mer et la terre. Langoustines marinées au caviar (un plat qui a fait le tour du monde), aiguillettes de homard au vin jaune, dragée de pigeon à l'hydromel, mille-feuille au chocolat (le feuilletage est au cacao) révèlent un virtuose du goût. Il propose des menus « tout légume » et marque l'exigence sur l'origine de ses produits. Ce solitaire a beaucoup de supporters.

PASSE Terme désignant l'espace situé entre les cuisines et la salle de restaurant, où se tient le chef durant toute la durée du service. De cet endroit, il annonce les commandes, les fait marcher et les relance si nécessaire (**voir** ABOYEUR), mais il veille aussi à ce que l'exécution et le dressage des plats soient conformes à ses desiderata. C'est également là qu'il apporte, le cas échéant, la dernière touche de finition.

Le passe se compose d'une « table chaude » (généralement couverte d'un molleton et d'une nappe), permettant de recevoir et de conserver au chaud les plats ou les assiettes, et d'une « table froide » pour les préparations froides. Le serveur doit attendre derrière le passe l'autorisation du chef pour enlever les plats.

PASSER Mettre dans un chinois ou une étamine, pour les filtrer, un bouillon, une sauce, une crème fine, un sirop ou une gelée qui demandent à être très lisses ; pour passer les sauces épaisses, on les foule dans un chinois métallique à l'aide d'un pilon, pour éliminer les éventuels grumeaux.

Le terme « passer » s'emploie aussi au sens d'égoutter des ingrédients après lavage ou après cuisson.

PASSOIRE Ustensile conique, hémisphérique ou évasé, servant à filtrer des boissons, des liquides, des sauces, ou à égoutter des aliments crus ou cuits pour les séparer de leur liquide de rinçage, de trempage ou de cuisson. La petite passoire est généralement munie d'une queue ou de deux branches souples qui permettent de l'introduire dans le bec verseur : passoire à thé ou à tisane, en Inox ou en aluminium, percée de petits trous (certains modèles sont en vannerie) ; passoire à lait en fin treillis métallique, pour retenir la « peau ». La passoire la plus fine, utilisée pour fouler les sauces, passer les bouillons, les crèmes, etc., est le chinois. La passoire à légumes, beaucoup plus grande, est en treillis métallique avec une queue, en aluminium, en matière plastique ou en fer étamé avec deux poignées latérales et parfois trois pieds. Très particulière, la passoire à groseille est munie d'une « olive » de pressage et d'une manivelle ; elle est utilisée pour la confection des gelées.

Toutes les trois indispensables au barman, la passoire à glaçons (composée d'une plaque métallique percée autour de laquelle est fixée une spirale) permet de retenir les glaçons utilisés pour rafraîchir une boisson préparée dans un verre à mélange, la passoire à glace pilée est utilisée pour filtrer un mélange contenant de la glace pilée, et la passoire à pulpe s'emploie pour tamiser un liquide épais ou pour éliminer les éléments en suspension dans un liquide.

PASTÈQUE Gros fruit d'une plante de la famille des cucurbitacées (**voir** planche des melons et pastèques page 536). Sphérique ou ovale, à peau vert foncé, la pastèque pèse de 3 à 5 kg et a une chair rose, plus ou moins teintée, très rafraîchissante et légèrement sucrée, mais sans beaucoup de goût ; la pulpe est semée de grosses graines noires aplaties. Il existe une variété sphérique à confire, produite en assez grande quantité dans le Vaucluse, à chair blanche et très ferme.

D'origine tropicale, connue depuis l'Antiquité, la pastèque, ou melon d'eau, peu cultivée en France, est surtout importée d'Espagne. Riche en eau (92 %), peu nutritive (30 Kcal ou 125 kJ pour 100 g), elle est riche en bêtacarotènes, en potassium et en fibres. À l'achat, elle doit être lourde et ne pas sonner creux.

■ **Emplois.** On la découpe généralement en tranches que l'on croque nature, pour se désaltérer (elle est vendue en pleine rue dans les pays méditerranéens). Une fois épépinée, la pulpe peut aussi s'associer à des salades de fruits. Dans certains pays, on cueille la pastèque verte pour la préparer comme la courge. Enfin, on en fait une confiture (à raison de 750 g de sucre par kilo de pastèque épluchée).

---

pastèque à la provençale

Faire une incision circulaire autour de la queue d'une pastèque mûre à point. La décalotter, la secouer pour faire tomber les graines trop mûres. La remplir de vin de Tavel, reboucher avec la calotte et souder à la cire. Placer dans le réfrigérateur 2 heures au moins. Au moment de servir, ôter la calotte, passer le liquide, couper la pastèque en tranches et la servir avec le vin.

PASTERMA Viande d'agneau, de chèvre ou de bœuf macérée avec des épices et de l'ail, puis séchée. De saveur très relevée, la pasterma fait partie des mezze turcs, arméniens, grecs et moyen-orientaux, et se déguste comme du jambon sec.

PASTEUR (**LOUIS**) Chimiste et biologiste français (Dole 1822 - Villeneuve-l'Étang 1895). On connaît surtout l'ampleur de ses travaux de microbiologie ; cependant – et bien qu'il se souciât peu de gastronomie –, il fit aussi progresser l'hygiène alimentaire. Ses études sur les fermentations lactique, alcoolique et butyrique lui permirent en effet de mettre au point une méthode de conservation du lait, de la bière,

---

PASSER À L'ÉTAMINE ET AU CHINOIS

Passer à l'étamine. Mettre la sauce, le coulis ou la gelée au centre de l'étamine et tordre celle-ci au-dessus d'un récipient en la tenant par ses extrémités.

Passer au chinois. Poser le chinois sur le récipient et verser doucement le bouillon, la sauce ou la crème pour en éliminer les petits morceaux.

du vin et du cidre. La pasteurisation (**voir** ce mot) concerne surtout l'industrie laitière, mais elle s'applique aussi à la bière en tonneau et au cidre, plus rarement au vin. On pasteurise en outre des denrées déjà emballées, comme les bouteilles de bière et les pots d'aliments pour enfants.

PASTEURISATION Traitement thermique de conservation des aliments, au cours duquel ceux-ci sont chauffés à 65-85 °C, de quelques minutes à une heure. La pasteurisation permet de détruire les micro-organismes pathogènes ou responsables de certaines altérations, sans modifier vraiment le goût ni la valeur nutritionnelle des produits : lait, fromages (quand le lait est pasteurisé), cornichons, jambon, foie gras, jus de fruits, etc.

PASTEURISÉ Qualificatif appliqué à un aliment traité par la technique de la pasteurisation. Les produits pasteurisés doivent être maintenus au froid (entre 3 et 6 °C), même s'ils ne sont pas ouverts ; après ouverture, ils doivent être consommés dans les 2 ou 3 jours.

PASTILLA Sorte de tourte feuilletée marocaine, fourrée de volaille (pigeon surtout), de fruits de mer ou de légumes, qui se mange chaude, en entrée. La pastilla se compose de feuilles de pâte d'une très grande finesse (qui servent aussi à préparer les bricks), disposées dans un moule rond beurré, en couches superposées alternant avec la garniture choisie. Cette farce, toujours très épicée et condimentée, est faite soit de morceaux de poulet et d'œufs durs, soit de cailles et de champignons, ou bien de bœuf haché et d'épinards, etc.

La pastilla est dorée à l'œuf et cuite traditionnellement sur de la braise de charbon de bois ; on retourne le moule à mi-cuisson sur un plat de même dimension, pour dorer l'autre face ; on peut aussi la cuire au four, sans la retourner, arrosée de beurre fondu. Elle se sert poudrée de sucre et de cannelle.

On réalise également des pastillas de dessert, fourrées avec des amandes, à la crème pâtissière ou aux vermicelles cuits au lait avec du sucre et de la cannelle.

RECETTE DE *WALLY LE SAHARIEN*, À PARIS

pastilla au pigeon

« Cuire 4 pigeons à l'étouffée, puis les désosser. Y ajouter 50 g d'amandes amères, 50 g de pignons de pin, 50 g de raisins secs, du sel, du poivre, 10 g de gingembre, 5 g de safran en poudre, 5 g de muscade râpée, 1 botte de menthe fraîche et 1 botte de coriandre fraîche, hachées, 4 cuillerées à soupe de cannelle en poudre et 12 œufs. Faire revenir le tout dans de l'huile d'olive très chaude, éventuellement en plusieurs fois. Laisser s'égoutter toute une nuit. Disposer des feuilles de brik sur une assiette, en posant la première au centre et en disposant les autres en rosace, en les faisant se chevaucher légèrement. Verser dessus la préparation au pigeon, l'aplatir et bien la répartir. Rabattre les feuilles de brik et les coller à l'aide de jaune d'œuf de façon à obtenir une tourte. Chauffer un peu d'huile dans une poêle de même taille. Y cuire la pastilla 10 min de chaque côté. Laisser égoutter. Décorer de sucre glace et de filets de cannelle. Servir chaud. »

PASTILLAGE Préparation faite d'un mélange de sucre glace et d'eau, additionné de gélatine, d'amidon, de fécule ou de gomme adragante, parfois coloré et pétri à la main ou au robot électrique muni de crochets.

Les pièces moulées ou découpées dans les abaisses de pastillage sont, après séchage à l'air, assemblées avec de la glace royale ou du pastillage ramolli. Le pastillage permet d'effectuer des pièces décoratives proches de la sculpture. Certains pâtissiers, véritables artistes, pratiquent même la peinture sur pastillage.

PASTILLE Petit bonbon rond et plat, qui se prépare de diverses façons.
– Le sucre est cuit avec du sucre glace, un arôme et un colorant, puis divisé « à la goutte » (aujourd'hui automatiquement) à l'aide d'un entonnoir ; on prépare ainsi les *drops* anglais (littéralement « gouttes »), diversement parfumés, parfois enrobés de chocolat.
– Le sucre glace est additionné de gomme adragante ou arabique, puis laminé et divisé par timbrage ; les pastilles obtenues, rarement colorées, sont parfumées à la menthe, au citron, à l'anis ou avec des sels extraits d'une eau minérale (pastilles de Vichy).
– Le sirop de sucre est transformé en granulés qui sont ensuite comprimés et généralement gardés nature.

PASTIS Boisson spiritueuse surtout à la badiane (anis étoilé) et à la réglisse, devenue en France le plus populaire des apéritifs. Le pastis est un mélange d'alcool pur et d'essence d'anis (anéthole), mis à macérer un jour ou deux avec de la réglisse, puis filtré et sucré ; il titre entre 40 et 45 % Vol. Le pastis se boit toujours allongé d'eau, qui le rend laiteux. Apparu vers 1938 dans la région de Marseille, où le commerce des plantes aromatiques a toujours été actif, il succédait aux absinthes (**voir** ce mot) et connut un succès immédiat, nullement enrayé, deux ans plus tard, par l'interdiction du gouvernement de Vichy de fabriquer et de vendre des alcools anisés : il était très facile, en effet, d'acheter de l'alcool, de l'anéthole et de la réglisse. De nouveau autorisée en 1951, la vente du pastis n'a cessé de croître. En cuisine, on l'utilise pour donner à des apprêts (souvent de poisson) un goût d'anis.

PASTIS (GÂTEAU) Nom de diverses pâtisseries du Sud-Ouest. Dans le « pastis gascon », la pâte est mise à sécher une heure sur la surface d'une table (recouverte d'un grand linge) ; elle est ensuite imbibée de graisse d'oie et découpée en disques ; la moitié de ces disques sont garnis de lamelles de pomme macérées à l'armagnac, recouverts des autres ronds de pâte et cuits au four, puis arrosés d'armagnac à la sortie du four.

RECETTE D'HÉLÈNE DARROZE

pastis landais

POUR 8 PERSONNES
« Dans un batteur, mélanger à petite vitesse 500 g de farine, 100 g de sucre, 10 g de sel, 4 œufs entiers et 30 g de levure de boulanger préalablement diluée dans 1 cl de lait tiède. Au bout de 5 min, passer à la vitesse supérieure pour continuer à battre jusqu'à ce que la pâte se décolle des bords du bol. Ajouter alors 125 g de beurre ramolli. Mélanger à nouveau dans le batteur, puis ajouter 1 cl de pastis et 2 cl d'eau de fleur d'oranger. Battre jusqu'à ce que la pâte se décolle à nouveau puis la laisser reposer pendant 2 heures. La déposer alors dans un grand moule à brioche et la passer au four à 160 °C pendant 45 min. »

PASTRAMI Morceau du gros bout de poitrine du bœuf (**voir** planche de la découpe du bœuf pages 108 et 109), salé par immersion dans une saumure épicée et aromatisée (graines de piment vert, ail, origan, etc.) puis séché et fumé. Populaire à New York, le pastrami, originaire des pays de l'Est européen, se sert découpé en fines tranches servant à garnir des sandwichs.

PATATE DOUCE Tubercule comestible de la famille des convolvulacées, originaire d'Amérique du Sud (**voir** planche des légumes exotiques pages 496 et 497), cultivé dans toutes les zones tropicales et subtropicales, ainsi que sur le pourtour méditerranéen. Le plus gros producteur est la Chine. Les tubercules sont de formes et de couleurs variables. La chair, comme la peau, peut être blanche, rose, rouge, orange, jaune ou violacée. La patate douce a un goût de châtaigne plus ou moins prononcé selon les variétés. Assez énergétique (110 Kcal ou 460 kJ pour 100 g), elle est riche en chlore, en fer, en potassium et en vitamines C, B et PP ; les variétés à chair orangée sont particulièrement riche en provitamine A.
■ **Emplois.** La patate douce se cuisine de multiples façons, comme la pomme de terre : en robe des champs, en croquettes, en purée, au four, en gratin, en chips ; elle entre également dans la composition de gâteaux et de pâtisseries. Les jeunes feuilles s'apprêtent comme des épinards. En Extrême-Orient, les extrémités des tiges sont consommées comme légumes.
▶ Recette : GÂTEAU.

PÂTÉ Préparation cuite de cuisine ou de charcuterie, chaude ou froide, aussi variée que les régions : pâté de Chartres (au gibier), d'Amiens (au canard), de Pithiviers (aux alouettes), de Pézenas (au mouton, aux épices et au sucre), de Brantôme (à la bécasse), de Périgueux (au foie gras truffé) ; pâtés de merle corse, de sole à la dieppoise, pâté lorrain ou bourbonnais, de grive, de lièvre, de pomme de terre à la crème, d'épinards à la poitevine, sans oublier l'oreiller de la Belle Aurore ou le pâté Contade (foie gras en croûte) [**voir** tableau des pâtés page 623].
En principe, on distingue le pâté proprement dit, qui est une farce enfermée dans une croûte de pâte et cuite dans un moule en métal, de la terrine, où la farce cuit dans un moule en terre, en porcelaine ou en métal, chemisé de bardes de lard. Mais, en fait, le terme « pâté » peut désigner les deux apprêts : pâté en croûte, chaud ou froid, et pâté à trancher, en terrine, froid.
■ **Histoire.** Le pâté était déjà connu des Romains, qui le faisaient surtout avec du porc, mais aussi avec toutes sortes d'ingrédients macérés et épicés (langues d'oiseau notamment). Au Moyen Âge, les recettes de « pâtisseries » (viandes cuites en pâte) étaient très nombreuses, et elles le restèrent. Alexandre Dumas, dans son *Grand Dictionnaire de cuisine* (1872), en propose une douzaine, avec de nombreuses variantes.
■ **Préparation.** En charcuterie, la composition des pâtés (en réalité, des terrines) est en partie réglementée. Parmi ces préparations à base de viande et d'abats de porc en morceaux ou hachés, liées avec des œufs, du lait, de la gelée, etc., on distingue le pâté de campagne – notamment le pâté de campagne breton, sous label rouge (pâté classique pur porc, additionné d'abats, de couennes, d'oignons, d'épices et d'aromates) –, les pâtés de volaille (15 % de l'animal) et de

gibier (20 %), le pâté de foie (15 % à 50 % de foie) et le pâté de tête (tête cuite désossée, additionnée de viande salée cuite, non découennée). Les farces sont hachées plus ou moins finement, avec parfois des éléments entiers sous forme d'aiguillettes, de petites lanières, de dés, etc.

En cuisine, les pâtés sont le plus souvent des pâtés en croûte. La pâte la plus courante est la pâte à pâté, mais on utilise aussi une pâte dite « fine », au beurre, ainsi que la pâte feuilletée et la pâte à brioche non sucrée. Le couvercle de pâte, soudé au bord pour bien enfermer la farce, est doré et souvent décoré de détails ; son centre est percé d'une « cheminée », pour permettre à la vapeur de cuisson de s'échapper.

Il faut, par ailleurs, ranger parmi les pâtés en croûte certains apprêts qui ne sont pas moulés, mais cuits dans une enveloppe de pâte (koulibiac en pâté pantin).

pâte à pâté : préparation

Disposer 500 g de farine tamisée en fontaine sur un plan de travail. Mettre au milieu 12 g de sel, 125 g de beurre, 2 œufs entiers et 25 cl d'eau. Rassembler la pâte, puis la fraiser deux fois. La rouler en boule, la couvrir et la réserver au frais 2 heures avant l'emploi.

pâte à pâté au saindoux : préparation

Disposer 500 g de farine tamisée en fontaine sur un plan de travail. Mettre au milieu 125 g de saindoux juste fondu, 1 œuf entier, 20 cl d'eau et 15 g de sel, comme la pâte à foncer ordinaire.

marinade crue pour éléments de pâté et de terrine ▶ MARINADE

RECETTE DE PAUL BOCUSE

oreiller de la belle basse-cour

« Vider 1 poulet de Bresse et 1 canard étouffé de 2,2 kg chacun, ainsi que 1 pintade de 1,2 kg et 4 pigeons de 450 g chacun. Récupérer les foies, désosser et enlever les peaux. Couper en dés les gras de cuisse et les suprêmes, couper aussi 1 kg de longe de veau et 1 kg d'échine de porc. Passer à la grille fine les foies et les pilons des volailles, puis 2 kg de gorge de porc à la grille plus grosse. Tailler en petits dés 400 g de lard gras, ajouter 40 g de cognac et 80 g d'échalotes hachées. Mélanger le tout en ajoutant 16 g de sel et 1 g de poivre par kilo de chair ainsi que 70 g de farine, 4 œufs entiers, 80 g de porto et 100 g de pistaches émondées. Faire reposer une nuit au réfrigérateur. Prendre 2 kg de pâte feuilleté à séparer en 2 bandes dont une plus épaisse pour le dessous. Faire un pâté carré ; le dorer et décorer à son idée. Cuire au four à 170 °C pendant 1 h 30 ou 1 h 45. Servir chaud. »

pâté d'alouette en terrine

Plumer 8 alouettes, les flamber et éliminer becs et pattes. Les vider en ne laissant que le foie et le gésier. Sans les désosser, les passer au hachoir, d'abord à grille moyenne, puis à grille fine. Mettre la purée obtenue dans une jatte avec 40 g de graisse de foie gras et 40 g de graisse d'oie ; ajouter 1 cuillerée à café de sel, une pincée de poivre en grains fraîchement moulu et 6 baies de genièvre finement concassées ; bien mélanger l'ensemble, puis le verser dans une terrine ; couvrir celle-ci et la mettre 1 h 30 au bain-marie dans le four préchauffé à 180 °C. Passer le pâté encore chaud au tamis pour obtenir une mousse très fine ; mélanger cette dernière avec 80 g de saindoux et 80 g de graisse de foie gras. Verser dans une petite terrine, bien tasser et laisser tiédir. Liquéfier 40 g de saindoux sur feu très doux, le laisser tiédir, puis le verser dessus. Couvrir et laisser refroidir.

pâté d'anguille ou eel pie

Désosser une anguille et détailler les filets en escalopes de 5 à 6 cm. Blanchir à l'eau salée. Faire durcir des œufs. Égoutter les escalopes, laisser refroidir. Couper les œufs durs en rondelles. Assaisonner poisson et œufs de sel, de poivre et de muscade râpée ; les parsemer de persil haché. Ranger ces escalopes dans un plat creux, ovale, en les séparant par des couches de rondelles d'œuf dur. Mouiller à mi-hauteur de vin blanc et

parsemer de petits morceaux de beurre. Placer sur le plat une abaisse de feuilletage, ouvrir une cheminée, dorer à l'œuf, puis rayer. Cuire 1 h 30 au four préchauffé à 150 °C. Au moment de servir, verser par la cheminée quelques cuillerées de demi-glace maigre.

pâté chaud de bécassine Lucullus

Désosser 8 bécassines et les mettre à plat sur un plan de travail. Les garnir d'une farce fine à la crème, additionnée d'un tiers de son volume de foie gras et des entrailles hachées des bécassines, en plaçant au milieu un morceau de foie gras et un morceau de truffe. Reformer les bécassines et les arroser d'un filet de cognac. Foncer de pâte fine un moule ovale à charnières. Le tapisser d'une couche de farce fine à la crème, enrichie de la moitié de son volume de farce à gratin. Placer les bécassines dans le moule, en les serrant bien les unes contre les autres et en comblant les vides avec de la farce. Terminer par une couche de farce et recouvrir celle-ci d'une barde de lard, puis d'une abaisse de pâte. Souder et pincer les bords. Décorer avec quelques motifs de pâte. Ouvrir une cheminée au centre du pâté. Dorer à l'œuf. Mettre le moule au bain-marie dans la plaque du four et porter à ébullition sur le feu. Enfourner ensuite à 185 °C et cuire 1 heure environ. Enlever le couvercle du pâté en l'incisant sur le pourtour. Retirer la barde de lard et ôter le moule. Verser dans le pâté un ragoût de truffe lié de quelques cuillerées de fond de gibier parfumé au madère. Remettre le couvercle sur le pâté et réchauffer quelques instants au four. Servir aussitôt.

RECETTE D'ÉRIC LECERF

pâté en croûte

POUR 8 PERSONNES

« Deux jours à l'avance, faire mariner 650 g de poitrine de veau, 150 g de foies de volaille, 400 g de gorge de porc et 200 g de foie gras coupés en gros dés dans 1/2 litre de vin blanc sec avec 20 g de sel, 6 g de poivre, 8 g de sucre, 1 échalote confite au beurre et 1 cuillerée à café de fleur de thym. La veille, mélanger 500 g de farine, 250 g de beurre, 10 g de sel et 2 œufs. Laisser reposer cette pâte 24 heures. Le jour même, sortir la farce de la marinade et la hacher à la grosse grille. Chemiser un moule à pâté avec la pâte réservée, en laissant un peu de pâte pour refermer votre pâté en croûte. Garnir le moule de farce et refermer le pâté avec la bande de pâte restante. Cuire au four pendant 45 min. Laisser refroidir hors du four. »

RECETTE DE JEAN DUCLOUX

pâté en croûte « pavé du roy »

« Couper 300 g de noix de veau et 300 g de noix de porc en petits carrés et les faire mariner 12 heures avec 1 verre de vin blanc, 1 verre à digestif de cognac, du sel, du poivre et une pincée de quatre-épices. Passer 500 g de gorge de porc au hachoir et l'assaisonner. La mélanger à la viande marinée et à 100 g de foie gras coupé en petits dés. Faire une pâte brisée salée avec 500 g de farine, 300 g de beurre et 2 œufs. Foncer avec cette pâte un moule à pâté. Mettre une barde de lard au fond et remplir avec la moitié de la farce. Répartir 6 truffes en morceaux, puis ajouter le reste de farce. Recouvrir d'une barde de lard et fermer avec le reste de pâte. Ouvrir deux cheminées dans ce couvercle et le dorer à l'œuf avec un pinceau. Cuire 1 heure au four préchauffé à 250 °C. Laisser refroidir et couler de la gelée froide par les cheminées. Mettre 12 heures au réfrigérateur. »

pâté de foie gras truffé

Parer et dénerver 2 foies gras bien fermes. Clouter les lobes de truffe pelée, coupée en bâtonnets, relevée de sel épicé et arrosée de cognac. Assaisonner les foies de sel épicé et les faire macérer 2 heures avec du cognac et du madère. Foncer un moule à charnières (rond ou ovale) de pâte à pâté ayant reposé 12 heures. Tapisser le fond et les parois avec de la farce de porc et de foie. Mettre au milieu les lobes de foie gras, en les serrant bien les uns contre les autres. Recouvrir, en dôme, d'une couche de farce (il en faut 1 kg en tout), puis d'une barde de lard gras. Déposer sur la barde une demi-feuille de laurier et 1 brindille de thym. Fermer le pâté

Caractéristiques des principaux pâtés

NOM	PROVENANCE	COMPOSITION
à trancher		
pâté d'abats	toute la France	viandes avec ensemble des abats comestibles
pâté de canard d'Amiens	Picardie	sorte de galantine avec 25-30 % de canard, farce de gras et maigre de porc, parfois truffée ou pistachée, parfois en croûte
pâté des Ardennes	Ardennes	pâte fine avec morceaux de foie, gras, éventuellement tête et cœur de porc
pâté breton	toute la France	pâté de campagne avec oignons crus, couennes ou parures de tête, cuit au four
pâté de campagne	toute la France	pur porc : maigre, gras, abats (cœur, foie, tête)
pâté de campagne au foie	Sud-Ouest	pâté de campagne avec ≥ 30 % de foie
pâté de Chartres	Chartres	≥ 20 % de chair et/ou de foie de gibier, perdreau, faisan ou canard, viande de porc et/ou de veau, parfois en croûte, en brioche ou en boîte (conserve)
pâté en croûte	toute la France	morceaux de viande maigre (porc, veau, volaille, gibier) inclus dans une farce fine, cuits dans une pâte, parfois en portions individuelles
pâté forestier	toute la France	pâté de campagne avec ≥ 1 % de champignons sylvestres (trompette-de-la-mort, cèpe, morille, lactaire, etc.)
pâté de gibier	toute la France	≥ 20 % de maigre de gibier, souvent foie, cœur, rognon, tranche brun foncé (pour le lièvre) à brun clair (pour le perdreau)
pâté de Périgueux	Dordogne	truffé (3 %), avec 30-40 % de foie gras d'oie ou de canard, farce de porc (maigre et gras), parfois en boîte
pâté rennais	Bretagne	pur porc : un tiers de foie et cœur, un tiers de gras, couenne cuite et maigre, persil, épices
pâté de volaille, de lapin	toute la France	maigre (poulet, canard, dinde, lapin) ≥ 15 % ou ≥ 20 % (pâté « supérieur »)
purée, mousse ou crème		
confit de foie	toute la France	porc ou volaille, avec 40-60 % de foie
pâté de foie	toute la France	pâté de structure fine, à tartiner, avec 15 % de foie min. (20 % pour une qualité « supérieure »), gras de porc ou graisse de volaille, lié, selon les cas, avec gelée, œuf, lait, farine, fécule
en boulettes		
attignole	Normandie	hachis grossier de maigre, gras, couenne ; en boulettes de 25-30 g ; cuites au four ; en gelée
attriau	Savoie	poumon, cœur, foie, gras hachés ; en boulettes de 100 g ; sous crépine
caillette de l'Ardèche	Ardèche	moitié bettes ou épinards, moitié porc haché ; sous crépine ; cuite au four
caillette varoise	Provence	pur porc : foie (30 %), gorge (30 %) et maigre ; cuite au four
fricandeau	Sud-Ouest	gorge, foie, rognon (porc ou veau) ; sous crépine ; boulette en gelée avec saindoux, cuite au four
pâté ou attereau	Bourgogne	hachis de viande, foie, rognon, gras de porc ; en crépine ; en grosses boulettes
pâté ou fagot	Charentes	lamelles de foie de porc, gras, sous crépine, ficelées et revenues ; en petites boulettes
pâté de Gascogne	Sud-Ouest	foie de volaille partiellement en morceaux, foie de porc ; mousse fine

d'une abaisse de pâte et souder le couvercle et les bords en les pinçant. Lever à l'emporte-pièce des fleurons de pâte restante et en décorer le dessus du pâté. Ouvrir une cheminée dans le couvercle pour permettre à la vapeur de s'échapper. Dorer à l'œuf battu. Cuire de 30 à 35 min par kilo au four préchauffé à 190 °C. Laisser refroidir. Lorsque le pâté est tiède, le remplir par la cheminée de saindoux fondu (s'il doit être conservé quelque temps) ou de gelée liquide (s'il doit être consommé rapidement).

chair à pâté jusqu'à 5 mm du bord et ajouter sur le dessus un petit bout de feuille de laurier-sauce. Fermer les bocaux et les mettre à stériliser 2 heures dans un récipient approprié. Ne jamais interrompre l'ébullition. Laisser refroidir dans le récipient d'eau, puis après avoir bien essuyé les bocaux, les ranger dans un endroit frais à l'abri de la lumière. Attendre le plus longtemps possible pour les déguster. »

RECETTE DE CHRISTIAN PARRA

pâté de foie de porc et de canard gras

POUR 50 À 55 BOCAUX DE 200 G

« Dans une grande bassine, mélanger 2 kg de foie de porc avec 4 kg de gorge de porc et 4 kg de canard gras avec la peau, le tout haché à la grosse grille. Ajouter 160 g de sel, 40 g de poivre noir fraîchement moulu, 10 g de piment d'Espelette, 10 gousses d'ail hachées, 50 g de sucre en poudre et un filet de cognac. Remuer énergiquement. Placer au centre de chaque bocal un gros dé de foie gras cru d'environ 20 g. Recouvrir de

RECETTE DE JEAN DUCLOUX

pâté de foie de volaille

« Préparez une marinade avec 6 cuillerées à soupe de cognac, 3 cuillerées à soupe d'huile et 1 échalote hachée. Mettez-y 500 g de noix de veau et 500 g de filet de porc coupés en petits carrés, et 600 g de gorge de porc passée au hachoir. Salez, poivrez et ajoutez une pincée de quatre-épices. Laissez macérer 12 heures au moins. Faites revenir au beurre 6 foies de volaille avec 100 g de lard gras coupé en dés, et passez le tout au hachoir grille moyenne. Incorporez 2 œufs entiers,

623

2 cuillerées à soupe de farine, 1 cuillerée à soupe de crème fraîche et le jus de la marinade. Tapissez le fond d'une terrine de 200 g de barde de lard gras, versez-y la farce et recouvrez complètement de 100 g de barde. Cuire 1 h 30 au bain-marie dans le four préchauffé à 200 °C. »

pâté de lamproie à la bordelaise

Le préparer avec des filets de lamproie, de la farce de poisson aux herbes et des couches de poireaux fondus au beurre pour séparer les couches de poisson.

pâté de lièvre

Désosser un lièvre, réserver les filets, y compris les filets mignons et les noix des cuisses. Dénerver ces parties et les piquer de lard fin ; les saler, les poivrer et les poudrer d'un peu de quatre-épices, puis les faire mariner dans du cognac en y ajoutant un poids égal d'aiguillettes minces de jambon maigre, non fumé, et de lard gras frais, ainsi que des truffes coupées en quartiers. Avec le restant des chairs de l'animal, préparer une farce de gibier ; la lier, une fois passée au tamis, avec le sang du lièvre. Garnir de pâte à foncer un moule ovale à charnières, beurré. Recouvrir la pâte de bardes de lard très minces. Étaler une couche de farce au fond et sur les parois. Disposer sur cette farce les filets de lièvre marinés en les alternant. Recouvrir d'une couche de farce. Continuer d'emplir le moule, en terminant par une couche de farce. Recouvrir d'une barde très fine, puis d'une abaisse de pâte. Bien souder celle-ci sur les bords. Former la crête du pâté au pince-pâte. Décorer le dessus de petits motifs découpés dans la pâte. Introduire une petite douille métallique au centre du pâté pour permettre l'échappement de la vapeur en cours de cuisson. Dorer le pâté à l'œuf battu, le faire cuire dans le four préchauffé à 190 °C, en comptant 35 min par kilo. Faire refroidir le pâté sans le sortir du moule. Lorsqu'il est froid, couler par l'ouverture quelques cuillerées de gelée au madère.

pâté de porc à la hongroise

Couper en languettes 300 g d'échine de porc, assaisonner et laisser reposer 5 ou 6 heures. Éplucher et couper en dés 150 g d'oignons, laver et émincer 200 g de champignons ; les faire étuver ensemble au beurre avec du sel, du poivre et du paprika. Les lier de 2 ou 3 cuillerées de velouté. Foncer de pâte ordinaire un moule à pâté. Tapisser le fond de 200 g de godiveau à la crème, additionné de ciboulette hachée et de paprika. Ajouter les légumes, en tassant. Égoutter les aiguillettes de porc, les faire raidir légèrement au beurre et les ranger sur les légumes. Recouvrir de 200 g de godiveau, puis d'une abaisse de pâte à foncer ou de pâte feuilletée. Terminer comme pour le pâté de lièvre, et cuire 1 h 30 au four préchauffé à 180 °C. Verser par la cheminée de la sauce hongroise.

pâté de ris de veau

Braiser à moitié, à blanc, 2 belles noix de ris de veau préalablement blanchies. Nettoyer et émincer 300 g de champignons et les passer au beurre. Foncer de pâte fine un moule à pâté ovale ; tapisser le fond et les parois de 250 g de godiveau à la crème. Verser la moitié du mélange de champignons ; recouvrir avec les ris, puis ajouter le reste des champignons. Arroser de beurre fondu. Recouvrir d'une abaisse de pâte et terminer comme pour le pâté de lièvre. Cuire 1 h 30 au four préchauffé à 190 °C.

pâté de saumon

Préparer 600 g de farce de brochet et l'additionner d'une truffe hachée. Escaloper finement 600 g de chair de saumon frais, la faire macérer 1 heure dans un peu d'huile avec du sel, du poivre et des fines herbes hachées. Foncer de pâte fine un moule à pâté ovale. Garnir le fond de la moitié de la farce de brochet, puis recouvrir avec les escalopes de saumon égouttées et le reste de la farce. Recouvrir d'une abaisse de pâte. Terminer comme pour le pâté de lièvre. Cuire 1 h 15 au four préchauffé à 190 °C.

pâté de veau et de jambon en croûte

Dénerver 300 g de noix de veau et la détailler en aiguillettes de 10 cm environ ; préparer de la même façon 300 g de maigre de porc et 200 g de jambon ; mettre toutes ces viandes dans une terrine, poudrer de 20 g de sel épicé, arroser de 10 cl de madère et laisser mariner de 6 à 12 heures. Foncer de pâte fine un moule rond ou ovale. Masquer le fond et les parois de ce moule de bardes très minces de lard gras (200 g) et tapisser celles-ci d'une couche de 250 g de farce fine. Garnir le moule avec les aiguillettes de veau, de porc et de jambon en alternant les différentes couches et en les jointoyant avec de la farce fine étalée en couches pas trop épaisses. Disposer éventuellement une ou deux truffes coupées en quartiers ou quelques pistaches. Terminer par une couche de 200 g de farce. Placer une abaisse de pâte en couvercle et la souder à l'aide du pouce et de l'index. Pincer tout le tour du pâté à l'aide d'un pince-pâte. Dorer le couvercle à l'œuf battu et le décorer de quelques motifs faits avec les rognures de pâte (abaissée sur une faible épaisseur). Faire une cheminée au milieu et y placer un morceau de carton roulé ou une petite douille lisse. Dorer encore une fois le couvercle. Enfourner le pâté à 190 °C et le laisser cuire pendant 1 h 10 environ. Le laisser refroidir complètement. Verser par la cheminée quelques cuillerées de beurre fondu, de saindoux (ou de gelée, si le pâté est consommé tout de suite). Démouler le pâté lorsqu'il a totalement refroidi.

PÂTE D'AMANDE Préparation de confiserie à base d'amandes douces échaudées, mondées et séchées, puis finement broyées et mélangées avec deux fois leur poids de sucre en poudre et un peu de glucose.

■ **Emplois.** La pâte d'amande est souvent aromatisée avec un alcool blanc, pour fourrer bonbons ou bouchées au chocolat. C'est la matière première du calisson, de l'aboukir, du touron et du massepain.

En pâtisserie, ses emplois sont très variés, en particulier pour décorer ou recouvrir nombre de gâteaux (bûche, génoise, gâteau individuel, entremets) ; la pâte d'amande fondante (où la proportion de sucre est moindre) se parfume à la vanille, au citron, à l'orange, à la fraise, à la pistache, au café ou au chocolat et se décline en blanc, en rose, en vert pâle, en brun ou en jaune ; on prépare aussi de la pâte d'amande granulée pour masquer gâteaux et petits-fours ; elle sert enfin à farcir des fruits secs servis en petits-fours (datte, pruneau). La pâte d'amande la plus prisée est celle qui est dite « de Lübeck ».

colombier ▶ COLOMBIER
polenta au parmesan ▶ POLENTA

pâte d'amande

Monder et broyer très finement 250 g d'amandes douces, en procédant par petites quantités pour qu'elles ne tournent pas en huile. Cuire 500 g de sucre en poudre et 50 g de glucose dans 15 cl d'eau, jusqu'au « petit boulé ». Retirer la casserole du feu, y verser les amandes broyées et remuer énergiquement à la cuillère de bois jusqu'à ce que la préparation soit granuleuse. Laisser refroidir, puis travailler la pâte à la main par petites quantités, jusqu'à ce qu'elle soit souple.

PÂTE DE FRUITS Confiserie à base de pulpe de fruit, de sucre et de pectine. Sa confection est assez voisine de celle d'une confiture, mais donne une préparation beaucoup plus sèche.

La pulpe de fruit représente 50 % du produit fini (40 % pour les coings et les agrumes).

■ **Fabrication.** Dans les pâtes de fruits industrielles, la pulpe est habituellement composée de pulpe d'abricot et/ou de pulpe de pomme et de pulpe du fruit qui donne son appellation à la pâte, avec un arôme et parfois un colorant. La pulpe est mise à cuire avec du sucre, du sirop de glucose et de la pectine, puis parfumée, colorée et coulée dans des moules d'amidon ou sur des plaques, pour être ensuite découpée. Après avoir refroidi pendant 12 à 24 heures, les pâtes sont démoulées, brossées, ventilées, et roulées dans du sucre cristallisé, du sucre glace ou de la glace royale. Elles se conservent à température moyenne, en atmosphère légèrement humide.

L'appellation « pâte de (nom du fruit) » signifie qu'on a utilisé la pulpe d'un seul fruit, tandis que « pâte de fruits à (nom du fruit) » indique que la pulpe du fruit mentionné prédomine ; enfin, les « pâtes de fruits, arôme (nom du fruit) » sont des pâtes où le fruit mentionné n'est employé qu'en petite quantité, voire seulement sous forme d'arôme.

cotignac ▶ COTIGNAC

pâte d'abricot

Choisir des abricots bien mûrs, les dénoyauter, les mettre dans une bassine, les mouiller juste à hauteur d'eau et porter à ébullition. Les égoutter, les peler, puis les passer au moulin à légumes. Peser la pulpe obtenue. Pour 1 kg de pulpe, peser de 1,1 à 1,2 kg de sucre en poudre. Mélanger 100 g de sucre en poudre et 60 g de gélifiant en poudre. Verser la pulpe dans une bassine à fond épais, et porter à ébullition. Ajouter le mélange sucre-gélifiant et rétablir l'ébullition en tournant à la spatule de bois. Mettre la moitié du sucre restant, puis, à la reprise de l'ébullition, le reste du sucre, en tournant toujours à la spatule de bois ; maintenir à gros bouillons 6 ou 7 min. Poser 1 feuille de papier sulfurisé très légèrement huilé sur un marbre et placer dessus un cadre rectangulaire en bois. Verser la pâte à l'intérieur de ce cadre, égaliser la surface et laisser refroidir 2 heures. Découper alors la pâte en carrés ou en rectangles et les rouler dans du sucre cristallisé.

RECETTE DE *LA CHOCOLATERIE ROYALE*, À ORLÉANS

pâte de coing

« Cuire dans une bassine, avec 15 cl d'eau, 1 kg de coings épluchés, épépinés et coupés en morceaux, jusqu'à ce qu'ils soient réduits en compote. Les passer au moulin à légumes grille moyenne. Ajouter 1,2 kg de sucre, et cuire longtemps, jusqu'à ce que le mélange se décolle du fond du récipient, en remuant souvent pour qu'il n'attache pas. Couler dans un cadre posé sur un marbre saupoudré de sucre cristal. Le lendemain, quand la pâte de coing est bien froide, la détailler en morceaux, passer ceux-ci dans du sucre cristal et laisser sécher. »

pâte de fraise

Laver les fraises, les équeuter et les passer au moulin à légumes. Compter 1 kg de sucre pour confiture pour 1 kg de pulpe. Verser la pulpe dans une bassine à confiture ou dans une casserole et la faire bouillir ; ajouter la moitié du sucre et porter de nouveau à ébullition en remuant avec une spatule en bois. À la reprise de l'ébullition, mettre le reste du sucre en tournant toujours, puis maintenir la cuisson à gros bouillons 6 ou 7 min. Tremper 2 feuilles de gélatine dans un bol d'eau froide puis les essorer ; délayer la gélatine dans un bol, avec un peu de pulpe chaude, la reverser dans la bassine et bien mélanger. Poser une feuille de papier sulfurisé sur le plan de travail et par-dessus un cercle sans fond. Couler la pâte dedans, l'égaliser et la laisser refroidir. Découper en carrés et rouler ceux-ci dans du sucre cristallisé.

RECETTE DU *CONFISEUR MODERNE*

pâte de pomme

« Choisissez de belles pommes reinettes ; vous les pelez et enlevez les parties fibreuses et les pépins ; vous les mettez dans une bassine avec de l'eau (7 dl pour 1 kg de pommes environ), les retournant de temps en temps avec une spatule, jusqu'à ce qu'elles soient bien attendries par la cuisson. Alors, vous les retirez et les jetez dans un tamis, sur une terrine ; quand elles sont refroidies, vous les écrasez et les réduisez en pulpe, que vous faites réduire de moitié sur le feu. Vous la retirez et la versez dans un vase de terre vernissée ou dans une terrine, précaution sur laquelle on ne peut trop insister. Vous clarifiez même quantité de sucre ; vous le faites cuire au petit cassé et, retirant votre bassine du feu, vous y faites tomber votre marmelade ; vous remuez bien le mélange avec la spatule et le posez sur feu doux ; vous lui faites frissonner quelques bouillons et remuez toujours, jusqu'à ce que vous voyiez le fond de la bassine ; alors vous mettez le tout en moule (comme pour la pâte d'abricot). »

PÂTÉ IMPÉRIAL Mets chinois et (apprêté un peu différemment) vietnamien. Le pâté impérial chinois est fait d'un carré de pâte aux œufs et à la farine de blé, dans lequel on enroule une farce composée de porc, d'oignons, de queues de crevette, de pousses de bambou ou de germes de soja, de champignons parfumés, de ciboulette et parfois de châtaignes d'eau, liée avec des œufs et un assaisonnement à base de sauce soja, de gingembre et de poivre, relevé d'alcool de riz.

Les rouleaux sont frits et accompagnés d'une sauce soja à l'ail et au citron ; ils sont servis avec des feuilles de laitue, des germes de soja crus, des feuilles de menthe, du persil ou de la coriandre.

La version vietnamienne, légèrement différente dans sa composition, est appelée « nem » (**voir** ce mot) au Nord et « châgio » au Sud. On peut remplacer le porc par du poulet et les crevettes par du crabe ; la farce, qui est assaisonnée avec du nuoc-mâm, est enveloppée dans une fine galette de riz.

Les pâtés impériaux sont frits ou poêlés et servis avec du nuoc-mâm légèrement pimenté, des feuilles de menthe et de la laitue.

PÂTÉ PANTIN Variété de pâté en croûte confectionnée sans moule. La farce (de viande, de volaille, de gibier ou de poisson) est cuite dans une abaisse de pâte qui l'enferme entièrement, et qui est posée à même la plaque du four. Le pâté pantin, rectangulaire ou oblong, se sert chaud ou froid, en entrée.

pâté pantin de volaille

Préparer la volaille comme pour une ballottine. La cuire, à moitié, dans un fond blanc de volaille, l'égoutter et la laisser refroidir. Étendre 600 g de pâte à brioche commune sur un plan de travail et la diviser en deux parties égales. Masquer l'une des parties de bardes de lard très fines, poser la ballottine au milieu et remonter la pâte tapissée de bardes tout autour. Disposer également des bardes fines sur le dessus, puis recouvrir avec la seconde moitié de la pâte. Souder les bords. Strier le dessus de la pâte, le dorer à l'œuf et y ouvrir une cheminée. Cuire 1 h 30 au four préchauffé à 190 °C. Servir tiède.

PÂTÉ DE PÉZENAS Petit pâté en croûte en forme de bobine renfermant une farce sucrée-salée composée d'un hachis de viande de mouton (gigot de préférence) et de graisse de rognon de mouton, additionné de cassonade, de zeste de citron et d'écorce d'orange confite, qui se sert très chaud, en entrée ou même en dessert, comme le conseillait Prosper Montagné au début du XXe siècle. La recette de ces pâtés languedociens est revendiquée par Béziers, où l'on vendait déjà dans les rues, au XVIIe siècle, des « petits pâtés à la viande ». Mais les pâtés de Pézenas semblent avoir une origine plus précise : lord Clive, vice-roi et gouverneur des Indes, passa l'hiver de 1766 à Pézenas ; son cuisinier indien lui préparait alors des pâtés à la viande de mouton épicés et sucrés (dont les Britanniques ont toujours été friands), que les pâtissiers de la ville diffusèrent ensuite dans toute la région.

PÂTES ALIMENTAIRES Préparation à base de semoule de blé dur et d'eau, comportant parfois des œufs ou des légumes (**voir** planche des pâtes alimentaires pages 627 à 630). Telle est la définition des pâtes « sèches », qu'il faut distinguer des pâtes dites « fraîches », à base de farine et d'œufs. Présentées sous de multiples formes, parfois aromatisées, les pâtes sont vendues prêtes à cuire à l'eau, à garnir un potage ou à gratiner, ou bien farcies et à réchauffer.

On raconte que les pâtes étaient fabriquées depuis l'Antiquité en Chine, où Marco Polo les aurait découvertes vers 1295. Il semble cependant qu'elles étaient déjà connues avant cette époque en Italie. Catherine de Médicis les introduisit en France au XVIe siècle. D'abord réservées à la noblesse et à la bourgeoisie, répandues en Provence et en Alsace, après avoir gagné l'Europe centrale et l'Allemagne, il fallut attendre la fin du XIXe siècle pour que, grâce à la fabrication industrielle, les pâtes deviennent l'aliment populaire qu'elles sont encore aujourd'hui.

■ **Fabrication.** La fabrication des pâtes alimentaires ne fait intervenir que des opérations mécaniques, sans cuisson ni fermentation. Les grains de blé dur sont d'abord réduits en semoule. Celle-ci va être malaxée en présence d'eau jusqu'à atteindre 32 % d'humidité, avec un apport éventuel d'œufs frais. Après pétrissage et pressage, la pâte obtenue subit des opérations de tréfilage-extrusion ou de laminage-découpage, selon l'aspect final escompté. Suit alors un séchage prolongé à chaud, jusqu'à obtenir le taux d'humidité de 12,5 %, qui permet une conservation de longue durée des pâtes sèches. Aucune adjonction chimique ni de colorant n'est autorisée. Les pâtes sont enfin conditionnées en étuis de carton ou en sachets transparents. À l'inverse, les pâtes fraîches ne sont pas séchées (leur taux d'humidité est supérieur à 12,5%). Une fois mises en forme, et éventuellement garnies, les pâtes fraîches sont vendues dans le commerce emballées sous atmosphère protectrice ou parfois en vrac ; elles doivent être consommées rapidement après ouverture.

Des pâtes de bonne qualité doivent être lisses et régulières, sans traînée blanchâtre, translucides et d'une belle teinte tirant sur le jaune ; à la cuisson, les pâtes sèches triplent de volume.

Une portion moyenne de pâtes (60 g sèches ou 180 g cuites) fournit, sans assaisonnement, 230 Kcal ou 961 kJ et un apport en protéines végétales intéressant ; avec du beurre, de la sauce tomate et du fromage (c'est-à-dire des lipides, des glucides et des vitamines), les pâtes constituent un plat parfaitement équilibré.

Il faut déguster les pâtes al dente (encore fermes sous la dent). En effet, elles contiennent des sucres lents qui fournissent de l'énergie de manière prolongée, alors qu'une cuisson excessive transforme l'amidon des pâtes en sucres rapides.

■ **Pâtes classiques et spécialités.** Les pâtes se distinguent par la proportion de leurs composants.

● **PÂTES CLASSIQUES.** Elles ne comportent que de la semoule de blé dur et de l'eau. Il vaut mieux les choisir de qualité supérieure. Leur goût varie selon leur forme : coudes, coquillettes, macaronis ou tagliatelles, fabriqués avec la même semoule, n'ont pas la même saveur, indépendamment de l'assaisonnement. Certaines comportent des stries, ce qui améliore l'adhésion des corps gras (huile, crème). Parmi les pâtes classiques, on distingue généralement les pâtes à potage, les pâtes longues et les pâtes courtes.

● **PÂTES AUX ŒUFS.** Elles contiennent de trois à huit œufs par kilo de semoule.

CONFECTIONNER DES PÂTES FRAÎCHES

1. Aplatir progressivement la pâte en la passant plusieurs fois entre les deux cylindres de la machine.

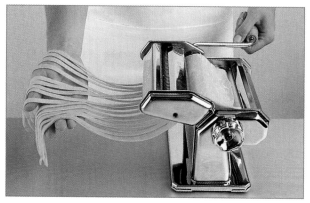

2. Après avoir laissé reposer la pâte, la découper à l'aide de l'accessoire et de la lame choisis, et la déposer sur un torchon pour qu'elle s'assèche.

● **PÂTES AU GLUTEN.** Elles comportent au moins 20 % de matières azotées provenant du gluten et ont une teneur réduite en glucides (56,5 %, contre 75 % habituellement).

● **PÂTES AU LAIT.** Elles renferment au moins 1,5 g d'extrait sec provenant du lait pour 100 g de pâtes.

● **PÂTES AUX LÉGUMES OU AROMATISÉES.** Elles sont additionnées, lors de leur fabrication, d'un légume haché (souvent des épinards), d'un aromate ou d'un suc (tomate, encre de seiche, par exemple).

● **PÂTES FARCIES.** Elles sont vendues en conserve, en paquet sous vide, surgelées ou en semi-conserve.

● **PÂTES AU BLÉ COMPLET.** De couleur sombre, elles sont riches en fibres et plus rassasiantes que les pâtes classiques.

■ **Des dizaines de variétés.** On peut classer les pâtes alimentaires, dont la plupart sont originaires d'Italie, en quatre grandes familles.

● **PÂTES À POTAGE.** Très petites et de formes variées, elles regroupent les anellini (petits anneaux, parfois dentelés), conchigliette (petites coquilles), linguine (petits grains), pennini (plumes), risoni (grains de riz), stelline (étoiles), ainsi que les petites pâtes alphabétiques, les cheveux d'ange et les vermicelles.

● **PÂTES À CUIRE.** Ce sont les plus nombreuses. Les unes sont plates, plus ou moins larges (tagliatelles, fettuccine), les autres sont rondes (spaghettis, spaghettini et fedelini, ces dernières étant les plus fines) ; d'autres encore sont soit creuses, soit droites (macaronis, rigatoni penne), ou courbes (coquillettes), ou encore présentées en nid (pappardelle), en papillon (farfalle), en hélice (eliche).

● **PÂTES À GRATINER OU À CUIRE AU FOUR.** Préalablement cuites à l'eau, elles comprennent les lasagnes (lisses ou à bords ondulés), mais aussi les tortiglioni (coudes striés), les gros macaronis (bucatini), les conchiglie et les cravattine (nœuds de cravate), etc.

● **PÂTES À FARCIR.** Les plus courantes sont les cannellonis et les raviolis, mais les Italiens ont fait connaître également les agnolotti (petits chaussons), les cappelletti (petits chapeaux), les lumache (grosses coquilles), les manicotti (gros cannellonis striés à extrémités biseautées), les tortellinis et tortelloni (plus ou moins gros), etc.

■ **Service des pâtes.** L'éventail des sauces pour pâtes est très varié, avec des apprêts plus ou moins épais, souvent à base de tomates, parfois additionnés de jambon, de lardons, de viande hachée, de fruits de mer, de crème fraîche, de fromage fraîchement râpé (parmesan, voire gruyère), d'anchois, de blanc de volaille, de champignons, de légumes émincés, etc. Les sauces bolognaise et milanaise sont les plus traditionnelles. Les pâtes peuvent aussi être servies en timbale, en gratin, en salade, aux œufs brouillés, aux moules, en couronne, aux petits pois, etc. Les farces, elles, font intervenir la viande hachée, les épinards à la béchamel, les foies de volaille, le fromage et les fines herbes, la chair à saucisse, les champignons, etc. En Italie, le plat de pâtes se sert en entrée, alors que, en France, il constitue un accompagnement ou le plat principal. Les pâtes s'accommodent également en salade, et s'accordent avec les fruits frais, le chocolat, les épices pour composer de délicieux desserts.

pâtes à cannellonis : préparation ▶ CANNELLONIS

---

pâtes fraîches : cuisson

POUR 4 À 6 PERSONNES – CUISSON : de 5 à 8 min

Pour 250 g de pâtes fraîches, porter à ébullition 2,5 litres d'eau additionnée de 25 g de gros sel. Les plonger dans la cuisson et maintenir une ébullition régulière. Au bout de 5 min, vérifier l'appoint de cuisson en goûtant régulièrement une pâte, le centre de celle-ci doit être encore blanchâtre, à peine cuit : al dente. Les égoutter, puis les accommoder.

---

pâtes fraîches aux œufs entiers : préparation

POUR 10 PERSONNES – PRÉPARATION : 40 min – TEMPS DE REPOS : 1 h

Tamiser 500 g de farine et la disposer en fontaine. Casser 5 œufs au centre, verser 3 cl d'huile et y dissoudre 10 g de sel fin. Incorporer la farine progressivement. Finir en pétrissant fortement et fraiser le pâton pour obtenir une pâte bien lisse et ferme. Cette opération peut se réaliser rapidement au robot. La diviser en 10 boules égales et les envelopper dans du papier film, réserver au frais pendant 1 heure pour qu'elle perde son élasticité. Abaisser chaque boule en une grande crêpe de 2 mm d'épaisseur. Placer les crêpes à cheval sur une baguette en

PÂTES ALIMENTAIRES

tagliatelle

fettuccine aux épinards

lasagnette

tagliolini à l'encre de seiche

mafaldine

tagliatelle aux épinards

fettuccine

fettuccine à la betterave rouge

cheveux d'ange

penne rigate

penne lisce

tortiglioni

penne rigate aux épinards

pappardelle

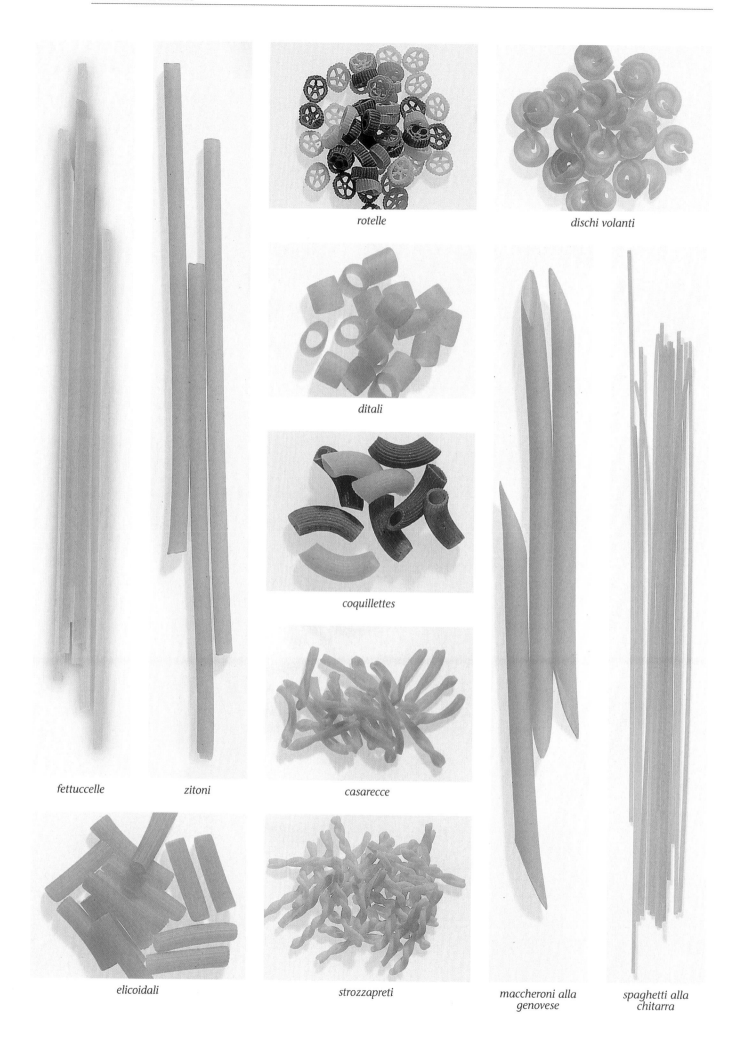

rotelle

dischi volanti

ditali

coquillettes

casarecce

fettuccelle

zitoni

elicoidali

strozzapreti

maccheroni alla
genovese

spaghetti alla
chitarra

mezze maniche

fusilli

panierine

radiatori

cellentani

linguine

capellini

spaghettini

cannelloni aux épinards

conchiglie

spaghetti

spaghetti integrali

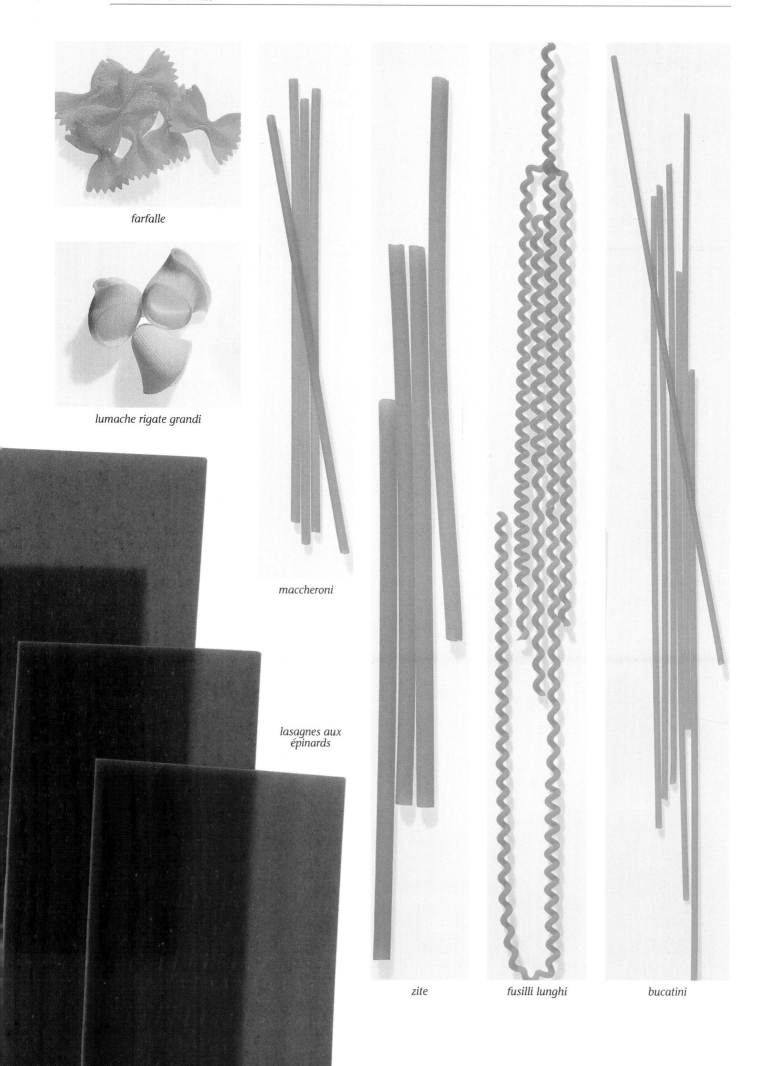

farfalle

lumache rigate grandi

maccheroni

lasagnes aux épinards

zite

fusilli lunghi

bucatini

bois et les laisser sécher quelques minutes, sans qu'elles deviennent cassantes. Fariner chaque crêpe, la rouler sur elle-même et la détailler en rouleaux de 2 à 3 mm de large. Les éparpiller au fur et à mesure sur une plaque.

pâtes sèches : cuisson

Plonger les pâtes dans une grande quantité d'eau bouillante (2 litres pour 250 g de pâtes) contenant 10 g de sel par litre ; entretenir une bonne ébullition en remuant doucement. À l'approche du temps indiqué sur l'emballage, les goûter pour contrôler la cuisson. Dès qu'elles sont al dente, les égoutter et les assaisonner aussitôt. On peut garder un peu d'eau de cuisson pour « allonger » une sauce. Si elles doivent « attendre », les réserver au chaud avec 1 cuillerée à soupe d'huile d'olive ; au moment de l'emploi, les plonger 2 min dans de l'eau bouillante, les égoutter à nouveau et les accommoder rapidement.

civet de râble de lièvre aux pâtes fraîches ▶ CIVET

RECETTE DE FRANCK CERUTTI

fines feuilles de pâtes vertes aux asperges

POUR 4 PERSONNES – PRÉPARATION : 1 h

« Piler au mortier 17 g de pousses d'épinards et 8 g de roquette. Ajouter 11 jaunes d'œuf et verser le mélange sur 300 g de farine. Travailler la pâte 15 min avec la paume de la main pour la rendre homogène. Si elle est trop sèche, rajouter 1 jaune d'œuf. Réserver 1 heure dans une feuille transparente. Étaler la pâte le plus finement possible. Détailler 8 ronds avec un emporte-pièce de 15 cm de diamètre. Réserver au frais couvert d'un linge. Émincer finement 500 g de pointes de petites asperges. Dans un sautoir, les faire revenir vivement à l'huile d'olive. Mouiller avec 5 cl de bouillon de volaille, cuire 5 min et mixer le tout avec un filet d'huile d'olive afin d'obtenir une purée d'asperge. Répéter l'opération avec 16 asperges vertes de taille moyenne. Mouiller avec 15 cl de bouillon de volaille, ajouter 10 g de beurre. Cuire environ 8 min. Ne pas saler et réserver dans le jus de cuisson. Faire sauter une botte d'asperges sauvages coupées à 6/8 cm à l'huile d'olive, sans les mouiller. Les cuire 4 min. Chauffer la purée d'asperges, ajouter 2 cuillerées à soupe de crème fouettée. Pocher les disques de pâte 1 min à l'eau bouillante salée. Les assaisonner de beurre et de parmesan. Étaler une cuillerée de purée d'asperge au fond des assiettes. Poser une feuille de pâte, parsemer des asperges vertes et sauvages, d'une cuillerée de caillé de brebis et recouvrir d'une autre feuille de pâte. Exécuter le plus rapidement possible. Pour saucer, verser le jus de la cuisson des asperges moyennes à peine citronné. »

timbale de pâtes à la bolognaise ▶ TIMBALE

PÂTES DE CUISINE ET DE PÂTISSERIE Mélanges à base de farine et d'eau avec lesquels on obtient soit du pain azyme et des pâtes alimentaires (en y ajoutant un peu de sel), soit de la pâte à pain (en y ajoutant du levain). En cuisine, et surtout en pâtisserie, les pâtes (dont certaines sont également levées) sont enrichies d'un corps gras, d'œufs, de lait, parfois de sucre, et de divers ingrédients complémentaires.

Une pâte peut constituer un fond, une croûte à garnir, une enveloppe qui se ferme, une poche qui se replie, un apprêt à farcir ou à fourrer, un enrobage plus ou moins fluide, un support de gâteau moelleux, ferme, sec ou léger. Selon son emploi, sa consistance est plus ou moins malléable ou fluide, en fonction de la proportion de liquide qu'elle contient.

■ **Composition.** Toutes les pâtes comportent du sel fin, même les pâtes sucrées de pâtisserie ; en revanche, celles des apprêts salés ne sont jamais sucrées.

– La farine, base de toute pâte, contient du gluten chargé d'amidon, lequel assure la cohésion du produit final. L'eau (ou le lait) délaie l'amidon, dissout le sel et le sucre, et permet aux levures de se développer (on obtient parfois l'effet levant en employant de la bière).

La matière grasse, variable en quantité et diversement incorporée, donne à la pâte sa texture ; battu avec du sucre, le corps gras s'allège.

– Les œufs facilitent l'émulsion des corps gras et augmentent la résistance de la pâte après cuisson ; les blancs battus leur donnent une grande légèreté ; le jaune intervient aussi pour le dorage.

– Le beurre, tout en étant de consistance assez ferme, doit être malléable pour s'amalgamer à la farine ou pour s'incorporer au pâton.

– La levure chimique et la farine seront tamisées en même temps pour bien se mélanger. La levure sèche doit être délayée avec de l'eau.

Selon la manipulation (pétrissage, fraisage, tourage, fouettage, desséchage, foulage, temps de repos, ou « pousse »), on obtient les pâtes levées, les pâtes sèches ou les pâtes molles (ou coulées). La mise au point rigoureuse des recettes de base ainsi que leur exécution précise assurent la réussite des pâtes.

■ **Cuisson.** La plupart des pâtes se préparent à froid, en mélangeant plus ou moins rapidement les éléments (parfois sans homogénéisation, comme pour la pâte sablée), mais certaines se font en plusieurs temps, avec apport de chaleur : d'abord à l'eau bouillante sur le feu, puis au four à l'eau ou dans la friture pour la pâte à choux. Selon son utilisation finale, une même pâte peut se cuire différemment : brioche cuite au four ou dans un bain de friture ; pâte à choux pochée à l'eau, cuite au four ou frite ; feuilletage cuit au four ou en friture.

La cuisson a une importance capitale. Le four doit être chauffé à l'avance afin d'atteindre la température souhaitée au moment de l'enfournement.

• **PÂTES LEVÉES.** Les pâtes à baba, à brioche, à kouglof, à pain, à savarin, auxquelles on a incorporé du levain naturel ou de la levure fraîche de boulanger. Elles lèvent sous l'action de l'agent de fermentation (levain, levure, pâte préfermentée) sur le gluten contenu dans la farine ; les pâtes à biscuit, la génoise et la meringue, elles, lèvent sous la seule action de la chaleur sur l'air emmagasiné soit dans les jaunes d'œuf travaillés avec le sucre, soit dans les blancs battus en neige ; la pâte à choux elle, gonfle au four, dans un bain de friture ou par pochage ; les pâtes à frire et à beignets sont également additionnées de substance levante ou de blancs d'œuf battus en neige, qui donnent à l'apprêt un aspect gonflé et moelleux.

• **PÂTES SÈCHES.** Elles sont composées de farine, de corps gras, de sel et d'un liant. La pâte brisée (ou à foncer), sèche et légère, faite rapidement et mise à reposer avant l'emploi, est la base classique des croûtes, pâtés, tartes, tourtes, etc. La pâte sablée, réservée à la pâtisserie fine, est très friable ; elle permet de réaliser gâteaux secs ou fonds de longue conservation, à garnir au dernier moment. La pâte feuilletée, plus riche en matières grasses, est plus longue à travailler, mais peut se préparer à l'avance. Ses emplois sont très variés, tant en cuisine qu'en pâtisserie.

• **PÂTES MOLLES.** Elles sont dérivées des pâtes sèches ou des pâtes levées, en fonction des ingrédients qu'elles contiennent ; les biscuits de Savoie, les cakes et les madeleines comportent œufs battus ou levure : la pâte doit cuire et monter régulièrement. Les pâtes à biscuits et à gâteaux secs relèvent aussi de cette catégorie, de même que les pâtes à gaufres et à crêpes.

Pour toutes les pâtes, c'est l'action de la chaleur qui, après l'évaporation de l'élément liquide, donne la texture : sèche pour une croûte, moelleuse pour une génoise, croustillante pour un feuilletage, souple pour une crêpe, aérée pour un chou ou une brioche, etc.

Aujourd'hui, on trouve dans le commerce des pâtes surgelées en pâtons ou en abaisses, essentiellement pour les pâtes feuilletée et brisée.

coq en pâte ▶ COQ
gaufres : préparation ▶ GAUFRE
jambon poché en pâte à l'ancienne ▶ JAMBON
pâte à beignet ▶ BEIGNET
pâte à biscuit ▶ BISCUIT
pâte à brioche fine ▶ BRIOCHE

---

pâte brisée

Couper 375 g de beurre ramolli à température ambiante en petits morceaux et l'écraser dans une jatte avec une spatule en bois en procédant rapidement. Dans un bol, mélanger 10 cl de lait à température

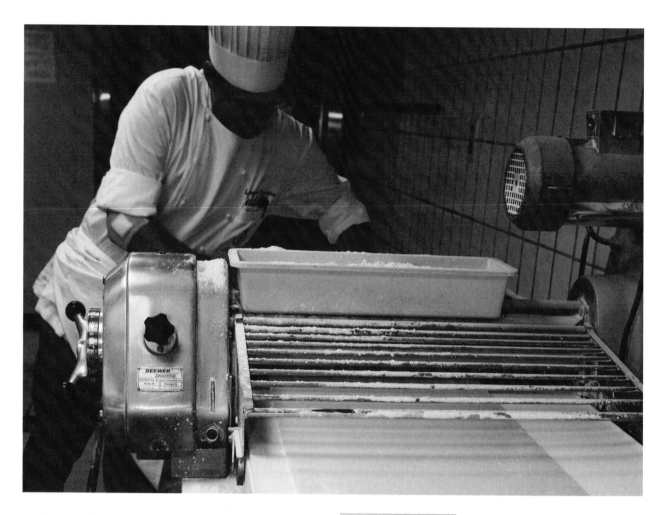

ambiante, 2 cuillerées à café de fine fleur de sel et 2 cuillerées à café de sucre en poudre. Verser le liquide en filet sur le beurre en mélangeant régulièrement. Tamiser 500 g de farine de type 45 au-dessus d'une jatte. L'incorporer en plusieurs fois au beurre. Pétrir très rapidement la pâte pour obtenir une texture délicatement sablée. La poser sur un plan de travail fariné et l'écraser sous la paume en la poussant devant soi. La ramasser en boule et recommencer l'opération. Façonner une boule de pâte, l'aplatir et l'enrouler dans du film alimentaire. La laisser reposer au moins 2 heures au réfrigérateur.

pate à cannellonis : préparation ▶ CANNELLONIS
pâte à choux d'office : préparation ▶ CHOU
pâte à choux sucrée : préparation ▶ CHOU
pâte à crêpes ▶ CRÊPE
pâte feuilletée : préparation ▶ FEUILLETAGE

pâte à foncer

Disposer en fontaine 250 g de farine tamisée. Y mettre 5 g de sel et 125 g de beurre, ramolli et coupé en morceaux. Commencer à rassembler ces éléments, puis ajouter 2 cuillerées à soupe d'eau. Fraiser la pâte deux ou trois fois, la rassembler en boule, la couvrir d'un linge et la mettre 2 heures au frais. On peut confectionner une pâte à foncer « riche » avec 250 g de farine tamisée, 125 à 150 g de beurre, 1 œuf, 2 cuillerées à soupe d'eau, 25 g de sucre et 5 g de sel.

pâte à frire

Disposer en fontaine 250 g de farine tamisée dans une terrine, 2 œufs entiers, 5 g de sel fin et 25 cl de bière. Bien mélanger pour obtenir une pâte lisse et molle. Ajouter une fine pellicule d'huile en surface, puis laisser reposer 1 heure au frais. Au moment de l'emploi, incorporer à la spatule 2 blancs battus en neige très ferme avec 1 pincée de sel.

pâte à frire japonaise

Mélanger 250 g de farine et 1 cuillerée à café de fécule de maïs. Ajouter 1 jaune d'œuf et 1 cuillerée à café de saké. Incorporer 200 à 250 g d'eau glacée à l'aide d'une fourchette, en travaillant la pâte le moins possible.

pâte à génoise : préparation ▶ GÉNOISE
pâte à manqué ▶ MANQUÉ
pâte à pain ▶ PAIN
pâte à pâté : préparation ▶ PÂTÉ
pâte à pâté au saindoux ▶ PÂTÉ
pâte à pizza : préparation ▶ PIZZA

pâte sablée

Mélanger dans un bol les graines grattées de 1/2 gousse de vanille et 190 g de sucre glace. Tamiser 500 g de farine de type 45 au-dessus d'un plan de travail, de préférence un marbre ou une planche. La parsemer de 4 pincées de fleur de sel et 300 g de beurre à température ambiante coupé en morceaux. Frotter entre les paumes des mains beurre et farine pour obtenir un mélange sablonneux jusqu'à ce qu'il ne reste plus de morceau de beurre. Façonner le mélange en forme de puits. Casser au centre 2 œufs, puis verser le sucre à la vanille et 60 g de poudre d'amande. Du bout des doigts, mélanger l'ensemble des ingrédients sans trop les malaxer. De la paume d'une main, écraser la pâte en la poussant devant soi. La rassembler en boule, l'enrouler dans du film alimentaire et la laisser reposer au réfrigérateur pendant au moins 4 heures.

PAS À PAS ▶ *Préparer une pâte sablée, cahier central p. XXII*

pâte à savarin ▶ SAVARIN

PÂTISSERIE Ensemble des apprêts sucrés ou salés nécessitant la présence d'une pâte comme support ou comme enveloppe et généralement cuits au four.

Le rôle du pâtissier s'exerce surtout dans le domaine des douceurs et des desserts : biscuits, entremets chauds, froids ou glacés, gros et petits gâteaux, petits-fours, pièces montées, etc. ; les bouchées, pannequets, pâtés en croûte, quiches, rissoles, tourtes, vol-au-vent, etc., relèvent plutôt de l'art, professionnellement différent, du cuisinier.

La pâtisserie est étroitement liée à la glacerie et à la confiserie et nécessite le recours aux crèmes et sauces sucrées. Le mot « pâtisserie » désigne également la profession de pâtissier et la boutique où l'on vend ces produits.

■ **Histoire.** Les hommes de la préhistoire savaient déjà confectionner des mets sucrés à base de sève d'érable ou de bouleau, de miel sauvage, de fruits et de graines. C'est, semble-t-il, au néolithique qu'apparurent les premières galettes (bouillie de céréales posée sur une pierre chauffée par le soleil). Les Égyptiens, les Grecs et les Romains, puis les Gaulois préparaient des galettes de maïs, de blé ou d'orge agrémentées de graines de pavot, d'anis, de fenouil ou de coriandre. Pains d'épice et « puddings » remontent à l'Antiquité, et les *obolios* grecs (ancêtres des oublies et des gaufres) ont donné leur nom aux premiers pâtissiers, les « obloyers » ou « oubloyers ». Ceux-ci se confondaient d'ailleurs avec les boulangers ; tous proposaient des pains au miel et aux épices, des pâtés à la viande, au fromage, aux légumes. On connaissait aussi les « beugnets » (beignets) aux pommes et les crèmes cuites.

Mais ce sont les croisés qui, au XIᵉ siècle, découvrant en Orient la canne à sucre et la pâte feuilletée, donnèrent une impulsion décisive à la pâtisserie proprement dite. À cette époque, pâtissiers, boulangers, rôtisseurs et traiteurs revendiquaient des spécialités relevant du domaine des uns ou des autres. Saint Louis commença d'y mettre bon ordre en donnant, en 1270, un statut aux « maîtres oubloyers et aux varlets d'oubloiries ». En 1351, une ordonnance de Jean le Bon précisa la liste des « pâtisseries ». Une autre ordonnance, en 1440, accorda l'exclusivité des pâtés de viande, de poisson et de fromage aux « pâtissiers », qui eurent ainsi des droits mais aussi des devoirs de qualité.

Les statuts de 1485 prescrivirent le chômage aux fêtes légales et à la Saint-Michel, patron de la corporation. C'est en 1566 que s'opéra la fusion définitive entre pâtissiers et oubloyers, qui obtinrent aussi le monopole de l'organisation des noces et banquets. La corporation subsista jusqu'en 1776, date à laquelle Turgot supprima les « métiers ».

Cependant, l'art du pâtissier ne commença à exister véritablement qu'au XVIIᵉ siècle, pour connaître son plein épanouissement aux XVIIIᵉ et XIXᵉ siècles. Quelques dates jalonnent cette histoire : 1638, invention des tartelettes amandines par Ragueneau ; 1740, introduction en France du baba, par l'intermédiaire de Stanislas Leszczynski ; 1760, création, par Avice, des choux grillés et des ramequins ; 1805, invention du décor au cornet par Lorsa, pâtissier bordelais.

Le plus grand innovateur, à l'aube du XIXᵉ siècle, reste sans conteste Antonin Carême, auquel la tradition attribue le croquembouche, la meringue, le nougat, le vol-au-vent et le perfectionnement de la pâte feuilletée.

Il fut suivi par d'autres « grands » comme Rouget, les frères Julien, Chiboust, Coquelin, Stohrer, Quillet, Bourbonneux, Seugnoy, etc., qui ont élargi l'éventail de la pâtisserie, avec les bourdaloue, gorenflot, mille-feuille, moka, napolitain, pain de Gênes, saint-honoré, savarin, trois-frères, etc.

PÂTISSON Variété de petite courge hémisphérique, de la famille des cucurbitacées, bordée de dentelures arrondies. Elle peut atteindre jusqu'à 25 cm de diamètre. Sa chair, d'un blanc laiteux sous une peau verdâtre, est ferme, légèrement sucrée, avec une saveur proche de celle de l'artichaut.

Appelé aussi « bonnet-de-prêtre » ou « bonnet d'électeur », le pâtisson est cultivé dans les pays chauds ; en France, on le trouve dans le Midi, en août et en septembre. Préalablement blanchi, il se cuisine surtout sauté dans des apprêts bien relevés. On peut aussi le farcir. Les très petits pâtissons sont confits au vinaigre et utilisés comme pickles.

PATRIMONIO Vin de Corse AOC de la côte nord de l'île. Les rouges, les rosés (issus des cépages nielluccio et sciacarello) et les blancs (issus du cépage vermentino) présentent tous une très belle qualité. Dans les grands millésimes, les rouges sont remarquables d'expression et de complexité.

PATTE Mot qui, au Canada, désigne le pied de porc. Le ragoût de pattes, typique du Québec, se caractérise par sa liaison à la farine grillée.
▶ Recette : RAGOÛT.

PAUILLAC Vin AOC rouge, issu des cépages cabernet-sauvignon, cabernet franc, merlot, petit verdot, sauvignon et sémillon. Il provient d'une commune du haut Médoc, dont les vignobles produisent quelques-uns des meilleurs crus du monde, des vins à la fois puissants, corsés, fins et élégants, dotés d'une grande capacité au vieillissement (**voir** BORDELAIS).

PAULÉE Repas abondant organisé autrefois dans toutes les campagnes à la fin des moissons ou des vendanges.

Aujourd'hui, la paulée des vendanges ne survit plus guère qu'à Meursault, en Bourgogne, et elle a lieu à la fin du mois de novembre. C'est la dernière journée des « Trois Glorieuses » de la côte de Beaune, la première étant consacrée au grand chapitre annuel des Chevaliers du Tastevin, au Clos de Vougeot, et la deuxième, à la vente aux enchères des vins des hospices de Beaune, dans la cuverie de l'hôtel-Dieu.

PAUPIETTE Apprêt fait d'une mince tranche de viande, généralement de veau, garnie au centre d'une farce, puis repliée en quatre et roulée en forme de gros bouchon ; ficelée ou maintenue par des petites piques ou des bâtonnets. Elle peut être enveloppée d'une très mince barde de lard, puis poêlée ou braisée à court mouillement.

Par analogie, on réalise des paupiettes de bœuf, de volaille, de légumes (feuilles de chou, de laitue blanchies et farcies, puis roulées, ficelées et braisées) ou de poisson (tranches fines de thon, filets de sole, de merlan ou d'anchois, farcis et enroulés, puis cuits au fumet).

---

paupiettes de bœuf Sainte-Menehould
POUR 4 PERSONNES – PRÉPARATION : 40 min – CUISSON : 1 h 45
Détailler 4 tranches de faux-filet de 200 g chacune. Les parer, les aplatir, les assaisonner de sel et de poivre, puis les rouler en forme de paupiettes. Les ficeler puis les mettre à braiser pendant 1 h 30. Préparer 200 g de mie de pain fraîche, finement émiettée. Retirer les paupiettes, passer le fond de braisage au chinois. Remettre les paupiettes à refroidir dans leur jus de cuisson. Faire chauffer le gril à 180 °C et le four à 200 °C. Égoutter les paupiettes, retirer la ficelle et les enduire de moutarde à l'ancienne additionnée d'une pointe de piment de Cayenne. Les rouler dans la mie de pain et les arroser légèrement avec 20 g de beurre fondu. Les faire griller doucement et terminer de les réchauffer dans le four pendant 10 à 12 min. Porter le fond de braisage à ébullition, vérifier l'assaisonnement, le passer au chinois et le servir en saucière.

---

paupiettes de chou
Blanchir de 7 à 8 min, à l'eau bouillante salée, un chou entier, puis l'égoutter et le rafraîchir. Détacher les feuilles, retirer les grosses côtes. Hacher le cœur et y ajouter un volume égal de farce de viande. Faire des paupiettes en enroulant cette préparation dans les grosses feuilles et les ficeler. Les braiser 1 h 15.

RECETTE DE CHRISTOPHE QUANTIN

*paupiettes de chou aux coquillages
façon « Georges Pouvel »*
POUR 4 PERSONNES – PRÉPARATION : 1 h – CUISSON : 20 min
« Cuire séparément 500 g de coques et 500 g de moules marinière (**voir page 688**). Décoquiller les coques, les moules et 500 g de bigorneaux cuits, filtrer et réserver le jus de cuisson des coques et des moules. Nettoyer 150 g de

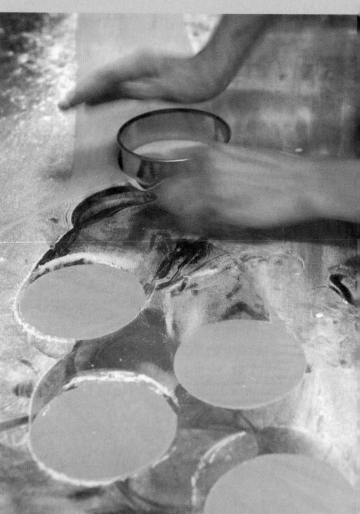

« Levées ou sèches, les pâtes de cuisine du restaurant Hélène Darroze, de chez Potel et Chabot, de l'école Ferrandi Paris, de l'Hôtel de Crillon et du Ritz Paris ont toutes en commun d'être travaillées et fraisées à la main, puis laissées au repos le temps de pousse, pour enfin être apprêtées en beignets, fonds de tartes, ravioles… »

champignons de couche, 150 g de lentins de chêne et 150 g de chanterelles. Tailler en brunoise les deux premiers, puis les cuire à blanc séparément (voir page 102). Faire sauter vivement les chanterelles avec 20 g de beurre, y ajouter les autres champignons, assaisonner puis égoutter dans une passoire. Effeuiller 500 g de chou vert, blanchir fortement les feuilles, les rafraîchir, les égoutter et les sécher sur un linge. Retirer les côtes de 12 belles feuilles et les étaler sur une bande de papier film. Réunir champignons et coquillages, rectifier l'assaisonnement et répartir le mélange sur les feuilles. Fermer les feuilles de chou et les serrer dans le papier film. Réchauffer les paupiettes à la vapeur environ 5 min. Réaliser un beurre rouge : réunir dans une sauteuse 1 cuillerée à soupe d'échalote ciselée, le jus de cuisson des champignons et 25 cl de vin rouge tannique. Réduire des 4/5 puis monter avec 150 g de beurre en fouettant. Assaisonner et passer au chinois. Faire sauter 50 g de girolles naines dans 10 g de beurre, assaisonner. Enlever le papier film des paupiettes et dresser 3 paupiettes au centre de chaque assiette, verser un cordon de sauce autour, décorer avec les girolles et lustrer les paupiettes avant de servir. »

paupiettes de veau zingara

POUR 4 PERSONNES – PRÉPARATION : 45 min – CUISSON : 30 min

Préparer 8 paupiettes de veau de 75 g chacune. Préchauffer le four à 200 °C. Assaisonner les paupiettes, puis, dans une cocotte, les faire rissoler sur toutes les faces dans 1 cuillerée à soupe d'huile d'arachide, et les retirer. Ajouter une garniture aromatique composée de 100 g de carotte et 100 g d'oignon émincés, faire suer doucement. Enlever les paupiettes, dégraisser le récipient de cuisson, puis replacer les paupiettes sur la garniture aromatique. Déglacer avec 5 cl de vin blanc sec, faire réduire. Ajouter 50 cl de fond brun de veau lié et 1 bouquet garni. Assaisonner, porter à ébullition, couvrir et terminer la cuisson au four pendant environ 30 min. Émincer en julienne 40 g de jambon blanc, 40 g de langue écarlate et une petite truffe de 20 g. Éplucher, laver et émincer en julienne 40 g de gros champignons de Paris. En fin de cuisson, enlever les paupiettes et les tenir au chaud. Passer le fond de braisage au chinois au-dessus d'une casserole. Dans une petite sauteuse, faire suer les champignons dans 15 g de beurre, ajouter la julienne de jambon, de langue et de truffe, faire suer à nouveau l'ensemble pendant 1 min. Déglacer avec 2 cuillerées à soupe de madère et faire réduire. Ajouter une partie du fond de braisage, vérifier l'onctuosité et l'assaisonnement, tenir au chaud. Déficeler les paupiettes, les placer à l'entrée du four très chaud et les glacer avec la sauce en les arrosant sans discontinuer. Masquer de sauce et de garniture le fond du plat de service, disposer les paupiettes en couronne et les napper d'un peu de sauce. Saupoudrer légèrement de persil haché.

PAUVRE HOMME (À LA) Se dit d'apprêts utilisant surtout des viandes de desserte accompagnées d'une sorte de sauce miroton claire, faite avec un roux déglacé au vinaigre, réduit, mouillé de bouillon et additionné d'échalote, de ciboulette ou d'oignon haché, ainsi que de persil ciselé. L'appellation s'applique aussi à des noisettes et à des côtelettes de chevreuil sautées et nappées d'un déglaçage au vinaigre et à la marinade, lui-même lié de beurre manié et additionné de cornichons émincés.

PAVÉ Entrée froide, généralement faite d'une mousse moulée en carré ou en rectangle dans une terrine chemisée de gelée, et décorée de lames de truffe.

En pâtisserie, le mot désigne une pâtisserie ou un entremets de forme parallélépipédique, ainsi que le pain d'épice en bloc. Le « pavé » est également le terme générique employé pour les fromages épais de forme carrée.

PAVÉ (CHARCUTERIE) Saucisson sec épais auquel on a donné la forme d'un demi-cylindre ou d'un parallélépipède rectangle aplati. Le pavé est parfois enrobé de poivre ou d'herbes aromatiques.

PAVÉ (VIANDE) Tranche très épaisse de bœuf, prélevée dans les morceaux les plus tendres, destinée à être grillée ou poêlée, et qui est servie en général pour une personne.

PAVÉ D'AUGE Fromage normand de lait de vache (50 % de matières grasses), à pâte molle et à croûte lavée (**voir** tableau des fromages français page 390). Le pavé d'Auge se présente sous la forme d'un cube de 11 cm de côté et de 5 cm d'épaisseur. Il ressemble au pont-l'évêque, mais il est plus corsé et plus gras.

PAVOT Plante herbacée, de la famille des papavéracées, très répandue dans les pays tempérés et les régions chaudes d'Asie, et dont il existe plusieurs variétés plus ou moins opiacées. On consommait autrefois les feuilles du pavot comme celles de l'épinard. Aujourd'hui, si certaines variétés cultivées en Europe septentrionale fournissent également l'huile d'œillette, très appréciée, ce sont surtout les graines du pavot qui, en raison de leur goût de noisette, sont utilisées en pâtisserie (Turquie, Égypte et Europe centrale) : elles parfument une crème pour fourrer des gâteaux ou se parsèment à la surface des petits pains. Ces graines aromatisent également des fromages frais, relèvent les nouilles chinoises à la farine de riz et interviennent dans les caris indiens.

PAYSANNE (À LA) Mélange de légumes taillés en fines lamelles (pomme de terre, carotte, navet), ou en carrés (chou) d'environ 1 cm², utilisé pour confectionner des potages dits « taillés » ou pour garnir une viande, un poisson, une omelette. Par extension, divers apprêts sont dits « à la paysanne » quand ils sont braisés avec une fondue de légumes, lesquels ne sont pas forcément taillés « en paysanne ». Les pommes de terre « à la paysanne » sont coupées en rondelles, mijotées dans du bouillon avec des aromates, et l'omelette « à la paysanne » comporte des pommes de terre, de l'oseille et des fines herbes.

céleri farci à la paysanne ▶ CÉLERI-RAVE
côtes de veau en casserole à la paysanne ▶ VEAU
potage à la paysanne ▶ POTAGE
pommes de terre à la paysanne ▶ POMME DE TERRE
sole paysanne ▶ SOLE

RECETTE DE JEAN-FRANÇOIS PIÈGE

variation de petits pois à la paysanne

POUR 4 PERSONNES

« Pour préparer les petits pois à la paysanne, éplucher 6 carottes fanes moyennes et 6 navets fanes en laissant les fanes. Écosser 1 kg de petits pois frais (« téléphone » de préférence). Retirer la première peau de 6 oignons nouveaux avec tiges. Faire suer séparément les carottes, les navets et les oignons nouveaux en cocotte. Verser 5 cl de fond blanc et cuire à feu doux. Les légumes doivent être fondants. Raidir 1 tranche de lard espagnol dans une cocotte en fonte, et ajouter les petits pois mouillés avec 5 cl de fond blanc dans la graisse de cuisson. Une fois qu'ils sont cuits, ajouter les autres légumes, 5 cl de jus de veau, 3 cl d'huile d'olive et 30 g de beurre. Terminer la cuisson en ajoutant les côtes d'une salade et donner un tour de moulin à poivre. Réserver ces petits pois à la paysanne. Pour préparer la coupe glacée de petits pois, faire suer 200 g de cosses de petit pois dans un filet d'huile d'olive. Assaisonner de 10 g de sel fin et 14 g de sucre puis mouiller avec 40 cl de fond blanc et 40 cl de lait bouillant. Cuire une dizaine de minutes afin de rendre les cosses souples, ajouter alors 200 g de petits pois. Au terme de la cuisson, décanter les cosses et les petits pois et les passer à la centrifugeuse. Filtrer le jus de cuisson au chinois étamine, puis prélever 1/10 du liquide pour détendre 4 jaunes d'œuf. Porter le reste du bouillon à ébullition et cuire à la nappe avec le mélange de jaunes d'œuf (mode de cuisson très lent permettant l'épaississement de la crème par semi-coagulation des jaunes d'œuf). Ajouter la pulpe de petits pois centrifugés et 5 g de Cremodan (stabilisateur). Passer à nouveau au chinois étamine, refroidir en glace et monter avec l'huile d'olive. Turbiner à l'aide d'une sorbetière. Former des

> quenelles avec une cuillère et les disposer dans une côte de sucrine dans une coupe à cocktail. Saupoudrer de poudre de lard et arroser d'un filet d'huile. Servir en présentant en même temps les petits pois à la paysanne, pour jouer sur une variation de goûts et de textures. »

PAYS-BAS La cuisine néerlandaise s'apparente aux cuisines de la Belgique et de l'Allemagne du Nord. Dans ce pays riche en pâturages, les produits laitiers sont abondants et savoureux, et les fromages réputés : édam (grosse boule rouge ou jaune), fromage de Leyde (rond et plat, aromatisé au cumin ou à l'anis), gouda (grande roue plate de couleur jaune crème, parfois aromatisée au cumin), Commissiekaas ou « fromage de la Commission » (au lait de vache, à pâte pressée dure colorée), nagelkaas et Friese nagelkaas (au lait de vache écrémé et à pâte pressée et aromatisée au cumin et au clou de girofle), etc.

Les Pays-Bas sont à la fois un pays d'élevage et de pêche, où se côtoient sur les tables des charcuteries et de nombreux poissons, dont l'anguille ; accompagnés d'une grande gamme de pains, ceux-ci garnissent le fameux *koffietafel*, buffet froid qui tient lieu de déjeuner, le repas principal étant servi le soir.

Un proverbe local assure : « Quand le hareng est là, les docteurs sont loin. » Les Néerlandais réservent en effet à ce poisson une place prépondérante. Lorsque la flotte de pêche appareille, au début de mai, il y a fête dans tous les ports ; au retour, le premier tonneau de harengs salés débarqué est offert à la reine.

■ **Des plats consistants.** La cuisine néerlandaise est plutôt roborative. En hiver surtout, on apprécie la soupe aux pois cassés, le *hutspot* (potée garnie de plat de côtes), le *balkenbrij* (gâteau de tête de porc servi avec une compote de pomme), le *hazepepper* (civet de lièvre au poivre) ou le jarret de veau à la choucroute, mais aussi le *rolpens* (viande marinée puis sautée, servie avec des pommes de terre et de l'ananas) ou encore l'escalope de veau saucée de crème au fromage, muscadée et garnie de légumes verts.

Le riz, importé en grande quantité des anciennes colonies hollandaises, est l'ingrédient de base de nombreux mets sucrés et salés. Le rijsttafel (**voir** ce mot), inspiré de la cuisine indonésienne, est une des traditions néerlandaises les plus typiques. Parmi les pâtisseries et les douceurs – speculos des fêtes de fin d'année, crêpes aux épices, *boterkoek* (gâteau au beurre) et *hopjes* (caramels au café) –, le gingembre, la cannelle et la muscade jouent un rôle notable.

Les Néerlandais apprécient le café, la bière, le lait, ainsi que les vins du Rhin ou de France, mais aussi le genièvre (ancienne préparation de la pharmacopée) et les liqueurs (advocaat et curaçao).

PÉCHARMANT Vin AOC rouge faisant appel aux cépages bordelais, produit sur des coteaux déployés en amphithéâtre autour de Bergerac (**voir** GASCOGNE).

PÊCHE Fruit du pêcher, de la famille des rosacées, à la peau veloutée, dont la chair juteuse et parfumée, blanche ou jaune, renferme un noyau plus ou moins adhérent (**voir** tableau des pêches page 638 et planche page 639). Originaire de Chine, la pêche a de tout temps été très appréciée comme fruit de table et utilisée dans des entremets délicats. À l'époque de Louis XIV, à la fin du XVIIe siècle, l'agronome La Quintinie obtint de splendides variétés. Très en faveur sous l'Empire, puis sous la Restauration, la pêche donna naissance à des apprêts raffinés : Bourdaloue, cardinal, Condé, en beignets, flambée, à l'impératrice, sans oublier, à la fin du XIXe siècle, la pêche Melba. Très digeste, fournissant 50 Kcal ou 209 kJ pour 100 g, la pêche est moyennement sucrée (12 g de sucre pour 100 g). Elle est riche en flavonoïdes. À l'achat, elle doit être bien mûre, odorante, avec une peau fine, bien colorée, sans taches brunes. La plupart des vitamines étant situées dans la peau, il serait préférable de ne pas la peler quand on la déguste comme fruit de dessert mais de la rincer simplement à l'eau. Il existe des fruits très voisins de la pêche : le brugnon et la nectarine qui ont des flaveurs voisines.

■ **Emplois.** En France, les pêches proviennent surtout du Sud-Est et du Sud-Ouest ; on distingue les pêches blanches (fragiles, mais très parfumées, de texture fine, constituant 60 % de la récolte), les pêches jaunes (plus résistantes et moins juteuses, représentant près de 40 % de la récolte), les pêches sanguines et les « pêches de vigne », qui ont une chair rouge très parfumée. Dans le Gard et en Espagne, on produit des pêches plates, difformes, à la chair particulièrement juteuse, souvent délicieuse.

La pêche accompagne certains mets salés (foie de veau, canard, crabe), mais elle donne surtout lieu à des desserts chauds ou froids : couronnes et bordures, tartes, croûtes, glaces et sorbets, fruits pochés au sirop ou au vin. On prépare aussi une liqueur de pêche, ainsi qu'une eau-de-vie et des fruits confits.

compote de pêche ▶ COMPOTE

pêches à la bordelaise

Ébouillanter 4 pêches, les peler, les ouvrir en deux et les dénoyauter. Les poudrer de sucre et les laisser macérer 1 heure. Faire bouillir 30 cl de bordeaux additionné de 8 morceaux de sucre et d'un fragment de cannelle. Pocher les moitiés de pêche de 10 à 12 min dans ce sirop. Dès qu'elles sont cuites, les égoutter et les dresser dans une coupe en verre, puis les arroser de leur sirop de cuisson réduit. Laisser refroidir. Servir avec des petits-fours secs et de la glace à la vanille.

pêches dame blanche

Mélanger 1 cuillerée à soupe de kirsch et autant de marasquin dans un plat creux, et y faire macérer 4 tranches d'ananas. Faire bouillir 25 cl d'eau avec 250 g de sucre en poudre et 1/2 gousse de vanille fendue en deux. Peler 2 grosses pêches. Les pocher 10 min environ dans le sirop à petite ébullition, en les roulant de temps en temps ; retirer du feu. Égoutter les pêches, les couper en deux et les dénoyauter. Garnir le fond de 4 coupes avec de la glace à la vanille (1/2 litre en tout), recouvrir de 1 tranche d'ananas, puis d'une demi-pêche. Couronner de chantilly bien froide avec une poche à douille cannelée et décorer les tranches d'ananas d'un turban de crème.

pêches Melba

Préparer 1/2 litre de glace à la vanille et 30 cl de gelée de groseille. Plonger 8 pêches 30 secondes dans l'eau bouillante, puis les égoutter, les rafraîchir et les peler. Préparer un sirop avec 1 litre d'eau, 500 g de sucre et 1 gousse de vanille, le faire bouillir 5 min et pocher les pêches pelées 15 min dans le sirop frémissant, couvertes d'une assiette pour les maintenir immergées ; les égoutter et les laisser refroidir pendant la nuit, les couper en deux et les dénoyauter. Masquer une grande coupe avec la glace à la vanille. Disposer les pêches dessus et les napper de gelée de groseille ; on peut y ajouter une rosace de crème Chantilly, quelques groseilles et des amandes effilées grillées.

RECETTE DE PHILIPPE GOBET

pêches rôties au romarin

POUR 4 PERSONNES

« Couper en deux 4 pêches bien mûres et retirer les noyaux. Dans une poêle antiadhésive, faire chauffer 30 g de beurre clarifié et faire colorer les demi-pêches côté chair. Ajouter 3 cuillerées de miel d'acacia et 4 brindilles de romarin. Déglacer avec 1 cuillerée à café de vinaigre de cidre. Arroser les pêches avec le jus pendant la cuisson (3 min environ). Réserver les pêches sur un plat de service. Faire réduire le jus et en napper les pêches. Ce dessert peut se servir accompagné de glace à la vanille et de tuiles aux amandes. »

sauce aux pêches crues ▶ SAUCE DE DESSERT

PECORINO Fromage italien de lait de brebis, à pâte pressée, cuite ou crue, et à croûte brossée, souvent huilée et teintée en ocre (**voir** tableau des fromages étrangers page 398). Le pecorino est produit sous des formes et des appellations différentes. Le plus connu est le pecorino romano, à pâte cuite (36 % de matières grasses). Il se présente sous la forme d'un cylindre de 20 à 26 cm de diamètre et de 14 à 22 cm d'épaisseur ; affiné au moins 8 mois, il a une saveur piquante. Le pecorino siciliano et le pecorino sardo, plus gras, sont des pâtes crues.

Caractéristiques des principales variétés de pêches

VARIÉTÉ	PROVENANCE	ÉPOQUE	ASPECT
à chair blanche			
Alexandra®	Languedoc, Roussillon, Rhône-Alpes, Provence	mi-juin, fin juin	sphérique à tendance ovoïde, rouge foncé, tendance à noyau fendu
Aline®	Rhône-Alpes, Languedoc, Provence	mi-août	sphérique, régulière, rouge rosé
anita	Languedoc, Roussillon, Rhône-Alpes, Provence	fin juin, début juill.	sphérique, régulière, tendance à noyau fendu
daisy	vallée du Rhône	mi-juill., fin juill.	rond, coloration vive
dolores	Rhône-Alpes, Languedoc, Provence	mi-août, fin août	sphérique, régulière, rouge à rouge foncé
dorothée	Rhône-Alpes, Languedoc, Provence	début août, mi-août	sphérique, régulière, rouge rosé
manon	Languedoc, Roussillon, Provence, Rhône-Alpes	fin juin, début juill.	sphérique, régulière
Primerose®	Languedoc, Roussillon, Provence	début juin, mi-juin	sphérique à tendance ovoïde
redrobin	Languedoc, Roussillon, Provence, Rhône-Alpes, Sud-Ouest	début juill.	sphère aplatie, régulière
redwing	Languedoc, Roussillon, Provence, Rhône-Alpes, Sud-Ouest	mi-juill.	sphérique, rouge violacé
tendresse	Languedoc, Rhône-Alpes	début août	sphérique, aplatie et régulière, rouge à rouge rosé
white lady	vallée du Rhône	fin juill., mi-août	sphérique, rouge dominant
à chair jaune			
Elegant Lady®	Languedoc, Roussillon, Provence, Rhône-Alpes	début août, mi-août	sphérique, régulière, entièrement rouge
flavorcrest	Languedoc, Roussillon, Provence	mi-juill.	sphérique, régulière
Maycrest®	Languedoc, Roussillon, Provence	mi-juin	sphérique, régulière, rouge à rouge-orangé
mélodie	Languedoc, Roussillon, Provence, Rhône-Alpes	mi-juill., fin juill.	sphérique, régulière
O'Henry®	Languedoc, Roussillon, Provence, Rhône-Alpes	début sept.	rouge-orangé à rouge foncé dominant
redtop	Languedoc, Roussillon, Provence, Rhône-Alpes	mi-juill., fin juill.	sphérique, régulière
royal moon	Languedoc, Rhône-Alpes	fin juill.	sphérique et régulière, rouge foncé à rouge-orangé, striée
springcrest	Languedoc, Roussillon, vallée du Rhône	mi-juin, fin juin	sphérique, rouge sur fond jaune
Springlady®	Languedoc, Roussillon, Provence	fin juin	sphérique, régulière
summer rich	Languedoc, Rhône-Alpes	mi-juill.-fin juill.	sphérique et légèrement aplatie, rouge foncé à rouge, épiderme duveteux
symphonie	Languedoc, Roussillon, Provence, Rhône-Alpes	début août-mi-août	régulière
toplady	Languedoc, Roussillon, Provence, Rhône-Alpes	mi-août	régulière
pêche plate	Sud-Est, Sud-Ouest	mi-juill., fin août, mi-sept.	très velue, craquelée, chair blanche
pêche sanguine	vallée du Rhône	août-sept.	chair couleur lie de vin

PÊCHES

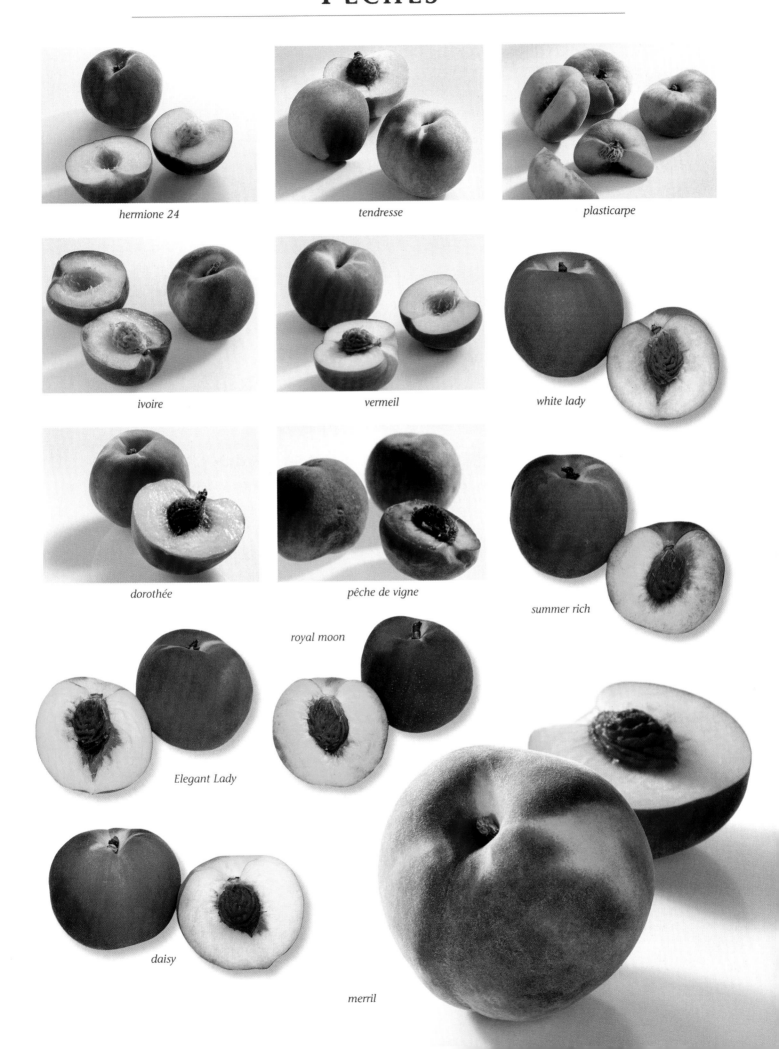

hermione 24

tendresse

plasticarpe

ivoire

vermeil

white lady

dorothée

pêche de vigne

summer rich

royal moon

Elegant Lady

daisy

merril

PECTINE Substance gélifiante naturelle, constituée de glucides, présente dans de nombreux végétaux, en particulier dans le jus de certains fruits (citron, coing, groseille, mûre, orange et pomme). La pectine est aussi extraite industriellement du marc de pomme desséché.

Au cours de la fabrication des confitures, elle favorise la « prise », surtout pour les gelées ; on réussit plus facilement celles-ci en faisant bouillir, avec le sucre et le jus des fruits, des peaux et des pépins de pomme ou de coing noués dans une mousseline.

PÉKINOISE (À LA) Se dit de tronçons de poisson frits ou de beignets de langoustine, servis avec une sauce aigre-douce chinoise. Celle-ci est faite d'ail et d'oignon hachés avec du gingembre, sués au beurre, poudrés de sucre, puis mouillés de sauce soja et de jus de tomates fraîches ; le tout est lié de fécule de maïs, puis additionné de champignons chinois (noirs ou parfumés).
▶ Recette : CHOU CHINOIS.

PÉLARDON Fromage cévenol AOC de lait de chèvre (45 % de matières grasses), à pâte molle et à croûte naturelle très fine (**voir** tableau des fromages français page 392). Le pélardon se présente sous la forme d'un disque d'environ 6 cm de diamètre et de 2,5 cm d'épaisseur. De fabrication fermière, ou de petites laiteries, il a une saveur délicate et noisetée.

PELER Éliminer la couche superficielle d'un aliment. Pour un légume ou un fruit crus, on utilise un couteau d'office ou un économe. Peler un ingrédient préalablement ébouillanté ou passé dans de l'huile chaude, c'est le « monder » (**voir** ce mot).

PELLAPRAT (HENRI PAUL) Chef cuisinier français (Paris 1869 - *id.* 1950). Après avoir fait son apprentissage chez le pâtissier parisien *Pons*, il entra comme cuisinier chez *Champeaux*, devint adjoint chez Casimir Moisson, puis chef à *la Maison dorée*. Devenu professeur de cuisine à l'école du Cordon-Bleu, à Paris, il écrivit de nombreux ouvrages culinaires, qui font toujours autorité : *l'Art culinaire moderne*, dont la première édition date de 1935, *la Cuisine familiale et pratique*, *le Poisson dans la cuisine française*.

PELLE Grande spatule plate à bout arrondi, rectangulaire ou triangulaire, montée sur un manche. La pelle, parfois percée de fentes ou de trous, sert à prélever dans le plat de service certains mets délicats sans les briser.
– La pelle à enfourner, en bois ou en métal et dotée d'un long manche, est un outil de professionnel, utilisé pour manier les pains et les grandes plaques à pâtisserie. La pelle à pizza est souvent en Inox.
– La pelle à farine ou pelle à ingrédients, en aluminium, en bois ou en polycarbonate transparent, est petite et creuse.
– La pelle à poisson, en Inox ou en métal argenté, est parfois percée de trous ou légèrement creuse.
– La pelle à tarte, en porcelaine, en faïence, en acier ou en métal argenté, est assortie à la vaisselle ou aux couverts ; elle sert aussi à prélever des parts de glace.

PELMIENI Raviolis russes, originaires de Sibérie. Faits en pâte à nouilles, ils sont farcis de viande hachée, de purée de pomme de terre au fromage ou de chair de volaille, cuits à l'eau bouillante salée et servis incomplètement égouttés, arrosés de beurre fondu. On présente souvent à part de la crème aigre ou du jus de viande additionné de jus de citron.

PELTIER (LUCIEN) Pâtissier français (Paris 1941 - *id.* 1991). Il se forme chez son père Octave, à Villefranche-du-Rouergue, puis à Paris lorsque ce dernier reprend la maison *Thibault* au 66, rue de Sèvres, en 1960. Il en prend les rênes en 1974, après avoir suivi les cours de l'école Lenôtre. Il démontre alors des qualités de créateur et de formateur hors pair. La princesse (meringue aux amandes avec crème pâtissière à la vanille), la rose noire (dacquoise chocolat) ou la tarte aux sept fruits sont quelques-unes de ses recettes qui ont fait école.

Il développe son nom, par l'intermédiaire de boutiques franchisées, au Japon et en Corée. Président des Relais-Desserts en 1982, puis en 1987, il forme de nombreux jeunes pâtissiers promis à de brillantes carrières comme Michel Foussard (Meilleur Ouvrier de France, pâtissier du *Nikko*), Jean-Paul Hévin (chocolatier aux nombreuses succursales) ou François Raimbault (de *l'Oasis* à La Napoule).

PELURE D'OIGNON Nom donné autrefois au vin rosé. Cette expression, devenue aujourd'hui péjorative, désigne la nuance orangée que certains vins rouges acquièrent en vieillissant et que d'autres, rosés ou rouges, ont naturellement.

PEMMICAN Viande séchée, fermentée et pressée, que les Indiens d'Amérique du Nord consommaient grossièrement hachée ou en bouillie.

PÉPIN (JACQUES) Cuisinier français, animateur de télévision et écrivain (Bourg-en-Bresse 1935). Il apprend la cuisine chez ses parents au *Pélican* à Bourg-en-Bresse, avant de monter à Paris au *Plaza Athénée*. Il émigre aux États-Unis en 1959, travaille comme directeur de recherches et du développement durant dix ans pour la chaîne Howard Johnson, tout en poursuivant des études littéraires à Columbia (il obtient, en 1972, un *master of arts* sur la poésie française du XVIIIe siècle). Il crée alors des émissions de télévision sur la cuisine, notamment avec Julia Child et sa fille Claudine, rédige dix-huit ouvrages dont *Techniques complètes* et *Fast Food My Way*, qui est aussi le titre d'un show télévisé et le résumé de sa vie. Il collabore au *French Culinary Institute* de New York et réside à Madison, Connecticut.

PEPINO Fruit d'un sous-arbrisseau de la famille des solanacées, cultivé en Amérique centrale et en Amérique du Sud (**voir** planche des fruits exotiques pages 404 et 405). Le pepino a une pulpe ferme mais juteuse, au goût peu prononcé, pauvre en sucre et riche en vitamine C. Il se déguste comme un melon.

PEPPERMINT Liqueur de menthe fabriquée avec diverses variétés de menthe, mises à macérer dans de l'alcool. L'infusion est ensuite filtrée et édulcorée. Le peppermint se boit soit nature, soit sur glace, ou à l'eau, ou encore avec une paille, sur de la glace pilée.

PEQUET Alcool belge proche du genièvre, que l'on boit dans la région de Liège. Titrant de 30 à 40 % Vol., le pequet est fabriqué avec de l'orge distillée et des baies de genièvre. Il est parfois vieilli en fût.

PÉRAIL Petit fromage occitan à pâte molle et à croûte naturelle, nommé aussi *peral* ou *peralh*, faisant référence à la brebis. Il est fabriqué dans les causses de l'Hérault, du Gard, de la Lozère et de l'Aveyron. En forme de disque plat de 9 à 10 cm de diamètre pour 1,5 à 1,8 cm de haut, il pèse de 120 à 150 g.

PERCHE Poisson des eaux stagnantes ou faiblement courantes, de la famille des percidés, de goût très fin (**voir** planche des poissons d'eau douce pages 672 et 673). La perche mesure de 25 à 35 cm, mais peut atteindre de 50 à 60 cm, et peser 3 kg, ce qui est d'autant plus exceptionnel que sa croissance est lente. D'aspect bossu, avec un dos brun verdâtre marqué de quelques bandes foncées, elle possède deux nageoires dorsales contiguës, brun-vert également, alors que les autres nageoires sont rouges ; la première nageoire dorsale ainsi que les opercules sont épineux. La perche doit être écaillée aussitôt pêchée, sinon l'opération devient impossible. Les petites perches se traitent en friture, les moyennes se préparent à la meunière ou en matelote, et les grosses peuvent se farcir, comme l'alose.

D'autres poissons à nageoire épineuse ont été surnommés « perches », notamment la « perche soleil », importée des États-Unis, ou encore la « perche noire », ou black-bass, la petite « perche goujonnière », qui ne se mange qu'en friture, et la « perche de mer », qui est une variété de bar tacheté. La perche dite « canadienne » en France porte au Canada le nom de « perchaude », la perche noire est appelée « achigan » et la perche soleil, « crapet soleil ». Il existe une variété de perche vendue exclusivement en filet, à la chair d'aspect rosâtre et qui provient du lac Victoria en Afrique. Elle est vendue sous l'appellation de « perche du Nil ».

filets de perche à la milanaise

Préparer du risotto à la piémontaise avec 250 g de riz. Lever les filets de 4 perches, les laver, les éponger, les paner à l'anglaise et les cuire au beurre des deux côtés. Beurrer un plat de service long, le masquer de risotto et y dresser les filets. Décorer de quartiers de citron.

PERCOLATEUR Appareil utilisé pour préparer du café en grande quantité. Fonctionnant sur le principe de la percolation (association de l'infusion et de l'infiltration), il est constitué d'un réservoir à eau froide, d'un générateur d'eau chaude et d'un porte-filtre contenant le café moulu. Par thermosiphon, l'eau froide propulse l'eau chaude qui traverse le café. La boisson est alors poussée vers un récipient verseur plus ou moins grand, placé sur une plaque chauffante ; l'infusion se fait facilement par gravité à une température avoisinant 95 °C.

PERDREAU ET **PERDRIX** Gibier à plume de la famille des phasianidés, très apprécié et chassé sur tout le territoire français, et dont il existe deux variétés principales : la perdrix rouge et la perdrix grise (**voir** tableau des gibiers page 421). Mâle ou femelle, la perdrix est appelée « perdreau » quand elle a moins de 8 mois.
– Le perdreau se reconnaît à son bec flexible et à la première plume de l'aile, marquée d'un point blanc. Le très jeune perdreau d'ouverture est dit « pouillard ».
– La perdrix rouge, la plus grosse (de 400 à 500 g), a le dos et le ventre roussâtres, la gorge blanche et le bec et les pattes rouges.
– La perdrix grise, gris-roux sur le dos et gris cendré sous le ventre, avec une tache marron chez le mâle, est la plus connue. Exportée en Amérique, elle s'est très bien adaptée dans le sud du Canada et le nord des États-Unis.
– La perdrix bartavelle, voisine de la perdrix rouge, qui jouissait d'une haute réputation gastronomique, est devenue rarissime ; elle vit surtout dans les Alpes, au-dessus de 2 000 mètres.
– Le colin (perdrix d'Amérique), introduit en France, donne de bons résultats.
  Au Québec, on appelle aussi « perdrix » certaines espèces locales comme la gelinotte huppée, le lagopède (perdrix blanche) et le tétras (perdrix des savanes) ; on les cuisine souvent avec des fèves au lard ou un rôti de porc, ce qui les rend plus moelleuses.
■ **Emplois.** Le perdreau, à la chair tendre et fondante, est vite cuit ; bardé ou entouré de feuilles de vigne, il est rôti avec des baies de genièvre ou du raisin, éventuellement farci.
  La perdrix nécessite une cuisson plus prolongée que pour le perdreau (on considère que celui-ci n'a plus droit à ce nom après le 1er octobre, car, comme on le disait à l'époque où la Saint-Rémi se fêtait ce jour-là : « À la Saint-Rémi, tous les perdreaux sont perdrix »). Très jeune, la perdrix s'accommode, en fait, comme le perdreau (pâté, salmis, soufflé, truffée, en casserole, en chaud-froid, en crépine, en estouffade, en gelée, en mousse, etc.). Vieille, elle s'apprête classiquement en chartreuse, aux lentilles ou aux choux, et s'emploie aussi pour les farces, purées et coulis.

perdreau à la coque

Vider un jeune perdreau, le flamber, le saler, le poivrer et l'enduire intérieurement de foie gras. Recoudre les orifices. Emplir une marmite d'eau salée et poser en travers un bâtonnet reposant sur les bords. Porter l'eau à ébullition. Y plonger le perdreau en le suspendant par les pattes au milieu du bâtonnet. Cuire 20 min à gros bouillons, retirer le perdreau et le laisser refroidir, puis le réserver au réfrigérateur.

perdreau en pistache

Farcir un perdreau avec un mélange composé de son foie, de mie de pain, de jambon cru, de persil et d'ail, le tout haché et lié avec 1 œuf. Trousser le perdreau, le barder, le saler et le poivrer ; le mettre dans un poêlon en terre où l'on aura fait chauffer 3 cuillerées à soupe de graisse d'oie. Lorsqu'il est bien doré, le retirer. Mettre à la place 1 cuillerée

à soupe de jambon cru haché grossièrement ; le faire revenir, le poudrer de 1 cuillerée de farine et le cuire quelques instants. Mouiller avec 25 cl de vin blanc sec, puis avec 10 cl de bouillon ; ajouter 1 cuillerée à soupe de purée de tomate, 1 bouquet garni et 1 petit morceau d'écorce d'orange sèche ; cuire 10 min. Retirer le jambon et le bouquet ; passer la sauce. Remettre le perdreau dans la cocotte avec le jambon et le bouquet, puis y verser la sauce. Porter à ébullition, couvrir et cuire 10 min ; ajouter 12 gousses d'ail blanchies à l'eau bouillante salée et égouttées, et poursuivre la cuisson 30 min à petite ébullition. Retirer le bouquet garni et servir dans le poêlon de cuisson.

RECETTE DE ROGER LAMAZÈRE

perdreaux en croustade

« Désosser entièrement 4 perdreaux ; réserver les filets et les faire mariner 24 heures dans 75 cl de vin rouge. Hacher au mixeur la chair des cuisses et les foies ; saler et poivrer, puis travailler cette farce sur de la glace, en y incorporant 2 œufs, puis 15 cl de crème fraîche, petit à petit. Mettre cette mousse dans le réfrigérateur, puis la façonner en petites quenelles. Faire un fond de gibier avec les parures, les carcasses et la marinade des perdreaux ; laisser réduire de moitié, puis ajouter 30 cl de demi-glace ; passer ce fond et y pocher les quenelles de mousse de perdreau. Faire cuire 4 feuilletés individuels. Faire sauter d'autre part au beurre 4 belles têtes de cèpes émincées, les saler et les poivrer. Après le pochage des quenelles, faire réduire le fond pour obtenir 40 cl de sauce ; bien la dépouiller pendant la réduction. Au dernier moment, la lier avec 50 g de foie gras. Faire sauter au beurre les filets de perdreau ; saler, poivrer, mais ne les cuire que 2 min sur chaque face, pour les tenir rosés. Garnir les feuilletés avec les quenelles, les cèpes et les filets de perdreau ; ajouter un peu de sauce et passer à four très doux pendant 3 min. Servir la sauce à part. »

---

perdreaux farcis à la gelée

Désosser des perdreaux par le dos, les ouvrir, les saler et les poivrer. Les farcir chacun avec 100 g de farce de gibier truffée, en plaçant au milieu un morceau de foie gras cru et 1 petite truffe pelée ; saler et poivrer, ajouter un peu de quatre-épices et arroser de cognac. Refermer les perdreaux, les trousser et les envelopper chacun d'une fine barde de lard gras ; les cuire à court mouillement dans un fond de gelée au madère (préparé avec les carcasses et les parures des perdreaux, du jarret de veau et des couennes fraîches). Égoutter les perdreaux, les débarder, les débrider et les éponger, puis les déposer dans une terrine ovale, les laisser refroidir et les mettre dans le réfrigérateur. Clarifier la gelée et en recouvrir entièrement les perdreaux. Les remettre dans le réfrigérateur.

perdreaux Monselet

Parer 2 perdreaux et les farcir de foie gras additionné d'un salpicon de truffe. Les brider, les saler, les poivrer et les dorer au beurre dans une petite cocotte. Couvrir et poursuivre la cuisson 15 min à feu doux. Ajouter deux fonds d'artichaut escalopés, citronnés et passés au beurre ; cuire 15 min. Tailler une truffe en salpicon, l'ajouter dans la cocotte. Arroser de 2 cuillerées à soupe de cognac chauffé et flamber. Servir dans la cocotte avec une garniture de girolles légèrement aillée.

perdreaux à la vigneronne

Plumer deux perdreaux, les vider et les brider en entrée. Les cuire 30 min au beurre dans une cocotte, puis les égoutter et les débrider. Mettre dans la cocotte 24 grains de raisin pelés et épépinés, 3 cuillerées de fumet de gibier et 1 cuillerée de cognac flambé ; faire étuver 5 min à couvert, puis remettre les perdreaux par-dessus, laisser réchauffer et servir en cocotte.

perdrix au chou

Nettoyer 1 gros chou vert, le couper en huit, le blanchir 8 min, puis le rafraîchir et l'égoutter. Beurrer une cocotte et y mettre le chou, avec 500 g de lard de poitrine, 1 oignon piqué de 2 clous de girofle

641

et 1 bouquet garni. Arroser avec 1 verre de bouillon, couvrir et cuire 1 heure à petits frémissements. Plumer 2 perdrix, les vider et les brider ; piquer les blancs de la poitrine de minces bâtonnets de lard fin. Dorer les perdrix dans le four préchauffé à 275 °C, puis les ajouter dans la cocotte, avec 1 saucisson à cuire et 2 carottes pelées et coupées en rondelles ; poursuivre la cuisson au moins 1 heure, davantage si le gibier est vieux. Débrider les perdrix. Détailler le lard en petites tranches et le saucisson en rondelles. Dresser le chou dans un plat creux. Poser dessus les perdrix coupées en deux. Garnir avec le lard, le saucisson et les carottes. Arroser avec le jus de cuisson.

salade de perdrix au chou ▶ SALADE
tourte de poule faisane, perdreau gris
  et grouse au genièvre ▶ TOURTE

PÈRE LATHUILE (LE) Guinguette créée à Paris en 1765 par un nommé Lathuile, près de la barrière de Clichy, et qui connut une certaine vogue pour sa cave, son poulet sauté et ses tripes à la mode de Caen. Sa célébrité date du 30 mars 1814, jour où le maréchal Moncey y installa son poste de commandement, lors de la chute de l'Empire, dans une ultime résistance aux armées coalisées. Le père Lathuile distribua aux soldats toutes ses provisions de bouche et ses bouteilles « pour ne rien laisser à l'ennemi ». La paix revenue, le restaurant connut un succès redoublé de curiosité. La guinguette laissa la place, en 1906, à un café-concert.

PÉRIGNON (DOM PIERRE) Bénédictin de la congrégation de Saint-Varme (Sainte-Menehould 1638 ou 1639 - Épernay 1715). Cellérier de l'abbaye de Hautvillers, près d'Épernay, ce moine perfectionna les assemblages de vins blancs de Champagne, alors que, jusqu'en 1660, seuls les vins rouges de ce vignoble étaient prisés des amateurs.

On a longtemps dit que dom Pérignon avait découvert la « champagnisation », qui permet de conserver le pétillant naturel de ce vin ; or, le procédé était déjà connu et il ne fit que l'améliorer. En revanche, il mit au point une technique de collage pour clarifier le champagne et remplaça les bouchons de chanvre imbibé d'huile par du liège.

PÉRIGORD Grâce au génie culinaire des Périgourdins, et à quelques produits phares – foie gras, truffe et confit –, la moindre allusion à une recette périgourdine évoque aussitôt un pays de cocagne. En fait, la cuisine de cette région, d'origine rurale, utilise simplement les produits du terroir, mais ceux-ci sont loin d'être négligeables : truffes, cèpes, girolles et autres champignons prospèrent sous les châtaigniers et les chênes rouvres ; les cours d'eau et étangs abondent en poissons ; la basse-cour, où l'oie et le canard règnent en maîtres, est particulièrement soignée ; quant au cochon, il offre des merveilles. Enfin, les saveurs fortes de l'ail, de la graisse d'oie et de la noix donnent son unité à cette cuisine de haut goût.

À tout seigneur, tout honneur : la truffe et le foie gras se trouvent réunis pour les meilleures préparations dites « à la périgourdine », mais ils parfument aussi le moindre farci, autre grande tradition de la région, où ils côtoient alors la mie de pain, les œufs, le chou, le lard, selon les apprêts. Comme dans toute cuisine paysanne, pommes de terre et céréales sont à la base de la plupart des accompagnements : les plus populaires sont sans aucun doute la mique, autrefois à base de farine de maïs et qui aujourd'hui est faite avec de la pâte à pain, et les pommes de terre à la sarladaise, sautées à la graisse d'oie et agrémentées d'une persillade.

Amateur de viande rouge, bœuf et agneau, le Périgourdin aime aussi le veau. Les plats de viande sont rarement de simples grillades. Ainsi, le filet de bœuf à la sarladaise est « persillé » de truffes et s'accompagne de la riche sauce Périgueux, une sauce madère additionnée de truffes hachées ou en dés. Le porc, lui, offre une charcuterie de choix : saucisses, ballottines, grillons, boudin noir à la périgourdine (au sang et à la viande), jambon du Périgord aux clous de girofle et aux baies de genièvre. Il est également à la base de recettes traditionnelles comme la sobronade, sorte de potée, ou l'enchaud (filet de porc désossé et roulé). Haché, il se mêle aux salsifis dans une pâte feuilletée et donne le « pastis périgourdin ».

Fidèle à la tradition gastronomique de tout le Sud-Ouest, la cuisine du Périgord se révèle avec les produits de la basse-cour, oie et canard, surtout. Ceux-ci fournissent bien sûr foies gras et confits, mais aussi cous d'oie (ou de canard) farcis, gésiers et cœurs sous la graisse. Le foie gras cuit se déguste en entrée ; frais, il est servi en tranches poêlées, associé avec des fonds d'artichaut, des cèpes ou des pommes de terre. Le confit reste un grand classique.

Au chapitre des pâtisseries, la simplicité est toujours de mise : massepains, crêpes, fouaces.

■ **Soupes et Légumes.**
● BOUGRAS ET « BOUILLON DES NOCES ». Certaines soupes ne se font qu'avec des légumes, d'autres sont plus copieuses comme le bougras ou encore le « bouillon des noces », proche du pot-au-feu, avec bœuf, volaille, jarret de veau et tout un assortiment de légumes.
● POMMES DE TERRE À L'ÉCHIRLÈTE ET TRUFFES. Légume de base, les pommes de terre sont cuisinées à l'échirlète (au bouillon et à l'ail, puis rissolées à la graisse d'oie), mais elles peuvent aussi devenir écrins pour un mets précieux : la truffe. Celle-ci connaît de nombreuses préparations : des plus simples, cuite sous la cendre ou en papillote, en brouillade ou en omelette, aux plus élaborées, en ragoût avec du monbazillac.

■ **Poissons.**
● FRITURE DE DORDOGNE, OMELETTE AUX GARDÈCHES. La poissonnerie offre notamment la croustillante friture de Dordogne et l'omelette aux gardèches (petits poissons), servies en entrées.

■ **Viandes.**
● DAUBE, GIGOT D'AGNEAU, COUS DE MOUTON GRILLÉS. La plupart des recettes de viande font la part belle aux cuissons en daube ou en ragoût, avec ail, vin, cèpes et légumes de pot-au-feu : c'est le veau en daube au vin blanc, ou la daube de bœuf au vin rouge. Le gigot d'agneau, quant à lui, mijote avec une couronne de gousses d'ail, et l'agnelet à la broche est de tradition à Pâques.
● VOLAILLES ET GIBIER. La dinde farcie ou en daube, la poule au pot farcie à la mode de Sorges, la tourtière de poulet aux salsifis ou le poulet au verjus illustrent la cuisine de la volaille. Les œufs ont aussi une place de choix : omelettes aux cèpes ou aux truffes, œufs brouillés à la truffe ou tartines de foie gras aux œufs frits. Le Périgord a toujours été un pays de chasse et les recettes de gibier y sont très anciennes : civet de lapin de garenne à la bouillie de maïs, perdreau ou faisan farci de foie gras ou en sauce à la truffe, terrine de perdrix au foie gras.

■ **Fromages.**
Les fromages de la région sont essentiellement des fromages de chèvre où le cabécou du Périgord domine.

■ **Desserts.**
● FLAUGNARDES, GAUFRES, MACARONS, CROQUANTS. Les flaugnardes (flans ou clafoutis) aux fruits, les variantes de gâteau aux noix, les gaufres roulées, les macarons de Bergerac, les crêpes et les beignets de pâte (merveilles), les croquants aux noix, les fraises au pécharmant sont les desserts les plus typiques de cette région.

■ **Vins.**
Le Bergeracois produit des vins rouges, blancs et rosés. L'appellation côtes-de-bergerac concerne des rouges généreux et des blancs doux et moelleux ; l'appellation bergerac, des rouges souples et des blancs secs. La palette des blancs est la plus intéressante, avec surtout le monbazillac, vin liquoreux au parfum de miel et de fleurs. Parmi les autres appellations de vins blancs, citons les rosette, saussignac et côtes-de-montravel. Pécharmant est la seule appellation locale consacrée à des vins rouges.

PÉRIGOURDINE (À LA) Se dit d'apprêts d'œufs, de petites pièces de boucherie, de volailles ou de gibiers, accompagnés de sauce périgourdine ou de sauce Périgueux, parfois complétés par du foie gras.

La sauce périgourdine est une variante de la sauce Périgueux, à laquelle on ajoute un peu de purée de foie gras et où les truffes sont coupées plus gros, en rondelles ou en dés. De nombreux apprêts de la cuisine du Périgord sont en outre dits « à la périgourdine ».
▶ **Recettes :** BALLOTTINE, BÉCASSE, CAILLE, MIQUE, TOURIN.

PÉRIGUEUX Nom d'une sauce madère additionnée de truffes en petits dés ou hachées, pour petites pièces de boucherie, volailles, gibiers, bouchées, etc., qui sont dits alors « Périgueux » ou « à la périgourdine ».

▶ Recettes : SAUCE, SOUFFLÉ.

PERLES JAPON Petites billes blanches fabriquées, comme le tapioca, à partir de fécule tirée de la racine de manioc. Elles sont utilisées pour donner du corps aux potages ou pour confectionner des desserts. Elles épaississent et deviennent translucides à la cuisson. On fait aussi des perles Japon à partir de fécule de pomme de terre.

PERNAND-VERGELESSES Vin AOC blanc et rouge produit dans la côte de Beaune. Les blancs, issus du cépage chardonnay, ont du nerf et de l'élégance ; les rouges, issu du cépage pinot noir, de la finesse et de la race (**voir** BOURGOGNE).

PÉROU La cuisine péruvienne repose sur une tradition andine millénaire qui a su mettre à profit la très grande biodiversité du pays et les nombreuses espèces végétales et animales domestiquées : maïs, pomme de terre et patate douce (appelée *chuño* ou *carapulcra* quand elles sont déshydratées), piments forts *(ají, rocoto)*, quinoa, haricots *(poroto, pallar)*, herbes aromatiques *(huatacay, muña)*, fruits (tomate, arachide, avocat, anone), mais aussi cochon d'Inde *(cuy)*, lama et alpaga (dont la viande séchée au soleil est appelée *charqui)*, poules et canards andins, poissons, fruits de mer, auxquels s'ajoutent de nombreux produits de la forêt amazonienne. Cette cuisine indigène, sobre et saine, s'est considérablement enrichie d'influences européenne, arabe, africaine et asiatique à partir de la conquête espagnole pour devenir l'une des plus riches du continent. Plus récemment, la cuisine *novo andina* a fait de Lima la capitale gastronomique de l'Amérique latine.

■ **Spécialités nationales et régionales.** Pour ses plats chauds, la cuisine péruvienne utilise souvent une sauce à base de piment fort sec appelée *aderezo*, dont la force est modulée de différentes façons. Le piment, identifié par sa couleur – rouge *(ají panca)*, jaune *(ají mirasol)* ou encore vert *(ají verde)* et frais – est en général flambé, épépiné, réhydraté, moulu, puis cuit ou frit avec de l'ail et des oignons et peut être agrémenté de multiples manières (herbes aromatiques, tomate, corail, fonds, etc.). Pour les plats froids, on préfère plutôt du piment frais, *ají* ou *rocoto*, découpé ou mouliné.

Chaque région a ses produits et ses spécialités : sur la côte, on apprécie le ceviche (poisson cuit dans du jus de citron et agrémenté de piment) ; dans le nord, le canard et les poissons ; à Lima, l'*ají de gallina* (poule au piment), les plats à base de pommes de terre *(causa, carapulcar, papa rellena* ou *huancaina)* et les poissons ; à Arequipa, dans le sud, les écrevisses de rivière préparées en soupe ou avec une sauce au piment jaune, et le *rocoto relleno* (piment farci de viande) ; à Cuzco et dans la région andine, la viande d'agneau et celle, tendre, de l'alpaga, le quinoa, le *chuño* et l'*olluco*, un tubercule ; en Amazonie, le manioc *(yuca)*, le sanglier fumé et le poisson.

En dessert, on préfère des entremets à base de fruits locaux *(chirimoya, lúcuma)*. Le *pisco souer* (sorte de brandy avec du sirop de canne, du citron et de l'œuf) est servi en apéritif. Outre le vin et la bière, on boit surtout la *chicha*, boisson nationale à base de maïs, fermentée ou non.

PERROQUET Boisson préparée dans un tumbler rempli de glace et composée de deux centilitres de sirop de menthe, une mesure de pastis et de l'eau à volonté. Le perroquet, très désaltérant, est apprécié dans le sud de la France.

PERSANE (À LA) Se dit de côtelettes ou de noisettes de mouton ou d'agneau, garnies de rondelles ou de tranches d'aubergine sautées à l'huile, d'oignon frit et de fondue de tomate au piment, et nappées du fond de cuisson tomaté. Le pilaf « à la persane », plus directement inspiré de la cuisine iranienne, est fait de dés de mouton revenus avec des oignons, additionnés de riz, puis mijotés dans un bouillon pimenté et condimenté, et enfin arrosés de graisse de mouton fondue.

PERSIL Plante aromatique de la famille des apiacées, originaire d'Europe méridionale, dont les feuilles, les tiges et les racines, parfument de nombreux plats (**voir** planche des herbes aromatiques pages 451 à 454 et des légumes-racines pages 498 et 499) ; il est aussi très employé comme élément de décoration. Il est riche en fer (6 mg pour 100 g) et très riche en vitamine C (200 mg pour 100 g).

On distingue trois variétés de persil, deux sont cultivées pour leurs feuilles plates ou frisées, l'autre pour sa racine charnue (tubéreuse).
– Les persils à feuilles servent exclusivement de condiment : le persil commun, ou persil plat, ou encore persil simple, à feuilles plates, peu découpées, est le plus parfumé ; le persil frisé, très vert, moins goûteux, sert surtout de décor et de garniture.
– Le persil tubéreux est produit pour sa racine, blanc jaunâtre, conique, légèrement sucrée, cuisinée comme la carotte, le panais ou le cerfeuil tubéreux. Il entre dans la composition de soupes et de potées.

■ **Emplois.** En cuisine, le persil frais a sa place dans le bouquet garni, les marinades et les courts-bouillons ; avec de l'ail haché, il constitue la persillade ; ciselé ou concassé, il parsème les plats dressés ; frit, il sert de garniture aux articles frits comme le merlan en colère ; haché, il entre dans les beurres composés, des sauces (maître d'hôtel, italienne, poulette, ravigote, verte, etc.) et des vinaigrettes ; en pluches, il peut être blanchi et ajouté en fin de cuisson, ou frit et incorporé aux apprêts au beurre noisette. Le persil s'emploie également séché ou surgelé.

gourilos étuvés au persil ▶ CHICORÉE
grenouilles à la purée d'ail et au jus de persil ▶ GRENOUILLE

---

persil frit

Laver du persil frisé et bien l'éponger (pour éviter la production de vapeur d'eau à la cuisson), le séparer en petits bouquets. Placer ceux-ci dans un panier à friture et les plonger quelques instants dans de l'huile très chaude (180 °C). Les égoutter sur du papier absorbant, les saler et les employer immédiatement.

PERSILLADE Mélange composé de persil ciselé et d'ail haché, ajouté en fin de cuisson dans certaines préparations. Additionnée de mie de pain fraîche tamisée ou de chapelure, la persillade termine la confection du carré d'agneau « persillé » et des tomates farcies à la provençale.

En cuisine ménagère, on appelle « persillade de bœuf » un reste de bœuf bouilli, sauté et condimenté avec ce hachis.

Dans certaines préparations dites « persillées », le persil haché entre en proportions relativement importantes (jambon persillé).

PERSILLÉ Se dit de fromages comportant des moisissures internes vert-bleu. Pour certains d'entre eux, le mot est utilisé comme appellation (**voir** tableau des fromages français page 495). Ces fromages à pâte molle sont en grande majorité au lait de vache, le roquefort (brebis) constituant une exception. Leur pâte est ensemencée de moisissures et transpercée à l'aide de longues aiguilles fines pour favoriser le développement des marbrures. Les persillés ont besoin d'un affinage long et minutieux dans des caves très humides (de 2 à 6 mois selon les formes et les tailles).

PERSILLÉ (VIANDE) Morceau de bœuf aussi appelé « pièce parée », correspondant au muscle angulaire de l'épaule. Le persillé a une forme de pavé aplati ; très sapide, il est utilisé en bifteck ou en rôti. Il doit son surnom aux filaments de graisse qui infiltrent la viande et qui apparaissent sous forme de très petites taches de couleur blanche aux contours assez irréguliers.

PERSILLÉ DES ARAVIS Fromage savoyard de lait de vache (45 % de matières grasses), à pâte molle veinée de vert et à croûte naturelle. Il se présente sous la forme d'un cylindre de 8 à 10 cm de diamètre et de 12 à 15 cm d'épaisseur, et pèse 1 kg. Le persillé de Thônes et le persillé du Grand-Bornand, très proches, sont comme lui fabriqués à la ferme et ont la même saveur relevée.

PERSILLÉE Se dit d'une viande de bœuf de très bonne qualité, dont le degré d'engraissement se traduit par la présence de menus filaments de graisse entre les fibres des muscles.

PÈSE-SIROP Instrument servant à mesurer la densité d'une solution de sucre dans de l'eau, afin d'obtenir un sirop plus ou moins concentré. Le pèse-sirop se compose d'une éprouvette, que l'on remplit aux trois quarts du sirop à mesurer, et d'un tube gradué de 0 à 45 degrés Baumé (**voir** ce mot), lesté de petits plombs d'un poids déterminé. Plongé dans le sirop, ce tube reste à la verticale et s'enfonce plus ou moins selon la densité du liquide : le chiffre lu au ras du liquide indique la densité de celui-ci. Aujourd'hui, tous les appareils de mesure sont gradués en densité.

PESSAC-LÉOGNAN Vin AOC rouge ou blanc de très grande qualité, situé au sud de Bordeaux, dans la partie septentrionale des graves. Les rouges, issus des cépages cabernet franc, cabernet-sauvignon et merlot, sont recherchés pour leur structure veloutée ; les blancs, issus des cépages sauvignon et sémillon, pour leur richesse et leur arômes d'agrumes et de genêt (**voir** BORDELAIS).

PESTO Sauce italienne froide, d'origine génoise, à base d'huile d'olive, de basilic, de parmesan, d'ail et de pignons. On sert notamment le pesto avec les trenettes (spaghettis légèrement aplatis), les lasagnes génoises et le minestrone.

PÉTAFINE Spécialité ou préparation fromagère du Dauphiné, faite de petits fromages fermiers de chèvre ou mi-chèvre, bien égouttés, mais non secs, pétris avec un « levain » (fromages secs trempés dans du lait chaud), puis additionnés d'huile, de fine champagne ou de marc et d'un peu d'anisette, salés et poivrés. La pétafine doit macérer dans un pot au moins un mois ; sa puissance de goût augmente avec le temps.

PET-DE-NONNE Beignet de pâte à choux gros comme une noix, cuit dans une friture pas trop chaude, donnant une boulette légère et très gonflée, d'où son nom. Les pets-de-nonne (appelés également « beignets venteux ») se servent bien dorés, chauds et poudrés de sucre, éventuellement avec une sauce aux fruits. On peut aussi les fourrer de crème ou de confiture après cuisson.

pets-de-nonne

Préparer une pâte à choux avec 1/4 de litre d'eau, 1 pincée de sel, 1 cuillerée à soupe de sucre en poudre, 65 g de beurre, 125 g de farine, 3 ou 4 œufs, 1 pincée de zeste d'orange ou de citron et un peu de rhum. Laisser reposer la pâte. Chauffer un bain d'huile à 180 °C. Prélever un peu de pâte avec 1 cuillère à café et la laisser glisser dans la friture. Continuer ainsi sans trop remplir la bassine, car les beignets vont beaucoup gonfler. Quand ils sont dorés d'un côté, les retourner avec une écumoire et laisser cuire l'autre côté. Égoutter, éponger sur du papier absorbant et poudrer de sucre glace.

PÉTILLANT Se dit d'un vin que la fermentation du sucre, encore présent au moment de sa mise en bouteille, a rendu légèrement mousseux. Selon la réglementation de l'Union européenne, un vin pétillant doit présenter, à la température de 20 °C, une surpression comprise entre 1 et 2,5 atmosphères (unités de mesure des pressions).

PETIT-BEURRE Petit biscuit sablé, carré ou rectangulaire, aux bords dentelés. La pâte est faite de farine, de sucre et de beurre frais, mais ne comporte pas d'œufs. Spécialité nantaise, le petit-beurre est devenu un produit de biscuiterie industrielle. Il se mange au goûter, accompagne certains desserts et sert parfois à réaliser des entremets.

PETIT DÉJEUNER Collation prise le matin au réveil, appelée autrefois « dé-jeûner », au sens de repas qui rompt le jeûne de la nuit. Sous la Révolution, quand on prit l'habitude de prendre le dîner (**voir** ce mot) à midi en le nommant « déjeuner », on ajouta l'épithète « petit » pour distinguer le premier déjeuner du second.

Le petit déjeuner français se compose, lorsqu'il est dit « complet », d'une tasse de thé, de café, de café au lait ou de chocolat, accompagnée de croissants, de tartines, de biscottes ou de toasts, avec du beurre et de la confiture ou du miel. Il est très réduit, comparé au breakfast anglo-saxon ou au petit déjeuner allemand ou scandinave, dans lesquels figurent charcuterie, compotes, corn-flakes, jus de fruits, œufs, saucisses grillées, etc.

PETIT-DUC Se dit d'une garniture pour petites pièces de boucherie, faite de tartelettes garnies de purée de volaille à la crème, de bottillons de pointes d'asperge et de lamelles de truffe. L'appellation s'applique aussi à un œuf poché ou mollet dressé sur un gros champignon grillé, légèrement évidé et nappé de sauce Chateaubriand.

▶ Recette : CAILLE.

PETITE MARMITE Sorte de pot-au-feu servi avec son bouillon dans le récipient de cuisson (initialement un pot en terre), parfois dans des marmites individuelles en porcelaine à feu. La petite marmite comporte théoriquement de la viande maigre de bœuf, de la queue de bœuf, de la volaille, des os à moelle et les légumes du pot-au-feu, avec, en plus, des petites boules de chou.

petite marmite à la parisienne

Mettre dans une marmite 2,5 litres de consommé froid, 500 g de culotte de bœuf et 250 g de plat de côtes. Porter à ébullition, écumer, puis ajouter 100 g de carottes et 75 g de navets tournés en gousses, 75 g de blancs de poireau en tronçons, 2 petits oignons dorés à sec dans une poêle, 50 g de cœur de céleri en petits morceaux et 100 g de chou blanchi à l'eau salée, rafraîchi et pressé en petites boules ; cuire 3 heures à légers frémissements, en ajoutant de temps en temps un peu de consommé. Dorer légèrement au four 2 abattis de volaille, les ajouter dans la marmite et poursuivre la cuisson 50 min. Ajouter enfin 1 gros os à moelle enveloppé dans une mousseline et faire mijoter 10 min. Dégraisser sans excès. Déballer l'os à moelle et le remettre dans la marmite. Servir chaud, avec des petits tronçons de pain ficelle coupés en rondelles et séchés au four, arrosés avec un peu de la graisse du bouillon ; tartiner quelques croûtons de moelle et les poivrer au moulin.

PETIT-FOUR Terme générique s'appliquant à des apprêts de pâtisserie et de confiserie très divers, ayant en commun leur taille réduite : on les mange d'une bouchée.

L'apparition du mot remonte au XVIIIᵉ siècle, époque où les fours étaient construits en maçonnerie, de sorte que la cuisson des petits articles avait lieu « à petit four », c'est-à-dire à four pratiquement éteint, quand la cuisson des « grosses pièces de four » était terminée et que la forte chaleur était tombée. Après les bonbons, dragées, massepains, pralines et fruits confits, qui avaient été à la mode pendant la Renaissance et le siècle de Louis XIV, d'autres friandises avaient fait leur apparition, exigeant des pâtissiers de l'imagination et le sens du décor en miniature.

Extrêmement variés, les petits-fours constituent toujours une partie importante de la pâtisserie moderne. On en distingue quatre catégories.

• PETITS-FOURS FRAIS. Ce sont les petits-fours proprement dits, également très variés. Ils regroupent :
– les reproductions en miniature de gâteaux individuels (barquette, chou, duchesse, petit baba, petit éclair, tartelette, etc.) ;
– les petits-fours glacés, les plus nombreux et les plus diversifiés : les uns sont taillés dans un fond de génoise ou de biscuit moelleux, fourrés de crème au beurre, de confiture, de crème pâtissière ou de ganache, découpés en bouchée carrée, triangulaire ou en losange, puis abricotés, glacés et décorés ; les autres sont constitués d'un support en chocolat, en dacquoise, en meringue, en nougatine, en pâte d'amande, etc., garni d'un cube de génoise imbibé de liqueur, d'une cuillerée de crème, d'un dé de fruit confit ou glacé, puis glacé au fondant, décoré à la poche à douille ou encore masqué de couverture en chocolat, trempé dans du sucre cuit, décoré de fruits confits, d'amandes effilées, de noix de coco.

- **PETITS-FOURS MOELLEUX.** Ce sont de petits gâteaux ou biscuits de conservation limitée, souvent à base d'amande ou de noisette, et composés de pâte à biscuit ou à madeleine, ou de pain de Gênes (beignet, financier, macaron, noyer).
- **PETITS-FOURS SALÉS.** Ils sont servis lors d'un apéritif, d'un vin d'honneur, d'un cocktail ou d'un lunch, et portent aussi le nom d'« amuse-gueule » ; on les réalise avec un fond de pâte feuilletée, brisée, à choux ou à brioche (barquette, bouchée feuilletée, croissant, paillette, petite allumette, petit chausson, pizza ou quiche miniatures, etc.), garni ou fourré d'un appareil salé (beurre composé, fromage, mayonnaise, mousse de crustacé ou de foie gras, pâte d'anchois, purée de légume ou de gibier, saumon fumé, etc.).
- **PETITS-FOURS SECS.** Ce sont des petits gâteaux ou biscuits secs de bonne conservation, surtout destinés à accompagner les crèmes d'entremets, crèmes glacées et sorbets, mais aussi le thé, les vins de liqueur ou de dessert : bâtonnet, biscuit à la cuillère, cigarette, croquet, galette, langue-de-chat, macaron, meringue, milanais, palet, rocher, tuile, etc.

PETIT-LAIT Le petit-lait résulte de l'écrémage du lait, il s'agit donc d'un lait écrémé. Il y a souvent confusion avec l'eau du lait, le lactosérum qui s'écoule lors de l'égouttage du caillé. Enfin, quand l'eau provient de la crème, après le barrattage, c'est le babeurre. Notons que le terme breton « lait ribot » est d'usage erroné car, dans cette langue, « riboter » signifie « baratter ». Or, le ribot est un lait écrémé fermenté et non du babeurre.

PETIT MAURE (LE) Cabaret créé à Paris en 1618, à l'angle de la rue de Seine et de la rue Visconti. Il fut fréquenté par les écrivains Voiture, Théophile de Viau, Colletet, Tallemant des Réaux et surtout Saint-Amant, qui, dit-on, y mourut en 1661 des suites d'une violente bastonnade provoquée par une de ses épigrammes.

Au siècle suivant, un autre *Petit Maure* eut son heure de célébrité : c'était un petit restaurant de banlieue, à Vaugirard, apprécié pour son vin blanc, son « poulet d'Inde », ses petits pois nouveaux et ses fraises.

PETIT POIS Graine ronde et verte d'une plante de la famille des fabacées, de petite taille, extraite d'une gousse, ou cosse, verte également mais non comestible. Il y a de trois à huit petits pois (ou pois verts, ou pois à écosser) par gousse ; ils se mangent toujours cuits.

Les petits pois, appréciés dès l'Antiquité, connurent une faveur toute particulière en France au XVIIᵉ siècle, lorsque Audiger rapporta à la cour des pois nouveaux d'Italie.

Aujourd'hui, la très grande majorité de la production française, provenant du Nord, de l'Ouest et du Bassin parisien, est mise en conserve ou surgelée, ce qui la rend disponible toute l'année.

Les petits pois frais à écosser, beaucoup plus savoureux, sont vendus sur les marchés de mai à juillet, en provenance surtout du Sud-Est et du Sud-Ouest ; en hiver, ils arrivent d'Espagne.

On distingue les pois précoces, dits « lisses » (petit provençal, douce Provence, Obéron, auréole, etc.), et les pois « ridés », plus gros et plus sucrés (merveille de Kelvédon, orféo, aquilon, etc.).

■ **Emplois.** À l'achat, les gousses doivent être lisses et d'un vert brillant, avec des pois pas trop gros et lustrés, tendres et non farineux. Certains cuisiniers conseillent de ne pas garder les gousses plus de 12 heures ; au-delà, il est préférable d'écosser les pois et de les mélanger avec du beurre (125 g par litre de pois écossés), puis de les garder au frais jusqu'au moment de les apprêter.

Les petits pois s'écossent facilement à la main et n'ont pas besoin d'être lavés. On les cuit soit à l'eau bouillante, soit au beurre, ou aux lardons ; on peut aussi les additionner de petites carottes (à la fermière) ou les parfumer à la menthe. Accompagnement classique et délicat de viandes et de volailles, les petits pois s'associent souvent avec des pointes d'asperge ou des fonds d'artichaut, ainsi qu'avec les légumes de la jardinière ou de la macédoine. Ils s'apprêtent aussi en purée ou en potage et garnissent soupes et potées. Froids, ils s'intègrent aux salades composées et aux terrines de légumes.

Conserve la plus consommée en France, les petits pois en boîte ou en bocal seront choisis de préférence extrafins ; surgelés, ils s'emploient comme les petits pois frais.

Fournissant 92 Kcal ou 385 kJ pour 100 g (avec 16 g de glucides), les petits pois sont riches en fibres, en phosphore, en potassium, en bêtacarotènes, et en vitamines B1, C, K.

RECETTE D'ALAIN PASSARD

fricassée de petits pois et gingembre au pamplemousse

POUR 4 PERSONNES

« Écosser 1 kg de petits pois, émincer 4 petits oignons nouveaux, peler 1 pouce de gingembre et le réduire en fines lamelles. Faire chauffer 70 g de beurre salé dans un grand sautoir. Y faire suer les oignons, le gingembre et les petits pois. Mélanger doucement et verser de l'eau à hauteur des ingrédients. Poursuivre la cuisson dans l'eau frémissante jusqu'à ce que les petits pois soient « al dente ». Faire fondre 100 g de beurre doux avec un verre d'eau dans une casserole, puis mixer afin d'obtenir une émulsion. Verser cette émulsion sur 1 botte de coriandre et passer le tout au mixeur avant de chinoiser. Peler ensuite 1 pamplemousse rose et le découper en fins quartiers. Une fois les petits pois cuits, les lier avec 30 g de beurre salé et rectifier l'assaisonnement à la fleur de sel. Couper les quartiers de pamplemousse en deux et dresser les assiettes en alternant pamplemousse et couche de petits pois, puis en ceinturant le tout avec la sauce au coriandre. »

petits pois à l'anglaise

Écosser des petits pois, les laver et les jeter dans de l'eau bouillante salée. Les cuire à découvert. Les égoutter à fond, les dresser dans une timbale. Parsemer éventuellement de menthe hachée et servir avec du beurre frais à part. On peut les aromatiser en ajoutant quelques feuilles de menthe fraîche à l'eau de cuisson.

petits pois bonne femme

Détailler en petits dés 125 g de lard de poitrine maigre. Les faire blanchir, les rafraîchir puis les faire revenir légèrement au beurre. Ajouter 12 petits oignons nouveaux et les faire blondir. Retirer le tout de la sauteuse, mettre 1 grosse cuillerée de farine dans le beurre de cuisson et cuire quelques instants, en remuant avec une cuillère de bois. Mouiller avec 30 cl de fond blanc corsé et maintenir l'ébullition encore 5 min, puis ajouter 800 g de petits pois frais écossés. Remettre les oignons, les lardons, 1 bouquet garni et cuire 15 min environ à couvert.

petits pois à la française

Mettre dans une cocotte 800 g de petits pois frais écossés, 1 laitue grossièrement taillée en chiffonnade, 12 petits oignons nouveaux, 1 bouquet garni enrichi de cerfeuil, 75 g de beurre coupé en petits morceaux, 1 cuillerée à café de sel, 2 cuillerées à café de sucre et 1/2 verre d'eau froide. Couvrir, porter doucement à ébullition et cuire 15 min environ à petits frémissements. Retirer le bouquet garni et ajouter 1 cuillerée à soupe de beurre frais. Dresser en timbale.

petits pois au jambon à la languedocienne

Dans une casserole, faire revenir à la graisse d'oie 1 oignon moyen coupé en quartiers et 125 g de maigre de jambon cru non fumé. Poudrer avec 1 cuillerée à soupe de farine et remuer. Ajouter 800 g de petits pois frais écossés. Mouiller de 30 cl de fond blanc. Saler et mettre 1 cuillerée à soupe de sucre en poudre, puis ajouter 1 petit bouquet garni. Cuire à couvert 20 min environ. Retirer le bouquet garni et dresser en timbale.

RECETTE D'ALAIN DUCASSE

soupe passée de petits pois et leurs cosses aux févettes et fanes de radis

POUR 4 PERSONNES – PRÉPARATION : 30 min

« Émincer 400 g de petits pois nouveaux extra-fins et 400 g de févettes fines avec leurs cosses. Peler et émincer 1 oignon ainsi que 1 blanc de poireau. Dans une cocotte en fonte de 4 litres, chauffer 2,5 cl d'huile d'olive ; suer à feu doux l'oignon et le poireau puis ajouter les petits pois et les févettes et faire cuire 30 secondes. Mouiller avec 1,5 litre de fond blanc, laisser cuire 20 min environ, jusqu'à ce que les légumes soient très tendres. Incorporer 100 g de fanes de radis et refroidir dans un récipient posé sur la glace. Pour la garniture, peler 1 grosse carotte et 100 g de céleri-rave puis les couper en fine matignon (voir page 530). Hacher 100 g de morilles. Chauffer 10 g de beurre dans une cocotte de 20 cm. Cuire à couvert 5 min à feu doux et saler légèrement. Lorsque la soupe est froide, la mixer puis la tamiser au chinois. La porter à ébullition et remixer avec un filet d'huile d'olive et donner un tour de moulin à poivre. Faire chauffer 10 cl d'huile d'olive dans une grande poêle avec 40 g de gras de jambon coupé en cubes et 3 gousses d'ail. Faire dorer 4 tranches de pain de campagne de 2 cm d'épaisseur. Les égoutter sur du papier absorbant et couper 4 mouillettes dans chaque tranche. Répartir la matignon dans 4 assiettes creuses. Porter séparément à table assiettes, soupe et mouillettes. »

variation de petits pois à la paysanne ▶ PAYSANNE

PETIT SALÉ Morceau de viande de porc (poitrine, travers, plat de côtes, échine) ayant subi un salage en saumure ou au sel sec, vendu cru avec la mention « demi-sel » et cuisiné après dessalage par trempage. Le petit salé a davantage de goût et cuit plus rapidement qu'une viande non salée. Son apprêt classique est la potée ; on le garnit également de chou, de lentilles ou de haricots secs. On le trouve souvent dans la garniture de la choucroute.

PETIT-SUISSE Fromage frais de lait de vache contenant de 30 à 60 % de matières grasses sur extrait sec et au maximum 82 % d'eau, à pâte fraîche non salée et à croûte inexistante. Le petit-suisse se présente sous la forme d'un petit cylindre cerclé de papier, pesant 30 g.

Le concepteur de ce petit cylindre est Étienne Pommel qui, au début du XIXᵉ siècle, fabrique avec succès des fromages frais enrichis de crème et cerclés d'un papier, puis construit une fromagerie à Gournay-en-Bray et invente la boîte en bois de 6 ou 12 fromages au couvercle gravé à son nom. Mais la création du petit-suisse est attribuée à Mᵐᵉ Hérould qui aurait voulu rendre hommage à son vacher d'origine helvète lui ayant suggéré d'enrichir le caillé en crème. Sur une proposition de Charles Gervais, commis d'un notaire et marchand aux Halles de Paris, cette fermière de l'Oise, productrice de fromages frais et crémeux, s'installe en 1852 à Ferrières-en-Bray d'où elle expédie à Paris la pâte nécessaire à la préparation des fromages. Dans le dernier quart du siècle, Gervais développera seul la fabrication, créant en 1872 le Carré frais Gervais. Avec son père Jules, il saura battre en brèche la concurrence de Pommel et conquérir les marchés, y compris pendant la Première Guerre mondiale.

Présenté en dessert, soit avec du sucre, du miel, de la confiture ou des fruits pochés, soit avec du sel, des fines herbes et du poivre, le petit-suisse intervient aussi en cuisine, dans des sauces émulsionnées froides, pour tartiner des canapés (mélangé avec du paprika, des fines herbes hachées ou des raisins secs) et dans la farce de certaines volailles comme la dinde et la pintade, ce qui en rend la chair plus moelleuse.

PÉTONCLE Petit coquillage de la famille des pectinidés, à la coquille friable régulièrement arrondie, composée d'une valve gauche dont la couleur varie du jaune au brun, et d'une valve droite convexe (voir tableau des coquillages page 250 et planche pages 252 et 253). Le pétoncle ne mesure pas plus de 6 cm. On le pêche dans la Manche, l'Atlantique et en Méditerranée, au chalut ou à la drague. Il est très populaire au Canada et aux États-Unis, où il est sensiblement plus gros. Il se mange cru, ou cuit à la poêle avec une bonne persillade et flambé, et entre aussi dans de nombreuses préparations aux fruits de mer.

nage de pétoncles au thym citron ▶ NAGE

pétoncles grillés et huîtres sautées au whisky canadien

Décoquiller puis assaisonner 12 pétoncles et bien les dorer des deux côtés dans une poêle sur feu vif. Réserver. Dans un grand poêlon, chauffer 15 g de beurre. Y faire sauter 1 cuillerée à café d'échalotes hachées et 12 huîtres pendant 30 s. Retirer du feu, ajouter les pétoncles et 20 cl de whisky canadien. Flamber aussitôt. À l'aide d'une écumoire, sortir les pétoncles et les huîtres, et les garder au chaud. Verser dans le récipient 15 cl de vin blanc et 15 cl de fumet de poisson, porter à ébullition et faire réduire de moitié. Ajouter 15 cl de crème fraîche et réduire de moitié. Incorporer 30 g de beurre, puis 75 g de maïs en grains blanchi. Saler, poivrer et réchauffer sans bouillir. Disposer les pétoncles et les huîtres sur un lit de risotto fait avec du riz sauvage, napper de sauce et garnir de tomates pelées, épépinées et concassées, et de ciboulette hachée.

PÉTRIN Grand coffre de bois où l'on pétrissait autrefois la pâte à pain. De nos jours, le pétrin est constitué d'un bâti supportant un moteur, une cuve, un organe pétrisseur et une grille de protection. La cuve peut être en fer étamé, en fonte polie ou en aluminium. Il existe différents types de pétrin : à axe oblique, à spirale, à mouvements divers, à axe vertical ou horizontal, à double hélice.

PÉTRIR Malaxer avec les mains, ou à l'aide d'un mixeur ou d'un batteur, de la farine avec un ou plusieurs éléments afin de mélanger intimement les ingrédients et d'obtenir une pâte lisse et homogène.

PÉTRISSAGE Phase de panification qui consiste à mélanger et à malaxer les ingrédients (farine, eau, sel, agents de fermentation et, éventuellement, améliorant pour le pain ; farine, eau, lait œufs, sucre, sel, levure, matières grasses pour les viennoiseries) pour obtenir une pâte homogène, lisse, élastique et souple. Le temps de pétrissage détermine certaines propriétés de la pâte. On distingue le pétrissage à vitesse lente, qui permet d'obtenir un pain avec une mie crème et une bonne saveur ; le pétrissage amélioré, plus particulièrement adapté au travail des pâtes bâtardes, donc pour la fabrication du pain de consommation courante ; le pétrissage intensifié, plus long, qui concerne le travail des pâtes fermes et donne un pain volumineux, à la mie blanche et la croûte fine, mais dont la saveur est fade.

PÉTRUS Vin de Bordeaux rouge, issu des cépages merlot et cabernet franc. Splendide, bouqueté avec un parfum de truffe et de violette, il est produit dans la commune de Pomerol, dont il est le joyau (voir BORDELAIS).

PÉ-TSAÏ ▶ VOIR CHOU CHINOIS

PEYROT (CLAUDE) Cuisinier français (Saint-Félicien 1934). Né dans l'auberge familiale de Saint-Félicien en Vivarais, il est formé à *la Pyramide* à Vienne, à *l'Oustau de Baumanière*, au *Ritz* à Paris et au *Lucas-Carton*. En 1966, il s'installe au *Vivarois*, avenue Victor Hugo, dont il fera, avec son épouse Jacqueline, un temple insolite. Marbre au mur, bois précieux et fauteuils Knoll donnent le ton d'une salle à manger contemporaine. Il obtient une étoile au Guide Michelin en 1968, deux en 1971, trois en 1973. Marc Oraison ou Jacques Lacan sont parmi ses habitués fidèles. Les asperges au curry, le pied de porc farci au foie gras et aux truffes, le bavarois de poivrons, le feuilleté de truffes « belle humeur », les raviolis à farce d'abats nobles ou moins nobles, le coq au vin ivre de Pommard sont quelques-unes des inventions de ce modeste facétieux qui passe pour un technicien de génie et le savant Cosinus de la cuisine moderne.

PEZIZE Champignon des bois en forme de coupe, souvent de couleur vive, brune ou orangée, poussant à terre ou sur des brindilles. La plupart des espèces sont comestibles.

Les pezizes, appelées « gobelets » dans le sud de la France, s'apprêtent comme les morilles, mais elles ne les valent pas. Le docteur Ramain (1895-1966), dans sa *Mycogastronomie,* considère cependant qu'elles sont injustement méconnues et propose une recette de pezize orangée, crue, sucrée et arrosée de kirsch.

PFLUTTERS Boulettes alsaciennes de purée de pomme de terre additionnée d'œufs battus et de farine (ou de semoule), parfois mouillée de lait. Les pflutters sont pochés à l'eau bouillante et servis en entrée avec du beurre fondu. Ils peuvent également être découpés à l'emporte-pièce en palets et dorés à la poêle pour accompagner un rôti. Cet apprêt est aussi appelé « floutes » ou « pflutten ».

_____

pflutters

Préparer 500 g de purée de pomme de terre très fine. Y ajouter 2 œufs entiers et 75 g de farine, pour obtenir une pâte assez consistante ; assaisonner de sel, de poivre et de noix de muscade. Façonner cette pâte en boulettes ou en bouchons. Faire glisser les pflutters dans un faitout plein d'eau salée bouillante. Les laisser pocher de 8 à 10 min, les égoutter et les dresser dans un plat creux beurré. Arroser de beurre noisette brûlant, dans lequel on aura fait blondir de la mie de pain rassise finement émiettée.

PHILIPPE Restaurant parisien établi au XIXe siècle rue Montorgueil, près des Halles, sur l'emplacement d'un ancien relais de poste. Lorsque le chef Magny se fut installé aux fourneaux, suivi de Pascal, l'ex-chef du *Jockey-Club, Philippe* devint l'endroit à la mode de la capitale, réputé pour ses entrecôtes, sa soupe à l'oignon, sa sole normande et sa matelote. Dans les années 1870, le club des Grands Estomacs y tenait ses assises, avec des déjeuners pantagruéliques.

PHOSPHATE Additif alimentaire (**voir** ce mot) utilisé comme stabilisant. Les dérivés de l'acide phosphorique facilitent la rétention d'eau et régularisent l'humidité de certains produits : charcuterie, entremets, fromage fondu, lait concentré, préparations pour flan.

PHOSPHORE Élément constitutif, avec le calcium et le magnésium, de la partie minérale des os ; il intervient aussi dans les différents métabolismes. Les besoins quotidiens de l'organisme en phosphore sont de 12 à 15 mg par kilo de poids (davantage pendant la croissance, la grossesse et l'allaitement), mais ils sont généralement assurés, car la plupart des aliments en contiennent des quantités appréciables.

Néanmoins, une alimentation plus riche en phosphore qu'en calcium (avec beaucoup de viande, de poisson, d'œufs, de céréales, mais peu de lait et de fromages) peut entraîner une mauvaise utilisation du calcium. Les produits laitiers, qui contiennent à peu près autant des deux éléments, sont donc les meilleures sources de phosphore.

PHYSALIS Fruit d'un arbrisseau de la famille des solanacées, originaire du Pérou, qui pousse naturellement dans les haies et les taillis des régions côtières chaudes de l'Atlantique et de la Méditerranée (**voir** planche des fruits exotiques pages 404 et 405). Le physalis, riche en bêtacarotènes, en vitamines B3, C et PP, ainsi qu'en fer et en phosphore, est une baie, de la taille d'une petite cerise, jaune ou rouge, enveloppée dans un calice brun et membraneux. Appelé aussi « alkékenge », « amour-en-cage », « cerise d'hiver », « coqueret du Pérou », il a une saveur aigrelette. On en fait des sirops, des confitures, des salades de fruits, des apéritifs, des sorbets, des crèmes glacées. Il accompagne aussi certains plats salés, notamment de poisson.

PIANO Ce mot désigne, dans le langage des cuisiniers professionnels, le fourneau à plusieurs feux et les plaques sur lesquels ils interprètent leurs partitions culinaires.

PIC (ANDRÉ) Cuisinier français (Saint-Péray 1893 - Valence 1984). Après des débuts à l'auberge familiale du Pin, près de Valence, avec sa mère, Sophie, cuisinière renommée, il fit son apprentissage dans diverses maisons de la vallée du Rhône.

En 1924, il reprit *l'Auberge du Pin,* qui devint une halte réputée sur la route du Midi, puis il créa, en 1936, un restaurant à Valence même.

Dès 1939, il eut droit aux trois étoiles du Guide Michelin. Pour des raisons de santé, André Pic – l'un des trois grands chefs français de l'entre-deux-guerres, avec Alexandre Dumaine et Fernand Point – céda la place à son fils Jacques dans les années 1950. Celui-ci commença par reprendre les grandes spécialités de son père dans un style qui se rattachait plutôt à celui d'Escoffier ; bientôt, il mit au point ses propres créations, qui relèvent d'une école plus moderne.

PIC (JACQUES) Cuisinier français (Saint-Péray 1932 - Valence 1992). Né dans une lignée d'aubergistes, il part en formation à *la Réserve* à Beaulieu, au *Buffet Cornavin* à Genève, chez *Dorin* à Paris et chez *Mahu* à Villerville, des classiques des années 1950. Lorsqu'il revient chez lui, en 1956, Jacques s'applique à placer ses pas dans ceux de son père. Bases Escoffier, mais en version allégée, grande qualité des produits, souci du détail : la manière est là, qu'il va prolonger. Aux gratin d'écrevisses, chausson aux truffes et poularde en vessie paternels, il ajoute le loup au caviar, le foie de canard aux raisins d'hermitage, la langouste à l'huile d'olive et aux truffes. La maison *Pic* retrouve une deuxième étoile au Guide Michelin en 1960 et la troisième en 1973. Après l'intermède assuré par son fils Alain, sa fille Anne-Sophie porte aujourd'hui la maison au pinacle, dans un registre novateur.

PICARDIE D'Amiens au Crotoy, dans la vallée de la Somme, les amateurs de la pêche et de la chasse sont en pays de cocagne. Des marais et rivières jusqu'à la vaste baie de Somme, ce paysage d'eau douce et d'eau de mer n'a pas manqué de laisser son empreinte sur la gastronomie, depuis les colverts, rôtis simplement après la chasse ou apprêté en pâté à Amiens, jusqu'aux harengs et hénons (coques ramassées par milliers à marée basse), en passant par les grenouilles, les sandres, les brochets et, surtout, les anguilles, consommées fraîches, avec une multitude d'herbes – c'est l'anguille au vert fumée –, ou préparées en pâté, ou « pressé » d'anguille, plat unique en France. La mer donne même son goût aux agneaux nourris sur les pâturages riches en iode et en sel de la baie (agneaux de pré-salé).

Les porcs picards sont la matière première d'une charcuterie renommée, avec andouilles, saucisses, boudins et jambon fumé.

Aussi loin qu'un puisse remonter dans l'histoire, la Picardie a aussi été un modèle d'agriculture en France. Les bocages des vallées de l'Aisne et de la Somme entourent d'immenses plaines céréalières, alors que la proximité avec l'Île-de-France explique l'importance du maraîchage. Asperges de Laon, haricots de Soissons, haricots verts, pois et épinards de grande culture ou légumes des hortillons d'Amiens, potirons, etc. ont donné naissance à des recettes souvent méconnues : daussade (laitue aux oignons verts à la crème), menouille (cocotte de haricots, d'oignons et de pommes de terre au lard) ou encore la fameuse soupe des hortillons, de primeurs cueillis du jour. Quant aux fruits, poires et pommes, fruits rouges de Noyon, rhubarbe, etc., on les retrouve dans les tartes ou encore dans les rabottes, pommes en pâte, cousines picardes des bourdelots normands.

Située entre les régions du Nord et de la Normandie, la Picardie est, enfin, un pays de bière et de cidre ; ce dernier donne aussi une eau-de-vie.

■ Soupes et légumes.

● SOUPE DES HORTILLONS, GRATIN DE CHOU-FLEUR À LA PICARDE. Servie très chaud, avec des tranches de pain grillées, la soupe des hortillons est composée d'un chou nouveau, de poireaux, de pommes de terre, de petits pois frais et d'une petite laitue, et aromatisée d'oseille et de cerfeuil. Le gratin de chou-fleur est accompagné d'une sauce à base d'oignons, appelée aussi soubise picarde ; on la prépare en effet traditionnellement avec un bouillon de viande auquel on ajoute parfois de la béchamel ou de la crème fraîche.

■ Charcuteries.

● PÂTÉ DE CANARD D'AMIENS, CAGHUSE. Le pâté de canard d'Amiens est un pâté en croûte, qui servait à l'origine de « caisse de transport » et n'était pas consommée ; pour la farce, on utilise un canard farci de son foie, cœur et gésier, de lard frais, de viande de veau, de champignons, d'œufs, d'un oignon et d'échalotes. Pour la caghuse, les jarrets de porc sont entourés d'oignons émincés, puis cuits aux four dans une cocotte enduite de beurre ou de saindoux ; ce plat est servi froid.

■ **Poissons et fruits de mer.**

• **PÂTÉ D'ANGUILLE, OMELETTE AUX HÉNONS.** Le pâté d'anguille est servi chaud, tiède ou froid. Les tronçons d'anguille marinent au frais dans un mélange de fines herbes, de persil et d'oignons émincés, puis cuisent au four dans une terrine ou une tourtière tapissée de pâte. Pour préparer l'omelette, on fait ouvrir les coques dégorgés dans un mélange de vin blanc et d'échalotes fondues, avant de les décoquiller et de les cuire avec les œufs battus ; le plat chaud est parsemé de persil.

■ **Fromages.**

Comme le maroilles, originaire de la Thiérache, le rollot est un fromage au lait cru de vache, à pâte molle et à croûte lavée, avec une saveur relevée.

■ **Desserts.**

• **BEIGNETS DE POMMES DE TERRE, TARTE À LA RHUBARBE, LANDIMOLLES, TALIBUR, GÂTEAU BATTU, MACARON D'AMIENS.** En Picardie comme dans le Nord, la pomme de terre est de tous les repas – Parmentier était originaire de la Somme –, y compris dans les mets sucrés, beignets ou tartes. Les tartes sont réputées qu'elles soient al prône (aux pruneaux) ou à la rhubarbe, ici utilisée crue. Les landimolles, crêpes cuites traditionnellement au saindoux, sont enrichies d'un peu de crème fraîche et de rhum ; on les déguste simplement sucrées ou nappées de gelée de coing ou de groseille. Le talibur est composé de pommes ou de poires en croûte. Le gâteau battu, lui, est riche en beurre et en sucre. Enfin, le macaron d'Amiens est un petit gâteau rond et épais, moelleux et légèrement doré, dont la pâte est un mélange subtil d'amandes, de sucre, de miel et de blancs d'œufs.

PICCALILLI Condiment anglais à base de petits bouquets de chou-fleur, de cornichon émincé, d'échalote et d'aromates, macérés et conservés dans une moutarde douce diluée avec du vinaigre de malt. Ces pickles, forts ou doux, sont vendus en bocaux de verre ; ils accompagnent les viandes froides, plus spécialement le jambon et le rôti de porc.

PICCATA Petite escalope de veau ronde, prélevée sur la noix, la sous-noix ou la noix pâtissière, sautée au beurre à la poêle. Cet apprêt d'origine italienne est généralement accommodé au marsala ou au citron. On peut aussi confectionner des piccatas de poisson.

PICHET Récipient cylindrique ou pansu, muni d'une anse et d'un bec (à la différence de la carafe), utilisé pour servir eau, jus de fruits, cidre ou vin de pays. Il peut être de plastique ou de verre, mais c'est fait de grès ou de faïence que le pichet conserve au mieux sa fraîcheur au liquide. En restauration, le « vin au pichet » est un vin non bouché, de qualité moyenne, servi à la quantité.

Le pichet est également une ancienne mesure de capacité pour le sel et les liquides ; en étain, avec ou sans couvercle, il compte parmi les plus belles pièces de la vaisselle régionale.

PICKLES Condiment anglo-saxon à base de légumes ou de fruits (ou d'un mélange des deux), conservés dans un vinaigre aromatisé. D'origine indienne, les pickles sont apparentés aux achards de Madras ou de Bombay, mais les Britanniques en ont modifié la recette pour les rendre moins piquants. Conditionnés en bocaux de verre, les pickles sont également de fabrication ménagère, comme les fruits au vinaigre, et connaissent les mêmes emplois : accompagnement de viandes froides, de ragoûts et de bouillis, amuse-gueule à l'apéritif ou élément de hors-d'œuvre variés.

■ **Préparation.** Les légumes sont d'abord plongés dans de la saumure ou mis à dégorger, puis rincés, mis en bocaux et recouverts de vinaigre épicé, ou encore cuits dans du vinaigre avec des aromates. Les fruits sont souvent légèrement cuits pour que le vinaigre les pénètre bien. On traite également les œufs durs en pickles, ainsi que les noix.

Les épices relèvent la saveur, mais jouent aussi un rôle de conservateur : la formule classique consiste à mélanger, pour un litre de vinaigre, un petit bâton de cannelle, une cuillerée à café de clous de girofle, deux cuillerées à café de quatre-épices, une cuillerée à café de poivre noir, une cuillerée à café de graines de moutarde et deux ou trois feuilles de laurier. Le liquide est porté au seuil de l'ébullition, puis mis à macérer pendant 3 jours ; il est alors passé et versé froid

sur les légumes (qui doivent rester croquants), ou chaud sur les fruits (qui sont un peu plus tendres). On prépare aussi des pickles mélangés (*mixed pickles*).

Au Québec, les pickles sont appelés « marinade », tandis qu'aux États-Unis le mot « pickles » employé seul désigne uniquement des concombres marinés.

RECETTE DE MARYE CAMERON SMITH, *LE GRAND LIVRE DE LA CONSERVE* (ÉD. DESSAIN ET TOLRA)

pickles de chou-fleur et de tomate

« Disposer par couches dans une terrine 2 choux-fleurs moyens et fermes détaillés en petits bouquets, 700 g de tomates fermes en quartiers, 4 oignons grossièrement hachés, 1 concombre lui aussi haché. Parsemer chaque couche d'une quantité égale de sel (200 g en tout). Recouvrir avec suffisamment d'eau froide pour que les légumes baignent entièrement. Couvrir d'une feuille d'aluminium et laisser macérer au frais pendant 24 heures. Le lendemain, mettre les légumes dans une grande passoire et les rincer à fond sous l'eau courante pour retirer l'excès de sel. Égoutter, puis verser les légumes dans une grande casserole. Poudrer avec 1 cuillerée à café de poudre de moutarde, autant de gingembre en poudre, autant de poivre noir ; ajouter 250 g de cassonade et 1 cuillerée à café d'épices fortes ; verser alors 70 cl de vinaigre de vin blanc ; mettre la casserole sur feu moyen et porter à ébullition en remuant fréquemment. Baisser le feu et laisser mijoter pendant 15 à 20 min, toujours en remuant, jusqu'à ce que les légumes soient un peu tendres, mais toujours fermes quand on y enfonce la pointe d'un couteau. Retirer la casserole du feu et mettre les légumes en bocaux en versant dans le bocal assez de vinaigre pour les remplir complètement. Les proportions indiquées conviennent pour 3 kg de pickles, qui se conservent dans un endroit frais, sec et sombre. »

PICODON Fromage AOC de lait de chèvre (45 % de matières grasses) à pâte molle et à fine croûte naturelle, bleuâtre, dorée ou rougeâtre selon le degré d'affinage (**voir** tableau des fromages français page 392). Initialement reconnu sous le nom de picodon de l'Ardèche ou de picodon de la Drôme, il se présente sous la forme d'un disque de 5 à 7 cm de diamètre et de 2 à 3 cm d'épaisseur. Il est affiné 12 jours, tandis que le picodon de Dieulefit (Dauphiné) est affiné plus d'un mois, sa croûte étant maintenue humide par lavages à l'eau salée.

PICPOUL-DE-PINET Vin AOVDQS blanc du Languedoc, issu du cépage picpoul blanc, sec sans être acide, qui accompagne particulièrement bien les huîtres de Bouzigues.

PIE Apprêt traditionnel de la cuisine anglo-saxonne. Le mot désigne en anglais indifféremment une tarte ou une tourte ; en France, il s'applique soit à une sorte de tourte en pâte brisée ou feuilletée, garnie d'un appareil sucré ou salé, soit, plus souvent, à une préparation en croûte à base de viande et de légumes ou de fruits, cuite à l'étouffée dans un plat spécial, profond, rond ou rectangulaire, possédant un large rebord sur lequel vient s'appliquer le couvercle de pâte.

Les pies, en Grande-Bretagne et aux États-Unis, sont servis en entrée, en plat ou en dessert. Les premiers regroupent le *chicken-pie* (poulet, champignons et fines herbes), le *steak and kidney pie* (bœuf, rognon, pomme de terre, oignon et persil), le *game-pie* au gibier, l'*eel-pie* (tourte à l'anguille), le *pork and apple pie* (porc et pommes fruits), etc. ; d'autres pies sont spécifiquement américains.

Les pies de dessert se préparent soit en faisant cuire des fruits entre deux abaisses de pâte et sont alors servis avec de la crème légère ou une boule de crème glacée, soit en garnissant une pâte précuite ou partiellement cuite d'une préparation liée à l'œuf : les tartes à la citrouille (*pumpkin pie*), au sirop d'érable (*sugar pie*), à la noix de pecan (*pecan pie*) achèvent leur cuisson au four, et la tarte au citron (*lemon pie*) est juste passée au four pour dorer la meringue.

Au Québec, on emploie le mot « pâté » pour désigner le pie salé et le mot « tarte » pour qualifier tous les pies sucrés.

apple pie

Émietter 100 g de beurre dans 200 g de farine. Ajouter 1/2 cuillerée à café de sel et verser petit à petit 1/2 verre d'eau. Pétrir pour former une boule molle et non collante. Laisser reposer la pâte 20 min au frais, puis la diviser en deux pâtons inégaux. Beurrer largement un moule à manqué en porcelaine. Abaisser le plus grand des pâtons et en chemiser le fond et la paroi du moule. Mélanger 2 bonnes cuillerées à soupe de farine, 2 bonnes cuillerées à soupe de cassonade, 1 pincée de vanille en poudre, 1/2 cuillerée à café de cannelle en poudre et 1 pincée de muscade râpée. Répartir la moitié de ce mélange sur la pâte. Peler 800 g de pommes reinettes, les couper en quartiers, puis en fines tranches. Les disposer sur la pâte en formant un dôme au centre. Arroser de jus de citron, puis saupoudrer du reste du mélange aux épices. Recouvrir avec le deuxième pâton abaissé, en soudant les bords avec de l'œuf battu. Ouvrir une cheminée au centre. Dorer le couvercle à l'œuf. Mettre dans le four préchauffé à 230 °C. Au bout de 10 min de cuisson, badigeonner à nouveau d'œuf battu et remettre au four. Recommencer éventuellement une troisième fois. Cuire en tout 50 min. Servir nature ou accompagné de crème fraîche, d'un coulis de mûre ou d'une boule de glace à la vanille.

chicken-pie

Découper à cru un poulet de 1,250 kg environ. Enduire les morceaux de 100 g d'échalote et d'oignon finement hachés ; ajouter 150 g de champignons émincés et du persil haché ; saler et poivrer. Les mettre dans un plat à pie beurré, tapissé au fond et sur les côtés de 200 g d'escalopes de veau très fines, salées et poivrées, en plaçant d'abord les cuisses, puis les ailes et les blancs. Recouvrir de 150 g de bacon taillé en tranches très minces. Ajouter 4 jaunes d'œuf dur coupés en deux. Mouiller, aux trois quarts de la hauteur du plat, de consommé de volaille. Coller une bande de pâte feuilletée sur le rebord du plat et recouvrir le tout d'une abaisse de feuilletage, en la soudant au bord. Dorer et rayer le couvercle, y ouvrir une cheminée. Cuire 1 heure 30 au four préchauffé à 190 °C. Au moment de servir, couler à l'intérieur 2 ou 3 cuillerées de jus de volaille réduit.

pie à la rhubarbe

Préparer 350 g de pâte à foncer, la rassembler en boule et la laisser reposer 2 heures. L'abaisser sur 3 mm d'épaisseur et y découper un morceau de pâte aux dimensions du plat à pie. Tailler également une bande assez longue et large pour recouvrir le bord du plat. Effiler des tiges de rhubarbe et les couper en tronçons de 4 cm de long. Beurrer le plat à pie, y ranger ces tronçons et les poudrer de sucre en poudre ou de cassonade blanche (1/3 du poids de la rhubarbe), puis mouiller avec 1/3 de verre d'eau. Appliquer la bande de pâte sur le rebord plat du moule à pie. La badigeonner d'œuf battu, puis poser l'abaisse de pâte sur le plat en faisant adhérer le bord à la bande de pâte. Rayer en losanges le couvercle de pâte et le dorer à l'œuf, puis le poudrer légèrement de sucre en poudre. Ouvrir une cheminée au centre de l'abaisse supérieure et cuire de 40 à 45 min au four préchauffé à 200 °C. Au moment de servir, couler à l'intérieur de la crème liquide, ou la présenter à part.

PIÈCE MONTÉE Apprêt de pâtisserie de grande taille, dressé d'une manière très ornementale, réalisé pour un repas d'apparat ou une fête, qui fournit généralement le thème de la décoration. Aujourd'hui, la pièce montée, beaucoup plus rare, reste de rigueur pour les mariages ou les baptêmes.

La pièce montée fut en très grande faveur dans les siècles passés, notamment au Moyen Âge, grâce aux « entremets » qui constituaient de véritables spectacles, avec des architectures gigantesques et des animaux reconstitués, comme le paon. Mais c'est aux XVIIIe et XIXe siècles qu'elle connut sa plus grande gloire, avec des sujets allégoriques. Cependant, ces somptueuses pièces étaient rarement comestibles et leur fonction était avant tout décorative.

■ **Préparation.** Aujourd'hui, les pièces montées sont plus modestes, mais allient au plaisir des yeux celui de la dégustation. Elles font appel aux abaisses de biscuit ou de génoise, au nougat, au sucre taillé ou soufflé, aux fleurs, rubans et feuilles en sucre tiré ou tourné, aux corbeilles et paniers en sucre tressé, au pastillage, aux aigrettes et pompons en sucre filé, aux croquantes, aux fruits confits, aux dragées, aux sujets en pâte d'amande, aux copeaux en chocolat, etc. Le procédé le plus simple consiste à superposer en pyramide des abaisses de taille décroissante, diversement fourrées, glacées et décorées.
– Les pièces montées classiques, dites « à la française », sont édifiées sur un portique métallique avec un pivot central, qui permet de superposer des plateaux supportant les biscuits ou les génoises décorés.
– Les pièces montées « à l'espagnole » sont composées d'éléments montés séparément, chaque plateau étant supporté par des colonnes qui encadrent l'entremets du plateau précédent.

Le pâtissier peut néanmoins laisser libre cours à son imagination, à partir de divers sujets dont certains sont devenus classiques depuis la grande époque des pièces montées, au début du XIXe siècle, notamment avec Antonin Carême, passé maître dans cet art : la harpe, la lyre, la mappemonde, le pavillon chinois, la ruine ou le casque, mais aussi la corne d'abondance, le navire, la chapelle, le kiosque à musique, la cascade, le carrosse Louis XV, le dauphin au rocher, le panier de glaneuse, le temple, la charrette, etc. Aujourd'hui, c'est le croquembouche (**voir** ce mot) qui reste la pièce montée la plus courante (en choux ou en fruits glacés).

PIÈCE PARÉE Morceau de bœuf aussi appelé « persillé » (**voir** ce mot).

PIED Abat blanc des animaux de boucherie : veau, mouton, porc, le pied de bœuf n'intervenant que dans les tripes, en complément (**voir** tableau des abats page 10). Les pieds de mouton ou d'agneau, désossés, flambés et cuits au court-bouillon, sont braisés, grillés, frits, apprêtés à la poulette, en fricassée ou en salade ; ils interviennent aussi dans les pieds et paquets (**voir** ce mot). Les pieds de porc sont vendus salés, précuits et panés. Blanchis et nettoyés, ils peuvent se faire cuire dans un fond aromatisé, se servir grillés, cuits en daube, braisés, en vinaigrette.

Le pied farci est une préparation composée de pied de porc et de queue désossée, de jambonneau et de gras de porc enrobés dans une farce, parsemée de persil et enveloppée dans une crépine.

Les pieds de veau sont surtout utilisés comme source de gélatine dans les mouillements, mais ils se cuisinent aussi à part : désossés, dégorgés et blanchis, puis cuits au blanc, ils se mangent frits, en cari, à la poulette ou panés et grillés, avec une sauce diable ou tartare, etc.

pieds de porc : cuisson

Nettoyer et blanchir des pieds de porc ; les attacher deux par deux et les mettre dans une marmite d'eau froide. Porter à ébullition, puis ajouter une garniture aromatique (carotte, céleri, navet, oignon piqué de girofle, poireau et bouquet garni). Cuire 4 heures à toute petite ébullition ; égoutter et faire refroidir sous presse s'ils doivent être grillés.

pieds de veau : cuisson

Nettoyer et blanchir des pieds de veau ; enlever les os longs. Les cuire 2 heures au blanc, comme la tête de veau. Les servir avec une sauce indienne et du riz au cari, par exemple. On peut aussi les laisser refroidir sous presse, les paner au beurre ; les faire griller.

blanquette d'agneau aux haricots et pieds d'agneau ▶ BLANQUETTE

pieds de mouton à la poulette

Cuire au blanc 12 pieds de mouton, les désosser entièrement, les éponger et les trancher en deux. Les mettre dans une sauteuse avec 250 g de champignons cuits (escalopés s'ils sont gros). Mouiller avec 4 cuillerées à soupe de consommé blanc et autant de cuisson de champignon. Faire réduire ce mouillement presque à sec, puis ajouter 30 cl de velouté, 3 cuillerées à soupe de crème et cuire 5 min, sans ébullition. Lier la sauce, au dernier moment, avec 4 jaunes d'œuf délayés dans 4 cuillerées de crème fraîche. Laisser mijoter, toujours sans ébullition, ajouter 3 cuillerées de beurre, un filet de jus de citron et 1 cuillerée de persil ciselé. Bien mélanger et dresser en timbale.

pieds de veau à la Custine

Mettre 2 crépines de porc à tremper dans de l'eau froide. Placer des pieds de veau dans une marmite, les couvrir d'eau froide, porter à ébullition et cuire 5 min. Les égoutter et les rafraîchir. Délayer 4 cuillerées à soupe de farine avec 4 cuillerées à soupe d'huile et le jus de 2 citrons ; ajouter 4 litres d'eau froide, saler et y plonger les pieds de veau. Porter à ébullition et cuire 2 heures. Éplucher et ciseler 4 échalotes ; nettoyer et hacher 750 g de champignons de Paris, les mélanger et les arroser avec le jus d'un demi-citron ; faire revenir cette duxelles, à feu vif, avec du sel et du poivre, jusqu'à ce qu'elle ne rende plus d'eau. Ajouter 1 petit verre de madère et mélanger. Égoutter les pieds, les éponger, couper la chair en petits dés et les mélanger avec la duxelles ; diviser cette préparation en 6 portions égales. Éponger les crépines, les étaler à plat sur un plan de travail et y tailler 6 morceaux égaux. Façonner les portions de farce en rectangles et les envelopper une par une dans les morceaux de crépine. Les dorer à la poêle, dans du beurre bien chaud, et servir avec le beurre de cuisson.

pieds de veau à la tartare

Cuire les pieds de veau au blanc, les désosser complètement à chaud et couper la chair en morceaux. Les éponger, les passer successivement dans de la farine, de l'œuf battu et la chapelure fraîche. Les dorer dans de l'huile très chaude (180 °C), les égoutter, les éponger sur du papier absorbant et les servir brûlants avec une sauce tartare.

RECETTE DE PIERRE ORSI
ris et pieds d'agneau à la dijonnaise
POUR 4 PERSONNES

« Désosser et bien enlever les poils de 8 pieds d'agneau. Les couper en deux dans le sens de la longueur, puis les mettre dans une casserole avec de la fleur de thym, 2 cl de vin blanc et 2 cl de vinaigre de vin, puis faire cuire 15 min. Pour préparer la sauce, mettre dans une cocotte en fonte 2 échalotes hachées et ajouter le jus de cuisson des pieds d'agneau. Laisser mijoter 10 min puis ajouter 5 cl de jus de veau. Au dernier moment, avant de dresser, lier la sauce hors du feu avec 2 cuillerées de moutarde forte de Dijon et fouetter en incorporant 2 noix de beurre. Ajouter 200 g de ris d'agneau coupés en dés et sautés au beurre, ainsi que les 8 pieds d'agneau cuits. Laisser mijoter 5 min. Ajouter de la ciboulette ciselée puis dresser dans 4 assiettes creuses chaudes. Déguster avec une cuillère à sauce. »

salade de pommes de terre et pieds de porc truffés ▶ SALADE

RECETTE DE L'ATELIER DE JOËL ROBUCHON
tartines de pieds de porc
POUR 4 PERSONNES

« Dans une poêle, mettre 20 g de beurre ; chauffer et ajouter 100 g de champignons de Paris. Sauter le tout vivement. Réserver. Dans un saladier, mettre 100 g de pied de porc cuit et 100 g d'oreille de porc cuite, le tout taillé en petits dés. Ajouter 50 g de rillettes de porc, 30 g de moutarde, 1 cuillerée à soupe d'estragon concassé, 10 g de truffe hachée et les 100 g de champignons poêlés. Mélanger le tout à l'aide d'une fourchette. Saler et poivrer. Préchauffer le four à 200 °C. Frotter à l'ail 8 tartines de pain préalablement grillées. Disposer dessus l'appareil de pied de porc. Parsemer de 30 g de parmesan râpé. Glisser les tartines au four pendant 5 min. Les servir tièdes accompagnées de roquette. »

PIED-BLEU Nom générique donné à un ensemble de champignons charnus à lames, qui se reconnaissent à la coloration violacée améthyste ou bleu lilas de tout ou partie de leur chapeau ou de leur pied (**voir** tableau des champignons pages 188 et 189). Les pieds-bleus, qui sont très tardifs, se récoltent dans les bois, les lisières forestières ou les prairies fraîches et humides. Trois espèces surtout ont un intérêt gastronomique : le pied-bleu, ou tricholome nu, le plus recherché, entièrement d'un bleu violacé, à délicate odeur florale ;

le tricholome sinistre, ou pied améthyste, très beau, d'une jolie couleur violacée intense, limitée au pied ; le tricholome sordide, ou pied-bleu sordide, de taille souvent modeste, couleur améthyste très intense. Après cuisson, la chair tendre de ces pieds-bleus a une saveur suave, très typée et très parfumée, qui accompagne bien les viandes blanches ou les poissons en sauce.

PIEDS ET PAQUETS Spécialité provençale, et surtout marseillaise, qu'il était de tradition de déguster au restaurant de *la Pomme*, dans la banlieue de la ville, où la recette aurait été créée.

RECETTE DE REINE SAMMUT
pieds et paquets marseillais
POUR 4 PERSONNES – CUISSON : 8 h 30

« Dans une cocotte à fond épais, faire revenir dans l'huile d'olive 2 oignons émincés, 2 carottes coupées en rondelles et 100 g de lard fumé. Y déposer 8 pieds d'agneaux blanchis et flambés. Lorsque tout est bien revenu, ajouter 3 gousses d'ail, 5 tomates, 1 oignon piqué de clous de girofle et 1 piment oiseau. Mouiller avec 1/2 litre de vin blanc. Lorsque l'ébullition commence, ajouter 24 paquets (petits carrés de tripes d'agneau farcis de petits salés, ail et persil), saler et poivrer. Mettre ensuite 1 branche de thym et 1 feuille de laurier et ajouter un peu d'eau à hauteur des paquets. Couvrir et laisser cuire 8 heures environ à feu doux. Sortir les pieds et les paquets. Débarrasser les pieds du métatarse. Préchauffer le four à 210 °C. Une demi-heure avant de servir, disposer pieds et paquets dans un plat allant au four et laisser gratiner. Servir avec des pommes de terre nouvelles en robe des champs. »

PIÉMONTAISE (À LA) Se dit des apprêts où intervient le risotto, parfois additionné de truffes blanches du Piémont, et diversement dressé, pour garnir volailles, pièces de boucherie et poissons. L'appellation « à la piémontaise » concerne également des plats du Piémont.

▶ Recettes : ATTEREAU (BROCHETTE), BOLLITO MISTO, CHIPOLATA, FONDUE, POIVRON, TIMBALE, VEAU.

PIERRE À AIGUISER Ustensile de forme ovale ou rectangulaire constitué d'abrasifs agglomérés à grains plus ou moins fins, qui sert à affûter manuellement la lame émoussée des couteaux. Selon les modèles, la pierre doit être humidifiée à l'eau ou à l'huile.

PIERRE-QUI-VIRE Fromage au lait cru de vache entier (de 55 à 60 % de matières grasses sur extrait sec), produit du printemps à l'automne à l'abbaye de Pierre-qui-Vire (Yonne) [**voir** tableau des fromages français page 390]. De forme cylindrique plate, de 12 cm de diamètre et de 3 cm de haut, il pèse de 250 à 300 g. Sa croûte lisse est colorée rougeâtre au rocou, la pâte est à texture souple et tendre. Il est consommé affiné ou en « boulette » fraîche, avec des herbes.

PIERROZ (ROLAND) Cuisinier suisse (Martigny 1942). Après un apprentissage au *Beau-Rivage Palace* à Lausanne-Ouchy, il débute dans les années 1970 avec une cuisine créative, valaisanne, mais influencée par celle des pays méditerranéens, avec une large utilisation de l'huile d'olive, du poisson, de la tomate et du poivron. En 1977, Roland Pierroz s'établit au *Rosalp Hôtel*, avec adjonction de deux restaurants, dont l'un voué à la cuisine créative, où l'expression des arômes naît de la simple juxtaposition des produits, le plus souvent sans l'artifice des sauces. Ses plats fameux comme les langoustines au curry doux, le canard aux légumes à la grecque et la tarte bagnarde aux abricots du Valais en ont fait un maître de la cuisine franco-helvète. Il a rassemblé quelques-unes de ses recettes sous le titre de *Vertiges* (2002).

PIGEON ET PIGEONNEAU Oiseau domestique ou sauvage apprécié comme volaille ou gibier.
– Le pigeonneau est un animal très jeune (un mois environ), particulièrement tendre, qui se mange le plus souvent rôti.

– Le pigeon biset, ou pigeon de roche, est l'ancêtre de toutes les variétés de pigeons domestiques. Il vit encore à l'état sauvage en Bretagne, en Provence et en montagne (ailleurs, ce sont des pigeons domestiques revenus à l'état sauvage). Le pigeon sauvage le plus répandu en France est le pigeon ramier, ou palombe (**voir** tableau des gibiers page 421). Sa chair est plus dense et plus parfumée que celle du pigeon domestique, mais on les accommode tous deux de la même façon.

La plupart des recettes destinées aux bécasses sont applicables aux pigeons. Les apprêts braisés en casserole, en compote, en ballottine, en pâté ou en salmis conviennent aux sujets les plus vieux, tandis que les animaux jeunes, donc plus tendres, peuvent être rôtis, grillés, sautés, préparés en crapaudine ou en papillote. Le pigeon ne doit pas être saigné, mais étouffé. On ne retire pas le foie, car il est dépourvu de fiel. Les pigeonneaux sont très peu bardés, alors que les pigeons adultes le sont plus complètement.

pigeon à rôtir : habillage

Placer d'abord plusieurs heures l'oiseau dans le réfrigérateur : la chair se resserre et risque moins de se déchirer. Le plumer en commençant par les grandes plumes des ailes, puis poursuivre par la queue et achever méthodiquement en remontant vers la tête. Flamber et vider. Placer une mince barde de lard sur le dos et la poitrine de l'oiseau ; brider en ramenant la tête entre les deux ailes.

oreiller de la belle basse-cour ▶ PÂTÉ

RECETTE DE PIERRE GAGNAIRE

une orientale

POUR 6 PERSONNES

« Griller 4 poivrons rouges dans un four à 220 °C. Retirer la peau et les pépins, mixer la chair. La presser afin de récupérer le jus. Ajouter 20 cl de sirop de sucre afin d'obtenir environ 40 cl de liquide. Dissoudre 2 feuilles de gélatine dans le liquide chaud, ajouter 2 g de safran en pistils. Aciduler la préparation en incorporant 10 cl de jus de groseille et quelques gouttes de jus de citron. Faire prendre au froid. Couper 6 jeunes pâtissons en deux. Les faire griller dans une poêle antiadhésive puis les mettre au four 5 min avec 1 brindille de thym et 1 filet d'huile d'olive. Peler 2 pêches blanches et monder 2 tomates. Couper pêches et tomates en quartiers et les ranger dans une sauteuse. Les confire doucement avec 3 cl d'huile d'olive, 2 cuillerées à soupe de miel d'arbousier, 1 pincée de macis et de vadouvan et 1 trait de vinaigre de xérès. Cuire ensuite 12 carottes fanes à l'eau salée. Les arroser de jus de citron, ajouter 1 trait d'huile d'argan, 1/2 cuillerée à café de cumin en poudre et 1 pincée de sel. Préchauffer le four à 170 °C. Pour le pastis de pigeon, découper des cercles de 10 cm de diamètre dans 4 feuilles de brick. Les badigeonner de 5 g de beurre clarifié et les faire dorer 5 min au four. Faire rôtir 6 filets de pigeon assaisonnés de 5 g de beurre clarifié (ils doivent rester rosés). Retirer la peau, les tailler en aiguillettes et les réserver au chaud. Préparer ensuite une crème d'amande en mixant 30 g de pâte d'amande à 50 % avec 15 cl de jus de cuisson des pigeons et 10 cl de crème liquide. Verser la crème d'amande dans les assiettes, répartir les aiguillettes de pigeon enrobées de 50 cl de jus de pigeon réduit bien frais et 20 g de noisettes salées. Disposer les quartiers de pêche et de tomates confites ; répartir les pâtissons et couvrir d'une feuille de brick croustillante. Mêler les carottes aux grains de 1 quartier de grenade et 20 g de raisins blonds gonflés. Les verser dans 6 petits bols. Servir à part les tasses de gelée de poivron. »

pastilla au pigeon ▶ PASTILLA

RECETTE DE JEAN-PAUL DUQUESNOY

pigeon et foie gras en chartreuse au jus de truffe

« Lever, en enlevant bien la peau et les petits os, les filets de 4 gros pigeons de 500 g. Les aplatir légèrement à la batte, les saler et les poivrer. Blanchir 3 min les feuilles tendres de 3 beaux choux verts. Les rafraîchir et les égoutter. Ôter le centre des feuilles et les éponger. Saler et réserver. Tailler 8 belles tranches de foie gras de même taille que les filets. Saler et poivrer. Étaler les feuilles de chou et poser dessus les suprêmes de pigeon, puis les escalopes de foie gras. Former des petites paupiettes. Les entourer d'une fine barde de lard, puis les rouler dans du film alimentaire en serrant bien. Cuire 20 min à la vapeur. Faire réduire des deux tiers 15 cl de jus de truffe et 15 cl de madère sec. Ajouter 100 g de jus de veau corsé. Cuire 2 ou 3 min et monter avec 50 g de beurre frais. Napper de sauce les paupiettes déballées. »

pigeonneau à la minute

Trancher un pigeonneau en deux, le long de la colonne vertébrale et du bréchet. Aplatir légèrement les 2 moitiés et les dorer des deux côtés dans du beurre très chaud. Lorsqu'elles sont presque cuites, ajouter 1 cuillerée à soupe d'oignon haché et fondu au beurre. Terminer la cuisson. Dresser le pigeonneau sur un plat et le tenir au chaud. Déglacer le fond de cuisson avec un filet de cognac ; mouiller avec un peu de glace de viande dissoute et additionnée de 1/2 cuillerée à soupe de persil ciselé. Arroser le pigeonneau de cette sauce.

pigeons en compote

Saler et poivrer 4 pigeons à l'intérieur et à l'extérieur, puis introduire dans chaque oiseau 3 ou 4 baies de genièvre et 1 cuillerée à soupe de marc ; tourner les oiseaux pour bien les enrober d'alcool. Poser une barde de lard très fine sur le dos et la poitrine ; les brider. Les dorer dans une cocotte avec 50 g de beurre, les égoutter et les tenir au chaud. Faire revenir dans le même beurre 20 petits oignons nouveaux et 100 g de lard de poitrine fumé, coupé en tout petits lardons ; ajouter 150 g de champignons de Paris nettoyés et émincés. Quand ils sont blonds, ajouter 1 bouquet garni, 20 cl de vin blanc et autant de bouillon de volaille ; faire réduire des deux tiers. Remettre les pigeons dans la cocotte, couvrir, commencer l'ébullition sur le feu, puis cuire 30 min au four préchauffé à 230 °C. Retirer le bouquet garni, débrider les pigeons, les dresser dans le plat de service chauffé et les napper du fond de cuisson.

RECETTE DE JEAN-FRANÇOIS PIÈGE

pigeons désossés au foie gras

POUR 4 PERSONNES

« Flamber, vider et habiller 4 pigeons de 450 à 500 g pièce. Réserver les cœurs et les foies. Désosser en commençant par l'arrière et en prenant soin de ne pas trouer la peau et de bien ôter tous les os. Prendre 4 tranches de foies gras de 30 à 50 g et retirer à l'aide de la pointe d'un couteau les traces sanguinolentes, le fiel et les mauvaises graisses. Faire fondre 1 kg de graisse de canard clarifiée. La porter à une température de 85 °C, y plonger les morceaux de foie gras et les laisser saisir dans la graisse, de façon à donner une texture au foie gras. Préparer la farce en mélangeant 140 g d'olives noires dénoyautées, 30 g de pain de mie et 15 g d'ail confit. Farcir les pigeons en prenant soin de placer la tranche de foie gras au milieu, enveloppée de farce. Refermer et coudre. Conserver la forme du volatile. Rôtir les pigeons en deux fois au sautoir : 6 min sur le feu puis 6 min au four à air pulsé à 200-220 °C. Laisser reposer pendant au minimum 4 min puis débrider. Parer les extrémités des pigeons et couper une tranche. Dresser les pigeons dans les assiettes en formant un triangle avec la tranche et le reste du pigeon. Déposer un point de sauce et 3 olives dénoyautées par assiette. Accompagner de pommes sacristain. »

651

RECETTE D'ANNE-SOPHIE PIC

pigeons de la Drôme en croûte de noix

POUR 4 PERSONNES

« Désosser 4 pigeons fermiers plumés d'environ 600 g chacun. Lever les suprêmes et réserver au froid. Confire les cuisses dans de la graisse de canard pendant environ 3 heures à 75 °C. Concasser les carcasses vidées, les faire revenir à feu vif dans un poêlon ou une petite plaque à rôtir avec 1/2 oignon taillé en grosse brunoise et 20 cl d'huile d'arachide, puis ajouter 50 g de beurre frais. Laisser attacher la viande. Baisser le feu. Laisser cuire puis dégraisser d'un tiers. Réserver la graisse, déglacer avec un pochon d'eau, puis, avec une spatule à réduction, détacher les sucs et mouiller à hauteur avec 50 cl de fond brun. Laisser cuire jusqu'à ce que la viande autour de la carcasse soit cuite. Passer au chinois étamine sans fouler. Réserver. Hacher 100 g de cerneaux de noix sèches. Ajouter 60 g de beurre doux en pommade, 60 g de chapelure et 2 g de fleur de sel de Guérande. Assaisonner 20 g de chèvre frais de sel, de poivre du moulin, d'un filet d'huile d'olive, et y ajouter, si on le souhaite, de la menthe ciselée. Monder 4 dattes mehjoul ; les éplucher et les dénoyauter. Farcir avec l'appareil de chèvre doux et réserver. Nettoyer 100 g de cèpes à l'économe. Si nécessaire, les rincer sous un filet d'eau froide et les sécher délicatement. Tailler des tranches régulières de 2 mm d'épaisseur. Faire suer 1 échalote ciselée puis faire colorer les cèpes au beurre mousseux. Assaisonner et ajouter du persil plat ciselé. Égoutter. Préparer une pâte avec 50 g de farine de tempura en la délayant dans 8,5 cl d'eau. Rouler les dattes dans la tempura, puis les frire à 180 °C. Éponger sur papier absorbant puis saler. Tailler les dattes en deux dans le sens de la longueur. Assaisonner les suprêmes de pigeon puis les saisir à l'huile d'arachide et au beurre mousseux 3 min de chaque côté dans un poêlon. Les laisser reposer. Lorsqu'ils sont à température ambiante, les recouvrir d'une fine couche de pâte de noix. Faire dorer la croûte sous le gril du four. Pour une cuisson rosée, le pigeon doit avoir atteint au moment de la dégustation une température de 56 °C à cœur. Disposer les suprêmes de pigeon harmonieusement sur les cèpes, puis ajouter les beignets de dattes. »

RECETTE D'ALAIN LAMAISON

pigeons aux figues violettes et raisins blancs

« La veille, éplucher et épépiner une belle grappe de raisin blanc. Mettre les grains à mariner avec 15 cl de vin blanc, 1,5 cl d'armagnac, 50 g de sucre et suffisamment d'eau pour qu'ils soient recouverts. Le lendemain, vider, flamber et brider 4 pigeons de 450 g. Les dorer de tous les côtés dans un plat huilé. Les cuire 7 min au four préchauffé à 210 °C. Débarrasser. Faire chauffer 50 g de sucre avec 1 cuillerée à soupe de cumin, fenouil et quatre-épices en poudre, mélangés, et un peu de marinade des raisins. Dès que le caramel est coloré, le déglacer avec 5 cl de vinaigre d'alcool. Ajouter 25 cl de fond de pigeon. Laisser réduire. Disposer 10 figues bien mûres dans le plat à rôtir et les cuire 4 min au four. Mettre dans la sauce les grains de raisin, découper les pigeons, les dresser dans un plat de service avec les figues et napper de sauce. »

RECETTE DE JEAN-ANDRÉ CHARIAL

pigeons au lait d'amandes fraîches

POUR 4 PERSONNES

« Préchauffer le four à 230 °C. Arroser 300 g de poivrons jaunes et 300 g de poivrons rouges de 2 cuillerées à soupe d'huile d'olive et placer dans le four pendant 16 min. Retirer du four et laisser refroidir. Enlever la peau, retirer les pépins et le cœur. Tailler les poivrons et 70 g de piments piquillos en grosse julienne de 1 cm de large. Faire chauffer 2 cuillerées à soupe d'huile d'olive dans un poêle à feu moyen. Faire suer 25 g d'oignons de Simiane émincés sans les laisser brunir.

Ajouter 10 g de miel d'acacia, 1 g de paprika et tous les poivrons. Laisser compoter 1 min. Assaisonner de sel et de poivre. Pour confectionner le lait d'amandes, faire cuire 80 g d'amandes fraîches mondées dans 30 cl de crème fraîche pendant 10 min. Retirer du feu et laisser infuser 10 min. Mixer et cuire à nouveau pendant 2 min. Filtrer et réserver. Flamber, vider et brider 1,8 kg de pigeons. Les assaisonner de sel et de poivre à l'intérieur et à l'extérieur. Les enduire d'huile d'olive et les placer dans un plat à rôtir. Les mettre dans le four à 230 °C pendant 20 min. La chair doit être rosée. Lever les filets et les cuisses. Laisser reposer au chaud. Concasser grossièrement les carcasses des pigeons. Les faire revenir avec les échalotes émincées dans 1 cuillerée à soupe d'huile d'olive jusqu'à belle coloration dorée. Déglacer avec 10 cl de vin cuit et mouiller avec 30 cl de fond de volaille. Ajouter le jus de 150 g de pamplemousse et 1 g de macis. Laisser réduire de moitié et passer cette réduction au chinois. Assaisonner de sel et de poivre. Ajouter 50 g de beurre et monter la sauce. Réserver au chaud. Pendant ce temps, faire fondre du beurre dans une poêle jusqu'à coloration noisette. Y faire tomber 150 g de pousses d'épinard et 1 gousse d'ail. Faire cuire jusqu'à ce que l'eau des épinards soit évaporée. Réchauffer les poivrons et le lait d'amandes. Pour servir, placer au centre de l'assiette la ratatouille de poivrons. Déposer dessus les filets et les cuisses de pigeon et placer les épinards sur le côté. Arroser de jus de pigeon et de lait d'amandes. »

pigeons à la niçoise

Peler 18 petits oignons blancs. Les mettre dans une casserole avec 20 g de beurre. Saler et poivrer. Ajouter 3 cuillerées à soupe d'eau et cuire 20 min à feu moyen et à couvert. Faire fondre 40 g de beurre dans une cocotte, y mettre 6 pigeons, en les retournant sur tous les côtés. Ajouter 1 feuille de laurier émiettée et 2 pincées de sarriette. Verser 10 cl de vin blanc sec et incorporer les oignons égouttés. Laisser mijoter 15 min. Ajouter 200 g de petites olives noires et cuire encore de 5 à 10 min. Cuire à la vapeur 1 kg de pois gourmands. Les verser dans un plat creux et disposer par-dessus les pigeons avec les olives et les oignons en garniture.

PIGNON Petite graine oblongue, extraite de la pigne (pomme de pin) du pin parasol (ou pin pignon), arbre de la famille des pinacées poussant dans les régions méditerranéennes (**voir** planche des noix, noisettes, autres fruits secs et châtaignes page 572). Entouré d'une coque dure, le pignon (ou pignole, dans le Midi) est logé entre les écailles du cône. Très énergétique (670 Kcal ou 2 800 kJ pour 100 g), il est riche en acides gras insaturés (il rancit d'ailleurs rapidement), en glucides, en magnésium et en potassium. Son goût rappelle celui de l'amande, bien qu'il soit parfois plus résineux et corsé.

■ **Emplois.** On consomme parfois les pignons nature, une fois mondés, avec d'autres fruits secs, mais ils sont généralement grillés et utilisés en pâtisserie (biscuit, gâteau sec, macaron), ou en cuisine. Ils agrémentent souvent le riz en Inde et en Turquie, où ils relèvent aussi les moules farcies, les farces de volaille et les boulettes de mouton, comme au Liban. En Italie, les pignons sont utilisés dans des sauces – notamment le pesto – pour accommoder les pâtes, les farces de poisson, pour fourrer une omelette ou relever un poulet sauté. En Provence, on les emploie dans des préparations de charcuterie, dans la tourte aux bettes niçoise et dans les salades de crudités à l'huile d'olive.

croissants aux pignons ▶ CROISSANT

RECETTE DE JEAN-PAUL PASSEDAT

tarte aux pignons

« Étaler 2 cuillerées à soupe de gelée de cassis sur un fond de pâte brisée sucrée. Recouvrir d'une quantité égale de crème pâtissière, et autant de poudre d'amandes ; répartir dessus 100 g de pignons. Faire cuire 20 min environ dans un four préchauffé à 200 °C. »

PIGOUILLE Fromage poitevin de lait de brebis, de chèvre ou de vache (45 % de matières grasses), à pâte molle et à croûte légèrement fleurie. La Pigouille se présente sous la forme d'un petit palet rond de 250 g environ. Elle a une saveur doucé et crémeuse, comme la caillebotte. Le mot « pigouille » désigne, à l'origine, la longue perche qui permet de diriger les barques plates dans le marais poitevin.

PILAF Apprêt de riz d'origine orientale. Dans le pilaf classique, le riz est doré à l'huile ou au beurre avec de l'oignon, puis mouillé de bouillon, épicé et additionné, à mi-cuisson, de viande, poisson ou légumes, crus ou cuits ; il est toujours bien relevé, voire safrané. Mais on peut, en fait, lui ajouter de multiples ingrédients. Le pilaf est souvent moulé en couronne qui accueille la garniture au centre, ou en darioles, en accompagnement d'une viande, d'un poisson ou d'une volaille.

pilaf garni

Émincer et hacher 1 gros oignon. Bien chauffer 3 cuillerées à soupe d'huile d'olive dans une cocotte. Y verser d'un seul coup 250 g de riz à grains longs et remuer à la cuillère de bois jusqu'à ce que les grains soient transparents. Incorporer l'oignon. Ajouter au riz une fois et demie son volume de bouillon ou d'eau bouillante, du sel, du poivre, 1 petite branche de thym et 1/2 feuille de laurier. Remuer, couvrir aussitôt et cuire de 16 à 20 min. Éteindre le feu, retirer thym et laurier, puis placer sous le couvercle un torchon qui absorbera la vapeur. Mouler le riz en couronne et garnir, à volonté, d'escalopes de foie gras et de lamelles de truffe (sautées au beurre et arrosées de leur déglaçage au madère réduit), de foies de volaille et de champignons (escalopés, sautés au beurre et aromatisés à l'ail, à l'échalote et au persil), de demi-rognons de mouton (sautés au beurre, arrosés de leur déglaçage au vin blanc réduit et additionné de beurre frais) ou de poisson en sauce (au vin blanc ou à l'américaine), de chair de crustacés (coupée en dés et accompagnée de jus de coquillages), etc.

PILCHARD Nom anglais de la sardine, employé en France pour des conserves de harengs ou de sardines accommodés à l'huile et à la tomate. Les poissons utilisés doivent peser, à l'état frais, au moins 50 g, et le nom de l'espèce doit figurer sur la boîte.

PILI-PILI Petit piment à saveur brûlante, qui ne s'emploie pratiquement qu'à La Réunion et en Afrique (Sénégal surtout). Pilé avec des graines de courge et de la pulpe de tomate, il constitue l'élément de base des rougails et de nombreuses sauces. En Afrique, le pili-pili accompagne plats de semoule, foutou, viandes et galettes, tandis que les *dops* (sauces à la banane, au piment, à la tomate et à l'oignon) relèvent le porc et le mouton.

PILON Ustensile utilisé pour écraser ou travailler dans un mortier différents ingrédients : ail, amandes, beurres composés, gros sel, épices en grains ou en gousses, noix, tomates, etc., voire persil ou feuilles de laurier. Le pilon à purée, surnommé « champignon », a un manche assez long, terminé par une grosse tête massive en bois, parfois en métal perforé ; il sert à passer au tamis les purées, les farces, les marmelades, ou à presser une carcasse de volaille dans une passoire pour en extraire le jus.

PILON (VIANDE) Partie inférieure de la cuisse d'une volaille ou d'un gibier à plume, dont la forme ressemble à celle d'un pilon de mortier. La viande du pilon est plus juteuse que celle du blanc, mais moins fine que celle du haut de cuisse.

PILPIL Aliment précuit, fait de blé complet (avec le germe), donc riche en protéines et en sels minéraux. Très énergétique, le Pilpil se fait cuire 4 minutes dans deux fois son volume d'eau bouillante, puis doit gonfler et absorber le liquide pendant 7 à 10 minutes. On l'utilise dans la cuisine végétarienne, pour confectionner potages et bouillies aux légumes secs et aux aromates, pour farcir des légumes à la manière du riz, ou encore selon la recette du taboulé tunisien, garni de crudités à la vinaigrette.

PILS OU **PILSEN** Bière blonde de fermentation basse dont le nom provient de Pilsen (Plzen), ville tchèque où elle fut fabriquée pour la première fois en 1842. Appelée aussi « pilsner » ou « lager », cette bière dorée et moyennement houblonnée est devenue la plus répandue dans le monde (90 % environ de la production totale).

PIMBINA Nom d'origine algonquine qui, au Canada, désigne le fruit de la viorne trilobée, arbuste de la famille des caprifoliacées. Cette baie, qui reste accrochée tout l'hiver aux tiges, est très appréciée du gibier ailé, comme le tétras, dont elle parfume la chair. Pendant les grands gels, elle devient moelleuse, et c'est alors qu'on la cueille pour en faire une compote ou une gelée rouge vif et un peu âpre qui accompagne parfaitement le gibier.

PIMENT Condiment de la famille des solanacées, introduit en Europe par Christophe Colomb lors de son retour des Amériques (**voir** tableau des piments page 655 et planche page 654).
■ **Variétés.** Il existe plus de 200 variétés de piments, vendus frais ou séchés. Le poivron (**voir** ce mot) est un piment doux vendu séché, en poudre ou comme légume frais. Le piment est riche en vitamine C (125 mg pour 100 g) et en provitamine A. Sa teneur en capsaïcine (molécule piquante) varie considérablement selon les cultivars et sa saveur va du doux au très fort, ou « piment enragé ».
Au Pays basque, le piment d'Espelette (AOC), rouge-orangé et très fruité, est traditionnellement séché sur le mur des maisons ; il est utilisé pour les piperades, mais il peut aussi être associé à du chocolat. Son équivalent en Navarre, le *pimiento del piquillo de Lodosa* (appellation d'origine) est aussi célèbre que le paprika hongrois.
Aux Antilles, les piments sont très utilisés. Ils portent des noms imagés : « piment zozio » (ou piment oiseau ou langue de perroquet), « piment lampion » ou « piment sept-courts-bouillons », et sont généralement forts. Au Mexique on trouve l'*ancho* (aromatique et doux, en forme de cœur), le *chipotle* (conique, couleur brique et très piquant), le *pequin* (écarlate, minuscule et très fort, employé séché), le *malagueta* (très chaud et filandreux, originaire de Bahia) et le *poblano* (vert foncé, assez gros, parfumé).
■ **Emplois.** Au Mexique, tous les ragoûts et toutes les sauces *(moles)* lui doivent leur piquant ; le *chile* aromatise les haricots noirs (**voir** CHILI CON CARNE), les avocats, des fruits et même des fromages. Dans les pays anglo-saxons, le piment entre dans la préparation des pickles et des condiments à la moutarde. En Tunisie, la sauce harissa, à base de piments rouges forts et d'autres épices, assaisonne le couscous et beaucoup de tagines, pâtes, soupes et chorbas.
Les épices des caris indiens comportent plusieurs sortes de piments, tandis que l'*öt* chinois est une purée de piment rouge avec du sel et de l'huile, qui accompagne de nombreux plats ; enfin, le *tabasco* américain, fait de piment oiseau écrasé avec du sel et du vinaigre, relève les viandes rouges, marinades, tartares et certains cocktails.

beurre de piment ▶ BEURRE COMPOSÉ
huile pimentée ▶ HUILE

RECETTE DE CHRISTIAN PARRA

piments rouges de Lodosa (dits « piquillos ») farcis à la morue
POUR 4 PERSONNES
« Dessaler 24 h à l'avance 200 g de morue. Cuire 200 g de pommes de terre à l'eau ou à la vapeur. Blanchir la morue en la plongeant dans de l'eau froide qu'on arrêtera de chauffer au début de l'ébullition. L'effeuiller et la faire sauter à la poêle avec 2 cuillerées à soupe d'huile d'olive et 2 gousses d'ail haché. Mélanger pomme de terre cuite et morue dans un mixeur en ajoutant un peu d'huile d'olive pour arriver à la consistance d'une purée souple. Assaisonner si nécessaire et ajouter du piment d'Espelette. Farcir 8 piments rouges (non lavés au sortir de la boîte ou du bocal) avec cette brandade à l'aide d'une poche à douille. Pour la sauce, mixer 2 piments dans 30 cl d'une très bonne sauce tomate en l'additionnant de 10 cl de crème liquide. Porter à ébullition pendant 2 min. Rectifier l'assaisonnement. Dans une assiette calotte, mettre

PIMENTS

piment long vert

piment long rouge

piment rouge
(Thaïlande)

mrs Jeanette

manzano

piment oiseau vert

serrano

habenero

piment fort vert

criolla sella

jalapeño

güero

peperoni

un pochon de sauce, disposer 2 piments en éventail, beurrés au pinceau pour donner de la brillance, et terminer avec 1 branche de cerfeuil au milieu. »

purée de piment ▶ PURÉE

PIMENT DE LA JAMAÏQUE Épice également appelée « quatre épices » ou « toutes épices », mais qui n'est ni un piment ni du poivre (**voir** planche des épices pages 338 et 339). Le piment de la Jamaïque provient du myrte-piment, un arbre de la famille des myrtacées, d'Amérique centrale, dont on extrait aussi la vanilline. Les graines séchées ont une forte odeur de girofle, de muscade, de cannelle et de poivre. Elles sont utilisées pour épicer les marinades, des sauces et des farces.

PIMPRENELLE Herbe aromatique vivace, de la famille des rosacées, dont les feuilles dentelées ont une saveur rappelant celle du concombre (**voir** planche des herbes aromatiques pages 451 à 454). Jeune et tendre, la petite pimprenelle – variété la plus estimée – sert, avec d'autres fines herbes, à relever une salade, à parfumer une omelette, une sauce froide, une marinade ou une soupe ; elle figure dans le mélange d'herbes de l'anguille au vert.

PINCE Ustensile en métal, en bois ou en plastique, dont les branches articulées permettent de saisir les aliments pour les servir ou les déguster. Les pinces à asperge, à cornichon, à escargot, à salade, à glace et à sucre (ces deux dernières étant parfois automatiques, à griffes) sont d'usage courant. La pince à homard est employée pour broyer les pattes des crustacés afin d'en extraire la chair. La pince à arêtes de poisson est semblable à une pince à épiler, plus large. La pince à plat (comme celle à bocal) est faite pour saisir les plats chauds, et la pince à pâte (ou à tarte), pour pincer le rebord d'une pâte ou d'une tarte. Il existe aussi une pince pour revêtement antiadhésif, sans oublier la pince à servir, la pince à gâteau, la pince à spaghettis, etc. Quant à la pince à champagne, elle permet de décoller le bouchon par un mouvement latéral.

PINCEAU Ustensile à manche plat, garni de poils de soie blanche ou de Nylon, utilisé pour badigeonner de beurre clarifié ou d'huile certaines préparations (notamment les viandes à griller), pour graisser les moules et les plats, ainsi que pour dorer à l'œuf battu le dessus d'apprêts en pâte avant leur cuisson.

PINCÉE Très petite quantité d'une substance en poudre, en tout petits grains ou en menus fragments, que l'on peut prendre entre le pouce et l'index. Les recettes indiquent « une pincée » lorsque la quantité est comprise entre trois et cinq grammes.

D'autres mots sont utilisés pour certains ingrédients. Une « pointe » (d'un couteau) est parfois synonyme de pincée, mais la quantité prélevée est généralement un peu plus importante. Pour le safran, toujours employé en quantités infimes, on parlera plutôt de « mesure », correspondant au contenu d'une minuscule dose dans laquelle le

safran est la plupart du temps conditionné. On dit souvent « une goutte » d'huile, « un filet » de vinaigre, « un soupçon » de muscade, etc.

PINCER Faire colorer au four certains éléments (os, carcasse, légumes aromatiques), sans apport de corps gras (ou très peu), avant de les mouiller pour réaliser un fond brun. « Pincer » signifie également faire caraméliser des sucs de viande dans leur graisse de cuisson, dans une plaque à rôtir, une poêle ou un plat à sauter, avant de dégraisser et de déglacer.

« Pincer » veut dire aussi strier le bord de la pâte, pratiquer des petites cannelures à l'aide d'une pince à pâte, avant la cuisson, pour améliorer la présentation d'une tarte, d'une quiche ou d'un pâté en croûte.

PINEAU DES CHARENTES Vin de liqueur AOC depuis 1945, issu principalement des cépages sémillon, sauvignon et ugni blanc, produit dans la région de Cognac et titrant entre 16 et 22 % Vol. Une fois les grappes pressurées, les moûts obtenus sont mutés à l'eau-de-vie de Cognac, ce qui stoppe le processus de fermentation. Le pineau des Charentes doit ensuite être vieilli en fût de chêne, 12 mois au minimum pour le blanc, 8 mois au minimum pour le rosé. Il existe aussi du pineau « vieux », « très vieux » et « extra-vieux ». Le pineau des Charentes se boit généralement frais en apéritif, mais se déguste aussi avec le melon et le foie gras escalopé (**voir** CHARENTES).

PINOT BLANC Forme blanche du célèbre cépage pinot noir, sélectionnée au début du XXᵉ siècle par l'hybrideur Oberlin. Le pinot blanc, souple et nerveux, est surtout cultivé en Alsace, où il est associé à l'auxerrois blanc pour donner l'AOC pinot blanc, appelé encore « klevner ». Participant également à l'élaboration du crémant d'Alsace, il est de plus en plus cultivé.

PINOT GRIS Forme grise du célèbre cépage pinot noir, dont elle ne se distingue que par la couleur gris bleuté de ses grains. Vinifié exclusivement en blanc, il a des arômes moins marqués que les autres pinots ; il peut cependant fournir des vins capiteux et moelleux.

PINOT NOIR Cépage rouge de haute qualité. Le pinot noir présente de petites grappes, compactes, dont les grains noir bleuté sont entourés d'une pellicule épaisse, riche en matières colorantes, protégeant une pulpe incolore peu abondante et fondante. Il a fait la renommée des grands vins de Bourgogne rouges, tels que romanée-conti, la tâche, musigny, chambertin, clos-de-vougeot, pommard, corton. C'est aussi l'un des cépages champenois classiques, associé au chardonnay et au pinot meunier ; dans ce cas, le pressurage est opéré rapidement pour que les peaux ne colorent pas le jus. Sous un climat favorable, le pinot noir peut produire les vins les plus riches et les plus soyeux du monde, notamment sur sol calcaire.

Caractéristiques des principales variétés de piments

VARIÉTÉ	DESCRIPTION	PRÉSENTATION	FLAVEUR
piment de Cayenne ou piment oiseau	petit piment jaune ou rouge (2-4 cm)	en poudre, secs, en pickles	extrêmement forte
piment d'Espelette, Pays basque (AOC)	taille moyenne, allongé, rouge-orangé foncé (15 cm)	entier (seul ou en tresses), en poudre, en pâte	très parfumée, moyennement piquante
pimientos del piquillo de Lodosa, Navarre (AOP)	taille moyenne, allongé, rouge-orangé foncé (15 cm)	entier (seul ou en tresses), en poudre, en pâte	très parfumée, moyennement piquante
piment habanero, Mexique	petit, arrondi, jaune à rouge vif	sec ou pickles	très forte
piment rouge ou vert doux	petit à gros, allongé, très pointu	sec ou pickles	douce
poivrons	longs ou courts, volumineux, verts, jaunes, oranges, rouges, noirs	frais ou confits au vinaigre	très parfumée, douce

PINTADE Volaille de la famille des numididés, originaire d'Afrique, où vivent encore certaines espèces sauvages (**voir** tableau des volailles et lapins pages 905 et 906 et planche page 904). La pintade était connue et appréciée des Romains, qui la nommaient « poule de Numidie » ou « de Carthage ». Aujourd'hui, c'est une volaille de basse-cour que l'industrialisation de la production et la généralisation de l'insémination artificielle ont rendue disponible toute l'année. La France est le premier producteur mondial de pintades et de pintadeaux, qui bénéficient dans certains cas d'un label rouge garantissant notamment l'origine, l'alimentation et la durée de l'élevage ; le terme « fermier » est réservé aux pintades élevées « sur parcours » (en plein air, par opposition à celles élevées en batterie). Afin qu'elle soit tendre et savoureuse, la pintade est consommée jeune, d'où son nom de « pintadeau » : on peut la rôtir ou l'apprêter comme le jeune faisan et le perdreau, voire le poulet. On cuisine la pintade adulte surtout en fricassée ou comme la poularde.

En charcuterie, on utilise la pintade dans la préparation des ballottines ou du « pintadeau farci ».

oreiller de la belle basse-cour ▶ PÂTÉ

RECETTE DE RAYMOND OLIVER

pintadeau farci Jean-Cocteau

« Vider un pintadeau de 1 kg et réserver le foie et le gésier. Faire ramollir 100 g de mie de pain dans du lait chaud ; l'essorer, ajouter 1 œuf cru entier, 1 œuf dur haché, du sel, du poivre, de la muscade, de la cannelle, de l'estragon, de la ciboulette, du persil et du cerfeuil, ciselés, puis le foie et le gésier également hachés. Garnir le pintadeau de cette farce, le saler et le poivrer légèrement à l'extérieur ; le coudre, le barder et le ficeler solidement, puis le mettre dans une cocotte, avec moitié beurre et moitié huile. Lorsque le pintadeau commence à prendre une couleur dorée, le retirer de la cocotte et le poser sur un plat, puis l'arroser avec 1/2 verre de cognac chauffé et le flamber. Entre-temps, ajouter dans la cocotte 3 carottes et 3 oignons coupés en gros morceaux, puis 2 gousses d'ail écrasées. Laisser cuire quelques instants, puis remettre le pintadeau. Mouiller avec 1 verre de vin blanc et 1/2 verre de cognac. Ajouter 1/2 verre d'eau, couvrir la cocotte et laisser cuire 45 min. Piquer avec une fourchette 4 boudins blancs et 4 boudins noirs et les ranger, avec une cuillerée à soupe d'huile, dans un plat allant au four ; laisser griller. Peler 4 pommes, les couper en deux, les épépiner et les faire dorer dans une sauteuse avec un peu de beurre. Saler très légèrement. Lorsque le pintadeau est cuit, le découper et le dresser sur un plat chaud. Napper avec la cuisson passée au chinois. Parsemer de fines herbes ciselées et dresser autour, en décor, les boudins grillés et les quartiers de pomme. »

PIPERADE Spécialité basque composée de piments verts fondus avec des oignons blancs et des tomates rouges (couleurs du drapeau basque), accompagnant de très nombreux plats (œufs, jambon cru, etc.).

RECETTE DE CHRISTIAN PARRA

piperade

« Hacher un peu de gras de jambon et le faire fondre dans une grande sauteuse. Y mettre ensuite à suer 1 kg d'oignons émincés et 1 kg de piments verts épépinés coupés en long et en quatre. Ajouter 8 gousses d'ail écrasées, quelques morceaux de jambon pris dans la crosse et 1 bouquet garni. Faire suer 15 min. Ajouter 2 kg de tomates pelées, épépinées et hachées grossièrement, saler et poivrer ; sucrer légèrement si les fruits sont acides. Ajouter 1 ou 2 pincées de piment d'Espelette. Cuire sur feu vif en remuant souvent jusqu'à évaporation de l'eau des tomates. Rectifiez l'assaisonnement. »

PIQUANT Qualificatif désignant un élément extrêmement acide. On dit aussi d'une boisson gazeuse qu'« elle pique », c'est-à-dire qu'elle provoque une sensation agressive dans la bouche. Le goût piquant se retrouve dans le citron ou le vinaigre, mais aussi dans un fruit gâté ou un vin qui tourne. Il peut aussi être une qualité, comme dans un fromage longuement affiné ou dans la moutarde.

PIQUE-FRUIT Bâtonnet de bois sur lequel sont présentés les fruits (détaillés ou entiers pour ceux de petite taille) destinés à la décoration des cocktails, parfois des morceaux de légumes ou des pétales de fleurs. Un barman dispose en général de bâtonnets de plusieurs tailles.

PIQUER Introduire à la surface de certaines viandes des lardons dont la grosseur varie en fonction de la préparation. Le piquage se réalise à l'aide d'une aiguille à piquer, selon le principe du lardage, à cette différence près qu'on laisse légèrement dépasser les bâtonnets de lard. Il a pour but d'obtenir, grâce à la fonte du lard à la chaleur de la cuisson, un arrosage permanent de la pièce : c'est pourquoi les lardons doivent être placés sur le dessus et ne pas être recouverts par le mouillement.

On pique aussi certaines viandes avec des gousses ou des éclats d'ail. Enfin, on « pique » les oignons de clous de girofle.

Piquer une abaisse de pâte crue avant de la garnir ou de la cuire à blanc consiste à y pratiquer des petits trous réguliers à l'aide d'une fourchette ou d'un rouleau à piquer (le « pique-vite ») afin qu'elle ne boursoufle pas pendant la cuisson. On pique aussi à la fourchette saucisses et boudins à pocher ou à poêler, pour que le boyau n'éclate pas.

PIQUETTE Boisson de ménage, interdite de commercialisation, obtenue en faisant macérer dans de l'eau le résidu du pressurage du raisin (marc), dans lequel on rajoute du sucre pour provoquer une fermentation. Par extension, le mot désigne un vin de basse qualité, aigrelet et peu alcoolisé.

PIROJKI Petit pâté en croûte russe et polonais. La base des pirojki (appelés également « pirogui » ou « pierogi » en polonais) peut être une pâte à choux, un feuilletage, une pâte levée ou briochée, tandis que la garniture est une farce de cervelle, de fromage blanc, de gibier, de légumes hachés, de poisson et de riz, de viande, de volaille, etc. Les pirojki accompagnent le borchtch ou se servent en entrée chaude.

pirojki caucasiens

Étaler sur une grande plaque une mince couche de pâte à choux au fromage et la cuire 25 min au four préchauffé à 180 °C. La retourner sur le plan de travail et la diviser en deux moitiés. Masquer la première moitié d'une couche épaisse de béchamel réduite, additionnée de fromage râpé et de champignons cuits émincés, la couvrir de la seconde moitié et souder fortement les deux parties sur les bords. Détailler en rectangles de 6 cm de long sur 3 cm de large ; les masquer de béchamel au fromage, les poudrer de chapelure et les paner à l'anglaise. Les plonger dans de l'huile très chaude (180 °C), les égoutter et les dresser sur une serviette.

pirojki feuilletés

Préparer d'une part 400 g de feuilletage à 4 tours et d'autre part 5 cuillerées à soupe de hachis de gibier ou de chair de poisson blanc poché au court-bouillon. Ajouter au hachis 2 œufs durs hachés et 5 cuillerées à soupe de kacha ou de riz cuit au gras. Bien mélanger et rectifier l'assaisonnement. Abaisser le feuilletage sur 2 ou 3 mm d'épaisseur, puis y découper 12 disques de 7 cm de diamètre. Les étirer légèrement pour leur donner une forme ovale ; disposer sur la moitié de chaque abaisse, sans aller tout à fait jusqu'au bord, une petite portion de la farce préparée. Dorer à l'œuf le tour intérieur du demi-ovale (partie non garnie), rabattre celui-ci sur la moitié garnie et ourler le bord en appuyant bien avec les doigts. Strier le dessus et le dorer à l'œuf. Cuire 20 min au four préchauffé à 220 °C. Servir brûlant.

PIS Morceau de demi-gros correspondant à la partie inférieure du thorax et de l'abdomen d'une carcasse de gros bovin. Le pis comprend la poitrine, le tendron et le flanchet. Ce morceau ne peut être obtenu entier qu'à partir d'une découpe primaire de la carcasse, dite « à la parisienne », qui ne se pratique presque plus.

Le pis est également la mamelle d'une femelle en lactation (vache, brebis, chèvre), dont la partie comestible porte le nom de « tétine ».

PISCO Eau-de-vie de vin blanc produite au Pérou (autour du port de Pisco) et au Chili (on l'appelle le brandy chilien), obtenue à partir du cépage moscadel rosado de la famille du muscat d'Alexandrie. Après distillation, le pisco est éventuellement vieilli, dans des fûts blanchis pour ne pas colorer l'eau-de-vie. Le pisco, qui titre de 35 à 45 % Vol., se consomme couramment en Amérique du Sud avec du jus de citron, du sucre, un blanc d'œuf et de la glace (pisco sour ou *pisco souer*). Il entre dans la composition de cocktails à base de rhum, dont le célèbre pisco punch, ou à base de cola (piscola).

PISSALADIÈRE Tarte niçoise abondamment garnie et décorée de filets d'anchois et d'olives noires, qui se mange chaude ou froide. Elle est ainsi appelée parce que, avant d'être enfournée, elle était traditionnellement badigeonnée de pissalat (**voir** ce mot).

pissaladière

Préparer 700 g de pâte à pain, puis la travailler en lui incorporant 4 cuillerées à soupe d'huile d'olive ; la pétrir à la main, la rouler en boule et la laisser lever 1 heure à température ambiante. Faire dessaler 12 anchois. Éplucher et hacher 1 kg d'oignons ; les faire fondre doucement à couvert, dans une sauteuse, avec 4 ou 5 cuillerées à soupe d'huile d'olive, très peu de sel, un peu de poivre, 3 gousses d'ail écrasées, du thym et du laurier. Lever les filets des anchois. Égoutter 1 cuillerée à soupe de câpres au vinaigre et les piler en purée. Les ajouter à la purée d'oignon. Diviser la pâte à pain en deux parties (3/4 d'un côté, 1/4 de l'autre). Aplatir en cercle la portion la plus volumineuse et la déposer sur la tôle du four huilée. Y étaler la purée d'oignon aux câpres, sans aller tout à fait jusqu'au bord ; rouler les filets d'anchois et les enfoncer dans cette purée en les répartissant, ainsi qu'une bonne vingtaine de petites olives noires de Nice. Façonner la pâte du tour pour former un rebord qui maintienne la garniture. Abaisser le reste de la pâte et le détailler en lanières fines ; les disposer en croisillons à la surface et souder le bord des deux extrémités. Huiler le tour et les lanières de pâte. Cuire 20 min au four préchauffé à 240 °C.

PISSALAT Condiment provençal d'origine niçoise, fait d'une purée d'anchois relevée, de girofle, de thym, de laurier et de poivre, malaxée avec de l'huile d'olive.

PISSENLIT Plante vivace de la famille des astéracées, spontanée en Europe, également appelée « dent-de-lion », à cause de ses feuilles dentelées, qui poussent en touffes (**voir** planche des fleurs comestibles pages 369 et 370).

Le pissenlit (qui doit son nom à ses propriétés diurétiques) est peu énergétique, riche en fibres, en fer en potassium, en bêtacarotènes et vitamines B9 et C.

■ **Emplois.** Le pissenlit se consomme généralement cru, en salade, mais on peut l'apprêter cuit, comme l'épinard. Sur le marché, on distingue le pissenlit sauvage (février-mars), aux petites feuilles fraîches et légèrement amères (cueillies avant la floraison, car elles ont davantage de goût), et le pissenlit amélioré (d'octobre à mars), à feuilles plus longues, tendres, mais de saveur parfois peu marquée ; en janvier, on trouve par ailleurs le pissenlit étiolé, à feuilles presque blanches, délicates et acidulées. Le pissenlit en salade s'accompagne traditionnellement de lardons et de croûtons à l'ail (comme dans la « salade du groin d'âne », typique de Lyon), d'œufs durs ou de noix.

▶ **Recette : SALADE.**

PISTACHE Graine du pistachier, arbre de la famille des anacardiacées, originaire de Syrie et cultivé en Iraq, en Iran et en Tunisie. Ovale, vert pâle sous une pellicule rougeâtre, enfermée dans une coque facile à briser et que recouvre une pulpe brunâtre, la pistache a une saveur délicate (**voir** planche des noix, noisettes, autres fruits secs et châtaignes page 572). Très énergétique (630 Kcal ou 2 635 kJ pour 100 g), en raison de sa teneur en lipides (on en extrait d'ailleurs une huile, peu consommée) et en glucides, elle est riche en calcium, en phosphore, en potassium, en vitamines B3 et E.

■ **Emplois.** Dans la cuisine méditerranéenne et orientale, la pistache entre dans les farces et sauces de volaille, ainsi que dans les hachis ;

classiquement, elle garnit les galantines, la tête de porc pressée et la mortadelle. En Inde, réduite en purée, elle aromatise le riz et les légumes. Elle s'accorde parfaitement avec le veau, le porc et la volaille. En pâtisserie, sa couleur verte (souvent accentuée artificiellement) et son goût délicat (souvent souligné par l'amande amère) sont très appréciés dans les crèmes (notamment pour fourrer des gâteaux comme le galicien), ainsi que dans les glaces et les entremets glacés.

La pistache se sert également grillée et salée en amuse-gueule. En confiserie, elle s'associe très bien au nougat.

baklavas aux pistaches ▶ BAKLAVA
épaule de mouton en pistache ▶ ÉPAULE
gigue de porc fraîche aux pistaches ▶ PORC

RECETTE D'ALAIN DUTOURNIER

russe pistaché

POUR 4 PERSONNES

« Deux jours en avance, battre 5 blancs d'œuf en neige avec 40 g de sucre en poudre. Ajouter délicatement à la spatule, sans battre, 125 g de poudre d'amande, 100 g de sucre glace et 20 g de farine préalablement mélangés. Préchauffer le four entre 160 °C et 180 °C. Beurrer 2 cercles de la taille voulue, les garnir avec l'appareil sur 1 cm d'épaisseur à l'aide d'une corne. Saupoudrer de 60 g d'amandes effilées et cuire pendant 40 min environ. Pendant ce temps, préparer la crème pistachée. Concasser finement 100 g de pistaches vertes mondées et blanchies dans du lait, mélanger avec 50 g de pâte de pistache, ajouter 100 g de crème pâtissière tiède et incorporer 100 g de beurre pommade en finale. Réserver au frais. Étaler la crème pistache sur l'un des biscuits et le recouvrir à l'aide du deuxième biscuit. Réserver au froid pendant 2 jours en enfermant le gâteau avec du film alimentaire pour éviter l'humidité. Au moment de servir, découper le gâteau en pavés ou en tranches épaisses à l'aide d'un couteau électrique. Accompagner d'une crème glacée à la pistache et d'éclats de nougatine à la pistache. »

---

rouget de roche, panure à la pistache
et consommé d'anis étoilé ▶ ROUGET-BARBET

PISTACHE (APPRÊT) Apprêt languedocien caractérisé par la présence de gousses d'ail dans la cuisson, qui s'applique au mouton (mariné et braisé), mais aussi, par extension, au perdreau et au pigeon.

▶ Recette : PERDREAU ET PERDRIX.

PISTOLE Petite prune jaune clair, qui est récoltée et préparée dans la région de Brignoles. La pistole est débarrassée de son noyau, aplatie, arrondie et séchée.

PISTOLET Petit pain belge, rond, à pâte très légère et croustillante, consommé au petit déjeuner, surtout le dimanche. Les pistolets sont l'équivalent des croissants français. Ils se servent aussi dans la journée, froids et garnis de charcuterie ou de fromage, voire de filet américain (filet de bœuf haché cru).

PISTOU Condiment de la cuisine provençale composé de basilic frais écrasé avec de l'ail et de l'huile d'olive (**voir** PESTO). Le mot désigne aussi la soupe de légumes et de vermicelle dans laquelle on met du pistou.

▶ Recettes : AGNEAU, SOUPE.

PITA Plat traditionnel moyen-oriental. La base du pita est un pain rond sans levure, coupé en deux, chauffé, puis garni d'un mélange de maïs et de graines de sésame en purée, de crudités râpées et de pois chiches.

PITAHAYA Fruit d'une plante grasse rampante ou grimpante, originaire de l'Amérique tropicale (**voir** planche des fruits exotiques pages 404 et 405). La pitahaya, rose, rouge ou jaune est tantôt acide, tantôt plus douce. Ses épaisses écailles cachent une chair blanche ou rouge parsemée de minuscules graines, qui se déguste fraîche.

657

PITHIVIERS Grosse pièce de pâtisserie feuilletée, aux bords festonnés, fourrée d'une crème aux amandes. Cette spécialité de la ville de Pithiviers fait traditionnellement office de gâteau des Rois pour l'Épiphanie ; elle contient alors une fève. Pithiviers est également réputée pour un autre gâteau, lui aussi feuilleté, mais fourré de fruits confits et masqué de fondant blanc.

En cuisine classique, on prépare un pithiviers avec des ris à la crème, des rognons, des foies de volaille en sauce, etc.

pithiviers

Travailler 100 g de beurre en pommade. Ajouter 100 g de sucre en poudre ; mélanger, puis incorporer 6 jaunes d'œuf, un par un, 40 g de fécule de pomme de terre, 100 g de poudre d'amande et 2 cuillerées à soupe de rhum ; bien mélanger. Abaisser 200 g de pâte feuilletée et y découper un disque de 25 cm de diamètre ; garnir celui-ci avec la crème aux amandes, en laissant tout autour une marge de 1,5 cm. Battre 1 jaune d'œuf et en badigeonner le tour du disque. Abaisser 300 g de pâte feuilletée pour obtenir un disque d'un diamètre identique, mais plus épais. Le poser sur le premier disque et souder l'ensemble. Festonner le tour du pithiviers et le dorer à l'œuf. Tracer des motifs en losange ou en rosace sur le dessus avec la pointe d'un couteau. Cuire 50 min au four préchauffé à 180 °C. Servir tiède ou froid.

PITHIVIERS (FROMAGE) Ancien fromage de l'Orléanais. L'olivet au foin (**voir** ce mot) s'en rapproche.

PIZZA Mets italien très populaire, d'origine napolitaine, dont la formule la plus simple consiste à faire cuire, traditionnellement au feu de bois, une galette de pâte à pain garnie de tomates concassées additionnées ou non de mozzarella, agrémentées d'aromates (origan) et d'ail.

La pizza connaît aujourd'hui de très nombreuses variantes, enrichies de divers légumes (petits cœurs d'artichaut, petits pois, olives, champignons, poivrons, câpres, etc.), de tranches de saucisson fumé, de jambon sec, de filets d'anchois, de fruits de mer, de crevettes, de moules, etc. Elle se sert en entrée chaude ou comme plat unique.

■ **Des origines à nos jours.** À l'origine, la pizza est une galette (*schiacciata*) ou fouace (*focaccia*), de pâte levée, qui doit être bien cuite mais rester tendre. Les bords doivent être relevés pour former le *cornicione* (« gros cadre »). L'assaisonnement est composé d'huile d'olive, d'anchois et de mozzarella de bufflonne. Au XIXe siècle, les Napolitains y ajoutèrent la tomate, les olives noires et l'origan, ce qui conféra son caractère définitif à la pizza, devenue de ce fait « napolitaine ».

Parmi les variantes brodant sur ce modèle de base, il n'en existe que deux historiquement attestées et dignes d'être retenues. Depuis 2004, elles bénéficient d'ailleurs du label européen Spécialité Traditionnelle Garantie si leur préparation respecte certains critères.

La première est la *pizza margherita*, du nom de Marguerite de Savoie, qui, en visite à Naples en 1885, manifesta sa préférence pour cette pizza (on supprime origan, anchois et olives et on ajoute du basilic en abondance à la tomate et à la mozzarella). La reine y vit une recette « patriotique », puisque les trois couleurs de la garniture représentaient celles du drapeau national de l'Italie, alors récemment unifiée.

La seconde variante authentique est la *pizza marinara*. Celle-ci, la plus simple de toutes, était ainsi nommée parce qu'elle constituait le casse-croûte du marin. Aujourd'hui, on lui ajoute parfois des palourdes et des moules. La pizza napolitaine a fait le tour du monde au rythme des migrations d'Italiens, lesquels ont ouvert dans toutes les grandes villes d'Europe et d'Amérique du Nord des « pizzerias », symboles du « fast-food » à l'italienne. Les pizzas miniatures, en forme de petites bouchées, se servent en amuse-gueule.

pâte à pizza : préparation

Diluer 40 g de levure de boulanger dans 1/4 de tasse d'eau tiède ; ajouter 2 poignées de farine. Mélanger et laisser reposer 30 min à l'abri des courants d'air. Former une fontaine avec 700 g de farine et y déposer le levain et 1 pincée de sel. Pétrir vigoureusement la pâte pendant 15 min de façon à en faire une boule. La fariner, et la laisser doubler de volume

pendant 1 h 30 dans une jatte, à couvert, au chaud et bien à l'abri des courants d'air. La pétrir ensuite pendant 1 min, puis l'abaisser en disque. Redresser le bord avec les pouces pour former un bourrelet. La pizza est prête à être garnie et cuite au four.

pizza napolitaine

À l'aide d'une cuillère de bois, étaler sur une pâte à pizza 6 grosses cuillerées de pulpe de tomate. Répartir 400 g de mozzarella coupée en fines lamelles, 50 g de filets d'anchois et 100 g d'olives noires. Saupoudrer de 2 cuillerées à café d'origan. Saler, poivrer et arroser de 1/2 verre d'huile d'olive vierge. Cuire 30 min au four préchauffé à 250 °C.

PLAISIR Nom populaire donné jadis aux oublies roulées en cornets, que les vendeurs ambulants proposaient dans les rues « pour le plaisir ».

PLANCHA Du mot espagnol signifiant « planche », il s'agissait à l'origine d'une grande plaque métallique posée sur des braises pour cuire, en nombre, poulets et légumes. Aujourd'hui, la plancha est une plaque de fonte ou d'acier (souvent émaillée, parfois revêtue de chrome ou d'un revêtement antiadhésif), chauffée par des brûleurs à gaz, à l'électricité, ou à poser sur un barbecue. On trouve même des modèles en vitrocéramique et à induction. La cuisson « a la plancha » a lieu à des températures élevées (plus de 300 °C) ; simple, rapide et sans apport de matière grasse, elle peut s'appliquer à toutes sortes d'aliments : gambas, chorizo, volailles découpées, viandes émincées, poissons entiers, légumes en tranches, etc, que l'on peut faire cuire en même temps puisque la chaleur n'est pas homogène sur toute la surface de la plaque. Quant à la « plaque à snacker », équivalent de la plancha, elle équipe souvent les pianos des cuisiniers.

RECETTE DE SANTI SANTAMARIA

loup au céleri-rave

POUR 4 PERSONNES

« Laver et peler 1 boule de céleri-rave et préparer une mirepoix. La faire cuire avec du beurre, avec 1 pomme coupée en petits morceaux et 12 cl de bouillon de légumes. Une fois la cuisson terminée, passer le mélange au robot mixeur et ajouter du beurre jusqu'à obtenir un appareil crémeux. Réserver au chaud. Saler 4 filets de loup de 200 g chacun, et les faire cuire à la plancha, côté peau. Les retourner au bout de 8 min, lorsqu'ils sont à point. Ne pas faire cuire le poisson trop longtemps, il doit rester juteux. Pour la sauce au vin rouge, faire revenir 1 échalote et ajouter 1/2 litre de vin rouge et 1/2 litre de bouillon de poisson. Laisser cuire 20 min et passer au tamis. Lier avec 2 cuillerées à soupe de beurre et assaisonner avec du sel et du poivre. Ajouter de l'eau si nécessaire, car le vin peut rendre la sauce un peu acide. Réserver. À l'aide d'une mandoline, couper 1 boule de céleri-rave en tranches très fines et les faire revenir avec de l'huile d'arachide. Dresser les assiettes en déposant 1 filet de loup au centre, ajouter du sel gris sur la peau et 4 cuillerées à soupe de sauce au vin rouge. Disposer harmonieusement le mélange de céleri-rave gardé au chaud, et le céleri-rave en tranches. Servir. »

RECETTE DE SANTI SANTAMARIA

macaronis à la plancha avec pageots et seiches

« Faire cuire 120 g de macaronis dans de l'eau salée pendant 7 min. Les égoutter et les faire refroidir dans de l'eau glacée. Les retirer de l'eau et les sécher. Préparer une émulsion avec 25 cl de bouillon de poule aux épices, du beurre et du curry. Faire revenir les macaronis à la plancha (ou dans une poêle antiadhésive) jusqu'à ce qu'ils soient croustillants. Assaisonner de sel et de poivre. Faire revenir 4 filets de pageot et 20 petites seiches à la plancha. Servir dans des assiettes creuses avec le bouillon de poule émulsionné en intercalant les macaronis, les filets de pageots et les petites seiches. »

PLANCHE Tablette de 4 à 6 cm d'épaisseur, en bois massif (hêtre), rectangulaire, ronde ou ovale. De plus en plus, le polyéthylène (matériau imputrescible résistant aux acides) remplace le bois. De différentes couleurs, il permet de disposer de plusieurs planches afin de ne pas mélanger, par exemple, les odeurs de viande et de poisson.

– La planche à découper sert à émincer, hacher, tailler ou parer viandes, poissons et légumes ; celle qui est destinée à découper la viande ou la volaille rôtie est munie d'une rainure assez large pour recueillir le jus.

– La planche à pain, pour trancher le pain, est parfois constituée de lattes horizontales montées sur un châssis pour éviter la dispersion des miettes.

– La planche à pâtisserie sert à pétrir et à abaisser au rouleau les pâtes sucrées et salées ; elle doit être assez grande pour que l'on puisse la fariner facilement.

PLANTAGENÊT Nom désignant des spécialités créées par le syndicat des pâtissiers des pays de Loire, caractérisées par l'utilisation de cerises griottes et de Cointreau, sur base de biscuit, de parfait, de crème glacée ou de cake, et reconnaissables à une étiquette mentionnant l'appellation Plantagenêt. Il existe aussi un bonbon Plantagenêt en chocolat (noir, blanc ou au lait), de forme carrée, fourré de praliné et de zeste d'orange, et légèrement parfumé au Cointreau.

PLANTAIN Plante herbacée très commune, de la famille des plantaginacées, comprenant de nombreuses espèces sauvages, dont les feuilles, à condition qu'elles soient jeunes, peuvent se manger en salade ou figurer dans les potages (**voir** BANANE).

▶ Recette : POULET.

PLANTES MARINES Ensemble des végétaux marins vieux de 3 milliards d'années commes les algues et la salicorne (**voir** tableau des plantes marines alimentaires page 660 et planche ci-dessous).

Les algues sont parmi les premiers êtres vivants de la planète. On estime leur nombre à 30 000 espèces. Elles furent consommées lors des grandes famines du XIXᵉ siècle en Irlande. Les Japonais en sont depuis longtemps les plus grands consommateurs au monde, avec 80 g en moyenne par jour et par personne. En raison de leur exceptionnelle valeur alimentaire, les algues sont considérées comme l'un des aliments les plus prometteurs du XXIᵉ siècle. Riches en vitamines, en calcium, en fer, en magnésium, en iode, elles contiennent peu de lipides (de 1 à 2 % en moyenne).

Les algues forment un ensemble botanique hétérogène et sont réparties en quatre groupes, dont seulement trois sont consommés directement : les rouges, les brunes et les vertes. Le quatrième groupe est celui des algues bleues.

En France, une douzaine de variétés est autorisée à la consommation directe. Elles sont présentées fraîches, salées, saumurées, séchées ou en conserve. On les utilise comme légumes, mais surtout comme condiments ou éléments de décor. Les algues sont aussi employées dans l'industrie agroalimentaire comme gélifiant, stabilisant, liant ou agent filmogène.

La salicorne (**voir** ce mot) est inféodée à la ligne de rivage ; on la récolte à la mi-juillet. Ses extrémités tendres sont consommées en salade, cuites comme les haricots verts, confites au vinaigre ou comme condiment.

PLAQUE Ustensile de cuisson ou de préparation large et plat, plus ou moins vaste et profond.

– La plaque à rôtir rectangulaire, en tôle épaisse, en aluminium, en Inox ou en cuivre étamé, avec deux poignées et un petit bord vertical, peut être munie d'une grille lorsque la pièce à rôtir ne doit pas baigner dans sa graisse ou son jus.

– La plaque à pâtisserie, en tôle noire, rectangulaire, fait partie des accessoires du four ; elle sert à coucher et à cuire au four tous les gâteaux, pâtes et pièces de pâtisserie qui ne nécessitent pas de moule ; on la garnit parfois de papier sulfurisé, mais on peut aussi la beurrer ou la fariner directement.

– La plaque à débarrasser, rectangulaire et à bord évasé, de dimension variable, en fer-blanc ou en acier inoxydable (Inox), est parfois percée de trous dans le fond ou munie d'une grille ; elle est utilisée en restauration pour réserver divers ingrédients et préparations déjà cuits, ou pour tenir au chaud des apprêts en attente.

PLANTES MARINES

dulse (algue)

wakame (algue)

nori (algue)

« laitue de mer » (algue)

haricot de mer (algue)

salicorne

Caractéristiques des principales plantes marines alimentaires

NOM COMMUN	NOM SCIENTIFIQUE	HABITAT	ÉPOQUE	DESCRIPTION
plantes supérieures				
salicorne	*Salicornia sp.*	calme à exposé, marais salants, zone de projection des embruns	mai-sept.	petits rameaux cylindriques, vert un peu crassulent
algues brunes				
haricot de mer, ou spaghetti de mer	*Himanthalia elongata*	semi-exposé, roche, blocs et galets, basse mer de grande marée	mai-oct.	lacets très allongés, bruns, 3-10 m de long
laminaire, ou kombu breton	*Laminaria digitata*	semi-exposé, roche, blocs et galets, basse mer de grande marée	mai-oct.	lames digitées, plates, brunes, 1-4 m de long
kombu royal	*Laminaria saccharina*	semi-exposé à abrité, blocs et galets, basse mer de grande marée	févr.-juin	lame unique gaufrée sur les bords, jusqu'à 2-3 m de long
wakame, ou wakamé	*Undaria pinnatifida*	en culture	toute l'année	feuilles marron-vert, à découpes marquées, lobées, jusqu'à 2-3 m de long
algues rouges				
dulse	*Palmaria palmata*	semi-exposé, roche, blocs et galets, basse mer de grande marée	fin mars-juill., oct.-mi-déc.	feuilles rouges, aplaties, digitées, arrondies, jusqu'à 50 cm de haut
« lichen », ou pioca	*Chondrus crispus*	semi-exposé, roche, blocs et galets, basse mer de grande marée	mai-oct.	touffe crépue très polymorphe, rouge irisé (bleu, vert ou brun), 10-20 cm de haut
nori, ou laitue pourpre	*Porphyra umbilicalis*	exposé, roche, blocs et galets, totalité de l'estran	mai-juin, sept.-déc.	lames souples (ou thalles) violacées, jusqu'à 60 cm de long
algues vertes				
« laitue de mer», ou ulve	*Ulva sp.*	semi-exposé à abrité, roche, blocs et galets, totalité de l'estran	fin mars-fin sept.	lame fine verte

PLAQUER Disposer dans une plaque à rôtir, généralement beurrée, des éléments à cuire tels que viandes, poissons entiers ou en filets, légumes, etc. « Plaquer » signifie aussi coucher sur une plaque à pâtisserie certains apprêts : allumettes, bouchées, etc.

PLASTIQUE Nom générique des matériaux de synthèse solides et légers, colorés ou non, qui ont remplacé dans le domaine culinaire beaucoup de matériaux traditionnels. Susceptibles d'être modelés ou moulés, les plastiques sont réalisés à partir de substances végétales, animales et surtout minérales (charbon et pétrole). Le premier d'entre eux fut le Celluloïd (nitrate de cellulose), apparu en 1868. Selon le traitement initial, la densité du matériau et l'adjonction d'assouplissants, de stabilisants, de gonflants, d'antioxydants, de lubrifiants, etc., les produits obtenus sont plus ou moins souples, transparents ou opaques.

Différents plastiques, dont les composants sont strictement réglementés, sont utilisés dans le secteur alimentaire.
– Le polystyrène permet de fabriquer les pots de fromage frais, de yaourt, de crème fraîche et de crèmes de dessert, ainsi que certains objets et ustensiles.
– Le polystyrène expansé sert à l'emballages des œufs et de certains fromages, et protège les crèmes glacées et, parfois, les barquettes de fruits et de légumes.
– Le polyéthylène sert à faire des bouchons, des boîtes et des bouteilles rigides, des films protecteurs, les feuilles « guitare » (**voir** ce mot), des sacs et des sachets. Il convient aussi au matériel de découpe au couteau : planche à découper, billot.
– Le chlorure de polyvinyle, ou PVC, donne les bouteilles d'huile, de vin et d'eau minérale, et les boîtes pour fruits, biscuits ou confiseries. Il sert aussi à fabriquer les feuilles de Rhodoïd pour le travail du chocolat.

PLAT Récipient plat, ovale, rond, carré ou rectangulaire, à bord plus ou moins haut, droit ou évasé, généralement sans couvercle et sans poignée, destiné soit à la cuisson, soit au service de table. La « platerie »,

formée de l'ensemble des plats, utilise une grande variété de matériaux, dont certains sont conçus pour passer du four à la table.

Au XVe siècle, les plats de service étaient en or ou en argent chez les gens fortunés. Martelés dans une seule lame de métal, ils composaient la vaisselle dite « plate », par opposition aux pièces d'argenterie dont certaines parties étaient soudées. À partir du XVIIIe siècle, cette distinction disparut avec l'apparition de la faïence, puis de la porcelaine.
■ **Utilisations.** Elles conditionnent la forme des plats.
– Les plats de cuisson actuels (en terre vernissée, Pyrex, porcelaine à feu ou acier inoxydable) sont des ustensiles essentiellement destinés à la cuisson au four : plat à gratin ovale ou rectangulaire, plat « sabot » ovoïde (pour certains entremets du type clafoutis ou flan), plat à rôtir, plat à poisson, plat à escargots, plat à œufs. Le plat à sauter, ou sautoir rond, est une pièce de la batterie de cuisine (**voir** ce mot).
– La platerie de service comprend des plats « plats », avec ou sans marli (plat à hors-d'œuvre, ravier, plat à poisson, plat à rôti, plat à pâtisserie), et des plats « creux », avec ou sans couvercle (légumier, soupière, saladier, plat à ragoût, compotier).
– La platerie jetable, en plastiques divers, en Plexiglas, en aluminium, etc., est de plus en plus utilisée, notamment pour la restauration rapide.

PLAT (METS) Mets servi lors d'un repas et qui peut être très divers.
– Le plat principal (ou plat de résistance), le plus riche ou le plus soigné, est généralement une viande, une volaille, un gibier ou un poisson, servis avec une garniture. C'est lui qui détermine l'ensemble du menu.
– Le plat unique, souvent à caractère régional, remplace parfois le plat principal : c'est le cas de la choucroute garnie, du grand aïoli, du couscous, etc.
– Le plat du jour (ou plat garni) est la suggestion faite par le chef d'un restaurant pour le plat principal, en fonction de son approvisionnement et de la saison.

Le mot « plat » est par ailleurs synonyme de spécialité, de recette régionale, ainsi que du contenu du plat.

PLAT DE CÔTES Morceau de bœuf correspondant à la partie latérale de la paroi thoracique de l'animal (**voir** planche de la découpe du bœuf pages 108 et 109). Le plat de côtes comporte la portion moyenne des treize côtes. Détaillé avec les os, il entre dans la composition du pot-au-feu traditionnel, du bœuf à la ficelle et des potées. Désossé et découpé en petits morceaux, il se prépare aussi en daube et en bourguignon.

Le plat de côtes de porc (**voir** planche de la découpe du porc page 699) est un morceau de la découpe lyonnaise comprenant la région du sternum et de l'extrémité inférieure des trois ou quatre premières côtes. Dans la découpe parisienne, il fait partie du morceau de demi-gros appelé « poitrine hachage ». Légèrement saumuré, il accompagne la choucroute, la potée et les légumes secs.

PLATEAU Grand plat à faible rebord, parfois muni de poignées latérales, servant soit à présenter des mets, soit à transporter divers objets. Le plateau de fruits de mer est un assortiment de coquillages et de crustacés servis sur un plateau tapissé de glace pilée ou d'algues. Le plateau de fromages est un assortiment de fromages proposé sur un plateau, parfois doté d'une cloche, en marbre, en bois d'olivier ou en vannerie, avec un couteau assorti.

PLATINA (BARTOLOMEO SACCHI, DIT IL) Humaniste italien (Platina 1421 - Rome 1481). Il devint bibliothécaire du Vatican après avoir publié à Venise, en 1474, un livre rédigé en latin consacré à l'art culinaire et à la diététique, *De honesta Voluptate ac Valetudine*. L'ouvrage eut beaucoup de succès et fut traduit en français par le prieur de Saint-Maurice, près de Montpellier, avec le concours d'un célèbre cuisinier, Nony Comeuse. Il Platina (le Platine) défend l'idée, nouvelle pour l'époque, que la cuisine doit être plus délicate qu'abondante. Ce livre de recettes, qui est aussi un recueil de conseils médicaux et des bons usages à table, est l'un des premiers à proposer des spécialités « locales » du Midi.

PLEUROTE Champignon souvent en forme de spatule ou de coquillage, dont les lamelles descendent bas sur un pied excentré, qui pousse en touffes sur les souches et les arbres morts ; la plupart des espèces sont comestibles et perdent peu d'eau à la cuisson (**voir** planche des champignons pages 188 et 189).
– Le pleurote en coquille (ou en huître), cultivé, peut remplacer le champignon de Paris en cuisine ; abondant en automne et en hiver, il a une chair ferme, croquante et savoureuse, surtout quand il est jeune ; son pied, un peu coriace, gagne à être haché, et sa cuisson doit être assez prolongée.
– Le pleurote du panicaut, ou oreille-de-chardon, est l'un des meilleurs pleurotes ; il pousse au printemps et en automne ; c'est un champignon délicat, à saveur légèrement musquée, très recherché, notamment dans les dunes du littoral atlantique.

PLIE Poisson osseux de la famille des pleuronectidés, aux nageoires pelviennes placées en avant des pectorales. La plie est un poisson plat, avec les yeux du côté droit. Très chargée en iode, elle développe une odeur et une saveur particulières assez fortes. Plus connue sous le nom de « carrelet », la plie abonde dans l'Atlantique, la Manche et la mer du Nord ; elle est rare en Méditerranée. En forme de losange, elle mesure de 25 à 65 cm. Le côté qui porte les yeux est gris-brun, avec des taches orange brillantes ; l'autre est gris nacré. Assez charnue, d'un goût relativement fin, la plie est un poisson peu coûteux, qui se prépare comme la sole ou la barbue, en particulier frite, grillée, bonne femme, pochée, et même à la Dugléré, puisque, selon la tradition, c'est pour ce poisson que le chef du *Café Anglais* créa son apprêt (surtout appliqué à la sole).

Au Canada, il existe cinq espèces de ce poisson : la plie canadienne, très consommée, la plie grise, la limande à queue jaune, la plie rouge et le cardeau d'été.

PLIE CYNOGLOSSE Poisson osseux de la famille des pleuronectidés, aux nageoires pelviennes placées en avant des pectorales. La plie cynoglosse est un poisson plat, avec les yeux du côté droit. Le corps est de couleur marron, avec des nageoires nettement plus foncées. Mesurant en moyenne 30 cm, elle peut atteindre 55 cm. Souvent confondue avec une autre espèce, le balai, lui aussi droitier, la plie cynoglosse est aussi appelée par erreur « limande gauche » en Bretagne, car elle est proche de la limande cardine qui, elle, est bien gauchère. La plie cynoglosse, pêchée au chalut de la mer du Nord à l'Irlande, est vendue en filets frais ou surgelés, sous le nom de « filet de limande ».

PLOMBIÈRES Nom d'un entremets glacé à base de crème anglaise au lait d'amande, généralement enrichie de crème fouettée et additionnée de fruits confits macérés dans du kirsch.
▶ Recettes : CRÈMES DE PÂTISSERIE, GLACE ET CRÈME GLACÉE.

PLUCHES Sommités feuillues des herbes aromatiques, utilisées fraîches (cerfeuil, estragon, persil) ou blanchies (céleri-branche, estragon). On coupe les feuilles avec une paire de ciseaux (le hachage risquant de les endommager) au dernier moment, car leur arôme est volatile ; on évite surtout de les cuire.

PLUM-CAKE Pâtisserie d'origine anglaise, faite d'une pâte levée parfumée au rhum et additionnée traditionnellement des trois variétés de raisins secs. Le plum-cake peut être une grosse pièce ou un petit gâteau individuel. (Le mot *plum*, en anglais, désigne à la fois la prune, le pruneau et le raisin sec.)

plum-cake
Ramollir en pommade 500 g de beurre, puis le fouetter pour le rendre blanc et crémeux. Verser 500 g de sucre, fouetter à nouveau quelques minutes, puis incorporer 8 œufs, un par un, toujours en fouettant. Ajouter 250 g d'écorce confite d'orange, de cédrat ou de citron hachée, 200 g de raisins de Málaga épépinés, 150 g de raisins de Smyrne et 150 g de raisins de Corinthe. Incorporer 500 g de farine tamisée, additionnée de 6 g de levure chimique, puis le zeste râpé de 2 citrons et 4 cl de rhum. Chemiser un moule d'une bande de papier fort, en la laissant dépasser de 4 cm. Verser la pâte en ne remplissant le moule qu'aux deux tiers. Cuire de 45 min à 1 heure au four préchauffé à 190 °C. Faire refroidir sur une grille.

PLUMER Arracher les plumes d'une volaille ou d'un gibier à plume. On procède en remontant de la queue vers la tête et avec précaution, pour ne pas déchirer la peau. Le plumage est plus facile si on a mis l'oiseau, surtout s'il est petit, dans le réfrigérateur pour raffermir la chair ; le flambage fait ensuite disparaître le duvet. Quant aux petits « tubes » à plume qui résistent encore, on les retire avec la pointe d'un couteau d'office.

PLUM-PUDDING Entremets sucré typiquement anglais, moulé en terrine, à base de graisse de rognon de veau ou de bœuf, de raisins secs, de pruneaux *(plum)*, d'amandes, d'épices et de rhum, cuit au bain-marie et servi flambé, accompagné traditionnellement d'une sauce au cognac et au beurre (**voir** CHRISTMAS PUDDING).

PLUTARQUE Écrivain grec (Chéronée, Béotie, v. 50 - *id.* v. 125). Ce moraliste, qui s'inspire souvent du platonisme, composa environ deux cent cinquante traités, dont seul le tiers nous est parvenu, regroupé dans les *Vies parallèles* et les *Œuvres morales*. Parmi ces dernières se trouvent quelques fragments d'un *Symposiaque*, qui a pour objet la cuisine et la diététique. Grâce à la traduction de Jacques Amyot, au XVIe siècle, Plutarque devint l'auteur ancien le plus lu et le plus médité en France jusqu'au XIXe siècle. Les *Symposiaques* furent diffusés sous le titre *Règles et Préceptes de santé de Plutarque*.

PLUVIER Oiseau échassier migrateur de la famille des charadriidés, dont plusieurs variétés passent l'hiver en Europe occidentale et en Amérique (où il est interdit de chasse). Il était déjà très apprécié au Moyen Âge. Le pluvier argenté séjourne dans les vasières du littoral ; le pluvier doré, le plus recherché, s'installe dans les labours. Ce gibier estimé, que certains amateurs préfèrent non vidé, s'apprête comme la bécasse, mais surtout rôti. Ses œufs ont le même emploi que ceux du vanneau.

« Tout comme les casseroles, les poêles sont des ustensiles de cuisson indispensables en cuisine. Le traiteur POTEL ET CHABOT et l'école FERRANDI PARIS en utilisent de toutes tailles, épaisses, à bords plus ou moins hauts ou évasés, tant pour faire sauter viandes, abats, poissons, œufs, légumes que pour cuire divers appareils (crêpes…). »

POCHE À DOUILLE Instrument utilisé en cuisine et en pâtisserie pour distribuer un produit de consistance pâteuse. La poche, faite de grosse toile ou de Nylon, est de forme conique : lorsqu'on la comprime, l'ingrédient introduit par la base du cône est expulsé par la pointe sous forme de petites boules ou de serpentins. La douille, en acier inoxydable, en fer-blanc ou en matière plastique, est également conique et s'adapte à la pointe de la poche ; son ouverture, de diamètre variable (7 à 8 tailles différentes, de 25 à 60 mm), ronde ou aplatie, lisse, dentelée ou cannelée, permet de coucher, de pousser ou de dresser à volonté la pâte, la crème ou la purée sortant de la poche.

POCHER Cuire des aliments dans un mouillement plus ou moins abondant, en maintenant un très léger frémissement. Le pochage est une cuisson douce, qui s'applique à de très nombreux aliments (abats, fruit, moelle, œuf, poisson, viande, volaille) et à diverses préparations (blanc d'œuf en neige, boudin, Knödel, quenelle, saucisse, etc.). La mise en cuisson se fait dans le liquide froid ou chaud. Lorsque l'aliment (viande essentiellement) est mis à pocher dans le liquide froid, il perd ses sucs, donc une partie de sa saveur et de son moelleux, mais le liquide se parfume ; lorsqu'on le met dans le liquide déjà frémissant, il est saisi, l'albumine qu'il contient coagule, et il garde ses sucs, donc sa saveur, mais le liquide est alors moins aromatisé.

Les pièces longues à cuire, comme la poule au pot, sont souvent accompagnées de légumes et de différents aromates et condiments ; le liquide (eau ou fond blanc) est régulièrement écumé et dégraissé. Certains aliments protidiques fragiles (cervelle, œuf entier, poisson) sont pochés dans de l'eau additionnée de vinaigre ou de jus de citron. Certains poissons (entiers ou en filets) sont cuits dans une plaque beurrée, au four et à court mouillement, mais les gros poissons ronds (entiers ou en tronçons) sont pochés au court-bouillon dans une poissonnière et les gros poissons plats, dans une turbotière. Dans certains cas, on ajoute du lait dans le liquide (haddock, poisson blanc). Quant aux fruits, ils se font pocher dans un sirop de densité 1,1159, après avoir été auparavant soit mondés (pêche), soit pelés et citronnés (poire).

POCHETEAU Poisson de la famille des rajidés, qui se reconnaît à son museau long et pointu et à ses nombreuses petites taches noires sur le ventre. Le pocheteau noir ou gris, cousin de la raie, se pêche au chalut dans l'Atlantique, des îles Féroé au Portugal, mais il devient rare. Ses ailes sont vendues détaillées en tronçons ; sa chair ferme s'apprête comme celle de la raie.

POCHON Cuillère à pot ou petite louche à long manche, servant à arroser de jus ou de sauce un mets en cours de cuisson, ou à prélever un liquide.

POCHOUSE Matelote bourguignonne, préparée avec des poissons d'eau douce, parmi lesquels figurait autrefois obligatoirement la lotte de rivière, devenue très rare. La pochouse de Bresse comporte souvent de la tanche, de la carpe et du poisson-chat, alors que celle de Bourgogne se fait avec du brochet, du goujon et même de la truite, en plus de la tanche, de l'anguille, de la perche et de la carpe. Dans les deux cas, la pochouse est mouillée de vin blanc sec et liée au beurre manié.

---

pochouse

Beurrer largement une cocotte et en masquer le fond de 2 ou 3 gros oignons émincés et de 2 carottes coupées en rondelles. Nettoyer et tronçonner 2 kg de poissons d'eau douce : 1 kg d'anguilles (dépouillées) et 1 kg de lotte de rivière, de tanche, de brochet, de carpillon, etc. Les mettre dans la cocotte et placer au milieu 1 bouquet garni. Mouiller à hauteur de vin blanc sec et ajouter 2 gousses d'ail écrasées ; saler et poivrer. Couvrir et porter à ébullition, puis cuire 20 min à petits frémissements. Couper 150 g de lard de poitrine demi-sel en lardons ; les blanchir 5 min et les égoutter. Glacer 20 petits oignons. Nettoyer, émincer et citronner 250 g de champignons de Paris. Dorer au beurre, dans une sauteuse, lardons et champignons. Sortir les morceaux de poisson et les mettre dans la sauteuse avec les petits oignons. Lier la cuisson avec 1 cuillerée à soupe de beurre manié, la passer et la verser dans la sauteuse. Réchauffer le

tout, puis ajouter 20 cl de crème fraîche et faire réduire 5 min à découvert. Verser la pochouse dans un plat de service creux chauffé et garnir de croûtons frottés d'ail et frits à l'huile.

POÊLE Ustensile de cuisson rond ou ovale, peu profond, à rebord évasé, muni d'une longue queue. La poêle sert à frire, à faire sauter ou revenir viandes, poissons, légumes et œufs, et à cuire divers appareils (crêpe, croquette, omelette, etc.).

Une poêle classique, en tôle d'acier noire, doit être épaisse et lourde, pour ne pas se déformer ; afin qu'elle ne rouille pas, il suffit de la graisser, après séchage, avec un tampon à peine imbibé d'huile.

On lui préfère parfois des matériaux plus légers, plus esthétiques ou d'un entretien plus facile : acier inoxydable, fonte émaillée ou aluminium avec revêtement antiadhésif (PTFE).

– La poêle à frire classique est un ustensile polyvalent, mais il existe des poêles à usage spécifique.

– La poêle à truite (ou à poisson), ovale, convient pour la cuisson des poissons meunière.

– La poêle à crêpes (également appelée « crêpière » ou « tuile »), ronde, possède un très petit rebord pour permettre à la spatule de décoller facilement la pâte et de retourner la crêpe.

– La poêle à omelette des cuisiniers, qui est souvent en cuivre étamé intérieurement, a un haut rebord et permet une cuisson uniforme des œufs dans toute l'épaisseur.

– La poêle à blinis, au diamètre des petites crêpes russes, possède un rebord assez haut.

– La poêle à marrons, ronde et percée de trous, est munie d'une queue très longue pour faire griller les châtaignes sur les braises.

– La poêle à flambage, utilisée surtout pour flamber à table les entremets ou certains apprêts, est en cuivre et d'une forme élégante.

POÊLER Cuire lentement, dans un récipient couvert, avec un corps gras, une garniture aromatique et un mouillement court (eau, fond, vin, etc.). Le poêlage (**voir** tableau des modes de cuisson page 295), qui s'accompagne d'arrosages fréquents, tient à la fois du rôtissage (en début de cuisson) et du braisage. Il donne des apprêts très savoureux – le fond de sauce, servi dégraissé, étant riche et corsé – et convient surtout aux viandes blanches et aux volailles.

Poêler signifie également « cuire un aliment à la poêle avec du beurre ou de l'huile », sens qui découle du nom de l'ustensile utilisé.

POÊLON Récipient de cuisson à bord droit, demi-haut, muni d'une queue et souvent d'un couvercle, de petite contenance. Autrefois exclusivement en terre, vernissée ou non, le poêlon convenait pour le mijotage ou le braisage ; on trouve aujourd'hui, toujours pour le même emploi, des poêlons en acier inoxydable, en fonte noire ou émaillée, ou en tôle émaillée.

Le caquelon de la fondue savoyarde est aussi un poêlon, qui, comme celui de la fondue bourguignonne (plus haut et doté d'un couvercle), se pose sur un réchaud de table.

Le poêlon à sucre, en cuivre martelé non étamé, est réservé à la cuisson du sucre et des sirops.

POGNE Brioche ou pain brioché dauphinois, parfois garni de fruits confits, servi tiède ou froid, souvent avec de la gelée de groseille. La pogne de Romans est renommée, mais on la prépare aussi à Crest (en principe pour Pâques), à Die, à Valence, et dans certaines contrées du Lyonnais et de Franche-Comté. L'origine du mot pogne vient du patois : lorsque les femmes fabriquaient elles-mêmes leur pain, elles réservaient une « poignée » de pâte, qu'elles enrichissaient de beurre et d'œufs pour confectionner des pâtisseries.

---

pognes de Romans

Disposer en fontaine 500 g de farine tamisée et mettre au milieu 8 g de sel, 1 cuillerée à soupe d'eau de fleur d'oranger, 250 g de levain de pâte à pain, 250 g de beurre travaillé à la spatule de bois et 4 œufs entiers. Travailler vigoureusement pour donner du corps à la pâte ; ajouter encore 2 œufs, un par un. Incorporer enfin 200 g de sucre en poudre par petites quantités, sans cesser de remuer. Placer la pâte dans une terrine farinée, la couvrir d'un torchon et la laisser lever de 10 à 12 heures à la température ambiante, à l'abri des courants d'air. La renverser sur la table et la battre du plat de la main pour interrompre la fermentation. La diviser en deux parties, en faire deux boules et leur donner une forme de couronne. Placer celles-ci dans des tourtières beurrées ; laisser lever à nouveau 30 min dans un endroit chaud. Dorer à l'œuf et cuire 40 min au four préchauffé à 190 °C.

POIDS ET **MESURES** Quantités d'ingrédients indiquées dans les recettes de cuisine, calculées en kilos, grammes, litres, centilitres, etc., depuis l'adoption du système métrique le 1er janvier 1840. On parle aussi de « masses marquées ». Néanmoins, la pratique culinaire emploie parallèlement, et parfois conjointement, des unités de mesure correspondant au contenu d'ustensiles courants.

■ **Système français ancien.** Jusqu'au XIXe siècle, les poids et mesures étaient d'une grande diversité. Les mesures les plus fréquentes étaient : le boisseau (12,5 litres), pour les grains et le sel ; la chopine (0,5 litre environ), pour les liquides ; le grain, vingtième partie de 1 gramme ; le gros (3,824 g), huitième partie de l'once ; le litron (0,813 litre), seizième partie du boisseau ; la livre, ou seize onces à Paris (0,489 kg), mais douze à Lyon ; le minot, réservé aux matières sèches, très variable selon les régions (52 litres à Lyon, 51 à Paris) ; le muid, pour les liquides et les grains (à Paris, 274 litres pour le vin et 1 873 litres pour le blé) ; l'once (30,594 g), valant à Paris le seizième de l'ancienne livre, mais correspondant aussi à un poids ancien de 24 à 33 g – elle est prise ainsi au début du XIXe siècle par Carême et ses contemporains, chez qui cinq onces sont égales à 153 g ; le picotin (3 litres), pour l'avoine surtout ; la pinte (à Paris, 0,93 litre), pour les liquides ; le quarteron (1/4 de livre ou 1/4 de 100, c'est-à-dire, en fait, 26 à Paris et parfois 32 ailleurs) ; le scrupule (1,137 g), vingtième de l'once, ou vingt-quatre grains ; le setier, douze boisseaux de blé (150 litres), ou encore vingt-quatre boisseaux d'avoine (300 litres).

Les mesureurs, fonctionnaires publics, étaient chargés de faire respecter les quantités mesurées lors des transactions commerciales concernant notamment les aulx, les châtaignes, les grains, l'huile, les nèfles, les noix, les oignons, les pommes et le sel, ainsi que le bois de chauffage et le charbon.

■ **Système anglo-saxon.** En Grande-Bretagne, aux États-Unis et en Australie, les unités de poids et de mesures couramment employées obéissent à un autre système que le système métrique.

Au Canada, le système international (SI), fondé sur le système métrique, est en vigueur depuis 1980. Mais on y a conservé l'habitude anglo-saxonne de mesurer le volume des ingrédients plutôt que de les peser : ainsi, une cuillerée à soupe (15 ml) équivaut à trois cuillerées à thé (5 ml), huit cuillerées à soupe correspondent à une tasse (227 ml) et quatre tasses, à 900 ml, soit l'équivalent du quart américain.

POILÂNE (LIONEL) Boulanger français (Paris 1946 - Cancale 2002). Il apprend le métier au côté de son père, à seize ans. Il développe l'entreprise, expédiant sa « boule Poilâne » dans le monde entier et incarnant son métier jusqu'à devenir un symbole. Il voyage sans cesse, donne des conférences en Afrique du Sud ou en Israël (rappelant que Bethléem signifie « la maison du pain »). L'anagramme de son nom suggère sa vocation : Ô le pain. Ses propres ouvrages consacrés au pain, mais aussi aux artisans français, sa collection de tableaux, ses 15 000 miches quotidiennes fabriquées dans la manufacture de Bièvre et dans ses deux échoppes de Paris (il n'aimait pas « les boutiques mortes »), celle de Londres, dans Elizabeth Street, en réplique de la maison mère de la rue du Cherche-Midi, disent sa passion fervente pour l'artisanat de tradition à partir d'un produit unique. Pilote chevronné et président du groupement français d'hélicoptères, il décède tragiquement au-dessus de sa petite île bretonne des Rimains.

POINT (FERNAND) Cuisinier français (Louhans 1897 - Vienne 1955). Fils d'aubergistes qui tenaient l'hôtel-buffet de la gare de Louhans, où sa mère et sa grand-mère avaient la responsabilité des fourneaux, il fit ses classes à Paris (chez Foyot, au Bristol, au Majestic, comme saucier), puis à Évian, à l'hôtel Royal, où il fut poissonnier. En 1922, lorsque la compagnie ferroviaire du PLM (Paris-Lyon-Marseille) refusa de reconnaître officiellement le buffet de la gare de Louhans, Auguste Point,

son père, s'installa à Vienne. Deux ans plus tard, il laissa son restaurant à son fils, qui le baptisa la Pyramide. Rapidement, l'établissement, dont la cuisine était d'un grand classicisme, devint l'étape des gastronomes sur la route du Midi ; toutes les célébrités de l'époque vinrent goûter le « sommet de l'art culinaire » (Curnonsky). La personnalité de Fernand Point, dont Sacha Guitry disait : « Pour bien manger en France, un Point c'est tout », y fut aussi pour beaucoup ; son humour, son intransigeance et la chaleur de son accueil, ses anecdotes, ses excentricités et sa corpulence imposante firent de lui l'un des grands chefs français. Il fit d'ailleurs école, et ses élèves, Raymond Thuilier, Paul Bocuse, Alain Chapel, les frères Jean et Pierre Troisgros, Louis Outhier et Marius Bise témoignent de la valeur de son exemple.

POINT (À) Se dit d'une petite pièce de boucherie, plus particulièrement de bœuf, grillée ou sautée, dont le degré de cuisson se situe après le stade « saignant » et avant le stade « bien cuit ». Une grillade « à point » n'est pas cuite dans toute son épaisseur ; le cœur de la pièce (un quart à un tiers de celle-ci) n'a pas coagulé, mais il doit être chaud.

POINTE Morceau du porc, dans la découpe parisienne, situé à l'extrémité arrière de la longe (**voir** planche de la découpe du porc page 699). La pointe, qui peut rester attenante au jambon, donne un rôti moelleux.

POIRE Fruit du poirier, arbre de la famille des rosacées, oblong et renflé du côté opposé à la queue. Sa peau jaune, bronzée, rouge ou verte recouvre une chair blanche fondante, fine ou légèrement granuleuse, au centre de laquelle sont logés des pépins. Originaire d'Asie Mineure, le poirier poussait à l'état sauvage à l'époque préhistorique. Connue des Grecs, la poire fut surtout appréciée des Romains, qui la consommaient crue, cuite, ou séchée au soleil, et qui en tiraient une boisson fermentée. Aujourd'hui, grâce à une sélection progressive, les variétés sont innombrables (**voir** tableau des poires page 667 et planche page 666). Fournissant 61 Kcal ou 255 kJ pour 100 g, la poire est riche en fibres et contient des vitamines PP et du potassium.

■ **Emplois.** Fruit de table réputé mais fragile, la poire se pèle avec un couteau et une fourchette à dessert. Crue, elle s'oxyde rapidement : pour une salade de fruits ou une bordure, on l'arrose de jus de citron.

Les variétés spécifiquement à cuire ont aujourd'hui pratiquement disparu ; les poires de curé et la belle-angevine se trouvent cependant encore parfois sur les marchés de campagne, mais elles ne révèlent leur saveur que cuites.

Les entremets aux poires sont nombreux et raffinés : charlottes, couronnes de fruits froids ou glacés, croûtes, mousses, soufflés, tartes et tourtes, diversement nappés et garnis ; compotes, confitures, glaces, poires pochées au vin et sorbets complètent la gamme des desserts. Les poires accompagnent également la volaille et le gibier, et s'apprêtent en hors-d'œuvre. On les utilise aussi séchées, notamment pour les compotes et les accompagnements de plats salés.

Les conserves de poires au sirop se font surtout avec la variété williams, employée par ailleurs pour faire une eau-de-vie et une liqueur. L'eau-de-vie (parfois appelée « williamine »), vieillie quelques mois dans un cruchon de grès ou en bouteille, développe un arôme délicat, proche de la fragrance du fruit, que l'on ravive, à la dégustation, en frappant les verres avec des glaçons. La liqueur est faite d'eau-de-vie diluée et édulcorée, ou d'un mélange de distillation et de macération.

charlotte aux poires ▶ CHARLOTTE
compote poire-pomme caramélisée ▶ COMPOTE
flaugnarde aux poires ▶ FLAUGNARDE
noisettes de chevreuil au vin rouge et poires rôties ▶ CHEVREUIL

poires Joinville

Caraméliser un moule à savarin de 22 cm de diamètre. Faire bouillir 1 litre de lait avec 1/2 gousse de vanille ; mélanger dans une terrine 12 œufs et 200 g de sucre en poudre ; arroser peu à peu avec le lait bouillant en fouettant, puis passer la crème au chinois et la verser dans le moule caramélisé. Placer le moule dans une plaque à pâtisserie emplie d'eau à mi-hauteur du moule ; faire chauffer sur le feu jusqu'à ce que l'eau frémisse, puis enfourner l'ensemble à 200 °C et cuire 20 min (la crème doit

POIRES

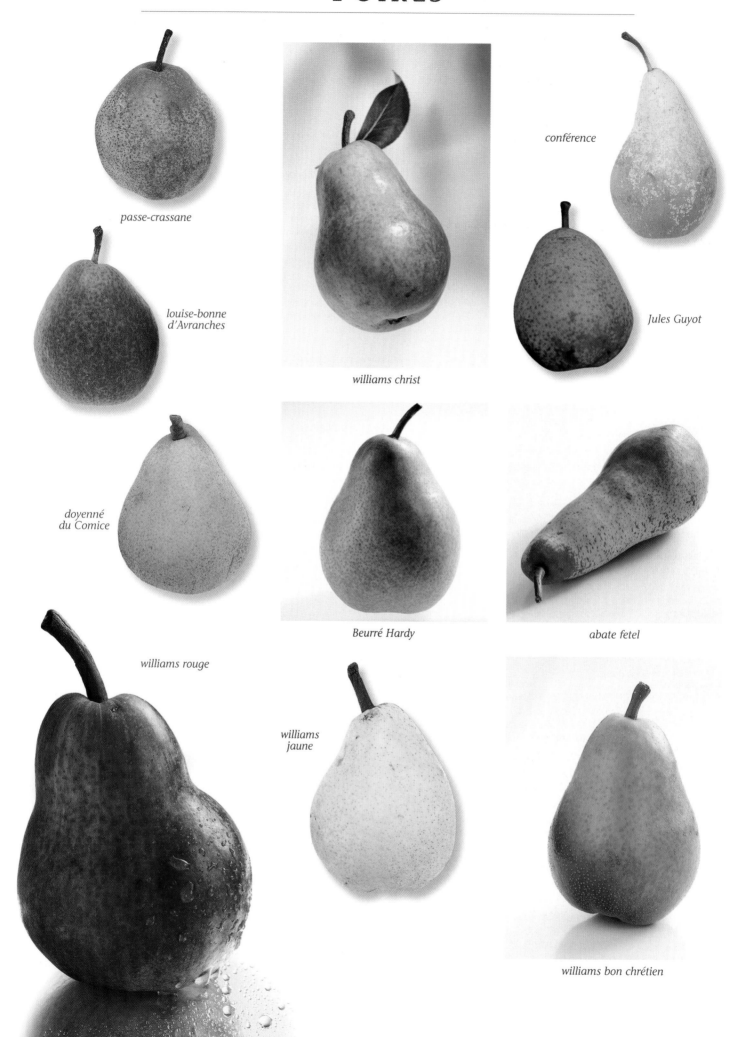

passe-crassane

louise-bonne
d'Avranches

williams christ

conférence

Jules Guyot

doyenné
du Comice

Beurré Hardy

abate fetel

williams rouge

williams
jaune

williams bon chrétien

être prise). La laisser refroidir complètement avant de la démouler sur un plat de service. Égoutter le contenu d'une grande boîte de poires au sirop. Faire fondre sur feu doux 200 g de marmelade d'abricot et la parfumer avec 10 cl de kirsch ou d'eau-de-vie de poire. Préparer une crème Chantilly avec 20 cl de crème fraîche épaisse, 7,5 cl de lait glacé, 50 g de sucre glace et 1 sachet de sucre vanillé. Couper les poires en fines lamelles et les dresser à l'intérieur de la couronne de crème. Mettre la chantilly dans une poche munie d'une douille cannelée et en décorer les poires. Servir aussitôt, avec la sauce à l'abricot dans une saucière.

poires Savarin

Peler 8 petites poires williams, les couper en deux, les épépiner et les citronner. Les remplir de 100 g de roquefort malaxé avec 25 g de beurre. Les dresser dans un plat et les napper de 20 cl de crème fraîche épaisse légèrement fouettée avec 50 g de roquefort. Poudrer de paprika. Servir très frais, en hors-d'œuvre.

RECETTE D'HERVÉ RUMEN

poires au vin

« Éplucher et citronner 8 belles poires williams ou passe-crassane, en leur conservant la queue. Dans une grande casserole, verser sur les épluchures 1 litre de vin rouge tannique (côtes-du-rhône ou madiran), 100 g de miel, 150 g de cassonade, 1 zeste de citron préalablement blanchi, un peu de poivre blanc, quelques grains de coriandre, 1 pointe de muscade et 3 gousses de vanille fendues en deux. Porter à ébullition douce. Après 10 min, y mettre les poires, queue en l'air. Couvrir et cuire doucement 20 min. Laisser refroidir et mettre 24 heures au réfrigérateur. Servir nappé du jus gélifié. »

sorbet à la poire ▶ SORBET

tarte aux poires Bourdaloue

Foncer un moule à tarte beurré avec une pâte brisée assez fine en faisant une petite crête sur les bords. Garnir de crème d'amande (voir page 274), puis de poires au sirop émincées. Cuire 30 min au four préchauffé à 190 °C. Laisser refroidir, puis enduire d'un nappage à l'abricot.

POIRE (VIANDE) Petit muscle de la cuisse du bœuf, faisant partie du tende-de-tranche (**voir** planche de la découpe du bœuf pages 108 et 109). De forme ronde, la poire appartient, avec le merlan, aux « morceaux du boucher » réservés aux biftecks. Elle pèse environ 600 g pour une demi-carcasse de 180 kg.

POIRÉ Boisson fermentée préparée comme le cidre, mais avec du jus de poire fraîche d'une variété spécifique appelée « poire à poiré ». Le poiré est une boisson très ancienne dans l'ouest de la France (Normandie, Bretagne, Maine). Moins consommé que le cidre, il ressemble à un vin blanc léger. Les poires sont lavées, broyées, mises en cuve à

Caractéristiques des principales variétés de poires

VARIÉTÉ	PROVENANCE	ÉPOQUE	ASPECT	FLAVEUR
poires d'été				
Jules Guyot	Sud-Est	mi-juill.-sept.	assez grosse, épiderme vert clair à jaune citron, chair ivoire juteuse	assez fine, agréable
williams	Sud-Est	sept.-oct.	grosse, trapue, épiderme lisse, brillant, jaune, chair juteuse	fine, sucrée, un peu acide, fondante
	hémisphère Sud	mars-avr.		
poires d'automne				
alexandrine	Sud-Est, Sud-Ouest	oct.-déc.	moyenne, épiderme jaune un peu doré, chair ferme	fine, sucrée, un peu parfumée
Beurré Hardy	Val de Loire, Sud-Ouest, Île-de-France	sept.-déc.	moyenne à grosse, épiderme épais, jaune-vert bronze, chair juteuse	sucrée, parfumée
	hémisphère Sud	mars-avr.		
louise-bonne d'Avranches	Sud-Est	mi-sept.-déc.	moyenne, un peu ventrue, épiderme lisse, jaune-vert, face rosée, chair un peu juteuse	un peu acidulée
packam's triumph	Sud-Est	oct.-janv.	grosse, bosselée, épiderme jaune pâle, chair juteuse	acidulée
	hémisphère Sud	mars-juill.		
conférence	Val de Loire, Nord, Sud-Ouest, Sud-Est, Île-de-France, Belgique, Pays-Bas	oct.-avr.	très allongée, épiderme épais, brun pâle, tacheté de roux, marbré, chair juteuse	parfumée, fine, un peu acidulée
doyenné du Comice	Île-de-France, Nord, Sud-Est, Val de Loire, Sud-Ouest	oct.-févr.	grosse, conique, bosselée, épiderme verdâtre à jaune, chair juteuse	très fine, fondante, sucrée, peu acidulée
	hémisphère Sud	avr.-mai		
poires d'hiver				
angélys	Val de Loire, Nord	déc.-avr.	grosse, épiderme épais, bronzée	fine, demi-fondante, juteuse, sucrée
passe-crassane	France, Italie	déc.-avr.	grosse, épiderme épais, jaune bronzé, chair très juteuse	fondante, un peu acidulée

l'air et pressées ; le jus, versé en fût, fermente naturellement (assez vite), puis il est soutiré en bouteilles. Selon sa densité, le poiré peut être tranquille, pétillant ou mousseux. Il est souvent mélangé au cidre, auquel il apporte du parfum et une certaine acidité. Produit dans la région de Domfront (Orne), le poiré Domfrontais bénéficie d'une AOC depuis 2002 ; très aromatique, il se déguste en apéritif ou en digestif.

POIREAU Plante potagère, de la famille des alliacées, originaire du Proche-Orient, cultivée comme légume.

Le poireau est formé de feuilles engainantes, constituant un fût cylindrique ; la partie souterraine, blanche et tendre (le « blanc de poireau »), est la plus appréciée ; les feuilles vertes sont généralement coupées à la base de l'endroit où elles s'écartent.

Le poireau était déjà cultivé par les Égyptiens et les Hébreux. Les Romains, qui en faisaient une grande consommation, l'introduisirent en Grande-Bretagne, où il constitue aujourd'hui le « légume national » gallois.

Diurétique, riche en cellulose, en mucilage et en sels minéraux, peu calorique (40 Kcal ou 167 kJ pour 100 g), le poireau est bien pourvu en molécules soufrées, riche en fibres, en potassium, en provitamine A et en vitamine B.

■ **Emplois.** Produit en France dans toutes les ceintures vertes des villes, mais principalement dans la Loire-Atlantique, le Nord, la Manche, les Yvelines et les Bouches-du-Rhône, le poireau est disponible pratiquement toute l'année.

De novembre à avril, on trouve surtout des variétés à gros fût blanc, de 10 à 20 cm de long, à feuillage vert foncé, mais aussi les poireaux de Créance (IGP), très délicats, au goût de noisette.

De mai à juillet apparaissent les poireaux nouveaux (surtout de Nantes, délicieux et fondants), ainsi que les poireaux « baguettes », moins tendres, avec un petit bulbe à la racine.

À partir de la mi-juillet reviennent les variétés d'hiver, qui seront repiquées ; elles ont davantage de goût et sont moins fondantes ; les très gros poireaux, comme le malabar du Sud-Ouest, de 5 cm de diamètre, vendus en automne, sont aussi très bons.

À l'achat, les poireaux doivent être très frais, lisses, de couleur tendre, avec le feuillage dressé. On les épluche en éliminant les racines et la base, puis on coupe le blanc jusqu'au départ des feuilles en un seul tronçon, en réservant le vert ; le lavage doit être répété plusieurs fois (la racine vers le haut sous le robinet). Ils sont généralement blanchis à l'eau bouillante salée avant d'être apprêtés : froids à la vinaigrette ou à la mayonnaise, chauds à la béchamel, en sauce blanche, gratinés, braisés, au beurre fondu ou à la crème, ainsi qu'en potage et en tarte, mais aussi en beignets, à la grecque, voire farcis. Le blanc de poireau, taillé en brunoise, en julienne, en paysanne, etc., figure souvent dans les garnitures aromatiques, les courts-bouillons et les fonds de cuisson.

crème de poireau ▶ CRÈME (POTAGE)
flamiche aux poireaux ▶ FLAMICHE
morilles farcies aux fèves et poireaux ▶ MORILLE
papet vaudois aux poireaux ▶ PAPET

poireaux braisés

Nettoyer les blancs de 12 poireaux et les détailler en tronçons réguliers ; les mettre dans une cocotte avec 3 cuillerées de beurre, saler et poivrer. Mouiller de 5 cuillerées à soupe d'eau et cuire 40 min à l'étuvée. Dresser les poireaux dans un légumier et les arroser du fond de cuisson additionné d'une grosse cuillerée de beurre. On peut aussi braiser les poireaux au gras en les mouillant de jus de viande un peu clair ou de bouillon de pot-au-feu.

poireaux au gratin

Nettoyer des blancs de poireau et les blanchir de 10 à 15 min, selon leur taille, dans une grande quantité d'eau bouillante salée. Les égoutter, les étuver au beurre, puis les dresser dans un plat beurré allant au four. Les poudrer de parmesan râpé. Arroser de beurre fondu et faire gratiner sous le gril du four.

poireaux à la vinaigrette

POUR 4 PERSONNES – PRÉPARATION : 20 min – CUISSON : 15 à 20 min (selon la grosseur et la saison)

Nettoyer 8 à 12 poireaux selon la grosseur. Les laver dans plusieurs eaux. Supprimer la partie verte pour ne conserver que les fûts des poireaux. Les ficeler en 2 ou 3 bottillons. Les cuire à l'anglaise dans une grande quantité d'eau bouillante salée. À la reprise de l'ébullition, laisser frémir pendant 15 à 20 min (pour s'assurer de la cuisson, piquer avec la pointe d'un couteau à mi-hauteur du poireau et constater qu'il n'y a plus de résistance). Égoutter les poireaux, ne pas les rafraîchir et les réserver sur une grille pour permettre l'écoulement de l'excédent d'eau. Pendant la cuisson des poireaux, préparer une sauce vinaigrette avec du vinaigre de xérès, du sel fin, du poivre blanc, de la moutarde et de l'huile de pépins de raisin. Les servir tièdes ou froids.

RECETTE DE JEAN-FRANÇOIS PIÈGE

poireaux à la vinaigrette (version moderne)

POUR 4 PERSONNES

« Pour préparer la vinaigrette, réunir dans une sauteuse en Inox 1 volume d'échalote et 1 volume de blanc de poireau ciselés ainsi que 2 volumes de vinaigre de vin rouge. Faire réduire à sec. Mesurer le volume restant, ajouter le même volume de jus de truffe, de vinaigre balsamique, puis de bouillon de poireau réduit, et émulsionner avec 3 volumes d'huile d'olive. Rectifier l'assaisonnement et donner un tour de moulin à poivre. Pour la terrine de poireau, couper les racines de 27 pièces de poireaux "crayons" à ras du pied, et tailler légèrement le bout des feuilles de manière qu'elles soient toutes de même longueur. Les laver, les égoutter, les éponger dans un torchon, puis confectionner des bottillons. Les cuire à l'eau 10 min en maintenant un léger frémissement pour ne pas les abîmer. Les sortir à l'aide d'une écumoire, les poser sur une plaque en Inox perforée et les déficeler. Chemiser un cadre en Inox de film alimentaire et couper les poireaux à la longueur des cadres. Disposer les poireaux côte à côte à plat dans le cadre en plaçant le blanc du même côté à raison de 9 poireaux par couche. Recouvrir à nouveau avec 9 poireaux en les plaçant tête-bêche, puis terminer avec une dernière couche de poireaux. Refermer avec le film alimentaire, poser un poids sur le dessus et laisser reposer au frais une demi-journée. Démouler en conservant le papier film. Couper en tranches à raison de 1 tranche par personne. Chauffer ces "tranches" de poireaux. Assaisonner par petites touches avec une fourchette. Présenter la vinaigrette tiède en cassolette. »

rocamadour aux poireaux ▶ ROCAMADOUR
sole de ligne à la fondue de poireau ▶ SOLE
soupe aux poireaux et aux pommes de terre ▶ SOUPE
terrine de poireau et fromage de chèvre frais ▶ TERRINE
turbotin aux poireaux ▶ TURBOT

POIRÉE ▶ VOIR BETTE

POIS D'ANGOL Graine de la famille des fabacées, originaire d'Asie, mais également cultivée en Afrique, aux Antilles et surtout en Inde (**voir** planche des légumes exotiques pages 496 et 497). Cette graine, de couleur variable, est contenue avec quatre à sept autres graines dans une gousse aplatie poussant sur un arbuste. Appelés aussi « pois d'ambrevade », « pois cajan », « pois de bois », « pois pigeon », « gandules », etc., les pois d'Angol, de couleur vert pâle à rouge foncé, se consomment comme les pois à écosser d'Europe : frais, en salade, en potage ou en garniture ; ou secs (ils sont alors beaucoup plus nourrissants), en purée ou comme base de sauce. On en fait également une farine avec laquelle on prépare des beignets et des gâteaux.

POIS CARRÉ Graines de forme parallélépipédiques produites par une plante de la famille des fabacées, ou gesse, riches en protides et en amidon et consommées après cuisson. Elles sont utilisées aussi dans l'alimentation des animaux.

POIS CASSÉ Petit légume sec demi-sphérique, vert pâle, issu de graines de petits pois récoltés à maturité complète. Cueillis en été, les pois sont débarrassés de leur enveloppe de cellulose, divisés en deux et souvent glacés. Assez énergétiques (110 Kcal ou 460 kJ pour 100 g de pois cuits), les pois cassés sont riches en glucides, en protides, en fibres, en phosphore, en potassium et en folates. Ils servent à préparer soupes, potages et purées ; en grains, ils accompagnent le jambon à l'os.

pois cassés : cuisson

Faire tremper des pois cassés (de l'année) 1 h 30 dans de l'eau froide. Jeter l'eau de trempage et verser les pois dans une casserole à raison de 2 litres d'eau froide par 500 g ; ajouter 1 carotte, 1 branche de céleri, 1 blanc de poireau et 1 oignon taillés en mirepoix ; compléter avec 1 bouquet garni enrichi de vert de poireau, 1 crosse de jambon et des feuilles vertes de laitue. Porter lentement à ébullition, écumer, saler et poivrer, couvrir et cuire doucement 2 h 30. Retirer le bouquet garni et la crosse de jambon avant l'utilisation.

POIS CHICHE Légumineuse de la famille des fabacées, se présentant en graines arrondies et bosselées, de couleur beige, contenues dans des gousses. Originaires du bassin méditerranéen, les pois chiches sont vendus secs ou en conserve, au naturel.

Très énergétiques (361 Kcal ou 1 509 kJ pour 100 g) en raison de leur teneur en glucides, ils sont riches en protides, en phosphore, en calcium, en fer et en vitamine B9.

■ **Emplois.** Toujours consommés cuits et préalablement trempés, les pois chiches s'utilisent en garniture, en purée ou en potage. Ils sont présents dans nombre de plats méridionaux (estouffade, ragoût) et dans les potées espagnoles (cocido, olla podrida, puchero). Ils garnissent traditionnellement le couscous et s'apprêtent comme les haricots secs. On peut également les accommoder en salade, comme les lentilles, en gratin, nappés de sauce Mornay. On fait aussi de la farine de pois chiches.

pois chiches au chorizo

Faire tremper 500 g de pois chiches 12 heures dans de l'eau froide. Les égoutter. Les mettre dans une marmite avec 1 carotte, 1 oignon, 2 branches de céleri, 1 blanc de poireau, émincés, 250 g de poitrine fumée et 1 bouquet garni. Couvrir de 2 litres d'eau froide et porter à ébullition. Écumer, saler et poivrer, puis baisser le feu et ajouter 3 ou 4 cuillerées à soupe d'huile. Cuire doucement de 2 à 3 heures. Ajouter un morceau de chorizo fort et poursuivre la cuisson 30 min. Ôter le bouquet garni, le lard et le chorizo ; égoutter les pois chiches et les mettre dans une casserole avec 20 cl de fondue de tomate aromatisée à l'ail. Couper le chorizo en rondelles, le lard en tranches, les mettre dans la casserole et faire mijoter 15 min. Servir brûlant.

porc aux pois chiches et aux cèpes (cuisson sous vide) ▶ PORC

POIS GOURMAND Variété de petit pois, appelée également « princesse », dont on consomme les cosses avec les graines. Vendus en hiver et au début du printemps, les pois gourmands viennent surtout de deux variétés, carouby de Maussane et corne-de-bélier. Moins énergétiques que les petits pois, ils sont assez riches en sucre, en potassium et en vitamines. Entiers, ils s'apprêtent comme les petits pois frais.

POISSON Animal vertébré aquatique, le plus souvent recouvert d'écailles, qui respire à l'aide de branchies et se déplace avec des nageoires. On en connaît actuellement plus de 30 000 espèces, qui forment un groupe très hétérogène (**voir** planches des poissons d'eau douce pages 672 et 673 et des poissons de mer pages 674 à 677). La plupart vivent dans les mers et les océans, à des niveaux plus ou moins profonds. Les poissons d'eau douce sont beaucoup moins nombreux ; certains d'entre eux (anguille, saumon) passent d'ailleurs une partie de leur existence en mer.

Les poissons sont d'abord classés d'après leur squelette, cartilagineux (requin, roussette, raie) ou osseux (la majorité), puis d'après la place de leurs nageoires les unes par rapport aux autres. La forme de leur corps – fuselé, comprimé dorso-ventralement (raie) ou latéralement (poissons plats, aux yeux d'un seul côté, à droite ou à gauche, comme la barbue, la sole, le turbot), ou allongé et serpentiforme –, le nombre et la forme de leurs nageoires, la largeur de la bouche, la présence de dents, d'épines, d'éperons, de barbillons, l'épaisseur de la peau, le tracé de la ligne latérale, la pigmentation permettent aussi de les différencier.

Les poissons possèdent quelques caractères spécifiques liés à leur mode de vie. Ils ont approximativement la même densité que l'eau. Ils ont en général une vessie gazeuse qui leur sert de flotteur. Dans le milieu aquatique, n'ayant pratiquement plus aucun poids, leur squelette est léger et simple (on parle alors d'arêtes et non d'os, beaucoup plus denses et lourds). Les poissons grandissent tout au long de leur vie (leur taille est donc théoriquement illimitée), et c'est pourquoi ils ne vieillissent pas. Par conséquent, on ne fait pas cuire

plus longtemps un poisson âgé, car il ne change pas de texture ni de saveur en prenant de l'âge et du volume.

Animaux à sang froid, la température de leur corps est variable. Ils possèdent en général des yeux sans paupières, devenues inutiles, car leurs yeux sont constamment baignés d'eau. Les poissons ont deux machoires articulées.

L'élevage à grande échelle d'espèces dites « nobles » de par leur rareté a fait baisser le prix et augmenter la consommation. Il en est ainsi du saumon, de la truite, de la daurade royale, du bar, du turbot. À l'inverse, des poissons communs sont devenus rares en raison d'une surexploitation (cabillaud, merlu, thon, merlan). De nos jours, en France, l'approvisionnement des produits de la mer étant déficitaire, un produit sur trois vient de l'étranger. Cette mondialisation des apports est permise grâce à l'amélioration des techniques de production de la pêche et de l'élevage.

L'évolution des modes de vie et une meilleure prise en compte des connaissances de la diététique ont considérablement modifié le rythme de consommation des produits de la mer. Ainsi, le vendredi n'est plus le jour obligatoire et unique de consommation de poisson. On en consomme plus souvent. Les nutritionnistes recommandent d'ailleurs de manger un produit de la mer deux ou trois fois par semaine.

■ **Choix.** Trois éléments déterminent l'achat : la saison, la fraîcheur et la proportion de parties comestibles.

• **SAISON.** On trouve aujourd'hui presque toute l'année des poissons pêchés sur les côtes africaines ou nordiques. Il est cependant conseillé de choisir ceux qui sont pris dans les eaux proches en pleine saison, car ils sont plus savoureux et moins onéreux (**voir** tableau ci-dessous).

• **FRAÎCHEUR.** C'est la qualité première d'un poisson, qui n'est jamais meilleur que lorsqu'il sort de l'eau. Toutefois, les moyens de transport et de réfrigération permettent aujourd'hui de consommer, loin des lieux de pêche, des poissons d'une saveur sans défaut.

Les techniques de conservation sont d'ailleurs très anciennes, qu'il s'agisse du froid (déjà utilisé par les Romains), de la dessiccation (notamment pour le hareng et la morue), du fumage (saumon) ou de la mise en caisse ou en baril. Enfin, les possibilités de consommation ont été élargies grâce à des méthodes de conservation nouvelles : boîtes en métal, bocaux, poches souples, sous vide, sous atmosphère modifiée. La congélaton et la surgélation à bord des navires ont été des facteurs déterminants permettant l'apport de nouvelles espèces.

• **PROPORTION DE PARTIES COMESTIBLES.** La quantité de parties comestibles, en poids net par rapport au poids total brut, varie considérablement, de 35 à 80 %, selon les espèces, les préparations et la présentation finale. Il faut donc prévoir 250 g brut de poisson, pour obtenir une portion nette d'environ 150 g.

■ **Diététique.** Tous les poissons sont très riches en protéines, mais aussi en phosphore, en magnésium, en cuivre, en fer, en iode ainsi

Calendrier des principaux poissons sauvages

NOM	HAUTE SAISON	MOYENNE SAISON
alose	avr.-mai	—
anchois	sept.-déc.	le reste de l'année
anguille	mars-sept.	—
bar	juill.-avr.	le reste de l'année
barbue	toute l'année	
brochet	toute l'année	
cabillaud	toute l'année	
cardine	toute l'année	
carpe	toute l'année	
céteau	juill. et août	le reste de l'année
chinchard	avr.-oct.	le reste de l'année
colin, ou merlu	mars-juill.	le reste de l'année
congre	toute l'année	
daurade royale, dorades	toute l'année	
églefin	toute l'année	
empereur	toute l'année	
éperlan	avr.-sept.	—
équille	avr.-sept.	—
espadon	avr.-nov.	—
esturgeon	toute l'année	
flétan	toute l'année (sauf mars)	
grondin	toute l'année	
hareng	nov.-févr.	le reste de l'année
lieu jaune	toute l'année	
lieu noir	toute l'année	
limande	toute l'année	

NOM	HAUTE SAISON	MOYENNE SAISON
lingue, ou julienne	févr.-sept.	—
lotte, ou baudroie	avr. et mai	le reste de l'année
maquereau	mars-mai	le reste de l'année
merlan	janv.-juin	le reste de l'année
mulet	avr.-sept.	—
pageot	toute l'année	
pagre	toute l'année	
perche	toute l'année	
pibales ou civelles (alevins d'anguille)	déc.-mars	—
plie, ou carrelet	avr.-déc.	le reste de l'année
raie	toute l'année	
rascasse	toute l'année	
requin	toute l'année	
rouget	sept.-mai	le reste de l'année
roussette	sept.-nov.	le reste de l'année
saint-pierre	toute l'année	
sandre	toute l'année	
sardine	mai-oct.	—
saumon	toute l'année	
sole	mars et avril	le reste de l'année
tanche	toute l'année	
thon blanc, ou germon	sept.-déc.	—
thon rouge	avr.-déc.	—
truite	toute l'année	
turbot	mars-juill.	le reste de l'année

qu'en vitamine B, et, en ce qui concerne les poissons dits « gras », en vitamines A et D.

Dans tous les cas, ils ont une teneur en lipides faible ou très moyenne, qui diminue encore après le frai (la reproduction). Les poissons « maigres », de loin les plus nombreux, rassemblent gadidés (morue, églefin, merlu, colin, etc.), pleuronectidés (sole, turbot, plie, limande, etc.), dorades, grondins, rougets et raies (de 0,5 à 4 % de lipides). Les poissons gras ou demi-gras sont riches en oméga-3, un acide gras essentiel (**voir** ce mot). Les poissons « demi-gras » (de 4 à 10 % de lipides) comprennent les sardines, les maquereaux, les harengs et les truites. Les poissons « gras », peu nombreux, regroupent les thons (13 %), les saumons (de 8 à 12 %), les murènes et les lamproies (de 13 à 17 %). Le plus gras des poissons est l'anguille (25 % de lipides).

■ **Apprêts.** Le poisson de mer ou de rivière est apprêté chaud ou froid de multiples façons et admet les farces, les garnitures et les accompagnements de sauces, de beurres composés et de légumes, voire de fruits, les plus variés.

La cuisson d'un poisson est toujours délicate, car ce dernier doit être correctement cuit (à peine « rose à l'arête » et non gluant), mais pas trop (il est alors effeuillé et sec).

Elle peut se pratiquer soit à sec, soit en milieu humide (au court-bouillon, à la nage, etc.), en friture, à la vapeur ou bien en papillote ; enfin, le poisson cru a également ses amateurs, mais il exige une fraîcheur absolue et une découpe habile (il est parfois « faussement cru », c'est-à-dire mariné dans du jus de citron).

PAS À PAS ▶ *Poissons p. X à XIII*

aspic de poisson ▶ ASPIC

RECETTE DE ROBERT COURTINE

blaff de poissons

« Écailler et vider 1 kg de poissons blancs (vivaneau, grande gueule, tanche). Les citronner, les rincer et les couper éventuellement en deux. Les faire mariner 45 min dans un peu d'eau avec le jus de 3 citrons, du sel et de petits morceaux de piment rouge. Composer un bouquet garni et éplucher 1 oignon et 5 gousses d'ail. Mettre le tout dans une cocotte avec 1 litre d'eau bouillante et écraser les gousses avec une cuillère en bois. Verser 2 cuillerées à soupe d'huile, porter de nouveau à ébullition et ajouter le poisson. Cuire 15 min à couvert. Presser 5 citrons dans un bol, écraser 1 gousse d'ail dans un peu d'huile et verser le tout dans la cocotte. Servir le blaff dans sa cuisson, accompagné de patates douces ou d'ignames. »

RECETTE DE BABETTE DE ROZIÈRES

blaff de poissons à l'antillaise

« La veille, faire macérer 1 kg de poissons dans un saladier, ajouter 1 pincée de sel, de poivre, 2 gousses d'ail hachées, 1 oignon blanc émincé, le jus de 2 citrons et 2 cuillerées à soupe de vinaigre de vin blanc. Dans une casserole, mettre 50 cl litre d'eau, ajouter 2 brins de thym, 2 pieds de cive ou 6 brins de ciboulette, 1 brin de persil, 1 feuille de laurier, 2 gousses d'ail et 2 échalotes hachées. Laisser cuire 3 min à feu moyen puis incorporer le poisson. Saler, poivrer et ajouter 1 pointe de piment antillais puis laisser cuire à gros bouillons pendant 8 à 10 min. Hors du feu, ajouter le jus de 2 citrons verts et 1 gousse d'ail hachée finement. Recouvrir après avoir bien mélangé et servir 1 min après. »

POISSONS D'EAU DOUCE

saumon du Pacifique

truite de rivière, ou fario

saumon de l'Atlantique

alose

truite arc-en-ciel

omble chevalier

gardon blanc

carassin

barbeau

carpe cuir

carpe commune

sandre

brochet

perche

lavaret

silure glane

choucroute aux poissons ▶ CHOUCROUTE
consommé simple de poisson ▶ CONSOMMÉ
coquilles chaudes de poisson à la Mornay ▶ COQUILLE
court-bouillon pour poissons d'eau douce ▶ COURT-BOUILLON
court-bouillon pour poissons de mer ▶ COURT-BOUILLON
couscous au poisson ▶ COUSCOUS
farce mousseline de poisson ▶ FARCE
farce pour poisson ▶ FARCE
fumet de poisson ▶ FUMET
gelée de poisson blanche ▶ GELÉE DE CUISINE
gelée de poisson au vin rouge ▶ GELÉE DE CUISINE
glace de poisson ▶ GLACE DE CUISINE
marinade instantanée pour poissons grillés ▶ MARINADE
meurette de poisson ▶ MEURETTE
mousse de poisson ▶ MOUSSE
nage de poissons du lac à l'aligoté
 et aux herbes fraîches ▶ NAGE
œufs de poisson grillés ▶ ŒUFS DE POISSON
pain de poisson ▶ PAIN DE CUISINE

RECETTE DE BABETTE DE ROZIÈRES

poisson grillé à la sauce « chien »

« La veille, nettoyer et vider 1 poisson de 1 kg entier. Le mettre dans une bassine. Saler, poivrer et ajouter 1 gousse d'ail. Hacher finement. Ajouter le jus de 2 citrons verts, 2 cuillerées à soupe de vinaigre blanc et laisser au réfrigérateur pendant 24 heures. Le jour même, ôter le poisson de la marinade, l'éponger et l'enduire d'huile d'arachide. Lorsque le gril est bien chaud, déposer le poisson au four et bien le faire cuire. À défaut, mettre au four à 180 °C pendant 20 min en recouvrant le poisson d'une feuille d'aluminium. Pour préparer la sauce, hacher finement au couteau 6 brins de ciboulette, 1 brin de coriandre et 2 brins de persil, 1 gousse d'ail et 1 échalote. Dans un saladier, mettre les herbes et aromates hachés, 4 cuillerées à soupe d'huile d'arachide, et le jus de 1 citron vert. Mouiller le tout avec de l'eau bouillante, recouvrir d'un torchon et laisser infuser 30 min. Saler, poivrer et pimenter la sauce avec 1 piment "végétarien" (non piquant) ou une pointe de piment des Antilles en poudre. Bien remuer le tout. Servir le poisson nappé de cette sauce. »

poissons marinés à la grecque

Faire suer 100 g d'oignons finement émincés dans 15 cl d'huile d'olive. Mouiller avec 15 cl de vin blanc, 15 cl d'eau et le jus passé de 1 citron. Ajouter 2 poivrons coupés en julienne, 1 gousse d'ail non épluchée mais écrasée, et 1 bouquet garni, 4 g de sel et du poivre. Faire bouillir 15 min. Verser aussitôt sur 500 g de rougets ou de sardines parés. Laisser refroidir puis mettre au frais.

salpicon au poisson ▶ SALPICON
sauce bourguignonne pour poissons ▶ SAUCE
sauce moutarde pour poissons froids ▶ SAUCE
velouté de poisson ▶ VELOUTÉ

POISSON D'AVRIL Attrape qu'il est d'usage de faire le premier jour du mois d'avril. Cette tradition est l'occasion, pour les confiseurs, de confectionner des poissons en chocolat, en pâte d'amande ou en sucre. En Alsace, des moules en forme de poisson permettent aussi de réaliser des gâteaux.

POISSONS DE MER

bogue

vive

civelle

équille

merlan

hareng

maquereau commun

céteau

prêtre

sardine

éperlan

pageot acarné

anchois

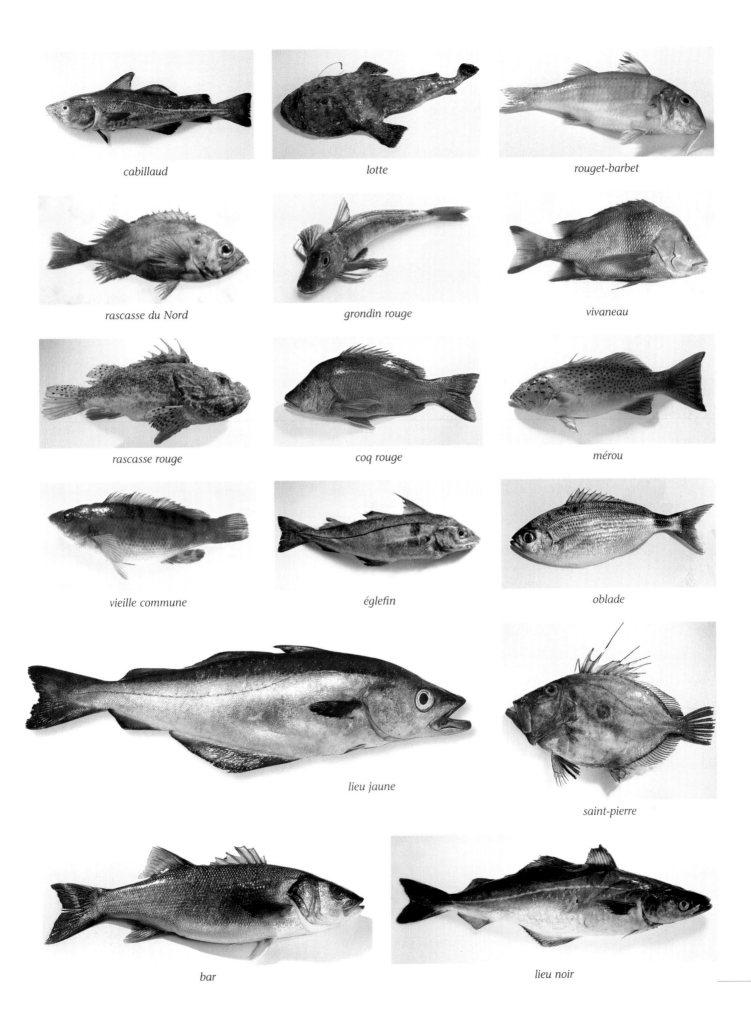

cabillaud

lotte

rouget-barbet

rascasse du Nord

grondin rouge

vivaneau

rascasse rouge

coq rouge

mérou

vieille commune

églefin

oblade

lieu jaune

saint-pierre

bar

lieu noir

thon rouge

thonine

bonite à dos rayé, ou pélamide

sériole

tassergal

merlu commun

sabre

lingue,
ou julienne

aiguillat

esturgeon

congre

anguille

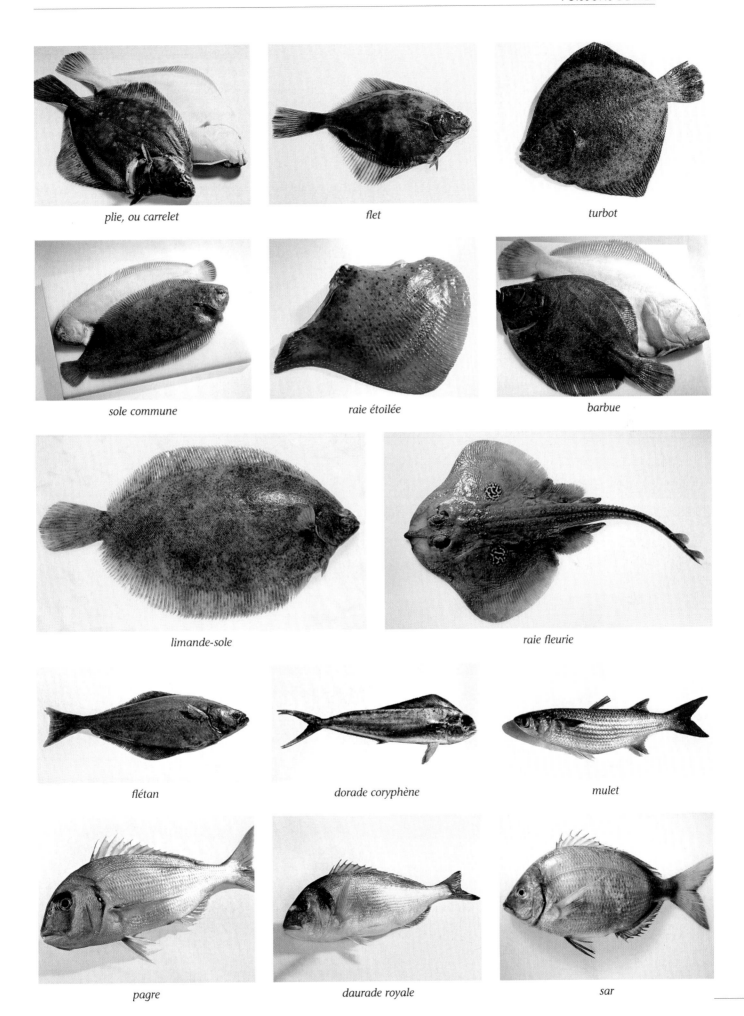

plie, ou carrelet

flet

turbot

sole commune

raie étoilée

barbue

limande-sole

raie fleurie

flétan

dorade coryphène

mulet

pagre

daurade royale

sar

« Entier, en filets, cuit en papillotes ou en tronçons, au court-bouillon, parfois mariné ou juste cru, le poisson préparé par les chefs du RITZ PARIS et des restaurants GARNIER et KAISEKI requiert une fraîcheur en tout point irréprochable. »

POISSONNIÈRE Vaste récipient de cuisson de forme allongée, à haut bord vertical, muni de deux poignées, d'une grille et d'un couvercle. La poissonnière, ou saumonière (en aluminium, en acier inoxydable ou en cuivre étamé intérieurement), sert à faire cuire au court-bouillon les poissons longs de grande taille, traités entiers (colin, saumon, brochet, etc.). Sa grille permet de retirer le poisson sans le briser. La turbotière, elle, est conçue spécialement pour le traitement des gros poissons plats.

POITOU Faite de bocages au nord, de marais et de plaines calcaires au sud, cette région est d'abord une terre d'élevage, réputée pour ses produits laitiers. Les plats de viande y sont appréciés. Celle du chevreau se cuisine en ragoût ou encore farci et rôti à la broche, puis braisé à l'ail vert ou à l'oseille, plat traditionnel à Pâques. Au porc, on doit d'excellents boudins, pâtés et tourtières ainsi que la « sauce de pire » (poumon et foie mijotés avec oignons, échalotes, vin rouge et aromates). Volailles et gibier sont le plus souvent accommodés en sauce : poularde à la poitevine, farcie simplement des abattis de la volaille et de mie de pain ; oie en compote ; pigeons aux herbillettes (bouquet de persil, basilic, cerfeuil et hysope) ; etc.

Les cultures maraîchères offrent d'autres ressources, tel le chou, à l'origine d'authentiques recettes de terroir : embeurrée de chou ; grimolle, fruits cuits dans des feuilles de chou largement beurrée ; « piochons » (jeunes choux) préparés en salade ou à la crème. Les fèves, dont celles réputées des marais, donnent des soupes et des purées, mais on les apprécie surtout jeunes, à la croque-au-sel. Haricots et bettes sont préparés en potée ou à la crème, poireaux et asperges simplement arrosés de beurre fondu. Les vergers locaux produisent notamment la pomme reinette clochard, petite pomme jaune doré à la chair juteuse.

Au chapitre des produits laitiers, il convient de citer de bons fromages frais et le beurre d'Échiré, mais surtout les nombreux chèvres, dont le chabichou du Poitou. Le fromage de chèvre est d'ailleurs à la base du tourteau fromagé.

Broyé du Poiteau, macarons de Lusignan et de Montmorillon, nougatine du Poitou et angélique de Niort confite (plante servant également à fabriquer une liqueur) complètent ce tableau des gourmandises.

POITRINE Pièce de viande constituée par les muscles pectoraux de l'animal.

La poitrine de bœuf (**voir** planche de la découpe du bœuf pages 108 et 109) comprend le gros haut de poitrine, le milieu de poitrine et le tendron, très moelleux ; elle est utilisée pour le pot-au-feu, le braisé et le sauté. La poitrine de veau (**voir** planche de la découpe du veau page 879) se compose de la poitrine proprement dite, du tendron et du flanchet. Elle se cuisine en blanquette, en braisé, en marengo, en sauté ou farcie. La poitrine de mouton et d'agneau (**voir** planche de la découpe de l'agneau page 22), détaillée en morceaux, entre dans la préparation du couscous, des navarins et des sautés ; elle peut aussi être grillée entière ou farcie. La poitrine de porc (**voir** planche de la découpe du porc page 699) fraîche se préparait jadis en ragoût ; demi-sel, elle s'apprête aujourd'hui comme le petit salé. Elle constitue aussi le lard maigre et s'utilise en cuisine, fumée ou salée. Elle peut être roulée, embossée et séchée, ou farcie.

▶ **Recettes :** AGNEAU, MOUTON, PORC, VEAU.

POIVRADE Nom de diverses sauces où le poivre joue un rôle plus important que celui de simple condiment. La plus connue est une mirepoix mouillée de vinaigre et de vin blanc, réduite, additionnée de sauce espagnole ou de demi-glace, et relevée de grains de poivre écrasés. Elle accompagne la viande marinée et le gibier à poil. Les autres sauces poivrades sont à base de vinaigre et d'échalote (chaudes) ou de vinaigrette (froides).

On appelle aussi « poivrade » un petit artichaut que l'on mange à la croque au sel.

▶ **Recette :** SAUCE.

POIVRE Fruits, baies, drupes, graines ou feuilles de nombreuses plantes de flaveur piquante et brûlante. Légalement, le mot « poivre » est réservé à la baie et à la graine du poivrier, plante grimpante de la famille des pipéracées, originaire du Sud-Est asiatique, dont les fleurs donnent naissance à des grappes de baies, d'abord vertes, puis jaunes, rouges et enfin brunes, devenant noirâtres à la dessiccation.

■ **Variétés.**

• VRAI POIVRE. Le grain du *Piper nigrum* donne différents poivres.

– Le poivre noir, très aromatique, est la baie entière, cueillie juste avant la maturité et séchée.

– Le poivre blanc est obtenu à partir de la même baie, récoltée très mûre, débarrassée de sa partie charnue (péricarpe) par trituration dans de l'eau salée ; il est moins ardent et convient pour assaisonner les sauces blanches ; broyé, il prend le nom de « mignonnette ».

– Le poivre vert est la baie cueillie avant maturité ; il est vendu séché, au vinaigre ou en saumure ; sa saveur est moins piquante, plus fruitée ; il est plus tendre et peut être consommé entier.

– Le poivre gris est simplement un mélange de poivre noir et de poivre blanc.

• FAUX POIVRES. De la même famille des pipéracées et du genre *Piper*, on consomme également des baies, des drupes, des graines ou des feuilles qui ont une flaveur comparable à celle du poivre noir :

– le poivre Bétel dont on consomme les feuilles, en Asie, souvent associées à la noix d'Arec et à de la chaux dans la chique de Bétel ;

– le poivre du Kissi, ou poivre des Achantis, baies rouges à maturité, à flaveur typique de poivre noir et ayant les mêmes emplois ;

Caractéristiques des principaux types de poivres et apparentés

TYPE	PLANTE	PROVENANCE	FABRICATION, PRÉSENTATION	FLAVEUR
poivres				
poivre blanc	poivrier noir	Inde, Brésil, Indonésie, Malaisie, Italie	baie cueillie très mûre, macérée dans l'eau salée, débarrassée de l'enveloppe, séchée, vendue en poudre ou en grains	assez piquante
poivre noir	poivrier noir	Inde, Brésil, Indonésie, Malaisie	baie noire, cueillie avant maturité, noircie et ridée au séchage, vendue en poudre ou en grains	piquante
poivre vert	poivrier noir	Inde, Brésil, Indonésie, Malaisie	baie verte, cueillie avant maturité, vendue fraîche (sur place), en saumure ou séchée	piquante, fruitée
apparentés				
piment de la Jamaïque	myrte-piment	Jamaïque	baie noire, récoltée verte, séchée au soleil	bien marquée
poivre « rose » ou d'Amérique	*Schinus molle*	Amérique du Sud	baie rose foncé à rouge	un peu piquante, aromatique
poivre du Sichuan, ou fagara	frêne épineux	Chine	baie foncée, assez grosse, séchée, éclatée	piquante, florale

– le poivre long, originaire d'Asie tropicale, déjà connu des Romains, à flaveur très voisine de celle du poivre noir ;

– le poivre à queue, ou poivre cubèbe, de saveur âcre et beaucoup moins parfumée que celle du poivre noir.

● « POIVRES » D'AUTRES FAMILLES BOTANIQUES.

– les baies roses ou « poivre rose » ou « poivre rouge » ou « poivre du Pérou », de la famille des térébinthacées. Les drupes, roses à flaveur légèrement sucrée et piquante, ont une odeur d'essence de térébenthine ; elles parfument très agréablement le foie gras mi-cuit, des salades de fruits et le chocolat.

– le poivre d'eau, de la famille des polygonacées, aux feuilles à la saveur poivrée. Il était très utilisé dans les campagnes autrefois.

– le poivre de Guinée, ou poivre de Diar, ou poivre de Selim, de la famille des annonacées. Sa flaveur est proche de celle du poivre et du curcuma ; il est encore très consommé en Afrique.

– le poivre du Sichuan (Chine) et le poivre du clavalier épineux (Japon) sont deux espèces différentes de la même famille, celle des rutacées, aux baies charnues, pétillantes en bouche, légèrement anesthésiantes et citronnées. Ils aromatisent très bien le chocolat (pralines).

– le poivre des moines, ou gattilier, de la famille des verbénacées, avec des drupes à quatre graines à saveur de poivre marquée. C'était le poivre des pauvres au Moyen Âge.

– le poivre maniguette, ou graine de paradis, de la famille des zingibéracées, à graines pyramidales, très piquantes, brûlantes, d'origine africaine.

On désigne aussi, de manière abusive, le piment de la Jamaïque ou le piment de Cayenne sous le nom de poivre. Enfin, la nigelle cultivée et la nigelle de Damas, de la famille des renonculacées, sont également assimilées à des poivres ; elles sont utilisées en boulangerie pour aromatiser des pains fantaisie (**voir** NIGELLE).

Le poivre est vendu en grains ou moulu. Mais, pour préserver ses qualités, il vaut toujours mieux le moudre soi-même, au fur et à mesure des besoins. Les meilleures variétés portent souvent le nom du port d'exportation : poivre blanc de Tellicherry, poivre noir de Lampong, de Mangalore, de Saigon, de Singapour, etc.

■ **Histoire.** Depuis des temps immémoriaux, le poivre est une épice universelle. Il était d'usage courant en Inde et en Chine lorsque Alexandre le Grand l'introduisit en Grèce, au IVe siècle av. J.-C. À Rome, on falsifiait déjà le poivre en y ajoutant des baies de genièvre. Apicius, au Ier siècle, suggérait de l'employer pour rehausser la fadeur des mets bouillis et masquer l'odeur trop puissante des viandes faisandées, rôle que le poivre continuera à jouer par la suite.

Au Moyen Âge, cette épice demeura rare et chère, et servit à plusieurs reprises de monnaie d'échange pour payer impôts ou rançons, d'où le terme de payer en « espèces » ou « en épices ». Les grands explorateurs furent d'ailleurs motivés par le désir de trouver un approvisionnement sûr en épices, à côté de la recherche de la soie, de l'or, et des pierres précieuses. Au cours des siècles, l'usage du poivre devint planétaire, complémentaire de celui du sel, pour la majorité des assaisonnements. Le Lyonnais Pierre Poivre, au nom prédestiné, gouverneur de Fort-de-France dans les années 1770, introduisit dans l'île Bourbon (l'actuelle Réunion) la culture du poivrier, jusque-là pratiquée exclusivement en Asie. Aujourd'hui, la consommation annuelle de poivre en Europe est de plus ou moins 100 g par personne.

Le poivre doit sa saveur piquante à des huiles essentielles, à une résine âcre et à la pipérine. Il stimule l'appétit et favorise la digestion. Il est excitant et irritant à fortes doses.

■ **Emplois.** Plusieurs apprêts tirent du poivre leur nom et leur caractère : sauce poivrade, steak au poivre, *Pfefferkuchen* allemand (pain d'épice, littéralement « gâteau au poivre ») ou *pepper pot* hollandais (ragoût de mouton à l'oignon, très poivré).

Le poivre est l'épice par excellence, et pratiquement tous les mets salés, chauds ou froids, y font appel. En grains entiers, il parfume les courts-bouillons, les marinades et les conserves au vinaigre ; concassé, il parsème les grillades, certaines crudités, des farces et des hachis ; fraîchement moulu, il aromatise les salades et les cuissons.

Le poivre vert connaît des applications particulières, notamment dans le canard poêlé, la lotte, les terrines de poisson et la salade d'avocat.

RECETTE DE MICHEL GUÉRARD

aiguillettes de caneton au poivre vert

POUR 4 PERSONNES

« Préchauffer le four à 250 °C. Choisir 2 canetons (de Challans ou de Rouen) vidés de 2 kg 400 chacun. Prélever les poitrails flanqués de leurs filets, dits " suprêmes ". Les saler et les poivrer des deux côtés, puis les déposer dans un plat à rôtir, côté peau au dessus. Les arroser de 1 cuillerée à soupe d'huile d'arachide et les faire cuire 20 min au four très chaud. Puis baisser la température à 180 °C et poser le plat recouvert d'une feuille d'aluminium sur la porte ouverte ; la chair des canards va finir de cuire doucement et prendre une couleur uniformément rosée. Dans une casserole, verser 12 cl de vin blanc sec, 4 cl d'armagnac et porter ce mélange à ébullition. Faire cuire à petits bouillons et laisser réduire des deux tiers pendant environ 6 min. Ajouter 4 cl de jus du rinçage d'un flacon de poivre vert, 6 cl de bouillon de volaille et faire à nouveau bouillir 5 min. Verser 30 cl de crème fraîche double, saler légèrement et finir la cuisson à faibles bouillons pendant 15 min en faisant réduire le mélange d'un tiers. Pendant ce temps, mettre une autre casserole sur le feu, y verser 1 cuillerée à soupe de vinaigre de vin et 1/2 cuillerée à café de sucre en poudre ; faire bouillir 30 secondes, jusqu'à ce que le mélange devienne sirupeux et marron clair. Verser ce caramel dans la sauce réduite, ajouter 2 cl de porto rouge, bien mélanger, incorporer 20 g de poivre vert et 20 g de poivrons rouges *(pimentos)* détaillés en cubes de 3 mm de côté. Rectifier l'assaisonnement et réserver au chaud au bain-marie. Peler 3 pommes reinettes de 180 g chacune, les couper en deux, les débarrasser de leurs pépins et de la partie ligneuse du cœur du fruit, puis les détailler chacune en 8 quartiers. Faire chauffer à feu moyen 30 g de beurre dans une poêle, y faire colorer les quartiers de pommes 10 min sur chaque face puis les garder au chaud en couvrant la poêle. Dépouiller délicatement les poitrails de canards de leur peau, lever les 4 filets de caneton puis les escaloper en biais dans l'épaisseur en aiguillettes très fines. Les disposer en éventail sur 4 assiettes très chaudes, les napper de sauce au poivre vert et disposer autour en couronne les quartiers de pommes dorées. »

colvert au poivre vert ▶ CANARD SAUVAGE
escalopes de saumon cru aux deux poivres ▶ SAUMON
steak au poivre ▶ BŒUF

POIVRÉ Qualificatif désignant un goût légèrement piquant, allié à une saveur aromatique ; c'est le cas de la menthe dite « poivrée » ou de certains champignons bolets. La sensation en bouche, quand elle demeure tolérable, rappelle alors celle du poivre.

POIVRON Piment à saveur douce, plante potagère herbacée de la famille des solanacées, utilisé comme légume, cuit ou cru (**voir** tableau des poivrons page 682 et planche page 683). Le poivron, de différentes couleurs, se distingue des piments forts par sa grosseur. Sa diffusion dans la cuisine est liée à l'introduction des mets méditerranéens dans le répertoire classique. Il est peu calorique (22 Kcal ou 92 kJ pour 100 g) et riche en bêtacarotènes, en vitamines B9 et C.

■ **Emplois.** À l'achat, les poivrons doivent être bien brillants. Ils s'emploient épépinés et parfois pelés ; leur peau est en effet peu digeste (pour la retirer facilement, placer les poivrons 10 à 15 min sous le gril du four jusqu'à ce que la peau soit noire et boursouflée). Les poivrons sont souvent farcis. Ils interviennent également dans les salades, les condiments marinés et certains plats typiques, comme la caponata, le gaspacho, la piperade et la ratatouille. Accompagnant aussi bien le jambon, le lapin, le mouton, le poulet et le thon que les œufs et le riz, ils caractérisent les apprêts à l'andalouse, à la basquaise, à la mexicaine, à la portugaise, à la turque, etc.

RECETTE DE BERNARD PACAUD

bavarois de poivrons doux sur coulis de tomates acidulées

POUR 4 PERSONNES – PRÉPARATION : 1 h + 15 min

« La veille, faire givrer un saladier au congélateur. Pendant ce temps, porter à ébullition 2 litres d'eau bien salée et y blanchir 6 poivrons rouges pendant 2 min pour pouvoir les éplucher plus facilement. Retirer les pédoncules et les graines et couper grossièrement les poivrons ainsi nettoyés et les mettre à cuire pendant 30 min à feu doux dans une sauteuse avec 2 cl de fond de gelée. Les égoutter et les mixer en y ajoutant 1 cuillerée à café de paprika et 4 feuilles de gélatine préalablement ramollies à l'eau froide. Monter 25 cl de crème liquide dans le saladier givré en la fouettant vivement. L'incorporer à la purée de poivrons bien refroidie. Mélanger délicatement. Assaisonner de sel et de poivre. Nettoyer 12 feuilles d'épinard et les blanchir à l'eau bouillante salée. Les rafraîchir et les laisser sécher. Chemiser un moule avec les feuilles d'épinard, et y verser la préparation aux poivrons. Laisser prendre toute une nuit. Le jour même, couper 4 tomates bien mûres en deux pour en extraire les pépins, puis les passer au mixeur avec du sel et du piment de Cayenne et 10 g de sucre en poudre. Ajouter à ce coulis 5 cl de vinaigre de xérès et le jus de 1 orange. Passer au chinois étamine et réserver au froid. Démouler le bavarois sur un plat froid et servir le coulis de tomate en saucière. »

médaillons de lotte au beurre de poivron rouge ▶ LOTTE DE MER

RECETTE DE PATRICK MIKANOWSKI

poivron, ananas Victoria, comme une soupe de fruits

POUR 4 PERSONNES – PRÉPARATION : 20 min

« Peler et découper 1 ananas Victoria en dés de 5 mm. Réserver au frais. Passer à la centrifugeuse 6 poivrons rouges sans les peler. Mélanger le jus obtenu avec 1 cuillerée à café de sirop d'érable, 1 pincée de sel, 1 trait de condiment balsamique blanc puis ajouter du poivre du moulin. Répartir cette soupe de poivrons dans 4 bols. Parsemer de dés d'ananas et de quelques pluches de fenouil. Arroser de quelques gouttes d'huile d'olive vierge extra et servir. »

poivrons à la catalane, à l'huile et aux lamelles d'ail

POUR 4 PERSONNES – PRÉPARATION : 35 min – MARINADE : 2 h – CUISSON : de 10 à 12 min

Préchauffer le four à 250 °C. Badigeonner légèrement d'huile la peau de 4 gros poivrons rouges. Les placer sur une grille et enfourner pendant 10 à 12 min jusqu'à ce que la peau brunisse et se boursoufle. Les sortir et laisser tiédir avant de les peler. Les couper en deux, retirer le pédoncule, les graines et les cloisons blanches. Émincer chaque moitié en lanières longitudinales de 1 à 2 cm de large. Assaisonner de sel fin, de poivre du moulin et d'une pincée de piment doux avant de les disposer dans un plat. Peler 4 gousses d'ail, les émincer très finement et les répartir sur les poivrons. Couvrir le tout avec 20 cl d'huile d'olive et 1 cuillerée à soupe de vinaigre de xérès. Couvrir et laisser mariner au moins 2 heures au froid.

poivrons farcis

Ouvrir du côté du pédoncule 12 poivrons verts très petits. Les épépiner et les blanchir 5 min dans de l'eau bouillante salée. Préparer une farce en hachant 2 poignées de feuilles d'oseille très fraîches, 4 tomates pelées et épépinées, 3 oignons d'Espagne, 3 poivrons verts et 1 petite branche de fenouil. Chauffer dans une casserole 2 cuillerées à soupe d'huile d'olive chaude et y cuire ce hachis quelques minutes ; le tamiser pour éliminer le liquide. Garnir les poivrons de cette farce, additionnée d'un volume égal de riz au gras. Huiler une sauteuse et y ranger les poivrons farcis les uns contre les autres. Mouiller à mi-hauteur de sauce tomate claire, additionnée de jus de citron et de 20 cl d'huile d'olive. Cuire 25 min à couvert. Dresser les poivrons dans un plat creux avec leur cuisson. Servir chaud, ou laisser refroidir 1 heure dans le réfrigérateur avant de déguster en hors-d'œuvre.

poivrons à la piémontaise

Faire griller des poivrons, les peler, les épépiner et les couper en lanières. Préparer un risotto au fromage. Beurrer un plat à gratin et y disposer des couches alternées de poivrons et de risotto. Terminer par une couche de poivrons, poudrer de parmesan râpé, arroser de beurre fondu et faire gratiner doucement sous le gril du four.

POJARSKI Nom d'un apprêt de la côte de veau (dont la chair est hachée) et, par extension, d'une côtelette reconstituée, à base de blanc de volaille ou de saumon, farinée ou panée à l'anglaise, et enfin sautée au beurre clarifié.

Les *kotliety pojarskie* sont une préparation de la cuisine russe classique, qui portent le nom de leur créateur, Pojarski, un aubergiste du début du XIXᵉ siècle réputé pour ses boulettes de viande hachée. À l'origine, ces boulettes étaient faites avec du bœuf et plaisaient fort à l'empereur Nicolas Iᵉʳ, lequel arriva un jour à l'improviste chez Pojarski : celui-ci lui servit alors des boulettes de veau qui séduisirent tout autant le tsar, d'où leur succès.

▶ Recettes : SAUMON, VEAU.

POLENTA Bouillie de farine (ou de semoule) de maïs, dont il existe de très nombreuses variantes, bien que ce soit à l'origine une spécialité du nord de l'Italie.

La polenta se prépare traditionnellement à l'eau, dans un vaste chaudron en cuivre non étamé, où on la remue avec une grande spatule de bois ; quand on la mange *dura* (solide), on la fait refroidir sur un plateau rond en bois avant de la détailler à l'aide d'une ficelle. On peut aussi la préparer au lait (pour des entremets), ou à l'eau et au lait mélangés, car la polenta se prête, comme le riz et les pâtes, à d'innombrables préparations : beignets, croûtes, gratins, timbales, etc.

Caractéristiques des principaux types de poivrons

TYPE	PROVENANCE	ÉPOQUE	ASPECT	FLAVEUR
carré ou court	Sud-Est, Sud-Ouest, Pays-Bas	juin-nov.	vert, rouge, orange, jaune ou violet, parfois marbré	douce à parfumée
	Espagne, Israël	nov.-juill.		
demi-long	Sud-Est, Sud-Ouest	juin-nov.	vert (surtout), rouge ou jaune	douce
	Espagne	nov.-juin		
long	Sud-Est, Sud-Ouest	juill.-nov.	large, vert ou rouge à maturité, parfois marbré	douce
	Espagne	nov.-juill.		
long des Landes	Sud-Ouest	juill.-nov.	long, très étroit, le plus souvent vert	très douce
pimiento del Piquillo de Lodosa	Espagne (Navarre)	sept.-nov.	petit, rouge, triangulaire	un peu piquante, pas acide

POIVRONS

long des
Landes

demi-long

long

carré ou court orange

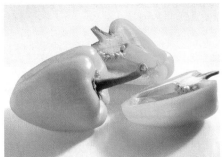

carré ou court jaune

carré ou court vert

carré ou court rouge

long rouge

long vert clair

long vert

poivron violet

poivron-tomate

mini-poivron

carré ou court noir (Pays-Bas)

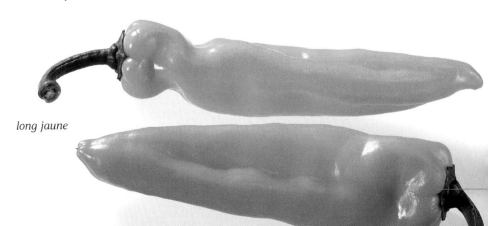

long jaune

Nature, au beurre et au fromage, servie avec une sauce, voire agrémentée de légumes ou de jambon, la polenta accompagne de très nombreux plats.

On trouve dans le commerce de la polenta précuite à la vapeur, facile à préparer.

grives à la polenta ▶ GRIVE

polenta au parmesan

Verser en pluie dans 1 litre d'eau bouillante salée 250 g de semoule de maïs. Bien mélanger et cuire de 25 à 30 min, en remuant sans arrêt avec une cuillère de bois. Ajouter alors de 60 à 70 g de beurre et 75 g de parmesan râpé. Verser la bouillie sur une plaque mouillée, en l'étalant en une couche régulière, et la laisser refroidir complètement. La détailler en carrés ou en losanges et dorer ceux-ci au beurre. Les dresser dans un plat rond, les poudrer de parmesan râpé et les arroser de beurre noisette.

POLIGNAC Nom de divers apprêts de cuisine classique, dédiés à des membres de la famille Polignac. Les suprêmes de volaille Polignac sont nappés de sauce suprême, additionnée de truffes et de champignons en fine julienne ; les poissons plats, pochés et accommodés d'une sauce au vin blanc et à la crème, avec une julienne de champignons ; les œufs, moulés sur des lames de truffe, dressés sur toast, nappés de beurre maître d'hôtel dissous et additionné de glace de viande.

POLKA Gâteau fait d'une couronne de pâte à choux dressée sur un fond de pâte brisée ou sucrée, garnie après cuisson de crème pâtissière, qui est ensuite poudrée de sucre et caramélisée au fer rouge en forme de croisillons. Le polka se fait en grosse ou en petite pièce.

Le « pain polka » est typique du Val de Loire ; généralement rond et plat, pesant 2 kg, bien cuit sous une croûte brune, il porte sur le dessus de profondes entailles qui se recoupent en quadrillage, comme les figures de la polka, danse d'origine polonaise ; les fentes permettent de rompre le pain sans le couper.

POLO (MARCO) Marchand vénitien (Venise 1254 - *id.* 1324) célèbre pour le récit de son séjour en Orient. Tout jeune homme, il accompagna son père et son oncle dans un voyage à travers toute l'Asie centrale jusqu'à la cour mongole du grand khan Kubilay, dans le nord de la Chine. C'est seulement quelque vingt ans plus tard qu'il repartit vers sa ville natale, chargé de plusieurs missions officielles par le souverain. Fait prisonnier par les Génois en 1298, il raconta son épopée à l'écrivain Rusticello, qui rédigera plus tard *le Livre des merveilles du monde*. On attribue à Marco Polo la découverte et la diffusion du riz et des pâtes alimentaires, bien que celles-ci aient été connues dès le milieu du XIIᵉ siècle sur la côte ligure ; mais il ouvrit surtout Venise au commerce des épices et des produits exotiques.
▶ Recette : SOLE.

POLOGNE La cuisine polonaise est le reflet de traditions culinaires très diverses. Nombre d'apprêts slaves relèvent en effet de mariages russo-polonais, auxquels s'ajoutent des influences germaniques, turques, hongroises et françaises ; quant à la communauté juive, elle a également marqué la gastronomie polonaise.

■ **Soupes consistantes.** Les Polonais ont la réputation d'être de solides mangeurs et de grands buveurs. Au repas du matin figure souvent de la viande froide ou de la charcuterie, tandis que le repas du soir est constitué de pommes de terre au lait caillé, de *klouski* (sorte de knepfles), de petits pâtés ou de grosses ravioles, qui accompagnent le potage ; on retrouve à cette occasion les pirojki, cyrniki, cromesqui et autres varieniki, communs à la Russie.

C'est vers 14 heures qu'a lieu le repas polonais traditionnel (*obiad*), qui comprend plusieurs services. La soupe est toujours imposante : d'abord le *barszcz* (voisin du borchtch russe), mais aussi la *zupa szczawiowa*, à l'oseille et au lard fumé, le chlodnik, le rassolnick, le *krupnik*, une crème d'orge aux légumes, ainsi que *kapusniack*, au chou, au céleri et au lard, et le *stchi*, sorte de pot-au-feu de bœuf, de langue et d'oreilles de porc, parfumé au fenouil.

■ **Viandes et poissons.** Les viandes de boucherie sont presque toujours braisées ou cuisinées en ragoût (tel le bigos national) ; on apprécie aussi les apprêts farcis. Mais l'animal roi est, en Pologne, le porc, avec lequel on produit une charcuterie savoureuse.

Le gibier, perdreau et sanglier surtout, s'accommode aux fruits. La volaille se fait surtout rôtir ; oie et dinde sont aussi très appréciées.

Les plats de poisson sont souvent empruntés à la cuisine juive : harengs marinés ou à la crème, carpe en gelée à la sauce aigre-douce ou au raifort, maquereaux à l'aigre-doux ; mais on prépare également la truite à la cracovienne, pochée, et servie avec des œufs durs hachés, du jus de citron et du beurre fondu.

Au chapitre des légumes, le chou est omniprésent, notamment dans la salade de choucroute aux pommes et aux carottes. Nombre de légumes cuits à l'eau s'apprêtent avec des œufs durs hachés et du beurre fondu. L'aigre-doux se retrouve dans les salades, ainsi que dans les conserves de prunes au vinaigre et aux épices.

■ **Desserts et boissons.** La pâtisserie polonaise est somptueuse : baba ou *babka* (intermédiaire entre la brioche et le kouglof, mais non imbibé de rhum) ; *chrust* (biscuit très sucré) ; gâteaux au miel (dont la Pologne est grande productrice) ou au gingembre. Le *mazurek* ressemble à une Linzertorte, tandis que le *makowiec* de Noël est un gâteau roulé en gelée, fourré aux graines de pavot, et la *tort orzechowy*, un gâteau aux noix, glacé au café ; les *paczki* sont des beignets fourrés à la confiture, et les nalesniki, des crêpes fourrées au fromage blanc.

À table, les Polonais boivent surtout de la bière, et du thé avec les desserts. La vodka se déguste en début de repas, avec les zakouski, comme en Russie : la *zubrowka* (vodka parfumée à l'« herbe de bison », graminée très odorante) est particulièrement appréciée. On boit souvent le café glacé ou additionné de peau de lait bouilli.

POLONAISE Pâtisserie constituée d'une brioche – pour plusieurs personnes ou individuelle – imbibée de rhum ou de kirsch, farcie de fruits confits additionnés de crème pâtissière, puis entièrement masquée de meringue et semée d'amandes effilées avant d'être dorée au four.
▶ Recette : BRIOCHE.

POLONAISE (À LA) Se dit de légumes cuits au naturel, parsemés de jaune d'œuf dur haché et de persil ou de fines herbes, puis arrosés de mie de pain frite au beurre (apprêt classique, notamment, pour le chou-fleur et les asperges). L'appellation concerne également d'autres recettes inspirées de la cuisine polonaise.
▶ Recettes : ASPERGE, CHOU-FLEUR, SALSIFIS.

POLYÉTHYLÈNE Matériau thermoplastique obtenu à partir de l'éthylène ; il est formé en planches sur des presses à haute pression. Le polyéthylène, qui résiste à la déformation et absorbe les chocs, est utilisé pour le travail des viandes en boucherie et en cuisine, notamment pour les planches à découper, disponibles en plusieurs couleurs (rouge pour la viande, par exemple) pour limiter les risques de contamination croisée.

POLYOL Édulcorant dit « de charge », dont le pouvoir sucrant est plus faible que celui du sucre. Même s'ils sont assez mal absorbés par le tube digestif, les polyols sont quand même en partie utilisés par l'organisme et fournissent donc un apport énergétique (4 Kcal ou 17 kJ par gramme). Leur utilisation dans l'industrie alimentaire (notamment en confiserie) est régie par une directive européenne, au même titre que tous les additifs alimentaires, et l'étiquetage des produits qui en contiennent doit comporter certaines recommandations. Les sucres contenus dans les chewing-gums aux polyols sont peu ou pas fermentés par la flore buccale et n'attaquent donc pas l'émail dentaire. Consommés en trop grandes quantités, ils peuvent toutefois déclencher des troubles digestifs et avoir des effets laxatifs.

POLYPORE Terme générique désignant de très nombreuses espèces de champignons poussant sur les troncs d'arbre. Le polypore en touffe, ou « poule de bois », et le polypore en ombelle sont réputés en Orient pour leur consistance et leur flaveur, qui accompagnent bien celles des volailles et des poissons.

POMELO ▶ voir **PAMPLEMOUSSE ET POMELO**

POMEROL Vin AOC rouge, présentant un bouquet chaleureux, de la rondeur et de la souplesse, essentiellement produit à partir du cépage merlot, dans un petit secteur au sol caillouteux contigu à celui de Saint-Émilion (**voir** BORDELAIS).

POMIANE (ÉDOUARD POZERSKI DE) Médecin et gastronome français (Paris 1875 - *id.* 1964). Chef du laboratoire de physiologie de l'alimentation à l'Institut Pasteur, où il fit toute sa carrière, le docteur de Pomiane fut naturellement conduit à s'intéresser à la cuisine. Il inventa la « gastrotechnie », étude raisonnée des phénomènes physico-chimiques subis par les aliments pendant la cuisson. Gourmand et gourmet, il cuisinait lui-même à la perfection. Édouard de Pomiane reste l'un des auteurs et chroniqueurs gastronomiques français les plus populaires et les plus modernes dans son propos et ses suggestions.

On lui doit notamment *Bien manger pour bien vivre* (1922), *le Code de la bonne chère* (1924), *la Cuisine en six leçons* (1927), *Radio-Cuisine* (publication, en 1936, des émissions radiophoniques qu'il fit en 1932-1933 et en 1934-1935). Avec *Cuisine juive, ghettos modernes* (1929), il remonta aux sources de sa famille polonaise (son père avait émigré en France en 1845). Il publia *la Cuisine pour la femme du monde* (1934), *Réflexes et Réflexions devant la nappe* (1940) et *Cuisine et Restrictions* (1940). Optimiste malgré les difficultés de ravitaillement, il fit paraître sous l'Occupation *Bien manger quand même* (1942).

POMMARD Vin AOC rouge de la côte de Beaune, issu du cépage pinot noir. C'est le bourgogne le plus connu dans le monde, puissant et solide, tannique et généreux (**voir** BOURGOGNE).

POMME Fruit du pommier, arbre fruitier de la famille des rosacées, le plus cultivé dans le monde, originaire d'Asie Mineure, mais poussant déjà à l'état sauvage, en Europe, à l'époque préhistorique (**voir** tableau des pommes page 688 et planche pages 686 et 687).

Fruit par excellence (*pomum* signifie « fruit » en latin), chargé de symboles (fruit de la connaissance, fruit défendu du Paradis, « pomme » de discorde), la pomme était connue et appréciée dans tout le monde antique, et les Gaulois en tiraient même du cidre. On en cultiva très tôt de multiples variétés.

C'est aujourd'hui le fruit le plus consommé en France, ainsi qu'aux États-Unis et en Allemagne. Au Canada, la McIntosh, très sucrée et très colorée, est la plus répandue ; elle est produite dans les vallées d'Annapolis (Nouvelle-Écosse), du Richelieu, (Québec) et de l'Okanagan (Colombie-Britannique).

La pomme fournit 52 Kcal ou 217 kJ pour 100 g ; elle est riche en glucides, en fibres et en potassium.

■ **Emplois.** La pomme se conserve en fruitier ventilé ou en armoire frigorifique. On peut la faire sécher : en rondelles fines, au four, à chaleur douce, porte ouverte pendant 30 minutes, puis four éteint et porte fermée pendant 12 heures, en renouvelant l'opération deux fois et en montant le thermostat à 3, puis à 4. Les autres procédés de conservation donnent les confitures, gelées et marmelades, les conserves au sirop, la pâte de pomme et le sucre de pomme, ainsi que des spécialités anglaises : beurre de pomme et chutneys.

Abstraction faite de la distillerie (calvados) et de la fabrication du cidre et du jus de pomme, la pomme a des emplois nombreux et variés en pâtisserie : beignets, chaussons, charlottes, flans, puddings et tartes, sans oublier les deux classiques : Strudel autrichien et apple pie anglais. Citons aussi les pommes « fricassées », meringuées, flambées, farcies, à la bonne femme, en surprise, à l'impératrice, Bourdaloue ou Condé, en salade de fruits (au kirsch ou au calvados), en compote ou en mousse, tiède ou frappée, ou en croustade, comme le font les Canadiens, avec une garniture de farine d'avoine, beurre et cassonade, etc. La pomme cuite se marie particulièrement bien avec la cannelle, la vanille et le jus de citron, et elle s'accompagne volontiers de crème fraîche ou d'une sauce aux fruits rouges.

Dans les apprêts salés, la pomme est associée au boudin noir, à l'andouillette et au rôti de porc, mais aussi au gibier et à la volaille, parfois même au hareng grillé ou au maquereau aux groseilles, soit en compote non sucrée, soit en quartiers poêlés. Elle accompagne bien les plats cuisinés au cidre et permet de préparer l'apple sauce anglaise. Elle entre dans la composition de salades, avec du céleri, de la mâche, des noix, des raisins secs, de la betterave rouge, etc., avec une vinaigrette à la moutarde ou une rémoulade.

Le jus obtenu en pressant des pommes fraîches constitue un suc mucilagineux très utile pour la confection des gelées de fruits trop aqueux, car il ne dénature pas leur parfum.

apple pie ▶ PIE
beignets de pomme ▶ BEIGNET
chaussons aux pommes et aux pruneaux ▶ CHAUSSON
compote poire-pomme caramélisée ▶ COMPOTE
couronne de pommes à la normande ▶ COURONNE

RECETTE DE SŒUR MONIQUE CHEVRIER DANS *LA CUISINE DE MONIQUE CHEVRIER, SA TECHNIQUE, SES RECETTES* (ÉD. MIRABEL/INVI)

croustade de pommes à la québécoise

« Peler et trancher 1 kg de pommes McIntosh. Les disposer au fond d'un plat ayant au moins 7,5 cm de profondeur. Les saupoudrer avec 50 g de sucre et 1 pincée de cannelle. Pour la garniture, défaire en crème 75 g de beurre, ajouter 125 g de cassonade et bien mélanger. Incorporer 40 g de farine et 40 g de farine d'avoine avec une pincée de sel. Étendre cette pâte sur les fruits. Faire cuire au four préchauffé à 190 °C jusqu'à ce que la croustade soit bien dorée. »

daurade royale braisée aux quartiers de pomme ▶ DAURADE ROYALE ET DORADES
flamusse aux pommes ▶ FLAMUSSE

RECETTE DE FRÉDY GIRARDET

fondants de pommes amandine

POUR 4 PERSONNES

« Pour préparer la farce, mélanger intimement 1 œuf, 80 g d'amandes blanches râpées, 80 g de beurre, 50 g de sucre et 1 cuillerée à café de rhum. Peler 3 grosses pommes (gravenstein, boskoop ou canada), les couper en deux et retirer les cœurs. En tailler deux en lamelles de 3 mm d'épaisseur et couper la troisième en dés de 5 mm de côté. Réunir dans une casserole 50 cl d'eau, 300 g de sucre et le jus de 1 citron. Amener à ébullition puis y pocher les lamelles de pomme jusqu'à ce qu'elles deviennent translucides. Faire pocher de la même manière puis égoutter les dés de pomme. Beurrer 4 moules de 7 cm de diamètre avec 10 g de beurre. Chemiser le tour avec des lamelles de pommes se chevauchant en les laissant dépasser en haut. Égaliser la hauteur des lamelles. Répartir les dés de pomme au fond puis remplir avec la farce et rabattre les lamelles de pomme sur la farce. Extraire, sans les presser, les grains de 2 fruits de la Passion, qui serviront pour la décoration des assiettes. Couper 4 à 5 fruits de la Passion en deux et les presser pour en extraire au total 15 cl de jus. Réserver. (À défaut de fruits de la Passions frais, préparer un coulis avec le jus de 2 oranges, 1 citron vert et 100 g de sucre.) Préchauffer le four à 200 °C. Mélanger les 15 cl de jus de fruits de la Passion avec 5 cl d'eau en sucrant plus ou moins suivant les goûts et chauffer doucement pour faire fondre le sucre sans atteindre l'ébullition. Glisser les fondants au four pendant 12 min. Les démouler sur un papier beurré, les parsemer d'une pincée d'amandes effilées et de sucre glace avant de les passer quelques secondes sous le gril du four pour caraméliser le sucre. Masquer le fond de 4 assiettes chaudes avec un peu de sauce et déposer les fondants au milieu. Parsemer de quelques grains de fruits de la Passion. Servir. »

POMMES

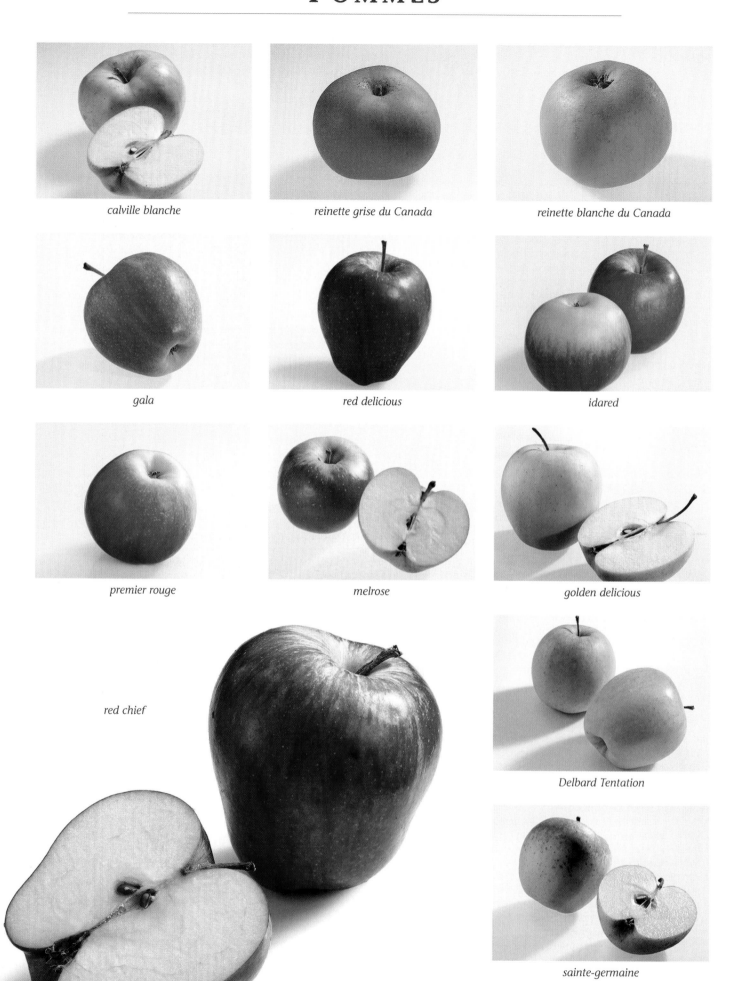

calville blanche

reinette grise du Canada

reinette blanche du Canada

gala

red delicious

idared

premier rouge

melrose

golden delicious

red chief

Delbard Tentation

sainte-germaine

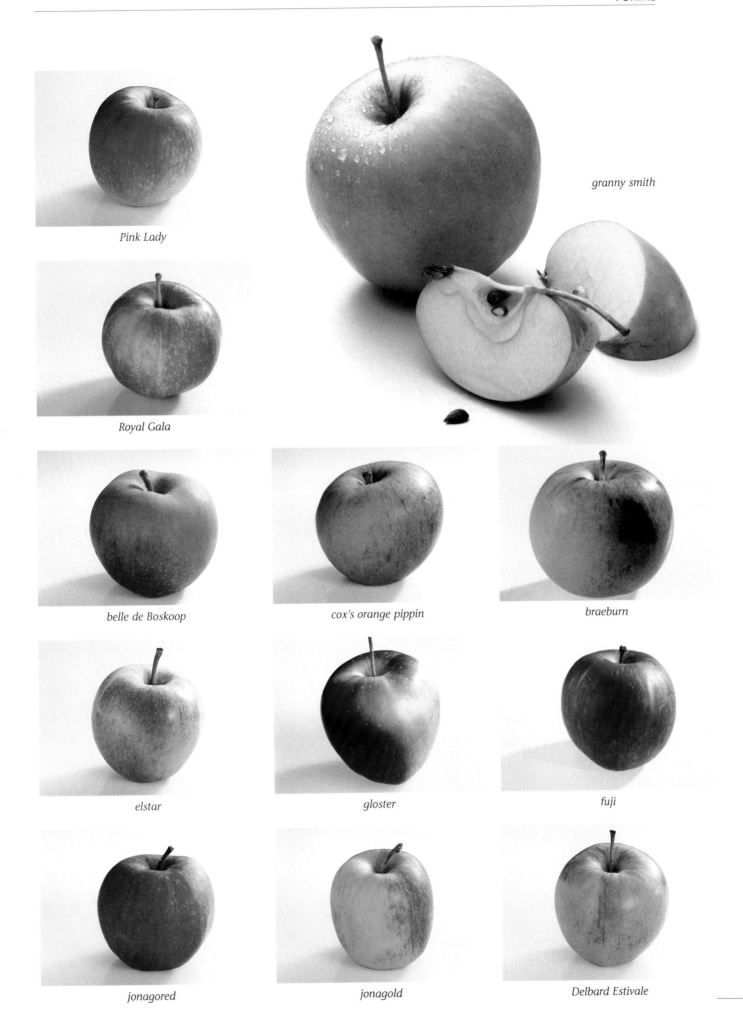

Pink Lady

granny smith

Royal Gala

belle de Boskoop

cox's orange pippin

braeburn

elstar

gloster

fuji

jonagored

jonagold

Delbard Estivale

Caractéristiques des principales variétés de pommes

VARIÉTÉ	PROVENANCE	ÉPOQUE	ASPECT	FLAVEUR
bicolores				
belle de Boskoop	Nord	oct.-mars.	grosse, bosselée, peau épaisse, vert-jaune lavé de rouge, chair juteuse	acidulée, sucrée
braeburn	Sud-Est, Sud-Ouest, Val de Loire	nov.-avr.	moyenne, peau un peu striée, rouge brique, chair très ferme	acidulée
cox's orange pippin	Nord, Angleterre, Belgique, Hollande	fin sept.- début nov.	petite à moyenne, jaune verdâtre et rouge, chair jaunâtre, texture ferme	juteuse, sucrée, un peu acidulée
elstar	Val de Loire, Nord	août.-mars	moyenne, aplatie, peau épaisse, jaune d'or strié d'orangé, chair jaune clair, juteuse	peu sucrée, très acide
fuji	Sud-Est, Sud-Ouest	janv.-juin	moyenne à grosse, peau rouge à verte, chair crème, nuancée de doré et de vert, très juteuse	sucrée et acide
gala	Sud-Est, Sud-Ouest, Val de Loire	août.-févr.	moyenne, peau lisse, jaune flammé de rouge, chair beige et jaune-vert	très sucrée, peu acide
gloster	Midi, Val de Loire, Nord, Sud-Ouest	fin sept.- début déc.	assez grosse, rouge sombre sur fond jaune	fine et croquante, sucrée, juteuse
idared	Val de Loire, Nord	mi-janv.- mi-juin	grosse, peau épaisse, fond jaune strié de rouge-orangé, chair beige, blanche, juteuse	sucrée et acide, un peu salée
jonagold	Val de Loire, Nord	oct.-juin	grosse à très grosse, peau lisse, vert-jaune lavé de rouge-orangé, chair blanche fondante	sucrée, peu acide, un peu salée
jubilé (delgollune)	Val de Loire	fin sept.-janv.	grosse, rouge écarlate strié avec un peu de jaune-vert, texture fine	croquante, juteuse
melrose	Val de Loire, Nord, Rhône-Alpes	fin sept.- début mars	grosse, peau épaisse, rouge foncé sur fond vert à jaune pâle, chair ivoire, juteuse	très fraîche, sucrée et acide
Pink Lady®	Sud-Est, Sud-Ouest, Val de Loire	nov.-mai	moyenne, bicolore, rose évoluant vers le rouge et vert, chair ferme, croquante et juteuse	sucrée et acidulée
reine des reinettes	Sud-Est, Sud-Ouest, Val de Loire	fin août-fin oct.	petite à moyenne, peau rugueuse, jaune-rouge orangé, chair beige, granuleuse	un peu sucrée, acidulée
blanche				
calville blanche	Europe	oct.-déc.	grosse, conique, très côtelée, cuvette de l'œil plissée, chair blanche	tendre, sucrée, juteuse
grise				
reinette grise du Canada	Val de Loire, Sud-Ouest, Nord	nov.-mars	moyenne à très grosse, peau très épaisse, brun-gris à vert doré, chair jaune-vert, blanche, ivoire, crissante	sucrée, acide, souple
jaune doré				
Belchard® Chanteclerc	Val de Loire, Sud-Ouest	oct.-juin	jaune d'or, un peu rugueuse, d'aspect rustique, chair fondante et juteuse	équilibrée
golden delicious	Sud-Est, Sud-Ouest, Val de Loire, Limousin	toute l'année	assez grosse, peau lisse, vert-jaune, chair jaune, croquante, juteuse	fine, assez sucrée, un peu acidulée
reinette clochard	Val de Loire	sept.-janv.	petite à moyenne, jaune verdâtre	fine
reinette du Mans	Val de Loire	mi-oct.-janv.	petite à moyenne, jaune	douceâtre
Tentation®	Val de Loire, Sud-Ouest	déc.-avr.	jaune avec une pointe de rose, chair croquante et juteuse	parfumée et sucrée
rouge				
red delicious	Sud-Est, Sud-Ouest	oct.-fin avr.	assez grosse, tronconique, peau fine, rouge brillant, rubis à grenat, chair jaune-vert à crème, juteuse	sucrée, peu acidulée, douceâtre
verte				
granny smith	Sud-Est, Midi-Pyrénées, Val de Loire	mi-oct.-fin avr.	moyenne, peau dure, luisante, verte, chair brillante, blanche, jaune-vert et jaune pâle, juteuse	très acide, un peu sucrée

RECETTE DE MICHEL TROISGROS

gourmandes d'Arman

POUR 4 PERSONNES

« Peler 2 pommes golden, les évider et les ranger dans un plat. Déposer sur les pommes 1 noix de beurre, 2 cuillerées à soupe d'eau, le jus de 1/2 citron, et saupoudrer de sucre en poudre. Confire 2 heures à couvert dans un four préchauffé à 140 °C. Pour préparer le sorbet, faire un sirop avec 80 g de glucose, 300 g de sucre et 3 litres d'eau. Après 5 min d'ébullition, le laisser refroidir. Détailler 6 pommes granny smith non épluchées en morceaux, les mixer, tamiser puis récupérer 1 litre de jus. Le joindre au sirop et turbiner en sorbetière. À l'aide d'un couteau, dérouler la peau de 4 pommes granny smith en rubans. Découper chaque ruban en forme de fourchette et en préparer 24. Les étaler une à une sur un papier sulfurisé, les saupoudrer de sucre glace et les cuire 20 min au four préchauffé à 100 °C. Dès la sortie du four, décoller délicatement une à une les pommes-fourchettes pour les déposer sur de vraies fourchettes en Inox. En refroidissant, elles vont se raffermir et prendre forme. Les réserver dans un endroit sec. Couper les pommes confites en deux dans l'épaisseur et déposer une moitié dans chaque assiette. Les arroser de quelques gouttes de calvados. Déposer une noix de sorbet dessus. Piquer artistiquement 6 fourchettes de pommes par sorbet. »

marmelade de pomme ▶ MARMELADE

RECETTE D'ECKART WITZIGMANN

moelleux aux pommes et noix fraîches

POUR 2 PERSONNES

« Mélanger 30 g de farine avec 10 cl de lait, 1 pincée de sel et de sucre vanillé, un peu de zeste de citron et quelques gouttes de rhum brun jusqu'à obtenir une pâte lisse sans grumeaux. Incorporer délicatement 3 œufs, sans battre la pâte. Éplucher 1 pomme reinette acidulée, la couper en tranches de 1 cm environ et les citronner. Enlever la peau de 10 à 12 noix fraîches ; les concasser. Chauffer 10 g de beurre clarifié (tiède) et l'incorporer à la pâte. Verser l'appareil dans un plat peu profond et enfourner dans le four préchauffé à 200 °C. Dès que la pâte commence à prendre et que sa surface n'est plus humide, laisser glisser 10 g de beurre frais sur les parois du plat et retourner ensuite la pâte. Une fois que celle-ci a pris une belle couleur ambrée, sortir le plat du four et "déchirer" la pâte avec 2 fourchettes. Saupoudrer de 20 g de sucre glace et ajouter 10 g de beurre frais coupé en fines tranches. Remettre le plat au four et laisser caraméliser légèrement. Pendant ce temps, dans une poêle antiadhésive, préparer un caramel avec 10 g de beurre et 1 cuillerée à soupe de sucre. Ajouter les tranches de pomme et les caraméliser rapidement à feu doux. Les pommes doivent rester fermes. Ajouter les noix concassées. Dresser les morceaux de pâte sur 2 assiettes chaudes, garnir avec les pommes et les noix caramélisées, et saupoudrer le tout légèrement de sucre glace. Servir chaud. »

pâte de pomme ▶ PÂTE DE FRUITS

RECETTE DE CHRISTIANE MASSIA

pommes reinettes au miel et au beurre salé

« Peler 8 pommes reinettes, les couper en deux, ôter le cœur. Verser 250 g de miel liquide d'acacia dans une plaque à four en le répartissant uniformément. Poser cette plaque sur un feu vif jusqu'à ce que le miel soit doré. Hors du feu, disposer les demi-pommes dans la plaque, côté bombé dessous, et mettre dans chacune une petite noix de beurre salé. Enfourner à 240 °C et faire cuire pendant 10 min. Servir aussitôt. »

pommes fruits soufflées

Couper en deux 8 grosses pommes, retirer le cœur, puis évider à moitié les demi-pommes. Dans une casserole, cuire la pulpe 5 min à couvert, sans remuer. Ajouter alors 300 g de sucre en poudre et faire dessécher en remuant pour obtenir une purée très fortement réduite. Arroser l'intérieur des demi-fruits avec 10 cl de fine champagne et en ajouter autant à la purée de pomme. Fouetter 5 blancs d'œuf en neige ferme et les incorporer à la purée de pomme, avec une cuillère de bois (en soulevant la purée sans la battre). Disposer les demi-fruits dans un plat à four bien beurré. Les emplir de purée de pomme, poudrer de 50 g de sucre glace et faire gratiner de 10 à 12 min au four préchauffé à 230 °C. Servir aussitôt, éventuellement avec une sauce crème au caramel.

pudding aux pommes à l'anglaise ▶ PUDDING

RECETTE DE PATRICK MIKANOWSKI

salade pomme-pomme

POUR 4 PERSONNES – PRÉPARATION : 35 min – CUISSON : 18 min

« Préparer une vinaigrette en faisant tiédir 5 cuillerées à soupe d'huile d'olive de première pression à froid avec 1 cuillerée à café de gingembre râpé et 2 cuillerées à soupe de condiment balsamique blanc. Saler et ajouter 1/2 cuillerée à soupe de curry. Laisser infuser le temps de préparer la suite de la recette. Cuire 8 pommes de terre rattes en robe des champs dans de l'eau salée 15 à 18 min. Égoutter, peler et couper en rondelles de 5 mm d'épaisseur. Laver et découper 2 pommes granny smith en bâtonnets. Les citronner pour les empêcher de noircir. Dans un bol, mélanger le jus de 1/2 citron et un peu de fleur de sel. Ajouter 4 cuillerées à soupe de fromage frais, 1/2 cuillerée à soupe de safran en poudre et 1/2 botte de ciboulette finement ciselée. Dans un verre à cocktail, dresser au fond les pommes de terre rattes arrosées de vinaigrette. Verser la sauce safranée, et terminer par les bâtonnets de granny smith. Saupoudrer d'une pincée de safran et décorer de quelques brins d'aneth. »

sauce aux pommes ▶ SAUCE
Strudel aux pommes ▶ STRUDEL
tarte aux pommes légère et chaude ▶ TARTE
tarte Tatin ▶ TARTE

POMMEAU DE NORMANDIE Mélange de calvados et de jus de pommes à cidre vieilli en fût de chêne pendant au moins 14 mois. Il se boit en général frais à l'apéritif, mais accompagne aussi le foie gras, le melon et certains desserts. Boisson traditionnelle longtemps interdite à la vente, il bénéficie d'une AOC depuis 1991.

POMME DE CAJOU Renflement charnu en forme de poire, surplombant la noix de cajou (qui renferme une amande blanche), fruit de l'anacardier, arbre de la famille des anacardiacées. La pomme de cajou se consomme à maturité, de préférence avec du sucre, car elle est un peu acidulée. Au Brésil (elle est moins connue ailleurs), on en fait des confitures, des gelées, des compotes et des boissons, et même une sorte de vin *(cajuado)* et un vinaigre.

POMME DE PIN (LA) Taverne fondée au XVᵉ siècle dans l'île de la Cité, à Paris. Déjà célébrée par le poète François Villon, puis par l'écrivain François Rabelais au siècle suivant, elle fut liée à trois siècles de vie littéraire et reçut, devant ses pots d'étain, les poètes de la Pléiade au XVIᵉ siècle, puis les classiques. Au XVIIᵉ siècle, on y laissait les écrivains « s'enivrer gratis », ce qui assura longtemps la renommée de la maison.

POMME DE TERRE Tubercule farineux originaire d'Amérique, de la famille des solanacées (**voir** tableau des pommes de terre page 690 et planche page 692), devenu une denrée majeure, comme légume frais (toujours cuit) et comme produit transformé (chips, frites), utilisé également en distillerie, en féculerie et en biscuiterie. Une pomme de terre moyenne de 100 g, fournissant 86 Kcal ou 360 kJ, contient 77 g d'eau, 19 g de glucides (amidon), 2 g de protides et des sels minéraux (potasse, fer, iode) ; elle remplace 40 g de pain, mais contient deux fois et demie moins de glucides.

Ses qualités nutritionnelles sont intéressantes, à condition d'éviter l'abus de corps gras pour la préparer ; la cuisson à la vapeur lui conserve ses vitamines B et C, cette dernière étant particulièrement abondante dans la pomme de terre « nouvelle ». Notons que les glucides contenus dans les pommes de terre sont des glucides complexes ou « lents », mais que ce sont des glucides « rapides » lorsqu'elles sont transformées en purée.

■ **De la « papa » à la « frite ».** Cultivée par les Incas et les Aztèques, la pomme de terre fut découverte au Pérou par Pizarro et parvint en Europe en 1534 ; cinquante ans plus tard, Walter Raleigh, favori d'Élisabeth Iʳᵉ d'Angleterre, fit la même découverte en Virginie. La confusion entre *papa* (pomme de terre) et *patata* (patate douce) fit que les Anglais baptisèrent la pomme de terre *potato* et les Espagnols *batata*, tandis que les Italiens, auxquels les Espagnols la firent connaître, l'appelaient *tartufola*, « petite truffe », par analogie avec ce champignon qui pousse aussi sous la terre, et les Allemands *Kartoffel*. La pomme de terre s'implanta rapidement partout en Europe. En France, ce fut Antoine Augustin Parmentier qui s'en fit le propagateur à l'échelle nationale, à la fin du XVIIIᵉ siècle, malgré les préjugés qui s'attachaient à cette nourriture de pauvre, de rustre ou de soldat.

Devenu un aliment de base, sain et bon marché, la pomme de terre, presque indispensable en cuisine, connaît la gamme de recettes la plus riche de tous les légumes, allant des apprêts les plus simples et les plus populaires aux plus raffinés (**voir** tableau des apprêts de pommes de terre page 691).

■ **Consommation et conservation.** En France, la consommation annuelle moyenne de pommes de terre est d'environ 65 kg par habitant (dont un tiers sous forme de produits transformés), le chiffre variant selon les régions (plus élevé dans le Nord) et le milieu social. En Europe, la consommation annuelle tourne autour de 80 kg par habitant contre 58 kg aux États-Unis (dont la moitié en produits transformés).

Les pommes de terre se conservent dans un endroit sec et aéré (entre 8 et 10 °C), pour éviter qu'elles ne se sucrent, et surtout obscur, pour empêcher le verdissement et l'apparition de la solanine, qui les rend amères et indigestes.

Elles sont disponibles toute l'année. Une grande partie des pommes de terre commercialisées l'est sans utilisation d'inhibiteur chimique de la germination. Leur stockage à basse température (entre 6 et 8 °C) permet de contenir celle-ci. Pour celles qui sont traitées, la mention du traitement sur l'étiquette est obligatoire. Les pommes de terre sont également vendue sous vide.

Les pommes de terre nouvelles, ou primeurs, sont récoltées avant leur pleine maturité et ont une peau fine qui se détache au grattage. Cette appellation est autorisée du début de la récolte (avril/mai) jusqu'au 31 juillet.

La pomme de terre de l'île de Ré bénéficie d'une AOC et la bintje de Merville d'une IGP.

■ **Emplois.** On trouve aujourd'hui deux grandes catégories de pommes de terre : celles à chair farineuse (de « consommation courante ») et celles à chair ferme, les premières étant plutôt destinées aux soupes, aux frites et aux purées, les secondes aux autres apprêts.

Caractéristiques des principales variétés de pommes de terre

VARIÉTÉ	PROVENANCE	ÉPOQUE	DESCRIPTION	ASPECT DE LA CHAIR
à chair ferme				
amandine	toute la France	août-mai	oblongue, jaune	crème
belle de Fontenay	Loiret, Picardie	août-déc.	claviforme, assez régulière, jaune	jaune foncé
charlotte	Bretagne, Bassin parisien, Nord, Picardie	toute l'année	oblongue, très régulière, jaune	jaune
chérie	toute la France	août-mai	oblongue, rouge	jaune
franceline	toute la France	sept.-avr.	allongée, régulière, rouge	jaune
nicola	toute la France	toute l'année	oblongue, jaune	jaune
pompadour	toute la France	sept.-mai	allongée, jaune	jaune
ratte	Massif central, Nord, Picardie, Ardèche	août-mai	allongée, réniforme, jaune	jaune
roseval	Bretagne	toute l'année	oblongue, rouge	jaune rosé
rosine	Bretagne	août-mai	allongée, régulière, rouge	jaune pâle
de consommation courante				
agata	nord de la Loire	août-avr.	oblongue, très régulière, jaune	jaune
bintje	Bretagne, Bassin parisien, Nord, Picardie	sept.-mai	oblongue, régulière, jaune	jaune
estima	toute la France	sept.-avr.	oblongue, très régulière, jaune	jaune
manon	toute la France	août-avr.	oblongue, très régulière, jaune	jaune
marabel	nord de la Loire	août-avr.	ovale, très régulière, jaune	jaune
monalisa	toute la France	août-mars	oblongue, très régulière, jaune	jaune
samba	toute la France	août-mai	oblongue, régulière, cuivrée	jaune
urgenta	toute la France	août-oct.	oblongue, régulière, rouge	jaune pâle
primeurs	Bretagne, Sud-Est	avr.-juill.	petite, jaune à jaune clair	jaune à jaune pâle
	bassin méditerranéen	janv.-avr.		
aminca	Bretagne	mai-août	oblongue, régulière, jaune	jaune
ostara	Bretagne, Sud-Est	mai-juin	oblongue, régulière, jaune	jaune
rosabelle	Provence	avr.-juill.	oblongue, très régulière, rouge	jaune

La pomme de terre peut accompagner pratiquement toutes les viandes, volailles et poissons, et même les œufs, et nombre de ces associations sont classiques. Elle est aussi la base de plats traditionnels, régionaux ou étrangers : aligot, criques, goulache, gratin dauphinois ou savoyard, hachis parmentier, irish stew, pflutters, rösti suisse, saladier lyonnais, etc.

On relève souvent le goût de la pomme de terre avec du fromage râpé, des lardons, de l'oignon, de la crème fraîche, des fines herbes ou des aromates. Enfin, elle donne de la consistance à nombre d'apprêts. Au début du XIXe siècle, Antonin Carême imagina même d'en faire une petite pâtisserie.

aligot ▶ ALIGOT
cappuccino de pommes de terre et munster ▶ MUNSTER

RECETTE DE GEORGES BLANC

crêpes vonnassiennes de la Mère Blanc

« Cuire à l'eau salée 500 g de pommes de terre à chair blanche et faire une purée en ajoutant un peu de lait. Laisser refroidir. Ajouter 3 cuillerées à soupe de farine. Incorporer successivement 3 œufs entiers, 4 blancs d'œuf et 2 cuillerées à soupe de crème épaisse. Mélanger le tout afin que la pâte ait la consistance d'une crème pâtissière. Placer sur feu vif une poêle bien plate avec du beurre clarifié, comme pour une omelette ; lorsqu'il est très chaud, verser 1 cuillerée à soupe de la pâte : les ronds se forment d'eux-mêmes. Retourner les crêpes à l'aide d'une spatule. Les déposer sur du papier absorbant. Servir comme accompagnement ou saupoudrer de sucre en poudre comme entremets. »

croquettes de pomme de terre ▶ CROQUETTE
croustades de pommes de terre duchesse ▶ CROUSTADE
dos de mulet au « caviar » de Martigues,
*   mousseline de pomme de terre à l'huile d'olive* ▶ POUTARGUE
escargots en coque de pomme de terre ▶ ESCARGOT
galette de pommes de terre ▶ GALETTE

RECETTE DE GUY DUCREST

gâteau de pommes de terre des vendangeurs

« Beurrer l'intérieur d'un sautoir en fonte ou en cuivre avec 40 g de beurre clarifié. Peler 1 kg de pommes de terre belle de Fontenay, les laver et bien les essuyer. Les couper en rondelles de 3 mm d'épaisseur. Tapisser le fond et les parois du sautoir de fines tranches de poitrine fumée. Disposer une rangée de pommes de terre et saupoudrer de 30 g de gruyère râpé. Arroser de 1 cuillerée à soupe de beurre clarifié et recouvrir le tout de quelques tranches de poitrine demi-sel. Recommencer l'opération trois fois en terminant par une rangée de poitrine fumée. Poivrer légèrement. Recouvrir d'une feuille d'aluminium et d'un couvercle. Mettre 1 h 30 au four préchauffé à 210 °C, en pressant de temps en temps avec une écumoire. À la fin de la cuisson, laisser reposer 10 min dans le four éteint. Passer un couteau tout autour du plat et démouler le gâteau sur un plat. Servir très chaud. »

RECETTE DE MICHEL BRAS

gaufrette de pomme de terre, crème au beurre noisette, caramel au beurre salé

POUR 4 PERSONNES

« Éplucher et rincer 2 grosses pommes de terre. Les dérouler en bandes à l'aide d'un outil adapté. Plonger ces bandes dans de l'eau froide pour éviter qu'elles ne s'oxydent. Les blanchir à l'eau bouillante pendant 45 à 60 secondes. Refroidir immédiatement puis les confire lentement dans un sirop composé de 40 cl d'eau pour 200 g de sucre. Lorsqu'elles sont suffisamment confites, égoutter les bandes de pommes de terre et les disposer entre deux feuilles de papier sulfurisé. Découper aux dimensions souhaitées et disposer sur une gouttière ondulée. Faire sécher au four à 150 °C pendant 40 min environ. Les retirer lorsque la coloration est uniforme. Laisser refroidir et garder au sec. Pour la crème au beurre noisette, hydrater 6 g de feuilles de gélatine dans l'eau glacée. Les égoutter et les faire fondre dans 8 cl de crème liquide bouillante. Cuire 170 g de beurre noisette jusqu'à 150 °C et le refroidir pour stopper la cuisson. Réunir dans le bol

Caractéristiques des principaux apprêts de pommes de terre

APPELLATION	PRÉPARATION	MODE DE CUISSON
gratin dauphinois	pelées, lavées, taillées en rouelles	braisées au four avec lait, crème, fromage
pommes allumettes, pommes mignonnettes, pommes pont-neuf	pelées, lavées, détaillées en bâtonnets plus ou moins gros, lavées, séchées	frites en deux fois : blanchies à 160 °C, saisies à 180 °C
pommes paille	pelées, lavées, taillées en fins bâtonnets, trempées pour éliminer la fécule, séchées	frites à 180 °C
pommes à l'anglaise, pommes vapeur	pelées, lavées, tournées	cuites à l'eau salée, cuites à la vapeur
pommes Anna	pelées, lavées, détaillées en rondelles	moulées, cuites au four, au beurre, dans un récipient spécial (moule à pommes Anna)
pommes boulangère	pelées, lavées, taillées en rouelles	braisées au four avec un fond blanc
pommes Darphin, crêpes de pommes de terre	pelées, lavées, râpées	sautées au beurre à la poêle
pommes fondantes	pelées, lavées, tournées	braisées dans un fond blanc
pommes frites	pelées ou non pelées, lavées, détaillées, séchées	frites en une fois
pommes noisettes, pommes parisiennes	pelées, lavées, levées à la cuillère en petites boules	rissolées au beurre et à l'huile
pommes en papillote	dans leur peau, lavées	cuites au four à sec sur un lit de sel
pommes cocotte, pommes château	pelées, lavées, tournées	rissolées au beurre et à l'huile
pommes purée, liaisons de potages	pelées, lavées, détaillées en quartiers	cuites à l'eau salée
pommes en robe des champs	dans leur peau, lavées	cuites à l'eau salée ou au four
pommes sautées à cru	pelées, lavées, coupées en tranches, en dés	sautées au beurre et à l'huile

POMMES DE TERRE

BF 15

nicola

siglinde

marabel

charlotte

belle de Fontenay

annabelle

chérie

resy

rouge bourgogne

shetland black

roseval

bintje

ratte

ostara

agata

vitelotte

d'un mixeur le beurre noisette, le mélange crème/gélatine et 1 jaune d'œuf. Émulsionner l'ensemble au mixeur pendant 2 min. Monter une meringue avec 180 g de blancs d'œuf et 60 g de sucre (voir page 539). Lorsqu'elle est bien ferme, l'incorporer au mélange précédent. Réserver au frais. Réaliser un caramel (voir page 160) avec 150 g de sucre en poudre. Le décuire avec un mélange de 50 g de beurre demi-sel et de 7 cl de crème liquide. Laisser refroidir et rectifier la consistance si nécessaire. Juste avant de déguster, garnir les gaufrettes de pommes de terre bien croustillantes avec la crème et une pointe de caramel au beurre salé. Déguster sans attendre. »

gratin dauphinois ▶ GRATIN
moelleux de homard à la civette, pommes rattes ▶ HOMARD
morue à la santpolenque, au chou vert et pommes de terre, sauce légère à l'ail ▶ MORUE

RECETTE DE GÉRARD VIÉ

mousse de pommes de terre éclatées au caviar

POUR 4 PERSONNES

« Cuire 300 g de pommes de terre rattes épluchées à l'eau salée pendant 10 min environ. Après cuisson, les passer au moulin à légumes. Mélanger les pommes de terre avec 20 cl d'eau froide. Ajouter 30 cl de crème fraîche. Rectifier l'assaisonnement. Remplir la bouteille d'un siphon de cette préparation. Fermer et insérer deux cartouches de gaz. Placer au réfrigérateur durant 12 heures. Chemiser 4 petits cercle de 15 cm de diamètre de 15 g de caviar sévruga chacun. Bien secouer le siphon et remplir les moules de la préparation aux pommes de terre. Dresser sur les assiettes. Déposer une quenelle de 15 g de caviar sur le dessus ; ôter le cercle et servir aussitôt. »

navarin de homard et de pommes de terre nouvelles au romarin ▶ HOMARD
nid en pommes paille ou en gaufrettes ▶ NID (AU)
panade à la pomme de terre ▶ PANADE

pommes Anna

Préchauffer le four à 200 °C. Éplucher 1 kg de pommes de terre, les couper en rondelles régulières de 1 mm d'épaisseur. Saler et poivrer. Faire chauffer 50 g de beurre clarifié dans un moule à pommes Anna et y déposer au fond, en rosace, les rondelles de pommes de terre. Hors du feu, disposer 25 g de beurre en noisettes dessus, puis recouvrir d'une seconde couche de pommes de terre. Continuer ainsi sur 5 à 6 couches ; tasser. Démarrer la cuisson sur feu vif pour saisir, puis couvrir et cuire au four pendant 30 à 35 min. Égoutter, puis retourner le moule d'un geste vif et dresser sur le plat de service.

pommes dauphine

Cuire à l'eau salée 1 kg de pommes de terre, bien les égoutter et les faire sécher quelques minutes à l'entrée du four. Les passer au presse-purée ; ajouter 100 g de beurre, 1 œuf entier et 4 jaunes. Préparer de la pâte à choux avec 1/4 de litre d'eau, 60 g de beurre, 125 g de farine tamisée, 4 œufs, un peu de muscade râpée, du sel et du poivre. Incorporer à cette pâte les pommes de terre. Faire glisser la pâte cuillerée par cuillerée dans de l'huile très chaude (180 °C). Quand les pommes dauphine sont gonflées et dorées, les égoutter, les éponger sur du papier absorbant ; saler et servir très chaud.

pommes duchesse : appareil

Peler 500 g de pommes de terre farineuses, les couper en quartiers et les cuire à grande eau bouillante salée. Les égoutter, les mettre dans un plat à gratin et les dessécher à l'entrée du four préchauffé à 200 °C : elles doivent blanchir. Les passer au presse-purée (grille fine). Verser cette purée dans une casserole et ajouter du sel, du poivre, un peu de muscade râpée et 50 g de beurre. Bien mélanger sur le feu et dessécher quelques instants. Retirer du feu et incorporer intimement 1 œuf entier et 2 jaunes.

RECETTE DE GUY SAVOY

pommes Maxim's

« Éplucher 600 g de pommes de terre, les laver et les sécher soigneusement dans un torchon. Les émincer finement avec une mandoline. Les saler. Les arroser de 125 g de beurre clarifié. Mettre les rondelles sur une plaque en les faisant se chevaucher légèrement et les cuire au four préchauffé à 240 °C, jusqu'à ce qu'elles soient dorées. Disposer les pommes de terre en couronne. »

pommes pont-neuf

Peler de grosses pommes de terre à pulpe ferme ; les laver et les tailler en bâtonnets à section carrée de 1 cm sur 7 cm de long. Les laver à grande eau, les éponger dans un linge et les plonger de 7 à 8 min dans de l'huile très chaude (160 °C). Les laisser juste blondir, puis les égoutter longuement. Au dernier moment, les replonger dans la friture, mais à 180 °C, pour les faire dorer.

pommes de terre boulangère

Peler 800 g de pommes de terre et 400 g d'oignons ; les émincer et les faire revenir séparément dans du beurre. Les dresser par couches alternées dans un plat beurré allant au four ; les saler et les poivrer légèrement, puis les recouvrir à hauteur de fond blanc de volaille. Cuire 25 min au four préchauffé à 200 °C, puis réduire la température à 180 °C et poursuivre la cuisson 20 min.

pommes de terre Darphin

Éplucher 500 g de pommes de terre à chair ferme, les laver, puis les râper en pommes paille. Les éponger dans un torchon et les assaisonner de sel et de poivre blanc. Dans une poêle à revêtement antiadhésif, faire chauffer 3 cl d'huile et 30 g de beurre, ajouter les pommes de terre, les faire sauter pendant 30 secondes, les tasser en forme de galette et poursuivre la cuisson à feu modéré au four préchauffé à 200 °C. Retourner la galette et laisser colorer la seconde face. Égoutter l'excédent de graisse, puis démouler sur le plat de service. Servir très chaud.

pommes de terre farcies

PREMIÈRE MÉTHODE. Trancher dans la longueur le quart supérieur de grosses pommes de terre cuites au four avec leur peau et les évider sans les briser. Passer au tamis la pulpe retirée et la mélanger avec l'élément choisi (duxelles, fromage, hachis cuit, jambon, mirepoix, oignon fondu, etc.), du beurre, du sel et du poivre. Garnir les légumes évidés de cette farce, poudrer de chapelure ou de fromage râpé (ou d'un mélange des deux), arroser de beurre fondu et gratiner au four préchauffé à 270 °C.
SECONDE MÉTHODE. Peler de grosses pommes de terre allongées crues et les parer en cylindres. Trancher les deux extrémités, évider l'intérieur avec précaution. Ébouillanter les pommes de terre évidées, les égoutter et les éponger. Les saler, les poivrer intérieurement et extérieurement, les emplir de la farce puis les ranger les unes contre les autres dans un plat beurré. Les mouiller presque à hauteur de consommé. Porter à ébullition sur le feu, puis cuire de 30 à 35 min dans le four préchauffé à 200 °C. Égoutter les pommes de terre et les disposer dans un plat à gratin beurré. Les poudrer de chapelure ou de fromage râpé (ou d'un mélange des deux), les arroser de beurre fondu et les gratiner dans le four poussé à 280 °C.

pommes de terre fondantes

POUR 4 PERSONNES – PRÉPARATION : 30 min – CUISSON : 1 h

Prendre des pommes de terre à chair ferme (type BF15, charlotte). Choisir 12 pièces calibrées de la grosseur d'un œuf. Les éplucher, les laver et les tourner en ayant soin de laisser une face plate. Préchauffer le four à 180 °C. Préparer 1 bouquet garni augmenté de 1 petite branche de céleri. Beurrer un sautoir avec 100 g de beurre. Disposer les pommes de terre sur leur face plate sans les superposer ni même les faire chevaucher. Mouiller au tiers de la hauteur des pommes avec du consommé ou du fond blanc de volaille. Ajouter le bouquet garni et un tour de poivre du moulin. Porter à ébullition, recouvrir les pommes de terre d'un papier sulfurisé beurré, pour éviter une évaporation trop rapide,

693

« Produit de consommation courante, la pomme de terre conquiert ses lettres de noblesse sous les doigts experts
des cuisiniers de POTEL ET CHABOT, de l'école FERRANDI PARIS, des restaurants HÉLÈNE DARROZE, GARNIER ou du RITZ PARIS.
Tous s'appliquent à sublimer ce tubercule de mille et une manières. Cuit en rondelles avec la peau,
finement râpé ou réduit en purée onctueuse, ce légume n'a pas fini de nous plaire. »

puis d'un couvercle. Enfourner et cuire pendant 40 à 50 min. En cours de cuisson, arroser fréquemment les pommes de terre (sans les retourner) pour qu'elles s'imprègnent et absorbent le beurre. Une pellicule brillante doit les recouvrir en fin de cuisson.

pommes de terre frites

Plonger les pommes de terre coupées en bâtonnets de 1 cm d'épaisseur sur 7 cm de longueur dans de l'huile très chaude ; attendre que la friture remonte en température pour que les pommes de terre dorent comme pour les pommes pont-neuf (voir page 693).

pommes de terre à la landaise

Faire revenir dans de la graisse d'oie 100 g d'oignons et 150 g de jambon de Bayonne coupé en dés de 2 cm de côté. Lorsqu'ils sont bien rissolés, ajouter dans la sauteuse 500 g de pommes de terre coupées en gros dés. Saler et poivrer. Cuire à couvert en remuant de temps en temps. Au dernier moment, ajouter 1 cuillerée d'ail et de persil finement hachés.

pommes de terre Macaire

POUR 4 PERSONNES – PRÉPARATION : 20 min – CUISSON : 1 h 45
Préchauffer le four à 210 °C. Laver 1 kg de pommes de terre calibrées type bintje, les envelopper individuellement dans une feuille d'aluminium et les cuire au four pendant 1h30 environ. Mettre à clarifier 80 g de beurre (voir page 225). Retirer les pommes de terre de leur enveloppe, les couper en deux et à l'aide d'une cuillère, prélever la pulpe. Avec une fourchette de table, écraser cette pulpe, l'assaisonner de sel fin, de poivre du moulin et de quelques râpures de noix de muscade. Incorporer 150 g de beurre frais en petits morceaux ainsi que 10 cl de crème épaisse. Dans une poêle ronde, chauffer le beurre clarifié. Étaler la préparation de pommes de terre et la façonner en galette. La colorer pendant 5 à 6 min de chaque côté, à feu moyen. Dresser sur plat rond plat. Découper en parts comme une tarte.

pommes de terre (ou purée) mousseline

Cuire des pommes de terre en robe des champs au four, les peler, puis passer la pulpe au tamis. Travailler cette purée sur le feu en y ajoutant 200 g de beurre par kilo de pulpe, puis 4 jaunes d'œuf. Saler, poudrer de poivre blanc et de muscade râpée. Hors du feu, ajouter 20 cl de crème fouettée.

pommes de terre à la paysanne

POUR 4 PERSONNES – PRÉPARATION : 30 min – CUISSON : 1 h
Éplucher, laver 1 kg de pommes de terre à chair ferme. Les émincer en rondelles de 3 à 4 mm d'épaisseur. Préchauffer le four à 200 °C. Nettoyer et ciseler 150 g d'oseille, puis la faire fondre dans un sautoir avec 30 g de beurre. Après évaporation de l'eau de constitution, ajouter 2 cuillerées à soupe de cerfeuil haché grossièrement, puis mélanger avec les trois quarts des pommes de terre. Poivrer. Beurrer une cocotte avec 40 g de beurre. Étaler les pommes de terre mélangées à l'oseille, puis disposer dessus en couronne le reste des pommes de terre, en les faisant légèrement se chevaucher. Mouiller à hauteur avec du bouillon de pot-au-feu ou du fond blanc de volaille. Porter à ébullition, vérifier l'assaisonnement mais ne pas trop saler. Couvrir la cocotte et mettre à cuire dans le four pendant 50 min environ. Servir dans la cocotte de cuisson.

pommes de terre rattes grillées aux escargots de Bourgogne, suc de vin rouge et crème persillée ▶ ESCARGOT

RECETTE DU RESTAURANT *LA CRÉMAILLÈRE*, À BRIVE-LA-GAILLARDE

pommes de terre à la sarladaise

« Éplucher et laver 1,5 kg de pommes de terre BF 15, les couper en deux dans la longueur, puis chaque moitié en quartiers. Chauffer dans une cocotte 2 cuillerées à soupe de graisse d'oie, jusqu'à ce qu'elle prenne une belle couleur noisette. Y verser les pommes de terre, sur feu vif. Remuer souvent. Enlever l'excès de graisse. Saler et poivrer. Écraser 4 gousses d'ail entières non épluchées et les ajouter aux pommes de terre, ainsi que, en saison, les queues de 2 cèpes frais, coupées en quartiers. Couvrir et cuire 40 min au four préchauffé à 200 °C. »

pommes de terre soufflées

Éplucher de grosses pommes de terre à pulpe très ferme, les laver, les éponger ; les tailler en tranches de 3 mm d'épaisseur ; les laver et les éponger à nouveau. Les cuire 8 min dans de l'huile chauffée à 150 °C ; les égoutter sur du papier absorbant et les laisser refroidir. Augmenter la température de l'huile à 175 °C et y plonger de nouveau les pommes de terre. Les laisser gonfler et dorer, puis les égoutter sur du papier absorbant. Les dresser dans le plat de service très chaud et les poudrer de sel fin.

purée de navet et de pomme de terre ▶ PURÉE
purée de pomme de terre ▶ PURÉE
rougets en écailles de pomme de terre ▶ ROUGET-BARBET
salade de pommes de terre et pieds de porc truffés ▶ SALADE
soufflé à la pomme de terre ▶ SOUFFLÉ
soupe aux poireaux et aux pommes de terre ▶ SOUPE
subrics de pommes de terre ▶ SUBRIC
tarte aux pommes de terre ▶ TARTE
vieilles aux pommes de terre ▶ VIEILLE

POMME DE TERRE-CÉLERI Rhizome de l'arracacia, de la famille des apiacées, originaire de Colombie. Charnue et féculente, la pomme de terre-céleri produit une farine alimentaire et se cuisine comme l'igname ou la patate douce.

POMPADOUR (JEANNE POISSON, MARQUISE DE) Favorite royale (Paris 1721 - Versailles 1764). Épouse du fermier général Le Normant d'Étiolles, elle devint, en 1745, la maîtresse de Louis XV, qui la fit marquise de Pompadour. Comme nombre de courtisans de l'époque, elle s'intéressait beaucoup à l'art culinaire. Certains apprêts qui portent son nom lui ont été dédiés de son vivant ou au XIXe siècle, mais d'autres semblent bien de sa création, comme les filets de sole aux truffes et aux champignons, les blancs de volaille en bellevue, les tendrons d'agneau « au soleil » (cuits dans un blond de veau avec de fines escalopes et des truffes). Charles Monselet lui attribue également une sauce pour asperges, au beurre et aux jaunes d'œuf, liée de farine de maïs et relevée de verjus.

En cuisine classique, « Pompadour » est en outre le nom d'un apprêt de noisettes d'agneau ou de tournedos sautés et nappés de sauce Choron, puis entourés en cordon du déglaçage à la sauce Périgueux et garnis de fonds d'artichaut, remplis de pommes noisettes légèrement rissolées. Quant au potage Pompadour, c'est une crème de tomate garnie de perles Japon et d'une julienne de laitue.

Enfin, le salpicon Pompadour (généralement foie gras en dés, langue écarlate, champignons et truffe, liés de sauce au madère) sert à garnir timbales, bouchées, rissoles, etc.
▶ Recette : RISSOLE.

POMPE Pâtisserie sucrée ou salée, populaire dans plusieurs régions d'Auvergne, du Lyonnais et de la Provence. Il s'agit généralement d'une tourte, d'un pâté ou d'une brioche, diversement garnis. En Provence, la pompe à l'huile fait partie des treize desserts de Noël ; cette grosse galette de pâte levée, à l'huile d'olive, est parfumée à l'eau de fleur d'oranger ou au zeste de citron, parfois agrémentée de safran.

pompes de Noël

Mettre 1 kg de farine dans une grande terrine. Ajouter 250 g de levain de pâte à pain coupé en morceaux, 250 g de cassonade, 1 cuillerée à café de sel, 1/2 verre d'huile d'olive et 3 ou 4 œufs entiers. Bien mélanger. Ajouter les zestes râpés de 1 orange et de 1 citron. Travailler la pâte en la frappant sur la table. Lorsqu'elle est bien souple, la rouler en boule et la laisser lever 6 heures dans un endroit tiède, à l'abri des courants d'air. La malaxer à nouveau, puis la diviser en 8 morceaux et façonner ceux-ci en couronnes. Disposer les pompes sur une tôle beurrée et les laisser lever encore 2 heures. Les cuire 25 min au four préchauffé à 230 °C. Les sortir, les humecter de fleur d'oranger et les laisser sécher 5 min à l'entrée du four ouvert.

PONCHON (RAOUL) Poète français (La Roche-sur-Yon 1848 - Paris 1937). Il est l'auteur de quelque cent cinquante mille vers sur le thème du boire et du manger, publiés dans des quotidiens et dont des extraits sont réunis dans *la Muse au cabaret*, 1920. Il proclamait néanmoins la supériorité de la bouteille sur la casserole (« Il faut manger pour boire et non pas boire pour manger »). Il fut élu académicien Goncourt en 1924.

PONT-L'ÉVÊQUE Fromage AOC, produit en Normandie et en Mayenne, de lait de vache cru ou pasteurisé (**voir** tableau des fromages français page 390). Il se présente en plusieurs formats : les petits, à section carrée ou rectangulaire, de 8,5 à 9,5 cm de côté pour 2,5 cm de haut, ou de 10,5 à 11,5 cm de long sur 5,2 à 5,7 cm de large ; les gros, carrés de 10,5 à 11,5 cm de côté et de 3 cm de haut ou de 19 à 21 cm de côté et de 3 à 3,5 cm de haut, pesant respectivement de 350 à 400 g et 1,6 kg. La croûte est de couleur jaune or, souple, avec des stries sur les deux faces. La pâte, de couleur crème, est de texture homogène, avec quelques petites ouvertures. Le fromage est enveloppé dans un papier sulfurisé ou présenté en boîte de bois. Affiné pendant 6 semaines, il a une saveur et un goût prononcés ; on dit qu'il doit « sentir le terroir et non le fumier ».

PONT-NEUF Se dit d'un apprêt de pommes de terre frites, taillées en bâtonnets deux fois plus épais que les allumettes (**voir** tableau des apprêts de pommes de terre page 691). Les pommes pont-neuf servent surtout de garniture aux petites pièces de bœuf grillées, et notamment au tournedos Henri IV.

▶ Recette : POMME DE TERRE.

PONT-NEUF (GÂTEAU) Petite pâtisserie parisienne faite d'une tartelette en feuilletage ou en pâte brisée, garnie d'un mélange de pâte à choux et de crème pâtissière parfumée au rhum ou additionnée de macarons pilés ; le dessus est garni de deux petites bandes de pâte disposées en croisillons. La crème pont-neuf, additionnée de raisins macérés au rhum, garnit les chaussons napolitains. L'appellation concerne aussi une variété de talmouse ornée de croisillons de pâte.

___

ponts-neufs

Préparer une pâte à foncer avec 200 g de farine, 1 pincée de sel, 25 g de sucre en poudre, 100 g de beurre ramolli et 1 œuf entier. La rouler en boule et la réserver dans le réfrigérateur. Confectionner une crème pâtissière avec 40 cl de lait, 4 œufs, 50 g de sucre, 1/2 gousse de vanille et 30 g de farine ; lui ajouter, en dernier lieu, 30 g de macarons finement écrasés ; la laisser refroidir. Préparer une pâte à choux avec 12,5 cl d'eau, 30 g de beurre, 1 pincée de sel, 65 g de farine, 3 œufs et 1 cuillerée à café de sucre ; la laisser refroidir. Abaisser la pâte sur 2 mm d'épaisseur, y découper 10 disques et foncer autant de moules à tartelette d'un diamètre légèrement inférieur. Réserver les chutes de pâte et les rouler en boule. Mélanger la pâte à choux avec la crème pâtissière et emplir les moules foncés. Dorer à l'œuf le dessus des tartelettes. Abaisser le reste de la pâte sur 1 mm et y couper 20 bandelettes de 2 mm de large ; les disposer en croix sur chaque gâteau. Cuire de 15 à 20 min au four préchauffé à 190 °C, puis laisser refroidir sur grille. Chauffer sur feu doux 100 g de gelée de groseille ; en napper deux quartiers opposés de chaque gâteau et poudrer les autres de sucre glace. Mettre au frais jusqu'au moment de servir.

POOLISH Pâte très liquide composée de farine et d'eau à parts égales et ensemencée de levure de boulangerie. La quantité de levure varie en fonction du temps de fermentation désiré. D'origine polonaise, la fermentation sur poolish a été introduite en France au XVIIIᵉ siècle. Elle facilite le travail de panification car elle augmente l'élasticité de la pâte. Les pains obtenus ont une saveur assez marquée et se conservent bien.

POP-CORN Grains de maïs soufflés, que l'on fait éclater avec de l'huile chauffée dans une poêle couverte et que l'on poudre éventuellement de sucre.

PORC Mammifère de la famille des suidés, élevé pour sa chair. Le mâle est appelé « verrat », la femelle « truie » et le jeune, selon son âge, « goret », « porcelet », « nourrain » ou « coureur » (**voir** COCHON, COCHON DE LAIT). Il devint le commensal de l'homme, vivant de ses déchets et résidus, d'où l'étiquette d'impureté attachée à la viande de porc par plusieurs religions. Depuis le Moyen Âge, l'abattage familial du porc, source de provisions abondantes, constitue traditionnellement une fête.

■ **Choix.** Autrefois, les porcs étaient hauts sur pattes, engraissés avec des pommes de terre ou des châtaignes, et abattus vers 10 ou 12 mois ; aujourd'hui, ils sont bas sur pattes et donnent un maximum de viande ; engraissés en 6 mois avec une alimentation à base de céréales, ils pèsent entre 100 et 110 kg. Certains porcs bénéficient d'un label rouge et d'une IGP.

Le porc est la viande la plus consommée dans le monde, y compris en France, où l'Ouest fournit les trois quarts de la production nationale.

Un porc de qualité se reconnaît à sa chair rose, assez ferme et sans excès d'humidité. Dans le Nord et l'Est, la viande presque blanche est la plus demandée ; ailleurs, on la préfère plus rose. En charcuterie, on privilégie une viande assez colorée dont la rétention d'eau est meilleure. En France, 66 % des carcasses de porcs sont transformés en plus de 400 produits charcutiers différents.

Les carcasses de porc sont classées à l'abattoir, en mesurant, au niveau du dos, l'épaisseur de graisse et le diamètre du muscle long dorsal. Une « équation » donne le taux de muscle des pièces (TMP), qui permet de prédire le rendement en viande de la carcasse.

La viande fraîche conserve son goût et son moelleux si elle est cuite à feu doux et consommée pas trop cuite. Elle se conserve demi-sel, salée ou fumée. Comme l'affirme un ancien dicton, « tout est bon dans le cochon ».

■ **Découpe et morceaux.** Une fois l'animal abattu, il est éviscéré (abats), étêté, puis coupé en deux ; sur chaque demi-carcasse, on retire la poitrine-hachage (dans la découpe parisienne) et, au niveau du jarret (jambonneau), la cuisse arrière (jambon) et l'épaule, que l'on traite séparément. C'est surtout le dos du porc (longe) qui est vendu comme viande fraîche.

Caractéristiques des principales dénominations de porcs

DÉNOMINATION	ÉLEVAGE	PROVENANCE	CARACTÉRISTIQUES D'ABATTAGE	FLAVEUR
cochon de lait	bâtiment	Europe, Chine	très jeune porc nourri au lait de truie, abattu avant 6 semaines et souvent désossé (4 kg pour 10 personnes), viande blanche.	tendre, dépend de la farce et de la cuisson
porc	bâtiment	Europe	âgé de 5 mois, carcasse de 85 kg, viande rosée	neutre
porc fermier*	courette	Europe	âgé de 6 mois, carcasse de 80 kg, viande rosée	légère
porc fermier élevé en plein air*	champ	Europe	âgé de 6 mois, carcasse de 80 kg, viande rosée	légère
porcelet	bâtiment ou liberté	Europe, Chine	sevré à 28 jours, puis post-sevrage de 6 semaines ou plus, carcasse de 6 à 14 kg, viande rosée	neutre

* Le porc fermier, dont l'alimentation est composée de 70 % de céréales au minimum, bénéficie d'un label rouge en France.

– L'échine est rôtie ou braisée ; plus moelleuse que le filet, elle s'apprête aussi en potée ; elle donne des tranches à griller ou à sauter, et des cubes pour brochettes.

– Le carré de côtes et le milieu de filet, désossés ou non, sont détaillés en succulents rôtis, mais aussi en côtelettes à griller ou à poêler ; ce sont des morceaux maigres et légèrement secs.

– La pointe de filet, moins sèche que le milieu, se cuisine en rôti.

– Le filet mignon fait partie du milieu du filet ; détaché, il constitue une « noisette » savoureuse et tendre.

– Les grillades, avec leurs fibres musculaires en éventail bien apparentes, sont des morceaux plats à griller, fermes et savoureux.

– Le jambon est parfois commercialisé frais ; on peut y tailler des tranches épaisses (rouelles), à griller, ou des morceaux pour brochettes. On le cuit aussi dans du bouillon, au four, ou on le fait braiser.

– La palette (épaule) se fait souvent braiser avec l'os ; hachée, elle constitue des farces fines pour pâtés ; on peut aussi la rôtir (non bardée) ou la traiter en ragoût ; enfin, elle agrémente souvent la potée ou la choucroute.

– Le travers comporte une partie des côtes ; il était jadis consommé en petit salé ; aujourd'hui, il se fait aussi griller (spare-ribs) ou « laquer » à la chinoise.

C'est sur le dessus de l'animal (dos et rein) que l'on prélève la bardière (peau et lard) pour faire des bardes et des lardons après avoir retiré la couenne.

■ **Cuisine et gastronomie.** Le porc a toujours été très apprécié. Le verrat comme la truie (ou coche) sont transformés en rillettes, rilles ou rillons. Il y a peu de races de porcs industriels, ils sont sélectionnés et donnent des viandes très standardisées. De nombreuses races anciennes sont encore produites en Europe pour des salaisons sèches de très haut de gamme (**voir** CHARCUTERIE).

Le porc s'accommode volontiers avec des fruits ou une purée de légumes. On le relève souvent de poivre vert, de moutarde, d'oignons rissolés, de sauce poivrade, d'ail, voire d'une sauce au roquefort. Les garnitures de légumes secs font de solides plats d'hiver, tandis que les herbes aromatiques (sauge, notamment) parfument rôtis et grillades. Le porc est aussi à la base de toutes les potées régionales.

carré de porc à l'alsacienne

Saler et poivrer un carré de porc et le faire rôtir dans le four préchauffé à 210 °C, en comptant 40 min par kilo et en le retournant à mi-cuisson. Préparer de la choucroute braisée, avec sa garniture de lard et de saucisses. Égoutter le carré, le placer au milieu de la choucroute et poursuivre la cuisson 15 min. Découper le lard en tranches régulières et séparer les côtes du carré. Les dresser sur la choucroute, avec les saucisses et des pommes de terre cuites à l'eau.

chair à saucisse ou farce fine de porc ▶ CHAIR À SAUCISSE

collet de porc aux fèves des marais

Faire tremper 1 kg de collet de porc fumé *(Judd)* 12 heures dans de l'eau fraîche, en changeant celle-ci deux ou trois fois si la viande paraît trop salée. Mettre le porc dans une cocotte et le couvrir d'eau froide. Porter à ébullition et écumer. Ajouter 1 poireau, 1 carotte, 1 oignon, 1 morceau de céleri, 1 feuille de laurier, 6 grains de poivre, 3 clous de girofle et 20 cl de rivaner. Cuire à couvert de 2 à 3 heures. Préparer dans une casserole un roux blanc avec 50 g de beurre et 2 cuillerées à soupe de farine. L'allonger avec du bouillon de la cocotte pour former une sauce. Cuire 1 kg de fèves avec quelques branches de sarriette. Servir le collet découpé en tranches, accompagné des fèves et de dés de pommes de terre cuites à l'eau.

côtes de porc Pilleverjus

Aplatir légèrement et parer 4 côtes de porc. Les saler et les poivrer ; les dorer des deux côtés au saindoux. Mettre dans le plat à sauter 4 cuillerées d'oignons finement hachés et à moitié cuits au beurre. Ajouter 1 bouquet garni, couvrir et laisser mijoter 30 min. Cuire au beurre un cœur de chou nouveau détaillé en julienne ; le mouiller de quelques cuillerées de crème bouillante et remuer. Dresser la julienne de chou dans un plat creux, disposer les côtes dessus et garnir éventuellement de pommes de terre cuites à l'eau. Déglacer le plat à sauter avec 1 cuillerée de vinaigre et 4 cuillerées de jus de viande, et en napper les côtes.

crépinettes de porc ▶ CRÉPINETTE

épaule de porc au cinq-épices

Écraser dans un mortier 2 gousses d'ail et 2 échalotes avec 1 cuillerée à dessert de sucre, autant de nuoc-mâm et de sauce soja, 1 cuillerée à café de cinq-épices et un peu de poivre noir. Dorer l'épaule de porc avec sa couenne, puis ajouter le mélange d'épices et 20 cl de fond blanc. Couvrir et cuire 40 min à feu moyen, en retournant la viande à mi-cuisson. Laisser réduire à découvert, rouler l'épaule dans sa cuisson, puis la retirer, la détailler en tranches ; dresser celles-ci sur un plat et arroser de la cuisson.

gelée luxembourgeoise de porcelet

La veille, cuire 3 ou 4 heures, dans 6 litres d'elbling, 1,5 kg de tête de porc, 1,5 kg de bœuf, 4 jarrets de porc, 6 pieds de porc, 500 g d'oreilles de porc, 2 poireaux, 4 carottes, 1 branche de céleri, un peu de persil, 8 clous de girofle, quelques graines de moutarde, du sel et du bouillon concentré. Sortir les viandes, les laisser refroidir et les détailler en morceaux. Réserver. Laisser le bouillon refroidir toute une nuit ; enlever le dépôt de graisse. Réchauffer le bouillon et le clarifier au travers d'une étamine. Le faire de nouveau bouillir avec la viande. Verser en terrine. Servir très frais.

gigue de porc fraîche aux pistaches

Faire mariner une gigue de porc (ou un jambon frais) 24 heures dans une marinade au bordeaux blanc ; faire tremper 750 g de pruneaux dans du bordeaux blanc tiède. Piquer la gigue d'ail et de pistaches décortiquées ; la mettre dans une braisière, ajouter 3 verres de marinade, couvrir et cuire 3 heures sur feu modéré. Ajouter les pruneaux égouttés, puis poursuivre la cuisson 45 min et servir très chaud.

oreilles de porc braisées ▶ OREILLE
oreilles de porc au gratin ▶ OREILLE
oreilles de porc pochées ▶ OREILLE

palette de porc aux haricots blancs

Dessaler à l'eau froide 1 palette de porc demi-sel en changeant l'eau une fois. L'égoutter, la piquer d'éclats d'ail et la mettre dans un faitout. La recouvrir largement d'eau froide, ajouter 1 bouquet garni et laisser mijoter 2 heures. Cuire des haricots blancs secs ou frais (ou des lentilles) ; 30 min avant la fin de leur cuisson, égoutter la viande et l'ajouter aux haricots. Rectifier l'assaisonnement et poursuivre la cuisson, doucement et à couvert.

pâté de foie de porc et de canard gras ▶ PÂTÉ
pâté de porc à la hongroise ▶ PÂTÉ

RECETTE DE JEAN FLEURY

petit salé aux lentilles

« Faire tremper 2 heures au moins dans de l'eau froide 500 g de travers de porc demi-sel, 1 tranche de jambonneau demi-sel, 400 g d'échine demi-sel et 200 g de poitrine entrelardée demi-sel. Rincer tous les morceaux, les mettre dans une grande quantité d'eau froide, porter à ébullition, bien écumer et laisser frémir 1 heure. Trier 500 g de lentilles vertes du Puy, les laver, les égoutter et les cuire 15 min à grande eau. Les égoutter de nouveau et les ajouter à la viande avec 1 gros oignon piqué de 2 clous de girofle, 2 carottes, 2 poireaux, 1 bouquet garni et quelques grains de poivre noir. Laisser mijoter 45 min, en écumant de temps en temps. Ajouter 1 saucisson à cuire et poursuivre la cuisson 40 min. Sortir les viandes et les réserver au chaud ; ôter le bouquet garni, égoutter les lentilles. Les mettre dans un grand plat et disposer par-dessus les viandes tranchées. »

pieds de porc : cuisson ▶ PIED

poitrine roulée salée

Choisir une poitrine de porc entrelardée pas trop grasse. La parer, la tailler en rectangle et la ciseler à l'intérieur. La frotter avec du sel mélangé d'ail haché, puis la parsemer de thym frais. La rouler sur elle-même et

DÉCOUPE DU PORC

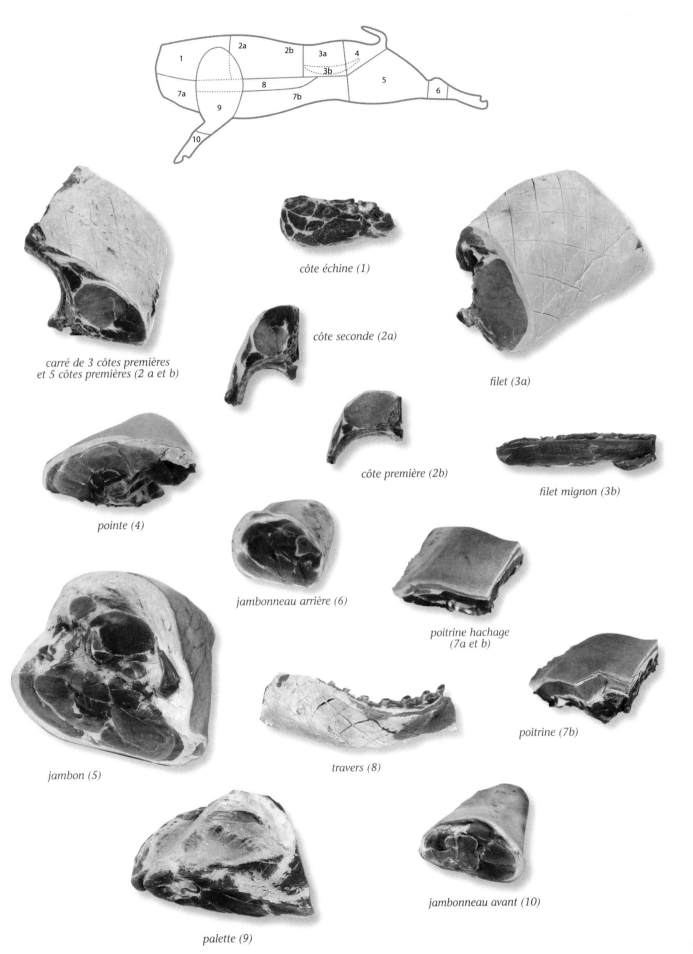

carré de 3 côtes premières
et 5 côtes premières (2 a et b)

côte échine (1)

côte seconde (2a)

filet (3a)

côte première (2b)

filet mignon (3b)

pointe (4)

jambonneau arrière (6)

poitrine hachage
(7a et b)

poitrine (7b)

jambon (5)

travers (8)

palette (9)

jambonneau avant (10)

la ficeler serré. Frotter l'extérieur, côté couenne, avec du sel fin, assez longtemps pour qu'il pénètre bien. Couper la poitrine en deux ou en trois, selon la grandeur du saloir.

RECETTE DE MIGUEL CASTRO E SILVA

porc aux pois chiches et aux cèpes
(cuisson sous vide)

POUR 4 PERSONNES

« Couper 1 kg d'échine de porc noir en 8 morceaux. Assaisonner avec de l'ail, 5 g de paprika et du sel. Mettre dans 4 sacs individuels de cuisson sous vide (sacs plastiques pouvant supporter une température allant de −30 °C à 100 °C). Chasser l'air des sacs et fermer à l'aide d'une machine à sous vide, ou soigneusement à la main en pressant la fermeture d'un bout à l'autre. Cuire pendant 12 heures à 78 °C. Retirer les morceaux de porc des sacs en les séparant du jus. Filtrer le jus afin de lui retirer l'excès de gras et faire réduire. Enfourner les morceaux de viande pendant 5 min au four à 200 °C afin qu'ils deviennent dorés et croquants. Faire revenir avec 1 cuillerée à soupe d'huile d'olive 80 g de cèpes et 40 g d'oignons émincés. Ajouter 600 g de pois chiches cuits et mélanger. Ajouter un peu de fond blanc et lier avec 2 cuillerées à soupe de pain rassis émietté. Dresser les pois chiches au fond d'un plat, présenter la viande et le jus à part. »

RECETTE DE HISAYUKI TAKEUCHI

porc sauté au gingembre

POUR 4 PERSONNES – PRÉPARATION : 30 min – CUISSON : 3 min

« Couper 500 g de côtes de porc en tranches le plus fines possible ; les réserver dans une assiette. Couper en julienne 150 g de chou blanc. Réserver. Couper 50 g de jeune gingembre frais et de brins de ciboule en bâtonnets. Réserver. Faire chauffer à vide une casserole ou un wok, puis y verser 1 cuillerée à soupe d'huile de tournesol. Y cuire le porc, le gingembre et la ciboule. Mélanger légèrement puis assaisonner de 2 cuillerées à soupe de sauce soja, 1 cuillerée à soupe de mirin, 1 cuillerée à soupe de saké et 1 cuillerée à café de sucre roux. Bien faire sauter, saler et poivrer. Quand le porc est cuit, le retirer du feu et le poser dans une grande assiette ronde, préalablement garnie de choux sur toute la surface. »

rillettes de Tours ▶ RILLETTES
rillons ▶ RILLONS

rôti de porc aux topinambours

Peler 750 g de topinambours, les parer en forme de grosses gousses et les blanchir 5 min. Les rafraîchir et les égoutter. Chauffer 20 g de saindoux dans une cocotte et y dorer un rôti de porc de 1 kg, puis rôtir au for à 200 °C ; 20 min après, ajouter les topinambours ; saler, poivrer et laisser cuire encore 30 min.

salade de pommes de terre et pieds de porc truffés ▶ SALADE
tartines de pieds de porc ▶ PIED

tête fromagée de Péribonka

Parer 1 tête de porc de 2 kg et la couper en quatre. Faire tremper les morceaux de 5 à 6 heures dans de l'eau salée avec 1 pied de porc de 750 g. Égoutter, blanchir, couvrir d'eau et porter à ébullition. Assaisonner avec du sel, du poivre, 1 clou de girofle et 1 feuille de laurier ; ajouter 350 g de carottes et 750 g d'oignons, coupés grossièrement. Laisser mijoter longuement. Défaire la viande et couper un peu de gras en dés. Remettre à bouillir 5 min avec le fond de cuisson. Laisser refroidir, en remuant de temps en temps. Verser dans des moules. Laisser 5 ou 6 heures dans le réfrigérateur avant de servir.

tête de porc mijotée Île-de-France ▶ TÊTE

PORCELAINE Céramique à pâte fine, compacte, souvent blanche, translucide, généralement recouverte d'un émail incolore et transparent. Ce matériau sert à réaliser les services de table, à thé et à café ; avec la porcelaine à feu, ou aluminite, on fabrique aussi des récipients de cuisson tels que des moules, des plats à gratin ou des ramequins.

La pâte à porcelaine contient essentiellement du kaolin, du feldspath et de l'eau ; elle subit deux cuissons et reçoit parfois un décor en émaux.

C'est en Chine, au Ier siècle de notre ère, que la véritable porcelaine dure fut mise au point. D'abord artisanale, la production se concentra, du XIVe au XVIIe siècle, dans des manufactures. Le Japon développa à son tour une production importante. Pendant longtemps, l'Europe s'efforça d'imiter les porcelaines orientales. À la fin du XVIe siècle, Florence produisit des pâtes à mi-chemin entre la pâte dure et la pâte tendre. Cette dernière est une production essentiellement française, qui débuta à Rouen et à Saint-Cloud à la fin du XVIIe siècle, alors que l'on n'avait pas encore découvert de kaolin en Europe. La porcelaine tendre française tire sa beauté particulière de son éclat velouté et de son aptitude à recevoir de riches décors polychromes.

En 1709, l'alchimiste d'Auguste Le Fort, prince électeur de Saxe, découvrit un gisement de kaolin et parvint à fabriquer la première porcelaine européenne. C'est alors que débuta la très riche production de la manufacture de Meissen (Saxe), imitée à Vienne, à Berlin, etc. En France, on découvrit du kaolin en 1776, à Saint-Yrieix, près de Limoges, qui devint le centre de fabrication de la porcelaine dure française.

PORÉE Purée ou potage plus ou moins épais de la cuisine médiévale. La porée se préparait avec des légumes verts, des épinards, des bettes, des poireaux, du cresson. Selon que l'on était en période de jours maigres ou de jours gras, ces feuilles étaient cuites dans de l'eau, dans du bouillon de viande ou dans du lait d'amande, et les cuisiniers étaient très attentifs à leur couleur.

PÖRKÖLT Plat hongrois, le plus typique parmi les quatre spécialités hongroises cuisinées au paprika. Fortement relevé d'oignon, le pörkölt se prépare souvent avec une viande plus grasse que pour le goulache, et coupée en morceaux plus gros. On cuisine ainsi surtout le porc, mais aussi le mouton, le gibier, l'oie, le canard, le veau, voire le poisson (carpe), et parfois même les écrevisses (au vin blanc).

PORRIDGE Bouillie de farine ou de flocons d'avoine, cuite à l'eau ou au lait, que l'on mange sucrée ou non, additionnée de lait froid ou chaud, ou de crème fraîche liquide. C'est une des bases traditionnelles du breakfast dans les pays anglo-saxons. Le porridge, qui a toujours été très populaire en Écosse, en Irlande et dans le pays de Galles, a ensuite gagné toute l'Angleterre, où on l'apprécie notamment arrosé de *golden syrup* (sirop de sucre de canne).

porridge

Porter à ébullition 1 litre d'eau avec 15 g de sel. Y jeter en pluie 250 g de flocons d'avoine et maintenir 15 min à léger frémissement, sans cesser de remuer à la spatule de bois. Pour servir, ajouter à chaque portion 3 cuillerées à soupe de lait, ou 1 grosse cuillerée de crème fraîche, et du sucre.

PORTEFEUILLE (EN) Se dit d'apprêts caractérisés par un dressage, un pliage ou un fourrage faisant apparaître les ingrédients disposés en couches superposées : côtes de veau fendues, fourrées et cuites en crépine ou panées ; gratin composé de pommes sautées à la lyonnaise, de viande émincée liée de sauce, puis de purée ; omelette pliée en trois.
▶ Recette : VEAU.

PORTE-MAILLOT Nom d'une garniture pour grosses pièces de boucherie braisées, composée de carottes, de navets, d'oignons et de haricots verts ; cette jardinière est parfois complétée de laitues braisées et de chou-fleur. (On dit aussi « maillot ».)
▶ Recette : BŒUF.

PORTO Vin muté le plus célèbre du monde, produit au Portugal, dans la vallée du haut Douro, et expédié de Porto, à l'embouchure du fleuve.

Le porto est muté par adjonction d'eau-de-vie, ce qui interrompt sa fermentation. Il est plus ou moins sucré selon le moment où intervient cette opération et selon les mélanges auxquels on procède par la suite. Il titre entre 19 et 22 % Vol.

Seuls les portos millésimés, ou « vintage », proviennent d'une seule vendange, d'une année exceptionnelle ; mis en bouteilles jeunes, après 2 ans de vieillissement en fûts, ils doivent passer une quinzaine d'années en cave pour acquérir leur plénitude. Parmi les autres portos issus d'une même récolte, on distingue les qualités suivantes : « late bottled vintage » ou LBV (4 ans de vieillissement en fût) et « colheita » ou « date de la récolte » (7 ans de vieillissement en fût), que l'on peut boire immédiatement.

Tous les autres portos sont des coupages et mûrissent en fûts de chêne. Les plus jeunes, dits « ruby », sont doux et fruités, d'une belle couleur rouge. Ceux qui ont passé des années dans le bois prennent une teinte brun doré : on les appelle « tawny » (basané) ; les uns comme les autres sont vendus pour être bus rapidement et ne gagnent rien à séjourner en bouteille. Le porto blanc, couleur topaze, provient des cépages blancs.

En principe, le porto se boit légèrement chambré, en digestif. Les portos les plus légers et les blancs peuvent néanmoins être servis en apéritif et consommés frappés. Le porto entre dans la composition de certains cocktails (**voir** COCKTAIL) dont le B & P (« brandy and porto »), très connu en Irlande, où il est associé à du cognac, ou le porto flip, un short drink onctueux qui contient un jaune d'œuf et du sirop de sucre.

En cuisine, le porto est associé à la volaille et au jambon.

▶ Recettes : CANARD SAUVAGE, FAISAN.

PORTUGAISE (À LA) Se dit de divers apprêts (œuf, poisson, rognon, petite pièce de boucherie, volaille) où dominent surtout les tomates, ainsi qu'à un potage-crème.

▶ Recette : SOLE.

PORTUGAL La cuisine portugaise se distingue par de subtiles combinaisons de goûts, l'emploi modéré d'épices fortes, mais de beaucoup de fines herbes et d'aromates. Quelques traits généraux ressortent : grande consommation de chou, de riz, de pomme de terre et de morue ; goût marqué pour les soupes ; nombreux apprêts de poissons et de fruits de mer ; charcuterie renommée ; desserts très sucrés, souvent à base d'œuf.

■ **Cuisines régionales.** Le Nord est réputé pour son caldo verde, tandis que la lamproie du Minho se cuisine au cari ; les multiples plats de riz s'accompagnent de lapin, de canard ou de perdrix, avec du jambon salé et du jus de citron. Les traditionnelles *açordas* (soupes de pain « sèches », c'est-à-dire de pain trempé d'un peu d'huile et aromatisé d'ail écrasé) sont garnies de légumes, de porc, de poulet, de poisson ; l'*açorda* de fruits de mer, à la coriandre et aux œufs pochés, est très réputée.

Porto, célèbre pour son vin, est aussi la capitale des tripes en ragoût (cuisinées avec des haricots blancs, du saucisson pimenté, des oignons et du poulet, et servies avec du riz). Sur le littoral, fruits de mer et poissons s'imposent : raie frite, dorade aux légumes, sardines et rougets grillés, coquillages en escabèche, seiches en ragoût. La *caldeirada*, sorte de bouillabaisse, en est la plus belle expression : celle d'Aveiro associe poissons d'eau douce et poissons de mer avec des palourdes, des moules et des carottes, le tout relevé de coriandre.

À Coimbra, la cuisine est consistante : le bifteck « à la portugaise » en est originaire (enduit d'une purée d'ail et de poivre, surmonté, au moment du service, de rondelles de citron et de jambon grillé, et accompagné de pommes de terre sautées). Plus typiques sont la *canja*, un consommé de volaille garni de citron et de menthe (parfois aussi d'amandes, de jambon et de rondelles d'oignon), et les pieds de porc salés, garnis de jeunes pousses de navet.

Mais le poisson national est la morue (bacalhau), qui connaît, dit-on, mille recettes différentes, mais se cuisine surtout de trois manières. Elle peut être préparée soit en croquettes frites (avec coriandre, menthe et

persil), servies coiffées d'œufs pochés ; soit pochée et effeuillée, garnie de moules cuites au vin et de tomates, puis mijotée au four dans la cuisson des moules ; ou pochée et cuite au four sur un lit de pommes de terre et d'oignons, garnie d'olives noires et d'œufs durs en quartiers.

■ **Associations surprenantes.** La cuisine portugaise associe parfois les ingrédients d'une façon étonnante, mais délicieuse : on apprécie ainsi le porc mariné servi avec des coquillages farcis de lardons ou la matelote de poulet à l'anguille, garnie d'écrevisses ; le caneton rôti s'accompagne de jambon et de chorizo, tandis que, dans la *cataplana* (poêle profonde munie d'un couvercle), mijotent piments rouges et oignons, jambon fumé et saucisses, palourdes et praires, tomates et persil.

À Lisbonne et dans le Sud, les fruits de mer sont toujours au menu, notamment le homard cuit au court-bouillon, servi avec une sauce à la tomate et au piment. Dans les *cervejarias* (petites brasseries), on trouve toutes sortes de coquillages et de mollusques fraîchement pêchés, moules et gros bouquets, buccins et calamars (grillés, avec des œufs brouillés). Dans l'extrême Sud, une cuisine délicate propose le foie de veau mariné au vin rouge et le *sarapatel* (ragoût d'agneau et de chevreau mélangés).

■ **Fromages.** On citera le castelo branco, fait avec tout lait et à pâte pressée, ainsi que le rabaçal, fait de lait de chèvre et/ou de brebis et coagulé à la présure animale, et le serpa, fromage de brebis coagulé à la sève de chardon. L'azeitão, le serra et l'evora sont de bons fromages de brebis, généralement frais.

■ **Goûts sucrés.** À Lisbonne, le café est roi, mais on apprécie aussi les limonades et les sirops (de capillaire, notamment), ainsi que l'anis au sucre candi. Dans les pâtisseries, l'œuf et le sucre dominent. Chaque ville a une ou plusieurs spécialités, la plus réputée restant le *pastéis de Belem* (banlieue de Lisbonne), ou *pastéis de nata*, composé d'un flan aromatisé de cannelle et de zeste de citron et saupoudré de sucre glace. On consomme aussi le *pudim flan*, crémeux, épais et riche en œufs ; le riz au lait, parfumé à la cannelle ; les coings caramélisés au four et les beignets arrosés de sirop ; partout, les massepains sont très appréciés. Le gâteau le plus original est sans doute la *lampreia de ovos*, faite de jaunes d'œuf cuits et moulés en forme de lamproie, décorée de fruits confits et dressée sur un lit de jaune d'œuf. Le Sud a pour spécialités des figues fourrées aux amandes et au chocolat, et un gâteau aux amandes, au citron et à la cannelle, le « lard céleste ».

■ **Vins.** Si les Portugais exportent une grande partie de leur porto, ils consomment en revanche la majorité de leurs vins. Le vin ordinaire, généralement rouge, est bon, corsé et peu coûteux. Les vins d'appellation sont régis par une réglementation (*denominaçao de origem*) très stricte, avec des contrôles de qualité rigoureux. Outre le célèbre porto, deux autres vins vinés ont droit à l'appellation d'origine : le madère, produit dans l'île du même nom, située à 850 km de Lisbonne, et le moscatel de Setúbal, un des meilleurs muscats d'Europe. Parmi les vins d'origine certifiée, le plus connu est le vinho verde du Nord, rouge, blanc ou beaucoup plus rarement rosé, plein de vivacité et légèrement pétillant. Le dão, récolté sur des vignes en terrasses, est la plupart du temps rouge et particulièrement suave. Autre vin rouge robuste, le colares vieillit longtemps en fût de bois, et le bucelas, vin blanc sec, assez léger, provient des environs de Lisbonne. Le Portugal produit également des mousseux et des rosés, ces derniers étant très appréciés des Anglais et des Américains.

POTAGE Mets liquide servi le plus souvent chaud dans des assiettes creuses, en début de repas, le soir essentiellement. En cuisine, on distingue deux grands groupes de potages, selon leur composition.
– Les potages « clairs » comprennent : les bouillons et consommés de viande, de volaille, de poissons ou de crustacés, parfois légèrement liés au tapioca ou à la fécule et souvent additionnés d'une garniture.
– Les potages « liés » (à la crème, au beurre, à l'arrow-root, à la crème de riz, au tapioca, au roux blanc, aux légumes ou au jaune d'œuf) rassemblent : les potages-purées (dont les grands classiques sont les potages Parmentier, Saint-Germain, soissonnais, Crécy et Ésaü, selon le légume de base), les coulis, ou bisques (**voir** ces mots) à base de crustacés, les crèmes, les veloutés, les consommés liés, les soupes (**voir** ces mots), souvent à caractère régional, et les potages taillés, c'est-à-dire non passés.

pannequets à potage ▶ PANNEQUET

POTAGES CLAIRS

potage au mouton (mutton broth)

Tailler en brunoise 1 carotte, 1 navet, 2 blancs de poireau, 1 branche de céleri et 1 oignon ; faire fondre ces légumes au beurre, puis verser 2 litres de consommé blanc. Ajouter 300 g de poitrine et de collier de mouton, puis 100 g d'orge blanchie. Couvrir et faire cuire doucement 1 h 30. Désosser la viande et la détailler en dés, puis remettre ceux-ci dans le potage pour les réchauffer. Au moment de servir, parsemer de persil ciselé.

potage oxtail

Mettre 1,5 kg d'os de veau très gélatineux dans un faitout, ajouter 4 litres d'eau et faire mijoter de 7 à 8 heures, puis passer le liquide. Éplucher et émincer 3 carottes, 2 poireaux et 2 oignons et les mettre dans une cocotte. Ajouter 1,5 kg de queue de bœuf détaillée en petits tronçons, couvrir et cuire 30 min au four préchauffé à 230 °C. Mouiller de 2,5 litres du fond de veau ; saler, poivrer et laisser doucement frémir de 3 à 4 heures. Passer le bouillon ; quand il est complètement refroidi, le dégraisser et le clarifier. Préparer 30 cl de brunoise étuvée au beurre (carotte, céleri et navet), ajouter 50 cl de bouillon et faire réduire complètement. Chauffer le bouillon et le verser dans des bols à consommé. Garnir chaque bol de tronçons de queue de bœuf, d'un peu de brunoise et d'une cuillerée de xérès.

POTAGES CLAIRS LIÉS

potage Germiny

Nettoyer, tailler en chiffonnade et faire fondre au beurre 300 g de feuilles d'oseille ; mixer. Mouiller de 1,5 litre de consommé de bœuf ou de volaille. Délayer 4 à 6 jaunes d'œuf avec 30 à 50 cl de crème fraîche. En lier le potage jusqu'à ce que le consommé nappe la spatule, sans laisser bouillir. Ajouter 1 cuillerée à soupe de pluches de cerfeuil et servir accompagné de rondelles de flûte séchées au four.

POTAGES-CRÈMES

potage à la citrouille de Saint-Jacques de Montcalm

Faire blondir dans 45 g de beurre 80 g de céleri-branche et 80 g d'oignons. Verser 20 g de farine en pluie et cuire quelques minutes en remuant sans arrêt. Ajouter 25 cl de fond blanc de volaille, 25 cl de lait et porter doucement à ébullition en remuant. Poudrer de 1 pincée de paprika et de 1 pointe de muscade, saler et poivrer. Incorporer 1 litre de purée de citrouille. Chauffer doucement, sans laisser bouillir. Ajouter 25 cl de crème fraîche et garder au chaud. Servir avec du bacon cuit émietté et quelques croûtons de pain frits.

potage froid de concombre

Peler 1 très gros concombre, l'épépiner et le détailler en dés. Éplucher une douzaine de petits oignons nouveaux et les couper en quatre. Hacher ces légumes. Passer ce hachis dans un mixeur avec le même volume de fromage blanc maigre, du sel et du poivre : la purée obtenue doit être bien relevée. Mettre dans le réfrigérateur. Avant de servir, allonger la purée d'eau glacée jusqu'à consistance d'un potage un peu épais. Parsemer de ciboulette ou de persil ciselé.

RECETTE DE PAUL HAEBERLIN

potage aux grenouilles

« Faire fondre au beurre 4 échalotes hachées. Ajouter 36 cuisses de grenouilles, mouiller avec 25 cl de riesling et 1 litre de fond de volaille. Saler, poivrer et laisser cuire 10 min. Sortir les cuisses de grenouille et les décortiquer. Dans une casserole, faire fondre un morceau de beurre, mettre 1 botte de cresson ciselé, laisser mijoter 5 min et mouiller avec la cuisson des grenouilles. Ajouter 1 cuillerée à soupe de beurre manié et laisser bouillir durant 15 min. Passer le tout au mixeur, puis au chinois. Lier 25 cl de crème et 3 jaunes d'œuf. Ajouter au potage en fouettant. Prendre soin de ne pas faire bouillir. Rectifier l'assaisonnement. Dans une soupière, mettre les cuisses de grenouilles, verser le potage et parsemer le dessus de 1 cuillerée à soupe de pluches de cerfeuil. »

potage des Grisons

Mettre à tremper 50 g d'orge perlé. Peler et couper en dés 2 carottes et 1 morceau de céleri-rave. Couper en rondelles 1 poireau entier. Faire revenir ces légumes dans une cocotte avec un morceau de beurre. Mouiller de 1 litre de bouillon. Dès que le liquide frémit, verser l'orge avec son eau de trempage. Piquer 1 oignon de 1 feuille de laurier et de 1 clou de girofle. Le mettre dans le potage avec 100 g de carré de porc fumé. Cuire 1 h 30 à feu doux. Détailler la viande en petits cubes et la remettre dans le potage. Au moment de servir, délayer 1 jaune d'œuf dans 10 cl de crème et lier le potage. Remuer vigoureusement hors du feu. Parsemer de ciboulette ciselée.

potage aux huîtres

Ouvrir 24 huîtres, les retirer de leur coquille, les mettre dans une sauteuse et verser dessus leur eau passée à travers une mousseline ; mouiller à hauteur de 20 cl de vin blanc. Chauffer et retirer du feu dès les premiers frémissements ; écumer ; ajouter 20 cl de crème, 3 cuillerées de crackers écrasés et 100 g de beurre divisé en petits fragments. Saler et poivrer, relever d'une pointe de piment de Cayenne, mélanger. Servir en soupière.

POTAGES-PURÉES

potage bonne femme ▶ BONNE FEMME

potage Condé

Cuire des haricots rouges en les salant très peu et les réduire en fine purée. Ajouter suffisamment de fond blanc de volaille pour obtenir un potage fluide. Lier de beurre frais et servir brûlant, avec éventuellement des petits croûtons frits au beurre clarifié ou à l'huile.

potage Crécy

Gratter 500 g de carottes très tendres, les couper en fines rondelles et les faire fondre avec 50 g de beurre. Ajouter 2 cuillerées à soupe rases d'oignon émincé, 1 pincée de sel et 1/2 cuillerée à café de sucre. Mouiller de 1 litre de consommé de bœuf ou de volaille, porter à ébullition et ajouter 100 g de riz. Laisser mijoter 20 min à couvert. Passer au moulin à légumes, puis au tamis ou à l'étamine. Ajouter quelques cuillerées de consommé. Chauffer et ajouter 30 g de beurre. Servir avec des croûtons frits au beurre clarifié.

potage Du Barry

Cuire 1 chou-fleur à l'eau bouillante salée, le passer au mixeur. Lui ajouter le quart de son poids de purée de pomme de terre. Délayer le mélange avec du consommé ou du lait jusqu'à consistance onctueuse. Ajouter 20 cl de crème fraîche et éventuellement un peu de beurre, rectifier l'assaisonnement et parsemer de pluches de cerfeuil.

potage Longchamp

Tailler de l'oseille en fine chiffonnade et la faire étuver au beurre à couvert. En mettre 3 cuillerées à soupe dans 1 litre de purée de pois frais. Ajouter 50 cl de consommé au vermicelle et bien mélanger. Réchauffer et parsemer de pluches de cerfeuil.

potage-purée de céleri

Effiler 500 g de côtes de céleri-branche ; les émincer et les faire étuver avec 50 g de beurre. Réduire le céleri en purée, le verser dans une casserole, ajouter 1,75 litre de fond blanc de volaille et 250 g de pommes de terre farineuses coupées en quartiers. Porter à ébullition et cuire 30 min. Passer au presse-purée, puis délayer avec du fond blanc de volaille pour obtenir la consistance désirée. Rectifier l'assaisonnement. Au moment de servir, incorporer 50 g de beurre en petits morceaux.

potage-purée soissonnais

Faire tremper 12 heures au moins à l'eau froide 350 g de haricots blancs secs. Les mettre dans une casserole avec 1,5 litre d'eau froide et porter à ébullition. Ajouter 1 oignon piqué de 2 clous de girofle, 1 carotte épluchée et coupée en dés, 1 bouquet garni et 75 g de poitrine de porc demi-sel blanchie, coupée en dés et rissolée au beurre. Couvrir, porter à ébullition et cuire jusqu'à ce que les haricots s'écrasent facilement. Retirer le bouquet garni et l'oignon ; passer au moulin à légumes en ajoutant la cuisson. Remettre la purée dans la casserole, allonger éventuellement de bouillon ou de consommé, rectifier l'assaisonnement et porter à ébullition. Ajouter, en fouettant, 50 g de beurre. Présenter en même temps des petits croûtons frits au beurre clarifié.

potage-purée de tomate

Peler 50 g d'oignons et les émincer. Les faire suer avec 30 g de beurre ; ajouter 750 g de tomates pelées, 1 gousse d'ail écrasée, 1 petit bouquet garni, du sel et du poivre. Faire mijoter 20 min, puis ajouter 100 g de riz et remuer. Mouiller avec 1,5 litre de fond blanc de volaille très chaud, mélanger, couvrir et cuire 20 min. Retirer le bouquet garni. Réduire le tout en purée dans un appareil électrique, puis remettre dans la casserole et ajouter en fouettant 50 g de beurre coupé en petits morceaux. Parsemer de persil ou de basilic ciselé. Servir avec des petits croûtons frottés à l'ail et frits à l'huile d'olive.

potage Saint-Germain

Mettre dans une casserole 750 g de petits pois frais écossés, 1 cœur de laitue, 12 oignons nouveaux, 1 bouquet garni enrichi de cerfeuil, 50 g de beurre, 9 g de sel et 1 cuillerée à soupe de sucre en poudre. Ajouter 1 tasse d'eau froide, porter à ébullition et laisser mijoter de 30 à 35 min. Retirer le bouquet garni et passer au tamis, puis au chinois. Délayer avec un peu de consommé ou d'eau chaude pour obtenir la consistance désirée et réchauffer. Ajouter 25 g de beurre en fouettant et parsemer de fines herbes ciselées.

potage Solferino

Émincer et faire étuver 15 min 100 g de blancs de poireau et 100 g de carottes avec 30 g de beurre. Lever avec une cuillère parisienne une vingtaine de boules dans de grosses pommes de terre, les plonger dans de l'eau bouillante salée et les faire cuire 15 min sans qu'elles se défassent. Les réserver. Peler 750 g de tomates, les épépiner et les concasser. Ajouter cette pulpe aux légumes étuvés, avec 1 bouquet garni et 1 gousse d'ail. Saler, poivrer et laisser mijoter 15 min à couvert, puis mouiller avec 1,5 litre de fond blanc de volaille ; ajouter 250 g de pommes de terre épluchées et coupées en morceaux. Cuire 30 min. Retirer le bouquet garni, puis passer les légumes et la cuisson au moulin. Allonger éventuellement avec un peu de bouillon, réchauffer, ajouter hors du feu en fouettant 60 à 80 g de beurre coupé en petits morceaux, puis les boules de pommes de terre. Au moment de servir, parsemer de pluches de cerfeuil.

POTAGE TAILLÉ

potage froid de betterave

Bien laver 1 kg de petites betteraves crues et les cuire doucement à l'eau salée ; ajouter le jus de 1 citron et laisser refroidir. Faire prendre 3 ou 4 blancs d'œuf au bain-marie, dans un petit récipient à fond plat. Laver et hacher quelques oignons nouveaux avec leur tige. Éplucher les betteraves froides et les couper en julienne fine. Détailler le blanc d'œuf ainsi que 2 cornichons à la russe en petits dés. Verser dans le bouillon de cuisson des betteraves la julienne, les dés de blanc d'œuf et de cornichon, les oignons hachés, 1 grosse pincée de sucre et de 15 à 20 cl de crème fraîche épaisse. Bien remuer et mettre dans le réfrigérateur. Parsemer de persil ciselé.

potage à la paysanne

Éplucher et couper en gros dés 200 g de carottes, 100 g de navets, 75 g de blanc de poireau, 1 oignon et 2 branches de céleri. Faire étuver ces légumes dans une cocotte, à couvert, avec 40 g de beurre. Mouiller de 1,5 litre d'eau et porter à ébullition. Blanchir 100 g de chou taillé en petits cubes, le rafraîchir, l'égoutter et l'ajouter dans la cocotte. Laisser mijoter 1 heure, puis ajouter 100 g de pommes de terre taillées en dés et 1 tasse de petits pois frais. Poursuivre la cuisson 25 min. Sécher du pain au four. Au moment de servir, ajouter 30 g de beurre, parsemer de cerfeuil ciselé et présenter avec le pain séché.

POTASSIUM Élément minéral qui joue un rôle indispensable dans le métabolisme des cellules de l'organisme, dans leur hydratation (à égalité avec le sodium), dans le maintien de l'automatisme cardiaque, dans la contraction musculaire, dans l'assimilation des glucides et dans la synthèse protéique. Très répandu dans les aliments d'origine végétale, le potassium est abondant dans les fruits frais, les fruits oléagineux, les légumes secs, les céréales complètes ainsi que dans le chocolat. Les apports en potassium doivent parfois être limités (en cas d'insuffisance rénale, par exemple).

POT-AU-FEU Apprêt spécifiquement français, qui fournit à la fois un potage (le bouillon), de la viande bouillie (de bœuf surtout) et des légumes (raves et feuilles). Ses variantes sont aussi nombreuses que celles de la potée, du potage ou de la poule au pot, mets qui sont tous préparés dans un vaste « pot », où les ingrédients cuisent longuement ensemble dans de l'eau avec des aromates. Pour réussir un pot-au-feu, il faut plusieurs viandes de textures et de goûts différents : morceaux maigres (macreuse, bavette maigre, griffe), morceaux plus gras (plat de côtes, poitrine, tendron, flanchet) et morceaux gélatineux (jumeau, gîte, queue) ; d'épaisses tranches de jarret fourniront l'os à moelle.

■ **Préparation.** Si l'on veut privilégier la saveur et la limpidité du bouillon, on met les viandes dans l'eau froide, on porte à ébullition, puis on écume dès les premiers frémissements : le bouillon est clair et savoureux, mais la viande est plus fade. En revanche, quand on souhaite que celle-ci garde son goût, il vaut mieux la mettre dans l'eau bouillante : les sucs restent ainsi dans la viande et ne se mêlent pas au bouillon. Un pot-au-feu cuit la veille est plus savoureux.

Les légumes sont classiquement des carottes, des navets, du panais, de l'oignon, souvent clouté de girofle, des poireaux et du céleri-branche, sans oublier aromates et bouquet garni. Les pommes de terre, qui ne sont d'ailleurs pas indispensables dans les recettes les plus classiques, sont cuites à part.

Un pot-au-feu bien garni constitue un repas à lui seul. On sert d'abord le bouillon dégraissé, avec des croûtons grillés et parfois du fromage râpé, puis la moelle, sur des toasts, enfin, les viandes tranchées, entourées de leurs légumes, avec du gros sel marin, du poivre du moulin, des cornichons, du raifort râpé, des moutardes diversement aromatisées, des pickles, des petites betteraves et des oignons marinés au vinaigre, voire de la gelée de groseille, comme il est de tradition dans l'Est.

Les restes de la viande de pot-au-feu connaissent divers emplois froids ou chauds : salade de bœuf aux cornichons, aux pommes à l'huile ou à l'échalote ; miroton, ou « bouilli », saucé et gratiné ; boulettes, coquilles, croquettes, fricadelles, hachis Parmentier, etc.

clarification du bouillon de pot-au-feu ▶ CLARIFIER

pot-au-feu

Verser 3 litres d'eau froide dans une grande casserole. Y mettre 800 g de plat de côtes, porter lentement à ébullition, en 10 min, au moins, et cuire ensuite 1 heure. Éplucher 1 oignon et le piquer de 4 clous de girofle. Écraser grossièrement 4 gousses d'ail pelées. Mettre ces aromates dans la marmite avec 800 g de gîte et 800 g de macreuse, 1 bouquet garni, 8 à 10 grains de poivre et 1 cuillerée à soupe de gros sel. Porter de nouveau à ébullition, écumer, puis baisser le feu et laisser mijoter 2 heures. Peler et laver 6 carottes, 6 navets et 3 panais. Nettoyer les blancs de 4 poireaux et 3 branches de céleri, et les tronçonner. Après 3 heures de cuisson de la viande, ajouter le céleri, les poireaux 10 min plus tard et enfin les carottes, navets et panais. Poursuivre la cuisson 1 heure. Pocher à l'eau légèrement salée 4 tronçons d'os à moelle 20 min avant la fin de la cuisson. Égoutter les viandes et les disposer dans un grand plat creux avec les légumes. Ajouter les os à moelle. Dégraisser le bouillon et le filtrer au-dessus d'une soupière. Arroser le plat de 2 cuillerées à soupe de ce liquide. Servir avec gros sel, cornichons, moutardes et pain grillé pour la moelle.

703

POTÉE Apprêt cuit dans un pot de terre. Le mot désigne plus particulièrement un mélange de viandes (où domine le porc) et de légumes (raves et herbes, mais surtout chou et pommes de terre), cuits au bouillon et servis en plat unique.

La potée est un mets très ancien, populaire dans toutes les campagnes françaises, parfois sous diverses autres appellations (garbure, hochepot, oille, etc.), et dont on trouve l'équivalent dans pratiquement tous les pays du monde. Chaque province possède « sa » recette.
• POTÉE ALBIGEOISE. Gîte de bœuf, jarret de veau, jambon cru fumé, confit d'oie, saucisson à cuire, carottes, navets, céleri-branche, blancs de poireau, chou blanc, haricots blancs.
• POTÉE ALSACIENNE. Lard fumé, chou blanc, céleri-branche, carottes, haricots blancs, les légumes étant étuvés à la graisse d'oie avant d'être mouillés.
• POTÉE ARLÉSIENNE. Tête de porc, lard de poitrine demi-sel, poitrine de mouton, andouille, carottes, chou vert, navets, céleri-branche, haricots blancs, pommes de terre.
• POTÉE AUVERGNATE. Porc frais ou salé, petit salé, saucisses, demi-tête de porc, chou, carottes, navets.
• POTÉE BERRICHONNE. Jambonneau et saucisses, haricots rouges cuits au vin rouge.
• POTÉE BOURGUIGNONNE. Lard de poitrine, palette de porc, jarret de porc, chou pommé, carottes, navets, poireaux, pommes de terre, au printemps haricots verts et petits pois.
• POTÉE BRETONNE. Épaule d'agneau, canard, saucisses, légumes ; on prépare aussi en Bretagne une « potée de congre ».
• POTÉE CHAMPENOISE. Lard salé mi-gras, mi-maigre, porc salé, chou, carottes, navets, raves, pommes de terre, parfois saucisses ou jambon fumé, voire poule ; cette potée est dite aussi « des vendangeurs ».
• POTÉE FRANC-COMTOISE. Bœuf, lard, saucisse de Morteau, os de mouton, légumes.
• POTÉE LORRAINE. Lard maigre, filet ou palette de porc, queue de cochon, saucisson à cuire, chou vert, navets, carottes, poireaux, céleri-branche, pommes de terre, parfois lentilles.
• POTÉE MORVANDELLE. Jambon, saucisson et saucisses fumées, légumes divers.

potée lorraine

Faire dessaler une palette de porc à l'eau froide. Nettoyer 1 chou vert et le blanchir, puis le rafraîchir. Tapisser une marmite de couennes de lard dégraissées et y placer la palette de porc dessalée, 500 g de lard de poitrine frais, 1 queue de cochon crue, le chou entier, 6 carottes épluchées et fendues en deux, 6 navets épluchés, 3 poireaux (nettoyés, tronçonnés et ficelés en bottillons), 1 ou 2 branches de céleri effilées et 1 bouquet garni. Mouiller d'eau à hauteur, porter à ébullition, puis laisser mijoter 3 heures. Ajouter 45 min avant la fin de la cuisson 1 saucisson à cuire et quelques pommes de terre épluchées. Rectifier l'assaisonnement. Servir ensemble les viandes découpées et les légumes, et présenter le bouillon à part.

POTEL ET CHABOT Raison sociale d'un « traiteur à domicile » parisien, toujours en activité. La maison fut créée en 1820 par deux associés, qui rachetèrent le magasin de comestibles de Chevet. Installés à l'origine rue Vivienne, transférés aujourd'hui rue de Chaillot, ils furent les fournisseurs attitrés du gouvernement. Ils assurèrent notamment le service du lunch du baptême du prince impérial en 1856 et l'organisation du célèbre banquet des maires de France, donné dans les jardins des Tuileries en 1900 par le président Loubet.

POTERIE À FEU Céramique destinée à la cuisson faite d'une pâte d'argile et de sable, additionnée de craie et de chamotte (terre déjà cuite et broyée), façonnée au tour, séchée et cuite à température élevée.

POTIMARRON Cucurbitacée, au goût de châtaigne et à la consistance de potiron (d'où son nom), à l'écorce rouge orangé et en forme de poire très ventrue. Le potimarron se cuisine en potages, purées, gratins, quiches et tartes, etc. Il peut aussi être farci.

RECETTE DE CHRISTOPHE QUANTIN

gâteau de potimarron, fraîcheur de haddock

POUR 4 PERSONNES – PRÉPARATION : 30 min – CUISSON : 50 min
« Éplucher et laver 700 g de potimarron, le couper en gros dés et cuire à la vapeur. Mixer la chair au cutter puis la passer au tamis. Incorporer 12,5 cl de crème liquide, 2 œufs entiers et 1 jaune d'œuf. Assaisonner. Beurrer 4 moules ou ramequins individuels et chemiser les fonds de papier sulfurisé beurré. Garnir les récipients. Cuire 50 min au four au bain-marie à 120 °C environ. Trier et laver 125 g de mesclun. Confectionner une vinaigrette avec 10 cl d'huile de pépins de raisins, 5 cl de vinaigre de noix, du sel fin et du poivre du moulin. Escaloper en fines lanières 120 g de haddock fumé. Vérifier la cuisson des gâteaux de potimarron. Les démouler au centre des assiettes. Assaisonner le mesclun de vinaigrette et le répartir autour des gâteaux. Parsemer le mesclun de lanières de haddock. Lustrer le dessus du gâteau et décorer d'une pluche de cerfeuil. »

POTIRON Plante potagère de la famille des cucurbitacées, ronde et côtelée, aplatie aux deux pôles, à la pulpe jaune ou orangée sous une écorce jaune, orange ou verte ; il en existe plusieurs variétés, dont une qui peut peser jusqu'à 100 kg. Le potiron – potiron vert d'Espagne, potiron rouge vif d'Étampes (très gros, à chair épaisse), potiron bronze de Montlhéry (côtelé, brun verdâtre), jaune gros de Paris, nicaise, etc. – se récolte d'octobre à décembre et se conserve tout l'hiver ; peu énergétique (31 Kcal ou 130 kJ pour 100 g), très riche en eau et en fibres, il contient du potassium et des vitamines (C et bêtacarotènes).
■ **Emplois.** On achète le potiron (de préférence petit) en tranches, qui doivent être bien juteuses et de teinte franche ; il se conserve alors peu de temps. La chair, débarrassée de ses graines et de ses filaments, se consomme cuite, généralement en soupe, en gratin ou en purée ; on en garnit aussi des tartes, notamment dans le Nord, où la tarte « à la citrouille », mélangée d'oignon, est aussi populaire qu'aux États-Unis.

En cuisine, le potiron est parfois appelé « citrouille », alors que la véritable citrouille (**voir** ce mot), jaunâtre parfois panaché de vert, est un aliment de bétail.

gâteau au potiron d'Halloween ▶ GÂTEAU
gratin de potiron à la provençale ▶ GRATIN

RECETTE D'ALAIN PASSARD

potiron sauté à cru aux épices

« Dans une poêle, faire fondre 40 min, avec 50 g de beurre salé et 1 cuillerée à soupe de miel liquide, 4 croissants de potiron frais de 200 g chacun, jusqu'à ce qu'ils soient blonds. En fin de cuisson, les parsemer de 1/4 de cuillerée à café de quatre-épices, 1/4 de cuillerée à café de curry, 1 zeste haché de mandarine non traitée, 1/2 cuillerée à soupe de menthe fraîche hachée, le jus de 1/2 citron vert et un peu de fleur de sel. Servir brûlant autour d'une volaille ou d'un ris de veau. »

soupe de potiron ▶ SOUPE
timbale de sandre aux écrevisses et mousseline de potiron ▶ TIMBALE

POTJEVLESCH Spécialité flamande, très réputée dans les environs de Dunkerque. C'est une terrine préparée avec trois viandes (veau, porc et lapin), auxquelles on ajoute parfois des pieds de veau.

RECETTE DE GHISLAINE ARABIAN

potjevlesch

« Parer et désosser 200 g d'échine de porc, 200 g de chair de lapin, 200 g de chair de poulet et 200 g de jarret de veau ; les détailler en morceaux de 5 x 2 cm. Éplucher et monder 5 grosses gousses d'ail. Détailler 1 branche de céleri en petits morceaux. Ajouter 3 branches de thym, 1/4 de feuille de laurier, 20 g de baies de genièvre et 75 cl de bière de garde. Dans un plat creux, disposer harmonieusement les morceaux de viande et les couvrir de cette marinade. Les laisser macérer

24 heures au frais. Faire bien ramollir 3 feuilles de gélatine dans de l'eau froide. Étaler dans une terrine moyenne 3 couches de viande en les séparant par 1 feuille de gélatine et en terminant par 1 feuille de gélatine. Arroser de la marinade passée au chinois. Fermer très hermétiquement la terrine en lutant le couvercle. Cuire 3 heures au four préchauffé à 150 °C. Laisser refroidir et reposer à température ambiante. Disposer sur chaque assiette une tranche de potjevlesch et la garnir de fines herbes. Accompagner d'une confiture d'oignon, d'un chutney de rhubarbe ou encore d'une salade d'herbes. »

POTTED CHAR Conserve de poisson réputée en Grande-Bretagne, où elle est servie notamment au breakfast. La chair de poisson (traditionnellement de l'ombre commun), cuite et réduite en purée avec des aromates, est mise en petits pots sous une couche de beurre clarifié ; le potted char se conserve très bien.

Les *potted shrimps* sont des crevettes grises revenues au beurre épicé de poivre et de muscade, mises en petits pots et recouvertes de beurre clarifié ; elles sont servies avec des toasts chauds.

POUCE-PIED Crustacé qui vit sur les rochers, fixé par un pédoncule long d'environ 5 cm, et dont le tégument ressemble à une peau de lézard. On en voit rarement sur les marchés, car il est difficile à pêcher.

Le pouce-pied se cuit 20 minutes au court-bouillon, mais seul le cylindre orangé constitué par l'ovaire est consommable ; il est très apprécié, accompagné d'une vinaigrette, en Bretagne, sur la côte basque et en Espagne.

POUILLY-FUISSÉ Vin AOC blanc, séveux et aromatique, produit dans quatre communes du Mâconnais à partir de cépage chardonnay (**voir** BOURGOGNE).

POUILLY-FUMÉ Vin AOC blanc du Val de Loire, ferme et aromatique, produit à Pouilly-sur-Loire avec le seul cépage sauvignon (**voir** LOIRE).

POUILLY-SUR-LOIRE Vin AOC blanc sec, élaboré principalement avec le cépage chasselas, produit en face de Sancerre, à Pouilly-sur-Loire, commune surtout réputée pour son pouilly-fumé.

POULAMON Petit poisson de la famille des gadidés, qui vit en mer mais qui, au Québec, remonte en hiver le cours du Saint-Laurent pour frayer. Ce moment est l'occasion de fêtes populaires, notamment à Sainte-Anne-de-la-Pérade : dès que la glace est prise, on érige des centaines de petites cabanes sur la rivière pour pêcher le poulamon, aussi appelé « petit poisson des chenaux ». Le poulamon s'apprête surtout en friture.

POULARD (ANNETTE BOUTIAUT, DITE « LA MÈRE ») Restauratrice (Nevers 1851 - Mont-Saint-Michel 1931). Femme de chambre d'Édouard Corroyer, architecte des Monuments historiques, elle accompagna son maître lorsqu'il fut chargé de la restauration de l'abbaye du Mont-Saint-Michel. Elle épousa alors Victor Poulard, le fils du boulanger local, et le couple prit en gérance l'hôtel-restaurant de *la Tête d'Or*. C'est « l'omelette de la mère Poulard », qu'elle proposait à toute heure, qui fit surtout sa réputation. On a souvent tenté de percer le secret de cette célèbre omelette : poêle à long manche placée sur un feu de bois très vif, qualité des œufs et du beurre, quantité de beurre, verre de crème dans les œufs, cuisson très vive et rapide, proportions de blancs en neige dans l'appareil.

POULARDE Jeune poule élevée en liberté (à raison de 10 m² par animal) et nourrie, après l'âge de 3 semaines, de maïs, de céréales et de produits laitiers (**voir** tableau des volailles et des lapins pages 905 et 906). Elle est abattue à partir de l'âge de 4 mois après une période de repos dans une cage en bois et à l'obscurité, ce qui bloque son entrée en ponte. Cette technique permet d'obtenir, à partir de races « lourdes » (Bresse, Le Mans), des sujets à chair tendre et bien blanche,

de goût très fin, avec une couverture de graisse importante qui lui donne sa saveur incomparable. Comme le chapon (coq castré), la « vraie » poularde est assez rare et on appelle, à tort, poularde un poulet, mâle ou femelle, pesant plus de 1,8 kg. Certains éleveurs bressans produisent toujours des poulardes selon la tradition et peuvent bénéficier d'une appellation d'origine contrôlée depuis 1957.

■ **Emplois.** En cuisine, la poularde est généralement rôtie, braisée, poêlée ou pochée, et non sautée ou grillée – ce qui ferait fondre toute sa graisse.

Produit de luxe, elle s'apprête souvent avec truffes et foie gras, et se sert chaude ou froide. C'est un produit festif de Noël, comme le chapon. On évite de trop la mouiller dans les braisés ; quand on la poche, c'est dans un fond blanc ou un bouillon aromatique. Le foie s'apprête parfois séparément ; le gésier, le cou, la tête et les pattes permettent de préparer un bouillon.

ballottine de poularde à brun ▶ BALLOTTINE
ballottine de poularde en chaud-froid ▶ BALLOTTINE
fricassée de volaille de Bresse de la Mère Blanc ▶ FRICASSÉE
gâteau de foies blonds de poularde de Bresse, sauce aux queues
d'écrevisse à la Lucien Tendret ▶ FOIE

RECETTE DE JEAN-PAUL JEUNET

gigot de poularde de Bresse au vin jaune et morilles

« La veille, faire tremper 100 g de morilles sèches dans l'eau tiède. Le lendemain, les laver 6 fois à l'eau courante. Les mettre dans de l'eau bouillante salée et les cuire 15 min à petits bouillons. Bien les égoutter et réserver. Faire fondre 1 cuillerée à soupe d'échalote ciselée dans 25 g de beurre, ajouter les morilles égouttées, mouiller avec 5 cl de vin jaune et 10 cl de crème épaisse, et cuire jusqu'à réduction du liquide. Réserver. Découper les cuisses, les ailes et les blancs d'une poularde de Bresse de 1,4 à 1,8 kg. Désosser les morceaux et les assaisonner de sel fin et de poivre. Préparer une farce mousseline en passant au mixeur les blancs de volaille, 1 blanc d'œuf, du sel, du poivre du moulin et 10 cl de crème épaisse. Le mélange doit être lisse et froid une fois mixé. Terminer en ajoutant 1 cuillerée à soupe de morilles prélevées dans la garniture. Donner quelques tours de lame pour bien homogénéiser et réserver au froid 30 min. Farcir ensuite les 4 morceaux découpés et désossés de la poularde, les ficeler et les réserver au frais. Dans une sauteuse, faire chauffer 5 cl d'huile et 50 g de beurre. Y faire revenir à feu doux les 4 morceaux de volaille en les colorant légèrement. Continuer la cuisson à couvert au four à 160 °C pendant 15 min. Sortir la sauteuse du four. Déglacer avec 20 cl de vin jaune, ajouter 60 cl de crème, 40 cl de bouillon de poule en cubes et laisser réduire à feu très doux, sans couvrir, pendant 15 min. Décanter les cuisses et les ailes de poularde, enlever la ficelle et les réserver au chaud. Réduire la sauce si nécessaire jusqu'à consistance voulue. À l'aide d'un robot, émulsionner et ajouter les morilles. Servir entier en cocotte ou tranché sur une assiette, nappé de la sauce et des morilles. Accompagner de riz basmati précuit, réchauffé dans un beurre aux herbes. »

poularde Albufera

Cuire à moitié du riz dans un fond blanc, y ajouter un salpicon de truffe et de foie gras. En farcir une poularde et la faire pocher dans le fond blanc. La dresser sur un plat, entourée d'une garniture d'Albufera (langue écarlate, ris de veau escalopé et sauté, et champignons). Napper de sauce Albufera (**voir** page 780).

poularde au blanc (dite « *poule au blanc* »)

Pocher une poularde dans un fond blanc pendant 1 h 15 à 1 h 45 : les membres doivent pouvoir se détacher à la main. Faire réduire un bol de la cuisson. L'ajouter au même volume de sauce allemande. En napper la poularde et la servir brûlante avec du riz à l'indienne et des carottes cuites au bouillon.

poularde au céleri

Poêler une poularde 45 min au beurre dans une cocotte. Effiler des côtes de céleri, les tailler en grosse julienne, les blanchir 3 min, les rafraîchir et les égoutter. Mettre cette julienne dans la cocotte et poursuivre la cuisson 15 min. Dresser la poularde dans un plat de service chaud, la napper de son jus de cuisson passé, l'entourer de la julienne de céleri ; parsemer celle-ci de persil ciselé.

poularde à la chantilly

Cuire du riz à blanc (il en faut un petit bol), y ajouter des pelures de truffe et des dés de foie gras. En farcir la poularde, coudre l'ouverture avec de la ficelle de cuisine et faire revenir la volaille en cocotte, au beurre, sans la laisser colorer. Saler, poivrer, couvrir et poursuivre la cuisson 1 heure. Faire étuver des truffes dans du porto et dorer au beurre des escalopes de foie gras. Égoutter la poularde, la dresser dans un plat de service et la tenir au chaud, entourée des truffes et du foie gras. Ajouter au jus de cuisson du velouté de volaille, faire réduire de moitié et incorporer quelques cuillerées de crème fouettée. Napper la poularde avec cette sauce.

poularde Clamart

Trousser une poularde et la cuire 60 min au beurre en cocotte dans le four préchauffé à 200 °C. Cuire à la française 1 litre de petits pois pendant 5 min. Les verser autour de la poularde, couvrir et terminer la cuisson au four.

poularde Demidof

Garnir une poularde d'un mélange composé d'un tiers de farce à quenelle et de deux tiers de farce à gratin. Préparer une matignon très épaisse avec 125 g de rouge de carotte, 50 g de céleri, 25 g d'oignon émincé, 1/2 feuille de laurier, 1 brindille de thym, 1 pincée de sel et 1 pincée de sucre. Faire fondre ces légumes au beurre, les mouiller de 10 cl de madère et réduire à sec. Mettre la poularde au four, la laisser dorer ; la masquer ensuite avec la matignon, puis l'envelopper de crépine de porc, la ficeler et la poêler. La dresser sur le plat de service, l'entourer de fonds d'artichaut étuvés au beurre, garnis d'une fondue de légumes.

poularde à l'estragon

Nettoyer une poularde et la garnir d'estragon. La brider en entrée, la frotter légèrement avec 1/2 citron et la barder finement sur la poitrine et le dos. La ficeler, la mettre dans une cocotte et la mouiller, juste à hauteur, d'un fond blanc additionné d'un petit bouquet d'estragon ; couvrir, porter à ébullition, puis pocher 1 heure. Égoutter la poularde, la débrider, retirer les bardes et l'estragon. La décorer de feuilles d'estragon blanchies et la dresser, au chaud, dans le plat de service. Lier le jus de cuisson avec un peu d'arrow-root ou de beurre manié ; passer et ajouter 2 cuillerées à soupe d'estragon frais ciselé. Verser un peu de cette sauce sur la poularde et servir le reste en saucière.

poularde en gelée au champagne

Saler et poivrer l'intérieur et l'extérieur d'une poularde de 1,750 kg et la dorer au beurre dans une cocotte. Ajouter une garniture aromatique de légumes coupée en petits dés et 1 bouquet garni. Couvrir la cocotte et la mettre 45 min dans le four préchauffé à 225 °C, en retournant la poularde pour qu'elle cuise de tous les côtés. Ôter le couvercle, ajouter 1/2 bouteille de champagne, mélanger et terminer la cuisson à découvert. Préparer de la gelée liquide avec de la poudre instantanée et le reste du champagne. Passer le jus de cuisson de la poularde et l'ajouter à la gelée. Laisser refroidir la volaille, puis la découper et disposer les morceaux dans le plat de service. Napper de gelée encore sirupeuse en laissant prendre dans le réfrigérateur entre deux applications.

poularde Nantua

Pocher une poularde dans un fond blanc. Préparer des barquettes cuites à blanc, un ragoût de queues d'écrevisse et du beurre d'écrevisse. Faire une sauce suprême avec le fond de cuisson et la monter au beurre d'écrevisse (1 cuillerée à soupe de beurre pour 25 cl de sauce). Garnir les barquettes de queues d'écrevisse. Dresser la poularde dans le plat de service, l'entourer des barquettes et la napper de sauce suprême au beurre d'écrevisse.

poularde à la parisienne

Retirer, en haut du bréchet, l'os en fourchette d'une poularde. Farcir celle-ci de 500 g de farce à la crème ou de farce fine, la brider en entrée et la faire pocher dans un fond blanc de veau. L'égoutter et la laisser refroidir. Lever les blancs de la poitrine. Extraire la farce de l'intérieur et la détailler en dés ; ajouter 400 g de mousse de volaille froide. Remettre cet appareil dans la poularde et bien l'arrondir pour reconstituer la poitrine de l'animal. Napper de sauce chaud-froid. Escaloper les blancs et les napper de sauce chaud-froid ; les décorer de truffe et de langue écarlate, puis les placer sur la poularde. Lustrer de gelée. Dresser sur un plat de service. Disposer de la macédoine de légumes additionnée de mayonnaise dans de petits moules à dariole ; mettre au froid, puis démouler pour décorer le plat de service, en mettant une lame de truffe sur chaque dariole. Garnir les intervalles de gelée hachée.

poularde au riz sauce suprême

Brider une poularde en entrée, puis la pocher 40 min dans un fond blanc. Blanchir 250 g de riz pendant 5 min, l'égoutter, le rafraîchir et l'égoutter à nouveau. Égoutter la poularde à demi cuite, passer le fond, puis remettre la volaille dans la cocotte ; verser le riz égoutté et mouiller avec le fond. Ajouter 30 g de beurre et poursuivre la cuisson doucement 20 min. Avec le reste de la cuisson, préparer une sauce suprême. Dresser la poularde dans un plat chaud, la napper d'un peu de sauce ; l'entourer de riz. Servir le reste de sauce à part, dans une saucière.

poularde Rossini

Cuire à blanc des tartelettes en pâte à foncer. Poêler une poularde de 1,8 kg et la dresser sur un plat de service chaud. Faire sauter au beurre 2 lames de truffe par convive. Déposer dans chaque croûte 1 escalope de foie gras et 2 lames de truffe. Napper la poularde de sa cuisson, déglacée au madère et à la demi-glace au fumet de truffe, et l'entourer des tartelettes garnies.

RECETTE DE FERNAND POINT

poularde en vessie Marius Vettard

« Flamber et vider soigneusement une poularde de Bresse de 1,7 à 1,8 kg ; la laisser tremper dans de l'eau glacée pendant 4 heures pour lui conserver toute sa blancheur. Faire également dégorger, durant le même temps, une vessie de porc. Piler le foie de la volaille avec 150 g de truffes fraîches, 250 g de foie gras et 1 œuf entier pour lier la farce ; saler, poivrer et ajouter une "tombée" de fine champagne. Remplir l'intérieur de la volaille avec cette farce et la brider. Introduire la volaille dans la vessie bien rincée et essorée, en la faisant basculer de façon que l'attache se trouve sur le dos. Ajouter 2 bonnes pincées de gros sel, 1 pincée de poivre, 1 verre de madère et 1 verre de fine champagne. Refermer la vessie par deux attaches fortement serrées et la piquer à deux hauteurs différentes une dizaine de fois, pour éviter l'éclatement. Laisser ensuite pocher la volaille dans un bon consommé frémissant, durant 1 h 30, et servir dans la vessie, avec des pommes de terre tournées, des carottes, des navets et des blancs de poireau (ou du riz pilaf). Ouvrir la vessie au dernier moment, en la fendant du côté du dos de la volaille. Le sommelier conseille un bourgogne léger. »

POULE Femelle de divers gallinacés, notamment du coq (**voir** tableau des volailles et des lapins pages 905 et 906 et planche page 904), mais aussi du faisan (poule faisane) ; « poule d'Inde » est l'ancien nom de la dinde, et « poule de Numidie », celui de la pintade. Le mot « poule » désigne couramment le poulet femelle conservé pour la ponte.

La poule est abattue entre 18 mois et 2 ans ; elle pèse alors de 2 à 3 kg. Sa chair assez ferme, un peu grasse, s'accommode le plus souvent d'un pochage dans le fond blanc, qui l'attendrit. La viande de poule « de réforme » est une bonne matière première pour la préparation de certains produits de charcuterie cuite, seule ou en mélange avec du porc.

consommé de poule faisane et panais ▶ PANAIS

*tourte de poule faisane, perdreau gris
et grouse au genièvre* ▶ TOURTE

POULE AU POT Pot-au-feu préparé avec une poule farcie et du bœuf. L'historien Jacques Bourgeat cite un texte de 1664 dans lequel Hardouin de Péréfixe, archevêque de Paris, relate une conversation entre Henri IV et le duc de Savoie, auquel le souverain aurait dit : « Si Dieu me prête encore la vie, je ferai qu'il n'y aura point de laboureur en mon royaume qui n'ait le moyen d'avoir le dimanche une poule dans son pot. »

poule au pot à la béarnaise

Préparer une farce avec 350 g de chair à saucisse fine, 200 g de jambon de Bayonne émincé, 200 g d'oignons hachés, 3 gousses d'ail écrasées, 1 petit bouquet de persil haché et 4 foies de volaille hachés. Saler, poivrer et bien travailler ces éléments pour obtenir une pâte homogène. En farcir une poule de 2 kg, recoudre soigneusement les ouvertures au cou et au croupion. Procéder ensuite comme pour la petite marmite (**voir** ce mot), avec la même garniture de légumes. Découper la poule en morceaux et la farce en tranches ; les servir avec les légumes.

POULE D'EAU Gibier aquatique au plumage noir, vivant près des rivières et des étangs. Autrefois, la poule d'eau avait pour principale qualité d'être considérée par l'Église catholique comme un aliment carné consommable pendant le carême. Sa chair assez sèche a une saveur médiocre, forte, à la fois mouillée et terreuse. Avant de la cuire, il faut l'écorcher et la flamber pour la déshuiler. Ensuite, on l'accommode comme le poulet chasseur, ou à la casserole, avec des lardons. Il en va de même de sa parente canadienne, la gallinule poule d'eau, dite « petite poule d'eau ».

POULET Jeune gallinacé d'élevage, mâle ou femelle, à la chair tendre, à la graisse blanche ou légèrement jaune selon l'alimentation ; cette dernière détermine la saveur de la volaille, abattue entre 6 et 13 semaines environ (**voir** tableau des volailles et des lapins pages 905 et 906 et planche page 904).

Le poulet fut introduit en Grèce par les Perses. Il connut une longue éclipse au Moyen Âge (où l'on mangeait surtout des poules, des poulardes et des chapons) et ne réapparut qu'au XVIe siècle. Il figure aujourd'hui dans les recettes du monde entier.

■ **Critères de qualité.** En France, les poulets proviennent de souches qui diffèrent selon l'objectif de la production et le type d'élevage (artisanal ou industriel).

– Les poulets quatre quarts, à croissance très rapide, abattus très jeunes (poulet export à 34 jours), pèsent 1 kg ; leur chair est molle, avec des os mous et rouges.

– Les poulets de grain, dits « de marque » (poulet standard de 40 jours, lourd de 44 jours, certifié de 59 jours), sont mieux conformés, avec une chair plus ferme, et pèsent de 1,2 kg à 1,8 kg.

– Les poulets d'appellation et label (poulet label rouge de 86 jours et « biologique » de 93 jours), élevés « au parcours » (en semi-liberté) et non « en parquets » (enfermés) comme les précédents ; bien formés, avec une chair tendre, ferme et savoureuse, ils peuvent atteindre 2 kg.

L'un des champions de la qualité en matière de volaille, et notamment de poulet, reste la Bresse. Pour avoir droit à l'appellation « poulet de Bresse » (sceau tricolore et bague avec numéro d'ordre), l'animal doit appartenir à la race bressane, caractérisée par une crête rouge bien développée chez le mâle, un plumage blanc et des pattes bleues.

Son élevage est strictement réglementé : à trente-cinq jours, le poulet est lâché en liberté sur une pâture où il dispose d'au moins dix mètres carrés ; il y reste 9 semaines, puis il est mis en cage pendant 8 à 15 jours, pour acquérir une chair bien blanche ; il est abattu à 16 semaines.

C'est essentiellement son âge, sa race et son alimentation qui font sa qualité : farine de céréales, maïs et produits laitiers, avec, en outre, les vers, les mollusques et les insectes qu'il trouve dans le sol.

Il existe aussi des poulets à label rouge (**voir** LABEL) : poulets blancs d'Auvergne et de Loué, poulet mayennais, poulets noirs de Challans, du Gers et de Sologne, poulet fermier d'Alsace et poulet des Landes (engraissé au maïs). Ces poulets, abattus à 12 ou 13 semaines, sont nourris avec 60 à 70 % de céréales, 25 % de protéines (soja, farine de luzerne) et un apport minéral ; le poulet « industriel » reçoit les mêmes aliments, mais dans des proportions différentes.

On trouve aujourd'hui de plus en plus souvent des poulets « effilés » (débarrassés des intestins, mais ayant conservé foie, gésier, cœur et poumons), ou « éviscérés » (sans les abats), ou « prêts à cuire » (totalement vidés, avec le cou tranché et les pattes coupées à l'articulation). La viande de poulet est très digeste ; peu grasse, elle fournit 120 Kcal ou 502 kJ pour 100 g.

■ **Choix.** Les principaux modes de cuisson du poulet sont la grillade (entier, en crapaudine ou en morceaux), la friture (morceaux panés), le pochage, le poêlage et, surtout, le rôtissage et le sauté.

Pour un rôtissage, il vaut mieux que le poulet ait un peu de graisse ; celle-ci fond à la chaleur et évite le dessèchement de la chair. S'il est cuit au four, on peut l'agrémenter de thym ou d'estragon, ou le farcir. Pour savoir s'il est à point, on le pique : le jus qui s'écoule doit être incolore. S'il est servi froid, on l'enveloppe, encore chaud, de papier d'aluminium, pour qu'il conserve moelleux et saveur.

Pour une cuisson en cocotte, le poulet doit être dodu et bien ferme, mais pas trop gras. Sa préparation peut alors être assez corsée : à la basquaise, à l'étouffée avec des champignons, en fricassée, en matelote, en ragoût avec des légumes, etc. Le poulet, comme la plupart des viandes blanches, s'associe très bien avec l'ananas, la banane, le citron, le coing et la mangue.

Pour une fricassée ou un sauté, deux poulets assez petits donnent davantage de morceaux « nobles ».

Pour un pochage, la volaille sera de préférence bien dodue, mais pas trop grasse ni trop jeune, car elle aurait alors tendance à réduire.

■ **Apprêts.** Les apprêts du poulet les plus variés sont les sautés, du plus simple au plus raffiné, mais on le prépare également en ballottine, en barbouille, à la bourgeoise, en capilotade, en chaud-froid, à la diable ou au sang ; on confectionne avec sa chair des côtelettes composées, des crépinettes, des cromesquis, des fritots, des mousses ou des pâtés ; enfin, avec ses abattis, on fait des bouillons ou des consommés, et, avec son foie, des brochettes, des garnitures de pilaf, des farces ou des terrines.

PAS À PAS ▶ *Découper une volaille à cru en quatre morceaux, cahier central p. VI*

poulet : préparation

Fendre la peau du cou sur toute la longueur, retirer la trachée et l'œsophage, en entraînant le jabot ; laisser le cou ou le sectionner à la base, sans couper la peau. Inciser le croupion et retirer l'intestin, le gésier, le foie, le cœur et les poumons. Enlever tout de suite le fiel du foie. Fendre le gésier du côté bombé et retirer la poche à grains. Passer le poulet à la flamme pour éliminer tous les duvets et les picots restants. Remettre ou non, selon le goût, les abats nettoyés à l'intérieur. Trancher l'extrémité des ailerons et replier à l'envers sous chaque aile le reste de l'aileron. Couper les pattes à la jointure du pilon. Rabattre le cou (s'il est entier) sous une aile ou rabattre la peau du cou sur la poitrine. Brider enfin le poulet.

cari de poulet ▶ CARI
chicken-pie ▶ PIE
jambalaya de poulet ▶ JAMBALAYA
maïs en soso aux abattis de poulet ▶ MAÏS

poulet en barbouille

Récupérer le sang d'un poulet et lui ajouter un peu de vinaigre pour l'empêcher de coaguler. Couper la volaille en quatre. Faire raidir les morceaux avec 5 cl d'huile d'arachide dans une cocotte, puis les égoutter. Dorer dans la même huile des lardons et des petits oignons épluchés, puis les égoutter. Nettoyer des champignons, les couper en quatre, les jeter dans la cocotte et les cuire à feu vif jusqu'à ce qu'ils ne rendent

plus d'eau de végétation. Ajouter les lardons et les oignons, parsemer de farine, remuer et mouiller avec 20 cl de vin rouge ; saler et poivrer. Porter à ébullition, puis baisser le feu et ajouter 1 gousse d'ail écrasée, 1 bouquet garni et les morceaux de poulet ; mouiller de suffisamment d'eau chaude pour que les morceaux de poulet soient recouverts. Couvrir la cocotte et cuire doucement 1 heure. Délayer le sang avec un peu de la sauce du poulet, le verser dans la cocotte et remuer pour lier la sauce. Rectifier l'assaisonnement et servir dans un plat creux.

poulet basquaise

POUR 4 PERSONNES – PRÉPARATION : 1 h – CUISSON : 1 h

Habiller un poulet de 1,2 kg et le découper en quarts. Éplucher 2 oignons moyens et les émincer. Éplucher, dégermer 2 gousses d'ail et les écraser. Monder 750 g de tomates, les épépiner et les concasser. Laver 2 poivrons verts et 2 poivrons rouges, supprimer le pédoncule, les couper en deux et éliminer les graines et les filaments blancs, les émincer en petits bâtonnets. Confectionner un bouquet garni. Dans une cocotte, faire chauffer 5 cl d'huile d'olive. Saler et poivrer les quarts de poulet et les faire rissoler sur toutes les faces pour obtenir une coloration uniforme. Couvrir la cocotte et cuire à feu doux. Après 15 min de cuisson, retirer les ailes et prolonger la cuisson des cuisses 5 min, puis les retirer et les réserver avec les ailes au chaud à couvert. Dans la cocotte, mettre les oignons et les faire suer 3 min. Ajouter les poivrons, l'ail et 200 g de petits dés de jambon de Bayonne, puis faire suer le tout 5 min. Ajouter les tomates concassées, le bouquet garni, le sel et le poivre (peu de sel car le jambon en contient déjà). Laisser cuire 20 min à couvert sur feu doux. Disposer les quarts de poulet dans cette garniture basquaise et prolonger la cuisson pendant 5 min. Retirer le bouquet garni et vérifier l'assaisonnement. Disposer les morceaux de poulet dans un plat creux et les napper avec la garniture. Saupoudrer de persil plat haché.

poulet à la bière

Découper un poulet de 1,250 kg et dorer les morceaux au beurre dans une cocotte, de tous les côtés. Ajouter 2 échalotes épluchées et hachées et faire blondir. Verser 5 cl de genièvre et flamber. Ajouter 40 cl de bière, 5 cl de crème fraîche, 1 bouquet garni, du sel et un peu de piment de Cayenne. Couvrir et laisser mijoter. Nettoyer et émincer 250 g de champignons et les ajouter dans la cocotte. Après 25 min de cuisson, égoutter les morceaux de volaille, les dresser sur un plat de service et les tenir au chaud. Retirer le bouquet garni, ajouter 5 cl de crème fraîche et faire réduire de moitié. Délayer 1 jaune d'œuf avec un peu de sauce, le verser dans le récipient et fouetter vivement. Verser la sauce sur le poulet et parsemer de persil ciselé.

poulet au citron

Découper un poulet en morceaux. Presser 2 citrons. Ajouter au jus du sel, du poivre et un soupçon de piment de Cayenne. Faire macérer 1 heure au moins les morceaux de volaille dans ce jus, puis les égoutter, les éponger et les dorer au beurre dans une cocotte. Réduire le feu, parsemer le poulet de thym émietté, couvrir et cuire doucement 30 min. Égoutter les morceaux de poulet et les tenir au chaud. Verser dans la cocotte leur jus de macération et 10 cl de crème fraîche épaisse. Bien remuer cette sauce et la chauffer, toujours en remuant, pour la faire épaissir ; en rectifier l'assaisonnement et en napper le poulet.

poulet créole à l'ananas et au rhum

Flamber un gros poulet ; saler et poivrer l'intérieur et l'extérieur. Le dorer dans une cocotte avec de la graisse de volaille et le poudrer d'une pincée de gingembre et de piment de Cayenne. Hacher 2 gros oignons et 1 échalote, et les faire fondre autour du poulet. Arroser celui-ci de 5 cl de rhum et flamber. Verser 3 cuillerées à soupe de sirop d'ananas et 1 cuillerée à soupe de jus de citron. Couvrir et cuire 25 min. Couper 6 tranches d'ananas en dés et les ajouter. Saler, poivrer et poursuivre la cuisson 10 min.

RECETTE DE ROGER VERGÉ

poulet en croûte de sel

« Mélanger dans une terrine 1 kg de farine, 500 g de gros sel et 50 cl d'eau froide. Pétrir ce mélange et l'étaler sur une planche.

Saler et poivrer l'intérieur d'un poulet, y glisser 1 branche de romarin, 1 feuille de laurier, son foie et 2 autres foies de poulets. Poser le poulet sur la pâte, l'enrober hermétiquement, l'enfourner, sur une plaque, à 180 °C et le faire cuire 1 h 30. Briser alors la croûte très dure, en sortir le poulet et le découper. Le servir tel quel, avec une salade à l'huile de noix. »

poulet farci à la vapeur, ragoût de brocolis

Éplucher 100 g de carottes, 100 g de navets. Les tailler en brunoise, en même temps que 100 g de courgettes avec leur peau, et les cuire à l'eau bouillante, séparément, en les tenant fermes. Les égoutter soigneusement. Braiser à brun 500 g de ris de veau et les couper en petits dés. Passer le fond de braisage et le faire réduire du quart. En verser 10 cl sur les ris de veau et la brunoise. Aplatir largement entre 2 feuilles de film alimentaire, à l'aide d'un couteau large et plat, 4 blancs de volaille. Les poivrer, déposer au centre un peu de ris de veau et de légumes, et les rouler sur eux-mêmes en petit cylindre. Les enrouler séparément dans du film alimentaire et les cuire 20 min à la vapeur. Cuire 600 g de brocolis quelques minutes à l'eau salée. Faire revenir dans 20 g de beurre 1 oignon ciselé, 150 g de poitrine de porc fumée coupée en lardons, puis les brocolis, saler, poivrer et réserver au chaud. Sortir de leur film les blancs et les couper en biais dans la longueur. Dresser au centre des assiettes 2 demi-blancs de volaille, napper du fond de braisage et disposer tout autour le ragoût de brocolis au lard fumé.

poulet frit Maryland

Découper à cru un poulet et plonger les morceaux dans du lait froid. Les égoutter, les fariner et les frire. Dès qu'ils sont dorés, les mettre dans un plat à rôtir et terminer la cuisson au four préchauffé à 140 °C. Mettre à bouillir la carcasse et les abattis, avec de l'ail et de l'oignon, dans un peu de bouillon et de lait. Laisser mijoter quelques minutes, puis passer la cuisson au tamis et la verser sur les morceaux de poulet frits. Garnir de tranches frites de bacon et de rondelles de banane frites, et servir avec des épis de maïs grillés.

poulet grillé à l'américaine sauce diable

Trousser un poulet en entrée ; le fendre par le dos le long de la colonne vertébrale et retirer celle-ci. Ôter le bréchet ainsi que la cage thoracique et aplatir la volaille. L'assaisonner de sel et de poivre, puis la graisser légèrement et quadriller les deux faces sur le gril, en commençant par le côté peau. Avec les os et les abattis, préparer un fond brun lié et tomaté. Faire réduire à sec un mélange d'échalote hachée, de poivre mignonnette, de vin blanc et de deux fois moins de vinaigre. Ajouter à cette réduction le fond brun et cuire 10 min, puis passer au chinois étamine. Placer le poulet dans une plaque à rôtir et le cuire de 20 à 25 min au four préchauffé à 200 °C. Le sortir et l'enduire de moutarde additionnée d'une pointe de piment de Cayenne, puis le saupoudrer de mie de pain. Arroser de beurre fondu et faire colorer 10 min au four. Hors du feu, monter la sauce au beurre. Au dernier moment, lui ajouter du cerfeuil et de l'estragon hachés. Servir avec des tranches de bacon, des tomates et des têtes de champignon, grillées, des pommes paille et un bouquet de cresson.

poulet grillé à la tyrolienne

Préparer en crapaudine un poulet de 1 kg ; le saler, le poivrer, le badigeonner d'huile aromatisée et le griller de 25 à 30 min. Peler 2 gros oignons, les couper en rondelles ; défaire celles-ci en anneaux, les fariner et les frire à l'huile à 180 °C. Couper en quartiers 4 tomates moyennes, les épépiner et les faire fondre dans 30 g de beurre. Dresser le poulet grillé sur un plat chaud, entouré des oignons et de la fondue de tomate salée, poivrée, et éventuellement agrémentée de persil.

poulet sauté Alexandra

POUR 4 PERSONNES – PRÉPARATION : 30 min – CUISSON : 40 min

Découper un poulet de 1,2 kg en 4 morceaux et les désosser. Les assaisonner de sel et poivre. Dans un sautoir faire chauffer 30 g de beurre, disposer les quarts de poulet côté peau en premier et les faire raidir sans coloration. Ajouter 2 gros oignons ciselés et les faire suer. Singer de 2 cuillerées à soupe de farine, bien mélanger et laisser cuire 3 min sans coloration. Mouiller avec 50 cl de fond blanc de volaille, mélanger et laisser cuire à feu doux et à couvert 20 min. Retirer les ailes après 15 min de cuisson. Laver et botteler 300 g de pointes d'asperges, puis

les cuire à l'eau bouillante salée, les égoutter. Décanter les quarts de poulet, faire réduire la cuisson jusqu'à ce qu'elle nappe le dos d'une cuillère, puis ajouter 10 cl de crème double. Porter à ébullition pendant 2 à 3 min puis vérifier l'assaisonnement. Passer cette sauce au chinois sur les quarts de poulet. Étuver les pointes d'asperges dans 30 g de beurre. Dresser les quarts de poulet dans un plat rond creux, disposer autour les bouquets de pointes d'asperges. Napper de sauce les quarts de poulet et disposer 1 lame de truffe sur chaque morceau.

poulet sauté archiduc

POUR 4 PERSONNES – PRÉPARATION : 30 min – CUISSON : 40 min

Découper un poulet de 1,2 kg en 4 morceaux et les désosser. Préchauffer le four à 160 °C. Assaisonner les morceaux de poulet de sel et de poivre. Dans un sautoir, faire chauffer 30 g de beurre, disposer les quarts de poulet côté peau en premier et les faire raidir sans coloration. Ajouter 2 gros oignons ciselés et les faire suer. Saupoudrer de 1 grosse cuillerée à soupe de paprika. Mélanger pour enrober les morceaux de poulet. Couvrir puis continuer la cuisson pendant 15 min au four, retirer les ailes et poursuivre la cuisson des cuisses encore 5 min. Débarrasser les morceaux de poulet et les maintenir au chaud. Dégraisser le sautoir, déglacer avec 10 cl de vin blanc sec, réduire de moitié puis ajouter 10 cl de fond blanc de volaille. Porter à ébullition puis ajouter 20 cl de crème double et faire réduire pour obtenir une sauce nappante. Vérifier l'assaisonnement, ajouter quelques gouttes de jus de citron. Passer cette sauce au chinois sur les quarts de poulet et servir très chaud. Des concombres tournés et étuvés au beurre accompagnent parfaitement cette recette.

poulet sauté à blanc

Découper un poulet à cru, en quatre s'il est petit, ou en séparant les membres et les morceaux de poitrine s'il est plus gros. Saler et poivrer les morceaux. Chauffer de 30 à 40 g de beurre dans un plat à sauter ou dans une cocotte et y mettre à raidir, sans coloration, les cuisses, plus longues à cuire, puis les ailes et les morceaux de poitrine, plus tendres. Couvrir et laisser mijoter 25 min. Faire couler le beurre de cuisson hors du récipient et déglacer avec du mouillement.

poulet sauté à la bohémienne

Poudrer de paprika un poulet moyen, le faire sauter à l'huile, à brun, dans une cocotte. Couper 4 beaux poivrons en grosse julienne. Peler 2 tomates et les couper en tranches épaisses. Éplucher 1 oignon, le couper en petits dés, puis blanchir ceux-ci. Hacher du fenouil (1 cuillerée à soupe rase). Après 20 min de cuisson, ajouter les légumes avec une pointe d'ail râpé. Déglacer la cocotte avec 10 cl de vin blanc ; mouiller de 5 cl de fond de veau lié ou de bouillon bien réduit ; ajouter enfin un filet de jus de citron. Napper le poulet de sa sauce et l'accompagner de riz à l'indienne.

poulet sauté à brun

Procéder comme pour la cuisson à blanc, mais en faisant colorer les morceaux sur tous les côtés, à feu vif. Terminer la cuisson à couvert, en retirant d'abord les ailes et les morceaux de poitrine. Dégraisser le plat, puis ajouter la sauce choisie, et réchauffer la volaille.

poulet sauté chasseur

Flamber, parer et vider 2 poulets de 1,2 kg chacun, puis découper chacun en 4 morceaux. Pour préparer un fond de volaille, concasser et rissoler au four les carcasses ; mouiller avec 80 cl d'eau et cuire à très faible ébullition pendant 30 min ; écumer, passer au chinois étamine et réserver au bain-marie. Saler, poivrer et fariner les morceaux de poulet. Les faire colorer de chaque côté dans un sautoir avec 80 g de beurre. Couvrir et cuire pendant 15 min au four. Débarrasser les morceaux de poulet. Éplucher, laver et émincer 250 g de champignons de Paris. Les faire sauter 1 ou 2 min dans la cocotte de cuisson du poulet. Dégraisser et ajouter 40 g d'échalote ciselée. Flamber avec 4 cl de cognac, déglacer avec 4 cl de vin blanc et laisser réduire. Ajouter le jus de volaille et laisser réduire. Vérifier l'onctuosité et l'assaisonnement, puis monter la sauce avec 20 g de beurre et ajouter les morceaux de poulet. Ajouter 1/4 de botte de cerfeuil et 1/4 de botte d'estragon lavés et hachés ; rectifier l'assaisonnement.

709

RECETTE DE JEAN DUCLOUX
poulet sauté aux gousses d'ail en chemise

« Couper en 8 morceaux un poulet de 1,5 kg. Faire chauffer dans un plat à sauter un bon morceau de beurre. Y mettre le poulet assaisonné de sel et de poivre et 6 gousses d'ail non épluchées. Faire colorer, couvert aux trois quarts, au four préchauffé à 250 °C. Disposer les morceaux dans un plat de service. Déglacer le jus de cuisson avec 10 cl de vin blanc et 2 cuillerées à soupe d'eau. Verser ce jus sur les morceaux, avec les gousses d'ail et du persil haché. »

poulet sauté aux huîtres

Faire sauter un poulet à blanc. Pocher 12 huîtres dans leur eau. Égoutter le poulet et le dresser dans un plat. Déglacer le récipient de cuisson avec 10 cl de vin blanc et l'eau des huîtres ; faire réduire de moitié et mouiller avec 10 cl de velouté de volaille. Ajouter un filet de citron, puis 40 g de beurre, en fouettant. Dresser les huîtres autour du poulet et napper de sauce.

RECETTE DE DA MATHILDE
poulet sauté aux plantains

« Dorer de tous les côtés un poulet dans une cocotte. Ajouter 1 gros oignon émincé, 5 tomates pelées et 250 g de petits lardons. Saler et poivrer. Laisser mijoter 1 heure en arrosant de temps en temps avec 1 cuillerée d'eau. Cuire 30 min 12 bananes plantains coupées en deux dans une casserole d'eau bouillante. Égoutter et mettre dans la cocotte. Poursuivre la cuisson 15 min. Servir très chaud. »

poulet sauté au vinaigre

Éplucher et couper en petits dés 2 carottes, 1 navet, 2 blancs de poireau, 1 branche de céleri ; piquer 1 gros oignon de 2 clous de girofle. Flamber les abattis d'un poulet ainsi que deux autres abattis. Les mettre tous dans une marmite avec 1 litre d'eau froide et porter à ébullition ; ajouter les légumes, 1 bouquet garni, 4 échalotes et 2 gousses d'ail épluchées, l'oignon clouté, 1 verre de vin blanc sec, du sel, du poivre, une petite pincée de piment de Cayenne ; laisser mijoter de 45 min à 1 heure. Chauffer 40 g de beurre dans une cocotte et y dorer 10 min le poulet coupé en 6 morceaux ; couvrir et cuire doucement 35 min. Faire réduire la cuisson des abattis de moitié au moins, la passer et y ajouter 1 verre de vinaigre. Faire réduire encore d'un tiers. Écraser en purée le foie du poulet. À la fin de la cuisson, verser la sauce au vinaigre dans la cocotte, bien remuer et cuire 5 min ; lier avec 1 cuillerée à café de beurre manié ; délayer la purée de foie avec 1 cuillerée de vinaigre et incorporer à la sauce, hors du feu. Servir brûlant.

RECETTE DE MICHEL GUÉRARD
poulet truffé au persil

« Flamber, vider et réserver à température un poulet de 1,6 à 1,8 kg ; la peau se décollera ainsi plus facilement de la chair. Blanchir 1 botte de persil plat et 1/2 botte d'estragon et les rafraîchir. Les mixer avec 70 g de beurre en pommade et 50 g de fromage blanc. Réserver. Tailler une petite brunoise de lardons crus dans 50 g de lard de poitrine. Tailler 50 g de champignons de Paris en brunoise. Ciseler 2 cuillerées à soupe d'échalote. Faire cuire dans un peu de beurre les échalotes ciselées et les champignons. Réserver. Après refroidissement, ajouter la brunoise de lardons crus, le jus de 1 citron, le beurre de persil et 1/4 de botte de ciboulette ciselée. En partant de la base du cou du poulet, préalablement sectionné au couteau tranchant, décoller entièrement, à la main, la peau de la volaille, en glissant délicatement les doigts entre la chair et la peau. Progresser avec précaution afin de ne pas déchirer la peau. Introduire à l'aide d'une poche à douille la farce de persil en la répartissant uniformément. Brider le poulet et le conserver au frais. Pour la sauce, faire revenir 1 échalote en rouelle dans 10 g de beurre. Déglacer avec 3 cl de vinaigre

de xérès. Réduire. Ajouter 5 cl de jus de poulet réduit puis 2 cuillerées à soupe de crème fraîche. Réduire et monter au beurre. Assaisonner. Cuire le poulet à la broche 50 min avant le service en le sauçant régulièrement. »

POULETTE (À LA) Se dit de divers mets accommodés d'une sauce dérivée de l'allemande par adjonction de jus de citron et de persil haché (qui accompagnait, à l'origine, une fricassée de poulet) ; ces mets sont souvent du poisson (anguille), des moules, des abats (pied de mouton, gras-double, cervelle), des escargots ou des champignons.
▶ Recettes : CHAMPIGNON DE PARIS, MOULE, PIED, SAUCE.

POULIGNY-SAINT-PIERRE Fromage AOC du Berry, au lait de chèvre, de forme pyramidale tronquée, à base carrée (**voir** tableau des fromages français page 392). Il existe en deux formats : la base du premier mesure 9 cm de côté et le sommet 3 cm de côté, pour 12,5 cm de haut et un poids de 250 g environ ; celle du second, 7 cm et 3 cm de côté au sommet pour 8,5 cm de haut. La croûte fine légèrement cendrée est couverte de moisissures blanches et grisâtres.

POULPE Mollusque céphalopode marin de la famille des octopodidés, également appelé « pieuvre » (**voir** planche des coquillages et autres invertébrés pages 252 et 253). Le poulpe, qui peut mesurer jusqu'à 80 cm, possède une tête munie d'un bec corné et huit tentacules de taille égale, à deux rangées de ventouses. Sa chair est assez fine, mais elle doit être longuement battue, puis blanchie à l'eau bouillante, avant d'être soit accommodée comme le homard, soit frite en tronçons, ou mijotée à la provençale et servie avec du riz au safran.

poulpe à la provençale

Nettoyer un poulpe, retirer les yeux et le bec, et le faire longuement dégorger à l'eau courante. L'égoutter et le battre fortement pour attendrir la chair. Détailler les tentacules et le corps en tronçons de même longueur ; les blanchir dans un court-bouillon, les égoutter, les éponger et les faire revenir à l'huile dans une casserole, avec de l'oignon haché. Saler et poivrer ; ajouter 4 tomates mondées, épépinées et concassées. Faire mijoter quelques minutes. Mouiller avec 1/2 bouteille de vin blanc sec et autant d'eau froide. Ajouter 1 bouquet garni et 1 gousse d'ail écrasée. Cuire à couvert 1 heure au moins. Poudrer de persil ciselé et dresser en timbale.

POUNTI Spécialité auvergnate, faite d'un hachis à base de lard, d'oignons et de bettes, lié de lait battu avec des œufs et cuit à four doux dans une cocotte graissée de saindoux.

POUPELIN Ancienne pâtisserie faite de pâte à choux dressée comme une grande gougère plate, que l'on garnissait, au moment de servir, de crème Chantilly, de crème glacée ou d'une mousse de fruit.

POUPETON Apprêt ancien de viande de boucherie ou de volaille désossée, farcie, roulée en ballottine ou en paupiettes, en général braisée.

poupeton de dindonneau Brillat-Savarin

Préparer un dindonneau comme pour une ballottine. Le farcir d'un mélange homogène de farce fine de veau, de farce à gratin, de ris d'agneau braisé à blanc, de dés de foie gras et de truffe. Le rouler en ballottine ; l'envelopper dans une crépine de porc, puis dans une mousseline, et le ficeler. Foncer une daubière beurrée de jambon cru détaillé en dés et de rouelles de carotte et d'oignon. Y mettre le poupeton et cuire 15 min à couvert, puis arroser de 1 verre de madère. Faire réduire de moitié, mouiller de jus (ou de fond blanc de volaille) et poursuivre la cuisson 1 h 30 à couvert dans le four préchauffé à 190 °C. Servir en saucière le fond de cuisson dégraissé et passé. On peut aussi servir le poupeton froid.

POURPIER Plante potagère vivace, de la famille des portulacacées. Originaire de l'Inde, déjà connu des Romains, le pourpier fut utilisé au Moyen Âge surtout confit au vinaigre. Légume le plus riche en oméga-3, il est également riche en magnésium et de saveur légèrement piquante, il se mange en salade, aromatisée à la pimprenelle.

Les jeunes feuilles, fraîches et charnues, ainsi que les tiges tendres, s'apprêtent comme les épinards et les cardons (notamment au jus, au beurre, à la crème) ; on emploie aussi les feuilles comme garniture de potage ou d'omelette (à la place du cresson), autour d'un gigot ou d'un rôti, ou pour relever une sauce (béarnaise ou paloise).

▶ Recette : AGNEAU.

POUSSE-CAFÉ Appellation familière d'une eau-de-vie ou d'une liqueur, servies à la fin du repas soit dans un petit verre, soit dans la tasse à café vide encore chaude, ce qui développe le goût et l'arôme de l'alcool (notamment pour le marc ou le calvados).

En langage de barman, le pousse-café, ou shooter, est une superposition, dans un petit verre, de liqueurs et d'eaux-de-vie de couleurs et de densités différentes, qui ne se mélangent pas ; très délicat à réaliser, le pousse-café se nomme « pousse-l'amour » lorsqu'on intègre un jaune d'œuf au milieu de cette superposition.

POUSSER Appuyer sur une poche à douille emplie d'une préparation, afin de faire sortir par la douille un apprêt d'une forme et d'un volume donnés : ainsi, on pousse de la pâte à choux sur une plaque à pâtisserie, de la crème sur un mets à décorer (**voir** COUCHER).

« Pousser » se dit aussi d'une pâte qui, sous l'action d'un agent levant, augmente de volume. Il faut la laisser dans un endroit tiède (25 à 30 °C), à l'abri des courants d'air, pour favoriser la fermentation. Peu poussée (ou levée), une pâte à brioche ou à pain reste lourde et ne s'aère pas ; trop poussée, elle devient acide.

POUSSIN Petit de la poule, lorsqu'il vient d'éclore et dans les premiers jours de sa vie (quand il est encore couvert de duvet), mais qui est encore trop maigre pour être consommable. Néanmoins, en cuisine, on appelle « poussin » un jeune poulet à la chair déjà faite et de saveur délicate, abattu quand il pèse entre 250 et 300 g (**voir** tableau des volailles et des lapins pages 905 et 906). Il s'apprête généralement comme le pigeon. Le coquelet, un peu plus âgé et plus gros, mais aussi tendre, s'accommode de la même façon.

poussin frit

Découper un poussin en quatre. Mélanger 2 cuillerées à soupe d'huile avec 1 cuillerée à soupe de jus de citron, du sel, du poivre, un peu de piment de Cayenne, 1 gousse d'ail finement hachée, 1 cuillerée à soupe de persil très finement ciselé et, éventuellement, 1/2 cuillerée à café de gingembre en poudre. Laisser mariner 30 min les morceaux de volaille dans ce mélange. Les égoutter, les paner à l'anglaise, puis les plonger de 8 à 10 min dans de l'huile très chaude (180 °C). Les égoutter, les éponger, les poudrer de sel fin et les servir avec des quartiers de citron.

POUTARGUE Spécialité provençale, originaire de Martigues, faite d'œufs de mulet séchés et pressés (**voir** tableau des œufs de poisson page 585). La poutargue, ou boutargue, que l'on qualifie de « caviar blanc », se présente sous forme de saucisses aplaties. Après l'avoir râpée sur une assiette et mélangée à de l'huile d'olive, on la déguste étalée sur des tranches de pain.

RECETTE DE REINE SAMMUT

dos de mulet au « caviar » de Martigues, mousseline de pomme de terre à l'huile d'olive

POUR 4 PERSONNES

« La veille, retirer la cire et la fine peau qui entourent la poutargue. La couper en petits morceaux, en réserver une partie pour la décoration et mettre le reste dans un bol d'eau. Le jour même, écailler, vider et lever les filets de 2 mulets ou muges. Éplucher et laver 1 kg de pommes de terre de Pertuis. Les faire cuire dans de l'eau bouillante salée 30 min. Vérifier la cuisson

puis les égoutter. Les réduire en purée à l'aide d'un moulin à légumes muni d'une grille fine, et y incorporer 20 cl d'huile d'olive. Mettre 20 cl de fumet de poisson et la poutargue ramollie dans une casserole et porter à ébullition. Ajouter 20 cl d'huile d'olive et monter le tout à l'aide d'un fouet. Poêler les filets de mulets ou de muges uniquement côté peau dans une poêle antiadhésive avec un peu d'huile d'olive. Répartir la purée sur 4 assiettes. Former 5 quenelles par assiette et saupoudrer avec les morceaux de poutargue réservés. Disposer 1 filet de mulet ou de muge par assiette. Napper de la sauce poutargue. »

filet de thon à la poutargue ▶ THON

PRAIRE Petit coquillage long de 3 à 6 cm, à coquilles épaisses, très bombées, gris jaunâtre, marquées de profondes stries concentriques et parsemées de tubercules verruqueux (**voir** tableau des coquillages page 250 et planche pages 252 et 253). Rare en Méditerranée, abondante sur les côtes de l'Atlantique et de la Manche, la praire (appelée également « rigadelle », « coque rayée » ou « vénus à verrue » en France, et « palourde américaine » en Amérique du Nord) vit dans le sable des grèves. Elle se mange crue, nature (de préférence sans citron ni vinaigre, pour ne pas cacher son goût subtil), ou cuite, farcie comme la moule, ou encore en potage, comme le clam.

PRALIN Préparation à base d'amandes ou de noisettes (ou des deux), enrobées de sucre caramélisé, puis broyées. Utilisé en pâtisserie et en confiserie, le pralin sert à aromatiser crèmes et glaces, et à fourrer bonbons et bouchées au chocolat. Il rancit très vite, mais se garde quelques jours dans un bocal hermétique ou enveloppé de papier aluminium. « Praliner » signifie additionner ou parfumer de pralin.

Le praliné est soit un intérieur de bonbon ou de bouchée très délicat (amandes ou noisettes blondies mélangées avec du sucre, puis broyées avec du chocolat ou du beurre de cacao), soit un gâteau (la plupart du temps une génoise fourrée d'une crème au beurre au pralin).

PRALINE Bonbon fait d'une amande enrobée de sucre caramélisé. Son aspect bosselé vient de la technique du « sablage » utilisée pour sa fabrication : les amandes sont d'abord chauffées puis versées dans du sucre cuit au petit boulé. Enrobées dans ce sucre, elles sont ensuite sablées puis caramélisées ; le dernier enrobage est coloré et aromatisé pour obtenir des pralines roses, rouges, beiges ou brunes.

La praline est une spécialité de Montargis depuis 1630, date à laquelle son inventeur, Lassagne, officier de bouche du duc César de Choiseul, comte du Plessis-Praslin, choisit cette ville pour s'y retirer. Selon la légende, Lassagne, voyant un marmiton grignoter des restes de caramel avec des amandes, eut l'idée de faire rissoler des amandes entières dans du sucre. La friandise qu'il obtint remporta un grand succès et contribua, dit-on, à certaines réussites diplomatiques, dont le maréchal du Plessis-Praslin, ministre de Louis XIII et de Louis XIV, s'attribua tout le mérite.

D'autres villes de France ont aussi cette spécialité, notamment Aigueperse (amandes enrobées de sucre tendre) et Vabres-l'Abbaye (pralines vendues en cornets). Les pralines s'emploient également pour garnir des brioches, des soufflés, des tartes ou des glaces. Dans la région lyonnaise, on confectionne des tartes aux pralines roses. Dans la région de Romans, des pognes aux pralines roses. En Belgique, Suisse, Allemagne et Autriche, la praline est le nom donné au bonbon de chocolat.

Enfin, la praline est devenue une confiserie de foire, cuite en plein air dans une « branlante » en cuivre ; l'amande est alors parfois remplacée par des cacahouètes, moins chères.

brioche praluline ▶ BRIOCHE
brioche de Saint-Genix ▶ BRIOCHE

RECETTE DE JACQUES DECORET

une nouvelle présentation de la brioche lyonnaise aux pralines de Saint-Genix

POUR 8 PERSONNES

« La veille, préparer la glace aux amandes amères. Faire infuser 150 g d'amandes amères partiellement concassées dans 25 cl de lait. Ajouter 12,5 cl de crème. Mélanger et chinoiser.

Ajouter sur le mélange 50 g de sucre, 2 g de stabilisateur et 4 jaunes d'œuf. Faire cuire le tout à 83 °C. Laisser refroidir, puis réserver et faire prendre en sorbetière après 24 heures. Le jour même, préparer la mousse praline. Chauffer ensemble 10 cl de lait, 12 cl de crème et 100 g de pralines roses de Saint-Genix. Mixer, ajouter 5 jaunes d'œuf et cuire le tout à 83 °C. Passer au chinois étamine, ajouter 5 g de gélatine préalablement trempée et verser le mélange dans un siphon. Préparer un lait de brioche en torréfiant à 200 °C 90 g de brioches. Faire chauffer à 80 °C 25 cl de lait, 10 cl de crème et 20 g de sucre. Étaler ce mélange sur les brioches, faire infuser 20 min à couvert, mixer et passer, puis réserver ce lait de brioche au chaud. Mélanger et mixer 7 cl de lait, 30 g de sucre, 3 œufs et 8 cl de crème. Imbiber 8 brioches de ce mélange, les égoutter et les poêler 1 min de chaque côté dans du beurre clarifié. Les réserver. Pour le coulis praline, chauffer ensemble 150 g de praline et 3 cl d'eau jusqu'à ce que le mélange prenne une consistance de sirop. Passer au chinois. À l'aide du siphon, verser la mousse praline dans 8 petits verres transparents. Déposer quelques gouttes de coulis de praline dans le fond de 8 assiettes ; y placer 1 tranche de brioche poêlée. Turbiner la glace aux amandes. Réaliser une quenelle de glace et la déposer sur la brioche. Servir à part le lait de brioche. »

PRÉCUISSON Première cuisson très rapide appliquée à un aliment, qui en modifie l'aspect. Elle comprend notamment le rissolage (saisissement à feu vif avec coloration) et le blanchiment par ébullition rapide soit dans de l'eau, soit dans un bain de friture à 130 °C.

PRÉ-SALÉ Mouton ou agneau élevé et engraissé le long de la Manche dans des herbages proches de la mer, imprégnés de sel marin car ils sont recouverts pendant les plus hautes marées, et dont la zone est rigoureusement réglementée. La chair du pré-salé acquiert ainsi une saveur particulière et donne une viande de grande qualité.

PRESSAGE Opération intervenant dans la fabrication des fromages à pâte pressée, cuite ou non cuite. Le pressage consiste à accélérer l'égouttage du caillé divisé en le plaçant sous une presse à main ou mécanique. Il permet la fabrication de fromages de garde.

PRESSE Ustensile utilisé pour produire un liquide ou une purée à partir d'ingrédients solides. Les « presse-agrumes » en verre ou en matière plastique permettent d'obtenir des jus d'agrume. Cependant, on emploie de plus en plus le presse-agrumes électrique, ou la centrifugeuse (pour tous les fruits), voire l'extracteur vapeur (**voir** ce mot). Pour les gelées et confitures, on utilise la « passoire à groseille » ou le « tamis à gelée », dans lesquels les fruits sont rapidement écrasés.

Le « presse-purée » sert à presser à travers un tamis la pulpe des pommes de terre cuites pour la réduire en purée. On peut lui préférer le moulin à légumes (muni de la grille fine). On a recours aussi au « presse-viande » pour extraire le jus de viandes peu cuites ou crues. Quant à la « presse à carcasse », on l'utilise pour extraire les sucs d'une carcasse de canard ou de crustacé.

Enfin, certaines préparations doivent refroidir « sous presse », de manière à être homogénéisées et bien moulées ou bien aplaties.

PRÉSURE Enzyme sécrétée par la quatrième poche de l'estomac (caillette) des jeunes ruminants (bovins, ovins ou caprins) et composée surtout de chymosine. Utilisée en poudre ou sous forme liquide, elle coagule le lait, première étape de la fabrication des fromages. Pour certains fromages typiques, la préférence est donnée aux enzymes végétales : ficine (figuier), broméline (ananas), cardamine (artichaut, chardon), papaïne (papayer), etc.

PRIMEURS Produits horticoles qui apparaissent sur le marché avant leur saison normale de maturité. Souvent chères, les productions hâtives existent depuis que les techniques de culture en serre ou sous abri ont permis d'obtenir des produits maraîchers généralement délicats (petits pois, asperges, etc.). Du fait de la croissance des échanges commerciaux, les primeurs ont tendance à disparaître.

PRIMEVÈRE Plante de la famille des primulacées, poussant dans les prés et les bois, dont les fleurs, généralement jaunes, apparaissent au printemps.

Les jeunes feuilles tendres de la primevère peuvent se manger en salade. Les fleurs sont utilisées pour décorer certains mets froids ou pour préparer des infusions calmantes ; elles interviennent également dans diverses recettes de cuisine aux fleurs, dont un rôti de veau auquel on les ajoute une demi-heure avant la fin de la cuisson.

PRINCE-ALBERT Nom d'un apprêt du filet de bœuf dédié à l'époux de Victoria, reine de Grande-Bretagne et d'Irlande de 1837 à 1901. La pièce de viande est fourrée de foie gras cru aux truffes, braisée avec une fondue de légumes, puis mouillée de porto ; la garniture se compose de truffes entières.
▶ Recette : BŒUF.

PRINCESSE Se dit d'une garniture « riche » pour volaille, darne de saumon, ris de veau, bouchée, tartelette ou apprêt d'œuf, caractérisée par la présence de pointes d'asperge et de lames de truffe.
▶ Recette : CONSOMMÉ.

PRINTANIÈRE (À LA) Se dit de divers apprêts garnis d'un mélange de légumes (théoriquement « de printemps »), en général lié au beurre.
▶ Recette : RAGOÛT.

PRIX DE CUISINE Récompense destinée à promouvoir la gastronomie et à stimuler les professionnels en leur permettant d'affirmer leurs compétences. Les prix de cuisine, dont les plus prestigieux portent les noms de Bocuse d'or, Taittinger, Prosper Montagné, mais aussi de Poêle d'or ou Grand Marnier, sont décernés au terme de concours culinaires : ceux-ci consistent à réaliser des menus imposés ou à thème, des plats uniques classiques ou créés, et se déroulent souvent par éliminations successives.

PROCOPE (LE) Café parisien, sans doute le plus ancien, dont l'enseigne existe encore aujourd'hui, rue de l'Ancienne-Comédie (jadis rue des Fossés-Saint-Germain). L'établissement fut fondé en 1686 par Francesco Procopio dei Coltelli, devenu Procope, qui en fit un lieu de consommation de café et le décora richement de lustres, de boiseries et de glaces. Le Procope devint rapidement le centre le plus célèbre de la vie littéraire et philosophique parisienne. Du XVIIe au XIXe siècle, il fut fréquenté par les écrivains, les acteurs de théâtre, les encyclopédistes, puis les révolutionnaires et les romantiques. On appréciait aussi ses sirops, ses glaces, ses confiseries et ses biscuits.

Changeant plusieurs fois de propriétaire après 1716, le Procope commença au XIXe siècle à être sévèrement concurrencé par le Café de la Régence. Il ferma en 1890, ouvrit de nouveau en 1893 comme cercle littéraire, puis devint restaurant végétarien, réfectoire pour étudiants pauvres, avant d'être légué à l'Assistance publique. Il rouvrit enfin en 1952 comme restaurant.

PRODUITS ALIMENTAIRES INTERMÉDIAIRES (PAI) Aliments ayant subi une première transformation ou préparations alimentaires composites nécessitant seulement une finition au moment de leur emploi. Il existe une vaste gamme de ces produits semi-élaborés (fromage râpé, légumes détaillés en cubes, sauces déshydratées, mélange en poudre pour confectionner des pâtisseries, etc.), destinés surtout au secteur industriel des plats cuisinés et à la restauration.

PROFITEROLE Petite boule de pâte à choux salée ou sucrée, cuite, puis fourrée. Les profiteroles salées sont garnies d'une crème au fromage, d'une purée de gibier, etc., et servent souvent de garniture de potage. Sucrées, elles sont fourrées diversement et constituent les éléments de base du croquembouche, du saint-honoré et d'un dessert glacé.

consommé aux profiteroles ▶ CONSOMMÉ

---

profiteroles au chocolat

POUR 10 PERSONNES – PRÉPARATION : 30 min – CUISSON : 35 min
Préchauffer le four à 190 °C. Préparer 750 g de pâte à choux. La verser chaude dans une poche à douille lisse n° 9. Façonner des choux de 4 à 4,5 cm de diamètre sur une plaque à pâtisserie. Cuire au four 7 min puis maintenir la porte entrouverte du four avec une cuillère en bois et les laisser cuire de nouveau 13 min. À la sortie du four, les poser sur une grille à pâtisserie. Sans cesser de remuer, porter à ébullition 130 g de chocolat haché avec 25 cl d'eau, 70 g de sucre en poudre et 12,5 cl de crème fraîche épaisse. Réduire le feu. Mélanger jusqu'à ce que la sauce chocolat nappe la cuillère. Fendre les choux en biais aux trois quarts de leur hauteur. Les garnir d'une petite boule de glace à la vanille. Répartir 5 profiteroles par assiette. Les napper de sauce au chocolat chaude.

profiteroles de petits-gris à l'oie fumée ▶ ESCARGOT

PROGRÈS Fond de pâtisserie léger et croquant, à base de blancs d'œuf battus en neige, de sucre et d'amandes et/ou de noisettes en poudre.

Les fonds servent, une fois cuits au four, à préparer des gâteaux qui sont garnis de crème au beurre diversement parfumée.

---

progrès au café

Beurrer 2 plaques à pâtisserie, les poudrer de 10 g de farine et y dessiner, à l'aide d'une assiette, le contour de 3 disques de 23 cm de diamètre. Mélanger dans une terrine 150 g de sucre en poudre avec 250 g de poudre d'amande et 1 pincée de sel. Incorporer 8 blancs d'œuf battus en neige ferme avec 100 g de sucre en poudre, en soulevant la masse, sans la battre. Mettre cette pâte dans une poche à douille de 8 mm de diamètre et recouvrir les 3 disques en poussant la pâte en spirale du centre vers le bord. Cuire 45 min dans le four préchauffé à 180 °C, puis décoller les disques et les laisser refroidir à plat. Dans le four encore chaud, dorer 150 g d'amandes effilées. Diluer 2 cuillerées à soupe de café soluble dans 1 cuillerée à soupe d'eau bouillante. Verser 250 g de sucre en poudre dans une casserole avec 3 cuillerées à soupe d'eau et porter à ébullition. Mettre 6 jaunes d'œuf dans une terrine, les remuer, puis les arroser peu à peu avec le sirop bouillant en fouettant vivement jusqu'à ce que le mélange ait refroidi. Incorporer en fouettant 325 g de beurre en pommade ; arroser alors avec le café dissous et bien mélanger. Réserver le quart de cette crème au beurre et diviser le reste en 3 ; en masquer chaque disque de pâte. Superposer les disques et masquer tout le tour avec la crème au beurre réservée. Décorer le dessus avec les amandes effilées. Mettre 1 heure dans le réfrigérateur. Découper dans du papier épais des bandes de 1 cm de large et de 25 cm de long. Les poser sur le gâteau, sans appuyer, en les espaçant de 2 cm, et poudrer l'ensemble de sucre glace. Retirer délicatement les bandes et remettre dans le réfrigérateur 1 heure avant de servir.

PROSCIUTTO Mot italien signifiant « jambon », utilisé dans les appellations de jambons crus d'origine italienne, protégées en France, notamment le *prosciutto di Parma* et *di San Daniele* (jambon de Parme et jambon de San Daniele).

PROTÉINE Composé organique azoté et constituant essentiel de toute cellule vivante. Les protéines, ou protides, sont des molécules géantes élaborées à partir de vingt acides aminés de base, dont huit ne sont pas fabriqués par l'organisme. Certaines d'entre elles servent de structure de soutien pour les tissus et les liquides biologiques, d'autres interviennent dans la synthèse des enzymes et des hormones. La valeur biologique des protéines dépend de leur bon équilibre en acides aminés : elle est plus élevée dans les produits animaux que dans les végétaux. L'apport énergétique de 1 g de protéines est de 4 Kcal ou 17 kJ.

Un régime alimentaire équilibré doit associer les apports de protéines d'origine animales et ceux d'origine végétale, les premières étant riches en cholestérol et les secondes en fibres et en vitamines. Les aliments d'origine animale les plus riches en protéines sont les viandes et les poissons (de15 à 24 g pour 100 g), les fromages (de 15 à 30 g), le lait (3,5 g) et l'œuf (13 g), institué protéine de référence. Les protéines d'origine végétale proviennent essentiellement des céréales (de 8 à 14 g) et des légumes secs (8 g environ). Le soja en contient également. La ration idéale en protéines devrait s'élever à 1 g par kilo de poids et par jour, dont plus de la moitié d'origine animale.

PROTOCOLE ET ÉTIQUETTE DE LA TABLE Ensemble des règles qui président à l'ordonnance d'un repas. Ces règles sont plus ou moins strictes, le déjeuner étant, en principe, plus « simple » que le dîner. Mais, comme le disait Brillat-Savarin, « inviter quelqu'un à sa table, c'est se charger de son bonheur pendant le temps qu'il est sous votre toit ».

■ **À travers les siècles.** Chez les Grecs, l'étiquette voulait que l'on mît des sandales légères avant de pénétrer dans la salle à manger ; la première place revenait à l'étranger, et il était de règle de lui offrir, avant le repas, un bain ou un lavement de pieds. Chez les Romains, qui mangeaient allongés, les convives changeaient non seulement de chaussures, mais aussi de vêtement, pour endosser une tunique de laine prévue à cet effet ; enfin, les convives étaient couronnés de fleurs. Les mets étaient d'abord présentés au maître de maison, en musique, par un serviteur exécutant un pas de danse.

À l'époque des rois mérovingiens, à partir du Ve siècle, un cérémonial raffiné, inspiré de la cour byzantine, fut introduit, qui se compliqua encore avec Charlemagne : l'empereur était assis sur le siège le plus élevé, tandis que ducs, chefs et rois des autres nations lui présentaient les plats au son des fifres et des hautbois ; ces nobles de haut rang ne commençaient à manger que lorsque le repas impérial était terminé, servis à leur tour par les comtes, préfets et grands dignitaires. Avec le temps, les rois prirent l'habitude de dîner seuls, et c'était un honneur rare que d'être admis à leur côté.

Au début du XVIe siècle, la table de François Ier était magnifique, mais le souci de bien manger, stimulé par l'arrivée des cuisiniers florentins, prévalait sur l'ordonnance formelle des repas. Cependant, Henri III, une cinquantaine d'années plus tard, remit à l'honneur une étiquette sévère, et ses ennemis l'accusèrent de multiplier les « révérences idolâtriques ».

Au XVIIe siècle, quand le Roi-Soleil dînait « au grand couvert », c'était seul, mais en public, et les courtisans étaient admis à le voir manger, tandis que chaque officier de bouche remplissait sa fonction selon un cérémonial compliqué. Au « petit couvert », dans l'intimité, l'étiquette se relâchait.

Avec Louis XV et Louis XVI, le grand couvert fut maintenu. Enfin, au XIXe siècle, sous l'Empire et jusqu'à la fin de la monarchie, l'étiquette imposa des règles strictes.

■ **Dressage de la table.** Aujourd'hui, le plaisir des yeux précède celui du palais, et une table doit être joliment mise, sans luxe ostentatoire. La nappe, blanche ou à motifs discrets, sans plis, posée sur un molleton de coton, pour adoucir le contact et amortir les bruits, doit retomber d'au moins 20 à 30 cm sur les côtés. Elle peut être recouverte d'une surnappe, ou d'un chemin de table, agrémentée de fleurs et de bougies (le soir), ou parsemée de petites touches décoratives (pétales, feuillages, etc.) ; les sets de table, placés à même le bois ou le marbre, conviennent pour un repas improvisé ou estival. Les couverts sont ainsi disposés : fourchette à gauche de l'assiette (dents vers la nappe, à la française, ou vers le haut, à l'anglaise), cuillère à potage et couteau principal à droite (le tranchant de la lame dirigé vers l'assiette) ainsi que, le cas échéant, couteau à poisson ou fourchette à huîtres. Les couverts à fromage et à dessert ne seront apportés qu'avec l'assiette correspondante, mais on peut aussi les placer entre les verres et l'assiette. Selon le nombre de vins, plusieurs verres (pas plus de trois), de taille décroissante, sont placés devant l'assiette. La serviette, joliment pliée ou roulée et maintenue par un lien délicat (papier raffiné, ruban, etc.), est posée dans l'assiette (la serviette en éventail dans le verre est une pratique réservée aux restaurants). Dans la corbeille à pain sont disposés pain tranché en biais et/ou petits pains. Un seul petit pain peut être placé dans une petite assiette, à gauche du couvert.

Salières, poivriers et petits beurriers sont répartis sur la table, selon le nombre de convives ; le vin, débouché à l'avance, reste dans sa bouteille d'origine, sauf exception (**voir** DÉCANTER) ; de l'eau fraîche est également prévue, en carafe, ou de l'eau minérale, plate et/ou gazeuse, en bouteille (il en existe de très décoratives).

■ **Place des convives.** Sauf dans les repas très officiels, où l'on passe à table par couples, les femmes entrent les premières dans la salle à manger. Jusqu'à huit convives, la maîtresse de maison indique à chacun sa place. Au-delà, il est bon de prévoir des marque-places. Ils doivent être bien lisibles, chaque nom de famille (parfaitement orthographié) précédé de Madame, Mademoiselle ou Monsieur.

En France, en dehors du protocole du ministère des Affaires étrangères, il n'existe que des règles générales, aux exigences parfois contradictoires. Il est de règle d'alterner la place des hommes et celle des femmes, en séparant les couples, sauf s'ils sont nouvellement formés. Le couple qui reçoit s'installe face à face – à l'anglaise – ou en milieu de table – à la française. Les places d'honneur sont situées à la droite du maître et de la maîtresse de maison ; il est préférable de ne pas attribuer ces deux places à un même couple. Il convient d'honorer une personne âgée ou une personne dont la fonction sociale est importante. Une personne invitée pour la première fois doit être mieux placée qu'une autre déjà venue.

PROVENÇALE (À LA) Se dit de nombreux apprêts inspirés (ou directement issus) de la cuisine de Provence, où dominent l'huile d'olive, la tomate et l'ail.

La garniture provençale pour pièces de boucherie ou volailles comprend soit des tomates mondées et étuvées ainsi que de gros champignons garnis de duxelles à l'ail, soit de la tomate concassée et aillée, avec des olives dénoyautées (noires ou vertes), ou des tronçons d'aubergines farcis d'une fondue de tomate, des haricots verts au beurre et des pommes château.

La sauce provençale (coulis de tomate et d'oignon, à l'ail et au vin blanc) accommode légumes, œufs, viandes, volailles et poissons.

▶ **Recettes :** ANGUILLE, CÈPE, GRATIN, JARRET, MORUE, ŒUF MOLLET, PASTÈQUE, POULPE, THON, TOMATE, VEAU.

PROVENCE La gastronomie colorée de la Provence ne saurait être réduite à la seule appellation « à la provençale », définie par les tomates, l'huile d'olive et l'ail, même si ces produits se retrouvent dans la majorité des recettes. La cuisine provençale est avant tout un savant mélange de parfums d'herbes aromatiques (thym, sarriette, romarin, laurier, anis, menthe, sauge, etc.), qui viennent relever des légumes et des fruits d'une qualité et d'une variété exceptionnelles. Les vallées du Rhône et de la Durance sont en effet les plus grands potagers et vergers de France. Courgettes, tomates, aubergines, blettes, artichauts, asperges, etc., mais aussi betteraves rouges, cébettes, cocos roses, oignons rouges, pois chiches, poivrons, tous les ingrédients sont là pour confectionner de délicieuses spécialités : à commencer par la ratatouille, la pissaladière ou encore un de ces fameux tians (gratins) dont la cuisinière aura pris soin de frotter à l'ail le plat de cuisson avant d'y mettre les légumes. Aromate provençal traditionnel, l'ail s'illustre de nombreuses autres façons : il est surtout l'élément central de l'aïgo boulido et de l'aïoli, une sauce faite d'ail réduit en pommade et montée à l'huile d'olive. Elle accompagne le « grand aïoli », composé généralement de légumes (carottes, chou-fleur, courgettes, etc.) et de morue ; les bouquets de persil sont alors indispensables pour calmer l'agressivité de l'ail. Ce dernier parfume aussi les gigots ; moutons, agneaux et chevreaux prospèrent en effet sur les terres de Haute-Provence et donnent une viande savoureuse, le plus souvent grillée, mais aussi cuite en carbonade. Le bœuf n'est pas pour autant négligé avec la daube avignonnaise, l'estouffade à l'arlésienne ou le broufado.

La cuisine de la mer s'illustre avec la bouillabaisse, qui réunit poissons de roche, poivre, safran et huile d'olive, et qui appelle la rouille, sorte d'aïoli au piment. Pour la bourride, on utilise des poissons blancs, et surtout la baudroie que l'on prépare aussi « à la provençale » (flambée au cognac, avec tomates, oignons, bouquet garni et vin blanc sec). Si la bourride est accompagnée d'aïoli, la bouillabaisse réclame plutôt la rouille. La Provence est en effet connue depuis longtemps pour ses condiments tels que la tapenade (purée d'olive noire) ou l'anchoïade (purée à base d'anchois).

Les conditions climatiques de la région autorisent la production d'une grande variété de fruits : traditionnels, abricots, pêches, prunes, bigarreaux, raisins, citrons, melons, coings, figues, oranges (l'eau de fleur d'oranger parfume à merveille les pâtisseries), ou, plus rares, kakis,

jujubes et grenades. Enfin, il y a l'amande et l'olive, deux « fruits » provençaux par excellence. La première est indispensable à la confection des célèbres nougats blanc et noir de Montélimar, la seconde agrémente toutes les spécialités régionales et fournit l'huile, qui donne à la cuisine son accent fruité.

■ **Soupes et légumes.**
• SOUPE AU PISTOU, SOUPE ARLÉSIENNE. La soupe au pistou (basilic, ail et huile d'olive) passe pour le modèle des soupes de légumes du jardin, parfois enrichie de pâtes ou de riz. Il y a aussi la soupe arlésienne qui réunit tomates, pois chiches, poireaux, oignons et huile d'olive.
• COURGETTES, AUBERGINES ET CÉRÉALES. Les recettes de légumes sont originales et une mention particulière revient aux fleurs de courgette farcies, ou en beignets, comme au papeton d'aubergine, un soufflé d'aubergine, d'œuf et de fromage, nappé d'un coulis de tomate. Il ne faut pas oublier les céréales : riz de Camargue et préparations à base de farine de blé (raviolis), de maïs (polenta) ou de semoule de pomme de terre (gnocchis).
■ **Charcuterie.**
• BOUDINS, GAYETTE, PIEDS ET PAQUETS. La charcuterie est peu présente : la Provence connaît cependant les saucissons d'Arles, les boudins aux épinards et les gayettes, ou caillettes (crépinettes aux herbes), ainsi que les pieds et paquets marseillais à base d'abats de mouton.
■ **Poissons et fruits de mer.**
• SOUPES, ESQUINADE, POUTARGUE. Les soupes de poissons et fruits de mer sont très nombreuses : soupe à la poutine (petits alevins), au fiélas (congre), aux moules, aux favouilles (crabes), l'aïgo sau d'iou (soupe de poissons garnie de pommes de terre et de tomates). La gastronomie du littoral abonde en plats iodés, avec l'esquinade de Toulon (crabes farcis aux moules et gratinés), les sardines et autres petits poissons en escabèche, les supions frits (petites seiches), les orties de mer en beignet. Le loup grillé au fenouil se déguste avec bonheur, comme les sardines en escabèche ou la poutargue (ou boutargue), œufs de mulet salés et pressés. La morue est très populaire, cuisinée en raïto (frite et servie avec une sauce piquante).
■ **Fromages.**
Le plateau des fromages provençaux réunit surtout des fromages de chèvre et de brebis à la saveur souvent affirmée : banon et tomme d'Arles au lait de brebis, brousses, bleu du Queyras, etc.
■ **Desserts.**
• LES « TREIZE DESSERTS ». Biscottins d'Aix, fougasses et fougassettes, navettes de Marseille, petits gâteaux en forme de barque, pignoulats (gâteaux aux pignons), beignets (oreillettes, bugnes et chichi-fregi), les douceurs provençales sont nombreuses et savoureuses. À Noël, la tradition des « treize desserts » (dont le chiffre rappelle les treize convives de la Cène) se perpétue : ils réunissent fruits secs (mendiants), fruits frais, fruits confits, nougats et la célèbre pompe à l'huile (brioche épaisse parfumée à l'huile d'olive et à l'orange). La confiserie est aussi très riche avec le nougat de Saint-Tropez, les fruits confits d'Apt, les berlingots de Carpentras ou les calissons d'Aix-en-Provence.
■ **Vins.**
Quatre appellations fournissent la majorité de la production : les côtes-de-provence, principalement des rosés, les coteaux-varois, les coteaux-d'aix-en-provence et les baux-de-provence, avec des rouges remarquables. D'autres régions offrent de belles surprises : Bandol et ses rouges puissants, Cassis et ses blancs parfumés, Palette, qui réussit bien les blancs. Sur la rive droite du Rhône, en face d'Avignon, le vignoble de Tavel produit uniquement un rosé, bouqueté et savoureux.

PROVITAMINE ▶ VOIR VITAMINE

PROVOLONE Fromage italien AOP de lait de vache (45 % de matière grasse), souvent fumé, à pâte pressée et filée, et à croûte naturelle lisse et brillante (**voir** tableau des fromages étrangers page 400). Le provolone, originaire de Campanie, se présente sous des formes très diverses (poire, melon, porcelet, saucisse, petit personnage), et pèse de 1 à 5 kg ; il porte souvent la trace de la ficelle qui a servi à le suspendre durant l'affinage. Il a une saveur douce ou piquante selon sa durée de maturation (de 2 à 6 mois). Quand il est vieux, il est râpé comme le parmesan.

PRUNE Fruit du prunier, arbre de la famille des rosacées, rond ou oblong, jaune, vert ou violet. Originaire d'Asie, le prunier était déjà cultivé en Syrie et greffé par les Romains ; ceux-ci faisaient notamment sécher les prunes de Damas (rapportées de cette ville par les croisés au XIIᵉ siècle). La prune commença d'être très appréciée à l'époque de la Renaissance (**voir** REINE-CLAUDE). À partir du XVIᵉ siècle, elle donna de nombreuses variétés (**voir** tableau des prunes page 716 et planche ci-dessous). Fournissant 64 Kcal ou 268 kJ pour 100 g, la prune est assez riche en sucre, en fibres, en calcium, en magnésium, en potassium et en sorbitol.

Elle se mange fraîche de juillet à septembre comme fruit de table, puis séchée, comme pruneau ; on la conserve aussi à l'eau-de-vie et on en tire un alcool.

Certaines variétés sont destinées aux conserves, aux confitures (reine-claude, mirabelle) ou à la distillerie (mirabelle). Elles conviennent également pour les tartes, les beignets et les compotes.

Les quetsches accompagnent bien les viandes grasses ; elles se conservent aussi au vinaigre.

marmelade de prune ▶ MARMELADE

___

prunes à l'eau-de-vie

Choisir des reines-claudes bien mûres et parfaitement saines ; les piquer en trois ou quatre endroits avec une grosse aiguille et les peser. Dans une bassine à confiture, préparer un sirop de sucre avec 250 g de sucre et 5 cl d'eau par kilo de fruits, porter à ébullition et maintenir celle-ci 2 min. Ajouter les prunes, tourner la bassine à deux mains pour qu'elles s'enrobent régulièrement de sirop ; les mettre ensuite dans des bocaux à l'aide d'une écumoire. Laisser refroidir complètement, puis verser de l'alcool de fruit (1 litre par kilo de fruits). Boucher les bocaux. Laisser reposer 3 mois au moins avant de consommer.

PRUNE DE CYTHÈRE OU **POMME CYTHÈRE** Fruit d'un arbuste de la famille des anacardiacées, originaire de Polynésie. Cette petite prune à la texture de pêche et à la saveur douce et acidulée se consomme verte, avec du sel au début de sa croissance. Mûre, elle a une saveur aigrelette et sucrée à la fois.

PRUNEAU Prune séchée ou déshydratée, qui se conserve longtemps. La méthode traditionnelle consiste à l'exposer au soleil ; cependant, les fruits sont le plus souvent séchés au four (en étuve ou en tunnel, en plusieurs phases, à température croissante). Le pruneau d'Agen bénéficie d'une indication géographique protégé (IGP) depuis 2002.

Très énergétique (290 Kcal ou 1 212 kJ pour 100 g), très riche en sucre, le pruneau est un aliment bien pourvu en fibres, en sorbitol, en fer, en potassium, en magnésium, en calcium et en vitamines B et E.

■ **Emplois.** Avant utilisation, il faut laver les pruneaux, puis les faire tremper (au moins deux heures, en général une nuit) dans du thé léger, froid ou tiède ; on peut aussi les cuire directement dans de l'eau ou du vin rouge, notamment pour une compote ou une purée.

De préférence dénoyautés, les pruneaux interviennent dans de nombreuses pâtisseries soit entiers, soit en marmelade ; ils entrent dans la composition de glaces, de salades ou de compotes de fruits, mais peuvent également être servis macérés et flambés ; en confiserie, ils sont diversement fourrés ; on en fait aussi des conserves à l'armagnac. Par ailleurs, les pruneaux constituent un condiment très apprécié en cuisine, en particulier avec le lapin et le porc ; on peut même en farcir des paupiettes de poisson.

À l'étranger, certains plats font appel au pruneau : agneau confit aux pruneaux et à la cannelle (Algérie), rôti de porc aux pruneaux (Danemark et Pologne), lard rissolé aux pruneaux (Allemagne), carpe tchèque à l'aigre-doux. Le *damson cheese* (« fromage de prunes de Damas ») anglais est une marmelade très épaisse, servie avec des biscuits ou garnissant des tartelettes.

agneau aux pruneaux, au thé et aux amandes ▶ AGNEAU
chaussons aux pommes et aux pruneaux ▶ CHAUSSON
compote de pruneau ▶ COMPOTE
lapereau aux pruneaux ▶ LAPIN

___

pruneaux au bacon

Dénoyauter des pruneaux d'Agen demi-secs en les fendant sur toute leur longueur. Introduire une pistache mondée à la place du noyau puis enrouler chaque pruneau dans 1/2 tranche fine de bacon, en maintenant celle-ci à l'aide d'un pique-olive. Ranger les fruits séchés dans un plat à rôtir et les mettre de 8 à 9 min au four préchauffé à 250 °C. Servir brûlant.

PRUNES

reine-claude de Bavay

quetsche

mirabelle de Lorraine

reine-claude verte

président

golden Japan

friar

Caractéristiques des principales variétés de prunes

VARIÉTÉ	PROVENANCE	ÉPOQUE	DESCRIPTION	FLAVEUR
reines-claudes				
reine-claude d'Althan	Sud-Ouest	début août	très grosse, rouge violacé, chair jaune verdâtre	juteuse, sucrée
reine-claude de Bavay	Sud-Ouest	début sept.	assez grosse, épiderme et chair jaune verdâtre	parfumée, sucrée
reine-claude d'Oullins	Sud-Ouest, Sud-Est	mi-juill.-fin juill.	moyenne à grosse, chair jaune verdâtre	un peu parfumée
reine-claude verte ou dorée	Sud-Ouest, Sud-Est	début août	moyenne, vert doré, chair verte	parfumée, très sucrée, juteuse
autres variétés domestiques				
mirabelle de Nancy ou de Metz	Est	mi-août-sept.	petite, ronde, jaune-orangé, chair souple, jaune	très parfumée, sucrée
président	Sud-Ouest	fin août-début sept.	grosse, allongée, rouge violacé, chair jaune un peu verdâtre	un peu parfumée
quetsche	Est	début sept.	oblongue, moyenne, bleu-noir, reflets rougeâtres, chair jaune verdâtre	acidulée, sucrée
royale bleue	Sud-Ouest	début août	ronde, moyenne à grosse, bleue, chair vert-blanc	un peu parfumée
variétés américano-japonaises				
allo	Sud-Est	fin juin-début juill.	ronde, moyenne, rouge violacé, chair jaune-orangé	peu parfuméee
	Espagne	mai-juin		
blackamber, angeleno	Sud-Est, Sud-Ouest	juill.-sept.	grosses, noires, chair blanche	un peu parfumées
friar	Sud-Ouest	mi-août-mi-sept.	très grosse, violacée, chair jaune	parfumée
golden Japan	Sud-Est, Sud-Ouest	mi-juill.	grosse, ronde, jaune vif, chair jaune	un peu parfumée
	Espagne	juin		
santa rosa	Sud-Est	juill.	ronde, rouge intense	un peu parfumée
	Espagne	juin		
	Afrique du Sud	janv.		

pruneaux déguisés

Chauffer dans une casserole 6 cl d'eau, 200 g de sucre et 20 g de glucose, jusqu'à 115 °C. Hors du feu, ajouter 100 g de poudre d'amande et bien remuer avec une spatule de bois, pour avoir un mélange qui ressemble à une semoule. Inciser 40 pruneaux d'Agen demi-secs sur toute leur longueur, sans séparer les moitiés, et les dénoyauter. Travailler la pâte d'amande refroidie à la main, par petites quantités ; y ajouter 3 ou 4 gouttes de colorant rouge ou vert et 1 cuillerée à soupe de rhum. La pétrir sur un plan de travail lisse, la rassembler en boule, l'allonger en un long cylindre très mince et diviser celui-ci en 40 tronçons égaux. Façonner chaque tronçon en forme d'olive, en glisser un dans chaque pruneau, puis inciser de trois traits obliques la partie apparente de la pâte d'amande. Disposer les pruneaux dans des caissettes en papier. Les glacer éventuellement au sucre.

pruneaux au roquefort

Dénoyauter 30 pruneaux d'Agen et bien les aplatir avec le plat d'un large couteau. Émietter finement à la fourchette 100 g de roquefort ; écraser 30 noisettes. Mélanger le roquefort, les noisettes, du poivre, 2 cuillerées à soupe de crème fraîche épaisse et 1 cuillerée à soupe de porto. Déposer une noix de ce mélange au centre de chaque pruneau. Reformer les pruneaux et mettre au froid quelques heures avant de servir à l'apéritif.

PRUNELLE Fruit du prunellier, arbuste épineux de la famille des rosacées, commun dans toute la France, appelé également « prunier sauvage » ou « épine noire ». La prunelle ressemble à une toute petite prune bleue, à chair ferme, verdâtre, âpre, juteuse et acide, comestible seulement après les premiers jours de gel. On en fait des confitures et des gelées, une liqueur (en Anjou) et un ratafia, mais, surtout, une eau-de-vie très appréciée (en Alsace, en Franche-Comté et en Bourgogne).

PRUNIER (ALFRED) Restaurateur français (Yverville 1848 - 1898). Il fonda en 1872, rue Duphot, à Paris, un restaurant « d'huîtres, de grillades et de vins judicieusement choisis », qui connut très vite le succès. On y voyait Sarah Bernhardt, Oscar Wilde, Clemenceau et les grands-ducs russes.

Son fils Émile lui succéda et fit de l'établissement un restaurant spécialisé dans les poissons et les fruits de mer. Il ouvrit un autre restaurant avenue Victor-Hugo (*Prunier-Traktir*) et, parallèlement, s'intéressa de très près aux problèmes concernant l'ostréiculture et la pêche – notamment celle de l'esturgeon en Gironde, afin de renouer avec la tradition du « caviar français ».

À sa mort, en 1925, sa fille Simone continua son œuvre et ouvrit un troisième restaurant à Londres (*Madame Prunier*), qui cessa son activité en 1976.

PSALLIOTE Champignon des prés et des bois, à lamelles roses, puis brunâtres, dont le pied porte un anneau simple ou double ; il est également appelé « agaric » (**voir** ce mot). On le récolte principalement en automne.

PTFE Sigle du polytétrafluoréthylène, produit de synthèse employé pour tapisser l'intérieur des ustensiles de cuisson, auxquels il confère la propriété de ne pas « attacher ».

Le PTFE, commercialisé sous diverses marques, se présente sous la forme d'un enduit cireux doux au toucher. Il a un coefficient de frottement très faible et un grand pouvoir isolant ; stable à la chaleur et ininflammable, il supporte une température de 160 °C, ne se dissout pas et n'est attaqué par aucun acide.

En revanche, il se raie très facilement, et il est recommandé d'utiliser une spatule en bois ou en caoutchouc – et non une fourchette – pour retourner ou saisir les aliments, et de ne rien couper directement dans le plat.

PUB Taverne, cabaret ou débit de boissons dans les pays anglo-saxons (abréviation de *public house*, « établissement public »).

Le pub, en Grande-Bretagne, est constitué de plusieurs salles séparées par des panneaux vitrés aux verres gravés, typiques de l'époque victorienne, ou par des cloisons de bois.

Le *public bar* est la salle commune, de plain-pied avec la rue ; on y débite la bière à la pression au comptoir, et l'on y sert des alcools et des sandwichs au buffet-bar ; on trouve à côté le *saloon-bar*, plus élégant, plus confortable, de même que le *lounge-bar*, où l'on se retire pour avoir des conversations tranquilles ; enfin, le *private bar* est réservé aux habitués qui aiment leur intimité. Très souvent, les pubs proposent un service de restauration réduit (plats froids ou chauds, à midi surtout).

Leurs heures d'ouverture et de fermeture sont très codifiées et, la plupart du temps, les clients vont chercher et payer leur consommation directement au comptoir.

PUCHERO Pot-au-feu de la cuisine espagnole associant du bœuf, du mouton, du saucisson, du jambon et des légumes.

Le puchero, la plupart du temps très relevé, est également traditionnel en Amérique latine, où il est très souvent garni d'épis de maïs.

PUDDING Entremets sucré d'origine anglaise (au Québec, on écrit « pouding »), servi chaud ou froid, à base de pâte, de mie de pain, de biscuits, de riz ou de semoule, agrémenté de fruits frais, secs ou confits et d'épices, le tout étant lié avec des œufs ou une crème, généralement cuit dans un moule et servi avec une sauce aux fruits ou une crème anglaise *(brandy butter)*.

Outre le Christmas pudding (**voir** ce mot), il existe en Grande-Bretagne une profusion de puddings, auxquels les Britanniques vouent un attachement souvent sentimental : pudding Victoria (aux pommes, au riz et au citron), pudding à la reine (bananes écrasées, graisse de bœuf, œufs et mie de pain), pudding duchesse (macarons, crème, pistaches et confiture), *cabinet-pudding* (lits alternés de biscuits imbibés de liqueur ou d'alcool et de raisins secs avec des fruits confits, liés avec un appareil à crème renversée) et même *hasty pudding* (pudding « vite fait »), confectionné avec des tranches de pain et des fruits en compote, servi avec de la crème fraîche.

Dans la cuisine anglaise, le pudding est également une sorte de pain de viande au bœuf et aux rognons ou au lapin, ainsi qu'un apprêt de la pomme de terre (**voir** YORKSHIRE PUDDING).

pouding du pêcheur de Saint-Michel-des-Saints

Mélanger 6 cl d'huile et 25 g de sucre. Incorporer 1 œuf. Ajouter petit à petit 25 cl de lait, en même temps que 250 g de farine et 1,5 cl de poudre à pâte préalablement tamisée. Mettre la préparation dans un moule beurré. Délayer 50 g de cassonade dans 50 cl d'eau. Ajouter 45 g de beurre et verser sur la pâte. Cuire 40 min au four préchauffé à 180 °C.

pudding aux amandes à l'anglaise

Travailler en pommade, dans une terrine, 125 g de beurre ramolli et 150 g de sucre en poudre. Ajouter 250 g d'amandes douces mondées et finement hachées, 1 pincée de sel fin, 1 cuillerée à soupe d'eau de fleur d'oranger, 2 œufs entiers et 2 jaunes, et 4 cuillerées à soupe de crème fraîche épaisse. Bien travailler le mélange, puis le verser dans un moule à soufflé beurré. Cuire 45 min au four préchauffé à 200 °C. Servir dans le moule de cuisson.

pudding à l'américaine

Mettre dans une terrine 75 g de pain de mie rassis émietté, 100 g de farine tamisée, 100 g de cassonade et 75 g de moelle de bœuf hachée. Ajouter 100 g de fruits confits coupés en petits dés, 1 cuillerée à soupe de zeste d'orange et autant de zeste de citron, blanchis, rafraîchis et finement hachés. Lier avec 1 œuf entier et 3 jaunes. Ajouter 1 grosse pincée de cannelle, autant de noix de muscade râpée et 1 verre à liqueur de rhum. Bien mélanger et verser dans un moule à charlotte beurré et fariné. Cuire 50 min au bain-marie dans le four préchauffé à 210 °C. Laisser refroidir complètement et démouler. Servir avec un sabayon au rhum à part.

pudding glacé Capucine

Préparer une pâte à génoise et la cuire dans un moule à charlotte. La laisser refroidir complètement, puis retirer, sur le dessus, une mince abaisse qui servira de couvercle ; évider presque entièrement la génoise sans briser la croûte et la garnir, par couches alternées, de mousse glacée à la mandarine et de mousse glacée au kummel. Poser le couvercle. Mettre la génoise 6 heures dans le congélateur. Au moment de servir, la décorer de crème Chantilly à la poche à douille. Classiquement, ce pudding glacé est dressé sur un socle de nougatine et décoré de fleurs et de rubans en sucre.

pudding Nesselrode

Mélanger 1 litre de crème anglaise avec 250 g de purée de marron très fine. Faire macérer dans du malaga 125 g d'écorces d'orange et de cerises confites coupées en petits dés, et mettre à gonfler 125 g de raisins de Corinthe et de Smyrne dans de l'eau tiède. Les ajouter à cette crème, ainsi que 1 litre de crème fouettée parfumée au marasquin. Verser cette composition dans un grand moule à charlotte garni entièrement avec du papier blanc. Fermer avec une feuille d'aluminium en double épaisseur, maintenue avec un élastique. Mettre le moule 1 heure dans le congélateur. Démouler sur un plat de service, enlever la feuille d'aluminium et décorer d'une couronne de marrons glacés.

pudding au pain à la française

Émietter 14 tranches de pain brioché rassis. Verser dessus 4 œufs battus en omelette, mélangés avec 100 g de sucre en poudre ; ajouter 40 cl de lait tiède, puis 4 cuillerées à soupe de raisins secs gonflés dans du thé léger, 3 cuillerées à soupe de salpicon de fruits confits, autant de rhum, 1 pincée de sel et 1/2 pot de marmelade d'abricot tamisée. Bien mélanger. Beurrer un moule à pudding, à charlotte ou à manqué et y verser la moitié de la pâte. Répartir par-dessus 4 poires au sirop égouttées et taillées en lamelles. Verser le reste de la préparation. Taper le moule sur le plan de travail pour homogénéiser l'appareil et le mettre dans un bain-marie. Porter à ébullition sur le feu, puis cuire 1 heure au four préchauffé à 210 °C. Passer le fond du moule dans de l'eau froide, puis démouler le pudding dans un plat rond et accompagner d'une sauce au cassis.

pudding aux pommes à l'anglaise (apple-pudding)

Mélanger, en travaillant bien la pâte, 400 g de farine, 225 g de graisse de rognon de bœuf finement hachée, 30 g de sucre en poudre, 7 g de sel et 10 cl d'eau. Abaisser cette pâte sur 8 mm d'épaisseur. Beurrer un bol à pudding de 1 litre et le foncer avec la moitié de la pâte, puis y verser des pommes émincées, additionnées de sucre en poudre, d'un zeste de citron haché et de cannelle en poudre. Recouvrir avec le reste de la pâte et bien souder les bords en les pinçant entre les doigts. Envelopper le bol dans un linge et fixer celui-ci avec une ficelle en le serrant bien. Placer le pudding dans une casserole d'eau bouillante (celle-ci doit arriver juste sous le bord) et cuire 2 heures à feu doux.

pudding à la semoule

Verser en pluie 250 g de semoule fine dans 1 litre de lait bouillant additionné de 125 g de sucre, d'une grosse pincée de sel et de 100 g de beurre. Mélanger et cuire 25 min à feu très doux ; laisser tiédir un peu, puis ajouter 6 jaunes d'œuf, 1 petit verre de liqueur à l'orange et 4 blancs d'œuf battus en neige très ferme avec une pincée de sel. Verser cet appareil dans un moule à savarin beurré et poudré de semoule. Cuire au bain-marie dans le four préchauffé à 200 °C, jusqu'à ce que la composition soit légèrement élastique au toucher. Laisser reposer 30 min avant de démouler et accompagner d'une sauce anglaise ou à l'orange.

puddings au riz

Laver 250 g de riz et le blanchir. L'égoutter et le verser dans une casserole allant au four, puis le mouiller de 1 litre de lait bouilli mélangé avec 150 g de sucre en poudre, 1/2 gousse de vanille et 1 pincée de sel. Ajouter 50 g de beurre, remuer et porter doucement à ébullition ; couvrir et poursuivre la cuisson de 25 à 30 min dans le four préchauffé à 220 °C. Ajouter 8 jaunes d'œuf hors du feu, mélanger doucement, puis incorporer 7 ou 8 blancs d'œuf battus en neige très ferme. Garnir de cette préparation 10 petits moules à pudding beurrés et poudrés de chapelure fine. Cuire au bain-marie de 30 à 35 min. Démouler et accompagner d'un sabayon au rhum, d'une crème anglaise ou d'une sauce aux fruits parfumée à la liqueur.

scotch pudding

Détremper dans une terrine 500 g de mie de pain fraîchement tamisée avec un peu de lait bouilli. Ajouter 375 g de moelle de bœuf finement hachée, 125 g de sucre en poudre, 125 g de raisins de Corinthe, 125 g de raisins de Málaga épépinés, 125 g de raisins de Smyrne et 175 g de fruits confits hachés, puis 4 œufs entiers et 4 cuillerées à soupe de rhum. Bien travailler le mélange et le verser dans un moule uni beurré. Cuire 1 heure au bain-marie, dans le four préchauffé à 200 °C. Accompagner d'un sabayon au rhum ou d'une crème anglaise au madère.

PUITS D'AMOUR Petite pâtisserie ronde faite d'une abaisse de pâte feuilletée et surmontée d'une couronne de pâte à choux, ces deux pâtes étant cuites ensemble ; le centre est garni, après cuisson, de crème pâtissière vanillée ou pralinée, caramélisée au fer rouge, ou encore de confiture.

PULIGNY-MONTRACHET Vin AOC blanc, issu du cépage chardonnay, et parfois rouge, issu alors du cépage pinot noir, produit dans ces deux communes de la côte de Beaune, qui donnent les prestigieux montrachets (**voir** BOURGOGNE).

PULQUE Boisson alcoolisée mexicaine, obtenue par fermentation du suc de l'agave (**voir** MESCAL, TEQUILA). Le pulque, généralement consommé frais, rappelle un peu le cidre mousseux. Ce breuvage très courant est débité en grandes quantités dans les fermes ainsi que dans les *pulquerías,* petites tavernes populaires.

PULVÉRISATEUR Petit récipient muni d'une pompe, qui sert à pulvériser un liquide sur une préparation. Il s'emploie en particulier pour vaporiser de l'huile, en petite quantité, sur des crudités, des salades, etc.

PUNCH Boisson glacée ou brûlante, parfois flambée, faite soit de thé, de sucre, d'épices, de fruits et de rhum ou d'eau-de-vie, soit de rhum et de sirop de sucre (**voir** COCKTAIL). Vers 1830, l'importation du rhum des Îles étant désormais autorisée en France (auparavant, elle était interdite pour ne pas concurrencer le cognac), l'anglomanie imposa la mode du punch.

Cette vogue, qui annonçait celle des cocktails, donna naissance à de nombreuses variantes : punch anglais (thé bouillant versé sur des rondelles de citron, avec du sucre, de la cannelle et du rhum), qu'il était jadis d'usage de brûler ; punch français (thé en moins grande quantité, et, à la place du rhum, une eau-de-vie, flambée) ; punch marquise (sauternes brûlant ou glacé, additionné de sucre, de zeste de citron et de girofle, éventuellement flambé) ; punch à la romaine (sorbet au vin blanc sec ou au champagne, à l'orange ou au citron, additionné de meringue à l'italienne, sur lequel on verse un verre de rhum au moment du service).

Le punch planteur (mélange de rhum blanc, de sirop de canne à sucre et de jus d'orange ou de citron, parfois relevé d'un trait d'angostura) et le punch batida brésilien (eau-de-vie de rhum et jus de citron vert, de goyave ou de mangue) sont apparus beaucoup plus récemment en Europe.

PUR Se dit d'un aliment dont la composition correspond à une réglementation légale.
– « Pur (nom d'un fruit) » : ce seul fruit est employé dans le produit ainsi qualifié.
– « Pur porc » (ou autre nom d'animal) : la viande et la graisse proviennent uniquement de l'animal mentionné, mais additifs et colorants sont admis.
– « Pure » (huile) : elle ne contient pas de colorant.
– « Pure panne » : il s'agit d'un saindoux provenant exclusivement de panne de porc extraite à chaud.
– *« Pure malt »* : cette appellation qualifie un whisky fait exclusivement d'orge maltée.

En Allemagne, la « loi de pureté » régit la fabrication des bières, qui doivent être obtenues uniquement à partir d'orge germée, à l'exclusion de toute autre céréale, de levure et d'eau. En Belgique, le mot « pur » est défini par l'arrêté royal du 17 avril 1980. Au Canada et en Suisse, les réglementations sont comparables à celles de la France.

PURÉE Préparation plus ou moins épaisse obtenue en foulant et en passant au tamis (ou en écrasant à l'aide d'un presse-purée ou d'un mixeur) des aliments généralement cuits.

Les purées de légumes – et surtout de pomme de terre – qui accompagnent les plats de viande, de gibier ou de poisson sont assez consistantes, de même que celles qui servent de condiment (pour tartiner des canapés, entrer dans une farce, une sauce, etc.). Pour la confection des potages, on les « détend » avec un liquide. Certains légumes trop aqueux pour donner une purée suffisamment épaisse sont additionnés d'un élément de liaison (pommes de terre en purée, flocons de céréale, fécule, béchamel serrée).

Les purées de viande, de gibier ou de poisson, souvent additionnées d'une sauce brune ou blanche, servent essentiellement de garniture pour bouchées ou barquettes, de farce pour œufs durs, fonds d'artichaut, pannequets, etc.

Les fruits réduits en purée, à froid ou à chaud, interviennent dans la préparation des glaces, des coulis et des sauces de dessert.

choux de Bruxelles en purée ▶ CHOU DE BRUXELLES
grenouilles à la purée d'ail et au jus de persil ▶ GRENOUILLE
œufs à la coque Faugeron à la purée de truffe ▶ ŒUF À LA COQUE

purée d'ail

Blanchir des gousses d'ail et les faire étuver au beurre. Ajouter quelques cuillerées de béchamel bien réduite et passer le tout au tamis ou dans un robot électrique.

purée d'anchois froide

Bien dessaler 75 g d'anchois, lever les filets et les réduire en purée au mixeur avec 4 jaunes d'œuf durs et 3 cuillerées à soupe de beurre. Ajouter 1 cuillerée à soupe de fines herbes et mélanger. Servir très frais.

purée de carotte

Cuire dans de l'eau salée, additionnée de 1 petite cuillerée de sucre en poudre et de 1 cuillerée de beurre, 500 g de carottes nouvelles émincées. Les égoutter et passer au tamis fin ou au mixeur. Chauffer la purée ; y ajouter éventuellement quelques cuillerées de la cuisson et incorporer, au dernier moment, 50 g de beurre frais. Bien mélanger et dresser en légumier.

purée de cervelle

Faire pocher 1 cervelle de veau au court-bouillon, puis la passer au tamis. Lui ajouter un volume égal de béchamel, additionnée de crème (1 cuillerée à soupe pour 10 cl) ; saler et poivrer. Ajouter éventuellement du jambon ou des champignons hachés, ou une brunoise de légumes.

purée de courgette

Peler les courgettes, les couper en rondelles, les mettre dans une casserole, les couvrir juste d'eau, saler, ajouter 3 ou 4 gousses d'ail épluchées et cuire à couvert de 5 à 8 min. Mixer puis faire dessécher la purée sur le feu sans la laisser attacher. Ajouter du beurre. Parsemer de fines herbes ciselées, ou faire gratiner au four avec du gruyère râpé.

purée de crevette

Écraser au pilon dans un mortier des queues de crevettes grises décortiquées. Ajouter à cette purée un volume égal de béchamel additionnée de crème fraîche et réduite. Rectifier l'assaisonnement. Utiliser cette préparation pour compléter farces et sauces pour poissons et crustacés.

purée de fèves fraîches

Écosser et dérober 500 g de fèves fraîches et les cuire à l'étuvée avec 50 g de beurre, 1 branche de sarriette, 1 pincée de sel, 1 cuillerée à café rase de sucre et 10 cl d'eau. Passer les légumes au tamis ou au mixeur. Allonger la purée ainsi obtenue avec du consommé jusqu'à la consistance voulue.

purée de foie gras

Ajouter à du velouté de volaille bien réduit le double de son volume de foie gras cuit et passé au tamis fin. Mélanger sur le feu ; lier de jaunes d'œuf. Utiliser cette purée pour garnir des bouchées, des barquettes, des tartelettes, etc.

purée de foie de veau ou de volaille

Faire raidir au beurre le foie coupé en morceaux ou les foies de volaille, sur feu vif, puis les réduire en purée au mixeur. Assaisonner celle-ci, puis la parfumer éventuellement avec du madère. L'utiliser pour les farces à gratin.

purée de gibier

Dénerver de la chair cuite de faisan, de canard, de lapereau ou de perdreau et la réduire en purée au mixeur. Ajouter le même poids de riz cuit au gras, puis broyer à nouveau, mais très rapidement. Rectifier l'assaisonnement.

purée de laitue

Braiser des laitues au maigre, puis les passer au mixeur avec leur fond de braisage. Faire chauffer la purée obtenue et lui ajouter le tiers de son volume de béchamel. Rectifier l'assaisonnement et beurrer au moment de servir.

purée de lentilles

Trier et laver les lentilles. Dans une grande casserole, les couvrir largement d'eau froide, porter à ébullition et écumer. Ajouter du gros sel, du poivre, 1 bouquet garni, 1 gros oignon piqué de 2 clous de girofle et 1 petite carotte coupée en dés. Cuire à couvert à petits frémissements. Retirer le bouquet garni et l'oignon clouté. Passer les lentilles chaudes au moulin à légumes ; chauffer doucement la purée en la travaillant à la cuillère de bois et la lier avec du beurre frais.

RECETTE DE JOËL ROBUCHON

purée de navet et de pomme de terre

« Éplucher 750 g de navets et 750 g de pommes de terre rattes. Les tailler séparément en dés. Préparer un nouet et y enfermer 8 baies de genièvre, 4 ou 5 tranches de gingembre frais, 1 cuillerée à café de romarin effeuillé et 1 petite cuillerée à café de grains de poivre noir. Éplucher et hacher 2 oignons moyens. Peler et hacher 2 gousses d'ail. Dans une cocotte, chauffer 3 cuillerées à soupe de graisse d'oie ou de canard. Y verser les dés de navets, saler légèrement, mettre 1 pincée de sucre et laisser blondir. Ajouter les pommes de terre et les faire sauter. Ajouter ensuite l'oignon et l'ail ainsi que le nouet. Mouiller à faible hauteur de bouillon de volaille. Cuire 25 min à feu doux, jusqu'à évaporation du bouillon. Chauffer 1 cuillerée à soupe de graisse et y dorer 12 croûtons de pain de mie des deux côtés. Retirer le nouet, piler les légumes en purée et rectifier l'assaisonnement. Dresser dans un plat creux chaud et parsemer des croûtons. Décorer éventuellement d'un cordon de jus de rôti de volaille. »

purée d'oseille

Trier et nettoyer l'oseille en retirant les queues dures. Mettre les feuilles dans une grande casserole et les mouiller largement d'eau bouillante ; porter à ébullition et cuire 1 min environ ; égoutter dans un tamis. Dans une cocotte, préparer un roux blond avec 40 g de beurre et 40 g de farine. Ajouter l'oseille, bien mélanger. Mouiller de 50 cl de consommé blanc, saler et poudrer d'une pincée de sucre. Couvrir, porter à ébullition sur le feu, puis cuire 1 h 30 au four préchauffé à 180 °C. Passer l'oseille au mixeur et réchauffer la purée. Lier avec 3 œufs entiers délayés avec 10 cl de crème. Ajouter 100 g de beurre divisé en parcelles.

purée de piment

Ouvrir en long des piments forts et les épépiner. Les piler finement au mortier ; ajouter un peu d'oignon, du gingembre et du sel. Bien mélanger et mettre cette purée dans des petits flacons hermétiques ; recouvrir d'huile. Laisser macérer 2 mois avant l'emploi.

purée de pomme de terre

Peler de grosses pommes de terre crues à pulpe ferme ; les couper en quartiers et les plonger dans de l'eau froide salée. Les laisser cuire jusqu'à ce qu'elles commencent à se défaire, puis bien les égoutter. Les réduire en purée dans un moulin à légumes ; les mettre dans une casserole et ajouter 75 g de beurre pour 750 g de pulpe ; bien remuer sur feu doux, puis ajouter du lait bouillant, en remuant à la spatule de bois, jusqu'à bonne consistance. Rectifier l'assaisonnement.

purée de saumon

Réduire en purée 250 g de chair de saumon frais, cuit au court-bouillon, ou de saumon en conserve bien paré. Ajouter à cette purée 125 g de béchamel très réduite. Faire chauffer en remuant bien et ajouter, en fouettant, 50 g de beurre. Rectifier l'assaisonnement. Lui ajouter éventuellement le quart de son poids de duxelles de champignon.

purée Soubise

Peler et émincer 1 kg d'oignons blancs et les plonger dans beaucoup d'eau salée. Porter à ébullition, puis égoutter les oignons et les mettre dans une casserole avec 100 g de beurre, du sel, du poivre et 1 pincée de sucre ; couvrir et laisser étuver doucement de 30 à 40 min. Ajouter alors aux oignons le quart de leur volume de riz cuit à l'eau ou de béchamel épaisse ; bien mélanger et poursuivre la cuisson 20 min. Rectifier l'assaisonnement, passer au tamis très fin et ajouter 75 g de beurre.

royale de purée de volaille ▶ ROYALE

PYRÉNÉES (VINS) La vigne a trouvé une place idéale dans les premiers contreforts des Pyrénées. Elle joue avec l'exposition et le climat océanique, accentué par la montagne, pour composer des centaines de terroirs.

Le jurançon, le vin d'Henri IV, demeure le grand vin blanc de la région ; avec les cépages gros- et petit-manseng et le courbu, il est vinifié en moelleux quand les raisins sont surmaturés ; dans ce cas, il présente des arômes de fruits exotiques et d'épices et un remarquable équilibre entre le sucré et l'acide. Il peut être également sec quand l'étiquette précise « Jurançon sec ».

Le madiran tire sa virilité et sa charpente du cépage tannat, souvent associé au cabernet-sauvignon et au cabernet franc, qui lui apportent davantage de souplesse. Sur le même terroir, le pacherenc-du-vic-bilh (**voir** ce mot) produit des vins blancs secs qui, les années chaudes, deviennent moelleux en développant des arômes de fleurs et de miel. Enfin, le tursan AOVDQS donne surtout des rouges et des rosés, et un bon blanc, nerveux et parfumé.

PYREX Nom déposé d'un matériau apparu sur le marché en 1937. C'est un verre peu fusible et très résistant, qui supporte les cuissons au four ou sur la flamme avec diffuseur ; on l'utilise aussi pour des récipients destinés à contenir des liquides brûlants. En revanche, le Pyrex ne supporte pas les grands écarts de température.

QUADRILLER Marquer la surface d'un aliment cuit au gril (généralement une viande ou un poisson) de plusieurs traits qui se croisent en formant des losanges. Ce sont les barreaux du gril (bien chauds, mais non brûlants) qui provoquent une caramélisation superficielle de la chair, qui a été préalablement badigeonnée d'huile.

On quadrille également avant cuisson des éléments que l'on vient de paner à l'anglaise en y traçant des losanges ou des carrés avec le dos d'un couteau, afin d'améliorer la présentation finale.

Enfin, en pâtisserie, le quadrillage consiste à disposer des petites bandes de pâte en croisillons sur une tarte (Linzertorte, notamment), une conversation, etc. On quadrille avec une brochette rougie au feu le dessus d'une crème sucrée ou d'un meringage.

QUARTS-DE-CHAUME Vin AOC blanc moelleux d'Anjou, issu du cépage chenin, provenant d'un vignoble des coteaux du Layon. Titrant entre 13 et 15 % Vol., fruité et liquoreux, le quarts-de-chaume possède un bouquet incomparable (**voir** ANJOU ET MAINE).

QUASI Morceau du veau situé dans la partie supérieure du cuisseau (le rumsteck chez le bœuf) et appelé jadis « culotte » ou « cul-de-veau » (**voir** planche de la découpe du veau page 879). C'est un excellent morceau à rôtir, plus sapide et plus moelleux que la noix ou la sous-noix. On peut y détailler des escalopes et il se traite aussi en fricandeau.

QUASSIA Arbuste d'Amérique tropicale, de la famille des simaroubacées, dont le bois était utilisé traditionnellement pour préparer des apéritifs et des toniques. Aujourd'hui, son principe amer, la quassine, sert à parfumer des boissons gazeuses (bitter).

QUATRE-ÉPICES Mélange d'épices comprenant du poivre moulu, de la muscade râpée, du clou de girofle en poudre et de la cannelle en poudre. Le quatre-épices convient aux boudins, saucisses, civets, terrines et gibiers. On appelle aussi « quatre-épices » (ou « toute-épice ») le condiment tiré des baies d'un arbre des Antilles, le pimentier de la Jamaïque (myrtacées). Sa baie contient beaucoup de molécules odorantes communes aux épices cités ci-dessus, d'où son nom.

QUATRE-FRUITS Expression employée traditionnellement pour désigner quatre fruits rouges d'été (la fraise, la cerise, la groseille et la framboise), utilisés ensemble pour confectionner des confitures, du sirop ou des compotes.

QUATRE-QUARTS Gâteau de pâtisserie familiale, fait d'un poids égal de farine, de beurre, de sucre et d'œufs, le poids des œufs déterminant celui des trois autres ingrédients. La façon de les mélanger et l'ordre dans lequel on les incorpore varient selon les recettes. Le quatre-quarts peut être aromatisé à la vanille, au citron, à l'orange, etc.

quatre-quarts

Beurrer et fariner un moule à cake. Peser 3 œufs, puis peser le même poids de sucre en poudre, de beurre et de farine tamisée. Casser les œufs en séparant blancs et jaunes. Travailler les jaunes avec le sucre en poudre et 1 pincée de sel jusqu'à ce qu'ils blanchissent et gonflent. Incorporer alors le beurre préalablement fondu, mais refroidi, puis la farine et, enfin, 1 petit verre de rhum ou de cognac. Fouetter les blancs en neige très ferme et les incorporer délicatement. Verser la pâte dans le moule et cuire 45 min dans le four préchauffé à 200 °C.

QUATRIÈME GAMME Technique de conservation qui rend un aliment prêt à l'emploi au moment de l'ouverture de son emballage. Celui-ci n'est pas absolument étanche, mais cependant assez hermétique pour éviter les fermentations qui entraînent le brunissement et altèrent le goût et la texture de l'aliment ainsi traité.

Les produits de quatrième gamme, surtout des végétaux crus, se conservent de cinq à sept jours à 3 °C.

QUENELLE Apprêt réalisé à partir d'une panade – farine de blé, eau et matière grasse – additionnée d'œuf, de matière grasse, d'épices et de chair pilée de viande, de volaille, de gibier ou de poisson, et façonné en forme de fuseau.

Les quenelles traditionnelles, fleuron de la gastronomie lyonnaise, se préparent avec du brochet et de la graisse de rognon de veau. Elles sont pochées à l'eau et servies en sauce ou gratinées, en entrée.

Les quenelles de petite taille servent aussi d'éléments de garniture, notamment pour les grosses volailles, interviennent dans les ragoûts et salpicons, ou encore enrichissent certains potages.

quenelles de brochet : préparation

Lever les filets de 1 brochet de 1,250 kg ; retirer la peau et les arêtes pour obtenir 400 g de chair. Hacher celle-ci très finement au mixeur, puis la mettre dans le réfrigérateur. Porter à ébullition 25 cl d'eau avec 80 g de beurre, du sel, du poivre et de la muscade ; hors du feu, verser d'un coup 125 g de farine tamisée et mélanger énergiquement à la spatule pour bien lisser. Remettre cette pâte sur le feu en remuant jusqu'à ce qu'elle se détache des parois. Hors du feu, ajouter 3 jaunes d'œuf, un par un. Laisser refroidir cette panade sur plaque (la recouvrir d'un film plastique pour qu'elle ne se dessèche pas). Quand elle est bien froide, la passer au mixeur avec la chair de brochet. Travailler 200 g de beurre en pommade. Verser le tout dans une terrine placée dans une bassine remplie de glace pilée ; saler et poivrer. Incorporer 6 œufs entiers, un par un, et enfin le beurre : la préparation doit être très homogène. Mettre le mélange 30 min dans le réfrigérateur. Mouler les quenelles en trempant deux cuillères à soupe dans de l'eau chaude et en prélevant la farce entre ces deux cuillères. Faire glisser les quenelles au fur et à mesure dans 2 litres d'eau salée frémissante et les faire pocher 15 min ; les sortir délicatement, les égoutter sur du papier absorbant et les laisser refroidir. Accommoder selon la recette.

confit de foie gras, quenelles de figues et noix ▶ FOIE GRAS

quenelles de brochet à la lyonnaise

Préparer, d'une part, 600 g de godiveau lyonnais, d'autre part, une béchamel avec 100 g de beurre, 1,5 litre de lait, 100 g de farine tamisée, un peu de noix de muscade râpée, du sel, du poivre et 20 cl de crème fraîche épaisse. Façonner des quenelles avec le godiveau. Beurrer un plat à gratin et y verser le quart de la béchamel ; disposer les quenelles dessus, les recouvrir du reste de la béchamel et parsemer de petites noisettes de beurre. Cuire 15 min dans le four préchauffé à 190 °C : les quenelles vont beaucoup gonfler. Servir aussitôt.

quenelles de brochet mousseline

Mixer 500 g de chair de brochet avec 5 g de sel fin, 1 pincée de poivre blanc et 1 pincée de muscade râpée ; ajouter 3 blancs d'œuf, un par un ; quand le mélange est lisse et homogène, le verser dans une jatte. Mettre celle-ci dans le réfrigérateur en même temps que 65 cl de crème fraîche épaisse et le bol du mixeur. Une fois le mélange refroidi, le verser dans ce

PRÉPARER DES QUENELLES DE POISSON

1. À l'aide d'une cuillère à soupe humide, prélever dans la masse une portion de quenelle.

2. Façonner la quenelle avec une deuxième cuillère. Procéder de même pour toutes les quenelles, puis les faire pocher.

bol. Ajouter 25 cl de crème refroidie et faire tourner l'appareil quelques secondes, pour que la farce soit parfaitement homogène. Recommencer la même opération avec 20 cl de la crème, puis avec le reste. Mouler et pocher ces quenelles comme les quenelles de brochet.

quenelles Nantua

Confectionner des quenelles de brochet et les pocher. Faire fondre 40 g de beurre dans une casserole, ajouter 40 g de farine ; cuire 1 min en remuant au fouet, sans laisser colorer. Porter à ébullition 50 cl de lait avec du sel, du poivre et de la muscade ; ajouter 25 cl de crème épaisse. Verser en fouettant sur le mélange beurre-farine refroidi. Ajouter 1 oignon moyen piqué de 2 clous de girofle ; cuire 30 min à feu très doux. Passer au chinois, ajouter en fouettant 80 g de beurre d'écrevisse ou de homard. Cuire 250 g de champignons lavés et coupés en quartiers pendant 4 à 5 min dans un peu d'eau citronnée et salée. Disposer dans un plat à rôtir beurré les quenelles, des écrevisses décortiquées ou des crevettes. Napper de sauce ; saupoudrer éventuellement de chapelure et arroser de 50 g de beurre fondu. Cuire 15 min au four préchauffé à 180 °C. Servir aussitôt. Accompagner de champignons.

quenelles de veau

Préparer une farce à godiveau à la crème et la mettre 30 min dans le réfrigérateur. Rouler l'appareil en boulettes entre les mains (enduites de farine). Allonger ces boulettes en forme de grosses olives et les pocher, puis les apprêter comme les quenelles de brochet.

QUERCY ET AGENAIS La cuisine de ces deux régions, situées entre la vallée du Lot et celle de la Garonne, se caractérise par un mélange original de plats rustiques et de très beaux produits. La truffe noire, peut-être encore plus abondante que dans le Périgord voisin, accompagne les volailles et les petites saucisses faites maison, agrémente une omelette ou se cuit, comme dans le Périgord, sous la cendre, entourée d'une barde de lard. L'élevage de volailles grasses et d'agneaux, de la race caussenarde aux lunettes et aux oreilles noires, fournit une matière première de qualité. Le fois gras – de canard presque toujours – est cuit au naturel, en terrine, ou escalopé et sauté comme du foie de veau, servi chaud avec du raisin chasselas de Moissac (fruit bénéficiant d'une AOC) ou des câpres. Les viandes sont braisées ou cuites à l'étouffée : brésolles agenaises, préparées avec le veau du Ségala, poularde en estouffade cuite dans une toupine en terre, agneau du causse, dont le gigot fondant cuit plusieurs heures dans des gousses d'ail qui le parfument. Les champignons, et surtout les cèpes, abondants dans le Lot, occupent également une place d'honneur dans le répertoire culinaire. La charcuterie est très variée : boudin blanc, jambon cru des Causses, pieds de porc à la vinaigrette, saucisses de foie, tripes au safran, etc. Parmi les fromages dominent les bleus et les cabécous.

Le sol et le climat sont propices aux cultures fruitières : fraises, cerises, pêches, melons, raisins, figues, amandes, etc. Mais ce sont avant tout les prunes et les noix que l'on trouve souvent dans les desserts. La reine-claude figure dans de succulentes tartes, compotes et confitures. Séchée depuis des siècles, la prune d'ente, venue d'Orient, a fait la réputation du pruneau d'Agen qui, au naturel, au sirop, en crème, fourré ou confit dans l'armagnac, vient enrichir rissoles, « pescajounes » (crêpes), millas, soufflés ou flaugnarde. La noix entre dans la composition de gâteaux et donne de l'huile et des confitures. Les cerneaux, avec ou sans feuilles et morceaux d'écorce, sont transformés, par macération, en liqueurs.

Les cépages traditionnels cultivés dans le vignoble de Cahors – malbec, tannat et merlot – donnent des vins robustes et puissants d'un rouge sombre presque noir, qui ont le profil de vins de garde.

QUESO Mot signifiant « fromage » en espagnol. De nombreux fromages d'Espagne et d'Amérique latine sont appelés *quesos*, ce mot étant généralement suivi d'un qualificatif : *queso añejo* mexicain, au lait de chèvre ou de vache, sec et friable, servi avec des galettes de maïs ; *queso de bola*, au lait de vache, mexicain ou espagnol, qui rappelle l'édam ; *queso de cabra*, au lait de chèvre, rond, blanc et frais, typiquement chilien ; *queso de cabrales* espagnol, sorte de bleu au lait de chèvre ou de brebis ; *queso de crema* costaricien, au lait de vache, à pâte pressée ; *queso de Mahón* espagnol, au lait de vache avec une petite proportion de lait de brebis, à pâte pressée ; *queso de puna* portoricain, au lait de vache écrémé, qui se mange frais ; *queso de mano* vénézuélien, au lait de vache, à pâte cuite, élastique, rond et enveloppé de feuilles de bananier.

QUETSCHE Variété de prune oblongue, sucrée et parfumée, surtout cultivée en Alsace (**voir** planche des prunes page 715). La quetsche convient bien pour les tartes, les compotes et les confitures. On en tire également une eau-de-vie réputée, fruitée et moelleuse.

RECETTE DE CHRISTINE FERBER

tarte aux quetsches à la cannelle

« Préparer la pâte brisée (**voir** la recette de la tarte aux mirabelles de Lorraine page 548). Préchauffer le four à 210 °C. Rincer les quetsches à l'eau fraîche. Les sécher dans un linge et les fendre pour en retirer les noyaux. Disposer les quetsches sur le fond de tarte en cercles serrés, face coupée vers le haut. Les parsemer d'un peu de sucre cristallisé et mettre à cuire dans le four dont la température a été baissée à 180 °C pendant 30 à 40 min environ. La pâte prend une jolie couleur dorée et les quetsches sont confites. Lorsque la tarte est cuite, la parsemer à nouveau d'un peu de sucre cristallisé aromatisé à la cannelle. Les quetsches du mois d'août sont très juteuses ; il est donc conseillé d'émietter quelques biscuits à la cuiller dans le fond de tarte. En revanche, les quetsches d'Alsace du mois de septembre donnent moins de jus lors de la cuisson. »

QUEUE Appendice caudal d'un animal de boucherie et dont la chair est moelleuse (**voir** tableau des abats page 10).

La queue de bœuf donne des apprêts savoureux : braisée et servie avec une garniture flamande ou nivernaise ; intégrée au pot-au-feu, dont elle corse sensiblement le bouillon ; utilisée pour le potage cardinal, l'oxtail britannique ou le hochepot flamand, ou encore bouillie, puis panée et grillée, à la Sainte-Menehould.

La queue de veau complète les viandes de pot-au-feu ou parfume un potage aux légumes.

La queue de porc reçoit les mêmes apprêts que le « pied de cochon » (panée et grillée) ; elle se traite aussi en saumure.

Quant à la queue de mouton, elle n'est guère utilisée en cuisine ; on la fait rôtir avec le gigot.

La queue est également l'appendice caudal de certains crustacés, dont elle constitue souvent la seule partie comestible, une fois décortiquée : queues des crevettes, des langoustines, des écrevisses.

hochepot de queue de bœuf ▶ HOCHEPOT

RECETTE DE BERNARD PACAUD

queue de bœuf braisée en crépine

POUR 4 PERSONNES – PRÉPARATION : 1 h – CUISSON : 6 h (la veille)

« La veille, éplucher et nettoyer 4 carottes, 2 têtes d'ail, 2 gros oignons et 4 échalotes, et les tailler en mirepoix. Assaisonner de sel et de poivre 2 queues de bœuf tronçonnées en morceaux et les faire revenir vivement dans une grande sauteuse avec 5 cl d'huile pour les faire bien dorer de tous les côtés. Les égoutter sur un papier absorbant. Dans cette même sauteuse, faire revenir la mirepoix à feu moyen. Ajouter les morceaux de queue de bœuf et mouiller avec 4 bouteilles de vin rouge très corsé type cornas. Ajouter 1 bouquet garni et porter à ébullition. Cuire à feu doux pendant 6 heures, à couvert, si possible au four. Écumer et dégraisser durant la cuisson. Laisser refroidir et mettre au froid pour la nuit. Mettre à tremper 200 g de crépine. Le jour même, égoutter la crépine. Retirer et décanter les morceaux de queue de bœuf. Porter à ébullition la cuisson, passer au chinois et faire réduire des 2/3 pour obtenir une sauce sirupeuse. Pendant ce temps, envelopper individuellement de crépine chaque morceau de queue de bœuf et finir leur cuisson en les plaçant sur une plaque au four à

180 °C. Les laisser jusqu'à ce qu'ils soient bien dorés en les arrosant avec le jus de cuisson qui s'écoule des morceaux de bœuf. Égoutter et réserver au chaud. Monter le jus de cuisson réduit avec 100 g de beurre et rectifier l'assaisonnement. Dresser un morceau de queue de bœuf au centre de chaque assiette très chaude et napper de sauce au dernier moment. Servir en accompagnement une purée de céleri ou un turban de macaronis. »

queue de bœuf grillée à la Sainte-Menehould

Détailler une queue de bœuf en tronçons réguliers de 6 ou 7 cm de long et les cuire dans un bouillon préparé comme pour un pot-au-feu, sans laisser la chair se défaire. Les égoutter, les désosser sans les briser et les mettre à refroidir sous presse dans le bouillon dégraissé. Les égoutter, les éponger, les badigeonner de moutarde, les passer dans du beurre clarifié, puis les rouler dans de la mie de pain fraîche et fine. Les griller sur feu doux et les servir avec une sauce diable, piquante, à la moutarde, ou poivrade, bordelaise, Robert. Servir avec une purée de pomme de terre.

timbale de queues d'écrevisse Nantua ▶ TIMBALE

QUICHE Tarte garnie d'un mélange d'œufs battus, de crème fraîche et de lardons, servie en entrée chaude. Cet apprêt originaire de Lorraine est devenu un classique de la cuisine française. Aujourd'hui, on prépare des quiches avec des garnitures très variées.

quiche lorraine

Préparer une pâte à foncer avec 250 g de farine, 125 g de beurre, 1 grosse pincée de sel, 1 œuf et 3 cuillerées à soupe d'eau très froide. La rouler en boule et la laisser quelques heures dans le réfrigérateur. L'abaisser sur 2 ou 3 mm et en garnir une tourtière beurrée et farinée de 22 cm de diamètre, à rebord un peu haut. La piquer et la cuire à blanc de 12 à 14 min dans le four préchauffé à 200 °C. La laisser refroidir. Couper en lardons plats 250 g de poitrine demi-sel et les blanchir 5 min ; les rafraîchir, les éponger et les faire rissoler très légèrement au beurre. Les répartir sur la croûte. Battre 4 œufs en omelette avec 30 cl de crème fraîche épaisse ; saler, poivrer et muscader le mélange, puis le verser sur les lardons. Cuire 30 min au four.

QUIGNON Morceau de pain, généralement l'entame avec la croûte. Dans les Flandres, on confectionne pour Noël des petits gâteaux en forme d'enfant emmailloté, avec de la pâte levée, garnie de raisins secs, et appelés « cougnous » ; en Provence, on les appelle des « cuignots ».

QUINCY Vin AOC blanc du Berry, récolté sur les rives du Cher, mais classé parmi les vins de la Loire. Provenant exclusivement du cépage sauvignon, c'est un vin fin et bouqueté, mais rare.

QUINOA Plante de la famille des chénopodiacées, que l'on cultive sur les hauts plateaux des Andes (Pérou, Bolivie, Équateur). Assimilée à une céréale et surnommée « riz des Incas », elle présente de très petites fleurs sans pétales, regroupées en grappes. Qu'il soit blanc ou rouge, le quinoa ne contient pas de gluten, mais il est plus riche en protéines que la plupart des céréales. On le fait cuire dans de l'eau salée, du bouillon (ou du lait) après l'avoir rincé afin d'éliminer les résidus de saponine (insecticide naturel). Un petit germe apparaît sur chaque grain lorsque le quinoa est cuit. Il s'accommode à la façon du couscous, nature ou épicé, en taboulé ou en salade composée, et se prête aux gratins, aux farces et aux entremets. On le trouve aussi sous forme de flocons.

QUINQUINA Arbre de la famille des rubiacées, originaire du Pérou, cultivé surtout en Indonésie pour son écorce riche en quinine (substance thérapeutique). L'écorce de quinquina est aussi utilisée dans la fabrication d'apéritifs et de boissons alcoolisées, auxquels elle donne une saveur légèrement amère.

quinquina « maison »

Verser 50 cl d'alcool à 90 % Vol. dans un cruchon en grès de 6 litres. Peser 125 g d'écorces de quinquina et 30 g d'écorces d'orange amère, lever le zeste de 1 orange et le tailler en julienne. Mettre tous ces ingrédients dans le cruchon et laisser macérer 1 semaine, au frais et à couvert. Laver une grosse poignée de raisins secs de Málaga à l'eau tiède, les égoutter et les ajouter dans le cruchon. Laisser macérer encore 1 semaine. Filtrer, ajouter 5 litres de vin rouge corsé, puis 25 cl de liqueur de cassis. Mélanger, laisser reposer, filtrer et mettre en bouteilles.

RABAEY (GÉRARD) Cuisinier franco-suisse (Caen 1948). Normand naturalisé vaudois, il obtient 19/20 au Gault-Millau suisse en 1988 et est, avec Philippe Rochat, l'un des deux trois-étoiles helvètes du Guide Michelin (depuis 1998). Ce coureur cycliste amateur, au profil de Jacques Anquetil jeune, réalise une cuisine qui lui ressemble : haute en goût, précise, sans concession à la mode, quoique jouant de l'huile d'olive et des apprêts provençaux. Sous l'allure d'une maison bourgeoise rénovée, veillant sur un pont panoramique en lisière de Montreux, avec une salle à manger sobre et nette, son *Pont de Brent* séduit d'abord par l'assiette. Marbré d'agneau aux aubergines, corolles de tomates confites à l'émiettée d'araignée, vinaigrette de raie aux câpres, saltimbocca de ris de veau au jus de persil, macaron glacé aux fruits rouges sont quelques-uns de ses bons tours. Cette mécanique de haute précision, usant de produits d'extrême qualité, a soin de laisser place à l'émotion.

RABELAIS (FRANÇOIS) Écrivain français (Chinon v. 1483 ou v. 1494 - Paris 1553). Successivement moine, médecin et professeur d'anatomie, c'est aussi un prodigieux érudit versé dans l'hébreu, le grec et plusieurs langues vivantes de son temps ; il accompagne à plusieurs reprises le cardinal Jean du Bellay en mission diplomatique à Rome.

Rabelais est l'un des plus grands écrivains français, auteur de *Pantagruel* (1532), de *Gargantua* (1534), du *Tiers Livre* (1546) et du *Quart Livre* (1552), dont les héros, de taille souvent imposante, sont amateurs de bonne chère et gros mangeurs. Son œuvre puissante et originale, qu'il faut « briser comme un os » pour en retenir la « substantifique moelle », fait en effet une large place au domaine du boire et du manger. Les termes « pantagruélique » et « gargantuesque » évoquent un appétit, un repas, un estomac de géant, à la mesure de la truculence d'une table de festin chargée de victuailles.

Dans le *Quart Livre*, au chapitre XI, Rabelais nous donne « le nom des preux et vaillans cuisiniers, lesquelz, comme dedans le cheval de Troie, entrèrent dedans la truie ». C'est l'occasion pour lui d'évoquer nombre de termes de cuisine et d'apprêts courants de son époque : Saulpicquet, Paimperdu, Grasboyau, Carbonnade, Hoschepot, Gualimafré, Croquelardon, Salladier, Macaron, Cochonnet et Talemouse. Dans le livre IV de *Pantagruel*, aux chapitres LIX et LX, il cite une très longue nomenclature de mets et d'aliments, nous donne énormément d'informations sur certains des produits que l'on mange au XVIᵉ siècle.

Le patronyme de Rabelais a tout naturellement été donné à une académie gastronomique.

RÂBLE Partie du lièvre ou du lapin correspondant à la région lombaire et sacrée de l'animal.

Le râble comporte les rognons, qui sont enlevés ou non avant la cuisson. Ce morceau charnu constitue une pièce à rôtir en entier, souvent piquée de lardons ou bardée et marinée. On apprête aussi le râble à la moutarde, à la crème (sauté en casserole), braisé et accompagné de purée de champignon, de marron et d'une sauce poivrade, désossé, farci et poêlé ou encore sauté et garni de cerises avec une sauce à la crème aigre. Il peut aussi être découpé en deux ou trois morceaux et cuisiné en civet, en gibelotte, en sauté, etc., avec les autres morceaux.

▶ Recette : CIVET.

RACAHOUT Fécule alimentaire employée au Moyen-Orient et dans les pays arabes. C'est une poudre grisâtre, composée de salep, de cacao, de farine de glands doux, de fécule de pomme de terre, de farine de riz, de sucre et de vanille, que l'on délaie dans de l'eau ou du lait pour en faire une bouillie ou un potage.

RACHEL Nom donné à divers apprêts de cuisine classique d'après le pseudonyme de la grande tragédienne Élisabeth Félix (1821-1858), qui fut la maîtresse du docteur Véron, éminent gastronome dont les dîners sont restés célèbres. La garniture Rachel (pour petites pièces de boucherie grillées ou sautées, ris de veau braisés, œufs pochés ou mollets) est faite de fonds d'artichaut garnis de lames de moelle et de persil haché, avec une sauce bordelaise ou à la moelle. On retrouve les fonds d'artichaut, avec d'autres ingrédients, dans la salade composée Rachel. Les filets de sole Rachel sont masqués de farce, garnis de lames de truffe, pliés, pochés, dressés en couronne et garnis de pointes d'asperge vertes et de truffes hachées.

▶ Recettes : ŒUF POCHÉ, SALADE.

RACLETTE Fondue au fromage, originaire du canton du Valais (Suisse). La raclette est préparée en faisant fondre la tranche d'une demi-meule de fromage du pays, que l'on « racle » au fur et à mesure qu'elle se liquéfie. La tradition veut que le fromage soit grillé devant les braises d'un feu de bois : on le tient ensuite incliné au-dessus d'une assiette et l'on racle la partie coulante, en enlevant aussi la partie de croûte grillée. Le fromage fondu se déguste chaud, avec des pommes de terre en robe des champs, de la viande des Grisons, des cornichons, des oignons au vinaigre et du poivre.

La raclette, que l'on accompagne de fendant du Valais, exige avant tout un fromage gras et parfumé : anniviers, bagnes, conches, orsières (en France, le plus adapté est l'abondance).

Il existe aujourd'hui des « fours à raclette » de table : certains sont dotés d'un support pour exposer la demi-meule de fromage au rayonnement d'une résistance électrique ; d'autres sont constitués d'un système chauffant sous lequel on glisse des portions individuelles.

RACLETTE (USTENSILE) Plusieurs ustensiles différents sont ainsi désignés. Qu'elle soit métallique ou en plastique, aux bords droits ou arrondis, souple ou rigide, munie ou non d'une poignée ou d'un manche, une raclette est utilisée pour ramasser une pâte, une crème ou une sauce sur les parois d'un récipient ou sur une plaque. On appelle aussi raclette, ou racloir, le coupe-pâte destiné à prélever des portions de pâte et qui sert également à racler les débris de pâte collés sur le marbre. La raclette à crêpe, en hêtre ou en buis, en forme de râteau, sert à étaler la pâte sur la plaque chauffante d'une crêpière électrique.

RADIS Plante potagère à racine comestible, de la famille des brassicacées. De taille, de forme et de couleur très variables, les radis (**voir** tableau des radis page 724) se consomment généralement crus, en hors-d'œuvre. Cultivé en Égypte depuis plus de 5 000 ans, connu et apprécié des Grecs et des Romains, le radis n'a été cultivé en France qu'à partir du XVIᵉ siècle. Peu énergétique (20 Kcal ou 84 kJ pour 100 g), très riche en eau, il est bien pourvu en sels minéraux (soufre) et en vitamines (B9 et C notamment).

■ **Emplois.** Les radis roses bien frais ne s'épluchent pas ; on coupe la racine et presque toutes les feuilles, puis on les lave à grande eau en les égouttant à fond ; ils sont servis nature, avec du beurre frais et du sel. Les radis roses un peu gros s'apprêtent de préférence en salade, détaillés en rondelles fines. On peut aussi les accommoder entiers comme des petits navets nouveaux.

Les fanes de radis entrent dans la composition d'un potage de pomme de terre ou d'une purée d'épinard ou d'oseille.

Le radis noir, sensiblement plus piquant au goût que le petit radis rose, se mange aussi à la croque-au-sel, une fois pelé, détaillé en rondelles et, éventuellement, dégorgé. Il s'accommode aussi en rémoulade, comme le céleri, ou en salade, avec une sauce au yaourt et à l'échalote.

RECETTE DE PHILIPPE CONTICINI

crème de radis, chèvre et beurre salé

POUR 4 PERSONNES

« Déposer dans une casserole 25 radis rouges français préalablement lavés et équeutés. Verser par-dessus 15 cl de lait demi-écrémé, 15 cl de crème fraîche liquide et 2 pincées de fleur de sel. Porter à ébullition puis faire cuire 15 min à feu doux. Mixer soigneusement et rectifier l'assaisonnement

Caractéristiques des principales variétés de radis

VARIÉTÉ	PROVENANCE	ÉPOQUE	ASPECT	PRÉSENTATION
type à grosse racine				
noir (gros long d'hiver de Paris ou rond)	Loire-Atlantique, Maine-et-Loire, Yvelines	sept.-déc.	gros à très gros, 20-25 cm, noir	à l'unité
rose (de Pâques), blanc (ovale de Munich ou japonais) ou violet (de Gournay)	Loire-Atlantique, Maine-et-Loire, Yvelines	sept.-déc.	gros, 10-15 cm, rose, blanc ou violet	à l'unité
rouge (neckarruhm)	Maine-et-Loire, Yvelines	sept.-déc.	gros à très gros, 10-15 cm, rouge	à l'unité
type demi-long à bout blanc				
expo, fluo, pernot, reto	Loire-Atlantique, Maine-et-Loire, Yvelines, Finistère, Bouches-du-Rhône	toute l'année	4-8 cm, rose à rouge brillant, bout blanc en proportion variable	en bottes
type rond				
donar, rondar, saxa, tinto	Loire-Atlantique, Maine-et-Loire, Yvelines, Finistère, Bouches-du-Rhône	toute l'année	2,5 cm, entièrement rouge écarlate	en bottes
type rond rouge à bout blanc				
gaudry, national, de Sézanne	Maine-et-Loire, région parisienne	toute l'année	2-4 cm, bout blanc en proportion variable	en bottes

de cette crème de radis au besoin. Émincer très finement 2 radis rouges. Déposer 4 rondelles de radis au fond d'un large verre. Ajouter 1 pincée d'ail frais, 1/4 d'un petit fromage de chèvre fermier très crémeux et recouvrir de crème de radis bien chaude. Renouveler l'opération dans 3 autres verres. Terminer en ajoutant en surface une belle noix de beurre, quelques rondelles de radis, 1 pincée de noix de muscade râpée, 2 tours de moulin à poivre, 2 noix de cajou concassées, et presser par-dessus un bon filet de jus de citron vert. »

soupe passée de petits pois et de leurs cosses
aux févettes et fanes de radis ▶ PETIT POIS

RAFFINER Transformer un produit brut ou déjà travaillé industriellement en produit chimiquement pur. Dans la chaîne de fabrication, le raffinage est la dernière opération avant l'emballage et la commercialisation. Il permet de supprimer les impuretés, les odeurs, les colorants ou les éléments indésirables d'un produit, souvent en le faisant fondre, puis en lui rendant la consistance initiale. Le raffinage concerne surtout les sucres, les farines et les huiles.

RAFRAÎCHIR Immerger de l'eau froide sur un mets que l'on vient de blanchir ou de cuire à l'eau, pour le refroidir rapidement. Le terme signifie aussi mettre un entremets, une salade de fruits ou une crème dans le réfrigérateur pour les servir froids.

RAFRAÎCHISSOIR Récipient cylindrique ou ovale, à bord haut, servant à rafraîchir les boissons en plongeant la bouteille dans de la glace ou de l'eau salée. Le rafraîchissoir (ou rafraîchisseur) sert aussi à présenter à table un mets comme le caviar, qui doit être mangé très frais ; il possède alors parfois un double fond, contenant de la glace pilée.

RAGOÛT Préparation culinaire à base de viande, de volaille, de gibier, de poisson ou de légumes, coupés en morceaux réguliers, cuits à brun ou à blanc dans un liquide lié, souvent avec une garniture aromatique.

On distingue aujourd'hui deux sortes de ragoûts. Dans le ragoût « à brun », la viande est rissolée dans un corps gras, puis poudrée de farine, chauffée et mouillée de bouillon, de fond clair ou d'eau (voire d'un fond lié, si le ragoût n'est pas « singé »). Dans un ragoût

« à blanc » (comme la fricassée), la viande est seulement raidie sans coloration avant d'être singée et mouillée ; dans le ragoût à l'anglaise, la viande n'est pas rissolée non plus, mais la liaison est faite par les pommes de terre entrant dans l'apprêt (irish stew).

Les viandes sont choisies parmi les morceaux de deuxième catégorie (bourguignon, jumeau de bœuf, macreuse ; flanchet, jarret de veau, tendron ; collier, épaule, haut de côtelettes de mouton, poitrine ; abattis de volaille ; échine, jarret, palette de porc). Les poissons traités en ragoût doivent avoir une chair assez ferme pour tenir à la cuisson. Quant aux légumes, ils sont rissolés au préalable et cuisent généralement dans leur jus, avec des aromates et souvent des tomates concassées.

On donne aussi le nom de « ragoût » à une garniture liée, mise dans une croustade, une tourte ou un vol-au-vent, pour compléter le dressage d'un poisson ou d'une volaille, pour garnir des œufs brouillés, pour fourrer une omelette, etc. Ces ragoûts sont réalisés avec des éléments tels que queues d'écrevisse, rognons et crêtes de coq, pointes d'asperge, truffes, champignons, ris de veau, amourettes, voire escargots ou fruits de mer.

abattis en ragoût ▶ ABATTIS
poulet farci à la vapeur, ragoût de brocolis ▶ POULET

ragoût de crustacés

Plonger des crustacés dans de l'eau bouillante, puis les détailler en tronçons (laisser entières crevettes ou petites langoustines), et les faire rougir en cocotte ; saler, poivrer, ajouter de l'échalote hachée, couvrir et laisser étuver de 8 à 10 min. Lier avec de la sauce crème ou au vin blanc ; au moment de servir, ajouter du beurre de langouste (ou du crustacé dominant). Parsemer de fines herbes ciselées et servir avec du riz.

ragoût de légumes à la printanière

Beurrer largement une grande cocotte. Éplucher et nettoyer des légumes nouveaux : 250 g de petites carottes, 250 g de petits navets, 12 petits oignons, 250 g de très petites pommes de terre, 2 cœurs de laitue ; effiler 250 g de haricots verts très fins ; écosser 250 g de petits pois et tourner 2 ou 3 fonds d'artichaut en les citronnant. Défaire en tout petits bouquets 1/2 chou-fleur très blanc. Verser dans la cocotte les carottes, les haricots verts, les fonds d'artichaut coupés en quatre et les petits oignons ; mouiller à hauteur de fond blanc de volaille et porter à ébullition ; après 8 min de cuisson, ajouter les navets, les pommes de terre, les petits pois, le chou-fleur et les cœurs de laitue ;

poursuivre la cuisson 20 min. Égoutter les légumes et les dresser dans un légumier. Faire réduire le fond de cuisson, y ajouter 50 g de beurre en fouettant et le verser sur les légumes.

ragoût des loyalistes

Couper 700 g d'agneau en cubes de 2 cm de côté. Les assaisonner de sel et de poivre. Les faire revenir dans un peu d'huile, puis ajouter 75 g d'oignons hachés, les faire suer. Ajouter 1 litre d'eau et couvrir. Cuire 1 h 30. À mi-cuisson, ajouter 250 g de carottes et 250 g de navets, en dés, et, 20 min après, 250 g de pommes de terre elles aussi en dés. Servir parsemé de persil ciselé.

ragoût à la napolitaine

Larder 2 kg de bœuf ou de porc de petits bâtonnets de jambon cru de 1/2 cm d'épaisseur roulés dans du poivre et dans des feuilles de marjolaine émiettées. Ficeler la viande et la dorer en cocotte de tous les côtés, puis la sortir et la réserver au chaud. Faire doucement rissoler dans la même graisse 2 carottes, 2 gros oignons et 2 branches de céleri, épluchés et taillés en petits dés, avec 1 branche de thym, jusqu'à obtenir une bouillie brun doré. Remettre la viande dans la cocotte, reprendre la cuisson à feu moyen et mouiller petit à petit avec 20 cl de vin rouge. Diluer dans le fond de cuisson 2 cuillerées de concentré de tomate, puis recommencer avec 2 autres cuillerées, et ainsi de suite jusqu'à en avoir incorporé 400 g. Allonger de quelques louches de bouillon léger, couvrir et laisser mijoter, en mouillant de temps en temps d'un peu de bouillon pour que la sauce ne devienne pas trop épaisse. Ce ragoût accompagne de très nombreuses préparations napolitaines à base de pâtes ou de riz.

ragoût québecois de pattes

Tronçonner 3 kg de pieds de porc et les blanchir. Les égoutter. Les mettre dans un chaudron avec 4 litres d'eau, 125 g d'oignons en cubes, 1 clou de girofle, 1 pincée de cannelle en poudre, du sel et du poivre ; cuire 3 heures. Ajouter 500 g de pommes de terre épluchées 20 min avant la fin de la cuisson. Sortir les pattes et les légumes ; passer le bouillon. Défaire la viande. Incorporer au bouillon 4 cuillerées à soupe de farine délayée dans un peu d'eau, et cuire 30 min. Remettre les morceaux de pied et les pommes de terre dans la sauce. Porter à ébullition et servir aussitôt.

RAGUENEAU (CYPRIEN) Pâtissier parisien (Paris 1608 - Lyon 1654). Établi rue Saint-Honoré, à l'enseigne des *Amateurs de Haulte Gresse,* il créa les « tartelettes amandines ». Ses tartes, massepains, tourtes au musc et à l'ambre, feuilletés, rissoles et craquelins étaient réputés. Mais Ragueneau laissa envahir sa maison par des poètes faméliques et des bohèmes, qui le payaient de vers à sa louange. Il donnait à manger de bon cœur quand on lui disait qu'il était « Apollon fait pâtissier »... et il mourut dans la misère.

RAIDIR Débuter la cuisson d'une viande, d'une volaille ou d'un gibier dans un plat à sauter avec un corps gras, à feu modéré, pour raffermir les chairs sans les faire colorer. La cuisson se poursuit généralement en sauce blanche.

RAIE Poisson cartilagineux de la famille des rajidés, vivant dans les mers froides et tempérées, souvent de grande taille, et dont il existe de nombreuses espèces (**voir** planche des poissons de mer pages 674 à 677). Les raies sont des poissons comprimés dorso-ventralement, au corps sans écailles, élargi en « ailes » en raison du développement des nageoires pectorales et terminé par une queue longue et mince. La face colorée en gris-brun porte deux petits yeux au-dessus d'un museau court ; dans la face ventrale s'ouvre une large bouche, aux dents en général pavées, très puissantes. Leur gueule leur permet de broyer des coquillages très durs, comme les huîtres. Les raies n'ont pas d'arêtes et leur support cartilagineux se retire facilement.
■ **Espèces.** Elles se reconnaissent facilement à leur aspect extérieur.
– La raie bouclée (de 70 cm à 1,20 m), la plus connue et la plus savoureuse du littoral européen, est marbrée de taches claires ; elle doit son nom aux tubercules cartilagineux, en forme de boucles, disséminés sur le dos, les ailes, parfois le ventre.

– La raie papillon (1 m au maximum) porte deux taches en forme d'œil sur les ailes.
– La raie ponctuée est marquée de gros points noirs s'estompant vers les bords.
– La raie pocheteau, noire ou grise, au museau pointu (pouvant dépasser 2 m et peser plus de 100 kg), et les raies chardon (ou chagrine), fleurie et douce, sont assez bonnes.

On trouve encore, bien qu'elles soient nettement moins savoureuses, les raies lisse, capucin, brunette, mêlée ; quant aux raies pastenague, nourine, torpille, aigle et chimère, elles sont tout juste comestibles.

Au Canada, les deux espèces les meilleures sont la raie épineuse (1,20 m), que l'on pêche à l'ouest du Groenland, dans la baie d'Hudson et dans les provinces maritimes, et la raie lisse, plus petite, qui fréquente l'estuaire du Saint-Laurent.
■ **Emplois.** La peau de la raie est couverte d'un enduit visqueux, que l'on nomme « mucus ». Celui-ci facilite la pénétration du poisson dans l'eau et évite la fixation de micro-organismes sur le corps. Ces glandes à mucus sont nombreuses chez la raie, surtout localisées dans la peau pigmentée, la plus exposée ; c'est pourquoi on vend désormais ce poisson sans cette peau, généralement en tronçons. Les ailerons sont souvent laissés entiers. La chair, blanc rosé, est maigre et fine. Avant l'emploi, elle doit être lavée à plusieurs eaux. Le foie et les « joues » de raie sont des morceaux recherchés des amateurs.

Outre l'accompagnement traditionnel au beurre noisette, la raie s'accommode à la sauce hollandaise, à la vinaigrette aux herbes, à la meunière ou en friture (surtout pour les « raiteaux », petites raies), en gratin ou à la béchamel (surtout à la bretonne, aux blancs de poireau).

beignets de foie de raie ▶ BEIGNET

RECETTE DE JACQUES LE DIVELLEC

foies de raie au vinaigre de cidre

« Faire pocher 5 min à petits frémissements, dans un court-bouillon, 400 g de foies de raie. Laisser refroidir dans le court-bouillon. Peler 4 pommes fermes (cox's orange, de préférence) ; les évider, les couper en lamelles et les faire cuire à la poêle sur feu doux, dans 15 à 20 g de beurre. Saler et poivrer. Escaloper les foies et les faire revenir au beurre. Les égoutter et les dresser dans un plat chaud. Dans la poêle débarrassée du beurre de cuisson, verser 2 cuillerées à soupe de vinaigre de cidre, donner quelques bouillons, verser sur les escalopes. Entourer de lamelles de pommes et poudrer de ciboulette ciselée. »

raie au beurre noisette

Diviser la raie en tronçons en laissant les ailerons entiers. Les faire pocher au court-bouillon ou dans de l'eau additionnée de vinaigre et de sel. Porter à ébullition, écumer et laisser frémir de 5 à 7 min. Préparer un beurre noisette. Égoutter la raie et la dresser sur un plat chaud. L'arroser de jus de citron, la parsemer de câpres et de quelques brins de persil plat. Napper de beurre noisette.

raiteaux frits

Choisir de toutes petites raies dépouillées. Les arroser de lait froid et les laisser reposer 1 heure, puis les égoutter, les fariner et les plonger dans de l'huile très chaude (180 °C). Les égoutter, les éponger, les poudrer de sel fin et les dresser dans le plat de service avec des demi-citrons cannelés.

salade de raie ▶ SALADE

RAIFORT Plante annuelle de la famille des brassicacées, originaire de l'Europe orientale, où elle pousse naturellement. Le raifort est un condiment traditionnel des cuisines de l'Est et du Nord (Scandinavie, Alsace, Russie, Allemagne). Très riche en vitamine C, connu depuis longtemps comme antiscorbutique, il était traditionnellement consommé par les marins.
■ **Emplois.** Sa racine cylindrique et allongée, grise ou jaunâtre, à pulpe blanche, de saveur âcre et piquante, à l'odeur pénétrante, se consomme râpée (une fois lavée et épluchée), soit nature, soit adoucie de crème, fraîche ou aigre, ou de mie de pain trempée de lait ; on l'utilise aussi émincée en rondelles. Elle aromatise les viandes (bœuf

Caractéristiques des principales variétés de raisins de table

VARIÉTÉ	PROVENANCE	ÉPOQUE	ASPECT	FLAVEUR
blancs à grains jaunes ou dorés				
aledo	Espagne	nov.-janv.	grain gros, allongé, blanc, doré, peau moyenne	un peu parfumée
chasselas	Languedoc-Roussillon, Midi-Pyrénées	mi-août-fin oct.	grain petit à moyen, rond, jaune doré, peau fine, nombreux pépins	juteuse, sucrée
chasselas de Moissac (AOC)	Tarn-et-Garonne, Lot	fin août-fin oct.	grain petit à moyen, rond, peau fine, ferme	juteuse, sucrée
danlas	Midi-Pyrénées, Provence	mi-août-fin sept.	grain gros, rond, jaune, peau moyenne	un peu parfumée
italia ou idéal	Italie (Sicile), Midi-Pyrénées, Provence	sept.-déc.	grain très gros, ovoïde, jaune-vert, jaune doré, peau un peu épaisse	un peu à assez muscatée
thompson seedless, sultanine	Chili	févr.-mai	grain petit, allongé, vert-jaune, peau moyenne, sans pépins	un peu parfumée
à grains noirs ou violets				
alphonse lavallée ou ribier	Provence, Languedoc, Midi-Pyrénées	fin août-début nov.	grain gros, rond, noir, peau épaisse	croquante
	Chili, Afrique du Sud	mars-avr.		
cardinal	Languedoc-Roussillon, Provence	août	grain gros, rouge violacé, rond, peau épaisse	juteuse, sucrée
lival	Provence	août	grain gros, rond, noir, peau épaisse	ferme
moscatel ou muscat rosé	Chili	févr.-mai	grain ovoïde moyen, rose à rouge, peau un peu épaisse	sucrée
muscat de Hambourg	Provence, Languedoc, Midi-Pyrénées	fin août-début nov.	grain moyen, un peu allongé, noir, peau fine	muscatée
muscat du Ventoux (AOC)	Vaucluse	fin août-début nov.	grain un peu allongé, bleu-noir, peau fine	muscatée
ribol	Provence, Midi-Pyrénées	oct.-déc.	grain gros, ovoïde, noir, peau épaisse	croquante

et porc) bouillies, braisées ou froides, les poissons (hareng, mais aussi saumon fumé), les saucisses pochées, les salades de pommes de terre, etc. Le raifort s'utilise également dans des sauces (froides ou chaudes) et dans les vinaigrettes, les moutardes et les beurres composés. Enfin, il sert à la préparation de certaines conserves au vinaigre.

▶ **Recettes :** MOZZARELLA, SAUCE.

RAIPONCE Plante de la famille des campanulacées, dont les racines comestibles se consomment crues, en salade, découpées en morceaux (avec des betteraves ou du céleri), ou cuites, comme des salsifis. Ses feuilles, à la saveur rafraîchissante, se présentent également en salade ou s'apprêtent comme les épinards.

RAISIN Fruit de la vigne, arbuste de la famille des vitacées. Le raisin se présente en grappes, formées d'une rafle portant des grains ronds ou allongés, plus ou moins gros, recouverts d'une peau claire (vert pâle ou jaune parfois doré) ou foncée (violet tirant sur le bleuté) ; ces grains renferment une pulpe sucrée et des pépins (de un à quatre). « Blanc » ou « noir », le raisin est principalement utilisé pour la fabrication du vin (**voir** ce mot). Sur les quelque 3 000 variétés connues, 80 sont susceptibles de donner des vins de qualité, du raisin de table (**voir** tableau des raisins de table ci-dessus et planche page 727), servi comme fruit ou utilisé en pâtisserie ou en cuisine, ou du raisin réservé à la production des fruits secs (variétés sans pépins telles que les sultanines). La consommation en frais de nouvelles variétés sans pépins, à plus gros grains, se développe depuis quelques années sous l'impulsion de l'offre de pays tels que l'Afrique du Sud et le Chili.

■ **Histoire.** Dès la haute antiquité, on tira des fruits de la vigne une boisson fermentée. En Égypte, le culte d'Osiris et, en Grèce, celui de Dionysos témoignent du caractère ancien de cette culture et de la fabrication du vin. Après les Grecs et les Romains, qui savaient également faire sécher les grains de raisin, les Gaulois, inventeurs du tonneau, favorisèrent la viticulture, puis les moines améliorèrent progressivement la vinification. Le raisin de table et les raisins secs furent de tout temps présents sur les tables.

Énergétique (81 Kcal ou 339 kJ pour 100 g), riche en eau et en sucre, le raisin, nourrissant et désaltérant, est bien pourvu en potassium et en fer, en vitamines et en oligoéléments. Il est également riche en tanins et en flavonoïdes.

■ **Emplois.** À l'achat, le raisin de table doit être propre, bien mûr, avec des grains fermes, pas trop serrés, d'égale grosseur, uniformément colorés, gardant encore leur « pruine » (matière cireuse qui les recouvre quand le raisin est fraîchement cueilli), sur une rafle solide et cassante.

Avant dégustation, le raisin doit être soigneusement lavé à l'eau légèrement citronnée ou vinaigrée, puis épongé. Il est servi à table comme fruit de dessert, dressé en corbeille, seul ou avec d'autres fruits de saison, avec une paire de petits ciseaux spéciaux pour couper éventuellement des grappillons.

Il intervient aussi en cuisine et en pâtisserie ; le raisin frais accompagne en effet très bien le foie de veau ou de canard, les cailles et les grives rôties, le poisson, voire le boudin blanc ; on ajoute des grains de raisin dans certaines salades composées, surtout avec de la volaille émincée, mais également dans les salades de fruits.

Enfin, le raisin permet de réaliser tartes et flans, confitures (dont le raisiné), jus et entremets au riz. D'autre part, on extrait de ses pépins une huile de table très riche en acides gras (**voir** tableau des huiles page 462), qui a la réputation de ne pas augmenter le taux de cholestérol.

▶ **Recettes** : AMANDE, CAROTTE, FIGUE, FOIE GRAS, PIGEON ET PIGEONNEAU, RAISINÉ.

RAISIN SEC Raisin séché, issu de variétés très sucrées de raisin de table sélectionnées parmi celles qui contiennent peu de pépins (**voir** tableau des raisins secs page 728). Après avoir éventuellement trempé dans une solution alcaline ou une lessive de potasse bouillante, les grappes de raisin sont séchées – soit au soleil, soit artificiellement à l'air chaud –, puis conditionnées égrenées ou en grappes entières. Ayant perdu 90 % de leur eau, les raisins secs sont très énergétiques (280 Kcal ou 1 170 kJ pour 100 g), avec une forte teneur en sucre (66 g pour 100 g). Ils sont riches en potassium, en fer et en oligoéléments.

Ils servent de condiment en cuisine, notamment dans les farces de volaille, les boudins noirs, certains pains de viande, petits pâtés, pies, etc., et figurent dans certains couscous, tagines et pilafs, ainsi que dans quelques apprêts créoles. En Sicile, on en farcit les sardines en papillote ; on les retrouve également dans les feuilles de vigne farcies et parfois dans la sauce au porto accompagnant le jambon braisé.

En pâtisserie, leurs emplois sont multiples ; macérés dans de l'eau tiède, du vin ou du rhum, ils farcissent les pâtes levées, agrémentent les entremets au riz ou à la semoule, enrichissent les puddings, les pains aux raisins et même certains biscuits. Mélangés avec d'autres fruits secs, ils sont très utilisés dans les cuisines du Nord et de l'Est.

▶ **Recettes** : BRIOCHE, PAIN AUX RAISINS, SORBET.

RAISINÉ Confiture sans sucre, à base de raisin pressé (parfois même de vin doux) cuit à petite ébullition avec des quartiers de fruits divers. Le raisiné se déguste surtout en tartines comme une compote ; il se conserve moins longtemps qu'une confiture. En Suisse romande, on utilise volontiers le féminin « raisinée » pour qualifier un jus de pomme ou de poire concentré par cuisson.

raisiné de Bourgogne

Choisir des raisins très sucrés, blancs ou noirs ; les égrapper et ne conserver que les grains parfaitement sains. Les mettre dans une bassine à confiture sur feu doux et les écraser avec une cuillère de bois. Les passer

RAISINS DE TABLE

alphonse lavallée, ou ribier	*danlas*	*muscat de Hambourg*	*chasselas de Moissac*

cardinal	*italia, ou idéal*	*thompson seedless, ou sultanine*

Caractéristiques des principales variétés de raisins secs

VARIÉTÉ	PROVENANCE	ÉPOQUE	ASPECT	SAVEUR
raisins de caisse	Midi	sept.	petits grains dorés, sans pépins	peu sucrée
de Corinthe	Grèce (Péloponnèse)	avr.-sept.	tout petits grains foncés, sans pépins	très typée
de Málaga	Espagne	sept.	gros grains violet-roux foncé	muscatée, peu sucrée
de Smyrne (sultanine)	Turquie, Crète, Iran	sept.	petits grains égrenés, sans pépins, or, transparents	délicate, muscatée, peu sucrée
thompson seedless	Californie	sept.	petits grains jaune doré, tendres	peu parfumée
	Afrique du Sud, Chili	avr.		

au tamis et recueillir le jus dans une terrine. Verser la moitié de ce jus dans la bassine et cuire sur feu vif en écumant soigneusement ; lorsque le jus monte, ajouter peu à peu d'autre jus ; recommencer chaque fois que le jus monte, sans cesser de remuer. Lorsque le moût est réduit de moitié, ajouter des fruits (poires, coings, pommes, pêches, melon, etc.), pelés, épépinés ou dénoyautés et taillés en tranches minces, avec un peu de sucre. Le poids de ces fruits peut être au moins égal à celui du raisin. Cuire jusqu'à consistance assez épaisse (pris entre le pouce et l'index, le raisiné forme un filet gluant quand on écarte les doigts). Passer éventuellement au tamis et mettre en pots.

RAISSON (HORACE-NAPOLÉON) Écrivain et gastronome français (Paris 1798 - id. 1854). Il publia sous différents pseudonymes (dont celui de A. B. de Périgord) plusieurs livres de cuisine, notamment, de 1825 à 1830, un *Nouvel Almanach des gourmands,* empruntant son titre à Grimod de La Reynière. Son *Code gourmand* fut plusieurs fois réédité. En 1827, il signa « Mˡˡᵉ Marguerite » une *Nouvelle Cuisinière bourgeoise,* qui connut un succès durable, puisque sa dernière réédition date de 1860.

RAITA Préparation indienne à base de crudités ou de fruits, mélangés avec du yaourt et soit du sel (pour les légumes), soit du sucre (pour les fruits).

RAÏTO Condiment provençal, également appelé « raite » ou « rayte », dont l'origine pourrait être grecque.
C'est une préparation longuement mijotée à l'huile d'olive et au vin rouge, à base de tomates, d'oignons, de noix pilées et d'ail, aromatisée avec du laurier, du thym, du persil, du romarin, du fenouil et du clou de girofle.
Bien réduit et passé, le raïto, éventuellement garni de câpres et d'olives noires, est servi brûlant avec certains poissons, le plus souvent frits ou sautés, la morue, par exemple.

RAKI Apéritif anisé turc, surnommé « lait du lion », très voisin de l'ouzo grec. Les meilleurs rakis, titrant de 45 à 50 % Vol., sont faits à partir d'eaux-de-vie sélectionnées et vieillies ; certains sont additionnés de mastic (résine du lentisque, arbuste voisin du pistachier). Le raki accompagne les mezze avant de passer au plat principal.

RÂLE Petit oiseau échassier de la famille des rallidés, assez estimé comme gibier, vivant dans les prairies humides (râle des genêts) ou les marécages (râle d'eau). Le premier surtout est recherché, bien qu'il tende à disparaître ; sa taille et l'influence qu'on lui attribue sur les migrations des cailles l'ont fait surnommer en France « roi des cailles ». En cuisine, il se prépare comme celles-ci.

RAMADAN Neuvième mois de l'année lunaire musulmane, au cours duquel les fidèles de l'islam doivent observer le jeûne du lever au coucher du soleil. Pendant cette période, le musulman ne doit ni boire (seulement se rincer la bouche), ni manger, ni fumer, ni avoir de relations sexuelles, ni se parfumer pendant la journée. Au Maroc par exemple, au coucher du soleil, il prend un repas, composé le plus souvent d'une soupe *(harira),* d'œufs durs, de dattes et de gâteaux sucrés. Après la prière du soir, il prend un second repas, où figurent des crêpes, du miel, parfois aussi une soupe (la *bazine,* à base de semoule, additionnée de beurre et de jus de citron) ou le *halalim* (potée de légumes secs avec des aromates, garnie de saucisses ou de viande d'agneau ou de veau, et de pâtes de semoule au levain). Un troisième repas précède la reprise du jeûne, juste avant l'aube. À la mi-ramadan, on sert un repas traditionnel qui, toujours au Maroc, est constitué d'une pastilla, d'un poulet rôti au citron et d'une pâtisserie sucrée. La fin du ramadan (Aïd el-Kébir) est célébrée par une fête au cours de laquelle on fait rituellement rôtir un mouton.

RAMAIN (PAUL) Médecin français (Thonon 1895 - Douvaine 1966). Aimant se proclamer « gastronome provincial indépendant », il était grand connaisseur en vins et avait choisi pour devise : « Jamais en vain, toujours en vin ! » Mycologue renommé, il a laissé une *Mycogastronomie* (1953) qui fait toujours autorité et donne de savoureuses recettes de champignons parfois méconnus. À propos des « meilleures épousailles de la table et de la cave », il indique que tout bon repas peut être accompagné uniquement par « d'excellents vins de Champagne authentiques ». Mais il conseille de faire localement confiance aux « vins du cru ». Enfin, Ramain donne ce dernier conseil : « Entre chaque vin et chaque plat, il faut boire une gorgée d'eau pure et fraîche non (ou à peine) gazeuse. »

RAMASSE-MIETTES Brosse à poils doux, munie d'une poignée, accompagnée d'une petite pelle, servant à débarrasser la nappe des miettes de pain, généralement avant le dessert, et parfois entre les services. Le modèle automatique se compose d'un boîtier contenant une brosse qui enlève les miettes quand on la fait rouler sur la table. Un autre type de ramasse-miettes est souvent utilisé au restaurant : une simple lame métallique en forme de gouttière.

RAMBOUTAN OU **LITCHI CHEVELU** Fruit exotique de la famille des sapindacées comme le litchi, originaire de Malaisie, très courant dans tout le Sud-Est asiatique (**voir** planche des fruits exotiques pages 404 et 405). Le ramboutan apporte 66 Kcal ou 276 kJ pour 100 g et il est riche en vitamine C. Sa coque rouge et épaisse est hérissée de poils crochus ; sa pulpe, translucide et sucrée, est moins parfumée que celle du litchi. On le trouve frais (importé de Thaïlande) sur le marché français de mai à septembre, ou en conserve au sirop. Il se déguste pelé, en salade de fruits, mais accompagne aussi la volaille et le porc.

RAMEQUIN Petit récipient rond à bord droit, de 8 à 10 cm de diamètre, en acier inoxydable, en porcelaine ou en verre à feu, utilisé pour cuire et servir à table, en portions individuelles, diverses entrées chaudes. Le ramequin sert également à mouler des aspics individuels, ainsi que des entremets froids, servis démoulés ou non. Le nom désigne aussi un hors-d'œuvre chaud chaud à base de pâte à choux au lait additionnée de gruyère.
Autrefois, le ramequin était une tranche de pain grillée garnie « de chair, de rognon, de fromage, d'oignon ou d'aulx » (comme le propose La Varenne), mouillée de crème et « poudrée de suie

de cheminée ». L'actuel ramequin vaudois est encore une sorte de gratin au fromage sur des tranches de pain. Deux spécialités régionales françaises portent encore le nom de ramequin au sens ancien du terme : le ramequin douaisien (petit pain doré au four, farci de rognon haché et de mie de pain trempée de lait, mélangés avec des œufs et des fines herbes) et le ramequin du pays de Gex (bleu du haut Jura et comté fondus dans un poêlon avec du bouillon, du vin rouge, du beurre, de l'ail et de la moutarde, servis comme une fondue avec des cubes de pain).

RAMPONEAUX (JEAN) Cabaretier et restaurateur parisien (Vignol 1724 - Paris 1802). Il sut attirer les badauds en vendant son vin un sou de moins la pinte que chez ses confrères de la *Courtille du Temple,* en bas de Belleville. Nombre de gravures de l'époque représentent l'intérieur du *Tambour Royal,* l'enseigne de son cabaret, que chantèrent poèmes et chansons. Ramponeaux laissa son affaire florissante à son fils, pour fonder un restaurant à la chaussée d'Antin, *la Grand-Pinte,* qui pouvait accueillir six cents personnes. Cet établissement disparut en 1851 ; un restaurant de l'avenue Marceau a repris le nom du cabaretier (que l'on trouve également orthographié « Ramponneau » ou « Ramponeau »).

RAMSAY (GORDON) Cuisinier anglo-écossais (Glasgow 1966). Né en Écosse, il s'installe avec sa famille à Statford-upon-Avon, puis s'engage, en 1981, dans l'équipe professionnelle de football des Glasgow Rangers. Blessé au genou, il change de carrière. En 1987, il est en cuisine chez Marco-Pierre White, au *Harvey's* de Wandsworth. Il part ensuite chez Albert Roux au *Gavroche,* poursuit un an et demi chez Guy Savoy à Paris, puis un an chez Joël Robuchon, enfin deux mois en stage chez Alain Ducasse au *Louis XV.* En 1993, il ouvre *l'Aubergine* à Chelsea, vite couronné de une puis deux étoiles au Guide Michelin. En 1998, il déménage à *la Tante Claire* de Chelsea et obtient deux étoiles dès la première année. En 1999, il ouvre *Petrus* dans la St-James Street à Londres, avec Marcus Wareing. En janvier 2001, il obtient trois étoiles à son adresse de Chelsea. Il ouvre, en avril de la même année, *Amaryllis* à Glasgow, avec David Dempsey, puis en octobre *Gordon Ramsay at the Claridge's,* tandis que son élève Angela Hartnett s'installe sous sa houlette au *Connaught,* révolutionnant, en l'allégeant, la cuisine de ce temple du classicisme franco-londonien à la Escoffier. Gordon Ramsay est désormais une institution à fort caractère outre-Manche. Ses produits sont franco-british, la volaille de Bresse se mêlant en hure au jambon de Gloucester, la caille écossaise étant relevée de tomate et d'une vinaigrette aux herbes à la provençale, le homard, pareillement écossais, étant poché dans un court-bouillon aux légumes à la grecque, tandis que la joue de bœuf d'Aberdeen aux épices est d'une précision de goût sans faille.

RANCE Se dit d'un corps gras ou d'un aliment gras peu frais, dont l'odeur forte et le goût âcre sont dus à une oxydation. Le rancissement est accéléré par la lumière, la température et les traces de métaux. Une huile mal clarifiée est rancescible : on y remédie en lui ajoutant un peu de sucre et en fermant la bouteille avec un bouchon aéré. Pour dérancir du beurre ou du lard, on le pétrit avec du bicarbonate de soude, on le laisse tremper, puis on le rince abondamment.

RANCIO Vin doux naturel (banyuls, muscat), dont la saveur particulière est due à un vieillissement en fût, en principe au soleil, qui dure plusieurs années ; le vin se madérise et prend du velouté. En Espagne, le mot s'applique à la saveur de noisette particulière au xérès et au málaga ; au Portugal, il désigne le goût accentué de certains portos et madères ; en Italie, il caractérise le marsala et les autres vins vinés.

RÂPE Ustensile de forme allongée, plat ou incurvé, hérissé d'aspérités et perforé de petits trous ronds ou oblongs, destiné à réduire, par frottement, un aliment solide en filaments plus ou moins fins (gruyère, carotte, céleri), en poudre ou en menus fragments (noix de coco, noix de muscade, parmesan, zeste d'agrume, etc.). La râpe à muscade est la plus petite (3 cm de long), tandis que la râpe à légumes ou à fromage atteint 20 cm. Certaines râpes sont des moulins mécaniques, dont

le tambour (interchangeable) fait office de surface de râpage. Enfin, on utilise également, pour les grandes quantités, la râpe électrique ou le robot, équipé de l'accessoire qui convient.

RÂPER Transformer un aliment solide, généralement avec une râpe, en petites particules. On peut râper des légumes crus, du fromage, un zeste d'agrume, etc.

RÂPEUX Qualificatif désignant un mets ou un vin qui laisse en bouche une sensation purement mécanique, comme en provoquerait une poudre grossière.

RAS EL-HANOUT Mélange d'épices en poudre dont la composition est très variable (clous de girofle, cannelle, piment de la Jamaïque, curcuma, cumin, carvi, coriandre, gingembre, ginseng, muscade, maniguette, lavande, origan, galanga ou poivre noir), surtout utilisé au Maroc et en Tunisie (où il est généralement moins fort et parfumé avec des boutons de rose séchés), dont le nom signifie « le meilleur de la boutique ». Le ras el-hanout relève les ragoûts, le bouillon du couscous et divers autres mets maghrébins.

RASCASSE Poisson de la famille des scorpénidés, à grosse tête hérissée d'épines (**voir** planche des poissons de mer pages 674 à 677). On distingue trois espèces de rascasse.
– La rascasse brune vit du sud des îles Britanniques jusqu'au Maroc, et en Méditerranée. Elle ne possède pas de lambeaux de peau sur les mandibules. Elle a l'intérieur de la bouche clair et un corps assez trapu de couleur gris-brun parsemé de taches sombres.
– La rascasse rouge vit du sud des îles Britanniques jusqu'au Sénégal, et en Méditerranée. Appelée aussi « chapon », elle a des lambeaux de peau sur les mandibules et un corps allongé de couleur rouge à jaune, parsemé de marbrures.
– La rascasse du Nord, un peu moins prisée, vit de la Norvège jusqu'en Afrique du Sud, et en Méditerranée. Appelée aussi « chèvre », elle a un espace très étroit entre les yeux et l'intérieur de la bouche noirâtre.

Toutes les rascasses peuvent entrer dans la composition de la bouillabaisse, car leur chair est bien blanche et ferme. Elles s'apprêtent aussi comme les dorades, mais elles sont souvent vendues en filets, et s'accommodent alors comme les filets de merlan.

RECETTE DE CARME RUSCALLEDA

*rascasse blanche, légumes, fraises,
tasse de bouillon à la façon du Maresme*

POUR 4 PERSONNES

« Nettoyer 4 rascasses blanches de 300 g chacune. Réserver les filets, les foies, les têtes et les arêtes. Préparer le bouillon en faisant dorer les arêtes et les têtes dans un faitout avec un filet d'huile, assaisonner. Mixer 1 tomate mûre, 4 gousses d'ail, 15 feuilles de persil et 1,5 cl de xérès sec et ajouter le tout au bouillon. Laisser cuire 5 min et ajouter 15 g de riz rond et 50 cl d'eau bouillante. Cuire à feu moyen pendant 12 min. Rectifier l'assaisonnement, passer au chinois étamine et réserver. Cuire à l'eau bouillante pendant 1 min 50 g de fines tranches de carotte, 50 g de fines tranches de navet et 50 g de haricots verts. Refroidir et tailler en julienne fine et régulière. Cuire sur une plancha en chrome les foies de rascasse et les assaisonner. Mélanger avec la pulpe de 6 olives noires. Passer au chinois étamine afin d'en faire une purée. Ajouter 1 cuillerée à soupe de confiture de fraises. Assaisonner et réserver. Enduire les filets de rascasse d'huile olive et de sel. Les saisir à point sur la plancha en chrome. Faire de même avec 4 grosses fraises coupées en deux. Réserver. Peindre le fond de chaque assiette d'une diagonale avec la sauce de poisson et la confiture. Faire sauter la julienne de légumes et la répartir dans les assiettes en intercalant avec les filets de poisson et les fraises. Servir à part une tasse du bouillon préparé, appelé aussi bouillon à la maresmenque. »

RASSIS Se dit d'un produit de boulangerie, notamment du pain, qui n'est plus frais, mais pas durci. Pour certains apprêts, le pain de mie et la brioche doivent être légèrement rassis. De même, le pain de campagne au levain est meilleur au bout d'un ou deux jours.

En revanche, le rassissement de la viande, avant son débit au détail, est une maturation indispensable qui la rend plus tendre et plus savoureuse.

RASSOLNICK Potage de la cuisine russe, fait d'un fond de volaille parfumé à l'essence de concombre, lié au jaune d'œuf et à la crème, garni de gousses de concombre et de chair de volaille (classiquement du canard) détaillée en petits dés.

Une version plus riche du rassolnick se fait en ajoutant au fond de volaille de la poitrine de bœuf et des légumes (betterave, chou, poireau) ; le potage, lié de crème et de jus de betterave, relevé de fenouil et de persil, est alors garni de la viande en dés, avec, parfois, en complément, des petites saucisses grillées en tronçons.

RASTEAU Vin AOC doux naturel provenant de moûts récoltés sur les communes de Rasteau, de Cairanne et de Sablet (Vaucluse), à partir de cépage grenache à 90 % au moins. Le rasteau est un vin de dessert généreux, dont le bouquet s'accroît avec les années (**voir** RHÔNE).

RATAFIA Liqueur faite d'eau-de-vie sucrée dans laquelle ont macéré des plantes ou des fruits : les ratafias d'angélique, de cassis, de cerise, de coing, de framboise, de noix, de noyaux de cerise, d'orange, etc., sont généralement de préparation domestique, notamment en région méditerranéenne.

Le mot désigne aujourd'hui plus couramment des boissons titrant environ 18 % Vol., produites dans certaines régions françaises, avec des nuances d'élaboration de l'une à l'autre. Certaines formes de ratafias ont acquis leurs lettres de noblesse, tels le pineau des Charentes (**voir** ce mot), élaboré avec du cognac, le floc de Gascogne (**voir** ce mot), avec de l'armagnac, le marc de Champagne, avec du marc de Champagne, et le marc de Bourgogne, avec du marc de Bourgogne.

Le ratafia se boit frais, soit en apéritif, soit pour accompagner une entrée (melon, foie gras), un fromage à pâte persillée ou un dessert (aux fruits rouges ou au chocolat).

RATATOUILLE Ragoût de légumes typique de la cuisine provençale, originaire de Nice, mais courant dans tout le Sud-Est. Selon les puristes, les différents légumes de la ratatouille sont poêlés séparément, puis réunis et mijotés ensemble.

La ratatouille niçoise accompagne rôtis, volailles sautées ou petites pièces de boucherie, ainsi que poissons braisés, omelettes et œufs brouillés. Les amateurs l'apprécient froide, arrosée d'un filet d'huile d'olive.

ratatouille niçoise

Couper les extrémités de 6 courgettes ; ne pas les peler. Les couper en rondelles. Éplucher 2 oignons et les émincer. Débarrasser 3 poivrons verts de leur pédoncule et de leurs graines ; couper la pulpe en lanières. Peler 6 tomates, les couper en 6 et les épépiner. Éplucher et écraser 3 gousses d'ail. Peler 6 aubergines et les couper en rondelles. Chauffer 6 cuillerées à soupe d'huile d'olive dans une cocotte en fonte ; y faire revenir les aubergines, puis mettre les poivrons, les tomates, les oignons et, enfin, les courgettes et l'ail ; ajouter 1 gros bouquet garni riche en thym ; saler, poivrer et cuire 30 min à petit feu. Ajouter 2 cuillerées à soupe d'huile d'olive fraîche et poursuivre la cuisson plus ou moins longtemps suivant le goût. Retirer le bouquet garni et servir brûlant, ou au contraire très frais.

RECETTE DE LA MAISON ANDROUET

tartines de chèvre et canard fumé sur ratatouille

POUR 4 PERSONNES – PRÉPARATION : 10 min

« Laver et essorer 1 branche d'estragon. Toaster 4 tranches de pain de campagne sous le gril du four. Étaler 50 g de ratatouille froide sur chaque tranche, ajouter 60 g de chèvre (pechegos) à la cuillère et 1 tranche de magret de canard

fumé. Saupoudrer d'un mélange de 5 baies concassées et ajouter les brins d'estragon. Servir sans attendre, accompagné d'un vin d'Irouléguy. »

RAVE Racine arrondie de diverses plantes potagères de la famille des brassicacées, riche en eau, dont les usages culinaires sont les mêmes que ceux des navets longs (chou-rave, navet, rutabaga, etc.).

RAVET (BERNARD) Cuisinier français (Chalon-sur-Saône 1947). Après son apprentissage au *Royal Hôtel* de sa ville natale, il s'installe en 1964 en Suisse, au *Buffet de la gare* de Vallorbe puis, trois ans plus tard, à Échallens ; enfin, en 1989, il se fixe à Vufflens-le-Château, à *l'Ermitage*, un domaine du XVIIIᵉ siècle Bernard Ravet accède, dès la première édition du Guide Michelin de la Suisse (en 1994), à la deuxième étoile. Auteur de créations marquantes, cuisinier à la mode grand-bourgeoise, quasi-sosie de son ami Marc Meneau de Saint-Père-sous-Vézelay, il entend rendre à la terre ce qu'elle nous a donné : le sens de la perfection, cette petite musique de l'âme que le chef compose au jour le jour. Ses « fantaisies pour becs sucrés » sont de bien délicats desserts.

RAVIER Petit plat rectangulaire ou oblong, en métal, en faïence ou en verre, destiné à servir un hors-d'œuvre froid. Les raviers, le plus souvent utilisés au moins par deux, peuvent s'imbriquer géométriquement en couronne ou en damier, par quatre ou par six, ce qui facilite le dressage et permet une présentation harmonieuse.

RAVIGOTE Sauce piquante froide ou chaude, toujours assez relevée.

La ravigote froide est une vinaigrette additionnée de câpres, de fines herbes et d'oignon, hachés.

La ravigote chaude s'obtient en mouillant de velouté de veau une réduction de vin blanc et de vinaigre d'alcool (en parties égales) avec de l'échalote hachée ; elle se termine avec un hachis de fines herbes et accompagne notamment cervelle, tête de veau et volailles bouillies.

▶ Recettes : MOULE, SAUCE.

RAVIOLE Petite poche carrée en pâte à la semoule de blé dur ou à la farine, typique de la cuisine niçoise et corse, farcie d'un hachis aux épinards ou aux bettes, ou de fromage frais, et cuite à l'eau.

Dans la Drôme, les ravioles sont garnies de fromage frais et, dans la cuisine savoyarde, ce sont des petites boulettes à base d'épinards, de bettes, de farine, de tomme fraîche et d'œufs, pochées, puis gratinées et servies avec de la sauce tomate. Les ravioles du Dauphiné, dont la farce se compose de fromage blanc frais, de comté râpé, de persil et d'œufs frais, bénéficient du label rouge. Aujourd'hui, certains chefs garnissent les ravioles d'apprêts très élaborés.

RAVIOLIS Pâtes alimentaires d'origine italienne, faites de doubles carrés de pâte à la semoule de blé dur ou à la farine enfermant une farce au maigre ou au gras, cuits à l'eau bouillante et servis avec une sauce tomate et du fromage râpé, ou avec du beurre fondu et de la sauge. La farce peut se composer de veau ou de bœuf hachés, parfois seulement d'épinards et de ricotta. Lorsqu'ils sont de très petite taille, les raviolis constituent également une garniture de potage. Les agnolottis piémontais, une variante des raviolis, sont découpés en ronds.

À base (ou non) de restes, les ingrédients de « bons » raviolis doivent toujours être variés : une recette génoise comporte ainsi de la laitue, de la scarole, du poulpe cuit à l'eau, du parmesan, de la marjolaine, de l'œuf et du persil. Les raviolis sont l'un des plats de pâtes farcies les plus connus hors d'Italie.

raviolis : farces

À LA VIANDE ET AUX LÉGUMES. Hacher finement 150 g de bœuf en daube ou à la mode, ou de veau braisé. Ajouter des épinards blanchis, pressés et hachés, 50 g de cervelle de veau légèrement cuite au beurre, 1 échalote et 1 gros oignon, hachés puis fondus au beurre, 1 œuf entier et 50 g de parmesan râpé. Bien mélanger, saler, poivrer et ajouter quelques râpures de noix de muscade.

À LA VIANDE ET AU FROMAGE. Hacher finement 200 g de chair cuite de veau ou de volaille, 100 g de mortadelle et 100 g de feuilles de laitue, blanchies, pressées et étuvées au beurre. Ajouter 50 g de parmesan râpé, 1 œuf entier battu, 1 pincée de sel, 1 pincée de poivre et un peu de muscade râpée. Bien mélanger.

AUX ÉPINARDS. Faire étuver dans 30 g de beurre 300 g d'épinards crus et hachés ; saler, poivrer et ajouter quelques râpures de noix de muscade Mélanger avec 50 g de ricotta, ajouter 50 g de parmesan râpé, puis 1 jaune d'œuf. Bien mélanger.

raviolis : préparation et cuisson

Préparer une pâte pour pâtes fraîches aux œufs (voir page 626) et l'abaisser en deux rectangles de même dimension, épais de 1,5 mm. À l'aide d'une poche à douille, disposer des petites masses égales de farce sur l'une des abaisses, en rangées, tous les 4 cm environ. À l'aide d'un pinceau, humecter la pâte entre les masses de farce. Placer la seconde abaisse de pâte sur la première et presser entre les masses de farce pour souder les deux abaisses. Découper les raviolis à la roulette et les laisser sécher 4 heures au frais. Les cuire de 8 à 10 min dans de l'eau bouillante salée, puis les accommoder.

raviolis aux artichauts

Nettoyer de petits artichauts violets ; enlever les épines et les feuilles les plus dures. Les mettre dans de l'eau citronnée et les couper en tranches fines. Les cuire dans de l'huile d'olive avec de l'oignon et de l'ail, hachés menu, en ajoutant éventuellement un peu d'eau. Les ciseler finement et incorporer du persil, de la marjolaine, du parmesan, des œufs et un peu de ricotta. Saler et bien mélanger. Confectionner et cuire les raviolis. Ils sont servis le plus souvent accompagnés d'un jus de viande ou de sauce tomates aromatisée avec du basilic frais.

RECETTE DE PIERRE ET JANY GLEIZE

raviolis aux herbes

« Disposer 1 kg de farine en fontaine, mettre au milieu 4 œufs entiers, 30 g de sel, 10 cl d'huile d'olive et 2 verres d'eau ; leur incorporer petit à petit la farine. Laisser reposer 1 heure. Faire blanchir 5 min 1 kg de bettes, 500 g d'épinards et 100 g de persil ; les rafraîchir, puis bien les égoutter. Faire sauter à l'huile d'olive 250 g de girolles, ajouter les légumes et 3 gousses d'ail, puis hacher le tout finement, saler et poivrer. Préparer les raviolis. Faire bouillir dans une grande marmite de l'eau salée additionnée de 1 cuillerée à soupe d'huile d'olive ; y verser les raviolis et les faire pocher doucement. Les égoutter sur un torchon et les servir avec du beurre fondu et du fromage râpé, ou accompagnés d'une sauce faite de pulpe de tomate crue, de ciboulette ciselée, de jus de citron et d'huile d'olive. »

raviolis de navet, gelée de yuzu au thé ► NAVET

RECETTE DE SERGIO MEI

raviolis à la ricotta de brebis et herbes spontanées avec hachis de tomates et thym

POUR 4 PERSONNES

« Verser dans un bol 350 g de semoule de blé dur, 150 g de farine de type 00, 4 œufs entiers et du vin blanc. Pétrir la pâte jusqu'à obtenir un mélange lisse et élastique et laisser reposer 10 min. Blanchir 300 g d'épinards dans de l'eau salée, les égoutter, bien les presser et les couper finement au couteau. Ajouter 400 g de ricotta de brebis ou de brousse, 100 g de pecorino râpé (ou tomme de brebis), 1 g de miel méditerranéen, 2 cl d'huile d'olive vierge extra, du sel et du poivre. Pour former les raviolis, étaler finement l'abaisse sur une feuille de papier sulfurisé, poser la farce et fermer et donner aux raviolis une forme de sombrero. Préparer la sauce dans une casserole en mélangeant 50 g d'oignon doux frais étuvé et 5 cl d'huile d'olive vierge extra. Ajouter 600 g de tomates fraîches bien mûres, 300 g de tomates pelées, et 1 g de thym citron. Cuire pendant 10 min et passer au presse-purée. Remettre la sauce sur le feu et ajouter 200 g

de tomates coupées en petits dés. Cuire les raviolis dans l'eau salée, les égoutter, les verser dans la sauce et mélanger. Ajouter 10 g de pecorino (ou tomme de brebis) mi-mûr râpé et 5 g de basilic coupé en petites bandes avant de servir. »

RAYER Tracer, avec la pointe d'un couteau ou les dents d'une fourchette, un décor sur le dessus d'une pâtisserie enduite de dorure et prête à cuire. On raye généralement la galette feuilletée en losanges, le pithiviers en rosace et les sablés, croquets et biscuits aux amandes en croisillons ou en traits parallèles.

REBIBES Minces copeaux de fromage à pâte extradure des Préalpes suisses (genre tête-de-moine), que l'on débite à l'aide d'un rabot (voir GIROLLE) en fines lamelles qui s'enroulent sur elles-mêmes.

REBLOCHON OU **REBLOCHON DE SAVOIE** Fromage savoyard AOC de lait de vache (45 % de matières grasses), à pâte pressée non cuite et à croûte lavée, jaune, rosée ou orangée (voir tableau des fromages français page 392). Le reblochon se présente sous la forme d'un disque aplati de 13 cm de diamètre et de 2,5 cm d'épaisseur. Très onctueux, il a une saveur douce et noisetée. Son nom vient du verbe reblocher, « traire une seconde fois », car il était jadis fabriqué, dans les alpages, avec le lait de fin de traite, très gras, recueilli « en maraude », une fois que le régisseur était passé collecter le lait.

REBOUL (JEAN-BAPTISTE) Écrivain marseillais, auteur de la Cuisinière provençale, publié en 1897 à Marseille. Depuis, ce livre n'a cessé d'être réédité et sert toujours de référence. La sixième édition fut honorée d'une courte préface de Frédéric Mistral, rédigée en provençal.

REBOUX (HENRI AMILLET, DIT PAUL) Écrivain et journaliste français (Paris 1877 - Nice 1963). Auteur de plusieurs livres de recettes (Plats nouveaux, 300 recettes inédites ou singulières [1927], Plats du jour [1936], le Nouveau Savoir-Manger [1941]), très critiqué par certains chefs classiques, il fut un découvreur et un gastronome éclairé.

RÉCHAUD (APPAREIL) Appareil de cuisson portatif, sans four, de petites dimensions, fonctionnant à l'alcool, au gaz ou à l'électricité.
– Le réchaud à alcool, en cuivre, en acier inoxydable ou en métal argenté, sert soit à cuire certains mets à table (telles les fondues), soit à en flamber d'autres au moment de les servir, ou encore à tenir au chaud des apprêts dressés (c'est alors un chauffe-plat).
– Le réchaud à butane, utilisé surtout par les campeurs ou comme appareil de dépannage, est un brûleur muni d'un support métallique faisant office de repose-plat, qui se visse directement sur une petite bouteille de gaz et ne permet que des préparations rudimentaires.
– Le réchaud à gaz, à un ou plusieurs feux, est surtout à usage professionnel.
– Le réchaud électrique comporte une ou deux plaques chauffantes, encastrées dans un cadre en métal émaillé.

RÉCHAUFFER Amener à la température de dégustation un aliment déjà cuit, mais qui a été refroidi ou rafraîchi. Le réchauffage peut s'effectuer à l'aide d'une « chauffante », c'est-à-dire de l'eau bouillante, salée ou non, dans laquelle on immerge quelques instants le mets (des légumes, par exemple) à l'aide d'une passoire. Il se fait souvent au bain-marie, sur le feu ou dans le four, classique ou à micro-ondes.
La préparation est parfois mise à réchauffer dans son plat de service ou dans un ustensile de cuisson soit à four doux (pour un gratin, des quenelles), soit sur le feu à chaleur douce (étuvée) ou vive (sauté), en rajoutant un corps gras.
Certains plats de longue cuisson sont meilleurs réchauffés et se préparent de préférence la veille, voire l'avant-veille (bourguignon, braisé, daube, etc.).

RECTIFIER Corriger l'assaisonnement d'un mets en fin de préparation après l'avoir goûté, en lui ajoutant un ingrédient qui est susceptible de l'améliorer, d'en parfaire le goût ou de faire ressortir au mieux une saveur particulière (sel et poivre surtout, sucre, crème fraîche, etc.).

RECUIRE Poursuivre la cuisson, jusqu'au point voulu de l'apprêt, d'une confiture, d'une gelée ou d'une marmelade, quand on a ajouté dans le sucre cuit un fruit plus ou moins aqueux qui a « décuit » le sirop.

Le terme « recuire » désigne aussi, pour les fromages, l'opération qui consiste à chauffer à ébullition du lactosérum, lui-même issu de la « cuisson » du lait lors de la fabrication de pâtes pressées cuites. Le fait de « recuire » ce sérum précipite les protéines solubles du lait (immunoglobulines, etc.) et non les caséines, coagulées ordinairement avec la présure. Par extension, le mot « recuite » a donné ricotta, de l'italien *ricotta*.

RÉDUCTION Concentration ou épaississement d'un liquide, d'une sauce, d'une cuisson, par ébullition et évaporation de certains éléments. Le but de toute réduction est de rendre le liquide plus savoureux, plus corsé ou plus onctueux.

Pour certaines sauces, la réduction précède la préparation proprement dite et consiste à obtenir un concentré, généralement à partir de vin blanc, de vinaigre (et parfois des deux) ou de vin rouge, additionné d'échalotes hachées, d'estragon, etc. : c'est le cas des sauces béarnaise, bordelaise, du beurre blanc…

RÉDUIRE Diminuer le volume d'un liquide (fond, sauce, jus) par évaporation, en maintenant celui-ci à ébullition, ce qui augmente sa saveur par concentration des sucs et lui donne davantage d'onctuosité ou de consistance.

RÉFORME Nom d'une sauce d'origine anglaise *(reform sauce)*, dérivée de la sauce poivrade par addition d'une julienne de cornichon, de blanc d'œuf dur, de champignon, de langue écarlate et de truffe. Elle accompagne les côtelettes d'agneau et sert également à fourrer une omelette. Cette sauce se prépare aussi, avec la même garniture, sur une base de sauce pour gibier.

RÉFRIGÉRATEUR Appareil électrique en forme d'armoire en métal émaillé à double paroi, équipé de clayettes et de bacs, destiné à conserver au froid les aliments périssables.

Le froid est produit soit par l'évaporation, soit par la détente d'un fluide frigorigène.

Aujourd'hui, dans les réfrigérateurs à compression, un gaz (Fréon, propane, chlorure de méthyle), préalablement comprimé, se détend dans l'évaporateur. Mais celui-ci condense l'humidité de la cuve et la transforme en givre ; le dégivrage se fait régulièrement.

La cuve du réfrigérateur est en matière plastique, en tôle peinte, en tôle émaillée, en acier inoxydable ou en aluminium. À l'intérieur, les températures vont de − 1 à + 8 °C. Selon les modèles, la zone la plus froide (on y place, entre autres, viandes et poissons crus) se situe en haut ou en bas ; dans la zone inférieure, un bac à légumes permet de garder ceux-ci à l'abri du grand froid dans une zone plus humide. La contre-porte est généralement équipée d'un casier porte-bouteilles à rangement vertical et de compartiments pour le beurre et les œufs.

REFROIDIR Abaisser rapidement la température d'une préparation à consommer froide, la plupart du temps en la plaçant dans la partie la plus froide du réfrigérateur ou, en restauration, dans une cellule de refroidissement rapide. La confection de certains appareils (farces ou godiveaux) nécessite aussi que les ingrédients soient préalablement mis à refroidir dans une terrine placée sur de la glace pilée.

RÉGALADE (À LA) Se dit d'une manière de boire qui consiste à verser directement le liquide dans sa bouche, sans que le récipient (généralement une gourde ou une fiasque à long col) touche les lèvres.

RÉGENCE Nom donné, par allusion à la cuisine délicate en vogue au temps de la Régence, à divers apprêts raffinés. La garniture Régence se compose de quenelles (de poisson, de volaille ou de veau, selon la pièce à garnir), de têtes de champignon, tournées et pochées, et de lames de truffe. On ajoute parfois aux poissons des huîtres pochées, et aux viandes (abats ou volailles) des escalopes de foie gras ; les premiers sont nappés de sauce normande à l'essence de truffe, les secondes, de sauce suprême ou allemande.

La sauce Régence se compose d'une mirepoix et de pelures de truffe ; elle est mouillée au vin du Rhin, additionnée de demi-glace puis passée à l'étamine.

RÉGLEMENTATION AGROALIMENTAIRE Ensemble de textes qui fixent les normes de commercialisation de nombreuses denrées. Cette réglementation assure aux consommateurs de hauts niveaux de qualité tout en garantissant aux producteurs des conditions de concurrence égales.

Depuis sa création, l'Union européenne a ainsi défini de nombreux critères de vente : fruits et légumes (1962), lait et produits laitiers (1968), cacao et chocolat (1973), spiritueux (1989), etc. ; des impératifs sanitaires : viande de volaille (1971), poissons (1976) ; et des règles d'information du consommateur : étiquetage des denrées alimentaires (1979), étiquetage nutritionnel (1990). Les efforts les plus récents portent sur les OGM (organismes génétiquement modifiés) et les arômes. L'Union européenne veut rendre cette réglementation plus cohérente, bien que celle-ci soit largement influencée par les décisions que prend la commission du *Codex alimentarius,* instance de l'Organisation des Nations unies, décisionnaire dans ce domaine à l'échelle mondiale.

RÉGLISSE Arbrisseau de la famille des fabacées, dont la racine constitue le « bois de réglisse », parfois vendu en petits bâtonnets à mâcher ou servant à préparer des boissons désaltérantes. On en extrait le suc de réglisse, qui contient de 5 à 10 % de glycyrrhizine, principe actif thérapeutique, connu depuis l'Antiquité ; une fois purifié et concentré, ce suc parfume aussi divers apéritifs, s'utilise en brasserie et, surtout, sert à confectionner des articles de confiserie. Sauvage en Syrie, en Iran et en Turquie, la réglisse est, en France, surtout cultivée dans le Gard, dans la région d'Uzès.

– Les réglisses dures (bâtonnets, pastilles, perles, petits pains, silhouettes, etc.) sont obtenues par mélange de suc de réglisse pur, de matières sucrantes, de gomme arabique et, éventuellement, d'un arôme (menthe, anis, violette).

– Les réglisses souples (lacets, rubans, torsades, etc.) sont constituées d'une pâte de suc de réglisse pur, de matières sucrantes, de farine de blé dur, d'amidon et de sucre glace ; cette pâte, cuite puis aromatisée, est extrudée en filière.

▶ Recette : RISOTTO.

RÉGNIÉ Cru AOC du Beaujolais, issu du cépage gamay, le plus récent des dix crus de la région, aux arômes de fruits rouges, souple et élégant, charnu et charmeur (**voir** BEAUJOLAIS).

REINE (À LA) Se dit de nombreux apprêts de cuisine classique, tous élégants et délicats, caractérisés surtout par la présence de volaille (souvent complétée par des ris de veau, des champignons, des truffes) avec de la sauce suprême. L'appellation « à la reine » concernait aussi jadis un petit pain au lait, très léger.

▶ Recettes : BOUCHÉE À LA REINE, CONSOMMÉ, CROÛTE, TOMATE.

REINE-CLAUDE Prune à peau verte, plus ou moins dorée, à chair jaune verdâtre, très parfumée, dont il existe plusieurs variétés (**voir** tableau des prunes page 716 et planche page 715). La reine-claude verte ou dorée est la seule à bénéficier d'un label rouge. Exquise fraîche comme fruit de table, la reine-claude donne également d'excellentes confitures.

▶ Recette : CONFITURE.

REINE DE SABA Gâteau au chocolat souvent rond, fait d'une pâte à biscuit allégée par des blancs en neige. On le rend plus fin en remplaçant la farine par de la fécule, des amandes en poudre ou un mélange des deux. Il se sert froid avec une crème anglaise.

RÉJANE Nom donné à divers apprêts de cuisine, d'après le nom de scène de la grande comédienne Gabrielle Réju (Paris 1856 - *id.* 1920). La garniture Réjane (pour petites pièces de boucherie sautées ou ris de veau braisés) comprend des cassolettes en pommes duchesse garnies, des épinards en branche au beurre, des quartiers d'artichaut étuvés et des lames de moelle, le tout saucé du fond de braisage ou d'un déglaçage au madère. La salade Réjane associe du riz en grains, des rondelles d'œuf dur, du raifort râpé, des lames de truffe et de la chantilly salée. Les paupiettes de merlan Réjane sont des filets nappés de sauce au vin blanc, additionnés de beurre de cresson et garnis de pommes duchesse.

RELÂCHER Ajouter à une préparation un liquide pour l'éclaircir et la rendre moins épaisse (**voir** DÉTENDRE).

RELEVÉ Plat qui venait autrefois « relever » un autre mets (c'est-à-dire qui le suivait). Le terme concernait surtout les entrées, qui étaient des « relevés de potage ». Un menu classique s'ordonnait ainsi : hors-d'œuvre, potage, relevé de potage, poisson, relevé de poisson, rôt, parfois suivi de relevé de rôt, enfin entremets et desserts.

RELEVER Renforcer l'assaisonnement d'une préparation en y ajoutant un condiment, une épice. Un mets « relevé » est généralement haut en saveur, avec une proportion notable d'épices telles que poivre, piment, clou de girofle, quatre-épices, etc.

RELIGIEUSE Pâtisserie constituée classiquement d'un gros chou (fourré de crème pâtissière ou Chiboust, au café ou au chocolat, comme les éclairs) surmonté d'un chou plus petit, également fourré ; après glaçage au fondant (de même parfum que le fourrage), on la décore à la poche à douille avec de la crème au beurre. La religieuse se fait en petit gâteau individuel ou en grosse pièce.

On appelle aussi, mais plus rarement, « religieuse » une tarte feuilletée garnie de marmelade de pomme et d'abricot avec des raisins secs, couverte de croisillons évoquant la grille d'un couvent.

RELIGION ▶ VOIR **INTERDITS ALIMENTAIRES**

RELISH Condiment anglo-saxon d'origine indienne, voisin du chutney, mais plus épicé ; au Canada, on lui donne le nom d'« achard ». Le relish est une purée aigre-douce à base de fruits acides et de légumes additionnés de petits oignons au vinaigre, de cornichons, d'épices, mijotés avec de la cassonade et du vinaigre. Il accompagne caris et plats exotiques, mais aussi steaks hachés, crudités et viandes froides.

Aux États-Unis, le relish est le condiment doux à base de poivron et de cornichon qui accompagne traditionnellement le hot-dog.

REMONTER Rendre son homogénéité à une sauce émulsionnée, qui a « tourné » par manque de stabilité. On remonte une mayonnaise en incorporant petit à petit, au fouet, un nouveau jaune d'œuf, un peu de moutarde, quelques gouttes de vinaigre ou d'eau ; on remonte une hollandaise ou une béarnaise en incorporant petit à petit, au fouet, un peu d'eau, chaude si la sauce est froide, froide si la sauce est chaude.

REMOUDOU Fromage belge de lait de vache (45 % de matières grasses), à pâte molle et à croûte lavée. Le remoudou se présente sous la forme d'un cube de 8 cm de côté, pesant 500 g environ. Il a une odeur très typée et une saveur piquante. La Confrérie du Remoudou s'attache à promouvoir tous les produits laitiers du plateau de Herve.

RÉMOULADE Sauce froide dérivée de la mayonnaise par addition de moutarde, de cornichons, de câpres et de fines herbes hachées, finie éventuellement avec un peu d'essence d'anchois ; on lui ajoute parfois de l'œuf dur haché. Quand elle accompagne viandes, poissons et crustacés froids, il s'agit d'une simple mayonnaise moutardée et relevée d'ail et de poivre. La sauce rémoulade condimente traditionnellement le céleri-rave râpé et diverses salades composées.
▶ Recettes : CÉLERI-RAVE, SAUCE.

REMUER Mélanger, avec une spatule ou un fouet, une préparation, lors de sa confection ou de sa cuisson, pour que les éléments ne s'agglutinent pas, ne forment pas des grumeaux, n'attachent pas au récipient, etc. Le riz et les pâtes doivent être remués dès leur immersion dans l'eau bouillante. « Remuer la salade », c'est retourner plusieurs fois, au dernier moment, les feuilles pour bien les enduire de l'assaisonnement.

REMUEUR Bâtonnet ou tige en matière plastique ou en verre, long de 10 cm environ, généralement orné d'un motif décoratif. Le remueur sert à mélanger les différents liquides de certains cocktails.

RENAISSANCE (À LA) Se dit d'une grosse pièce de boucherie, braisée ou rôtie, ou d'une poularde, rôtie ou pochée, garnie de légumes alternés : carottes et navets levés à la cuillère parisienne – ou tournés – et glacés (parfois dressés sur des fonds d'artichaut), pommes de terre fondantes ou rissolées, laitue braisée, haricots verts, pointes d'asperge et bouquets de chou-fleur. La sauce d'accompagnement est constituée par le jus du rôti, le fond de braisage ou une sauce suprême (pour une poularde pochée au fond blanc).

RENNE Mammifère de la famille des cervidés vivant dans les régions arctiques. Le lait de la femelle du renne est, avec celui de la baleine, le plus riche en matières grasses ; il est utilisé dans la fabrication de quelques fromages en Laponie, en Norvège et en Suède. Ce sont surtout les Lapons, éleveurs de rennes en semi-liberté, qui consomment leur lait et mangent leur chair. La viande de renne est une venaison qui reçoit les mêmes apprêts que le chevreuil ; lorsque l'animal est nourri de grain et de foin, sa viande est plus douce de goût ; elle se prépare alors en boulettes, en steaks ou en ragoûts.

REPAS Nourriture consommée chaque jour à heure fixe. Les trois repas principaux de la journée sont le petit déjeuner (breakfast, brunch), le déjeuner et le dîner ; d'autres collations jalonnent parfois la journée : le casse-croûte, le goûter, le thé, le souper, voire l'en-cas. Aujourd'hui, certaines occasions de la vie sociale se fêtent par des repas d'une forme particulière : banquet, buffet froid, lunch. Un repas pris sur l'herbe est un pique-nique. Les fêtes religieuses se marquent par un repas comportant des plats traditionnels (Noël, Pâques, fin du ramadan, etc.).

REPÈRE Pâte un peu molle, faite de farine et d'eau, avec laquelle on ferme hermétiquement (on lute) le couvercle d'un récipient pendant une cuisson. Le repère est aussi un mélange de farine et de blanc d'œuf, utilisé pour coller les détails d'un décor en pâte sur un apprêt ou sur le bord d'un plat.

REPOSER (LAISSER) Réserver une pâte au frais, en attendant de poursuivre sa préparation. Un temps de repos (de 1 heure ou plus) est indispensable pendant la confection ou avant l'utilisation d'une pâte : les pâtons sont enveloppés dans un linge ou dans du film alimentaire et mis à reposer dans le réfrigérateur ou dans un endroit frais, à l'abri des courants d'air.

On laisse aussi reposer, après cuisson, la viande rouge rôtie ou grillée ; au cours de ce repos de quelques minutes, le sang concentré au centre de la pièce de viande revient à la périphérie, ce qui permet d'obtenir ensuite des tranches uniformément rosées.

REQUIN Poisson cartilagineux, caractérisé par un corps allongé, un museau pointu et une bouche en forme de croissant sur la face ventrale. Il existe de nombreuses espèces de requins, appelés squales, de taille variable, depuis la petite roussette (couramment consommée en France) jusqu'au requin-baleine, qui atteint 18 m de long. Dans la cuisine créole, on cuisine leur chair en soupe ou en ragoût ; dans la cuisine chinoise, les ailerons sont l'ingrédient d'un potage réputé. En Europe, comme en Amérique du Nord, on consomme d'autres squales de taille modeste, communément appelés « chiens de mer », comme l'émissole, le milandre et l'aiguillat, souvent vendus décapités et dépouillés sous le nom de saumonette ; ils se préparent comme la roussette.

touffé de requin à la créole

Tronçonner la chair d'un petit requin et la faire mariner plusieurs heures dans le jus de 2 citrons verts allongé d'eau, avec du sel, du poivre, 1 piment et du bois d'Inde. Faire revenir dans une cocotte 2 oignons et 4 ou 5 échalotes émincés, avec 3 tomates mondées, épépinées et concassées. Saler, poivrer largement, ajouter 2 piments, 3 gousses d'ail et 1 bouquet garni. Égoutter les morceaux de requin et les faire cuire à couvert sur ce lit d'aromates. Servir avec du jus de citron vert, du persil ciselé et une pointe d'ail râpé. Accompagner de riz créole et de haricots rouges.

RÉSERVE Mention que certains producteurs et négociants ajoutent sur l'étiquette de vins (obligatoirement AOC ou AOVDQS) auxquels ils souhaitent conférer un prestige particulier.

RÉSERVER Mettre de côté, au frais ou au chaud, des ingrédients, des mélanges ou des préparations destinés à être utilisés ultérieurement. Pour éviter qu'ils ne se dégradent, on les enveloppe souvent de papier sulfurisé, d'aluminium, d'un linge, etc. Pour empêcher la formation d'une peau sur une crème ou une sauce à réserver, on couvre celles-ci d'un papier beurré ou on parsème leur surface d'un corps gras (**voir** TAMPONNER).

RESTAURANT Établissement public où l'on sert des repas, au menu ou à la carte, à prix affichés et à heures fixes. Apparu au XVIe siècle, le mot « restaurant » désigna d'abord un « aliment qui restaure ».

■ **Du mot au lieu.** De ce sens, qui survécut jusqu'au XIXe siècle, on passa à celui d'« établissement spécialisé dans la vente des restaurants » (*Dictionnaire de Trévoux*, 1771).

Jusqu'à la fin du XVIIIe siècle, on ne trouvait à manger, moyennant finances, que dans les auberges et les tavernes (**voir** TABLE D'HÔTE, TRAITEUR). À Paris, c'est vers 1765 qu'un nommé Boulanger, « marchand de bouillon », inscrivit sur son enseigne : « Boulanger débite des restaurants divins ». Il fut suivi par Roze et Pontaillé (qui ouvrirent en 1766 une « maison de santé ») ; mais le plus ancien restaurant parisien digne de ce nom fut celui que Beauvilliers fonda en 1782, rue de Richelieu, sous le nom de *Grande Taverne de Londres* : pour la première fois, on servait à heures fixes, sur des petites tables individuelles, des plats inscrits sur une carte.

■ **Des restaurants pour tous.** La Révolution favorisa la restauration : l'abolition des corporations et des privilèges donna de plus grandes facilités pour s'installer. Les premiers à en profiter furent les cuisiniers et les serviteurs des maisons nobles, dont les maîtres avaient émigré. Par ailleurs, l'arrivée à Paris de nombreux représentants du peuple venus de la province créa une clientèle d'habitués, à laquelle s'ajouta celle des journalistes et des hommes d'affaires. Un certain appétit de bien-vivre, après une époque troublée, et la possibilité de pouvoir accéder à des jouissances jusqu'alors réservées aux riches firent de la restauration, sous le Directoire, une véritable institution.

Après la vogue du Palais-Royal, puis des Halles, ce fut l'ère des Grands Boulevards et de la Madeleine, puis des Champs-Élysées, mais aussi de la Villette, de Bercy, puis de Montparnasse, de la Rive gauche, sans oublier la barrière de Clichy ou les hauteurs de Montmartre. Mais les grandes étapes gastronomiques régionales – qui jalonnent souvent, sur le tracé des anciens relais de poste, les itinéraires touristiques –, redécouvertes par des gourmets comme Curnonsky et Marcel Rouff, rivalisèrent bientôt avec les hauts lieux culinaires de la capitale.

Aujourd'hui, la restauration « hors foyer » s'organise en plusieurs catégories avec la restauration de collectivité (entreprises, écoles, hôpitaux), en progression constante, tant au niveau quantitatif que qualitatif, la restauration rapide, avec croissanteries et fast-foods à l'américaine, et la restauration traditionnelle, qui va du bistrot au restaurant gastronomique étoilé. C'est cette dernière qui est jugée dans les guides, les niveaux d'accueil et de cuisine étant symbolisés par des étoiles, des couverts, des points, des toques…

RÉTÈS Pâtisserie hongroise proche du Strudel autrichien, faite d'une pâte très fine à base de farine au gluten, diversement garnie, roulée en boudin, cuite au four et coupée en tranches, que l'on sert poudrées de sucre fin. La garniture peut être du fromage blanc additionné de raisins secs et de blancs d'œuf en neige ; de la marmelade de pomme à la cannelle, des cerises ou des prunes cuites ; des noix râpées avec du sucre, mélangées avec du citron, des raisins secs et du lait ; ou encore une crème aux graines de pavot cuites dans du lait et du sucre, additionnée de pommes râpées, de zeste de citron et de raisins de Smyrne.

RETSINA Vin grec de qualité courante issu des cépages savatiano blanc et rhoditis ; très apprécié, rosé ou, plus souvent, blanc, auquel on a ajouté de la résine de pin (le meilleur est le pin d'Alep, poussant en Attique), qui lui donne une odeur de térébenthine. Le retsina titre 12,5 ou 13 % Vol. et se boit jeune et frais.

REUILLY Vin AOC blanc, rouge ou rosé, produit par un vignoble du Berry installé en coteaux ou sur un plateau argilo-calcaire. Les blancs sont issus du cépage sauvignon, et les rouges ou rosés, des cépages pinot noir et pinot gris (**voir** BERRY).

RÉUNION (LA) Située à l'est du continent africain, l'île de La Réunion offre une gastronomie raffinée où se marient les influences anglo-indienne, chinoise, africaine, malaise, portugaise et française.

L'apéritif est servi avec divers amuse-gueule : beignets de capucine ou de crevette, « bouchons » farcis à la viande de porc et aux oignons verts, « croquettes poulet », « grattons » (couennes de porc confites dans l'huile) et autres « samoussas ». Plat typique par excellence, le cari réunionnais est plus sombre et plus pimenté que son frère indien. Il se prépare avec de la viande (cabri, cochon des bois, bœuf, lapin, etc.) ou du poisson ou des crustacés, tels que les bichiques (alevins capturés à l'embouchure des rivières), très appréciés, les camarons, les crevettes, le thon, les zourites (poulpes) et les langoustes. On l'accompagne de « grains » – lentilles, haricots rouges et blancs et gros pois du Cap notamment – ou de riz blanc qui en atténuent la saveur pimentée. L'espadon se cuisine à la saint-gilloise, c'est-à-dire flambé au rhum, dans une sauce à la crème fraîche agrémentée de zestes de combava (petit citron vert), ou en massalé, plat d'origine malabare assaisonné par un mélange d'épices, comme le requin. Les poissons à chair ferme, comme le vivaneau et le barracuda, sont pochés dans un court-bouillon de vin blanc aromatisé de thym, de gingembre et de jus de citron, puis nappés d'une sauce à base d'un mélange caramélisé de vinaigre et de sucre auquel on ajoute des tomates, de l'ail, du jus de carotte, de la sauce aux huîtres et de la sauce de prunes. Le poisson est servi sur un lit de carottes râpées et décoré de vermicelles chinois frits, de lanières de piment et de tiges vertes d'oignon.

Composante de base, le riz connaît de nombreuses variations : « riz maïs », mélangé à du maïs, « riz jaune », aromatisé au curcuma dit « safran pays », « riz chauffé », cuit puis revenu dans l'huile avec ail et piment, ou encore zembrocal, mélangé à des haricots ou des lentilles, le tout assaisonné au curcuma. La plupart des mets sont servis avec des rougails variés très pimentés, dont le « rougail tomate », qui accompagne de nombreuses viandes, et le « rougail mangue », marié plutôt avec des poissons, sont les plus connus ; on les sert en petite quantité. Il ne faut pas les confondre avec les rougails cuits : « rougail saucisse », « z'andouille », « boucané », « morue », « hareng », « moule », « crevette », etc.

Les fruits et les légumes tropicaux sont également très présents. Les brèdes, préparées avec les feuilles, les tiges et les cœurs de différentes plantes sauvages ou cultivées – morelle, pariétaire, pé-tsaï (ou chou de Chine), mourongue, songe, citrouille, lastron et chouchou – accompagnent, en fricassée ou en bouillon, un plat principal, alors que les achards, condiments à base de légumes hachés, assaisonnés et confits dans de l'huile parfumée à l'oignon, à l'ail, au curcuma, au piment et au gingembre, sont servis en entrée ou en accompagnement des différents caris. La chayote, ou « chouchou » ou cristophine, une espèce de courge, se déguste aussi en daube ou en gratin. Abondants, les fruits se savourent frais ou entrent dans la composition de confitures et de succulents desserts : sorbets et mousses (au citron vert, au litchi, à la mangue), « flan coco », ananas flambé, etc., sans oublier les beignets sucrés d'ananas, de mangue et de papaye, parfumés au zeste de citron, à la vanille, à la cannelle ou au rhum. Utilisée sucrée ou salée, la patate douce est à la base de gâteaux et de confitures.

■ **Rhum.**
Comme aux Antilles, le rhum blanc dit agricole est issu de la distillation du vesou (ou jus de canne), mais le rhum réunionnais, le « tafia », est fait à partir de la distillation de la mélasse. Ce rhum est parfois vieilli en fût de chêne, ce qui lui confère un goût plus délicat et une couleur ambrée. Il est consommé sous forme de grogs ou de punchs, mais parfume aussi de nombreuses pâtisseries.

RÉVEILLON Repas pris au cours de la nuit de Noël et, par extension, pendant celle du jour de l'An. La longue durée des trois messes basses aux alentours de minuit et le chemin parcouru pour aller à l'église et en revenir justifiaient autrefois ce solide repas pris tard dans la nuit. De nos jours, le réveillon est surtout une occasion de faire bonne chère en famille ou entre amis ; il reste associé, en France et à l'étranger, à des mets spécialement cuisinés, surtout à Noël.

■ **Plats traditionnels.** Un peu partout en France, la dinde rôtie aux marrons est devenue le plat classique du réveillon. Cependant, autrefois, la daube en Armagnac, le foie d'oie et la choucroute en Alsace, l'aligot en Auvergne, le boudin en Nivernais et l'oie dans le Sud-Ouest étaient de rigueur. Dans le Sud-Est, la tradition imposait, avant l'office, le « gros souper » : chou-fleur et morue en raïto, ou encore escargots, mulet aux olives, omelette aux artichauts et pâtes fraîches. Ce repas se terminait immuablement par les « desserts de Noël », qui étaient au nombre de treize comme les treize convives de la Cène.

Dans tout le monde chrétien, le menu du réveillon se transmet par tradition, et Édouard de Pomiane écrit à ce sujet : « Les Russes mangent la *koutia*, grains de blé cuits avec des fruits secs. Les Polonais rompent une hostie et mangent des plats à base de graines de pavot… Sur la table des Anglais apparaît tous les ans le Christmas pudding. »

En Italie, à Rome, les festivités commencent dans la nuit du 23 au 24 décembre par un grand marché nocturne : on s'y approvisionne notamment en anguilles vivantes, indispensables pour un vrai repas de Noël, qui comporte également un chapon rôti et farci. Plus au nord, à Bologne, capitale des pâtes fraîches, le réveillon commence par des tortellinis farcis d'un hachis de porc, de dinde et de saucisson, de fromage et de noix de muscade. Au chapitre des friandises, citons la *nocciata* au miel et aux noix, découpée en triangles, la cassate à la ricotta et au chocolat, ainsi que le *torrone* aux amandes. Ce type de friandises est de rigueur dans tous les pays, et l'on retrouve les biscuits ou les sucreries aux amandes en Espagne, avec des dragons en massepain fourrés de fruits secs.

En Allemagne, si la carpe fait figure de plat rituel du réveillon, elle est souvent remplacée par l'oie, la dinde, le chevreuil, le sanglier, un rôti ou même des *Schnitzel* (escalopes panées). Mais certains aliments demeurent traditionnels, notamment les pommes, les noix et les amandes. Les pains d'épice de Nuremberg, le Stollen de Dresde, le massepain de Lübeck et les petits gâteaux faits à la maison (à l'anis, aux amandes, à la cannelle) sont pour ainsi dire obligatoires au pied du sapin ou sur la table du réveillon.

En Suède, le réveillon était jadis indissociable de la lingue marinée et séchée, servie en sauce blanche avec du beurre et des pommes de terre, de la moutarde et du poivre noir. Aujourd'hui, on apprécie surtout, comme au Danemark, l'oie farcie de pommes et de pruneaux, rôtie et garnie de chou rouge, de pommes de terre caramélisées et de sauce aux airelles ; le porridge au riz ou le riz aux amandes nappé de compote de cerise constituent souvent le dessert. En Norvège, on déguste des grosses côtelettes de porc rôties, servies avec de la choucroute au cumin, tandis que, en Finlande, on fait cuire un jambon sous une croûte en pâte de seigle. Enfin, en Scandinavie, le réveillon est souvent fêté par un somptueux smörgasbord.

RHÔNE (VINS) Le très ancien vignoble de la vallée du Rhône s'étend sur 200 kilomètres. Il se distingue par l'absence de grand cru et de premier cru, ce qui ne l'empêche pas de donner de grands vins grâce à ses deux enclaves : celle du nord et celle du sud.

■ **Côtes du Rhône septentrionales.** De Vienne à Valence règnent les vignerons et les négociants. Dans cette zone au climat continental, les vignes s'épanouissent sur les coteaux escarpés des gorges, au sol bien drainé et convenablement exposé. Les vins rouges sont issus des cépages cinsault, mourvèdre et surtout syrah, qui apporte

couleur et tanin et, avec le temps, des parfums de violette et d'épices. Les vins blancs, souvent opulents, viennent du viognier, aux arômes d'abricot, du marsanne, robuste, et du roussanne, délicat.

Pur syrah, le cornas, rouge, parfois très tannique dans sa jeunesse, demeure sauvage après une longue garde. Le domaine de la côte-rôtie élabore des rouges aromatiques dits « féminins », fruités, voluptueux et sublimes après huit ans. Le saint-joseph rouge est coloré et corsé, le blanc nerveux et parfumé. Hermitage produit des blancs ; les rouges sont plutôt « masculins », tanniques, vigoureux ; ceux de Crozes-Hermitage en sont proches. Le château-grillet blanc est rare. Celui de Condrieu, comme lui pur viognier, a un bouquet de noyau d'abricot et de pêche. Saint-Péray est réputé pour ses blancs tranquilles ou mousseux.

■ **Côtes du Rhône méridionales.** Entre Montélimar et Avignon dominent les coopératives. Sous un climat méditerranéen, les coteaux, moins escarpés, sont situés dans des vallées au sol plus calcaire, mais lui aussi bien drainé. Ici, la plupart des grands rouges et des rosés proviennent du grenache noir. Les blancs sont faits de picpoul, d'ugni blanc, de bourboulenc, de clairette, de picardan ou de grenache blanc.

Les côtes-du-lubéron, les côtes-du-ventoux et les côte-du-rhône sont des rouges, des blancs et des rosés, de même que les côtes-du-rhône-villages et les vins de Lirac, où les rosés prédominent. L'AOC châteauneuf-du-pape, généralement rouge, opulent et viril, se reconnaît à sa bouteille spéciale ornée de la tiare pontificale. Corsé et puissant, le rouge de Gigondas se dévoile après cinq ou six ans ; les rosés sont secs et fruités. Tavel ne produit que des rosés bouquetés et savoureux. Enfin, les rouges de Vacqueyras sont aromatiques et colorés.

RHUBARBE Plante vivace de la famille des polygonacées, originaire d'Asie du Nord, dont les pétioles charnus des feuilles sont comestibles. La rhubarbe n'est devenue plante potagère qu'au XVIIIe siècle. Peu énergétique (16 Kcal ou 67 kJ pour 100 g), elle contient du potassium et peu de sodium : elle est donc laxative. Elle contient beaucoup d'acide malique (1,3 g pour 100 g) et d'acide oxalique (0,5 g pour 100 g).

■ **Emplois.** Il existe plusieurs variétés : à côtes vertes, plus ou moins colorées de rose ou de pourpre, vendues de mai à juillet avec des pétioles fermes, cassants, denses, laissant suinter leur suc à la cassure.

Toujours additionnés de sucre à la cuisson, car ils sont très acides, les pétioles de rhubarbe servent à préparer confitures, compotes et marmelades, que l'on relève souvent de zeste de citron ou de gingembre. La compote peut également accompagner le poisson. On emploie aussi la rhubarbe dans les chutneys. Elle entre dans la composition d'un apéritif italien, le rabarbaro.

Les Canadiens associent volontiers la rhubarbe à la pomme et aux baies rouges ; ils en font des tartes, mais aussi des gâteaux, des sorbets et des punchs rafraîchissants, ainsi que des achards.

ceviche de daurade, rhubarbe et huile de piment ▶ CEVICHE
compote de rhubarbe ▶ COMPOTE
confiture de rhubarbe ▶ CONFITURE
pie à la rhubarbe ▶ PIE

rhubarbe aux fraises

Éplucher 1 kg de rhubarbe en enlevant bien toutes les filandres et la couper en tronçons réguliers de 4 à 5 cm. Les mettre dans un saladier et les saupoudrer largement de sucre vanillé. Les faire macérer trois heures en remuant de temps en temps avec une spatule. Les mettre dans une casserole et cuire 15 min sur feu moyen. Laver, équeuter et couper en quatre 300 g de fraises bien mûres. Les ajouter dans la casserole et cuire 5 min, puis débarrasser dans un compotier et laisser refroidir. Servir nature dans des coupelles, ou avec une boule de glace à la vanille et des petites madeleines chaudes.

saint-pierre à la rhubarbe ▶ SAINT-PIERRE

RHUM Eau-de-vie qui provient de la fermentation alcoolique et de la distillation soit de mélasses résultant de la fabrication du sucre de canne, pour le rhum de sucrerie, soit du jus de canne (ou vesou), pour le rhum agricole et le rhum de sirop. Le rhum agricole de la Martinique bénéficie d'une AOC.

Caractéristiques des différentes dénominations de rhums

DÉNOMINATION	FABRICATION	DESCRIPTION	GOÛT
rhum agricole	fermentation et distillation du jus de canne	blanc, peut s'élever sous bois 12 mois et plus (rhum paille) ou 3 ans et plus (rhum vieux)	équilibré en bouche, fruité, épicé
rhum grand arôme	fermentation lente et distillation de mélasses, eau, vinasse	forte acidité, utilisé en cuisine ou pour des boissons chaudes	très intense, complexe, marqué de mélasses
rhum de sucrerie (ou industriel ou traditionnel)	fermentation et distillation de mélasses, vinasse	utilisé dans les assemblages industriels et en pâtisserie	corsé, très marqué de mélasses
rhum léger	fermentation de mélasses, distillées à très haut degré	taux de non-alcool très faible	peu aromatique, rond en bouche

La canne à sucre fut introduite au début du XVIe siècle sur l'île d'Hispaniola (actuelle Haïti) ; en 1635, elle fit son apparition à la Martinique, aux Antilles. Le père du Tertre, auteur d'une *Histoire générale des Antilles habitées par les Français* (1667), ouvrit vers 1690 plusieurs distilleries, puis le père Labat s'établit sur place et développa l'industrie rhumière.

La consommation de rhum augmenta si rapidement que son exportation vers la France fut bientôt interdite par un édit royal, afin de ne pas concurrencer les eaux-de-vie de vin. Le seul débouché du rhum devint alors la contrebande.

La production dans les territoires français d'outre-mer connut un grand essor pendant la Première Guerre mondiale, car l'alcool de betterave était réquisitionné par le Service des poudres.

La loi du 21 décembre 1922 établit ensuite une réglementation contingentaire du marché du rhum, pour ne pas nuire à la viticulture métropolitaine.

■ **Fabrication.** Les mélasses (issues du raffinage du sucre de canne) qui servent à la fabrication du rhum de sucrerie sont d'abord fermentées. Elles sont diluées dans de l'eau pour donner un moût qui, additionné de levain, fermente de 25 à 40 heures et devient un « vin alcoolique » (de 5 à 10 % Vol.). Celui-ci est alors mis dans des colonnes à distillation continue : il descend de plateau en plateau en perdant son alcool et en se transformant en vinasse, tandis que les vapeurs d'alcool s'enrichissent progressivement et montent, puis, sous l'action d'un liquide de refroidissement, se condensent. Le rhum titre alors de 65 à 75 % Vol. ; on l'additionne d'eau distillée pour le ramener aux titrages admis pour sa commercialisation (50 et 55 % Vol. pour la consommation locale, à La Réunion et aux Antilles ; jusqu'à 75 % Vol. pour les rhums exportés).

Pour obtenir le rhum agricole, le plus aromatique des rhums, la canne à sucre est broyée et le jus obtenu (le vesou) est tamisé, décanté et filtré. Une fermentation de 18 à 48 heures donne un vin alcoolique (la « grappe »), titrant de 3,5 à 5,8, voire 6 % Vol., distillé soit, le plus souvent, dans des colonnes continues, soit, beaucoup plus rarement, dans des alambics discontinus parfois centenaires, où le liquide est évaporé dans une cucurbite ; la vapeur chargée se dégage par un chapiteau, passe par un col de cygne et gagne un serpentin baignant dans un bac d'eau froide. L'alcool est recueilli, puis « repasse » une seconde fois, dans le cas – moins fréquent – de la distillation discontinue, pour atteindre le titrage voulu. À sa sortie d'un alambic, le rhum est limpide et pratiquement incolore. Avant d'être commercialisé, il subit plusieurs traitements, qui vont donner toute une gamme de produits très divers (**voir** tableau des rhums ci-dessus).

■ **Emplois.** C'est le rhum blanc qui convient le mieux pour la préparation des punchs, daïquiris et autres cocktails (**voir** COCKTAIL), tandis que les rhums ambrés, plus corsés, sont réservés pour les grogs, les flambages, la pâtisserie et la cuisine. Enfin, les rhums vieux sont gardés pour la dégustation en digestif.

Les emplois du rhum en pâtisserie sont nombreux et variés, tant pour imbiber biscuits et génoises (pour entremets et charlottes) que pour parfumer crèmes de dessert, flans, mousses, pâtes à crêpes et à biscuits, sabayons, salades de fruits et sorbets, ou encore pour arroser babas et savarins, pour flamber crêpes et omelettes, pour faire macérer fruits confits ou secs, etc.

En cuisine, le rhum s'associe en particulier avec les légumes-fruits (ananas, banane, patate douce) et les viandes, volailles et poissons que ceux-ci accompagnent (brochettes de langoustines ou de lotte, canard rôti, carré de porc, dinde, poulet sauté, rognons flambés). Mais c'est surtout un arôme pour les marinades et les sauces ; on ne l'utilise pour le flambage que si la viande est très tendre (abats, jeune volaille).

▶ Recettes : BABA, POULET.

RIBERA DEL DUERO Vin rouge espagnol produit en Castille, au nord de Madrid, qui bénéficie d'une dénomination d'origine. Il est issu essentiellement de cépages *tinto fino,* mais aussi garnacha, malbec, cabernet-sauvignon et merlot. L'appellation en rosé, peu alcoolisée, est très rafraîchissante.

RICHARD (MICHEL) Cuisinier français (Pabu 1948). Formé comme pâtissier en Champagne, puis chez Gaston Lenôtre, il part ouvrir, pour ce dernier, une enseigne aux États-Unis en 1974. Mais les temps ne sont pas encore à la découverte du bon goût à la française. Il crée un restaurant à son compte à Santa Fe, avant de s'enhardir sur la côte ouest où il est l'un des pionniers de la nouvelle cuisine californienne, usant du produit bio, des légumes en tout genre et recherchant la légèreté des plats. Il crée *Citrus* à Los Angeles, en 1987, puis *Citronelle* dans l'Hôtel Santa Barbara, en 1989, avant d'ouvrir, sous la même enseigne, en 1994, à Washington. Terrine d'artichaut en aspic de basilic, beignet de foie gras sauce porto ou homard au vin jaune du Jura indiquent que ce cuisinier voyageur n'a pas oublié ses racines.

RICHE Se dit des deux plus célèbres apprêts créés au XIXe siècle au *Café Riche :* bécasse rôtie sur canapé et filets de sole en sauce. La sauce Riche est une sauce diplomate complétée d'essence de truffe et de dés de truffe, ou une sauce normande au beurre de homard, additionnée de truffes. Est aussi appelé « Riche » un velouté au fumet de sole, parfumé de jus de champignon et d'huître, lié à la crème et aux jaunes d'œuf, puis fini au coulis ou au beurre de homard.

▶ Recette : SOLE.

RICHE (CAFÉ) Établissement fondé en 1804, boulevard des Italiens, à Paris. D'abord assez modeste, il fut réaménagé en 1832 et connut alors, avec Bignon aîné, ses heures de gloire. Avec son escalier de marbre, sa rampe de bronze, ses tapisseries, ses velours et son argenterie, il devint le rendez-vous des personnalités du spectacle et de la politique, attirées par son décor fastueux, sa cave et sa cuisine. Bignon mit notamment à la mode le bouzy rouge, un champagne nature. Les grandes spécialités culinaires de la maison étaient appréciées par les écrivains Dumas fils, Véron, Flaubert, Sainte-Beuve, les directeurs de l'Opéra, les acteurs et les compositeurs. La guerre de 1870 marqua la fin de la grande vogue du *Café Riche,* qui survécut pourtant jusqu'en 1916.

RICHEBOURG Vin AOC rouge de Bourgogne, un des plus célèbres, produit sur la commune de Vosne-Romanée, dans la côte de Nuits. Ce vin rouge somptueux, issu du cépage pinot noir, est classé « grand cru », la plus haute distinction régionale (**voir** BOURGOGNE).

RICHELIEU Nom donné à une garniture pour grosses pièces de boucherie, composée de tomates et de champignons farcis (parfois gratinés), de laitues braisées et de pommes de terre nouvelles rissolées, ou de pommes château. C'est également le nom d'un apprêt de la sole, ouverte sur une face, panée à l'anglaise, cuite au beurre, débarrassée de l'arête centrale, puis garnie de beurre maître d'hôtel et de lames de truffe. Les boudins Richelieu sont de petits ramequins de farce de volaille complétée d'un salpicon à la reine, servis démoulés avec une sauce Périgueux et un décor de truffe.

RICHELIEU (GÂTEAU) Grosse pièce de pâtisserie, constituée de plusieurs abaisses en pâte à biscuit aux amandes, généralement parfumées au marasquin, masquées alternativement de marmelade d'abricot et de frangipane, puis superposées. Le richelieu est ensuite glacé au fondant et décoré de fruits confits. Il aurait été inventé au XVIIIe siècle par le cuisinier du duc de Richelieu, petit-neveu du cardinal.

RICOTTA Fromage frais italien (20 à 30 % de matières grasses) de petit-lait de vache, de brebis ou de chèvre, séparés ou mélangés (**voir** tableau des fromages étrangers page 396). La ricotta garde la forme de son récipient de moulage. Elle a une saveur légèrement acidulée et s'emploie surtout en cuisine, pour tartiner des canapés et des sandwichs, compléter des salades composées, fourrer des crêpes, confectionner des sauces pour les pâtes, des farces, des appareils à beignets ou à gnocchis. Mais on peut aussi la servir en fin de repas, soit avec de la vinaigrette, soit avec du sucre ou de la confiture (ou même malaxée avec du marsala).

Elle entre dans la composition de deux spécialités italiennes réputées : la cassate sicilienne et la *crostata di ricotta,* sorte de tourte garnie d'un mélange de ricotta, de zestes d'orange et de citron, de sucre, de raisins secs, d'amandes et de pignons, d'écorce d'orange confite et de jaunes d'œuf.

▶ Recette : RAVIOLIS.

RIESLING Cépage blanc de la vallée du Rhin d'où sont issus les meilleurs vins d'Alsace et du Rheingau. On le retrouve en Allemagne, dans la Hesse et le Palatinat, en Autriche, au Chili et en Californie. Le riesling alsacien est un vin souvent nerveux, révélant des arômes de fruits et des notes minérales.

RIGOTTE DE CONDRIEU Cette rigotte et celles de Pélussin et d'Échalas sont de petits fromages à pâte molle et à croûte naturelle de lait de chèvre du Lyonnais ou du Forez (**voir** tableau des fromages français page 389). La rigotte est de forme cylindrique ; elle mesure de 4 à 6 cm environ de diamètre et 3 cm de haut, pesant de 50 à 60 g. Vendue généralement par trois, elle a une saveur douce et lactique. Quand elle est très sèche, elle s'utilise râpée pour confectionner des fromages forts.

RIJSTTAFEL Ensemble de plats indonésiens servis en même temps ; ce mot néerlandais signifie littéralement « table de riz ». Autour d'un grand plat de riz épicé, on peut ainsi trouver à la fois : *sup* (soupe très relevée), *satés* (petites brochettes de viande grillées), *opar-daging* (minces tranches de bœuf frites, condimentées à la noix de coco), foie de bœuf frit, poulet au cari, crevettes, *rendang* (viande pimentée au lait de coco), *senur-daging* (viande à la sauce soja), *ikan* balinaise (poisson à la sauce tomate piquante).

RILLETTES Préparation de charcuterie faite avec de la viande de porc, grasse et maigre, détaillée en menus morceaux, cuite dans du saindoux jusqu'à obtenir une dissociation des fibres. Ces fibres sont ensuite égouttées, effilochées plus ou moins finement et mélangées de nouveau dans la graisse de cuisson. Les rillettes (**voir** tableau des rillettes et autres viandes confites page 738) sont conservées en pots puis servies en hors d'œuvre froid, avec du pain de campagne légèrement grillé.

Les rillettes de Tours ont une texture fine et une couleur foncée, car elles sont presque caramélisées en fin de cuisson ; Balzac fait l'éloge de cette « bonne confiture » dans *le Lys dans la vallée.*

Les rillettes du Mans sont caractérisées par leurs morceaux effilochés plus gros après cuisson et par leur couleur plus claire, car elles cuisent très lentement.

Par analogie, on prépare aussi des rillettes d'oie, de lapin, de canard ainsi que des rillettes de sardine ou de thon réalisées avec du poisson cuit au beurre et réduit en pâte onctueuse qu'on mélange avec du beurre frais et quelques gouttes de jus de citron. On prépare également des rillettes d'anguille ou de saumon confectionnées avec un mélange de poisson frais poché et de poisson fumé.

RECETTE DE JEAN ET PIERRE TROISGROS

rillettes de lapin

« Désosser 2 lapins de garenne et couper la chair en gros dés. Dans une cocotte, faire fondre 30 g de saindoux et faire rissoler 700 g de lard gras de poitrine de porc coupé en dés. Ajouter la chair des lapins, 4 gousses d'ail pelé et 1 grosse branche de thym. Faire suer à couvert. Ajouter 15 cl d'eau, saler et laisser mijoter 3 heures à feu très doux. Retirer les viandes et les effilocher à la fourchette. Rectifier l'assaisonnement en sel et poivre. Répartir dans des pots de grès. Refroidir et faire couler sur le dessus une pellicule de saindoux fondu. Réserver au frais. »

---

rillettes de maquereau ▶ MAQUEREAU

---

rillettes d'oie

Les préparer comme les rillettes de Tours, mais avec la chair désossée d'oies dont le foie a été préparé en foie gras. Mettre en pots, en utilisant de la graisse d'oie.

RECETTE D'ÉRIC LECERF

rillettes de sardine

POUR 4 PERSONNES – PRÉPARATION : 30 min

« Désarêter 200 g de sardines à l'huile et mélanger la chair à 50 g de beurre ramolli. Ajouter 50 g de fromage frais demi-sel, 2 cuillerées à soupe de moutarde forte. Malaxer le tout pour obtenir une pommade granuleuse. Vérifier l'assaisonnement en sel et poivre. Détailler 12 rondelles de baguette de pain frais, les toaster puis les tartiner de rillettes de sardines. Quelques gouttes de jus de citron peuvent agrémenter ces toasts. »

---

rillettes de Tours

Choisir des morceaux de porc gras et maigres, avec et sans os (cou, échine, jambon, poitrine, etc.). Séparer le gras du maigre, puis désosser soigneusement les morceaux. Concasser les os, couper le maigre en lanières, hacher grossièrement le gras. Déposer celui-ci dans une grande cocotte de fonte, placer dessus les os concassés, puis les lanières de viande maigre ; ajouter un petit nouet de mousseline avec 4 ou 5 clous de girofle et une douzaine de grains de poivre noir, puis saler (de 20 à 25 g de sel par kilo de viande). Couvrir la cocotte et laisser mijoter 4 heures. Ôter le couvercle, pousser le feu et retirer les os, en récupérant toute la chair ; la remettre à cuire sans cesser de remuer (la cuisson est achevée quand il ne s'échappe plus du tout de vapeur du récipient). Retirer le nouet. Verser les rillettes en les répartissant dans des pots de grès et en mélangeant bien pour homogénéiser le gras et le maigre ; laisser refroidir ; la graisse monte en surface. Couvrir d'un papier sulfurisé et conserver dans un endroit sec et frais.

RILLONS Spécialité tourangelle, faite de morceaux de poitrine ou d'épaule de porc macérés au sel, puis cuits au saindoux et colorés au caramel (**voir** tableau des rillettes et autres viandes confites page 738). Les rillons, aussi appelés « rillauds », « grillons » ou « rillots », se servent en entrée, avec diverses cochonnailles.

---

rillons

Détailler de la poitrine de porc bien entrelardée en cubes de 5 à 6 cm de côté, sans retirer la couenne. Saler, à raison de 25 g de sel fin par kilo de viande, et attendre 12 heures. Chauffer dans une cocotte un poids

Caractéristiques des différentes rillettes et autres viandes confites

NOM	ORIGINE	COMPOSITION	ASPECT
anchauds périgourdins	Périgord	noix de jambon ou longe de porc, salées, poivrées, souvent aillées, cuites comme un rôti dans la graisse de porc, jus de cuisson	enrobés dans la graisse de porc, souvent en conserve
chichons ou graisserons	Sud-Ouest	gras, maigre de porc, d'oie ou de canard, hachés, cuits dans la graisse du confit, souvent avec ail	rillettes compactes, souvent très humides
confits			
confits d'oie ou de canard	Sud-Ouest	ailes, cuisses, filets présalés, cuits en marmite dans la graisse, égouttés, refroidis	en pot, recouverts de graisse
confits de porc	Sud-Ouest	viande de porc cuite dans la graisse, recouverte de graisse refroidie	bruns, en pot, recouverts de graisse
cous farcis	Sud-Ouest	farce de galantine dans la peau du cou de l'oie ou du canard, cuits dans la graisse ; « cous à la périgourdine » avec 10 % de foie gras oie ou canard	longs, en tranches ou non, couverts ou non de graisse
frittons	Aquitaine, Gascogne	résidu de la fonte des gras de porc (panne, bardière), avec tête, rognons, cœurs, cuits dans la graisse	en pot, en morceaux
grattons			
grattons bordelais	Aquitaine	50 % de cubes gras de porc revenus lentement dans leur graisse, 50 % de maigre de porc (épaule, longe) parfois présalé, graisse exsudée, éliminée, produit égoutté	roses, comme les morceaux maigres présalés
grattons lyonnais	Lyon et sa région	gras résiduels par fonte de panne et de gras de porc, coupés en gros cubes, fondus, rissolés et non moulés	bruns, en terrine
grillons			
grillons charentais	Charentes	viande cuite à feu doux (5-6 h), légèrement écrasée après cuisson	cubes (2 cm³) en pot ou en saladier
grillons du Périgord	Périgord	porc (gorge, gras, panne, poitrine) salé, oie ou canard, cuits lentement dans la graisse, avec couennes cuites (10 % sauf « porc et oie » ou « porc et canard »)	filaments rosés du maigre de porc
gros grillons	Anjou, Touraine	poitrine découennée, dégraissée en partie, cuite avec rillons, égouttée	de rillons
rillettes			
rillettes comtoises	Franche-Comté	viandes légèrement fumées	brun foncé, morceaux apparents
rillettes du Mans ou de la Sarthe	Sarthe	gros morceaux de viande de porc cuits lentement	clair, structure riche en morceaux, fibres de viande
rillettes d'oie	toute la France	pure oie (100 % oie) ; oie (20 % graisse, ≥ 50 % viande) ; oie et porc (maigre oie > maigre porc) ; porc et oie (≥ 20 % maigre, 20 % graisse)	brun clair, plus pâle que celui des rillettes de porc, en filaments ou en morceaux apparents
rillettes de Tours	Touraine	morceaux de porc cuits lentement après un fort rissolage, colorant naturel (arôme patrelle)	brun foncé, morceaux et fibres de viande apparents
rillettes de volaille ou de lapin	toute la France	maigre de volaille ou de lapin ou maigre de porc avec volaille ou lapin, rissolés, cuits dans la graisse de porc	clair, morceaux apparents
rillons ou rillauds	Anjou, Touraine	poitrine, épaule de porc cuits lentement dans la graisse de porc	cubes dorés à bruns (50-200 g)

de saindoux égal au tiers du poids de la viande ; faire rissoler les morceaux de porc, puis réduire le feu et laisser mijoter 2 heures. Ajouter alors 2 cuillerées à soupe de caramel par kilo de viande, chauffer vivement, puis égoutter les rillons ; les servir brûlants ou complètement refroidis.

RINCE-DOIGTS Petit bol individuel en métal, en verre ou en porcelaine, que l'on remplit d'eau tiède parfumée généralement au citron ; il est de rigueur quand on sert des coquillages ou des crustacés qui se décortiquent avec les doigts, ainsi que des asperges ou des artichauts. Les rince-doigts sont placés à gauche de l'assiette, lorsque le mets est presque terminé ; ils sont enlevés aussitôt que celui-ci est achevé, lorsque les convives se sont rincé le bout des doigts.

RINCETTE Petite quantité d'eau-de-vie versée dans la tasse de café que l'on vient de boire, alors que celle-ci est encore chaude (**voir** POUSSE-CAFÉ).

RIOJA Région viticole parmi les meilleures du nord de l'Espagne. Les vins de Rioja sont principalement issus de tempranillo, et parfois de garnacha, de mazuelo et de graciano.

Les vins *crianza*, souvent issus de grands crus, attendent au moins deux ans avant leur commercialisation, les vins *reserva*, trois ans, et le *gran reserva*, un vin très fin, est vieilli encore plus longtemps.

RIOLER Disposer des bandelettes de pâte à bords droits ou dentelés sur un gâteau, pour former un quadrillage. Cette opération, qui concerne notamment la Linzertorte et la conversation, intervient en fin de préparation, après la garniture et avant la cuisson.

RIPAILLE Excès de table, chère abondante et bien arrosée. Le mot viendrait du néerlandais *rippen*, « racler » (évoquant sans doute une table bien garnie sur laquelle, après le repas, ne reste aucune miette).

Le ripaille (mot masculin) est, par ailleurs, un vin blanc de Haute-Savoie, sec, léger et fruité, issu du cépage chasselas.

RIPERT (ÉRIC) Cuisinier français (Antibes 1965). Il est le chef du seul restaurant exclusivement marin titulaire de trois étoiles au Guide Michelin : *le Bernardin* au cœur de Manhattan. Créé par Maguy Le Coze et son frère Gilbert (décédé en 1994), enfants de pêcheurs originaires de Port-Navalo et venus à New York au milieu des années 1980, l'établissement est porté au pinacle par Éric Ripert, qui joue l'alliance de la technique française avec des poissons et des épices venus d'ailleurs. Né sur la Côte d'Azur, rompu aux saveurs de la Méditerranée, il flirte avec le goût espagnol quand sa famille émigre en Andorre. Il étudie à l'école hôtelière de Perpignan, avant de se perfectionner à Paris, à *la Tour d'Argent* et au *Jamin*, où il devient chef de la partie poissons sous la houlette de Joël Robuchon. Il rallie les États-Unis en 1989, travaille chez Jean-Louis Palladin à Washington, rejoint New York en 1991, travaille brièvement pour David Bouley, avant d'intégrer le *Bernardin* dont il devient le chef attitré. Le chowder de langoustines, l'escolar hawaïen façon vitello tonnato, le caviar sur son lit de taglioni carbonara, le flétan sauce verte, comme le bar vapeur à la purée de maïs sont quelques-unes de ses réussites, reflétant des saveurs marines frottées aux épices du monde.

RIS De couleur blanche, les ris de veau, d'agneau, de chevreau sont des abats. Ils sont constitués par le thymus, organe lymphoïde situé à l'entrée de la poitrine, devant la trachée, et qui disparaît chez l'adulte. Le ris (**voir** tableau des abats page 10) se compose d'une partie allongée : le ris de gorge, et d'une partie discoïde : le ris de cœur, plus recherché par les gastronomes. Les ris d'agneau et de veau sont poêlés, braisés, rôtis, grillés, pochés, apprêtés en gratin, en brochettes, en feuilletés, en beignets, etc. ; ils interviennent également dans des garnitures et ragoûts pour timbales et vol-au-vent. Leur consommation, de nouveau autorisée en France, a été interdite pendant quelques années pour cause d'ESB (**voir** MATÉRIEL À RISQUES SPÉCIFIÉS [MRS]).

---

ris d'agneau ou *de veau* : préparation

Faire tremper les ris 5 heures au moins dans de l'eau froide, en renouvelant celle-ci jusqu'à ce qu'elle soit claire. Les mettre ensuite dans une casserole, les recouvrir d'eau froide salée, porter à ébullition, puis égoutter, rafraîchir et éponger. Parer les ris en retirant les filaments, puis les mettre 1 heure sous presse entre deux linges. Les apprêter ensuite suivant la recette.

beignets de ris de veau ▶ BEIGNET
bouchées aux ris de veau ▶ BOUCHÉE SALÉE
brochettes de ris d'agneau ou de veau ▶ BROCHETTE

RECETTE DE PIERRE ET MICHEL TROISGROS

grillons de ris de veau aux échalotes mauves

POUR 4 PERSONNES

« Faire dégorger 650 g de ris de veau ; les blanchir et les refroidir. Retirer les peaux et, avec les doigts, détacher des morceaux de la grosseur d'une noix. Réserver. Émincer 160 g d'échalotes "cuisse de poulet" et les faire suer doucement au beurre puis les mouiller avec 8 cl de vinaigre de vin rouge. Saler, poivrer et ajouter une pincée de sucre. Cuire à couvert 4 min, ajouter 10 cl de fond de veau à la cuisson puis réserver. Assaisonner les ris et les faire rissoler dans une poêle avec 30 g de beurre. Y ajouter le fond de cuisson des échalotes. Faire mijoter l'ensemble, puis, en remuant avec une spatule en bois, incorporer 100 g de beurre en morceaux, vanner et rectifier l'assaisonnement. Répartir les grillons de ris de veau dans 4 assiettes chaudes, entourer de jus et recouvrir des échalotes qui doivent être croquantes et d'une belle couleur mauve. »

pâté de ris de veau ▶ PÂTÉ
rémoulade de courge spaghetti aux trompettes
et ris de veau ▶ COURGE

---

ris de veau braisés à blanc

Mettre les ris préparés dans un plat à sauter beurré, foncé de couennes de lard, d'oignons et de carottes finement émincés. Saler, poivrer et ajouter 1 bouquet garni. Commencer la cuisson doucement, à couvert, puis mouiller de quelques cuillerées de fond blanc. Cuire, toujours à couvert, de 25 à 35 min, dans le four préchauffé à 220 °C, en arrosant souvent avec le fond. Glacer éventuellement très légèrement les ris en les exposant 5 ou 6 min à découvert à la chaleur du four, en les arrosant avec la partie grasse de leur fond.

---

ris de veau braisés à brun

Mettre les ris préparés dans un plat à sauter beurré, foncé de couennes, de lard, d'oignons et de carottes émincés. Saler, poivrer et ajouter 1 bouquet garni. Cuire doucement 10 min à couvert, puis mouiller de quelques cuillerées de fond brun de veau (ou de bouillon additionné de 1 cuillerée à soupe de tomate concentrée), et de vin blanc, et faire réduire à glace. Glacer comme les ris de veau braisés à blanc, mais davantage.

RECETTE DE PIERRE ROMEYER

ris de veau aux écrevisses

« Blanchir 750 g de ris de veau. Les rafraîchir et les parer, puis les assaisonner et les fariner. Préparer une mirepoix avec 30 g de carottes, 30 g de céleri vert et 30 g d'échalotes. Dans une poêle, chauffer 75 g de beurre pour le faire blondir. Y poser les ris et les colorer légèrement d'un côté. Les retourner et ajouter la mirepoix de légumes, 1 brindille de thym et 1 feuille de laurier. Cuire doucement avec le couvercle 5 min. Mouiller avec 20 cl de sherry, 25 cl de crème fraîche et 1/2 cuillerée à soupe de purée de tomate. Cuire à part 30 écrevisses au court-bouillon. Décortiquer les queues et piler les coffres. Quand les ris de veau sont cuits, les retirer de la cuisson et ajouter les coffres pilés. Recuire à la nappe. Passer la sauce au chinois fin, rectifier l'assaisonnement monté au beurre, napper sur les ris de veau au moment de les dresser. Ajouter les queues d'écrevisse en garniture. »

ris de veau financière

Tailler en bâtonnets très fins de la truffe et de la langue écarlate, et en clouter des ris préparés. Les braiser à brun. Les disposer dans des croustades de pâte feuilletée et les masquer de garniture financière.

RECETTE DE JEAN-FRANÇOIS PIÈGE

ris de veau moelleux et croustillant

« Blanchir fortement 2 noix de ris de veau de 200 g pièce pendant 2 min dans 2 litres de bouillon de vin blanc poivré, puis les refroidir dans un saladier contenant des glaçons et les mettre sous presse durant 3 heures. Ôter la peau des noix de veau et réserver les parures. Préparer une chapelure en hachant finement 50 g des parures de ris de veau, les passer dans la farine, puis dans une passoire pour enlever l'excédent de farine. Dans une grande poêle, faire colorer ces parures à l'huile d'arachide. Égoutter, puis passer deux secondes au mixeur pour obtenir une chapelure bien fine. Dans la même poêle, faire mousser du beurre doux puis y rouler la chapelure. Une fois qu'elle est bien colorée, déglacer avec une goutte de jus de citron et 1/2 cuillerée à soupe de jus de veau. Égoutter. Laisser sécher sur un papier absorbant posé sur une grande plaque et réserver. Au dernier moment, retirer les 2 noix de ris de veau de la presse et les faire sauter avec 25 g de beurre clarifié dans un sautoir. Une fois colorés, les dégraisser et les dorer avec 10 g de beurre frais demi-sel. Ajouter 1 gousse d'ail en chemise et 1 brindille de thym frais et poursuivre la cuisson. Au bout de 8 à 10 min, égoutter sur une grille. Dégraisser le sautoir à 90 %, déglacer avec un trait de jus de citron, faire réduire et ajouter 1 cuillerée à soupe de jus de veau. Rouler dans ce suc les ris de veau et les paner dans la chapelure. Donner 1 tour de moulin à poivre et servir. »

RECETTE DE RÉGIS MARCON

terrine de ris de veau aux morilles

POUR 10 PERSONNES

« La veille, recouvrir 35 g de morilles sèches d'eau tiède et réserver. Tailler 300 g de noix de veau en lanières. Dans une poêle, faire suer 1 échalote ciselée au beurre. L'ajouter aux morceaux de veau et laisser mariner 24 heures. Le jour même, blanchir 400 g de ris de veau puis le parer et le couper en morceaux réguliers. Dans une poêle, faire colorer ces morceaux avec un peu de beurre en morceaux, assaisonner de sel et de poivre, déglacer avec 5 cl de porto, ajouter 15 cl de glace de veau, laisser réduire et glacer le ris de veau. Réserver à température ambiante. Préchauffer le four à 150 °C. Égoutter les morilles, les laver, filtrer le jus, le mettre à réduire sur le feu jusqu'à obtenir 2 cl de jus. Poêler les morilles avec une noix de beurre. Beurrer un moule. Passer la chair de veau à la grille fine, hacher cette farce dans un mixeur, ajouter 8 g de sel et du cumin. Incorporer ensuite à petit 20 cl de crème liquide, 15 cl de jus de viande et le jus de morilles réduit. Débarrasser dans un cul-depoule, mélanger avec 10 cl de crème liquide fouettée, rectifier l'assaisonnement et ajouter les morilles. Verser la farce dans le fond du moule puis ajouter le ris de veau. Cuire au bain-marie 45 min environ. Piquer le centre de la terrine au couteau. La pointe doit ressortir lisse. Servir tiède ou froid accompagné d'une salade verte aux champignons. »

RISOTTO Apprêt de riz, d'origine italienne. Le riz utilisé est un riz à grains longs et bombés, cultivé en Lombardie dans la plaine du Pô. Les variétés les plus utilisées sont les riz arborio et carnaroli. Les grains, qui ne sont pas rincés, sont dorés dans un corps gras avec des oignons hachés, puis cuits avec du bouillon que l'on fait ensuite évaporer ; l'apprêt est alors lié au beurre et diversement garni de légumes, de fromage, de jambon, de champignons, etc.

Selon les accompagnements qu'il reçoit, le risotto devient un plat garni (à la milanaise, à la piémontaise, aux fruits de mer, aux foies de volaille, etc.). Simplement fromagé ou safrané, il constitue une

garniture de viande (veau notamment), d'œuf, voire de poisson, parfois moulé en dariole. Comme pour le riz, il existe également des préparations sucrées.

risotto : préparation

Chauffer dans une cocotte 40 g de beurre ou 4 cuillerées à soupe d'huile d'olive. Éplucher et hacher des oignons ; faire revenir 100 g de ce hachis dans la matière grasse, sans laisser colorer. Mesurer le volume de 250 g de riz ; le verser dans la cocotte et remuer. Quand les grains sont devenus transparents, leur ajouter deux fois leur volume de bouillon. Remuer à la cuillère de bois jusqu'à ce que le riz ait commencé à absorber le bouillon, puis rectifier l'assaisonnement et mettre 1 petit bouquet garni. Couvrir et cuire de 16 à 18 min (le riz doit être fondant) ; ne plus remuer. Ajouter les divers ingrédients prévus dans la recette, sans écraser les grains de riz.

chipolatas au risotto à la piémontaise ▶ CHIPOLATA

RECETTE D'ALAIN DUCASSE

risotto aux artichauts

POUR 4 PERSONNES – PRÉPARATION : 45 min

« Tourner 6 artichauts épineux ou violets, les couper en 4, retirer le foin, réserver dans de l'eau citronnée. Tailler les pieds épluchés en brunoise (ou, à défaut, 2 artichauts émincés). Faire revenir 1 oignon blanc ciselé très fin à feu doux avec 20 g de beurre. Ajouter la brunoise de pieds d'artichaut ; 2 min plus tard, ajouter 300 g de riz de la variété carnaroli, laisser chauffer 1 min, déglacer d'un trait de vin blanc, laisser réduire puis mouiller de 90 cl de bouillon de volaille bouillant et faire cuire à feu doux pendant 18 ou 20 min. Rajouter du liquide au fur et à mesure que le riz l'absorbe. Dorer les quartiers d'artichaut à l'huile d'olive environ 8 min sur toutes les faces. Quand le riz est cuit, le retirer du feu, incorporer 20 g de beurre et 30 g de parmesan en remuant énergiquement avec une spatule en bois. Verser quelques gouttes de vinaigre de vin pour l'éclaircir et rectifier l'assaisonnement. Dresser le risotto, l'aplanir avec le dos de la cuillère puis ajouter les artichauts dorés. »

risotto à la marinara

Nettoyer 500 g de moules, 500 g de *vongole* (palourdes), 250 g de calamars et 250 g de crevettes. Faire ouvrir les coquillages dans une cocotte avec un peu d'huile d'olive et réserver. Décortiquer les crevettes et les couper en quatre. Détailler les calamars en petits morceaux. Dans une poêle, dorer 1 oignon et 1 gousse d'ail hachés. Ajouter les calamars et les crevettes, et cuire sur feu vif jusqu'à ce qu'ils ne rendent plus d'eau. Mouiller de 5 cl de vin blanc. Dans une casserole, faire revenir doucement dans l'huile 1 oignon et 1 gousse d'ail finement hachés. Ajouter 600 g de riz à grains ronds et bien remuer à la cuillère de bois pour qu'il s'imprègne de gras. Mouiller en deux fois avec 10 cl de vin blanc ; quand il est complètement absorbé, verser une louche de bouillon de bœuf léger, laisser évaporer, puis en ajouter une autre ; recommencer. Au bout de 10 min, mouiller louche après louche avec la cuisson des coquillages. Après 18 min, le riz sera juste al dente. Le retirer du feu, ajouter les fruits de mer, 40 g de beurre, 40 g de parmesan fraîchement râpé et un peu de persil haché. Mélanger délicatement.

RECETTE DE GUALTIERO MARCHESI

risotto à la milanaise

POUR 4 PERSONNES

« Dans une casserole faire cuire 15 g d'oignon haché dans 15 cl de vin blanc sec et 7,5 cl de vinaigre blanc jusqu'à ce que la partie alcoolique s'évapore et qu'il ne reste que la partie acide. Ajouter 100 g de beurre en pommade et mélanger pour obtenir un beurre dit "beurre blanc" ou "beurre acide". Filtrer ce beurre à travers un chinois pour éliminer les fragments d'oignon qui ont déjà donné leur goût. Dans une casserole en cuivre, faire bien griller 280 g de riz carnaroli avec 60 g de beurre pendant 1 min. Mouiller avec 4 cl de vin blanc et laisser réduire complètement. Verser dessus 1 litre de bouillon léger très chaud, ajouter 2 g de stigmates de safran et faire cuire pendant 18 min. Mélanger de temps en temps. Lorsque la cuisson est terminée, mélanger le riz avec 20 g de parmesan râpé et 60 g de beurre acide bien froid. »

RECETTE DU RESTAURANT *LE PRÉ CATELAN*, AU BOIS DE BOULOGNE

risotto noir de langoustines au basilic thaï

« Laver soigneusement 180 g de riz noir de Thaïlande et le laisser tremper 12 heures au moins. L'égoutter, le laver à nouveau, puis le cuire 45 min dans un cuit-vapeur. Le verser ensuite dans une casserole, saler et incorporer 50 g de beurre à l'aide d'une fourchette. Couvrir et tenir au chaud. Dans une petite sauteuse, mettre 20 g d'échalote ciselée, 10 g de gingembre en brunoise fine, 1 bulbe de citronnelle épluché et ciselé, 5 g d'ail et 10 cl de vin blanc sec. Réduire à sec. Verser 20 cl de lait de coco et cuire doucement pour le réduire de moitié. Ajouter 5 cl de crème, 5 g de curcuma frais et 1/2 cuillerée à café de pâte de curry vert. Cuire jusqu'à ce que la sauce nappe légèrement la cuillère. Dans une poêle antiadhésive, chauffer 2 cl d'huile d'olive et y dorer 30 secondes de chaque côté 24 belles langoustines préalablement salées. Les retirer et les tenir au chaud. Passer la sauce dans une petite casserole et porter à ébullition. Rectifier l'assaisonnement, puis incorporer 30 g de beurre, un peu de jus de citron vert, 30 g de poivron rouge en fine brunoise, 40 feuilles de basilic thaï et le jus rendu par les crustacés. Disposer un dôme de riz au centre de chaque assiette, l'entourer de langoustines et napper légèrement de sauce. »

risotto de printemps

Nettoyer et cuire séparément à l'huile 2 petits artichauts violets en quartiers avec de l'ail et quelques gouttes d'eau, 200 g de champignons, finement coupés et assaisonnés d'huile et de quelques gouttes de citron, salés et parfumés avec du persil haché, 500 g de petits pois frais, 2 petits oignons avec leur tige, 2 cuillerées à soupe de sucre et du sel ; ébouillanter 1 botte d'asperges vertes, si possible sauvages, puis les passer au beurre. Réchauffer tous les légumes ensemble, à l'exception des asperges, pour que leurs saveurs se mêlent. Dorer 500 g de riz dans une casserole avec un peu d'huile et porter à ébullition 1,5 litre de bouillon. En verser une louche sur le riz, en remuant, jusqu'à ce qu'il soit complètement absorbé, puis recommencer plusieurs fois, pour obtenir une parfaite cuisson du riz. Au bout de 15 min, ajouter les légumes, toujours sans les asperges. Râper 30 g de parmesan, ôter le riz du feu, ajouter 50 g de beurre, le fromage, et bien mélanger. Servir décoré des pointes d'asperge.

RECETTE DE MASSIMILIANO ALAJMO

risotto au safran et poudre de réglisse

POUR 4 PERSONNES

« Faire fondre 4 g de poudre de safran dans 19 cl de bouillon de volaille chaud. Pour obtenir une réduction du safran, faire bouillir à feu doux jusqu'à ce qu'il réduise d'un tiers. Pour le risotto, faire revenir 320 g de riz carnaroli dans un fond de 15 g d'oignon blanc haché et 1,2 cl d'huile d'olive vierge extra. Verser 7 cl de vin blanc sec et poursuivre la cuisson pour qu'il s'évapore. Ajouter 1 pincée de sel, 1 g de pistils de safran et, petit à petit, 1,2 litre de bouillon de volaille brûlant et 6 cuillerées à café de la réduction de safran. Quand le riz est cuit, enlever du feu et mélanger avec 60 g de beurre, 80 g de parmesan râpé et 1 cuillerée à café de jus de citron. Émulsionner avec quelques gouttes du bouillon brûlant, et étaler le risotto sur une assiette plate. Répandre sur la surface 2 g de poudre de réglisse et décorer l'assiette avec le reste de réduction de safran. »

RECETTE DE THIERRY MARX

risotto de soja aux truffes

POUR 6 PERSONNES

« Ouvrir 12 huîtres. Les débarrasser de leur coquille et filtrer le jus. Réserver. Dans une casserole, mettre 125 g d'échalotes et 50 cl de vin blanc sec à réduire quasiment à sec. Laver et émincer 100 g de champignons de Paris. Les mouiller à hauteur avec de l'eau et faire bouillir pour obtenir un jus de champignons. Additionner ensuite les échalotes réduites au vin blanc, le jus de champignons, 25 cl de lait de soja et le jus des huîtres. Cuire à feu doux pendant 20 min. Pendant ce temps, préparer le soja : dégermer 600 g de germes de soja, le couper à la taille d'un grain de riz à l'aide de ciseaux et réserver. Tailler les huîtres en gros dés et émincer finement 40 g de truffes. Mettre le soja à cuire dans une casserole chaude pendant 3 ou 4 min avec 20 g de mascarpone, remuer doucement, ajouter la sauce aux huîtres et les dés d'huîtres. Mettre le soja dans des assiettes creuses, ajouter les truffes et une pointe de gros sel. »

RISSOLE Petit apprêt de pâtisserie salé ou sucré, farci et généralement frit, ou doré à l'œuf et cuit au four. Les rissoles, faites de pâte à foncer, de feuilletage ou de pâte à brioche, ont la forme de chaussons repliés sur la farce ou sont composées de deux rondelles enfermant la garniture.

Les rissoles salées sont servies brûlantes, en hors-d'œuvre ou en petite entrée ; si elles sont de taille très réduite, elles deviennent des amuse-gueule ou sont utilisées comme garniture de grosses pièces de boucherie.

Les rissoles d'entremets sont souvent frites et se mangent brûlantes, poudrées de sucre, avec une sauce aux fruits.

Les rissoles du Bugey sont une spécialité régionale renommée, jadis traditionnelle pour Noël : il s'agit de petits pâtés feuilletés rectangulaires cuits au four, farcis de chair de dinde rôtie et de gras-double, relevés d'oignon, de thym, de cerfeuil et de raisins de Corinthe.

rissoles : préparation

Confectionner une pâte à brioche, une pâte feuilletée ou une pâte à foncer. L'abaisser sur une épaisseur de 3 à 4 mm et y découper, avec un emporte-pièce cannelé rond ou ovale, deux fois le nombre désiré de rissoles. Déposer une noix de farce au centre de la moitié de celles-ci, humecter le bord, recouvrir d'une seconde abaisse et presser pour bien coller les bords. Dans le cas d'une pâte à brioche, laisser lever les rissoles de 30 à 45 min dans un endroit tiède, à l'abri des courants d'air. Dans tous les cas, les frire dans de l'huile très chaude (180 °C), les faire dorer sur les deux faces, puis les égoutter et les éponger sur du papier absorbant. Dresser sur un plat garni d'une serviette.

rissoles fermière

Découper des cercles cannelés de 8 cm de diamètre dans de la pâte à foncer. Les garnir d'un salpicon de jambon cuit, additionné d'une quantité égale de mirepoix de légumes étuvée au beurre, le tout lié d'un peu de sauce madère très réduite. Confectionner les rissoles puis les faire frire dans de l'huile à 180 °C. Les égoutter et les dresser sur un plat de service garni d'une serviette. Servir séparément une sauce madère (**voir** page 783)

rissoles Pompadour

Abaisser du demi-feuilletage sur une épaisseur de 5 mm et le détailler en un nombre pair de disques de 5 à 6 cm de diamètre. Préparer un salpicon de langue écarlate, de truffe et de champignons étuvés au beurre, le lier de sauce demi-glace très réduite. Masquer de ce mélange la moitié des disques de pâte et les recouvrir avec les autres disques. Bien fermer les rissoles et les laisser reposer 30 min. Les frire à l'huile très chaude (180 °C). Égoutter et servir avec du persil frit.

RISSOLER Faire colorer jusqu'à une caramélisation superficielle une viande, une volaille ou un légume dans un plat à sauter, une poêle ou une cocotte, en utilisant un corps gras fortement chauffé. Le rissolage d'une viande constitue un début de cuisson par concentration des sucs.

Rissoler signifie aussi cuire complètement lorsqu'il s'agit de pommes château, noisettes, parisiennes ou Parmentier, c'est-à-dire taillées ou tournées et blanchies, saisies à feu vif dans un corps gras très chaud (huile et beurre mélangés), puis cuites au four, à découvert, jusqu'à ce qu'elles soient bien dorées, et salées en fin de cuisson.

RITZ (CÉSAR) Hôtelier suisse (Niederwald 1850 - Küssnacht 1918). Fils de berger, il devint propriétaire des plus grands palaces de son siècle. Après des débuts obscurs dans un hôtel de Brigue, il arriva en 1867 à Paris, où il devint serveur chez *Voisin*. Dix ans plus tard, il était directeur du *Grand Hôtel* de Monte-Carlo, où il se lia d'amitié avec Escoffier. Leur association fit la gloire du *Savoy* de Londres (1890-1893), puis du *Carlton*. Le 15 juin 1898, César Ritz ouvrit à Paris le palace de la place Vendôme qui porte son nom, tout en continuant à administrer d'autres grands hôtels.

Le *Ritz* de Paris fait toujours figurer sur sa carte certaines créations d'Escoffier ; Proust en fréquentait le salon de thé, dont il loua les glaces. L'une des innovations de Ritz fut de faire dîner les clients par petites tables, comme au restaurant, ce qui entraîna la disparition de la traditionnelle « table d'hôte ».

RIVESALTES Vin AOC doux naturel, rouge ou blanc, produit dans la région délimitée du Roussillon, en dehors des régions de Banyuls, de Corbières et de Port-Vendres. Les rouges sont produits par les cépages grenache, maccabeo, tourbat, carignan, cinsault et syrah ; les blancs sont issus des cépages muscat à petits grains et muscat d'Alexandrie (**voir** ROUSSILLON).

RIVIERA Gâteau créé par le pâtissier français Lucien Peltier. Cette pâtisserie d'été, fraîche et colorée, associe mousse au citron vert et mousse à la framboise, séparées par une génoise, sur une base de biscuit aux amandes. Le riviera est décoré de morceaux de citron vert et de framboises.

RIZ Céréale de la famille des poacées, la plus cultivée dans le monde après le blé, dans les zones tropicales, équatoriales et tempérées (**voir** tableau des céréales page 179 et planche des riz pages 746 et 747). Ses grains, oblongs, glabres et lisses, sont utilisés cuits ; chauds ou froids, ils constituent des plats salés ou sucrés. Quatre-vingt-dix pour cent de la production mondiale se situe en Asie (Chine, Inde, Indonésie, Bangladesh, Viêt Nam, Thaïlande, etc.), où cette céréale est consommée sur place. La forte demande du continent africain, du Moyen-Orient et, pour une plus faible part, des pays occidentaux, ainsi que la difficile extension des surfaces irrigables engendre aujourd'hui certains problèmes d'approvisionnement.

Assez énergétique (120 Kcal ou 502 kJ pour 100 g de riz cuit), le riz est riche en amidon assimilable (77 %), mais ses protéines sont privées de certains acides aminés indispensables. Les couches externes des grains renferment des vitamines (B1, B2 et PP), ainsi que des éléments minéraux. Le riz complet est diététiquement meilleur que le riz blanc, tout en ayant quasiment la même valeur énergétique.

■ **Histoire.** Poussant à sec ou sur des terrains marécageux ou irrigués, le riz était connu et cultivé en Chine plus de trois mille ans avant notre ère ; il semble toutefois que l'espèce *Oryza sativa* soit originaire du sud de l'Inde. Il se répandit ensuite en Corée, aux Philippines (vers 2000 av. J.-C.), au Japon et en Indonésie (sans doute en 1000 av. J.-C.). Puis les Perses l'importèrent en Mésopotamie et au Turkestan, et Alexandre le Grand, qui envahit l'Inde en 320 av. J.-C., le rapporta en Grèce.

Les voyageurs arabes favorisèrent l'expansion de cette céréale en Égypte, au Maroc et en Espagne (où le riz tient une place plus importante dans l'alimentation qu'en France). Portugais et Hollandais l'introduisirent en Afrique occidentale à partir du XVe siècle, puis en Amérique à la fin du XVIIe siècle. En Afrique, vers 1500 av. J.-C., une autre espèce de riz (*Oryza glaberrina*) était cultivée dans l'Ouest, du Sénégal aux rives du Niger.

En France, ce furent les croisés qui apportèrent le riz au XIe siècle, et divers essais de culture se succédèrent sans grand succès, malgré un édit de Sully (1603). Depuis 1942, la riziculture est pratiquée en Camargue, mais sa production ne représente que 20 % de la consommation nationale. En plus du riz produit en Guyane, la France en importe d'Italie, des États-Unis, de Thaïlande, d'Espagne et d'Inde. En Europe, l'Italie, l'Espagne, la Grèce et le Portugal sont producteurs de riz.

■ **Variétés et traitements.** On distingue principalement deux sous-espèces de riz issues de *Oriza sativa* : *indica* (à grains longs, fins et plats) et *japonica* (à grains ronds, demi-longs ou longs), dont il existe d'innombrables variétés.

Le riz se différencie selon les traitements qu'il subit après la récolte.

– Le riz paddy, aux grains encore entourés de leur balle (glumes et glumelles), est le riz brut, non comestible, obtenu après battage.

– Le riz cargo (dit « brun », « décortiqué » ou « complet »), dont les grains sont débarrassés de leurs glumes et glumelles (mais pas de leur enveloppe de son), se caractérise par sa couleur beige ; c'est sous cette forme qu'il arrivait d'Extrême-Orient en Europe à bord des cargos, d'où son nom ; à peine décortiqué, il conserve une partie des vitamines B, du phosphore et de l'amidon. Le riz semi-complet est partiellement débarrassé de son enveloppe de son.

– Le riz blanchi est un riz cargo dont on a éliminé l'embryon et la couche dure interne du péricarpe, par passage dans des cônes à blanchir. Il peut être poli (débarrassé, par un passage dans des cônes à polir, des farines qui adhèrent aux grains), puis glacé (enrobé d'une fine couche de talc en suspension dans une solution de glucose).

– Le riz étuvé ou prétraité est un riz paddy parfaitement nettoyé, trempé dans de l'eau chaude, étuvé à la vapeur d'eau à basse pression (l'étuvage lui laisse une partie des éléments nutritifs, qui disparaîtraient totalement au blanchiment), puis décortiqué et blanchi.

– Le riz précuit (ou riz vitesse) est décortiqué ou blanchi, puis bouilli pendant une à trois minutes après trempage, et enfin desséché à 200 °C.

– Le riz gonflé *(puffed rice)* est, en Inde, rôti et sauté sur du sable chaud ; aux États-Unis, il est d'abord traité par la chaleur sous haute pression, puis passé en basse pression.

En France, on trouve des riz de diverses provenances.

– Le riz de Camargue, blanc ou complet (rouge ou brun), bénéficie d'une IGP (indication géographique protégée).

– Le riz pour risotto (**voir** ce mot), cultivé dans la plaine du Pô, en Lombardie, est un riz à grains longs mais bombés. Les riz arborio et carnaroli, garantissant onctuosité à la cuisson, sont les plus couramment employés.

– Le riz noir complet venere, issu d'un croisement avec une variété chinoise et cultivé dans la plaine du Pô, qui doit sa couleur à la pigmentation de son enveloppe, est un riz étuvé. Il est servi en accompagnement de produits de la mer, mais peut être accommodé en risotto.

– Le riz basmati, cultivé en Inde et au Pakistan, est un riz à grains longs et plats de couleur crème, au goût très fin. Il est destiné aux préparations indiennes et orientales.

– Le riz thaï, provenant de Thaïlande, est un riz parfumé à grains longs, qui dégage une odeur de jasmin.

– Le riz surinam, à grains très longs et très fins, est produit dans le pays du même nom (ex-Guyane hollandaise).

– Le riz bomba, à grains demi-longs, cultivé en Espagne, est utilisé pour la confection de la paella. Le plus réputé est celui de Calasparra, près de Murcie.

– Le riz japonais, à grains ronds, peu répandu, est destiné en particulier à la préparation des sushis.

– Le riz gluant (ou glutineux), à grains longs qui deviennent translucides et s'agglutinent à la cuisson, possède une forte teneur en amidon. En Chine et en Asie du Sud-Est, il est présent dans les boulettes, les gâteaux et les desserts.

Quant au riz sauvage, il est composé des graines noires d'une graminée, la zizanie aquatique, qui ressemblent à des aiguilles et ont une saveur de noisette. Il peut être consommé seul ou avec du riz de différentes couleurs.

■ **Produits dérivés.** Le riz transformé donne de nombreux produits dérivés.

– Le *popped rice* est un riz chauffé à 200 °C dans de l'huile, qui ressemble à du pop-corn.

– Les *rice flakes* sont préparés avec du riz étuvé, décortiqué, puis aplati en lamelles minces ; ils sont utilisés pour les petits déjeuners, arrosés de lait et sucrés.

– Les flocons de riz sont des grains ou des brisures cuits, moulés en flocons, puis grillés et séchés au four.

– La semoule, la crème et la farine de riz sont issues du broyage de brisures de riz très blanches ; elles s'emploient en pâtisserie et pour les liaisons. Les nouilles et les galettes asiatiques (utilisées, par exemple, pour les « rouleaux de printemps ») sont fabriquées avec de la farine de riz.

Le riz sert aussi à fabriquer diverses boissons alcoolisées : choum vietnamien, *samau* malais, saké japonais et mirin (vin faiblement alcoolisé réservé à la cuisine), alcool de *chao xing* chinois (ou « vin jaune chinois »). Les brisures de riz remplacent parfois une partie du malt en brasserie ; enfin, on tire du son de riz une huile comparable à l'huile d'arachide.

■ **Cuisson et apprêts.** La cuisson du riz se pratique principalement à l'eau (à la créole ou à l'indienne), à la vapeur, au gras ou au lait. Le riz a un grand pouvoir d'absorption et s'imbibe de tous les liquides, selon la cuisson. Tout l'art consiste à le tenir à point, pour que les grains soient fermes (al dente) mais non durs, se détachent bien et conservent leur saveur ; la seule exception concerne la cuisson au lait. À moins d'être précuit ou prétraité, le riz doit être préalablement lavé plusieurs fois à l'eau fraîche et égoutté, sauf pour certaines préparations (risotto, paella, par exemple).

Le riz est la base de nombreuses recettes. Il est un des ingrédients des salades composées, garnies de crudités, de fruits de mer, de jambon, d'olives noires, de poisson, etc. Il farcit des légumes (aubergines, courgettes, feuilles de vigne, poivrons, tomates), ainsi que les encornets et les calmars. Ses apprêts majeurs demeurent le cari, la paella, le pilaf et le risotto, mais il accompagne traditionnellement la blanquette de veau, les brochettes, le mouton, les poissons grillés, la poule au blanc et le poulet. Il sert de garniture ou de liaison de potage, et est au centre du rijsttafel (**voir** ce mot). Il entre dans la composition d'entremets : gâteaux de riz et couronnes garnies de fruits, mais aussi tarte au riz, risotto sucré (garni d'agrumes, de cerises, de cerneaux de noix, etc.) et terrinée (entremets sucré typique de la cuisine normande). Enfin, le riz sert à confectionner croquettes, puddings et subrics.

RIZ SALÉS

crème de riz au gras ▶ CRÈME (POTAGE)

RECETTE DE PIERRE GAGNAIRE

noir « insolite »

POUR 4 PERSONNES

« Préparer un crémeux de riz noir. Nacrer 150 g de riz venere dans 15 g de beurre avec 2 petits oignons blancs fondus. Mouiller avec 40 cl de bouillon de poule. Cuire à four doux et à couvert 25 min. Prélever 2 cuillerées à soupe de riz cuit mais encore ferme et les réserver pour la finition. Mixer le reste du riz avec du bouillon afin d'avoir une texture crémeuse. Passer au tamis fin. Pour les gelées de navet demi-deuil, faire bouillir 220 g de purée de navet avec 3 cl de crème liquide. Ajouter 3,5 g de gélatine ramollie. Passer cette purée blanche sur une plaque recouverte d'un film alimentaire, sur une épaisseur de 5 mm. Dans une casserole, chauffer 220 g de purée de navet avec 3 cl de bouillon de poule, ajouter 8 g d'encre de seiche et 3,5 g de gélatine ramollie. Passer cette purée noire sur une autre plaque recouverte de film alimentaire, sur une épaisseur de 5 mm. Faire prendre les 2 gelées 12 heures au froid. Découper des ronds de 5 cm de diamètre dans chacune des gelées. Découper ces ronds en quatre. Reconstituer 8 ronds en intercalant un quartier de gelée blanche et un quartier de gelée noire. Pour le vent des sables

aux pitchounes, hacher 30 g d'olives noires de Nyons blanchies et dénoyautées. Monter 125 g de blancs d'œuf en neige avec 1 g de sel. Ajouter 30 g de sucre en poudre, 8 g d'encre de seiche et 1 g de poudre de blanc d'œuf. Ajouter encore 30 g de sucre en poudre. Incorporer délicatement 60 g de sucre glace, 15 g de jus de citron et les olives hachées. Garnir une poche à douille avec cette préparation et coucher des petits bâtonnets de meringue sur une feuille de papier sulfurisé. Les cuire 3 heures à 150 °C. Laisser refroidir et les conserver dans une boîte hermétique. Glisser les damiers de gelée de navet sur des petites assiettes, poser dessus une meringue vent des sables. Mixer le crémeux de riz noir pour lui donner du velouté et ajouter le riz cuit. Le verser dans de grandes assiettes creuses. Servir avec une noix de ris de veau braisée dans un jus de veau aux olives noires et trompettes ; des grosses tranches de radis noir braisées, accompagnées d'une marmelade de quetsches. »

---

poularde au riz sauce suprême ▶ POULARDE

riz au blanc

Laver et égoutter 250 g de riz à grains longs ; le recouvrir d'eau froide. Saler (10 g de sel par litre d'eau) et cuire 15 min à couvert et à petits frémissements. Égoutter, rafraîchir sous l'eau froide, égoutter de nouveau et mettre dans une casserole. Ajouter de 50 à 75 g de beurre en parcelles, mélanger doucement, couvrir et mettre 15 min dans le four préchauffé à 200 °C.

riz à la créole

Laver plusieurs fois 500 g de riz à grains longs et le verser dans une sauteuse. Saler et recouvrir de suffisamment d'eau pour que son niveau dépasse de 2 cm celui du riz. Cuire à grande ébullition et à découvert. Quand l'eau ne dépasse plus les grains, couvrir et maintenir à tout petit feu, jusqu'à ce que le riz soit parfaitement sec (45 min environ).

riz au gras

Mesurer le volume de 250 g de riz à grains longs ; le verser dans de l'eau bouillante salée, l'y laisser 5 min, puis l'égoutter et le rafraîchir sous l'eau froide. Chauffer 30 g de beurre dans une casserole, y verser le riz et bien remuer, puis le recouvrir de deux fois son volume de bouillon (de bœuf ou de volaille) ; verser l'assaisonnement en sel. Porter à ébullition, puis couvrir et cuire dans le four préchauffé à 200 °C pendant 15 min.

riz à l'indienne ou *à l'orientale*

Verser du riz à grains longs dans de l'eau bouillante salée (9 g de sel par litre) et le cuire 15 min, en remuant trois ou quatre fois. L'égoutter et le rincer abondamment à l'eau froide. Placer une serviette dans une passoire, y verser le riz, replier les bords de la serviette pour bien l'enfermer, puis le sécher 15 min dans le four préchauffé à 100 °C.

riz à l'iranienne (tchelo bah tahdig)

Rincer trois fois à l'eau tiède 400 g de riz basmati. Le faire tremper 12 heures dans de l'eau additionnée de 40 g de sel. Dans une marmite antiadhésive, porter à ébullition 1,5 litre d'eau avec 2 cuillerées à soupe de sel. Égoutter le riz et le mettre petit à petit dans la marmite. Cuire à feu vif 7 min, en remuant deux fois. Égoutter et rincer à l'eau tiède. Chauffer dans un récipient 50 g de beurre avec 2 cuillerées à soupe d'eau. Dresser dessus une pyramide de riz et y ouvrir 7 cheminées à l'aide du manche d'une cuillère de bois. Arroser de 2 cuillerées à soupe d'eau chaude et de 50 g de beurre fondu. Envelopper le couvercle dans un torchon et le poser sur le récipient. Mettre 7 min sur feu moyen, puis 45 min sur feu très doux. Avant de servir, tremper 3 min le fond du récipient dans de l'eau glacée pour décoller le *tahdig*, c'est-à-dire la croûte dorée qui s'y est formée. Sortir délicatement le riz avec une écumoire. Soulever le *tahdig* avec une spatule de bois et le servir en accompagnement du riz, décoré de quelques grains colorés au safran.

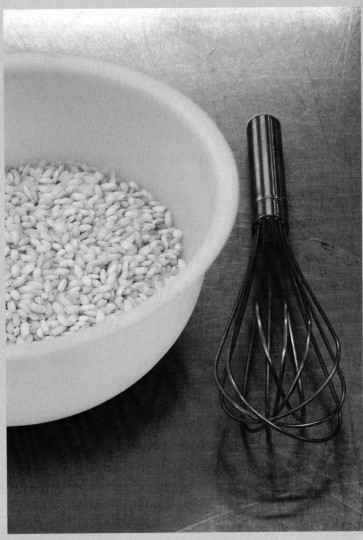

« Avec des milliers de variétés de riz, les cuisines de POTEL ET CHABOT, de l'école FERRANDI PARIS ou des restaurants GARNIER et KAISEKI s'autorisent bien des folies, mais toujours, pour chaque recette, sélectionnent le bon grain : long et bombé pour le risotto, demi-long pour la paella ou encore rond et de type japonais pour le sushi. »

RIZ

riz à grains longs non polis

riz à grains ronds non polis

riz basmati

riz à grains ronds (Japon)

riz gluant (Japon)

riz japonais de Californie

riz gluant noir (Indonésie)

riz rouge (Indonésie)

riz vert aplati (Thaïlande)

riz rouge (Thaïlande)

riz noir (Thaïlande)

riz gluant à grains longs (Thaïlande)

riz blanc à grains ronds

riz rouge de Camargue non poli

riz à grains demi-longs (Espagne)

riz arborio à grains longs (Italie)

riz carnaroli à grains longs (Italie)

riz vialone nano à grains demi-longs (Italie)

zizanie ou riz sauvage (Canada)

riz américain à grains longs

riz sauvage Mahnomen (Minnesota)

riz pilaf

Préchauffer le four à 200 °C. Mesurer le volume de 200 g de riz à grains longs. Faire suer sans coloration 80 g d'oignon blanc finement ciselé dans 40 g de beurre. Ajouter le riz non lavé et le nacrer doucement pour le rende translucide en le remuant avec une spatule en bois ; ne pas le laisser colorer. Ajouter une fois et demie son volume en eau bouillante. Saler et ajouter 1 bouquet garni. Porter à ébullition et poser sur le riz une feuille de papier sulfurisé de même diamètre que la casserole. Couvrir la casserole et cuire le riz au four pendant 16 à 18 min, puis retirer le bouquet garni et laisser finir de gonfler pendant 15 min à température ambiante. Avant de servir, parsemer de 40 g de beurre et égrener le riz délicatement.

riz noir

Préparer 1 litre de fumet de poisson. Le passer au chinois et le laisser tiédir. Rincer 750 g de seiches. Pour chacune, retirer la fine pellicule qui recouvre le corps. Inciser celui-ci, vider les parties molles et retirer l'« os » central. Couper le bas de la tête pour éliminer les yeux et le bec corné mais récupérer la poche d'encre en veillant à ne pas la crever. Couper le blanc de seiche (le corps) en morceaux ainsi que la tête et les tentacules. Rincer à nouveau et éponger. Crever chaque poche d'encre et faire s'écouler l'encre dans un bol. La diluer dans 5 cl de vin blanc. Pelez 1 oignon et 3 gousses d'ail et les hacher finement. Dans un plat à paella, faire chauffer 15 cl d'huile d'olive, ajouter l'oignon haché et le faire revenir quelques minutes. Ajouter les morceaux de seiche, l'ail haché et remuer. Cuire à feu moyen 10 min. Jeter 600 g de riz bomba, mouiller avec le fumet, puis verser l'encre des seiches. Remuer délicatement à feu vif, puis baisser le feu et laisser cuire à feu moyen à couvert de 15 à 20 min. Goûter et rectifier l'assaisonnement. Laisser reposer quelques minutes avant de servir. Le riz noir est une recette traditionnelle de la cuisine méridionale. On l'apprécie autant en Italie qu'en Espagne.

riz sauvage à l'indienne

Bien rincer 150 g de riz long et 150 g de riz sauvage. Faire fondre 100 g d'oignon et 100 g de céleri, hachés, dans 1/2 cuillerée à soupe de beurre et 1/2 cuillerée à soupe d'huile. Ajouter le riz et 40 g de raisins secs, et remuer. Verser 1 litre de bouillon de volaille ou de légumes, porter à ébullition, couvrir et cuire jusqu'à ce que le riz soit tendre. Incorporer 40 g de pignons ou de noix hachées, grillés, et laisser reposer 5 min.

RIZ SUCRÉS

gâteau de riz au caramel ▶ GÂTEAU DE RIZ
puddings au riz ▶ PUDDING

riz au lait

Laver 200 g de riz rond et le cuire 2 min à l'eau bouillante salée ; l'égoutter et le verser dans 90 cl de lait bouillant. Ajouter 70 g de sucre en poudre, 1 pincée de sel et 1 gousse de vanille ; cuire de 30 à 40 min, à couvert, sur feu très doux. Ajouter 50 g de beurre et, éventuellement, 2 ou 3 jaunes d'œuf. Servir tiède ou froid.

subrics d'entremets au riz ▶ SUBRIC
tarte au riz ▶ TARTE

ROBE DES CHAMPS (EN) Se dit des pommes de terre simplement lavées et cuites dans leur peau à l'eau salée ou au four (**voir** tableau des apprêts de pommes de terre page 691). Les pommes de terre en robe des champs, qui peuvent également porter le nom de « robe de chambre », se dégustent telles quelles, pelées, avec du poivre et, le cas échéant, avec de la crème et des fines herbes. Elles peuvent aussi se servir avec un cervelas lyonnais ou des filets de hareng ; en Alsace, elles accompagnent traditionnellement le munster.

ROBERT Nom d'une sauce à base de vin blanc, de vinaigre et de moutarde, qui accompagne classiquement les côtes de porc et d'autres viandes grillées.
▶ Recette : SAUCE.

ROBOT MÉNAGER Appareil électroménager à fonctions multiples, destiné à réaliser diverses préparations de cuisine. Le terme « robot » recouvre une grande variété d'appareils, différents par la puissance, la forme, le volume, le poids, le nombre d'accessoires et les fonctions qu'ils assurent.
• BATTEURS. On les utilise en les tenant à la main ; un moteur à faible consommation fait tourner des fouets, des crochets à pétrir, des accessoires divers.
• ROBOTS COMPACTS. Ils comportent un bloc-moteur et une cuve dans laquelle les accessoires opèrent sous la protection d'un capot. L'accessoire choisi (couteau hélicoïdal à deux lames pour hacher, battre et mélanger ; disque éminceur, disque-râpe, coupe-frites, fouets, crochet, etc.) tourne à la vitesse voulue. L'appareil est généralement assez puissant pour râper ou broyer des aliments ; parfois même, il concasse la glace. Enfin, certains modèles reçoivent un presse-agrumes ou une centrifugeuse.
• ROBOTS MULTIFONCTION. Ils comprennent un bloc-moteur assez puissant, sur lequel vient s'adapter un outil spécialisé : batteur-pétrisseur, hachoir, coupe-légumes, presse-agrumes, centrifugeuse, éplucheuse, ouvre-boîtes, etc. On peut y adapter en option un moulin à café, un appareil à pâtes fraîches ou à saucisses.
Dans le domaine professionnel, on utilise surtout le « robot-coupe », faisant office de coupe-légumes (rondelles d'épaisseur différente, julienne, frites), de râpe (légumes ou fromage), de cutter (hachage et malaxage) et de presse-fruits.

ROBUCHON (JOËL) Cuisinier français (Poitiers 1945). Après des études au petit séminaire de Mauléon, il fait son apprentissage au *Relais de Poitiers,* à Poitiers. De 1960 à 1973, Joël Robuchon gravit tous les échelons d'une brigade classique, notamment au *Berkeley,* à Paris. Compagnon du tour de France (il reçoit le surnom de « Poitevin la fidélité »), puis Meilleur Ouvrier de France en 1976, il est chef à l'hôtel *Concorde Lafayette,* puis à l'hôtel *Nikko,* à Paris. En 1981, et jusqu'en décembre 1993, il est à la tête du restaurant *Jamin,* où il acquiert les trois étoiles du Guide Michelin. Celles-ci consacrent un sommet du classicisme rénové de la haute cuisine française. Il relance, ainsi, la mode des abats, avec une fameuse tête de cochon mijotée à la sauge, et redonne ses lettres de noblesse à la pomme de terre avec une purée onctueuse et beurrée qui fera école. Il sera sacré « cuisinier du siècle » en 1990 par le magazine *Gault et Millau.*
Il a d'abord transféré son activité de restaurateur dans un hôtel particulier de l'avenue Raymond-Poincaré où il a officiellement pris sa retraite l'année de ses cinquante ans. Il a poursuivi, ensuite, ses activités de conseil, notamment au restaurant *Robuchon-Le Château* à Tokyo (en compagnie de Jean-Claude Vrinat du *Taillevent*), à *la Galleria* à Macao, tout en développant une nouvelle formule de restaurant plus décontractée, sous le nom d'*Atelier,* à Paris, à Las Vegas et à New York. Il est également présent à Monaco à l'hôtel *Métropole* et à Paris, avenue Bugeaud, à la *Table de Robuchon.*
Présent à la télévision, sur France 3, avec l'émission *Bon Appétit, bien sûr,* il a dirigé la chaîne de télévision Gourmet TV, avec son producteur Guy Job. On lui doit de nombreux ouvrages, comme *Ma cuisine pour vous* (1986) et *le Meilleur et le plus Simple de Robuchon* (1992).

ROCAMADOUR Fromage AOC du Quercy, au lait cru de chèvre, à pâte molle et à croûte fleurie, portant le nom local de « cabécou de Rocamadour » (**voir** tableau des fromages français page 392). Le rocamadour se présente sous la forme d'un petit palet de 5 à 6 cm de diamètre et de 1,5 cm d'épaisseur, pesant 30 g environ. Il a une saveur lactique, douce et noisetée. Macéré dans de l'huile d'olive ou de l'eau-de-vie de prune, il sert à la confection des picadous.

RECETTE DE LA MAISON ANDROUET

rocamadour aux poireaux

POUR 4 PERSONNES – PRÉPARATION : 15 min – CUISSON : 35 min
« Laver et éplucher 1,5 kg de jeunes poireaux. En garder 1 pour le décor, émincer les autres. Laver, essorer et ciseler 2 brins de menthe. Dans une casserole, faire fondre 80 g de beurre, ajouter les poireaux, la menthe, du sel, du poivre et un peu d'eau. Laisser cuire à feu doux à couvert pendant 30 min. Couper le poireau restant en sifflets et le faire cuire 10 min dans de l'eau bouillante salée. Égoutter et réserver. Passer 8 rocamadours affinés dans 1 cuillerée à soupe de farine et les poêler dans 1 cuillerée à soupe d'huile d'olive 1 min de chaque côté. Dresser la fondue de poireau sur 4 assiettes, disposer dessus les rocamadours et entourer de sifflets de poireau. Servir immédiatement, accompagné d'un vin de Collioure. »

ROCAMBOLE Variété d'oignon originaire d'Amérique, appelée aussi « oignon d'Egypte » ou « oignon vivipare », issue d'un croisement d'un oignon et de la ciboule. Le rocambole s'utilise comme l'ail et a une saveur forte d'oignon.

ROCHAMBEAU Nom d'une garniture pour grosses pièces de boucherie braisées ou rôties, composée de croustades en pomme duchesse emplies de carottes Vichy, alternées avec des laitues farcies, des bouquets de chou-fleur à la polonaise et des pommes Anna.

ROCHAT (PHILIPPE) Cuisinier suisse (Le Sentier 1955). Natif de la vallée de Joux, au cœur du Jura, il apprend le métier chez Marcel Cavuscens au *Buffet de la Gare* de Romont, avant de rallier le restaurant de l'hôtel de ville de Crissier où il reste seize ans sous la houlette de Frédy Girardet. Il devient son chef attitré, puis reprend sa demeure après la retraite de ce dernier en 1996. Il y obtient trois étoiles au guide Michelin dès 1998. Modeste, sportif, amateur de vélo, esthète, songeant à renouveler sa palette comme un artiste insatisfait de son art : trace-t-on le portrait de l'élève et du maître ? On ne sait plus, tant, par maints côtés, ils se ressemblent… Quel est le style de ce Jurassien fort en caractère ? Une cuisine minutée comme une horloge suisse, vive, sapide, acide, tonique, jouant la légèreté, fuyant le gras, recherchant l'équilibre absolu et y parvenant. Ainsi ces nouveaux mets de mémoire qui ont pour nom suprême de pintade au foie gras et truffes noires à la gelée de porto, velouté de fenouil et langoustines en chaud-froid à l'anis au caviar, gratinée de gros macaronis aux cèpes et chanterelles avec fricassée de grenouilles, omble chevalier du Léman avec son beurre battu au cerfeuil.

ROCHER Apprêt de pâtisserie ou de confiserie, dont l'aspect irrégulier et la texture souvent granuleuse évoquent un rocher. On prépare des rochers aux amandes, à la noix de coco (« congolais »), au chocolat, aux raisins secs, etc., gros comme des bouchées ou de la taille de gâteaux individuels, généralement à base de sucre et de blancs d'œuf en neige. Les « rochers » destinés aux imitations d'architecture sont des pièces montées soit en sucre soufflé, soit en pâte à biscuit.

ROCHER DE CANCALE (LE) Restaurant créé en 1795 rue Montorgueil, à Paris, repris en 1804 par Alexis Balaine. Celui-ci en fit le haut lieu, luxueux, de la dégustation des huîtres, que l'on pouvait manger chez lui « en toutes saisons » (les bancs d'huîtres de Cancale alimentaient alors un important commerce avec Rouen, Paris et même l'Angleterre). Mais le gibier, les poissons et la volaille y étaient aussi fastueusement cuisinés, et la carte était très fournie.

Les « Dîners du Vaudeville » y furent fondés en 1796, puis le « Caveau moderne » et les dîners du « jury dégustateur » de Grimod de La Reynière y tinrent régulièrement leurs assises au début du XIXe siècle. C'est au *Rocher* que le chef Langlais créa la sole normande en 1837. Borel succéda à Balaine, puis, en 1847, déménagea rue de Richelieu, dans l'ancien hôtel *Frascati*, tandis qu'un nommé Pécune ouvrait un second *Rocher,* dit *le Petit Rocher de Cancale,* toujours rue Montorgueil.

ROCOU Colorant alimentaire extrait de la cire rouge qui entoure la graine du rocouyer, arbuste d'Amérique centrale de la famille des bixacées. Le rocou intervient pour colorer en jaune, orange ou rouge certains fromages (édam, mimolette, red leicester) et des poissons fumés (haddock), ainsi que le beurre et des céréales. Son usage reste limité à des doses précises.

ROCROI Fromage ardennais maigre au lait cru de vache, à pâte molle et à croûte cendrée. En forme de section carrée de 11 à 12 cm de côté et de 2,5 cm de haut, il pèse 200 g. Affiné de un à deux mois dans de la cendre de bois, il a une saveur relevée, un peu sapide.

RØDGRØD Entremets danois, fait de jus de fruits rouges mélangés (cassis, cerise, framboise, groseille), épaissi de fécule et délayé avec du vin blanc, servi très froid dans un compotier poudré de sucre et décoré d'amandes effilées, avec de la crème fraîche.

ROELLINGER (OLIVIER) Cuisinier français (Saint-Malo 1955). Ingénieur de formation, autodidacte passionné de mer, stagiaire chez Gérard Vié à Versailles et Guy Savoy à Paris, il transforme la maison familiale des hauts de Cancale en salle à manger bourgeoise *(maisons de Bricourt)*, la doublant d'une maison d'hôtes *(les Rimains)* et d'un château de style Art déco balnéaire *(Richeux).* Héraut de la nouvelle Bretagne gourmande et président de son association des « Gens de qualité », il a joué un rôle de fédérateur dans une région qui fut souvent laissée-pour-compte de la cuisine française, alors qu'elle fournit à l'hexagone ses meilleurs produits de la mer. Son style ? La mise en valeur des produits d'Ille-et-Vilaine et de la baie du Mont-Saint-Michel, les cuissons-a-minima, l'alliance avec les épices lointaines dont les corsaires furent jadis les meilleurs propagandistes. Il a obtenu trois étoiles au Guide Michelin, les premières en Bretagne, en 2006. Homard aux huiles parfumées, saint-jacques à l'émulsion de fèves du Tonkin, turbot aux graines de lin et curry au jus de poulet sont quelques-uns de ses tours de magicien marin.

ROGNON Abat rouge, constitué par le rein d'un animal de boucherie (**voir** tableau des abats page 10). Les rognons du bœuf et du veau comportent plusieurs lobes, tandis que ceux du porc et du mouton n'en ont qu'un, en forme de haricot.

Les rognons d'animaux jeunes (agneau, génisse, veau) sont les plus délicats ; ceux du porc ont un goût plus fade ; enfin, ceux du bœuf, qui entrent dans la composition du steak and kidney pie (**voir** ce mot), et du mouton sont plus coriaces. Les rognons ont parfois une odeur d'urine ; il est conseillé de les ébouillanter rapidement et de les égoutter avant de les cuisiner.

Avant tout apprêt, on retire la membrane transparente qui les entoure (pour qu'ils ne se rétractent pas à la cuisson), les parties nerveuses et la graisse du centre. Grillés, sautés ou en brochettes, les rognons se servent rosés, pour rester tendres ; on les fait aussi braiser. Les rognons de veau sont particulièrement savoureux rissolés dans leur gangue de graisse, qui fond peu à peu ; on les sert juste dorés. Ils sont cuisinés entiers ou détaillés en lamelles. Les rognons de coq sont devenus très rares, mais figurent, comme les crêtes, dans des garnitures classiques.

brochettes de rognons ▶ BROCHETTE

rognons d'agneau à l'anglaise

Débarrasser les rognons de leur membrane et les ouvrir sans séparer les moitiés ; retirer le gras et la partie blanchâtre du milieu. Enfiler successivement sur des brochettes chaque demi-rognon. Saler, poivrer, badigeonner de beurre fondu et rouler dans de la mie de pain fraîche finement émiettée. Griller à feu vif 3 min sur chaque face et dresser dans un plat long, avec des tranches de bacon également grillées, des petites pommes de terre nouvelles cuites à l'eau salée et du cresson frais. Poser sur chaque demi-rognon une noisette de beurre maître d'hôtel.

rognons de coq pour garnitures

Laver plusieurs fois 125 g de rognons de coq, blancs et fermes. Les mettre dans une petite casserole avec 10 cl d'eau, 1 pincée de sel, 25 g de beurre et quelques gouttes de jus de citron. Faire partir vivement la cuisson ; dès les premiers frémissements, réduire le feu et laisser pocher à couvert de 10 à 12 min, en évitant toute ébullition. Égoutter longuement et employer suivant la recette.

rognon de veau aux graines de moutarde

Choisir 1 beau rognon bien clair. Hacher finement 1 grosse échalote et la mettre dans une sauteuse avec 20 cl de vin blanc sec, 1 feuille de laurier et 1 branche de thym. Faire réduire doucement de moitié. Verser 5 cl de fond brun de veau et 2 cl de crème liquide. Réduire jusqu'à ce que le jus ait une consistance nappante. Hors du feu, incorporer 1 cuillerée à café de moutarde de Dijon. Passer la sauce au chinois dans un petit récipient et ajouter 1 cuillerée de moutarde de Meaux. Vérifier l'assaisonnement, beurrer en surface et réserver au bain-marie. Dégraisser complètement le rognon et l'ouvrir en deux dans le sens de la longueur pour éliminer les parties blanches. Le couper transversalement en lamelles épaisses. Saler, poivrer et dorer les tranches 2 min dans une poêle avec de l'huile très chaude, des 2 côtés. Les mettre dans une passoire et les laisser 10 min s'égoutter de leur sang. Les plonger dans la sauce chaude, sans faire bouillir. Dresser sur des assiettes et parsemer de ciboulette ciselée. Servir avec des tagliatelles fraîches, des épinards au beurre, un gratin dauphinois ou une galette de pommes de terre.

rognon de veau bordelaise

Pocher dans de l'eau salée 2 cuillerées de dés de moelle de bœuf, égoutter, tenir au chaud. Détailler le rognon en petites escalopes, le saler, le poivrer et le dorer vivement dans du beurre très chaud en retournant les morceaux avec une écumoire. Égoutter et réserver au chaud. Déglacer le plat avec 10 cl de vin blanc ; ajouter 1 cuillerée à soupe rase d'échalote finement hachée et réduire à sec. Mouiller de 25 cl de jus de veau ou de bouillon. Ajouter le jus rendu par le rognon et réduire de moitié. Rectifier l'assaisonnement. Remettre le rognon dans la sauce, sans laisser bouillir, ajouter la moelle, mélanger. Dresser en timbale et parsemer de persil.

rognons de veau au madère

Parer et couper en tranches 2 beaux rognons de veau de 350 g environ chacun. Les faire poêler dans du beurre bien moussant, assaisonner de sel et de poivre après coloration. Réserver les tranches au chaud sur un plat de service. Retirer la graisse, ajouter 1 cuillerée à soupe d'échalote ciselée et 1 noix de beurre dans la poêle. Faire suer 3 min et déglacer avec 5 cl de madère. Ne pas faire flamber. Faire réduire et ajouter 10 cl de sauce demi-glace. Réduire à consistance, rectifier l'assaisonnement et passer au chinois. Incorporer 20 g de beurre frais et quelques gouttes de madère pour relever le goût si nécessaire. Napper les rognons et servir avec des champignons de Paris glacés au jus.

ROGNONNADE Morceau de longe ou de filet de veau (désossé) comportant le rognon. Le rognon, légèrement dégraissé, est coupé en deux sur la longueur ; les moitiés sont posées bout à bout à l'intérieur de la longe ; celle-ci est alors roulée et ficelée, puis mise à poêler, d'abord saisie à four chaud, puis cuite à four doux (trente minutes par livre).

ROHAN Nom d'une garniture pour volailles braisées ou sautées, composée de fonds d'artichaut surmontés d'escalopes de foie gras et de lamelles de truffe, alternés avec des tartelettes emplies de rognons de coq liés de sauce parisienne.

ROLLMOPS Filet de hareng débarrassé de ses arêtes, mariné au vinaigre avec des épices, enroulé sur un hachis d'oignon et un demi-cornichon à la russe, et maintenu par un bâtonnet en bois. La marinade, condimentée de baies de genièvre, de clous de girofle et de poivre noir, est versée froide sur les filets roulés. Les rollmops ainsi préparés doivent mariner cinq ou six jours au frais avant d'être servis en hors-d'œuvre froid, avec du persil et des rondelles d'oignon. Les rollmops français sont plus piquants que ceux préparés par les Scandinaves, qui les préfèrent à l'aigre-doux.

ROLLOT Fromage picard de lait cru de vache (de 45 à 50 % de matières grasses), à pâte molle et à croûte lavée, jaune-orangé ou rougeâtre. Le rollot se présente sous la forme d'un cœur ou d'un cylindre aplati de 8 à 11 cm de diamètre et de 4 cm d'épaisseur environ. Il a une saveur bien relevée.

ROMAINE (À LA) Se dit de divers apprêts français inspirés plus ou moins directement de la cuisine du Latium : œufs accommodés aux épinards, aux anchois et au parmesan ; petits oiseaux en casserole, aux petits pois et au jambon ; pains ou soufflés aux épinards, etc.

La sauce à la romaine est une sauce classique pour pièces de venaison rôties ; l'appellation s'applique aussi à une recette de gnocchis.

▶ Recettes : CAILLE, GNOCCHIS, ŒUF BROUILLÉ, PAIN DE CUISINE.

ROMANÉE-CONTI Grand cru AOC rouge de Vosne-Romanée, en Côte de Nuits, issu du cépage pinot noir. Véritable mythe, très rare, ce vin est une perfection : il est corsé, suave, pénétrant, très long avec des arômes de fruits confits, de rose, d'épices, de violette, etc. (voir BOURGOGNE).

ROMANÉE-SAINT-VIVANT Vin rouge AOC de Bourgogne, grand cru issu du cépage pinot noir. Contiguë à Richebourg et Romanée-Conti, la Romanée-Saint-Vivant produit également un vin plein de sève, racé et très persistant.

ROMANOV Nom donné à divers apprêts de grande cuisine classique, dédiés, au début du XXᵉ siècle, à la famille impériale de Russie. La garniture Romanov pour pièces de boucherie associe des tronçons de concombre, farcis de duxelles et gratinés, et des croustades en pomme duchesse, remplies d'un salpicon de champignon et de céleri-rave, lié de velouté réduit, condimenté au raifort. Les fraises Romanov sont macérées au curaçao et dressées en coupes, avec un décor de chantilly.

ROMARIN Plante aromatique méditerranéenne, de la famille des lamiacées, dont les feuilles persistantes, vert sombre dessus, blanchâtres dessous, sont utilisées comme condiment, fraîches ou séchées (voir planche des herbes aromatiques pages 451 à 454).

Ces feuilles ont une saveur très piquante et une odeur fortement aromatique : il en faut très peu pour parfumer une marinade, un ragoût, un gibier ou une grillade. Le romarin se marie particulièrement bien avec le veau et les volailles, certaines sauces à la tomate et des poissons apprêtés au four ; en Europe du Nord, il aromatise les hachis de chair à saucisse, le cochon de lait et l'agneau rôti. Quant aux fleurs, elles peuvent garnir des salades ; candies dans du sucre, comme les violettes, elles servent de décor. Enfin, le miel de romarin, spécialité de Narbonne, est l'un des plus réputés.

▶ Recette : PÊCHE.

ROME ANTIQUE Les citoyens de la Rome antique furent des pionniers de la gastronomie, qui surent assimiler les coutumes alimentaires des Grecs et celles des peuples d'Asie Mineure, adopter des procédés nouveaux et des ingrédients étrangers. L'image traditionnelle des orgies romaines est trompeuse. Si, au Iᵉʳ siècle de notre ère, Pétrone, Juvénal et Martial abondent en détails sur certains banquets somptueux, c'est parce que ceux-ci étaient exceptionnels, et les langues de flamant, les talons de chameau, les loirs engraissés de châtaignes, les sangliers farcis de grives et autres extravagances n'étaient pas, et de loin, l'ordinaire.

■ **Des origines humbles.** La gastronomie latine n'évolua que très progressivement. L'élevage et l'agriculture étaient pratiqués depuis longtemps dans la vallée du Tibre, mais ce fut grâce au commerce du sel, que l'on faisait évaporer à l'embouchure du fleuve, que des relations commerciales s'établirent avec les colonies grecques et l'Étrurie.

Le principal aliment des Romains, au début de leur histoire, était le *pulmentum*, une bouillie de millet, d'orge ou de farine de pois chiches, parfois délayée de lait. Avec les progrès de la panification, les premiers boulangers firent leur apparition à Rome, au Iᵉʳ siècle av. J.-C. Les autres aliments de base étaient le fromage de brebis, la viande de mouton bouillie, le chou, les cardons et les fèves.

Les fruits tenaient également une place importante : les pommes étaient beaucoup plus courantes que dans la Grèce antique ; les abricots, importés d'Arménie, et les pêches, venues de Perse, se vendaient, en revanche, très cher. On attribue à Lucullus (v. 117 - v. 57 av. J.-C.) l'introduction des cerisiers ; les figues poussaient à profusion, et l'on importait des dattes d'Afrique. Quant au melon, il commença d'être cultivé près de Cantalupo (d'où le cantaloup).

C'est à partir de la défaite d'Antiochos III Mégas (189 av. J.-C.) que les Romains, pénétrant en Asie Mineure, découvrirent peu à peu l'extrême raffinement des cours grecques de l'Orient hellénisé.

■ **L'ère de l'abondance.** Pour satisfaire les goûts et les besoins des citoyens, Rome mit alors sur pied un système plus complexe de production et de distribution des denrées, grâce, notamment, aux grands entrepôts et marchés, dont le plus célèbre est celui de Trajan (53-117) : on y trouvait le blé d'Égypte, l'huile d'olive d'Espagne, les épices d'Asie, les jambons des Gaules, nombre de poissons de mer et d'eau douce, souvent élevés en vivier, ainsi qu'une grande variété de coquillages, surtout les huîtres (Sergius Orata fut le premier à imaginer leur élevage dans des parcs). Les Romains inventèrent alors aussi le gavage des oies avec des figues, pour hypertrophier leur foie.

Les citoyens les plus aisés étaient de gros mangeurs de viande. Ils préféraient le porc au mouton et appréciaient notamment le porc « à la troyenne », farci d'huîtres et de petits oiseaux, rôti d'un côté, badigeonné d'une pâte d'avoine, de vin et d'huile, et poché à l'eau bouillante sur l'autre face. Apicius (v. 25 av. J.-C.), auteur de nombre de recettes, proposait, entre autres, le jambon frais enduit de miel, cuit en croûte avec des figues et du laurier. Les volailles étaient également très prisées : chapons, poules de Numidie (pintades), pigeons domestiques, canards sauvages, oies rôties, etc.

Les sauces, assez fortes en goût, comptaient le garum, un condiment à base de poisson fermenté, qui servait souvent de fond. Ne connaissant pas le sucre, les Romains édulcoraient leurs apprêts avec du miel, ou du sirop de raisin. Enfin, ils fabriquaient une douzaine de fromages, notamment avec du lait de brebis.

■ **De grands crus.** Grands amateurs de vin, les Romains le buvaient de préférence frais et coupé d'eau. Ils en produisaient plusieurs sortes, d'un prix d'ailleurs modique : le vin de paille (*passum*) ; le vin miellé (*mulsum*) ; le vinaigre étendu d'eau (*posca*), boisson rafraîchissante utilisée par les soldats en campagne ; des vins artificiels (à l'absinthe, à la rose, à la violette) ; des vins de fruits. Mais ils prisaient surtout les grands crus récoltés en Campanie. Le falerne blanc ou rouge, qu'on faisait longtemps vieillir, était le plus renommé. Ces vins de qualité étaient conservés dans des amphores et, à table, le plus souvent passés dans des filtres pour les rendre plus limpides. Servant ordinairement aux libations, le vin avait de nombreux usages religieux et donnait lieu à de véritables fêtes du vin.

ROMEYER (PIERRE) Cuisinier belge (Bruxelles 1930). Après un apprentissage dans les restaurants de Bruxelles, il s'établit à Hoeilaart, en forêt de Soignes, dans le Brabant flamand. Il y occupe, de 1965 à 1992, la *Villa Schimm*, nommée « maison de bouche », chaussée de Groenendael, où il reçoit la troisième étoile du Guide Michelin en 1983. Sa cuisine s'inspire de la haute gastronomie française, comme celle de tous les étoilés Michelin hors hexagone, mais sait exploiter les produits du terroir et toutes les saveurs locales, sans être cependant régionale. Sa mousse à la bécasse et son faisan à la choucroute demeurent des plats d'école. Sa truculence naturelle et son franc-parler en font un personnage légendaire et respecté (il est cofondateur d'Eurotoques), au service de la gastronomie belge. « Sauf le respect que je dois à Bocuse, il y a plus d'étoilés à Bruxelles qu'à Lyon, et de toute la Gaule, ce sont les Belges les plus braves », note-t-il en parodiant César…

ROMPRE Arrêter momentanément la fermentation (ou « pousse ») d'une pâte levée en la repliant plusieurs fois sur elle-même. Cette opération se réalise deux fois pendant la préparation de la pâte et favorise son bon développement ultérieur.

RONCE Arbuste épineux de la famille des rosacées, dont les fruits, appelés « mûres sauvages », ou « mûrons », servent à préparer des confitures, des compotes et des sirops. Au Canada poussent plusieurs espèces de ronces très appréciées : on utilise leurs fruits pour des tartes, des puddings, des sauces pour les rôtis, l'oie et la dinde ; ils entrent aussi dans la composition de farces de volaille.

ROND Nom donné en boucherie à deux muscles entiers et différents de la cuisse du bœuf (**voir** planche de la découpe du bœuf pages 108 et 109) : le rond de tranche (anciennement « tranche grasse ») est détaillé en biftecks ou en rôti ; le rond de gîte (anciennement « gîte à la noix ») a les mêmes utilisations. On peut les préparer aussi tous les deux en carpaccio.

RONDEAU Récipient de cuisson rond, à parois verticales peu hautes, muni d'un couvercle et de deux poignées – et non d'une queue comme le plat à sauter, dont il a les emplois. En confiserie, il est surtout utilisé pour la préparation des marrons glacés. Le rondeau est en aluminium, en acier inoxydable, en fer étamé ou en cuivre étamé intérieurement.

ROOIBOS Plante originaire d'Afrique du Sud, dont les feuilles donnent une infusion de couleur rouge orangé, appelée « thé rouge », à la saveur douce et ne contenant pas de théine, qui se boit avec ou sans lait. Le rooibos est souvent associé à d'autres plantes aromatiques (menthe, verveine, etc.).

ROQUEFORT Fromage AOC de lait de brebis (52 % de matières grasses au minimum), à pâte persillée et à croûte naturelle, fabriqué dans le Rouergue (**voir** tableau des fromages français page 390).

Le roquefort se présente sous la forme d'un cylindre de 19 à 20 cm de diamètre et de 8,5 à 10,5 cm d'épaisseur, sous papier métallisé. Il a un bouquet et une saveur prononcés. Le roquefort est un fromage de brebis de nos jours, il était à base de lait de chèvre au XVIIIe siècle. La loi du 26 juillet 1926 accorda pour la première fois le bénéfice d'une appellation d'origine contrôlée (AOC) à un fromage. Ce fromage est affiné exclusivement dans les caves naturelles de la montagne du Cambalou.

Ensemencé de spores de *Penicillium roqueforti*, le roquefort mûrit trois mois au moins en cave humide, où les « fleurines » (courants d'air chargés d'humidité et de la flore spécifique) favorisent l'apparition des veinures bleues. Il se déguste en fin de repas, mais intervient également dans un certain nombre de recettes : amuse-gueule, beurres composés, crêpes et feuilletés, salades composées, sauces et soufflés, soupes, etc.

▶ Recettes : BEURRE COMPOSÉ, CRÊPE, CRUMPET, DIABLOTIN, PRUNEAU, SALADE.

ROQUES (JOSEPH) Médecin français (Valence [auj. Valence-d'Albigeois] 1771 - Montpellier 1850). Ami de Grimod de La Reynière, membre du « jury dégustateur » institué par ce dernier, il a laissé plusieurs ouvrages, dont le plus important est une *Histoire des champignons comestibles et vénéneux* (1832), où il se révèle à la fois botaniste, médecin et gastronome. Dans son *Nouveau Traité des plantes usuelles* (1837-1838) en quatre volumes, il souligne les bienfaits des cures de certains fruits et légumes.

ROQUETTE Plante méditerranéenne de la famille des brassicacées, très odorante et à saveur assez forte (**voir** planche des herbes aromatiques pages 451 à 454). Ses jeunes feuilles très découpées, qui

mélangées à d'autres ingrédients, se mangent en salade, doivent être cueillies avant la floraison, car leur goût devient ensuite trop moutardé. La roquette est une des composantes traditionnelles du mesclun.

ROSBIF Rôti de bœuf cuit au four ou à la broche. Les rôtis vendus sous l'appellation « rosbif » proviennent de l'aloyau, de certains morceaux de la cuisse ou même de l'épaule (macreuse à rôtir).

Le rosbif est généralement bardé et ficelé – pour éviter la formation d'un croûtage superficiel durant la cuisson –, mais la viande est alors moins « saisie ». En Angleterre, on le sert cuit à point, avec son jus, une sauce au raifort et le classique Yorkshire pudding. En France, on le préfère un peu saignant.

rosbif : cuisson

Sortir le rosbif du réfrigérateur au moins une heure avant la cuisson. Le mettre au four préchauffé à 220-240 °C, pour saisir l'extérieur, puis abaisser la température vers 200 °C et cuire de 10 à 15 min par livre selon l'épaisseur de la pièce. Le laisser reposer 5 min dans le four éteint, porte ouverte, puis le sortir et attendre encore quelques minutes : les sucs se répartiront mieux dans la chair uniformément rose et chaude à cœur, qui sera plus facile à découper. Mettre sur le feu la lèchefrite. Colorer légèrement les sucs, dégraisser en partie, puis déglacer avec un peu de fond de veau brun clair ou d'eau. Mouiller avec le double du volume de jus à obtenir ; faire réduire de moitié. Vérifier l'assaisonnement ; ajouter éventuellement un peu de caramel à sauce pour rectifier la couleur. Passer au chinois et servir en saucière, à part.

ROSE Fleur du rosier, arbuste de la famille des rosacées, dont les pétales colorés et parfumés ont toujours joué un rôle en cuisine, en pâtisserie et en confiserie (**voir** planche des fleurs comestibles pages 369 et 370). La confiture de rose, très prisée au Moyen-Orient et dans les Balkans, se fait avec des pétales de roses de Damas, macérés dans du sucre. En France, Provins est la capitale des friandises à base de rose : bonbons feuilletés à la rose, confits de pétales, pâte de rose, pétales de rose cristallisés.

L'eau de rose et l'essence de rose servent à aromatiser crèmes, glaces et pâtes, ainsi que liqueurs et vins de fleurs. Le miel rosat est fait de boutons de rose bouillis avec du miel, le vinaigre rosat, de pétales macérés au soleil dans du vinaigre de vin.

On retrouve l'essence de rose dans les pâtisseries orientales comme le loukoum. Les boutons, séchés et pulvérisés, sont également utilisés comme épice, soit seuls, soit avec d'autres ingrédients (ras el-hanout). En Afrique du Nord, diverses recettes de volailles sont parfumées à la rose, associée au jasmin.

RECETTE DE PIERRE HERMÉ

gâteau Ispahan

POUR 2 GÂTEAUX DE 6/8 PERSONNES – PRÉPARATION : 40 min – CUISSON : 22 min

« Tamiser 300 g d'amandes entières mondées réduites en poudre avec 800 g de sucre glace. Y incorporer 110 g de blancs d'œuf avec 4 g de colorant rouge carmin, 4 g de colorant rouge fraise. Cuire à 117° C 295 g de sucre en poudre avec 7,5 cl d'eau. Fouetter en neige molle 110 g de blancs d'œuf "vieux" avec 1,5 g de poudre de blancs d'œuf. Verser dessus le sucre cuit. Laisser refroidir à 50° C puis incorporer peu à peu le premier mélange (amande-sucre-colorant) jusqu'à ce que la pâte soit souple. La verser dans une poche à douille n° 11 puis la façonner en 4 disques de 21 cm de diamètre en forme de spirale. Cuire 22 min au four à air ventilé à 165 ° C. Fouetter 45 g de beurre avec 450 g de crème au beurre. Y mélanger 2 cl de sirop de rose et 2,5 g d'essence alcoolique de rose. Vaporiser d'un voile d'eau la base de 2 disques de macaron. Y répartir la crème au beurre à la rose. Garnir chaque disque de 200 g de framboises et 70 g de litchis en boîte égouttés et coupés en quatre. Recouvrir avec les disques restants en appuyant légèrement dessus. Décorer de pétales de rose avec une goutte de glucose et de 2 framboises. Garder au réfrigérateur jusqu'à la dégustation. »

ROSÉ (VIN) Vin de couleur rose, qui se boit jeune et frais. Ce n'est jamais un mélange de vins rouges et blancs (sauf dans le cas unique du champagne), mais parfois le produit de raisins noirs auxquels on a ajouté une certaine proportion de raisins blancs. Cependant, la plupart des rosés sont faits avec des raisins noirs (cabernet franc, gamay, grenache, pinot noir), qu'on laisse fermenter quelques heures avec leur peau et leurs pépins. Le jus est soutiré lorsqu'il a atteint une couleur satisfaisante : c'est le rosé de saignée. Une seconde méthode consiste à presser directement des raisins noirs bien mûrs.

La plupart des régions vinicoles produisent des rosés ; les plus réputés sont le tavel (Provence), le marsannay (Bourgogne), le cabernet d'Anjou, les rosés d'Alsace, du Béarn et de Provence.

ROSÉ DES RICEYS Vin AOC rosé tranquille, issu du cépage pinot noir, produit dans le sud de l'Aube, qui présente un bouquet de noisette caractéristique (**voir** CHAMPAGNE).

ROSETTE Saucisson sec pur porc, originaire du Beaujolais et du Lyonnais (**voir** tableau des saucissons page 787). La rosette se présente sous la forme d'un fuseau ficelé de 30 cm de long environ, dont le hachage de la chair est moyen. Elle se sert en hors-d'œuvre, finement tranchée, ou garnit les casse-croûte.

ROSSINI (GIOACCHINO) Compositeur italien (Pesaro 1792 - Paris 1868). S'il a marqué l'histoire de l'opéra, sa gourmandise a laissé une empreinte dans celle de la gastronomie.

« Manger et aimer, chanter et digérer : tels sont à vrai dire les quatre actes de cet opéra bouffe qu'on appelle la vie, et qui s'évanouit comme la mousse d'une bouteille de champagne », écrivit-il.

Le nom de Rossini est donné aux apprêts où sont associés foie gras et truffe, généralement saucés de demi-glace. L'appellation concerne surtout le tournedos sauté (dont le compositeur aurait indiqué la recette au chef du *Café Anglais*), mais aussi des œufs brouillés, mollets ou pochés, une omelette, une poularde, des suprêmes de volaille, des filets de sole et un poulet sauté. La truffe se retrouve également dans une sauce pour la salade, dont Rossini donna lui-même la composition.

▶ Recettes : BŒUF, POULARDE.

RÖSTI Apprêt suisse, fait de pommes de terre cuites en robe des champs, puis grossièrement râpées et dorées à la poêle pour former une grosse galette. Les véritables rösti bernois sont additionnés de lardons et d'oignons hachés.

RÔT Pièce de viande ou de poisson, cuite devant un feu direct, qui constituait, avec le pot-au-feu, l'essentiel des repas de jadis ; dans ce sens, on dit aujourd'hui « rôti ». Le mot désignait aussi le repas entier.

ROTENGLE Poisson d'eau douce, de la famille des cyprinidés, appelé aussi « gardon rouge », car il a le même habitat et presque la même forme que le gardon, bien qu'il soit moins brillant et plus coloré. Les autres différences consistent dans la forme du corps plus haute chez le rotengle, son iris de couleur jaune doré et sa taille maximale de 50 cm pour 2 kg. Comme le gardon, il se prépare frit, grillé ou meunière.

ROTHOMAGO Nom d'un apprêt des œufs sur le plat, cuits sur de petites tranches de jambon et accompagnés de chipolatas et de sauce tomate très réduite.

ROTHSCHILD Nom donné à un soufflé à base de crème pâtissière et de fruits confits, macérés dans de l'eau de Dantzig ou du Grand Marnier, d'après le patronyme de la célèbre dynastie de banquiers.

▶ Recette : SOUFFLÉ.

RÔTI Pièce de viande cuite à feu vif à la broche ou au four et servie chaude ou froide. Pour le bœuf, le terme « rôti », sans autre qualificatif, désigne généralement le rosbif. Pour les autres viandes, on accompagne le mot « rôti » du nom de l'animal : rôti de veau (dans la noix, le quasi, l'épaule désossée, la longe ou le carré de côtes désossé), rôti de porc (dans le carré de côtes, le milieu ou la pointe désossés, l'épaule, l'échine ou la palette), rôti de dindonneau (viande désossée et roulée). Le terme rôti désigne ainsi une pièce parée, généralement ficelée et bardée. Par analogie, on parle aussi de « rôti » de lotte pour désigner un gros tronçon de ce poisson, ficelé et traité comme une viande à rôtir.

En principe, le rôti doit être servi déficelé et débardé. Il est préférable de retirer la pièce du four ou de la broche quelques instants avant de la servir. Les sucs se répartiront mieux dans la chair, qui sera alors plus facile à découper. Le jus d'accompagnement est servi à part, dans une saucière dont le dispositif verseur permet de séparer le gras du maigre.

RÔTI-COCHON Titre d'un livre de lecture destiné aux enfants, paru chez Claude Michard, à Dijon, vers 1680. Cette « méthode très facile pour bien apprendre aux enfants à lire en latin et en français » est très intéressante pour l'histoire de la gastronomie, car de nombreux exemples sont inspirés de la cuisine, de la gourmandise et du savoir-vivre de l'époque, tels : « Après la poire, faut boire… Du cochon rôti, vive la peau, étant chaud… De la tête de veau, l'œil et les oreilles en sont les plus friands morceaux… Bouilli pour abattre la grosse faim, avec le rôti pour les festins. »

RÔTIE Tranche de pain rôtie ou grillée, utilisée nature ou garnie d'un œuf poêlé ou d'un appareil tel que crème au fromage, purée à l'ail, salpicon gratiné, etc. C'est également un canapé rôti ou grillé, masqué de farce à gratin, servi avec un petit gibier à plume, généralement rôti. Enfin, les rôties grillées, beurrées, se servent avec de la confiture ou du miel, au petit déjeuner ou avec le thé (**voir** TOAST).

Autrefois, la rôtie simple accompagnait soupes et ragoûts, mais surtout les coupes de vin épicé, servies au début du repas.

RÔTIR Cuire une viande de boucherie, une volaille, un gibier, voire un poisson, avec une certaine quantité de corps gras, en l'exposant directement à la chaleur d'un feu nu, dans une cheminée et à la broche, ou à la chaleur rayonnante d'un four ou d'une rôtissoire (**voir** tableau des modes de cuisson page 295).

La pièce est saisie au début de la cuisson, ce qui provoque la formation d'une croûte externe et un brunissement. Les sucs intérieurs ainsi retenus sont concentrés, et l'aliment conserve toute sa saveur. Il ne faut pas saler la pièce au départ ni pendant la cuisson, ce qui aurait pour effet de faire s'écouler le jus.

La cuisson à la broche est considérée comme meilleure. Certains estiment que les rôtis cuits dans un four fermé sont dénaturés par l'humidité qui s'y développe. Pendant la cuisson, il faut éviter de rajouter de l'eau car, en s'évaporant, celle-ci communique au rôti un goût de bouilli. On peut piquer la pièce, la larder ou la farcir avant de la rôtir.

■ **À la broche.** L'intensité du chauffage doit toujours être proportionnée à la nature de la pièce. Les viandes rouges, très chargées en sucs, seront d'abord saisies, puis soumises à une chaleur soutenue. Les viandes blanches et les volailles cuiront uniformément à l'extérieur et à l'intérieur. Pour dorer, les pièces rôties à la broche doivent être souvent arrosées avec la graisse qui surnage au-dessus du liquide de la lèchefrite, et non avec le jus proprement dit.

■ **Au four.** Les pièces que l'on souhaite garder saignantes seront saisies à four très chaud. Elles doivent toujours reposer sur une grille, qui les empêche de baigner dans le fond de cuisson et la graisse. Leur arrosage se fait comme celui des rôtis à la broche. Le bœuf, le mouton et le gibier (à plume et à poil) sont saignants lorsqu'une légère piqûre laisse échapper quelques gouttes de sang d'un rose soutenu, à point lorsque ce sang est rose pâle. Pour le veau, l'agneau de lait et le porc, le jus sortant de la piqûre doit être incolore. Enfin, pour savoir si une volaille est cuite, on la soulève et on l'incline au-dessus d'une assiette : le jus qui s'écoule ne doit plus avoir de traces rougeâtres.

RÔTISSERIE Magasin où sont apprêtées et vendues des viandes (volailles surtout) cuites à la broche ; par extension, ce terme s'applique à un restaurant spécialisé dans les viandes rôties.

Jusqu'au XVe siècle, les « poulaillers » de Paris vendaient le gibier et la volaille crus, alors que ceux qui les faisaient rôtir formaient une corporation distincte, installée rue des Oues (de « oie », qui donna aussi « oyer » ou « ouyer » pour rôtisseur), l'actuelle rue aux Ours, dans le quartier des Halles. Progressivement, ils devinrent traiteurs, préparant aussi tourtes et pâtés.

Dans les brigades de cuisine actuelles, le rôtisseur a la charge de tous les aliments rôtis au four ou à la broche, mais aussi grillés et frits ; selon la coutume, il tient aussi à la disposition des autres membres de la brigade le persil haché et la mie de pain fraîche. Il taille également les pommes de terre à frire.

RÔTISSOIRE Appareil électrique servant à rôtir une viande ou une volaille, formé d'une caisse métallique avec une porte frontale vitrée. Une résistance électrique de voûte – et parfois de sole –, à infrarouges, dore la pièce de viande, qui tourne automatiquement sur une broche. Le tournebroche est parfois remplacé par un système comportant quatre ou six brochettes autotournantes ou un panier porte-gigot.

ROUELLE Épaisse tranche de forme ronde (comme une roue), que l'on coupait dans le cuisseau du veau, non désossé ; on la faisait rôtir ou braiser (**voir** planche de la découpe du porc page 699). Aujourd'hui, le cuisseau de veau est généralement désossé pour être débité en plus petites parties. Seul le jarret se détaille encore en rouelles, pour l'osso-buco.

Par extension, le mot s'applique également à des tranches rondes de légumes (carotte, navet, pomme de terre) et, parfois, à des darnes de maquereau ou d'autres petits poissons ronds.

ROUENNAISE (À LA) Se dit essentiellement d'apprêts du canard ou du caneton, qui ont fait la gloire de la cuisine de Rouen ; les plus typiques sont le canard à la presse et le canard farci, rôti et servi avec une sauce rouennaise. Cette sauce accompagne aussi les œufs pochés.

Divers apprêts comportant des foies de canard ou de caneton sont également dits « à la rouennaise », ainsi que des spécialités de la ville de Rouen (pâté de canard, pieds de mouton farcis, poisson au vin rouge ou au cidre, poulet à la crème).

▶ Recettes : CANARD, MIRLITON, ŒUF EN COCOTTE, SAUCE, SOUFFLÉ.

ROUERGUE, AUBRAC ET GÉVAUDAN Au sud du Massif central, le Rouergue, pays des Causses, entaillé par de profondes vallées, annonce le Midi languedocien alors que les hauts plateaux verts du Gévaudan et de l'Aubrac sont proches de l'Auvergne. Selon la localité, la cuisine fait usage de la graisse d'oie ou de l'huile de noix, comme dans le Sud-Ouest, de produits laitiers, comme en Auvergne, ou de l'huile d'olive. Mais la région peut également se vanter de plats et de produits caractéristiques de grande qualité – le roquefort en témoigne.

De l'Aubrac au Millavois, le Rouergue est un pays d'élevage, au nord, de la vache aubrac, au sud, du mouton. On retrouve leur viande dans les mets des grandes occasions : le mourtayrol, le coufidou (joue de bœuf en daube) et le gigot de sept heures, appelé ici « gigot pourri du Rouergue ». La cuisine plus courante fait appel plutôt au porc : oreilles et estomacs farcis, pieds et boudins grillés, jambon et astet de Najac. La triperie n'est pas en reste, avec les manouls de mouton, les tripous de veau, la tête de veau ou d'agneau, etc.

Le gibier reste abondant, surtout le lièvre, apprêté en saupiquet selon une recette médiévale, les grives, servies en pâtés ou rôties à l'ail ou au genièvre, et les perdreaux. Outre la truite, on trouve ici un plat de poisson inattendu, l'estofinado, que l'on prépare avec de la morue séchée de Norvège, arrivée dans le bassin houiller de Decazeville avec les mariniers qui transportaient le minerai de fer jusqu'à Bordeaux.

■ **Soupes.**
● SOUPE AU LAGUIOLE. Cette « soupe à la fourchette » est préparée au four dans une cocotte remplie de couches de pain rassis, de laguiole, de feuilles de choux pommé, sur lesquelles on verse du bouillon. On la sert très chaude une fois que le bouillon a été absorbé.

■ **Poissons.**
● ESTOFINADO. La morue est pochée et mélangée à des pommes de terre ; le tout est écrasé ensuite avec du beurre, de l'ail, du persil, des œufs crus et durs, du lait et de l'huile de noix très chaude.

■ **Viandes.**
● PORC : MOURTAYROL, ASTET ET FALETTE D'ESPALION. Le mourtayrol, délicat plat de fête, est un pot-au-feu dans lequel on réunit du jambon, du bœuf, une poule et toutes sortes de légumes, et surtout du safran. Mitonnant dans une marmite tapissée de tranches de pain rassis, ce plat est aussi appelé « mortier ». L'astet est un filet de porc fourré de persillade. La falette d'Espalion est une poitrine de veau, ou de mouton, creusée en poche et farcie de vert de bette, de jambon de pays, de lard gras, d'oignon, d'ail, d'œufs et de persil, puis cuite au four dans une cocotte tapissée d'une grande couenne de porc, de carottes et d'oignon. Elle est servie en tranches avec son jus de cuisson.

■ **Gibier.**
● LIÈVRE EN SAUPIQUET. La chair rôtie du lièvre en saupiquet doit rester légèrement rosée ; elle est servie avec une sauce pour laquelle on utilise le foie et, si possible, le sang de l'animal, mijotant avec du vin rouge, puis écrasés en purée.

■ **Fromages.**
Les fromages constituent le fleuron de cette région : le roquefort partage avec le bleu des Causses sa zone de production, sa forme, son mode de fabrication et son aspect, mais l'un est fait au lait de brebis, l'autre au lait de vache. À l'origine de nombreuses recettes, le roquefort est dégusté en Rouergue sur du simple pain grillé. Quant à la tomme de Laguiole, au lait de vache, elle est à la base de l'aligot (**voir** ce mot) et de la truffade.

■ **Pâtisseries.**
● TARTE À L'ENCALAT, FLAUNE ET ÉCHAUDÉS. Dans le nord de l'Aveyron, on prépare la tarte à l'encalat avec du lait caillé de vache, dans le sud, la flaune (ou flône) avec de la brousse de brebis ; on y retrouve le même parfum de fleur d'oranger. Les échaudés sont de petits gâteaux en forme de tricornes ; la pâte est échaudée (plongée dans l'eau bouillante) avant d'être passée au four.

■ **Vins.**
Le vignoble d'Entraygues et du Fel donne des vins rouges charnus et fruités. Marcillac produit des vins plutôt rustiques aux arômes de fruits rouges.

ROUFF (MARCEL) Journaliste et écrivain français (Genève 1887 - Paris 1936). Collaborateur et ami de Curnonsky, il découvrit avec lui, en « gastronomade », les ressources culinaires du terroir, publiées dans vingt-huit petits guides pleins d'humour, *la France gastronomique*. Néanmoins, Marcel Rouff est surtout connu pour *la Vie et la Passion de Dodin-Bouffant, gourmet* (1924), roman de la table et de la gourmandise, où il créa le type du parfait gastronome, sacrifiant tout aux plaisirs épicuriens de la bonne chère.

ROUGAIL Condiment de la cuisine antillaise et réunionnaise, fortement épicé, à base de légumes, de crustacé ou de poisson, toujours pimenté, mijoté à l'huile, qui se sert froid ou chaud, en accompagnement des mets créoles avec du riz.

rougail d'aubergine

Retirer le pédoncule de 2 ou 3 aubergines et les cuire de 20 à 25 min dans le four préchauffé à 220 °C. Réduire en purée au mixeur 1 oignon nouveau, 1 petit morceau de racine de gingembre et 1/2 piment oiseau, avec 1/2 cuillerée à café de sel fin, le jus de 1/2 citron et 3 ou 4 cuillerées à soupe d'huile d'olive. Égoutter les aubergines, les ouvrir en deux, les épépiner et retirer la pulpe avec une cuillère. Incorporer cette pulpe aux autres éléments et bien mélanger pour obtenir une pâte fine. Réserver au frais.

ROUGE (VIN) Vin obtenu en laissant du moût de raisin noir, obtenu par foulage, fermenter en cuve avec les peaux et les pépins avant le pressurage. La matière colorante contenue dans la peau des raisins, formée de pigments insolubles dans l'eau, se dissout peu à peu dans l'alcool produit par la fermentation et donne au jus de raisin une teinte de plus en plus foncée.

ROUGET-BARBET Appellation générique de deux poissons de mer étroitement apparentés, de la famille des mullidés, appréciés depuis l'Antiquité mais d'une grande fragilité (**voir** planche des poissons de mer pages 674 à 677). Leur chair est maigre (80 Kcal ou 334 kJ pour 100 g), mais riche en protides, en iode, en fer et en phosphore. De taille moyenne (40 cm au maximum), avec une tête au museau écrasé, un peu busqué pour le rouget de vase, portant de petits yeux sur le sommet du crâne et de longs barbillons à la lèvre inférieure, les rougets-barbets se distinguent surtout par la couleur.

– Le rouget de roche, ou surmulet (pêché surtout en Vendée et dans la région de Cherbourg), le plus fin, est rose vif rayé d'or, avec la première nageoire dorsale tachée de noir et deux écailles sous les yeux.

– Le rouget de vase (pêché près d'Arcachon, en Provence, en Corse et en Tunisie) est brun-rouge à reflets vert olive, avec trois écailles sous les yeux.

■ **Emplois.** Les très petits rougets de première fraîcheur, colorés et fermes, n'ont pas besoin d'être vidés, d'où leur surnom de « bécasse de mer » ; s'ils le sont, on leur laisse toujours leur foie. Ils se font griller, une fois essuyés et légèrement salés.

Les rougets à chair plus sèche peuvent être frits ou poêlés. Ceux de taille moyenne sont grillés ou cuits en papillote (toujours avec leur foie, qui peut aussi servir à préparer une sauce). Les gros rougets sont cuits au four, en papillote ou sur un lit d'aromates, au beurre ou à l'huile d'olive.

charlotte aux rougets ▶ CHARLOTTE

RECETTE D'YVES GRAVELIER

brasero de rouget aux sarments de vigne, coulis d'échalote

POUR 4 PERSONNES

« Réaliser un petit gril individuel avec une feuille d'aluminium. Pour le dessous, plier une feuille d'aluminium en double épaisseur. Confectionner une caissette de 20 cm de long pour 10 cm de large. Rabattre les 4 côtés sur une hauteur de 5 cm. Pour le dessus, plier une feuille d'aluminium en deux. À l'aide de ciseaux, découper 5 bandes de 2 cm de largeur qui feront le grill du barbecue. Déposer 1 fagotin de sarments de vigne dans 4 caissettes, et allumer le feu. Recouvrir des bandes d'aluminium préalablement graissées à l'huile. Le brasero est ainsi prêt. Déposer dessus les filets de 4 rougets assaisonnés de 350 g environ. Pour une cuisson optimale, placer les braseros 3 min dans un four en position gril. Préparer le coulis. Recouvrir à niveau 150 g d'échalotes ciselées avec du vin de Bordeaux rouge. Réduire et mouiller de nouveau jusqu'à obtention d'une purée d'échalotes. Saler et sucrer. Passer au moulin à légumes. Verser un trait de coulis sur chaque filet de rouget cuit. Déposer le brasero incandescent sur une grande assiette et servir tel quel. »

RECETTE DE FREDY GIRARDET

filets de rouget Girardet

« Lever les filets de 4 rougets de 200 g. Réserver les foies. Faire revenir 2 min les arêtes et les têtes avec 2 échalotes hachées et du romarin dans 30 g de beurre. Mouiller avec 20 cl de vin blanc et 20 cl d'eau ; faire cuire 5 min. Passer ce fumet et le faire réduire de moitié. Y incorporer 25 cl de crème et laisser réduire. Incorporer les foies hachés, 20 g de beurre, du sel, du poivre et le jus de 1/2 citron. Faire chauffer une poêle sans matière grasse. Poser les filets, côté peau, dans la poêle, les

---

retourner au bout de 45 secondes et les laisser 30 secondes du côté blanc. Verser la sauce dans un plat chaud et disposer les filets de rouget dessus. »

RECETTE DE JEAN-ANDRÉ CHARIAL

rougets au basilic

POUR 4 PERSONNES – PRÉPARATION : 20 min – CUISSON : 3 min

« Préparer la sauce un ou deux jours à l'avance : plonger 4 tomates quelques secondes dans de l'eau bouillante, retirer la peau et les pépins. Couper la chair en très petits dés. Placer les dés de tomates, 2 bouquets de basilic ciselé, 1 cuillerée à café de vinaigre, du sel, du poivre et 1/4 d'huile d'olive dans un bol, mélanger et laisser macérer le tout pendant 24 ou 48 heures au réfrigérateur, de sorte que la sauce soit bien parfumée. Le jour même, vider 8 rougets et les écailler. Lever les filets de rouget et retirer les arêtes à l'aide d'une pince à épiler. Faire chauffer de l'huile dans une poêle. Assaisonner les filets de rouget de sel et de poivre des deux côtés. Poêler en commençant par le côté peau, pendant 2 min. Puis retourner les filets et laisser à nouveau cuire pendant 1 min. Pour servir, mettre au milieu de l'assiette, la tomate concassée à l'huile d'olive. Placer dessus les filets de rouget et arroser d'une cuillerée de sauce. Décorer avec un peu de basilic haché. Servir immédiatement. »

RECETTE DE PAUL BOCUSE

rougets en écailles de pomme de terre

« Vider et parer 4 rougets de 300 g ; lever les filets, en enlevant les arêtes du milieu, et les enduire de jaune d'œuf. Tailler 400 g de pommes de terre en fines tranches rondes, de la taille d'une pièce de 50 centimes, et les tremper dans du beurre clarifié. Les disposer en remontant de la queue vers la tête. Laisser prendre 1 heure au réfrigérateur. Faire réduire 24 cl de vin blanc, 24 cl de Noilly et 80 g d'échalote ; ajouter 40 cl de crème fraîche ; faire réduire, saler, poivrer et agrémenter de basilic finement haché. Passer au mixeur et incorporer une petite brunoise faite avec 4 carottes et 4 courgettes. Dans une poêle antiadhésive, chauffer 12 cl d'huile d'olive et y cuire les filets de 6 à 8 min, côté pommes de terre. Napper 4 assiettes de sauce et y disposer les rougets en écailles. »

---

rouget au four au fenouil

Faire fondre à l'huile 25 g d'oignon haché, puis ajouter 1 cuillerée à soupe de fenouil frais finement haché. Nettoyer 1 rouget, le ciseler sur le dos, le saler, le poivrer. Beurrer un plat à rôtir moyen, le garnir avec le hachis et y déposer le rouget. Poudrer de chapelure, arroser d'un peu d'huile d'olive, et cuire 15 à 20 min au four préchauffé à 210 °C. Parsemer de persil ciselé et arroser d'un filet de citron au moment de servir.

RECETTE DE JOAN ROCA

rougets à la mandarine et à la purée de chou-fleur

POUR 4 PERSONNES

« Nettoyer 1 kg de rougets. Lever les filets. À l'aide de pinces, retirer les petites arêtes qui restent dans les filets. Pour la purée de chou-fleur, laver 1 chou-fleur de taille moyenne en séparant les bouquets. Faire cuire les bouquets à l'eau bouillante salée. Une fois cuits, les égoutter et ajouter 100 g de beurre et du sel. À l'aide d'un mixeur, les réduire en purée crémeuse et homogène. Pour la sauce, extraire le jus de 4 mandarines. Dans une casserole, faire réduire à feu vif le jus jusqu'à la moitié de son volume initial. Ajouter 4 cl d'huile d'olive en tournant pour obtenir une émulsion stable. Faire griller les filets de rougets, d'abord sur la peau, puis les retourner rapidement afin qu'ils ne soient pas trop cuits. Mettre quelques cuillerées à soupe de purée de chou-fleur dans un plat, puis placer les filets de rouget et la sauce à la mandarine. Servir. »

rougets en papillote

Nettoyer 8 petits rougets. Préparer une farce avec 5 ou 6 tranches de pain de mie trempées dans du lait, du persil et 4 cuillerées de beurre d'anchois. Saler et poivrer les poissons, les farcir de ce mélange, les badigeonner d'huile d'olive et les laisser macérer 1 heure au frais. Huiler des rectangles de papier sulfurisé, y placer les rougets et fermer les papillotes. Les cuire de 15 à 20 min dans le four préchauffé à 240 °C.

RECETTE DE RAYMOND THUILLIER

rougets pochés à la nage au basilic

« La veille du repas, ou deux jours avant, préparer la sauce : hacher finement 20 feuilles de basilic frais, 5 feuilles d'estragon et 5 branches de persil ; peler 1 tomate et la hacher ; faire macérer le tout avec un peu d'ail dans 1/4 de litre d'huile d'olive vierge de première pression. Ajouter quelques gouttes de vinaigre de xérès, du sel et du poivre. Le jour du repas, préparer une nage pour pocher les rougets et la laisser cuire 30 min. Écailler 4 rougets de 180 à 200 g chacun, mais ne pas les vider. Poser sur chaque poisson 1 tranche d'orange et 1 tranche de citron, ainsi qu'une feuille de laurier. Envelopper le tout dans une feuille de papier d'aluminium. Tremper les rougets ainsi préparés dans la nage et les laisser cuire 10 min ; le poisson doit rester ferme et d'une bonne tenue. Servir avec la sauce. »

RECETTE DE GÉRALD PASSÉDAT

rougets de roche, panure de pistache et consommé d'anis étoilé

POUR 4 PERSONNES – PRÉPARATION : 45 min

« Écailler, ébarber et lever les filets de 8 rougets de roche, puis les désarêter et les réserver au frais. Retirer les foies et mettre à dégorger les arêtes sous l'eau froide. Mettre les arêtes de rouget dans une casserole avec 50 cl de fumet de poisson et 2 badianes (anis étoilé). Laisser cuire puis passer dans un tissu étamine avant de rectifier l'assaisonnement. Pour préparer les pastilles de coriandre, faire blanchir et rafraîchir 1 bouquet de coriandre. Le mixer avec 25 cl de fumet de poisson et le passer au chinois étamine. Assaisonner cette préparation, la mettre dans un sautoir avec 1/2 g d'agar-agar, faire bouillir et verser sur une plaque ajourée à la dimension des pastilles. Réserver au frais. Mettre les foies des rougets dans un sautoir avec 25 cl de fumet de poisson, puis cuire 5 min. Mixer et passer au chinois étamine, puis procéder comme pour les pastilles de coriandre. Pour la panure de pistache, mettre à chauffer 30 cl d'huile d'arachide à 160 °C. Y plonger 100 g de riz, le retirer une fois soufflé et l'égoutter sur du papier absorbant. Le hacher avec 100 g de pistaches vertes mondées. Passer le tout au mixeur. Disposer les 8 rougets sur une plaque allant au four, badigeonnée de 5 cl d'huile de pistache. Assaisonner et mouiller légèrement de 15 cl de fumet. Mettre à cuire les rougets au four à vapeur pendant 5 min à 60 °C. Une fois cuits, les égoutter et les disposer sur une plaque. Saupoudrer de panure et réserver. Mettre à chauffer le consommé de badiane et rectifier l'assaisonnement. Disposer les pastilles de coriandre sur une assiette de façon harmonieuse. Passer les rougets sous la salamandre jusqu'à très légère coloration et les disposer sur l'assiette. Servir le bouillon à part. »

ROUGET DU SÉNÉGAL Poisson de mer de la famille des mullidés, qui se reconnaît à son corps, long de 30 cm environ, rose-rouge rayé de fines bandes à points jaunes sur les flancs et bleus sur les joues. Le rouget du Sénégal se pêche sur les côtes occidentales de l'Afrique tropicale. Moins fin et moins iodé que le rouget-barbet, il s'apprête très bien en friture ou grillé.

ROUILLE Sauce de la cuisine provençale, dont la couleur – rouille – est due à la présence de piment rouge, parfois de safran. Le piment est pilé avec de l'ail et de la mie de pain, ou de la pulpe de pomme de terre cuite et écrasée, puis délayé avec de l'huile d'olive et du bouillon. La rouille accompagne la bouillabaisse, les poissons bouillis ou le poulpe. On peut lui ajouter du jus de citron et le foie d'un poisson.
▶ **Recette :** SAUCE.

ROULADE Appellation de divers apprêts farcis ou fourrés, puis roulés.
– La roulade de porc ou de veau est une tranche de viande relativement peu épaisse, masquée d'une farce et roulée sur elle-même, puis souvent braisée.
– La roulade de veau se fait avec une tranche de noix ou de poitrine fendue en poche, garnie d'une farce mélangée à un salpicon, roulée en galantine, enveloppée d'un linge, ficelée et pochée dans un fond blanc.
– La roulade de tête de porc se prépare avec de la tête désossée non découennée et salée, puis lavée, farcie (avec les oreilles, la langue et des filets mignons) et cuite au torchon ; elle est servie en hors-d'œuvre froid.

ROULEAU À PÂTISSERIE Cylindre généralement plein et lisse, de 20 à 50 cm de long et de 5 à 6 cm de diamètre, souvent muni de poignées. Il sert à abaisser les pâtes par un mouvement de va-et-vient régulier sur le plan de travail fariné où l'on a posé le pâton.

Les pâtissiers professionnels utilisent divers rouleaux spécialisés : rouleau métallique cannelé, pour rayer la surface des caramels ou des pâtes d'amande ; rouleau de bois cannelé, pour « tourer » les pâtes feuilletées ; rouleau à décor de vannerie, pour imprimer un relief sur la pâte ; rouleau coupe-croissants ; rouleau-laminoir, muni à ses extrémités de galets amovibles de différentes tailles, donnant automatiquement une épaisseur régulière à la pâte.

ROULEAU DE PRINTEMPS Mets typiquement vietnamien, fait d'une galette de riz humidifiée ou d'une crêpe aux œufs, farcie de viande de porc, de crevettes, accompagnée de menthe fraîche et parfois de germes de soja (haricot mungo), servi avec du nuoc-mâm ou une sauce *tuong* (aux graines de soja).

ROULETTE Petite roue cannelée, en bois dur, en métal ou en plastique, montée sur un manche en bois, servant à découper la pâte en bandes ou en bandelettes dentelées, pour garnir le dessus des tartes, façonner des beignets de pâte ou des raviolis. La roulette à pizza, à disque métallique, sert à découper des parts.

ROUMANIE La cuisine roumaine est une synthèse d'influences gastronomiques diverses (grecque, bulgare, russe, hongroise, turque). L'ordinaire des Roumains est constitué plutôt par la traditionnelle soupe *(ciorba* ou *borch)* et par un plat à base de poisson, de viande de veau, de porc ou encore de volaille avec des légumes pour accompagnement.

Comme chez leurs voisins bulgares, la tradition du buffet de hors-d'œuvre est bien implantée : purée d'aubergine à l'huile et au vinaigre, *mititei* (petites saucisses grillées), souvent servies avec du jus de raisin fermenté *(moust)* voisinent avec toutes sortes de salades, boulettes de viande, etc. Feuilles de chou ou feuilles de vigne sont farcies et mijotées comme en Grèce. Carpes, écrevisses, brochets sont apprêtés comme en Autriche (farcis ou frits).

La cuisine roumaine est marquée par l'abondance des poissons, dont l'esturgeon, due à l'ouverture du pays sur la mer Noire et l'embouchure du Danube ; mais le caviar est réservé à l'exportation.

La Roumanie produit plusieurs fromages de brebis (brandza, kashkavalj) – les uns doux et affinés, les autres piquants et vieillis dans de l'écorce de sapin –, et des fromages de vache qui se mangent parfois avec de la bouillie de maïs *(mamaliga)*, dont les apprêts sont aussi variés que ceux de la polenta italienne. La domination turque a laissé le goût de la pâtisserie sucrée et des confitures les plus variées (cerises amères, abricots, fraises, pétales de rose, etc.).

■ **Vins.** Situé au nord-est de l'Europe, ce pays possède une gamme variée de vins de caractère. La culture de la vigne, qui remonte à plusieurs siècles av. J.-C., à l'époque des Thraces, a été propagée par les ancêtres des Roumains, puis par les Romains. Aujourd'hui, la

Roumanie est le cinquième producteur d'Europe. Bien que située à la même latitude que la France mais plus continentale, elle connaît un climat plus marqué. Les sols cultivés sont variés et les vignobles se développent sur des coteaux à pentes douces et abrités du vent, dans une zone qui s'étend des contreforts des Carpates jusqu'à Iasi, au nord-est et tout au long du Danube. Les cépages cultivés sont, pour les rouges, le babeasca et le kadarka, pour les blancs, le feteasca alba et regala, le tamîîoasa, ainsi que des cépages bourguignons et bordelais.

Les vins sont classés en plusieurs catégories : les vins de consommation courante de qualité supérieure, de qualité supérieure avec appellation d'origine (VOS), de qualité supérieure avec appellation d'origine et degrés de qualité (VSOC), et, enfin, les mousseux et les liqueurs.

ROUSSE Couleur caractérisant certaines bières. Autrefois, les Irlandais produisaient un style original de bières rousses *(ruby ale)* en fermentation haute.

Aujourd'hui, le terme « rousse » ne peut désigner que des bières ambrées, plutôt douces, mais sans type particulier.

ROUSSETTE Squale de petite taille, de la famille des scyliorhinidés, dont il existe deux espèces : la petite roussette, ou saumonette, longue de 40 à 60 cm, grise piquetée de multiples taches brunes, et la grande roussette, pouvant atteindre 1,20 m, plus rousse, avec des taches plus larges et moins nombreuses, plus rare. Toutes deux sont vendues dépouillées.

Ces poissons cartilagineux, au corps allongé, avec des petites nageoires rondes et une tête aplatie, n'ont pas d'arêtes, mais une simple lame centrale, facile à détacher. Presque sans déchets, la roussette se prête, comme la lotte ou la raie, à de nombreuses préparations.

ROUSSETTE DE SAVOIE Vin AOC blanc de Savoie issu du cépage altesse, parfois associé au chardonnay ou à la mondeuse, qui présente un bouquet délicat, de la fraîcheur et de l'harmonie (**voir** DAUPHINÉ, SAVOIE ET VIVARAIS).

ROUSSILLON Qu'elle soit paysanne ou bourgeoise, frugale ou somptueuse, de la plaine, de la mer ou de la montagne, la cuisine de cette province catalane se démarque des autres cuisines méditerranéennes. Elle sait trouver son identité dans des sauces et fonds de cuisson aux ingrédients subtilement mélangés, comme la micada qui allie amandes et ail pilés avec de l'huile d'olive, du vin, du pain rassis, des aromates, voire une pointe de chocolat amer ; ou le sofregit, sorte de fondue de tomates à l'oignon et au poivron. Héritière d'une cuisine médiévale particulièrement raffinée, elle a un goût certain pour les contrastes sucré-salé : petit pâté de Pézenas (le seul de ce type en France), canard aux figues ou aux pêches, lièvre au chocolat, lapin aux pruneaux ou aux poires, veau au citron ou agneau aux pommes, etc. En fait, l'expression « à la catalane », plutôt que de définir d'une manière un peu floue des recettes que l'on retrouve dans la cuisine espagnole (comme le riz à la catalane, voisin de la paella), devrait s'employer pour désigner d'authentiques spécialités : civet de langouste au banyuls, avec tomates, ail, oignon et épices ; pigeons cuits en cocotte avec jambon cru, ail en chemise et orange amère, ou gigot rôti aux quarante gousses d'ail.

Le Roussillon jouit d'un climat ensoleillé très propice aux légumes, qui mijotent notamment dans le tupi, poêlon réservé aux ragoûts. Ce peuple de marins s'est spécialisé dans la pêche du thon rouge et celle des « poissons bleus », sardines et anchois ; ce dernier est salé et mis en conserve à Collioure. Jusqu'à Port-Bou, on déguste les anchois marinés, frits ou encore en feuilletés avec tomates et œufs durs. La cuisine des fruits de mer et mollusques est d'une grande créativité : civet de langouste, qui mêle les saveurs du jambon cru, du banyuls, du piment et du cognac ; calamars farcis ; clovisses au gratin, etc. Les Catalans sont de grands amateurs d'escargots dégustés grillés, avec du pain et de l'aïoli : c'est la cargolade, de tradition le lundi de Pâques ou de Pentecôte, accompagnée de vin rouge bu à la borratxa (gourde de peau).

Dans ce pays de montagne, la chasse est une activité traditionnelle qui permet d'approvisionner la table en produits de haut goût. Les civets de sanglier ou de lièvre, garnis de pommes, de coings ou de champignons, sont très appréciés.

Les desserts se basent sur les fruits inégalables de ce pays de soleil : au premier rang, les cerises de Céret et les abricots du Roussillon, qui servent à préparer tartes et entremets au vin rouge.

■ **Soupes et légumes.**

● OLLADA ET BRAOU BOUFFAT. L'olla, marmite ancestrale où s'élaborent soupes et potées, a donné son nom à l'ollada, soupe à base de choux, légumes verts, pommes de terre et haricots secs, garnie de jarret de porc (garro), de queue de porc, de lard rance (sagi) et de saucisse ou de boudin noir. On cuisine l'odorante soupe à la menthe et au thym ainsi que le braou bouffat, une soupe typique de Cerdagne préparée à l'époque où l'on tue le cochon.

● SAGINAT ET TRINXAT CERDA. Le saginat est un plat de pommes de terre à l'étouffée avec une pointe de sagi (lard), tandis que le trinxat cerda est un fin hachis de chou et de lard poêlé.

■ **Poissons et fruits de mer.**

● BULLINADA, ALL CREMAT ET PINYATA. La soupe de poisson catalane porte le nom de bullinada : poissons, pommes de terre, piment et persillade, parfumés à l'huile d'olive, sont cuits à forte ébullition et servis sur des tranches de pain aillé. Les poissons de roche ou les petits rougets sont cuits sur fond d'ail pilé revenu à l'huile d'olive pour donner l'all cremat si parfumé. Le pinyata de Collioure est un ragoût de poissons de roche, de crabes, de cigales de mer et de poulpes. Régal rare et cher, l'espardeigne (concombre de mer) est poêlée en persillade. La morue, en particulier, est préparée en maranda roussillonnaise – avec épinards, pignons et pruneaux – ou à la catalane – sautée à l'huile d'olive, avec oignon, tomate, piment, ail, eau, le tout donnant une sauce concentrée.

■ **Charcuterie.**

● BOUTIFARRA, FUET, LLONGANISSA ET XORIÇ. Comme en Catalogne espagnole, on aime beaucoup les cochonnailles. On appelle embotits les préparations de chair de porc salées et poivrées, mises en boyau : boutifarra (gros boudin noir), fuet (saucisse sèche et mince), llonganissa (saucisse fraîche ou sèche) et xoriç (fine saucisse sèche au poivre rouge). Le gambajo est le jambon de montagne traditionnel. Très odorant, le pâté de foie de porc se présente en grosse terrine ou en petite boule.

■ **Viandes et volailles.**

● BOLES DE PICOLAT, ESCUEDELLA, FRÉGINAT ET MONJETADA. Le plat catalan le plus connu au chapitre des viandes porte le nom de boles de picolat ; il s'agit de boulettes de bœuf ou de porc servies avec une sauce relevée avec jambon, olives, tomates et lard. Mais d'autres recettes sont tout aussi originales. L'escudella est un pot-au-feu servi en trois plats, bouillon, légumes et viandes variées. L'épaule de mouton en pistache, farcie et cuite avec jambon, vin blanc et aromates ; le fréginat, sauté de bœuf servi avec un aïoli ; la monjetada, une potée de haricots garnie d'un jarret de porc ; les tripes à la catalane. Saucisses fraîches et sèches sont typiques de la charcuterie, comme le pâté de foie, le pâté de Pézenas ou le jambon cru.

● POULET SAUCE ROUSSILLONNAISE. Ce poulet réunit un savant amalgame d'oignons, de tomates, de cèpes secs et d'olives. Le canard est souvent cuisiné avec des fruits. Enfin, le perdreau, le pigeon ou le pintadeau mijotent dans une sauce veloutée où se retrouvent l'amande, le vin rancio et l'orange amère.

■ **Fromages.**

Qu'ils soient de chèvre ou de brebis, les fromages sont peu nombreux. On notera les chèvres dans l'huile d'olive ou enveloppés d'un feuilletage, ou les caillés de chèvre frais (mato) que l'on déguste nappés de miel parfumé.

■ **Desserts.**

● COQUES, BRAS DE VÉNUS, MATO DE MONJAS ET PA D'OUS. Le répertoire des douceurs est très parfumé avec l'anis, les amandes et la fleur d'oranger. Les moelleuses rousquilles à la fleur d'oranger sont incontournables, ainsi que les coques (brioches allongées et sucrées) aux raisins secs, aux pignons ou à la crème (il existe également des variantes salées), les bunyetes (beignets ronds et minces), ou les tourteaux de pâte levée parfumée à l'anis. Mais d'autres spécialités aux noms étonnants sont tout aussi célèbres : le fameux bras de Vénus, un biscuit roulé fourré de crème aux fruits confits, le mato de monjas, une crème au lait d'amande, la délicieuse cremada, crème catalane (dite « brûlée ») parfumée à l'anis, à la cannelle et au citron, ainsi que le pa d'ous, flan à l'anisette arrosé de caramel. Sans oublier les tourons de Perpignan et de Prades, sortes de nougats aux amandes, pignons et noisettes.

■ Vins.

Les vins sont indissociables de la gastronomie : vins rouges solides de l'appellation côtes-du-roussillon, côtes-du-roussillon-villages et collioure, mais ce sont surtout les vins doux naturels qui sont les plus réputés (banyuls, muscat de Rivesaltes).

ROUX Mélange de farine et de beurre en proportions égales, cuit plus ou moins longtemps selon la coloration souhaitée (blanc, blond ou brun), utilisé comme liaison dans diverses sauces blanches (béchamel et ses dérivés) ou plus ou moins colorées (roux blond pour une sauce tomate, roux brun pour une sauce espagnole).

roux blanc

Faire fondre dans une casserole à fond épais 100 g de beurre, sans le laisser colorer. Ajouter petit à petit 100 g de farine tamisée, en remuant, et cuire jusqu'à ce que le goût de farine crue ait complètement disparu. Retirer du feu et laisser refroidir jusqu'au moment de la liaison du liquide. Le roux blanc s'emploie essentiellement pour la réalisation de la sauce Béchamel ou de divers veloutés.

roux blond

Faire un roux blanc, mais le laisser cuire sans cesser de remuer jusqu'à ce qu'il prenne une couleur blonde.

roux brun

Faire un roux blanc, mais le laisser cuire lentement sans cesser de remuer jusqu'à ce qu'il atteigne une couleur brun clair.

ROUX (ALBERT) Cuisinier français (Semur-en-Brionnais 1935). Très jeune, il entreprend un apprentissage de pâtissier, et s'installe bientôt en Grande-Bretagne où il se voit confier la direction des cuisines de grandes familles (notamment chez le prince de Galles) et de diverses ambassades. Albert Roux y sert une cuisine classique d'une qualité remarquable. En 1967, à Londres, il ouvre son restaurant le *Gavroche*, qui obtient trois étoiles au Guide MicheliN en 1982. Avec son frère Michel, il publie, en 1995, leurs meilleures recettes de desserts. Tous les deux ont contribué au renom de la grande cuisine française à Londres.

ROUX (MICHEL) Cuisinier français (Charolles 1941). Les Roux en Angleterre, ce fut longtemps une histoire à deux. Celle des « Roux Brothers », liés comme les doigts de la main, Albert (Semur-en-Brionnais 1935) et Michel, le petit brun et le grand blond, l'un rondouillard, l'autre filiforme, tous les deux entreprenants, actifs, dynamiques, formés en pâtisserie et en maison bourgeoise. On les retrouve chez les Rothschild, à l'ambassade de France à Londres ou à l'ambassade d'Angleterre à Paris. Ils édifient un empire, régneront sur Chelsea dans Lower Sloane Street, en 1967, cumuleront les succès avec *le Gamin* ou *le Poulbot*, avant d'émigrer, en 1981, à Mayfair, où ils obtiennent les premières trois étoiles du Guide Michelin Great Britain en 1982 et de doubler la mise avec le *Waterside Inn*, à Bray-on-Thames, demeure de bord de rivière. Lorsqu'ils décident de séparer leur trajectoire, Albert « prend » le *Gavroche*, tandis que Michel garde le *Waterside Inn*, qui obtient la troisième étoile sous sa férule en 1985 – et les conserve jusqu'à aujourd'hui.

Pâtissier de formation (notamment chez Leclerc à Saint-Mandé), formateur de nombreux chefs anglais et français passés chez lui, Michel est également l'auteur de multiples ouvrages gourmands. Son fils Alain le relaye aujourd'hui en cuisine.

ROYALE Crème moulée, employée détaillée en petits morceaux, comme garniture de potage clair. À base de consommé et d'œufs, d'une purée de légumes, ou de volaille également liée à l'œuf, elle est d'abord cuite au bain-marie dans des moules à dariole.

On appelle également « royale » un mélange de blancs d'œuf et de sucre glace (**voir** GLACE DE SUCRE).

royale d'asperge

Pocher 75 g de pointes d'asperge avec 5 ou 6 feuilles d'épinards nouveaux ; égoutter. Ajouter 1 cuillerée et 1/2 de béchamel et 2 cuillerées de consommé ; passer à l'étamine. Lier avec 4 jaunes d'œuf, mettre dans des moules à dariole, et cuire 30 min au bain-marie à 200 °C.

royale de purée de volaille

Piler finement 50 g de blanc de volaille pochée ; ajouter 2 cuillerées de béchamel avec autant de crème et passer à l'étamine. Lier avec 4 jaunes d'œuf et cuire au bain-marie.

ROYALE (À LA) Se dit des consommés garnis d'une royale, mais aussi de divers apprêts comportant une garniture délicate et raffinée. Les poissons à la royale sont pochés et servis chauds, garnis de quenelles, de champignons, d'huîtres pochées et de truffes, avec une sauce mousseline. Les volailles à la royale sont pochées et garnies de quenelles et de champignons, parfois d'escalopes de foie gras ; elles sont nappées de sauce royale.

L'appellation désigne encore un apprêt prestigieux du lièvre, revendiqué par le Périgord et par l'Orléanais.

▶ Recettes : LIÈVRE, SALPICON, SAUCE.

ROYAUME-UNI La cuisine anglaise, bien qu'on ne le sache pas assez, partage une tradition commune avec la cuisine continentale. Il fut un temps où la Guyenne était anglaise, et plusieurs de ses spécialités sont voisines des mince pies britanniques. Les mots « boudin » et « pudding » ont la même origine. Le lard fumé s'appelait bacon au Moyen Âge, et les termes *roastbeef*, *beefsteak* et *lamb chops* ont survécu dans leur version francisée.

La cuisine anglaise traditionnelle est fondamentalement « médiévale », comme en témoignent les nombreuses céréales consommées, les fruits et les légumes à l'aigre-doux, les rôtis accompagnés de sauces sucrées ou de compotes, le mouton à la gelée de menthe, le petit déjeuner copieux et le fromage servi en dessert. Mais elle s'est par la suite considérablement enrichie d'influences provenant de tout l'Empire britannique.

Nul ne peut résister aux délices du saumon fumé d'Écosse, du jambon d'York, de la sole de Douvres, du *finnan haddock*, de la *Dundee marmelade* et du stilton, sans oublier ceux du whisky pur malt, des ales, des stouts et du thé *earl grey* à la bergamote.

Antonin Carême, puis Auguste Escoffier, qui travaillèrent tous les deux à Londres, étaient bien conscients de l'extrême qualité de ces produits, et firent connaître en France quelques grandes spécialités anglaises : la *turtle soup* ou l'*oyster soup*, la friture de *whitebeat* (blanchaille) de l'estuaire de la Tamise, le curry (cari) aux multiples variantes, l'*eel pie* (tourte à l'anguille) et l'irish stew irlandais, voisin, mais aussi les *eggs and bacon*, le plum-cake et toute la gamme des puddings.

■ **Spécialités régionales.** La cuisine du Royaume-Uni est riche en spécialités très typées, au nom parfois surprenant : *hindle wakes* du Lancashire (« lames de sillage », poulet farci aux pruneaux), *toad in the hole* (« crapaud dans le trou », saucisse en pâte), *angels on horseback* (« anges à cheval », huîtres frites sur croûtons), *petticoat tails* (« pains de jupon », sablés), *maids of honour* (« demoiselles d'honneur », tartelettes aux amandes), etc.

La cuisine traditionnelle campagnarde fait une large place aux flocons d'avoine : *brewis* (potage) ou *siots* (galettes que l'on trempe dans du babeurre), *black pudding* (boudin), *parkins* (croquets épicés), *bannocks* écossais (gâteaux cuits dans la cheminée), sans oublier le porridge national. Le pain a lui aussi de multiples variantes ancestrales, comme le *soda bread* irlandais (au bicarbonate de soude), ou le *bara brith* gallois (aux raisins de Corinthe).

La pomme de terre est partout : dans les soupes, les gâteaux, les pains, les tourtes, les crêpes, les purées, à la poêle, en ragoût ou « à l'anglaise » avec le poisson poché, sans oublier les frites, notamment les *game chips* pour le gibier, les gros bâtonnets qui accompagnent le poisson frit qui se vend dans les rues, servi dans un cornet de papier *(fish and chips)*, sans oublier le *bubble-and-squeak* (choux et pommes de terre sautés avec des restes de viande).

En Écosse, le breakfast et le *high tea* (goûter dînatoire) ont été élevés au rang de véritables repas, riches en pâtisseries : shortbread, scones, crumpets, buns, etc.

Les Cornouailles sont connues pour les *pasties* (petits pâtés) ; on y déguste aussi le *stargazey pie* (aux pilchards). Le Yorkshire est célèbre pour le Yorkshire pudding (pâte cuite au four dans la graisse de bœuf).

■ Viandes et poissons. La viande (bœuf et mouton surtout, mais ausssi jambons et saucisses) occupe une place importante ; en témoignent les innombrables pies ou encore le *steak and kidney pudding*, accompagnés de légumes cuits à la vapeur (traditionnellement, le poireau est gallois et le navet, écossais) ou marinés (pickles typiques). Viandes froides et légumes cuits à l'eau ont favorisé la diversification de sauces originales, souvent assez épicées depuis l'influence indienne, à l'époque des colonies (chutneys, cari, mais aussi Worcestershire et Cumberland sauces, sauces à l'anchois, au beurre, aux fines herbes, au pain, à la moutarde, etc.).

Le poisson constitue, lui aussi, un élément important de l'alimentation. Il se savoure nature ou diversement apprêté. Le carré de cabillaud ou de turbot est servi frit avec une sorte de sauce tartare. La sole se fait griller. Le crabe s'apprête en salade. Le brochet est farci aux anchois et aux herbes. Le kedgeree, d'origine anglo-indienne, se prépare avec du poisson (surtout du haddock), du riz, des œufs et du beurre, parfois enrichis de crème ou de yaourt.

Le gibier à plume s'apprécie rôti, avec une sauce aux airelles ou aux groseilles. La grouse, spécialité écossaise, est servie avec de la bread sauce et de la gelée de sorbier, tandis que le canard sauvage est préparé à l'orange et le lièvre en civet. La volaille donne lieu à des recettes traditionnelles, dont le chicken pie, le poulet à la sauce persil, le mulligatawny, soupe au poulet et au cari d'origine indienne, et la dinde rôtie de Noël, farcie à la sauge, à l'oignon et à la chair à saucisse, accompagnée de bacon et de chipolatas.

■ Fruits et desserts. En Grande-Bretagne, les fruits sont l'objet des soins attentifs des jardiniers. Tartes, confitures, tourtes, gelées, crèmes et entremets chauds ou froids leur font honneur, notamment les pommes (dont la célèbre *cox's*), les fraises et les framboises. Fraises, rhubarbe et, parfois, groseilles donnent d'excellents *fools* (mousses froides). Quant aux baies sauvages, elles sont à l'origine du sirop d'églantine *(rose hip syrup)* ou du vin de sureau *(elderberry wine)*.

Les desserts, désignés en anglais moderne par le mot « pudding », sont plutôt consistants et souvent servis chauds (pies aux fruits, crumbles, riz, semoule ou tapioca au lait, *suet pudding*, etc.). Gâteaux et cakes sont parmi les spécialités les plus représentatives des provinces (Dundee, Eccles, etc.).

Les fromages, pour la plupart au lait de vache, ont par ailleurs de quoi satisfaire tous les goûts : le cheshire, doux ou affiné, le cheddar, excellent grillé, le leicester, à pâte pressée colorée, le stilton que l'on déguste avec du porto, le wensleydale, blanc ou bleu, le dunlop écossais, le caerphilly gallois, doux et blanc, le derby à la sauge, délicieux en canapés, le gloucester, très moelleux, le crowdie écossais, le lanark blue, un brebis persillé, fromage frais que l'on mange avec des galettes d'avoine *(oatcakes)*.

Le fromage est parfois présent au breakfast, mais surtout au lunch, sur canapés et en sandwiches. Il se marie bien au goût de la bière, la boisson nationale, qui se présente sous les formes les plus diverses : ale brune ou pâle, populaire bitter couleur d'ambre, *stingo* forte et brune, *mild* légère et un peu houblonnée, ou célèbre stout à la pression, noire et écumeuse, que les pubs débitent à heures fixes. Le goût pour le vin, qui peut se targuer d'une longue tradition, se développe de plus en plus.

■ Des plats traditionnels. Le Royaume-Uni est avant tout un pays de traditions et, dans le domaine culinaire, elles prennent toute leur valeur lors des festivités.

Le haggis écossais se prépare pour la veille du jour de l'An *(Hogmanay)* ou l'anniversaire de la mort du célèbre poète écossais Robert Burns, qui lui dédia une ode.

La plus forte des traditions reste celle de la fête de Noël. Le punch bouillant, la dinde ou l'oie rôtie, le pudding flambé avec sa sauce au beurre et au brandy, le porto servi avec les savouries, les mince pies et les fruits secs composent le menu rituel des Noëls anglais. Et le lendemain, jour des étrennes *(Boxing Day)*, on mange les restes de volaille froide et le jambon d'York avec des chutneys.

RUBAN (FAIRE LE) Se dit d'un mélange de jaunes d'œuf et de sucre en poudre, travaillé à chaud ou à froid, dont la consistance est suffisamment lisse et homogène pour qu'il se déroule sans se casser quand on le laisse couler du haut de la spatule ou du fouet.

RUBENS Sauce préparée à partir d'une brunoise de légumes mouillée au vin blanc puis réduite, additionnée de fumet de poisson, mijotée, passée, dégraissée et à nouveau réduite. Cette préparation est ensuite aromatisée au madère, liée aux jaunes d'œuf, puis montée au beurre rouge et complétée par un filet d'essence d'anchois.

RUCHOTTE-CHAMBERTIN Vin rouge AOC grand cru de Bourgogne, issu du cépage pinot noir. Sans manque de race ni de délicatesse, les vins de ruchotte-chambertin présentent un profil sensiblement plus léger que leur glorieux voisin, le granc cru de chambertin.

RUE Plante herbacée vivace, de la famille des rutacées, à petites feuilles gris bleuté et à saveur amère.

Dans l'Antiquité, la rue joua un rôle important dans la pharmacopée et elle figurait au Moyen Âge en bonne place parmi les plantes utilisées en liquoristerie ; elle parfumait traditionnellement les hypocras aux herbes. Aujourd'hui, elle est interdite de vente en France, mais, en Italie, elle entre dans la fabrication de la grappa (on met un petit bouquet de rue fraîche à macérer dans la bouteille) ; en Europe de l'Est, elle est un des ingrédients des farces de viande hachée et aromatise les fromages blancs et les marinades.

RULLY Vin AOC rouge (issu du cépage pinot noir) et surtout blanc de la Côte chalonnaise, produit par un vignoble très proche de la Côte de Beaune. Le blanc, sec et fruité, à la jolie robe dorée, est issu du cépage chardonnay ; il se boit jeune (**voir** BOURGOGNE).

RUMFORD (BENJAMIN THOMSON, COMTE) Physicien américain (Woburn, Massachusetts, 1753 - Paris 1814). Engagé par l'Électeur de Bavière pour réorganiser son armée, il vint en Europe, où il s'intéressa aux problèmes d'alimentation, notamment pour tirer le maximum de substance des aliments en utilisant un minimum de combustible.

Il inventa ainsi la cuisinière en brique, avec feux séparés et chaleur réglable, ainsi qu'une marmite à pression, un autoclave et le four de cuisine. Ayant localisé la saveur du café dans ses huiles volatiles, il suggéra de préparer la boisson dans un récipient fermé, à chaleur constante inférieure à l'ébullition, qui détruit l'arôme ; il fut ainsi le père du percolateur. Il est aussi souvent tenu pour l'« inventeur » de l'omelette norvégienne.

RUMOHR (KARL FRIEDRICH VON) Écrivain et mécène allemand (Dresde 1785 - id. 1843). Riche et indépendant, auteur de nouvelles et de souvenirs de voyages, Rumohr est connu pour son ouvrage sur la cuisine, *Der Geist der Kochkunst* (l'Esprit de l'art culinaire). Paru en 1823, deux ans avant *la Physiologie du goût* de Brillat-Savarin, ce livre est signé Joseph König, qui était en fait le cuisinier de Rumohr, qui le lui attribue par plaisanterie. Amateur éclairé, fin connaisseur, historien de l'art et même diététicien, Karl von Rumohr traite de la nature des aliments, de l'origine de la cuisine et des modes de cuisson, puis de la préparation de très nombreux aliments.

RUMPOLT (MARX) Cuisinier d'origine hongroise qui exerça son talent au XVIe siècle dans plusieurs cours d'Europe centrale. Rumpolt est l'auteur de *Ein neues Kochbuch (Un nouveau livre de cuisine)*, publié en 1581, illustré de 150 gravures sur bois et réunissant plus

2 000 recettes, dont une des premières recettes européennes de pomme de terre, où il mentionne le foie gras, aliment oublié depuis la Rome antique.

RUMSTECK Morceau de l'aloyau de bœuf situé en arrière du faux-filet et constitué essentiellement des muscles fessiers ; le mot s'écrit aussi « romsteck » (**voir** planche de la découpe du bœuf pages 108 et 109). Moins tendre que le filet, mais plus savoureux, le rumsteck donne des biftecks, des tranches à griller à feu vif ou à poêler, ainsi que des morceaux à brochettes ou à fondue bourguignonne. On peut aussi le détailler en rôti et le traiter en cuisine comme du faux-filet ou du filet ; sa chair, serrée et maigre, est alors légèrement bardée.

L'« aiguillette de rumsteck » peut être détachée du morceau et détaillée à part.

RUSCALLEDA (CARME) Cuisinière (Sant Pol de Mar 1952). Autodidacte complète, fille d'agriculteurs, devenus marchands de légumes, puis charcutiers, dans le bourg maritime de Sant Pol de Mar, elle réalise une cuisine de haute volée technique. Elle n'hésite pas à bousculer la tradition, utilisant les poissons, la viande et la chasse du pays catalan, récusant le mijotage à l'ancienne mode. Elle accomplit des études de commerce, apprend les techniques de la charcuterie et ouvre le restaurant *San Pau* en 1988 ; elle y obtient une étoile au Guide Michelin en 1991, puis deux en 1996. Elle publie, en 1988, son premier livre *Deu Anys de Cuina al Sant Pau*. En 2005, elle est la première femme espagnole à obtenir les trois étoiles au Guide Michelin. Le ravioli transparent de langoustines, les concombres de mer avec purée de pommes de terre, courgette et pistou, les queues de gambas et artichauts en trois textures ou la morue confite au jaune d'œuf, coing et raisins de Corinthe sont quelques-uns des mets qui l'ont rendue célèbre.

RUSSE Nom utilisé par les professionnels de la restauration pour désigner une casserole à bords hauts et droits.

RUSSE (À LA) Se dit surtout de crustacés ou de poissons lustrés de gelée, masqués de sauce chaud-froid ou de mayonnaise collée et accompagnés de salade russe. On qualifie aussi de « russe » une sauce pour crudités et poissons froids, faite d'une mayonnaise au caviar, éventuellement mélangée avec les parties crémeuses d'un homard ou d'une langouste. Enfin, certains apprêts « à la russe » (cornichons, harengs, kacha) sont réellement inspirés des traditions slaves.

▶ Recettes : CIGARETTE, CRÊPE, SALADE RUSSE, SAUCE.

RUSSIE La cuisine russe est l'héritière de traditions scandinaves, mongoles, germaniques et françaises.

■ **Histoire.** La dynastie des Riourikides, venue au IXe siècle de Scandinavie, fit d'abord adopter poissons et viandes fumés, alcool de grain et apprêts à la crème aigre (smitane). Au siècle suivant, ce fut l'Orient qui s'imposa avec Vladimir le Grand : aubergines, mouton et raisins apparurent à côté des céréales et des raves, ingrédients de base de l'alimentation. Bientôt, la choucroute arriva du Nord et le lait caillé liquide, de Tartarie. Au XVIe siècle, les festins d'Ivan le Terrible et de ses boyards étaient célèbres. À la fin du XVIIe siècle, Pierre le Grand s'enthousiasma pour la France, puis des cuisiniers français comme Antonin Carême et Urbain Dubois vinrent à la cour des tsars, et firent à leur tour connaître en Europe les grands classiques russes. Au début du XXe siècle, les émigrés apportèrent avec eux d'autres spécialités : caviar, blinis, vatrouchka et zakouski.

■ **Trois grands moments gastronomiques.** L'art culinaire russe atteint son apogée avec la fête de Pâques, les zakouski et le thé.

• LA FÊTE DE PÂQUES. Après la messe de minuit précédant le jour de Pâques, la table dressée offre une multitude de petits pâtés, d'entremets, de pâtisseries. Le menu comporte souvent un agneau ou un cochon de lait rôti, un jambon froid en gelée, un koulibiac, une dinde ou un gibier rôtis, des œufs colorés, une paskha, des koulitch, gâteaux traditionnels à cette date, tout comme les babas de pâte levée ; le tout est servi avec des salières de sel béni et des galettes polonaises de pain azyme.

• LA TRADITION DES ZAKOUSKI. Ce rite, lié à l'hospitalité traditionnelle du foyer, est toujours respecté. En attendant le dîner, les invités dégustent des harengs marinés, fumés ou à la crème, des assortiments de pirojki, pelmeni, cyrniki, cromesqui, *rastegais*, varieniki et sausseli (dartois), des *nalesniki* (crêpes fourrées au fromage blanc), des œufs farcis, du caviar d'aubergine, des légumes et des fruits marinés, des concombres à la crème aigre et au sel (molossols), ainsi que des spécialités fromagères. Arrosés de vodka, les zakouski sont accompagnés de pains variés : *balabouchki* à pâte aigre, *boubliki* à pâte dure, *boulotchki* au lait, *korj* très blanc, *krouchenik* natté, pain de seigle noir, *katchapouri* au fromage, *none* à l'oignon, *tcherek* semé de graines de sésame ou *oukrainka* très brun, en forme de roue.

• LE RITE DU THÉ. Toute la journée, le samovar entretient de l'eau bouillante pour préparer un thé très fort, parfois parfumé, que l'on boit généralement sans sucre. On le sert éventuellement avec des pâtisseries et des friandises : *gozinakhi* (bonbons aux noix et au miel), beignets au fromage blanc, *pampouchki* (pets-de-nonne), *krendiel* (brioches très sucrées en forme de bretzel), gaufres au citron, *vatrouchki* (tartelettes au fromage blanc), *zavinaniets* (boulettes fourrées aux fruits et aux noix), nougat aux noisettes…

■ **Vins.** Les vignobles russes (70 000 ha) se répartissent à l'extrême sud de l'immense pays, aux portes de la Turquie, entre la mer Noire et la mer Caspienne. Au centre, le vignoble Stavropol se spécialise avec des vins blancs secs et doux à base de sylvaner, de riesling et de muscat. Vins rouges et vins de dessert sont élaborés à Makhachkala, sur les bords de la mer Caspienne. Près des rives de la mer Noire, les vins d'Anapa sont issus des cépages riesling, aligoté, sauvignon et sémillon pour les blancs et les mousseux ; quant aux vins rouges, ils sont issus du cépage cabernet-sauvignon. Plus au nord, aux abords de l'Ukraine et autour de la ville de Rostov-sur-le-Don, le cépage local, le tsimlyansky rouge est réputé pour l'élaboration en grande quantité de vins mousseux plus ou moins secs.

RUSSULE Champignon à lamelles, trapu et coloré, à pied court, sans anneau ni volve, à chair grenue et cassante. Les meilleures espèces comestibles, rares, s'apprêtent comme les psalliotes : russule verdoyante, ou palomet, à chapeau blanchâtre à larges plaques vertes (excellente grillée), et russule charbonnière, ou charbonnier, à chapeau pourpre, violet ou vert.

RUTABAGA Chou-navet jaune à collet vert de la famille des brassicacées, à chair jaunâtre et dont la racine est comestible (**voir** tableau des choux page 216). Le rutabaga, peu énergétique et moyennement pourvu en minéraux, s'apprête comme le navet et entre notamment dans la confection du pot-au-feu.

RYE Whisky américain, surtout produit et consommé en Pennsylvanie, dans le Maryland et au Canada (**voir** tableau des whiskies et whiskeys page 909). Le rye est fait essentiellement de seigle non malté et de malt d'orge ou de seigle. Il se boit plus jeune que le scotch ou le bourbon, et sa saveur est plus corsée.

S

SABAYON Entremets d'origine italienne, fait d'une crème fluide et onctueuse, à base de vin, de sucre et de jaunes d'œuf. Présenté dans des coupes ou des verres décorés (comme ceux du *Café Greco*, à Rome, dont il était une spécialité), le sabayon est proposé à peine tiède, mais il peut aussi servir d'accompagnement et napper pudding, entremets au riz, fruits pochés, pâtisserie ou glace.

Le sabayon est confectionné avec un vin blanc sec (champagne) ou doux (asti, sauternes, marsala), un vin de liqueur (frontignan, banyuls), du porto, ou encore un mélange d'un vin blanc et d'une liqueur (Chartreuse, kummel), ou d'un vin blanc et d'un alcool (armagnac, cognac, kirsch, rhum, whisky).

Par extension, on appelle également « sabayon » une sorte de sauce mousseline, généralement au champagne, qui accompagne poissons ou crustacés.

gratin de fraise au sabayon de citron ▶ GRATIN

SABLÉ Petit gâteau sec et friable, la plupart du temps rond, de diamètre variable, souvent à bord cannelé. Les sablés sont faits de farine, de beurre, de jaunes d'œuf (parfois supprimés) et de sucre, mélangés rapidement jusqu'à l'obtention d'une consistance « sableuse ».

La pâte est soit abaissée sur quelques millimètres et découpée à l'emporte-pièce, soit roulée en boudin et détaillée en tranches, comme pour les sablés dits « hollandais », qui associent deux pâtes, l'une colorée au chocolat ou à la cannelle, l'autre parfumée à la vanille. On peut les aromatiser au citron, les agrémenter d'amandes effilées ou de raisins secs, les glacer de chocolat ou les garnir de confiture (**voir** MILANAIS). En France, les spécialités régionales sont nombreuses. À l'étranger, le shortbread écossais et le *Knusper* autrichien se distinguent.

Les fonds sablés servent à confectionner tartelettes et barquettes, souvent garnies de crème ou de fraise.

fond sablé ▶ FOND DE PÂTISSERIE
pâte sablée ▶ PÂTES DE CUISINE ET DE PÂTISSERIE

sablés de Milan

Mettre 250 g de farine dans une terrine ; ajouter le zeste râpé de 1 citron, 125 g de beurre ramolli en petits morceaux, 125 g de sucre en poudre, 4 jaunes d'œuf, 1 pincée de sel et 1 cuillerée à café de cognac ou de rhum. Pétrir rapidement. Rouler la pâte en boule et la mettre 30 min au froid. L'abaisser ensuite sur 5 mm d'épaisseur et la découper

VÉRIFIER LA CONSISTANCE D'UN SABAYON

Pour s'assurer que le sabayon a une bonne consistance, crémeuse et non mousseuse, en prélever une petite louche et vérifier que le mélange « fait le ruban ».

à l'emporte-pièce rond ou ovale ; disposer les gâteaux sur une tôle beurrée, les badigeonner à l'œuf battu et les rayer avec une fourchette. Cuire 15 min au four préchauffé à 200 °C.

SABLER Amener à l'état friable le mélange des ingrédients destinés à une pâte brisée ou sablée. Le sablage des éléments secs et du beurre s'effectue d'abord du bout des doigts, puis en prenant le mélange par petites quantités, que l'on frotte entre ses paumes. On ajoute ensuite l'eau ou les œufs, puis la pâte est mise en boule et doit reposer.

Dans la fabrication du praliné, le sablage consiste à verser un sucre cuit à 121 °C sur des fruits secs grillés, puis à mélanger pour faire « masser » le sucre ; devenu sableux, celui-ci enveloppe alors mieux les fruits.

SABLIER Petit ustensile réversible, formé de deux ampoules transparentes, communiquant par un conduit très étroit. L'ampoule supérieure contient un certain volume de sable ou de produit en poudre, qui s'écoule dans l'ampoule inférieure en un temps donné. Dans la plupart des sabliers, le passage du sable dure 3 minutes, temps de cuisson moyen d'un œuf à la coque.

SABRA Liqueur israélienne au goût d'orange amère et de chocolat. Le sabra est une variété de cactus local, et c'est aussi le surnom donné aux Juifs nés en Israël.

SABRE Nom courant du lépidope, poisson méditerranéen de la famille des trichiuridés, plat comme un ruban, qui peut atteindre 1,10 m (**voir** planche des poissons de mer pages 674 à 677). Sa peau brillante est dépourvue d'écailles. Son museau est armé de nombreuses dents. Surnommé « argentin » ou « jarretière », le sabre, souvent vendu en tronçons, a une chair ferme et convient surtout pour les soupes de poisson.

SACHERTORTE Célèbre gâteau viennois, créé par Franz Sacher, chef pâtissier du prince de Metternich, à l'occasion du congrès de Vienne (1814-1815). Pendant des années, une controverse divisa la ville de Vienne : s'affrontaient, d'une part, les tenants de la Sachertorte telle qu'on la servait à l'hôtel *Sacher,* dirigé par les descendants de Franz (deux abaisses séparées par de la marmelade d'abricot, le dessus étant glacé au chocolat), d'autre part, les fidèles de la célèbre pâtisserie Demel, laquelle aurait reçu du petit-fils de Sacher la « vraie » recette (un gâteau simplement masqué de marmelade sous le glaçage). Finalement, ce fut l'hôtel *Sacher* qui eut gain de cause devant les tribunaux.

RECETTE DE JOSEPH WECHSBERG
DANS *LA CUISINE VIENNOISE* (ÉDITIONS TIME-LIFE)

Sachertorte

« Préchauffer le four à 180 °C et garnir deux moules ronds de papier sulfurisé beurré. Faire fondre au bain-marie 200 g de chocolat un peu amer en petits morceaux. Battre légèrement 8 jaunes d'œuf, leur incorporer 125 g de beurre fondu et le chocolat fondu. Battre 10 blancs d'œuf en neige ferme, puis leur ajouter 140 g de sucre en poudre légèrement vanillé, en continuant de battre jusqu'à l'obtention d'une mousse bien ferme, formant des pics entre les branches du fouet. Incorporer un tiers de ces blancs dans le mélange jaunes-beurre-chocolat, puis, progressivement, les blancs restants. Ajouter 125 g de farine tamisée, en pluie, et mélanger tous les ingrédients jusqu'à disparition des traces blanches, mais sans trop prolonger l'opération. Verser la pâte dans les deux moules en la répartissant également. Faire cuire dans le four jusqu'à ce que la pâte soit bien gonflée et sèche. Démouler les deux gâteaux en les renversant sur une grille et laisser refroidir complètement. Préparer le glaçage au chocolat : faire fondre à feu moyen dans une casserole, en remuant constamment, 150 g de chocolat en morceaux, 25 cl de crème fraîche et 180 g de sucre vanillé, puis laisser cuire 5 min sans remuer. Battre alors 1 œuf entier, lui incorporer 3 cuillerées à soupe de la préparation chocolatée et reverser le tout dans la casserole ; faire cuire pendant 4 min, puis laisser tiédir à la température ambiante. Étaler 8 cuillerées à soupe de marmelade d'abricot passée au tamis sur l'un des gâteaux au chocolat, puis recouvrir celui-ci avec le second gâteau. Masquer le tout avec le glaçage au chocolat, en l'égalisant avec une spatule métallique. Faire glisser le gâteau sur un plat et le mettre dans le réfrigérateur pendant 3 heures, pour que le glaçage durcisse. Le sortir une demi-heure avant de le servir. »

SACRISTAIN Petit gâteau sec, fait d'un bâtonnet de feuilletage torsadé, souvent parsemé d'amandes effilées ou hachées et de sucre en grains. On le sert classiquement avec le thé, parmi un assortiment de biscuits.

SADE (DONATIEN ALPHONSE FRANÇOIS, MARQUIS DE) Écrivain français (Paris 1740 - Charenton 1814). Sade faisait grand cas, à côté des plaisirs et des souffrances de l'amour, de la bonne chère. De ses prisons, où il passa de nombreuses années, il adressait à sa femme (qu'il appelait parfois « porc frais de mes pensées », car, disait-il, « j'aime beaucoup le porc ») de précises et pressantes demandes de nourriture, donnant lieu à de multiples fantasmes. Le « divin marquis » était aussi un assidu des « dîners de chez *Méot* », organisés par Grimod de La Reynière.

SAFRAN Nom usuel du crocus, plante bulbeuse de la famille des iridacées, dont les stigmates fournissent une épice renommée ayant la forme soit de filaments brunâtres séchés, soit d'une poudre jaune-orangé, à l'odeur piquante et à la saveur amère. Originaire d'Orient et introduit en Espagne par les Arabes, le safran est cultivé en France par les « safraniers » depuis le XVIe siècle, dans le Gâtinais et l'Angoumois. Le safran le plus réputé vient de la Mancha, en Espagne, mais il est aussi cultivé en Italie, en Grèce, en Iran et en Amérique du Sud. Il faut 60 000 fleurs pour donner cinq cents grammes de safran, ce qui explique son prix élevé et l'apparition de succédanés (le carthame, ou safran bâtard, le curcuma, ou safran des Indes).

■ **Emplois.** Dans l'Antiquité et au Moyen Âge, le safran jouait un triple rôle, culinaire, magique et thérapeutique. Très employé en cuisine jusqu'à la Renaissance comme parfum et colorant, il tomba en déclin au XIXe siècle. Il occupe encore une place privilégiée dans les cuisines régionales et étrangères, notamment dans la bouillabaisse, le cari, la paella et le risotto, la cuisson des moules, des viandes blanches et des tripes. Dans les entremets, on l'utilise comme parfum.

cigales de mer au safran en brochettes ▶ CIGALE DE MER

RECETTE DU RESTAURANT *LE PRÉ CATELAN,* AU BOIS
DE BOULOGNE

crème glacée coco-safran

« Couper délicatement 12 beaux pistils de safran au-dessus d'un petit récipient. Les arroser de 1/4 de jus de citron vert et de 2,5 cl de rhum blanc. Couvrir et laisser infuser 3 heures au frais. Faire tiédir 1 litre de lait de coco avec 60 g de glucose, 100 g de sucre en poudre et 10 g de poudre de lait. Bien dissoudre en fouettant et passer au mixeur. Incorporer l'infusion de safran et faire prendre au congélateur. »

glace au safran et à l'eau de rose

Mélanger 15 cl de lait avec 150 g de crème. Faire durcir au congélateur. Battre 3 jaunes d'œuf avec 75 g de sucre en poudre jusqu'à ce que le mélange soit mousseux. Porter à ébullition dans une casserole 45 cl de lait, 15 cl de crème fraîche et 1/2 cuillerée à café d'extrait de vanille. Réduire le feu. Incorporer peu à peu les jaunes d'œuf, en remuant. Retirer du feu. Diluer 1/2 cuillerée à café de safran en poudre dans un peu d'eau chaude et verser dans la casserole avec 1,5 cl d'eau de rose. Mélanger le tout et transvaser dans une sorbetière. Mettre celle-ci 3 heures au congélateur. Sortir la crème épaisse du congélateur et la couper en petits morceaux. Remettre dans le congélateur. Sortir la glace du congélateur 30 min avant de servir et la présenter dans des coupes, parsemée de morceaux de crème épaisse. Mettre dans le réfrigérateur jusqu'au moment de servir.

risotto au safran et poudre de réglisse ▶ RISOTTO
rouille au safran ▶ SAUCE

SAGAN Nom d'une garniture pour escalopes, ris de veau ou suprêmes de volaille, composée de risotto et de têtes de champignon emplies d'une purée de cervelle mélangée avec un salpicon de truffe ; les pièces sont saucées d'un déglaçage au madère et au fond de veau lié. Truffes et champignons se retrouvent dans le flan Sagan à la cervelle de veau ; cette dernière, escalopée, sert également à garnir des œufs brouillés aux truffes. Tous ces apprêts sont dédiés à Charles de Talleyrand-Périgord, prince de Sagan (1754-1838).

▶ Recette : ŒUF BROUILLÉ.

SAGOU Fécule préparée avec la moelle du sagoutier, ou arbre à pain, palmier des régions tropicales. Le sagou se présente en petits grains ovoïdes, blanchâtres, rosés ou brunâtres, très durs et semi-transparents, d'une saveur douceâtre. Connu en Europe depuis la Renaissance, il est également appelé « perles de Florence ».

Aujourd'hui, il s'utilise comme le tapioca, dans certaines liaisons et divers puddings. Dans la cuisine indonésienne, réduit en pâte avec de la pulpe et du lait de coco, il sert à confectionner des beignets, des gâteaux, des raviolis, des entremets, etc. En Inde, cuit à l'eau avec du sucre, il donne une gelée d'entremets.

SAINDOUX Matière grasse extraite à chaud du lard ou de la panne de porc. Le saindoux (ou axonge) est une substance onctueuse et blanche. On l'utilise surtout pour les longues cuissons, mais également pour la friture (il ne se décompose qu'à 210 °C) et en pâtisserie (pâte à pâté, pie). Son goût assez affirmé s'associe traditionnellement à des plats du Nord et de l'Est, ainsi qu'à des plats auvergnats.
▶ Recette : PÂTÉ.

SAINGORLON Fromage bressan de lait pasteurisé de vache (50 % de matières grasses), à pâte persillée et à croûte naturelle (**voir** tableau des fromages français page 390). Le saingorlon se présente sous la forme d'un cylindre de 6 à 12 kg. Il a été imaginé au début de la Seconde Guerre mondiale pour remplacer le gorgonzola, que les Italiens n'exportaient plus. Onctueux, de saveur affirmée, il est à l'origine du bleu de Bresse.

SAINT-AMANT (MARC ANTOINE GIRARD, SIEUR DE) Poète français (Quevilly 1594 - Paris 1661). Auteur de poèmes lyriques, satiriques et réalistes, il partagea son temps entre la capitale, où il hantait les cabarets en compagnie du cardinal de Retz, et sa ville natale, Rouen, tout en participant aux campagnes militaires en Catalogne et dans les Flandres comme commissaire de l'artillerie. Il séjourna aussi en Pologne, et l'on suppose qu'il se rendit en Amérique. Il a surtout laissé une abondante production de poèmes « à boire et à manger », qui, après avoir été sévèrement critiqués par les classiques, figurent dans les meilleures anthologies baroques. On dit qu'il mourut chez un certain Montglas, cabaretier à l'enseigne du *Petit Maure*.

SAINT-AMOUR Vin rouge, issu du cépage gamay, le plus septentrional des dix crus AOC du Beaujolais, souple et équilibré, fin et solide, aux arômes de framboise (**voir** BEAUJOLAIS).

SAINT-AUBIN Vin AOC rouge ou blanc de la côte de Beaune ; les blancs, issus du cépage chardonnay, sont produits par des vignobles voisins de ceux des prestigieux puligny et chassagne-montrachet ; les rouges, issu du cépage pinot noir, sont vendus comme « côte-de-beaune-villages » (**voir** BOURGOGNE).

SAINTE-ALLIANCE (À LA) Se dit d'un foie gras poché avec des truffes et du champagne, ou d'une poularde garnie de truffes cuites au madère, puis poêlée et dressée entourée d'escalopes de foie gras cuites au beurre, saucées du fond de cuisson. Cette appellation s'applique aussi à un apprêt du faisan farci de chair de bécasse hachée et mélangée à divers ingrédients, puis rôti et dressé sur un canapé tartiné d'une purée faite avec le foie et les entrailles de l'oiseau.

SAINTE-BEUVE (CHARLES AUGUSTIN) Écrivain français (Boulogne-sur-Mer 1804 - Paris 1869). Ce grand nom de la critique littéraire fut aussi l'un des gourmets les plus célèbres de son temps. S'adonnant aux plaisirs de la table dans les restaurants en renom, il fonda avec les frères Goncourt, Paul Gavarni, Ernest Renan et Ivan Tourgueniev les « dîners Magny » ; il comptait parmi les fidèles des « soupers du mercredi » chez Alexandre Dumas.

SAINTE-CROIX-DU-MONT Vin AOC blanc liquoreux produit sur la rive droite de la Garonne, en face de la région du sauternes, avec les mêmes raisins (cépages sémillon, sauvignon et muscadelle) et les mêmes méthodes (**voir** BORDELAIS).

SAINTE-MAURE DE TOURAINE Fromage AOC de lait de chèvre (45 % de matières grasses au minimum), à pâte molle et à croûte fleurie, vendu frais ou parfois cendré (**voir** tableau des fromages français page 392). Le sainte-maure se présente sous la forme d'un cylindre

légèrement tronconique, de 28 cm de longueur et de 5 à 6 cm de diamètre ; il pèse 250 g. Signe distinctif, la pâte, de couleur blanche à ivoire, est traversée d'une paille qui sert à le consolider lors des manipulations. Il est consommé à tous les stades de l'affinage ; il peut aussi être chauffé.

SAINTE-MENEHOULD Nom d'apprêts cuits et refroidis, puis panés et grillés, servis avec de la moutarde ou de la sauce Sainte-Menehould (à la moutarde, à l'oignon, au vinaigre et aux fines herbes). L'appellation est typique des pieds de porc, spécialité de la ville de Sainte-Menehould (Marne), mais concerne également la raie, le pigeon et le poulet en morceaux, la queue de veau ou de bœuf, les oreilles de porc, les crépinettes et les ailerons de volaille.
▶ Recettes : DINDE, DINDON ET DINDONNEAU, PAUPIETTE, QUEUE, SAUCE.

SAINT-ÉMILION Vin AOC rouge produit à l'est de Libourne et dont le cépage principal est le merlot. C'est un des plus anciens et plus fameux vignobles du Bordelais. Le terroir détermine les styles de vins. Les vins dits « de côte » sont corsés et charpentés, ceux dits « de graves », plus souples et plus fins (**voir** BORDELAIS).

SAINT-ESTÈPHE Vin AOC rouge du Médoc, issu des cépages cabernet-sauvignon, merlot, cabernet franc et petit verdot, généreux et fruité, avec une forte charpente, qui rappelle un peu le pauillac, sans avoir sa classe exceptionnelle (**voir** BORDELAIS).

SAINT-ÉVREMOND (CHARLES DE) Écrivain français (Coutances 1615 - Londres 1703). Célèbre gourmet, il forma, avec ses deux amis le marquis de Bois-Dauphin et le comte d'Ollone, le trio « des coteaux ». Il commençait sa journée, dit-on, avec des huîtres et faisait venir ses lapins de La Roche-Guyon, où ceux-ci étaient alors très réputés.

Dans sa *Comédie des friands*, il évoque un potage aux oignons farcis qui faisait ses délices. Seuls le veau de Normandie, les perdrix d'Auvergne et les vins des coteaux d'Ay, d'Hautvillers et d'Avenay trouvaient grâce à ses yeux.

SAINT-FÉLICIEN Fromage de lait de vache (60 % de matières grasses), à pâte molle et à croûte naturelle bleutée (**voir** tableau des fromages français page 389). Produit dans le Dauphiné, le saint-félicien se présente sous la forme d'un petit disque plat de 150 g. Il a un goût légèrement noiseté.

SAINT-FLORENTIN Fromage frais auxerrois de lait de vache (50 % de matières grasses) [**voir** tableau des fromages français page 389]. Le saint-florentin se présente sous la forme d'un disque plat de 12 à 13 cm de diamètre et de 3 cm d'épaisseur. Il a une saveur assez relevée ; il peut aussi être vendu affiné.

SAINT-GERMAIN Nom donné à divers apprêts comportant des pois verts (appelés aussi « Clamart ») ou cassés. La purée Saint-Germain, un peu serrée, liée ou non de jaune d'œuf, accompagne grosses ou petites pièces de boucherie, saucées de fond de veau clair. Détendue à la consistance voulue avec un fond blanc ou du consommé, cette purée donne le potage Saint-Germain, qui reçoit diverses garnitures.

L'appellation s'applique également à une préparation de filets de sole ou de barbue panés au beurre, grillés et servis avec une sauce béarnaise et une garniture de pommes noisettes.
▶ Recette : POTAGE.

SAINT-HONORÉ Pâtisserie parisienne, constituée d'une abaisse de pâte feuilletée, sur laquelle est dressée une couronne de pâte à choux, garnie de petits choux glacés au caramel. L'intérieur de la couronne est rempli de crème Chiboust (appelée également « crème à saint-honoré »), de crème pâtissière allégée avec de la crème Chantilly, ou simplement de crème Chantilly.

saint-honoré

La veille, préparer 200 g de pâte feuilletée (voir page 361). Le jour même, abaisser la pâte en un disque de 24 cm de diamètre, le piquer et le disposer sur une plaque de pâtisserie. Préchauffer le four à 200 °C. Préparer 200 g de pâte à choux sucrée (voir page 213) et en garnir une poche munie d'une douille lisse n° 9. Coucher une couronne de pâte à choux sur le disque, à 3 mm du bord. Sur une seconde plaque à pâtisserie beurrée, dresser 16 petits choux de 2 cm de diamètre. Dorer la couronne et les choux à l'œuf battu. Cuire au four pendant 25 à 30 min, sortir les choix, puis poursuivre la cuisson du fond pendant 5 min. Laisser refroidir sur une grille. Préparer 800 g de crème pâtissière (voir page 274). En prélever 200 g dans une poche à douille unie et en garnir les choux. Cuire un caramel blond avec 200 g de sucre et 4 cuillerée à soupe d'eau. Tremper les choux dans le caramel et poser le côté caramélisé sur un plaque huilée. Reprendre les choux et les fixer sur la couronne avec un peu de caramel encore liquide. Terminer les 600 g de crème pâtissière restante en crème Chiboust (voir page 274). Remplir de crème une poche à douille de 20 mm et ganir le centre du gâteau en léger dôme. Le saint-honoré peut aussi être garni de crème Chantilly.

SAINT-HUBERT Nom de divers apprêts généralement à base de gibier ou concernant le gibier. Les cailles Saint-Hubert, cuites en cocotte avec un morceau de truffe dans chaque oiseau, sont servies nappées du déglaçage au madère et au fond de gibier. L'appellation est le plus souvent justifiée par l'emploi d'une purée de gibier, qui remplit des champignons ou des tartelettes, ou qui garnit des bouchées, des timbales, des omelettes, ou encore qui enrichit un consommé.
▶ Recette : CONSOMMÉ.

SAINT-JOSEPH Vin AOC surtout rouge, issu du cépage syrah, généreux et parfumé, provenant de l'Ardèche, sur la rive droite du Rhône, en face du vignoble de l'hermitage ; le blanc, issu des cépages marsanne et roussanne, produit en très petite quantité, est nerveux et parfumé (voir RHÔNE).

SAINT-JULIEN Vin AOC rouge du haut Médoc, issu des cépages cabernet-sauvignon, merlot, cabernet franc et petit verdot, fin comme le margaux, puissant et bouqueté comme le pauillac (voir BORDELAIS).

SAINT-MALO Nom d'une sauce pour poissons grillés, dont il existe plusieurs recettes. La plus courante d'entre elles est un velouté de poisson additionné d'une réduction d'échalote et de vin blanc (éventuellement lié au jaune d'œuf ou complété de cuisson de champignon) ; cette préparation est souvent beurrée et terminée par un peu de moutarde et/ou un filet de sauce à l'anchois.
▶ Recette : SAUCE.

SAINT-MANDÉ Nom d'une garniture pour petites pièces de boucherie sautées, composée de petits pois et de haricots verts liés au beurre, et de petites pommes Macaire.

SAINT-MARCELLIN Fromage dauphinois de lait de vache (50 % de matières grasses), à pâte molle et à croûte fleurie, naturelle, fine et gris bleuté (voir tableau des fromages français page 389). Il se présente sous la forme d'un petit disque de 7 à 8 cm de diamètre et de 2 cm d'épaisseur. Il a une saveur douce et légèrement acide. Très affiné, il entre aussi dans la fabrication du fromage fort lyonnais, macéré aux aromates.

SAINT-NECTAIRE Fromage auvergnat AOC de lait de vache (45 % de matières grasses), à pâte pressée non cuite et à croûte couverte de façon irrégulière d'une flore naturelle, de couleur jaune à gris (voir tableau des fromages français page 392). Le saint-nectaire se présente sous la forme d'un disque plat de 20 cm de diamètre et de 4 cm d'épaisseur, pesant environ 1,5 kg. Jadis affiné pendant 8 semaines sur un lit de paille de seigle, mais rarement de nos jours, il dégage une odeur de moisissure, mais il a une belle saveur de terroir au bouquet prononcé.

SAINT-NICOLAS Fête traditionnelle célébrée le 6 décembre dans le nord de l'Europe et où saint Nicolas tient le rôle du père Noël. Selon la légende, un boucher avait découpé trois enfants en morceaux et les avait mis au saloir ; Nicolas, passant dans le pays, eut un pressentiment et insista auprès du criminel pour goûter de son « salé » ; devant le refus de celui-ci, Nicolas comprit et ressuscita les petites victimes. Dans la nuit du 5 au 6 décembre, la coutume veut que les enfants accrochent dans la cheminée des bas remplis de foin, d'avoine et de pain pour nourrir l'âne du saint évêque. On fête la Saint-Nicolas avec des biscuits à l'anis ou des pains d'épice à l'effigie du saint, qui fut archevêque de Myre, en Lycie, au IVe siècle. Le saint est aussi modelé en chocolat ou en sucre rouge soufflé. En Alsace, les boulangers le fêtaient jadis avec un pain spécial, le *männela* (littéralement « petit homme »).

SAINT-NICOLAS-DE-BOURGUEIL Vin AOC rouge ou rosé de Touraine, léger, fruité et floral, très proche du bourgueil et, comme lui, issu exclusivement du cépage cabernet franc.

SAINT-PAULIN Fromage de lait de vache, à pâte pressée non cuite, de type « abbaye », et à croûte jaune lisse, fabriqué en Bretagne (voir tableau des fromages français page 392). Il se présente sous la forme d'une petite meule de 20 à 22 cm de diamètre et de 4 à 6 cm d'épaisseur. Dérivé des fromages de monastère et aujourd'hui fabriqué dans toute la France, il a une saveur douce et moelleuse.

SAINT-PÉRAY Vin AOC blanc issu des cépages roussanne et marsanne, produit sur la rive droite du Rhône, en face de Valence ; le saint-péray, élaboré selon la méthode champenoise de la fermentation secondaire en bouteilles, vif et floral, est un des meilleurs mousseux français (voir RHÔNE).

SAINT-PIERRE Poisson côtier, de la famille des zéidés, plat, en forme de losange de couleur bronze doré avec des reflets argentés (voir planche des poissons de mer pages 674 à 677). Sa tête est énorme et ses mâchoires peuvent s'étirer vers l'avant. Son corps est bordé de grosses épines et ses rayons de nageoires sont épineux. Il porte de chaque côté du corps une grosse tache noire au-dessus de la ligne latérale, c'est pourquoi la légende raconte que c'est saint Pierre qui, le pêchant, a imprimé l'empreinte de ses doigts sur chacune de ses faces. Le saint-pierre mesure de 30 à 50 cm. En raison de son anatomie, il donne un rendement de chair très faible, de l'ordre de 30 à 35 %. Chaque filet se scinde naturellement en trois parties. C'est l'un des meilleurs poissons de mer : sa chair, blanche et ferme, se détache facilement et permet nombre d'apprêts braisés, sautés, cuits en papillote, grillés, etc. Il se cuisine comme le turbot ou la barbue, entre dans la bouillabaisse et les soupes de poisson, etc. En Angleterre, il est appelé *john-dory,* déformation de l'un de ses surnoms français, « jean-doré ».

RECETTE DE LOUIS OUTHIER

saint-pierre à la rhubarbe

« Lever les filets d'un saint-pierre de 1,5 kg et les faire cuire à feu doux dans un peu de beurre, 1 min par face. Réserver au chaud. Ajouter dans le beurre de cuisson 150 g de rhubarbe épluchée et taillée en rondelles minces ; faire cuire 30 secondes. Ajouter 20 cl de crème fraîche et faire réduire de moitié. Saler, poivrer, ajouter un soupçon de sucre et une pincée de basilic ciselé. Mélanger et en napper les filets de poisson. »

RECETTE D'OLIVIER ROELLINGER

saint-pierre « retour des Indes »

POUR 4 PERSONNES

« La veille, chauffer à sec 1 cuillerée à café de macis, 1/2 étoile de badiane, 1 cuillerée à café de graines de coriandre, 1/2 cuillerée à café de carvi grillé, 1/2 cuillerée à café de poivre du Sichuan, 1/2 cuillerée à café d'écorce d'orange amère, 1 clou de girofle, 1 cm de cannelle, 2 cuillerées à soupe de curcuma et 1/2 cuillerée à café de poivre noir. Ajouter 1/2 bâtonnet de vanille, 1 pointe de piment de Cayenne, 1 cuillerée à café de pétales de lys et mixer l'ensemble dans un moulin à café pour obtenir une poudre fine. Préparer un fumet de poisson avec la tête et les arêtes d'un saint-pierre de 1,6 kg, 2 blancs de poireau, 1 carotte, 1 petite branche de céleri, 1 gousse d'ail, du thym, du persil, du laurier, 1 zeste d'orange, 20 cl de vin moelleux et 1 litre d'eau. Réserver. Ciseler 1 oignon pelé et 1 rondelle de gingembre frais pelé. Les faire revenir au beurre jusqu'à ce que l'oignon devienne translucide. Ajouter 1 cuillerée à soupe du mélange d'épices et tourner. Verser 30 cl du fumet de poisson et laisser infuser à petits bouillons 30 min avec 2 bâtons de citronnelle émincés et 2 gousses d'ail rôties. Pendant ce temps, faire un caramel avec 30 g de sucre. Lorsqu'il est blond, ajouter 1 cuillerée à café de cardamome verte concassée, puis arrêter la cuisson avec 5 cl de vinaigre de riz. Terminer en versant 20 cl de bouillon de volaille. Laisser cuire à petits bouillons 20 min. Mélanger les 2 infusions et ajouter 3 brins de menthe, 3 branches de coriandre fraîche, puis 5 cl de lait de coco. Retirer du feu et laisser refroidir au moins 6 heures. Éliminer les grosses feuilles de 1 chou nouveau de Pâques. Séparer les autres, enlever les plus grosses côtes, puis les tailler en lanières de 5 mm et réserver. Éplucher, épépiner et dénoyauter 1 pomme et 2 mangues, les couper en cubes de 1 cm. Les cuire à couvert, en compote, puis découvrir en fin de cuisson afin que le mélange ne soit pas trop liquide. Laver 1 botte de cresson, enlever les plus grosses queues. Éplucher et couper en petits dés très fins 1 rhizome de curcuma frais et 50 g de gingembre. Les blanchir séparément. Réserver. Éplucher et couper 1/2 poire en petits dés de même taille. Verser dessus 1 trait de jus de citron, mélanger pour les empêcher de noircir et réserver. Diviser les filets de saint-pierre en 4 portions égales de deux ou trois morceaux chacune. Réserver sur une assiette sous un film. Cuire le chou nouveau dans de l'eau froide, puis le garder au chaud avec 1 noix de beurre salé. Réchauffer la compote pomme-mangue. Réchauffer l'infusion d'épices, y ajouter quelques morceaux de beurre frais au fouet. Vérifier l'assaisonnement. Disposer 2 poignées d'algues dans l'eau du cuit-vapeur. Lorsqu'elle bout, cuire les filets de poisson 3 min environ dans la partie supérieure de l'appareil, côté peau en dessous. Disposer le cresson sur une moitié de chaque assiette, le chou sur la seconde moitié, puis une quenelle de compote dans le haut. Dresser les filets de façon asymétrique. Déposer quelques dés de poires sur chaque filet. Ajouter un peu de fleur de sel. Disposer enfin quelques branches de coriandre sur la compote. »

SAINT-RAPHAËL Vin aromatisé préparé avec des mistelles vieillies 2 ans en fût et coupées de vin rouge ou blanc à 15 % Vol. Ce mélange est ensuite parfumé par une infusion de racines et de plantes (écorce de quinquina, zestes de citron et d'orange amère, racine de colombo, baies, etc.) macérées dans de l'alcool. Il subit enfin une nouvelle période de vieillissement avant d'être traité au froid, filtré et mis en bouteilles.

SAINT-ROMAIN Vin AOC rouge ou blanc de la côte de Beaune, robuste et fruité ; la partie de la récolte qui n'a pas droit à l'appellation est vendue comme « côte-de-beaune-villages ». les rouges sont produits par le cépage pinot noir, les blancs, par le cépage chardonnay (**voir** BOURGOGNE).

SAINT-SAËNS Nom donné, en hommage au célèbre compositeur français (1835-1921), à une garniture pour suprêmes de volaille, faite de petits beignets de truffe au foie gras, de rognons de coq et de pointes d'asperge, accompagnés d'une sauce suprême à l'essence de truffe.

SAINT-VÉRAN Vin AOC blanc du Mâconnais, issu du cépage chardonnay, vif et au nez de citronnelle, produit par un vignoble limitrophe de celui du pouilly-fuissé (**voir** BOURGOGNE).

SAINT-VINCENT Fête du saint patron des vignerons (22 janvier), diacre et martyr espagnol, dont les restes auraient été transférés en Bourgogne, puis en Champagne. La Saint-Vincent était l'occasion de pantagruéliques « repas de cochon ». Elle est aujourd'hui célébrée en Bourgogne le troisième week-end de janvier, chaque année dans des villages différents, et prend le nom de « Saint-Vincent tournante ».

SAISIR Commencer la cuisson d'un aliment en le mettant en contact avec une matière grasse très chaude ou un liquide bouillant, afin de provoquer la coagulation instantanée des parties superficielles.

SAKÉ Boisson alcoolisée japonaise, titrant 14 ou 15 % Vol., fabriquée à partir de riz fermenté. Les grains, cuits à la vapeur, sont ensemencés avec des spores spécifiques. Soutiré, filtré et vieilli en fût, le saké est incolore et plutôt doux, avec un arrière-goût amer. Indissociable de la vie religieuse et sociale, cette boisson existe depuis plus d'un millénaire.
■ **Emplois.** On distingue plusieurs types de saké : le *mirin*, utilisé surtout en cuisine, le *toso*, doux et épicé, avec lequel on fête le Nouvel An, et le *seishu*, qui est exporté en Occident. Le saké se boit tiède, voire chaud, dans des petits gobelets, en apéritif, ou avec le sashimi, des crudités, des grillades ou des fritures. Il est aussi très employé en cuisine, dans les apprêts de fruits de mer. Dans les « bistrots à saké », réservés aux hommes, on le déguste en alternance avec de la bière.

SALADE Plat de crudités ou d'aliments froids, assaisonné d'une sauce froide, servi en hors-d'œuvre, en entrée ou avant le fromage.
• SALADES VERTES. Elles se préparent avec des légumes verts à feuilles. La plus courante est la laitue ; viennent ensuite la batavia, la romaine, la scarole, la chicorée frisée, l'endive, le pissenlit (**voir** planche des chicorées page 206) et le cresson, ainsi que les « petites salades » : mesclun, pourpier, roquette, mâche, trévise, raiponce, barbe-de-bouc et barbe-de-capucin. Ces salades vertes (qui se cuisinent aussi en légume) se servent en hors-d'œuvre ou avec certains plats comme les grillades, les omelettes, le poulet rôti ou la charcuterie, crues et généralement assaisonnées d'une vinaigrette, parfois aromatisée et additionnée de petits éléments (croûtons, lardons, fromage, échalote, ail, etc.).
• SALADES SIMPLES. Elles sont constituées d'un ingrédient de base, cru ou cuit, servi froid avec une sauce froide : ce sont les légumes, viandes et crustacés « en salade ».
• SALADES COMPOSÉES. Ces apprêts plus élaborés rassemblent des ingrédients divers, toujours bien assortis. Ils peuvent faire intervenir des éléments simples ou très recherchés, mais toujours avec un sens du décor et de la couleur. La sauce d'accompagnement, en harmonie, ne doit pas masquer le goût des ingrédients. Ces salades se servent en entrée, avec des rôtis chauds ou froids, ou en plat unique.

figues au cabécou en coffret,
salade de haricots verts aux raisins ▶ FIGUE
homard entier en salade ▶ HOMARD

salade Ali-Bab

Dans un saladier, disposer en dôme des crevettes à la mayonnaise aromatisées de fines herbes ciselées. Entourer de bâtonnets de courgette cuits à l'eau salée, de rondelles de patate douce cuits à l'eau, de quartiers d'œuf dur et de petites tomates épluchées, coupées en quatre et épépinées. Décorer avec des fleurs de capucine. Arroser de vinaigrette au moment de servir.

salade américaine

Garnir des coupes individuelles de feuilles de laitue. Réserver. Dans un saladier, mélanger 1 grosse cuillerée à soupe de dés d'ananas, 2 cuillerées à soupe de grains de maïs cuits à l'eau salée, 1 cuillerée à soupe de julienne de blanc de volaille pochée, 1 cuillerée à soupe de concombre pelé, épépiné et taillé en dés, 1 œuf dur coupé en quatre. Assaisonner de 2 cuillerées à soupe de vinaigrette relevée de ketchup et mélanger. Dresser en dôme dans les coupes. Ouvrir en fleur une petite tomate ronde et la placer au milieu.

salade aux anchois à la suédoise

Peler, couper en dés et citronner 500 g de pommes acidulées. Détailler en dés le même poids de betterave rouge cuite. Mélanger le tout avec une vinaigrette à la moutarde douce. Dresser en dôme et décorer de filets d'anchois dessalés, d'œuf dur (le blanc et le jaune étant hachés séparément) et de fines lamelles de champignon blanchies.

salade Argenteuil ▶ ARGENTEUIL

RECETTE D'ALAIN SENDERENS

salade d'avocat Archestrate

« Tailler en julienne le cœur d'un céleri-branche. Couper en dés 3 fonds d'artichaut (cuits dans un blanc et refroidis) et la pulpe de 3 tomates. Ouvrir 4 avocats en deux, retirer la pulpe en deux blocs, la détailler en tranches et la citronner. Assaisonner de vinaigrette, dresser dans un saladier, parsemer de fines herbes ciselées. »

salade de betterave à la scandinave

Peler des betteraves cuites au four et les couper en cubes de même grosseur. Éplucher des oignons, les couper en rondelles, défaire les anneaux. Faire durcir des œufs et les couper en quartiers. Ciseler du persil. Couper en tronçons des filets de hareng fumé doux ou des harengs sucrés scandinaves. Arroser les betteraves d'une vinaigrette bien relevée et en garnir le saladier. Décorer avec les harengs, les œufs durs et les oignons. Parsemer de persil ciselé.

salade de bœuf

Tailler en tranches de 5 mm d'épaisseur 250 g de bœuf bouilli. Couper 6 petites pommes de terre cuites à l'eau salée en rondelles fines ; les saler, les poivrer encore chaudes et leur ajouter 15 cl de vin blanc et 1 cuillerée à soupe d'huile. Retourner de temps en temps les pommes de terre pour qu'elles s'imprègnent bien de cette sauce. Tailler 3 ou 4 tomates en rondelles minces. Émincer 1 oignon très finement. Dans un saladier, dresser en dôme les pommes de terre, disposer tout autour les tranches de bœuf. Entourer avec les rondelles de tomate. Décorer avec l'oignon émincé et 1 cuillerée de cerfeuil haché. Assaisonner avec une vinaigrette relevée à la moutarde.

salade Carbonara

Cuire 10 min à gros bouillons 125 g de macaronis. Les égoutter et les mélanger immédiatement avec 1 cuillerée à soupe d'huile d'olive. Réserver. Préparer 1 bol de mayonnaise bien ferme et lui incorporer 1 cuillerée à café de moutarde forte, 1/2 cuillerée à café de paprika et le jus d'un citron. Mélanger la mayonnaise aux macaronis refroidis dans une terrine ; ajouter 1 tasse de noisettes grossièrement hachées, 100 g de mimolette coupée en petits bâtonnets et 2 tasses de céleri-branche finement émincé. Disposer quelques feuilles de laitue dans une grande coupe et y verser le mélange. Décorer avec des rondelles d'oignon doux et quelques noisettes entières.

salade de carotte à l'orange

Éplucher et râper 500 g de carottes. Peler à vif 4 oranges et couper la pulpe en petits dés. Éplucher et émincer finement 2 très gros oignons doux ; défaire les rondelles en anneaux. Dresser les carottes râpées en dôme dans un saladier, les arroser d'une vinaigrette au citron et ajouter les dés d'orange ; mélanger et décorer des anneaux d'oignon. Servir très frais.

salade de chicon, pomme verte aux langoustines et lanières de poulet ▶ ENDIVE

salade de chicorée aux lardons

Couper 250 g de poitrine fumée en très fins lardons et faire dorer ceux-ci au beurre. Nettoyer un beau pied de chicorée, la rincer, bien l'essorer. L'assaisonner d'une vinaigrette bien relevée, puis verser sur le dessus le contenu brûlant de la poêle, ainsi que de tout petits croûtons frits aillés. Mélanger au dernier moment.

salade de chou rouge

Retirer les grosses feuilles du tour d'un chou rouge, couper le légume en quatre et retirer la partie centrale blanche. Couper les quartiers en lanières de 5 mm de large, les blanchir 5 min, puis les rafraîchir et les éponger. Les mettre dans un saladier, les arroser de 20 cl de vinaigre de vin rouge bouillant, mélanger, couvrir et laisser macérer de 5 à 6 heures. Égoutter le chou et l'assaisonner de sel, de poivre et d'huile.

salade de choucroute à l'allemande

Bien laver 1 kg de choucroute crue, l'essorer, la démêler avec les mains. La mettre dans une casserole, y enfoncer 2 ou 3 gros oignons, saler, poivrer, couvrir de bouillon ou d'eau additionnée de 1 cuillerée à soupe d'huile. Cuire à petit feu 2 h 30, puis égoutter et laisser refroidir. Couper les oignons en dés, les ajouter à la choucroute. Presser celle-ci, l'assaisonner de vinaigrette et la dresser en dôme dans un plat creux. Garnir de quartiers d'œuf dur et de cubes de betterave cuite.

salade de concombre au yaourt

Peler un gros concombre, l'ouvrir en deux et l'épépiner. Tailler la pulpe en demi-tranches très fines, poudrer de 1 cuillerée à café de sel fin et laisser dégorger 30 min dans une passoire. Passer sous l'eau froide, bien éponger et mélanger avec 3 cuillerées à soupe de sauce au yaourt.

salade de crudités

Nettoyer et laver 2 tomates, 3 branches de céleri, 1 fenouil et 1 laitue. Éplucher 1 betterave et la couper en petits dés. Couper 2 poivrons en deux, retirer les pépins et couper la pulpe en lamelles fines. Émincer également le fenouil et les branches de céleri ; couper les tomates en rondelles. Laver et hacher 1 petit bouquet de persil. Tapisser le fond d'un plat avec les feuilles de laitue et y déposer des bouquets faits avec le fenouil, la betterave, le céleri et les poivrons ; disposer au centre 10 olives vertes et noires, et entourer l'ensemble de rondelles de tomate. Arroser de vinaigrette et parsemer de persil ciselé.

salade demi-deuil

Cuire à l'eau 600 g de pommes de terre, les laisser tiédir, les peler et les couper en rondelles. Couper en julienne 100 g de truffe. Additionner de 1 cuillerée de moutarde 5 cl de crème fraîche, saler et poivrer. Décorer un saladier de feuilles de laitue assaisonnées à la vinaigrette. Y dresser les pommes de terre mélangées avec la sauce et parsemer de la julienne de truffes.

salade Du Barry

Cuire 12 min à la vapeur de petits bouquets de chou-fleur bien blanc. Les laisser refroidir et les dresser en dôme dans un saladier. Garnir de radis roses et de bouquets de feuilles de cresson. Arroser d'une vinaigrette au citron. Parsemer de fines herbes ciselées.

salade folichonne de céleri-rave aux truffes ▶ CÉLERI-RAVE

RECETTE DE GUY ÉPAILLARD, LA ROCHELLE

salade de fruits de mer

« Rôtir et décortiquer 8 belles langoustines ; faire ouvrir et décortiquer 1 kg de moules et 1 kg de coques ; cuire 4 coquilles Saint-Jacques et les couper en lamelles ; cuire 1 tourteau et en émietter la chair. Laver une frisée blanche, un peu de pourpier et un cœur de laitue. Les mélanger et les assaisonner avec du vinaigre de vin, du sel, du jus de citron et de l'huile d'olive. Mettre la salade sur 4 assiettes. Assaisonner les fruits de mer et les parsemer au-dessus. Décorer chaque assiette de 2 pointes d'asperge et de lamelles d'avocat, assaisonnées, et de ciboulette, de persil et de cerfeuil, hachés. »

RECETTE DE MICHEL GUÉRARD

salade gourmande

« Cuire 180 g de haricots verts fins équeutés à grande eau bouillante salée, en les gardant al dente. Les sortir à l'aide d'une écumoire et les plonger 10 s dans de l'eau glacée, puis

Salade

« Vertes, simples ou composées, toutes les salades ne jouent pas dans la même cour. Avec elles, les brigades de POTEL ET CHABOT ou du restaurant HÉLÈNE DARROZE ont toute liberté pour exprimer leur sens du décor et de la couleur. »

les égoutter. Cuire dans la même eau, de 5 à 6 min, 12 pointes d'asperge. Mélanger à l'aide d'un petit fouet du sel, du poivre, 1 cuillerée à café de jus de citron, 1 cuillerée à café d'huile d'olive, 1 cuillerée à café d'huile d'arachide, 1 cuillerée à café de vinaigre de xérès, 1 cuillerée à café de cerfeuil et 1 cuillerée à café d'estragon. Assaisonner séparément les haricots verts, les pointes d'asperge et 20 g de truffe coupée en rondelles. Disposer sur chaque assiette 1 belle feuille de salade. Y dresser en dôme les haricots verts additionnés d'un peu d'échalote hachée et y planter les pointes d'asperge. Détailler en fines escalopes 60 g de foie gras, les répartir harmonieusement sur les légumes et décorer des rondelles de truffe. »

salade de haricots à écosser ▶ HARICOT À ÉCOSSER

salade de haricots verts

Cuire 500 g de haricots verts à l'eau bouillante salée (voir page 447). Après les avoir égouttés, bien les éponger puis les couper en deux selon la longueur voulue. Émincer 4 petits oignons blancs et préparer 5 cl de vinaigrette bien relevée. Mélanger le tout et parsemer de 1 cuillerée à soupe de persil plat ciselé.

salade de lentilles tiède

Cuire 1 kg de lentilles en les gardant un peu fermes. Blanchir 250 g de lardons de poitrine fraîche, les égoutter et les dorer au beurre. Préparer une vinaigrette en y ajoutant 1 cuillerée à soupe de vin rouge et un peu d'échalote hachée. Égoutter les lentilles, les verser dans un plat creux chauffé. Ajouter les lardons, arroser de vinaigrette et parsemer de persil ciselé.

salade Montfermeil

Cuire dans un blanc et séparément 300 g de salsifis en courts tronçons et 4 fonds d'artichaut. Tailler les artichauts en dés. Cuire 150 g de pommes de terre à l'eau, les couper en dés. Faire durcir 2 œufs, les rafraîchir, les écaler et les hacher. Laver et ciseler 1 petit bouquet de persil et 20 feuilles d'estragon ; les mélanger avec les œufs. Dans un saladier, mélanger les salsifis, les artichauts et les pommes de terre, arroser d'une vinaigrette à la moutarde blanche et parsemer du hachis d'œuf dur et d'herbes.

salade niçoise

POUR 6 PERSONNES

Écaler 3 œufs durs. Couper 10 tomates moyennes en quartiers, les épépiner et les saler légèrement, puis les réserver. Éplucher et trancher 1 concombre en fines rondelles. Réserver. Enlever les premières feuilles de 12 petits artichauts frais, citronner les fonds et les couper en petits quartiers. Écosser 200 g de févettes fraîches. Couper en anneaux très fins 2 poivrons verts et 6 petits oignons frais. Hacher 6 feuilles de basilic au couteau. Détailler 12 filets d'anchois en 3 ou 4 morceaux (ou mettre 300 g de thon en charpie). Couper les œufs en quartiers ou en rondelles. Éplucher 1 gousse d'ail et en frotter le fond et les parois d'un grand saladier. Y déposer tous les ingrédients, sauf le basilic et les tomates. Égoutter celles-ci, les resaler légèrement et les ajouter. Préparer la sauce dans un bol en mélangeant 6 cuillerées à soupe d'huile d'olive, 2 cuillerées à soupe de xérès, le basilic, du sel et du poivre. Verser sur la salade puis mélanger avec précaution. Servir cette salade bien fraîche.

RECETTE DE JEAN-PIERRE VIGATO

salade d'oreilles de cochon confites

« Blanchir les oreilles de cochon, les rafraîchir et bien les essuyer. Les mettre dans une cocotte avec du saindoux, 2 oignons, 2 clous de girofle, du thym et du laurier, et les confire, en les couvrant de papier d'aluminium, de 3 à 4 heures, au bain-marie, dans le four préchauffé à 150 °C. Les découper et les détailler en lanières de 5 mm de large. Les faire sauter dans un peu du saindoux de cuisson jusqu'à ce qu'elles soient bien croustillantes, ajouter une pointe d'ail, du persil haché, de la ciboulette ciselée et un peu de chapelure. Dresser sur une salade assaisonnée au vinaigre de xérès. »

RECETTE DE JOËL ROBUCHON

salade pastorale aux herbes

« Préparer une vinaigrette en fouettant du sel avec 1,2 cl de vinaigre de vin vieux et 1,2 cl de vinaigre de xérès, puis en ajoutant 8 cl d'huile d'arachide, du poivre et 20 g de jus de truffe. Laver et préparer 20 g de frisée, 20 g de feuille de chêne, 20 g de lollo rossa, 20 g de trévise, 20 g de batavia, 20 g de mesclun de Nice, 20 g de mâche, 20 g de roquette, 10 g de cresson, 8 g de marjolaine, 10 g de cerfeuil, 10 g de basilic, 10 g de persil plat, 8 g de sauge, 10 g d'aneth, 10 g d'estragon, 4 petites feuilles de menthe et 4 petites feuilles de céleri. Mettre les herbes et les salades, en réservant le céleri et la menthe, dans un saladier, et les mélanger en soulevant. Ajouter 10 g de truffe hachée, remuer encore, puis ajouter la vinaigrette. Remuer doucement pour bien enrober les feuilles. Dresser en dôme sur des assiettes. Parsemer les salades pastorales d'un peu de truffe hachée. Poser en haut de chaque assiette une feuille de céleri et une feuille de menthe. Arroser à la fourchette de quelques gouttes de vinaigre de vin vieux. »

RECETTE DE BERNARD PACAUD

salade de perdrix au chou

« Éplucher 1 gros chou frisé, bien pommé, l'effeuiller et retirer les grosses côtes. Le laver à grande eau et le blanchir 5 min à l'eau bouillante salée. Le rafraîchir et l'égoutter. Plumer 6 perdrix ; les vider en mettant les foies de côté, puis les couper en quatre : on n'utilise que les ailes, les cuisses pouvant servir pour une terrine. Désosser les ailes, les saler et les poivrer. Nettoyer avec un torchon humide 500 g de petits cèpes, sains et très fermes ; les émincer grossièrement. Faire revenir 6 tranches de poitrine de porc dans une sauteuse, ajouter les ailes de perdrix et les foies. Faire cuire 6 min, puis ajouter les cèpes. Couvrir la sauteuse et laisser étuver 5 min, puis retirer tous les éléments et réserver au chaud. Déglacer la sauteuse avec 10 cl de vinaigre de xérès, ajouter du poivre concassé, laisser réduire, puis monter la sauce avec 10 cl d'huile de noisette. Passer les feuilles de chou dans cette cuisson et en masquer le plat de service, poser dessus les tranches de poitrine, les ailes, les foies et les cèpes, puis parsemer de ciboule ciselée. »

salade de pissenlit au lard

Laver 250 g de feuilles de pissenlit et les essorer. Couper 150 g de poitrine de porc fraîche ou fumée en dés ; les dorer à la poêle. Préparer une vinaigrette avec 1 cuillerée à café de vinaigre blanc, 2 cuillerées à soupe d'huile, du sel et du poivre. Ajouter le pissenlit et remuer. Verser 1 cuillerée à soupe de vinaigre sur les lardons, remuer à la cuillère de bois, gratter le fond de la poêle et mettre sur le pissenlit le lard fumant.

RECETTE DE PHILIPPE BRAUN

salade de pommes de terre et pieds de porc truffés

« La veille, couper en petits cubes 50 g de jarret de porc, 25 g de foie de porc, 75 g de gorge de porc et 25 g de langue écarlate ; les assaisonner et les réserver dans une boîte hermétique au réfrigérateur. Passer les viandes deux fois au hachoir à viande, grille n° 8, et travailler le hachis à la spatule en y ajoutant 1/2 œuf, 50 g de truffe hachée, 1 g de mignonnette de poivre noir, puis y incorporer 500 g de pieds de porc pochés, désossés, émincés et tiédis. Avec cet appareil, confectionner 2 rouleaux de 350 g chacun et de 4 cm de diamètre, les enfermant dans du film alimentaire, les cuire à la vapeur dans un couscoussier pendant 20 min, puis les refroidir au réfrigérateur. Peler 1 kg de pommes de terre belles de Fontenay cuites en robe des champs et les trancher en rouelles de 4 mm d'épaisseur. Procéder de même avec les saucissons de pied de porc. Parer toutes ces rouelles avec un emporte-pièce de

35 mm de diamètre, puis les passer dans une vinaigrette préparée avec 25 cl d'huile parfumée à la truffe, 5 cl de vinaigre de vieux vin rouge, 5 cl de vinaigre de xérès et 7 g de sel. Dresser en rosace au centre de chaque assiette en intercalant pommes de terre et viande. Parsemer de ciboulette et de truffe hachée. »

salade Rachel

Nettoyer, effiler et tailler en tronçons du céleri-branche ; cuire à l'eau salée des fonds d'artichaut et des pommes de terre, puis les tailler en dés. Mélanger les légumes en proportions égales et les assaisonner avec une mayonnaise relevée. Dresser en dôme dans un saladier et garnir de pointes d'asperge cuites à l'eau salée.

RECETTE D'ALAIN SENDERENS
salade de raie

« Faire bouillir une eau vinaigrée avec du poivre et du thym. Y faire pocher 1 aile de raie de 800 g pendant 6 à 8 min. Assaisonner du mesclun avec 1 cuillerée à soupe de vinaigre de vin, 3 cuillerées à soupe d'huile d'olive, 2 échalotes coupées fin et des fines herbes ciselées, du sel et du poivre. Le tenir devant le four pour le tiédir. Quand la raie est cuite, l'éplucher, la détailler en filaments et ajouter ceux-ci à la salade. Hacher finement le zeste de 1 citron et 2 tomates concassées. Les parsemer régulièrement sur la salade, mélanger le tout et servir. »

salade reine Pédauque

Mélanger 20 cl de crème fraîche épaisse, 2 cuillerées à soupe d'huile, 1 cuillerée à café de moutarde, 2 cuillerées à soupe de jus de citron, 1 cuillerée à café de paprika et du sel. Napper de ce mélange une couronne de 12 cœurs de laitue en quartiers, dressés dans un plat rond. Garnir le centre d'une chiffonnade de laitue assaisonnée d'une vinaigrette classique et parsemée de grosses cerises fraîches dénoyautées. Placer au milieu de chaque cœur de laitue ouvert en quatre 1 tranche d'orange pelée à vif.

salade au roquefort ou à la fourme d'Ambert

Écraser 50 g de roquefort ou de fourme, y incorporer 1 petit-suisse et 2 cuillerées à soupe de crème fraîche ; ajouter quelques gouttes de tabasco, 1 cuillerée à café de cognac, très peu de sel, du poivre à volonté ; bien mélanger. Napper la salade de cette préparation et la remuer au moment de servir.

RECETTE DE JEAN-YVES SCHILLINGER
salade de saint-jacques sur un céleri rémoulade aux pommes et marinière de coques, vinaigrette aux fruits de la Passion
POUR 4 PERSONNES

« À l'aide d'une mandoline, tailler en fine julienne 1 boule de céleri-rave et 1 pomme granny smith, mélanger avec de la mayonnaise. Poêler 12 belles noix de saint-jacques dans une poêle antiadhésive, sans trop les faire cuire, puis réserver. Dans une casserole adéquate, faire chauffer fortement de l'huile d'olive puis ajouter 500 g de coques préalablement lavées à l'eau courante. Couvrir et remuer de temps en temps. Dès que les coquilles s'ouvrent, retirer du feu, puis réserver en prenant soin de chinoiser le jus des coquillages qui servira pour réchauffer les coques. Pour la vinaigrette, couper en deux 1 fruit de la Passion, et, à l'aide d'une fourchette, retirer la pulpe des fruits et rajouter 10 cl d'huile d'olive ainsi que 1 cuillerée à soupe de vinaigre de xérès, puis rectifier l'assaisonnement. Dresser le céleri rémoulade dans un cercle, ajouter par-dessus les coques légèrement chauffées. Couper en deux les saint-jacques, les assaisonner de vinaigrette puis les placer en corolle autour du céleri. Disposer autour la vinaigrette de fruits de la Passion. Servir. »

salade de topinambours aux noisettes

Peler des topinambours et les cuire 10 min dans du vin blanc salé. Les égoutter et les couper en tranches. Les verser dans un saladier, les assaisonner d'huile, de moutarde, de jus de citron, de sel et de poivre. Concasser des noisettes et les éparpiller sur les topinambours.

salade de volaille à la chinoise

Détailler en julienne 200 g de chair cuite de canard (avec la peau s'il est rôti). Faire tremper 30 min à l'eau tiède 7 ou 8 champignons noirs et 2 ou 3 champignons parfumés. Les rincer, les éponger et les couper en quatre. Ébouillanter 500 g de germes de soja, les rafraîchir aussitôt dans de l'eau froide et les éponger. Préparer une sauce d'assaisonnement en mélangeant 1 cuillerée à café de moutarde, autant de sucre, 1 cuillerée à dessert de ketchup, 1 cuillerée à soupe de sauce soja, autant de vinaigre, 1 pincée de poivre noir, 1/2 cuillerée à café de gingembre en poudre, 1 pincée de thym et autant de laurier en poudre, 1 petite gousse d'ail hachée, 3 cuillerées à soupe d'huile de sésame et, éventuellement, 1 cuillerée à soupe d'alcool de riz (ou de cognac). Mélanger la chair de canard, les champignons et les germes de soja ; les assaisonner avec la sauce. Dresser dans un saladier et parsemer, au moment de servir, avec 1 cuillerée à dessert de coriandre ciselée.

SALADE DE FRUITS Entremets froid composé de plusieurs fruits (entiers s'ils sont petits, coupés diversement s'ils sont plus gros), généralement aromatisés d'un sirop parfumé, parfois à l'eau-de-vie ou à la liqueur. Les fruits, exotiques ou européens, peuvent être crus, voire séchés et réhydratés, ou encore pochés et refroidis. Les salades de fruits sont parfois associées à des glaces et à des sorbets aux fruits ou à la vanille.

salade exotique au citron vert

Peler à vif un ananas bien mûr et couper la pulpe en dés. Éplucher et dénoyauter 3 mangues ; couper la pulpe en lamelles. Peler 3 bananes, les couper en rondelles et les rouler dans du jus de citron vert, sans les laisser tremper. Mettre tous ces éléments dans un saladier, poudrer de 3 ou 4 cuillerées à soupe de sucre cristallisé et mettre au réfrigérateur 3 heures au moins avant de servir.

salade de fruits
POUR 8 PERSONNES

Porter à ébullition 50 cl d'eau, 100 g de sucre en poudre, 1 gousse de vanille fendue en deux et grattée, 3 rubans de zeste d'orange et 2 de citron de 6 cm de longueur. Ôter du feu. Ajouter 10 feuilles de menthe. Les faire infuser 15 min puis filtrer. Laisser refroidir et garder au réfrigérateur. Peler à vif 1 pamplemousse, 3 oranges. Les détailler en quartiers entre les membranes blanches. Fendre en 2 et ôter les noyaux de 6 pêches et 6 abricots. Peler et fendre en deux 1 ananas. Le couper en fines tranches. Couper en lamelles fines 3 mangues pelées, 3 papayes pelées sans les graines. Mélanger tous ces fruits avec 300 g de fruits rouges et noirs (cassis, fraises, framboises, groseilles, mûres). Répartir dans 8 coupelles. Arroser du sirop refroidi. Ciseler 3 feuilles de menthe au-dessus de chaque coupelle.

RECETTE DE JEAN FLEURY
salade d'oranges maltaises aux zestes confits

« Préparer un sirop avec 250 g de sucre, 20 cl de sirop de grenadine, 25 cl d'eau et le jus de 1 citron. Bien laver 3 kg d'oranges maltaises et les éplucher, en gardant la peau blanche sur les fruits. Tailler les zestes en fine julienne. Les confire 1 heure dans le sirop, à petits frémissements. Les laisser refroidir dans leur cuisson, puis les réserver au frais. Peler les oranges à vif. Mettre les segments dans un saladier. Mouiller à hauteur avec le sirop des zestes. Décorer la salade d'oranges des zestes confits. Servir aussitôt. »

SALADE RUSSE Macédoine de légumes liée à la mayonnaise et à laquelle on peut ajouter poisson ou viande. On peut diversifier ses ingrédients, l'essentiel étant que ceux-ci soient suffisamment variés et que l'assaisonnement soit relevé.

salade russe

Cuire à l'eau et tailler en très petits dés des pommes de terre, des carottes et des navets ; cuire à l'eau et tailler en petits tronçons des haricots verts ; mélanger le tout en proportions égales et ajouter des petits pois bien égouttés. Lier de mayonnaise et dresser en dôme dans un saladier. Décorer d'une julienne de langue écarlate et de truffe, et ajouter au centre des petits dés de chair de homard ou de langouste.

SALADIER Récipient creux sans anse, légèrement évasé, classiquement accompagné d'un couvert assorti, utilisé pour servir la salade.

SALAGE Procédé de conservation appliqué essentiellement au porc et à certains poissons, parfois associé au fumage ou au séchage. Cette technique très ancienne, largement utilisée par les Romains, connut au Moyen Âge un très grand développement. Aujourd'hui, le salage au sel sec ou en saumure concerne des aliments spécifiques.
• ANCHOIS. Une fois nettoyés, les poissons sont mis à maturer dans du sel de 6 à 8 mois.
• HARENGS, SPRATS, SAUMONS ET ANGUILLES. Les poissons sont salés au sel ou en saumure, puis fumés.
• MORUE. Les poissons sont ouverts en deux, mis à plat et désarêtés, puis empilés entre des couches de sel additionné d'anhydride sulfureux, qui garde sa blancheur à la chair. Le salage dure au moins 30 jours.
• JAMBONS. Les jambons crus et le bacon sont frottés de sel sec nitrité (traitement parfois complété par une injection de saumure nitritée), puis entassés dans des saloirs. L'exsudation d'eau forme une saumure sursaturée, dans laquelle les pièces sont déplacées tous les 10 à 15 jours ; le salage dure de 40 à 60 jours. Les jambons cuits sont mis dans des cuves et recouverts d'une saumure, où ils restent de 30 à 40 jours, entre 3 et 5 °C. Le bœuf et la langue peuvent aussi être salés.
• FRUITS ET LÉGUMES. Le salage s'applique parfois aux haricots verts, aux fines herbes, mais surtout à la choucroute, sans oublier les cacahouètes, les amandes, les noix et les noisettes.
• FROMAGES. Le salage constitue une opération importante dans la fabrication des fromages. Il accélère l'égouttage des pâtes molles, poudrées à la main, et provoque la formation de la croûte des pâtes pressées cuites et non cuites, immergées dans de la saumure ; plus le salage est renouvelé, plus la croûte épaissit et devient dure. Certains fromages frais sont salés en proportions variables (demi-sel) ou conservés dans une saumure légère (fromages de chèvre ou de brebis des pays méditerranéens).

SALAISON Action de saler un aliment pour le conserver et, par extension, cet aliment lui-même (viande ou poisson), qu'il ait été traité par le sel sec ou par la saumure.

SALAMANDRE Appareil de cuisson à l'électricité ou au gaz, à plafond rayonnant, utilisé par les professionnels pour faire glacer, gratiner ou caraméliser certains mets salés ou sucrés. Le gril du four, utilisé avec la porte entrouverte, peut tenir lieu de salamandre.

SALAMI Produit de la charcuterie italienne assez proche du saucisson sec, mais de plus gros diamètre, fait d'un hachage assez fin de porc (ou d'un mélange de viandes), avec une proportion abondante de gras, régulièrement réparti en grains de grosseur variable (**voir** tableau des saucissons page 787). En Italie, il existe plusieurs appellations d'origine de salami : *salame milanese, fiorentino, di Felino, di Fabriano, di Secondigliano, calabrese,* etc. La pâte peut être aromatisée au vin rouge, fumée, épicée de fenouil, de persil ou d'ail, ou relevée d'un hachis de piment ; on trouve aussi du salami d'oie ou de sanglier.

En France, le salami de Strasbourg (ou saucisson d'Alsace) est souvent fait de bœuf (pour le maigre) et de porc (pour le gras), fumé et de diamètre réduit.

On prépare également des salamis en Allemagne, en Autriche, en Suisse, au Danemark, en Hongrie, etc. Les salamis les plus connus sont danois (pâte fortement colorée, salée et fumée) et hongrois (coloré au paprika, fumé, parfois sous boyau de cheval ou de bœuf). Ces charcuteries se servent en hors-d'œuvre froid, souvent dans un assortiment de produits variés, en tranches très fines ; le salami peut aussi garnir des sandwichs, des canapés ou même la pizza.

SALAMMBÔ Petit gâteau en pâte à choux, fourré de crème pâtissière au kirsch. La pâte est dressée en forme de gros œuf et cuite au four ; une fois l'intérieur garni, on glace le dessus au fondant vert, en parsemant une extrémité de vermicelle en chocolat.

SALÉ Qualificatif employé pour désigner la saveur spécifique ressentie dans la bouche au contact du sel de cuisine. Le salé est, avec le sucré, l'amer et l'acide, une des quatre saveurs fondamentales.

Il est difficile de trouver du goût aux aliments non salés, le sel étant d'ailleurs probablement le plus ancien assaisonnement connu. Il est en outre utilisé depuis très longtemps comme conservateur des viandes et des poissons (**voir** SALAGE).

SALÉE Pâtisserie sucrée de la Suisse romande, à base de pâte levée en forme de galette, garnie au centre de crème et de beaucoup de sucre.

SALERS Fromage AOC à pâte pressée non cuite et à croûte sèche (**voir** tableau des fromages français page 392). Fabriqué en alpage auvergnat à plus de 800 m d'altitude, de mai à octobre, il se présente en forme de cylindre de 38 à 48 cm de diamètre et de 45 cm d'épaisseur, pesant de 30 à 40 kg. Il a une saveur prononcée et fruitée.

SALERS (VIANDE) Race bovine, rustique, du Massif central, à robe acajou foncé, très appréciée des amateurs de viande en France et aux États-Unis pour la finesse incomparable de son grain de viande. À l'origine, cette race mixte donnait la plus grande partie de son lait pour élaborer les fromages cantal et salers.

SALICORNE Petite plante charnue, de la famille des chénopodiacées, gonflée d'un suc salé, qui pousse sur les côtes de l'Atlantique, de la Manche et jusqu'en Norvège, ainsi que dans les marais salants, en Camargue (**voir** tableau des plantes marines page 660 et planche page 659). La salicorne doit son nom à sa forme dite « en corne de sel ». Elle se récolte à la mi-juillet. Ses extrémités tendres et bien vertes se consomment en salade ou cuites comme des haricots verts ; confites au vinaigre, elles servent de condiment comme les cornichons.

SALIÈRE Petit récipient utilisé pour présenter le sel fin à table. À l'origine, les salières étaient de simples morceaux de pain évidés ; puis apparurent les salières en argent, pièces d'orfèvrerie, fermées parfois à clef, tant l'ingrédient qu'elles renfermaient était précieux. Aujourd'hui, le sel fin est souvent présenté dans une petite fiole en verre au couvercle métallique percé de trous, et le gros sel dans une coupelle en forme de petit baquet, ou dans un moulin, comme le poivre.

SALINITÉ Quantité de sel contenue dans un liquide (vin ou eau). La salinité est indiquée sur les étiquettes des bouteilles d'eau.

SALMIS Ragoût de gibier à plumes (bécasse, colvert, faisan, perdreau), de canard, de pigeon ou de pintade. D'abord rôtie aux deux tiers, la viande est ensuite découpée et traitée comme un ragoût. Le mot est une abréviation de « salmigondis » qui désignait au XVIIe siècle un ragoût composé de diverses viandes déjà cuites et que l'on faisait réchauffer.

salmis de bécasse

Préchauffer le four à 240 °C. Plumer, parer, flamber et trousser 2 bécasses. Les assaisonner de sel et de poivre, les beurrer et, dans une sauteuse, les faire rôtir au four pendant 8 à 10 min pour obtenir la cuisson « vert-cuit ». Découper chaque bécasse en deux (1 aile et 1 cuisse). Retirer l'intérieur (y compris les intestins) des bécasses et le réserver dans un bol. Débarrasser chaque demi-bécasse de sa peau et retirer délicatement tous les os de la carcasse. Placer les morceaux de bécasse dans un sautoir beurré (il est recommandé d'utiliser un sautoir qui servira de plat de service). Asperger chaque morceau d'un trait de cognac flambé ; couvrir et réserver à chaleur douce. Hacher la peau et concasser finement les os et parures ; les ajouter dans la sauteuse de cuisson des bécasses et les faire colorer légèrment. Ajouter 2 échalotes ciselées ainsi que 4 ou 5 grains de poivre en mignonnette. Faire suer puis ajouter 20 cl de vin blanc sec, faire réduire et ajouter 40 cl de fond brun lié de gibier (ou de fond de veau brun lié). Laisser cuire doucement pendant 12 min. Faire sauter au beurre 24 têtes de petits champignons de Paris et les ajouter aux morceaux de bécasse. Passer la sauce au chinois en pressant fortement les carcasses. Porter cette sauce de nouveau à ébullition et lui incorporer l'intérieur et les intestins hachés. Vérifier l'assaisonnement. Passer de nouveau au chinois et monter avec 40 g de beurre sans fouetter. Verser cette sauce sur les demi-bécasses et les champignons, puis placer une lame de truffe sur chaque morceau. À l'intérieur du sautoir et sur le bord, disposer 4 croûtons de pain frits au beurre et tapissés de purée de foie gras truffé. Servir le tout très chaud.

salmis de faisan ▶ FAISAN

SALOIR Récipient utilisé pour le salage de la viande de porc. Le saloir, qui était autrefois un grand baquet de bois, est aujourd'hui un bac en ciment, en grès ou en matière plastique.

SALON DE THÉ Établissement où l'on consomme du thé, du chocolat, du café, des boissons non alcoolisées, des gâteaux et parfois certains apprêts de pâtisserie salée ou d'œufs, des salades, des sandwichs, des croque-monsieur, etc., dans l'après-midi ou au moment du déjeuner. En Grande-Bretagne, en Allemagne, en Autriche et en Belgique, la fréquentation des salons de thé est une pratique beaucoup plus répandue qu'en France, et cela dès le début de la matinée.

SALONS ET EXPOSITIONS CULINAIRES Manifestations qui consistent à présenter matériels, produits et services nouveaux dans le domaine de l'alimentation. Jusqu'en 1914, Paris connut deux événements concurrents : le Salon culinaire et l'Exposition internationale d'alimentation et d'hygiène, qui proposaient surtout des apprêts de grand apparat, très décoratifs. Aujourd'hui se tient chaque année le très important Salon international de l'alimentation (SIAL).

Depuis 1933, Montréal accueille tous les ans le Grand Salon d'art culinaire du Québec, qui est l'une des plus vieilles manifestations de ce genre en Amérique du Nord.

SALPÊTRE Nom usuel du nitrate de potassium, utilisé comme agent de conservation. Le salpêtre se présente sous la forme de petits cristaux blancs, que l'on obtenait autrefois en grattant les murs des caves et des celliers, et qui sont aujourd'hui fabriqués industriellement. C'est un puissant bactéricide, employé depuis très longtemps pour la conservation des produits alimentaires (charcuteries et viandes surtout), dont il fixe en outre la couleur. Il est associé au sel dans toutes les saumures, additionné de deux fois au moins son poids de sucre, car il a une saveur très âcre ; il intervient aussi dans le salage du beurre. Son emploi est soumis à une réglementation très stricte.

SALPICON Préparation composée d'éléments coupés en petits dés, liés d'une sauce s'il s'agit d'un salpicon de légumes, de viande, de volaille, de gibier, de crustacés, de poissons ou d'œufs, et d'un sirop ou d'une crème s'il s'agit d'un salpicon de fruits.

Les salpicons salés s'emploient pour garnir barquettes, bouchées, caisses, canapés, cassolettes, croustades, croûtes, dartois, mazagrans, petits pâtés, rissoles, tartelettes et timbales. On les utilise aussi pour préparer côtelettes composées, cromesquis et croquettes, et pour farcir ou pour garnir gibiers, œufs, pièces de boucherie, poissons et volailles.

Les salpicons de fruits se préparent avec des fruits frais, crus, cuits au sirop ou confits, souvent macérés dans une liqueur, et servent à garnir divers entremets et pâtisseries (brioches, coupes glacées, crêpes, croûtes, gâteaux de riz ou de semoule, génoises, etc.).

salpicon à l'américaine

Détailler de la chair de langouste ou de homard en dés, et lier à chaud de sauce américaine.

salpicon à la bohémienne

Couper en dés du foie gras et des truffes. Faire réduire de la sauce madère, y ajouter de l'essence de truffe et en lier le salpicon.

salpicon à la cancalaise

Pocher des huîtres et les mélanger à de fines lamelles de champignon cru, de préférence sauvage, macérées dans du jus de citron ; les lier à chaud de sauce normande ou de velouté de poisson.

salpicon à la cervelle

Pocher des cervelles d'agneau, les détailler en dés et les lier à chaud de sauce allemande, de béchamel ou de velouté.

salpicon chasseur

Couper en dés et faire sauter vivement au beurre un mélange en proportions égales de foies de poulet et de champignons de couche. Lier à chaud de sauce chasseur bien réduite.

salpicon de crêtes de coq

Détailler en dés, plus ou moins gros suivant l'utilisation finale, des crêtes de coq cuites au blanc. Les chauffer dans du madère (ou tout autre vin de liqueur). Lier de quelques cuillerées de velouté de volaille, de sauce blanche ou madère très réduite.

salpicon Cussy

Tailler en dés du ris de veau braisé à blanc, de la truffe et des champignons étuvés au beurre. Lier ce salpicon de sauce madère très réduite.

salpicon au poisson

Pocher des filets de poisson, les détailler en dés et les lier à chaud de sauce béchamel, normande ou au vin blanc, ou, à froid, de vinaigrette ou de mayonnaise.

salpicon à la royale

Tailler en salpicon 3 cuillerées de champignons et 1 cuillerée de truffe. Faire étuver au beurre les champignons, puis ajouter la truffe et 4 cuillerées de purée de volaille. Bien mélanger et utiliser comme garniture de bouchées ou de barquettes.

salpicon à la viande

Couper de la viande de desserte de bœuf, de veau, de mouton ou de porc en petits dés et lier de sauce blanche ou brune.

SALSIFIS Nom donné en cuisine à la racine de deux plantes de la famille des astéracées : celle du salsifis vrai, blanche, conique et allongée, plus ou moins garnie de radicelles, et celle du salsifis noir, ou scorsonère, noire, cylindrique, longue et nette, pratiquement la seule cultivée. Les deux racines, vendues en hiver, ont la même saveur, assez affirmée, un peu amère, et une chair fondante ; elles s'apprêtent de la même façon, surtout comme garniture de viande blanche.

Le salsifis sauvage, dit « barbe-de-bouc », pousse dans les prés un peu humides. Ses jeunes pousses se mangent en salade et comme les épinards ; ses racines sont cuisinées comme celles de la scorsonère.

salsifis : préparation et cuisson

Bien laver les salsifis et les laisser tremper 1 heure à l'eau froide pour faciliter l'épluchage. Les peler au couteau économe, les diviser en tronçons de 7 à 8 cm et les plonger au fur et à mesure dans une eau citronnée ou vinaigrée. Les cuire de 1 heure à 1 h 30 dans un blanc à légumes bouillant, à couvert et à petite ébullition, puis les égoutter et les éponger. Les conserver éventuellement au réfrigérateur un jour ou deux dans le jus de cuisson.

beignets de salsifis ▶ BEIGNET

salsifis au gratin

« Laver, éplucher et tronçonner 1 kg de salsifis. Les plonger dans une eau citronnée, puis les faire cuire 1 heure dans un blanc salé. Les égoutter soigneusement. Faire fondre au beurre 2 échalotes hachées. Verser dessus 1/2 litre de crème et laisser réduire pour que la crème soit onctueuse. Ajouter les tronçons de salsifis et donner un bouillon. Saler, poivrer et verser dans un plat à gratin. Poudrer de gruyère râpé et de chapelure et faire gratiner 20 min dans le four préchauffé à 250 °C. »

salsifis au jus

Laver, éplucher et cuire les salsifis dans un blanc, les égoutter et les arroser de jus de veau blond peu lié ou de jus de viande. Laisser mijoter de 15 à 20 min dans le four préchauffé à 180 °C.

salsifis à la polonaise

Cuire les salsifis au blanc, puis les faire étuver 10 min au beurre. Les disposer dans un plat creux, les poudrer de jaune d'œuf dur haché et de persil ciselé. Faire frire 30 g de mie de pain émiettée dans 100 g de beurre noisette et verser sur les salsifis.

SALSIZ Petite saucisse sèche originaire du canton des Grisons, en Suisse. De forme rectangulaire et longue de six à quinze centimètres, la salsiz se compose de maigre de bœuf et de porc et de lard gras, moyennement hachés. Elle se sert traditionnellement découpée en tranches un peu épaisses et accompagnées de cornichons et de petits oignons au vinaigre.

SALTENA Chausson fourré de viande, de pommes de terre, d'œufs, d'olives, de petits pois et de sauce pimentée. Spécialité de la gastronomie bolivienne, semblable à l'*empanada*, il donne son nom à la pause prise par les Boliviens entre 10 heures et midi.

SALTIMBOCCA Spécialité de la cuisine romaine, qui se présente sous forme de fines tranches de veau poêlées à l'huile, recouvertes de petites tranches de jambon et de sauge, et parfumées au vin blanc.

SAMARITAINE (À LA) Se dit de grosses pièces de boucherie braisées garnies de timbales de riz, de pommes dauphine et de laitues braisées.

SAMBAL Condiment indonésien fait de piment rouge, d'oignon râpé, de citron vert, d'huile et de vinaigre ; son nom désigne aussi, par extension, les mets qu'il accompagne.

SAMBUCA Liqueur anisée italienne, incolore, très appréciée des Romains, qui la boivent *con la mosca* (« avec la mouche »), c'est-à-dire avec un ou deux grains de café flottant dans le verre, après l'avoir fait flamber puis refroidir. Très forte, mais douceâtre, la sambuca se déguste en croquant les grains de café.

SAMOS Vin de liqueur AOC originaire de l'île grecque du même nom. Obtenu par adjonction d'alcool en cours de fermentation, ce vin muté, très sucré, est un apéritif particulièrement fruité, titrant 18 % Vol., qui se boit frappé ou en vin de dessert.

SAMOVAR Bouilloire russe permettant d'avoir en permanence de l'eau bouillante pour les emplois domestiques. En cuivre jaune ou rouge (aujourd'hui, elle est parfois en aluminium ou en Inox et chauffée électriquement), le samovar est le cadeau de mariage traditionnel. Il est constitué d'un récipient pansu, à deux poignées, traversé par une cheminée centrale reposant sur une grille où l'on place des braises. L'eau introduite par le haut se réchauffe au contact de la cheminée ; on la recueille bouillante en bas du récipient, à l'aide d'un petit robinet.

SAMSØ Fromage danois de lait de vache (45 % de matières grasses), à pâte pressée et à croûte paraffinée jaune (**voir** tableau des fromages étrangers page 400). Originaire de l'île du même nom, le samsø se présente sous la forme d'une meule ronde de 45 cm de diamètre, pesant environ 15 kg. Doux et ferme, il acquiert une saveur noisetée quand il est plus affiné. Il existe plusieurs variantes, dont le danbo, le fynbo et l'elbo.

SANCERRE Vin AOC généralement blanc, très aromatique, du Val de Loire, produit à partir de cépages sauvignon ; le pinot noir donne aussi du rouge et surtout un rosé fruité et corsé (**voir** LOIRE).

SAND (AURORE DUPIN, DITE GEORGE) Femme de lettres française (Paris 1804 - Nohant 1876). Avec les grands noms du Paris littéraire romantique, elle fréquenta le *Procope,* la guinguette de la mère Saguet et fit honneur aux pieds de mouton poulette de chez *Magny*, mais elle avait aussi une réputation de cordon-bleu. Elle célébra l'« omelette nohantaise » et se régalait de chavignol, mais ne dédaignait pas non plus les « pommes féeriques » (les truffes). Elle appréciait les vins berrichons et possédait une vigne à Mers-sur-Indre.

SANDRE Grand poisson des eaux courantes et des lacs, de la famille des percidés, voisin de la perche, pouvant atteindre 1 m et peser 15 kg (**voir** planche des poissons d'eau douce pages 672 et 673). Son dos est gris-vert, tigré de rayures foncées ; ses ouïes et sa nageoire anale portent des rayons épineux, délicats à éliminer, tout comme les écailles, légères et qui ont tendance à s'« envoler ». Sa chair fine, ferme et blanche, renfermant peu d'arêtes, s'apprête comme celle du brochet ou de la perche. Originaire d'Europe centrale, le (ou la) sandre se pêche surtout dans le Doubs et dans la Saône, ainsi que dans les étangs, où il a été introduit. Au Canada, le doré est un proche cousin du sandre.

sandre grillé aux cardons, filet d'huile d'olive et citron

Hacher finement 5 gousses d'ail, 1/2 bouquet de persil plat, 2 branches de thym. Presser 2 citrons. Mélanger le tout à 15 cl d'huile d'olive, et y mettre 4 tranches de sandre de 150 g. Laisser mariner au frais 2 ou 3 heures. Éplucher 300 g de petits oignons, les glacer à brun et les réserver au chaud. Éplucher 2 kg de cardons, puis les couper en morceaux de 3 à 4 cm de côté. Les cuire 1 heure à l'eau bouillante citronnée et salée. Les égoutter, les faire revenir au beurre sans coloration, et les réserver au chaud. Retirer le poisson de la marinade et le griller. Chauffer la marinade et laisser infuser à couvert de 25 à 30 min. Tapisser des assiettes de cardons, déposer au-dessus une tranche de sandre, disposer les oignons glacés et napper le tout de marinade chaude.

timbale de sandre aux écrevisses et mousseline de potiron ▶ TIMBALE

SANDWICH Apprêt froid, fait de deux tranches de pain enfermant une garniture simple ou composée, détaillée en tranches minces ou en petits éléments. Divers condiments complètent la composition.

Le mot, qui date du début du XIXe siècle, vient du titre nobiliaire de l'Anglais John Montagu, quatrième comte de Sandwich, joueur invétéré, qui se faisait servir de la viande froide entre deux tranches de pain pour se restaurer sans quitter la table de jeu. Mais, depuis des temps reculés, il était d'usage de donner aux travailleurs des champs la viande de leur repas enfermée entre deux tranches de pain bis. Le pan-bagnat niçois, lui aussi, est un sandwich fait d'un pain rond bien garni et imbibé d'huile d'olive, que l'on retrouve dans nombre de pays méditerranéens.

club-sandwich

Écroûter 3 tranches de grand pain de mie. Les griller légèrement et les tartiner de mayonnaise. Placer sur deux d'entre elles 1 feuille de laitue, 2 rondelles de tomate, des lamelles de blanc de poulet rôti froid dépouillé de sa peau et des rondelles d'œuf dur. Napper à nouveau de mayonnaise additionnée de ketchup ou de fines herbes ciselées et superposer les deux toasts garnis. Couvrir avec le dernier toast.

sandwich jambon-beurre à boire ▶ AMUSE-GUEULE

SANG Liquide vital des vertébrés, surtout consommé quand il est de porc, sous forme de boudin noir. Le sang frais, symbole de vigueur, a toujours été considéré comme une nourriture fortifiante, surtout dans les pays froids, d'où l'antique *swartsoppa* suédoise – soupe « noire » au sang d'oie – et la *czernina* (ou *tchernina*) polonaise – consommé au riz, aux pâtes ou aux croûtons frits, auquel on ajoute du sang frais de volaille, de gibier ou de porc avant de le lier d'une purée de foie de volaille. La liaison au sang est largement utilisée dans la cuisine française, essentiellement pour les ragoûts, les civets et les apprêts « en barbouille ».

Le canard « au sang » est un volatile tué par étouffement, très apprécié dans la cuisine rouennaise.

L'expression « cuit à la goutte de sang » s'applique à un gibier ou à une volaille jeune, juste cuits ; de même, une viande « saignante » correspond à un degré de cuisson spécifique de la grillade ou du rôti.

SANGLER Entourer de glace vive pilée et de gros sel, bien tassés, un moule étanche placé dans un récipient. Le sanglage permet d'obtenir la congélation d'un appareil à bombe et sa conservation momentanée.

SANGLIER Porc sauvage de la famille des suidés, ayant le même ancêtre que le cochon domestique et qui est chassé depuis l'Antiquité (**voir** tableau des gibiers page 421). Les jeunes sangliers ont une chair délicate, dont le goût s'affirme de plus en plus avec l'âge, jusqu'à être très fort chez l'adulte. Cet animal est aujourd'hui élevé en enclos, ce qui permet la consommation de sa viande toute l'année.

Au Ier siècle av. J.-C., le poète latin Horace saluait déjà le sanglier comme un plat noble et de haute saveur. Au Moyen Âge et pendant les siècles suivants, on continua d'apprécier la viande de sanglier, notamment les « queues de sanglier à la sauce chaude » (*Ménagier de Paris* [v. 1393]), la hure, l'épaule en ragoût, la longe rôtie, ainsi que les pâtés.

■ **Choix.** L'animal âgé de moins de 6 mois s'appelle « marcassin » ; jusqu'à 3 mois, sa fourrure est claire, rayée de bandes foncées de la tête à la queue (il est dit « en livrée ») ; sa chasse est interdite. De 5 mois à 1 an, il est dit « bête rousse » à cause de sa couleur, puis, de 1 à 2 ans, « bête de compagnie ». Sa chair est alors excellente en cuisine. Après, le pelage noir apparaît. À 2 ans, le sanglier est appelé « ragot » ; à 3 ans, c'est un « tiers-an » ; à 4 ans, un « quartenier » ; plus vieux, un « porc entier » ; enfin, lorsqu'il est avancé en âge, il prend le nom de « solitaire » ou d'« ermite ». Il peut atteindre 30 ans. Chez un mâle de 8 ans, la viande, bien que dure et très forte en goût, reste consommable. La chair de marcassin, délicate, s'utilise telle quelle. Pour les bêtes rousses et de compagnie, une marinade au vin rouge de deux à trois heures est nécessaire ; pour les sujets plus âgés, elle doit être prolongée de cinq à huit heures ; les cuissons longues sont alors indispensables.

■ **Emplois.** La plupart des recettes du porc conviennent au sanglier, excepté le rôti (sauf pour le marcassin). Les côtelettes, marinées ou non, sont poêlées ; on peut aussi tailler des tranches dans les parties tendres et les cuisiner comme des escalopes. La cuisse, ou jambon, est braisée à l'aigre-doux avec sa marinade, additionnée éventuellement de raisins secs, de pruneaux ou d'écorce d'orange. Le filet de marcassin, bardé, se fait rôtir. Le filet de sanglier peut être cuit en daube, doré au préalable, puis mijoté sur un fond de couennes avec sa marinade. Les bons morceaux sont presque toujours accommodés en civet. On peut aussi hacher la viande de marcassin et la cuire en tourte ou en pie avec des pruneaux.

hure de sanglier

Cuire au court-bouillon 4 langues de porc échaudées, épluchées et saumurées pendant 4 à 5 jours. Flamber une hure de 5 kg environ, la racler avec soin et la désosser complètement, sans déchirer la peau ; réserver les oreilles, retirer la langue et les morceaux charnus qui adhèrent à la peau. Détailler en gros dés réguliers les morceaux de chair maigre ; les laisser reposer 10 heures, avec la langue et la peau de la tête, avec 5 carottes et 4 oignons émincés, du thym, du laurier, du sel, du poivre et 1 cuillerée à café de quatre-épices. Couper en dés de 2 cm de côté la

langue de sanglier, les langues de porc cuites, 500 g de langue écarlate, 750 g de jambon, 1 kg de chair de volaille (désossée, parée et dénervée) et 500 g de lard gras. Ajouter 400 g de truffes pelées et coupées en gros dés, 150 g de pistaches mondées et les morceaux de chair maigre retirés de la tête de sanglier. Faire macérer 2 heures avec du cognac, du sel, du poivre et 1/2 cuillerée à café de quatre-épices. Ajouter à ce salpicon 4,5 kg de farce fine de porc et 4 œufs entiers ; bien mélanger le tout. Étaler la peau de la hure sur un torchon (mouillé d'eau froide et essoré), partie extérieure en dessous ; disposer la farce au milieu et replier la peau sur cette farce. Envelopper la hure dans le torchon, en l'amincissant du côté du groin, et bien ficeler. La cuire très doucement 4 h 30 dans un fond de gelée avec les os et les parures de la tête, ainsi que la carcasse et les autres parures de la volaille. Une heure avant la fin de la cuisson, ajouter les oreilles. Égoutter la hure et les oreilles. Laisser reposer la hure 30 min, la déballer. Laver le torchon et bien le tordre. Y rouler de nouveau la hure et la serrer à l'aide d'un large ruban, toujours en lui conservant sa forme (commencer le ficelage du côté du groin). Laisser refroidir 12 heures au moins, puis déballer et éponger. Fixer à leur place respective, par de minces chevilles de bois, les deux oreilles préalablement nappées d'une couche de sauce chaud-froid brune ou de glace de viande dissoute. Napper avec la même sauce toute la hure placée sur une grille et remettre les défenses à leur emplacement ; simuler les yeux avec du blanc d'œuf dur et de la truffe. Dresser la hure dans un grand plat ; décorer de truffes et de pistaches mondées, puis lustrer à la gelée. Faire refroidir dans le réfrigérateur.

selle de sanglier, sauce aux coings ▶ SELLE

SANGRIA Boisson apéritive alcoolisée d'origine espagnole, faite de vin rouge où macèrent des tranches d'agrumes et de fruits. Souvent relevée d'un alcool, additionnée d'eau gazeuse, la sangria se sert frappée.

SANTAMARIA (SANTIAGO DIT SANTI) Cuisinier espagnol (San Celoni 1957). Cet ex-dessinateur rondouillard et barbu a transformé la maison familiale en table au luxe sobre couronnée de trois étoiles au Guide Michelin (*El Raco de Can Fabes* de San Celoni, proche de Barcelone, ou « le coin de chez Fabès »). Amateur éclairé, ayant couru en client passionné les tables du monde entier, devenu professionnel au long cours, il a créé sa petite musique à lui, exaltant le produit net, lui faisant rendre un son autre, établissant un répertoire, rendant compte de ses voyages, réalisant des mariages rares, justes de ton, jamais hâbleurs. Ses pibales au vinaigre d'anguille, huîtres au raifort, raviolis de gambas sans pâte (les grosses crevettes renfermant une exquise duxelles de cèpes), truffes en trois façons (émiettées sur du taboulé, en blini ou en chapelure de boulette de foie gras) ou le lard paysan, si moelleux, avec sa fine purée de pommes de terre, accordé au caviar sont des plats de mémoire.

SANTÉ Nom d'un potage lié, dérivé du potage Parmentier par adjonction d'une fondue d'oseille et de pluches de cerfeuil.

SANTENAY Vin AOC de la côte de Beaune, produit sur la commune la plus méridionale de la côte d'Or ; le rouge, issu du cépage pinot noir, bouqueté et harmonieux, s'affirme avec l'âge ; le blanc, issu du cépage chardonnay, sec et fin, se boit jeune (**voir** BOURGOGNE).

SANTINI (NADIA) Cuisinière italienne (San Pietro Mussolino 1954). Lombarde autodidacte, diplômée de Sciences Po et de l'Institut des Sciences de l'alimentation de Milan, elle est formée par sa belle-mère, Bruna, épaulée par son mari Antonio (Bozzomo 1953), dans la maison familiale, *Dal Pescatore*, à Canneto-sul-Oglio, à équidistance de Parme, Crémone, Modène et Mantoue. Elle recrée à sa manière légère la cuisine de sa région, qui, proche de la plaine du Pô et de l'Émilie-Romagne, offre un résumé de l'Italie gourmande. Parmesan, vinaigre balsamique, moutarde de fruits, macarons amers sont les ingrédients dont elle use dans une contrée où les traditions, notamment l'aigre-doux et les poissons de rivière, datent de la Renaissance. Les tuiles de parmesan croustillantes, copiées dans le monde entier, le risotto de poisson-chat, les raviolis de pintade au foie de pigeon ou les tortellis de courge (zucca) ou de pecorino sont quelques-uns de ses plats phares. Elle a reçu trois étoiles au Guide Michelin en 1996 et Paul Bocuse a pu qualifier sa demeure de « meilleur restaurant du monde ».

SAPIDE Qualificatif désignant ce qui a de la saveur, celle-ci étant prise avec le sens positif et agréable d'assaisonnement.

SAPOTILLE Fruit du sapotier, arbre de la famille des sapotacées, originaire de l'Amérique centrale, qui donne aussi un latex à la base du chewing-gum (chicle). Grosse comme un citron, recouverte d'une écorce rugueuse, grise ou brune, la sapotille est également appelée « abricot de Saint-Domingue », « sawo manilla », « nèfle d'Amérique » ou « sapote ». Elle a une chair jaune à rouge, dont la saveur un peu âpre, sucrée et farineuse, rappelle celle des nèfles ; elle se mange presque blette, pelée et débarrassée de ses grosses graines fusiformes. La sapote proprement dite est le fruit d'une plante voisine ; elle est surtout consommée en marmelade et souvent nommée « sapotille mamey » (**voir** planche des fruits exotiques pages 404 et 405).

SAR Poisson de la famille des sparidés, comme les dorades auxquelles il ressemble. Ovale, trapu, avec de gros yeux et une nageoire dorsale aux rayons épineux, le sar a un corps argenté avec une tache noire sur la nageoire caudale. Il vit en Méditerranée et dans l'Atlantique Sud, à partir du golfe de Gascogne. Les sars s'apprêtent comme les dorades.
– Le sar à tête noire (20 cm environ) possède une grosse tache noire qui traverse latéralement la queue et déborde sur les nageoires dorsale et anale ; il porte une autre tache noire sur le dos, derrière la tête.
– Le sar commun, ou sar de Rondelet (jusqu'à 40 cm), présente, outre la tache sur la queue, sept ou huit bandes verticales sombres sur le dos et les flancs ; les nageoires ventrales sont également noires.
– Le sar à grosses lèvres (le plus petit) a des nageoires ventrales jaunes et porte quatre ou cinq bandes transversales sombres.

SARCELLE Canard sauvage de petite taille, de la famille des anatidés, dont on chasse plusieurs espèces : les plus communes sont la sarcelle d'hiver, peu migratrice, présente en France toute l'année, et la sarcelle d'été, qui vient d'Afrique ; on rencontre aussi les sarcelles élégantes, marbrées et à faucilles. Plus difficile à chasser que le colvert à cause de son vol saccadé, la sarcelle connaît les mêmes apprêts que lui. Sa chair, un peu brunâtre et amère, d'une grande finesse, est très recherchée des amateurs.
En Amérique du Nord, la sarcelle à ailes vertes et la sarcelle à ailes bleues, qui parcourent 11 000 km pour nicher au nord et hiverner au sud, comptent parmi les canards que l'on chasse en saison.

SARDE (À LA) Se dit de petites ou de grosses pièces de boucherie saucées de déglaçage à la demi-glace tomatée et garnies de croquettes de risotto safrané, accompagnées soit de champignons et de haricots au beurre, soit de tronçons de concombre et de tomates farcies de duxelles et gratinées.

SARDINE Petit poisson (25 cm au maximum) de la famille des clupéidés, voisin du hareng, au dos bleu-vert, avec les flancs et l'abdomen argentés (**voir** planche des poissons de mer pages 674 à 677).
■ **Variétés.** La sardine est surtout un poisson de printemps et d'été ; en juillet-août, bien grasse et savoureuse, elle est appelée « royan » en Charente-Maritime.
– La petite sardine d'Italie (de 12 à 15 cm de long) est idéale pour la friture, car elle n'est jamais très grasse, même en été, et se dessèche bien.
– La sardine moyenne (de 18 à 20 cm), à la chair plus serrée et plus savoureuse, se fait griller ou frire.
– La grosse sardine de Bretagne (25 cm), grillée dans sa propre graisse, est très savoureuse.
Les sardines fraîches se traitent aussi en escabèche ou en bouillabaisse ; on peut les paner ou les poêler, les farcir et les cuire au four, au plat ou en papillote, voire les déguster crues, en terrine ou marinées. Avant tout apprêt, elles sont écaillées, vidées et essuyées, puis on leur coupe la tête, sauf pour les faire griller (elles se brisent moins facilement) ; fraîches et petites, elles sont simplement essuyées.
■ **Sardines en conserve.** Les sardines peuvent être fumées ou salées, mais elles sont surtout conservées à l'huile et mises en boîte. Dès le Moyen Âge, les sardines bretonnes étaient salées et pressées ; la première conserverie (à Nantes) date de 1824. Jusqu'à la première moitié du XXe siècle, les conserveries prospérèrent surtout en Bretagne et au Pays basque, mais la sardine bretonne se fait rare aujourd'hui, tandis que Sète et Marseille sont devenues des ports sardiniers importants. Autrefois, les sardines étaient frites avant d'être mises en boîte ; à présent, elles sont plutôt étuvées et donc plus digestes. La mention « extra » ou « première catégorie » signifie qu'elles ont été préparées fraîches, mais les meilleures sardines sont toujours accompagnées d'une mention détaillée (par exemple, « garanties pêchées sur les côtes de Bretagne » ou « avec de l'huile d'olive vierge extra »). Les sardines en conserve de Bretagne et de Saint-Gilles-Croix-de-Vie, préparées à l'ancienne, bénéficient du Label rouge. Les sardines peuvent être apprêtées à l'huile d'olive, à l'huile végétale, à l'huile et au citron, à la tomate ou dans une marinade au vinaigre, et on en trouve même sans arêtes. Les sardines en boîte peuvent être stockées pendant plusieurs années, car elles se bonifient avec l'âge, au frais, mais jamais au froid.
Les sardines de conserve se servent surtout comme hors-d'œuvre froid, en ravier, avec diverses crudités ; elles permettent aussi de préparer canapés et toasts, bouchées et feuilletés chauds ou froids ainsi qu'un beurre composé.

escabèche de sardines ▶ ESCABÈCHE
rillettes de sardine ▶ RILLETTES

RECETTE DE CHRISTOPHE CUSSAC

sardines aux asperges vertes et au citron de Menton confit

POUR 4 PERSONNES – PRÉPARATION : 45 min

« Laver 6 sardines et lever les filets. Recouper ces 8 beaux filets de sardine en 4 morceaux, saler, poivrer et réserver sur une plaque en les recouvrant légèrement d'huile d'olive. Passer le reste des sardines à travers un tamis fin. Assaisonner selon le goût les 30 à 40 g de purée obtenue avec du curry, de la coriandre en poudre, de l'anis en poudre, du gingembre en poudre, une goutte de Tabasco, 2 gouttes de Worcestershire sauce et 3 gouttes de pastis. Monter au fouet entre 60 g et 80 g de crème liquide, soit le double de la purée de sardine sans trop la serrer. Mélanger petit à petit avec une spatule la crème montée à la purée de sardines. Rectifier l'assaisonnement et réserver au frais. Éplucher 3 asperges vertes, les ficeler en botte et les cuire dans l'eau salée, puis les rafraîchir dans l'eau glacée. Tailler les pointes des asperges en quatre dans la longueur. Tailler en rondelles la moitié des queues et lier ces dernières à la mousse de sardine. Rectifier l'assaisonnement. Réserver le reste des queues d'asperges pour la sauce verte. Tailler en fine julienne 1/4 de citron confit. Réserver. Pour la sauce verte, mélanger dans un mixeur 50 g de queue d'asperges et 50 g de bouillon de volaille. Mixer en ajoutant 1 cl d'huile d'olive et passer au travers d'une passoire fine. Pour le dressage, former une quenelle de mousse de sardines et d'asperges au centre de chaque assiette. Disposer 5 morceaux de sardines sur un coté. Répartir la sauce verte sur l'autre coté. Déposer 3 bâtonnets de pointe d'asperge sur chaque quenelle. Terminer avec la julienne de citron confit sur le dessus. »

RECETTE DE PIERRE VEDEL

sardines gratinées

« Détailler en lamelles 1,5 kg d'aubergines ; les saler légèrement. Peler et épépiner 1 kg de tomates. Lever les filets de 14 grosses sardines fraîches et bien les nettoyer. Laver et sécher les aubergines, les faire dorer dans une poêle avec un peu d'huile d'olive très chaude. Les éponger sur du papier absorbant. Passer les tomates au mixeur avec 2 gousses d'ail, 3 feuilles de basilic, du sel, du poivre et 1 cuillerée à café d'huile d'olive. Ranger dans un plat allant au four les aubergines et les filets de sardine, en couches alternées, avec, entre deux couches, du parmesan râpé. Couvrir avec les tomates concassées. Enfourner à 225 °C et laisser cuire une vingtaine de minutes. »

sardines au plat

Nettoyer et vider 12 belles sardines. Beurrer un plat allant au four et parsemer le fond de 2 ou 3 échalotes hachées. Disposer les sardines dans le plat, les assaisonner de sel et de poivre, les arroser d'un filet de citron, les mouiller de 4 cuillerées à soupe de vin blanc et les parsemer de 30 g de beurre en parcelles. Cuire de 10 à 12 min au four préchauffé à 250 °C. Parsemer de persil ciselé.

terrine de sardines crues ▶ TERRINE

SARLADAISE (À LA) Se dit de pommes de terre émincées et sautées à cru à la graisse d'oie, comme on les prépare dans le Périgord. En fin de cuisson, on les parsème d'un hachis de persil et d'ail, et on laisse exsuder à couvert. En cuisine classique, ces pommes de terre sont mélangées avec des lamelles de truffe. La sauce sarladaise pour viandes grillées ou rôties est une sauce froide émulsionnée, additionnée de truffes et parfumée au cognac.
▶ **Recettes :** POMME DE TERRE, SAUCE.

SARRASIN Céréale de la famille des chénopiodiacées, originaire d'Orient, cultivée en Europe depuis la fin du XIVᵉ siècle, également appelée « blé noir », « beaucuit » ou « bucail ». Le sarrasin (**voir** tableau des céréales page 179 et planche page 178) doit son nom à la teinte foncée de ses grains, qui donnent une farine grise, finement piquetée de noir. Il est resté une des bases de l'alimentation en Bretagne et en Normandie jusqu'à la fin du XIXᵉ siècle, ainsi que dans le nord et l'est de l'Europe. Non panifiable car elle ne contient pas de gluten, la farine de sarrasin peut néanmoins être associée à de la farine de blé pour la fabrication de pains spéciaux. Elle est riche en magnésium et en fer, bien pourvue en vitamines du groupe B et moins énergétique que les autres céréales (290 Kcal ou 1 212 kJ pour 100 g). Elle sert à préparer les traditionnelles crêpes de sarrasin, dites « galettes », ainsi que des bouillies et des fars ; les jambons des environs d'Aurillac en sont recouverts, ce qui leur donne une saveur particulière. Sous forme de grains décortiqués, concassés et cuits, le sarrasin donne la kacha russe. Au Japon, la farine de sarrasin sert aussi à préparer des nouilles.

RECETTE DE LAURENCE SALOMON

galettes de sarrasin et petit épeautre fraîchement moulu aux carottes et poireaux, crème végétale à l'huile de noisette

POUR 4 À 6 PERSONNES – PRÉPARATION : 30 min – CUISSON : 10 min
« La veille, moudre finement 150 g de sarrasin et un peu plus grossièrement 100 g de petit épeautre avec un moulin à café. Ajouter de l'eau en mélangeant bien afin d'obtenir la consistance d'une pâte à crêpe. Couvrir et laisser reposer au réfrigérateur. Le jour même, peler une carotte et la râper finement ; laver 1 petit poireau, garder le blanc et le vert tendre et les émincer finement. Les incorporer à la pâte en ajoutant 2 pincées de grains de fenouil et le sel. Mélanger, rectifier le sel et ajouter éventuellement un peu d'eau puis réserver. Pour la crème végétale à l'huile de noisette, laver 6 brins de persil, peler 1 gousse d'ail et les hacher grossièrement. Les placer dans le bol d'un mixeur avec 10 cl de lait de soja, 5 cl d'huile de noisette et quelques pincées de sel. Mixer 20 secondes, rectifier le sel et ajouter quelques gouttes de jus de citron. Le mélange, auparavant liquide, prend une consistance crémeuse grâce à l'acidité du citron. Arrêter alors de mixer et réserver au réfrigérateur. Former directement dans une poêle antiadhésive, légèrement enduite d'huile d'olive, 3 petites galettes par personne et les cuire doucement 5 min de

chaque côté. Poser les galettes dans chaque assiette et ajouter 1 cuillerée à soupe de crème végétale. Accompagner ce plat d'un panaché de feuilles vertes de saison parsemé d'éclats de noisettes torréfiées. »

pâte à crêpes de sarrasin : préparation ▶ CRÊPE
soupe au lait d'huître et galettes de sarrasin ▶ HUÎTRE

SARRASINE (À LA) Se dit de grosses pièces de boucherie garnies soit de petites galettes de sarrasin, soit de cassolettes de riz, emplies de fondue de tomate au poivron, les unes et les autres étant surmontées de rondelles d'oignon frites et accompagnées d'une demi-glace un peu claire.

SARRIETTE Plante aromatique de la famille des lamiacées, originaire du sud de l'Europe, dont l'arôme rappelle celui du thym (**voir** planche des herbes aromatiques pages 451 à 454).
– La sarriette commune, ou annuelle, à feuilles mates, vert cendré, est la plus appréciée en cuisine.
– La sarriette vivace, ou de montagne, à feuilles plus étroites et raides, connue sous son nom provençal de « poivre d'âne », sert surtout à condimenter les fromages frais ou secs de chèvre ou de brebis et certaines marinades.
La sarriette est l'aromate privilégié de la cuisson des légumes secs. Fraîche, elle relève aussi les salades provençales, le veau grillé, le lapin rôti, le carré de porc, le canard et l'oie ; séchée, elle s'emploie pour condimenter petits pois, fèves, haricots verts, ragoûts ou potages, voire farces et pâtés.
▶ **Recettes :** FÈVE, THON.

SARTENO Fromage corse au lait de chèvre ou aux laits de chèvre et de brebis mélangés (de 45 à 50 % de matières grasses), à pâte pressée et à croûte naturelle jaune clair et lisse (**voir** tableau des fromages français page 392). Le sarteno se présente sous la forme d'un gros disque épais. Il a une saveur affirmée et piquante.

SASHIMI Préparation de poissons, de crustacés et de mollusques crus, constituant un mets très apprécié au Japon. Le poisson est paré, dépouillé de ses arêtes et découpé à cru à l'aide d'un couteau à lame longue et fine, en petites tranches de quelques millimètres d'épaisseur pour les poissons à chair rouge et les ormeaux, en minces languettes (seiche, crustacés) ou en lamelles fines comme du papier pour les poissons à chair blanche. Les morceaux sont disposés avec soin dans une assiette, agrémentés de jeunes pousses de daikon, de daikon émincé et d'algues, et servis avec du citron et une sauce soja relevée de moutarde de raifort (wasabi).

SASSER Envelopper dans un torchon, avec un peu de gros sel, certains légumes (cornichons, crosnes, etc.) recouverts d'une fine pellicule et les secouer quelques instants pour les nettoyer par frottement.

SAUCE Assaisonnement plus ou moins liquide, chaud ou froid, qui accompagne ou sert à cuisiner un mets. La fonction d'une sauce est d'ajouter à ce dernier une saveur qui s'harmonise avec la sienne.
Vers 1950, Curnonsky écrivait, dans un éditorial de *Cuisine et Vins de France :* « Les sauces sont la parure et l'honneur de la cuisine française ; elles ont contribué à lui procurer et à lui assurer cette supériorité, ou plutôt, comme on écrivait au XVIᵉ siècle, cette précellence que personne ne discute. »
■ **Classement.** Héritées des condiments antiques (garum, nard), les sauces médiévales (cameline, dodine, poivrade, Robert, etc.) étaient très piquantes ou aigres-douces. Il fallut attendre le XVIIᵉ et le XVIIIᵉ siècle pour que naissent des apprêts plus raffinés et aromatiques, tels que la béchamel, la Soubise, la mirepoix, la duxelles et la mayonnaise.
C'est à Antonin Carême (1784-1833) que l'on doit d'avoir systématisé le chapitre des sauces, avec les sauces froides et les sauces chaudes ; ces dernières, de loin les plus nombreuses, se partagent à nouveau en sauces brunes et en sauces blanches, avec les grandes sauces, dites « mères » (espagnole, demi-glace et sauce tomate pour les brunes, béchamel et velouté pour les blanches), et les innombrables sauces

composées qui s'en inspirent ; les sauces froides sont le plus souvent réalisées sur une base de mayonnaise ou de vinaigrette, avec, là aussi, de nombreux dérivés.

Au répertoire classique se sont peu à peu ajoutées des sauces étrangères, introduites souvent par des chefs ayant travaillé en Grande-Bretagne, en Russie, etc. (sauces Cumberland, Albert, reform et Cambridge, sauces à la russe, à l'italienne, à la polonaise, etc.). La diversité des ressources régionales a favorisé la multiplication des apprêts, déterminés par des ingrédients caractéristiques : la crème fraîche (sauce normande), l'ail (aïoli), le beurre frais (beurre blanc), la moutarde (sauce dijonnaise), l'échalote (sauce bordelaise), le vin rouge ou blanc (sauce bourguignonne), l'oignon (sauce lyonnaise), etc. (**voir** tableau des sauces ci-dessous et des sauces froides page 777.)

C'est à partir d'Auguste Escoffier que les sauces deviennent plus légères ; aujourd'hui, de nombreux chefs utilisent des mélanges plus originaux.

■ **Emplois.** De consistance plus ou moins dense, avec des ingrédients passés ou apparents, une sauce peut assaisonner un apprêt cru, faire partie intégrante d'un mets cuisiné, accompagner un plat froid ou chaud. Lorsque la sauce résulte de la préparation elle-même, il s'agit de plats « en sauce » ; mais elle est plus souvent servie séparément, en saucière, ou en nappage d'un mets (œuf dur, chaud-froid, coquille de poisson).

Le choix du matériel utilisé est important. Les casseroles sont à bord haut, en métal épais, pour assurer une bonne répartition de la chaleur, ce qui évite à la sauce de brûler ou de tourner. Le bain-marie est un accessoire indispensable, de même que le fouet métallique et la spatule à réduire.

■ **Préparation.** Dans la pratique, la confection des sauces repose sur quatre procédés de base.

– Le mélange à froid de plusieurs ingrédients solides et liquides est la méthode la plus simple (vinaigrette et ravigote, par exemple).

– L'émulsion (dispersion très fine, dans un liquide, d'un solide qui n'est pas soluble, le mélange restant stable un certain temps) se fait à froid (mayonnaise et ses dérivés, aïoli, gribiche, rouille, tartare) ou à chaud (hollandaise et mousseline, béarnaise et beurre blanc).

– Le mélange de beurre et de farine chauffé (roux) est la base des sauces « collées », dont le type est la béchamel et qui, selon les compléments (crème, gruyère, oignon, etc.), donne les sauces crème, Mornay, Soubise, etc.

– La cuisson d'un fond (de veau, de gibier, de volaille) ou d'un fumet de poisson, additionnés ensuite d'un roux blond, d'un roux brun ou d'une autre préparation (mirepoix, réduction, alcool, marinade, champignons, etc.), donne le velouté (de veau, de gibier, de volaille ou de poisson),

Sauces mères et principales sauces dérivées

SAUCES MÈRES	SAUCES DÉRIVÉES
sauces blanches	
à base de fond blanc de veau (velouté de veau)	sauce parisienne ou sauce allemande, sauce poulette, sauce villageoise, sauce estragon, sauce aux aromates, sauce andalouse chaude, sauce Villeroy (pour viande blanche)
à base de fond blanc de volaille (velouté de volaille)	sauce suprême, sauce aurore, sauce ivoire, sauce Albufera, sauce chaud-froid (pour volaille), sauce royale
à base de fumet de poisson (velouté de poissons)	sauce Bercy, sauce normande, sauce cardinal, sauce marinière, sauce Saint-Malo, sauce Véron, sauce bretonne, sauce crevette, sauce Genevoise, sauce Villeroi (pour poisson)
à base de lait (sauce Béchamel)	sauce Mornay, sauce Soubise, sauce Nantua
sauces brunes	
à base de fond de veau brun lié ou demi-glace (fond de veau brun lié, sauce espagnole, demi-glace)	sauce Bercy, sauce Madère, sauce Porto, sauce Châteaubriand, sauce Godard, sauce Périgueux, sauce bordelaise, sauce Robert, sauce piquante, sauce diable, sauce Sainte-Menehould, sauce zingara
à base de fond brun de volaille	sauce chasseur, sauce bigarade, sauce rouennaise
à base de fond brun de gibier	sauce poivrade, sauce grand veneur, sauce chevreuil
à base de crustacés	sauce américaine, sauce Nantua, sauce écrevisse (A. Carême)
à base de tomates fraîches	tomate concassée, purée de tomate, coulis de tomate
à base de concentré de tomate et de tomates fraîches	sauce tomate
sauces émulsionnées chaudes	
sauce béarnaise	sauce Choron, sauce Foyot ou Valois, sauce paloise
sauce hollandaise	sauce mousseline ou Chantilly, sauce moutarde, sauce maltaise
beurre émulsionné	sauce beurre fondu, beurre blanc, beurre nantais, beurre nantais aux herbes
sauces émulsionnées froides	
mayonnaise	sauce verte, sauce cocktail, sauce tartare, sauce andalouse, sauce Vincent, sauce rémoulade, aïoli, rouille
sauces émulsionnées froides instables	
sauce vinaigrette	Tous les vinaigres ou jus d'agrumes et huiles peuvent être utilisés pour la préparation des sauces vinaigrettes. Il peut être ajouté divers éléments tels que : échalote, fines herbes, câpres, ail, anchois, oignons, etc.

l'espagnole et les sauces pour gibier, avec toutes les variantes blanches (allemande, cardinal, Nantua, normande, poulette) ou brunes (bordelaise, chasseur, Périgueux, poivrade, venaison, etc.), réalisées éventuellement avec une liaison ou bénéficiant d'un ajout aromatique.

Selon la nature du mets à accompagner et à mettre en valeur, les ingrédients, aromates et épices les plus divers peuvent entrer dans la composition d'une sauce. Certaines associations de saveurs sont classiques, telles que le mouton ou le poisson et le cari (sauce indienne), la morue et l'ail (aïoli), le canard et l'orange (sauce bigarade), le gibier et la groseille (sauce Cumberland), le bœuf et le cornichon (sauce piquante), etc. Anchois, chair de crustacé, duxelles, foie gras, fromage râpé, jambon haché, tomates concassées, truffe hachée, etc. – pour les solides –, alcool, crème fraîche, vin rouge ou blanc, vinaigre, etc. – pour les liquides –, permettent des variations infinies.

Souvent, la dénomination d'une sauce est révélatrice de ses composants : sauces Périgueux aux truffes, hongroise au paprika, Nantua aux écrevisses, etc. ; parfois, la sauce porte simplement le nom de son créateur : Mornay, Choron, Foyot, etc.

aïoli

Éplucher 4 grosses gousses d'ail, les fendre en deux et en retirer le germe ; les broyer très finement dans un mortier avec 1 jaune d'œuf. Saler, poivrer et, toujours avec le pilon, ajouter peu à peu 25 cl d'huile et, éventuellement, 1 cuillerée à soupe de pulpe de pomme de terre cuite à l'eau (**voir** autre recette page 27).

RECETTE DU RESTAURANT *LE JARDIN DE PERLEFLEURS*, À BORMES-LES-MIMOSAS

anchoïade

« Éplucher 3 gousses d'ail, et les gratter au-dessus d'une assiette sur les dents d'une fourchette. Rincer et hacher les feuilles de 6 tiges de persil. Dessaler 10 anchois au sel et en lever les filets. Les ajouter à l'ail ; à l'aide des pointes de 2 fourchettes, les mettre en charpie. Avec un fouet, monter cette pommade avec 10 cl d'huile d'olive. Poivrer. Toujours en remuant, incorporer le persil haché et quelques gouttes de vinaigre. »

bread sauce

Émietter de la mie de pain frais dans du lait bouillant additionné de 1 oignon piqué de 1 clou de girofle, de beurre et d'une pincée de sel et de poivre. Cuire 15 min à feu doux, retirer l'oignon, incorporer de la crème et chauffer en remuant au fouet.

egg sauce

Faire durcir 2 œufs 10 min à l'eau bouillante, puis les écaler et les couper en dés. Les ajouter, encore chauds, à 125 g de beurre fondu, salé, poivré et relevé de jus de citron. Parsemer de persil ciselé.

loup en croûte sauce Choron ▶ LOUP
merlu aux palourdes à la sauce verte ▶ MERLU

Composition des principales sauces froides (pour 6 personnes)

TYPE DE SAUCES	DENRÉES DE BASE	DENRÉES SPÉCIFIQUES
sauces simples		
citronnette	jus de citron (3 cl), sel fin, poivre du moulin, huile d'arachide ou d'olive (15 cl)	
crème	jus de citron (3 cl), sel fin, poivre blanc du moulin, crème double (15 cl)	
vinaigrette (classique)	vinaigre(s) [5 cl], sel fin, poivre du moulin, huile(s) [15 cl]	huiles et vinaigres de différents parfums peuvent être associés
vinaigrette moutardée	moutarde (5 g), vinaigre (5 cl), sel fin, poivre du moulin, huile (15 cl)	
ravigote	moutarde (5 g), vinaigre (5 cl), sel fin, poivre du moulin, huile (15 cl)	cerfeuil haché (1/2 cuill. à c.), ciboulette ciselée (1/2 cuill. à c.), estragon ciselé (1/2 cuill. à c.), persil haché (1/2 cuill. à c.), oignon ciselé (45 g), câpres hachés (20 g)
sauces émulsionnées		
andalouse	œuf (1 jaune), moutarde (5 g), vinaigre (1 cl), sel fin, poivre du moulin, huile (25 cl)	purée de tomate (10 g), piments en brunoise (20 g)
chantilly	œuf (1 jaune), moutarde (5 g), 1 jus de citron, sel fin, poivre du moulin, huile d'arachide (25 cl)	crème fouettée ferme (3 cl)
cocktail	œuf (1 jaune), moutarde (5 g), vinaigre (1 cl), sel fin, piment de Cayenne, huile d'arachide (25 cl)	cognac (1 cl), tomato ketchup (3 cl), Worcestershire sauce (4 gouttes)
gribiche	œuf dur (1 jaune), moutarde (10 g), vinaigre (1 cl), sel fin, poivre du moulin, huile (25 cl)	persil haché (1 cuill. à s.), estragon ciselé (1 cuill. à s.), câpres hachés (10 g), cornichons hachés (20 g), 1 œuf dur blanc en julienne courte
mayonnaise	œuf (1 jaune), moutarde (5 g), vinaigre (1 cl), sel fin, poivre du moulin, huile (25 cl)	
mousquetaire	œuf (1 jaune), moutarde (5 g), vinaigre (1 cl), sel fin, piment de Cayenne, huile (25 cl)	échalote ciselée (20 g), vin blanc (3 cl), glace de viande (1 cuill. à s.), ciboulette ciselée (1 cuill. à c.)
rémoulade	œuf (1 jaune), moutarde (10 g), vinaigre (1 cl), sel fin, poivre du moulin, huile (25 cl)	cerfeuil haché (1 cuill. à s.), estragon ciselé (1 cuill. à s.), câpres hachés (10 g), cornichons hachés (20 g)
tartare	œuf (1 jaune), moutarde (10 g), vinaigre (1 cl), sel fin, poivre du moulin, huile (25 cl)	cerfeuil haché (1 cuill. à s.), estragon ciselé (1 cuill. à s.), câpres hachés (10 g), cornichons hachés (20 g), oignon doux ciselé (45 g)

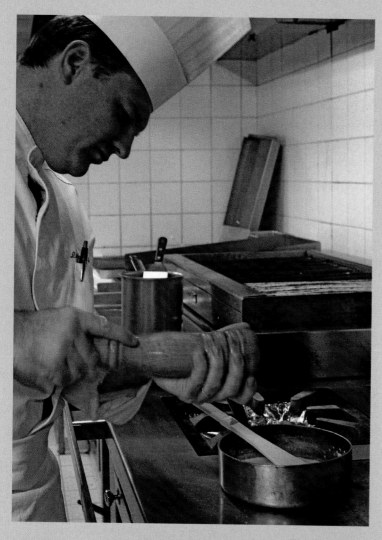

« La réussite d'une sauce est aussi affaire de matériel. Les chefs de POTEL ET CHABOT, de l'école FERRANDI PARIS, des restaurants GARNIER et du RITZ PARIS l'ont bien compris. Leurs casseroles à bord haut, en métal épais, n'ont pas leur pareil pour garantir une bonne répartition de la chaleur et éviter aux sauces de tourner ou de brûler. »

mustard sauce

Dans un poêlon, faire fondre 2 cuillerées à soupe de beurre, puis incorporer 2 cuillerées à soupe de farine en mélangeant bien. Verser ensuite 1/4 de litre de lait et fouetter, puis faire épaissir à feu vif. Baisser le feu et laisser mijoter 3 min, puis ajouter en fin de cuisson 4 cuillerées à soupe de crème fraîche, 1 cuillerée à café de vinaigre blanc, 1 cuillerée à café de moutarde anglaise en poudre, du sel et un peu de poivre.

RECETTE DU RESTAURANT *LE JARDIN DE PERLEFLEURS*, À BORMES-LES-MIMOSAS

rouille au safran

« Éplucher 3 gousses d'ail, les fendre dans leur longueur et ôtez le germe. Les piler avec 1 pincée de gros sel et ajouter 2 pincées de poivre blanc, 1 pointe de safran, 2 pointes de piment de Cayenne et 2 jaunes d'œuf. Travailler le tout énergiquement en une pommade homogène. Laisser reposer 5 min. Monter cette pommade en incorporant peu à peu 25 cl d'huile d'olive. »

sauce aigre-douce

Faire tremper plusieurs heures dans de l'eau 2 cuillerées à soupe de raisins de Málaga. Dans une petite casserole à fond épais, caraméliser légèrement 3 morceaux de sucre mouillés de 3 cuillerées à soupe de vinaigre. Ajouter 15 cl de vin blanc sec et 1 cuillerée à soupe d'échalote hachée ; faire réduire à sec. Ajouter 25 cl de demi-glace et laisser bouillir quelques instants. Passer la sauce au tamis fin, puis remettre sur le feu et porter à ébullition. Égoutter les raisins et les épépiner. Les ajouter à la sauce, avec 1 cuillerée à soupe de câpres.

sauce aux airelles (cranberry sauce)

Faire « éclater » 10 min à feu vif et à couvert 500 g d'airelles avec 30 à 50 g de sucre dans 50 cl d'eau bouillante.

sauce Albufera

Préparer une sauce suprême. Faire étuver, dans 50 g de beurre, 150 g de poivron épépiné et coupé en lamelles. Laisser refroidir. Broyer le poivron au mixeur. Ajouter 150 g de beurre et passer au tamis. Ajouter à 50 cl de la sauce suprême 5 cuillerées à soupe de glace de viande blonde et 1 cuillerée à soupe de beurre de poivron. Passer au chinois étamine.

sauce allemande grasse

Réunir dans une casserole à fond épais 40 cl de fond blanc de veau ou de volaille, 10 cl de cuisson de champignon, 1 filet de jus de citron, quelques grains de poivre concassé, 1 pointe de noix de muscade et 50 cl de velouté. Bien mélanger et réduire. Hors du feu, ajouter une liaison composée de 3 ou 4 jaunes d'œuf détendue avec un peu de velouté. Porter de nouveau à ébullition, aciduler, passer au chinois étamine et incorporer 50 g de beurre frais.

sauce allemande maigre

Procéder comme pour la sauce allemande grasse, mais en remplaçant le fond blanc par du fumet de poisson, et le velouté gras par du velouté maigre.

sauce andalouse chaude

Additionner 20 cl de velouté réduit de 5 cl d'essence de tomate. Ajouter 2 cuillerées à café de piments doux mondés, cuits et coupés en petits dés, 1/2 cuillerée de persil haché et, éventuellement, un peu d'ail écrasé.

sauce andalouse froide

Ajouter à 75 cl de mayonnaise tenue assez serrée 25 cl de fondue de tomate fine très réduite et très rouge ; l'additionner enfin de 75 g de poivrons doux, coupés en dés très fins.

sauce aurore

Ajouter à 1/2 litre de sauce suprême 50 cl de fondue de tomate très serrée. Passer au chinois étamine.

sauce béarnaise

Mettre dans une sauteuse à fond épais de taille appropriée 10 cl de vinaigre à l'estragon, 5 cl de vin blanc, 50 g d'échalotes finement hachées, 3 cuillerées à soupe d'estragon et 1 cuillerée à soupe de cerfeuil hachés, 5 g de poivre mignonnette et 1 pincée de sel. Faire réduire des deux tiers, puis laisser refroidir. Ajouter 5 jaunes d'œuf et un peu d'eau et mélanger énergiquement au fouet sur feu doux (55 °C). Hors du feu, incorporer au fouet 250 g de beurre clarifié et chaud. Passer cette sauce au chinois étamine et la terminer en lui ajoutant 1 cuillerée à soupe d'estragon et de cerfeuil hachés. Servir aussitôt.

sauce Béchamel

Faire fondre dans une casserole à fond épais 60 g de beurre puis ajouter 60 g de farine ; mélanger pour obtenir une préparation lisse. Cuire sur feu doux pendant environ 1 min pour obtenir un roux blanc sans coloration, puis le refroidir. Porter à ébullition 1 litre de lait, puis le verser progressivement sur le roux froid en fouettant constamment avec un petit fouet à sauce pour éviter la formation de grumeaux. Porter à ébullition et cuire la sauce Béchamel pendant 4 ou 5 min. Assaisonner de sel fin, de piment de Cayenne et de quelques râpures de noix de muscade. Passer la sauce au chinois étamine. Si l'utilisation n'est pas immédiate, tamponner la surface avec une noix de beurre pour éviter la formation d'une peau, puis réserver au chaud dans un bain-marie.

sauce Bercy pour poissons

Éplucher et ciseler 3 ou 4 échalotes ; les faire étuver doucement dans 1 cuillerée à soupe de beurre, sans les laisser colorer. Mouiller avec 10 cl de vin blanc et 10 cl de fumet de poisson, et faire réduire de moitié. Ajouter 20 cl de velouté de poisson et faire bouillir quelques instants à feu vif. Hacher un peu de persil. Hors du feu, incorporer 50 g de beurre ramolli, puis vanner. Ajouter enfin le persil ciselé, saler et poivrer.

sauce Bercy pour viandes grillées

Faire réduire de deux tiers 30 g d'échalote ciselée avec 20 cl de vin blanc sec. Ajouter 25 cl de fond de veau brun lié, porter à ébullition et laisser cuire 5 min. Passer au chinois étamine et hors du feu, monter avec 40 g de beurre, puis ajouter 40 g de petits dés de moelle pochée. Vérifier l'assaisonnement en sel et poivre et terminer en ajoutant 1 cuillerée à soupe de persil haché.

RECETTE D'ANTONIN CARÊME

sauce à la bigarade

« Levez par bandes, de la tête à la queue, le zeste d'une bigarade de bonne maturité ; ayez soin qu'il soit très mince, afin qu'il n'ait point d'amertume, ce qui arriverait si vous laissiez un peu de peau blanche ; vous coupez le bord de chaque bande, pour les couper ensuite en travers en petits filets. Tout le zeste étant coupé, vous le jetez dans un peu d'eau bouillante et, après quelques minutes d'ébullition, vous l'égouttez et le mettez dans une casserole à bain-marie avec de l'espagnole travaillée pour saucer une entrée, un peu de glace de gibier, une pointe de mignonnette, la moitié du jus de la bigarade. Après quelques bouillons, vous ajoutez un peu de beurre fin. »

sauce bolognaise

Effiler et hacher 4 branches de céleri. Éplucher et hacher 5 gros oignons. Ajouter à 1 bouquet garni traditionnel 4 feuilles de sauge et 2 branches de romarin. Hacher grossièrement 500 g de viande de bœuf à braiser. Monder et concasser une dizaine de belles tomates. Éplucher et écraser 4 ou 5 gousses d'ail. Chauffer 5 cuillerées à soupe d'huile d'olive dans une cocotte. Y dorer la viande, puis les oignons, le céleri et l'ail. Ajouter les tomates et laisser fondre 10 min. Ajouter enfin le bouquet garni, 35 cl de fond brun de veau, 20 cl de vin blanc sec, du sel et du poivre. Couvrir et cuire 2 heures à feu très doux, en rajoutant un peu d'eau de temps en temps. Rectifier l'assaisonnement.

sauce Bontemps

Étuver au beurre 1 cuillerée à soupe d'oignon finement ciselé. Saler, ajouter 1 pincée de paprika et 20 cl de cidre. Faire réduire des deux tiers. Ajouter 20 cl de velouté gras et porter à ébullition. Retirer du feu, ajouter 40 g de beurre et 1 cuillerée de moutarde blanche. Passer au chinois étamine.

sauce bordelaise

Couper en dés 25 g de moelle, la faire dégorger, puis la pocher ; égoutter. Hacher 1 cuillerée à soupe d'échalote. Mélanger avec 20 cl de vin rouge 1 brin de thym, 1 fragment de feuille de laurier et 1 pincée de sel. Faire réduire des deux tiers. Mouiller de 20 cl de demi-glace, réduire d'un tiers. Ajouter hors du feu 25 g de beurre et passer au chinois. Au dernier moment, ajouter la moelle et 1 cuillerée à café de persil ciselé.

sauce bourguignonne pour poissons

Préparer un fumet de poisson mouillé uniquement avec un excellent vin rouge. Le laisser cuire de 25 à 30 min. Le passer au chinois et le réserver. Faire suer au beurre 40 g d'oignon et 20 g d'échalote ciselés ; ajouter 50 g de champignons (queues et parures de champignons ou 50 g de mousserons), 1 brindille de thym, 1 fragment de feuille de laurier et 1 gousse d'ail écrasée. Mouiller avec 1 litre de fumet de poisson au vin rouge, porter à ébullition et faire réduire de trois quarts de volume pour obtenir environ 25 cl. À cette réduction ajouter la cuisson du poisson traité et faire réduire de nouveau de moitié. Ajouter 20 cl de sauce espagnole ou de fond de veau lié ; porter à ébullition, écumer et laisser cuire quelques minutes puis passer au chinois. Hors du feu, monter la sauce avec 50 g de beurre. Vérifier l'assaisonnement en sel et poivre.

sauce bourguignonne pour viandes de boucherie, volailles et œufs

Blanchir et faire rissoler 75 g de poitrine de porc demi-sel. Ajouter 40 g d'oignon, 40 g de carotte et 20 g d'échalote taillés en brunoise. Faire suer puis mouiller avec 1 litre d'un excellent vin rouge ; ajouter 1 bouquet garni, 100 g de parures de champignon, 1 gousse d'ail écrasée, 1 pincée de sel et 5 ou 6 grains de poivre concassé. Porter à ébullition et laisser cuire doucement pendant 30 min. Ajouter 30 cl de sauce espagnole ou de fond de veau brun lié (ou de fond brun lié de volaille) selon l'utilisation. Porter à ébullition et laisser réduire le tout d'un tiers de son volume. Écumer et passer au chinois étamine. Hors du feu, monter la sauce avec 50 g de beurre sans fouetter. Vérifier l'assaisonnement en sel et poivre. Selon l'utilisation, cette sauce peut être servie telle quelle ou additionnée de petits oignons glacés à brun, de champignons sautés, de lardons ou de queues d'écrevisse décortiquées, etc.

sauce bretonne

Tailler en julienne le blanc de 1 poireau, le quart de 1 cœur de céleri-branche et 1 oignon finement émincé. Faire fondre 15 min, doucement et à couvert avec 1 cuillerée de beurre et 1 pincée de sel. Ajouter 2 cuillerées à soupe de julienne de champignon et 1 verre de vin blanc sec ; faire réduire à sec. Ajouter 15 cl de velouté maigre et faire bouillir vivement pendant 1 min. Rectifier l'assaisonnement. Au moment de servir, incorporer 1 grosse cuillerée à soupe de crème épaisse et 50 g de beurre frais.

sauce Cambridge

Dessaler complètement 6 anchois au sel, puis retirer les arêtes. Broyer ensemble 3 jaunes d'œuf durs, la chair des anchois, 1 cuillerée à soupe de câpres et 1 petit bouquet d'estragon et de cerfeuil. Ajouter au mélange 1 cuillerée à soupe de moutarde anglaise et du poivre. Monter à l'huile d'arachide ou de tournesol, puis ajouter 1 cuillerée à soupe de vinaigre. Rectifier l'assaisonnement. Ajouter de la ciboulette et du persil ciselés.

sauce cardinal

Réduire de moitié 20 cl de velouté maigre et 10 cl de fumet de poisson. Ajouter 10 cl de crème et chauffer. Hors du feu, incorporer 50 g de beurre de homard. Relever d'une pointe de piment de Cayenne et passer au chinois étamine. Aromatiser à l'essence de truffe ou garnir de 1 cuillerée de truffe hachée.

sauce chasseur

Émincer 150 g de champignons (des mousserons, si possible) et hacher 2 échalotes. Dorer le tout au beurre, puis verser 10 cl de vin blanc et laisser réduire de moitié. Flamber avec 4 cl de cognac. Ajouter alors 40 cl de fond brun de veau légèrement lié et tomaté. Faire réduire doucement pendant une dizaine de minutes en ajoutant 30 g de beurre et 1 cuillerée de fines herbes ciselées (estragon, cerfeuil, persil).

sauce Chateaubriand

Faire réduire des deux tiers 10 cl de vin blanc avec 1 cuillerée à soupe d'échalote hachée et des parures de champignon. Mouiller de 15 cl de demi-glace ou de glace de viande légère, et faire réduire de moitié. Hors du feu, ajouter 100 g de beurre et 1 cuillerée d'estragon et de persil hachés, ou monter la sauce au beurre maître-d'hôtel. Relever d'un peu de jus de citron et d'un peu de piment de Cayenne. Bien mélanger.

sauce chaud-froid blanche pour abats blancs, œufs et volailles

Mettre dans un plat à sauter à fond épais 35 cl de velouté et 5 cl d'essence de champignon. Faire réduire à plein feu, en remuant à la spatule, puis ajouter peu à peu 40 cl de gelée blanche de volaille et 15 cl de crème fraîche. Réduire jusqu'à ce que la sauce nappe bien la spatule. Passer à l'étamine ou à la mousseline. Vanner jusqu'à complet refroidissement. Parfumer selon la recette.

sauce chaud-froid brune ordinaire pour viandes diverses

Mettre dans une russe ou dans une sauteuse à fond épais 35 cl de demi-glace et 20 cl de fond brun clair enrichi en éléments gélatineux. Faire réduire d'un bon tiers sur feu vif, en remuant à la spatule et en ajoutant par petites quantités 40 cl de gelée. Retirer du feu, ajouter 2 cuillerées de madère ou de tout autre vin, selon la recette ; passer à la mousseline. Vanner la sauce jusqu'au bon point de refroidissement.

RECETTE DE JEAN-PIERRE BIFFI

sauce chaud-froid de volaille

POUR 1 LITRE

« Dans une casserole, préparer un roux blanc (voir page 757) avec 45 g de beurre et 45 g de farine. Mouiller avec 75 cl de fond blanc de volaille. Continuer la cuisson une dizaine de minutes en remuant régulièrement. Retirer la casserole du feu et incorporer 15 cl de gelée qui va fondre dans la sauce, puis un mélange de 2 jaunes d'œuf et 12,5 cl de crème fraîche épaisse. Rectifier l'assaisonnement et passer au chinois étamine. Laisser refroidir, mais ne pas laisser prendre la sauce pour napper la volaille. »

sauce chevreuil pour gibier

Faire revenir des parures de gibier avec une garniture aromatique taillée en mirepoix. Déglacer avec un peu de vinaigre et de vin rouge ou la marinade du gibier. Mouiller avec de la sauce espagnole ou de la sauce poivrade. Faire réduire. Ajouter une pointe de cayenne et une pincée de sucre. Passer au chinois étamine. Tamponner.

sauce Choron

Additionner 20 cl de sauce béarnaise de 2 cuillerées à soupe de purée de tomate tiède, très réduite et passée au tamis.

sauce Colbert (ou beurre Colbert)

Délayer 2 cuillerées à soupe de glace blonde de viande avec 1 cuillerée à soupe de fond de volaille et faire bouillir. Ramollir 125 g de beurre à la spatule de bois ; hors du feu, l'incorporer à la glace de viande. Saler, poivrer, ajouter une pointe de piment de Cayenne. Ajouter, en vannant, le jus de 1/2 citron, 1 cuillerée à soupe de persil ciselé et 1 cuillerée à soupe de madère.

sauce Cumberland

Ébouillanter et égoutter 1 cuillerée à café d'échalote hachée. Prélever les zestes d'orange et de citron, le blanchir, l'éponger et le détailler en julienne. Mélanger le hachis d'échalote et 2 cuillerées à café de julienne de zeste avec 1 cuillerée à soupe de moutarde. Faire fondre 20 cl de gelée de groseille et l'ajouter au mélange, ainsi que 10 cl de porto et les jus de 1 orange et de 1 petit citron. Assaisonner de sel, de 1 pointe de piment de Cayenne et, éventuellement, de poudre de gingembre.

sauce diable

Mélanger 15 cl de vin blanc sec, 1 cuillerée à soupe de vinaigre, 1 cuillerée à soupe d'échalote finement hachée, 1 brindille de thym, 1/4 de feuille de laurier et 1 forte pincée de poivre fraîchement moulu. Faire réduire des deux tiers. Mouiller de 20 cl de demi-glace tomatée et laisser réduire 5 min sur feu doux. Passer au chinois. Au dernier moment, ajouter 1 cuillerée à soupe de fines herbes hachées.

sauce diable à l'anglaise

Réduire presque à sec 15 cl de vin blanc et 5 cl de vinaigre additionné de 1 cuillerée d'échalote finement hachée. Mouiller de 25 cl de sauce espagnole et de 2 cuillerées de purée de tomate ou de demi-glace tomatée. Cuire 5 min sur feu doux. Au dernier moment, ajouter 1 cuillerée de Worcestershire sauce, 1 cuillerée de Harvey sauce et relever d'un peu de piment de Cayenne. Passer à l'étamine ou au chinois et tamponner.

sauce dijonnaise

Broyer 4 jaunes d'œuf durs avec 4 cuillerées de moutarde de Dijon. Saler et poivrer. Monter le mélange avec 50 cl d'huile et l'assaisonner de jus de citron.

sauce duxelles

Préparer 250 g de duxelles de champignon. Ajouter 10 cl de vin blanc et réduire presque à sec. Mouiller de 15 cl de demi-glace et de 10 cl de fondue de tomate tamisée, ou de sauce demi-glace très tomatée. Faire bouillir 2 ou 3 min, et ajouter un peu de persil haché.

RECETTE D'ANTONIN CARÊME

sauce aux écrevisses

« Après avoir lavé un demi-cent de moyennes écrevisses de Seine, vous les faites cuire avec une demi-bouteille de vin de Champagne, un oignon émincé, un bouquet assaisonné, une pincée de mignonnette et fort peu de sel ; lorsque vos écrevisses sont froides, vous les égouttez et vous passez la cuisson au tamis de soie ; vous la faites réduire de moitié, puis vous y ajoutez deux grandes cuillerées à ragoût de sauce allemande ; faites réduire à point, et ajoutez un demi-verre de champagne. Réduction faite, vous passez la sauce à l'étamine ; au moment du service, vous y joignez un peu de glace et de beurre fin, puis les queues d'écrevisse que vous avez parées selon les règles. On doit ajouter à cette sauce un beurre d'écrevisse préparé avec les coquilles d'écrevisses dont les queues entrent dans la sauce. »

sauce à l'estragon pour œufs mollets ou pochés

Hacher grossièrement 100 g de feuilles d'estragon lavées et épongées, et y ajouter 10 cl de vin blanc. Faire réduire complètement, puis ajouter 20 cl de demi-glace ou de fond de veau brun lié. Laisser bouillir quelques instants, puis passer au tamis très fin. Réserver au bain-marie et tamponner en surface. Au moment du service, ajouter 1 cuillerée d'estragon frais ciselé.

RECETTE D'ANTONIN CARÊME

sauce financière

« Mettez dans une casserole quelques émincés de jambon maigre, une pincée de mignonnette, un peu de thym et de laurier, des parures de champignon et de truffe et 2 verres de madère sec ; faites mijoter et réduire à petit feu ; ajoutez deux cuillerées à ragoût de consommé et deux grandes cuillerées d'espagnole travaillée. Lorsque cette sauce est à moitié réduite, vous la passez à l'étamine, puis vous la remettez sur le feu en y mêlant 1/2 verre de madère ; faites réduire à point. Après quoi, vous servez la sauce dans une casserole bain-marie. »

sauce Foyot

Préparer 20 cl de sauce béarnaise. La passer et ajouter 2 cuillerées à soupe de glace de viande, en remuant.

sauce genevoise

Concasser 500 g de parures de saumon. Éplucher et couper en mirepoix 1 belle carotte et 1 gros oignon ; couper en petits tronçons 10 queues de persil, et faire sauter le tout 5 min dans 15 g de beurre, sur feu doux. Ajouter 1 brindille de thym, 1/2 feuille de laurier, du poivre et les parures de poisson ; cuire 15 min, tout doucement et à couvert. Retirer le beurre de cuisson, ajouter 1 bouteille de vin rouge (chambertin ou côtes-du-rhône) et un peu de sel ; laisser réduire à feu doux de 30 à 40 min. Passer alors la sauce au chinois, en foulant bien ; lier de 1 cuillerée à café de beurre manié. Selon le goût, ajouter, en remuant, 1 cuillerée à soupe de beurre d'anchois et rectifier l'assaisonnement.

sauce Godard

Faire fondre au beurre 2 cuillerées à soupe de mirepoix au gras, y ajouter 20 cl de champagne et faire réduire de moitié. Mouiller de 20 cl de demi-glace et de 10 cl d'essence de champignon, et faire réduire encore d'un tiers. Passer à l'étamine.

sauce grand veneur

Faire réduire une sauce poivrade confectionnée avec les parures de la pièce de venaison cuisinée, de façon à en obtenir au moins 20 cl. La passer, puis y incorporer 1 cuillerée à soupe de gelée de groseille et 2 cuillerées à soupe de crème fraîche en fouettant délicatement.

sauce gribiche

Bien écraser 1 jaune d'œuf à peine dur pour le réduire en pâte très fine. Monter celle-ci petit à petit avec 25 cl d'huile en fouettant. Ajouter 2 cuillerées à soupe de vinaigre, du sel, du poivre, 1 cuillerée à soupe de câpres ou de cornichons, autant de persil, de cerfeuil et d'estragon ciselés, et le blanc de l'œuf dur taillé en julienne.

sauce hachée

Faire étuver 15 min 1 grosse cuillerée à soupe d'oignon haché dans 1 cuillerée à soupe de beurre, puis ajouter 1/2 cuillerée à soupe d'échalote hachée et cuire de 5 à 10 min encore. Verser 10 cl de vinaigre et faire réduire des trois quarts. Ajouter 15 cl de demi-glace et 10 cl de purée de tomate, et laisser bouillir 5 min. Au moment de servir, incorporer 1 cuillerée à soupe de maigre de jambon haché, autant de duxelles de champignon bien sèche, de câpres, de cornichons hachés et de persil ciselé, tous ces éléments restant tels quels dans la sauce, qui n'est pas passée.

sauce hollandaise

POUR 8 PERSONNES – PRÉPARATION : 10 min – CUISSON : 5 min environ
Clarifier 300 g de beurre (voir page 95) et le maintenir tiède. Séparer le blanc du jaune de 5 œufs. Réunir les jaunes d'œuf avec 3 cuillerées à soupe d'eau froide dans une sauteuse ou une casserole en Inox. Assaisonner de sel fin et de poivre blanc. Placer la casserole dans un bain-marie, chauffer progressivement en fouettant énergiquement et sans interruption. Le mélange doit mousser pour épaissir et prendre la consistance d'une crème. À ce moment, retirer la casserole du bain-marie, continuer de fouetter pour refroidir sensiblement le mélange. Hors du feu, verser peu à peu le beurre clarifié tiède jusqu'à son incorporation complète. Vérifier l'assaisonnement et passer cette sauce au chinois étamine. Selon les utilisations, on peut ajouter le jus de 1/2 citron. Réserver la sauce au bain-marie sans dépasser les 55 °C.

sauce hongroise

Éplucher des oignons, les hacher et les faire étuver au beurre, sans les laisser colorer. Saler, poivrer, poudrer de paprika. Pour 5 bonnes cuillerées à soupe d'oignon fondu, ajouter 25 cl de vin blanc et 1 petit bouquet garni. Faire réduire des deux tiers. Mouiller de 50 cl de velouté (gras ou maigre). Faire bouillir 5 min sur feu vif, passer à l'étamine et compléter avec 50 g de beurre.

sauce aux huîtres

Ouvrir 12 huîtres et les faire pocher. Mouiller un roux blond, composé de 20 g de beurre et de 20 g de farine, avec 10 cl de la cuisson des huîtres, 10 cl de lait et 10 cl de crème. Rectifier l'assaisonnement. Porter à ébullition et cuire 10 min. Passer à l'étamine. Ajouter les huîtres, ébarbées et escalopées. Relever d'une petite pointe de piment de Cayenne. En Angleterre, cette *oyster sauce* accompagne traditionnellement le cabillaud poché.

sauce indienne

Éplucher et ciseler 2 gros oignons et 2 pommes acidulées ; les faire fondre dans 4 cuillerées à soupe d'huile. Ajouter 1 cuillerée à soupe de persil haché, autant de céleri émincé, 1 petite branche de thym, 1/2 feuille de laurier et un fragment de macis, du sel et du poivre. Poudrer de 25 g de farine et de 1 cuillerée à soupe de cari ; mélanger, mouiller de 50 cl de consommé ou de fond blanc de volaille, remuer et cuire doucement 30 min. Passer la sauce au chinois. Ajouter 1 cuillerée à café de jus de citron et 4 cuillerées à soupe de crème fraîche, et éventuellement un peu de lait de coco. Faire réduire un peu, rectifier l'assaisonnement.

sauce La Varenne

Additionner 25 cl de mayonnaise de 2 ou 3 cuillerées à soupe de duxelles de champignon cuite à l'huile et refroidie, puis de 1 cuillerée à soupe de persil haché et autant de cerfeuil ciselé.

sauce lyonnaise

Éplucher et émincer finement des oignons. En faire fondre 3 cuillerées à soupe avec 1 cuillerée à soupe de beurre. Ajouter 50 cl de vinaigre et autant de vin blanc. Faire réduire le tout presque à sec, puis mouiller de 20 cl de demi-glace. Laisser bouillir 3 ou 4 min, puis passer la sauce au chinois ou la servir telle quelle.

sauce madère

POUR 4 PERSONNES – PRÉPARATION : 15 min – CUISSON : 45 min
Préparer 1 litre de fond brun de veau (voir page 375) relevé de 2 branches de céleri, 1 gousse d'ail, additionné de 200 g de tomates fraîches et 1 cuillerée à soupe de concentré de tomate. Passer le fond et le réduire des 3/4. Éplucher et ciseler 1 cuillerée à soupe d'échalote. Dans une sauteuse, réunir l'échalote ciselée et 10 cl de madère, réduire aux 2/3 puis mouiller avec le fond de veau réduit. Laisser cuire doucement 10 min en dépouillant. Passer au chinois, assaisonner de sel fin et de poivre du moulin. Ajouter 1 cuillerée à café de madère. Monter avec 10 g de beurre.

sauce maltaise

POUR 8 PERSONNES – PRÉPARATION : 10 min – CUISSON : 5 min environ
Confectionner une sauce hollandaise (voir page 782). Tailler en julienne très fine les zestes de 1 orange et les blanchir fortement. Presser le jus de la moitié de l'orange et le faire tiédir. Ajouter les zestes et le jus à la sauce hollandaise.

sauce marinière

Préparer une sauce Bercy avec la cuisson de moules marinière. La lier de 2 jaunes d'œuf pour 15 cl de sauce, sur feu doux, en fouettant sans arrêt.

sauce matelote

Faire suer au beurre en proportions égales des oignons et des échalotes, émincés. Mouiller de vin rouge, ajouter un peu de poivre mignonnette, des parures de champignon, 1 bouquet garni et 1 clou de girofle. Réduire

à glace. Mouiller de nouveau avec du fumet de poisson au vin rouge ou du court-bouillon de poisson au vin rouge. Faire réduire de moitié, puis ajouter de la sauce demi-glace ou de la sauce espagnole maigre. Cuire la sauce quelques minutes, la dépouiller, puis la passer à l'étamine. Hors du feu, la monter au beurre.

sauce à la menthe

Mouiller de 15 cl de vinaigre et de 4 cuillerées à soupe d'eau 50 g de feuilles de menthe taillées en julienne fine. Laisser macérer dans un bol avec 25 g de cassonade blanche ou de sucre en poudre, une pincée de sel et un peu de poivre.

sauce à la moelle

Hacher finement 3 belles échalotes. Mouiller de 2 verres de vin blanc, saler, poivrer et faire réduire de moitié. Ajouter 2 cuillerées à soupe de fond de veau lié ou de sauce de viande bien réduite, ou 1 cuillerée à soupe de glace de viande, et mélanger. Faire pocher 75 g de moelle dégorgée et la couper en petits dés. Hors du feu, incorporer à la réduction 100 g de beurre divisé en parcelles, puis 1 cuillerée à soupe de jus de citron et enfin les dés de moelle. Parsemer de persil ciselé.

sauce Mornay

Chauffer 50 cl de béchamel. Hors du feu, lui ajouter 2 jaunes d'œuf battus avec, éventuellement, un peu de crème. Réchauffer quelques secondes. Incorporer sans fouetter 70 g de gruyère râpé tamisé. Tamponner.

sauce mousseline

Préparer une sauce hollandaise serrée en y incorporant, au moment de servir, de la crème fouettée bien ferme, dans la proportion de 10 cl de crème fouettée pour 20 cl de sauce hollandaise.

sauce moutarde pour grillades

Faire étuver au beurre 50 g d'oignons finement ciselés. Verser 15 cl de vin blanc, saler, poivrer et faire réduire presque à sec. Ajouter alors 25 cl de demi-glace et faire réduire d'un tiers. Incorporer 1 grosse cuillerée à soupe de moutarde de Dijon, 1 filet de jus de citron et 1 cuillerée à soupe de beurre.

sauce moutarde pour poissons froids

Faire réduire d'un tiers de la crème fraîche ; y ajouter ensuite le quart de son volume de moutarde de Dijon et un filet de jus de citron. Fouetter pour obtenir une sauce mousseuse.

sauce Nantua

Préparer une béchamel ou un velouté léger de poisson. Y ajouter le même volume de cuisson d'écrevisse passée et autant de crème. Faire réduire le tout d'un tiers. Ajouter dans le mélange bouillant, en fouettant, 100 g de beurre d'écrevisse, 1 cuillerée à café de cognac et un soupçon de piment de Cayenne. Passer au tamis très fin.

sauce normande

Chauffer dans une casserole à fond épais 20 cl de velouté de sole, 10 cl de fumet de poisson et 10 cl de cuisson de champignons. Délayer 2 jaunes d'œuf avec 2 cuillerées à soupe de crème, les mettre dans la casserole et faire réduire d'un tiers. Ajouter en une fois 50 g de beurre divisé en parcelles et 3 cuillerées à soupe de crème épaisse, et éventuellement un peu de cuisson de moules ou d'huîtres.

RECETTE DE CHRISTIANE MASSIA

sauce à l'oseille

« Faire cuire 2 échalotes hachées avec 1/2 verre de vermouth et laisser réduire de moitié. Ajouter 1 verre de crème ; laisser réduire jusqu'à consistance onctueuse. Ajouter alors 150 g de feuilles d'oseille, du sel et du poivre. Donner 2 ou 3 bouillons et laisser refroidir. Au moment de servir, ajouter quelques gouttes de jus de citron. »

sauce oursinade

Chauffer 100 g de beurre dans une casserole à fond épais et ajouter 6 jaunes d'œuf ; les mélanger et les mouiller avec 2 ou 3 verres de la « nage » des poissons auxquels la sauce est destinée, et fouetter sur feu doux jusqu'à ce que l'ensemble soit onctueux, comme pour un sabayon. Mettre au bain-marie. Ajouter le corail de 12 oursins et fouetter encore pour bien lier.

sauce Périgueux

Ajouter à 75 cl de sauce demi-glace corsée et serrée 15 cl d'essence de truffe et 100 g de truffe hachée.

sauce poivrade

Couper en petits dés 150 g de rouge de carotte, 100 g d'oignons et 100 g de lard de poitrine frais ; effiler 50 g de céleri-branche. Faire étuver 20 min avec 30 g de beurre, 1 brin de thym, 1/2 feuille de laurier et du poivre mignonnette. Ajouter 30 cl de vinaigre et 20 cl de marinade, puis faire réduire de moitié. Mouiller avec 1 litre de sauce demi-glace ou du fond brun de gibier légèrement lié (selon l'utilisation) et cuire doucement 30 min. Écraser une dizaine de grains de poivre, les ajouter à la sauce et laisser infuser 5 min. Rectifier éventuellement l'onctuosité avec un peu de marinade. Passer la sauce au chinois étamine et tamponner.

sauce aux pommes

Préparer une marmelade de pomme très peu sucrée, lui incorporer un peu de cannelle en poudre ou des graines de cumin.

sauce poulette

Lier 40 cl de velouté de veau ou de volaille et, selon l'utilisation, de velouté de poisson avec 2 jaunes d'oeuf. Puis ajouter 10 cl d'essence de champignon et quelques gouttes de jus de citron. Hors du feu, monter la sauce avec 50 g de beurre. Vérifier l'assaisonnement en sel et poivre.

sauce au raifort chaude (dite Albert sauce)

Cuire 4 cuillerées à soupe de raifort râpé dans 20 cl de consommé blanc. Ajouter 25 cl de sauce au beurre. Faire réduire, puis passer. Délayer 2 cuillerées à soupe de moutarde anglaise avec 2 cuillerées à soupe de vinaigre. Lier la sauce avec 2 jaunes d'œuf, puis ajouter la moutarde délayée.

sauce au raifort froide

Tremper de la mie de pain dans du lait, puis la presser. Ajouter du raifort râpé, du sel, du sucre, de la moutarde, de la crème fraîche épaisse et du vinaigre.

sauce ravigote

Préparer une sauce vinaigrette avec 10 cl de vinaigre, 30 cl d'huile, 1 cuillerée de moutarde blanche, du sel fin et du poivre blanc. Incorporer 30 g d'oignons blancs très finement hachés, puis 2 cuillerées à café de petites câpres et des fines herbes hachées.

sauce rémoulade

Préparer une mayonnaise avec 25 cl d'huile ; ajouter 2 cornichons taillés en très petits dés, 2 cuillerées à soupe d'herbes ciselées (persil, ciboulette, cerfeuil et estragon), 1 cuillerée à soupe de câpres égouttées et quelques gouttes d'essence d'anchois.

sauce Robert

Dorer dans 25 g de beurre 2 oignons hachés finement. Ajouter 20 cl de vin blanc et 10 cl de vinaigre, et faire réduire presque à sec. Ajouter 1/2 litre de sauce espagnole ou de demi-glace. Rectifier l'assaisonnement. Délayer 1 grosse cuillerée à soupe de moutarde blanche avec un peu de sauce, puis, hors du feu, l'ajouter au reste de la sauce et bien mélanger. Tamponner.

sauce rouennaise

Passer au mixeur puis au tamis fin 150 g de foies de canard rouennais bien dénervés. Faire réduire de moitié 75 g d'échalotes finement ciselées avec 35 cl de vin rouge bien corsé, puis mouiller avec 1 litre d'excellent fond brun de canard légèrement lié (ou de sauce demi-glace au canard). Réduire à nouveau. Hors du feu, incorporer les foies, sans laisser bouillir. Passer au chinois étamine. Relever éventuellement l'assaisonnement. Monter au beurre. Servir immédiatement.

sauce royale

Mélanger 20 cl de velouté de volaille et 10 cl de fond blanc de volaille. Faire réduire de moitié, en ajoutant 10 cl de crème en cours de réduction. Incorporer 2 cuillerées de truffe crue hachée, puis 50 g de beurre, en fouettant, et enfin 1 cuillerée à soupe de xérès.

sauce russe froide

Mélanger en proportions égales du caviar et les parties crémeuses d'un homard passées au tamis fin. Préparer une mayonnaise et lui ajouter un quart de son volume de la purée précédente. Relever éventuellement avec un peu de moutarde douce.

sauce Saint-Malo

Mettre à fondre au beurre, sans les laisser colorer, 2 cuillerées à soupe d'échalotes ciselées. Ajouter 10 cl de vin blanc sec, puis 1 brin de thym, un fragment de feuille de laurier et 1 branche de persil plat. Faire réduire des deux tiers. Mouiller avec 15 cl de velouté de poisson ; éclaircir avec 10 cl de fumet de poisson et faire réduire d'un tiers. Passer au chinois étamine ; terminer avec 1 cuillerée à café de moutarde, quelques gouttes d'anchovy sauce et 1 cuillerée à soupe de beurre.

sauce Sainte-Menehould

Mettre à fondre, pendant 10 min, 1 cuillerée à soupe d'oignon finement haché dans 1 cuillerée à soupe de beurre. Saler, poivrer, ajouter 1 pincée de thym, autant de laurier en poudre, 10 cl de vin blanc et 1 cuillerée à soupe de vinaigre. Faire réduire à sec, puis mouiller avec 20 cl de demi-glace. Laisser bouillir 1 min sur feu vif, puis ajouter un peu de cayenne et, hors du feu, incorporer 1 cuillerée à soupe de moutarde, autant de cornichons coupés en très petits dés et autant de persil et de cerfeuil ciselés. Tamponner.

sauce sarladaise

Broyer 4 jaunes d'œuf durs et les délayer avec 2 cuillerées à soupe de crème fraîche épaisse. Ajouter 4 cuillerées à soupe de truffes fraîches très finement hachées et monter la sauce à l'huile d'olive. Incorporer 1 cuillerée à dessert de jus de citron, du sel, du poivre et 1 cuillerée à soupe de cognac.

sauce soja ▶ SOJA (SAUCE)

sauce Solferino

Monter de la glace de viande au beurre d'échalote et au beurre maître d'hôtel, puis mettre la sauce au point avec de l'essence de tomate, un peu de cayenne et du jus de citron.

sauce Soubise

Peler et émincer 1 kg d'oignons blancs et les plonger dans beaucoup d'eau salée. Porter à ébullition, puis égoutter les oignons et les mettre dans une casserole avec 100 g de beurre, du sel, du poivre et 1 pincée de sucre ; couvrir et faire étuver de 30 à 40 min, sans laisser colorer. Ajouter aux oignons le quart de leur volume de béchamel épaisse ; bien mélanger et cuire 20 min encore. Rectifier l'assaisonnement et passer au tamis très fin. Ajouter 75 g de beurre et 10 cl de crème fleurette.

sauce suprême

Préparer un velouté avec un roux blanc et du fond blanc de volaille dense et bien aromatisé. Réduire au moins de moitié. Ajouter 30 ou 40 cl de crème fraîche et laisser réduire jusqu'à l'obtention de 60 cl de sauce ; celle-ci doit napper la cuillère. Hors du feu, ajouter 50 g de beurre. Passer au chinois étamine.

sauce tartare

Préparer une mayonnaise en remplaçant le jaune d'œuf cru par du jaune d'œuf dur. L'additionner de ciboulette ciselée et d'oignon nouveau ciselé, de câpres hachées, de persil, cerfeuil et estragon hachés.

sauce tomate

Couper 100 g de lard de poitrine frais en petits dés ; les blanchir, les égoutter et les dorer dans 3 ou 4 cuillerées à soupe de beurre. Ajouter 100 g de carottes et 100 g d'oignons épluchés et coupés en dés ; les faire fondre à couvert entre 10 et 15 min, en laissant colorer légèrement. Poudrer de 60 g de farine tamisée et faire blondir. Ajouter 2 kg de tomates fraîches, pelées, épépinées et concassées (ou 200 g de concentré de tomate), 2 gousses d'ail écrasées, 1 bouquet garni et 150 g de maigre de jambon blanchi ; mouiller avec 1 litre de fond blanc ; saler, poivrer, ajouter 20 g de sucre et porter à l'ébullition en remuant. Couvrir et laisser mijoter 2 heures. Retirer alors l'ail, le bouquet garni et le jambon. Passer la sauce au chinois étamine, la mettre dans une casserole au bain-marie et la tamponner avec un peu de beurre fondu juste tiède.

sauce tortue

Mettre dans 25 cl de consommé bouillant 3 g de sauge, 1 g de marjolaine, 1 g de romarin, 2 g de basilic, 1 g de thym et autant de laurier, une pincée de feuilles de persil et 25 g de pelures de champignon. Couvrir. Laisser infuser pendant 25 min et ajouter au dernier moment 4 grains de gros poivre. Passer l'infusion à la mousseline et en ajouter la quantité voulue dans 70 cl de sauce demi-glace, additionnée de 30 cl de sauce tomate ; réduire d'un quart et passer à l'étamine. Mettre au point avec 10 cl de madère, un peu d'essence de truffe et relever de cayenne.

sauce Véron

Préparer une réduction de vin blanc, d'échalote, d'estragon et de cerfeuil hachés. Mouiller avec 25 cl de sauce normande et 2 cuillerées à soupe de glace de poisson. Relever de 1 pointe de piment de Cayenne et de 1 cuillerée à soupe d'essence d'anchois. Monter la sauce avec 30 g de beurre et 2 cuillerées à soupe de purée de tomate réduite. Passer cette sauce au chinois étamine.

sauce Villeroi

Faire réduire 20 cl de sauce allemande (grasse pour la viande, maigre pour le poisson) allongée de 4 cuillerées à soupe de fond blanc et de cuisson de champignons jusqu'à ce qu'elle nappe la spatule. Passer à l'étamine et vanner jusqu'à ce qu'elle soit à peine tiède et qu'elle nappe la spatule. Ajouter 1 cuillerée à soupe de jus de truffe. Passer au chinois étamine. Cette sauce sert à napper des aliments qui seront panés à l'anglaise. Elle peut être additionnée soit de purée Soubise ou de purée de tomate très réduite.

sauce waterfish chaude

Détailler en julienne très fine 50 g de carotte, 25 g de blanc de poireau, 25 g de céleri-branche effilé, 30 g de racines de persil et 2 cuillerées à café de zeste d'orange. Mettre le tout dans une casserole, mouiller de 20 cl de vin blanc sec et faire réduire à sec. Ajouter 20 cl de court-bouillon de poisson au vin blanc et faire réduire de nouveau à sec. Préparer 50 cl de sauce hollandaise et lui incorporer la julienne, puis 1 cuillerée de pluches de persil blanchies. Tenir au chaud au bain-marie.

sauce waterfish froide

Préparer une julienne de légumes comme pour la sauce waterfish chaude ; la mouiller de 20 cl de court-bouillon du poisson de la recette et faire réduire à sec. Dissoudre sur le feu 2 feuilles de gélatine dans 20 cl de court-bouillon, puis incorporer la julienne et laisser refroidir. Ajouter alors 1 cuillerée à soupe de cornichons hachés, autant de poivron rouge en petits dés, puis 1 cuillerée à dessert de câpres ; mélanger.

sauce zingara

Préparer 25 cl de sauce demi-glace, 2 cuillerées à soupe de sauce tomate tamisée et 1 cuillerée à soupe de julienne de jambon cuit, autant de langue écarlate et de champignons étuvés au beurre avec un peu de truffe. Ajouter la julienne à la demi-glace, puis incorporer la sauce et une pointe de paprika.

Yorkshire sauce

Prélever le zeste de 1 orange et le tailler en julienne ; en faire étuver pendant 20 min 1 grosse cuillerée à soupe dans 20 cl de porto. Égoutter le zeste et verser dans le porto 2 cuillerées à soupe de gelée de groseille, puis 1 pincée de poudre de cannelle et 1 pointe de piment de Cayenne. Délayer, porter à ébullition, ajouter le jus de l'orange, puis passer au chinois. Incorporer la julienne cuite.

SAUCE DE DESSERT Accompagnement liquide d'un dessert ou d'un entremets, d'une glace, d'un sorbet ou de fruits pochés. Il s'agit le plus souvent d'une purée, d'un coulis ou d'une gelée de fruits, délayés dans du sirop, parfois aromatisés à la vanille ou à l'alcool, que l'on sert tièdes ou froids, en nappage ou en saucière. La crème anglaise parfumée est également utilisée comme sauce de dessert froide, de même que le chocolat fondu et les sabayons.

sauce au caramel

Dans une casserole, faire fondre 100 g de sucre en poudre ; cuire jusqu'à ce que le caramel ait suffisamment de goût. Le décuire avec 20 g de beurre, de préférence demi-sel, puis ajouter 120 g de crème liquide préalablement bouillie. Faire de nouveau bouillir quelques instants et débarrasser dans une bassine plongée dans un bain-marie de glaçons.

sauce au cassis

Mettre une dizaine de morceaux de sucre dans une casserole avec 7 cl d'eau ; faire fondre, puis bouillir jusqu'à l'obtention d'un sirop. Passer 250 g de grains de cassis sous l'eau froide ; les essuyer et broyer dans un appareil électrique. Verser la purée obtenue dans un chinois fin et la fouler avec un pilon. Mélanger le sirop et la purée de fruit, en ajoutant le jus de 1 citron.

sauce au chocolat

Sans cesser de remuer porter à ébullition sur feu moyen 130 g de chocolat haché, 25 cl d'eau, 70 g de sucre en poudre, 12,5 cl de crème liquide. Réduire sur feu doux. Mélanger jusqu'à ce que la sauce nappe la cuillère. Laisser refroidir à température ambiante.

sauce aux pêches crues

Ébouillanter des pêches pendant 30 s, les peler et les dénoyauter ; peser la pulpe et lui ajouter aussitôt le jus de 1 citron par kilo ; la réduire en purée, puis l'additionner du tiers de son poids de sucre en poudre et, éventuellement, d'une liqueur de fruit. Cette sauce sert à napper des fruits rafraîchis, une charlotte, etc.

SAUCER Ajouter à une préparation, avec une cuillère ou une petite louche, tout ou partie de la sauce d'accompagnement. Cette opération se réalise en nappant le mets ou en l'entourant seulement d'un cordon de sauce, le reste de celle-ci étant servi dans une saucière.

SAUCIÈRE Pièce du service de table, en porcelaine ou en faïence, à bords hauts et de forme plus ou moins allongée, munie d'une poignée, servant à présenter la sauce ou le jus avec le plat qu'ils accompagnent. La saucière peut avoir un ou deux becs verseurs (mais on se sert toujours d'une cuillère). Dans la saucière pour jus de rôti à deux becs, un double fond permet de séparer le gras du jus proprement dit.

SAUCISSE Produit de charcuterie fait d'un boyau rempli de viande hachée et assaisonnée. La saucisse est généralement constituée de maigre et de gras de porc, éventuellement additionnés de veau, de bœuf, de mouton ou de volaille, avec parfois des abats, et toujours des condiments variés, d'où la diversité des préparations. Les éléments (« chair à saucisse ») sont hachés plus ou moins finement et embossés dans du menu (boyau) de porc ou de mouton.

■ **Saucisses françaises.** Les catégories se définissent selon qu'elles sont crues ou cuites.

● SAUCISSES CRUES, À GRILLER, À POÊLER OU À FRIRE. Elles regroupent essentiellement les saucisses longues et les chipolatas (chair à saucisse classique, dans du menu de porc de petit calibre), la saucisse de Toulouse (hachage assez gros de viande pur porc, sur 3 à 4 cm de diamètre), les crépinettes ou saucisses plates (chair à saucisse parfois additionnée de persil plat ou en feuilles et enveloppée dans des morceaux de crépine), qui sont une tradition dans le bassin d'Arcachon, et diverses spécialités régionales comme la petite saucisse du Bordelais, qui se déguste grillée avec du vin blanc et des huîtres, notamment à Arcachon, les diots savoyards et la saucisse blanche d'Alsace, à frire.

• SAUCISSES CRUES ÉTUVÉES À POCHER. Fumées ou non, elles se consomment le plus souvent cuites à l'eau. C'est le cas des saucisses du type Morteau (pur porc, fermées par une cheville de bois qui permet de les suspendre pour le fumage) ou Montbéliard, ainsi que du cervelas de Lyon, charcuterie fine pur porc. Néanmoins, les gendarmes, fortement séchés et fumés, d'origine suisse et autrichienne, se mangent parfois crus. La saucisse de Francfort se présente sous deux types : la vraie *Frankfurter* allemande est constituée d'une pâte fine pur porc, fumée à froid et vendue crue, à pocher ; la francfort de fabrication française est généralement pur porc, sous boyau de mouton, étuvée, pochée et fumée, parfois teintée par coloration.

• SAUCISSES CRUES À TARTINER. Ce sont surtout la *Mettwurst* alsacienne, ou « tartinette » (porc et bœuf, souvent relevés de muscade et de paprika), la soubressade (fortement aromatisée et colorée au piment doux) et la *longaniza* (au piment et à l'anis) – toutes deux d'origine espagnole –, que l'on peut aussi faire griller doucement.

• SAUCISSES CRUES À POÊLER ET À GRILLER. Elles comprennent la merguez (pur bœuf ou bœuf et mouton additionnés parfois de porc [mention obligatoire], colorée de poivron rouge et pimentée), le chorizo (pur porc ou porc et bœuf, doux ou piquant), que l'on mange aussi cru, et diverses spécialités : saucisse de couenne, figatellis corses (au foie de porc) et sabodet ou coudenat (à base de tête).

Certains produits de charcuterie subissent une maturation-dessication et deviennent, de ce fait, des saucissons secs ; ils sont néanmoins vendus sous le nom de « saucisses sèches », telles les saucisses « de montagne » ou d'Auvergne, dont certaines bénéficient d'un label. Les saucisses sèches comme les saucisses fraîches du Limousin bénéficient du label rouge. On les consomme mi-sèches ou sèches.

Il existe enfin des saucisses vendues cuites à cœur, dont la plus connue est la saucisse de Strasbourg (ou knack), souvent colorée en rouge ou orange, mais aussi les saucisses « cocktail », de composition plus ou moins fine, la saucisse viennoise (maigre de veau et de porc

Caractéristiques des différentes saucisses crues

NOM	ORIGINE	FABRICATION	ASPECT
à griller, à poêler, à frire			
chipolata	toute la France	pur porc, souvent embossée en boyau naturel	portions 15 cm
crépinette	toute la France	chair à saucisse enrobée de crépine de porc, parfois avec persil haché	rectangulaire
merguez	toute la France	rouge sombre, pur bœuf ou bœuf et mouton, avec piment rouge, poivre	portions, calibre 18-20 mm
saucisse longue	toute la France	chair à saucisse hachée moyen ou gros, embossée en boyau naturel 20 mm	portions 12-15 cm
saucisse paysanne	Alsace, Lorraine	farce fine et viande de porc, en boyau de porc 30-35 mm	portions 100-150 g
saucisse de Toulouse	toute la France	pur porc en hachage grossier, en boyau de porc 35-40 mm	en brasses ou en portions
saucisse au vin blanc	Charentes, Ouest	pur porc, vin blanc, oignon, en boyau naturel 20-22 mm	portions 5-6 cm
étuvées, à pocher			
cervelas lyonnais	région lyonnaise	hachage pur porc, assez gros, en boyau naturel large, avec parfois truffes ou pistaches, étuvé à chaud	portions 400-900 g
saucisse « cocktail »	toute la France	pâte fine de porc, et/ou de bœuf et/ou de volaille, en boyau 20-24 mm, étuvée, fumée, pochée avec ou sans colorant	portions 2-4 cm
saucisse de Francfort	toute la France	pâte fine, pur porc, en boyau 22-26 mm, étuvée et colorée en jaune au pochage, ou étuvée et fumée sans coloration	portions 125-150 g
saucisse de Montbéliard	toute la France	gros hachage pur porc 20-40 mm, avec cumin, vin rouge, échalotes	portions sans chevilles de bois
saucisse de Morteau	toute la France	gros hachage pur porc, en chaudin de porc 35-50 mm, fumé lentement à froid	portions avec chevilles de bois
saucisse de Strasbourg	toute la France	pâte fine, porc et bœuf, en boyau 18-24 mm, colorée en rouge au pochage après étuvage	portions 10 cm
à tartiner			
saucisse Mettwurst	Alsace, Est	viande de bœuf, porc et gras de porc, épices (cumin, muscade, piment, paprika, etc.), fumée à froid (jaune-brun)	petites portions (environ 15 cm)
soubressade	Sud	morceaux de maigre dans farce homogène et grasse, très aromatisée, colorée au piment doux	calibre large

et gras de porc), sous boyau jaune pâle, la « saucisse de viande » (pâte fine à base de bœuf, de porc ou de volaille, sous boyau de 4 à 6 cm de diamètre) et le cervelas de Strasbourg.

■ **Saucisses étrangères.** C'est en Allemagne que l'on trouve la plus grande variété de saucisses : la *Plockwurst* (bœuf et porc), à peau brune et luisante, à pocher ; la saucisse fraîche de foie de porc, à tartiner ; la *Bierwurst,* pour accompagner la bière ; la saucisse à cuire du Holstein (porc et bœuf) ; la *Bratwurst,* à poêler, aux nombreuses variantes ; la *Zungenwurst* (maigre de porc, sang et langue), aux gros dés apparents, cuite, à manger froide ; la *Schinkenwurst* fumée, à pocher (bœuf et maigre de porc à grain épais) ; les minces saucisses de Nuremberg aux aromates, à griller ; la *Brägenwurst* de Westphalie (longue et mince, légèrement fumée, au lard, à la cervelle de porc, au gruau d'avoine et à l'oignon).

Parmi les saucisses des autres pays, mentionnons les saucisses de Cambridge, enrobées de chapelure, à griller ; les saucisses de Pologne (porc, bœuf et gras), au persil, au paprika ou à l'oignon, le plus souvent fumées, à frire ou à pocher avec des lentilles ; et les saucisses madrilènes, où veau et lard sont mêlés à des sardines à l'huile.

chair à saucisse ▶ CHAIR À SAUCISSE

chair à saucisse fine ou farce fine de porc ▶ CHAIR À SAUCISSE

saucisse à la languedocienne

Rouler en spirale 1 kg de saucisse de Toulouse et la piquer avec 2 brochettes croisées pour qu'elle garde cette forme. Chauffer dans une sauteuse 3 cuillerées à soupe de graisse d'oie et y mettre la saucisse. Ajouter 4 gousses d'ail émincées et 1 bouquet garni. Cuire 18 min à couvert ; retourner la saucisse à mi-cuisson. L'égoutter, la débrocher, la dresser dans un plat rond et la tenir au chaud. Dégraisser puis déglacer la sauteuse avec 2 cuillerées à soupe de vinaigre, puis mouiller de 30 cl de bouillon et de 10 cl de purée de tomate ; faire réduire. Ajouter 3 cuillerées à soupe de câpres au vinaigre et 1 cuillerée à soupe de persil ciselé. Mélanger et napper la saucisse de cette sauce.

Caractéristiques des différents saucissons

NOM	ORIGINE	FABRICATION	ASPECT
jésus cuit	Franche-Comté, Jura	gros hachage, embossé en boyau naturel de porc de large diamètre	10 cm de diamètre
jésus sec	toute la France	pur porc, embossé en boyau de porc, composition très proche de la rosette	>10 cm de diamètre
judru	Morvan	hachage grossier, embossé en boyau ou chaudin de porc	gros diamètre
mortadelle	Italie	pâte fine cuite à sec, en étuve spéciale-; avec cubes de gras, pistaches, graines de coriandre, embossée en boyau	rose clair, présence de piment, paprika, 15 cm de diamètre
rosette	toute la France	hachage pur porc, embossée en fuseau (côlon terminal) naturel ou reconstitué, ficelée ou sous filet élastique, maturation longue	forme de fuseau
salami	Italie, Allemagne, Danemark, France, Hongrie	hachage fin, souvent porc et bœuf, parfois fumé, parfois cuit et séché	gras abondant, bien réparti, aspect et diamètre selon origine et fabrication
saucisse sèche	Auvergne, montagne Noire, Savoie	hachage moyen, embossée en boyau de porc 34-38 mm, étuvée, séchée (1-3 semaines)	courbe ou long (50 cm) ou « à la perche »
saucisson d'Arles	toute la France	hachage moyen bœuf et gras de porc, rarement âne, cheval, mulet, embossé en boyau de bœuf, étuvé, séché	blanchâtre, allongé, 25-30 cm de long, 35 mm de diamètre
saucisson « chasseur »	toute la France	pur porc ou porc et bœuf, emballé en boyau de bœuf 35-40 mm, séché rapidement	portions petites, <250 g
saucisson de foie	Est	foie de porc ou de veau (30-50 %), farce maigre, porc, veau, le tout cuit, fumé à froid	boyau droit, blanc grisâtre, tartinable
saucisson de jambon	Est	pâte fine porc et veau, gros dés de viande, étuvés, un peu fumés avant cuisson	80-90 mm de diamètre
saucisson de langue	toute la France	farce, langues de porc, embossées en boyau de porc, généralement avec pistaches, coloré	rouge, 10 cm de diamètre
saucisson lorrain	Est	mi-sec, pur porc, fumé naturellement, embossé en boyau naturel	formes variées, longs ou trapus, de diamètres divers, sans fleur
saucisson de Lyon	toute la France	hachage fin, homogène, porc et bœuf, le plus souvent pur porc	extérieur de rosette, coupe rouge foncé, lardons à section carrée très typiques, poivre en grains
saucisson de ménage	toute la France	hachage moyen pur porc, embossé en boyau naturel ou reconstitué, non bridé	irrégulier, environ 5 cm de diamètre, ≥ 200 g
saucisson cuit de Paris	toute la France	hachage gros pur porc, peu de farce, embossé en boyau de bœuf ou artificiel 40-45 mm, cuit, parfois un peu fumé, généralement aromatisé à l'ail	rose clair
saucisson vaudois	Suisse (canton de Vaud)	hachage moyen pur porc, embossé en boyau naturel et fumé ; servi traditionnellement avec le papet	lisse et uni

saucisses à la catalane

Faire rissoler au saindoux, dans un plat à sauter, 1 kg de grosses saucisses, jusqu'à ce qu'elles soient dorées ; les retirer, puis ajouter 1 cuillerée de tomate concentrée, 1 verre de vin blanc et 1 verre de fond blanc. Bien mélanger, cuire 10 min, passer. Faire blanchir 24 gousses d'ail épluchées. Remettre les saucisses dans le plat à sauter, ajouter l'ail, 1 bouquet garni et 1 petit morceau d'écorce d'orange séchée. Verser la sauce passée sur les saucisses, couvrir et cuire doucement 30 min.

saucisses grillées

Piquer à la fourchette des chipolatas, des crépinettes ou un morceau de saucisse de Toulouse. Disposer les saucisses côte à côte, la saucisse de Toulouse roulée en spirale sur la grille du four ou dans le porte-aliments d'un gril vertical. Faire griller doucement pour que le centre cuise et que l'extérieur ne brûle pas. Servir avec une purée légère de pomme de terre, de légumes frais ou de haricots secs.

SAUCISSON Produit de charcuterie, fait d'un hachis de viande assaisonné mis sous boyau, qui se mange soit cru, après un traitement de maturation-dessiccation, soit cuit (**voir** tableau des saucissons page 787). Il existe une grande variété de saucissons, tant en France qu'à l'étranger. Le saucisson sec du Limousin bénéficie du label rouge.

■ **Saucissons secs.** La fabrication des saucissons séchés est de très ancienne tradition. Elle obéit à des règles précises qui confèrent à ces différentes spécialités leur arôme, leur texture et leur goût : désossage et parage des viandes, préparation de la « mêlée » (broyage du gras et du maigre avec les épices), embossage, étuvage (préséchage à 20-25 °C), séchage et maturation à 14 °C, pendant au moins 4 semaines.

Un bon saucisson sec est ferme au toucher, voire dur, avec un arôme notable, recouvert d'une « fleur », signe d'une fermentation correctement menée, de préférence à nu.

On le sert coupé en fines rondelles dont on a ôté la peau, en ravier, avec du beurre frais, en hors-d'œuvre, voire en amuse-gueule avec l'apéritif.

Le saucisson sec fait partie des assortiments de charcuterie servis lors des buffets campagnards ; il intervient aussi dans les sandwichs et les canapés.

■ **Saucissons cuits.** Certains produits de charcuterie, utilisés en cuisine (en brioche ou en pâte, en garniture) ou servis en hors-d'œuvre froids, sont des saucissons cuits.

saucisson en brioche à la lyonnaise

Cuire 40 min au bouillon 1 saucisson à cuire pur porc de 1 kg, de 30 cm de long, et le laisser refroidir complètement. Délayer 20 g de levure de boulanger dans 5 cl d'eau. Préparer une pâte à brioche et la laisser lever dans un endroit tiède. La rompre, l'aplatir et la rassembler quatre ou cinq fois, puis la couvrir à nouveau et la mettre dans le réfrigérateur. Sur un plan de travail fariné, abaisser cette pâte en un rectangle d'une longueur dépassant un peu celle du saucisson. Dépouiller celui-ci, le fariner légèrement et l'enrouler dans la pâte ; rabattre les extrémités, en soudant les deux côtés de la pâte. Mettre le tout dans une terrine étroite et longue, et laisser lever. Quand la brioche emplit le moule, la dorer à l'œuf et la cuire de 25 à 30 min au four préchauffé à 210 °C. Démouler. Servir chaud.

SAUGE Plante aromatique des régions tempérées, de la famille des lamiacées, dont les feuilles, à la saveur piquante, camphrée, un rien amère, s'emploient pour condimenter des aliments gras (charcuterie, porc, anguille, farces), certains fromages (comme le derby anglais) et diverses boissons, outre les infusions et les vinaigres aromatisés (**voir** planche des herbes aromatiques pages 451 à 454).
– La grande sauge, ou sauge officinale, porte des feuilles oblongues, épaisses et velues, vert cendré.
– La petite sauge de Provence, à feuilles petites et plus blanches, à odeur plus prononcée, est la plus estimée.
– La sauge de Catalogne est plus petite encore.

– La sauge sclarée, à feuilles cloquées et velues, est utilisée dans la préparation du vermouth italien et parfumait jadis les beignets.

En France, c'est surtout en Provence que la sauge est associée aux viandes blanches, notamment au porc, et aux soupes de légumes.

En Italie, son rôle est plus important : piccata, saltimbocca, ossobuco et paupiettes bénéficient de son parfum, ainsi que le minestrone au riz. Flamands et Britanniques en mettent avec de l'oignon dans de nombreuses farces de volaille et sauces. Les Allemands parfument à la sauge le jambon, certaines saucisses et parfois la bière. Dans les Balkans et au Moyen-Orient, la sauge accompagne le mouton rôti. Les Chinois, eux, l'utilisent pour parfumer leur thé.

SAUMON Poisson migrateur de la famille des salmonidés, qui passe une partie de sa vie en mer mais vient pondre en eau douce (**voir** tableau des saumons ci-contre et planche des poissons d'eau douce pages 672 et 673). Rares sont les reproducteurs qui parviennent ensuite à rejoindre la mer, car la plupart meurent sur place, épuisés.

■ **Saumon frais.** Après être restés environ 2 ans en eau douce, les alevins (de 15 à 20 cm, devenus « tacons » puis « smolts ») commencent leur descente vers les eaux salées.

La durée du séjour en mer est variable : un an pour le « madeleineau » de 50 à 60 cm, qui remonte vers juin-juillet ; 2 ans pour le « saumon de printemps » de 70 à 80 cm, qui remonte de mars à mai ; 3 ans pour le « grand saumon d'hiver » de 90 cm à 1 m, qui remonte d'octobre à mars. Lors de la reproduction, les mâles se transforment et deviennent des « bécards » et, après la ponte, des « charognards ». À cause de leur dégradation physiologique, la qualité gustative des géniteurs est alors très médiocre. En dehors de cette période, le saumon a la chair rose et grasse en raison de son alimentation presque exclusive de caroténoïdes contenus dans les crustacés, dont il se gave littéralement. Il est consommé frais, fumé, mariné cru.

Le saumon est un très beau poisson, au dos bleuté, parsemé de petites taches noires (elles sont rouges au moment du frai), avec les flancs et l'abdomen dorés.

En France, la pollution et la construction de barrages empêchent les saumons de remonter (même quand on aménage des « ascenseurs »), et leur nombre a considérablement diminué ; seuls la Loire et l'Allier, les gaves du Sud-Ouest et certains fleuves côtiers normands et bretons en abritent encore. Les trois grandes capitales du saumon restent Navarrenx, Châteaulin et Brioude, célèbre pour sa tourte chaude au saumon et à la crème. Aujourd'hui, la majeure partie du saumon consommé en France provient de l'élevage. Les principaux pays producteurs sont l'Écosse, la Norvège, l'Irlande et les îles Féroé. Le salmo salar sauvage est devenu rare ; on le trouve encore dans la Baltique (saumon blanc), en Norvège et en Écosse. Les autres espèces sauvages sont les saumons du Pacifique, dont la plupart sont utilisés pour leurs œufs. Ils sont consommés en grande partie aux États-Unis et en Russie, surtout frais ou en conserves à l'huile, ou encore fumés à chaud (plus rarement à froid, selon la méthode traditionnelle, en raison de leur texture).

En Russie, en Allemagne et en Scandinavie, le saumon figure parmi de nombreux plats, tels le koulibiac russe ou le *gravlax* suédois (saumon cru mariné avec du poivre, de l'aneth, du sucre et du sel).

■ **Emplois.** Le saumon se prépare entier ou détaillé en tronçons, darnes ou tranches ; le milieu (partie la plus noble) porte classiquement le nom de « mitan ». Entier ou tronçonné, le saumon frais est le plus souvent cuit au court-bouillon et servi avec une sauce chaude. On peut aussi le braiser entier, farci ou non, le rôtir au four ou le cuire à la broche (entier ou en tronçons). Les darnes sont cuites au court-bouillon, grillées, sautées au beurre, braisées, ainsi que les filets, les escalopes ou les « côtelettes » (darnes parées ou chair de poisson façonnée). En Angleterre, le *crimpled salmon*, ou « saumon ciselé », est une préparation traditionnelle : le poisson, encore vivant, est entaillé assez profondément sur les flancs en plusieurs endroits, puis suspendu et mis à saigner, avant d'être immergé dans de l'eau froide. L'apprêt classique consiste ensuite à le faire bouillir et à le dresser égoutté sur une serviette, garni de persil frais et accompagné d'une sauce hollandaise (mais les amateurs préfèrent l'arroser de sa cuisson), avec une salade de concombre.

Caractéristiques des différentes espèces de saumons

ESPÈCE	PROVENANCE	ÉPOQUE	POIDS ET TAILLE	ASPECT DE LA CHAIR	PRÉSENTATION
saumons de l'Atlantique et de la Baltique					
salmo salar sauvage	mer : Baltique, Atlantique	sept.-mars	1,5-40 kg, 50-160 cm	rose pâle	frais, congelé ou fumé
	rivière : France, Écosse, Irlande, Norvège	juin-août			
salmo salar d'élevage	Écosse, Norvège, Irlande	toute l'année			
saumons du Pacifique					
chum, ou saumon keta (*Oncorhynchus keta*)	Pacifique, océan Arctique	mai-août	2-5 kg, 60-70 cm	ferme, rose, peu grasse	principalement en conserve
coho, ou silver, ou saumon argenté (*Oncorhynchus kisutch*)	Pacifique, océan Arctique	juin-juill.	1-5 kg, 60-90 cm	rouge-orangé, consistante	congelé, fumé, en conserve
king, ou chinook, ou saumon royal (*Oncorhynchus tschawytscha*)	Pacifique	mai-juill.	3-16 kg, 75-100 cm	rouge, ferme	congelé ou fumé
pink, ou humpback, ou saumon rose (*Oncorhynchus gorbusha*)	Pacifique	mi-juin-fin-août	1-2 kg, 60 cm	rose pâle, peu grasse	principalement en conserve
sockeye, ou red salmon, ou saumon rouge (*Oncorhynchus nerka*)	Pacifique	mi-mai-sept.	2-4 kg, 60 cm	rouge profond, peu grasse	principalement en conserve

■ **Saumon fumé.** Soumis à ce procédé de conservation traditionnel, le saumon constitue un mets raffiné, servi en entrée froide avec des toasts ou des blinis, de la crème fraîche ou une sauce au raifort, et du citron ; on l'utilise aussi dans divers apprêts chauds ou froids, aspics, canapés, cornets fourrés et œufs brouillés. Les saumons sont fumés à froid, au-dessus d'un mélange de bois (hêtre, bouleau, chêne, frêne, aulne) additionnés d'essences odorantes (genièvre, bruyère, sauge). Certains sont importés fumés, d'autres sont fumés par l'importateur.

Un bon saumon fumé est préparé, de préférence, avec un salmo salar sauvage, plus adapté au fumage, compte tenu de sa texture et de sa bonne tenue à la coupe. Congelé lors de la saison de pêche, il peut être préparé tout au long de l'année. Il est salé au sel de mer (pas trop), fumé soigneusement à froid avec du bois de hêtre neuf, parfois parfumé au genièvre.

Il est toujours servi à la coupe tranché main, selon la demande du client, car il se conserve mieux, ne sèche pas et ne subit pas d'altération bactérienne. Enfin, il est vendu sans subir de congélation.

Le saumon irlandais, écossais ou norvégien est assez coloré et possède une chair ferme, croquante, parfumée, tandis que le saumon danois, pêché dans la Baltique, est plus clair, plus gras, délicat, et ne plaît qu'à certains amateurs.

Le saumon fumé industriellement est vendu entier ou prétranché, en pochette sous vide, parmi les semi-conserves. Il vaut mieux le réserver pour les salades composées ou certains apprêts, où il est intégré dans un mélange ou une farce. Enfin, on trouve dans certains magasins un saumon fumé encore plus économique, préparé avec un oncorhynchus. Cette espèce de saumon recouvre plusieurs sous-familles, dont certaines sont impropres au fumage.

aspic de saumon fumé ▶ ASPIC
canapés au saumon fumé ▶ CANAPÉ
chaud-froid de saumon ▶ CHAUD-FROID
cornets de saumon fumé aux œufs de poisson ▶ CORNET

côtelettes de saumon à la florentine

Parer en forme de côtelette des demi-darnes de saumon prises dans la partie ventrale. Les pocher de 6 à 8 min en les recouvrant à peine de fumet de poisson réduit. Les égoutter et les dresser dans un plat allant au feu, sur une couche d'épinards en branches, égouttés, épongés, grossièrement hachés, étuvés au beurre, puis assaisonnés de sel, poivre et muscade. Napper de sauce Mornay. Poudrer de fromage râpé, arroser de beurre fondu et gratiner sous le gril.

côtelettes de saumon glacées chambertin

Parer en forme de côtelette des demi-darnes de saumon. Les ranger dans un plat beurré ; les saler, les poivrer et les mouiller juste à hauteur d'un fond de gelée de poisson au chambertin. Les pocher de 8 à 10 min, puis les égoutter et les éponger. Laisser refroidir complètement. Clarifier le fond de gelée, puis attendre qu'il soit à peine tiède, mais sans le laisser prendre. Poser les côtelettes sur une grille, au-dessus d'un plat, et les napper de plusieurs couches de gelée, en mettant le plat dans le réfrigérateur entre deux applications. Faire prendre dans le plat de service une mince couche de gelée et poser les côtelettes de saumon dessus.

côtelettes de saumon Pojarski

Hacher 300 g de chair de saumon frais en y ajoutant 70 g de mie de pain rassis, trempée dans du lait et essorée, et 70 g de beurre frais. Saler, poivrer et poudrer d'une pointe de noix de muscade râpée. Diviser cet appareil en 4 portions égales ; les façonner en côtelette. Les paner à l'anglaise et les dorer au beurre clarifié, des deux côtés. Les dresser dans un plat de service, les arroser de leur beurre de cuisson et les décorer de rondelles de citron cannelées.

darnes de saumon Nantua

Faire pocher des darnes de saumon dans un fumet de poisson, les égoutter, les entourer de queues d'écrevisse décortiquées et les napper de sauce Nantua additionnée d'un peu de fumet réduit.

RECETTE DE JEAN ET PAUL MINCHELLI

escalopes de saumon cru aux deux poivres

« Retirer la peau de 2 belles darnes de saumon puis, avec une pince à épiler, enlever soigneusement toutes les arêtes. À l'aide d'un pinceau, graisser légèrement le poisson avec de l'huile d'olive extravierge et le mettre 2 heures au réfrigérateur pour raffermir la chair avant de la couper. Faire aussi refroidir 4 assiettes de service. Les sortir et les huiler légèrement au pinceau. Poser les morceaux de saumon sur une planche et, en les maintenant du plat de la main, découper, dans le sens de la largeur, de très minces escalopes ; les disposer au fur et à mesure sur les assiettes. Les huiler délicatement. Saler. Faire au-dessus des assiettes 1 ou 2 tours de moulin à poivre, parsemer de poivre vert légèrement écrasé, et servir avec des toasts Melba. »

RECETTE DE JEAN ET PIERRE TROISGROS

escalopes de saumon à l'oseille Troisgros

« Découper dans la partie centrale la plus charnue d'un saumon 4 escalopes de 120 g et les aplatir délicatement entre 2 feuilles de papier sulfurisé huilé. Les saler, les poivrer et les saisir rapidement dans une poêle antiadhésive. Mettre dans une casserole 8 cl de sauvignon, 8 cl de fumet de poisson et 3 cl de vermouth, puis ajouter 2 échalotes épluchées et hachées. Faire réduire, joindre 30 cl de crème double, laisser bouillir jusqu'à consistance onctueuse et jeter dedans 80 g de feuilles d'oseille fraîche rapidement lavées sous l'eau froide. Rectifier l'assaisonnement. Répartir la sauce dans 4 assiettes chaudes et disposer au-dessus les escalopes de saumon. »

frivolités de saumon fumé au caviar ▶ CAVIAR
koulibiac de saumon ▶ KOULIBIAC
mariné de loup de mer, saumon et noix
  de saint-jacques ▶ COQUILLE SAINT-JACQUES
pâté de saumon ▶ PÂTÉ
purée de saumon ▶ PURÉE

saumon en croûte

Préparer 400 g de pâte feuilletée. Parer un saumon de 900 g à 1 kg et l'écailler en remontant de la queue vers la tête. Côté ventre, éliminer les boyaux et les caillots de sang en frottant le long de l'arête. Laver l'intérieur sous un filet d'eau. Mettre 2 litres d'eau à bouillir. Poser le saumon sur une grille au-dessus d'un plat creux. Verser de l'eau bouillante sur tout le corps (sauf la tête), ôter la peau. Retourner le poisson et procéder de même. Éponger le saumon, saler et poivrer l'intérieur. Étaler les deux tiers de la pâte feuilletée en un rectangle de 36 x 14 cm sur 3 mm d'épaisseur. Poser cette abaisse sur une plaque à four légèrement humide, disposer le saumon au centre, tête à gauche, ventre vers soi. Saler et poivrer légèrement. Rabattre l'excédent de pâte du pourtour sur les côtés du poisson, dorer à l'œuf. Abaisser le reste de pâte en un rectangle de 30 x 10 cm sur 4 mm d'épaisseur. Découper l'excédent de pâte en suivant les contours du saumon. À l'aide d'une pointe de couteau, dessiner légèrement la tête, la queue et les écailles. Dorer uniformément la pâte à l'œuf battu. Mettre au froid pendant 30 min, puis dorer une seconde fois. Cuire 45 min sur le bas du four préchauffé à 180 °C. Sortir le saumon et le laisser reposer 10 min au chaud. Glisser sur le plat de service.

RECETTE D'HERVÉ LUSSAULT

saumon fumé de Norvège

POUR 12 PERSONNES

« Désarêter un filet de saumon de Norvège de 2,5 kg. Préparer la salaison composée de 250 g de gros sel, 100 g de sucre en poudre et 15 g de sel nitrité. Bien mélanger le tout. Répandre ce mélange sur le filet de saumon et laisser macérer pendant 12 heures. Laver à l'eau claire et faire sécher 2 jours en atmosphère fraîche et aérée. Pour préparer le fumage, prendre 1 sac de sciure alimentaire et y incorporer 1 bouquet de thym, 2 branches de laurier, 2 branches de romarin et 100 g de vergeoise. Faire brûler ce mélange dans le fumoir et contrôler la combustion, de façon à ne pas dépasser 40 °C. Placer le filet de saumon dans le fumoir. Au bout de 3 heures, sortir le saumon du fumoir et le badigeonner d'huile d'olive sans excès. Laisser refroidir. Ce saumon fumé pourra être accompagné de quelques blinis au froment et d'une crème fouettée à la ciboulette. »

saumon glacé à la parisienne

La veille, pocher de 7 à 8 min un saumon entier dans un fumet de poisson frémissant. Le laisser dans sa cuisson au froid pendant une nuit. L'égoutter et le dépouiller ; l'éponger dans du papier absorbant. Le placer sur une grille, le napper une première fois de gelée à peine prise, préparée avec son fond de cuisson, puis le décorer de légumes taillés et le

napper une seconde fois. Faire prendre une couche fine de gelée dans le plat de service et dresser le saumon dessus. Préparer des darioles de macédoine de légumes à la mayonnaise collée (voir page 532). Farcir des petites tomates rondes de la même macédoine, et des œufs durs de mayonnaise colorée au ketchup. Garnir le tour du plat de toutes ces préparations et glacer à la gelée.

RECETTE DE JEAN-PIERRE BIFFI

saumon KKO

POUR 12 PIÈCES

« Dans un filet de saumon, détailler 1 parallélépipède rectangle de 12 cm de long et 2 cm de section. L'assaisonner et le paner avec du cacao en poudre avant de le poêler sans matières grasses rapidement sur toutes les faces. Réserver au frais. Détailler dans une tranche de pain de mie 12 carrés de 3 cm de côté, les arroser d'huile d'olive et les rôtir à four chaud à 190 °C. Blanchir 300 g de petites olives noires dénoyautées d'Italie, les égoutter puis les rouler dans un sirop à 30 °Be. Les étaler sur une plaque et les mettre à sécher à four préchauffé à 110 °C pendant 1 h 30. À la sortie du four, les mouiller d'un peu d'huile d'olive et les rouler dans 1 cuillerée à soupe de poudre de cacao amer. Réserver 12 belles olives et concasser le reste. Détailler le saumon en 12 tranches identiques. Sur chaque carré de pain, répartir les olives concassées, déposer dessus une tranche de saumon et finir avec une olive caramélisée au cacao. »

RECETTE DE MICHEL TROISGROS

saumon à l'oseille (version moderne)

POUR 4 PERSONNES

« Laver et équeuter 24 feuilles d'oseille. Les déposer côte à côte sur 4 carrés d'épaisses serviettes en papier (Celisoft) de 15 cm x 15 cm. Les cuire sur une plaque perforée 1 min à la vapeur. Ciseler 4 échalotes. Les faire suer et les mouiller avec 20 cl de vinaigre de vin. Réduire en compote et laisser refroidir. Assaisonner 4 tranches épaisses de 100 g de saumon label rouge. Les déposer sur les feuilles d'oseille. Les envelopper et les placer dans un panier vapeur, puis les cuire 2 min, afin qu'ils soient encore roses à cœur. Retirer le papier, trancher en deux et dresser le saumon sur les assiettes, puis déposer 1 cuillerée à soupe d'échalotes et 1 cuillerée à soupe de yaourt au-dessus. Servir. »

RECETTE DE PAUL ET JEAN-PIERRE HAEBERLIN

saumon soufflé « Auberge de l'Ill »

« Lever les filets d'un saumon de 2 kg et les couper en 8 médaillons. Passer à la grille fine 250 g de chair de brochet, puis la mettre dans un mixeur avec 2 œufs entiers et 2 jaunes, du sel, du poivre et une pointe de muscade. Mettre en marche et verser peu à peu 25 cl de crème. Réserver cette farce au froid. Battre 2 blancs d'œuf en neige, les mélanger à la farce bien froide, et en coiffer en dôme les médaillons de saumon. Placer ceux-ci dans un plat beurré, salé et parsemé d'échalotes hachées. Mouiller avec 35 cl de riesling et 25 cl de fumet de poisson, et cuire de 15 à 20 min au four préchauffé à 200 °C. Sortir le saumon et le réserver. Mettre le fond de cuisson dans une sauteuse, ajouter 25 cl de crème et laisser réduire. Monter la sauce avec 150 g de beurre bien froid en petits morceaux. Ajouter le jus de 1/2 citron. Verser la sauce autour du saumon. Décorer avec un fleuron en feuilletage. »

soufflé au saumon ▶ SOUFFLÉ

suprêmes de saumon de l'Atlantique

Lever les filets d'un saumon de l'Atlantique de 2 kg, les peler et les débarrasser de leurs arêtes. Les couper en 6 tronçons de 3 cm de large. Décortiquer 50 g de crevettes et rincer 50 g de noix de saint-jacques ; les détailler en petits morceaux et les mettre dans le réfrigérateur.

« Qu'il soit mariné, fumé, cuit en papillote ou grillé à l'unilatérale, le saumon satisfait tous les palais. Surtout lorsqu'il est préparé par le chef du restaurant KAISEKI, qui réserve la partie la plus noble du saumon à la préparation de ses sushis, et par les chefs du restaurant GARNIER ou du RITZ PARIS, qui savent mettre en valeur sa chair grasse et son goût délicat. »

Réduire en purée au mixeur 120 g de beurre doux coupé en parcelles et très froid. Ajouter les crevettes et les saint-jacques, et bien mélanger. Saler et poivrer. Incorporer petit à petit 25 cl de crème fraîche réfrigérée. Bien mélanger à l'aide d'un fouet à main et remettre dans le réfrigérateur. Placer 6 feuilles de romaine blanchies puis plongées dans l'eau froide sur une surface plane ; poser au centre un morceau de saumon salé et poivré, puis un peu de mousse et rabattre la feuille sur le dessus pour bien envelopper le poisson. Cuire les papillotes à la vapeur et à couvert de 7 à 9 min. Napper de sauce au vin blanc un tiers de chaque assiette, mettre par-dessus une papillotte de saumon et décorer avec 4 asperges bien chaudes, recouvertes à moitié de tomate froide concassée, et accompagner de petites pommes de terre épluchées et cuites à l'eau.

tresse de loup et saumon au caviar ▶ LOUP
waterzoï de saumon et de brochet ▶ WATERZOÏ

SAUMON DE FONTAINE Poisson de la famille des salmonidés, importé du Labrador et implanté dans les lacs des Alpes et des Vosges.

Le saumon de fontaine, que l'on confond souvent à tort avec l'omble chevalier, s'en distingue pourtant par de nombreuses zébrures dans sa coloration. Cette espèce fine et très recherchée se pêche au printemps. Il se prépare simplement, à la vapeur ou poché, avec un beurre citronné, mais reçoit aussi les apprêts les plus sophistiqués du saumon.

SAUMONETTE Appellation commerciale de l'aiguillat, ou émissole, lorsqu'il est commercialisé écorché et étêté. Ce surnom lui vient de la couleur rose saumon de sa chair.

SAUMUR Vin AOC de la rive gauche de la Loire. Les blancs sont secs et vigoureux, et, pour la plupart, traités en mousseux selon la méthode champenoise ; les rosés sont très pâles et les rouges, de cabernet franc, de cabernet-sauvignon et de pineau d'Aunis, peuvent être excellents (**voir** ANJOU).

SAUMUR-CHAMPIGNY Célèbre appellation située aux portes de Saumur, sur la rive gauche de la Loire, et produisant un vin rouge vif, léger et coulant, élaboré à partir des cépages cabernet franc et cabernet-sauvignon.

SAUMURE Solution saline concentrée dans laquelle on plonge des viandes, des poissons, des olives ou des légumes pour les conserver ; le mélange d'eau et de sel est parfois additionné de salpêtre (nitrate), de sel nitrité à 6 %, de sucre et d'aromates.

En charcuterie, la saumure est souvent utilisée en injection soit dans les muscles, soit dans les artères, avant l'immersion. Pour les jambons cuits, on utilise traditionnellement une vieille saumure, de nouveau concentrée par addition de sel et de nitrate, ou bien une saumure fraîche mélangée à un « pied de cuve », reste de vieille saumure ; aujourd'hui, ce procédé ne se justifie plus avec le sel nitrité.

Dans les cuisines du Nord et de l'Est, les préparations en saumure sont très répandues : langue à l'écarlate, pickles et harengs, ou encore *pickelfleisch* à la juive (poitrine de bœuf bouillie, pétrie de sel et de salpêtre, trempée dans une saumure à la cassonade, aux baies de genièvre, au piment, au thym et au laurier, puis lavée, bardée et cuite en cocotte avec des carottes, servie froide avec cornichons, condiments et moutarde).

La croûte de certains fromages est régulièrement frottée avec de la saumure pour leur affinage.

SAUPIQUET Sauce médiévale épicée au vin rouge, au verjus et à l'oignon, apprêtée avec la graisse de cuisson d'une pièce rôtie ; au moment de servir, on liait le tout avec du pain « hâlé » (grillé).

On retrouve dans les cuisines du Languedoc et du Rouergue un apprêt du lièvre rôti qui porte ce nom.

Quant au « saupiquet des Amognes », mets du Nivernais et du Morvan, c'est une préparation de tranches de jambon poêlées, puis nappées d'une réduction de vinaigre, avec poivre en grains, échalotes, genièvre et estragon, mouillée d'espagnole et additionnée de crème fraîche.

SAUSSELI Petit apprêt de la cuisine russe, voisin du dartois français. Les sausselis, servis en entrée ou sur le plateau de zakouski, sont des feuilletés garnis traditionnellement d'un mélange de chou étuvé au saindoux, d'oignon et d'œuf dur hachés, bien que leur farce puisse aujourd'hui être différente.

SAUTÉ Apprêt de viande de boucherie (veau ou agneau, surtout), de volaille (poulet ou lapin), de gibier ou de poisson, détaillé en morceaux réguliers, que l'on fait « sauter » à chaleur vive dans un corps gras avant de les singer, puis de les mouiller pour qu'ils continuent de cuire à couvert. Le fond de cuisson, réduit, lié, parfois passé, fournit la sauce ; une garniture peut être ajoutée en cours de cuisson. Ces préparations portent également le nom de ragoût.

sauté d'agneau aux aubergines

Couper 400 g d'épaule d'agneau en 8 morceaux et 400 g de collier d'agneau en 4 tranches. Tailler en dés 1 gros oignon, préparer 1 bouquet garni, éplucher et écraser 2 gousses d'ail. Chauffer 2 cuillerées à soupe d'huile dans une grande cocotte. Y faire rissoler les morceaux d'agneau sur toutes les faces. Les égoutter et vider deux tiers de la graisse. Faire suer l'oignon puis remettre la viande dans le récipient et saupoudrer de 30 g de farine ; cuire 3 min en remuant. Saler et poivrer et mouiller avec de l'eau froide à hauteur. Porter à ébullition sur feu modéré. Peler, épépiner et concasser 1 tomate. Ajouter dans la cocotte avec le bouquet garni et l'ail. Dès que l'ébullition est atteinte, couvrir et laisser mijoter 40 min (ou cuire au four à 200 °C.). Éplucher et tailler en cubes réguliers de 2 cm de section 600 g d'aubergine. Les faire sauter dans une poêle avec 20 cl d'huile d'olive. Les égoutter. Décanter le sauté d'agneau et passer la sauce au chinois sur la viande. Ajouter les aubergines et laisser mijoter le tout pendant 5 min. Servir très chaud dans la cocotte ou dans un plat creux. Parsemer de persil haché.

sauté de veau chasseur

Couper 800 g d'épaule de veau parée et désossée en 8 ou 12 morceaux réguliers. Tailler en dés 1 gros oignon et 1 carotte. Préparer 1 bouquet garni, éplucher et écraser 1 gousse d'ail. Préchauffer le four à 200 °C. Chauffer 5 cl d'huile dans une grande cocotte. Y faire rissoler rapidement les morceaux de veau. Dégraisser, puis ajouter 20 g de beurre ainsi que l'oignon et la carotte taillés ; faire suer sans coloration. Saupoudrer de 30 g de farine, mélanger puis mettre dans le four pendant 3 ou 4 min pour torréfier la farine. Déglacer avec 10 cl de vin blanc sec, laisser réduire et mouiller avec 1,25 litre de fond de veau brun non lié (ou d'eau). Ajouter l'ail, le bouquet garni et 40 g de concentré de tomate. Saler et poivrer. Mélanger, porter à ébullition, couvrir et mettre à cuire au four ou sur feu modéré pendant 1 heure. Surveiller attentivement la cuisson pour éviter une évaporation trop rapide et importante du liquide. Nettoyer et émincer 250 g de champignons de Paris. Ciseler 1 échalote. Dans une sauteuse, faire fondre 40 g de beurre, ajouter les champignons et les faire sauter jusqu'à évaporation totale de l'eau de constitution. Ajouter les échalotes ciselées et faire suer sans coloration. Flamber avec 2 cl de cognac puis ajouter 20 cl de purée de tomate réduite. Laisser mijoter 2 min. Sur cette garniture chasseur, décanter le sauté de veau et passer dessus la sauce au chinois. Porter de nouveau à ébullition, vérifier l'assaisonnement en sel et poivre et laisser mijoter quelques minutes. Au moment de servir, ajouter 1 cuillerée à soupe de persil, d'estragon et de cerfeuil hachés.

sauté de veau Marengo

Couper 800 g d'épaule de veau parée et désossée en 8 ou 12 morceaux réguliers. Tailler en dés 1 gros oignon et 1 carotte. Préparer 1 bouquet garni, éplucher et écraser 1 gousse d'ail. Monder, épépiner et concasser 500 g de tomates. Préchauffer le four à 200 °C. Dans une cocotte, chauffer 5 cl d'huile, y faire rissoler rapidement les morceaux de veau. Dégraisser puis ajouter 20 g de beurre ainsi que oignon et carotte taillés ; faire suer sans coloration. Saupoudrer de 30 g de farine, mélanger puis mettre dans le four pendant 3 ou 4 min pour torréfier la farine. Déglacer avec 10 cl de vin blanc sec, laisser réduire et mouiller avec 1 litre d'eau. Ajouter l'ail, le bouquet garni et les tomates concassées. Saler et poivrer. Mélanger, porter à ébullition, couvrir et mettre à cuire au four ou sur feu modéré pendant 1 heure. Surveiller attentivement la cuisson pour éviter une évaporation trop rapide et importante du liquide. Faire glacer à brun 24 petits oignons. Nettoyer et escaloper 250 g de champignons de Paris et les faire sauter dans 20 g de beurre. Détailler 4 croûtons en forme de cœur dans 2 tranches de pain de mie et les faire toaster. Décanter le sauté de veau, dégraisser la sauce si nécessaire et la passer au chinois sur les morceaux de viande. Ajouter la garniture d'oignons glacés et de champignons, puis laisser mijoter quelques minutes. Vérifier l'assaisonnement en sel et poivre. Dresser et décorer avec les croûtons. Parsemer d'un peu de persil haché.

SAUTER Cuire sur feu vif, dans un corps gras, à découvert et sans liquide, des légumes ou des petites pièces de boucherie, de volaille, de gibier ou de poisson (**voir** tableau des modes de cuisson page 295). Le déglaçage du récipient de cuisson peut donner un jus ou une sauce d'accompagnement.

Les « pommes de terre sautées » sont un apprêt particulier, généralement réalisé avec des rondelles, crues ou cuites, dorées à la poêle, au beurre ou à l'huile ; elles sont le plus souvent persillées, aillées ou additionnées de truffe (à la sarladaise) ou d'oignons émincés et sués (à la lyonnaise).

SAUTERELLE Insecte herbivore de la famille des acridiens, vivant dans les zones désertiques, en Asie mais surtout en Afrique, dont le nom officiel est « criquet ». Les sauterelles jouent un rôle notable dans la gastronomie de ces régions ; deux espèces surtout sont comestibles : une petite, aux ailes vertes et au ventre argenté, et une plus grosse, à tête et pattes rouges. Les sauterelles se mangent grillées, rôties ou bouillies ; séchées et réduites en poudre ou en pâte, elles servent aussi de condiment.

SAUTERNES Vin AOC blanc, issu des cépages sémillon, sauvignon et muscadelle, produit sur la rive gauche de la Garonne, avec des grains de raisin vendangés un par un quand ils sont atteints par la « pourriture noble ». Le sauternes, de réputation mondiale, est un remarquable vin de dessert aux arômes de miel, d'abricot et de pain d'épice (**voir** BORDELAIS).

SAUTEUSE Récipient de cuisson rond, à bords légèrement évasés, muni d'une queue. En acier inoxydable, en aluminium ou en cuivre étamé intérieurement, parfois dotée d'un revêtement antiadhésif, la sauteuse sert à faire sauter les aliments, viandes, poissons et légumes en morceaux. Ses bords inclinés permettent d'y remuer facilement les ingrédients pour bien les enrober de corps gras.

SAUTOIR Casserole basse, munie d'une queue, couramment appelée « plat à sauter ». Le sautoir a des bords verticaux, peu élevés, et peut recevoir un couvercle. En aluminium, en acier inoxydable ou en cuivre étamé intérieurement, souvent doté d'un revêtement antiadhésif, il sert à préparer les sautés de viande, de volaille ou de poisson, dont la cuisson se poursuit à couvert, parfois au four.

SAUVIGNON Cépage blanc à grains ronds, au goût un peu épicé, qui est l'un des meilleurs cépages d'origine française. Employé seul, il donne d'excellents vins blancs de la Loire : menetou-salon, pouilly-fumé, quincy, reuilly, sancerre. Allié au sémillon et à un peu de muscadelle, il produit les plus grands bordeaux blancs, qu'ils soient secs (graves) ou doux (sauternes).

SAUVIGNON BLANC Cépage blanc cultivé dans le Bordelais et la vallée de la Loire, qui présente des grappes petites, à baies jaune d'or.

SAVARIN Gros gâteau fait de pâte à baba sans raisins secs. Moulé en couronne et arrosé après cuisson de sirop de sucre parfumé au rhum, il est garni de crème (pâtissière ou Chantilly), de fruits frais ou confits. On prépare aussi des savarins individuels, également garnis de fruits ou de crème.

pâte à savarin : préparation

Mettre dans le bol d'un robot pétrisseur 250 g de farine type 45, 1 cuillerée à café de vanille en poudre, 25 g de miel d'acacia, 25 g de levure de boulanger émiettée, 8 g de fleur de sel, le zeste très finement haché de 1/2 citron et 3 œufs. Faire tourner l'appareil à vitesse moyenne jusqu'à ce que la pâte se détache des parois. Incorporer 3 autres œufs et procéder de la même façon. Ajouter encore 2 œufs et travailler 10 min avant d'ajouter 100 g de beurre à température ambiante et coupé en petits morceaux, sans cesser de faire tourner l'appareil. Lorsque la pâte, qui est très liquide, est homogène, la laisser lever 30 min à température ambiante.

savarin à la crème pâtissière

Verser de la pâte à savarin dans un moule beurré de 20 à 22 cm de diamètre et laisser reposer 30 min dans un endroit tiède. Cuire de 20 à 25 min au four préchauffé à 200 °C. Démouler le savarin sur une grille et le laisser refroidir. L'arroser avec un sirop préparé avec 1/2 litre d'eau, 250 g de sucre et 1 gousse de vanille. Garnir le centre du savarin de crème pâtissière et servir très frais.

savarin aux fruits rouges et à la chantilly

Préparer un savarin et le laisser refroidir. Faire bouillir 1/2 litre d'eau avec 250 g de sucre et 1 gousse de vanille. Mettre le savarin dans un plat creux et l'imbiber de ce sirop chaud ; laisser refroidir et arroser de 15 cl de rhum. Écraser 250 g de framboises et les passer au tamis. Mélanger la purée obtenue avec 25 cl de jus de cerise bien réduit et ajouter le jus de 1/2 citron. Fouetter en chantilly 20 cl de crème fraîche épaisse avec 5 cl de lait très froid et 2 sachets de sucre vanillé. En garnir le centre du savarin et napper l'ensemble avec le coulis de cerise et de framboise. Servir très frais.

SAVENNIÈRES Vin AOC blanc des coteaux de la Loire, sec, corsé, fin et élégant, issu du cépage chenin (**voir** ANJOU).

SAVEUR Sensation donnée par la stimulation des récepteurs des papilles gustatives, principalement portées par la langue.

Traditionnellement, on distingue quatre saveurs de base (le salé, le sucré, l'acide, l'amer), auxquelles sont plus ou moins sensibles différentes parties de la langue. Des travaux récents de neurophysiologistes ont montré que le nombre de saveurs serait d'une dizaine. De leur combinaison naît le goût particulier des mets ; lorsque ces saveurs sont mélangées, elles peuvent se masquer ou s'exalter réciproquement.

L'art culinaire consiste, entre autres, à utiliser toutes leurs ressources pour jouer harmonieusement sur les contrastes ou les accords.

SAVIGNY-LÈS-BEAUNE Vin AOC essentiellement rouge de la côte de Beaune, issu du cépage pinot noir, léger, fin et bouqueté, qui se boit jeune. Les blancs sont produits par le cépage chardonnay (**voir** BOURGOGNE).

SAVOIE ▸ VOIR DAUPHINÉ, SAVOIE ET VIVARAIS

SAVOIR-VIVRE ET TENUE À TABLE Règles qui régissent le comportement des hôtes au cours d'un repas. Elles ont évolué avec le temps et sont encore différentes selon les pays.

Les Gaulois prenaient leurs repas assis, les Grecs et les Romains, couchés. Les Japonais mangent assis sur leurs talons, les Français tiennent leurs mains sur la nappe, de chaque côté du couvert, tandis que les Anglais les posent sur leurs genoux. L'éructation, de la dernière grossièreté en Occident, était une manifestation de civilité dans la Rome antique, comme elle l'est encore au Moyen-Orient.

■ **Manger proprement.** L'un des premiers recueils de savoir-vivre fut composé par Robert de Blois (XIIIe siècle), les coutumes de la chevalerie ayant développé le cérémonial de la table – notamment avec l'utilisation plus générale de la fourchette – et la courtoisie de l'accueil.

Dans ce traité, l'auteur recommande d'avoir les mains propres et les ongles nets, de ne pas manger de pain avant le premier plat, de ne pas accaparer les meilleurs morceaux, de ne pas se curer les dents ni se gratter avec son couteau, de ne pas parler la bouche pleine, ni rire trop fort. Se laver les mains avant et après le repas était un rite obligatoire : des serviteurs présentaient aux convives un bassin de cuivre plein d'eau parfumée et une serviette. Érasme lui-même rédigea, en 1526, un *Traité de civilité*, dans lequel il enjoint de se laver les mains et de se curer les ongles avant de passer à table.

Un tournant important, à l'aube du XVIIe siècle, se reflète dans le savoir-vivre, dont la portée traduit l'effort d'une société riche et éclairée pour créer un art de vivre. On parle alors, à la manière italienne, de civilité et de délicatesse, tandis que le vocabulaire de la cuisine s'affine : « soupe » devient « potage », le « plat de chair » devient « plat de viande ». Ce souci de raffinement tournera même à l'affectation au siècle suivant, avec les « petits soupers », le médianoche et l'ambigu.

Après la Révolution française, les traités se multiplient, même si les mœurs sont parfois encore lentes à évoluer : ce n'est qu'au milieu du XIXe siècle qu'on renonce à manger le poulet avec les doigts et à tourner la salade avec les mains.

■ **Une courtoisie réciproque.** Tout repas convié est un moment de la vie sociale qui exige déférence et courtoisie mutuelles. Courtoisie qui commence par l'exactitude. Lorsque les invités sont introduits dans la salle à manger, ils attendent debout que la maîtresse de maison s'asseye, et c'est elle qui, à chaque plat, donne le signal de la première bouchée ; c'est également elle qui se lèvera la première de table à la fin du repas.

La serviette se pose sur les genoux, sans être complètement déployée. On la porte à sa bouche en tamponnant doucement, avec les deux mains l'une contre l'autre. À la fin du repas, on la pose à droite de l'assiette, sans la replier.

On ne touche pas les aliments avec les doigts, hormis le pain, qui se rompt en petits morceaux et ne se coupe jamais avec le couteau, et quelques rares mets (artichauts, certains fruits de mer).

On s'essuie la bouche avec sa serviette avant de boire et après avoir bu. On tient le verre par la partie bombée et non par la tige. Il faut s'efforcer de boire sans bruit. En principe, une femme n'a pas à se servir. Elle peut donc demander à son voisin de lui remplir son verre.

Lorsque le plat lui est présenté, le convive se sert avec modération, en prenant le premier morceau qui se trouve devant lui. L'usage est d'attendre un peu avant de boire ; le maître de maison verse ou se fait verser les premières gouttes de chaque bouteille de vin dans son verre, pour le cas où il y aurait un fragment de bouchon. Lorsqu'un plat est achevé, le convive laisse ses couverts sur l'assiette, groupés du même côté, jamais en croix.

Dans certains pays, la courtoisie veut que l'invité laisse un peu de nourriture pour indiquer qu'il est rassasié ; en France, au contraire, en hommage à la qualité des mets, on termine le contenu de son assiette, mais on ne « sauce » pas celle-ci avec du pain.

Fumer une cigarette ne peut être envisagé qu'après le fromage, en demandant la permission à ses voisins. Les fumeurs de cigare devront attendre le moment des digestifs pour faire de même.

■ **Les règles du savoir-vivre en France.** Elles sont différentes en fonction des mets.

• ARTICHAUTS. Ils se dégustent feuille à feuille (que l'on détache à la main), mais, dans les repas de cérémonie, on ne sert que les fonds, garnis ou farcis.

• ASPERGES. On coupe les pointes avec la fourchette et on laisse le reste, à moins que la maîtresse de maison n'invite à se servir de ses doigts.

• CAFÉ ET LIQUEURS. Ils sont servis au salon et non sur la table de la salle à manger.

• FROMAGES. Ils sont présentés entamés, pour ne pas embarrasser le convive qui hésiterait à le faire lui-même, et se coupent de façon à toujours prélever une part de croûte ; en France, le fromage se mange par petits morceaux, jamais à la fourchette, mais posés avec le couteau sur un petit morceau de pain ; enfin, on ne propose pas deux fois le plateau de fromages, ce qui pourrait signifier que le repas n'a pas été suffisamment copieux.

• FRUITS. Ils sont maintenus avec une fourchette (et non avec les doigts) et pelés avec un petit couteau.

• MELON. Il se déguste, en principe, à la cuillère, mais certains recommandent de le manger à la fourchette.

• ŒUF À LA COQUE. Il se décapite avec la cuillère (ou avec un coupe-œufs) et ne doit jamais être enlevé du coquetier ; quand elle est vide, la coquille est écrasée.

• POTAGE. La cuillère doit aborder la bouche par le bout ; on n'incline jamais l'assiette pour recueillir la dernière cuillerée.

• SALADE. On ne la coupe jamais avec un couteau, car, théoriquement, elle est préparée de façon que les feuilles puissent être facilement mises en bouche. Au besoin, on plie les feuilles à l'aide du couteau et de la fourchette.

SAVOURY Petit apprêt salé de la cuisine anglaise, servi en fin de repas soit après le poisson et la viande, soit après l'entremets sucré lorsqu'il y en a un. La gamme en est variée : welsh rarebit, brochettes d'huîtres, rôties au fromage, dartois aux anchois, tartelettes garnies, rissoles, œufs pochés, paillettes au parmesan ou au paprika, divers petits articles « à la diable », canapés froids ou chauds, etc.

SAVOY (GUY) Cuisinier français (Nevers 1953). Formé en pâtisserie dans son bourg familial de Bourgoin-Jallieu (Isère), il apprend en cuisine chez *Troisgros* à Roanne, où il rencontre Bernard Loiseau, puis chez *Lasserre* à Paris, enfin à *l'Oasis* à la Napoule. Il devient chef de *la Barrière de Clichy* sous la houlette de Claude Verger. Il ouvre ensuite son premier restaurant rue Duret à Paris (XVIe arrondissement) en 1980, obtient très vite un fort succès d'estime et aussi une (1981), puis deux (1985) étoiles au Guide Michelin. Il déménage, en 1987, dans l'ancien *Bernardin* qu'il reverra, de façon contemporaine, avec l'aide de l'architecte-décorateur Jean-Michel Wilmotte, en 2000. La troisième étoile arrive en 2002, récompensant une régularité sans faille et une croyance inébranlable en la qualité du produit. Soupe d'artichaut aux truffes, foie gras au sel, saint-pierre en écailles, craquant-moelleux à la vanille et jus de pommes vertes sont ses morceaux de bravoure. Parallèlement, il a toujours joué « double jeu » avec des bistrots gastronomiques *(les Bouquinistes, le Bistrot de l'Étoile, la Rôtisserie Maître Albert, le Chiberta, la Butte Chaillot)* qui ont su dupliquer sa manière sans l'affadir.

SAVOYARDE (À LA) Se dit d'un gratin de pommes de terre au lait et au fromage, ainsi que de plusieurs apprêts d'œufs : pochés ou mollets, dressés sur des pommes de terre à la savoyarde, nappés de sauce Mornay et glacés à la salamandre ; sur le plat, cuits avec des pommes de terre sautées à cru, du gruyère et de la crème fraîche ; en omelette plate, avec des pommes de terre sautées et du fromage.

▶ Recette : MATAFAN OU MATEFAIM.

SBRINZ Fromage suisse AOP de lait de vache (45 % de matières grasses), à pâte pressée cuite extradure et à croûte lavée, brossée et lisse, jaune foncé ou brune (**voir** tableau des fromages étrangers page 398). Le sbrinz se présente sous la forme d'une meule de 60 cm de diamètre et de 14 cm d'épaisseur, pesant de 20 à 40 kg. Dur et cassant, il a une saveur prononcée ; il s'utilise parfois râpé, comme le parmesan.

SCAMORZA Fromage italien de lait de vache (44 % de matières grasses), à pâte pressée filée et à croûte naturelle. Le scamorza se présente sous la forme d'une gourde étranglée, pesant 200 g environ, dont la tête porte quatre petites oreilles qui facilitent la manutention. Blanc ou crème, il a une saveur de noisette et se consomme souvent frais. Il était autrefois fabriqué avec du lait de bufflonne.

SCAMPI Crustacés pêchés dans les eaux italiennes, utilisés décortiqués ou entiers, cuits au four, frits ou sautés avec de l'ail ; on les apprécie aussi en brochettes, parfois enroulés dans des tranches de jambon, ou en ragoût, avec d'autres fruits de mer ; on les fait aussi bouillir et on les sert froids, avec une vinaigrette citronnée. Les *scampi fritti*, en beignets, sont les plus connus.

SCAPPI (BARTOLOMEO) Cuisinier italien du milieu du XVIe siècle, qui fut au service de plusieurs papes, et notamment de Pie V. Fort de ses nombreux voyages, Scappi rédigea un énorme traité culinaire publié à Venise en 1570, intitulé *Opera* (« l'Œuvre »). Cet ouvrage est composé de six livres, illustrés de belles planches gravées : le premier est consacré à un enseignement général de la cuisine, le quatrième contient la liste des cent treize menus réalisés par ce cuisinier émérite lors de banquets officiels, et les quatre autres évoquent les différents types d'aliments et de plats.

SCAROLE Variété de chicorée de la famille des astéracées, à feuilles plus ou moins ondulées, croquantes, dont le cœur est généralement étiolé (feuilles blanches bordées de jaune).

La scarole (**voir** planche des chicorées page 207) se consomme surtout crue, en salade verte, avec un assaisonnement relevé à la moutarde ou à l'échalote, parfois avec des quartiers de tomate ou des haricots verts blanchis, ou comme salade d'hiver, avec des noix et des raisins secs. On peut aussi l'apprêter cuite, comme l'endive ou l'épinard.

SCHABZIEGER Fromage glaronais (canton suisse de Glaris) de lait de vache écrémé (de 0 à 5 % de matières grasses), à pâte pressée cuite, très dure, sans croûte (**voir** tableau des fromages étrangers page 398). En Suisse francophone, il porte le nom de « fromage vert de Glarus » (d'où le mot de « glaronais ») et, en Suisse italophone, celui de « sapsago ». Le schabzieger se présente sous la forme d'un tronc de cône de 7,5 cm à la base et de 10 cm d'épaisseur. Aromatisé avec les feuilles séchées d'une plante fourragère (le mélilot), qui lui donnent sa couleur verte, il a une saveur piquante et corsée. Une fois complètement desséché, il condimente, comme le parmesan, le riz, les pâtes, la polenta ou les œufs.

SCHNAPS Alcool ou eau-de-vie en Allemagne. Les schnaps les plus appréciés sont le *Steinhäger* de Westphalie, alcool de grain parfumé aux baies de genièvre, et le *Korn*, alcool de grain. Les Allemands boivent parfois un petit verre de schnaps avec la bière. Certains plats régionaux de Westphalie sont servis avec un alcool et du pain de seigle, comme le jambon ou l'anguille fumée, les assiettes de charcuterie et les saucisses.

SCHNECK Viennoiserie alsacienne en pâte levée, roulée en colimaçon et fourrée de crème pâtissière additionnée de kirsch et de fruits confits.

SCHUHBECK (ALFONS) Cuisinier allemand (Traunstein 1949) bavarois, il s'est rendu fameux pour ses livres nombreux, ses apparitions à la télévision, sa cuisine pour le club de football du FC Bayern et ses spectacles gourmands à l'enseigne du *Palazzo*. Il a quitté son village de Waging-am-See pour constituer un petit empire de bouche au cœur de Munich, avec épicerie, glacier, école de cuisine, bistrot, traiteur, autour du *Platzl*. On peut lui rendre visite dans ses *Südtiroler Stuben* où il propose des plats revoyant en légèreté la tradition locale. La salade de chevreuil aux marrons et chou rouge, la terrine de betteraves au raifort ou l'assiette de hors-d'œuvre bavarois (joue de veau, boulette aux herbes, cochon de lait) sont emblématiques de sa manière « rustico-raffinée ».

SCHWEPPE (JACOB) Industriel allemand (Witzenhausen 1740 - Genève 1821). Ce bijoutier installé à Genève se passionna bientôt pour les expériences sur l'aération de l'eau et la fabrication de l'eau minérale artificielle. Ses recherches aboutirent, en 1790, à la mise au point d'un procédé industriel. En 1792, associé à deux ingénieurs et à un pharmacien genevois, il installa une usine à Londres, puis en continua seul l'exploitation, en produisant des sodas et des imitations des eaux de Seltz, de Spa et de Pyrmont, réputées à l'époque.

Dans les années 1860, ses successeurs rendirent l'eau de Seltz encore plus populaire en lui ajoutant de la quinine, de l'écorce d'orange amère ou du gingembre. Ces mélanges eurent un grand succès dans les colonies britanniques où régnait la malaria, affection que l'on traitait avec de la quinine, et où l'on prit l'habitude de les additionner de gin et de les consommer comme « tonics ».

SCOLYME D'ESPAGNE Espèce de chardon méditerranéen, de la famille des astéracées, très épineux, dont on consomme les racines avec les mêmes apprêts que les scorsonères ou les salsifis.

SCONE Petit pain rond de pâte levée, d'origine écossaise. Mou et blanc à l'intérieur, avec une belle croûte dorée, il se mange au breakfast ou pour le thé (notamment le *high tea*, ou « goûter dînatoire », très pratiqué en Écosse).

Les scones se servent chauds, fendus en deux et beurrés, ou fourrés de confiture de fraise.

SCORSONÈRE ▶ **VOIR SALSIFIS**

SCOTCH BROTH Pot-au-feu écossais, également appelé *barley broth* (« soupe à l'orge »). Il se compose de collier ou d'épaule de mouton, d'orge et de divers légumes (carotte, navet, oignon, poireau, céleri, parfois pois verts et chou). On le sert parsemé de persil. On peut présenter d'abord le bouillon, non passé, puis la viande, avec une sauce aux câpres.

SCREWDRIVER Long drink désaltérant, créé dans les années 1930, lorsque la vodka fut introduite sur le territoire américain. Il est composé de jus d'orange et de vodka et se sert dans un tumbler rempli de glace.

SEAU Récipient cylindrique ou tronconique, muni d'une anse ou de deux poignées latérales, qui a, selon les occasions, des fonctions différentes.
– Le seau à champagne, en acier inoxydable ou en métal argenté, d'un diamètre de 18 à 20 cm, sert à garder au frais, dans de l'eau glacée, une bouteille de champagne, de vin blanc sec, de rosé ou de vins effervescents.
– Le seau à glace, plus petit (de 10 à 13 cm de diamètre), permet de présenter des glaçons avec l'apéritif ou des rafraîchissements.
– Le seau à glace isotherme, doublé d'une paroi isolante et fermé par un couvercle, permet de conserver les glaçons entiers sans qu'ils fondent.

SÉBASTE Poisson de la famille des scorpénidés, dont il existe deux espèces principales (**voir** planche des poissons de mer pages 674 à 677). La plus petite (30 cm) vit en Méditerranée et dans l'Atlantique jusqu'à la Loire, la plus grande (80 cm) dans l'Atlantique Nord et les mers froides.

Les sébastes ont une grosse tête épineuse, mais sans appendice de peau, sans sillon en arrière des yeux et sans épines sur les nageoires. Ils sont rose vif à reflets argentés, avec l'intérieur de la bouche noir ou rouge vif. Plus charnus que les rascasses, laissant un peu moins de déchets (de 40 à 50 %), ils ont une chair maigre, ferme, savoureuse, qui donne de beaux filets dont le goût rappelle celui du crabe tourteau.

Au Canada, il en existe cinq espèces (argenté, canari, orangé, aux yeux jaunes et à longue mâchoire), qui se prêtent à tous les modes de préparation.

SÉCHAGE Procédé de conservation des aliments, l'un des plus anciens. Le séchage ralentit la prolifération des micro-organismes, ainsi que les réactions de détérioration, mais modifie sensiblement l'aspect des denrées, qui perdent tout ou partie de leur eau de constitution. Celles-ci doivent généralement être réhydratées avant d'être utilisées.
■ **Produits.** Dès l'époque préhistorique, céréales, baies, noix et fruits étaient exposés au soleil avant d'être stockés.

Les Indiens d'Amérique séchaient de la même façon la viande de bison pour préparer le pemmican. Aujourd'hui, certaines viandes subissent encore un séchage plus ou moins poussé, éventuellement associé au fumage et au salage.

Le séchage à l'air et au vent s'applique au poisson, le plus souvent salé, tant en Scandinavie qu'au Sénégal ou en Inde.

Quant au séchage des végétaux, il se pratique un peu partout depuis des temps immémoriaux, en Grèce pour le raisin, en Turquie pour les abricots, en Iran et en Espagne pour les tomates, en Hongrie pour le poivron, et dans toutes les campagnes pour les fruits et légumes locaux.

Au stade industriel, le choix du procédé de séchage dépend des caractéristiques de l'aliment et des avantages recherchés, outre la conservation.

Pour les méthodes modernes, qui éliminent une très grande proportion d'eau, on parle plutôt de « déshydratation ».

■ **Techniques.** Le séchage, qui se pratique facilement au niveau domestique, s'effectue de diverses façons.

– À l'air libre, en pièce ventilée (légumes secs, morue salée) ou dans un sécheur, à bande porteuse ou à suspension dans un courant d'air (légumes secs).

– Dans un four à température précise (fruits secs).

– En séchoir à atmosphère contrôlée, où la température et l'hygrométrie diminuent progressivement (saucissons secs).

– En enceinte à micro-ondes sur une bande transporteuse (chips).

séchage des fines herbes

Cueillir les herbes aromatiques juste avant la floraison, par temps sec. Les laver, les secouer pour les égoutter. Si elles ont de petites feuilles (romarin, sarriette, thym), les enrouler dans une mousseline, sans les serrer, puis les suspendre dans un endroit chaud. Si elles ont de grandes feuilles (basilic, laurier, menthe, persil, sauge), les lier en bouquets et les suspendre la tête en bas. Les garder alors entières ou les réduire en poudre à l'aide d'un rouleau à pâtisserie. Les conserver dans des flacons hermétiques, à l'abri de la lumière. On peut aussi les sécher dans un four à micro-ondes.

séchage des légumes

Enfiler les haricots verts, tendres et bien sains, sans trop les serrer, sur du gros fil, avec une aiguille, en faisant un nœud de temps en temps pour les espacer. Les tremper dans de l'eau bouillante salée (10 g par litre), les égoutter et les suspendre à mi-ombre pendant 3 ou 4 jours, en les rentrant pendant la nuit. Sécher de la même façon les champignons, une fois débarrassés de leur pied terreux. Attacher par la queue les petits piments verts, qui deviennent rouge foncé une fois secs, de même que les petits oignons, les têtes d'ail et les échalotes. Conserver les légumes séchés à l'abri de la lumière dans des bocaux hermétiques.

séchage des pommes et des poires

Éplucher des pommes acides et retirer cœur et pépins avec un vide-pomme. Les couper en tranches de 1 cm d'épaisseur et les plonger peu à peu dans de l'eau citronnée (ou additionnée de 10 g d'acide citrique par litre). Les égoutter et les poser à plat, sans qu'elles se touchent, sur une claie en bois, en plein soleil. Les laisser ainsi, en les rentrant la nuit, pendant 2 ou 3 jours ; terminer éventuellement le séchage dans le four préchauffé à 70 °C. On peut aussi sécher des poires bien saines, entières et non pelées ; terminer à four tiède. Les laisser refroidir, et les aplatir éventuellement avec une planchette (elles sont alors dites « tapées »).

SÈCHE Gâteau mince et friable préparé en Suisse romande avec de la pâte feuilletée et que l'on garnit de lardons, de cumin, voire de sucre.

SEELAC Nom donné au lieu noir (parfois au merlu) lorsqu'il est salé, fumé et mariné à l'huile. Le seelac ne se conserve pas plus d'un mois et demi au froid.

SEICHE Mollusque céphalopode marin de 30 cm de long environ, vivant sur les fonds côtiers herbeux (**voir** planche des coquillages et autres invertébrés pages 252 et 253). Son corps ressemble à un sac ovale gris-beige à reflets mauves, surmonté d'une tête assez importante, pourvue de dix tentacules irréguliers, dont deux très longs. Le « sac », presque totalement entouré de nageoires, renferme une partie dure, l'os de seiche. La seiche a divers surnoms (margate, sépia,

supion, etc.), qu'elle conserve dans certains apprêts régionaux. Elle possède une poche à encre, ce qui permet de la préparer, ainsi qu'on le fait en Espagne, *en su tinta* (dans son encre). Vendue entière ou nettoyée, la seiche se cuisine comme le calmar, notamment farcie ou à l'américaine.

▶ Recette : PLANCHA.

SEIGLE Céréale de la famille des poacées, voisine du froment, originaire d'Anatolie et du Turkestan, apparue en Europe avant l'âge du fer et cultivée surtout dans les régions nordiques, en montagne et sur les terrains pauvres (**voir** tableau des céréales page 179 et planche pages 178 et 179). Moins riche en protéines que les autres céréales, le seigle est bien pourvu en phosphore, en soufre, en fer et en vitamines B. Il fournit 335 Kcal ou 1 400 kJ pour 100 g.

■ **Emplois.** La farine de seigle, grise, très amylacée mais contenant peu de gluten, est panifiable bien qu'elle lève difficilement ; elle est souvent mélangée à de la farine de blé (c'est le méteil), pour confectionner un pain à mie brune et dense, qui se conserve bien. Le vrai pain de seigle, au goût un peu acide, façonné en boulés ou en petits pains, accompagne huîtres et fruits de mer. La farine de seigle entre également dans la préparation du pain d'épice et de certains gâteaux, ainsi que dans les pâtés en croûte russes et scandinaves. Les flocons de seigle sont un des composants du Birchermuësli. Enfin, on prépare une eau-de-vie de grain à base de seigle.

SEL Substance cristallisée, friable et inodore, au goût piquant, employée comme condiment et comme agent de conservation. Constitué par du chlorure de sodium à l'état pur, le sel est très abondant dans la nature. On distingue le sel marin, extrait de l'eau de mer par évaporation (30 kg par mètre cube), et le sel gemme, existant à l'état de cristaux dans la terre.

Absolument indispensable à l'organisme, le sel contribue à maintenir la pression osmotique des cellules ; les besoins de l'organisme humain sont de 5 g de sel par jour environ, mais l'alimentation, très riche dans les pays occidentaux, les couvre largement, parfois avec excès (jusqu'à 20 g), ce qui peut entraîner des troubles graves.

■ **Histoire.** Depuis l'Antiquité, le sel est une denrée précieuse et il fut un des premiers articles de grand commerce. Chez les Hébreux, il accompagnait sacrifices et cérémonies. Chez les Romains, il servait à conserver le poisson, les olives, le fromage et la viande, et participait à la rétribution des soldats (d'où l'étymologie de « salaire »). Au Moyen Âge, les « routes du sel » établirent des trafics commerciaux solides, tant en France, notamment à partir de la Saintonge, qu'en Scandinavie, où le poisson séché et salé constituait la base de l'alimentation. La corporation des mesureurs de sel existait déjà au XIIIe siècle. Le sel étant indispensable à la constitution de réserves de longue durée, et ses lieux de production pouvant être facilement surveillés, nombreux furent les gouvernements qui en tirèrent des impôts d'un encaissement sûr. En France, la gabelle, créée au XIVe siècle et abolie en 1790, obligeait les particuliers à acheter chaque année dans les « greniers du roi », à un prix fixé et même s'ils ne le consommaient pas, une certaine quantité de sel.

■ **Présentations.** Condiment alimentaire indispensable, le sel reste aujourd'hui une matière première essentielle des industries agroalimentaires (conserves en boîte, salaisons, poissons salés, charcuterie, fromagerie). Le sel se présente sous trois formes.

● **GROS SEL.** Raffiné (c'est-à-dire débarrassé, par dissolution dans de l'eau, puis évaporation, de ses matières terreuses et des sels déliquescents – sel de potasse et sel de magnésie) ou non, il s'emploie dans l'industrie et pour certaines préparations (bœuf gros sel, légumes à dégorger, cuisson d'une volaille au gros sel en cocotte). Le sel non raffiné, de couleur grise, est plus riche ; il convient donc particulièrement pour la cuisine, ainsi que pour la cuisson en croûte de sel des poissons (à grosses écailles), volailles, légumes, etc. L'aliment, enfermé dans une coque sur mesure, cuit dans son propre jus et conserve ainsi toute sa saveur.

● **SEL DE CUISINE.** En petits cristaux, il sert à saler les mets en cours de cuisson ; il doit rester à portée de la main dans une boîte à couvercle, qui le préserve de l'humidité.

● **SEL FIN.** Dit aussi « sel de table », toujours raffiné, il est utilisé comme condiment de table, dans une salière, en pâtisserie, pour les assaisonnements et pour la finition des sauces. Pour qu'il ne s'humidifie pas trop, on lui ajoute différents produits (carbonate de magnésium, silico-alumi-nate de sodium, etc.), dont la proportion ne doit jamais excéder 2 %. Lorsqu'il s'agit de « sel marin », l'origine est toujours indiquée sur l'emballage. La « fleur de sel » est la première cristallisation très fine qui apparaît à la surface des marais salants traditionnels. Récoltée manuellement par les paludiers (ou sauniers) de l'Atlantique (Guérande, îles de Noirmoutier, Ré, Madame) et de la Méditerranée (Camargue), la fleur de sel est d'une pureté exceptionnelle. On trouve de la fleur de sel aromatisée : aux épices grillées, au piment d'Espelette, aux zestes de citron, etc.

■ **Emplois.** Les aliments les plus riches en sel sont les fromages, les entremets industriels, le gibier, la charcuterie, la viande fumée, les poissons en saumure. La fonction essentielle du sel est de relever le goût des aliments, d'en rehausser la saveur et d'exciter l'appétit. Certains sels sont destinés à des emplois particuliers.

– Le sel de céleri, sel fin mélangé avec du céleri-rave séché et pulvérisé, sert à condimenter le jus de tomate en cocktail et d'autres jus de légumes, mais aussi à relever fonds de cuisson et consommés.

– Le sel de livèche, sel fin aromatisé avec de la racine de cette plante aromatique, séchée et pulvérisée, plus corsé que le sel de céleri, s'utilise dans les soupes et les sauces, notamment en Allemagne.

– Le sel épicé, mélange réalisé sur la base de 2 kg de sel fin, 200 g de poivre blanc moulu et 200 g d'épices mélangées, permet de condimenter farces, pâtés et terrines.

– Le sel attendrisseur, sel ordinaire additionné de 2 ou 3 % de papaïne (enzyme extraite de la papaye, favorisant la dégradation des protéines), destiné à attendrir les viandes, est réservé à l'usage domestique.

– Le sel de table iodé est un sel fin additionné d'iodure de sodium. Son usage, recommandé, entre autres, par l'UNICEF, peut pallier les carences iodées (qui entraînent des dysfonctionnements de la glande thyroïde).

– Le sel de régime est un succédané partiellement ou totalement dépourvu de chlorure de sodium.

– Le sel nitrité est un conservateur utilisé en charcuterie et en conserverie ; le sel de nitrite est un sel auquel on a ajouté un mélange de nitrate de sodium ou de potassium et de nitrite de sodium (10 % au maximum).

– Le sel de hickory, condiment américain, est un mélange de sel marin et de sciure de hickory fumé, pulvérisée ; possédant un léger goût de noisette, il est utilisé dans la cuisine au barbecue.

Il existe d'autres sels de provenances diverses : sel anglais de Maldon, sel noir ou rouge de Hawaï, sel fumé de Norvège, sel rose du Pérou, etc. Le sel rose de l'Himalaya provient de carrières de ce massif montagneux où des mers se sont asséchées il y a 200 millions d'années. La couleur rose pâle naturelle de ses fins cristaux est due à sa teneur en fer.

On appelle « sel chinois » le glutamate de sodium et « sel de poisson » le nuoc-mâm.

▶ **Recettes : BAR, BETTERAVE.**

SELLE Nom de deux morceaux de viande ou de gros gibier : la selle anglaise (mouton ou agneau), constituée des deux filets non séparés (**voir** planche de la découpe de l'agneau page 22) ; la selle de gigot (mouton, agneau ou chevreuil), correspondant à la partie gauche du gigot (dit « raccourci » quand il ne comporte pas la selle). Tous deux s'apprêtent entiers, rôtis, ou détaillés en petites pièces, grillées ou pochées.

La selle anglaise a inspiré à l'écrivain français Charles Monselet (1825 -1888) ces mots :

« Sors du mouton qui te recèle,
Selle,
Et sur un coulis béarnais,
Nais. »

selle d'agneau Callas ▶ AGNEAU
selle d'agneau de lait en carpaccio au pistou ▶ AGNEAU
selle de chevreuil grand veneur ▶ CHEVREUIL

DÉCOUPER UNE SELLE D'AGNEAU CUITE

1. Séparer les panoufles et les détailler en fines lanières. Couper le long de la colonne vertébrale, en tenant le couteau contre l'os. Séparer la viande de l'os.

2. Couper la première tranche en biais, puis les suivantes en changeant l'inclinaison du couteau. La dernière tranche sera découpée horizontalement.

3. Séparer les tranches de l'os. Tourner la selle et couper les tranches de l'autre côté de la colonne vertébrale.

4. Retourner la selle et découper les filets qui longent la colonne vertébrale. Les émincer avant de servir.

RECETTE DE ROGER SOUVEREYNS

selle de sanglier, sauce aux coings

« Cuire dans 1 litre d'eau additionnée de 100 g de sucre 2 beaux coings, en les tenant al dente. Les éplucher et les vider. Pocher 100 g de lentilles dans du consommé, 200 g de céleri-rave détaillé en cubes dans du jus de légumes et une belle betterave rouge coupée en dés dans du jus de volaille. Rôtir une selle de sanglier au four, dans 50 g de graisse d'oie, en arrosant souvent. Mettre les légumes à mi-cuisson. Sortir la viande, dégraisser le plat, déglacer avec le jus de cuisson des coings, 1 litre de fond brun de sanglier et 1 cuillerée à café de gelée de coing. Réduire des quatre cinquièmes. Passer au chinois fin et monter avec 30 g de beurre. Rôtir les coings coupés en quartiers dans 20 g de beurre, en ajoutant un peu de sucre fin pour les caraméliser. Réchauffer séparément les lentilles, le céleri-rave et la betterave. Entourer les assiettes de cette garniture, puis disposer 2 quartiers de coings, des aiguillettes de sanglier, et napper de la sauce. »

SELLES-SUR-CHER Fromage berrichon et solognot AOC de lait de chèvre (45 % de matières grasses), à pâte molle et à croûte naturelle poudrée de cendre de charbon de bois (**voir** tableau des fromages français page 392). Le selles-sur-cher se présente sous la forme d'un tronc de cône très plat de 8 cm de diamètre à la base et de 2,5 cm d'épaisseur. Bien blanc et ferme, il a une odeur caprine et une saveur noisetée.

SELS MINÉRAUX Substances minérales contenues dans la plupart des aliments et nécessaires à l'équilibre alimentaire : calcium, phosphore, fer, potassium, sodium, chlore et oligoéléments, qui jouent dans l'organisme des rôles variés. Calcium et phosphore sont les principaux constituants du tissu osseux ; fer et potassium interviennent dans le métabolisme ; le calcium est nécessaire à la coagulation du sang ; magnésium et calcium sont des facteurs de l'équilibre nerveux ; potassium et sodium règlent l'hydratation générale et l'équilibre acido-basique.

SELTZ (EAU DE) Eau naturellement gazeuse et acidulée, ou artificiellement gazéifiée avec du gaz carbonique sous pression, qui intervient essentiellement dans la préparation des cocktails. Son nom est une altération de Niederselters, village d'Allemagne dans le Taunus, dont les sources minérales sont célèbres depuis le XVIIIe siècle.

SÉMILLON Cépage blanc bordelais. Originaire du Sauternais, il est à la base de tous les grands vins AOC de Gironde, de Dordogne et du Lot-et-Garonne. Le sémillon présente des grappes moyennes, compactes, aux baies juteuses à la saveur légèrement musquée.

SEMOULE Produit obtenu grâce à la mouture d'une céréale, blé dur essentiellement, mais aussi riz (semoule blanche) et maïs (pour la polenta), voire sarrasin (pour la kacha). Les grains sont d'abord débarrassés des impuretés autres que le blé dur, puis humidifiés afin de faciliter la séparation du cœur du grain (semoule) des enveloppes (son), puis moulus ; le produit de broyage est alors tamisé et purifié par séparation du son du produit final : la semoule.

La valeur nutritive des semoules est proche de celle de la farine. Cet aliment riche en glucides complexes est à la fois nourrissant et léger, sert à fabriquer les pâtes alimentaires et, en cuisine, à préparer potages, garnitures et plats variés (couscous, gnocchis), ainsi que des entremets sucrés (couronne, crème, pudding, soufflé, subric).

La semoule « supérieure » résulte du broyage de la partie centrale de l'amande de blé dur, tandis que la semoule « courante » contient davantage de parties périphériques du grain (donc un pourcentage plus élevé de matières minérales).

Les semoules « fines » servent à préparer les pâtes alimentaires, tandis que les semoules « moyennes » et « grosses » conviennent pour les potages et les entremets ; les semoules « très fines » sont destinées à l'alimentation des très jeunes enfants.

pudding à la semoule ▶ PUDDING

semoule pour entremets

Porter à ébullition 1 litre de lait additionné de 150 g de sucre, 1 pincée de sel et 1 gousse de vanille fendue en deux ; y verser en pluie 250 g de semoule, ajouter de 75 à 100 g de beurre, mélanger, puis cuire 30 min, à couvert, dans le four préchauffé à 200 °C.

SENDERENS (ALAIN) Cuisinier français, (Lourdes, 1939). Ce natif du Sud-Ouest qui n'a jamais perdu son accent vient à Paris à l'âge de vingt et un ans, après son apprentissage à l'*Hôtel des Ambassadeurs* à Lourdes. Commis garde-manger, puis chef rôtisseur à *La Tour d'Argent*, il entre ensuite dans la brigade de Mars Soustelle chez *Lucas-Carton*, comme saucier, avant de devenir chef poissonnier au *Berkeley*, puis sous-chef au *Hilton Orly* à son ouverture. En 1973, il décide de s'établir à son compte à Paris, dans un restaurant qu'il baptise *L'Archestrate*, rendant ainsi hommage au célèbre gourmet de l'Antiquité. Il est installé depuis 1985 dans le restaurant *Lucas-Carton*, place de la Madeleine à Paris.

Passionné de lectures gastronomiques, il possède une capacité d'invention à la mesure des « milliers de combinaisons et de mélanges qui n'ont pas encore été faits ». Associant produits, parfums et modes de cuisson, il réalise des plats qui comptent parmi les créations les plus originales de son époque. Ainsi, le foie gras poché en feuille de chou, le homard à la vanille ou le canard Apicius laqué au miel et aux épices. En 2005, il transforme le *Lucas-Carton*, en brasserie de luxe, ce qui lui apporte un regain de mode. On lui doit de nombreux ouvrages comme *la Cuisine réussie* (1990) et l'*Atelier d'Alain Senderens* (1997).

SEPT-ÉPICES Mélange de sept épices typiquement japonais *(sichimi togunashi)* dont le piment rouge séché est l'ingrédient principal. Sa composition varie sensiblement d'un lieu de vente à l'autre. Il peut comprendre, entre autres, des graines de sésame noires et blanches, des graines de pavot et de chénevis, des algues nori ou encore des zestes d'agrumes séchés. Dans tous les cas, le mélange sept-épices sert à relever les nouilles, les potages, les plats nabemono (cuits à table, sur un gril ou dans un récipient à fondue) ou les brochettes *(yakitori)*.

SÉRAC Sorte de fromage frais fait avec les protéines solubles du lactosérum du caillé de comté, de beaufort, etc., après l'égouttage. Le sérum est mis en ébullition, et les protéines forment alors des flocons ; elles sont alors récupérées et moulées pour donner un sérac, ou serra, voire une brousse en d'autres régions. Le sérac frais est de couleur blanche ; son goût fade permet son usage en cuisine (omelettes, pâtisseries, etc.).

SERDEAU Officier de la maison du roi qui disposait des plats desservis par le maître d'hôtel ; le terme désignait aussi le lieu où l'on portait et où l'on vendait cette desserte ; celle-ci était aussitôt mise aux enchères. Cette pratique existait encore à la fin du XVIIIe siècle, sous Louis XVI, et nombre de courtisans désargentés et de bourgeois composaient ainsi leur dîner.

SERENDIPITI Long drink désaltérant, composé d'un brin de menthe (légèrement écrasé dans le verre), de champagne, de calvados et de jus de pomme ; il est servi sur glace.

SERGE (À LA) Se dit d'escalopes ou de ris de veau panés avec un mélange de mie de pain, de truffe et de champignons hachés, sautés, puis garnis de petits quartiers d'artichaut étuvés au beurre et d'une grosse julienne de jambon chauffée au madère ; la sauce est une demi-glace à l'essence de truffe.

SERINGUE Petit cylindre creux à piston, muni de deux anses et terminé par un embout fileté auquel s'adaptent des douilles variées. La seringue est utilisée en pâtisserie pour les décors ; sa rigidité la rend beaucoup plus maniable que la poche à douille.

La seringue à rôti, en matière plastique, munie à une extrémité d'une poire, permet d'aspirer le jus pour arroser la viande en cours de cuisson.

D'autres seringues sont utilisées en charcuterie pour injecter de la saumure dans les viandes en salaison.

SERPENT Reptile au corps très allongé, dont la plupart des espèces, venimeuses ou non, sont comestibles : boa en Amérique du Sud, python en Afrique, cobra en Asie, serpent à sonnette au Mexique, couleuvres et vipères en France. Jusqu'au XVIIIe siècle, les régimes à base de vipère connaissaient en France une grande vogue. Les recettes de l'époque abondent en suggestions : écorchées et vidées, cuisinées aux herbes, pour farcir un chapon, en bouillon, en gelée, pour fabriquer une huile. À la fin du XVIIe siècle, Louis XIV réglementa le commerce des vipères en limitant leur vente aux médecins et apothicaires. Quant aux couleuvres, que l'on continua d'apprêter dans les gargotes de banlieue, sous le nom d'« anguilles des haies », elles sont aujourd'hui toutes protégées, comme les vipères.

SERPOLET Thym sauvage (Thymus serpyllum), de la famille des lamiacées, à la saveur moins prononcée que le thym, mais qui a les mêmes emplois (**voir** planche des herbes aromatiques pages 451 à 454). Dans la cuisine provençale (où il est appelé « farigoule » ou « farigoulette »), le serpolet relève traditionnellement les daubes, le mouton et le lapin.

SERRA-DA-ESTRELA Fromage portugais AOC de lait de brebis (de 45 à 60 % de matières grasses), à pâte molle et à croûte lavée (**voir** tableau des fromages étrangers page 396). Il se présente sous la forme d'un cylindre de 15 à 20 cm de diamètre et de 4 à 6 cm d'épaisseur, pesant de 1 à 1,7 kg. Fabriqué dans la serra du même nom, son caillé est obtenu par addition de fleurs et de feuilles d'un chardon sauvage. Il a une saveur douce quand il est jeune, qui devient piquante après plus de 6 semaines d'affinage.

SERRER Finir de fouetter des blancs d'œuf en neige par un mouvement circulaire et rapide du fouet, afin de les rendre très fermes et homogènes. On dit qu'une sauce est « serrée » lorsque sa consistance est épaisse ou quand on la fait réduire pour la rendre plus onctueuse et plus savoureuse.

SERRES (OLIVIER DE) Agronome français (Villeneuve-de-Berg 1539 - id. 1619). Élève de l'université de Valence, puis de Lausanne (où ses convictions calvinistes l'avaient fait se réfugier), il fit de son domaine du Pradel, près de Privas, une ferme modèle où il fut le premier à cultiver les plantes et les céréales d'une manière rationnelle. Homme d'une grande curiosité, il fut à l'origine d'innovations horticoles et introduisit en France des plantes étrangères. Soutenu et encouragé par le ministre Sully, ayant également la confiance d'Henri IV, auquel il suggéra la formule de la « poule au pot » pour faire revivre le jardinage et l'élevage domestiques, il fit paraître, en 1600, Théâtre d'agriculture et mesnage des champs, livre de vulgarisation agronomique qui eut un grand retentissement (dix-neuf éditions successives au XVIIe siècle). Il décrit notamment, pour la première fois, le tubercule qui devait un jour s'appeler « pomme de terre » et évoque déjà un procédé d'extraction du jus sucré de la betterave ; il se montre par ailleurs favorable à l'introduction de volatiles américains, comme le dindon. Il donne aussi de très nombreuses recettes.

SERVICE À l'origine, ensemble des plats composant l'une des parties du repas, lequel en comportait en général au moins trois ; le terme désigna ensuite également la manière de présenter les différents mets à des convives.

On distingue le service « à la française », courant jusqu'à la fin du second Empire (1870), et le service « à la russe », qui le remplaça et qui est resté aujourd'hui en vigueur.

• **SERVICE À LA FRANÇAISE.** Il n'était que la continuation du cérémonial du « grand couvert », observé sous Louis XIV. Un repas servi à la française se divise en trois parties : le premier service va du potage aux rôtis, avec hors-d'œuvre et entrées ; le deuxième comporte les rôtis, les pièces froides du second rôt, les légumes et les entremets de douceur ; le troisième rassemble la pâtisserie, les pièces montées et les petits-fours, les bonbons et les glaces ; on terminait avec « le fruit ».

L'ordre du menu se réglait sur le nombre des entrées, les plats du deuxième service devant, théoriquement, être égaux en nombre à ceux du premier. Mais, surtout, les plats du premier service étaient disposés sur la table avant l'arrivée des convives, sur des réchauds ou sous cloche. À ce somptueux étalage d'orfèvrerie s'ajoutaient les grands surtouts, les candélabres, les fleurs, la verrerie, les couverts, etc.

On a souvent reproché à ce service de tout sacrifier à l'ostentation et à la munificence, de rester disparate et surtout de frustrer la gourmandise des convives en les empêchant de manger chaud, malgré les cloches et réchauds apparus au XVIIIe siècle. Mais, en fait, les plats ne restaient pas sur la table très longtemps. En outre, chacun pouvait se servir immédiatement, sans attendre qu'on lui passât le plat.

L'ancien service à la française, qui implique une domesticité nombreuse (ne serait-ce que pour ne pas gaspiller la desserte, dont certains éléments étaient souvent réutilisés), exprimait, par la diversité des plats, une courtoisie certaine envers les convives.

Le Code gourmand d'Horace Raisson (1829) illustre bien ce que fut ce service dans ses derniers aboutissements, totalement dominé par un sens incontestable de la mise en scène.

• **SERVICE À LA RUSSE.** On doit son introduction en France au prince Alexandre Borisovitch Kourakine, ambassadeur du tsar à Paris sous le second Empire.

Urbain Dubois, cuisinier français, le popularisa vers 1880, et le fit adopter dans les maisons bourgeoises. Moins de décorum et tables moins surchargées de surtouts et de pièces d'orfèvrerie ; on se contentait de laisser sur la table les fleurs et des pyramides de fruits ou des pièces montées décoratives. Le but recherché était de manger chaud : l'ordre des plats était fixé à l'avance et on présentait les mets un par un et successivement. Ce service repose sur un autre principe : tout doit être exécuté dans un minimum de temps, de façon que le plat soit présenté rapidement, sans altération de sa saveur.

Chaque série de plats est servie ou préparée par un maître d'hôtel, auquel sont désignés par avance les convives par lesquels il doit commencer. Les plats se présentent à la gauche de la personne assise, et l'assiette se retire ou se pose par la droite. Le vin se sert à droite, dans le même ordre que les plats.

• **SERVICE EN RESTAURATION.** Dans ce domaine, les services sont différents.

– Dans le service « simplifié », les mets sont dressés sur les assiettes, ou les plats sont posés sur la table.

– Dans le service « à la française », on donne à chaque convive la possibilité de se servir lui-même dans le plat, qui lui est présenté accompagné d'un couvert de service.

– Dans le service « à l'anglaise », c'est le serveur qui sert les mets dans l'assiette du convive.

– Dans le service « à la russe », dit aussi « à l'anglaise avec guéridon » ou encore « au guéridon », le maître d'hôtel montre aux convives le plat dressé pour qu'ils en apprécient la présentation, puis les mets sont disposés dans les assiettes, opération qui se pratique sur un guéridon, à côté de la table.

SERVICE DE TABLE Ensemble d'une nappe et de serviettes assorties, ou ensemble d'assiettes et de plats au même décor. On appelle également « service » plusieurs pièces utilisées ensemble pour le service d'un mets déterminé.

– Le service à asperges comprend un berceau ou un plateau à égouttoir, où sont placées les asperges au naturel, ainsi que la pince ou la pelle permettant de se servir.

– Le service à café ou à thé rassemble, parfois sur un plateau, les tasses de taille spécifique, avec sous-tasses et petites cuillères, la cafetière ou théière, ainsi que le sucrier et le pot à lait.

– Le service à découper désigne le grand couteau et la grande fourchette (parfois aussi le manche à gigot) permettant de découper à table une pièce de viande, un gibier ou une volaille.

– Le service à fondue, avec son réchaud et son poêlon, inclut aussi des fourchettes longues à dents fines, éventuellement des assiettes compartimentées ou des coupelles à sauce.

– Le service à fromage associe le plateau, le couteau et des petites assiettes.

– Le service à gâteau réunit le plat (rond ou long), la pelle et les assiettes assorties, ou désigne l'ensemble des fourchettes à dessert et de la pelle.

– Le service à liqueur (ou à porto) comprend des petits verres et un carafon.

– Le service à poisson regroupe un plat long, des assiettes et éventuellement une saucière, ainsi qu'un couvert à poisson de grande taille.

– Le tête-à-tête est un service réduit aux seules pièces nécessaires pour deux personnes (pour le thé, le café ou le petit déjeuner).

– Le service à sushis comporte des plateaux de bois individuels pour présenter les sushis, des petites coupelles pour les sauces et les condiments, ainsi que des baguettes.

SERVIETTE Pièce de tissu individuelle, servant à s'essuyer les mains et les lèvres, et à protéger les vêtements quand on mange. Le savoir-vivre exige que l'on utilise sa serviette avant de porter son verre à sa bouche et chaque fois que de la sauce ou un mets marque les lèvres. Il interdit de nouer sa serviette autour de son cou, sauf quand il s'agit d'écrevisses ou de fruits de mer à décortiquer.

Les Romains disposaient d'un *sudarium* destiné à s'éponger le front et le visage, tandis que des esclaves circulaient avec des bassins pour les ablutions. Au début du Moyen Âge, les convives s'essuyaient les mains et la bouche à la nappe ou à la « longuière », pièce de toile qui ne recouvrait que les bords de la table et était réservée à cet usage. C'est vers le XIIIᵉ siècle qu'apparurent les « touailles », torchons suspendus au mur, que les convives utilisaient à volonté et qui servaient ensuite à recouvrir les restes de nourriture. Vinrent ensuite les serviettes individuelles de lin ou de coton, brodées puis damassées.

En restauration, le maître d'hôtel porte traditionnellement, comme insigne de sa fonction, une serviette pliée sur le bras gauche, de même que les serveurs et les garçons de café.

Pour le dressage de certains mets, il est courant d'utiliser des serviettes blanches à la place des papiers gaufrés ou dentelle : « gondole » pour présenter les poissons entiers dressés sur un plat long, serviette pliée pour y glisser des toasts chauds ou y poser une bombe glacée.

SERVIETTE (À LA) Se dit du dressage de certains mets, notamment des truffes. Pochées, celles-ci sont dressées en timbale ou dans une casserole, placée sur une serviette apprêtée, pliée en forme de poche ; cuites sous la cendre en papillote, elles sont logées directement dans une serviette. On présente aussi « à la serviette » les pommes de terre cuites en robe des champs, ainsi que les asperges cuites à l'eau, c'est-à-dire dressées nature sur une serviette blanche pliée.

Le riz « à la serviette » est un apprêt à l'indienne : cuit à l'eau salée, égoutté, rafraîchi, puis enveloppé dans une serviette pour sécher à four doux.

SÉSAME Plante oléagineuse de la famille des pédaliacées, cultivée dans les pays chauds pour ses graines. On en tire une huile peu odorante, très estimée en Orient, à la saveur douce typique et qui se conserve longtemps sans rancir.

■ **Emplois.** Les cuisines africaine, arabe, chinoise, indienne et japonaise font une grande consommation d'huile de sésame comme corps gras de cuisson ou, plus souvent encore, comme condiment ou comme assaisonnement, car son arôme est très volatile. L'huile de sésame sert aussi, au Liban, à préparer le hoummos, à base de pois chiches.

En Afrique et en Asie, les graines se consomment grillées, comme les cacahouètes (arachides), et on en tire une farine qui sert à préparer des galettes. En Chine, on extrait des graines de sésame une boisson sirupeuse très nourrissante ; elles servent aussi à confectionner des biscuits au sucre et au saindoux ; au Japon, grillées, elles entrent dans nombre de sauces et de condiments. Au Moyen-Orient, les graines interviennent notamment dans le halva (pilées avec du sucre et des amandes) et le tahin, ou tahina (une émulsion de graines pilées avec du jus de citron, du poivre, de l'ail et des épices) ; ce dernier

accompagne salades, crudités, voire viandes grillées, et relève les boulettes de farine de légumes secs et les bouillons de volaille. En Europe on fait des pains et des brioches aux graines de sésame.

SÉTOISE (À LA) Se dit d'un apprêt de la lotte (poisson typique de la cuisine de Sète, notamment dans la bourride) ; le poisson cuit d'abord à feu vif avec une julienne de légumes étuvée à l'huile d'olive et au vin blanc ; il est nappé, une fois égoutté, d'une mayonnaise très ferme, additionnée, au dernier moment, du fond de cuisson réduit à glace.
▶ Recette : BOURRIDE.

SÉVIGNÉ (MARIE DE RABUTIN-CHANTAL, MARQUISE DE) Femme de lettres française (Paris 1626 - Grignan 1696). Au fil de la correspondance qu'elle échangea avec sa fille, Mᵐᵉ de Grignan, la marquise évoque, entre autres choses, les plaisirs de la table ou les nouveautés culinaires et gastronomiques de son temps, en particulier les petits pois de primeur, le chocolat, le pâté de canard d'Amiens, etc. Au cours de ses voyages, elle note les spécialités gourmandes et les bonnes étapes, comme l'*Auberge du Dauphin* à Saulieu ou la table de M. de Chaulnes à Vitré.

On lui a dédié un apprêt d'œufs mollets ou pochés, servis sur de la laitue braisée, nappés de sauce suprême et surmontés d'une lame de truffe.

SEYSSEL Vins AOC blancs de Savoie, tranquilles ou mousseux, issus des cépages chasselas, altesse (ou roussette) et molette, qui présentent souvent un arôme caractéristique de violette (**voir** DAUPHINÉ, SAVOIE ET VIVARAIS).

SHABU-SHABU Plat japonais de la famille des mets dits *nabemono* (cuits dans un poêlon sur un réchaud à table), dont la création, vers le milieu du XXᵉ siècle, aurait été inspirée d'une recette mongole du temps de Gengis Khan. Le shabu-shabu se compose en général de fines tranches de bœuf et de légumes émincés, sautés dans de l'eau bouillante ou un bouillon à base d'algues, puis trempés dans une sauce à base d'agrume ou de graines de sésame. Le jus de cuisson restant est mélangé avec du riz et consommé en soupe. Le porc, le poulet, le canard, le homard et le crabe se préparent de la même façon. Proche du sukiyaki par sa préparation, mais plus savoureux, le shabu-shabu doit son nom au bruit produit par les baguettes agitées dans le poêlon.

SHAKER Ustensile de bar dans lequel on mélange les ingrédients d'un cocktail en les secouant avec de la glace pour le servir frappé. L'emploi du shaker est particulièrement recommandé pour les cocktails à base de crème ou de liqueur sirupeuse, ceux où intervient un œuf, ou du lait, ou encore du jus de fruits. Il existe trois types de shakers et leur contenance varie entre 50 cl et 1 litre.

– Le shaker Boston, utilisé en Amérique par les pionniers du bar au milieu du XIXᵉ siècle, se compose de deux éléments qui s'emboîtent partiellement : un haut gobelet en verre, légèrement évasé, et une timbale en métal (acier inoxydable ou métal argenté) dont le diamètre supérieur est plus grand que celui du verre. Lorsqu'on agite les ingrédients et les glaçons dans le shaker, le métal se rétracte sous l'effet du froid, ce qui rend la jointure parfaitement hermétique. Avec le shaker Boston, l'emploi d'une passoire est indispensable pour retenir les glaçons au moment de servir le cocktail. Notons que, bien que dépourvu de bec verseur, le gobelet peut éventuellement être utilisé comme un verre à mélange.

– Le shaker continental, né en Europe au début du XXᵉ siècle, est conçu et s'utilise comme le shaker Boston, mais il est tout en métal.

– Le shaker avec filtre, apparu à la fin du XIXᵉ siècle, a la particularité d'avoir un filtre incorporé dans sa partie supérieure, ce qui rend superflu l'usage d'une passoire à glaçons pour le service. C'est le modèle le plus utilisé par le grand public.

SHERRY Dénomination anglaise du xérès. Le cherry, lui, est une liqueur de cerise.

SHIITAKE Champignon typiquement asiatique, dont le nom européen est « lentin comestible », sans doute l'un des plus cultivés et des plus appréciés dans le monde (**voir** planche des champignons pages 188 et 189). Il possède un chapeau convexe brun, recouvert radialement de fibrilles et de mèches laineuses blanchâtres ; ses lames serrées, elles, sont beige blanchâtre. Le shiitake est riche en sels minéraux, comme le phosphore et le potassium, et en vitamines. Il a des vertus thérapeutiques reconnues, antivirales et anticholestérol. Aujourd'hui, il est largement cultivé en France, notamment en Touraine, sur des supports à base de sciure de bois, de paille de céréales broyées, de son, etc. Il accompagne très bien les viandes et les salades, et se sert en sauce ou grillé.

SHORTBREAD Biscuit sablé de la pâtisserie écossaise, très riche en beurre, servi couramment avec le thé, mais qui reste de tradition pour Noël et le jour de l'An. Fait à l'origine de farine d'avoine, il est aujourd'hui à base de farine de froment.

Pour les fêtes, le shortbread est parfois décoré d'écorces de citron ou d'orange, ou encore d'amandes mondées ; dans les îles Shetland, il est aromatisé au cumin. Il se présente comme une galette striée de rayons, qui permettent de la fractionner en triangles : c'est un symbole solaire, lié à ce très ancien gâteau des fêtes du renouveau.

SHORT DRINK Cocktail d'une contenance généralement inférieure à 12 cl, préparé au shaker ou au verre à mélange et servi le plus souvent sans glace.

SICILE ET SARDAIGNE La cuisine de ces deux îles méditerranéennes puise à des sources grecques pour la première, phéniciennes pour la seconde, avec divers emprunts originaux aux cuisines arabe et africaine ; cependant, certaines créations locales sont de très ancienne tradition.

■ **Sicile.** La Sicile produit agrumes, primeurs, olives et amandes ; on y trouve peu de viande, mais le blé y abonde. Elle est surtout fière de sa pâtisserie, notamment des *cannoli*, gâteaux fourrés de fromage à la crème et de fruits confits, et de la cassate (**voir** ce mot).

Le pain est souvent cuit à la maison, qu'il s'agisse de grosses miches, de pains en losange ou en navette, de pains non levés, que l'on mange trempés dans de l'huile avec du poisson salé, sans oublier la pizza aux nombreuses variantes ; une spécialité typique est constituée par les *vasteddi*, petits pains blancs parsemés de grains de cumin, fourrés de ricotta, de viande de porc frite au saindoux et de jambon fumé.

Les pâtes sont également à l'honneur, notamment *la pasta con le sarde* (avec un ragoût de sardines à la tomate). Il faut mentionner également la caponata, qui se sert en entrée ou accompagne les poissons et les fruits de mer, nombreux (moules farcies, poissons de roche, farcis ou en papillote).

Parmi les plats de viande, le *farsu magru* (roulade de bœuf ou de veau, farcie d'un mélange d'œufs durs, d'aromates et d'épices) et la saucisse de porc cuite sous la cendre sont des spécialités.

Grosse productrice et exportatrice de vin, la Sicile était traditionnellement réputée pour des vins de liqueur comme le marsala et des vins de dessert capiteux comme le mamertino. Les viticulteurs s'orientent à présent vers des vins secs, blancs, rouges ou rosés, corsés, dont une grande partie est exportée comme vins de coupage ; les meilleurs (mis en bouteilles 3 mois après les vendanges, au lieu de vieillir en fût comme autrefois) regroupent les vins de l'Etna, le corvo di casteldaccia, l'alcamo et le carasuolo di vittoria, agréables vins de table, fruités et parfumés.

■ **Sardaigne.** En Sardaigne, c'est au contraire l'élevage (mouton, bœuf, porc et agneau) qui constitue la ressource essentielle, d'où l'existence de spécialités comme les tripes de chevreau rôties, grillées ou bouillies, et un plat de plein air réputé : un cochon de lait, un agneau ou un chevreau vidé, embroché et rôti devant un feu de genévrier, de lentisque ou d'olivier, ou cuit sur les braises, dans une fosse à même le sol.

La perdrix et la grive se cuisent non vidées, dans des sachets tapissés de feuilles de myrte ; le sanglier sarde est réputé pour sa chair délicate.

Le bœuf mariné et braisé au vin blanc, ou le veau à la sarde, braisé à la sauce tomate et aux olives noires, sont courants.

Le pain se présente parfois sous forme de galettes très fines, les *fogli di musica* (« feuilles de musique »), rayées de craquelures horizontales.

On apprécie également les pâtes, avec deux spécialités : des raviolis avec une farce de ricotta, d'épinard et d'œuf, aromatisée au safran, servis en sauce tomate et fromagés, et un gratin fait de couches de pâtes, de viande hachée, de jambon, de fromage blanc et d'œufs, nappé de sauce tomate.

Langoustes et sardines (qui donnèrent son nom à l'île) sont aussi souvent cuisinées que le thon et l'espadon ; les œufs de thon séchés *(buttariga)* se servent en hors-d'œuvre. Enfin, les fromages sont appréciés : le casu marzu (fromage « pourri », à l'odeur forte) et le fiore sardo, fromage de lait de brebis à râper.

Seule culture prospère de ce pays aride, la vigne donne des vins frais et secs, le plus souvent blancs, dont le plus connu est le vernaccia : bouqueté avec une pointe d'amertume, titrant jusqu'à 16 % Vol., il se fait également en version vinée, dite *liquoroso*, qui atteint 18 % Vol. Parallèlement, l'île poursuit la production de vins de dessert de qualité, doux et corsés, souvent vinés, qui furent longtemps sa principale vocation : giro, nasco et moscato.

SICILIENNE Se dit de petites pièces de boucherie ou de volaille poêlées, garnies de tomates farcies, de timbales de riz et de pommes croquettes.

SIKI Appellation commerciale du requin chagrin, poisson de la famille des squalidés, qui vit dans l'Atlantique, de l'Islande au Sénégal. Parfois confondu avec la saumonette (aiguillat ou émissole), bien qu'il soit plus gros, le siki, sans arêtes, s'apprête en matelote, sauté, poêlé ou braisé.

SILICONE Depuis la seconde moitié du XXᵉ siècle, les propriétés des élastomères de silicone ont trouvé de multiples applications dans l'industrie et dans la vie courante. De nombreux ustensiles de cuisine (récipients, moules divers, dessous de plat, plateau de cuisson, passoire, pinceau, etc.) sont proposés dans des matériaux à base de silicone alliant hygiène, solidité, souplesse, résistance à la chaleur et à l'usure, facilité de nettoyage, antiadhérence et, dans le cas d'une spatule, ne rayant pas les revêtements antiadhésifs. En pâtisserie, une toile (ou tapis) de cuisson imprégnée de silicone permet de cuire au four, sur plaque, fonds de pâte, viennoiseries, meringues, etc. Cette toile multiusage (qui existe en plusieurs tailles) peut, comme les moules, passer de la température du congélateur (– 40 °C) à celle du four (300 °C).

SILURE GLANE Poisson de la famille des siluridés, appelé « merval » dans la région Centre (France) et « tagle » en Lorraine (**voir** planche des poissons d'eau douce pages 672 et 673). Le silure glane est une variété de poisson-chat à peau lisse sans écailles. Il possède six barbillons disposés autour de la bouche et une nageoire dorsale très courte. Il peut atteindre 3 m. Originaire des cours d'eau de l'est de l'Europe, il est très répandu dans le Danube. Introduit dans nos rivières, il se développe rapidement et est très recherché pour la pêche sportive. La région du Val de Loire pratique avec succès son élevage en étang.

Il se prépare en darnes, en filets frais ou fumé. Sa chair est dense, délicate, sans arêtes, de couleur blanche à beige, sans forte saveur prononcée (on lui attribue un goût subtil de noisette). Il se prête à toutes les préparations. Il est souvent cuisiné avec une sauce au vin blanc ou rouge, avec fond de veau, lardons et petits oignons revenus.

SINGAPOUR Gros gâteau fait d'une génoise fourrée de confiture d'abricot et de fruits au sirop, abricotée et généreusement décorée de fruits confits.

SINGE Mammifère des régions intertropicales, dont les espèces arboricoles, végétariennes et frugivores ont une chair comestible. En Amazonie, celle-ci fait partie de l'alimentation de base des tribus forestières. En Casamance, au Sénégal, la viande de singe, marinée au citron vert, se cuit en ragoût épicé, comme le poulet. En Afrique centrale, on prépare des singes rôtis, accompagnés de sauces aux épices et à l'arachide. En Europe, la seule mention de « singe » concerne le bœuf en conserve accommodé en sauce, dit « corned-beef ».

SINGER Poudrer de farine des éléments revenus dans un corps gras avant de leur ajouter un liquide de mouillement clair (vin, bouillon, eau) pour lier la sauce. Autrefois, « singer une sauce », c'était la colorer avec du « jus de singe », appellation familière du caramel à sauce.

SIPHON Bouteille d'aluminium contenant, sous pression, un litre d'eau gazéifiée par du gaz carbonique ; elle est fermée par une tête de matière plastique ou de métal, vissée et munie d'un levier qui commande l'écoulement du liquide par l'intermédiaire d'un tube plongeant à l'intérieur. Le siphon, destiné à servir de l'eau gazéifiée directement dans les verres, se recharge en eau en dévissant la tête, et en gaz à l'aide de cartouches qui s'emboîtent dans cette tête.

Le siphon à crème Chantilly, qui fonctionne selon le même principe, fournit instantanément une crème gonflée de gaz, blanche et mousseuse. C'est grâce à cet ustensile, qu'il détourna de sa fonction originelle, que le cuisinier espagnol Ferran Adrià réalisa en 1994 ses premières écumes (**voir** ce mot).

SIROP Solution concentrée de sucre dans de l'eau, préparée à froid ou à chaud, utilisée dans la préparation des confitures et des glaces au sirop, et pour diverses opérations de pâtisserie ou de confiserie (tremper des babas et des savarins, siroper ou imbiber des biscuits, travailler du fondant, etc.). Les sirops apportent arôme, sucre et couleurs aux cocktails alcoolisés, aux glaces et aux sorbets, aux salades de fruits et aux laitages.

■ **Boissons.** Les sirops, qui sont obtenus par dissolution de matières sucrantes glucidiques – en général du saccharose – dans de l'eau plate, sont ensuite diversement aromatisés. Fortement concentrés, ils donnent, après avoir été allongés de six à huit fois leur volume d'eau, des boissons désaltérantes, colorées et économiques.

abricots au sirop ► ABRICOT

sirop de cassis

Égrapper du cassis, écraser les grains, les mettre dans un sac spécial en étamine et laisser le jus s'écouler. Ne pas presser : la pulpe, très riche en pectine, ferait prendre le sirop en gelée. Peser ce jus et compter 750 g de sucre pour 500 g de jus. Verser sucre et jus dans une bassine, mettre sur le feu, bien remuer jusqu'à ce que le sucre soit parfaitement fondu. Quand la température a atteint 103 °C, écumer et mettre en bouteilles ; boucher hermétiquement et conserver au frais, à l'abri de la lumière.

sirop de cerise

Dénoyauter des cerises et les réduire en purée. Passer celle-ci dans un tamis très fin et laisser le jus fermenter 24 heures à la température ambiante. Décanter et filtrer. Ajouter 1,5 kg de sucre par litre de jus de cerise et laisser dissoudre. Verser dans une bassine, porter à ébullition, puis passer. Verser dans des bouteilles ; boucher hermétiquement et conserver au frais, à l'abri de la lumière.

sirop exotique

Peler et couper en dés 1 ananas, 500 g de kiwis. Fendre en deux 500 g d'oranges, 2 citrons verts. Couper chacun en six. Ôter la pulpe de 500 g de fruits de la Passion coupés en deux. L'incorporer aux fruits. Porter à ébullition 1 litre d'eau, 100 g de sucre en poudre, 150 g de noix de coco râpée. Y incorporer les fruits. Faire bouillir 1 min. Laisser macérer 3 heures. Passer au moulin à légumes puis filtrer dans un linge. Peser le jus obtenu et ajouter le même poids de sucre. Faire bouillir en écumant. Verser dans une bouteille ébouillantée. Fermer hermétiquement. Garder au réfrigérateur.

sirop de fraise

Laver, éponger, équeuter des fraises bien mûres. Les écraser, puis filtrer le jus à travers un torchon et le verser dans une bassine. Vérifier la densité du jus, qui dépend du sucre contenu dans les fruits. La quantité de sucre

à ajouter est fonction de cette densité. Elle va de 1 746 g par kilo de fruits si la densité à l'ébullition est de 1,007 à 1 260 g si celle-ci atteint 1,075. Porter à ébullition et laisser bouillir 2 ou 3 min : la densité du sirop doit être de 1,33. Verser ce sirop dans des bouteilles ébouillantées. Boucher hermétiquement et conserver au frais, à l'abri de la lumière.

sirop d'orange

Enlever finement le zeste de quelques oranges bien mûres ; le réserver, puis peler toutes les oranges. Écraser la pulpe dans un moulin à légumes, passer au tamis très fin ou dans un linge mouillé. Peser le jus. Ajouter 800 g de sucre pour 500 g de jus. Mettre le tout sur le feu dans une bassine à confiture. Tapisser d'une mousseline l'intérieur d'un grand chinois et y placer les zestes d'orange. Dès que le sirop bouillonne, le verser sur les zestes. Laisser bien refroidir avant de mettre en bouteilles, puis boucher hermétiquement.

tourte au sirop d'érable ► TOURTE

SIROP DE LIÈGE Sirop belge de poire de la variété legipen, très épais et de couleur brun foncé, qui se sert au petit déjeuner tartiné sur des tranches de pain.

SIROPER Mettre un gâteau de pâte levée (baba, savarin surtout) à tremper dans un sirop chaud ou l'arroser plusieurs fois jusqu'à ce qu'il en soit entièrement imprégné (on dit aussi « siroter »).

SLIVOVITZ Eau-de-vie de prune, très populaire dans les pays balkaniques, où elle aussi appelée *rakia* ou *rakija*. Elle est préparée le plus souvent avec des prunes bleues, les noyaux étant généralement écrasés et fermentés avec la pulpe, ce qui donne une légère amertume à l'alcool. La slivovitz (de 40 à 45 % Vol.), réputée depuis le Moyen Âge, est distillée deux fois, vieillie dans de petites barriques et commercialisée traditionnellement dans une bouteille ronde et plate, mais aussi dans des bouteilles plus classiques et sous des noms qui varient d'un pays à l'autre. Elle est servie soit en accompagnement d'une entrée soit seule, chauffée et additionnée de sucre ou de miel.

SLOKE Mets à base d'algues, traditionnel dans l'alimentation des Écossais jusqu'à une époque récente. Le sloke, ou « épinard de mer », formait la base de soupes et de sauces (notamment avec le mouton).

SMEUN Beurre clarifié typique de la cuisine maghrébine et arabe (on écrit aussi smen ou smenn). Le smeun est fabriqué avec du beurre de brebis, parfois de vache (voire de bufflonne en Égypte), liquéfié, clarifié et mélangé avec un peu de sel (et parfois de semoule) ; il se conserve dans des pots de terre cuite ou de grès. En vieillissant, ce beurre s'affine et prend un goût d'amande. On l'utilise en pâtisserie et pour beurrer le couscous, les bouillons et les tagines.

SMITANE Crème aigre, plus ou moins épaisse, d'emploi courant en Russie, en Europe de l'Est et en Europe centrale. Obtenue par fermentation bactérienne, la smitane se conserve peu. Elle équivaut à la *sour cream* des pays anglo-saxons. Elle agrémente notamment le poisson (hareng, rollmops), le borchtch, le chou farci, les choucroutes et les ragoûts de viande hongrois.

La sauce smitane est composée de cette crème aigre que l'on ajoute à des oignons ciselés, déglacés au vin blanc jusqu'à réduction complète. Le mélange obtenu est également réduit, puis passé et additionné de quelques gouttes de citron.

SMOOTHY Boisson onctueuse et mousseuse obtenue à partir d'un mélange de jus de fruits et/ou de légumes frais, d'un liquide (lait, infusion, bouillon) ou d'un produit crémeux (yaourt, glace, sorbet) et éventuellement de glace pilée. Les smoothies peuvent se préparer à l'aide d'une centrifugeuse, d'un extracteur de jus, d'un robot-blender, d'un robot-mixeur ou d'un appareil spécifique (robot à smoothies). On trouve une grande variété de smoothies, conditionnés en bouteille ou en brique, au rayon frais des supermarchés.

« Détourné de son usage initial, le siphon à chantilly se prête à de nouvelles interprétations dans les cuisines de Potel et Chabot et de l'Hôtel de Crillon. Enrichies de gélatine, purées et crèmes se transforment sous l'action du gaz en écumes légères et parfumées. »

SMÖRGÅSBORD Assortiment suédois abondant et varié de mets froids et chauds, constituant un repas entier. Il s'agit, en fait, d'un vaste buffet, auquel les convives vont se servir au gré de leur appétit, mais en respectant un ordre traditionnel.

La première étape d'un smörgåsbord passe nécessairement par le hareng, aliment roi en Scandinavie : sur une première assiette, on peut associer, par exemple, du « hareng du vitrier » (mariné au vinaigre, avec sucre, carottes et épices), du hareng mariné frit, du hareng à la crème aigre, du hareng fumé ou saur, le tout accompagné d'aneth et d'oignon cru émincé, ou encore de concombre.

On passe ensuite à d'autres plats de poisson : saumon et anguille fumés, truite en gelée, œufs de morue à l'aneth, œufs durs farcis, salade de crevettes aux petits pois et aux champignons, ou encore une spécialité typiquement suédoise du smörgåsbord, le *fagelbo* (des jaunes d'œuf crus entourés d'oignons, de câpres et de betteraves émincés).

Viennent après viandes froides et charcuterie suédoise : veau en gelée, langue à l'écarlate, rosbif, pâté de foie, avec de la macédoine à la mayonnaise ou des pâtes froides en salade.

Arrivent enfin les plats chauds, qui rassemblent plusieurs plats typiquement suédois : « tentation de Janson » (gratin aux anchois et aux pommes de terre, à la crème et aux oignons), oignons farcis, boulettes de viande, etc.

Le buffet propose, en accompagnement, plusieurs variétés de pains de seigle et de galettes croustillantes, ainsi qu'un assortiment de fromages forts et doux (qui sont dégustés avec le hareng). Le dessert se compose de salades de fruits. Un tonnelet d'aquavit est généralement prévu, ainsi que de la bière.

Le terme « smörgåsbord » est suédois, mais la pratique est répandue dans tous les pays nordiques : *koldt bord* au Danemark, *smorbrod* en Norvège, *voileipäpöyta* en Finlande ; on retrouve une formule analogue avec les zakouski russes. Harengs marinés, salade de hareng aux pommes de terre et à la betterave, croûtons à l'oie fumée, esturgeon et saumon fumés, et œufs de poisson en constituent les éléments de base, auxquels s'ajoutent, en Norvège, le *rakorret* (truites fermentées au sel et au sucre), en Finlande, les tranches de renne salé et fumé, accompagnées d'œufs brouillés, et, au Danemark, les boulettes de viande au chou rouge ou les tranches d'oie fumée au chou.

SNACK-BAR Restaurant où l'on sert à toute heure des repas rapides. La carte réduite propose des plats simples : croque-monsieur, quiche, hot-dog, hamburger, poulet-pommes frites, ainsi que des boissons non alcoolisées (sodas, café, thé, laits aromatisés).

SOAVE Vin AOC blanc sec produit en Vénétie pour 70 à 90 % à partir du cépage garganega et pour le reste du cépage trebbiano. Il passe pour être un des meilleurs vins d'Italie.

SOBRONADE Soupe rustique du Périgord, à base de haricots blancs, de raves, de légumes et d'aromates, garnie de porc frais et parfois salé, auxquels on ajoute éventuellement du jambon.

SOCCA Cette spécialité niçoise préparée à base de farine de pois chiche et d'eau se présente sous la forme d'une grande et fine galette. Cuite au four à pizza sur de grandes plaques rondes en cuivre étamées, la socca connaît un vif succès populaire à Nice et dans ses environs, où on la déguste sur les marchés, chaude et saupoudrée de poivre.

RECETTE DU RESTAURANT *LE JARDIN DE PERLEFLEURS*, À BORMES-LES-MIMOSAS

socca

« Mélanger 125 g de farine de pois chiches avec 25 cl d'eau, du sel, du poivre et 1 cuillerée à soupe d'huile d'olive. Fouetter vivement. Verser cet appareil dans 2 grands plats à gratin beurrés. Faire cuire 20 min au four préchauffé à 240 °C. Allumer le gril. Crever à l'aide des pointes d'une fourchette les bosses qui se sont formées sur la socca. Laisser dorer. »

SOCLE Élément de dressage jadis très courant, aujourd'hui beaucoup plus rare. Une formule néanmoins toujours classique consiste à mouler du riz cuit dans des darioles, pour accompagner des œufs ou des petites pièces de boucherie.

Dans l'ancienne cuisine décorative, les pièces de viande, les volailles et les poissons étaient dressés sur des socles plus ou moins élaborés ; comme dans le domaine des pièces montées, l'architecture, le bestiaire et la flore étaient des sources d'inspiration. Antonin Carême (1783-1833), par exemple, a laissé de nombreux dessins de socles.

SODA Eau gazeuse, généralement peu minéralisée, aujourd'hui presque toujours additionnée de sirop à base d'extraits de fruit (citron, orange) ou de plantes diverses (dont la coca et le cola), auxquels on ajoute parfois des arômes végétaux pour donner un goût amer à la boisson (**voir** BITTER, TONIC). Divers acidifiants, édulcorants et colorants entrent dans la fabrication des sodas.

SODIUM Élément minéral qui, avec le potassium, joue un rôle capital dans l'hydratation des cellules et intervient aussi dans le maintien de l'équilibre entre les acides et les bases de l'organisme. Les besoins sont très largement couverts dans le monde occidental par l'alimentation, qui apporte au quotidien de 4 à 6 g de sodium, ce que de nombreux nutritionnistes jugent excessif, car une surcharge de sodium augmente les risques d'hypertension artérielle. La principale source de sodium est le sel (chlorure de sodium) ajouté en cuisine ; viennent ensuite le pain, les charcuteries, les biscuits apéritifs, les chips, les fromages, les plats cuisinés du commerce et certaines conserves (sauces notamment). Par ailleurs, plusieurs aliments sont naturellement riches en sodium (lait, fruits de mer, blanc d'œuf, fruits secs, eaux minérales).

SOJA (SAUCE) Condiment de base en Asie du Sud-Est et au Japon. Appelée *shoyu* au Japon et *jiang yong* en Chine, cette sauce est obtenue à partir de soja, de blé, d'eau et de sel. Divers ingrédients complémentaires peuvent entrer dans sa composition : porc haché à Canton, gingembre et champignons à Pékin, parfois nuoc-mâm ou pâte d'anchois pour la corser. La sauce soja a la même valeur nutritive qu'un extrait de viande, et elle se bonifie avec l'âge.

Au Japon, où l'on en fait l'usage le plus large, on distingue le *shoyu* foncé et corsé, employé en cuisine, et le *shoyu* plus clair, qui sert d'assaisonnement.

---

sauce soja

Faire cuire à l'eau 3 litres de haricots de soja jusqu'à ce qu'ils se mettent en purée. Ajouter 1 kg de riz gluant cuit à la vapeur. Malaxer le tout pour obtenir une pâte épaisse, que l'on laisse reposer 2 jours dans un lieu obscur et frais. Suspendre ensuite le récipient pendant une semaine dans une pièce bien ventilée. Lorsqu'une moisissure jaune apparaît, mettre au soleil une jarre contenant 5 litres d'eau et 1 litre de sel. Quand la température de l'eau paraît chaude au toucher, y jeter la pâte de farine et de haricots. Laisser la jarre en place à découvert pendant 1 mois, en brassant vigoureusement chaque jour avec un bâton. Le mélange va virer au noir. Ne pas y toucher pendant 4 ou 5 mois, sauf s'il fait mauvais temps. Dans ce cas, couvrir la jarre. Décanter et conserver la sauce dans des flacons hermétiquement bouchés.

SOJA VRAI Légumineuse de la famille des fabacées, probablement originaire de Mandchourie, que les Chinois appellent *dadou* (gros haricot) et les Japonais *daizu*. Sa tige ligneuse porte des feuilles groupées par trois et une quinzaine de gousses velues, brunes ou verdâtres, contenant chacune trois grains gros comme des petits pois. C'est la plante la plus utilisée dans le monde, comme matière première d'huile et de farine, comme aliment humain et comme fourrage. Il ne faut pas confondre le soja vrai avec les faux « germes de soja » ou haricots mungo (**voir** ce mot).

Le soja, nourriture de base dans les pays d'Extrême-Orient, était connu en Chine bien avant notre ère. Il fut introduit au VIᵉ siècle au Japon, où on le surnomma « viande végétale ». Des voyageurs européens le découvrirent au XVIIe siècle et firent connaître certains de ses apprêts : bouillies, gâteaux et soupes. Un siècle plus tard, les premières graines arrivèrent au Jardin des Plantes de Paris.

On tire du soja plusieurs produits alimentaires.

– Les fèves de soja vendues dans leur gousse, fraîches, en conserve ou congelées ; contiennent jusqu'à 20 % de protéines directement assimilables. Elles s'apprêtent en bouillies. En Chine, elles accompagnent aussi bien le bœuf que les fruits de mer.

– Les fèves sèches, jaunes, vertes, noires ou bicolores, apportent 422 Kcal ou 1764 kJ pour 100 g et sont deux fois plus riches en protéines (37 %) que le bœuf. Trempées et cuites à l'eau, elles se mangent en soupe ou en salade. Au Japon, les fèves noires, cuites longuement avec des clous de girofle et du sucre, sont aromatisées de sauce soja et servies avec une garniture de riz.

– La farine de soja (3,5 fois plus riche en protéines que la farine de blé) s'emploie dans des gâteaux, des pains et pour lier des sauces ; au Japon, elle sert à garnir des pâtés au riz gluant.

La cuisine nipponne fait par ailleurs grand usage de plusieurs produits élaborés à partir du soja : le *natto* (haricots noirs fermentés), utilisé comme garniture de plats de riz et de certains plats de fête ; le tofu aux nombreux emplois ; le miso, fait de riz, d'orge ou de soja fermenté plus ou moins longtemps, qui intervient dans les bouillons et potages ou en garniture de poisson, associé à des légumes ; le *tonju* est une boisson obtenue par extraction à l'eau des nutriments solubles de la farine de soja.

Les graines de soja contiennent des molécules à propriétés œstrogéniques, ayant peut-être un rôle protecteur contre l'ostéoporose des femmes asiatiques ménopausées.

▶ Recette : RISOTTO.

SOLE Poisson osseux de la famille des soléidés, aux nageoires pelviennes en avant des pectorales, plat, avec les yeux du côté droit (**voir** planche des poissons de mer pages 674 à 677). Il en existe plusieurs variétés anatomiquement très proches les unes des autres. De forme ovale, ce poisson possède une tache noire sur l'extrémité de la nageoire pectorale sur la face pigmentée. La face aveugle est blanchâtre. À la vente, la sole doit mesurer au minimum 20 cm, elle peut atteindre 60 cm et dépasser le kilo. Une sole n° 4 correspond à une portion (sole portion) et pèse 250 g : il en faut donc 4 pour faire 1 kg de poisson (cela explique les numéros de tailles pour la commercialisation).

La sole était l'un des poissons préférés des gastronomes romains. Dans la cuisine ancienne, on l'apprêtait « confite » (en marinade au sel), à l'étuvée, frite, en pâté, en potage, en ragoût ou rôtie, mais c'est surtout sous Louis XIV, à la fin du XVIIe siècle, qu'elle devint un « mets royal ». Les filets connurent dès lors des apprêts élaborés, dont l'un est dû à la marquise de Pompadour. Au XIXe siècle, tous les grands chefs exercèrent leurs talents sur la sole, notamment Adolphe Dugléré et Nicolas Marguery.

Les soles pêchées en profondeur sont souvent plus fines que celles qui sont prises près des côtes, et celles des eaux froides sont meilleures que celles des mers chaudes.

Ce sont des poissons maigres (1 % de lipides) aux déchets relativement importants (50 %). Les filets ne possèdent aucune arête et la texture du muscle est très ferme et se tient à merveille lors de la cuisson.

■ **Emplois.** La sole est l'un des poissons qui connaît le plus grand nombre d'apprêts, tant en cuisine classique qu'en cuisine ménagère. Les soles les plus petites sont frites, les moyennes, ou « soles portions » (de 220 à 250 g), poêlées ou grillées, les grosses, pochées au court-bouillon ou farcies et cuites au four, ou braisées. Les filets, roulés en paupiettes ou laissés à plat, sont pochés et servis en sauce, parfois panés et frits ou grillés.

sole : préparation

– Pour les soles en portion qui subissent une cuisson (meunière, grillée, frite, au plat), les ébarber, mais en laissant la tête attenante au corps. Puis arracher la peau grise, écailler la peau blanche, vider et retirer les ouïes. Enfin, laver soigneusement les soles, les essuyer et les réserver au froid jusqu'à la mise en cuisson.

– Pour les soles en filets (habillage et filetage), ébarber puis arracher les 2 peaux (grise et blanche). Lever ensuite les filets (cette opération s'effectue avec un couteau à « filets de sole » car la lame est flexible), puis poser la sole sur une planche ou un plan de travail approprié, la queue vers soi. À l'aide du couteau à « filets de sole », dégager les filets de la tête en contournant celle-ci. Pratiquer ensuite une incision tout le long de l'arête centrale (de la tête à la queue) pour séparer les 2 filets. Glisser la lame du couteau en la maintenant bien à plat entre le filet et l'arête ; puis par une coupe franche (sans donner un mouvement de scie au couteau), séparer le filet de l'arête. Tourner la sole d'un demi-tour et la positionner cette fois-ci la tête vers vous. Pratiquer la même opération que précédemment pour lever le deuxième filet. Retourner la sole sur l'autre face, c'est-à-dire l'arête contre la planche. Dégager les filets de la tête ; puis pratiquer une incision sur toute la longueur de la sole pour séparer les 2 derniers filets. Pour terminer, supprimer les barbes qui pourraient subsister sur le bord extérieur de chaque filet puis les laver sans les laisser séjourner dans l'eau. Les égoutter et les réserver au froid jusqu'à la mise en cuisson.

filets de sole au basilic

Garnir le fond d'un plat allant au four d'un mélange de 4 échalotes finement émincées, de 1 cuillerée à soupe de basilic et de 1 cuillerée à soupe d'huile d'olive. Disposer dessus les filets salés et poivrés de 2 soles de 750 g chacune. Mouiller avec 20 cl de fumet de poisson et autant de vin blanc. Recouvrir d'une feuille d'aluminium, porter à ébullition sur feu vif, puis cuire 5 min au four préchauffé à 250 °C. Égoutter les filets et les tenir au chaud entre deux assiettes. Faire réduire la cuisson d'un tiers. Lui incorporer au fouet 120 g de beurre en petits morceaux, rectifier l'assaisonnement et ajouter le jus de 1/2 citron. Ébouillanter, peler et épépiner 1 tomate, la couper en dés. Disposer ceux-ci sur les filets et napper de la sauce parsemée de basilic ciselé.

filets de sole cancalaise

Lever 6 filets de sole. Faire pocher 12 huîtres. Plier les filets, les faire pocher dans un fumet de poisson corsé, additionné de l'eau de cuisson des huîtres, puis les égoutter et les disposer en turban sur un plat.

Caractéristiques des différentes espèces de soles

ESPÈCE	PROVENANCE	ÉPOQUE	ASPECT
céteau	Atlantique, océan Indien	mai-sept.	petit, allongé, ligne latérale en S près de la tête, nageoire dorsale près de l'œil
sole commune	Manche, mer du Nord, Atlantique, Méditerranée	toute l'année	uni, nageoire pectorale bien développée, tache noire à son extrémité
sole perdrix	Atlantique, Méditerranée, Adriatique	avr.-juill.	orangé, rayures sombres, nageoires dorsale et anale tachées de noir
sole pôle, ou sole blonde	Atlantique, mer du Nord	toute l'année	petit, clair, tirant sur le jaune
sole du Sénégal	Atlantique	toute l'année	nageoire pectorale noirâtre, rayée de blanc-gris

Garnir le centre du plat de queues de crevette décortiquées. Disposer 2 huîtres sur chaque filet. Napper d'une sauce au vin blanc, mélangée au fond de cuisson réduit.

filets de sole Daumont

Préparer un salpicon de queues d'écrevisse Nantua (8 cuillerées à soupe). Lever les filets de 2 grosses soles. Préparer 400 g de farce fine de merlan et y ajouter 50 g de beurre d'écrevisse. Masquer chaque demi-filet de 1/8 de cette farce et replier la moitié libre sur la moitié garnie. Beurrer un plat à gratin, y déposer les filets, mouiller juste à hauteur de fumet de poisson et pocher à petits frémissements. Étuver au beurre les têtes de 8 très gros champignons et les garnir du salpicon. Égoutter les filets et en déposer un sur chaque champignon. Napper de sauce normande.

filets de sole Joinville

Nettoyer 250 g de champignons ; les couper en dés, les citronner et les cuire doucement au beurre. Couper une truffe en petits dés. Faire pocher 8 filets de sole 6 min dans un fumet réalisé avec les parures ; les égoutter. Cuire 4 min à l'eau bouillante salée 8 très gros bouquets ; préparer 30 cl de sauce normande avec le fumet de poisson et la cuisson des champignons ; y ajouter 1 cuillerée à soupe de beurre de crevette. Mélanger 100 g de queues de crevette décortiquées avec les champignons et la truffe en dés ; lier avec un peu de sauce. Disposer les filets de sole en turban dans un plat rond ; décortiquer les queues des 8 bouquets et en piquer une dans chaque filet. Mettre la garniture au centre du plat et napper de sauce.

RECETTE DE MARINETTE

filets de sole Marco Polo

« Hacher grossièrement de l'estragon, du fenouil et 1 branche de céleri. Concasser des carapaces de homard ou de langouste et les mettre dans une sauteuse ; les flamber au cognac et ajouter les parures de 4 belles soles. Mouiller avec 30 cl de vin blanc et faire juste frémir le liquide en le laissant réduire. Mettre dans une casserole, avec 50 g de beurre, 1/2 échalote hachée et 1/2 tomate pelée, épépinée et concassée. Mouiller avec 20 cl de champagne, saler et poivrer. Y faire pocher les filets de sole pendant 5 à 6 min. Passer au tamis la cuisson des carapaces en les pilant fortement, puis passer à l'étamine. Ajouter 100 g de beurre, puis fouetter en incorporant 2 jaunes d'œuf et 10 cl de crème fraîche. Servir les filets avec leur cuisson très réduite et la sauce au homard à part. »

filets de sole Marguery

Lever les filets de 2 belles soles de 800 g chacune. Avec les arêtes et les parures, préparer un fumet avec 50 cl de vin blanc, en ajoutant un peu d'oignon émincé, 1 brin de thym, 1/4 de feuille de laurier et 1 branche de persil. Faire bouillir 15 min. Cuire au vin blanc 1 litre de moules, les décoquiller et les ébarber. Ajouter leur jus de cuisson au fumet. Décortiquer des queues de crevette. Maintenir le tout au chaud, à couvert, pendant la préparation de la sauce. Placer les filets de sole salés, poivrés, puis pliés en portefeuille, côté peau à l'intérieur, sur une plaque beurrée. Les arroser de quelques cuillerées du fumet et couvrir d'une feuille de papier sulfurisé beurrée. Les faire pocher doucement, puis les égoutter et les dresser dans un plat ovale. Passer le fumet additionné de la cuisson des soles, le faire réduire des deux tiers, pour n'en avoir plus que 20 cl, et lui ajouter, hors du feu, 20 cl de crème fraîche épaisse. Monter la sauce sur feu doux, au fouet, comme une hollandaise, en lui incorporant 100 g de beurre légèrement fondu. Saler et poivrer la sauce, ajouter les moules et les crevettes, puis quelques gouttes de citron, et en napper les filets et leur garniture. Faire glacer vivement au four brûlant.

filets de sole Mornay

Saler et poivrer des filets de sole, les placer dans un plat beurré, les mouiller de très peu de fumet de poisson et les pocher doucement au four de 7 à 8 min. Les égoutter. Beurrer un plat à gratin, y disposer les filets de sole, les masquer de sauce Mornay, poudrer de parmesan râpé, arroser de beurre clarifié et faire gratiner dans le four préchauffé à 275 °C.

filets de sole à la riche

Préparer 25 cl de sauce normande ; y ajouter 2 cuillerées à soupe de beurre de homard, 1 cuillerée à soupe de pelures de truffe hachées, un peu de piment de Cayenne et 2 cuillerées à soupe de cognac. Réserver au chaud. Cuire un petit homard de 400 g dans un court-bouillon bien relevé et aromatisé, l'égoutter, le décortiquer et détailler sa chair en salpicon. Replier en deux 8 filets de sole et les pocher 5 min dans du fumet de poisson. Les égoutter et les dresser en turban sur un plat de service chauffé. Garnir le centre du salpicon de homard et napper le plat avec la sauce Riche chaude.

RECETTE DE JACQUES MANIÈRE

filets de sole à la vapeur au coulis de tomate

« Disposer dans le panier d'un couscoussier 6 ou 7 branches de basilic, puis y placer 4 filets de sole pliés en deux ; saler et poivrer. Verser un peu d'eau dans la marmite inférieure, porter à ébullition et faire cuire, couvercle fermé, pendant 8 min environ. Réserver les filets de sole au chaud. Faire pocher 1 œuf 3 min dans de l'eau vinaigrée. Faire étuver doucement à l'huile d'olive, dans une casserole, une échalote grise hachée. Hors du feu, ajouter l'œuf poché écrasé, une pointe de moutarde, le jus de 1 citron, du sel et du poivre, ainsi que des feuilles de basilic finement ciselées. Mettre sur feu doux et fouetter le mélange. Ajouter, sans cesser de fouetter, 100 g d'huile d'olive pour épaissir cette sauce, montée comme une hollandaise. Lui ajouter 3 tomates pelées, épépinées et coupées en cubes et 1 cuillerée de cerfeuil ciselé. Répartir les filets de sole dans deux assiettes et les napper de cette sauce. »

RECETTE DE LOUIS OUTHIER

filets de sole au vermouth

« Mettre des filets de sole dans une sauteuse beurrée. Mouiller de 10 cl de fumet de poisson et d'autant de vermouth ; faire pocher doucement 10 min. Retirer les filets de poisson et les tenir au chaud. Faire cuire 125 g de têtes de champignon escalopées au beurre, à feu vif, pendant 4 min, avec du sel, du poivre et du jus de citron. Passer la cuisson au tamis. Faire réduire la cuisson des champignons à 2 cuillerées à soupe ; faire également réduire la cuisson des filets ; mélanger intimement les deux réductions, ajouter 40 cl de crème épaisse et faire bouillir. Hors du feu, lier avec 3 jaunes d'œuf en fouettant. Faire chauffer en remuant, sans laisser bouillir. Garnir les filets de sole avec les champignons et les napper de sauce. »

filets de sole Walewska

Faire pocher 5 min dans un fumet de poisson, à très court mouillement, des filets de sole non repliés. Les dresser dans un plat long allant au four ; disposer sur chaque filet 1 escalope de chair de langouste ou de homard (cuite au court-bouillon) et 1 lame de truffe crue. Napper de sauce Mornay additionnée soit de beurre de homard, soit de beurre de langouste (1 cuillerée à soupe de beurre pour 15 cl de sauce). Glacer vivement dans le four préchauffé à 300 °C.

goujonnettes de sole frites

Détailler en biais de gros filets de sole pour obtenir des lanières de 2 cm de large environ. Passer celles-ci dans du lait salé, les égoutter, les fariner et les frire à l'huile très chaude (180 °C). Les égoutter, les éponger, les poudrer de sel fin et les dresser dans un plat en buisson, sur une serviette. Garnir de persil frit et de demi-citrons taillés en dents de loup. Les goujonnettes de sole sont fréquemment panées à l'anglaise puis frites.

sole diplomate

Dépouiller une belle sole. Inciser la chair au niveau de l'arête centrale et soulever les filets en allant du centre vers les bords. Sectionner l'arête au niveau de la tête et de la queue, et la retirer. Préparer 125 g de farce de merlan à la crème et lui ajouter 1 cuillerée à dessert rase de salpicon de truffe. Glisser cette farce sous les filets. Faire pocher doucement la sole dans du fumet de poisson : elle ne doit pas être recouverte. L'égoutter, retirer les petites arêtes latérales, dresser sur le plat de service, entourer d'un salpicon de homard et tenir au chaud. Napper d'une sauce diplomate faite avec la cuisson de la sole.

sole Dugléré

Beurrer un plat à rôtir. Éplucher et hacher 1 gros oignon, 1 ou 2 échalotes, 1 petit bouquet de persil et 1 gousse d'ail. Peler 4 tomates, les épépiner et les concasser. Répartir tous ces éléments dans le plat, ajouter 1 brindille de thym et 1/2 feuille de laurier. Écailler une très belle sole et la couper en tronçons. Disposer ceux-ci dans le plat, parsemer de quelques noisettes de beurre, mouiller de 20 cl de vin blanc sec et couvrir d'une feuille d'aluminium. Porter à ébullition sur le feu, puis cuire 10 min au four préchauffé à 220 °C. Égoutter les tronçons et les dresser dans un plat long en reconstituant la sole. Retirer le thym et le laurier. Ajouter à la cuisson 2 cuillerées à soupe de velouté maigre, laisser réduire d'un tiers et incorporer 50 g de beurre frais. Verser sur le poisson et parsemer de persil ciselé.

sole normande

Ébarber, arracher la peau noire, écailler la peau blanche, couper la tête au ras des filets, vider et laver soigneusement 4 soles de 250 g chacune. Nettoyer 400 g de moules de bouchot et les cuire à la marinière. Ouvrir 4 huîtres creuses, recueillir et filtrer leur eau de constitution puis les pocher 1 min avec 10 cl de vin blanc sec et leur eau. Nettoyer, tourner, laver et cuire à blanc 4 grosses têtes de champignons de Paris. Laver, châtrer, trousser et cuire à la nage 4 écrevisses. Nettoyer, laver 4 éperlans, réserver. Décortiquer 150 g de crevettes et les faire étuver doucement dans 15 g de beurre. Détailler 4 lames de truffe, les beurrer et les réserver. Dans 4 tranches de pain de mie, détailler 4 croûtons en forme de N et les faire frire dans un peu d'huile et de beurre, puis les réserver au chaud sur du papier absorbant. Beurrer un plat de cuisson, parsemer de 30 g d'échalote ciselée et disposer les 4 soles, côté peau blanche apparente. Ajouter 10 cl de vin blanc sec puis la cuisson des moules décantée et filtrée, la cuisson des huîtres et une partie de la cuisson des champignons. Saler et poivrer très légèrement. Porter à ébullition, couvrir de papier sulfurisé beurré et faire pocher pendant 4 ou 5 min. Retirer les soles et les disposer dans un plat de service beurré, finir de les ébarber, couvrir et réserver au chaud. Verser la cuisson des soles dans une sauteuse et la faire réduire d'un tiers. Ajouter 20 cl de crème fraîche et la faire réduire de nouveau quelques instants. Passer la sauce au chinois et, hors du feu, la monter avec 40 g de beurre. Réunir dans une sauteuse les moules décortiquées et ébarbées, les crevettes, les huîtres puis ajouter la sauce normande. Frire rapidement les éperlans et les réserver au chaud sur du papier absorbant ; saler. Placer un champignon tourné sur chaque sole et napper le tout avec la sauce et la garniture. Disposer une lame de truffe sur chaque sole, positionner le N en pain de mie. Disposer harmonieusement les écrevisses troussées chaudes ainsi que les 4 éperlans. Servir le tout très chaud.

sole paysanne

Faire étuver doucement au beurre, en les poudrant de sel et de 1 pincée de sucre, 1 carotte, 1 oignon, 1 branche de céleri et le blanc de 1 petit poireau émincés. Mouiller avec suffisamment d'eau tiède pour couvrir les légumes. Ajouter 1/2 cuillerée à soupe de haricots verts coupés en dés et autant de petits pois frais. Achever de cuire tous les légumes ensemble et faire réduire le mouillement d'un tiers. Mettre une sole parée de 300 g dans un plat de terre ovale beurré. La saler, la poivrer et la couvrir avec les légumes et leur cuisson. Faire pocher la sole au four. Retirer du plat la majeure partie de la cuisson, la faire bien réduire dans une sauteuse, puis y ajouter, en fouettant vivement, 2 cuillerées à soupe de beurre. Napper la sole de cette sauce. Faire glacer vivement au four et servir aussitôt.

sole au plat

Ouvrir une sole comme pour la farcir ; la garnir de 1 cuillerée à soupe de beurre fin assaisonné de sel et de poivre ; la mettre dans un plat à gratin beurré. La mouiller, à peine à hauteur, de fumet de poisson additionné d'un filet de jus de citron et la parsemer de noisettes de beurre. Enfourner à 250 °C et laisser cuire 15 min environ, en arrosant le poisson quatre ou cinq fois : la cuisson devient sirupeuse et finit par glacer en surface. Servir dans le plat de cuisson.

sole portugaise

Beurrer légèrement un plat long allant au four et le masquer d'une fondue de tomate réduite et aromatisée à l'ail. Vider, parer, saler et poivrer une sole de 750 g environ et la coucher dans le plat. L'arroser avec 2 cuillerées à soupe d'huile d'olive, 1 cuillerée à soupe de jus de citron et 2 cuillerées à soupe de fumet de poisson. Faire cuire 10 min environ dans le four préchauffé à 240 °C, en arrosant la sole de temps en temps de son jus de cuisson. Poudrer de chapelure et faire gratiner vivement.

RECETTE D'OLYMPE VERSINI

sole au thym

« Faire cuire 1 sole portion à la poêle, au beurre, pendant 2 min sur chaque face. Saler et poivrer. Ajouter 1/2 cuillerée à café de thym effeuillé et 5 cl de vin blanc. Laisser cuire 30 secondes et retirer le poisson. Faire réduire de moitié le vin blanc, y ajouter 2 cuillerées à soupe de crème et 1 rondelle de citron pelée et coupée en dés. Faire bouillir jusqu'à ce que la sauce soit onctueuse et en napper le poisson. Garnir de très petites courgettes cuites à la vapeur. »

soles Armenonville

Cuire les pommes de terre, dans leur robe, les éplucher, les émincer régulièrement en rondelles de 3 mm d'épaisseur. Dépouiller et parer 2 belles soles. Les pocher à très court mouillement dans un fumet de poisson. Préparer une sauce au vin blanc avec la cuisson des soles. Émincer des cèpes en julienne et les étuver au beurre, à couvert. Les ajouter à la sauce. Dresser les pommes de terre sur le plat de service en intercalant des lames de truffe. Y déposer les soles, les napper de sauce et servir aussitôt.

soles Bercy

POUR 4 PERSONNES – PRÉPARATION : 30 min – CUISSON : 8 min
Habiller 4 soles de 250 g chacune, les laver et les éponger. Préchauffer le four à 170 °C. Beurrer un plat à four pouvant aller sur le feu, parsemer sur le fond 25 g d'échalote ciselée et assaisonner. Disposer les 4 soles côté peau blanche dessus. Mouiller de 5 cl de vin blanc sec et de 5 cl de fumet de poisson froid. Porter à frémissements sur le feu, puis pocher au four pendant 8 min. Arroser fréquemment. En fin de cuisson, verser le mouillement dans un sautoir et le réduire à glace, puis le monter avec 70 g de beurre. Ajouter quelques gouttes de jus de citron. Dresser les soles sur le plat de service et les napper de sauce. Placer alors le plat sous le gril du four et glacer les soles. Servir aussitôt.

soles à la dieppoise

Pocher 4 soles de 350 g chacune dans un mélange de 10 cl de vin blanc et de 10 cl de fumet de poisson assaisonné de sel et de poivre ; les réserver au chaud. Cuire à blanc 100 g de champignons de Paris. Cuire à l'eau salée 100 g de crevettes ; décortiquer les queues de celles-ci ; réserver au chaud. Faire ouvrir 1/2 litre de moules sur feu vif avec 1 bouquet garni et les décoquiller ; réserver au chaud. Préparer un roux avec 40 g de beurre et 40 g de farine ; mouiller avec la cuisson des soles réduite, celle des moules, passée, et celle des champignons. Lier avec 10 cl de crème et 25 g de beurre. Dresser les soles et les entourer de queues de crevette, de moules et de champignons. Napper de la sauce au vin blanc très chaude.

RECETTE D'ALAIN CHAPEL

soles de ligne à la fondue de poireau

« Faire étuver de jeunes poireaux avec 10 g de beurre, un peu d'eau et 1 pincée de sel. Faire réduire leur eau en les remuant souvent pour les mélanger. Ajouter de la crème, largement, et la faire réduire jusqu'à ce que la sauce soit liée. Dresser ces blancs en bouquets autour de soles cuites au four sur un lit d'algues. »

soles meunière

Dépouiller, laver, vider et parer 4 soles portions (de 250 à 300 g). Les poivrer et les fariner légèrement. Chauffer dans une poêle ovale de 75 à 100 g de beurre clarifié et 1 cuillerée à soupe d'huile ; y faire dorer les soles assez vivement 6 ou 7 min sur chaque face. Les égoutter et les dresser, dans un plat chaud. Arroser de 75 g environ de beurre mis à blondir dans une petite casserole avec le jus de 1 citron. Parsemer de persil haché.

RECETTE DE GUY DUCREST

soles tante Marie

« Habiller 4 belles soles en coupant la tête et en gardant la peau blanche. Laver et hacher 400 g de champignons de Paris bien blancs. Faire suer 2 échalotes hachées avec 1 noix de beurre. Ajouter la duxelles avec le jus de 1 citron et 10 cl de crème fraîche. Laisser réduire à sec. Bien assaisonner. Faire suer 2 autres échalotes hachées avec 1 noix de beurre dans un plat à poisson, mettre au-dessus les soles, côté peau en bas, mouiller de 40 cl de fumet de poisson et de 30 cl de crème. Saler et poivrer. Cuire de 5 à 10 min dans le four préchauffé à 210 °C. Débarrasser sur un plat. Ébarber les soles, lever les 2 filets du dessus et retirer l'arête centrale. Garnir les 2 filets attachés de duxelles de champignon, puis replacer les 2 autres filets dessus. Disposer les soles dans un plat de service allant au four. Faire réduire tout doucement leur cuisson et passer cette sauce à l'étamine. Ajouter le jus de 1/2 citron et un petit filet de cognac. Au dernier moment, incorporer 10 cl de crème liquide bien fouettée. Napper les soles et faire glacer le tout au four. »

SOLFERINO Sauce à base d'une réduction de tomates, additionnée de glace de viande, d'une pointe de Cayenne et de jus de citron, et terminée au beurre maître d'hôtel à l'estragon et au beurre d'échalote.
▶ Recettes : POTAGE, SAUCE.

SOLILEMME Sorte de brioche riche en œufs, en beurre et en crème, que l'on ouvre en deux après cuisson, encore chaude, pour l'arroser de beurre salé fondu. On sert souvent le solilemme avec le thé, mais on peut le présenter en tranches avec du poisson fumé. On le dit d'origine alsacienne.

solilemme

Mélanger 125 g de farine tamisée, 15 g de levure de boulanger et 2 ou 3 cuillerées à soupe d'eau tiède. Laisser lever 2 heures à la température ambiante et à l'abri des courants d'air. Rompre ce levain, y incorporer 2 œufs et 5 cl de crème, puis ajouter 375 g de farine tamisée. Pétrir la pâte, puis y incorporer 125 g de beurre coupé en morceaux et, petit à petit, 5 cl de crème et 2 œufs. Bien la travailler, en ajoutant un peu de crème si c'est nécessaire (elle doit être assez molle). Beurrer un moule à charlotte et y placer la pâte ; la laisser doubler de volume à l'abri des courants d'air. Faire cuire dans le four préchauffé à 220 °C pendant 40 min. Démouler le solilemme, le couper en deux disques, arroser chacun de 40 g de beurre demi-sel fondu et reconstituer le gâteau.

SOLOGNE ▶ voir ORLÉANAIS, BEAUCE ET SOLOGNE

SOLOGNOTE Se dit d'un apprêt du canard, farci, si possible la veille, de son foie mariné à l'armagnac et aux aromates, puis broyé avec un peu de mie de pain ; la volaille est ensuite poêlée.
L'appellation concerne aussi une matelote d'anguille et un gigot mariné au vin blanc et au vinaigre de vin avec une garniture aromatique, puis rôti ; la marinade, bien réduite, est utilisée pour le déglaçage.

SOMMELIER Personne chargée, dans les grands restaurants, du service des vins dans la salle, ce qui exige d'avoir des connaissances œnologiques, et de savoir choisir les vins en accord avec les mets. Le caviste, lui, est plus spécialement affecté à la surveillance des vins dans la cave.

À l'origine, le sommelier était le moine qui, dans un couvent, s'occupait de la vaisselle, du linge, du pain et du vin.

Sous l'Ancien Régime, la maison du roi comportait un ou plusieurs sommeliers, dont la fonction était, au début, de recevoir le vin qu'apportaient les « sommiers », ou bêtes de somme ; on appela ensuite du même nom les divers officiers chargés de veiller sur le mobilier royal.

Plus tard, le terme concerna tout porteur de fardeau. À la fin du XVIIe siècle, le sommelier était l'officier préposé au transport des bagages quand la Cour se déplaçait ; chez un grand seigneur, c'était l'officier qui mettait le couvert et apprêtait le vin et la desserte.

SON Enveloppe des grains des céréales, que l'on sépare de la farine en les faisant passer dans différents tamis. Le son proprement dit se présente sous la forme de petites écailles, contenant une forte proportion de phosphore et de vitamines B. Le son a des propriétés diététiques intéressantes, notamment en raison de sa richesse en fibres non solubles ; on déconseille toutefois une consommation régulière de pain au son car il peut avoir un effet irritant pour les intestins.

SORBET Entremets glacé, qui se distingue de la glace proprement dite par le fait qu'il ne comporte ni matière grasse ni jaune d'œuf, ce qui le rend moins ferme et plus grenu que celle-ci.
L'ingrédient de base d'un sorbet est un jus ou une purée de fruit, un vin (champagne), un alcool (vodka) ou une liqueur, parfois une infusion aromatique (thé, menthe, etc.). On lui ajoute un sirop de sucre, éventuellement additionné de glucose ou de sucre inverti (ou des deux). Pendant la congélation, le mélange doit être battu.

Historiquement, les sorbets furent les premiers desserts glacés (les glaces au lait ou à la crème n'ayant fait leur apparition qu'au XVIIIe siècle). Les Chinois en enseignèrent la préparation aux Persans et aux Arabes, qui les firent connaître aux Italiens (**voir** GLACE ET CRÈME GLACÉE).

À l'origine, les sorbets étaient composés de fruits, de miel, de substances aromatiques et de neige. De nos jours, le sorbet est un dessert classique ou un rafraîchissement entre les repas (en cornets), mais il fait aussi office, traditionnellement, de « trou normand » dans un dîner de quelque importance, surtout s'il est à base d'alcool.

RECETTE DE CHRISTIAN CONSTANT, CHOCOLATIER

sorbet au cacao et aux raisins

« Mélanger intimement 1 litre d'eau, 300 g de sucre, 250 g de cacao, 50 g d'extrait de vanille et 3 cl de rhum brun. Après sanglage dans la sorbetière, ajouter de 100 à 150 g de raisins secs macérés au whisky et mouler le sorbet, puis le remettre dans le congélateur jusqu'au service. »

sorbet au calvados

Faire dissoudre 200 g de sucre en poudre dans 1/3 de litre d'eau. Ajouter 1 gousse de vanille fendue en deux. Porter à ébullition, sans la maintenir trop longtemps, pour obtenir un sirop léger. Retirer du feu, ôter la vanille. Ajouter le jus de 1 citron et 1 pincée de cannelle en poudre ; bien mélanger. Battre 3 blancs d'œuf en neige ferme avec une pincée de sel et les ajouter délicatement au sirop. Verser le tout dans la sorbetière. Lorsque le sirop commence à prendre, ajouter 4 ou 5 verres à liqueur de calvados vieux. Battre au fouet quelques secondes et remettre à glacer.

sorbet au cassis

Verser dans une casserole 250 g de sucre et 40 cl d'eau. Chauffer pour faire fondre le sucre : la densité doit être de 1,140. Laisser tiédir le sirop, puis y ajouter 35 cl de jus de cassis et le jus de 1/2 citron ; bien mélanger le tout. Verser la préparation dans une sorbetière et faire prendre.

sorbet au citron

Porter à ébullition 25 cl d'eau et 250 g de sucre en poudre. Laisser refroidir puis y incorporer 25 cl de lait frais entier et 25 cl de jus de citron. Faire glacer dans une sorbetière. Le déguster aussitôt, il sera meilleur.

sorbet à la framboise

Presser dans un tamis de Nylon ou dans une centrifugeuse 1,3 kg de framboises fraîches et mûres (ne pas utiliser de moulin à légumes) pour obtenir 1 litre de jus de framboises. Faire fondre en tournant avec une spatule 250 g de sucre en poudre dans le jus de framboises. Faire glacer dans une sorbetière.

sorbet aux fruits exotiques

Mélanger 150 g de purée de banane et 200 g de purée d'abricot (mixées avec 3 cuillerées à soupe de citron vert pour éviter qu'elles ne s'oxydent). Ajouter en mélangeant 150 g de purée d'ananas, 150 g de purée de mangue, 150 g de pulpe de fruits de la Passion, 30 cl de jus de citron vert, 300 g de sucre en poudre avec 4 pincées de cannelle en poudre, 4 pincées de clou de girofle en poudre et 8 pincées de poivre noir fraîchement moulu. Faire glacer dans une sorbetière.

sorbet aux fruits de la Passion

Peler des fruits de la Passion bien mûrs, passer la pulpe au moulin à légumes, puis au tamis fin ; ajouter au volume de pulpe obtenu un volume égal de sirop froid (50 cl d'eau minérale et 675 g de sucre en poudre), de densité 1,135, et un peu de jus de citron (la densité est alors de 1,075). Verser la préparation dans une sorbetière et la faire prendre. On peut aussi, plus simplement, mélanger du sucre en poudre à la pulpe de fruit et ajouter juste assez d'eau pour atteindre une densité de 1,075 environ, puis passer au tamis fin avant de verser dans la sorbetière.

sorbet à la mangue

Choisir des mangues bien mûres, les peler et passer la pulpe au tamis très fin. Y ajouter un volume égal de sirop et du jus de citron (2 citrons par litre de préparation) : la densité du mélange doit être de 1,1425. Faire prendre le sorbet.

sorbet à la poire

Peler 4 belles poires mûres et juteuses, les couper en quatre, retirer le cœur et les pépins, et couper la pulpe en dés ; arroser ceux-ci avec le jus de 1 citron. Réduire en purée fine dans un mixeur avec 300 g de sucre en poudre. Verser cette purée dans une sorbetière et faire fonctionner celle-ci 1 h 30 ; lorsque le sorbet est pris, mettre le bac dans le congélateur jusqu'au moment de servir.

sorbet au thé

Préparer une infusion assez forte de thé. Sucrer à raison de 300 g par litre et faire prendre dans une sorbetière. Ajouter, selon le goût, des morceaux de pruneau finement détaillés.

sorbet à la tomate

Peler 1 kg de tomates mûres, les presser et filtrer le jus ; le mesurer (il en faut 1/4 de litre). Préparer un sirop à froid avec 150 g d'eau et 300 g de sucre spécial pour les confitures. Mélanger le sirop avec le jus de tomate et ajouter 1 verre à liqueur de vodka, puis verser dans un moule à glace et mettre 1 heure dans le congélateur. Battre 1 blanc d'œuf avec 50 g de sucre glace dans un bain-marie à 60 °C. Lorsque le sorbet commence à prendre, le battre au fouet, incorporer le blanc battu et remettre 2 heures dans le congélateur.

SORBETIÈRE Appareil électrique servant à confectionner les glaces et/ou les sorbets. La sorbetière malaxe le mélange (lait, jaunes d'œuf et parfum, pour la glace ; jus ou pulpe de fruit et eau, pour le sorbet) tout en le réfrigérant. Dans les modèles les plus simples, la « prise en glace » est provoquée par un produit réfrigérant préalablement placé au congélateur. Les sorbetières automatiques ou « turbines à glace », plus rapides, sont les répliques des appareils de professionnels. La glace est généralement moulée, puis placée dans le congélateur. Il suffira de plonger rapidement le moule dans l'eau tiède et de le retourner pour en extraire la glace, ou le sorbet, qui pourra alors être servie, diversement décorée.

SORGHO Céréale des pays chauds, de la famille des poacées, la plus consommée dans le monde après le blé et le riz (**voir** tableau des céréales page 179).

La culture du sorgho (ou gros mil) est attestée en Inde par des documents datant de 1900 av. J.-C. Il fut introduit en Italie au Ier siècle. Il n'est plus cultivé en Europe depuis la fin du XVe siècle, mais il reste une culture vivrière de base en Afrique et en Chine. On en fait des gâteaux agrémentés de sauces pimentées, ou de beurre et de lait. Au Mali, il sert à préparer une sorte de couscous. En Tunisie, on vend dans les rues le traditionnel *sohleb,* bouillie de mil au gingembre ; on en consomme aussi beaucoup en Chine. En Afrique orientale, ce sont les femmes qui brassent la bière de mil *(pombé),* agrémentée de tiges de gombo. Enfin, les Chinois tirent du sorgho un alcool qu'ils aromatisent avec des pétales de rose, le *caoliang,* utilisé aussi en cuisine pour des marinades et des sauces.

SORINGUE Apprêt de l'anguille dans la cuisine médiévale. Les morceaux de poisson, écorchés et étuvés, mijotaient dans une sauce épaisse, à base de chapelure rôtie, délayée avec du verjus ; on y ajoutait des rouelles d'oignon frites et du persil ciselé ; enfin, le tout était « assavouré de vin, de verjus et de vinaigre ».

SOT-L'Y-LAISSE Petit morceau de chair de volaille logé au creux intérieur des os iliaques, en avant de la cuisse. Le sot-l'y-laisse, dont le seul nom implique la délicatesse, est une bouchée de choix, que le découpeur de la volaille se réserve ou offre à un convive.
▶ Recette : VOLAILLE.

SOU DU FRANC Ancienne pratique qui consistait, pour les commerçants, à faire bénéficier l'économe, le cuisinier ou la cuisinière, chargé des achats de bouche, d'un escompte de caisse de 5 %. Ce profit, parfois important, était officieusement admis.

SOUBISE Nom donné à des apprêts comportant des oignons soit dans une sauce (béchamel additionnée de purée d'oignon), soit dans une purée généralement épaissie de riz. L'appellation concerne en particulier des apprêts d'œufs dressés sur la purée, parfois nappée de la sauce. La purée seule peut aussi servir de garniture à des viandes, ou comme farce de légumes.
▶ Recettes : ARTICHAUT, PURÉE, SAUCE.

SOUBRESSADE Spécialité charcutière espagnole se présentant comme une saucisse à tartiner non fumée, à base de morceaux de maigre noyés dans une farce grasse, fortement aromatisée et colorée au poivron (**voir** tableau des saucisses crues page 786).

SOUCHET Plante vivace méditerranéenne, de la famille des cypéracées, produisant des tubercules écailleux et bruns, gros comme des noisettes, dont la pulpe blanche, farineuse et sucrée, a valu à la plante le surnom d'« amande de terre ». Ces tubercules se consomment secs, crus ou grillés.

Dans le Maghreb, le souchet, le plus souvent pilé, entre dans la composition des farces de volaille, des boulettes de viande, des mélanges d'épices. En Espagne, le souchet, appelé *chufa,* cultivé dans la région de Valence, sert à préparer une boisson appréciée, la *horchata de chufa,* voisine de l'orgeat. On en extrait également une huile, ainsi qu'une farine utilisée en pâtisserie.

SOUCHET OU **SUCHET** (SAUCE) Sauce faite avec une julienne de légumes étuvés au beurre, et additionnée de vin blanc et de fumet de poisson ; après cuisson du poisson, elle est fortement réduite, complétée de sauce poisson et terminée au beurre.

SOUCI Plante de jardin, de la famille des astéracées, à fleurs jaunes, dont les pétales, jadis utilisés pour colorer le beurre, enrichissent traditionnellement certains mets, comme la soupe au congre de Jersey (au chou, aux poireaux et aux petits pois), agrémentent les salades vertes et servent à aromatiser un vinaigre.

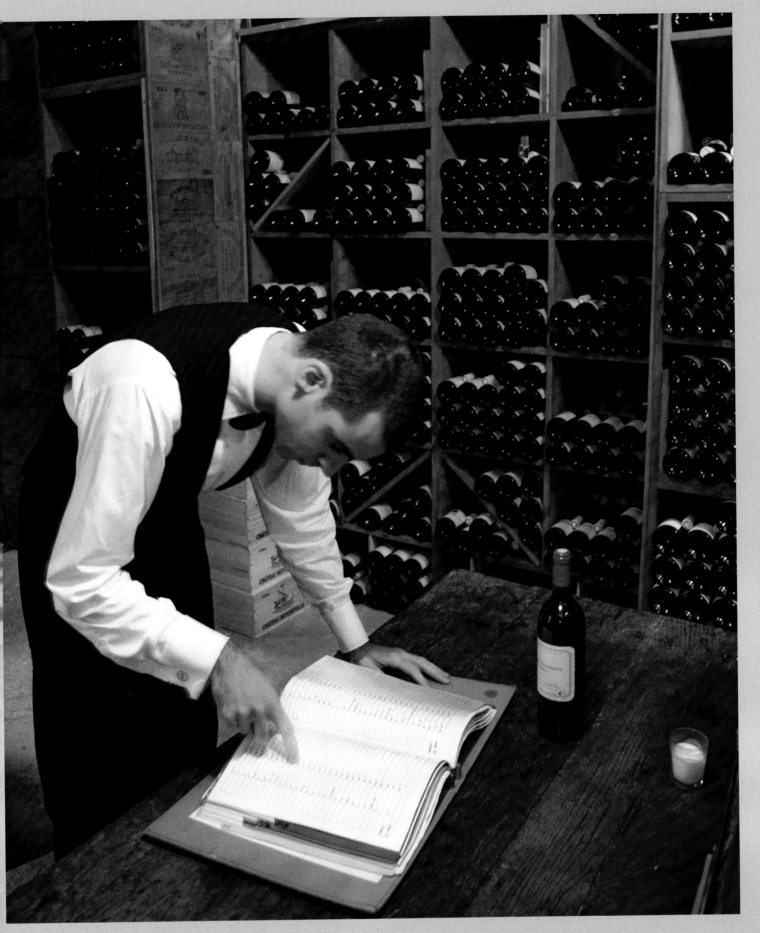

« La commande prise, le sommelier du Four Seasons George V prépare les verres appropriés et s'enquiert des bouteilles choisies. Le service proprement dit commence. Chaque bouteille est présentée au client, qui doit acquiescer, puis le sommelier procède à l'ouverture, renifle le bouchon et déguste le vin, le décantant, si nécessaire, et veillant à le maintenir à température. »

SOUDER Presser légèrement entre les doigts les bords de deux abaisses de pâte, ou les bords rabattus d'une même abaisse, humectés d'eau ou de dorure, pour qu'ils restent collés pendant la cuisson. Cette opération concerne surtout les tourtes, les pâtés en croûte, les chaussons, les rissoles et les timbales.

SOU-FASSUM Spécialité niçoise préparée avec un chou entier farci d'un hachis de bettes, de lard, d'oignons, de riz et de chair à saucisse ; enveloppé comme autrefois d'un filet appelé « fassumier », il est cuit dans le bouillon d'un pot-au-feu de mouton. À Grasse, une variante consiste à disposer les feuilles de chou alternées avec la farce dans une terrine tapissée de bardes de lard gras.

sou-fassum

Parer un gros chou vert, le blanchir 8 min à l'eau bouillante salée, puis le rafraîchir et l'égoutter. Détacher les grandes feuilles, les débarrasser de leurs côtes et les disposer à plat, bien étalées, sur un filet ou une mousseline, mouillé et essoré. Hacher le reste du chou et le déposer sur les feuilles à plat, puis ajouter, en couches successives, 250 g de feuilles de bette blanchies, 200 g de lard maigre détaillé en dés et rissolé, 100 g d'oignons hachés fondus au beurre, 2 grosses tomates pelées, épépinées et concassées, 100 g de riz blanchi et 750 g de chair à saucisse additionnée d'une gousse d'ail râpée. Façonner cette composition en grosse boule, puis replier les feuilles en enfermant la farce. Refermer le filet ou la mousseline et bien ficeler. Plonger le tout dans un bouillon de pot-au-feu préparé avec de la viande de mouton et laisser mijoter 3 h 30. Égoutter le chou, le déballer et le dresser dans un plat rond. L'arroser de quelques cuillerées du bouillon de cuisson et servir très chaud.

SOUFFLÉ Préparation salée ou sucrée que l'on sert chaude, sitôt sortie du four, bien gonflée et débordant du moule où elle a cuit.
• **SOUFFLÉS SALÉS**. Ils sont faits d'une béchamel épaisse ou d'une purée, liée de jaunes d'œuf, puis additionnée de blancs d'œuf battus. Les éléments ajoutés à l'appareil de base déterminent l'appellation du soufflé. Sous l'effet de la chaleur, l'eau contenue dans le mélange se vaporise, ce qui soulève et fait gonfler le volume de la préparation, qui doit être servie immédiatement, avant qu'elle ne « retombe » ; un soufflé ne doit jamais attendre.

Le récipient de cuisson est cylindrique, pour que la préparation soit chauffée sur toute la surface inférieure et monte régulièrement. Il est beurré et, en outre, souvent fariné ; on ne le remplit qu'aux trois quarts. Pour les soufflés individuels, on utilise des ramequins. Pendant la cuisson, on évite surtout d'ouvrir la porte du four. Le moule, qui sert en même temps de plat de service, est fait d'un matériau esthétique, supportant les hautes températures.
• **SOUFFLÉS SUCRÉS**. Ils se composent soit d'un appareil au lait, soit de purée de fruit et de sucre cuit. Pour les premiers, on confectionne une crème pâtissière, liée de jaunes d'œuf, que l'on parfume avant de lui incorporer les blancs en neige. On peut aussi préparer un roux blond, le mouiller de lait bouillant sucré et vanillé, le lier de jaunes (ou de jaunes et d'œufs entiers), puis ajouter les blancs en neige et le parfum. Le dessus est lissé, parfois cannelé.

Les soufflés faits d'un appareil aux fruits ont pour base du sucre cuit au grand cassé, auquel on ajoute une purée de fruit ; la cuisson se poursuit jusqu'au boulé ; les blancs en neige sont mélangés au fouet à l'appareil chaud, versé par-dessus. Le parfum de fruit est renforcé avec un peu d'alcool ou de liqueur. On peut confectionner ces soufflés avec une préparation à la crème : la purée de fruit, très serrée, est alors ajoutée à la composition avant les blancs.

On améliore la présentation d'un soufflé d'entremets par un glaçage obtenu en le poudrant de sucre glace, quelques minutes avant la fin de la cuisson ; celui-ci caramélise et donne une surface brillante.

SOUFFLÉS SALÉS

soufflé salé : préparation

Préparer une béchamel avec 40 g de beurre, 40 g de farine et 40 cl de lait froid. Saupoudrer de sel, de poivre, d'un peu de muscade et incorporer la garniture choisie ; ajouter ensuite 5 jaunes d'œuf, puis 6 blancs battus

en neige très ferme. Préchauffer le four à 220 °C. Beurrer et fariner un moule à soufflé de 20 cm de diamètre ; y verser la préparation et cuire 30 min, sans ouvrir la porte.

soufflé de canard rouennais
(ou caneton rouennais soufflé)

Cuire au four, en le tenant très saignant (entre 10 et 15 min), un canard rouennais bridé. Retirer les filets. Enlever les os de la poitrine, de façon à former, avec la carcasse, une sorte de caisse. Assaisonner l'intérieur de sel, de poivre et d'épices, et l'arroser d'une cuillerée de cognac flambé. Remplir cette carcasse d'une farce confectionnée avec la chair crue d'un autre canard, désossé et préparé comme pour la farce mousseline, 150 g de foie gras cru et les foies des canards employés. Disposer cette farce dans la carcasse, en reformant un peu le canard. Entourer d'une bande de papier sulfurisé beurré et ficeler. Mettre le canard ainsi garni sur une plaque. Arroser de beurre fondu. Cuire 30 à 35 min au four préchauffé à 170 °C. Enlever le papier sulfurisé. Dresser le canard sur un plat long. L'entourer de tartelettes en pâte fine à foncer, cuites à blanc, emplies d'un salpicon de truffe et de champignon lié de sauce madère très réduite, et recouvertes chacune d'une escalope de filet de canard et d'une grosse lame de truffe chauffée au beurre. Servir avec une sauce rouennaise ou une sauce Périgueux à part.

soufflé de cervelle à la chanoinesse

Cuire au court-bouillon 300 g de cervelle de veau rincée à l'eau vinaigrée, puis l'égoutter et la réduire en purée. Y ajouter 20 cl de béchamel bien réduite, un peu de muscade râpée, 60 g de parmesan râpé, 1 cuillerée de pelures de truffe et 4 jaunes d'œuf crus ; rectifier l'assaisonnement. Incorporer délicatement les 4 blancs battus en neige très ferme. Beurrer un moule à soufflé, y verser la préparation et cuire 30 min dans le four préchauffé à 200 °C.

soufflé au crabe

Préparer une béchamel avec 40 g de beurre, 40 g de farine, 30 cl de lait et 10 cl de cuisson réduite de crabe. Incorporer 200 g de purée de crabe ; rectifier l'assaisonnement. Ajouter les œufs et faire cuire. On prépare de la même façon des soufflés aux crevettes ou au homard.

soufflé aux foies de volaille

Couper en morceaux et faire sauter au beurre 250 g de foies de volaille bien nettoyés avec 2 ou 3 échalotes hachées et 1 petit bouquet de persil ; saler, poivrer, puis passer le tout au mixeur avec 30 g de beurre. Mélanger cette purée et la béchamel, puis terminer suivant la méthode de base.

SOUFFLÉ GLACÉ

Mettre en place sur un moule à soufflé un collet réalisé en papier sulfurisé. Verser l'appareil à soufflé avec une petite louche à l'intérieur de chaque moule, jusqu'en haut du collet.

RECETTE DE PAUL ET JEAN-PIERRE HAEBERLIN

soufflé au fromage et aux œufs pochés

« Mélanger 1/4 de litre de lait avec 50 g de farine, autant de beurre amolli, 5 jaunes d'œuf et 100 g de gruyère râpé. Ajouter doucement 6 blancs d'œuf battus en neige ferme. Verser la moitié du mélange dans un moule à soufflé beurré et mettre au four préchauffé à 200 °C ; laisser cuire pendant 10 min. Pendant ce temps, faire pocher 4 œufs à l'eau vinaigrée pendant 4 min, puis les égoutter, les plonger dans de l'eau fraîche. Sortir le soufflé du four et y disposer les œufs. Ajouter le reste de la préparation et remettre au four à même température. Laisser la cuisson se poursuivre de 10 à 15 min. »

soufflé au gibier sauce Périgueux

Piler 250 g de chair cuite de faisan ou de perdrix avec 15 cl de béchamel au fumet de gibier, réduite. Saler, poivrer. Ajouter 3 jaunes d'œuf un à un, passer au tamis, puis incorporer 3 blancs en neige ferme. Cuire à four doux. Servir avec une sauce Périgueux.

soufflé à la pomme de terre

Lier 40 cl de purée de pomme de terre avec 4 cuillerées à soupe de crème fraîche et ajouter 3 jaunes d'œuf, puis, au dernier moment, 4 blancs d'œuf battus en neige. Cuire comme pour la préparation de base. On prépare de la même façon des soufflés au marron, à la patate douce ou au topinambour, en ajoutant à volonté 75 g de gruyère râpé ou 50 g de parmesan.

RECETTE DE RAYMOND THUILLIER

soufflé au saumon

« Dépouiller un saumon de sa peau. Enlever soigneusement toutes les arêtes avec une petite pince (il faut avoir 400 g de chair). Passer cette chair au mixeur, très rapidement pour ne pas l'échauffer. Ajouter 4 œufs entiers et 1/4 de litre de crème fraîche. Travailler cette composition à la spatule de bois, en la tenant sur de la glace, pendant 15 min. Passer au tamis et rectifier l'assaisonnement. Monter en neige ferme 4 blancs d'œuf légèrement salés ; petit à petit, incorporer la chair de saumon cru aux blancs d'œuf. Verser cette composition dans un moule à soufflé beurré et faire cuire à four moyen (200 °C) pendant 25 min environ. Cette recette est réalisable avec de la truite saumonée ou de rivière. »

soufflés à la volaille

Réduire en purée, au mixeur, 250 g de chair de volaille cuite (poulet, dindonneau ou pintade) et 30 g de beurre. Bien assaisonner. Mélanger cette purée avec la béchamel, lier avec 2 jaunes d'œuf, incorporer 4 blancs montés en neige et cuire, en ramequins individuels, comme pour la préparation de base. En ajoutant à l'appareil 2 cuillerées à soupe de truffe hachée, on obtient un soufflé « à la reine ».

SOUFFLÉS SUCRÉS

soufflé ambassadrice ▶ AMBASSADEUR OU AMBASSADRICE

soufflé aux bananes

Délayer, dans une casserole, 1 cuillerée à soupe de farine tamisée et une petite pincée de sel avec 10 cl de lait, bouilli avec 35 g de sucre en poudre et 1/2 gousse de vanille, puis refroidi. Cuire 2 min en fouettant, retirer du feu, puis ajouter la pulpe de 4 bananes passée au tamis fin, 2 jaunes d'œuf et 20 g de beurre fin. Parfumer éventuellement au kirsch ou au rhum. Ajouter 3 blancs battus en neige très ferme avec une pincée de sel. Verser la composition dans un moule à soufflé beurré et poudré de sucre fin. Cuire 30 min au four préchauffé à 200 °C.

RECETTE DE DANIEL VALLUET

soufflé au citron vert

« Faire bouillir 12,5 cl de lait avec le zeste de 1 citron vert. Mélanger dans une terrine 50 g de sucre, 2 jaunes d'œuf, 25 g de fécule de maïs et 12,5 cl de jus de citron vert. Verser le lait

bouillant sur ce mélange, puis remettre sur le feu et porter de nouveau à ébullition, en fouettant ; laisser refroidir. Préchauffer le four à 200 °C. Beurrer largement et sucrer 4 moules à soufflé individuels. Ajouter 4 jaunes d'œuf à la crème pâtissière. Monter en neige ferme de 8 à 10 blancs d'œuf (suivant leur grosseur), puis les "serrer" en y ajoutant 75 g de sucre en poudre. Les incorporer à la crème pâtissière, puis répartir cet appareil dans les moules. Mettre ceux-ci dans le four préchauffé. Après 12 min de cuisson, poser 1 rondelle de citron vert sur chaque soufflé, puis couvrir d'une feuille de papier sulfurisé. Servir avec une crème anglaise tiède, additionnée de zeste de citron vert blanchi. »

soufflé aux fraises ou *aux framboises*

Équeuter si besoin, laver 200 g du fruit choisi. Dans une casserole, réunir les fruits et 160 g de sucre en poudre. Cuire le tout à 110 °C, écraser les morceaux restants et laisser tiédir. Ajouter 1 cl de liqueur de même parfum. Préchauffer le four à 200 °C. Beurrer les moules et les chemiser de sucre en poudre. Monter 6 blancs en neige ferme, les serrer avec 30 g de sucre en poudre. En prélever un cinquième et le mélanger au fouet dans la pulpe cuite de fruit. Incorporer délicatement le reste des blancs à la spatule. Remplir les moules et lisser. Cuire au four pendant 15 min pour des moules individuels, et 30 min pour un moule de 4 personnes. Saupoudrer de 15 g de sucre glace à la sortie du four. Servir sans attendre.

RECETTE DE FRÉDY GIRARDET

soufflé au fruit de la Passion

POUR 2 PERSONNES

« Fouetter 1 jaune d'œuf avec 35 g de sucre jusqu'à ce que le mélange blanchisse. Battre 2 blancs d'œuf avec 17,5 g de sucre jusqu'à consistance moyenne, puis ajouter 17,5 g de sucre et terminer en montant en neige pas trop ferme. Ajouter 2 cuillerées à soupe de jus de fruit de la Passion au mélange jaune d'œuf et sucre, puis incorporer délicatement le tiers des blancs en mélangeant. Ajouter le reste des blancs en soulevant avec une spatule. Verser ce mélange dans une timbale à soufflé de 12 cm de diamètre préalablement beurrée au pinceau et enfourner environ 12 min dans un four à 250 °C. Pendant la cuisson du soufflé, sucrer légèrement 10 cl de jus de fruit de la Passion et le faire tiédir au bain-marie. Présenter le soufflé dans le moule et la sauce à part. »

RECETTE DU RESTAURANT *LAPÉROUSE*, À PARIS

soufflé Lapérouse

« Préparer une crème pâtissière avec 1/4 de litre de lait. Ajouter 70 g de pralin, 10 cl de rhum et 50 g de fruits confits. Fouetter en neige ferme 5 blancs d'œuf dont les jaunes ont été utilisés pour la crème et les ajouter délicatement. Beurrer un moule à soufflé, puis le poudrer de sucre en poudre. Y verser l'appareil. Mettre à four doux (180 °C) et laisser cuire 15 min. Poudrer de sucre glace et laisser la cuisson se poursuivre pendant 5 min de plus, pour caraméliser le dessus du soufflé. »

soufflé Rothschild

Faire macérer 30 min 150 g de fruits confits taillés en salpicon dans 10 cl d'eau-de-vie de Dantzig. Mélanger vigoureusement au fouet, dans une terrine, 200 g de sucre en poudre et 4 jaunes d'œuf jusqu'à ce que le mélange ait blanchi et soit mousseux. Incorporer 75 g de farine, puis 1/2 litre de lait bouillant. Verser le tout dans une casserole, porter lentement à ébullition en remuant, puis laisser cuire 1 ou 2 min. Remettre cette crème pâtissière dans la terrine. Beurrer 2 moules à soufflé (de 4 personnes chacun) et les poudrer de 20 g de sucre fin. Ajouter à la crème pâtissière 2 jaunes d'œuf crus, les fruits confits et la liqueur de macération. Fouetter 6 blancs d'œuf en neige très ferme, avec 1 pincée de sel, et les incorporer délicatement à la crème. Répartir cet appareil dans les deux moules. Les mettre 30 min dans le four préchauffé à 200 °C. Au bout de 25 min, poudrer très rapidement le dessus des soufflés de sucre glace. Poursuivre la cuisson 5 min.

soufflé à la vanille

Préparer 400 g de crème pâtissière à la vanille (voir page 274), la laisser tiédir en remuant. Préchauffer le four à 200 °C. Beurrer les moules et les chemiser de sucre en poudre. Incorpore 1 jaune d'oeuf à la crème pâtissière. Monter 6 blancs en neige ferme, les serrer avec 30 g de sucre en poudre. En prélever un cinquième et le mélanger au fouet dans la crème pâtissière. Incorporer délicatement le reste des blancs à la spatule. Remplir les moules et lisser. Cuire au four pendant 15 min pour des moules individuels, et 30 min pour un moule de 4 personnes. Saupoudrer de 15 g de sucre glace à la sortie du four. Servir sans attendre.

SOUFFLÉ GLACÉ Entremets glacé, dont seule la présentation rappelle le véritable soufflé cuit au four : l'appareil glacé est dressé dans un moule à soufflé ou une timbale ; la partie qui dépasse du rebord est maintenue par une bande de papier pendant la congélation.

Le soufflé glacé est fait soit d'une simple crème glacée, soit, le plus souvent, de couches superposées de mousse, de crème glacée ou d'appareil à parfait ou à bombe, diversement parfumés et colorés. On peut séparer les couches par des abaisses de biscuit imbibées de liqueur, des fonds à succès ou à dacquoise, de la marmelade de fruits, des fruits au sirop ou confits, etc. Le dessus est souvent décoré de crème Chantilly ou d'un décor en sucre.

RECETTE DE CHARLES BÉROT

soufflé glacé aux framboises

« Trier et nettoyer 400 g de framboises bien mûres ; réserver les 20 plus belles. Écraser les autres et les passer au tamis. Mélanger cette purée avec son poids de sucre en poudre et ajouter 1/2 litre de crème Chantilly. Monter 2 blancs d'œuf en neige très ferme avec une pincée de sel, en les sucrant ; lorsqu'ils sont à moitié montés, les incorporer au reste, puis verser le mélange dans une timbale à soufflé, que l'on aura entourée d'une bande de papier sulfurisé et beurré dépassant de 6 cm la hauteur du moule. Mettre dans le freezer pendant 8 heures au moins. Lorsque le soufflé est ferme, enlever la bande de papier. Décorer avec les framboises réservées et servir avec une légère marmelade de framboise fraîche. »

SOUMAINTRAIN Fromage au lait cru de vache, à pâte molle et à croûte lavée, fabriqué en Bourgogne et dans l'Aube. En forme de cylindre plat de 13 cm de diamètre et de 4 cm de haut, il pèse 400 g. Plus petit, il mesure 8 cm de diamètre et 3 cm de haut, pesant 200 g. La croûte, de couleur brun-orangé, est légèrement humide ; la pâte est de couleur ivoire et à texture lisse, au goût prononcé et à l'odeur puissante. Le soumaintrain est dégusté affiné ; il entre dans quelques préparations culinaires locales.

SOUPE Mets liquide chaud. À l'origine, la soupe était une tranche de pain sur laquelle on versait du bouillon, du vin, une sauce ou un apprêt liquide.

Aujourd'hui, la soupe est un potage ni passé ni lié, mais souvent épaissi par du pain, des pâtes, du riz, garni de viande ou de poisson et de légumes. Néanmoins, on emploie fréquemment le mot « soupe » comme synonyme de « potage ».

Dans tous les pays, la soupe est un mets de base d'antique tradition. Vers le XVIIIe siècle, le terme de « potage » remplaça celui de soupe, jugé trivial et qui désigne toujours pourtant un apprêt régional, aux variantes innombrables, tant en France qu'à l'étranger.

soupe albigeoise

Dans une marmite remplie d'eau salée, faire bouillir du plat-de-côte (bœuf), un pied de veau, un morceau de porc salé et du saucisson à cuire, avec, comme légumes, du chou, des carottes, des navets, des poireaux et des pommes de terre ; ajouter à la cuisson 1 tête entière d'ail pour une soupe de 6 personnes. Faire revenir au beurre des aiguillettes de confit d'oie et en garnir la soupe.

soupe à la bière

Verser dans une casserole 2 litres de fond blanc de volaille, 30 cl de bière Dortmund et 250 g de mie de pain rassis. Saler, poivrer et laisser mijoter 30 min, à couvert. Passer au mixeur. Ajouter un peu de muscade râpée et 10 cl de crème fraîche. Rectifier l'assaisonnement et servir bouillant.

soupe aux boulettes de foie à la hongroise

Dorer vivement dans 15 g de saindoux 150 g de foie de veau ou des foies de volaille coupés en dés ; saler, poivrer ; étuver au beurre 50 g d'oignons émincés. Passer le tout au mixeur. Ajouter 1 cuillerée à soupe de persil haché, 1 gros œuf, 50 g de beurre, du sel, du poivre, 1 cuillerée à café rase de paprika et 1 grosse pincée de muscade râpée. Façonner avec cette préparation des petites boulettes et les pocher 15 min dans un bouillon. Préparer 1,5 litre de consommé de volaille et le servir garni de boulettes.

soupe aux cerises

Beurrer des carrés de pain de campagne. Les poudrer de farine et les dorer des deux côtés au beurre. Faire chauffer des cerises dénoyautées au naturel dans un mélange de vin rouge et d'eau en proportions égales. Poudrer d'un peu de sel, de poivre et de sucre. Verser sur les tranches de pain, dans chaque assiette.

soupe aux clams (clam chowder)

Couper en dés 100 g de lard salé, 1 oignon moyen, 2 branches de céleri, 1 poivron rouge et 1 poivron vert. Blanchir le lard 3 min, puis le rafraîchir, l'éponger et le faire fondre au beurre, dans une cocotte, sans le laisser colorer. Ajouter les légumes, parsemer de 1 cuillerée à soupe de farine et cuire 2 min en remuant. Mouiller de 1,5 litre de fond blanc de volaille et porter à ébullition. Faire ouvrir 3 douzaines de clams à l'entrée du four chaud. Les parer, hacher les parures, les mettre avec l'eau des coquillages dans une casserole et 20 cl d'eau. Cuire 15 min, passer au tamis et ajouter cette cuisson à la soupe. Porter à ébullition, verser les clams dans la cocotte, faire de nouveau bouillir rapidement, couvrir et retirer du feu. Chauffer 30 cl de crème épaisse. Ajouter à la soupe 1 cuillerée à soupe de persil ciselé, 100 g de beurre et la crème bouillante.

soupe fassolada

Cuire longuement dans du bouillon des haricots blancs, du céleri et des carottes avec une purée de tomates et 2 cuillerées à soupe d'huile d'olive. Accompagner, comme en Grèce, de sardines et d'oignons frais.

soupe glacée de courgette à la menthe ▶ COURGETTE

RECETTE D'ALAIN DUTOURNIER

soupe glacée aux moules

« Passer au four 1 poivron rouge, puis le peler. Nettoyer 2 litres de moules et les faire ouvrir à feu vif avec 1/2 verre de vin blanc pendant 2 min. Les décoquiller, réserver la cuisson. Éplucher et épépiner 1 concombre, le couper en dés et faire dégorger ceux-ci au gros sel. Découper en rondelles 1/2 botte de radis. Écosser 500 g de fèves et les dérober. Laver et couper en petits dés 5 têtes de champignons, de préférence sauvages, et les citronner. Couper une moitié du poivron en lamelles, l'autre moitié en dés. Passer au mixeur 6 tomates pelées, les lamelles de poivron, le jus de cuisson des moules, 2 cuillerées à soupe d'huile d'olive, un peu de sauce anglaise et 10 gouttes de tabasco. Ajouter à cette préparation les dés et les rondelles de légumes, les fèves et les moules. Vérifier l'assaisonnement. Laisser quelques heures dans le réfrigérateur avant de servir. »

soupe aux gourganes

Dorer 75 g de lard gras coupé en lardons dans une marmite, puis y faire suer 30 g d'oignon haché. Ajouter 125 g de bœuf à bouillir coupé en dés, 100 g de gourganes pelées et 30 g d'orge perlé. Mouiller de 1,5 litre d'eau. Assaisonner de sel, de poivre et de marjolaine. Cuire de 1 heure à 1 h 30. Ajouter 120 g de carottes, 100 g de navets, 20 g de céleri, coupés en dés, 5 g de feuille de betterave et 5 g de feuille de laitue, ciselées, 75 g de pommes de terre détaillées en cubes et 20 g de fèves jaunes ciselées. Poursuivre la cuisson 30 min. Parsemer de persil haché.

soupe au gras-double à la milanaise

Couper en julienne 500 g de gras-double de veau blanchi, rafraîchi et égoutté. Faire fondre dans une marmite 100 g de lard coupé en petits dés, 1 oignon moyen et 1 blanc de poireau, émincés ; ajouter la julienne de gras-double et dorer quelques minutes sur feu moyen. Poudrer d'une cuillerée de farine ; mouiller de 2 litres de fond blanc ou d'eau ; porter à ébullition. Couper en petits morceaux le cœur d'un chou moyen, le blanchir 6 min à l'eau bouillante, puis l'égoutter. Peler, épépiner et concasser la pulpe de 2 tomates bien mûres. Ajouter dans le bouillon le chou, les tomates, 5 cuillerées à soupe de petits pois et quelques petits bouquets de brocolis. Saler, poivrer et cuire 1 h 30 à gros bouillons. Servir très chaud.

soupe gratinée à l'oignon ▶ GRATINÉE
soupe au lait d'huitre et galettes de sarrasin ▶ HUÎTRE

soupe panade au gras

Retirer la croûte de 250 g de pain de mie rassis et émietter la mie. Peler et épépiner 500 g de tomates, puis concasser la pulpe. Éplucher et hacher 1 gros oignon. Chauffer 2 cuillerées à soupe d'huile dans une casserole et y faire blondir l'oignon, puis ajouter la tomate et cuire 5 min à couvert. Mouiller avec 1 litre de bouillon, ajouter 1 pincée d'origan en poudre, rectifier l'assaisonnement et poursuivre la cuisson 30 min. Verser 1/2 litre de bouillon sur la mie de pain, la laisser détremper, puis l'ajouter à la soupe et cuire 10 min encore. Passer alors le tout au tamis (ou au mixeur) et servir brûlant, éventuellement saupoudré d'herbes ciselées.

soupe passée de petits pois et leurs cosses aux févettes et fanes de radis ▶ PETIT POIS

soupe au pistou

POUR 4 PERSONNES – PRÉPARATION : 30 min – CUISSON : 1 heure
Écosser 300 g de haricots blancs frais. Effiler, laver et couper en tronçons de 1 cm de longueur 200 g de haricots verts mange-tout. Éplucher et couper en petits dés réguliers de 5 mm de section 150 g de pommes de terre et 150 g de courgette. Monder, épépiner et concasser 4 tomates moyennes. Dans une grande casserole, faire bouillir 2 litres d'eau avec un petit bouquet garni puis y plonger les haricots blancs. Laisser cuire à faible ébullition 30 min, puis ajouter la moitié des tomates concassées ainsi que la totalité des pommes de terre, des courgettes et des tronçons de haricots verts. Ajouter 80 g de spaghettis coupés en morceaux de 2 cm de longueur. Laisser cuire de nouveau 20 min. Pendant la cuisson du potage, préparer le pistou. Hacher le restant de tomate pour obtenir une purée. Laver et essorer une dizaine de feuilles de basilic. Dans un mortier (ou à défaut dans un petit récipient en Inox), piler 4 gousses d'ail épluchées et dégermées, saler légèrement puis ajouter les feuilles de basilic et travailler le tout pour obtenir une pommade. Incorporer 5 cl d'huile d'olive en la versant en filet puis ajouter la purée de tomate et 75 g de parmesan râpé. Lorsque le potage est cuit, retirer le bouquet garni et incorporer le pistou en mélangeant bien à la spatule sans écraser les légumes. Vérifier l'assaisonnement en sel et poivre ; ne plus faire bouillir. Servir immédiatement.

soupe aux poireaux et aux pommes de terre

Éplucher et laver 1 poireau de 200 g. Éplucher et laver 400 g de pommes de terre de type bintje et les réserver dans de l'eau froide. Émincer grossièrement le poireau et le faire suer doucement sans coloration. Mouiller avec 1 litre d'eau froide, saler au gros sel puis ajouter les pommes de terre coupées en quartiers. Porter à ébullition et cuire à légers frémissements à couvert pendant 40 min. Passer cette soupe au moulin à légumes ou au mixeur puis au chinois. Ajouter 10 cl de crème fraîche, porter de nouveau à ébullition et écumer, si nécessaire. Vérifier l'assaisonnement en sel. Dresser puis parsemer de quelques pluches de cerfeuil. Servir très chaud.

soupe rustique d'épeautre du Contadour ▶ ÉPEAUTRE

SOUPER Repas fin, pris tard dans la soirée ou dans la nuit, à la sortie d'un spectacle ou entre amis. Anciennement, le mot désignait le repas du soir (aujourd'hui appelé « dîner »), constitué le plus souvent d'une soupe. C'est à partir du XVIIIe siècle que la mode du souper comme dîner intime et tardif s'imposa dans la haute société, qui copiait en cela les célèbres soupers du Régent : on y élaborait une cuisine raffinée, riche et extravagante, faisant alterner le gras (rognons de sanglier marinés) et le maigre (huîtres à la crème) suivis de gâteaux, tourtes, salades et entremets.

Cette habitude se poursuivit sous Louis XV ; marquises et duchesses s'exerçaient aux fourneaux, d'autant plus librement que la domesticité était souvent tenue à l'écart de ces soirées galantes, où s'échangeaient les mots d'esprit et où se montaient les cabales. Jusqu'au milieu du XIXe siècle, le souper constitua la conclusion nécessaire de toute soirée réussie ; lorsqu'il s'agissait d'un bal, c'était l'orchestre qui donnait le signal du souper par une fanfare. Puis, peu à peu, on l'abandonna, car il revenait trop cher et causait trop d'embarras. Il fut parfois remplacé par des buffets ou des rafraîchissements. Néanmoins, le souper intime resta l'apanage d'une élite raffinée, et les restaurateurs en gardèrent la pratique, notamment ceux qui disposaient de cabinets particuliers.

De nos jours, on soupe encore parfois à la sortie d'un spectacle, chez soi ou au restaurant, souvent avec un plateau d'huîtres, du foie gras ou quelque mets raffiné, parfois avec des plats traditionnels comme la gratinée à l'oignon ou la pièce de bœuf grillée.

SOUPIÈRE Récipient creux, large et profond, muni de deux poignées, utilisé pour servir la soupe ou le potage. Un couvercle, parfois avec une encoche pour le passage de la louche, conserve l'apprêt au chaud. Dans cette pièce, traditionnelle dans les campagnes, on sert néanmoins des mets raffinés, comme les bisques et les veloutés, d'où la présence, parmi les soupières, de pièces d'orfèvrerie ou de porcelaine fine ; les soupes régionales, épaisses, consistantes, avec des ingrédients solides, se servent plutôt dans des récipients de faïence, de terre vernissée, de porcelaine à feu, etc.

SOUR MASH Variété de corn whiskey produite aux États-Unis, dans le Tennessee. Le sour mash est préparé avec une « bouillie acide » provenant d'une fermentation antérieure ; le mélange, appelé « beer », est ensuite distillé en alambic à colonne.

SOURIS Partie musculaire tendineuse attenante au manche du gigot (équivalent du jarret ou gîte arrière du bœuf). Riche en collagène elle est très moelleuse après cuisson (gélatine) ; on la mange seule ou on l'accompagne d'une tranche de gigot saignante, avec laquelle elle crée un délicieux contraste de saveurs et de consistance. On trouve de plus en plus dans le commerce des souris braisées sous vide.

SOUS-MARIN Spécialité canadienne composée d'un morceau de pain long garni de charcuterie, de fromage, etc.

SOUS-NOIX Ensemble des muscles situés sur la partie postérieure et externe du cuisseau du veau (**voir** planche de découpe du veau page 879). La sous-noix donne des viandes maigres très digestes.

SOUS VIDE Le conditionnement sous vide, ou sous atmosphère modifiée, en sac plastique (polyéthylène, polypropylène, polyestère ou polyamide), est une nouvelle technique industrielle qui, associée aux techniques du froid, permet de conserver les aliments lorsque ceux-ci sont traités rapidement après la récolte, l'abattage, la cuisson ou toute autre technique de transformation industrielle. Les équipements sont encore peu nombreux, et la technique trop complexe, pour pouvoir être utilisés sans risque dans la cuisine ménagère. En revanche, cette technique de conditionnement est très répandue dans la cuisine professionnelle où elle est associée à la cuisson. La cuisson sous vide à juste température permet de cuire les produits ainsi conditionnés à des températures très précises et parfaitement régulées. Le plastique alimentaire assure la protection contre la dilution des éléments gustatifs, et le vide l'applique sur le produit comme une peau, ce qui favorise le transfert thermique. Le sous vide ralentit avant tout les phénomènes d'oxydation et amplifie les goûts au cours de la cuisson, puisque rien ne s'échappe du sachet. La juste température favorise la maîtrise et la reproductibilité des couleurs et des textures ; elle garantit enfin la salubrité des produits ainsi traités.

RECETTE DE JOËL ROBUCHON

carré d'agneau aux herbes fraîches en salade (cuisson sous vide)

POUR 2 PERSONNES

« Saler et poivrer 1 carré d'agneau (6 côtes premières et les parures) prêt à cuire. Faire chauffer 1 cuillerée à soupe d'huile de pépins de raisin dans une poêle. Y déposer le carré d'agneau, le colorer vivement sur toutes les faces sans le faire cuire. Au terme de la coloration, le déposer sur une grille. Placer en cellule de réfrigération rapide jusqu'à ce que la température à cœur du carré d'agneau soit inférieure à 6 °C, pour éviter que l'eau des cellules se mette à bouillir pendant l'opération de mise sous vide. Saler et poivrer le carré d'agneau, puis le parsemer de fleur de thym. Envelopper d'une feuille d'aluminium les sections osseuses des côtes et des jointures de la colonne vertébrale. Mettre le carré d'agneau dans un sac plastique résistant à des températures allant de – 30 °C à 100 °C. Placer le sachet dans une machine de conditionnement sous vide et régler la pression résiduelle sur 10 mbar. Plonger le carré d'agneau 3 min dans de l'eau à 83 °C., puis, pour la seconde phase, dans un bain d'eau à 62 °C, jusqu'à ce que la température à cœur du carré atteigne 50 °C. Enfin, pour la troisième phase, plonger le carré dans un bain à 58 °C jusqu'à ce que la température à cœur atteigne au moins 56 °C. A la fin de la cuisson, laisser reposer 15 min à température ambiante, puis 15 min dans de l'eau de 15 à 17 °C. Ajouter ensuite de la glace dans l'eau pour accélérer le refroidissement, jusqu'à ce que la température à cœur atteigne 3 °C. Entreposer au réfrigérateur. Pour la préparation du jus, faire colorer les os et les parures d'agneau dans une cocotte avec un filet d'huile de pépins

de raisin. Ajouter 1 petit oignon en rondelles, 4 gousses d'ail et 1 bouquet garni. Faire revenir le tout quelques minutes. Couvrir à hauteur d'eau froide. Saler. Laisser cuire à petite ébullition 1 h 30. Passer au chinois étamine, rectifier l'assaisonnement et réserver. Trier ensuite 1 bouquet de basilic, 1 bouquet de marjolaine, 1 bouquet de sauge, 1 botte de cerfeuil, 1 botte d'estragon et 1 botte d'aneth. Les laver à grande eau, les essorer et les réserver dans un saladier. Pour remettre en température le carré d'agneau, le placer dans un bain-marie dont la température est à 56 °C. Au moment de servir, ouvrir le sachet, retirer le carré d'agneau et le mettre sous une salamandre pendant 3 min pour rehausser sa coloration et son croustillant. Le découper en tranches et disposer 3 côtes par assiette. Agrémenter du mélange d'herbes assaisonnées d'une vinaigrette au jus de truffe. Arroser le tout de jus. Parsemer de fleur de sel et d'un tour de moulin à poivre. »

morue aux pousses de navet (cuisson sous vide) ▶ MORUE
porc aux pois chiches et aux cèpes (cuisson sous vide) ▶ PORC

SOUTHERN COMFORT Liqueur américaine obtenue par macération, durant 6 à 8 mois, de pêches dans du bourbon ; avant l'embouteillage, on ajoute à cette préparation des essences de citron, des extraits et du sucre. Le southern comfort se sert généralement sur de la glace.

SOUVAROV Nom d'un apprêt du gibier à plume, applicable à la poularde ; il consiste à farcir l'oiseau (foie gras et truffe), à le poêler aux trois quarts et à finir la cuisson dans une cocotte lutée, avec un mouillement fait du déglaçage de la poêle à la demi-glace, au fumet de truffe et au madère. Le foie gras Souvarov est également raidi au beurre, puis cuit en terrine lutée, avec des truffes et de la demi-glace aromatisée à la truffe. Le nom, déformé en Souvaroff ou Souwaroff, a aussi été donné à un petit-four frais, constitué de deux petits sablés assemblés par de la confiture.

SOUVEREYNS (ROGER) Cuisinier belge (1938). Après son apprentissage de la cuisine française à Liège, Roger Souvereyns ouvre, à l'âge de vingt-trois ans, *la Frituur*, à Hasselt, puis il dirige, à partir de 1972, *le Clou doré*, à Liège, tout en s'occupant d'un service traiteur et d'un magasin d'antiquités à Hasselt. En 1983, dans une vieille ferme datant de 1742 et située dans les environs de cette même ville, il crée le *Scholteshof*, un restaurant meublé et décoré avec raffinement au milieu de 16 hectares de potagers, de vergers et de prés. Sa cuisine, qui obtient deux étoiles au Guide Michelin, se veut attentive aux produits, afin d'en exprimer les saveurs et les textures par des préparations simples. Il a pris sa retraite, non sans avoir formé de nombreux jeunes chefs de talent.

SPAGHETTIS Pâtes alimentaires originaires de Naples. Les spaghettis sont de longs cylindres pleins, très fins. De fabrication ménagère ancestrale, ils furent commercialisés sous la Renaissance, en même temps que les macaronis.

■ **Apprêts.** Cuits al dente, les spaghettis sont traditionnellement servis avec de la sauce tomate et du parmesan, en accompagnement de viande ou de volaille. Néanmoins, il existe nombre d'autres recettes originales, notamment dans le Latium : *a cacio e pepe* (au fromage et au poivre), *alla carrettiera* (« à la charretière », avec des champignons et du thon), *con le vongole* (avec des petits coquillages et du persil haché), *all'amatriciana*. À Naples, on les apprécie avec une sauce aux clams, ou garnis de champignons, de petits pois et de mozzarella, ou encore *alla zappatora* (« à la sapeur », au poivron et au piment). À Capri, ils se cuisinent avec du calmar. En Ombrie, enfin, ils s'accommodent avec des truffes blanches hachées, marinées dans de l'huile d'olive avec de l'ail et des anchois.

Hors d'Italie, les spaghettis sont surtout apprêtés « à la napolitaine » (au jus de viande ou à la sauce tomate), « à la bolognaise » (avec une sauce faite de viande hachée, d'aromates et de tomate) et *alla carbonara*.

spaghetti all'amatriciana

Couper 200 g de pancetta en petits dés et les dorer dans une poêle avec un peu d'huile d'olive extravierge et 1 piment. Ajouter, sur feu vif, 1/2 verre de vin blanc sec et 1 kg de tomates pelées en les écrasant à la fourchette ; leur eau doit s'évaporer complètement. Cuire al dente 600 g de spaghettis. Les égoutter et les verser dans la poêle. Remuer et saupoudrer de 100 g de pecorino romano râpé. Servir très chaud.

spaghetti alla botarga

Cuire al dente 600 g de spaghettis. Dans un poêlon, dorer 1 piment fort et 2 gousses d'ail dans 1/2 verre d'huile d'olive vierge extra. Égoutter les spaghettis et les verser dans le poêlon. Bien mélanger. Hors du feu, ajouter 150 g de poutargue émiettée, 1 cuillerée de persil haché et quelques gouttes de jus de citron.

spaghetti alla carbonara

Dans une grande soupière, battre 2 œufs entiers et 4 jaunes avec 200 g de parmesan fraîchement râpé, du sel et du poivre. Ajouter 30 cl d'huile d'olive extravierge et 50 g de beurre en petits morceaux. Dans une poêle, dorer 150 g de pancetta coupée en dés avec quelques gouttes d'huile d'olive. Égoutter et réserver. Dans la même poêle, faire blondir 150 g d'oignons épluchés et émincés finement. Ajouter la pancetta et, peu à peu, 1/2 verre de vin blanc. Verser le tout, tiède, dans la soupière. Cuire al dente 600 g de spaghettis. Avant de les égoutter, allonger la sauce aux œufs de quelques cuillerées à soupe d'eau de cuisson des pâtes. Bien remuer. Égoutter les spaghettis et les verser dans la soupière. Mélanger longuement pour éliminer la vapeur et servir.

SPALLA Spécialité de la charcuterie italienne, faite comme la coppa, mais avec de l'épaule de porc, désossée, parée, salée, puis enveloppée et ficelée en boyau, poivrée et à peine séchée.

SPARE RIBS Morceaux de travers de porc (haut de côtes) que les Américains font griller au barbecue, après les avoir fait macérer dans un mélange de sauce soja, de ketchup, de sucre et de gingembre, plus connue sous le nom de sauce barbecue.

SPÄTLESE Vin blanc doux allemand, élaboré avec des raisins vendangés tardivement, par rapport à la date en général très précoce des vendanges en Allemagne.

SPATULE Ustensile de cuisine composé d'une longue lame rectangulaire, plate et flexible, à bout arrondi, montée sur un manche court. La spatule sert à recouvrir uniformément un gâteau de crème ou de fondant, à égaliser le dessus d'une préparation, à décoller et à retourner dans une poêle certains apprêts.
– La spatule à poisson, à lame large et plate, parfois perforée, munie d'un manche plat, est conçue pour retourner et servir les poissons entiers et les gros filets.
– La spatule à réduire, à lame large et carrée, à long manche plat, sert à remuer liquides, sauces ou crèmes en cours de cuisson, pour les empêcher d'attacher.
– La spatule de bois (hêtre ou buis) est destinée à mélanger et à travailler divers appareils, à cru ou sur le feu (notamment pour ne pas rayer le récipient).
– La spatule souple (en caoutchouc, plastique ou silicone) est utilisée pour racler le fond des récipients ou pour incorporer délicatement des blancs d'œuf à une préparation. On la désigne souvent du nom de Maryse.
– La spatule coudée a une lame coudée du côté du manche afin que celui-ci soit relevé tout en restant parallèle à la lame, ce qui permet de servir plus facilement, les terrines notamment.

SPÄTZLES Spécialité commune à l'Alsace, à la Suisse et à l'Allemagne du Sud. Ce sont de petites nouilles irrégulières dont la pâte est faite de semoule de blé dur ou de farine et d'œufs, pochées à l'eau bouillante. On les sert en garniture de viande en sauce ou en entrée, au gratin, avec de la crème ou du beurre noisette, ou même des petits croûtons frits. Dans le Wurtemberg, les Spätzles peuvent être presque des petites quenelles, dont la pâte comporte de la purée de foie (Leberspätzle) ou du fromage (Kässpätzle). En Alsace, on écrit également Spätzele ou Spetzli, et en Suisse romande, Spaetzli.

Spätzles au beurre noisette

Mélanger 500 g de farine tamisée, 4 ou 5 œufs, 2 cuillerées à soupe de crème épaisse et 1 cuillerée à café de sel fin ; poivrer et râper un peu de muscade. Porter à ébullition une grande quantité d'eau salée. Prélever la pâte avec une petite cuillère et la faire tomber dans l'eau bouillante en s'aidant d'une seconde cuillère pour la mouler en petites boulettes. Laisser pocher les Spätzles jusqu'à ce qu'ils remontent à la surface. Les égoutter, les éponger sur un linge, les rouler dans le beurre noisette et les servir brûlants.

SPÉCIALITÉ TRADITIONNELLE GARANTIE (STG) Label européen dont peuvent bénéficier un produit agricole destiné à l'alimentation humaine ou une denrée alimentaire, s'ils ont été fabriqués à partir de matières premières traditionnelles ou s'ils sont caractérisés par une composition traditionnelle ou par un mode de production et/ou de transformation traditionnel, conformes à un cahier des charges et sans lien avec une origine géographique. Le nom du produit certifié peut être réservé (par exemple, Jambon serrano) ou non (par exemple, mozzarella) ; dans ce dernier cas, seul le label permet de le différencier.
Parmi les produits reconnus, on trouve des fromages, des viandes et abats frais, des bières, des produits laitiers et des produits de boulangerie et de pâtisserie.

SPECK Salaison fumée, de porc, du Trentin-Haut-Adige (Italie), appartenant à la famille des salumi avec la pancetta, la guanciale, le culatello, ou la coppa. Cette sorte de bacon italien, préparé avec les muscles des membres du cochon, salés et assaisonnés avec du genièvre, du poivre, du laurier, est fumé avec des copeaux de hêtre. Le mot « speck » désigne aussi le lard en allemand.

SPÉCULOS Petits gâteaux plats de la pâtisserie belge, faits de pâte moulée ou découpée à l'emporte-pièce, en forme de personnages folkloriques ou traditionnels. Les spéculos (ou speculoos), indissociables des foires et des kermesses flamandes, se retrouvent en Allemagne du Sud avec les *Spekulatius*.

endives braisées au beurre de spéculos,
banane-citron vert ▶ ENDIVE

spéculos

Mettre en fontaine 500 g de farine tamisée avec, au centre, 1 pincée de sel, 1 cuillerée à café de bicarbonate de soude, 1/2 cuillerée à soupe de cannelle en poudre, 3 œufs, 4 clous de girofle finement écrasés, 300 g de cassonade et 250 g de beurre ramolli. Bien mélanger ces ingrédients en y incorporant peu à peu la farine. Former une boule avec cette pâte et la laisser reposer dans un endroit frais jusqu'au lendemain. La partager en plusieurs morceaux et les abaisser au rouleau. Les presser dans des moules à spéculos farinés. Démouler sur une tôle légèrement beurrée et cuire au four préchauffé à 190 °C jusqu'à ce que les gâteaux soient bien dorés.

SPOOM Sorte de sorbet mousseux, apprécié en Angleterre, préparé avec un sirop moins concentré que celui du sorbet, auquel on ajoute, quand il commence à prendre, la moitié de son volume de meringue à l'italienne.

SPRAT Petit poisson de la famille des clupéidés, voisin de la sardine, au dos bleu-vert et aux flancs argentés. Mesurant de 12 à 15 cm de long, le sprat est surtout pêché dans la Baltique, la mer du Nord et la Manche, mais il se rencontre aussi dans l'Atlantique, notamment en Bretagne. Frais, les sprats se préparent généralement en friture ; mais ils sont pour la plupart commercialisés fumés, en conserve ou marinés. Ils sont très utilisés dans la cuisine scandinave (gratins, canapés, salades).

SQUASH Mot anglais, utilisé dans la plupart des langues vernaculaires, pour désigner des potirons ou des courges originaires des États-Unis, comme le butternut squash (littéralement « courge noix de beurre »).

SQUILLE Seul crustacé ne possédant que quatre paires de pattes (on ne le classe donc pas dans l'ordre des décapodes, mais dans celui des stomatopodes). La squille a une paire de pattes principale dite « ravisseuse », qui ressemble à celle de la mante religieuse. Son aspect est proche d'une langoustine sans pinces. Elle mesure 10 cm environ. On la trouve parfois avec d'autres crustacés sur les fonds vaseux de la Méditerranée. La squille se consomme cuite à l'eau.

STABILISANT Additif alimentaire (**voir** ce mot) servant d'agent de texture, pour conserver à un produit une consistance déterminée. Les stabilisants sont généralement associés à un émulsifiant, un épaississant ou un gélifiant. Les plus utilisés sont la lécithine (jaune d'œuf), l'acide tartrique, les alginates, l'agar-agar, les graines de caroube, de tamarin, de guar, les pectines.

STANDARDISATION Traitement physique permettant d'ajuster les composants d'un produit sur des normes définies. La standardisation – ou normalisation – est couramment utilisée dans l'industrie laitière pour produire des laits à teneur en matières grasses définie par la réglementation : entier (36 g par litre), demi-écrémé (de 15,45 à 18 g par litre) ou écrémé (moins de 3,09 g par litre). Elle peut également s'appliquer aux protéines, comme en Australie et en Californie.

STANLEY Nom de divers apprêts à l'oignon, où intervient en outre du cari, dédiés à l'explorateur britannique Henry Stanley (1841-1904). Les œufs Stanley, mollets ou pochés, sont dressés en tartelette garnie de purée Soubise, et nappés de sauce au cari. Le poulet Stanley est poché ou sauté à blanc avec des oignons, puis nappé d'une sauce Soubise relevée de cari.

STEAK Mot anglais, signifiant « tranche », employé pour le bœuf comme synonyme de « bifteck ». Le steak est grillé ou poêlé. Selon le degré de cuisson, il sera « bleu », « saignant », « à point » ou « bien cuit ». Un steak épais est un chateaubriant ; très épais, c'est un pavé.

On emploie aussi le mot pour certains apprêts, comme le steak tartare ou le steak au poivre.

▶ Recette : BŒUF.

STEAK AND KIDNEY PIE Tourte de la cuisine britannique, préparée avec du bœuf maigre et du rognon. Cuit sous une croûte de pâte dans un plat à pie, le steak and kidney pie constitue une entrée chaude ; jadis, il figurait aussi sur le buffet du breakfast.

steak and kidney pie

Faire durcir 4 œufs. Couper en languettes fines 250 g d'aiguillette ou de macreuse de bœuf. Nettoyer 1 rognon de génisse et le couper en petits morceaux. Éplucher 500 g de pommes de terre et les couper en tranches. Peler et émincer 2 oignons, puis hacher 1 petit bouquet de persil. Beurrer un plat à pie. Y disposer la moitié de la viande mélangée avec le rognon ; saler et poivrer légèrement, puis parsemer d'un peu de persil haché. Recouvrir d'une couche de pommes de terre, puis des œufs coupés en rondelles. Parsemer d'oignon et disposer enfin le reste de la viande. Ajouter 1 petit verre de bouillon. Garnir le tour du plat d'une bande de pâte à foncer, la dorer à l'œuf, puis recouvrir tout le plat de pâte à foncer ou feuilletée. La strier et la dorer également à l'œuf. Enfoncer une petite douille unie au milieu du couvercle de pâte, et cuire 1 h 15 au four préchauffé à 190 °C. Servir brûlant dans le plat de cuisson.

STEGT SILD I LAGE Nom danois d'une préparation scandinave du hareng frais. Le poisson est désarêté, vidé, badigeonné d'un mélange moutarde-persil, replié tête-queue, puis fariné et frit. Il est ensuite mis à mariner quelques heures dans un mélange de vinaigre, d'eau, de poivre, de sucre et de laurier. Le stegt sild i lage se consomme froid avec des câpres et des oignons.

STÉRILISATEUR Récipient fermé par un couvercle, destiné à la stérilisation des conserves ménagères (au niveau industriel, on emploie des autoclaves).
– Le stérilisateur simple, muni de deux poignées, est fabriqué en tôle galvanisée.
– Le stérilisateur électrique, de volume nettement plus réduit, est fabriqué en plastique résistant à la chaleur et équipé d'un thermostat.

Le stérilisateur présente l'inconvénient de ne pas élever la température de l'eau au-dessus de son point d'ébullition, ce qui oblige à saler celle-ci à saturation (250 g de sel par litre) pour obtenir une ébullition à 108 °C, alors que la température de stérilisation correcte est comprise entre 110 et 115 °C.

STÉRILISATION Procédé de longue conservation, obtenue par destruction de la totalité des micro-organismes et des enzymes susceptibles d'altérer un aliment. La stérilisation s'obtient en chauffant l'aliment à plus de 100 °C (de préférence entre 110 et 115 °C), après l'avoir enfermé dans un récipient hermétique.

La stérilisation « à cœur » nécessite l'emploi d'une température convenable pendant un laps de temps suffisant, mais, pour préserver les qualités nutritives et gustatives du produit, les méthodes industrielles se diversifient de plus en plus : agitation des récipients pour les fluides ou utilisation de températures très élevées, pendant un temps très court. Le lait, par exemple, peut être chauffé 15 à 20 min à 115 °C (stérilisation traditionnelle classique) ou 2 secondes à 150 °C (stérilisation UHT, Ultra Haute Température). Encore appelée « appertisation » (**voir** ce mot), la stérilisation reste un procédé courant de conservation ménagère.

Les fruits et légumes sont préalablement épluchés, parés, lavés, parfois blanchis à l'eau bouillante, puis mis dans des récipients résistant à une forte chaleur ; on les recouvre, avant fermeture, d'une solution saline ou sucrée, parfois additionnée de jus de citron pour conserver la couleur naturelle de l'aliment et en augmenter l'acidité, facteur de bonne conservation. Les récipients clos sont alors placés dans un stérilisateur ou un autoclave.

STILLIGOUTTE Dispositif fixé sur une bouteille, permettant de doser les boissons très fortes, concentrées, ou dont on n'utilise que « quelques gouttes ».

STILTON Fromage anglais de lait de vache enrichi (50 % de matières grasses), à pâte persillée et à croûte brune naturelle brossée (**voir** tableau des fromages étrangers page 396). Le stilton (qui porte le nom du village où il a été créé) se présente sous la forme d'un cylindre de 15 cm de diamètre et de 25 cm d'épaisseur, pesant de 4 à 4,5 kg. Considéré comme l'un des meilleurs fromages du monde, il a une saveur très prononcée. On l'accompagne de crackers, d'un verre de vieux porto, de noix fraîches ou de raisin frais. Certains découpent une calotte sur le dessus pour y verser du porto, du madère ou du xérès, puis le dégustent au bout d'une semaine ou deux, à la petite cuillère.

STOCKFISCH Morue salée et séchée à l'air, qui est l'ingrédient de base de plats traditionnels tant en Scandinavie que dans le sud et le centre de la France. Ce terme vient de l'allemand *Stock* (bâton) et *Fisch* (poisson), car la morue était autrefois séchée sur des bâtons.

estofinado ▶ ESTOFINADO

<table>
<tr><td>RECETTE DE FRANCK CERUTTI</td></tr>
</table>

estocaficada (stockfisch à la niçoise)

POUR 8 PERSONNES – PRÉPARATION : 2 h
« Plusieurs jours à l'avance et à l'aide d'une scie, couper 1 stockfisch sec de 800 g en tronçons de 8 à 10 cm de long. Le faire tremper à l'eau courante 5 jours (au printemps ou à l'automne) ou 7 jours (en hiver). Un jour avant, faire tremper 100 g de boyaux de stockfisch. Le jour même, retirer la peau et détailler la chair du poisson, conserver quelques grosses arêtes pour la cuisson. Découper les 100 g de boyaux en lanières. Monder 1 kg de tomates grappe, les épépiner et les

détailler en quatre. Passer à la flamme 2 poivrons jaunes et 2 rouges, retirer la peau et les couper en lanières de 4 cm de large. Émincer 1 oignon et 3 gousses d'ail. Éplucher 750 g de pommes de terre nouvelles. Dans un sautoir de 30 cm de diamètre, mettre 2,5 cl d'huile d'olive, ajouter les oignons et l'ail émincés, 2 piments de Cayenne ciselés. Remuer et faire suer 10 min. Ajouter les poivrons, les tomates puis, 10 min après, le stockfisch. Couvrir encore 10 min à feu doux. Mouiller d'eau à hauteur, saler et poivrer, ajouter le bouquet garni à l'ébullition. Après 1 heure de cuisson, ajouter les boyaux. Après un total de 1 h 30 de cuisson, mettre les petites pommes de terre nouvelles ; les laisser cuire, ajouter 30 olives noires de Nice et quelques brins de persil plat concassé. Retirer les grosses arêtes, rectifier l'assaisonnement, disposer les 8 assiettes et verser sur chacune un trait d'huile d'olive de l'année et un trait de vinaigre de vin. »

STOEMP Mélange flamand de pommes de terre cuites à l'eau, puis écrasées, et de légumes (chou de Savoie, chou rouge, parfois céleri) coupés menu. La bouillie obtenue est souvent additionnée de dés de lard rissolés à la poêle.

STOHRER Pâtissier parisien, installé au début du XIXᵉ siècle au 51 de la rue Montorgueil, dans le quartier des Halles ; le magasin est encore orné des panneaux décoratifs des *Renommées*, peints par Paul Baudry en 1864. Stohrer connut la célébrité pour avoir fait découvrir à Paris le baba ; né en Lorraine, il en avait rapporté la recette de ce gâteau, créé à la cour du roi de Pologne à Lunéville. Les noisettines, les chocolatines et les puits d'amour font toujours partie des spécialités de la maison.

STOLLEN Sorte de pain brioché allemand aux fruits confits et aux diverses épices (vanille, cardamome, zeste de citron, fleur de muscade), traditionnel à Noël, dont il existe plusieurs recettes. Le Stollen le plus connu est celui de Dresde.

STOUT Bière brune anglaise et irlandaise, contenant une forte proportion de houblon. Les stouts existent en version *bitter* (amer), la plus largement répandue, douce (*milk stout,* moins fort) ou très forte (*russian stout,* plus rare).

STRACCHINO Fromage italien de lait de vache (48 % de matières grasses), à croûte lavée et à pâte molle légèrement pressée. Le stracchino se présente sous la forme d'un cube ou d'un parallélépipède de 1 à 2 kg. Il a une texture fondante et une saveur plutôt fruitée.

STRASBOURGEOISE Se dit de grosses pièces de boucherie et de volailles braisées ou poêlées, garnies de choucroute braisée, de lamelles de lard de poitrine cuit avec la choucroute et d'escalopes de foie gras sautées au beurre ; le déglaçage fournit la sauce. Les tournedos « strasbourgeoise » sont sautés, dressés sur des escalopes de foie gras et saucés du déglaçage à la demi-glace relevée de madère, tandis que le consommé est aromatisé aux baies de genièvre, lié à la fécule, garni d'une julienne de chou rouge et de rondelles de saucisse de Strasbourg, et servi avec du raifort râpé à part.

L'appellation « strasbourgeoise » s'applique également au foie gras lorsqu'il est clouté de truffe et cuit dans une pâte à brioche.

STREUSEL Brioche alsacienne ronde, recouverte d'une pâte sablée sans œufs, parfumée à la vanille et à la cannelle, et éventuellement additionnée d'amandes en poudre, qui cuit en même temps que la pâte du gâteau. Le Streusel est parfois fendu en deux et fourré de crème.

STROGANOV Nom donné à un apprêt de bœuf émincé, nappé de crème, garni d'oignons et de champignons. Ce plat traditionnel de la cuisine russe classique est connu en Europe depuis le XVIIIᵉ siècle et a été interprété diversement.

Il se prépare avec de minces lamelles de viande de bœuf (filet, contre-filet ou rumsteck) salées, poivrées, poudrées de paprika et sautées à feu vif, puis saucées du déglaçage au vin blanc, à la crème et au fond de veau lié, additionné d'oignons sués au beurre ; le bœuf Stroganov est servi avec du riz pilaf et des champignons sautés.

Une version peut-être plus « russe » consiste à faire revenir oignons et champignons ensemble, puis à leur ajouter la viande découpée en lamelles, qui a été préalablement sautée, et à additionner le tout d'un roux mouillé de crème aigre, relevé de moutarde et de jus de citron.
▶ Recette : BŒUF.

STROPHAIRE À ANNEAU RUGUEUX Champignon d'une taille exceptionnelle parmi sa famille, parfois appelé « cèpe de paille ». C'est le seul strophaire qui présente un intérêt culinaire, même s'il ne supporte aucune comparaison avec les cèpes. Son pied présente un anneau charnu pulpeux, profondément strié sur sa face supérieure. Sa culture sur paille de céréales est assez répandue dans les pays d'Europe centrale, ainsi qu'en Allemagne et en Suisse.

STRUDEL Pâtisserie viennoise roulée et diversement fourrée, dont le nom signifie « tourbillon ». La réussite de ce gâteau, parmi les plus réputés du pays, exige une pâte à la farine de gluten d'une grande finesse, délicate à préparer et à manipuler. La garniture est en général à base de pommes à la cannelle et aux raisins secs, aromatisés au zeste de citron, mais peut être constituée de cerises (griottes dénoyautées, sucre, zeste de citron et amandes pilées) ou de fromage blanc (mélangé à des jaunes d'œuf, du zeste de citron, des raisins secs, de la crème et des blancs en neige). En Autriche, le Strudel se farcit aussi d'un appareil salé (bœuf bouilli haché avec de l'oignon, du paprika et du persil) ; une autre variante utilise du chou haché, cuit au four avec de la graisse et une pincée de sucre.

Strudel aux pommes

Mélanger dans un bol 1 tasse d'eau tiède avec 1 pincée de sel, 1 cuillerée à café de vinaigre et 1 jaune d'œuf ; ajouter 1 cuillerée à dessert d'huile. Disposer en fontaine dans une terrine 250 g de farine au gluten ; verser la préparation au centre, remuer avec la lame d'un couteau, puis pétrir l'ensemble jusqu'à ce que la pâte soit un peu élastique ; la ramasser en boule, la poser sur une planche farinée, la couvrir d'une jatte ébouillantée et la laisser reposer 1 heure. Éplucher et couper en tout petits dés 1 kg de pommes acidulées ; les poudrer de 3 cuillerées à soupe de sucre en poudre. Laver et éponger 200 g de raisins secs. Étaler un grand torchon fariné sur un plan de travail et y placer la pâte. L'étirer progressivement avec les doigts, jusqu'à ce qu'elle soit très fine, sans la déchirer. La badigeonner de beurre fondu. Couper les bords pour obtenir un grand rectangle régulier. Dorer dans 75 g de beurre fondu 1 poignée de chapelure blonde et 100 g de cerneaux de noix hachés ; étaler régulièrement ce mélange sur la pâte. Parsemer de pommes et de raisins secs, puis poudrer de 1/2 cuillerée à café de cannelle et de 8 cuillerées à soupe de sucre en poudre. Rouler le rectangle de pâte en s'aidant du torchon pour enfermer tous les éléments, puis faire glisser le Strudel sur une tôle à pâtisserie beurrée. Le cuire de 40 à 45 min dans le four préchauffé à 230 °C. Le poudrer de sucre glace et le servir tiède.

STUCKI (HANS) Cuisinier suisse (Anet, canton de Berne, 1927 - Bâle 1998). Après un apprentissage à l'hôtel *Beau-Rivage-Palace* de Lausanne-Ouchy, puis dans les principaux hôtels helvétiques, il reprend, en 1959, le restaurant *Bruderholz*, qu'il transforme entièrement en 1970. Cette maison cossue attire une clientèle soucieuse du travail bien fait et de la tradition de la grande cuisine. Adepte des produits de qualité, mais traités sans maniérisme, Hans Stucki renouvelle ses créations et sait faire partager sa passion pour les vins et les fromages suisses, mais aussi les produits français, comme la volaille de Bresse ou le canard de Challans dont il tire des accents uniques. Son restaurant bâlois continue de porter le renom de la grande cuisine française, avec le chef français Patrick Zimmermann.

SUBRIC Petit apprêt fait d'éléments liés de sauce allemande ou de béchamel, d'œufs battus et de farine, de crème et de fromage râpé, etc. Sautés au beurre clarifié, les subrics sont servis en hors-d'œuvre, en entrée chaude ou comme garniture, souvent accompagnés d'une sauce assez relevée.

On prépare également, avec du riz ou de la semoule, des subrics d'entremets servis avec de la confiture ou des fruits pochés. Autrefois, on les faisait cuire « sur les briques » chaudes du foyer, d'où leur nom.

subrics d'entremets au riz

Cuire 750 g de riz à grains ronds. Lui incorporer 100 g d'un salpicon de fruits confits macérés dans de la liqueur et étaler le mélange sur une plaque beurrée, en couche régulière de 3 ou 4 mm d'épaisseur. Badigeonner toute la surface de 40 g de beurre fondu et laisser refroidir. Détailler ce riz en disques, en anneaux ou en carrés, et les dorer des deux côtés à la poêle dans 40 g de beurre clarifié. Les dresser dans un plat de service et les garnir d'une cuillerée à café de gelée de groseille ou de framboise, de marmelade d'abricot ou d'un oreillon d'abricot poché au sirop.

subrics d'épinards

Cuire 750 g d'épinards à l'eau salée et les rafraîchir. Ajouter 15 cl de béchamel très réduite, 1 œuf entier et 3 jaunes, battus en omelette, puis 2 cuillerées à soupe de crème épaisse. Saler, poivrer et mettre un peu de noix de muscade ; laisser refroidir complètement. Mouler cette préparation en boulettes ou en palets et dorer ceux-ci 3 min à la poêle, des deux côtés, dans 40 g de beurre clarifié. Les servir brûlants, avec une sauce crème bien relevée de noix de muscade.

subrics de pommes de terre

Étuver légèrement au beurre 500 g de pommes de terre détaillées en petits dés, blanchies 2 min à l'eau salée, égouttées et épongées. Les lier, hors du feu, avec 25 cl de béchamel réduite. Ajouter 3 jaunes d'œuf et 1 œuf entier, du sel, du poivre et de la noix de muscade. Procéder ensuite comme pour les épinards.

SUC Liquide obtenu généralement en pressant un tissu animal ou végétal. Les sucs de fruits sont surtout utilisés en confiserie. L'emploi d'une centrifugeuse permet d'extraire les sucs de certains végétaux difficiles à presser, pour la confection de jus de légumes.

Le rôtissage ou la cuisson à la poêle d'une viande libère ses sucs, qui caramélisent au fond du récipient et permettent d'obtenir du jus par déglaçage.

suc de cerise

Équeuter et dénoyauter 1 kg de cerises rouges et 100 g de cerises noires. Presser les fruits à la main sur un tamis de crin placé au-dessus d'une terrine, en les écrasant bien ; passer la pulpe écrasée à la presse pour récupérer tout le jus, l'ajouter à celui qui se trouve déjà dans la terrine et laisser le tout fermenter à la température de 12-15 °C, en l'additionnant d'un volume égal d'alcool à 90 °C, jusqu'à ce que le suc ne soit plus troublé, soit 24 heures environ. Décanter et filtrer.

SUCCÈS Gâteau rond fait de deux fonds en pâte meringuée aux amandes, séparés par une couche de crème au beurre pralinée ou parfumée à la vanille et enrichie de nougatine concassée. Le dessus, masqué également de crème bien lissée, est décoré d'amandes effilées, de noisettes en sucre et de feuilles en pâte d'amande. Le fond à succès sert aussi à confectionner des petits-fours, le plus souvent fourrés de crème au beurre, ainsi que diverses pâtisseries contemporaines.

▶ Recette : FOND DE PÂTISSERIE.

SUCCULENT Qualificatif qui s'applique à un aliment contenant beaucoup de suc ou d'eau. Par extension, est dit « succulent » un mets qui procure une grande sensation de plaisir ; en ce sens, le mot devient synonyme de savoureux, exquis ou délicieux.

SUCETTE Confiserie de sucre cuit, généralement en forme de lancette plus ou moins épaisse, ou de boule de taille variable, montée sur un bâtonnet qui permet de la sucer en la tenant à la main, au lieu de la faire fondre dans sa bouche comme un bonbon.

SUCHET Nom donné à un apprêt réservé aux crustacés, qui sont d'abord cuits au court-bouillon. La queue est ensuite décortiquée et détaillée en escalopes, qui sont doucement tiédies dans du vin blanc avec une julienne de carotte, de céleri et de poireau, puis dressées avec les légumes dans les demi-carapaces. Celles-ci sont ensuite nappées du jus de cuisson additionné pour une moitié de vin blanc, pour l'autre de sauce Mornay légèrement montée au beurre, et enfin glacées sous la salamandre.

SUCRE Substance de saveur douce, se formant naturellement dans les feuilles de nombreuses plantes et se concentrant dans leurs racines ou leurs tiges. On trouve le sucre dans l'érable au Canada, dans le palmier en Afrique, dans le sorgho, le raisin, etc., mais on l'extrait surtout de la canne à sucre dans les régions tropicales et de la betterave dans les régions tempérées.

Le sucre est un glucide simple à saveur sucrée, par opposition à l'amidon, un glucide complexe sans saveur sucrée.

Le terme « sucre », au singulier, est légalement réservé au sucre de canne ou de betterave, appelé officiellement « saccharose ». Au pluriel, il s'applique aux glucides simples : glucose (ou dextrose), extrait du maïs, fructose (ou lévulose), qui est le sucre des fruits, galactose, extrait du lactose (composant du lait) et mannose, sucre de l'écorce d'orange.

■ **Histoire.** Quelques milliers d'années avant notre ère, on utilisait déjà le sucre en Asie, sous forme de sirop de canne, alors qu'en Europe le miel était la seule source de saveur sucrée, avec les fruits. Selon la légende, les Chinois et les Indiens ont su depuis toujours fabriquer du sucre cristallisé. Au IVe siècle av. J.-C., Alexandre le Grand rapporta, comme Darius avant lui, le « roseau sucré », dont on tirait le çarkara, cristal obtenu à partir du jus de la plante. La culture de celle-ci s'étendit dans le Bassin méditerranéen et en Afrique. Un nouvel aliment venait de naître.

Au XIIe siècle, grâce aux croisades, les Français découvrirent cette « épice », que les apothicaires commençaient à vendre, très cher, sous diverses formes. Le sucre allait permettre le développement de la confiserie et de la pâtisserie, mais on s'en servait couramment pour « assaisonner » les viandes et les mets salés.

Au XVe siècle, Espagnols et Portugais installèrent des plantations de canne dans leurs possessions africaines (Canaries, Madère, Cap-Vert), afin de se libérer du monopole des producteurs méditerranéens. Cette culture se répandit à Cuba, au Brésil et au Mexique, puis dans les îles de l'océan Indien, en Indonésie, et enfin jusqu'aux Philippines et en Océanie. Les Antilles, devenues « îles à sucre », approvisionnèrent dès lors les raffineries des ports européens.

Au XVIIe siècle, la vogue du café, du thé et du chocolat développa sensiblement la consommation du sucre. La première raffinerie française fut construite à Bordeaux en 1633, puis d'autres s'édifièrent à Rouen, à Nantes, à La Rochelle et à Marseille. La betterave restait ignorée, bien qu'Olivier de Serres eût signalé dès 1575 sa richesse en sucre. Ce n'est qu'en 1747 que l'Allemand Andreas Marggraf réussit à extraire du sucre de cette racine et à le solidifier. En 1786, son disciple Franz Karl Achard, d'origine française, tenta de passer à plus grande échelle, mais le rendement était encore faible, avec un prix de revient très élevé. En 1800, le Français Jean-Antoine Chaptal publia des conclusions décisives. Onze ans plus tard, son compatriote Benjamin Delessert mit au point, dans sa raffinerie de Passy, l'extraction industrielle du sucre de betterave, et, le 2 janvier 1812, il offrit à Napoléon Ier le premier pain de sucre. Aujourd'hui, pour cette production, la France tient la première place dans l'Union européenne et dans le monde pour le sucre de betterave, devant l'Allemagne et l'Ukraine.

■ **Fabrication.** Une fois récoltées, les betteraves et les cannes doivent être transformées rapidement pour ne pas s'appauvrir en sucre ; les sucreries sont donc implantées à proximité des cultures et tournent sans interruption pendant toute la « campagne sucrière » (de 70 à 80 jours entre septembre et décembre).

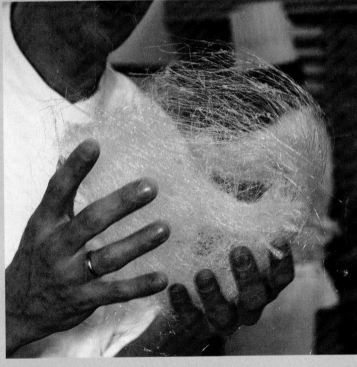

« Entre les mains des pâtissiers de l'école FERRANDI PARIS et de l'HÔTEL DE CRILLON, le sucre adopte les formes les plus incroyables. Préparé au grand cassé et enroulé en cheveux d'ange, il se fait aérien, et le pâtissier, l'œil toujours attentif à la juste température de cuisson, prend des allures de magicien. »

PRÉPARER DU SUCRE AU GRAND CASSÉ

1. *Cuire le sucre au grand cassé, arrêter la cuisson et laisser épaissir le caramel. Plonger dedans un fouet scié au bout ; dans un mouvement de va-et-vient rapide, tirer des fils et les déposer sur deux rouleaux à pâtisserie.*

2. *Soulever délicatement les fils avec les doigts, assez rapidement, pour éviter qu'ils collent entre eux.*

3. *Enrouler ces cheveux d'ange sur eux-mêmes ou les déposer sur la pâtisserie de façon à former un voile.*

Le principe de la fabrication consiste à isoler le saccharose en éliminant les uns après les autres constituants de la plante. Le jus de betterave est extrait des racines (découpées en « cossettes ») par diffusion dans de l'eau chaude ; le jus de canne est obtenu par broyage et pression des tiges. Ce jus est mélangé à du lait de chaux, qui retient les impuretés, puis additionné de gaz carbonique, qui les précipite. Contenant alors 13 % de sucre, il est soumis à une évaporation sous vide, qui élimine l'eau ; porté à l'ébullition, il se transforme en sirop à 65 % de sucre. La cristallisation de cette « masse cuite » est provoquée par addition de sucre glace (ensemencement) et se prolonge dans les malaxeurs. Après élimination de l'« eau mère » par essorage, le sucre recueilli est moulé ou broyé, séché et conditionné sous ses différentes formes.

Une sucrerie de canne fabrique encore principalement du sucre brut ; celui-ci est ensuite acheminé dans les raffineries des pays importateurs ; en revanche, une sucrerie de betterave produit aujourd'hui directement du sucre blanc, sans passer par le stade du raffinage. Celui-ci consiste en une refonte, recristallisation et turbinage des sirops épurés, et fournit des sucres purs ; il n'y a pas de différence entre le raffinage du sucre de canne et du sucre de betterave.

■ **Présentations.** La réglementation de l'Union européenne classe les sucres selon leur qualité.

• **SUCRE BLANC** ou **SUCRE RAFFINÉ.** De betterave ou de canne, il contient au moins 99,7 % de saccharose pur (et généralement plus de 99,9 %) ; il a une humidité inférieure à 0,06 %, une teneur en sucre inverti inférieure à 0,04.

• **SUCRE CRISTALLISÉ.** Issu directement de la cristallisation du sirop, il se présente en cristaux fins ; il est utilisé surtout pour les confitures, les pâtes de fruits et les décors de pâtisserie.

• **SUCRE EN POUDRE.** Ce sucre cristallisé broyé et tamisé est conditionné en paquets de 500 g ou 1 kg, et sert pour préparer desserts, pâtisseries, glaces et entremets et pour sucrer laitages, boissons, crêpes, etc.

• **SUCRE EN MORCEAUX.** Il est obtenu par moulage de sucre cristallisé humidifié à chaud, puis séché pour souder les cristaux. Le « morceau de sucre » est une spécialité française ; il convient pour sucrer toutes les boissons chaudes, ainsi que pour préparer le sirop de sucre et le caramel. On distingue le sucre blanc en morceaux de calibre n° 3 (7 g chacun) ou n° 4 (5 g), le sucre de canne de luxe n° 2 (à gros cristaux brillants), le sucre de canne roux, le sucre pur canne (en petits dés blancs réguliers, ou en cubes irréguliers blancs ou bruns), le sucre en morceaux enveloppé par un, deux ou trois petits cubes.

• **SUCRE ROUX.** Il se compose de 85 à 98 % de saccharose et de certaines impuretés, qui lui donnent sa couleur plus ou moins accentuée et sa saveur caractéristique.

• **CASSONADE.** Ce sucre brut de canne est issu de la première cristallisation des jus de canne.

• **VERGEOISE.** Sucre brut de betterave ou de canne, c'est un produit à consistance moelleuse, blond ou brun, de saveur accentuée, surtout employé dans la pâtisserie flamande.

• **CANDI.** Il se compose de très gros cristaux bruns, obtenus par cristallisation à l'air de sucre roux ; il est utilisé pour le champagne et pour le sucrage des liqueurs maison et des fruits à l'eau-de-vie.

• **RAPADURA.** Jus de canne à sucre déshydraté issu de l'agriculture biologique. Il n'a subi aucune transformation ni raffinage, il reste donc humide et a tendance à s'agglomérer. De couleur ambre très foncé, il a un goût caractéristique de réglisse.

• **MUSCOVADO.** Sucre roux non raffiné en provenance des cannes à sucre de l'île Maurice, appelé « mascobado » lorsqu'il provient des Philippines. Purifié, filtré puis cristallisé, il a une forte teneur en mélasse et un goût prononcé de caramel réglissé.

• **SUCRE LIQUIDE** ou **SIROP DE SUCRE.** Cette solution de sucre incolore ou ambrée contient au moins 62 % de matières sèches (dont moins de 3 % de sucre inverti), et est destinée aux industries alimentaires, ainsi qu'à la préparation des punchs ou des desserts (1 cuillerée à soupe équivaut à 10 g de sucre).

• **SUCRE INVERTI** ou **INTERVERTI.** Obtenu par l'action d'acides sur du saccharose, il est composé pour moitié de glucose et de fructose, avec un peu de saccharose non inverti ; il est utilisé par les pâtissiers professionnels et les industries sous forme de sucre liquide inverti (62 % de matière sèche, dont 3 à 5 % de sucre inverti) ou de sirop de sucre inverti (62 % de matière sèche, dont plus de 50 % de sucre inverti).

• **SUCRE POUR CONFITURES.** Ce sucre cristallisé blanc additionné de pectine naturelle (0,4 à 1 %) et d'acide citrique (0,6 à 0,9 %), parfois remplacé partiellement par de l'acide tartrique, facilite la prise des confitures et la réussite des sorbets maison. Il faut l'employer en suivant les indications portées sur l'emballage.

• **SUCRE EN GRAINS.** Il se compose de grains arrondis, ou « grêlons », obtenus par concassage de morceaux ou de lingots de sucre très pur, triés par grosseur au tamis ; il entre dans la fabrication des produits sucrés et des décors de pâtisserie.

• **SUCRE VANILLÉ.** Ce sucre en poudre, additionné d'au moins 10 % d'extrait en poudre ou d'essence de vanille, est vendu en sachets de 7 g pour aromatiser entremets et pâtes de pâtisserie ; le sucre vanilliné, additionné de vanille synthétique ou d'un mélange d'éthylvanilline et d'extrait naturel de vanille, a les mêmes emplois.

Caractéristiques des différentes présentations du sucre

PRÉSENTATION	ORIGINE	FABRICATION	ASPECT	UTILISATIONS
cassonade	canne	sucre brun cristallisé brut, après concentration sous vide et cristallisation des sirops	cristaux roux plus ou moins fins	recettes exotiques, anglaises
muscovado	canne	sucre non raffiné	cristaux roux	pâtisserie, entremets, crèmes, sucrage, enrobage
rapadura	canne biologique	sucre intégral ou sucre brut très peu chauffé	cristaux en motte ambre foncée	biscuits, entremets, pâtisseries
sirop de sucre, ou sucre liquide	canne ou betterave	sucre en solution	liquide incolore ou ambré	boissons exotiques (punch), pâtisserie (génoise), sorbets
sucre candi	betterave	sirop concentré, chaud, cristallisé lentement	cristaux bruns plus ou moins gros	liqueurs, apéritifs maison
sucre pour confitures, ou sucre gélifiant	betterave	cristaux blancs avec pectine naturelle de fruits (0,4 à 1 %), acide citrique alimentaire	poudre blanche	confitures, sorbets
sucre cristallisé blanc, ou sucre cristal	canne ou betterave	recueilli après concentration sous vide et cristallisation des sirops	cristaux plus ou moins fins	punchage (gâteaux), macération (fruits), enrobage des pâtes de fruits, confitures
sucre glace	canne ou betterave	sucre cristallisé blanc broyé très fin, additionné d'amidon (3 % max.)	poudre blanche impalpable	pâtisserie (décoration, glaçage), sucrage (gaufres, crêpes), recettes sans cuisson
sucre en morceaux	canne ou betterave	cristaux chauds, humides, compressés, moulés, agglomérés par séchage	dominos (5 ou 7 g) ou dés blancs ou roux	caramel, sirop de sucre, boissons, confitures
sucre en poudre	canne ou betterave	sucre cristallisé tamisé, broyé ou non	poudre blanche fine (cristaux 0,4 mm)	sucrage et enrobage (desserts), plats salés (adoucissant)
sucre vanillé	canne ou betterave	poudre aromatisée à la vanille naturelle (≥ 10 % de poudre ou d'essence de vanille)	poudre blanche, généralement en sachet	compotes, desserts, entremets
vergeoise	canne ou betterave	sirop coloré, parfumé par un premier sirop recuit ou un second sirop	moelleux, blond ou brun	pâtisserie, sucrage (gaufres, crêpes, tartes), spéculos

• PASTILLAGE. Ce sucre glace additionné de gélatine, d'amidon, de fécule ou de gomme est destiné aux pâtissiers professionnels.

• PAIN DE SUCRE. Traditionnellement moulé en cône, enveloppé de papier bleu, il est aujourd'hui principalement destiné aux pays arabes, et il est devenu presque introuvable en France.

■ Emplois. Très rapidement assimilé, le sucre constitue le combustible nécessaire aux tissus de l'organisme, en particulier ceux des muscles et du cerveau ; le taux de glucose dans le sang doit rester constant (environ 1 g par litre).

La consommation réelle de sucre en France est estimée à 27 kg par an et par habitant. Il s'agit de sucre utilisé en l'état et de sucre ajouté aux produits sucrés. Actuellement, 74 % du sucre consommé se fait de manière indirecte avec les aliments industriels (biscuits, boissons aux fruits, chocolats, confiserie, crèmes glacées, desserts présucrés et yaourts).

Le sucre occupe une place importante dans l'alimentation, en raison de la diversité de ses fonctions.

Comme tous les glucides, c'est un aliment énergétique (400 Kcal ou 1 672 kJ pour 100 g). C'est ensuite une friandise, une douceur ; c'est également un « condiment » qui intervient dans nombre de plats salés, car il exalte la saveur des autres aliments ; il intervient plus particulièrement pour le glaçage des oignons, carottes et navets, ainsi que pour la caramélisation des sauces brunes. Il joue en outre une fonction importante de conservateur : pour les confitures, les fleurs cristallisées, les fruits confits ou glacés, les gelées et marmelades, et les pâtes de fruits.

Il est associé à de nombreuses boissons chaudes ou froides, dont il complète, renforce, améliore ou adoucit la saveur (café, chocolat, infusion, jus de fruits, sodas, thé) ; il joue le même rôle avec divers laitages, les salades de fruits, compotes et fruits rafraîchis.

Enfin, c'est l'un des ingrédients essentiels de la pâtisserie et des entremets de dessert : composant des pâtes de pâtisserie, des crèmes, élément du décor.

Il est indéniable que l'aliment sucré possède une forte valeur psychologique. Il fait l'objet d'une valorisation affective inconsciente, liée aux souvenirs d'enfance : bonbons en récompense, gâteaux du dimanche et des anniversaires, chocolats et marrons glacés de fin d'année, etc.

Il est en outre souvent un élément du rituel de l'hospitalité. Le dessert est, de tout temps et partout, le plat le plus riche de tendresse, préparé avec affection par la mère de famille. Baptêmes, anniversaires, fêtes et mariages, voire rites de mort (comme en Amérique du Sud), s'accompagnent toujours de gâteaux et de friandises.

■ Propriétés et cuisson. Blanc, brillant, inodore et de saveur douce, le sucre est d'autant plus soluble dans l'eau que la température de celle-ci est élevée : un litre d'eau peut dissoudre deux kilos de sucre à 19 °C et près de cinq kilos à 100 °C ; en revanche, il est difficilement soluble dans l'alcool. Chauffé à sec, il commence à fondre vers 160 °C ; par refroidissement brusque, on obtient du sucre d'orge ; il devient caramel à partir de 170 °C et brûle vers 190 °C.

CUISSON DU SUCRE

1. *Pour vérifier la cuisson du sucre, en prélever un peu dans la casserole, en déposer sur le bout des doigts, puis tremper ceux-ci dans un bol d'eau glacée.*

2. *Le sucre est cuit « au filé» : quand on le tire entre le pouce et l'index, il file.*

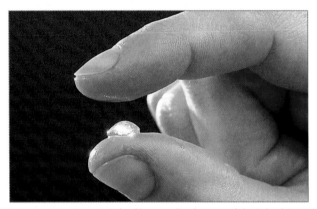

3. *Le sucre est cuit « au petit boulé » : quand on le pose sur le bout des doigts, il forme une petite perle plate.*

4. *Le sucre est cuit « au grand boulé » : pressé entre les doigts, il forme une boule qui ne s'affaisse plus.*

5. *Le sucre est cuit « au petit cassé » : quand on le presse entre les doigts, il reste souple.*

6. *Le sucre est cuit « au grand cassé » : il se casse facilement entre les doigts.*

La cuisson du sucre se fait progressivement, dans un poêlon à fond épais, en cuivre non étamé (« casson ») ou en acier inoxydable, très propre et sans traces grasses. On choisit du sucre blanc raffiné (en poudre ou, mieux, en morceaux), que l'on mouille à peine (300 g d'eau au maximum pour 1 kg de sucre). Le sucre raffiné étant le plus pur, il risque moins de cristalliser (« masser ») sous l'action d'une impureté ; pour plus de précautions, on ajoute 50 à 100 g de glucose (cristal ou liquide) par kilo de sucre, ou quelques gouttes de vinaigre ou de jus de citron. Il ne faut jamais remuer, mais simplement secouer le récipient.

La cuisson du sucre commence à feu doux, puis on augmente la température dès qu'il est dissous, en le surveillant constamment, car les différentes étapes, très proches les unes des autres, correspondent à des emplois particuliers. La mesure de la cuisson se fait soit manuellement (les caractéristiques physiques du sucre indiquant le point atteint), soit avec un pèse-sirop, qui évalue la densité, soit avec un thermomètre à cuisson du sucre, gradué jusqu'à 200 °C.

■ **Étapes de la cuisson.** Elles correspondent chacune à des utilisations particulières.

• **NAPPÉ (100 °C).** Le sirop, absolument translucide, entre en ébullition ; quand on y trempe très vite une écumoire, il s'étend en nappe à sa surface. Emplois : baba, fruits au sirop, savarin.

• **PETIT FILÉ (103-105 °C).** Le sirop, plus épais, recueilli sur une cuillère, forme entre les doigts, qu'on a plongés dans de l'eau froide, puis rapidement dans le sirop de sucre, un filament très fin de 2 à 3 mm, qui se rompt facilement. Emplois : fruits confits, pâte d'amande.

• **GRAND FILÉ ou LISSÉ (106-110 °C).** Le filet obtenu entre les doigts, plus résistant, atteint 5 mm. Emplois : crème au beurre, glaçage, recettes indiquant « sirop de sucre » sans autre précision.

• **PETIT PERLÉ (110-112 °C).** Le sirop se couvre en surface de bulles rondes ; recueilli sur une cuillère et pris entre les doigts, il forme un filet large et solide. Emplois : fondant, touron.

- **GRAND PERLÉ** OU **SOUFFLÉ** (113-115 °C). Le filet de sucre étiré entre les doigts peut atteindre 2 cm ; s'il retombe en formant un fil tortillé (à 1 °C plus élevé), il est dit « en queue de cochon ». Quand on y plonge l'écumoire et que l'on souffle dessus, des bulles se forment de l'autre côté. Emplois : fruits déguisés, glaçage, marrons glacés, sirops pour confitures.
- **PETIT BOULÉ** (116-125 °C). Une goutte de sirop plongée dans de l'eau froide forme une boule molle ; les bulles s'envolent de l'écumoire. Emplois : caramels mous, confitures et gelées, meringue italienne, nougat.
- **GRAND BOULÉ** (126-135 °C). La boule de sirop qui se forme dans de l'eau froide est plus dure : des flocons neigeux s'échappent de l'écumoire. Emplois : caramel, confitures, décors en sucre, meringue italienne.
- **PETIT CASSÉ** (136-140 °C). La goutte de sirop durcit immédiatement dans l'eau froide, mais colle aux dents ; le sucre ne s'utilise pas à ce stade.
- **GRAND CASSÉ** (145-155 °C). La goutte de sirop plongée dans l'eau froide devient dure, cassante comme du verre, mais non collante ; le sucre se colore en jaune paille clair sur les bords de la casserole. Emplois : barbe à papa, bonbons de sucre cuit, décors de sucre filé, fleurs en sucre, sucre soufflé.
- **CARAMEL CLAIR** (156-165 °C). Le sirop, qui ne contient presque plus d'eau, se transforme en sucre d'orge, puis en caramel ; d'abord jaune, il devient doré et brun. Emplois : aromatisation des entremets, bonbons et nougatine, caramélisation des moules, cheveux d'ange, crème caramel, glaçage, aromatisation des puddings.
- **CARAMEL BRUN** OU **FONCÉ** (166-175 °C). Le sucre brunit et perd son pouvoir sucrant ; il faut sucrer les préparations à base de caramel plus ou moins foncé. Dernier stade de la cuisson avant la carbonisation, le caramel brun sert surtout à colorer sauces et bouillons.

▪ **Façonnage.** Le sucre utilisé en pâtisserie peut être diversement façonné.

- **SUCRE FILÉ.** Cuit vers 155 °C et un peu refroidi, il est jeté à l'aide d'une fourchette, d'une certaine hauteur, au-dessus d'un rouleau à pâtisserie animé d'un mouvement de va-et-vient ; les filaments obtenus sont étendus sur un marbre, aplatis légèrement du plat d'un couteau pour obtenir des rubans, ou utilisés comme voile.
- **SUCRE TIRÉ.** Mélange de sucre, glucose, acide tartrique ou crème de tartre et eau. Cuit à 155° C, versé sur du marbre huilé puis refroidi à environ 70° C, il est ensuite satiné en tirant et pliant le sucre. Il a un aspect opaque et satiné.
- **SUCRE COULÉ.** Cuit au cassé, éventuellement coloré, il est moulé dans des formes pour obtenir coupes, pompons, clochettes, etc.
- **SUCRE TOURNÉ** (ou « MASSÉ »). Travaillé après cuisson pour lui faire perdre sa transparence. Il est peu utilisé aujourd'hui et sert à faire des fleurs ou des décorations.
- **SUCRE ROCHER.** Cuit vers 125 °C et émulsionné avec de la glace royale, coloré ou non, il permet de réaliser les socles imitant l'architecture.
- **SUCRE SOUFFLÉ.** Cuit vers 145-150 °C, il est éventuellement coloré et soufflé comme du verre.

Le pâtissier réalise ainsi fleurs et feuilles en sucre tiré et coloré, rubans, nœuds et coques en sucre également tiré, fleurs en sucre tourné (laminé en plaques minces), rubans moirés (en bandes façonnées au-dessus d'une lampe à alcool et aplaties à la main sur une planche), corbeilles et paniers en sucre tressé (sucre filé en forme de cordelette, tressée et refroidie), sujets en sucre taillé, en sucre tassé ou foulé (humidifié et moulé, puis séché à l'étuve), aigrettes en sucre filé, etc. Les sucres colorés s'obtiennent avec du gros sucre en poudre chauffé, puis mouillé avec des couleurs solubles à l'alcool.

Enfin, les sucres peuvent être aromatisés à l'aide de zeste d'agrume, de cannelle, d'anis, de girofle, de gingembre ou de pétales de fleurs séchés et pilés.

glace royale

Ajouter 175 g de sucre glace à 1 blanc d'œuf, avec 1 cuillerée à café de jus de citron, en remuant doucement, sans arrêt, de façon à obtenir un mélange assez consistant pour s'étaler sans couler ; cesser de travailler dès que la composition est homogène.

glace de sucre

Mélanger du sucre glace avec de l'eau (cinq volumes de sucre glace pour un volume d'eau) ; l'aromatiser au café, au chocolat, à la liqueur, à la vanille, ou l'additionner de zeste d'orange, de mandarine ou de citron très finement râpé.

sucre de cannelle

Mélanger 100 g de sucre en poudre avec 1 cuillerée de cannelle en poudre. Conserver dans un bocal hermétique.

sucre vanillé

Fendre en deux 2 gousses de vanille. Gratter les grains à l'intérieur et les mélanger avec 100 g de sucre en poudre en frottant l'ensemble entre les paumes des mains. Conserver dans un bocal hermétique.

SUCRÉ Qualificatif d'un aliment qui a une saveur douce, telle celle du miel ou du sucre de table (saccharose, extrait de la canne à sucre et de la betterave). Il existe plusieurs saveurs sucrées dues à des sucres ou à des molécules variées (édulcorants de synthèse, protéines, etc.).

Les édulcorants, qui « sucrent » certains produits alimentaires, n'ont pas les propriétés nutritionnelles du sucre, et notamment pas son contenu énergétique (**voir** ADDITIF ALIMENTAIRE).

SUCRE D'ORGE Bonbon de sucre cuit très ancien, fait, à l'origine, d'un mélange de sirop de sucre chaud et d'une décoction d'orge, qui le colorait. Remis à la mode après 1850, sous le second Empire, parce que Napoléon III l'appréciait, le sucre d'orge est devenu une spécialité de quelques villes d'eau (Cauterets, Évian, Plombières, Vichy, notamment).

C'est aujourd'hui un bonbon de sucre cuit sans orge, diversement parfumé, formé au pilulier en bâton rond ou découpé à la presse.

Le sucre d'orge de Tours est parfumé à la pomme ou à la cerise ; le sucre d'orge de Moret, de couleur ambrée, en forme de cœur marqué d'une croix a été créé en 1638 par les religieuses du couvent de Moret-sur-Loing (Seine-et-Marne) ; la recette, vendue après la Révolution française à un confiseur laïc de la ville, reste secrète. La bergamote de Nancy, le « granit » des Vosges et la pastille au miel de Saint-Benoît-sur-Loire (en forme de moinillon) sont également en sucre d'orge.

sucre d'orge à l'ancienne

Cuire 5 heures, sur feu doux, 250 g d'orge mondé mouillé de 5 litres d'eau. Passer cette gelée légère et blanche et la décanter. Ajouter 1 kg de sucre cuit au soufflé et cuire jusqu'au cassé, puis verser sur un marbre huilé. Dès que le sucre d'orge commence à refroidir, le détailler en bâtonnets et torsader ceux-ci.

SUCRE DE POMME Confiserie rouennaise créée vers le milieu du XVIe siècle. Le sucre de pomme s'obtenait autrefois avec une part de jus concentré de reinette cuite et trois parts de sirop de sucre cuit au grand cassé ; mais il devenait vite poisseux, opaque, puis mou. Aujourd'hui, on commence par cuire du sucre au grand cassé avec un peu de glucose, puis on lui ajoute de l'essence naturelle de pomme, avec quelques gouttes de jus de citron ; on obtient ainsi un sucre de pomme parfaitement transparent et de bonne conservation. Il est traditionnellement présenté en bâtonnets, dans un étui gris et or sur fond blanc, créé en 1865 et décoré de la célèbre tour du Gros-Horloge de Rouen.

SUCRIER Récipient cylindrique ou oblong, souvent fermé par un couvercle, destiné à présenter à table le sucre en morceaux. Il fait parfois partie du service à thé ou à café et s'accompagne d'une pince à sucre. Les premiers modèles de sucrier, appelés « pots à sucre », sont apparus au XVIIIe siècle.

SUÈDE La cuisine suédoise est plus ouverte aux influences extérieures que celle de ses voisins et elle s'enorgueillit d'une tradition culinaire de cour, avec notamment la *slottsstek* (bœuf braisé à la royale, servi avec des airelles et des pommes de terre) ou le filet de bœuf Oskar (aux asperges et à la sauce béarnaise).

Et si le monumental buffet du smörgåsbord (**voir** ce mot) demeure la fierté de toutes les maîtresses de maison, la cuisine familiale est plus simple et toujours très parfumée : aneth, marjolaine, raifort, thym accompagnent la plupart des plats.

■ **Plats principaux.** Ils se fondent souvent sur de riches mariages de goûts. Comme dans toute la Scandinavie, les produits de la mer sont à l'honneur en Suède, à commencer par le saumon (pudding au saumon) et le hareng. Le *surströmming,* un hareng de la Baltique salé et vieilli en conserve, a un goût aussi fort que son odeur ; il se consomme avec du pain d'orge, des oignons crus et de petites pommes de terre. L'écrevisse des rivières est très recherchée, et souvent cuite dans une eau parfumée à l'aneth.

Le bœuf et le porc sont les viandes les plus consommées. Là encore, les associations de saveurs sont spécifiques : ragoût de bœuf à la bière, bœuf à la Lindström (steak haché au jus de betterave, aux câpres et à l'oignon), épaule de porc aux airelles. La charcuterie est très variée : saucisses à frire, boudin et même soupe au sang.

Les nombreux élevages d'oies et de canards fournissent largement les tables, notamment au moment des fêtes (comme à la Saint-Martin, au mois de novembre), où l'on sert traditionnellement l'oie farcie aux pruneaux et aux pommes.

En Suède, la pomme de terre jouit d'une véritable vénération. Ses apprêts témoignent d'une grande inventivité : boulettes de pomme de terre farcies au porc ; pommes de terre coupées en deux et gorgées de crème fraîche, surmontées d'œufs de morue ; petites crêpes de pomme de terre à la ciboulette et au poivre ; *pytt i panna,* petits dés de pomme de terre et de viande sautés avec de l'oignon, persillés et servis avec un jaune d'œuf cru ; tentation de Janson, gratin de pommes de terre aux anchois et aux oignons.

■ **Fromages et desserts.** La Suède possède de nombreux fromages de vache et de chèvre, parmi lesquels se distinguent le västerbotten, assez fort, le grevé et le herrgårdsost, très apprécié, les deux au lait de vache et à pâte cuite, le kryddost, parfumé au cumin, et le getost, au lait de chèvre et à pâte molle.

La pâtisserie est particulièrement riche et variée, souvent épicée avec safran et cardamome. Les fruits rouges (baies de sureau, cassis, myrtilles, etc.) sont très appréciés et servent de base à de nombreux entremets, tout comme la pomme.

SUÉDOISE (À LA) Se dit de divers apprêts dont les éléments évoquent la cuisine scandinave. Les salades associent légumes, fruits, champignons, fromage et crustacés ou poissons. La mayonnaise « suédoise » est additionnée de raifort râpé et de marmelade de pomme sans sucre cuite au vin blanc. Le rôti de porc à la suédoise est farci de pruneaux dénoyautés et servi avec des pommes fruits, farcies comme lui.

▶ Recettes : ANCHOIS, SALADE.

SUER Cuire dans un corps gras, doucement, un ou plusieurs légumes, souvent taillés menu, pour leur faire perdre en partie ou complètement leur eau de végétation et concentrer leurs sucs dans la matière grasse. La modération de la chaleur permet d'éviter toute coloration, notamment pour les oignons ou les échalotes.

SUISSE La cuisine suisse reflète les grandes régions linguistiques du pays. Les cantons d'expression française connaissent les apprêts jurassiens et savoyards ; les cantons alémaniques partagent les traditions allemande et autrichienne, tandis que la cuisine tessinoise est proche de celle du nord de l'Italie. Quant aux Grisons, ils ont un répertoire assez original, et la Suisse centrale conserve d'antiques recettes à l'aigre-doux.

■ **Plats nationaux.** La charcuterie est sans aucun doute le dénominateur commun : assortiment de saucisses et saucissons, surtout fumés, viandes salées ou fumées et lard, qui garnissent la choucroute ou la potée.

La Suisse produit au moins cent cinquante fromages, dont certains restent de consommation locale. Les pâtes dures regroupent en particulier le gruyère, l'emmenthal, le sbrinz, le tilsit dit royalp (d'origine prussienne), les raclettes du Valais et les fromages « à rebibes »

(**voir** ce mot) ; dans les pâtes mi-dures figurent le vacherin fribourgeois et l'appenzeller ; les pâtes molles sont dominées par le vacherin Mont-d'Or.

Le chocolat, lui, est la carte de visite culinaire du pays, et l'industrie chocolatière mérite sa réputation.

■ **Cuisines des cantons.** Il n'y a pas de gastronomie typiquement helvétique, mais des traditions culinaires aussi diverses que les cantons.

– Appenzell est connu pour son célèbre fromage, que l'on apprécie surtout sur des croûtons, mais aussi pour ses beignets de cabri et son gâteau épicé au miel.

– L'Argovie est le royaume des carottes ; elles permettent de préparer notamment le jarret de veau à l'argovienne (aux pruneaux, vin blanc et carottes) et la tourte sucrée aux carottes. On y crée aussi de délicieux biscuits à l'anis.

– Bâle se signale par les leckerlis aux épices et les *brunsli*, petits biscuits de Noël aux amandes, aux noisettes et au chocolat.

– Berne est connue pour sa *Bernerplatte*, assortiment de viandes et de charcuteries avec de la choucroute en hiver, des haricots verts en été, ainsi que pour ses rœstis ; on y retrouve les leckerlis, les meringues et la tresse, un pain apprécié dans tout le pays.

– Fribourg est célèbre pour la fondue au vacherin et à l'eau, servie tiède avec des pommes de terre, la « soupe de chalet » (légumes, herbes sauvages, pâtes, fromage, lait, crème et beurre) et la cuchaule (brioche au safran).

– Genève est la patrie de la longeole (saucisse fraîche au porc et à la couenne), des attriaux, des cardons à la moelle ou au gratin, des filets de perche frits ou meunière.

– Glaris a pour spécialités le boudin blanc de veau (servi avec de la purée, des pruneaux et une sauce à l'oignon), ainsi que le pain de poires et son fromage unique dit « vert de Glaris », connu aussi sous le nom de sapsago et schabzieger (**voir** ce mot).

– Les Grisons sont connus pour la viande séchée (bœuf salé, séché à l'air, puis pressé), les *capuns* (feuilles de bettes farcies), un ragoût de mouton aux pommes de terre, proche de l'irish stew, et la célèbre tourte aux noix de l'Engadine.

– Le Jura suisse conserve le rituel du « repas de la Saint-Martin d'Ajoie », en novembre ; les ménagères préparent alors la grelatte (aspic de pieds, de queue, de tête et d'oreilles de porc avec du jambonneau) et un pâté en croûte à la viande et aux poireaux. On y déguste aussi les truites sauvages, les potées de champignons, un ragoût de mouton au lait, les floutes aux pommes de terre, arrosées de beurre noisette, et diverses tartes.

– Lucerne est la patrie du *chügelipastete* (timbale au ris et à la viande de veau) et de la poêlée de pommes de terre, de poires séchées et de lard.

– Neuchâtel s'enorgueillit des tripes bouillies, du canard au vin rouge et de la soupe de poissons du lac.

– Saint-Gall possède de célèbres saucisses de veau ou de porc, fumées.

– Schaffhouse a créé une tarte à l'oignon renommée et un savoureux friand à la saucisse.

– Schwyz conserve la tradition de la soupe au fromage, mitonnée au pain rassis et au bouillon.

– Soleure propose un rôti de bœuf mariné au vin rouge et au vinaigre.

– Le Tessin connaît l'influence de l'Italie du Nord, avec la soupe aux tripes, le minestrone *ticinese* (aux légumes et aux haricots blancs), l'ossobuco, les raviolis et la *torta di pane* (gâteau à base de pain rassis).

– La Thurgovie prépare une tarte avec des pommes coupées en deux et enfoncées dans une pâte levée.

– L'Unterwald est attaché au *stunggis*, potée traditionnelle à base de porc, de légumes du jardin et de pommes de terre.

– Uri, avec son sbrinz, a créé la soupe au fromage et le rispor (mélange de poireaux, riz et sbrinz) qui accompagne le bœuf braisé « Bürglen » (au vin blanc et saindoux). On y déguste aussi une potée de mouton au chou très nourrissante.

– Le Valais est le royaume de la raclette et de la tourte aux pommes de terre, aux poireaux, au lard et au fromage. On y apprécie toujours le *sil*, autrefois dessert de mariage (pain de seigle émietté, mouillé au vin rouge, chauffé avec du sirop de sureau, des raisins secs et de

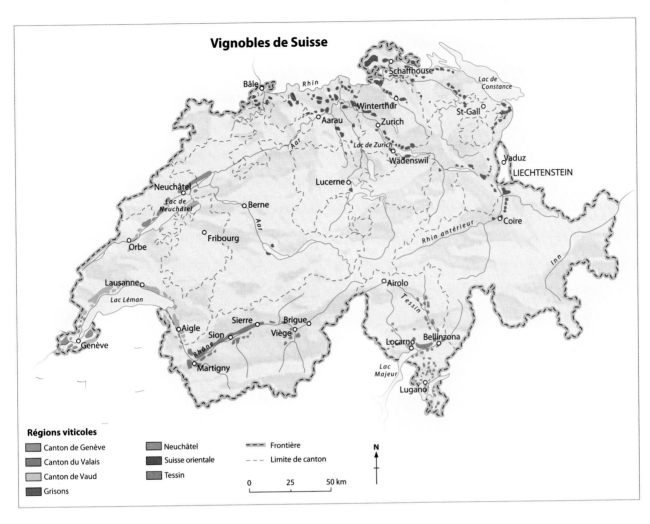

Vignobles de Suisse

Régions viticoles
- ■ Canton de Genève
- ■ Canton du Valais
- ■ Canton de Vaud
- ■ Grisons
- ■ Neuchâtel
- ■ Suisse orientale
- ■ Tessin
- ＝ ＝ Frontière
- – – – Limite de canton

0   25   50 km

N

la crème fraîche), et la « potée du cardinal Schiner », faite de rôti, de jarret et de queue de bœuf, à laquelle on ajoute cailles, perdreaux et légumes, et servie avec une sauce liée de chapelure.

– Le canton de Vaud est riche d'autres spécialités, avec le papet (potée aux poireaux liée de pommes de terre écrasées), les saucisses au chou ou au foie et le saucisson fumé de Payerne, le pote de la Broye (groin de porc farci d'un filet mignon et braisé), ainsi que les malakoffs (croûtes au fromage soufflées) et les gâteaux au vin (blanc ou rouge).

– Zoug se distingue par ses petites truites saumonées, préparées au bleu ou meunière, ainsi que par sa délicieuse tourte au kirsch.

– Zurich est célèbre pour son *Geschnetzeltes* (émincé de veau déglacé au vin blanc et crémé) et ses brochettes de foie de veau et de lard à la sauge.

■ **Vins.** Les Suisses sont de grands amateurs de vin. Les vignobles du pays, installés sur des pentes escarpées, difficiles à travailler et aux prix de revient élevés, qui s'étendent dans la plupart des régions, fournissent essentiellement des vins blancs, issus pour la plupart du cépage chasselas.

Dans le canton du Valais, qui en est le principal producteur, il porte le nom de « fendant » – dont le rival est le johannisberg, obtenu à partir de sylvaner.

Dans le canton de Vaud, il est appelé « dorin » ; ici, la production de rouges à base de gamay et de pinot noir augmente chaque année, avec le dézaley doré, peut-être le meilleur vin du pays, et le féchy, plus léger.

Dans le canton de Genève, ce cépage est baptisé « perlin », et donne l'excellent mandement ; mais pinot et gamay y prospèrent aussi.

SUKIYAKI Plat typiquement japonais, de la famille des mets dits *nabemono* (cuits directement à table). Il date de l'époque où, la consommation de viande étant interdite, les paysans faisaient clandestinement griller en plein champ des oiseaux ou du gibier.

Le sukiyaki se compose généralement de fines tranches de bœuf, de légumes émincés, de vermicelle ou de petites nouilles et de tofu, sautés dans un poêlon sur un réchaud de table, puis trempés dans de l'œuf cru. Le porc, le poulet et le poisson s'apprêtent de la même façon. Chaque convive se sert directement dans le poêlon, au fur et à mesure de la cuisson.

SULTANE (À LA) Se dit de divers apprêts caractérisés par la pistache, soit dans un beurre composé, pour terminer un velouté de volaille ou pour accompagner du poisson, soit hachée, soit comme parfum, pour une glace ou un entremets à base de fruit (abricot, poire, pêche).

La garniture sultane, pour suprêmes de volaille dressés sur une farce de volaille, est composée de petites tartelettes remplies de purée de truffe et piquées de demi-pistaches mondées.

SUMAC Arbuste de la famille des anacardiacées, originaire de Turquie, dont les espèces, nombreuses, croissent dans les régions chaudes ou tempérées. Les corolles charnues de ses fleurs et ses petites baies, séchées et réduites en poudre de couleur pourpre, sont très présentes dans la cuisine de tous les pays du Moyen-Orient.

De goût acidulé, la poudre de sumac, additionnée d'eau, s'emploie comme le jus de citron, en particulier dans les apprêts de tomates et d'oignons, les farces de poulet, les marinades de poissons et les plats à base de lentilles.

SUNDAE Aux États-Unis, crème glacée aux fruits, nappée de marmelade, de sirop, ou servie avec de la chantilly et une cerise, réservée, à l'origine, au repas familial du dimanche (*sunday* en anglais). À la fin du XIXᵉ siècle, l'Amérique du Nord était assez puritaine, et la consommation des douceurs et des friandises était jugée avec sévérité.

Mais la vogue des crèmes glacées, mises à la mode par les premières sorbetières à manivelle, allait grandissant, et l'on en vint à surnommer *sundae* la glace traditionnelle que l'on pouvait servir le dimanche « sans offenser Dieu ». Aujourd'hui, ice-creams et sundaes existent avec une très grande variété de parfums.

SUPRÊME Blanc de volaille ou filet de gibier cuit et, par extension, filet de poisson fin.

Les suprêmes de volaille ou de gibier sont cuits rapidement, à sec, ou pochés à très court mouillement. Ils peuvent aussi être rissolés au beurre ou panés à l'anglaise et se servent souvent avec des légumes frais, liés au beurre ou à la crème. La sauce d'accompagnement est blanche ou brune, selon la cuisson et la garniture.

Les suprêmes de poisson sont la plupart du temps pochés et présentés avec une garniture et une sauce au vin blanc, aux crevettes, Nantua, à l'américaine, à la normande.

Par extension, on appelle « suprêmes » des apprêts de mets raffinés.

Quant à la sauce suprême, c'est un velouté réduit additionné de fond de volaille et de crème fraîche, parfois complété d'essence de champignon et de jus de citron, qui accompagne les volailles pochées et poêlées.

suprêmes : préparation

Séparer l'avant de l'arrière d'une volaille vidée ; faire glisser la lame d'un couteau au-dessus des cuisses et sous les côtes et casser la colonne vertébrale d'un coup sec. Fendre la chair de part et d'autre du bréchet et l'en détacher complètement. Sectionner ensuite l'articulation de l'aile et la détacher de la carcasse, sans la séparer du blanc de la poitrine. Trancher enfin l'os de l'aile après la première articulation, pour éliminer l'aileron.

poularde au riz sauce suprême ▶ POULARDE
sauce suprême ▶ SAUCE
suprêmes de saumon de l'Atlantique ▶ SAUMON

suprêmes de volaille à blanc

Saler et poivrer des suprêmes, les enduire de beurre clarifié, les disposer dans une cocotte beurrée et les arroser d'un peu de jus de citron. Couvrir la cocotte et cuire 15 min au four préchauffé à 220 °C. Égoutter les suprêmes, les dresser sur un plat et les garnir.

RECETTE DE JEAN-MICHEL BÉDIER

suprêmes de volaille au sauternes et au citron confit

« Choisir 4 suprêmes de poulet fermier. Raccourcir les ailes pour ne garder que le gros manchon. Enlever les peaux et les os. Les assaisonner et les cuire doucement, côté peau, au beurre et à l'huile sans qu'ils se chevauchent. Les retourner et poursuivre la cuisson à feu doux, en couvrant à moitié le récipient de cuisson. Nettoyer 500 g de girolles et les faire suer dans une poêle, à couvert. Égoutter. Hacher 3 belles échalotes. Retirer les suprêmes, dégraisser, ajouter la moitié des échalotes et déglacer avec 20 cl de sauternes. Réduire de moitié, ajouter 30 cl de crème liquide UHT et une pincée de mignonnette. Faire réduire 2 min. Passer au chinois. Ajouter des zestes de citron confits, un peu de jus de citron, puis les suprêmes. Les réchauffer, sans laisser bouillir. Dorer au beurre le reste des échalotes et les girolles. Saler et poivrer. Disposer sur chaque assiette un suprême, l'entourer d'un mince cordon de girolles, et napper de sauce. Décorer de zestes de citron et de cerfeuil. »

SUR Qualificatif désignant un aliment qui a un goût acide, aigrelet, légèrement amer, créant une sensation souvent déplaisante.

SURATI Fromage frais indien de lait de bufflonne, parfois de lait de vache, à pâte molle, blanchâtre, de saveur aigrelette et salée. Très peu affiné et vendu dans son petit-lait, le surati est transporté jusqu'aux lieux de vente dans de grands récipients en terre cuite.

SUREAU Arbre de la famille des caprifoliacées, commun en Europe, dont les fleurs, très aromatiques, se préparent en beignets (comme les grappes d'acacia) et parfument confitures et vinaigres. Le sureau sert également à fabriquer diverses boissons fermentées, et ses jeunes pousses renferment une moelle délicate, qui s'apprête comme les asperges.

moelle de sureau

Éplucher des pousses de sureau pour n'en conserver que la moelle, pour la sectionner en bâtonnets de 8 cm de long environ ; réunir ceux-ci en bottes comme des asperges, et les cuire de 10 à 15 min dans de l'eau bouillante salée. Bien les égoutter et les servir froids, à la vinaigrette et parsemés de fines herbes, ou chauds, à la crème, au jus ou arrosés de beurre fondu avec du jaune d'œuf haché.

SURESNES Vin produit sur la commune du même nom, en banlieue parisienne. Créé en 918 par les moines de l'abbaye de Saint-Germain-des-Prés, seigneurs de Suresnes, il était devenu à la fin du XIXᵉ siècle léger, âpre et un peu laxatif, et avait perdu les qualités qu'on lui attribuait autrefois. Après la Seconde Guerre mondiale, le vignoble a été planté en cépages nobles, et il produit aujourd'hui chaque année quelque 4 000 bouteilles d'un excellent vin blanc, issu du cépage chardonnay.

SURGÉLATION Procédé de conservation au cours duquel l'abaissement de la température d'un aliment (déjà refroidi), rapide et poussé (jusqu'à – 50 °C), permet d'obtenir, au cœur du produit, une température inférieure à – 18 °C, sans cristallisation importante (**voir** CONGÉLATION). La surgélation, pratiquée uniquement à l'échelon industriel, ne concerne que les produits à structure cellulaire fragile.

– La surgélation par contact (appliquée à des ingrédients peu épais et de forme régulière, comme les filets de poisson ou les paquets d'épinards) se fait entre des éléments métalliques dans lesquels circule un fluide à – 35 °C.

– La surgélation par air fluide gazeux pulsé se pratique soit dans un tunnel statique, où circule de l'air très froid (jusqu'à –50 °C, à la vitesse de 5 ou 6 m/s), soit dans un surgélateur à bande porteuse, où les aliments se déplacent en recevant de tous côtés de l'air glacial, soit dans un surgélateur continu à lit fluidisé, pour les aliments très petits qui sont portés dans l'appareil par un violent courant d'air à – 40 °C, dont ils sortent surgelés individuellement.

– La surgélation par immersion dans un liquide à très basse température concerne les produits de taille moyenne et irrégulière (volailles emballées sous film plastique, poissons ou crustacés entiers, par exemple).

– La surgélation par pulvérisation (d'azote liquide) concerne les produits de faible volume, les légumes émincés.

– La surgélation par congélation s'applique aux grosses pièces de viande ou de poisson destinées à l'industrie de transformation. La température est alors abaissée plus lentement pour atteindre le cœur à –12 °C.

– La surgélation rapide par IQF *(individually quick frozen)*, qui s'applique à des plats cuisinés portionnables, est obtenue soit par immersion directe dans l'azote liquide à – 196 °C, soit par brassage constant des aliments pendant la surgélation.

Après la surgélation, la chaîne du froid ne doit pas être interrompue : jusqu'à son utilisation, le produit sera maintenu à – 18 °C.

SURGELÉ Se dit d'un produit dont la réglementation dit qu'il répondra à des normes définies.

– Il doit se trouver, au moment de la surgélation, dans un état de « première fraîcheur », et ne renfermer absolument aucun germe pathogène.

– Il doit subir un abaissement soudain et très rapide de température (**voir** SURGÉLATION).

– Il doit être maintenu, entre son traitement par le froid et sa vente, à une température inférieure ou égale à – 18 °C.

– Il doit être conditionné dans un emballage ou un récipient à usage alimentaire absolument hermétique.

– Il doit porter une étiquette indiquant clairement le nom du producteur, la provenance, la date de surgélation, la date d'utilisation optimale, le poids net en grammes et le mode d'emploi.

■ **La chaîne du froid.** Le contrôle de sa qualité nécessite certaines précautions de la part de l'acheteur : la température des meubles de présentation (toujours munis d'un thermomètre) et le bon état des emballages seront optimaux ; les bacs de présentation seront remplis à moins de 10 cm du bord, au-delà desquels le froid n'est plus suffisant ; les produits ne présenteront ni traînées de glace, ni déchirures ; les légumes coupés et les aliments de petite taille surgelés individuellement sonneront comme des cailloux dans leur paquet.

Après l'achat, les produits seront transportés en sacs isothermes, dans les plus brefs délais, et entreposés dans un congélateur ménager ; sinon, ils ne se gardent que 24 heures dans un réfrigérateur ou 3 jours dans un compartiment à glaçons.

■ **Emplois.** Un produit surgelé ne se recongèle jamais : c'est un principe absolu. Nombre de surgelés passent directement du congélateur au four classique ou à micro-ondes.

Certains d'entre eux, cependant, doivent obligatoirement être décongelés : fruits, jus de fruits, crevettes entières, pâtisseries et pâtons. Il faut alors les mettre dans la partie la moins froide du réfrigérateur, dans un four à air pulsé ou dans une enceinte à micro-ondes en position décongélation, et de préférence pas à la température ambiante.

Les produits frais ne contiennent pas forcément plus de vitamines que les surgelés. En revanche, la surgélation n'est pas une forme de stérilisation : le froid inhibe à peine la multiplication des microbes et, à −10 °C, certaines bactéries se développent encore. Il est donc capital que le produit à surgeler soit dans le plus parfait état de fraîcheur.

SURIMI Mot d'origine japonaise désignant une pâte souvent moulée en bâtonnets, constituée de protéines microfibrillaires de poisson et additionnée notamment de sucres et de sels synthétiques.

Aromatisé au crabe, à la langouste et autres fruits de mer et crustacés, le surimi rentre désormais dans de nombreux apprêts froids ou chauds. Sa consommation augmente régulièrement avec ses nouvelles présentations.

SURPRISE (EN) Se dit de mets dont le dressage ou la composition implique une idée de déguisement, de dissimulation de la saveur ou de la consistance, dont la découverte, à la dégustation, doit provoquer la surprise. L'exemple le plus typique est celui de la classique omelette norvégienne, dite « en surprise », où une meringue passée au four chaud cache une couche de glace.

On dénomme généralement « en surprise » les fruits givrés, soufflés ou diversement garnis : orange, mandarine, melon, ananas, etc., sur lesquels on remet la calotte pour cacher l'intérieur ; les fruits déguisés sont aussi appelés ainsi.

▶ Recettes : ANANAS, DÉLICE ET DÉLICIEUX.

SURTOUT Pièce d'orfèvrerie ou de porcelaine que l'on place en décor au centre de la table, à l'occasion d'un grand dîner. Le surtout a couramment la forme d'un plateau garni d'un miroir, sur lequel on dispose des candélabres, des corbeilles de fruits ou des vases de fleurs. L'usage des surtouts remonte au Moyen Âge, mais c'est notamment aux XVIIe, XVIIIe et XIXe siècles qu'ils ont connu le plus grand succès.

SUSHI MAKI Rouleaux japonais assaisonnés au vinaigre de riz, composés de poisson cru ou de légumes, enveloppés dans une feuille de nori et généralement servis avec des lamelles de gingembre vinaigré.

SUZETTE Nom d'un apprêt de crêpes sucrées. Traditionnellement, l'appareil à crêpes et la sauce qui les garnit sont parfumés à la mandarine ; aujourd'hui, ils sont parfumés à l'orange. Dans la formule donnée par Auguste Escoffier, seuls interviennent la mandarine et le curaçao (liqueur et jus de fruits dans la pâte, mais aussi dans le beurre et le sucre fondus, additionnés des zestes de mandarine, servant à masquer les crêpes).

▶ Recette : CRÊPE.

SYLLABUB Dessert anglais fait de crème fouettée, de vin aux épices, de citron et de sucre, dont la tradition remonte à Élisabeth Ire (1533-1603).

SYLVANER Cépage blanc très répandu en Allemagne, en Autriche et dans le Tyrol italien, et également cultivé au Chili et en Californie. En Alsace, le sylvaner donne un vin très pâle, léger et désaltérant, mais peu parfumé ; les meilleurs sylvaners alsaciens sont ceux de la région de Barr.

SYLVILAGUS Rongeur d'Amérique du Nord, intermédiaire entre le lièvre et le lapin sauvage, avec lesquels il n'a pourtant pas de parenté proche et dont il se différencie par son aptitude à grimper aux arbres.

On tente actuellement d'acclimater cet animal en France pour commercialiser sa chair.

SYMPOSIUM Prolongement du dîner dans l'Antiquité grecque, à l'occasion duquel on servait du vin accompagné de fruits frais et secs, de fromages, de gâteaux salés, voire de cigales confites, pour entretenir le goût de boire.

Les femmes, à l'exception des esclaves, des danseuses et des courtisanes, étaient exclues du symposium, qui pouvait être l'occasion de conversations, voire de discussions philosophiques, comme dans *le Banquet* de Platon (IVe siècle av. J.-C.).

Plus souvent, il s'agissait de spectacles de musique, de danse ou de numéros d'adresse, tandis que les « symposiates », arrivés tardivement, se mêlaient aux dîneurs et vidaient avec eux nombre de coupes de vin.

SYRAH Cépage rouge des Côtes du Rhône, qui produit des raisins aux baies noir bleuté, à chair fondante et juteuse. Ceux-ci donnent des vins puissants, capiteux, tanniques, riches et fruités, qui gagnent à vieillir.

TABASCO Sauce de la cuisine américaine à base de piments rouges macérés dans du vinaigre d'alcool avec du sel, des épices et du sucre. Vendu en petites bouteilles, le Tabasco relève les plats de viande, d'œufs et de haricots rouges, les sauces et certains cocktails, voire certains desserts.

TABIL Mélange d'épices de la cuisine arabe et maghrébine, fait de trois quarts de coriandre (fraîche ou sèche) pour un quart de carvi (frais ou sec), pilés avec de l'ail et du poivre rouge. Séché au soleil, moulu, le tabil se conserve à l'abri de l'humidité.

TABLE Meuble composé d'un plateau horizontal, porté par un ou plusieurs pieds, où l'on pose les mets et les ustensiles nécessaires aux repas.
■ Histoire. Au début du XVIIᵉ siècle, l'utilité des objets de table l'emporte encore sur la recherche du décor. L'assiette classique, à large marli, est dite « en chapeau de cardinal » ; la fourchette n'a que deux dents et demeure rare ; le verre à boire commence à remplacer le gobelet de métal ; l'aiguière, objet très usuel, est en étain ; sur la table figurent aussi la timbale à tisane, boisson très courante, et le bougeoir en étain.

À la fin du XVIIᵉ siècle, l'argenterie d'apparat est née ; l'assiette prend la forme qu'elle a aujourd'hui, « à contours » ; la fourchette possède quatre dents, mais le couteau n'est toujours pas apparié au couvert ; le verre à boire s'est généralisé. De nouveaux objets font leur apparition : la poudreuse pour le sucre, le coquetier et la salière.

Lors de la Régence (1715-1723) et du règne de Louis XV (1715-1774), l'argenterie est à son apogée ; le décor se complique. Les trois pièces du couvert s'unifient ; le flambeau devient candélabre à branches. L'assiette creuse fait son apparition ; le verre devient de plus en plus fin. La vogue du café et du chocolat fait apparaître la verseuse et les services de tasses.

À la charnière des XVIIIᵉ et XIXᵉ siècles, le décor à l'antique remplace le style rocaille. La lourde assiette d'argent ou d'étain a fait place à la porcelaine ; le métal argenté ou doré (le pomponne) a été inventé.

Dans la seconde moitié du XIXᵉ siècle, sous Napoléon III, le délire décoratif atteint son apogée. À la fin du siècle s'instaure une réaction : le beau métier est remis à l'honneur et les formes s'épurent. Bientôt surviennent les deux grandes époques « art nouveau » et 1925, avec, entre autres, Van de Velde en 1900 et Puiforcat dans les années 1920, avant que n'apparaissent les styles Tiffany et scandinave. Depuis, l'évolution s'est faite dans le sens de la simplification, et la gastronomie passe aujourd'hui avant l'extrême surcharge décorative de la table.

TABLE DE CUISSON Appareil de cuisson indépendant, en fonte émaillée, en acier inoxydable ou en vitrocéramique, destiné à être encastré dans le plan de travail d'une cuisine. Il est équipée de deux, trois ou quatre brûleurs à gaz ou plaques électriques, ou les deux.
– La table de cuisson en vitrocéramique n'a pas de foyer apparent, mais une surface lisse, faite d'un panneau de verre spécial, très résistant aux chocs et aux fortes variations de température. Disposés sous ce panneau, les éléments chauffants (foyer radiant à base de résistances électriques et/ou foyer halogène, qui utilise des lampes à filaments) transmettent la chaleur par rayonnement vers des emplacements matérialisés par un tracé.
– La table à induction (ou plaque à induction) est également recouverte de vitrocéramique. À l'intérieur de la table, un générateur de champ magnétique alimente et commande une bobine, l'inducteur. Tout récipient métallique et magnétique (ce qui exclut le verre, l'aluminium et le cuivre) posé sur la surface ferme le champ magnétique, et des courants d'induction chauffent le fond du récipient puis son contenu, tandis que le reste de la plaque reste froid.

TABLE À FLAMBER Petit chariot à plateau, équipé d'un ou de deux brûleurs, utilisé en restauration pour le flambage des mets servis à la table du client.

TABLE D'HÔTE Grande table commune où, jadis, chacun prenait place, selon l'heure d'arrivée des diligences, pour manger les plats préparés tout le jour par l'aubergiste et ses aides. La table d'hôte redevient à la mode dans les gîtes d'étape campagnards et les accueils à la ferme.

TABLIER DE SAPEUR Spécialité lyonnaise, faite de morceaux de gras-double taillés dans le réseau (estomac du bœuf), appelé aussi « nid d'abeille » ; passés dans de l'œuf battu, panés, ils sont poêlés ou grillés, et servis brûlants, avec un beurre d'escargot, une sauce gribiche ou tartare.

TABOULÉ Spécialité de la cuisine syro-libano-palestinienne à base de boulghour (**voir** ce mot) mélangé avec des aromates, des tomates, de l'oignon, de la menthe, du persil et du citron. Servi en entrée froide, le taboulé se mange traditionnellement à la main dans des feuilles de romaine.

TABOUREAU Maître queux qui semble avoir vécu au début du XVIe siècle ; Taboureau est l'auteur d'un *Viandier* (**voir** TAILLEVENT). Son manuscrit, qui date des années 1550, contient des recettes qui remontent au XIVe siècle, ainsi que les « escriteaux » (c'est-à-dire les menus) des banquets offerts au roi de France par le comte d'Harcourt en 1396.

TACAUD Poisson côtier de la famille des gadidés, très proche anatomiquement du capelan, commun dans la Manche et le golfe de Gascogne. En forme de triangle allongé, avec un court barbillon à la mâchoire inférieure, cuivré sur le dos, argenté sur les flancs et le ventre, il mesure de 20 à 30 cm pour un poids de 200 g environ. Le tacaud, à la chair maigre fragile, doit être préparé et consommé rapidement. Il connaît les apprêts du merlan.

TÂCHE (**LA**) Grand cru AOC rouge de la côte de Nuits, issu du cépage pinot noir. Produit sur la commune de Vosne-Romanée, ce vin charpenté, aux arômes puissants de fruits rouges mûrs sur une note de violette, est considéré comme l'un des meilleurs de la commune (**voir** BOURGOGNE).

TACO Crêpe de maïs mexicaine fourrée d'une sauce épaisse ou de viande hachée assaisonnée de piment, de haricots noirs ou de purée d'avocat à l'oignon. La crêpe *(tortilla)*, une fois farcie, est roulée et frite. Les tacos se dégustent en casse-croûte ou en entrée chaude.

TAFIA Eau-de-vie fabriquée avec les mélasses, les gros sirops et les débris de canne à sucre. C'est en fait un rhum de seconde qualité, fait dans la plupart des cas avec de la mélasse impure. On distribuait jadis le tafia aux marins dans des petites mesures de 6 cl, appelées « boujarons ».

TAGINE OU TAJINE Plat creux maghrébin en terre cuite vernissée, coiffé d'un couvercle conique parfaitement hermétique. Le tagine permet de cuire et de servir de nombreux mets à cuisson lente dans un mouillement aromatisé. Le mot désigne également le plat ainsi préparé, qui peut se composer de légumes, de poisson, de poulet, de viande et même de fruits.

RECETTE DE FATÉMA HAL
tagine d'agneau aux coings (safargel bal ghalmi)
PRÉPARATION : 35 min – CUISSON : 1 h 30
« Détailler 1,5 kg d'agneau coupé dans l'épaule en 8 à 12 morceaux. Les disposer dans une cocotte avec 100 g de beurre, 1 bâton de cannelle, 1/2 cuillerée à café de gingembre, 1/2 cuillerée à café de pistils de safran et 2 petits oignons émincés. Saler, couvrir d'eau et cuire à feu doux pendant environ 1 heure. Quand la viande est cuite, l'ôter de la cocotte et la réserver au chaud. Jeter le bâton de cannelle. Ouvrir les coings en deux (compter 1 kg de coings bien mûrs), enlever le cœur et les pépins, puis arroser de citron pour éviter le noircissement. Les mettre dans la cocotte avec 3 cuillerées à café de miel et 1 cuillerée à café de cannelle en poudre, ajouter un peu d'eau, mélanger délicatement et les cuire jusqu'à ce qu'ils soient à peine tendres. Remettre la viande dans la cocotte et laisser mijoter encore 15 min. Dans un plat, disposer la viande au centre puis les morceaux de coings autour. »

RECETTE DE FATÉMA HAL
tagine d'agneau aux fèves
(tajine bal ghalmi wa alfoul)
PRÉPARATION : 35 min – CUISSON : 55 min
« Écosser 1,5 kg de fèves fraîches ou de fèves congelées, puis les laver. Éplucher 3 gousses d'ail et les écraser. Éplucher et couper 1 oignon en fines lamelles. Dans une cocotte, mettre 3 cuillerées à soupe d'huile, l'oignon, les morceaux de 1,2 kg de viande d'agneau coupée dans l'épaule, 1 cuillerée à café de sel, 1/2 cuillerée à café de poivre gris et mettre le tout à cuire à feu vif. Faire revenir la viande pendant 5 min environ en la retournant souvent. Ajouter l'ail, 50 cl d'eau, 1/2 cuillerée à café de cumin et 1/2 cuillerée à café de paprika. Cuire à feu vif jusqu'à ébullition puis baisser le feu et cuire 35 min à feu doux. Ajouter les fèves et cuire encore 15 min pour obtenir des fèves un peu croquantes. Au Maroc, les fèves sont appréciées bien cuites : dans ce cas, les laisser plutôt 20 min. Les retirer du feu. Dresser la viande dans un plat, arroser avec la sauce et ajouter les fèves. Servir chaud. »

tagine d'agneau de printemps
Couper une épaule d'agneau désossée en morceaux. Peler et hacher 200 g d'oignons et 3 gousses d'ail. Chauffer 6 cuillerées à soupe d'huile d'olive dans un tagine. Y dorer les morceaux de viande avec les oignons et l'ail. Laver 4 tomates et les couper en quartiers. Éplucher et laver 6 pommes de terre, les détailler en gros dés. Les mettre dans le tagine avec les tomates, 1 cuillerée à café de cannelle et 1 cuillerée à café de cumin. Saler, poivrer et arroser de 20 cl d'eau. Couvrir et laisser mijoter 1 heure. Éplucher et dérober 250 g de fèves. Couper 4 citrons confits en quatre. Ajouter fèves et citrons dans le tagine avec 4 cœurs d'artichaut coupés en deux. Poursuivre la cuisson 30 min. Laver, équeuter et ciseler 1 bouquet de coriandre fraîche. En parsemer le tagine au moment de servir.

tagine de bœuf aux cardons
Dorer dans un tagine, avec 4 cuillerées à soupe d'huile d'olive, 1 kg de bœuf coupé en morceaux avec 2 oignons émincés, 2 gousses d'ail hachées, 1/2 cuillerée à café de cumin, 1/2 cuillerée à café de gingembre, 2 pincées de pistils de safran, 1/2 cuillerée à café de poivre gris et 1 cuillerée à café de sel. Mouiller à hauteur d'eau et cuire doucement 30 min. Éplucher 1,5 kg de cardons, les couper en bâtonnets et les mettre à tremper dans l'eau citronnée pour éviter qu'ils ne noircissent. Les ajouter dans le tagine et laisser mijoter encore 30 min, puis verser un jus de citron et poursuivre la cuisson 10 min.

RECETTE DE FATÉMA HAL
tagine de poulet aux olives et aux citrons confits
PRÉPARATION : 25 min – CUISSON : 35 min
« Dans une marmite à fond épais, faire revenir pendant 7 min à feu vif le poulet coupé en 6 morceaux avec l'huile, la pincée de safran, le bâton de cannelle (ou 1/2 cuillerée à café de cannelle en poudre), la pincée de gingembre, 1/2 cuillerée à café de sel, le poivre et l'oignon ciselé, en remuant et en retournant le poulet plusieurs fois. Ajouter la tomate concassée, les bottes de persil et la coriandre hachées. Couvrir avec 50 cl d'eau et porter à ébullition. Baisser le feu et laisser mijoter 20 min environ. Dans une petite casserole, verser une louche de la sauce de cuisson du poulet. Casser 200 g d'olives : faire éclater les olives entières en donnant à chacune un coup net (le noyau doit rester au milieu de l'olive ainsi cassée). Les ajouter avec le citron détaillé en petits dés. Laisser réduire 5 min. Au moment de servir, dresser le poulet sur un plat à tagine, disposer les olives et les citrons autour et napper de sauce. »

TAGLIATELLES Pâtes italiennes aux œufs, originaires de l'Émilie-Romagne, en forme de rubans plats de petite largeur, de couleur blond doré ou verte (aux épinards). On sert surtout les tagliatelles avec une sauce à la viande (bœuf, porc et jambon fumé hachés avec carottes et céleri, oignon et fines herbes, muscade et crème fraîche). On en prépare en Italie des variantes, les *taglierini* (3 mm de large) ; à Rome, les tagliatelles se nomment *fettucine* ; ailleurs, coupées en tranches de 4 mm, elles se nomment *pappardelle*.

TAHITI La cuisine polynésienne, naturelle et simple, fait appel à une abondance de poissons et de fruits, au premier rang desquels figure celui de l'arbre à pain, qui se mange rôti, bouilli, grillé, moulu, en pâte (notamment dans le *popoï*, base locale de l'alimentation, que l'on agrémente à volonté de viande ou de poisson).

■ **Une nature généreuse.** La grande spécialité tahitienne est le poisson « cru » : coupé en dés, macéré dans du jus de citron vert, parsemé d'oignon haché et d'ail pilé, salé et poivré, il est servi arrosé de jus de coco. On apprête aussi le requin, comme aux Antilles, ainsi que les crevettes et les crabes de terre.

Le taro, l'igname, les épinards et les salades poussent en abondance, de même que l'ananas et la banane. On apprécie par ailleurs les oiseaux sauvages rôtis, le canard et une variété de petit porc sauvage, rôti sur des pierres chaudes (un plat de fête appelé *ahi moha*).

Les grillades de porc sont cuites au four entre des couches de jeunes pousses d'épinard et de feuilles de bananier, parsemées d'ail haché et d'oignon émincé ; elles sont ensuite arrosées de jus de coco. Ce dernier, extrait de la pulpe de la noix râpée, constitue une boisson fraîche ou fermentée, très courante, au même titre que les jus de fruits.

La pulpe de noix de coco permet aussi de préparer divers entremets (crème, confiture, meringue). La purée de papaye délayée avec de l'arrow-root, cuite comme une crème et parfumée à la vanille, fournit un dessert apprécié, comme l'est le *poe meia*, un entremets à la banane, servi poudré de sucre et arrosé de crème fraîche.

TAHITIENNE (À LA) Se dit de filets crus de poisson, détaillés en lamelles ou en petits dés, mis à mariner dans du jus de citron et de l'huile, avec du sel et du poivre, puis servis avec des quartiers de tomate ou de la pulpe de tomate, et poudrés de noix de coco râpée. Le poisson à la tahitienne peut aussi entrer dans la composition de salades avec de l'avocat, des quartiers de pamplemousse, une chiffonnade de laitue et des tomates, assaisonnées d'une mayonnaise au citron.

TAILLAGE DES LÉGUMES Technique culinaire de base qui s'effectue après l'épluchage ou le pelage des légumes, afin de leur donner une forme régulière facilitant leur cuisson et leur présentation.

Le taillage se fait généralement à la main, avec un couteau d'office, un couteau éplucheur ou une mandoline ; mais, pour de grandes quantités, on utilise aujourd'hui des appareils électriques.

TAILLAULE Pâtisserie neuchâteloise (Suisse) en pâte levée, additionnée d'orangeat haché et de rhum. Cuite dans un moule rectangulaire, la taillaule est entaillée (d'où son nom) en fin de cuisson, à l'aide de ciseaux.

TAILLÉ Pâtisserie suisse romande, salée et légèrement feuilletée, à laquelle on ajoute des greubons (**voir** ce mot). Le taillé constitue un casse-croûte traditionnel et copieux.

TAILLEVENT (GUILLAUME TIREL, DIT) Cuisinier français (Pont-Audemer v. 1310 - v. 1395). Il est l'auteur de l'un des plus anciens livres de cuisine rédigés en français, *le Viandier*, dont on possède aujourd'hui quatre manuscrits ; cependant, il paraît difficile de tous les lui attribuer, puisque le premier, datant de la fin du XIIIᵉ siècle, est antérieur à sa naissance.

Le Viandier aurait été composé à la demande de Charles V (1338-1380), soucieux de faire écrire sur diverses matières « savantes » par les spécialistes de son temps. Le titre complet du manuscrit dit « de la bibliothèque Mazarine » est : « Taillevent maistre queux du roy de France par cy enseigne a toutes gens pour apparoillier a maingier en cusyne de roy, duc, conte, marquis, barons, prelas et de tous aultres seigneurs, bourgois, merchans et gens d'ouneur. »

Taillevent traite donc de la grande cuisine médiévale et pas seulement de viandes. D'où l'intérêt de l'ouvrage, dans un premier temps, pour l'inventaire alimentaire du XIVᵉ siècle : chapon et connil (lapin), sanglier, pluvier, cygne, paon, cigogne, héron, outarde, cormoran et tourterelle s'ajoutent aux animaux de boucherie et à la charcuterie (jambon et saucisses) ; lamproie, loche, anguille, brochet, carpe et autres poissons d'eau douce foisonnent, tandis que ceux de mer sont en nombre plus réduit (congre, chien de mer, maquereau, sole, hareng, morue, turbot, esturgeon, moules, huîtres, sans oublier la baleine) ; les légumes verts sont peu fréquents, à l'inverse des épices ; œufs, lait et fromages jouent un rôle notable.

De nombreuses copies du *Viandier* circulèrent parmi les seigneurs et les maîtres queux avant que l'imprimerie ne le popularise. L'auteur anonyme du *Ménagier de Paris* (1393) y fait de nombreux emprunts et Villon le cite après 1450 dans son *Testament*. L'influence de ce premier traité de cuisine se fit sentir jusqu'à la publication du *Cuisinier français* de La Varenne (1651), qui introduisit une nouvelle conception de l'art culinaire.

L'apport essentiel du *Viandier* réside dans la place accordée aux sauces épicées, aux potages et aux ragoûts, qui permettent d'apprêter aussi bien viandes, volailles et gibier que poissons de mer et de rivière. Par ailleurs, l'emploi du verjus est caractéristique, de même que les liaisons au pain. La fréquence des apprêts aigre-doux, spécifique de la cuisine médiévale, est générale à l'époque dans tous les pays d'Europe, tout comme celle des hypocras et des vins miellés ou herbés.

Les modes de cuisson sont essentiellement le rôti et le bouilli ; en outre, les apprêts farcis ou à base de hachis sont nombreux (pâtés, tourtes et flans). Enfin, une grande importance est attribuée aux plats de carême, à la cuisine des jours « maigres » ou « gras », selon les prescriptions de l'Église.

Au XIXᵉ siècle, on a souvent dépeint la cuisine de Taillevent comme une succession de mets lourds, compliqués et trop richement épicés, alors que certaines recettes du *Viandier* sont des apprêts simples, proches de l'aïgo boulido provençal, du tourin périgourdin, de la bouilleture d'anguilles, du saupiquet, du hochepot, des pâtés de Pézenas, du pithiviers à la frangipane ou des poires au vin. Plusieurs formules sont tout à fait réalisables aujourd'hui : cretonnée de pois nouveaux, blanc-manger aux amandes, potage de cresson ou tarte bourbonnaise, par exemple.

La « nouvelle cuisine » a d'ailleurs puisé dans ce fonds pour remettre au goût du jour le pâté de saumon à l'oseille, le civet d'huîtres chaudes ou le jambon frais au poireau.

TALEGGIO Fromage italien AOP de lait de vache (48 % de matières grasses), à pâte pressée non cuite et à croûte lavée, mince et rosée (**voir** tableau des fromages étrangers page 400). Originaire de la province de Bergame, le taleggio se présente sous la forme d'un pavé de 20 cm de côté et de 5 cm d'épaisseur, sous papier métallisé, pesant 2 kg environ. Il a une odeur affirmée et une saveur fruitée.

TALLEYRAND-PÉRIGORD (CHARLES MAURICE DE) Homme politique français (Paris 1754 - *id.* 1838). Cet amphitryon fastueux et connaisseur entretenait une table considérée comme l'une des premières d'Europe. Il eut d'ailleurs à son service le célèbre pâtissier Avice et Antonin Carême, dont il fit la fortune.

Avec son chef de cuisine Bouchée, qui sortait de la maison du prince de Condé, Talleyrand (pour qui le déjeuner ne comptait guère) mit au point des dîners qui firent date. Il découpait lui-même viandes et volailles, et servait ses invités selon leur rang. À ses yeux, néanmoins, l'art culinaire n'était pas simple plaisir de gourmet, mais aussi et surtout un allié précieux du prestige des gouvernements et de leur diplomatie.

Son nom a été donné, en cuisine classique, à de nombreuses préparations : côtes ou ris de veau, tournedos, grosses pièces de bœuf ou de veau et volailles, garnis de macaronis beurrés et fromagés, présentés avec une julienne de truffe et des dés de foie gras, et accompagnés de sauce Périgueux. On a baptisé aussi « Talleyrand » divers apprêts tels que des filets d'anchois farcis en paupiette, une omelette au cari fourrée de ris de veau ou encore des croquettes de semoule farcies d'un salpicon de volaille, de langue écarlate, de truffe et de champignons, saucés de demi-glace. La sauce Talleyrand a les emplois de la sauce Périgueux.

Quant au talleyrand, c'est un gâteau fait de pâte à savarin additionnée d'ananas haché, siropé, puis abricoté et décoré de morceaux d'ananas.

TALMOUSE Petite pâtisserie salée au fromage blanc, dont la tradition remonte au Moyen Âge. À la fin du XIVᵉ siècle, *le Viandier* et *le Ménagier de Paris* en donnent déjà la recette : « Faites de fins fromages par morceaux carrés, menus comme fèves, et parmi le fromage soient détrempés œufs largement, et mêlé tout ensemble, et la croûte détrempée d'œufs et de beurre. » Menon, en 1742, recommande de foncer des moules d'un feuilletage débordant, que l'on garnit d'une béchamel au fromage

TAILLER DES LÉGUMES

1. Julienne. *Découper les légumes en tranches très fines, puis les superposer et les tailler en filaments réguliers.*

2. Jardinière. *Tailler les légumes en bâtonnets de 3 mm de section et de 4 cm de long.*

3. Paysanne. *Émincer les légumes, généralement destinés aux potages, en lamelles très fines et régulières.*

4. Mirepoix. *Détailler les légumes en cubes de taille variable, selon les utilisations, et leur joindre un bouquet garni.*

5. Matignon. *Préparer les mêmes légumes que pour la mirepoix, mais les émincer en fines lamelles.*

6. Brunoise. *Couper les légumes en petits dés réguliers, de 4 ou 5 mm de section.*

7. Duxelles. *Préparer un hachis de champignons de Paris, d'oignons et d'échalotes.*

8. Boules. *Prélever des boules dans des légumes à chair tendre à l'aide d'une cuillère à racine (ou parisienne).*

blanc, avant de rabattre les coins de pâte en tricorne. *Le Cuisinier gascon* (XVIIIᵉ siècle) préconise des abaisses de feuilletage, garnies de fromage à la crème manié avec des œufs, puis « troussées, dorées et cuites au four ». *Le Cuisinier des cuisiniers* (1882) donne comme variante : pâte à beignets soufflés mêlée de fromage blanc bien égoutté, divisée en petites masses, dorées et gonflées au four.

Aujourd'hui, la talmouse peut être une tartelette en pâte feuilletée ou en pâte à foncer, garnie de pâte à choux additionnée d'une béchamel épaisse et fromagée, avec deux lanières de pâte en croisillon par-dessus : c'est la talmouse dite « pont-neuf », dorée à l'œuf et cuite à four chaud.

La seconde famille de talmouses, dites « en tricorne », relève d'une recette plus ancienne : ce sont des morceaux de feuilletage, qui sont dorés à l'œuf, garnis d'une béchamel liée aux jaunes d'œuf et fromagée, éventuellement additionnée d'autres ingrédients, puis façonnés en tricorne ou en couronne en rabattant les bords, et enfin cuits à four chaud. Ces deux types de talmouses se servent en hors-d'œuvre chaud.

On prépare aussi en pâtisserie sucrée des talmouses à la frangipane : tartelettes ou barquettes en feuilletage garnies d'un mélange de crème pâtissière et de crème frangipane, recouvert de sucre en grains ou d'amandes effilées, puis cuites à four moyen et poudrées de sucre glace.

talmouses à l'ancienne

Abaisser de la pâte feuilletée sur une épaisseur de 5 mm et la découper en carrés de 10 cm de côté. Dorer ceux-ci au jaune d'œuf et déposer au centre de chaque carré 1 grosse cuillerée à soupe d'appareil à soufflé au fromage, puis quelques très petits dés de gruyère ; relever les angles du carré pour enfermer la garniture. Déposer les talmouses sur une plaque à pâtisserie beurrée, et cuire 12 min au four préchauffé à 200 °C.

TALON Partie musculaire du bœuf correspondant aux régions supérieures du cou et de l'épaule. Le premier talon se situe soit sur la basse-côte, soit sur le paleron, selon la technique de levée de l'épaule. Ces morceaux sont destinés aux préparations à cuisson lente. Comme ils sont relativement maigres, on leur associe des pièces moelleuses ou gélatineuses ; on peut également les larder et les barder quand ils sont utilisés en braisé.

On appelle aussi talon l'extrémité restante, en général ferme, d'un morceau de viande (talon de romsteck, talon de jambon).

Le talon de la côte de bœuf (partie de la vertèbre entourant la moelle épinière) est considéré comme matériel à risques spécifiés (**voir** ce mot) et doit être obligatoirement enlevé à l'abattoir.

TAMALES Apprêt très ancien de la cuisine mexicaine et péruvienne, utilisant une gaine d'épi de maïs ou une feuille de bananier comme papillote pour cuire, généralement à la vapeur, un hachis de viande pimenté, disposé sur une couche de bouillie de maïs au saindoux. Les tamales sont servis chauds en entrée ; la farce peut contenir des olives hachées ou des petits poissons. Au Pérou, il existe également un type de tamal doux, d'origine préhispanique, appelé *humita*.

TAMARILLO Fruit d'un arbre de la famille des solanacées, originaire d'Amérique du Sud. Les tamarillos sont regroupés par grappes de 4 à 6 ; il faut les peler avant de déguster leur pulpe car leur peau n'est pas comestible. Leur chair est ferme et acidulée. Ils se mangent crus, réduits en purée, ou cuits comme un légume s'ils ne sont pas assez mûrs.

TAMARIN Fruit du tamarinier, arbre de la famille des fabacées, originaire d'Afrique orientale. Le tamarin, connu aux Antilles, en Inde, en Afrique et en Asie du Sud-Est, se présente en une gousse brune de 10 à 15 cm de long sur 2 cm de large, contenant une pulpe à la fois acidulée et sucrée, semée de quelques graines dures. Il est surtout utilisé pour préparer confitures, sorbets, chutneys, boissons et condiments. En Inde, sa pulpe séchée, ingrédient important des mélanges d'épices, intervient aussi dans les salades, les bouillons et les purées de légumes secs ; le jus de tamarin frais assaisonne les crudités. En Chine, on agrémente certains potages aigres-doux de tamarin confit.

▶ **Recette : GRENOUILLE.**

TAMIÉ Fromage savoyard de lait cru de vache (50 % de matières grasses), à pâte pressée non cuite et à croûte lavée, lisse et claire (**voir** tableau des fromages français page 392). Fabriqué par les trappistes de l'abbaye de Tamié, il se présente sous la forme d'un disque de 12 à 13 cm de diamètre et de 4 ou 5 cm d'épaisseur, pesant 500 g environ. Le tamié a une saveur lactique assez prononcée.

TAMIER Herbe vivace de la famille des dioscoréacées, commune en Europe, appelée aussi « herbe aux femmes battues » et « vigne noire », dont les tubercules, assez volumineux, bruns à pulpe blanche, sont comestibles. Ses baies rouges et luisantes sont vénéneuses.

TAMIS Ustensile formé de deux cercles de bois s'emboîtant l'un dans l'autre, en tenant tendue soit une toile de soie, de crin ou de Nylon, soit une toile métallique étamée, à mailles plus ou moins serrées. Les tamis textiles permettent de tamiser la farine ou le sucre glace, afin d'éliminer les grumeaux et d'obtenir une poudre fine et régulière. Les tamis métalliques sont employés pour passer une farce, une purée de fruit, une marmelade, un légume cuit, un appareil pâteux, un beurre composé, etc., pour leur donner une texture fine ou, le cas échéant, réduire en purée des éléments cuits (épinards, pommes de terre) ou crus (fraises). On se sert généralement d'un pilon de bois pour fouler la préparation à travers le tamis.

TAMPONNER Passer doucement à la surface d'une préparation chaude, prête à l'emploi – une sauce, un potage ou une crème –, un morceau de beurre qui, en fondant, la recouvre d'une fine pellicule grasse, évitant ainsi la formation d'une peau. On peut aussi parsemer le mets de noisettes de beurre.

TANAISIE Plante de la famille des astéracées composées, commune en Europe, à tiges hautes et à fleurs jaune d'or, à l'odeur aromatique. De saveur amère, les feuilles faisaient partie au Moyen Âge de la pharmacopée ; elles sont encore employées comme condiment, surtout en Europe du Nord et en Angleterre (courts-bouillons, farces, marinades, pâtés, tourtes, parfois pâtisseries).

TANCHE Poisson de la famille des cyprinidés, vivant dans les étangs et les cours d'eau tranquilles. Longue de 15 à 30 cm, de forme trapue, la tanche présente un barbillon de chaque côté de la bouche. Ses minuscules écailles, vert olive à brun rougeâtre, sont recouvertes d'un mucus épais. Lorsqu'elle est pêchée en eau claire, sa chair est délicate, d'autant plus qu'elle ne renferme pas trop d'arêtes ; mais la tanche aime aussi les endroits vaseux, et son goût s'en ressent. Elle est souvent un des ingrédients des matelotes ; on peut aussi la faire frire ou la faire sauter meunière.

TANDOORI Apprêt du poulet dans la cuisine indienne, notamment au Pendjab, et pakistanaise, qui est mariné, puis grillé dans un four spécial cylindrique en terre cuite, le *tandour*. Les morceaux de volaille, sans peau, sont enduits de yaourt additionné de piment en poudre, de curcuma, de gingembre, d'épices, d'oignon et d'ail hachés. Après avoir macéré une nuit, ils sont poudrés de safran et cuits sur un lit de braises jusqu'à ce que la chair soit tendre, mais croustillante en surface. On sert le *murghi tanduri* (« poulet au tandour ») avec des salades : oignons et tomates au jus de tamarin et à la coriandre, concombre au yaourt et au cumin, chou râpé au poivre et au jus de citron. On cuit également dans le *tandour* du poisson et des galettes.

TANGELO Agrume issu de l'hybridation du mandarinier (tangerine) et du pomelo. Il se pèle aussi facilement que la mandarine. De forme irrégulière, le tangelo (mot américain) est plus gros et plus acidulé qu'une orange, mais il connaît les mêmes emplois (fruit de table, salade de fruits et surtout jus).

TANGERINE Nom générique des mandarines. Plus petite que l'orange, mais plus douce, avec un jus très sucré, la tangerine (du nom de la ville de Tanger) s'épluche aussi facilement qu'une mandarine. Ses emplois sont ceux de l'orange.

TANGO Boisson à base de bière blonde à laquelle on ajoute un trait de sirop de grenadine. Le tango devient « monaco » quand on le prépare avec du panaché, et « valse » si on utilise du sirop de menthe.

TANGOR Agrume issu de l'hybridation du mandarinier (tangerine) et de l'oranger. Il existe diverses variétés de fruits moyens à gros, à peau orangée ou rouge, et à chair juteuse avec des pépins.

TANIN Substance, appartenant à la catégorie des polyphénols, contenue dans plusieurs organes végétaux (écorce de chêne, noix), ainsi que dans la peau (qui contient les meilleurs tanins), les pépins et la rafle du raisin. Dissous dans l'alcool qui se forme au cours de la fermentation, le tanin est l'un des principaux composants du vin rouge. Il est particulièrement abondant dans les vins de Bordeaux, ce qui explique la lenteur de leur vieillissement. Lorsqu'il est en excès, il rend le vin astringent et provoque la formation d'un dépôt dans les bouteilles.

TANT-POUR-TANT Mélange en proportions égales de sucre glace et d'amandes en poudre, utilisé par les professionnels de la pâtisserie et de la confiserie pour la confection de pâtes à biscuit, de crèmes aux amandes, de coques à petits-fours, etc.

TAPAS Assortiment espagnol de hors-d'œuvre ou d'amuse-gueule servis pour accompagner le xérès, le manzanilla, la bière ou le vin local. L'habitude de grignoter des tapas à l'heure de l'apéritif est très répandue. Ces assortiments tiennent même parfois lieu de repas, tant ils sont variés et abondants. Ils peuvent rassembler des cubes de jambon, des poivrons rouges, des haricots blancs à la vinaigrette, des petites omelettes garnies (ou tortillas), des fruits de mer, des rognons sautés, du chorizo, des crevettes grillées, des olives noires marinées, des rissoles au thon, du chou-fleur à la vinaigrette, des *boquerones* (anchois frais) au vinaigre, des calmars « dans leur encre » ou frits, des poivrons farcis et même des escargots à la sauce piquante, des pieds de porc à la tomate ou des morceaux de poulet fricassés aux champignons.

TAPENADE Condiment provençal, à base d'olives, auquel on ajoute parfois des anchois ou des miettes de thon, de la moutarde, de l'ail, du thym ou du laurier. La tapenade accompagne les crudités, se tartine sur des tranches de pain grillées et peut garnir des œufs durs (on y mêle alors le jaune) ; elle peut aussi accompagner une viande ou un poisson grillé.

_____
tapenade

Faire dessaler 100 g d'anchois, éplucher 4 gousses d'ail et dénoyauter 350 g d'olives noires. Lever les filets des poissons. Passer à la moulinette 100 g de miettes de thon à l'huile égouttées, les filets d'anchois, 100 g de câpres, le jus de 1 citron, les olives dénoyautées et l'ail ; passer la préparation au tamis très fin, puis mettre la purée dans un mortier et la piler en ajoutant peu à peu 1/4 de litre d'huile d'olive et le jus de 1 gros citron, jusqu'à ce qu'elle soit épaisse et lisse.

TAPIOCA Fécule fabriquée à partir de l'amidon extrait des racines du manioc, qui est hydraté, cuit, puis broyé. Utilisé essentiellement pour préparer des potages et des entremets, le tapioca apporte 360 Kcal ou 1 500 kJ pour 100 g ; très digeste, il est pauvre en sels minéraux et en vitamines. Le tapioca se présente en petites billes qui épaississent à la cuisson et deviennent translucides.

_____
tapioca au lait

Faire bouillir 1 litre de lait avec 1 pincée de sel, 2 cuillerées à soupe de sucre et, à volonté, 1 gousse de vanille ou 1/2 cuillerée à café d'eau de fleur d'oranger. Y verser en pluie 80 g de tapioca, mélanger et cuire 10 min en remuant régulièrement. Retirer la gousse de vanille. Servir cette crème bouillante ou complètement refroidie.

TARAMA Spécialité grecque, servie traditionnellement parmi les mezze ou en hors-d'œuvre. Cette pâte lisse et onctueuse, de couleur rose pâle, est faite à l'origine à partir d'œufs de poissons crus mélangés avec de la mie de pain trempée dans du lait, des condiments, de

l'assaisonnement, et servie froide. Aujourd'hui, le tarama industriel est constitué d'œufs de cabillaud fumé au préalable, adouci et présenté en pâte émulsionnée. On en trouve également fait avec des œufs d'autres poissons. Cette préparation permet de multiples formes de canapés.

_____
tarama

POUR 4 PERSONNES – PRÉPARATION : 10 min – RÉFRIGÉRATION : 1 h
Faire tiédir 10 cl de lait. Ôter la croûte de 2 tranches de pain rassis et faire ramollir la mie dans le lait environ 10 min. La sortir et bien la presser entre les mains. Enlever les œufs de cabillaud de leur poche (200 g environ). Dans le bol d'un mixeur, mettre la mie de pain, les œufs de cabillaud, le jus de 1 citron, 15 cl d'huile d'olive et, éventuellement, 1 petit oignon râpé. Saler et poivrer et faire tourner jusqu'à obtenir une pâte onctueuse. La verser dans un plat de service creux et la maintenir au frais jusqu'au moment de la déguster, au minimum 1 heure. Servir le tarama avec des blinis à part, décoré d'olives noires, de câpres ou de rondelles de citron.

TARO Nom générique d'origine polynésienne qui regroupe plusieurs espèces de plantes de la famille des aracées, cultivées sous les tropiques pour leur rhizome tubéreux formant un corme écailleux (**voir** planche des légumes exotiques pages 496 et 497). Le taro d'origine asiatique, appelé *chou-chine* ou *dachine* à la Martinique, *madère* en Guadeloupe, *mazoumbel* en Haïti ou *songe* à La Réunion, peut atteindre 40 cm de long. Sa chair est blanche ou jaunâtre, plus ou moins mouchetée de rouge ou de violet. Celui d'origine amazonienne est appelé *chou caraïbe* en Martinique ou *malanga* en Guadeloupe et Haïti. Le taro se cuit à l'eau après épluchage. En Chine, on l'émince en lanières en forme de nids d'hirondelle ; au Japon, il intervient dans les potées. Aux Antilles, la pulpe râpée crue sert à préparer les acras. Réduit en purée, il est utilisé pour les gâteaux. Les tiges entrent dans la composition de soupes ou de carry. Les jeunes feuilles encore enroulées sont consommées sous forme d'épinard (brèdes).

TARTARE Se dit d'une sauce et d'un apprêt de viande ou de poisson crus. La sauce tartare est une mayonnaise au jaune d'œuf dur, additionnée d'oignon et de ciboulette (**voir** SAUCE TARTARE), qui accompagne les poissons froids, l'anguille, le pied de veau, les huîtres, mais aussi les pommes pont-neuf.

Le steak tartare se prépare avec de la viande de bœuf hachée (de cheval, selon les puristes), servie crue avec un jaune d'œuf et des condiments (oignon, câpre et persil hachés, moutarde, sauce anglaise, tabasco et huile) ; en Belgique, cet apprêt porte le nom de « filet américain ».

Enfin, on appelle « à la tartare » divers apprêts froids ou chauds, toujours très relevés : paupiettes d'anchois au beurre de raifort, œufs cuits au miroir sur un hachis de bœuf au paprika, etc.

crème de mozzarella de bufflonne avec tartare de bœuf,
raifort et câpres ▶ MOZZARELLA
pieds de veau à la tartare ▶ PIED
sauce tartare ▶ SAUCE
steak tartare ▶ BŒUF
tartare de courgettes crues aux amandes fraîches
et parmesan ▶ COURGETTE

RECETTE DE JACQUES LE DIVELLEC

tartare de thon

« Enlever la peau de 600 g de filets de thon et toutes les arêtes. Couper le poisson au couteau en tout petits dés. Éplucher 2 échalotes grises et les hacher finement. Ciseler de la coriandre et de la ciboulette pour en avoir 1 cuillerée à soupe. Mélanger tous les ingrédients, assaisonner de sel, de poivre et d'un jus de citron, puis incorporer 4 cuillerées à soupe d'huile d'olive. Mettre au réfrigérateur, ainsi que les assiettes de service. Avec 2 cuillères à soupe, mouler des quenelles de thon et les disposer sur les assiettes. Parsemer de pluches de cerfeuil et décorer au centre d'un bouquet de mâche ou de frisée. Servir bien froid, accompagné de pain de campagne grillé. »

TARTE Apprêt de cuisine ou de pâtisserie, souvent rond et assez plat, fait d'une croûte de pâte garnie, avant ou après cuisson, d'ingrédients salés ou sucrés.

– Les tartes salées se servent en entrée chaude : ce sont les « flans de cuisine », quiche, tarte à l'oignon, au fromage, pissaladière, flamiche, goyère, voire pizza.

– Les tartes sucrées, garnies généralement de fruits, mais parfois d'une crème parfumée, d'un appareil à base de fromage blanc, de riz, de chocolat, etc., constituent les apprêts les plus courants et les plus variés de la pâtisserie. Si les fruits (fraises et framboises, notamment) doivent rester crus, la croûte est d'abord cuite et ensuite garnie ; on peut également cuire le fond à moitié seulement (à blanc), lorsque la croûte doit recevoir une garniture liquide. Enfin, certaines tartes cuisent directement sur la tôle du four, sans moule : ce sont des tartes galettes, garnies de fruits en lamelles très minces, poudrées de sucre.

Les tartes cuites avec leur garniture utilisent surtout la pâte brisée, parfois la pâte feuilletée ; celles cuites à blanc et garnies ensuite sont faites de pâte sablée ou brisée (**voir** PÂTES DE CUISINE ET DE PÂTISSERIE). Il existe aussi des tartes « renversées », dont le modèle est la tarte Tatin, des tartes dites « alsaciennes », qui sont décorées de bandelettes de pâte en croisillons disposés sur la garniture, comme la Linzertorte autrichienne, des tartes dites « à l'anglaise », préparées dans un moule spécial, assez profond, le *pie dish* (plat à pie), que l'on recouvre, après l'avoir garni de fruits, d'une abaisse de pâte.

■ **Spécialités régionales.** Depuis le Moyen Âge, et dans toutes les provinces, la tarte a connu d'innombrables recettes. La « tarte bourbonnaise » du *Viandier* (« fin fromage détrempé de crème et moyeux » sur une croûte « pétrie d'œufs ») est toujours une spécialité du Bourbonnais, sous le nom de « gouéron ». Les tartes d'Alsace sont réputées pour la variété de leur garniture de fruits ; les plus courantes se font avec de la pâte à pain, celles des jours de fête sont en pâte fine. Dans le Nord et l'Est, on prépare traditionnellement des tartes au fromage frais, apprêt que l'on retrouve en Corse. Un simple appareil d'œufs battus, de sucre, de lait et de crème garnit parfois le fond : c'est la tarte « au goumeau » de Franche-Comté ou la tarte « en quemeu » chaumontaise. Dans le Nord et en Suisse, on prépare des tartes au riz ou au sucre, et au Canada, au sirop d'érable. Dans l'Ouest, ce sont les tartes aux pommes et aux poires qui dominent.

En Allemagne et en Autriche, le mot *Torte* ne signifie pas exclusivement « tarte », mais « gâteau » ; les tartes y sont fréquemment préparées aux pommes, aux cerises ou aux prunes, ainsi qu'aux fruits mélangés, et souvent garnies de crème fouettée. Il faut encore citer le vatrouchka russe, la tarte aux noix de pecan, typiquement américaine, et la tarte suisse au vin.

TARTES SALÉES

*tarte croustillante de morilles du Puy-de-Dôme
aux févettes* ▶ MORILLE

tarte à l'oignon

Préparer 400 g de pâte brisée ou de pâte à foncer non sucrée, en garnir une tourtière beurrée de 28 cm de diamètre et cuire à blanc. Confectionner une purée Soubise avec 1 kg d'oignons. Garnir la croûte de cette purée, parsemer de chapelure fraîche, puis de petites noisettes de beurre, et faire gratiner 15 min environ dans le four préchauffé à 250 °C.

tarte aux pignons ▶ PIGNON

RECETTE DE JOËL ROBUCHON

tarte aux pommes de terre

« Préparer d'abord une pâte brisée avec 300 g de farine, 100 g de beurre, 1 jaune d'œuf, 1/2 verre d'eau et 1 pincée de sel de mer. La mettre en boule et la laisser reposer 1 heure au réfrigérateur. L'abaisser sur 5 mm d'épaisseur. La plier en trois, à 2 reprises, pour qu'elle devienne souple et lisse. Beurrer une tourtière et la foncer de pâte brisée. Réserver au frais. Peler et émincer 2 oignons moyens. Blanchir 150 g de lardons de poitrine. Peler et couper 1 kg de pommes de terre à chair ferme (BF 15 ou rattes) en petits dés. Dans une sauteuse, les

faire revenir 8 min dans 80 g de saindoux. Ajouter les lardons et les oignons, saler, poivrer, et faire sauter plusieurs fois. Retirer du feu et couvrir. À part, mélanger 1 verre de crème fraîche et 2 jaunes d'œuf. Incorporer cette préparation aux pommes de terre avec 2 cuillerées à soupe de civette ciselée. Verser le tout dans une tourtière et cuire 20 min dans le four préchauffé à 180 °C, jusqu'à ce que la surface de la tarte soit gratinée. »

tarte soufflée aux lentilles ▶ LENTILLE

tarte à la viande et aux oignons

Préparer une pâte brisée. En garnir une tourtière et la cuire à blanc. Étuver au beurre 750 g d'oignons finement émincés. Battre 1 œuf entier, le mélanger avec 20 cl de crème épaisse, du sel, du poivre et un peu de muscade râpée ; faire épaissir le mélange sur feu très doux, sans ébullition, puis l'ajouter aux oignons. Garnir la tarte de restes de poulet, de veau froid ou de jambon finement émincés. Verser dessus le mélange aux oignons. Parsemer de noisettes de beurre et cuire de 15 à 20 min dans le four préchauffé à 210 °C.

TARTES SUCRÉES

tarte aux abricots

Préparer 350 g de pâte brisée et la laisser reposer 2 heures au frais. L'abaisser sur 2 mm, en garnir une tourtière de 24 cm de diamètre, beurrée et farinée ; piquer le fond à la fourchette. Le parsemer de 4 biscuits à la cuillère émiettés. Dénoyauter 750 g d'abricots bien mûrs et disposer les oreillons sur le fond de tarte, partie bombée contre la pâte. Les poudrer de 5 cuillerées à soupe de sucre en poudre. Cuire 40 min au four préchauffé à 210 °C. Démouler sur une grille. Abricoter le dessus avec 3 cuillerées à soupe de marmelade d'abricot tamisée et réduite. Servir froid.

RECETTE DE PIERRE HERMÉ

tarte caraïbe « crème coco »

POUR 6 À 8 PERSONNES – PRÉPARATION : 30 min – RÉFRIGÉRATION : 1 h – CUISSON : 35 à 40 min

« Étaler 500 g de pâte sucrée sur 2 mm d'épaisseur. Façonner sur une plaque un disque de 28 cm de diamètre. Réfrigérer 30 min, puis beurrer un moule à tarte de 22 cm de diamètre et le garnir avec la pâte. Le piquer de coups de fourchette. Réfrigérer de nouveau 30 min. Tamiser 85 g de sucre glace avec 40 g de poudre d'amande, 45 g de poudre de noix de coco, 5 g de fécule de maïs. Ramollir à la spatule 70 g de beurre. Y ajouter en remuant le mélange à la noix de coco puis 1 œuf. Verser 1/2 cuillerée à soupe de rhum brun agricole et 17 cl de crème fraîche liquide. Mélanger et verser à mi-hauteur dans la pâte. Faire cuire de 35 à 40 min dans le four préchauffé à 170 °C. Peler et détailler 1 gros ananas bien mûr en tranches de 1 cm d'épaisseur, puis en lamelles, en retirant la tige centrale. Zester puis hacher finement 2 citrons verts. Couvrir la tarte refroidie d'ananas, parsemer de zestes et de 4 grappes de groseilles égrappées. Badigeonner les fruits de 4 cuillerées à soupe de gelée de coing tiédie. »

tarte aux cerises à l'allemande (Kirschkuchen)

Préparer du feuilletage à six tours et l'abaisser sur 5 mm d'épaisseur. En foncer une tourtière légèrement mouillée au centre. Humecter les bords de la pâte et les replier pour former une bordure. Piquer le fond à la fourchette, parsemer d'un peu de sucre en poudre et d'une pincée de cannelle en poudre. Disposer sur la pâte des cerises dénoyautées et cuire 30 min dans le four préchauffé à 200 °C. Laisser refroidir, puis napper tout le dessus d'une bonne couche de marmelade de cerise. Tamiser très finement de la mie de pain, la faire blondir au four et en parsemer toute la tarte.

RECETTE DE CHRISTIAN CONSTANT (CHOCOLATIER)

tarte au chocolat

« Préparer une pâte sablée au chocolat avec 125 g de beurre, 50 g de sucre glace, 50 g de poudre d'amande, 1 œuf entier, 180 g de farine et 20 g de cacao en poudre, tamisés. Laisser reposer 2 heures au frais. Abaisser la pâte et la disposer dans un moule. La cuire dans le four préchauffé à 180 °C et laisser refroidir. Faire bouillir 250 g de crème liquide avec 100 g de sirop de glucose. La verser sur 200 g de chocolat en tablette 80 % et 50 g de pure pâte de cacao, concassés, bien mélanger et ajouter 50 g de beurre. Laisser refroidir, mais pas épaissir. Parsemer le fond de pâte de 25 g d'amandes hachées et grillées et verser la ganache par-dessus. »

RECETTE DE PIERRE HERMÉ

tarte au chocolat au lait et à l'ananas rôti

POUR 6 PERSONNES – PRÉPARATION : 15 + 40 min – CUISSON : 1 h 30

« La veille, faire un caramel ambre foncé avec 125 g de sucre en poudre. Y incorporer les graines de 1 gousse de vanille coupée en deux, 6 lamelles de gingembre frais, 3 grains de piment de la Jamaïque concassés. Infuser 5 secondes. Verser 22 cl d'eau. Porter à ébullition. En prélever 3 cuillerées et mélanger à 1 banane écrasée. Reverser cette purée dans le sirop avec 1 cuillerée à soupe de rhum blanc. Ôter du feu. Laisser infuser jusqu'au lendemain. Le jour même, garnir un cercle à pâtisserie beurré de 24 cm de diamètre de 250 g de pâte sucrée piquée de coups de fourchette. Le réfrigérer 30 min. Poser dessus une feuille de papier sulfurisé frangée avec des noyaux de cuisson. Faire cuire 20 min dans le four préchauffé à 180 °C. Peler et retirer les "yeux" d'un ananas. Le piquer de part en part de 2 gousses de vanille coupées en deux. Le cuire 1 heure au four à 230 °C dans un plat avec le jus au caramel filtré, en le retournant à mi-cuisson. Arroser souvent en cours de cuisson. Fendre l'ananas refroidi en 2. Ôter la tige centrale. Détailler les demi-morceaux d'ananas en tranches puis les retailler en 4. Les napper du sirop de cuisson réduit et sirupeux. Ramollir 150 g de beurre. Mettre 160 g de chocolat au lait haché dans une jatte. Y mélanger peu à peu 11 cl de lait entier bouillant. Quand le mélange est à 60 °C, y incorporer le beurre mou en noisettes puis 45 g de petits dés de gingembre confit au sucre. Ôter le cercle de la tarte. La garnir de cette ganache au chocolat. La réfrigérer. Couper en 4 bandes 1 feuille de filo et les retailler en quatre. Les plier en accordéon en collant l'extrémité à l'eau. Les saupoudrer de sucre glace et les cuire 3 min dans le four à 240 °C. Répartir en rosace sur la tarte les morceaux d'ananas puis les éventails de pâte filo caramélisés. »

tarte aux fraises

POUR 6 À 8 PERSONNES – PRÉPARATION : 20 min – CUISSON : 25 min

Étaler 250 g de pâte sucrée sur une épaisseur de 1,5 mm. En garnir un moule à tarte de 22 cm de diamètre. Piquer le fond avec les dents d'une fourchette. Répartir dessus 200 g de crème à l'amande. Faire cuire 25 min dans le four préchauffé à 180 °C. Laisser refroidir la tarte à la sortie du four. Badigeonner le dessus avec 75 g de gelée de fraise diluée dans un peu d'eau. Poser dessus en couronne 800 g de fraises gariguette ou mara des bois lavées, séchées et équeutées. Les poudrer d'un nuage de poivre noir du moulin. Les badigeonner avec 75 g de gelée de fraise diluée dans un peu d'eau.

tarte au fromage blanc

POUR 4 À 6 PERSONNES – PRÉPARATION : 10 min – RÉFRIGÉRATION : 30 min – CUISSON : 45 min

Étaler 250 g de pâte brisée sur 2 mm d'épaisseur. En garnir un moule à tarte de 18 cm de diamètre. Réfrigérer 30 min. Mélanger 500 g de fromage blanc bien égoutté au préalable avec 50 g de sucre en poudre, 50 g de farine, 5 cl de crème fraîche, 3 œufs battus. Verser cette préparation sur la pâte. Faire cuire 45 min dans le four préchauffé à 180 °C. Servir froid.

RECETTE DE PIERRE HERMÉ

tarte aux marrons et aux poires

POUR 4 À 6 PERSONNES – PRÉPARATION : 40 min – CUISSON : 55 min

« Émietter 70 g de pâte de marron. Y incorporer 5 cl de crème fraîche épaisse et 10 cl de lait. Lisser puis ajouter 2 cuillerées à café de whisky, 20 g de sucre en poudre et 2 petits œufs. Réfrigérer. Étaler 350 g de pâte à foncer sur 2,5 mm d'épaisseur. En garnir un moule à tarte beurré de 22 cm de diamètre. Poser dessus une feuille de papier sulfurisé frangée avec des noyaux de cuisson. Cuire 15 min dans le four préchauffé à 200 °C. Garnir le fond de tarte refroidi de 150 g de marrons cuits émiettés. Répartir dessus en dôme 3 à 4 poires pelées, épépinées, coupées en dés puis citronnées. Verser par-dessus la préparation au whisky. Cuire 35 min dans le four à 180 °C. Laisser refroidir à la sortie du four. Disposer dans un moule à tarte beurré 3 feuilles de filo chiffonnées, poudrées de sucre glace. Faire caraméliser 3 min dans le four à 250 °C. Les poser sur la tarte refroidie. »

tarte meringuée au citron

POUR 6 À 8 PERSONNES – PRÉPARATION : 15 min – RÉFRIGÉRATION : 2 h 30 – CUISSON : 35 min

Zester 4 citrons. Hacher finement les zestes. Les faire cuire au bain-marie jusqu'à la limite de l'ébullition avec 12,5 cl de jus de citron, 3 œufs, 180 g de sucre en poudre. Filtrer dans un saladier posé dans un bain de glaçons. Remuer. Lorsque la crème est tiédie, y incorporer 200 g de beurre coupé en petits morceaux. Lisser la crème. Étaler 300 g de pâte sucrée sur une épaisseur de 2,5 mm. En garnir un moule à tarte de 25 cm de diamètre. La réfrigérer 30 min. La recouvrir d'une feuille de papier sulfurisé frangée et de noyaux de cuisson. La faire cuire 18 min dans le four préchauffé à 190 °C. Ôter le papier et les noyaux de cuisson. Remettre à cuire au four 7 min. Démouler le fond de tarte. Le laisser refroidir. Le garnir avec la crème au citron. Lisser à la spatule. Garder 2 h au réfrigérateur. Fouetter en neige ferme 3 blancs d'œuf en y incorporant peu à peu 150 g de sucre en poudre. Recouvrir la tarte de cette meringue. Faire dorer de 8 à 10 min au four préchauffé à 250 °C. Servir froid.

tarte aux myrtilles à l'alsacienne

Préparer une pâte brisée avec 200 g de farine, 100 g de beurre coupé en morceaux, 1 jaune d'œuf, 1 pincée de sel, 1 cuillerée à soupe de sucre en poudre et 3 cuillerées à soupe d'eau froide ; la rouler en boule et la laisser reposer 2 heures. Trier, laver et éponger 300 g de myrtilles fraîches. Mélanger 100 g de sucre avec 25 cl d'eau ; cuire ce sirop 5 min et y plonger 5 min les myrtilles. Remettre sur feu doux et cuire 8 min jusqu'à ce que les fruits aient absorbé le sirop. Abaisser la pâte, beurrer un moule à tarte de 22 cm de diamètre, le garnir de pâte et recouvrir le fond d'un papier sulfurisé beurré ; cuire à blanc 12 min au four préchauffé à 200 °C, retirer le papier et cuire encore 6 ou 7 min. Laisser tiédir, démouler et faire refroidir. Garnir avec les myrtilles. Délayer 2 cuillerées à soupe de marmelade d'abricot avec 1 cuillerée à café d'eau, faire tiédir sur feu doux, tamiser et napper les fruits. Laisser refroidir et mettre au frais.

tarte aux poires Bourdaloue ▶ POIRE

RECETTE DE BERNARD LOISEAU

tarte aux pommes légère et chaude

« Fariner un plan de travail et un rouleau à pâtisserie. Abaisser 200 g de pâte feuilletée sur 2 mm d'épaisseur. Beurrer grassement 2 moules à tarte à fond amovible de 18 cm de diamètre. Découper dans le feuilletage deux disques d'un diamètre de 2 cm inférieur à celui des moules. Les mettre dans les moules, les piquer à la fourchette et les réserver au frais. Peler 6 pommes golden. Les couper en deux et les évider. Les détailler en très fines lamelles. Les disposer sur les fonds de tarte en cercles concentriques. Les saupoudrer de 40 g de sucre cristallisé et les parsemer de 50 g de beurre en parcelles. Cuire 25 min au four préchauffé à 270 °C. Décoller les tartes avec une spatule et servir aussitôt. »

« Sucrée ou salée ? Pâte feuilletée, brisée ou sablée ? À croquer en une bouchée ou à partager entre amis ? Avec la tarte, tout est permis ! Et les cuisiniers et pâtissiers de l'école FERRANDI PARIS, de POTEL ET CHABOT ou des restaurants HÉLÈNE DARROZE et GARNIER s'en donnent à cœur joie pour surprendre nos papilles. »

tarte au riz

Couper en petits dés 200 g de fruits confits et les faire macérer dans 2 cuillerées à soupe de rhum. Préparer une pâte sucrée avec 250 g de farine, 125 g de sucre en poudre, 1 œuf, 1 pincée de sel et 125 g de beurre ramolli. Rouler la pâte en boule et la réserver au frais. Faire bouillir 40 cl de lait avec 1 gousse de vanille. Laver 100 g de riz rond, le verser dans le lait bouillant, ajouter 1 pincée de sel et 75 g de sucre en poudre, puis cuire 25 min, à couvert et sur feu très doux. Lorsque le riz est cuit, le laisser tiédir légèrement, puis ajouter 1 œuf battu, en remuant énergiquement ; incorporer ensuite 2 cuillerées à soupe de crème fraîche et les fruits confits, avec leur rhum de macération. Abaisser la pâte, en garnir une tourtière, piquer le fond, verser la garniture. Arroser de 50 g de beurre fondu et répartir 5 morceaux de sucre concassés. Cuire 30 min au four préchauffé à 200 °C. Servir tiède ou froid.

tarte à la rhubarbe

POUR 6 À 8 PERSONNES – PRÉPARATION : 10 + 45 min
– CUISSON : environ 30 min

La veille, faire macérer 600 g de tiges de rhubarbe en tronçons de 2 cm avec 60 g de sucre en poudre. Le jour même, égoutter la rhubarbe 30 min dans une passoire. Garnir un moule à tarte d'un diamètre de 26 cm de 250 g de pâte brisée. La piquer de coups de fourchette. La recouvrir d'une feuille de papier sulfurisé frangée et de noyaux de cuisson. La faire cuire 15 min dans le four préchauffé à 180 °C. Battre 1 œuf avec 75 g de sucre en poudre. Y ajouter 2,5 cl de lait, 2,5 cl de crème liquide, 25 g de poudre d'amande et 55 g de beurre noisette froid. Ôter le papier et les noyaux de la tarte. Répartir la rhubarbe sur la pâte. Verser la préparation aux amandes. Faire cuire de nouveau au four environ 15 min. À la sortie du four, la saupoudrer de 60 g de sucre cristallisé.

RECETTE DE CHRISTIAN CONSTANT (CHOCOLATIER)

tarte Sonia Rykiel

« Préparer une pâte sablée avec 100 g de beurre, 50 g de sucre glace, 50 g d'amandes effilées, 200 g de farine et 1 œuf entier. La laisser reposer 15 min, puis en foncer un moule. Cuire à blanc 25 min au four préchauffé à 180 °C. Porter à ébullition 250 g de crème fleurette, la verser sur 250 g de chocolat supérieur à 80 % concassé, bien mélanger et ajouter 50 g de beurre. Laisser refroidir, mais pas épaissir. Verser sur le fond sablé et mettre 2 heures au froid. Découper 6 bananes en rondelles pas trop fines et les disposer en les faisant se chevaucher de l'extérieur vers l'intérieur. Lustrer de nappage abricot transparent et servir aussitôt. »

RECETTE DE BRUNO DELIGNE

tarte Tatin

« La veille, peler 8 à 10 pommes golden, enlever le cœur et les couper en 6 ou 8 quartiers. Ôter les pointes et les réserver. Enduire le fond et les bords d'un moule à tatin en cuivre de 22 cm de diamètre et 6 cm de hauteur avec un mélange de 300 g de beurre et 200 g de sucre en poudre. Poser une première couche de pommes sur la tranche, arrondi vers le fond et extrémité coupée contre le bord du moule. Boucher les trous avec les pointes de pomme. Mettre une deuxième couche, en obstruant bien les trous, puis une troisième, qui dépassera légèrement du bord du moule, mais qui diminuera à la cuisson. Faire cuire sur feu moyen. Lorsque le mélange beurre-sucre déborde sur les côtés du moule et prend une couleur blonde, retirer du feu et laisser reposer 8 heures environ. Le lendemain, poser sur le mélange un disque de pâte feuilletée de 3 mm d'épaisseur piqué de coups de fourchette. Cuire de 15 à 18 min au four préchauffé à 180 °C. Laisser refroidir. Avant de servir, réchauffer très légèrement la tarte. Accompagner de crème fraîche et de glace à la vanille. »

RECETTE DE PHILIPPE CONTICINI

tarte tacoing

POUR 6 PERSONNES

« Abaisser 150 g de pâte feuilletée sur 5 mm d'épaisseur, la piquer et détailler un cercle de pâte de 20 cm de diamètre. Couvrir et laisser reposer au froid. Éplucher 3 coings, les couper en deux, les évider et les pocher 50 min dans 1 l d'eau et 400 g de sucre. Couper au deux tiers les extrémités des demi-coings, pour qu'ils soient, à peu près, du volume d'une demi-pomme. Éplucher, couper en deux et évider 4 pommes golden. Étaler régulièrement 80 g de beurre froid sur tout le fond d'une sauteuse. Parsemer de 80 g de sucre, puis disposer sur la tranche, en spirale et en alternance, une demi-pomme, un demi-coing, une demi-pomme, etc., en les serrant très fort. Parsemer par-dessus 20 g de beurre froid en petits morceaux et 30 g de sucre. Démarrer la cuisson à feu doux et, quand le mélange beurre-sucre-pectine (de la pomme) commence à mousser, ajouter 1 cuillerée à soupe de jus de citron. Faire prendre doucement en caramel, en tournant la sauteuse si besoin pour avoir partout la même coloration (étape capitale car c'est la réduction et la caramélisation qui vont donner goût, couleur et aspect à cette tarte tacoing). Sans attendre, enfourner la sauteuse dans un four préchauffé à 190 °C pendant 30 min jusqu'à totale cuisson de la partie supérieure des pommes (les coings n'auront pas la même structure). Au sortir du four, laisser refroidir. Poser le cercle de pâte sur les fruits, dans la sauteuse, en rabattant le surplus de pâte, et enfourner à 200 °C, faire cuire environ 25 min. Laisser refroidir, filmer et placer au frigo au moins 12 heures. Pour démouler, placer la sauteuse sur un feu moyen en remuant légèrement pour décoller la tarte des bords et du fond, et la retourner sur un plat sans rebord. Déguster à peine tiède. »

tarte tiède au chocolat et à la banane

POUR 6 PERSONNES – PRÉPARATION : 25 min – MACÉRATION : 2 h
– CUISSON : 35 min

Garnir un cercle à pâtisserie beurré de 22 cm de diamètre de 250 g de pâte sucrée piquée de coups de fourchette. Le réfrigérer 30 min. Poser dessus une feuille de papier sulfurisé frangée avec des noyaux de cuisson. Cuire 15 min dans le four préchauffé à 180 °C. Porter à ébullition 60 g de raisins secs avec 6 cl de rhum brun agricole et 8 cl d'eau. Mélanger 2 min. Ôter du feu. Laisser macérer 2 heures. Fendre en biais 1 grosse banane en lamelles de 3 mm d'épaisseur. Les arroser de jus de citron. Les faire dorer à la poêle dans 20 g de beurre. Parsemer de 60 g de sucre en poudre, de 2 tours de moulin à poivre noir et de 4 gouttes de Tabasco. Les sécher avec du papier absorbant. Mélanger 1 œuf avec 60 g de sucre en poudre. Y incorporer 140 g de chocolat noir fondu puis 115 g de beurre fondu. Répartir sur le fond de tarte les raisins secs égouttés, les lamelles de banane (en réserver 3 pour le décor). Verser la préparation au chocolat. Cuire de 12 à 15 min dans le four à 180 °C. Retirer le cercle. Décorer avec les bananes. Servir aussitôt.

TARTELETTE Petite pâtisserie individuelle ronde ou ovale, en pâte brisée, feuilletée ou sablée, servie soit en dessert, avec une garniture sucrée, soit en petite entrée chaude, avec une garniture salée (les mêmes que pour les tartes). Les tartelettes ont parfois la taille d'une bouchée : ce sont alors des petits-fours frais ou des amuse-gueule chauds (pizza ou quiche miniature, par exemple).

tartelettes au café ou au chocolat

Foncer de pâte sablée des moules à tartelette beurrés. Piquer le fond à la fourchette et faire cuire à blanc 10 min environ. Laisser refroidir. Garnir alors les croûtes, les unes de crème au beurre au café, en plaçant 1/2 noix au centre de chaque tartelette, les autres de crème Chantilly au chocolat parfumée au rhum, à l'aide d'une poche à douille.

tartelettes aux noix et au miel

« Foncer de pâte brisée des moules à tartelette beurrés. Les poudrer de noix pilées et disposer sur le dessus des bandelettes de même pâte en croisillons. Badigeonner ces bandelettes d'œuf battu. Faire cuire à four chaud 15 min environ. Napper le dessus des tartelettes de miel d'acacia. »

TARTE AU SUCRE Disque de pâte briochée recouvert avant cuisson de sucre ou de vergeoise, de noisettes de beurre et d'œuf battu. Cette spécialité du nord de la France se mange tiède.

---

tarte au sucre

POUR 6 À 8 PERSONNES – PRÉPARATION : 20 min – REPOS : environ 2 h – CUISSON : 12 à 15 min

Étaler sur un tapis de cuisson 400 g de pâte briochée en un disque de 26 cm de diamètre et d'une épaisseur de 4 mm. Laisser doubler de volume à température ambiante. Dorer à l'œuf battu. Avec les doigts, faire des trous dans la pâte et les remplir avec 70 g de beurre en noisettes. Parsemer de 80 g de vergeoise. Faire cuire de 12 à 15 min dans le four préchauffé à 220 °C.

TARTIFLETTE Gratin à base de reblochon fermier ou fruitier, de pomme de terre et d'oignon, auxquels on ajoute parfois d'autres ingrédients (crème fraîche, lardons, vin blanc ou bière, etc.), selon une recette inventée par le Syndicat interprofessionnel du reblochon (Haute-Savoie) dans les années 1980 afin de promouvoir la vente de ce fromage. La recette aurait été inspirée d'un plat traditionnel, la péla (poêle), et son nom, d'une variété locale de pomme de terre de petite taille, la tartifle.

---

tartiflette

Éplucher 1,2 kg de pommes de terre et les faire cuire à l'anglaise. Émincer 1 oignon et le faire suer dans une poêle avec un peu d'huile. Ajouter 200 g de lardons fumés. Beurrer largement un plat à gratin. Couper en grosses lamelles la moitié des pommes de terre et les disposer au fond du plat à gratin. Ajouter la moitié des lardons et de l'oignon, puis le reste des pommes de terre coupées en lamelles et le reste des lardons et de l'oignon. Étaler 2 cuillerées à soupe de crème fraîche sur le dessus. Découper 1 reblochon en deux dans le sens de l'épaisseur et le disposer sur les pommes de terre. Ajouter éventuellement un verre de vin blanc sec d'Apremont. Faire cuire dans un four très chaud (de 220 à 250 °C) jusqu'à ce que le reblochon fonde et gratine en surface. Servir chaud.

TARTINE Tranche de pain recouverte d'une substance facile à étaler. La tartine accompagne aussi bien le petit déjeuner, avec de la confiture, que le déjeuner et le dîner, au moment de l'entrée ou du fromage.

Le *Dictionnaire de l'Académie des gastronomes* signale l'existence du mot « fripe », qui, dans l'Ouest, désigne particulièrement ce qui peut s'étaler sur du pain. Et Balzac, dans *le Lys dans la vallée*, considère les rillettes de Tours comme « la meilleure des fripes ».

▶ Recette : FÈVE.

TARTINER Étaler sur une tranche de pain un produit ou une préparation en pommade ou de consistance pâteuse. L'opération se réalise avec un couteau à lame arrondie ou une spatule souple. Par extension, on tartine également de farce toutes sortes d'éléments plats, ainsi que les parois intérieures d'un moule à dariole ou à charlotte.

TARTRE Dépôt salin que le vin laisse à l'intérieur des tonneaux et des cuves, après le soutirage. Ce sous-produit du vin est constitué surtout de bitartrate de potassium ; à l'état purifié, il donne la crème de tartre, utilisée notamment comme levure chimique.

L'acide tartrique, lui, présent en plus forte proportion dans le raisin que dans les autres fruits, fournit la moitié de l'acidité totale du vin ; c'est le plus important de ses acides fixes (avec les acides malique et citrique). Quand le moût n'est pas assez acide, ce qui donnerait un vin « plat », on peut lui ajouter de l'acide tartrique. En revanche, s'il l'est trop, le vin sera astringent, voire dur. L'acidité contribue aussi à la conservation du vin et agit sur sa stabilité et sa couleur.

TASSE Récipient individuel de forme très variable, muni d'une anse, servant à consommer un liquide ; le mot désigne aussi son contenu. Au XVᵉ siècle, la tasse était un ustensile très courant, servant à toutes les boissons chaudes ou froides. À la campagne, on buvait dans des tasses en bois, unies ou gravées. Jusqu'à la Révolution française, le vin était servi au cabaret dans des tasses de grosse faïence.

À partir du XVIIIᵉ siècle, les services en faïence et en porcelaine connurent une grande diffusion, mais on créait aussi des tasses individuelles, comme la trembleuse (dont la base prend place sur une sous-tasse) ou la tasse à moustaches, avec un rebord intérieur permettant de boire sans mouiller cet ornement pileux.

On distingue aujourd'hui les tasses à déjeuner, à thé, à café et à moka ; on trouve des tasses à chocolat, à bouillon et à tisane ; quant à la tasse à consommé, large et basse, elle est munie de deux petites anses.

TÂTE-VIN Petit récipient rond et plat en étain, en argent ou en métal argenté, muni d'une anse surmontée d'un appui pour le pouce, dans lequel on verse un vin pour l'examiner avant de le goûter, lors d'une dégustation. La forme du tâte-vin, ou taste-vin (que l'on appelle aussi « coupole » ou simplement « tasse », notamment en Bourgogne), varie selon la région.

TATIN Nom donné à une tarte aux pommes cuite « à l'envers », sous un couvercle de pâte, mais servie « à l'endroit », c'est-à-dire croûte dessous et fruits dessus. Cette succulente pâtisserie, qui allie le goût du caramel à la saveur des pommes cuites au beurre sous une croûte dorée et croustillante, fit la réputation des sœurs Tatin, qui tenaient, au début du XXᵉ siècle, un hôtel-restaurant à Lamotte-Beuvron.

Néanmoins, la tarte « renversée », aux pommes ou aux poires, est une ancienne spécialité solognote, que l'on retrouve dans tout l'Orléanais. Ayant acquis ses lettres de noblesse avec les sœurs Tatin, elle fut servie à Paris pour la première fois au *Maxim's*, où elle demeure une spécialité.

▶ Recette : TARTE.

TAUPE Poisson de la famille des requins, appelé aussi « touille ». Pouvant atteindre 3,70 mètres, la taupe vit généralement entre deux eaux. Elle est pêchée toute l'année, mais surtout de mai à septembre, lors de sa migration vers la côte, par les pêcheurs de l'île d'Yeu. Vendue, sous le nom de « veau de mer », en longe ou en tranches comme le thon, elle s'apprête comme lui.

TAVEL Vin AOC rosé, issu des cépages syrah, grenache, mourvèdre, cinsault et carignan, bouqueté et savoureux, sans doute un des meilleurs de France, récolté sur la rive droite du Rhône, en face d'Avignon (**voir** LANGUEDOC).

TAVERNE Brasserie ou restaurant dont le décor à l'ancienne est souvent en accord avec certaines cuisines régionales, alsacienne notamment. Autrefois, c'était un établissement où l'on ne débitait que du vin, à la différence du cabaret, qui fournissait aussi le couvert. En 1698, il fut permis aux taverniers de servir des viandes, à condition que celles-ci aient été préparées ailleurs, chez les rôtisseurs et charcutiers ; dix ans plus tard, ils obtenaient le droit de les faire cuire eux-mêmes, mais il leur était toujours interdit de cuisiner des ragoûts, privilège des traiteurs.

Au XVᵉ siècle, on trouvait des tavernes partout, mais surtout rue Saint-Jacques et rue de la Harpe, sur la rive gauche, rue Saint-Martin et rue Saint-Denis, sur la rive droite, ainsi que dans le quartier des Halles et près de la place de Grève. La plus célèbre des tavernes était alors la *Pomme de pin*, en face du Palais, suivie du *Grand Godet*, en place de Grève, et des *Quatre Fils Aymon*, rue de la Juiverie. On y servait des vins généralement d'assez médiocre qualité, mais aussi parfois les vins d'Argenteuil, de Chaillot et de Suresnes, qui étaient les grands crus de l'époque, avec le vin de l'Auxerrois et le « vin d'amont » (de Bourgogne, d'Auvergne ou du Val de Loire), très estimés, qui arrivaient par bateaux dans la capitale. Mais c'était là affaire de riches.

TAVERNE ANGLAISE Nom porté par plusieurs restaurants de Paris, en raison du renom attaché, dès la fin du XVIIIe siècle, à la restauration telle qu'elle était pratiquée en Angleterre, et pour les plats que l'on y servait, appréciés par un public anglophile. La première *Taverne anglaise,* également appelée *Grande Taverne de Londres,* fut celle qu'ouvrit Beauvilliers au Palais-Royal en 1782, avant de fonder un autre établissement sous son propre nom. Il y eut également une *Taverne anglaise* rue Taranne, à Saint-Germain-des-Prés, dont la table d'hôte était dressée dès six heures et quart. L'Anglais Lucas commença, lui aussi, par ouvrir une *Taverne anglaise,* où l'on servait du Yorkshire pudding et du rosbif froid, avant qu'elle ne devienne le restaurant *Lucas,* puis *Lucas-Carton.* Après 1870, rue de Richelieu, s'ouvrit une quatrième *Taverne anglaise,* qui attira les amateurs de viande saignante, de côtes de bœuf et de tartes à la rhubarbe.

T-BONE Tranche d'aloyau non désossée, préparée aux États-Unis (**voir** planche de la découpe du bœuf pages 108 et 109). Le T-bone comporte un morceau de filet et de faux-filet et les os attenants des vertèbres lombaires, en forme de « T », d'où son nom.

TCHOULEND Sorte de ragoût de la cuisine juive, à base de bœuf, cuit à l'étouffée. La prescription du sabbat interdisant d'allumer du feu depuis le coucher du soleil, le vendredi, jusqu'au lendemain à la même heure, des plats à cuisson lente sont placés dans le four le vendredi soir. Les longues heures de mijotage donnent à ces mets une saveur remarquable.

TELFAIRIA Plante de la famille des cucurbitacées, cultivée à La Réunion. Le telfairia, ou joliffie, contient de nombreuses graines plates qui renferment des amandes très appréciées. On en extrait aussi une huile jaune clair, de bonne qualité alimentaire.

TELLIER (CHARLES) Ingénieur français (Amiens 1828 - Paris 1913). Celui que le physicien Jacques d'Arsonval devait surnommer, en 1908, « le père du froid » mit au point la première machine frigorifique industrielle dès 1856, puis la première installation de production régulière de glace à usage alimentaire en 1876. La même année, l'expérience réussie de transport de viandes conservées grâce à ses procédés de refroidissement, par le vapeur *Frigorifique,* aménagé spécialement, entre Rouen et Buenos Aires, fut la première victoire de l'industrie du froid alimentaire.

TEMPRANILLO Cépage rouge espagnol, surtout cultivé dans la région de production des riojas rouges classiques, dans la composition desquels il entre généralement pour 70 %. Le tempranillo est connu dans d'autres régions sous les noms de « aragonez », « cencibel », « ojo de liebre », « tinto fino » ou encore « ull de liebre ». C'est aussi un important cépage argentin.

TEMPURA Assortiment typiquement japonais de beignets, préparés selon une technique introduite vers 1530 par les Portugais, puis adaptée, avec une fine pâte à base de farine de froment, d'eau et d'œufs, maintenue froide sur un lit de glace, dans laquelle on renferme des légumes, des tranches de poisson à chair blanche, des fruits de mer ou des tranches de viande (surtout de porc) et que l'on plonge dans un bain de friture à 180 °C. Le tempura s'accompagne traditionnellement de sel et de citron ainsi que d'une purée de radis blanc saupoudrée de gingembre.

RECETTE D'HISAYUKI TAKEUCHI

tempura de crevette

PRÉPARATION : 30 min – CUISSON : 8 min

« Décortiquer 16 crevettes aux trois quarts, en gardant la carapace sur la queue. Nettoyer, si nécessaire, les parties noires intestinales visibles sur le dos. Retourner les crevettes vers

l'intérieur et les entailler au couteau environ cinq fois pour qu'elles ne se courbent pas à la cuisson. Avec une lame, aplatir les queues de crevettes pour expulser l'eau emprisonnée, afin d'éviter les projections. Réserver au réfrigérateur. Chauffer à feu moyen une huile pour friture à 185 °C. Pendant ce temps, préparer la pâte à tempura. Verser 20 cl de bière japonaise dans un saladier et un œuf entier, mélanger vigoureusement au fouet pour obtenir un mélange mousseux. Ajouter 100 g de farine de type 45 et bien mélanger au fouet. Sortir les crevettes du réfrigérateur, les fariner légèrement ; les tremper dans la pâte, les plonger dans l'huile dans un même mouvement. Quand elles sont légèrement dorées, les retirer avec des baguettes métalliques, les égoutter et les poser sur du papier absorbant. Les dresser dans une assiette en les saupoudrant d'un peu de sel et en les aspergeant rapidement avec un jus de citron, juste avant de les déguster. »

TENDE-DE-TRANCHE Morceau du bœuf (découpe de demi-gros) correspondant à la région interne de la cuisse (**voir** planche de la découpe du bœuf pages 108 et 109). Le tende-de-tranche est une masse musculaire de laquelle on peut détacher la poire, le merlan, le dessus-de-tranche, destinés à être détaillés en biftecks ou en morceaux pour brochettes et fondue. Dans la partie épaisse, on prépare des rosbifs, qui sont généralement lardés.

TENDRE Qualificatif désignant généralement une viande qui se cisaille facilement avec les dents. Le mot s'applique aussi aux légumes faciles à couper et à mâcher. Quant à un vin dit « tendre », il manque un peu d'acidité et se gardera probablement peu.

TENDRET (LUCIEN) Avocat et gastronome français (Belley 1825 - *id.* 1896). Compatriote et lointain parent d'Anthelme Brillat-Savarin (1753-1826), érudit et portant aux choses de la table une attention passionnée, il publia, en 1892, *la Table au pays de Brillat-Savarin,* où il consigna, entre autres, la recette du célèbre poulet Célestine, spécialité lyonnaise, ainsi que celles des trois fameux pâtés en croûte de Belley : l'oreiller de la Belle Aurore, la toque du président Adolphe Clerc et le chapeau de monseigneur Gabriel Cortois de Quincey, riches en gibier, en volaille, en truffes et en foie gras. On lui doit cet aphorisme : « La gourmandise recherche toutes les courtoisies et toutes les élégances. Elle est la seule passion ne laissant après elle ni remords, ni chagrin, ni souffrance. » Ce gastronome a sans doute servi de modèle à Marcel Rouff pour son personnage de Dodin-Bouffant (1924).

TENDRON Morceau entrelardé et moelleux correspondant à la partie moyenne de la poitrine du bœuf et du veau, situé entre la poitrine proprement dite et le flanchet (**voir** planches de la découpe du bœuf pages 108 et 109 et du veau page 879).

Le tendron de bœuf est surtout utilisé en pot-au-feu, mais aussi pour d'autres préparations à cuisson lente.

Le tendron de veau, débarrassé de l'extrémité des os des côtes et découpé en petits morceaux réguliers, entre dans la préparation de la blanquette, du sauté ou du veau Marengo. Il peut aussi être découpé en tranches qui, poêlées ou braisées, prennent alors le nom de « côtes parisiennes » ; celles-ci sont garnies de pâtes fraîches, de risotto, d'épinards en branches au beurre ou de carottes braisées.

▶ Recette : VEAU.

RECETTE DE DIDIER ELENA

tendron de veau aux oignons caramélisés

POUR 4 PERSONNES

« Prendre un beau morceau de tendron de veau, le garder entier. Le parer, l'assaisonner, le colorer rapidement sur chaque face dans une cocotte avec de l'huile d'olive, puis le débarrasser sur une grille. Dans la cocotte, ajouter le beurre et faire suer la garniture aromatique composée de 1 carotte, 1 branche de céleri, 1 oignon et 3 gousses d'ail. Couper en deux les 3 tomates, les ajouter à la garniture et les caraméliser. Déglacer avec 10 cl de vinaigre de vin vieux et réduire de 2/3. Remettre le tendron dans la cocotte, le côté gras vers soi, puis ajouter le bouquet garni, les zestes de 1 orange et de 1 citron, 1 pincée de poivre noir concassé, 10 g de petites câpres de Sicile, 1 branche de romarin et mouiller à hauteur avec du jus de veau. Cuire au four à 120 °C pendant 4 heures en arrosant régulièrement afin d'obtenir sur le dessus une fine pellicule de glaçage. Débarrasser sur un plat de service, passer le jus de braisage au chinois et rectifier l'assaisonnement. Émincer finement 200 g d'oignons paille. Mettre dans un sautoir 50 g de beurre, y laisser suer les oignons, puis ajouter 1 feuille de laurier et 2 branches de thym. Saler, poivrer avec le moulin, laisser caraméliser doucement à couvert à feu doux jusqu'à l'obtention d'une légère coloration. Dégraisser, déglacer avec 5 cl de vinaigre de vin vieux, puis lier avec 5 cl de jus de braisage. »

TEQUILA Eau-de-vie portant le nom d'une localité de l'État de Jalisco, situé à l'ouest du Mexique. La tequila est obtenue par distillation après fermentation de la sève de l'agave *A. tequilana* Weber. La pulpe est étuvée, broyée et mise à fermenter avec du sucre et des levures. Après filtration, on procède à une double distillation qui permet d'obtenir un titrage de 40 % Vol.

On distingue la « tequila 100 % agave », la meilleure, de la « tequila », sans autre précision, qui est élaborée à partir de 51 % au minimum d'agave. Plusieurs appellations s'appliquent aussi bien à l'une qu'à l'autre : « blanco » ou « silver » désigne une tequila mise en bouteilles sans aucun vieillissement ; « gold » ou « joven o abocado » correspond à un vieillissement de 2 mois en fût ; « reposado », un vieillissement compris entre 2 mois et 1 an ; « añejo », un vieillissement de 2 à 10 ans.

Selon la tradition, on sert la tequila dans un verre haut et fin, avec une soucoupe contenant des rondelles de citron vert et du sel, afin de réunir des arômes contrastés. Le buveur met du sel sur sa main gauche, dans le creux formé entre le pouce et l'index, en lèche un peu, boit une lampée d'alcool, puis suce la rondelle de citron.

La tequila entre dans la composition d'un cocktail mexicain très populaire, la margarita, fait de tequila (ou de mescal), de jus de citron vert et de curaçao triple sec, servi dans un verre givré de sel. La tequila Sunrise est faite de tequila, de jus d'orange et de sirop de grenadine.

TERRAIL (CLAUDE) Restaurateur français (Paris 1917 - id. 2006). André, son père, travaillait au Café Anglais ; il épouse la fille de ses patrons, rachète *la Tour d'argent*, quai de la Tournelle, en 1912, à Frédéric Delair. La maison a trois étoiles au Guide Michelin en 1933 et les gardera, avec quelques soubresauts, jusqu'en 1996. En 1937, Claude, qui rêve de devenir acteur, apprend son métier à *la Tour d'argent* comme liftier. Dix ans plus tard, il en est le P-DG, accueille les grands de ce monde, rois, reines, acteurs et milliardaires, mais aussi inconnus venus découvrir ce qu'il nomme « la fête des cinq sens ». Il y défend la cuisine de tradition, le canard au sang, dont le découpage en salle, face à Notre-Dame illuminée, donne lieu à un exercice de style, mais aussi la quenelle de brochet et la poire Charpini ou « Vie parisienne » (poire pochée, crème à la williamine, caramel dur). Son fils, André, lui succède à son tour.

TERRE CUITE Matériau utilisé pour des ustensiles de préparation, de cuisson ou de service. Bien que mauvaise conductrice de la chaleur, la terre cuite convient pour les cuissons au four (ou dans les braises). La terre vernissée est parfaite pour les longs mijotages à température douce (sur feu nu, il faut intercaler un diffuseur). Mais les brusques changements de température provoquent des craquelures.

TERRINE Récipient rectangulaire, ovale ou rond, à bords droits et assez hauts, muni d'oreilles ou de poignées et fermé par un couvercle s'emboîtant dans un rebord intérieur. Par extension, la préparation qu'elle contient porte également le nom de « terrine ».

On appelle aussi « terrine » un ustensile à débarrasser ou de préparation, de forme tronconique, en grès, à bords très évasés, parfois muni d'un bec verseur, que l'on utilise pour mettre du lait ou de la crème, travailler une farce, préparer une pâte plus ou moins liquide, faire tremper ou dégorger un aliment, etc.

Enfin, la terrine peut être un simple ustensile de service, dans lequel on présente des filets de harengs marinés, des champignons à la grecque, etc.

■ **Préparation.** En cuisine, les terrines sont nombreuses et variées. Souvent à base de viandes mélangées, mais aussi de poisson, de fruits de mer, voire de légumes, elles sont servies en entrée froide, accompagnées de cornichons, d'oignons au vinaigre, de cerises ou de grains de raisin à l'aigre-doux, parfois avec une sauce pour les terrines de poisson ou de légumes (qui peuvent aussi se servir tièdes) ; ces deux dernières se préparent généralement avec des ingrédients cuits et pris en gelée, ou réduits en mousse et cuits au bain-marie.

La plupart des terrines de viande contiennent une certaine quantité de chair de porc (gras et maigre), parfois de veau, mêlée à celle de l'élément qui donnera son nom à l'apprêt. Les ingrédients sont utilisés en proportions variables et détaillés différemment. L'assaisonnement joue toujours un rôle important, tout comme la macération éventuelle des éléments dans un alcool. Ce sont souvent des apprêts d'automne, saison du gibier, agrémentés de champignons, de fruits secs (noix, amandes), d'aromates (thym, laurier, baies de genièvre), etc.

Les terrines, que l'on fait cuire à couvert dans le four, au bain-marie, sont souvent des mets rustiques, mais certaines sont des plats de haute gastronomie, telles la terrine de Nérac (perdreau rouge, foies de volaille, jambon et truffes), les terrines de foie d'oie, de chevreuil, de lapin de garenne ou de grives au genièvre. Aujourd'hui, les chefs privilégient les terrines de poisson et de crustacés : terrines d'écrevisse aux petits légumes, de rascasse, de rouget ou de lotte, de brochet, etc.

On prépare également des terrines d'entremets à base de fruits pris en gelée, que l'on sert avec de la crème fraîche ou une sauce aux fruits.

cèpes en terrine ▶ CÈPE
marinade crue pour éléments
de pâté et de terrine ▶ MARINADE
pâté d'alouette en terrine ▶ PÂTÉ
terrine de beaufort aux artichauts,
œuf poché à la moutarde ▶ ARTICHAUT
terrine de bécasse ▶ BECASSE

terrine de caneton

Désosser un canard de 1,250 kg, sans entailler les filets ; détailler ceux-ci en bandelettes, ainsi que 300 g de lard gras. Mettre ces viandes dans un plat creux avec du sel, du poivre, 1/2 cuillerée à café de quatre-épices, 4 cuillerées à soupe de cognac, 1 feuille de laurier ciselée et 1 petite branche de thym frais effeuillée. Bien remuer et laisser mariner 24 heures au frais. Mettre dans le réfrigérateur le reste du canard. Faire tremper à l'eau froide une crépine de porc, puis l'essorer et l'éponger. Préparer une duxelles avec 250 g de champignons de Paris, 2 ou 3 échalotes, du sel et du poivre. Hacher 350 g de poitrine fraîche de porc, 1 oignon, la chair du canard qui n'a pas été détaillée et le zeste blanchi de 1 orange. Mélanger la duxelles et le hachis dans un saladier avec 2 œufs, du sel et du poivre ; bien travailler le mélange, en y ajoutant l'alcool de la marinade. Tapisser la terrine avec la crépine ; disposer la moitié de la farce en couche régulière ; recouvrir avec les bandelettes de canard et de lard, en les alternant ; masquer avec le reste de la farce. Rabattre la crépine sur le contenu de la terrine et couper l'excédent. Déposer sur le dessus 1 feuille de laurier et 2 petites branches de thym frais, puis mettre le couvercle en place. Placer la terrine dans un bain-marie. Porter à ébullition sur le feu, puis cuire 1 h 30 au four préchauffé à 180 °C. Laisser tiédir. Ôter le couvercle et disposer une planchette surmontée d'un poids ; faire refroidir.

terrine d'écrevisses aux herbes ▶ ÉCREVISSE

RECETTE DE JEAN ET PIERRE TROISGROS

terrine de légumes
aux truffes « Olympe »

« Cuire séparément à grande eau salée 250 g de haricots verts, 300 g de petits pois et 300 g de carottes nouvelles entières. Bien laver 60 g de truffes. Suer 6 fonds d'artichaut au beurre, les mouiller à hauteur d'eau et cuire 20 min sur feu doux. Mettre au réfrigérateur le bol d'un mélangeur et 250 g de chair de porc, 12 cl d'huile d'arachide, 1 jus de citron et 1 blanc d'œuf. Mixer la viande avec le blanc, incorporer peu à peu le jus de citron, l'huile et 1 cuillerée de jus de truffe. Barder de 8 fines tranches de lard fumé une terrine de 22 x 12 x 6 cm, puis la monter en alignant carottes, artichauts, truffes, haricots verts et petits pois, en séparant chaque couche par un lit de farce. Cuire 30 min au bain-marie dans le four préchauffé à 150 °C. Réserver 8 heures au frais et servir accompagné d'un coulis de tomate crue assaisonné à l'huile d'olive et au vinaigre de vin. »

RECETTE DE JEAN-PAUL LACOMBE

*terrine de poireaux et fromage
de chèvre frais*

« Laver et ficeler en botte 1,3 kg de poireaux et les cuire à l'eau bouillante salée. Les couper à la longueur de la terrine jusqu'au vert. Les rafraîchir rapidement à l'eau glacée et les laisser égoutter 2 heures sous presse. Monder 200 g de tomates et les tailler en petits dés. Les assaisonner d'huile d'olive et de ciboulette et de cerfeuil ciselés. Chauffer 50 cl de bouillon tout prêt et y faire fondre 10 feuilles de gélatine préalablement trempées dans l'eau froide. Laisser refroidir. Chemiser la terrine de film alimentaire. Tapisser le fond d'un peu de gelée, et les côtés, de poireaux, blanc et vert intercalés. Mettre une première couche de tomate, et placer au centre 5 petits chèvres frais. Continuer avec une couche de gelée, une couche de tomates, et remplir le moule avec le reste des poireaux et de la gelée. Presser pour enlever l'excédent de liquide. Laisser 24 heures au réfrigérateur. Démouler la terrine sur une planche et la découper. Napper les tranches de vinaigrette. Parsemer de quelques dés de tomate fraîche, de pluches de cerfeuil et de ciboulette ciselée. »

RECETTE DE MIGUEL CASTRO E SILVA

terrine de poulpe pressée

« Laver soigneusement 2 poulpes de 2 ou 3 kg chacun. Faire un court-bouillon avec 2 oignons piqués avec 3 clous de girofle, du laurier, du persil, du poivre noir en grains, 1 tête d'ail et du vin blanc. Ajouter un peu de vinaigre et du sel. À l'ébullition, ajouter les poulpes et laisser cuire pendant 1 h 30 à peu près, jusqu'à ce que les céphalopodes deviennent tendres. Retirer les poulpes et enlever les morceaux de peau qui se détachent facilement. Couper les tentacules en les plaçant dans un moule rectangulaire, en alternant le sens des morceaux. Prendre 50 cl de la cuisson et ajouter 6 feuilles de gélatine. Couvrir les poulpes avec ce liquide et placer au-dessus un couvercle de la même dimension que celle du moule, sur lequel on mettra un poids de 2 kg. Garder cet ensemble dans le frigidaire pendant une journée, et ensuite démouler. Couper alors en tranches de 1 cm d'épaisseur et servir avec une vinaigrette à la ciboulette et une petite salade verte. »

terrine de ris de veau aux morilles ▶ RIS

RECETTE DE JEAN ET PAUL MINCHELLI

terrine de sardines crues

« Étêter et écailler 24 sardines moyennes très fraîches, essuyer la peau, lever les filets, essuyer la chair intérieure avec du papier absorbant et retirer avec le plat d'un couteau le maximum d'arêtes. Zester une orange non traitée. La couper en tout petits morceaux avec 1/2 feuille de laurier. Émincer 4 oignons nouveaux. Verser 8 cl d'huile d'olive dans une terrine et ajouter quelques gouttes de cognac, 4 clous de girofle, 1/3 des oignons, le zeste d'orange et un peu de poivre du moulin. Ranger tête-bêche les filets de sardine. Disposer une autre couche de la même façon et terminer par les mêmes ingrédients. Réserver au frais 1 ou 2 heures. Servir avec du pain grillé beurré. »

*terrine de veau en gelée
aux petits légumes printaniers*

Écosser 40 g de petits pois et les cuire à grande eau salée ; les rafraîchir sous l'eau froide pour leur garder leur couleur. Gratter et émincer 250 g de carottes nouvelles et les cuire à grande eau salée. Couper en rondelles, après les avoir lavées mais pas épluchées, 4 petites courgettes, et les cuire à grande eau salée. Pocher dans un court-bouillon bien relevé 500 g de noix de veau, jusqu'à ce qu'elle soit très tendre. Laisser refroidir. Détailler une moitié de la viande en bandelettes régulières et un peu épaisses et l'autre moitié en cubes ou en rectangles. Préparer une gelée avec le court-bouillon de cuisson filtré. Tapisser abondamment de feuilles d'aneth le fond d'un moule à flan rectangulaire, étaler au-dessus une couche des différents légumes, puis disposer, en les alternant, morceaux de veau et légumes, jusqu'à ce que la terrine soit presque pleine. Poivrer au fur et à mesure. Parsemer de quelques feuilles d'aneth. Bien tasser le tout. Couler dans la terrine la gelée refroidie, mais non prise. Laisser quelques heures au réfrigérateur, démouler et servir très frais.

TESTICULES ▶ VOIR **ANIMELLES**

TÊTE Abat des animaux de boucherie, dont certaines parties sont particulièrement appréciées (**voir** tableau des abats page 10).
– La tête des gros bovins, dépouillée et écornée, fournit les joues, maigres et très savoureuses, et la langue. Le museau de bœuf est traité en salaison, cuit et consommé à la vinaigrette.
– La tête de veau comporte le cuir, comestible après échaudage et épilage, la langue et la cervelle. Elle peut être cuite entière, par moitié, ou désossée et roulée. Elle a toujours tenu une place importante dans la cuisine ancienne et connaît de très nombreux apprêts, chauds ou froids. On la cuisine aussi farcie, gratinée, en fritots ; elle donne lieu à l'apprêt traditionnel « en tortue », qui en faisait jadis un plat de grand prestige. C'est encore un mets apprécié dans certaines régions, notamment dans le Centre et le Sud-Ouest.
– La tête de mouton ou d'agneau est rôtie entière dans certaines régions d'Afrique et d'Europe orientale, ainsi qu'en France et dans la cuisine maghrébine. Elle fournit aussi la cervelle ainsi que les joues et la langue, qui ne forment qu'une seule pièce.
– La tête de porc donne lieu à de nombreux apprêts de charcuterie, notamment le fromage de tête (ou pâté de tête), comportant ou non la langue et les oreilles : elle est traitée en salaison, cuite, désossée, coupée en morceaux réguliers qui sont mis en boule et pressés. La tête persillée, coupée en plus gros morceaux, est additionnée de persil, d'ail et d'échalote. La roulade de tête de porc a été préalablement désossée et salée, puis garnie d'une farce.

RECETTE DE MICHEL TROIGROS

pressé de tête de veau aux tomates acidulées

POUR 10 PERSONNES

« La veille, monder 24 tomates, les découper en quatre, les épépiner et les ranger côte à côte sur une plaque huilée. Saler, poivrer et sucrer légèrement. Arroser d'huile d'olive et confire au four 2 heures à 100 °C. Blanchir 1/2 tête de veau et la cuire à l'eau salée à petit feu pendant 2 heures, avec une garniture aromatique. La poser, encore tiède, entre 2 plaques et la mettre en charge avec un poids. Réserver au réfrigérateur. Habiller de film alimentaire un récipient de 22 cm sur 8 cm. Remplir le fond avec 1/3 des pétales de tomate. Étaler dessus la moitié de la tête de veau découpée au préalable. Renouveler l'opération avec la tomate puis la tête de veau et disposer dessus le derniers tiers de tomate. Refermer avec le film alimentaire et réserver une nuit au froid. Démouler et, à l'aide d'un couteau électrique, découper 10 tranches et les ranger sur une plaque. Avant le service, les passer 5 min au four chauffé à 150 °C. Disposer une tranche par assiette et arroser de sauce vinaigrette composée de vinaigre de vin rouge, d'huile d'olive, d'oignons nouveaux émincés, de sel, de poivre mignonnette et de cerfeuil. »

tête fromagée de Péribonka ▶ PORC

RECETTE DE JOËL ROBUCHON

tête de porc mijotée Île-de-France

« Mettre 1 tête de porc flambée coupée en deux dans une marmite d'eau froide, avec les oreilles et la langue, ajouter une poignée de sel et porter à ébullition. La maintenir 3 min, en écumant. Rafraîchir les viandes à l'eau froide et égoutter. Laver et éplucher 3 carottes, 3 oignons moyens, 5 échalotes, 2 gros verts de poireau, 2 branches de céleri et 2 gousses d'ail. Garder celles-ci entières et couper tous les autres légumes en grosse mirepoix. Détailler 100 g de racine de gingembre en fines rouelles. Dans un grand rondeau, chauffer 10 cl d'huile. Faire suer la tête de porc, les oreilles et la langue, puis y dorer les légumes ; verser 100 g de concentré de tomate, baisser un peu le feu, et ajouter 1 bouquet garni, 2 feuilles de sauge et 1 branche de romarin. Terminer avec 2 cuillerées à soupe pleines de coriandre en poudre, 1 cuillerée à soupe pleine de macis en poudre, 2 cuillerées à soupe rases de poivre blanc en grains, 3 cuillerées à soupe de graines de genièvre et 2 cuillerées à soupe pleines de graines de coriandre. Mouiller de 4 litres de fond blanc de volaille. Porter à ébullition sur le feu, puis cuire 3 heures au four préchauffé à 280 °C, en arrosant souvent. Dans un sautoir, mettre 12 carottes nouvelles pelées et leurs fanes avec 1 noix de beurre et 1 pincée de sucre et de sel. Couvrir d'eau et cuire jusqu'à ce qu'elles soient tendres. Les glacer et les réserver. Procéder de la même façon avec 12 navets nouveaux pelés et leurs fanes, 12 oignons nouveaux pelés et leurs fanes, ainsi que 12 morceaux de céleri-branche de la taille des carottes. Cuire à l'eau bouillante salée, séparément, 2 fonds d'artichaut poivrade, 12 asperges vertes pelées, 100 g de pois gourmands effilés et 100 g de haricots verts extrafins effilés. Blanchir 100 g de fèves écossées, retirer leur peau, les cuire à l'eau et les rafraîchir. Faire sauter au beurre 100 g de petites girolles bien lavées, assaisonner, ajouter 1 échalote ciselée et suée au beurre, et cuire vivement 1 min. Sortir les viandes et désosser la tête à l'aide d'une petite cuillère. Enlever la peau qui recouvre l'intérieur du palais ; peler la langue. Couper les demi-têtes en morceaux, la langue en tranches et les oreilles en lanières. Rassembler toutes les chairs. Passer le fond de cuisson, le faire un peu réduire 15 min, en le dépouillant. Ajouter 30 g de truffe hachée, puis monter avec 50 g de beurre. Incorporer cette sauce aux viandes. Mettre celles-ci dans un plat et disposer dessus les légumes. »

tête de veau farcie

Cuire dans un blanc une tête de veau coupée en deux ; lever avec un emporte-pièce rond de 6 à 8 cm de diamètre des disques de chair dans les parties maigres. À l'aide d'une poche à douille, garnir ces rondelles de farce de veau à la panade et à la crème, additionnée de duxelles sèche, d'œufs durs hachés et de persil ciselé. Mettre les rondelles dans un plat à gratin beurré et mouiller d'un peu de fond blanc ; poudrer de chapelure, arroser de beurre fondu et faire gratiner à chaleur douce, en posant le plat au-dessus d'une plaque à moitié remplie d'eau chaude. Servir à part une sauce piquante, poivrade, tartare, ravigote ou béarnaise.

tête de veau à l'occitane

Détailler une demi-tête de veau bien dégorgée en 8 morceaux réguliers et les cuire dans un blanc, avec la langue. Pocher la demi-cervelle dans un court-bouillon aromatisé. Mettre dans un plat creux allant au four 3 cuillerées à soupe d'oignon haché, doucement fondu au beurre et additionné, en fin de cuisson, d'une pointe d'ail. Disposer dessus les morceaux de tête de veau, ainsi que la langue et la cervelle escalopées. Garnir d'olives noires non dénoyautées, de 2 tomates (pelées, épépinées, concassées et sautées à l'huile) et de 2 œufs durs, détaillés en rondelles épaisses. Saler et poivrer. Verser sur la tête de veau 6 cuillerées d'huile d'olive et le jus de 1/2 citron ; parsemer de persil ciselé. Chauffer au bain-marie, en couvrant. Au moment de servir, arroser la tête de veau garnie avec la sauce de cuisson.

tête de veau en tortue

Cuire dans un blanc 1 tête de veau et, à part, la langue et les ris. Couper en morceaux toutes ces viandes et les tenir au chaud dans leur cuisson. Préparer une sauce tortue. Faire suer au beurre, sans les laisser colorer, 250 g de champignons coupés en dés ; dénoyauter 150 g d'olives vertes, les blanchir 3 ou 4 min, les couper en dés ; couper aussi en dés 7 ou 8 cornichons. Passer la sauce et lui ajouter les cornichons, les olives et les champignons. Faire réchauffer le tout, rectifier l'assaisonnement en ajoutant une pincée de poivre de Cayenne. Retirer de leur cuisson les morceaux de tête, de cervelle et de langue ; les napper de la sauce. Garnir de petites quenelles de farce de veau et de croûtons frits au beurre.

TÊTE MARBRÉE Tête de porc saumurée, cuite, coupée en dés, roulée en rectangle et recouverte de gelée.

TÊTE-DE-MOINE Fromage suisse (canton de Berne) AOP de lait de vache (51 % de matières grasses), à pâte pressée non cuite et à croûte lavée, jaune brunâtre, un peu visqueuse. La tête-de-moine se présente sous la forme d'un cylindre aussi large que haut de 10 à 12 cm. Elle a une saveur franche et affirmée. Sa pâte mi-dure se déguste en copeaux, les rebibes ou fleurons, réalisés à l'aide d'une girolle (**voir** ce mot).

TÊTE PRESSÉE Préparation de viande de porc froide réalisée avec une demi-tête, deux pieds et une oreille. Après cuisson au court-bouillon, la viande est détachée, mise dans un plat creux et recouverte de bouillon réduit et passé au tamis fin. La pâte pressée est enfin renversée sur un plat et servie en tranches.

TÉTINE Mamelle d'un animal et, plus spécialement, pis de vache. La tétine de cet animal est commercialisée précuite. Coupée en tranches, elle est poêlée avec de l'ail et du persil : on peut aussi la faire braiser, piquée de lard fin ; on la sert avec des champignons ou du riz. Son rôle gastronomique est aujourd'hui assez réduit. Il n'en était pas de même jadis. Au Moyen Âge, on appréciait la tétine de vache au verjus, tandis que la tétine de génisse constituait un élément de farce assez courant.

TÉTRAGONE Plante de la famille des aizoacées, à tiges rampantes et ramifiées. Également appelée « épinard d'été » ou « épinard de la Nouvelle-Zélande », la tétragone est cultivée pour ses petites feuilles allongées, vert plus ou moins foncé, épaisses et de saveur douce, mais acidulée. Elle est disponible en avril-mai et de juillet à octobre, quand l'épinard souffre de la sécheresse. Moins riche en fer et en acide oxalique que ce dernier, elle se prépare de la même façon.

TÉTRAS Nom de diverses variétés de perdrix que l'on chasse au Canada. On connaît surtout, dans l'ouest du pays, le tétras sombre et le tétras à queue fine, et, sur tout le territoire, le tétras du Canada, ou tétras des savanes. La chair rouge de ces oiseaux se consomme soit saignante, soit longuement mijotée.

TFINA Ragoût à longue cuisson de la cuisine arabe, fait de poitrine de bœuf, de pied de veau, de pois chiches (ou de haricots blancs), de pommes de terre épluchées et d'œufs entiers dans leur coquille, disposés en couches avec de l'huile d'olive, de l'ail, du paprika et du miel. La tfina doit mijoter plusieurs heures. On sert traditionnellement les viandes d'un côté, les légumes et les œufs de l'autre. Dans la tfina au blé, sans œufs, on remplace les pommes de terre par du blé ou de l'orge perlé : c'est le plat de sabbat typique de la cuisine juive algérienne. On prépare aussi des tfinas aux épinards ou au vermicelle.

THAÏLANDE La cuisine thaïlandaise, comme celle de nombreux autres pays asiatiques, se caractérise essentiellement par des repas composés de plusieurs mets servis en même temps.

Soupes variées, plats de viande, de volaille ou de poisson, préalablement découpés, légumes, riz ou vermicelles et fruits sont disposés ensemble sur la table. Ces préparations sont toutes fortement épicées et aromatisées et se consomment avec des sauces dont la plus courante est le *nam pla*, à base de poissons fermentés.

■ **Saveurs des assaisonnements.** La soupe est très appréciée par les Thaïlandais ; simple bouillon le matin, elle peut aussi être beaucoup plus complète (soupe aux crevettes et aux boulettes de porc ou soupe de nouilles au bœuf). L'abondance de légumes et de fruits (ananas, aubergine, céleri, champignon, chou, concombre, papaye, pastèque, petite banane verte, soja, noix de coco, dont on utilise le lait, pour les cuissons, aussi bien que la pulpe, etc.) permet de réaliser de multiples salades, souvent assaisonnées de *namprik phao* – un mélange d'ail, d'oignon et de piment haché –, et des apprêts pour accompagner les viandes (bœuf, porc), la volaille (poulet surtout), les poissons et crustacés.

La saveur toute particulière de cette cuisine tient à l'assaisonnement. Ainsi, les morceaux de poulet macèrent avant cuisson dans des marinades à base d'ail, d'oignon, de tamarin, de citron vert, ou de curcuma, de coriandre, etc. (poulet au basilic, poulet aux trois sauces). Le poisson est préparé à la vapeur dans des feuilles de bananier avec du gingembre, de la citronnelle, de la noix de coco.

Les desserts font appel aux produits locaux : riz gluant aux bananes cuit dans des feuilles de bananier, crème de noix de coco ou flan au tapioca, avec noix de coco et ananas.

THAZARD Poisson de la famille des scombridés, comme le thon ou le maquereau, dont il existe plusieurs variétés. Mesurant en moyenne 80 cm pour 5 kg, il peut atteindre 240 cm pour 70 kg. Le thazard possède des pinnules près de la queue. Son dos est vert bleuâtre avec 15 à 20 bandes verticales de couleur bleu cobalt ; certaines espèces portent des taches ovales sombres cuivrées sur les flancs. Il vit à faible profondeur dans les eaux tropicales et subtropicales de l'Atlantique, il migre dans la Méditerranée par le canal de Suez et on le trouve aussi dans l'océan Pacifique et l'océan Indien. On le pêche à la ligne et au filet tournant. Le thazard est vendu frais découpé en longe sans peau, salé, séché, surgelé, fumé, ou encore en boîtes. Il est souvent transformé en boulettes. Sa chair est goûteuse et un peu grasse. On le prépare de préférence grillé ou frit, mais toutes les recettes du thon lui conviennent.

THÉ Légère collation – généralement composée de pâtisseries – prise avec du thé, et servie surtout dans l'après-midi (**voir** SALON DE THÉ). Par extension, on appelle « thé » la réunion à laquelle cette collation donne lieu. Les Britanniques sont passés maîtres dans l'art du *five o'clock tea*, mais ils pratiquent également le *high tea* (ou *meat tea*), surtout dans le Nord, à la campagne, où le repas du soir est remplacé par du thé servi avec de la viande froide, du poisson, des salades, des terrines et des fruits, ainsi que des petits pains beurrés, des toasts, des galettes, etc.

La mode du thé de dix-sept heures, citadin et surtout féminin, fut lancée par la duchesse de Bedford vers 1830 et s'accompagna rapidement de règles de savoir-vivre très pointilleuses. Un thé anglais comporte parfois des petits canapés salés, mais surtout des scones, des muffins, des crumpets, des buns, des cakes, du gingerbread, du shortbread, avec des confitures, des marmelades, du lemon curd, etc.

Sur le continent, le thé fut adopté par anglomanie à la fin du XIXe siècle, surtout en ville. On le pratiqua également comme une sorte de buffet, lors des bals et des soirées.

THÉ (BOISSON) Infusion (breuvage le plus consommé dans le monde après l'eau), préparée avec les feuilles séchées du théier, arbrisseau asiatique à feuillage persistant, de la famille des théacées.

L'espèce de théier cultivée aujourd'hui, *Camellia sinensis*, comporte deux variétés principales : celle de Chine et celle d'Assam, avec d'innombrables « crus », appelés « jardins ». Le climat, le terrain, l'altitude et l'orientation influent sur la qualité, la couleur, le parfum et le goût du thé ; les meilleurs produits sont cultivés vers 2 000 mètres d'altitude et cueillis au printemps.

Autrefois exclusivement localisée en Chine, la culture du thé s'est étendue au Japon, à l'Inde, puis à d'autres pays d'Asie, au Moyen-Orient et à la Russie. La boisson ne fut introduite en Europe qu'au XVIIe siècle, par les Hollandais, qui la firent découvrir aux Français et aux Anglais qui en ont fait leur breuvage « national ». Après avoir été surtout considéré comme un remède, le thé devint peu à peu une boisson à la mode, d'abord aristocratique puis mondialement consommée. En Chine et surtout au Japon, avec la cérémonie du thé, la civilisation du thé a marqué la vie sociale.

■ **Production.** Aujourd'hui, les principaux producteurs de thé sont, dans l'ordre, l'Inde, la Chine, Sri Lanka et le Kenya, suivis de l'Indonésie, la Turquie, le Japon, Taïwan, sans oublier la Malaisie, le Viêt Nam, le Bangladesh, le Népal, la Géorgie, l'Iran et l'Amérique du Sud. La cueillette du thé s'effectue toute l'année, sauf dans les plantations d'altitude. Le théier sauvage peut atteindre 10 m de haut, mais les plants cultivés sont maintenus à 1,20 m du sol, formant des « tables de cueillette ». Dans la majorité des cas, la cueillette est effectuée par des femmes qui, des deux mains, prélèvent l'extrémité des tiges et les jettent dans la hotte qu'elles portent sur le dos. Selon la qualité recherchée, le bourgeon terminal de chaque tige (dit *pekoe*, du chinois *pa ko*, « duvet ») est cueilli avec les feuilles qui le suivent, en plus ou moins grand nombre ; plus les feuilles sont fines et jeunes, meilleur sera le thé.

Selon les traitements auxquels les feuilles sont soumises, on obtient des thés de couleurs différentes et de types particuliers. On distingue : le thé blanc, flétri à l'air libre ; le thé vert, non fermenté, torréfié directement après la cueillette ; le thé semi-fermenté, bleu-vert ; le thé noir, de loin le plus courant, fermenté et desséché.

■ **Thé blanc.** À la fois rare et cher, ce thé, provenant de la province de Fujian (Chine), ne subit aucun traitement. Il donne une infusion pâle.

■ **Thé vert.** Ce thé est une spécialité de la Chine et du Japon. Les feuilles, d'abord flétries, sont séchées et chauffées pour éviter toute fermentation. Elles donnent un thé plutôt âcre, mais une infusion assez claire.

En Chine, on distingue trois sortes de thé vert : à feuilles roulées, à feuilles pliées, à feuilles torsadées. Le *gunpowder* (« poudre à canon ») a des feuilles roulées qui ressemblent à de petits grains. En Afrique du Nord, il est utilisé pour faire le thé à la menthe. Le *lung ching* (« puits du dragon »), très réputé, a des feuilles pliées. Le *gu zhang mao jian*, à feuilles torsadées, est assez corsé.

Au Japon, le thé vert donne une infusion très colorée. Les feuilles sont chauffées à la vapeur et roulées, puis séchées jusqu'à prendre la forme d'aiguilles. Parmi les différentes variétés, on peut citer : le *bancha* et le *sencha*, les plus consommés ; le *hojitcha*, un bancha grillé ; le *gyokuro*, plus prestigieux ; le *matcha*, poudre de thé, utilisé lors de la cérémonie du thé (*Cha No Yu*). Quant au *genmaitcha*, il s'agit d'un mélange de bancha, de maïs grillé et de riz soufflé.

■ **Oolong.** De Chine ou de Formose, ce thé est fait de feuilles semi-fermentées. Il subit un début de fermentation plus ou moins prolongé, selon les plantations. Le *grand oolong fancy* de Formose, issu d'une récolte de printemps, est l'un des plus célèbres.

■ **Thé noir.** Ce thé, le plus répandu, subit cinq opérations : le flétrissage (la feuille est déshydratée et assouplie) ; le roulage (les cellules de la feuille sont brisées pour libérer et mélanger les composants) ; la fermentation humide (2 ou 3 heures à 20 °C) ; la torréfaction ou dessiccation (20 minutes à 90 °C) ; le tri de classification par grades de qualité. Par ordre décroissant, on distingue le F.O.P., *flowery orange pekoe* (du nom pris par les Nassau devenus princes d'Orange), composé du bourgeon et des deux feuilles suivantes, l'O.P., *orange pekoe* (le bourgeon est devenu une feuille), le P., *pekoe* (feuilles plus courtes, sans bourgeon), le S., *souchong* (feuilles encore plus courtes et plus âgées). Les feuilles brisées sont vendues sous les mêmes dénominations, précédées de la mention *broken*. Les feuilles broyées sont appelées *fannings*, et *dust* lorsqu'elles sont encore plus fines.

– Les thés de Ceylan (Sri Lanka) ont chacun leur saveur, qui dépend de la région de production. Ils donnent des infusions assez fortes, au goût franc et simple, à boire à toute heure de la journée. Parmi les F.O.P., on trouve, en particulier, le *sam bodhi* ; parmi les O.P., le *neluwa*, le *saint-james* et le *kenilworth* sont réputés. Les thés *uva highlands* et *dimbula* sont remarquables dans tous les grades.

– Les thés d'Inde sont particulièrement parfumés ; les plus prestigieux sont les *darjeeling* (fruité, dont la saveur varie selon le jardin et le moment de la récolte, *selimbong, sington, jungpana, makaibari*, etc.) et l'*assam* (corsé et chaud au palais). On retrouve ces deux thés dans des mélanges traditionnels anglais.

– Les thés de Chine, destinés essentiellement à l'exportation, proviennent de plusieurs régions : Yunnan (le *yunnan*, ou « moka du thé », est riche et d'un grand parfum) ; Anhui (le *keemun* est très fin) ; Sichuan, Fujian, Jiangxi. Les principaux thés fumés sont le *grand lapsang souchong*, léger mais de grande saveur, le *lapsang souchong*, plus fumé, et le *tarry souchong*, au goût fumé très accentué.

■ **Thés parfumés.** Ils sont aromatisés aux fleurs ou aux fruits ; le plus célèbre, le *earl grey*, fut mis au point au XIXᵉ siècle par le comte Grey, un Anglais qui imagina d'ajouter de l'extrait de bergamote à un thé noir de Chine non fumé. L'abricot, la cannelle, la framboise, le fruit de la Passion, le gingembre, la mûre, la noix de coco, le pamplemousse, la pomme, la vanille, etc., donnent divers thés parfumés.

On trouve dans le commerce des mélanges classiques de thés non parfumés de plusieurs provenances. Sont également commercialisés des thés en sachet (de papier ou de mousseline) qui peuvent être aromatisés, des poudres de thé instantanées, lyophilisées, déthéinées ou parfumées.

■ **Diététique.** Boisson sans calorie et sans sodium, le thé est connu depuis l'Antiquité pour ses qualités. Il stimule le système nerveux par sa caféine (ou théine), facilite la digestion par ses tanins astringents, active la circulation sanguine, soutient le cœur (grâce à la théophylline) et exerce une action diurétique. Il est riche en manganèse, en iode et en cuivre.

Toutefois, boire régulièrement une grande quantité de thé n'est pas recommandé, car la caféine peut engendrer une accoutumance (qui se manifeste par un léger syndrome de sevrage à l'arrêt de la consommation). Chez certaines personnes, cette accoutumance provoque, même à doses modérées, des palpitations, une grande nervosité, des troubles du sommeil, des maux de tête, des problèmes digestifs, etc.

On conserve le thé dans une boîte métallique, à l'abri de la lumière et de l'humidité ; il faut tenir compte de la date limite d'utilisation optimale (DLUO) mentionnée sur l'emballage.

■ **Préparation.** Lorsqu'elle ne relève pas d'un rite particulier, d'une philosophie ou d'une tradition, la préparation du thé obéit à quelques règles simples. Mais selon la variété de thé, la provenance, la finesse de la cueillette, ou encore la coutume locale, le mode de préparation peut varier.

– L'eau doit être aussi peu calcaire que possible et non javellisée ; dans le cas contraire, il est conseillé d'utiliser une eau filtrée, voire une eau de source ou une eau minérale.

– La théière est d'abord ébouillantée, pour qu'elle soit humide et chaude au moment où l'on y met les feuilles, à raison de 1 cuillerée à café de thé par tasse, plus une « pour la théière ».

– L'eau est versée juste frémissante (de 70 à 95 °C) sur les feuilles.

– La durée d'infusion (de 1 à 5 minutes, voire 10 pour le thé blanc) varie selon le type de thé (provenance, saison et finesse de la cueillette).

Selon les pays, la consommation du thé obéit à des traditions très différentes. Le thé à la russe, assez foncé et fort, pouvant être préparé à tout moment avec la réserve d'eau bouillante du samovar, est versé dans des verres. En Chine, le thé vert est préparé et servi dans des petits bols munis d'un couvercle ; il est consommé toute la journée. En Afrique du Nord, le thé à la menthe, très sucré, se boit dans des petits verres décorés. En Inde, le thé est préparé avec du lait, du sucre et des épices.

agneau aux pruneaux, au thé
et aux amandes ▶ AGNEAU

casbah algérienne

Préparer le thé avec 1 cuillerée à soupe de thé vert, 1 cuillerée à soupe de feuilles de menthe et 75 cl d'eau. Faire infuser longuement de 100 à 150 g de sucre en pain, morceau par morceau. Laisser fondre. L'infusion, très rafraîchissante, doit être forte et très sucrée. Servir brûlant et, si possible, glisser 1 feuille de menthe fraîche dans chaque verre au moment de servir.

sorbet au thé ▶ SORBET

thé chinois

Chauffer 1 litre d'eau dans une bouilloire émaillée jusqu'à ce qu'elle fasse de gros bouillons. En verser alors un verre dans une théière (en terre cuite ou en porcelaine) ; secouer celle-ci pour l'ébouillanter, puis jeter l'eau. Y mettre 2 cuillerées à café de thé noir, puis la remplir d'eau bouillante. Couvrir. Après 2 min, verser le thé dans une grande tasse pour faire ressortir la fragrance, puis reverser celle-ci immédiatement dans la théière. Laisser infuser encore 2 min, puis servir.

thé glacé

Préparer une infusion de thé vert en y ajoutant les feuilles détachées d'un bouquet de menthe fraîche. Passer le thé, le verser dans une carafe, le sucrer légèrement, le laisser refroidir, puis le mettre à glacer 1 heure au moins dans le réfrigérateur. Servir très froid, en ajoutant au dernier moment 4 cuillerées à soupe de rhum par litre de thé.

thé indien au lait aux épices

Dans une casserole, verser 1/2 litre de lait, y plonger 1 morceau de cannelle, 2 clous de girofle et 2 gousses de cardamome écrasés, et éventuellement 1 morceau de gingembre frais épluché et haché. Porter à ébullition, ajouter 1 cuillerée à soupe et demie de feuilles de thé et suffisamment de sucre en poudre. Faire bouillir 1 ou 2 min, couvrir, éteindre le feu et laisser infuser 7 ou 8 min au moins. Passer la boisson et servir très chaud.

thé à la menthe

Verser 40 cl d'eau bouillante sur 2 cuillerées à dessert de thé vert et de feuilles de menthe mélangés. Ajouter aussitôt 1 cuillerée à café de sucre en poudre ou davantage, car ce thé se boit très sucré. Laisser infuser 2 ou 3 min, puis filtrer et servir brûlant.

THÉIÈRE Récipient ventru, muni d'un bec verseur et d'une anse ou d'une poignée, servant à préparer une infusion de thé et à la servir. Selon sa taille, la théière convient pour une infusion individuelle ou pour plusieurs tasses.

Le matériau est variable : porcelaine, faïence, terre, métal, etc. Les spécialistes conseillent la théière de terre rouge, non vernissée intérieurement, supérieure au métal, souvent trop mince (sauf le métal anglais), et à la porcelaine, élégante et assortie aux tasses et au service, mais qui ne se « culotte » pas. Une théière fait en effet un meilleur thé si elle a beaucoup servi sans jamais être récurée, mais simplement rincée à l'eau froide. Lorsqu'elle est neuve, il est conseillé de la laisser plusieurs jours emplie de thé fort.

Une innovation est apparue au XIXᵉ siècle : un fin treillage, ou une paroi percée de petits trous, est placé intérieurement, à la base du goulot, pour retenir les feuilles ; néanmoins, celles-ci sont si petites qu'une passoire est souvent nécessaire.

Certains modèles disposent également d'une passoire interne, qui s'adapte à l'ouverture de la théière ; on y place les feuilles de thé avant de verser l'eau.

THERMIDOR Nom d'un apprêt du homard, créé selon certains en janvier 1894 chez *Maire*, célèbre restaurateur du boulevard Saint-Denis, à Paris, le soir de la première de *Thermidor*, drame de Victorien Sardou ; d'autres l'attribuent à Léopold Mourier, du *Café de Paris*, où le chef Tony Girod, son assistant et successeur, en fixa la recette actuelle : cubes ou escalopes de chair servis dans les demi-carapaces, mélangés de sauce Bercy (ou crème) moutardée, poudrés de fromage râpé et gratinés, ou masqués de sauce Mornay et glacés à la salamandre. On leur ajoute parfois des petits champignons, voire de la truffe.

L'appellation concerne aussi, par extension, un apprêt de la sole, pochée au vin blanc et au fumet de poisson, avec échalote et persil, saucée de la cuisson réduite montée au beurre et moutardée.

THERMOMÈTRE Instrument servant à mesurer la température d'un solide, d'un liquide ou d'une enceinte (congélateur, four). La graduation est faite en degrés Celsius, suivant une échelle variable selon l'emploi envisagé. La sonde, souvent munie d'un cadran rond, est un thermomètre que l'on plante au cœur d'un jambon, d'un pâté ou d'une viande pour mesurer la température à cœur. Les thermomètres utilisés en cuisine sont faits d'un tube de verre renfermant un liquide qui se dilate suivant la température ; le thermomètre pour congélateur est gradué de − 40 à + 20 °C. Les thermomètres de cuisson sont généralement gradués de 0 à 120 °C, mais le thermomètre de confiseur est gradué de 80 à 200 °C. Il existe de nombreux modèles de thermomètres-sondes électroniques, dont les échelles de mesure vont, selon l'usage, de − 50 à + 300 °C, voire 1 300 °C.

THIELTGES (HELMUT) Cuisinier allemand (Dreis, 1955). Il exerce son art près de la vallée de la Moselle, non loin du Luxembourg et de Trèves. Sa demeure dite *Sonnora* en lisière de forêt, à Wittlich, ses chambres bourgeoises, sa salle à manger style « Louis II » rustique, les vins de Moselle ou de Rhénanie : voilà ce qu'on découvre chez ce Candide cultivant son jardin, qui regarde ce qui se fait ici ou là, dans la France voisine ou la Belgique proche et joue d'une adresse technique pleine d'assurance. La déclinaison, sur le thème du foie gras (mousse, gelée, escalopé avec cèpes et huile de truffe), le loup rôti avec tomate et basilic flanqué d'un tortellone aux épinards au fromage des alpages, ou le ris de veau poêlé aux écrevisses du Caucase, que rehausse une sauce bisque aux truffes, sont représentatifs de sa manière.

THOLONIAT (ÉTIENNE) Pâtissier français (Sail-sur-Couzan 1909 - Paris 1987). Né dans un petit village de Loire, il fait son apprentissage à quinze ans dans une pâtisserie suisse, la *Maison Duparc*, à Saint-Étienne. Il poursuit à *L'Alhambra* à Vichy, puis monte à Paris, devient chef pâtissier de Van Besien, dont il reprend la maison au 47, rue du Château-d'Eau. Il s'y fixe définitivement à partir de 1938 et devient très vite un maître dans le travail du sucre et de sa sculpture artistique. Meilleur Ouvrier de France en 1952, premier au Concours international de Lille, il obtient cinquante médailles d'or jusqu'à la consécration en tant que « Prévôt » des pâtissiers de France. Il est le premier pâtissier français à réaliser un tour du monde dans son métier, travaillant pour Dwight David Eisenhower, Harry Truman, la reine d'Angleterre ou le pape. La télévision japonaise lui consacre toute une série d'émissions. Il a marqué de son travail artistique plusieurs générations de pâtissiers-confiseurs.

THON Nom donné à plusieurs grands poissons de mer, de la famille des scombridés, voisins par l'aspect et la forme. Le mot « thon » vient du latin *thunnus*, lui-même dérivé du grec, qui signifie « vitesse » (en effet, il peut atteindre 80 km/h et parcourir en moyenne 200 km par jour en plongeant jusqu'à 600 m de profondeur). Le thon était déjà très apprécié dans l'Antiquité. Les Phéniciens le salaient et le fumaient. Au milieu du IVe siècle av. J.-C., Archestrate recommandait, semble-t-il, le grand thon de Samos et celui de Sicile, marinés. Au Moyen Âge, on appréciait le thon toujours préparé de cette façon (la tonnine se composait de thon vidé, dépecé, rôti ou frit dans l'huile d'olive, puis salé et très épicé). À la fin du XVIIe siècle, les « marchands épiciers » faisaient encore commerce de thon mariné. À partir du XIXe siècle, la pêche du thon gagna peu à peu l'Atlantique. Depuis 1947, les pêcheurs bretons partent jusqu'au large de l'Afrique.

Le thon frais est un poisson gras (13 % de lipides et 225 Kcal ou 899 kJ pour 100 g) ; c'est une bonne source de protéines, de phosphore, d'iode, de fer et de vitamines A, B et D.

■ **Espèces.** L'appellation « thon » est aujourd'hui réservée, en France, à cinq espèces de poissons (**voir** tableau ci-dessous et planche des poissons de mer pages 674 à 677).

– L'albacore, rarement vendu frais, est essentiellement destiné à la conserverie.

– Le germon, ou thon blanc, est lui aussi surtout destiné à la conserverie ; il était autrefois plus abondant qu'aujourd'hui. Sa chair blanche, particulièrement savoureuse, ressemble à celle du veau et se cuisine comme elle. Le thon blanc breton, vendu frais, se cuisine braisé, après marinade, ou grillé en tranches.

– La bonite à ventre rayé, ou listao, a une chair rouge et pas très ferme. Elle a droit à l'appellation « thon » uniquement lorsqu'elle est utilisée dans la conserverie. Elle rentre surtout dans les préparations bas de gamme à base de thon.

– Le thon obèse, ou patudo, se consomme surtout frais, mais il n'a pas la saveur délicate du thon blanc.

– Le thon rouge est presque toujours vendu frais ; ses apprêts sont surtout inspirés de la cuisine basque, sicilienne ou provençale : débité en tranches, mariné, puis braisé ou cuit en daube.

D'autres poissons sont rapprochés de ces vrais thons : la pélamide, ou bonite à dos rayé, qui se cuisine en darnes comme le germon, sans avoir sa finesse et son goût ; la melva, petit poisson des mers chaudes, au dos bleu sombre et à la chair blanche, qui est préparée fumée ; la thonine, ou bonite à ventre tacheté, à chair brune, qui est utilisée en conserverie, mais n'a pas droit à l'appellation « thon ».

■ **Pêche.** Dès le IIe siècle av. J.-C., les Grecs connaissaient les périples des thons, poissons migrateurs se déplaçant en bancs serrés ; des procédés de pêche très anciens ont d'ailleurs longtemps subsisté, notamment en Sicile et en Yougoslavie.

En Provence, à la fin du XIXe siècle, l'approche des bancs de thon était encore annoncée à coups de trompe par des guetteurs ; à la veille de la Première Guerre mondiale, la petite pêche, restée artisanale, se limitait à la Méditerranée, alors que la pêche au germon, modernisée vers 1850, prospérait dans le golfe de Gascogne.

Le premier thonier conçu pour la pêche à destination des conserveries fut construit en 1906. Dès 1930, quelques armateurs de Saint-Jean-de-Luz s'équipèrent de bateaux à cales réfrigérées.

Aujourd'hui, la pêche est industrialisée et scientifique : marquages pour mieux connaître les migrations, repérage des bancs par hélicoptère, voire par satellite. On procède aussi au stockage des poissons vivants pêchés dans d'énormes cages flottantes. Cela permet d'engraisser les thons pour les livrer plus tard et plus gras sur le marché, désormais mondial. Un même thon, débité en longes, peut se retrouver en morceaux aux quatre coins du monde, d'où l'importance du système de traçabilité. L'histamine, le taux d'ABVT (azote basique volatil total) et les métaux lourds sont systématiquement recherchés sur les plus grosses pièces.

■ **Conserves.** En France, le thon est surtout consommé sous forme de conserves, dont les préparations variées permettent de réaliser des salades composées, de préparer des légumes farcis (avocats, poivrons, tomates) et des hors-d'œuvre divers.

Le thon en conserve se présente soit entier (le « bloc » est en fait constitué de morceaux généralement serrés les uns contre les autres), soit en miettes (petites brisures), soit en filets (petits morceaux allongés, levés sur le ventre et appelés « ventrèche »).

Caractéristiques des différentes espèces de thons

ESPÈCE	PROVENANCE	ÉPOQUE	POIDS	ASPECT
albacore, ou yellowfin	Atlantique, Pacifique, océan Indien	toute l'année	10-60 kg (250 kg max.)	extrémités des pinnules et des nageoires jaune citron, fusiforme, tête petite, dos bleu foncé, chair rose clair
bonite à ventre rayé, ou listao	golfe de Gascogne, Atlantique, Pacifique, océan Indien	juill.-août	5-20 kg (25 kg max.)	4 ou 5 bandes sombres sur les flancs et le ventre
germon, ou thon blanc	golfe de Gascogne, Atlantique, Pacifique, océan Indien	mai-oct.	4-10 kg (80 kg max.)	dos bleu foncé, ventre blanc argenté, pectorales longues, chair blanche, tendre
thon obèse, ou patudo	Atlantique, Pacifique, océan Indien	toute l'année	80-90 kg (250 kg max.)	rond, avec de gros yeux
thon rouge, ou bluefin	Méditerranée, Atlantique, Pacifique, océan Indien	mai-sept.	140-250 kg (700 kg max.)	le plus gros des thons, nageoires pectorales très courtes, chair rouge

– Le thon au naturel, toujours entier, est d'abord débité en tranches ; celles-ci sont divisées en morceaux, qui sont désarêtés, parés, lavés, passés en saumure, cuits par stérilisation, puis recouverts d'une eau légèrement salée.

– Le thon à l'huile a été étêté et équeuté, cuit au court-bouillon ou à l'étuvée, séché, puis découpé, désarêté et dépouillé ; blocs, miettes (65 % au moins) ou filets sont mis en boîte et recouverts d'huile (la composition de celle-ci est alors précisée).

– Le thon à la tomate a été cuit, séché, mis en boîte entier, en filets ou en miettes (50 % de celles-ci au moins) avec une sauce contenant au moins 8 % d'extrait sec de tomate et 10 % d'huile.

– Le thon à la marinade, et parfois aux aromates, a été préparé comme le thon à l'huile, recouvert de sauce vinaigrée aromatisée, et mis en boîte entier, en filets ou en miettes (75 % de celles-ci au moins).

– Le thon à la ravigote ou aux achards se compose généralement de filets à l'huile d'olive aromatisée ou additionnée de condiments.

– Le hors-d'œuvre de thon est préparé avec des thons de qualité très variable, une sauce condimentaire, des légumes émincés, etc.

RECETTE DE REINE SAMMUT

filet de thon à la poutargue, salade d'herbes et seiches au lard

POUR 4 PERSONNES

« Poêler un filet de 600 g de thon 2 ou 3 min sur toutes les faces, puis le laisser reposer et refroidir. Pendant ce temps, faire revenir 60 g de lardons et 100 g de petites seiches coupées en lanières et préalablement blanchies dans un peu d'huile d'olive, puis saler et poivrer. Faire une vinaigrette avec le vinaigre de vin vieux, le sel et le poivre et l'huile d'olive. Couper le thon en tranches d'un demi centimètre d'épaisseur, disposer 5 tranches sur chaque assiette. Poser sur chaque tranche une lamelle de poutargue (prévoir 30 g en tout). Disposer également de chaque côté du thon des seiches et des herbes (aneth, cerfeuil et ciboulette). Assaisonner le tout avec la vinaigrette. Saupoudrer le thon de fleur de sel et de poivre mignonnette. »

RECETTE DE JACQUES THOREL

rouelle de thon aux épices et aux carottes

« Dorer au beurre dans une cocotte une rouelle de thon de 1 kg. L'entourer de 6 tomates mondées et coupées en quartiers, de 10 petits oignons nouveaux pelés et de 1 kg de carottes nouvelles épluchées et taillées en rondelles. Mouiller avec 50 cl de fond blanc de volaille et assaisonner avec 10 g de racine de gingembre frais, 1 pincée de muscade râpée, 1/2 cuillerée à café de cannelle en poudre, 4 stigmates de safran, 1/2 cuillerée à café de cumin en poudre et du sel. Couvrir, porter à ébullition et laisser mijoter 1 heure. Servir très chaud. »

tartare de thon ▶ TARTARE

RECETTE DE HISAYUKI TAKEUCHI

tataki de thon gras

PRÉPARATION : 25 min – CUISSON : 15 s

« Nettoyer une barquette de mâche, une poignée d'oseille fraîche et réserver. Dans une poêle, saisir sur tous les côtés 400 g de ventrèche de thon (partie *toro*) coupée en pavé, sans huile ni assaisonnement. Retirer du feu dès qu'elle a blanchi, en laissant l'intérieur encore cru. Couper la ventrèche en lamelles, la poser sur une assiette carrée. Dresser dans l'assiette de la salade. Verser de l'huile de pérille sur le tout, puis ajouter 1 cuillerée à soupe de sauce de soja pour terminer. Saler et poivrer. »

thon en daube à la provençale

Piquer de filets d'anchois une rouelle de thon rouge. La laisser mariner 1 heure avec huile d'olive, jus de citron, sel et poivre. La dorer à l'huile d'olive. Ajouter 1 oignon haché revenu à l'huile, 2 grosses tomates pelées, épépinées et concassées, 1 petite gousse d'ail écrasée et 1 bouquet garni. Cuire 15 min à couvert, mouiller de 15 cl de vin blanc et poursuivre la cuis-

son 40 min au four, en arrosant souvent. Égoutter la rouelle et la dresser dans un plat rond. La napper de son fond de cuisson réduit.

RECETTE DE JEAN-YVES SCHILLINGER

thon rouge mariné au wasabi et gingembre frais

« Couper finement en petits dés 300 g de thon rouge très frais, ajouter 50 g d'oignons finement ciselés, 20 g de gingembre frais, 10 g de wasabi râpé, 4 cuillerées à soupe d'huile d'olive, 1 cuillerée à soupe de vinaigre de xérès, du sel et du poivre. Bien mélanger et rectifier l'assaisonnement si nécessaire. Chauffer 10 cl de consommé de bœuf en y ajoutant 5 g de wasabi en poudre, assaisonner et laisser refroidir. Dresser le thon dans un cercle et le consommé aromatisé tout autour. Assaisonner la salade et la dresser au-dessus du tartare. Si possible, dresser le tartare sur un lit de glace pilée. »

tomates farcies froides au thon ▶ TOMATE

RECETTE DE CHRISTIAN PARRA

ventrèche de thon des pêcheurs du Pays basque

« Préparer une ventrèche de thon de 600 g pelée des 2 côtés et divisée en 4 parts égales. Éplucher 200 g d'oignons doux et les émincer finement puis les faire revenir à la poêle dans un peu d'huile d'olive et y ajouter 200 g de petits piments verts longs, ouverts en deux, épépinés et coupés en tronçons de 3 cm. Cuire à feu doux 5 min et ajouter 2 gousses d'ail hachées et 50 g de lichettes de jambon de Bayonne un peu gras. Laisser cuire 1 min de plus. Assaisonner de piment d'Espelette et d'un peu de sel fin (le jambon étant déjà salé). Saisir très vivement les pavés de ventrèche de thon dans une poêle avec 1 cuillerée à soupe d'huile d'olive, 1 min de chaque côté seulement (l'idéal est de manger cette partie du thon saignante). Disposer la garniture au fond d'un plat, les tranches de ventrèche au-dessus. Ajouter sur le thon un peu de fleur de sel, un filet de très bonne huile d'olive et de vinaigre balsamique. Saupoudrer d'un peu de ciboulette hachée. »

RECETTE DE JUAN MARI ARZAK

ventrèche de thon à la sarriette et arêtes mentholées

POUR 4 PERSONNES

« Fumer légèrement 400 g de ventrèche pendant 4 min dans un fumoir. La cuire ensuite au gril seulement sur le côté peau, puis retirer celle-ci et réserver. Préparer la sauce : hacher ensemble puis passer au tamis 25 g de cacahuètes grillées, 25 g d'amandes grillées, 4 ou 5 cuillerées à soupe d'huile d'olive, 10 g d'oignons dorés à l'huile, 10 g de pain frit, 3 feuilles de menthe, du sel et du gingembre en poudre. Badigeonner la ventrèche de sauce, ajouter de la poudre de cacahuète et finir la cuisson dans la salamandre. Réserver. Couper finement 2 oignons, 1 poireau et 1/2 poivron vert puis les faire revenir jusqu'à ce qu'ils soient caramélisés. Ensuite, ajouter 15 g de confiture de rose canine, et assaisonner avec du sel, du poivre et du gingembre en poudre. Faire un bouillon avec 2 poireaux, 1 pomme de terre, du sel et quelques gouttes d'huile d'olive. Une fois le bouillon réalisé, en prendre 10 cl et y faire infuser 2 g de sarriette. Filtrer. Ajouter 7,5 cl de jus d'orange au reste du bouillon et le mélanger avec 3,5 cl d'huile d'olive vierge. Lorsque cette sauce est totalement homogène, ajouter 15 g de perles Japon et laisser cuire jusqu'à ce qu'elles deviennent transparentes. Assaisonner avec du sel, du sucre et du gingembre. Mélanger 2 cuillerées à soupe d'huile d'olive avec 1 goutte de menthol. Réserver. Faire frire les 4 arêtes avec 10 cl d'huile d'olive. Puis badigeonner les arêtes avec la préparation. Dans le centre d'un plat, mettre la base d'oignons et de rose canine. Placer les morceaux de ventrèche par-dessus en les faisant tenir debout et les piquer avec les arêtes mentholées. Ajouter enfin la sauce avec les perles Japon. »

vitello tonnato ▶ VEAU

849

THUILLIER (RAYMOND) Cuisinier français (Chambéry 1897 - Maussanne 1993). Sa mère tenait le buffet de la gare de Privas en Ardèche, elle lui communique le virus de la cuisine tout en l'avertissant : « tu ne feras jamais ce métier d'esclave ». Il sera assureur, directeur de la société Union Vie. Mais l'amour des mets ne l'a jamais quitté. En 1938, il découvre une demeure du XVᵉ siècle au pied du village ruiné des Baux. Il en fera sa Thébaïde. Il crée *L'Oustau de Baumanière* en 1945. Tout en poursuivant son travail de restaurateur cuisinier et accueillant à sa table les grands de ce monde (« *Baumanière* n'est pas une hôtellerie, c'est une récompense » écrit Frédéric Dard), il développe le site des Baux-de-Provence dont il devient maire. Le gigot d'agneau des Alpilles en croûte et le rouget à la tapenade lui vaudront trois étoiles au Guide Michelin en 1954, qu'il gardera jusqu'en 1990. Son petit-fils Jean-André Charial, né la même année que *L'Oustau*, lui succédera après un parcours d'autodidacte.

THURIÈS (YVES) Pâtissier français (Lempault 1938). Né dans la petite boulangerie familiale au cœur du Tarn, il est compagnon du tour de France, maître pâtissier à Gaillac, Meilleur Ouvrier de France et auteur d'un manuel de la pâtisserie française en plusieurs volumes, qui fait référence. Il a trouvé son havre à Cordes (Tarn). Il administre trois hôtels, des boutiques, ainsi qu'une revue qui porte son nom *(Thuriès Magazine)* et exalte, à travers l'hagiographie de ses collègues, l'amour de son métier. Son restaurant de prestige se nomme *le Grand Écuyer*. Il a également créé un musée de l'Art du sucre, où il fait fabriquer d'exquis biscuits aux amandes, que l'on nomme « croquants de Cordes ».

THYM Plante vivace et aromatique de la famille des lamiacées, à petites feuilles vert grisâtre (**voir** planche des herbes aromatiques pages 451 à 454).

Il en existe deux variétés principales, l'une méridionale (le thym sauvage, surnommé « serpolet »), l'autre dite « thym d'hiver », ou « thym allemand », ou « farigoule » *(Thymus vulgaris)*, plus haute, à feuilles plus larges, à saveur plus amère.

Le thym citron *(T. citriodorus)*, lui, aromatise agréablement diverses préparations.

■ **Emplois.** Le thym contient une huile essentielle, le thymol, à l'odeur très parfumée et aux propriétés antiseptiques. Le thym est l'un des aromates de base de la cuisine. Seul ou dans un bouquet garni, frais ou séché, il intervient dans le pot-au-feu, la potée, le cassoulet, le civet, la daube, la sauce meurette, le bœuf bourguignon, les poissons au four, etc. Il peut relever, surtout s'il est frais, des œufs brouillés, des salades, un coulis de tomate ou des lentilles. Il sert aussi à préparer des infusions et certaines liqueurs de ménage.

▶ **Recettes :** CROÛTON, NAGE, SOLE.

TIAN Terme provençal désignant un récipient de terre cuite (plat, terrine ou écuelle sans oreille) et, par extension, le mets cuit dans ce plat, qui est généralement composé de couches de légumes (aubergines, courgettes, etc.) en tranches disposées en alternance sur un lit d'oignons hachés et agrémentées d'huile d'olive et d'herbes de Provence. Ce mets accompagne poissons, volailles ou viandes rôties ; il peut aussi être servi en plat unique.

TIÉ BOU DIÉNÉ Plat national sénégalais, fait de tronçons ou de darnes de poisson maigre (capitaine, colin, congre, dorade ou merlu), éventuellement farcis d'oignon haché avec du persil et du piment ; dorés à l'huile d'arachide, les morceaux de poisson sont mis à mijoter sur un lit de légumes (aubergine, chou émincé, navet, oignon, patate douce, tomate), préalablement sautés à l'huile, puis relevés de piment, de poivre et éventuellement de tamarin, et additionnés de poisson séché et, parfois, de jète (coquillage marin). Le tié bou diéné est servi avec du riz cuit à la vapeur et accompagné à part de la sauce de cuisson.

TILAPIA Poisson d'eau douce, de la famille des cichlidés, originaire d'Afrique, dont il existe plusieurs variétés. Le tilapia est un poisson plat, de couleur verte avec des bandes verticales plus foncées sur le corps. C'est désormais le deuxième poisson le plus élevé au monde, dans une centaine de pays, avec une production estimée à 1,7 million de tonnes par an, l'Asie en fournissant environ 80 %. Espèce principalement herbivore, très facile à élever, il a une croissance rapide : en 16 mois, ce poisson pèse environ 1 kg pour 40 cm. Il existe aussi une production sauvage issue de la pêche. Le tilapia est préparé en filets sans peau, frais ou congelé. Sa chair sans arêtes, de couleur blanche, est très appréciée. On le prépare de multiples façons, grillé, en papillote, meunière.

TILLEUL Arbre aux feuilles luisantes, de la famille des malvacées, dont les fleurs très odorantes sont utilisées, séchées, pour préparer des infusions calmantes et antispasmodiques, parfois pour parfumer des crèmes, des glaces et des entremets, plus rarement comme aromate en cuisine. Les fleurs de tilleul les plus aromatiques proviennent de la Drôme, où l'on fabriquait jadis un ratafia de tilleul. Le miel de tilleul a un arôme et un parfum prononcés.

TILSIT Fromage suisse de lait de vache (45 % de matières grasses) des cantons de Saint-Gall et de Thurgovie, à pâte pressée non cuite et à croûte brossée (**voir** tableau des fromages étrangers page 400). Le tilsit se présente sous la forme d'une petite meule de 35 cm de diamètre et de 7 à 8 cm d'épaisseur, pesant de 4 à 5 kg ; affiné plus de 4 mois, il s'emploie comme le parmesan. Il a une saveur très fruitée, avec une forte odeur de cave.

TIMBALE Sorte de croustade servie en entrée chaude, faite d'une croûte ronde, cuite à blanc, garnie d'une préparation liée d'une sauce. La croûte est souvent historiée, décorée de motifs découpés à l'emporte-pièce ; les garnitures sont celles des vol-au-vent et des bouchées.

On appelle aussi « timbales » des petits apprêts moulés en dariole, faits de salpicons divers, de légumes, de risotto, etc., servis en entrée ou présentés en garniture.

Enfin, la timbale peut également être un entremets, une grande croûte cuite à blanc, garnie d'abricots pochés à la frangipane, de fruits divers, de cerises à la chantilly, etc., ou une petite croûte individuelle garnie de glace, de crème, de fruits, etc.

croûte à timbale garnie : préparation ▶ CROÛTE

TIMBALES SALÉES

petites timbales d'entrée

Tapisser régulièrement d'une couche de farce fine de volaille ou de poisson, de riz au gras, de brunoise de légumes, etc., épaisse de 1/2 cm, des moules à dariole beurrés, soit décorés de détails de truffe, de langue écarlate ou de maigre de jambon, soit parsemés de truffe ou de langue hachée. Emplir le milieu d'un salpicon refroidi ou d'une garniture à barquette. Recouvrir d'une couche de farce semblable à celle qui tapisse les moules et cuire de 15 à 18 min au four, au bain-marie. Laisser reposer quelques instants avant de démouler. Dresser à même le plat ou sur des croûtons ronds de pain de mie frits ou des fonds d'artichaut. Servir avec une sauce accordée à l'élément principal.

petites timbales à la piémontaise

Beurrer des moules à dariole et les tapisser d'un salpicon de langue écarlate. Les garnir d'un risotto au safran additionné d'une julienne très fine de truffe blanche. Cuire de 10 à 15 min au four, puis laisser reposer 5 min avant de démouler. Servir en garniture de cailles ou de brochettes de petits oiseaux rôtis.

timbale de pâtes à la bolognaise

Préparer une timbale de pâtes avec des coquillettes, des champignons sautés avec un hachis d'ail et d'échalotes, du persil haché, de très petits dés de jambon passés rapidement dans du beurre chaud et, éventuellement, un peu de truffe blanche râpée. Ajouter de la sauce bolognaise et réchauffer le tout. Servir avec du parmesan râpé, ou gratiné.

timbale de queues d'écrevisse Nantua

Préparer une croûte de timbale de forme basse, avec couvercle en feuilles imitées. Faire sauter au beurre 60 écrevisses moyennes, avec 2 cuillerées de mirepoix cuite à l'avance. Dès qu'elles sont bien rouges, les couvrir et les tenir 10 min sur le côté du feu, en les faisant sauter de temps en temps. Décortiquer les queues ; les mettre dans une petite casserole avec 20 petites quenelles en farce de merlan au beurre d'écrevisse, 15 petits champignons cannelés, cuits bien blancs, et 100 g de lames de truffe. Ajouter quelques gouttes de cuisson des champignons et réserver au chaud. Piler très finement débris et carcasses d'écrevisse ; les passer au tamis fin. Mélanger cette purée avec 40 cl de sauce crème et passer à l'étamine. Chauffer cette préparation sans la laisser bouillir ; la monter hors du feu avec 100 g de beurre fin et l'incorporer à la garniture. Juste au moment de servir, verser celle-ci dans la croûte de timbale ; décorer le dessus d'une couronne de lames de truffe bien noire. Fermer la timbale avec son couvercle et la dresser sur une serviette pliée.

timbale de sandre aux écrevisses et mousseline de potiron

Cuire 500 g d'écrevisses 5 min au court-bouillon, les décortiquer et réserver. Éplucher 200 g de pommes de terre et 400 g de potiron ; les cuire 30 min à l'eau salée, les égoutter, les passer au moulin à légumes, puis dessécher cette purée en remuant avec une spatule. Laver 1,5 kg de poireaux et les couper en fine julienne. En faire frire le quart dans de l'huile très chaude (180 °C) ; égoutter sur du papier absorbant. Cuire le reste à l'eau bouillante en gardant les poireaux croquants, les rafraîchir, les faire suer au beurre et ajouter 15 cl de crème épaisse, du sel et du poivre du moulin. Laisser compoter 10 min. Dans le bol d'un robot ménager, hacher à vitesse moyenne 400 g de chair de sandre. Sans arrêter l'appareil, incorporer du sel, du poivre, 2 blancs d'œuf et 35 cl de crème liquide stérilisée. Beurrer des timbales de 9 cm de diamètre, en tapisser le tour et les parois de mousse de sandre, garnir l'intérieur de queues d'écrevisse et de mousseline de potiron, et combler avec de la mousse de sandre. Cuire 30 min, au bain-marie, dans le four préchauffé à 150 °C. Dresser sur des assiettes, décorer d'un lit de poireaux à la crème et d'un dôme de poireaux frits surmonté de pluches de cerfeuil.

RECETTE ANCIENNE

timbales Agnès Sorel

« Beurrer une douzaine de moules à dariole. Les sabler intérieurement, une moitié avec des truffes hachées, l'autre moitié avec de la langue écarlate cuite (bœuf), également hachée. Préparer la valeur de 500 g d'une farce de volaille à la crème ; la finir avec quelques cuillerées de purée Soubise : l'ensemble doit être épais. Tapisser de cette farce le fond et la paroi des moules. Emplir le vide laissé dans la farce avec un salpicon composé de volaille et de truffes, lié de sauce madère réduite. Fermer l'ouverture des moules avec une couche de farce crue. Ranger les moules dans une sauteuse. Faire cuire au bain-marie de 12 à 15 minutes. Au moment de servir, démouler les timbales, les dresser sur un plat. Présenter en saucière le reste de la sauce madère. »

TIMBALES SUCRÉES

timbale Brillat-Savarin

Cuire de la pâte à brioche dans un moule à charlotte et l'évider en timbale en laissant une épaisseur de pâte de 1 cm dans le fond et sur les parois. Préparer d'une part une crème pâtissière additionnée de macarons écrasés et, d'autre part, des quartiers de poires cuits dans un sirop vanillé. Ajouter du kirsch à de la marmelade d'abricot et faire fondre celle-ci ; en badigeonner l'intérieur de la timbale et mettre quelques minutes au four. Emplir la timbale de couches alternées de crème pâtissière et de poires, en terminant par des poires. Décorer de fruits confits et faire tiédir à l'entrée du four. Accompagner d'une sauce à l'abricot.

TIMBALE (USTENSILE) Gobelet en métal argenté ou en argent ; c'est notamment un cadeau de naissance ou de baptême. La timbale est aussi un moule de fer étamé, assez haut, de forme cylindrique légèrement évasée, servant à cuire diverses préparations à base de farce, de viande, de volaille, de pâtes, etc. C'est également un plat de service proche du légumier, dans lequel on dresse légumes, œufs brouillés, ragoûts, etc.

TIRAMISU Dessert italien créé dans les années 1970, à base de couches de biscuits à la cuillère imbibés de marsala sec ou d'amaretto et de café fort, de couches de crème au mascarpone et aux œufs (jaunes et blancs battus).

RECETTE DE PIERRE HERMÉ

tiramisu

POUR 8 PERSONNES – PRÉPARATION : 25 min – CUISSON : 8 min environ

« La veille, préparer puis laisser refroidir 20 cl de café très serré. Fouetter 4 blancs d'œuf en neige molle. Pendant ce temps faire bouillir 3 min pas plus 90 g de sucre en poudre avec 3 cl d'eau. Verser en filet ce sirop bouillant sur les blancs en neige sans cesser de fouetter jusqu'à complet refroidissement. Mélanger 250 g de mascarpone avec 4 jaunes d'œuf puis incorporer délicatement les blancs en neige refroidis. Imbiber légèrement 20 biscuits à la cuillère avec le café. Répartir une première couche de biscuits à la cuillère dans un plat à gratin de 19 x 24 cm environ. Les asperger avec 4 cl de marsala sec. Recouvrir de la moitié de la crème de mascarpone. Râper dessus 90 g de chocolat au lait. Procéder de la même façon avec une seconde couche de biscuits à la cuillère. Les asperger avec 4 cl de marsala sec. Terminer par le restant de crème au mascarpone. Garder au réfrigérateur jusqu'au lendemain. Au moment de servir, saupoudrer le dessus du tiramisu de cacao tamisé. »

TIRE Confiserie canadienne créée au XVIIe siècle par Marguerite Bourgeoys, partie de Troyes, en France, pour ouvrir la première école en Nouvelle-France. Pour attirer les « petites sauvagesses », elle imagina un sirop à base de mélasse qu'elle mit à refroidir sur la première neige de l'hiver. Cela se passait un 25 novembre, et la tire reste un mets traditionnel de la Sainte-Catherine.

tire à la mélasse

Mettre dans une casserole 1,5 kg de sucre, 50 cl de mélasse et 50 cl d'eau. Ajouter 1 pincée de bicarbonate de soude. Cuire à feu doux jusqu'à ce que le sucre soit complètement fondu. Incorporer 50 g de beurre en grattant bien le bord de la casserole avec une spatule de bois. Faire bouillir sans remuer jusqu'à ce qu'une goutte du mélange, plongée dans de l'eau froide, forme une boule dure. Ajouter 1 cl d'essence de vanille. Verser dans un moule carré beurré et laisser refroidir. Étirer la préparation avec les mains beurrées ou farinées jusqu'à ce qu'elle blanchisse. La couper en carrés de 2 cm de côté et envelopper ceux-ci dans du papier sulfurisé.

TIRE-BOUCHON Ustensile servant à déboucher une bouteille fermée par un bouchon de liège. Le plus classique est à vis hélicoïdale, à mèche ronde ou plate ; mais il existe de très nombreux autres modèles, certains munis d'une gaine protège-goulot, d'autres à levier ou encore démultipliés, pour limiter l'effort, mais aussi pour éviter de trop remuer la bouteille. Le tire-bouchon dit « limonadier » est équipé en outre d'un décapsuleur et d'une lame pour couper la capsule. Un autre système fonctionne avec deux lames d'inégale longueur, que l'on insère entre le goulot et le bouchon, ce qui évite de percer ce dernier.

TIRE-LARIGOT (À) Expression qui qualifie familièrement le fait de boire beaucoup. Au XVIe siècle, les écrivains Ronsard et Rabelais l'utilisaient déjà.

TISANE Infusion d'herbes ou de plantes séchées, consommée chaude, nature ou légèrement sucrée.

851

« Variations autour de la tomate à l'école FERRANDI PARIS… Incisée
et brièvement ébouillantée, la tomate se laisse déshabiller.
Couronnée de thym, parfumée de laurier et d'huile d'olive,
elle porte haut les saveurs de la Méditerranée. »

Les infusions regroupent notamment l'anis vert, stimulant et sédatif ; la camomille romaine, efficace contre les névralgies, migraines et douleurs fébriles ; le coquelicot, calmant, entre autres, de l'asthme ; le lierre terrestre, béchique (c'est-à-dire sédatif de la toux) ; la marjolaine, contre certains spasmes et les insomnies ; la mélisse, qui soigne les vertiges, palpitations, migraines et troubles du sommeil ; la menthe, tonique et stimulante ; la reine des prés, sudorifique, diurétique, efficace contre la grippe et les rhumatismes ; le romarin, bénéfique pour le foie ; la sauge, tonique, stomachique et digestive ; le serpolet, calmant de la toux et dissipateur de l'ivresse (disait Linné) ; le thym, antiseptique, bon pour les voies respiratoires et l'estomac ; le tilleul, antispasmodique et sudorifique ; la verveine, digestive, et la violette, béchique, expectorante et diurétique.

TISANIÈRE Grande tasse haute, en porcelaine, en faïence ou en grès, munie d'une passoire intérieure (dans laquelle on place les feuilles à arroser d'eau bouillante) et d'un couvercle en même matériau, dans laquelle on peut préparer directement l'infusion.

TITRE ALCOOLOMÉTRIQUE Mesure, à la température de 20 °C, du volume d'alcool pur contenu dans les mélanges alcoolisés. Il est exprimé par le symbole « % Vol. », qui doit figurer sur leur étiquette.

TIVOLI Nom donné, au XVIIIe et au XIXe siècle, à plusieurs établissements parisiens tenant à la fois du parc d'attractions et du café, avec illuminations, feux d'artifice, faiseurs de tours, dégustations de glaces et de rafraîchissements, et évoquant la célèbre Villa d'Este, ses jardins et ses jeux d'eaux, construite à Tivoli, non loin de Rome, au XVIe siècle.

À Paris, dans le quartier Saint-Lazare, l'ancienne *Folie-Boutin*, rebaptisée *Tivoli* et animée par l'artificier Ruggieri, fut mise à la mode après la Terreur (1792). La *Folie-Richelieu*, également animée par Ruggieri, qui fonctionna de 1811 à 1826, porta aussi ce nom, ainsi que le *Tivoli-Vauxhall*, à la barrière Saint-Martin, très fréquenté jusqu'en 1848 et où fut introduit, venant d'Angleterre, le tir aux pigeons.

En cuisine classique, on a donné le nom de Tivoli à une garniture pour petites pièces de boucherie, composée de bottillons de pointes d'asperge et de têtes de champignon grillées, remplies d'un salpicon de crêtes et de rognons de coq lié de sauce suprême.

TOAD IN THE HOLE Apprêt populaire de la cuisine britannique – dont le nom signifie « crapaud dans le trou » – généralement composé de petites saucisses de porc fraîches, poêlées, puis recouvertes de pâte à crêpe épaisse ; la préparation est cuite à four très chaud, et servie brûlante.

TOAST Invitation à boire, en levant son verre et en prononçant quelques paroles, à la santé de quelqu'un, au succès d'une entreprise, à la réussite d'un événement, etc.

Le mot anglais *toast*, qui signifie « pain grillé », vient du vieux français « tostée », tranche de pain rôtie que l'on mettait jadis dans le fond d'une coupe de vin, généralement chaud et épicé. La tostée désigna ensuite le vin que l'on buvait.

TOAST (PAIN) Tranche de pain de mie grillée dans un toaster ou un grille-pain et servie chaude pour le petit déjeuner ou pour le thé, avec du beurre et de la confiture, ou en accompagnement de certains mets (caviar, foie gras, poisson fumé, etc.).

Les toasts servent aussi de supports pour des appareils divers servis en hors-d'œuvre chauds.

TOFU Produit de base de l'alimentation extrême-orientale et surtout japonaise, préparé à partir de haricots de soja trempés puis réduits en une purée qui est ensuite bouillie et tamisée. Le liquide obtenu est gélifié par adjonction d'un coagulant.

■ **Emplois.** De goût relativement neutre, très riche en protéines végétales, le tofu s'apprête au Japon selon des centaines de recettes : associé à des sauces aigres-douces dans des salades de légumes et d'algues ; incorporé en petits dés à des plats de nouilles ; émietté et cuit comme des œufs brouillés, avec des champignons et des aromates, etc. Il est

un des ingrédients du sukiyaki, intervient aussi dans des mets de poisson et de crustacés, des potées et des soupes ; garni de ciboule ou d'oignon, il est façonné en petits pâtés ou frit en boulettes ; enrobé de miso, il est grillé en brochettes. On l'apprécie aussi simplement débité en cubes, frit et dégusté avec du gingembre râpé et de la sauce soja. En été, on le sert glacé, en salade avec des ciboules, de la bonite séchée, du daikon râpé et des graines de sésame ; en hiver, on l'apprécie « fumant » (ébouillanté et accompagné de konbu).

Le *doufu* chinois est plus ferme que le tofu japonais ; il entre dans la composition des mets cuits à la vapeur, des potages et des soupes ; détaillé en dés ou en lamelles, il accompagne aussi le poisson. Le doufu pressé, blanc ou coloré et diversement aromatisé (au curcuma, au thé vert, au piment), se fait frire avec des légumes ou enrichit des mets marinés ; le doufu fermenté, à saveur assez forte, souvent relevé de poivre, garnit le riz gluant et les potées.

Au Viêt Nam, aux Philippines, en Indonésie et en Corée, le tofu est un condiment de certains plats, au même titre que les crevettes séchées, la menthe, l'alcool de riz, etc.

RECETTE DE LAURENCE SALOMON

mille-feuilles de tofu mariné au carvi et tombée d'épinards, riz basmati aux échalotes

POUR 4 PERSONNES – PRÉPARATION : 60 min – CUISSON 30 min
« Quelques heures avant, laisser tremper 150 g de riz dans le double de son volume d'eau. Laver 600 g d'épinards et, sans les essorer, les cuire 10 min à couvert. Lorsqu'ils sont encore un peu croquants, les égoutter en les pressant, les émincer et les saler. Couper 12 fines tranches de tofu d'environ 8 sur 4 cm. Disposer 4 tranches dans un grand plat. Verser un filet de shoyu et d'huile d'olive et saupoudrer de quelques grains de carvi. Répartir dessus une fine couche d'épinards et les recouvrir de 4 autres tranches de tofu. Verser de nouveau un filet de shoyu et d'huile d'olive et saupoudrer d'aromates. Disposer à nouveau 1 couche d'épinards et 4 tranches de tofu, verser quelques gouttes de shoyu et d'huile d'olive et saupoudrer de grains de carvi. Peler et émincer 4 échalotes. Les faire légèrement dorer avec 2 cuillerées à soupe d'huile d'olive et quelques pincées de sel. Rincer le riz, l'égoutter et l'ajouter aux échalotes. Mélanger 1 cuillerée à café de bouillon végétal avec 20 cl d'eau et l'incorporer au riz. Cuire doucement à couvert pendant 30 min. Rectifier le sel et réserver. Peler 1 orange à vif et la couper en morceaux. Les placer dans un blender avec 2 cuillerées à soupe d'huile d'olive, 10 grains de cardamome et quelques pincées de sel. Mixer et ajouter très peu d'eau afin d'obtenir une émulsion qui nappe la cuillère. Couper le mille-feuille en quatre et chauffer 10 min à 170 °C dans un four non ventilé (chaleur statique). Pendant ce temps, disposer dans chaque assiette quelques pousses d'épinard et 3 segments d'oranges pelées à vif. Assaisonner avec un filet d'huile de colza non raffinée, saupoudrer de cardamome en poudre et de fleur de sel. Placer les mille-feuilles et déposer 2 cuillerées de riz aux échalotes. Tracer sur l'assiette un trait avec l'émulsion d'orange. »

TOKÁNY Ragoût de bœuf de la cuisine hongroise, où le paprika tient une place moins importante que dans le goulache ou le paprikache. La viande est en outre coupée en fines languettes, qui sont revenues avec des oignons dans du saindoux ; on mouille avec de l'eau et on assaisonne avec du poivre et de la marjolaine. On ajoute parfois, à mi-cuisson, des lardons fumés rissolés, et on termine avec de la crème aigre.

TOKAY Vin blanc hongrois de réputation mondiale, produit dans les Carpates, dans la région de Tokaji-Hegyalja, essentiellement avec le cépage furmint. Le nom de l'appellation est désormais protégée au sein de l'Union européenne.

– Le tokay eszencia (essence), très rare, est le sirop qui s'écoule de grains sélectionnés, desséchés par le soleil et atteints par la « pourriture noble », lorsqu'on les met en cuve ; il fermente en fût pendant des années. Les raisins sont ensuite pressés pour donner une pâte que l'on mélange avec des moûts de raisins non sélectionnés pour obtenir le tokay aszu, d'autant plus cher qu'il contient plus de raisin aszu (desséché) et qu'il est plus doux.

– Le tokay szamorodni est fait avec des raisins non sélectionnés, mais dont une partie peut être surmaturée, et il est toujours assez alcoolisé.

TOKLAS (ALICE) Femme de lettres américaine (San Francisco 1877 - Paris 1967), compagne de l'Américaine Gertrude Stein, elle aussi écrivain. Elle est l'auteur d'un savoureux *Cook Book,* dans lequel elle égrène ses souvenirs au rythme de recettes souvent originales, évoquant les menus concoctés par leurs amis du monde des arts et des lettres, dont Picasso, Max Jacob, Matisse, Apollinaire, Hemingway ou Fitzgerald. Son talent culinaire se double d'humour et de générosité.

TÔLE Accessoire du four, formé d'une plaque de tôle noire à très faible rebord, sur laquelle on couche toutes sortes de pâtes et d'appareils de pâtisserie ou de cuisine, ainsi que des biscuits et des gâteaux secs ; on y fait cuire aussi directement des tartes, galettes ou certains pâtés en croûte non moulés (koulibiac, pantin).

TOMATE Plante annuelle de la famille des solanacées, cultivée pour ses fruits charnus et succulents, appelés « tomates », utilisés, cuits ou crus, comme légumes, base de sauce ou de jus et pour des confitures. Très riche en eau (93 %), peu énergétique (20 Kcal ou 83,6 kJ pour 100 g), la tomate (**voir** tableau des tomates page 857 et planche page 856) fournit de la vitamine C (18 mg pour 100 g) et des lycopènes. Apéritive, diurétique, laxative et rafraîchissante, elle est plus ou moins acide (acides citrique et malique) et sucrée.

Originaire du Pérou, importée au XVIe siècle en Espagne, la tomate fut longtemps considérée comme toxique et resta une plante ornementale jusqu'au XVIIIe siècle. On découvrit ses vertus alimentaires, elle s'implanta alors en Espagne, dans le royaume espagnol de Naples, puis dans le nord de l'Italie, le sud de la France et en Corse. Elle ne conquit la région parisienne et le Nord qu'après 1790.

Les cultivars (environ 600) sont extrêmement variés en taille (très gros cœur de bœuf), en forme (cornue des Andes), en couleur (noire de Crimée, black russia), en saveur (acide, sucrée, chocolatée), avec ou sans pépins (tomate raisin des États-Unis).

■ **Emplois.** Les tomates fraîches doivent être fermes, charnues, luisantes, sans rides ni crevasses, de préférence de couleur uniforme ; les tomates un peu vertes mûrissent facilement dans un endroit chaud.

Elle fait partie intégrante des cuisines basque, ibérique, italienne, languedocienne, orientale ou provençale, elle a peu à peu gagné la plupart des pays d'Europe.

Le coulis de tomate, la « concassée » ou les dés de pulpe sont incorporés dans des fonds et dans les garnitures. La tomate s'apprête cuite (notamment farcie) et crue, dans nombre de salades ou comme élément de décor de plats froids. Caponata, chakchouka, daube, gaspacho, gratin, pizza, ratatouille : autant de recettes où elle est indispensable. Elle s'accommode parfaitement de condiments puissants (ail, échalote, basilic, estragon, cumin), et son mariage avec l'olive, le poivron et l'aubergine est très classique. Elle accompagne aussi bien le thon, la morue, la sardine et le rouget que le bœuf, le veau, le poulet ou les œufs. Enfin, elle s'emploie au vinaigre (pour les petites rondes), en confiture (rouge ou verte) et même en sorbet.

confiture de tomate rouge ▶ CONFITURE
confiture de tomate verte ▶ CONFITURE
coulis de tomate (condiment) ▶ COULIS
filets de sole à la vapeur
  au coulis de tomate ▶ SOLE
fondue de tomate ▶ FONDUE DE LÉGUMES
gnocchis aux herbes et aux tomates ▶ GNOCCHIS
haricots à la tomate ▶ HARICOT À ÉCOSSER
macarons à la tomate et olive ▶ OLIVE
mille-feuille de tomate au crabe ▶ CRABE
pickles de chou-fleur et de tomate ▶ PICKLES
potage-purée de tomate ▶ POTAGE

pulpe de tomate fraîche

Laver des tomates bien mûres et parfaitement saines ; les concasser et les passer à cru au tamis. Mettre cette pulpe dans une casserole et la faire bouillir 5 min. La passer à travers un linge et recueillir la pulpe épaisse qui reste dans le torchon.

pressé de tête de veau aux tomates acidulées ▶ TÊTE
sauce tomate ▶ SAUCE
sorbet à la tomate ▶ SORBET

tomates farcies : préparation

Choisir des tomates mûres, mais fermes, de grosseur moyenne et de forme régulière. Les décalotter du côté du pédoncule et retirer celui-ci. Avec une petite cuillère, enlever les graines sans percer la peau et presser légèrement la tomate pour éliminer l'eau de végétation. Creuser la pulpe pour pouvoir mettre la farce. Saler légèrement l'intérieur et retourner les tomates sur un linge pour qu'elles achèvent de s'égoutter. Les ranger dans un plat huilé allant au four et les mettre 5 min dans le four préchauffé à 240 °C. Les égoutter à nouveau et les remplir de farce en formant un dôme.

tomates farcies chaudes bonne femme

Mélanger 250 g de chair à saucisse fine, 75 g d'oignon ciselé fondu au beurre, 2 cuillerées à soupe de chapelure fraîche, 1 cuillerée à soupe rase de persil plat effeuillé et haché, 2 gousses d'ail pelées, blanchies et écrasées, du sel et du poivre. Farcir 6 tomates de cette préparation. Poudrer de chapelure, arroser d'un filet d'huile ou de beurre clarifié et cuire de 30 à 40 min dans le four préchauffé à 220 °C.

tomates farcies chaudes en nid

Préparer des tomates comme pour les farcir et les précuire au four. Casser 1 œuf dans chaque tomate ; saler et poivrer légèrement, poser par-dessus une petite noisette de beurre et cuire 6 min dans le four préchauffé à 230 °C.

tomates farcies froides à la crème et à la ciboulette

Mélanger 20 cl de crème fraîche épaisse et 2 cuillerées à soupe de ciboulette ciselée, 2 ou 3 gousses d'ail épluchées très finement hachées, 2 cuillerées à soupe de vinaigre ou de jus de citron (ou un mélange des deux en proportions égales) ; saler, poivrer et ajouter un soupçon de cayenne. Évider 6 tomates, les saler et les poivrer légèrement, y verser 1 cuillerée à café d'huile et les laisser dégorger 30 min au moins. Les farcir de la préparation, replacer les calottes et mettre 1 heure dans le réfrigérateur.

tomates farcies froides au thon

Mélanger du riz pilaf et des miettes de thon en proportions égales. Ajouter 1 cuillerée à soupe rase de mayonnaise pour 4 cuillerées du mélange riz-poisson, des fines herbes ciselées et des petits dés de pulpe de citron. Farcir les tomates, garnir chacune d'elles d'une olive noire et mettre dans le réfrigérateur. Servir avec des petits bouquets de persil.

tomates farcies à la reine

Décalotter de grosses tomates rondes à pulpe ferme ; les épépiner et briser les cloisons sans percer la peau. Préparer un salpicon de blanc de volaille pochée au fond blanc et de champignons étuvés au beurre, en proportions égales ; l'additionner de quelques dés de truffe et le lier d'un peu de velouté très réduit. En farcir les tomates et les disposer dans un plat à gratin beurré. Poudrer de chapelure fraîche, arroser de beurre clarifié et cuire de 10 à 15 min dans le four préchauffé à 240 °C.

tomates à la mozzarella

Laver, peler et détailler en rondelles 4 tomates ; couper 200 g de mozzarella en tranches fines. Répartir les rondelles de tomate dans 4 assiettes et les recouvrir de 4 lamelles de fromage ; saler et poivrer. Parsemer de basilic frais ciselé ; arroser de quelques gouttes de vinaigre, puis d'un filet d'huile d'olive. Servir à la température ambiante.

Tomates

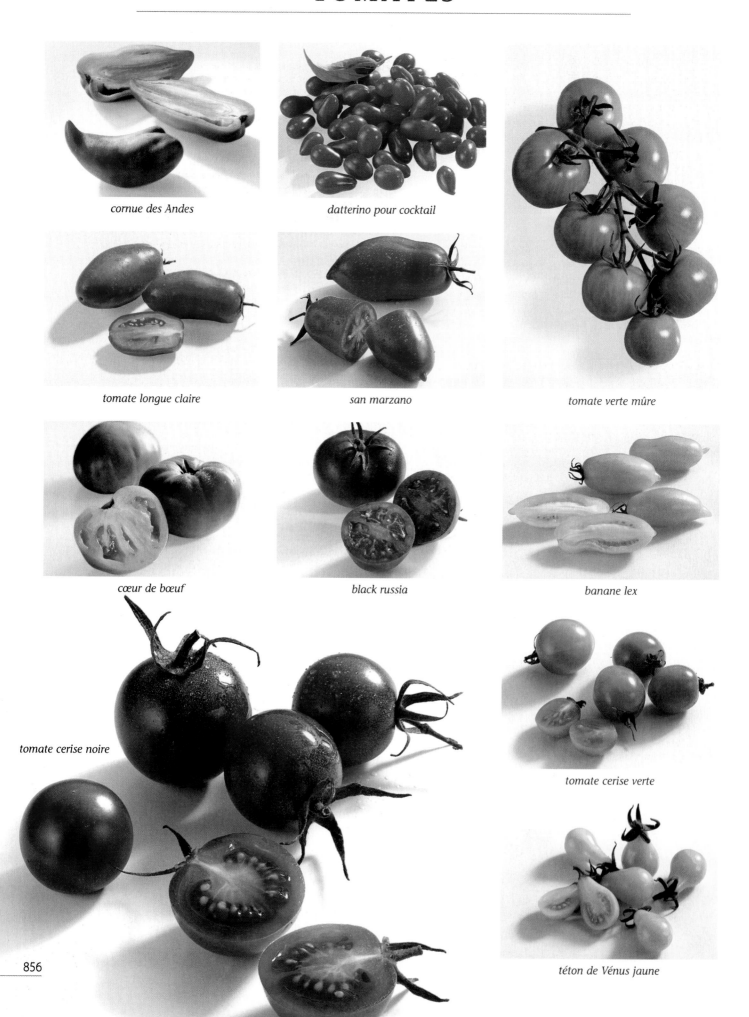

cornue des Andes

datterino pour cocktail

tomate longue claire

san marzano

tomate verte mûre

cœur de bœuf

black russia

banane lex

tomate cerise noire

tomate cerise verte

téton de Vénus jaune

RECETTE DES FRÈRES LAMPRÉIA

tomates à la provençale du Petit Plat

« Verser 12 cl d'huile d'olive vierge extra dans un plat à gratin et parsemer uniformément de 1 cuillerée à soupe de sucre en poudre. Ajouter 2 brins de thym, 2 branches de romarin, 1 cuillerée à soupe de graines de coriandre écrasées, 1 gousse d'ail écrasée, du sel et du poivre du moulin. Laver 1,5 kg de tomates moyennes, en retirer le pédoncule et les couper en deux. Les plaquer dans le plat, tranche vers le fond. Arroser avec 12 cl d'huile d'olive, parsemer de 1 cuillerée à soupe de sucre en poudre et cuire 1 heure au four préchauffé à 120 °C. Servir chaud, décoré de 1 cuillerée à soupe de coriandre fraîche ciselée. »

tomates soufflées

Évider sans percer leur peau des tomates fermes et de forme régulière. Les arroser d'huile ou de beurre clarifié et les cuire 5 min dans le four préchauffé à 240 °C. Les laisser refroidir et les garnir d'un appareil à soufflé à la tomate, en les remplissant jusqu'au bord. Lisser, poudrer de parmesan râpé et poursuivre la cuisson 15 min à 200 °C.

velouté de tomate ▶ VELOUTÉ

TOMATE (BOISSON) Nom donné à un apéritif anisé additionné d'un trait de sirop de grenadine, qui le colore en rouge vif.

TOMATILLO Genre de physalis, originaire du Mexique, de la famille des solanacées, aux fruits sphériques vert brillant, à chair ferme, dense et acidulée, récoltés de la mi-août aux gelées. Peu énergétique (32 Kcal ou 134 kJ pour 100 g), peu sucré (4 g pour 100 g), riche en niacine (2 mg pour 100 g), le tomatillo est très rafraîchissant, consommé cru ou en salsa.

TOMBE Poisson de la famille des triglidés, appelé aussi « grondin perlon » sur la côte atlantique et « galinette » dans le Midi. Mesurant 75 cm au maximum, la tombe se distingue des autres grondins par ses grandes nageoires pectorales colorées de bleu et sa ligne latérale lisse. Pêchée toute l'année de la Norvège au Sénégal et en Méditerranée, elle a une chair blanche et ferme qui s'apprête parfaitement « à la normande », au four, sur un lit de pommes de terre et d'oignons.

TOMBER Réduire le volume de certains végétaux très aqueux, qu'ils soient entiers (épinards) ou détaillés (chiffonnade d'oseille, oignons émincés), en les faisant cuire à feu doux avec ou sans matière grasse : sous l'action de la chaleur, ils rendent tout ou partie de leur eau de végétation, dans laquelle la cuisson s'effectue sans coloration.

Caractéristiques des principaux types de tomates

TYPE	CULTIVAR	ASPECT	FLAVEUR
petits fruits			
tomate groseille	zulta kytice	très petite tomate jaune en grappe	très parfumée
tomate cerise	nombreux cultivars	jaunes, rouges, oranges, 2 à 3 cm	juteuse, pulpeuse
tomate poire	téton de Vénus	ovoïde, pointu, jaune	sucrée, juteuse
tomate raisin	green grappe	forme d'un grain de raisin vert	rustique
tomates ovoïdes	principe borghèse, olivette,	ovoïde	acidulée, parfumée, sucrée
gros fruits			
fruits ivoire	blanche du Québec	sphérique, lisse	douce, peu acide, juteuse
fruits jaunes	grosse jaune	aplatie, côtelée	douce
	golden sunrise	sphérique, dorée, moyenne	riche, fruitée
	« poivron » jaune	anguleuse comme un poivron, 4 loges	peu charnue
	marmande jaune	grosse, sphérique	juteuse, sucrée, acide
fruits oranges	cœur de bœuf orange	en forme de cœur, orange clair	charnue, parfumée
	kaki coing	sphérique, orange foncé	peu juteuse
fruits roses	rose de Valence	très côtelée, souvent consommée verte	délicieuse
	rose de Berne	sphérique, rose foncé	très sucrée, goûteuse
fruits rouges	cœur de bœuf	gros fruit en forme de cœur	charnue, parfumée
	cornue des Andes	en forme de piment, jusqu'à 20 cm de diamètre	excellente, parfumée
	saint pierre	sphérique, grosse, lisse, charnue	goûteuse, charnue
	roma	allongée, très ferme	peu juteuse
	marmande rouge	grosse, sphérique, un peu aplatie, côtelée	juteuse, peau fine
fruits violets	noire de Cossebœuf	à côtes saillantes, pourpre	goûteuse
fruits noirs	noire de Crimée, black prince, black russia	presque sphérique, brun-noir	très sucrée
	black de Tulu (Océanie)	grosse, aplatie, côtelée, se fend facilement	douce
fruits verts	green zebra	vert rougeâtre, zébrée de jaune	ferme, sucrée et salée
	délicieuse de Burpee	très gros fruit côtelé, vert jaunâtre	très savoureuse

« Tomber à glace » consiste à faire réduire un liquide de cuisson (fond, jus, déglaçage) jusqu'à ce qu'il prenne la consistance d'un sirop.

TOME OU **TOMME** Nom générique qui désigne différents fromages (**voir** tableau ci-dessous). La racine *toma*, d'origine prélatine, signifie « tomer », c'est-à-dire « former le caillé ». Ce mot se retrouve pour tous les types de fromage, aussi bien quand celui-ci est frais, comme la tomme d'Arles, ou pressé, comme la tomme de Savoie. La tome peut également être affinée, comme celle au foin. Enfin, le mot « tome » sert aussi à dénommer un petit fromage plat, dont la pâte moulée est dure : la tomette.

TOM-POUCE Petit gâteau fait d'un carré de pâte sucrée, masqué d'une crème à base de beurre, de noisettes pilées, de sucre et d'essence de café, et recouvert d'un second carré de pâte sucrée, glacé de fondant au café et décoré d'une noisette grillée.

TONIC Boisson gazéifiée, contenant du gaz carbonique et du sucre, aromatisée avec des extraits naturels de fruits et de plantes, parmi lesquels figure généralement de la quinine. Le tonic fut mis à la mode par les coloniaux britanniques comme boisson rafraîchissante, alcoolisée et fébrifuge (notamment contre la malaria). Il se déguste aujourd'hui soit nature, avec des glaçons et une rondelle de citron, soit en cocktail long drink, souvent avec du gin.

TONKA Fève, noire, oblongue, terne, d'un grand arbre de la famille des fabacées, originaire de Guyane et de l'Orénoque. Sa puissante odeur d'amande douce et de foin coupé (coumarine) sert en très petites quantités à parfumer des crèmes, en association avec la vanille ou la noix de coco. À forte dose, elle est toxique (anticoagulant) et probablement cancérigène (elle est interdite aux États-Unis dans ses applications alimentaires). Elle aromatise aussi certains tabacs.

TONKINOIS Pâtisserie réalisée avec un gâteau manqué aux amandes, coupé en deux dans l'épaisseur et fourré de crème au beurre pralinée. Le tour est masqué de la même crème et décoré d'amandes effilées et grillées ; le dessus, glacé de fondant à l'orange, est poudré de noix de coco râpée.

On appelle aussi « tonkinois » un petit-four glacé de forme cubique, fait de nougatine emplie de frangipane parfumée au pralin ; le dessus est glacé au chocolat et décoré d'une pincée de pistaches hachées.

TONNEAU Grand récipient en bois, formé de douves assemblées et cerclées, avec deux fonds plats. Les tonneaux (dont l'invention est due aux Gaulois), de taille et de capacité variables, sont utilisés aujourd'hui pour la maturation, l'emmagasinage et le transport des vins, des spiritueux et des bières.

En France, les tonneaux se répartissent ainsi :
– en Alsace, le foudre de 1 000 litres environ (pour la conservation et la vente du vin) et l'aume de 114 litres (pour l'expédition) ;
– dans le Beaujolais, la pièce de 216 litres, la feuillette (demi-pièce) et le quartaut (quart de pièce) ;
– dans le Bordelais, la barrique (fût le plus courant, de 225 litres) et le tonneau (900 litres, ou 96 caisses de 12 bouteilles), ainsi que la demi-barrique, ou feuillette, et le quartaut (quart de barrique) ;
– en Bourgogne, la pièce de 228 litres (24 caisses de 12 bouteilles), la queue (456 litres env.), la feuillette (demi-pièce) et le quartaut (quart de pièce) ;
– dans le Chablis, la feuillette de 132 litres ;
– en Champagne, la queue de 216 litres et la demi-queue ;
– en Anjou, en Saumurois et en Vouvray, la pièce de 220 à 225 litres ;
– dans le Mâconnais, la pièce de 215 litres ;
– dans le Midi, le demi-muid de 600 à 700 litres.

Dans d'autres pays, on utilise surtout la pipe (418 litres à Madère, 522 litres à Porto et à Tarragone) ; le puncheon à rhum, de contenance très variable ; le butt de 490 litres environ, pour le xérès et le whisky écossais ; le barrel de 182 litres environ, pour le whisky américain.

Souvent fabriqués en bois de chêne, les tonneaux peuvent être aussi en châtaignier et en acacia. Le foret est une pointe d'acier qui sert à percer le bois pour goûter le vin en cours de vieillissement ; le fausset – ou fosset – est une cheville de bois (souvent en noisetier) qui sert à reboucher le trou du foret. Enfin, la cannelle est un robinet de bois, fixé au tonneau pour permettre l'écoulement du vin ; on l'appelle « chantepleure » en Anjou et en Bourgogne.

TOPINAMBOUR Plante vivace de la famille des astéracées, cultivée pour ses tubercules (tiges souterraines) alimentaires, consommés cuits comme légume ou utilisés en distillerie (**voir** planche des

Caractéristiques des principales tomes et tommes

NOM	FAMILLE (PÂTE)	PROVENANCE	ASPECT	SAVEUR
tomme des Allues	pressée, non cuite	Savoie	disque plat, croûte fine, lisse, pâte souple, moelleuse à sèche	douce, très bouquetée
tome des Bauges (AOC)	pressée, non cuite	Savoie	cylindre, croûte grise, pâte souple, homogène	douce, noisetée, de sous-bois
tomme de Bellay	chèvre ou mi-chèvre	Rhône-Alpes	disque plat ou petite brique, croûte fine, bleutée, taches rougeâtres, pâte lisse	noisetée, puissante
tomme de Camargue ou tomme arlésienne	fraîche	Provence	carré, croûte ivoire, à peine formée, pâte molle, souple, aromatique (thym, laurier)	douce, crémeuse, parfumée
tomme des Pyrénées (IGP)	pressée, non cuite	Pyrénées	cylindre, croûte plastifiée noire ou croûte sèche brune et non plastifiée, pâte souple	fraîche et noisetée pour le premier, plus fruitée pour le second
tomme de Romans	molle, croûte fleurie	Dauphiné	disque plat, croûte fine, gris bleuté, pâte souple, ferme	acidulée, douce à noisetée
tomme de Savoie (IGP)	pressée, non cuite	Savoie	cylindre épais, croûte grise, taches rouges, jaunes, pâte souple, homogène	noisetée
tomme de Sospel	pressée, non cuite	comté de Nice	large disque plat, croûte gris rosé, pâte tendre	douce, crémeuse

légumes-racines pages 498 et 499). Les topinambours sont originaires de l'Amérique du Nord et furent rapportés en France au début du XVIIᵉ siècle par Samuel de Champlain. Ils sont très nourrissants, riches en phosphore et en potassium. Ils présentent des tubercules bosselés et ramifiés, assez difficiles à éplucher. De consistance assez ferme, les topinambours ont un goût voisin de celui de l'artichaut ; ils se cuisent à l'eau, à la vapeur ou étuvés et s'accommodent à la crème, à la béchamel, persillés ou encore en salade, en fritots, en purée ou en soufflé.

rôti de porc aux topinambours ▶ PORC
salade de topinambours aux noisettes ▶ SALADE

RECETTE DE PIERRE ET MICHEL TROISGROS

crème de topinambour aux copeaux de châtaigne
« Ébouillanter 15 châtaignes, les éplucher et les émincer en 4 lamelles chacune. Réserver une quinzaine de belles feuilles de cresson. Éplucher 800 g de topinambours, les rincer et les cuire dans une casserole avec 50 cl de lait et 25 cl de crème liquide. Saler légèrement et cuire 30 min à petit feu. Mixer l'ensemble et passer au chinois fin. S'assurer de l'assaisonnement. Servir à l'assiette ou en soupière en déposant harmonieusement dessus les copeaux de châtaignes et les feuilles de cresson. »

RECETTE D'ALAIN DUTOURNIER

gâteau de topinambour et foie gras à la truffe
« Éplucher et tailler 600 g de topinambours roses en rondelles de 2 mm d'épaisseur. Les cuire 5 min dans un bouillon. Émincer 50 g de truffe. Tailler de très fines tranches dans le travers d'un lobe de foie gras. Saler et poivrer tous ces éléments, en ajoutant une pointe de muscade. Tapisser le fond et les parois d'un moule à soufflé moyen, bien beurré, d'écailles de topinambour ; déposer une fine couche de truffe, puis une couche de foie gras. Renouveler l'opération jusqu'à épuisement des ingrédients, et couvrir d'une feuille d'aluminium. Presser à l'aide d'un moule plus petit. Cuire 20 min au bain-marie au four préchauffé à 170 °C. Démouler sur un plat de service et arroser d'une vinaigrette tiède à l'huile de noix et au vinaigre de xérès, aromatisée de cerfeuil ou de persil plat. »

topinambours à l'anglaise
Peler des topinambours et les couper en quartiers ; les tourner en gousses s'ils sont gros. Les blanchir 5 min à l'eau bouillante, puis les éponger. Les cuire 30 min, au beurre, à feu doux et à couvert. Les mouiller de quelques cuillerées de béchamel légère ou de crème fraîche épaisse et les laisser mijoter 10 min environ. Les servir en garniture de veau, par exemple, parsemés de cerfeuil et d'estragon ciselés.

TOQUE DU PRÉSIDENT ADOLPHE CLERC Pâté en croûte, l'un des trois de la ville de Belley décrits par L. Tendret dans *la Table au pays de Brillat-Savarin*. Servi froid, cet apprêt est fait de lièvre, de bécasse, de perdreau rouge, de grive, de truffe noire et de foie d'oie. La recette originale fut retrouvée par la mère de Brillat-Savarin (1755-1826), dans les papiers du juge Adolphe Clerc, président du tribunal local ; la forme de ce pâté évoque la toque des magistrats (**voir** OREILLER DE LA BELLE AURORE).

TORRÉE Spécialité du canton de Neuchâtel, en Suisse, dans laquelle le saucisson est roi. Il est cuit, avec d'autres charcuteries, sous la cendre. Le repas qui suit, et qui porte le même nom, est partagé autour du feu.

TORTEIL Pâtisserie typiquement catalane, dont le nom authentique est *tortell*. Cette brioche en forme de couronne est une spécialité de Villefranche-de-Conflent et d'Arles-sur-Tech, où on la parfume à l'anis vert. À Limoux, où il est traditionnel pour la fête des Rois, le torteil est garni de cédrat confit, de raisins secs et de pignons, puis parfumé à l'orange, au citron et au rhum.

TORTELLINIS Pâtes italiennes faites de petites abaisses de pâte garnies d'une farce, repliées et façonnées en anneaux. Il en existe de taille et de forme différentes, ce qui donne les *tortelli* et les *cappelletti*, les tortellinis, *tortelloni* et *tortiglioni*. La pâte utilisée peut ne comporter que des œufs ou être colorée, à la tomate ou à l'épinard ; la farce est le plus souvent à base de poulet, de jambon ou de mortadelle, haché avec de la muscade, des jaunes d'œuf et du parmesan. À Bologne, où sont nées ces pâtes, les tortellinis font traditionnellement partie du dîner de Noël (farce à la dinde, au jambon et au saucisson). Pochés dans un consommé ou cuits à l'eau, les tortellinis et les *cappelletti* sont servis avec du beurre fondu ou en sauce, à la tomate ou à la crème (parfois avec des champignons), ainsi qu'avec du parmesan.

TORTILLA Omelette plate espagnole, toujours garnie de pommes de terre, cuite sur les deux faces et que l'on découpe en quartiers comme un gâteau.
La tortilla est aussi une galette de maïs, aliment de base en Amérique latine, ainsi baptisée par les conquérants espagnols au XVIᵉ siècle. La farine de maïs n'étant pas panifiable, elle sert depuis des temps immémoriaux à préparer des galettes assez délicates à réaliser, que l'on fait traditionnellement griller sur un ustensile en terre cuite.
■ **Emplois.** Les tortillas grillées, légèrement dorées, présentent sur chaque face une croûte fine, mais résistante ; on peut aussi les faire gonfler comme des pommes de terre soufflées, puis les farcir. Les tortillas se mangent soit nature, en guise de pain, soit fourrées d'ingrédients divers, souvent accompagnées d'une sauce piquante.
La gamme des condiments et farces employés comprend le guacamole, l'oignon cru haché, le piment rouge, le coulis de tomate verte, le queso râpé, le blanc de poulet en lamelles, etc.
La tortilla est présente dès le petit déjeuner. Au Mexique, celui-ci se compose entre autres des *huevos rancheros*, œufs sur le plat dressés sur des tortillas frites, garnis de tomates concassées au piment et de tranches d'avocat. Au déjeuner, le potage est parfois épaissi de parcelles de tortilla ; la *sopa seca* est un plat fait de morceaux de tortilla largement saucés et servis brûlants, aussi populaire que les *sopes*, tortillas fourrées de viande, de haricots et de sauce pimentée. Parmi les spécialités du Yucatán, le *papatzul* est fait de tortillas farcies de morceaux de porc ou d'œufs durs, accompagnées d'une sauce à base de graines de courge broyées, de purée de tomate et d'huile de graines de courge.
Au Venezuela, on retrouve les galettes de maïs sous la forme des *arepas* ; on ajoute parfois à la pâte du beurre, des œufs, des épices ou même des grains de maïs frits.

TORTILLON Petit-four sec, généralement en feuilletage torsadé, comme le sacristain, et agrémenté de fruits confits ou d'amandes effilées, ou en pâte à choux poussée en zigzag.

TORTONI Café-restaurant-glacier, ouvert à Paris en 1798, à l'angle de la rue Taitbout et du boulevard des Italiens, par un Napolitain nommé Velloni. L'établissement fut racheté peu après par son premier commis, Tortoni, qui lui donna son nom. Tout ce que Paris comptait de célébrités gravit les marches du perron du célèbre glacier, qui était aussi un restaurant des plus cotés, réputé pour ses buffets froids. Ses « viandes en gelée, papillotes de levraut et escalopes de saumon » attiraient autant la clientèle que les biscuits glacés, sorbets et granités, spécialités italiennes dont Tortoni contribua à lancer la vogue à Paris. L'établissement ferma en 1893.

TORTUE Reptile à pattes courtes à nageoires, terrestre ou amphibie, dont le corps est enfermé dans une carapace écailleuse. Il en existe plusieurs espèces aquatiques comestibles, mais elles sont de plus en plus rares et, désormais, protégées.
Aujourd'hui, c'est dans la cuisine antillaise que la tortue connaît les apprêts les plus variés, notamment la tortue franche ou verte (qui fournit une chair excellente, et dont on consomme aussi la tête, les pattes ou ailerons, la queue, les tripes et les œufs). On en fait traditionnellement de la soupe, des daubes, une fricassée, un ragoût et un colombo ; le bifteck de tortue, mariné au vinaigre, à l'huile et à l'ail, est cuit comme du bœuf et servi bien poivré.

En Louisiane, on connaît essentiellement le potage à la tortue (verte), ou *turtle soup,* plat favoris du président William Howard Taft (1909-1913).

TORTUE (EN) Se dit d'un apprêt de la tête de veau, cuite dans un blanc, mijotée avec la langue et les ris dans une sauce au vin blanc, additionnée d'olives, de champignons et de cornichons, puis dressée en timbale, avec, le plus souvent, un accompagnement de petites quenelles de farce de veau et des croûtons frits. Ce plat de la cuisine française, qui remonte au Moyen Âge, est aussi très apprécié en Belgique.

Autrefois, la tête de veau entière en tortue constituait une grande entrée spectaculaire. Aujourd'hui, elle se prépare plutôt en morceaux, mijotés dans une sauce tortue et dressés sur des croûtons frits, entourés d'une garniture plus modeste. Quand on la sert entière, elle est farcie et cuite dans un fond de braisage aromatisé avec des « herbes à tortue », mélange de basilic, de thym, de laurier, de sauge, de romarin et de marjolaine, avec des graines de coriandre et des grains de poivre, enfermés dans un sachet de mousseline.

La sauce tortue, au vin blanc et à la mirepoix, additionnée d'un roux, mouillée de bouillon et relevée de tomate, accompagne traditionnellement la tête de veau en tortue, mais elle était à l'origine conçue pour la tortue, d'où son nom ; on l'emploie aussi pour certains poissons et abats.
▶ Recettes : SAUCE, TÊTE.

TOSCANE (À LA) Se dit en France de divers apprêts caractérisés par la présence de parmesan et de jambon, spécialités de l'Émilie-Romagne, alors que la véritable cuisine toscane est plutôt illustrée par les grillades de bœuf, les plats de haricots et le chianti. Les macaronis sont liés de purée de foie gras et parsemés de dés de truffes sautés au beurre.
▶ Recettes : ALLUMETTE, BEIGNET.

TOULOUSAIN (PAYS) Situé entre la Lomagne et l'Albigeois au nord et le Couserans et l'Ariégeois au sud, avec la ville de Toulouse au centre, ce pays est réputé pour sa cuisine quelque peu rustique mais pleine des richesses de son terroir. Le lingot tarbais et le coco du Lauragais, auxquels il faut ajouter le petit coco rond de Pamiers ou de Mazères, sont à la base de l'estouffat et, surtout, du cassoulet, celui de Toulouse disputant la primauté de cette célèbre recette occitane à ceux de Castelnaudary et de Carcassonne. Deux races bovines, la gasconne et la blonde d'Aquitaine, fournissent une excellente viande de boucherie, et les veaux de la région de Saint-Gaudens, élevés sous la mère, sont renommés pour leur chair fine et persillée. Les agneaux viennent du proche Quercy et des Pyrénées commingeoises. Porcs et volailles restent toutefois les viandes les plus prisées. Les charcuteries sont nombreuses ; les meilleures viennent de la Montagne Noire, autour de Lacaune. Élevés au maïs, chapons et poulardes du Lauragais font la gloire de Toulouse, tout comme l'oie grise, animal emblématique de la région, dont le foie, les cuisses, les filets, la carcasse et les tripes ont inspiré de nombreux plats. Outre l'asperge blanche du Midi, on cultive avant tout l'ail : ail de Lomagne, ail violet de Cadours et ail rose de Lautrec, très apprécié dans tout le Sud-Ouest. En matière de fromages, on trouve surtout des tommes, dont celle des Pyrénées.
■ **Charcuteries.**
• SAUCISSON DE COUENNES, GRAS-DOUBLE ALBIGEOIS, FETGE. Les charcuteries ménagères sont bien spécifiques à la région : les saucissons de couennes entrent dans le cassoulet et l'estouffat. Le gras-double à l'albigeoise est parfumé au safran, jadis cultivé dans la région. Le fetge, foie de porc salé et séché, rissole avec des radis, et le jus de cuisson est déglacé avec du vinaigre, ou on en compose une salade avec des cœurs d'artichaut, des radis, des œufs durs, des oignons et de l'ail haché.
■ **Viandes.**
• ESTOUFFAT DE BŒUF TOULOUSAIN, CASSOULET DE TOULOUSE, PISTACHE DE MOUTON. Pour l'estouffat de bœuf, le fond d'une cocotte est tapissé avec de la couenne, on ajoute des morceaux de collier ou de joue de bœuf, des carottes et des oignons tous légèrement dorés, avant de laisser longuement mijoter dans du vin rouge. C'est le choix des viandes qui différencie les cassoulets : dans celui de Toulouse, on met de la couenne de porc, de l'épaule ou du collet d'agneau ou de mouton, de la longe

ou de l'échine et du travers du porc, de la saucisse de Toulouse, du jambon cru du pays, du confit d'oie ou de canard et de la graisse d'oie. Le pistache de mouton est préparé avec des morceaux d'épaule de mouton que l'on fait revenir dans de la graisse d'oie, puis des oignons, avant d'ajouter tomates, ail, vin blanc et un bouillon de haricots cocos aromatisé de carottes, d'oignon piqué et de bouquet garni. Le tout mijote dans une cocotte, puis achève sa cuisson dans un plat en terre au four.
■ **Volailles.**
• DAUBE D'OIE, CHAPON GRAS DU LAURAGAIS. Pour la daube d'oie, on fait d'abord mariner les morceaux d'oie dans du madiran avec oignon, ail et poivre, puis on les fait mijoter longuement dans une cocotte. La chair du chapon est si fine qu'un simple rôtissage est ce qui convient le mieux pour préparer ce plat de fin d'année.
■ **Pâtisseries et confiseries.**
• MILHASSOU AU POTIRON, GÂTEAU À LA BROCHE, NAVETTE TARNAISE, PERAT DE VICDESSOS. Nombreuses sont les façons de faire le milhassou, ou millassou, un gâteau à base de purée de potiron enrichie de sucre, de beurre et d'œufs, parfumé à l'armagnac, à l'eau de fleur d'oranger ou encore au rhum et confectionné parfois avec des pruneaux. La cuisson du gâteau à la broche, réservé aux grandes occasions, se fait dans l'âtre, à l'aide d'un cône en bois fixé sur la broche ; la pâte, aromatisée au citron, au rhum et à la fleur d'oranger, est versée à la cuillère, en couches successives, donnant un gâteau conique pesant de 150 g à 4 kg. La navette tarnaise est un petit gâteau sec aux amandes. Le perat de Vicdessos est un dessert à base de poires, de pruneaux et de figues sèches que l'on fait cuire avec du vin rouge ; il est servi frais. La violette de Toulouse est une confiserie décorative : la fleur entière est plongée dans un sirop de sucre.
■ **Vins.**
Le vignoble gaillacois se caractérise par une grande variété de cépages, donnant naissance à des vins très différents : rouges primeurs, fruités et acidulés, et de garde ; vins pétillants ; rosés à boire jeunes et blancs secs, perlés ou tranquilles.

TOULOUSAINE (À LA) Se dit d'une volaille pochée ou poêlée, d'une croustade, d'une tourte et d'un vol-au-vent garnis d'un ragoût composé de petites quenelles de volaille, de ris d'agneau ou de veau, ou de crêtes et de rognons de coq, de champignons et de truffes, liés de sauce parisienne (ou toulousaine, c'est-à-dire une sauce suprême liée aux jaunes d'œuf et à la crème). L'appellation concerne aussi, plus souvent aujourd'hui, divers apprêts de la cuisine du Sud-Ouest.
▶ Recette : AUBERGINE.

TOULOUSE-LAUTREC (HENRI DE) Peintre français (Albi 1864 - château de Malromé 1901). Dessinateur, peintre, lithographe et affichiste, ce grand coloriste fut également un excellent cuisinier amateur, qui imagina des créations où l'originalité le dispute à la sûreté du goût, mais aussi à l'humour. Grâce à son ami Maurice Joyant, les recettes traditionnelles et régionales que Toulouse-Lautrec préparait lui-même ont été réunies dans *la Cuisine de Monsieur Momo,* ouvrage tiré à 100 exemplaires en 1930, et réédité en 1966 sous le titre *l'Art de la cuisine,* avec des illustrations de menus par le peintre.

TOUPIN Poêlon ou petite marmite en terre, utilisé en Savoie pour préparer soupes, fondues, ragoûts, etc. C'est aussi le nom parfois donné aux tommes de Savoie fabriquées dans le haut Chablais.

TOUPINEL Nom donné à un apprêt d'œufs pochés qui aurait été créé au restaurant *Maire* à la fin du XIXe siècle. Les œufs Toupinel sont dressés dans des pommes de terre cuites au four et évidées ; la pulpe est écrasée avec du beurre et de la crème, salée et muscadée, puis remise dans les pommes de terre, que l'on masque d'une cuillerée de sauce Mornay ; on place enfin un œuf poché sur chaque pomme de terre, que l'on nappe également de sauce Mornay, avant de faire gratiner à la salamandre et de servir avec du persil frit.

TOURAINE La cuisine tourangelle a bâti sa réputation autour de recettes simples, à base de produits de qualité, même si, parfois, les longs séjours que la cour de France fit dans le Val de Loire ont entretenu la tradition d'apprêts fastueux, comme les plats de gibier ou les jambons de volaille de Richelieu.

La vallée de la Touraine partage avec l'Anjou l'appellation de « jardin de la France ». Les cultures maraîchères fournissent haricots verts, petits pois, céleri, carottes, laitues, cardons de Tours, asperges de Montlouis, légumes souvent cuisinés en gratin, telles les asperges de Montlouis, avec crème et gruyère, ou les cardons, accompagnés de champignons. L'emploi d'herbes fraîches caractérise la plupart des spécialités, comme les fèves fraîches à la sarriette, ou la salade de pointes d'asperges, de fonds d'artichaut, de céleri, de haricots verts et de champignons, parfumée à l'huile de noix. Les herbes aromatiques se retrouvent en abondance (tout comme les légumes) dans les apprêts de poissons, autre richesse de cette région largement irriguée par les rivières. Fines herbes et crème définissent d'ailleurs souvent l'appellation « à la tourangelle ».

Le bœuf et le veau sont les viandes préférées des Tourangeaux, qui leur consacrent des recettes souvent fort anciennes, comme l'étuvée de veau au vin rouge. Quant au biquet, on le déguste au printemps en rôti, comme en Poitou, ou en gelée. Les volailles sont particulièrement bien traitées : poularde à l'estragon, oie aux navets. Et la chair exquise de la géline de Touraine (race de poule, très rustique, aux plumes noires à reflets bleus et à la crête très rouge) convient aux recettes les plus raffinées, généralement à la crème et au vin (vouvray ou montlouis).

Quant aux célèbres fouaces, pâtisseries simples, Rabelais (XVIe siècle) en donne la recette : « Fleur de farine délayée avec de beaux moyeux (jaunes d'œuf) et du beurre, beau safran, belles épices et eau. » Enfin, les fameux pruneaux de Tours, acclimatés dans le Val de Loire depuis que les croisés les rapportèrent de Damas (XIe et XIIe siècles), garnissent le lapin de garenne, le rôti de porc, ou s'apprécient comme confiserie fourrée.

■ **Soupes et légumes.**
● **SOUPE TOURANGELLE.** La soupe tourangelle est parfaite pour mettre en valeur les légumes verts relevés de lard maigre.
● **CHAMPIGNONS, LÉGUMES VERTS.** Les légumes peuvent être farcis ou apprêtés en plat principal : champignons farcis au jambon, tourte aux herbes (notamment laitue, épinards, blettes, oseille), etc.
■ **Poissons.**
● **ALOSE, ANGUILLE, PERCHE, BROCHET ET SANDRE.** Les poissons d'eau douce sont cuisinés avec imagination. En témoignent les aloses marinées, grillées ou rôties, les matelotes d'anguille au vin de Chinon, la perche farcie à l'oseille ou aux champignons, le brochet au beurre d'échalote où à la sauce verte (cresson et épinards), la sandre cuite au four sur un lit de carottes, de céleri, d'ail, d'échalotes, d'oignons et de pleurotes.
■ **Charcuteries.**
● **RILLETTES, RILLONS ET ANDOUILLETTES.** « Brune confiture », que décrit Balzac (1799-1850), les rillettes, dont Tours et Vouvray se disputent la paternité, sont à base de viande de porc et colorées au caramel d'oignon. Les rillons sont des cubes de viande entrelardés ; quant aux andouillettes, parmi les meilleures de France, elles sont à base de fraise de veau, d'estomac et d'intestin de porc. Les connaisseurs les apprécient notamment lorsque, après avoir macéré 24 h dans le marc, elles sont cuites au four avec champignons, oignons et échalotes.
■ **Volailles.**
● **POULET SAUTÉ OU EN FRICASSÉE, CANETON EN VESSIE.** Le pays lochois constitue le terroir d'élection des animaux de basse-cour, non seulement de la géline, mais aussi des pintades, des dindons (dits « tourangeaux »). Le poulet sauté au vin de Vouvray, le caneton en vessie, aux noix confites et sauce au vin, ainsi que la fricassée de poulet au jambon et champignons sont des recettes traditionnelles.
■ **Fromages.**
Le fleuron des fromages tourangeaux, tous des chèvres, est le sainte-maure-de-touraine, un chèvre en forme de bûche à croûte fine et bleutée, à pâte blanche, souvent traversé sur sa longueur par une paille qui le consolide au démoulage.
■ **Desserts.**
● **CASSE-MUSEAUX, NOUGAT DE TOURS.** Souvent à base de pâte à pain ou de pâte briochée, la pâtisserie tourangelle est assez simple, mais bénéficie de la variété et qualité des fruits qui entrent dans sa composition.

Chasselas des coteaux de la Loire, poires williams et passe-crassane, pommes reinettes et goldens, prunes – notamment reines-claudes – et fraises permettent de réaliser de nombreux desserts : les casse-museaux, ou casse-musses, en pâte à brioche mêlée de fromage frais et de fruits, ou le pâté aux prunes, etc. Les sucres d'orge et les croquets, les noix confites et les macarons, le traditionnel nougat de Tours, pâtisserie à la crème d'amande et aux fruits confits, complètent cet éventail de douceurs.
■ **Vins.**
Les vins de Touraine réunissent quatre grandes appellations : bourgueil et chinon offrent des rouges structurés mais coulants ; vouvray donne une grande variété de blancs secs ou liquoreux, selon les années et les vignobles ; et montlouis propose des blancs assez comparables à ceux de vouvray. L'appellation touraine concerne majoritairement des rouges légers à boire jeunes et des blancs secs.

TOURANGELLE (À LA) Se dit de grosses pièces d'agneau ou de mouton rôties, servies avec leur jus lié, accompagnées d'une garniture de haricots verts et de flageolets liés à la béchamel claire ou au velouté.

L'appellation s'applique également à des œufs mollets ou pochés, dressés sur des tartelettes garnies de purée de flageolets et nappés de sauce crème.

Quant à la salade tourangelle, elle est composée d'une julienne de pommes de terre, de haricots verts et de flageolets, liée avec une mayonnaise additionnée d'estragon.
▶ **Recette :** BEUCHELLE.

TOUR D'ARGENT (LA) Restaurant parisien, le plus ancien de tous ; en 1582 déjà, une auberge était établie quai de la Tournelle, sur les vestiges d'un château bâti par Charles V dans la seconde moitié du XIVe siècle, dont il restait une tour en pierre blanche. Un nommé Rourteau (ou Rourtaud) y préparait, notamment, des pâtés de héron et de canard sauvage, qu'Henri III lui-même vint goûter. Au début du XVIIe siècle, Richelieu y apprécia l'oie aux pruneaux, et son petit-neveu, le duc de Richelieu, y fit exécuter son menu « tout en bœuf ». Mme de Sévigné en vantait le chocolat, et Mme de Pompadour le vin de Champagne. Sous Napoléon Ier, Lecoq, chef des cuisines impériales, racheta le restaurant, qui avait souffert lors de la Révolution. Le canard rôti et le gigot d'agneau étaient alors les plats les plus réputés. Paillard succéda à Lecoq, mais c'est à partir de 1890 que La Tour d'Argent acquit le prestige qu'elle connaît toujours, avec le célèbre Frédéric, premier maître d'hôtel, puis directeur, qui reprit la recette du canard à la presse (**voir** ce mot) et eut l'idée d'attribuer un numéro d'ordre à chaque volaille servie. La tradition se poursuit, et les « canardiers » en tablier blanc officient toujours sur la petite scène du « théâtre du canard ». Au « Grand Frédéric », qui fit de La Tour d'Argent le « Bayreuth de la cuisine » (Jean Cocteau), succédèrent André Terrail, puis son fils, Claude Terrail, puis André Terrail, fils de ce dernier, en 2006.

TOURER Pratiquer les « tours » nécessaires à la réalisation d'une pâte feuilletée ; il s'agit des opérations successives de pliage, de passage au rouleau, de rotation de l'abaisse d'un quart de tour à chaque fois, puis de repliage, etc. Les pâtissiers et les cuisiniers professionnels effectuent le tourage sur un « tour de pâtisserie », une table froide de marbre ou de métal réfrigérée.

TOURIN Soupe à l'oignon et parfois à l'ail ou à la tomate, préparée au saindoux ou à la graisse d'oie, commune au Périgord et au Bordelais. Le tourin, qui s'écrit également tourain, thourin ou tourrin, voire touril en Rouergue et touri en Béarn, était jadis traditionnellement apporté aux jeunes mariés le lendemain matin de leur mariage et portait alors le nom de « tourin des mariés » ou « tourin des noces » (additionné de vermicelle). Dans le Quercy, on prépare aussi un « tourin à l'aoucou » (cuit avec une cuisse d'oie confite), un « tourin à la poulette » (oignon et farine roussis à la graisse d'oie avant le mouillement) et un « tourin aux raves » (chou-rave émincé, revenu dans du saindoux). C'est en Périgord que l'on ajoute souvent une gousse d'ail écrasée et un peu de purée de tomate ou des tomates fraîches.

tourin périgourdin

Faire blondir à la graisse d'oie, dans une poêle, 150 g d'oignons finement émincés. Les poudrer d'une bonne cuillerée de farine, ajouter 2 gousses d'ail écrasées et mouiller de quelques cuillerées d'eau bouillante ; mélanger pour éviter les grumeaux. Cuire 2 grosses tomates épépinées dans 2 litres de bouillon, les égoutter, les écraser et les remettre dans le bouillon. Ajouter alors la « fricassée » de la poêle et cuire 45 min à bonne ébullition. Au moment de servir, lier avec 2 jaunes d'œuf délayés avec un peu de consommé ou de fond blanc. Verser dans une soupière, sur de fines tranches de pain de campagne.

TOURNEBRIDE Terme désuet désignant une hôtellerie ou une auberge située près d'un château ou d'une résidence de campagne, qui reçoit les domestiques et les chevaux des visiteurs.

TOURNEBROCHE Mécanisme servant à faire tourner régulièrement une broche à rôtir devant une source de chaleur. Le tournebroche est un accessoire du four ou du barbecue, fonctionnant généralement à l'électricité.

Au Moyen Âge, les tournebroches étaient mus par des « galopins », jeunes apprentis « hâteurs » (rôtisseurs), qui tournaient sans répit les manivelles de lourdes broches, devant les brasiers des cheminées. On employa par la suite des chiens, qui actionnaient la broche en courant à l'intérieur d'une roue.

Les tournebroches « tournant tout seuls » apparurent à la fin du XVIe siècle. Deux siècles plus tard, les mouvements d'horlogerie s'étaient perfectionnés, et les tournebroches purent dès lors fonctionner automatiquement. Il y eut aussi des broches actionnées par la chaleur du foyer, qui faisait tourner une roue à ailettes. Certains restaurants étaient équipés de rôtissoires géantes, permettant de cuire plusieurs dizaines de poulets à la fois.

TOURNEDOS Tranche de filet de bœuf de 2 cm d'épaisseur, entourée d'une fine barde de lard et ficelée, ce qui lui donne sa forme ronde et permet une cuisson régulière ; elle est ensuite sautée, grillée ou poêlée. D'autres morceaux de viande sont présentés de cette façon, sans avoir droit à l'appellation « tournedos ».

Une des versions de l'origine du tournedos est liée à l'apprêt commandé par Rossini (au foie gras et aux truffes), si surprenant aux yeux du maître d'hôtel que celui-ci fit passer le plat « dans le dos » des convives.

▶ Recette : BŒUF.

TOURNER Se dit de produits alimentaires qui connaissent certaines transformations naturelles : ainsi, les fruits tournent lorsque, parvenus à maturité, ils commencent à se gâter ; le lait tourné est dit « aigre ».

La « tourne » est une maladie du vin qui le rend trouble et lui donne une odeur fade et un goût aigre.

TOURNER (TECHNIQUE) Façonner un élément à l'aide d'un couteau d'office pour lui donner une forme déterminée et régulière ; des éléments tournés de la même manière cuisent d'une façon uniforme. Les pommes de terre sont tournées en boules, en olives ou en gousses, selon l'apprêt ; les carottes et les navets sont tournés pour une bouquetière, de même que la pulpe de concombre en gousses, les têtes de champignon, les olives (dénoyautées).

Tourner une pièce en train de rôtir au four, c'est la déplacer sans la piquer, pour que toutes ses faces dorent uniformément.

Tourner une préparation, c'est la remuer d'un geste circulaire, pendant sa réalisation ou sa cuisson.

Tourner une salade, c'est mélanger les feuilles avec leur assaisonnement dans le saladier, avec les couverts à salade.

En boulangerie, tourner consiste à laminer et à allonger les pâtons destinés à la fabrication des pains de forme allongée (baguette, flûte, pain). Cette opération se fait manuellement ou mécaniquement, avec une façonneuse.

TOURNER DES CHAMPIGNONS ET DES CAROTTES

Champignons. On tourne les têtes des champignons en pratiquant des cannelures régulières à l'aide d'un couteau d'office.

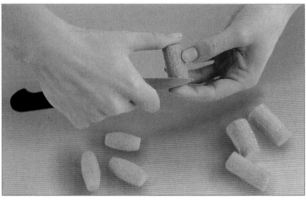

Carottes. On tourne les carottes à l'aide d'un couteau d'office pour leur donner une forme de petites gousses.

TOURNESOL Plante oléagineuse de la famille des astéracées, originaire du Mexique et du Pérou, appelée aussi « hélianthe », ou « grand soleil », cultivée aujourd'hui dans de nombreux pays.

L'huile extraite de ses graines est riche en acides gras essentiels, avec une très forte teneur en oméga-6. Elle permet de réaliser des assaisonnements (elle convient bien à la préparation de la mayonnaise) et peut être utilisée pour la cuisson (**voir** tableau des huiles page 462).

Les graines de tournesol peuvent être consommées en amuse-gueule et elles sont utilisées dans la fabrication de pains spéciaux ; elles sont très énergétiques.

Après extraction de l'huile par trituration des graines, on récupère la partie solide pour l'alimentation des animaux d'élevage sous forme de tourteau.

TOURON Confiserie d'origine espagnole, faite d'amandes, de miel, de blancs d'œuf et de sucre, diversement colorée et parfumée ; elle peut contenir également des pistaches, des noix ou des fruits secs.
– Le *turrón* espagnol de Jijona est à base d'amandes pilées, de miel et de sucre, avec des noix, des noisettes et des pignons, parfois de la coriandre et de la cannelle. Il se présente en pavé, à couper en tranches.
– Le *turrón* d'Alicante, confiserie typique de Noël, qui a la même forme mais à base d'amandes entières, est plus croquant.
Ces deux premiers tourons bénéficient d'une appellation d'origine.
– Le touron catalan, qui ressemble au nougat noir de Provence, renferme des noisettes et pas d'amandes.
– Le touron du Pays basque, fait uniquement de pâte d'amande colorée en rouge, se présente en pains ou en petites boules imitant des arbouses. Il peut aussi avoir l'aspect d'un damier aux carrés diversement colorés et parfumés.
– Le touron au miel de Gap, à base de sucre et de miel, renferme des amandes et des noisettes.

TOURON (PETIT-FOUR) Petit-four frais, « tout rond », à base de pâte d'amande, de glace royale, de pistaches hachées et de zeste d'orange.

tourons (petits-fours)

Piler 250 g d'amandes mondées avec 2 blancs d'œuf ; ajouter 200 g de sucre en poudre et pétrir le mélange sur un marbre. Le poudrer de 2 cuillerées à soupe de sucre glace et l'abaisser sur 1,5 cm d'épaisseur. Hacher 100 g de pistaches et les mélanger avec 200 g de sucre en poudre et le zeste très finement haché d'une demi-orange. Ajouter 100 g de glace royale et 2 œufs entiers ; bien travailler à la spatule. Étaler régulièrement cette préparation sur l'abaisse de pâte d'amande. Détailler en disques ou en anneaux. Disposer les tourons sur une plaque beurrée et farinée. Faire sécher à l'étuve ou à l'entrée du four, à chaleur très douce.

TOURTE Apprêt de cuisine ou de pâtisserie de forme ronde. La tourte est faite d'une croûte de pâte brisée ou feuilletée, garnie d'un mélange d'ingrédients salés et aromatisés, ou de fruits et de crème ; elle est recouverte d'une abaisse de même pâte, qui forme alors couvercle. Certaines tourtes d'entremets n'ont pas de couvercle : ce sont des tartes à bords hauts. On appelle aussi tourtes de grosses brioches rustiques.

Apparentées aux pâtés en croûte et aux pies anglais, les tourtes relèvent aujourd'hui d'une cuisine rustique ou régionale.

Jadis, elles tenaient une place importante comme entrées classiques ou comme entremets : les tourtes aux truffes, aux huîtres, aux pigeons, au foie gras, aux béatilles, aux godiveaux, etc., très en vogue jusqu'au XVIIe siècle, ont laissé la place aux vol-au-vent, croûtes et timbales, plus légers.

Les provinces de France ont de nombreuses spécialités de tourte : la tourte poitevine (poulet, lapin et boulettes de poitrine de porc), la tourte au saumon de Brioude, la tourte aux bettes de Nice, au sucre et aux raisins secs, la tourte biterroise (graisse de mouton, cassonade, zeste de citron et écorce de melon confite) et la tourte du Rouergue, au roquefort et au laguiole. Les tourtes aux fruits sont illustrées par le poirat du Berry, le picanchagne bourbonnais, le ruifard valbonnais et la croustade du Languedoc.

tourte aux feuilles de bette niçoise

Faire macérer 100 g de raisins de Smyrne dans de l'eau-de-vie. Préparer une pâte avec 500 g de farine, 1 pincée de sel, 60 g de sucre, 1 sachet de levure alsacienne, 1 jaune d'œuf, 20 cl d'huile et quelques cuillerées d'eau très froide. Laisser reposer. Blanchir à l'eau bouillante non salée 500 g de feuilles de bette, bien les éponger, les hacher grossièrement ; éplucher 2 pommes acidulées, les couper en fines rondelles, les citronner ; couper 2 figues sèches en quatre ; émietter 1 macaron. Mélanger tous ces éléments avec les raisins, 2 œufs entiers, un peu de citron râpé et 40 g environ de pignons de pin. Huiler une tourtière de 27 cm de diamètre. La foncer avec la moitié de la pâte, y étaler la garniture ; napper de 3 cuillerées à soupe de gelée de groseille. Recouvrir avec la seconde moitié de la pâte et pincer tout autour pour bien souder. Pratiquer une cheminée dans le couvercle de pâte et cuire de 30 à 40 min dans le four préchauffé à 200 °C. Poudrer de sucre glace et servir chaud ou froid.

RECETTE D'ÉRIC BRIFFARD

tourte de poule faisane, perdreau gris et grouse au genièvre

POUR 8 PERSONNES

« Vider et flamber 1 poule faisane, 1 perdreau et 1 grouse bien fraîche, puis mettre les cuisses des oiseaux en marinade pendant 3 heures dans 30 cl de vin blanc, 90 g d'échalote, 100 g de carotte, 50 g de céleri-branche, 2 feuilles de laurier, 2 branches de thym, 10 baies de genièvre, 1 cuillerée à café de poivre noir et 6 gousses d'ail. Faire revenir et braiser les cuisses des oiseaux avec les carcasses et les abats ainsi que la garniture aromatique. Cuire au four à 140 °C, pendant 3 heures environ. Après cuisson, réserver la garniture aromatique pour la farce, décortiquer les cuisses, réduire le fond de braisage, puis le filtrer et réserver. Lever les suprêmes des oiseaux et les mettre à mariner avec de l'huile d'olive, du thym, du laurier, du genièvre, de l'ail et du poivre noir. Les dorer 1 min à la poêle. Mélanger les éléments de la farce, à savoir 330 g de chair cuite des cuisses des oiseaux (en dés), 120 g de queues de cèpes poêlées, 40 g de persil plat blanchi, la garniture aromatique de cuisson, 90 g de foie gras de canard et 30 g de fond de braisage réduit. Dans un cercle en Inox d'un diamètre de 23 cm sur 6 cm de haut, étaler une couche de 300 g de farce, une autre d'aubergines et de cèpes poêlés, une de suprêmes, terminer en répétant cette opération. Envelopper cette farce de 2 abaisses de feuilletage de 30 cm de diamètre et de 5 mm d'épaisseur. Découper de petites oreilles tout autour de la tourte à l'aide d'une pointe de couteau, dorer à l'œuf, puis rayer le dessus en forme d'arc de cercle. Mettre la tourte au four à 210-220 °C, puis cuire pendant 30 min. À la sortie du four, badigeonner la tourte de miel de châtaignier à l'aide d'un pinceau. Servir la tourte avec le jus de cuisson des oiseaux. »

tourte aux noix de l'Engadine

Préparer la veille une pâte sablée avec 175 g de beurre ramolli, 25 g de sucre, 1 pincée de sel, 1 zeste de citron râpé et 275 g de farine. La laisser reposer au frais. L'abaisser sur 4 mm d'épaisseur et en foncer un cercle de 24 cm de diamètre. Faire caraméliser 150 g de sucre, l'éteindre avec 20 cl de crème, puis le porter à ébullition en ajoutant 1 cuillerée à soupe de miel. Retirer du feu et incorporer 150 g de cerneaux de noix grossièrement hachés. Laisser refroidir cette masse et l'étendre sur le fond de pâte. Recouvrir avec un disque du reste de pâte, marquer les bords à la fourchette et dorer à l'œuf. Cuire 1 heure au four préchauffé à 180 °C.

tourte au sirop d'érable

Faire bouillir 5 min 10 cl de sirop d'érable avec un peu d'eau. Ajouter 3 cuillerées de fécule de maïs délayée à l'eau froide, puis 50 g de beurre. Garnir une tourtière de pâte brisée. Verser sur le fond de tarte le mélange tiédi. Garnir d'amandes hachées. Recouvrir d'un couvercle de pâte assez fin, pincer le tour, pratiquer une cheminée et cuire 20 min au four préchauffé à 220 °C.

TOURTEAU Crabe européen, le plus gros, pêché aussi bien dans l'Atlantique qu'en Méditerranée, où il vit sur les fonds rocheux et caillouteux jusqu'à 100 m de profondeur (**voir** planche des crustacés pages 286 et 287). Sa carapace ovale, brun-jaune, plus large que longue, est légèrement festonnée sur le pourtour. La première paire de pattes, très développée, qui porte de grosses pinces aux extrémités noires, renferme une chair délicate.

Le tourteau, ou dormeur, qui peut peser jusqu'à 5 kg, se mange cuit au court-bouillon, froid, avec de la mayonnaise ; à Saint-Malo, on le présente décortiqué, avec une mayonnaise aux fines herbes et des quartiers d'œufs durs. Il convient en particulier aux apprêts farcis (**voir** CRABE).

Au Canada, le crabe nordique de l'Atlantique et le crabe dormant du Pacifique ressemblent au tourteau.

tourteaux en feuilleté

Préparer 500 g de pâte feuilletée. Laver et brosser 2 tourteaux, les plonger de 4 à 8 min suivant leur grosseur dans l'eau bouillante et les égoutter. Détacher les pinces et les pattes ; les concasser ; couper les corps en deux. Hacher finement 1 carotte, 1 oignon, 1 échalote, 1/2 blanc de poireau et 1 branche de céleri. Chauffer 40 g de beurre dans une sauteuse. Y mettre le crabe, puis le hachis de légumes, et remuer jusqu'à ce que les morceaux soient bien rouges. Arroser de 5 cl de cognac chauffé et flamber. Ajouter alors 30 cl de vin blanc sec, 1 bonne cuillerée à soupe de concentré de tomate, 1 morceau d'écorce d'orange séchée, du sel, du poivre, 1 pointe de poivre de Cayenne, 1 gousse d'ail écrasée et 1 petit bouquet de persil. Couvrir et cuire ainsi 10 min. Retirer les morceaux de crustacé et poursuivre la cuisson 10 min. Extraire la chair de tourteau. Passer la sauce au chinois. En mélanger la moitié avec la chair. Laisser refroidir complètement. Abaisser la pâte feuilletée sur 6 mm d'épaisseur. La détailler en rectangles de 13 sur 8 cm, y tracer des croisillons avec la pointe d'un couteau, les dorer à l'œuf battu et les cuire 20 min au four préchauffé à 230 °C. Quand les feuilletés sont cuits, les fendre dans l'épaisseur et les farcir avec le crabe en sauce. Réchauffer le reste de la sauce et la servir à part.

TOURTEAU FROMAGÉ Gâteau poitevin et vendéen au fromage de chèvre, se présentant en une boule un peu aplatie, à la surface lisse et presque noire. Il en existe de nombreuses variantes, où l'on incorpore parfois de l'angélique confite. Ce gâteau, né à Lusignan, se trouve également à Niort, à Poitiers et jusqu'à Ruffec. Dans la même région, le « tourteau pruneau » est une tarte feuilletée garnie d'une purée de pruneau, recouverte de croisillons de pâte.

tourteau fromagé

Préparer une pâte brisée avec 250 g de farine, 125 g de beurre, 1 jaune d'œuf, 1 ou 2 cuillerées à soupe d'eau et 1 pincée de sel. La laisser reposer 2 heures au frais, l'abaisser sur 3 mm d'épaisseur et en foncer une tourtière beurrée à bord élevé de 20 cm de diamètre. Cuire à blanc 10 min. Délayer 250 g de fromage de chèvre frais bien égoutté avec 125 g de sucre en poudre, 1 bonne pincée de sel, 5 jaunes d'œuf et 30 g de fécule de pomme de terre. Bien mélanger, puis ajouter 1 cuillerée à café de cognac ou 1 cuillerée à soupe d'eau de fleur d'oranger. Battre 5 blancs d'œuf en neige très ferme et les incorporer délicatement à l'appareil. Verser le tout dans la croûte et cuire 50 min dans le four préchauffé à 200 °C. La croûte doit devenir très brune, presque noire. Servir tiède ou froid.

TOURTERELLE Oiseau de la famille des columbidés, voisin du pigeon, mais plus petit, dont il existe en France deux variétés principales : la tourterelle des bois, migratrice, et la tourterelle turque, devenue plus sédentaire depuis une trentaine d'années. Chassée, bien que d'un intérêt gastronomique mineur, la tourterelle était jadis tenue pour un « manger délicieux » lorsqu'elle était jeune et grasse.

Dans la cuisine arabe, les « tourterelles intimes » (cuites en cocotte avec des fonds d'artichaut, de la noix de muscade et des raisins secs) sont un mets raffiné.

TOURTIÈRE Moule rond de diamètre variable, à bord peu élevé, légèrement évasé, cannelé ou uni. Parfois à fond mobile, la tourtière est un moule à tarte un peu plus profond que le moule classique, dans lequel on fait cuire une tarte, une tourte ou un pie que l'on sert dans le plat de cuisson.

Au Québec, la tourtière est un plat traditionnel, dont il existe de nombreuses variantes, mais qui est généralement à base d'une ou de plusieurs viandes de boucherie et de gibier sauvage, parfois additionnées de pommes de terre.

RECETTE D'HÉLÈNE DARROZE

la tourtière feuilletée de Louise Darroze

POUR 8 PERSONNES – CUISSON : 40 min

« Dans un premier temps, mélanger à la main 400 g de farine de type 45, 1 œuf, 25 cl d'huile d'arachide et 1 pincée de sel sur un plan de travail de préférence en marbre. Une fois que la pâte est homogène, la battre pour l'assouplir. Pour cela, la soulever et la rabattre fortement et rapidement à l'envers, sur ce plan de travail, à coups de poignets vigoureux. Répéter ce geste, sans faiblir et sans répit, pendant 20 min. Puis déposer la pâte dans une assiette calotte avec 10 cl d'huile, et la laisser reposer ainsi, recouverte d'un linge, pendant 2 heures. Au moment de tirer la pâte, napper une grande table rectangulaire d'un long drap blanc et fin. Déposer la boule de pâte au centre de la table, puis l'étendre avec les doigts en la tirant d'un côté puis de l'autre. Petit à petit, chercher à atteindre avec la pâte les bords et les coins de la table. Si elle a été battue avec patience, la pâte doit s'étendre facilement. Veiller à ne pas faire de trous dans la pâte étalée qui, à la fin de l'opération, doit être aussi fine que du papier à cigarette. Laisser sécher la pâte ainsi étendue quelques minutes. Pendant ce temps, préparer le mélange qui imbibera la tourtière. Faire fondre doucement 200 g de beurre dans une casserole, en veillant à ce qu'il reste bien clair. Puis le mélanger à 13 cl d'armagnac, 6 cl de rhum et 6 cl de vanille liquide. À l'aide d'une plume d'oie ou d'un pinceau, asperger toute la surface de la pâte de ce mélange, puis saupoudrer de 30 g de sucre. Dans la longueur

du linge, saisir les coins opposés et rabattre ainsi, en soulevant le drap, le premier tiers de la pâte sur le milieu. Badigeonner à nouveau du mélange beurre-armagnac-rhum et saupoudrer à nouveau de 20 g de sucre, puis répéter l'opération avec les 2 coins opposés du drap. Badigeonner à nouveau du restant de beurre et de la même quantité de sucre, et plier la tourtière de la même façon, mais en saisissant maintenant les coins du drap opposés dans la largeur. On obtient 9 couches de pâte. Poser alors la tourtière dans un moule à tarte rond, en repliant les coins sur eux-mêmes. Déposer par-dessus les morceaux de pâte secs qui auraient pu tomber, cela donnera du volume au gâteau. Saupoudrer une dernière fois de 20 g de sucre, puis cuire au four à 180 °C pendant 40 min. »

tourtière saguenéenne

Hacher ou détailler en cubes de 3 mm de côté 400 g de rumsteck et 200 g d'échine de porc puis mélanger avec 200 g de gras de porc haché. Ajouter 100 g d'oignon finement haché et 4 gousses d'ail écrasées. Assaisonner avec 20 g de sel fin, 4 g de poivre moulu, 4 g d'épices mélangées et de 2 cuillerées à soupe de persil haché. Incorporer 5 cl de vin blanc et quelques gouttes de vinaigre d'érable. Réserver et laisser mariner dans un réfrigérateur pendant 12 heures. Préparer une pâte à foncer avec 400 g de farine, 200 g de beurre ramolli, 1 œuf entier, 5 g de sel fin et 5 cl de lait. La laisser reposer pendant 1 heure. Éplucher 400 g de pommes de terre et les émincer en rondelles de 4 à 5 mm d'épaisseur. Ajouter 25 cl de consommé froid aux viandes marinées. Beurrer une tourtière de 24 cm de diamètre. Abaisser la pâte en 2 disques : l'un de 32 cm et l'autre de 24 cm. Foncer la tourtière avec le disque le plus grand. Garnir en viande alternée avec les rondelles de pommes de terre. Recouvrir le tout avec le deuxième disque de pâte. Souder les disques en pinçant les bords. Au centre du couvercle, pratiquer une cheminée ouverte de 1 cm de diamètre en disposant un petit rouleau de papier sulfurisé. Cuire pendant 40 min dans un four préchauffé à 200 °C, puis finir la cuisson à 125 °C pendant 30 min.

TOURVILLE Nom donné à un apprêt du homard qui, après cuisson au court-bouillon, est décortiqué et détaillé en salpicon, puis mélangé avec des champignons émincés sautés au beurre, des huîtres et des moules (pochées et ébarbées), et des lames de truffe. Ce mélange est dressé dans un cercle de risotto à la sauce normande ; le tout est enfin nappé de sauce Mornay légère, saupoudré de fromage râpé et gratiné sous la salamandre.

TRAIN BLEU (LE) Restaurant situé dans la gare de Lyon, à Paris. *Le Train Bleu* est classé monument historique depuis 1972, après avoir failli disparaître sous la pioche des démolisseurs en 1950. Il fut construit par la compagnie PLM (Paris, Lyon, Méditerranée) pour l'Exposition universelle de 1900. Il tient sa renommée de son décor exceptionnel, exécuté par les plus grands artistes de l'époque et représentant les lieux de destination desservis par la compagnie. L'établissement a été entièrement rénové en 1968 ; ses peintures et ses dorures ont été restituées dans leur état d'origine.

TRAIT Petite quantité d'alcool, de bitters, de liqueur ou de jus de fruit entrant dans la composition d'un cocktail. Le trait, difficile à mesurer, désigne toujours une faible quantité, un filet ou une giclée de liquide.

TRAITEUR Restaurateur qui prépare des repas sur commande d'un particulier ou des plats à emporter. Sous l'Ancien Régime, les traiteurs formaient une corporation respectée. Ils avaient pour spécialité « les noces, festins et banquets », et pouvaient louer aux particuliers couverts, vaisselle et linge de table. Cette profession était alors considérée comme plus honorable que celle de tavernier, de cabaretier ou de rôtisseur. En fait, le traiteur était un restaurateur avant la lettre, avec la différence qu'il ne tenait pas table chez lui ; en effet, les restaurants n'existaient pas encore, et le cabaret n'était pas un lieu « fréquentable » pour des gens honorables. Aujourd'hui, le mot désigne surtout le spécialiste des banquets, cocktails et lunches, servis soit à domicile, soit dans des salons de location. Le « service traiteur » est assuré soit par un pâtissier-glacier-confiseur, soit par un charcutier marchand de comestibles et de plats cuisinés, par un restaurateur ou même un cuisinier qui ne possède ni magasin ni salle.

Le traiteur ne prépare pas les mêmes mets que le restaurateur, d'abord parce que le transport et le réchauffage des plats exigent des méthodes spéciales, ensuite parce qu'il peut aussi bien assurer plusieurs milliers de couverts qu'un dîner d'une douzaine de personnes. Il réalise des apprêts de la cuisine classique, mais se consacre surtout aux croustades, bouchées, timbales, vol-au-vent, pâtés, godiveaux, galantines et ballottines, chauds-froids, poissons en gelée, jambons en croûte, canapés, pains surprises et, bien entendu, pièces montées, entremets, glaces et petits-fours.

TRAMA (**MICHEL**) Cuisinier français (Constantine 1947). Autodidacte complet, il tient d'abord un petit restaurant à Paris, rue Mouffetard *(Sur le pouce)*, a la révélation en lisant *la Cuisine gourmande* de Michel Guérard, quitte la capitale sur un coup de cœur et découvre dans une bastide du XVIIIe, au cœur du Lot-et-Garonne, un restaurant à reprendre. C'est *l'Aubergade* qui reçoit une étoile au Guide Michelin en 1981, une seconde en 1983, la troisième n'arrivant qu'en 2004. Entre-temps, il aura épaté le petit monde des gourmets avec ses plats autour de la truffe, comme sa papillote de pomme de terre aux truffes et du foie gras, ainsi son hamburger de foie gras chaud aux cèpes, sans omettre ses desserts, telle la larme de chocolat, qui révolutionnent, à leur manière ludique, la cuisine du grand Sud-Ouest.

TRANCHE Morceau correspondant à la région antérieure de la cuisse de bœuf, qui était auparavant appelé « tranche grasse » (**voir** planche de la découpe du bœuf pages 108 et 109). La tranche est le plus souvent séparée en trois parties : le mouvant, le plat de tranche et le rond de tranche qui fournissent des pièces maigres à rôtir et à griller, mais également des morceaux pour brochettes, carpaccio et fondue bourguignonne.

TRANCHELARD Couteau à lame très longue (de 17 à 35 cm), flexible et pointue, employé pour détailler en tranches fines le lard et les viandes rôties, chaudes ou froides, notamment les gigots. On l'utilise aussi pour couper certaines grosses pièces de pâtisserie.

TRANCHE NAPOLITAINE Tranche de biscuit glacé fait de pâte à bombe et de glace simple, présenté dans une caissette en papier plissé. Plus couramment, cet entremets se réalise avec une glace en trois couches différemment colorées et parfumées (chocolat, fraise, vanille), moulée en brique et détaillée en tranches épaisses. La tranche napolitaine rappelle la prééminence des glaciers napolitains à Paris au début du XIXe siècle, notamment celle de Tortoni, créateur de nombreux biscuits glacés.

TRANCHEUR Instrument de coupe professionnel, manuel ou électrique, destiné à débiter en tranches viandes chaudes ou froides, jambons et saucissons, parfois légumes, fruits ou pain.

TRANCHOIR Plateau de bois destiné à la découpe des viandes, communément appelé « planche à découper », et souvent muni sur le pourtour d'une rigole pour l'écoulement du jus.

Au Moyen Âge, le tranchoir (ou tailloir) était une épaisse tranche de pain que l'on utilisait comme assiette ; à la fin du repas, on la donnait aux pauvres.

Jusqu'au XVIIIe siècle, on appelait aussi « tranchoir » un couteau d'office, plus couramment dénommé « couteau à trancher », utilisé pour le découpage des pièces de viande.

TRAPPISTE Type de bière à fermentation haute brassée uniquement par des moines trappistes. Six brasseries peuvent revendiquer cette appellation : Chimay, Orval, Rochefort, Westmalle et Westvleteren en Belgique, et Koningshoeven aux Pays-Bas. Faisant l'objet d'une double, voire d'une triple fermentation, les bières trappistes ont de telles qualités gustatives et aromatiques qu'elles sont considérées comme les meilleures bières belges et néerlandaises.

TRAPPISTE (**FROMAGE**) Fromages fabriqués par des moines trappistes en abbaye ou en laiterie, à l'extérieur, sous contrôle monial. De nos jours, on préfère parler de « fromages d'abbaye ». Tous sont commercialisés sous une marque collective du nom de « Monastic », dont : le belloc (Pays basque), brebis à pâte souple et à croûte fleurie ; le Belval (Picardie), à pâte pressée non cuite, à croûte lavée et à saveur douce ; le Campénéac (Bretagne) ; le Chambaran (**voir** ce mot) ; le Cîteaux (Bourgogne), à pâte pressée et à croûte lavée, caractérisé par une saveur fruitée ; l'échourgnac (Périgord), à la pâte jaune ivoire percée de très petits trous, avec une saveur douce et bouquetée ; le mont-des-cats (Flandres) ; le Providence de la trappe de Bricquebec (**voir** BRICQUEBEC) ; le Tamié (Haute Savoie) ; le timadeuc (Bretagne) et le trappe de Laval (Maine).

TRAVAILLER Mélanger plus ou moins vigoureusement les éléments d'une préparation pâteuse ou liquide, soit pour incorporer des ingrédients divers, soit pour la rendre homogène ou lisse, soit pour lui donner du corps ou de l'onctuosité. Selon la nature de la préparation, l'opération se réalise sur le feu, hors du feu, ou sur de la glace, avec une spatule en bois, un fouet manuel ou électrique, un batteur-mélangeur, un mixeur ou même avec la main.

On dit également d'une pâte qu'elle « travaille » quand elle lève ou « pousse » ; on dit d'un vin qu'il « travaille » quand il fermente.

TRAVERS Morceau correspondant à la partie supérieure de la poitrine du porc (**voir** planche de la découpe du porc page 699). De forme allongée, plat et étroit, le travers est constitué de muscles, de gras (plus ou moins) et de la partie médiane des côtes. Vendu salé, il entre dans la composition des potées et de la choucroute. Il est aussi grillé (spare ribs), préparé à l'aigre-doux ou laqué à la chinoise, après avoir mariné dans des épices et de la sauce soja.

TRÉMOLIÈRES (**JEAN**) Biologiste français (Paris 1913 - *id.* 1976). Créateur de l'Unité de recherches sur la nutrition et l'alimentation à l'hôpital Bichat, à Paris, il a rappelé dans ses écrits (dont certains ont été publiés sous le pseudonyme de Dr Jouvenroux) et dans ses communications la part importante de spiritualité, de « tonus émotif » que contient l'aliment. Son dernier livre, *Partager le pain* (1976), résume sa pensée : la valeur symbolique des aliments, qui ne sont que de simples nutriments, fait d'eux le support de divers comportements ; le repas en commun, notamment, l'un des actes fondamentaux de la vie familiale, constitue une base de la vie sociale.

TREMPER Immerger plus ou moins longtemps un aliment dans de l'eau froide. Le trempage permet de réhydrater des légumes ou des fruits séchés, de faciliter la cuisson des légumes secs, de dessaler les poissons salés et les viandes, de nettoyer et laver des légumes, ou de les conserver momentanément.

« Tremper la soupe », c'est laisser s'imbiber de bouillon aromatique des tranches de pain rassis ou légèrement grillé, disposées dans la soupière ou dans le fond des assiettes.

On appelle encore « trempage » l'opération consistant à imbiber certaines pâtisseries avec un alcool ou un sirop.

TRÉVISE Appellation courante de la chicorée de Trévise ou de Vérone, variété anciennement sauvage originaire d'Italie, de la famille des astéracées (**voir** CHICORÉE). Ses petits cœurs pommés et croquants, rouge veiné de blanc, ont un goût légèrement amer, poivré et acidulé.

On l'apprête le plus souvent mélangée avec d'autres « petites salades » : cœur de scarole, barbe-de-capucin et mâche. Elle s'accommode très bien d'une vinaigrette à l'huile de noix et accompagne notamment terrines, tourtes et pâtés.

TRICHOLOME Champignon charnu et robuste, à lamelles blanche, grises, jaunes, etc., échancrées près du pied, sans anneau ni volve, dont il existe de nombreuses espèces (**voir** planche des champignons pages 188 et 189). Les tricholomes, qui poussent du printemps à la fin de l'automne, sont pour la plupart comestibles. Les plus savoureux sont le tricholome de la Saint-Georges, ou mousseron, blanc ou chamois, et le tricholome pied-bleu, couleur violet-brun ; tous deux s'apprêtent comme les girolles ; ils peuvent même se manger crus. Le tricholome agrégé, gris-brun, au goût très fin après cuisson, le tricholome colombette, blanc pur, le tricholome terreux, ou petit-gris, sont également dignes d'intérêt. Certains tricholomes sont toxiques.

TRICLINIUM Salle à manger des anciens Romains, où trois lits étaient disposés parallèlement aux trois côtés d'une table, le quatrième côté restant libre pour faciliter le service. Sur chaque divan prenaient place trois convives. Chez les riches patriciens, il existait trois tricliniums, l'un pour l'été, le deuxième pour l'hiver et le dernier pour la demi-saison.

TRIFLE Dessert préparé à la fin du XVIᵉ siècle par les marins britanniques avec des biscuits de mer imbibés de tafia et recouvert d'une crème de type « pâtissière ». Au XIXᵉ siècle, le trifle se transforma en un biscuit de Savoie tartiné de confiture à la fraise, coupé en morceaux et imbibé de xérès, puis recouvert de crème anglaise et de crème Chantilly, avant d'être complètement enrobé d'amandes grillées. La *zuppa inglese* serait une variante de cette recette.

RECETTE DE JACQUES DEREUX

trifle aux fruits rouges

POUR 8 PERSONNES – PRÉPARATION : 30 min – CUISSON : 45 min

« Faire cuire 250 g de boulettes de pâte à crumble aux fruits secs (amandes et noisettes). Préparer 20 cl de crème brûlée. La laisser refroidir avant de la mélanger délicatement à 20 cl de crème Chantilly ferme. Répartir dans 8 verres (type verre à whisky) 1 cuillerée à soupe bombée de boulettes cuites de crumble. Ajouter dessus 2 cuillerées du mélange crème brûlée-chantilly. Répartir dessus 1 cuillerée à soupe bombée d'un mélange de fruits rouges enrobés de confiture de fruits rouges. Ajouter de nouveau dessus 2 cuillerées du mélange crème brûlée-chantilly. Terminer par 1 cuillerée à soupe bombée d'un mélange de fruits rouges enrobés de confiture de fruits rouges. Garder au réfrigérateur jusqu'au moment de servir. »

TRIMALCION Personnage créé par Pétrone, écrivain latin du Iᵉʳ siècle apr. J.-C., dans son roman le *Satiricon*, peinture réaliste des vagabondages d'un jeune Romain libertin. Trimalcion est le type du parvenu enrichi qui étale dans sa vie privée, et en particulier à table, un luxe ostentatoire. Il offre un festin pantagruélique à ses amis et courtisans. Il est une caricature même des excès de certains Romains de l'époque, nouveaux riches et faux gourmets.

TRIPE (À LA) Se dit d'un apprêt d'œufs durs, coupés en tranches et nappés d'une béchamel épaisse, additionnée d'oignon fondu au beurre. Dans la cuisine berrichonne, toutefois, les œufs à la tripe sont des œufs pochés dans une sauce au vin blanc avec des oignons et des herbes aromatiques, mijotée au préalable.

▶ Recette : ŒUF DUR.

TRIPERIE Ensemble des abats de boucherie, vendus principalement chez le tripier ; on trouve néanmoins des rognons et du foie chez le boucher, et les abats de porc sont transformés par le charcutier.

Au Moyen Âge, des tripiers achetaient en gros aux bouchers les abats blancs ou rouges, les préparaient et les revendaient ensuite à des marchands, qui les colportaient dans les rues, dans des bassines de cuivre, notamment les tripes de bœuf au safran.

TRIPES Estomac et intestin des animaux de boucherie, et préparation culinaire à laquelle ils donnent lieu (estomac des ruminants surtout) [**voir** tableau des abats page 10]. Les tripes sont diversement accommodées, avec une sauce gélatineuse, des aromates et des légumes, et un mouillement au bouillon, au vin ou au cidre. L'apprêt le plus connu est celui des « tripes à la mode de Caen ».

■ **Spécialités régionales.** Dans toute la France, il existe de nombreuses et anciennes recettes de tripes.

– Dans les provinces de l'Ouest, ce sont les tripes de bœuf qui sont privilégiées : celles de Caen, bien sûr, qui continuent d'être préparées dans leurs petits poêlons de terre, mais aussi celles de Coutances (à la crème, roulées dans du gras-double en petits paquets), celles d'Authon-du-Perche (disposées en couches avec du lard, mijotées au cidre avec carottes et oignons), celles de Vannes (au cidre également, cuites avec pied de veau, oignons, carottes et poireaux), celles de Saint-Malo ou de Pont-l'Abbé (pied de bœuf, pied de veau, panse de mouton et de bœuf avec morceaux de petit salé, échalotes et oignons), celles d'Angoulême (panse, feuillet et pied de veau, cuits au vin blanc, à la tomate et à l'ail, avec oignons cloutés et échalotes), celles de La Ferté-Macé (enfilées par petits paquets sur des brochettes).

– Dans le Nord, on prépare à Cambrai un plat de tripes (panse et pied de bœuf) à l'ail et au thym, mijoté au cidre ou au vin blanc, que l'on accompagne de frites (alors que ce sont les pommes vapeur qui accompagnent traditionnellement les tripes de bœuf).

– Dans le Sud, les tripes de mouton sont les plus appréciées ; dans le Rouergue et en Auvergne, ce sont les trénels, tripous, manouls, pétéram et tripes en cabassol ; dans le Quercy et l'Albigeois, elles sont relevées de safran (selon une recette typiquement médiévale, les « tripes au jaunet ») ; à Olargues, on prépare toujours une antique spécialité, les « tripes de jeune bouc châtré ». En Provence, les tripes de mouton sont cuisinées au vin blanc et à l'ail, parfois sautées ; sans oublier les pieds et paquets marseillais. En Gascogne, on fait cuire les tripes de veau à la graisse d'oie et, dans le Roussillon, en blanquette, tandis que, en Corse, les tripettes sont sautées aux tomates.

■ **Spécialités étrangères.** Elles sont tout aussi diverses.

– La busecca de Lombardie est une soupe aux tripes de veau.

– Les tripes à la madrilène sont très épicées, agrémentées de chorizo, de piment, d'ail et de lanières de poivron rouge.

– La tchorba bulgare est une soupe de tripes, aux oignons, au poivron, à la tomate et à la marjolaine, servie avec du fromage râpé.

– L'annrisse arabe se compose de tripes et de fressure bouillies avec du cumin, du poivre et des écorces d'orange et de citron.

– La barbouche est un couscous aux tripes, mijotées avec huile, ail, cumin, carvi, haricots blancs et saucisson de bœuf.

– Les tripes aux oignons anglaises cuisent longuement dans du lait avec des feuilles de laurier.

---

tripes à la mode de Caen

Garnir le fond d'une tripière de 3 pommes reinettes détaillées en quartiers, de 1 kg d'oignons émincés, de 300 g de blancs de poireau, de 500 g de carottes coupées en morceaux et de 500 g de carottes entières non épluchées. Ajouter 1 pied de bœuf et 1 pied de veau, fendus dans le sens de la longueur, 4 kg de tripes mélangées, dégorgées, blanchies, rafraîchies et coupées en carrés de 5 cm de côté, puis 2 gousses d'ail, 1 gros bouquet garni et 300 g de blancs de poireau. Assaisonner de sel, de poivre et de quatre-épices. Recouvrir de 200 g de graisse de rognon de bœuf aplatie et taillée en bandes. Mouiller de 1 litre de cidre du tonneau et ajouter suffisamment d'eau pour baigner les viandes. Couvrir. Étaler de la pâte en bande et en luter le couvercle. Cuire de 8 à 10 heures dans un four de boulangerie, d'abord à chaleur forte, puis plus douce. Séparer les tripes du jus, les mettre dans une terrine, couper les carottes entières et les ajouter. Recouvrir abondamment du jus de cuisson passé et en partie dégraissé.

TRIPLE-SEC Liqueur élaborée par distillation d'écorces d'orange, après macération dans de l'eau mélangée à de l'alcool. Consommé à 40 % Vol., le triple-sec peut être servi sur des glaçons ou de la glace pilée. Il entre dans la préparation de cocktails, et est utilisé pour aromatiser sorbets, salades de fruits, etc. La marque de triple-sec la plus connue est Cointreau.

TROIS-FRÈRES Gâteau créé au XIXᵉ siècle par les trois frères Julien, célèbres pâtissiers parisiens, et qui est toujours cuit dans un moule spécial, en forme de grosse couronne torsadée. Il en existe une variante (à base d'amandes en poudre, de sucre, d'œufs et de crème fouettée, parfumée à l'orange), glacée, puis décorée de fruits.

On appelle également « trois-frères » un bonbon de chocolat composé de trois noisettes caramélisées enrobées d'une couverture de chocolat noir, au lait ou à la poire.

trois-frères

Préparer 250 g de pâte sablée. Préchauffer le four à 200 °C. Mettre dans une jatte résistant à la chaleur 7 gros œufs entiers et les fouetter sur le feu, dans un bain-marie, avec 250 g de sucre en poudre. Quand le mélange est bien mousseux, y verser d'un coup 225 g de farine de riz, 200 g de beurre fondu et 1 verre à liqueur de marasquin ou de rhum. Bien mélanger, puis verser dans un moule à trois-frères bien beurré. Abaisser la pâte sablée sur 4 mm en un disque de diamètre un peu plus grand que celui du moule ; le placer sur une tôle beurrée et farinée. Enfourner en même temps les deux apprêts et les cuire 45 min pour le premier et 20 min pour le second. Sortir du four, démouler et laisser refroidir. Disposer le gâteau démoulé en couronne sur le fond de pâte sablée, l'abricoter largement, le poudrer d'amandes effilées et hachées, et le décorer de losanges d'angélique confite.

TROISGROS (JEAN ET PIERRE) Cuisiniers français, restaurateurs à Roanne (Loire). Fils de Jean-Baptiste Troisgros, cafetier à Chalon-sur-Saône, puis propriétaire du petit *Hôtel de la Gare* à Roanne, les deux frères firent leur apprentissage à Paris, chez *Lucas-Carton*, puis chez Fernand Point, à Vienne. En 1954, ils commencèrent à exercer dans l'hôtel familial, puis ils en prirent la direction, et leur ascension fut désormais continue (une étoile au Guide Michelin en 1955, deux en 1965, trois en 1968). Leur cuisine s'inspire des recettes transmises par les générations passées, avec parfois un caractère presque paysan, mais ils ont su admirablement perfectionner des apprêts familiaux. Pierre (né en 1928 à Chalon) se montre le spécialiste des viandes, tandis que Jean (son aîné de deux ans, disparu en 1983) était connaisseur en vins, mais c'est ensemble qu'ils ont créé leurs plus grands plats, comme l'escalope de saumon à l'oseille ou la pièce de bœuf au fleurie et à la moelle.

TROISGROS (MICHEL) Cuisinier français (Roanne 1958). Fils de Pierre et d'Olympe Troisgros, il représente la troisième génération exerçant à Roanne, conservant les trois étoiles décernées par le Guide Michelin à la demeure sise face à la gare, jadis repeinte couleur de « saumon à l'oseille ». Formé chez Frédy Girardet à Crissier et chez son père, il a bouleversé le style maison, transformant le vieil hôtel *Troisgros* en auberge contemporaine, avec son mobilier design et ses plats inspirés de ses périples à Tokyo, Moscou et Venise. La gelée de crevettes grises avec son œuf poché au sésame, l'aubergine glacée en gelée, la « vapeur » de fenouil et d'oursin, façon « tofu », ou encore les rognons de veau avec brocolis à l'anchois, sauce escargot indiquent que cet « héritier », qui refuse l'héritage culinaire maison, veut bâtir sa propre légende. Il conseille *La Table Troisgros* au *Lancaster* à Paris, tout en donnant chaque année des leçons de cuisine au *Hyatt* de Tokyo.

TROIS-MAURES (LES) Taverne établie dès le XIVᵉ siècle à Paris dans la rue du même nom, qui disposait de caves où étaient entreposés les vins provenant des celliers royaux. La tradition voulait que les tavernes ne servent pas d'autre vin tant que la totalité du vin du roi n'était pas vendue. La rue et la taverne disparurent vers 1850 ; l'auberge était alors réputée pour ses huîtres de Jersey.

TROMPETTE-DES-MORTS Nom usuel de la craterelle, ou corne-d'abondance, de la famille des cantharellacées, champignon en entonnoir ou en cornet de couleur grise plus ou moins foncée, poussant en été et en automne (**voir** planche des champignons pages 188 et 189). Très savoureuse, la trompette-des-morts, ou trompette-de-la-mort, s'apprête comme la girolle ; on peut la conserver en la faisant sécher. Aujourd'hui, cette espèce abondamment commercialisée provient uniquement de la cueillette, sa culture n'ayant pas encore été maîtrisée.
▶ Recette : COURGE.

TROMPIER (MARCEL) Restaurateur français (Villié-Morgon 1907 - Paris 1984). Fils de restaurateur, il arriva à Paris en 1947 et créa un établissement, *La Marée*, rue Daru, dans le 8ᵉ arrondissement, décoré de boiseries flamandes, qui demeurera, même après la disparition de son créateur, une institution de luxe de la cuisine marine. Belons au champagne, saint-Jacques Marie-Do ou turbotin à la tomate et à la moutarde sont trois de ses plats emblématiques. Il est l'un des fondateurs des Compagnons du beaujolais, et laisse le souvenir d'un vaillant défenseur de la cuisine française. Son fils Éric a prolongé sa lignée.

TRONÇON Morceau court et large, taillé dans le milieu d'un gros poisson plat (turbot, barbue, etc.).

TROPÉZIENNE tarte dérivée de la tarte lorraine et créée par Alexandre Micka. Le disque en pâte briochée est cuit puis fourré d'une crème mousseline relevée de kirsch et de fleur d'oranger et parsemé de sucre en grains. Cette spécialité de Saint-Tropez est aujourd'hui connue dans la France entière.

RECETTE DE PIERRE HERMÉ

tarte tropézienne

POUR 8 PERSONNES – PRÉPARATION : 10 + 45 min
RÉFRIGÉRATION : 1 nuit – REPOS : 2 h – CUISSON : 12 min
« La veille, pétrir dans un robot muni d'un crochet 250 g de farine, 35 g de sucre en poudre, 1 gros œuf, 40 g de levure émiettée, 5 cl de lait, jusqu'à ce que la pâte se décolle des parois. Ajouter 1 gros œuf. Pétrir à nouveau jusqu'à décollement de la pâte. Incorporer 90 g de beurre en morceaux, 7 g de fleur de sel. Pétrir jusqu'à décollement de la pâte. Faire lever la pâte à température ambiante 30 min. La rabattre et la refroidir 30 min au congélateur. La garder une nuit au réfrigérateur. Le lendemain, façonner un disque de 28 cm de diamètre. Le faire lever 1 heure à 28 °C. Le badigeonner d'eau. Faire cuire 12 min, pas plus, dans le four préchauffé à 200 °C. Fouetter en pommade 200 g de crème au beurre. Y incorporer 200 g de crème pâtissière, 20 cl de crème Chantilly, 1 cuillerée à café et demie de fleur d'oranger et 1 cuillerée à café et demie de kirsch. Trancher en deux le disque de pâte. Garnir la base de la crème préparée. Recouvrir avec le second disque de pâte. Garder au réfrigérateur. La tarte tropézienne se déguste très froide. »

TROQUET Débit de boissons (synonyme populaire de « bistrot ») ; c'est l'abréviation de mastroquet, « marchand de vin au détail ».

TROTTER (CHARLIE) Cuisinier américain (Evanston, Illinois, 1959). Autodidacte, après des études de philosophie, il se prend de passion pour la cuisine et bâtit sa propre légende, multipliant les ouvrages de cuisine, animant une émission télévisée sur ABS, qui sera filmée dans sa petite maison double d'Armitage Avenue à Chicago. Il vante le produit américain revisité par la technique européenne. Chaque année, il accomplit deux voyages d'étude à l'étranger (parmi lesquels chez *Troisgros*, dont il a copié le « T » en guise de logo, mais aussi chez Alain Passard, Pierre Gagnaire, Juan Mari Arzak, Martin Berasategui, Marc Veyrat ou Thierry Marx). De retour chez lui, il crée à son tour. Son meilleur tour ? Une soupe de maïs avec gnocchis de semoule et quenelles de foie gras poché, entre mille autres choses dont il parsème ses deux menus dégustation (dont l'un végétarien), qui sont changés chaque jour et servis le soir uniquement, dans une atmosphère un peu austère et un éclairage minimum.

TROU NORMAND Usage de la table consistant à boire un petit verre d'eau-de-vie (calvados, d'où son nom, mais aussi cognac, kirsch ou eau-de-vie de fruit) au milieu d'un repas copieux, afin d'exercer une action « digestive » et de stimuler l'appétit avant les autres plats. Aujourd'hui, il s'agit souvent d'un sorbet aux fruits, arrosé d'une eau-de-vie lui convenant : orange et cognac, ananas et kirsch, poire et eau-de-vie de poire, citron et vodka, etc.

« "Perle noire", "pomme féerique", "diamant de la cuisine", les superlatifs ne manquent pas pour parler de ce champignon d'exception. Détaillé en fines lamelles à la mandoline, il rehaussera de son parfum puissant les volailles et les feuilletés que préparent les cuisiniers de POTEL ET CHABOT et de l'HÔTEL DE CRILLON. »

TROUSSER Mettre en forme une volaille ou un gibier à plume avant de le brider, pattes allongées pour le rôtir, pattes repliées pour le braiser ou le pocher. « Troussé » se dit plus particulièrement d'un volatile dans les flancs duquel on a pratiqué une petite incision pour y glisser l'articulation de la patte et de la cuisse ; pour certaines petites volailles, le troussage dispense parfois du bridage. On trousse aussi les écrevisses (et parfois les langoustines) pour une présentation particulière en garniture : l'opération consiste à piquer l'extrémité des pinces à la base de la « queue » (c'est-à-dire de l'abdomen).

TRUFFE Champignon souterrain globuleux, de couleur noire, brune ou blanche selon l'espèce (**voir** planche des champignons pages 188 et 189). Comestible très recherché et onéreux, la truffe est de grosseur très variable. La production françaises, très difficile à estimer, est en baisse malgré le développement de la culture qui devient performante.

■ **Histoire.** La truffe est connue depuis l'Antiquité. Mais, jusqu'au XVIIIe siècle, son origine tint du mystère, et on imaginait qu'elle résultait d'interventions surnaturelles, diaboliques. En 1711, Cl.-J. Geoffroy, botaniste français, publia une étude sur la *Végétation de la truffe*, permettant de la classer parmi les champignons. Son emploi en cuisine est plus modéré qu'autrefois mais son prestige reste intact, et les superlatifs qui lui furent attribués témoignent de sa valeur mythique : « diamant de la cuisine » (Brillat-Savarin), « pomme féerique » (G. Sand), « négresse reine » (É. Goudeau), « gemme des terres pauvres » (Colette), « perle noire » (F. Dumonteil), « *sacrum sacrorum* des gastronomes » (A. Dumas). Quant à son prix, il a fait dire à l'écrivain J.-L. Vaudoyer : « Il y a deux races de mangeurs de truffes, l'une qui croit que les truffes sont bonnes parce qu'elles sont chères, l'autre qui sait qu'elles sont chères parce qu'elles sont bonnes. »

■ **Récolte.** La récolte de ces champignons a lieu dans des truffières bien identifiées dans lesquelles sont présents des chênes surtout, mais aussi des châtaigniers, des noisetiers et des tilleuls. La récolte se fait toujours avec le concours d'un animal sensible à leur parfum, quasiment exclusivement un chien dressé, le cochon étant réservé au folklore. Tenant son chien en laisse, le « caveur » le suit pas à pas et déterre les précieuses excroissances noires dès que l'animal se met à fouiller le sol.

■ **Variétés.** Il existe environ soixante-dix espèces de truffes, dont trente-deux en Europe.

– La truffe noire du Périgord est la plus estimée : à maturité après les premières gelées, elle a une chair noire parcourue de veines blanchâtres, très fines et densément serrées, et dégage un parfum affirmé ; elle vient du Périgord noir, du Tricastin, du Vaucluse, du Lot, du Quercy, de Bourgogne, du Gard et de Touraine (Richelais). On trouve en France, en hiver, des truffes noires d'origine chinoise, qui ont une valeur gastronomique réduite.

– La truffe d'été, ou de la Saint-Jean, brun foncé veiné de blanc, la truffe grise de Champagne et de Bourgogne, d'Alsace et du Vaucluse, brunes à veines noires, sont moins parfumées, tout comme la *terfez* ou truffe « blanc de neige », qui pousse au Maghreb.

– La truffe blanche du Piémont, la plus chère, de renommée mondiale, est très délicatement parfumée (région d'Alba). Elle accompagne surtout le chapon et le veau, parfois la langouste. Elle s'utilise crue, râpée ou détaillée en fines lamelles, en garniture pour viandes grillées, poulet, agnolottis ou risotto.

Les truffes acquièrent leur pleine valeur à maturité.

■ **Emplois.** Elles sont utilisées en cuisine, entières ou détaillées, crues ou cuites, en jus, en fumet ou essence. Cependant, elles ne doivent pas subir une cuisson prolongée à température élevée pour préserver leurs parfums complexes et subtils. Les recettes dans lesquelles elles entrent sont les suivantes : foie gras, gibier, viandes, volailles, pâtés, farces, boudins, sauces, apprêts d'œufs, et portent les appellations « Périgueux », ou « à la périgourdine ». Les amateurs apprécient la truffe entière et fraîche, soit crue, avec du beurre frais ou en salade, soit cuite sous la cendre ou à l'étouffée, au vin blanc ou au champagne, ou encore dans une croûte feuilletée.

■ **Conserves.** On trouve aujourd'hui dans le commerce des truffes de conserve, pelées ou brossées, mûres et entières ; elles peuvent être : « surchoix » (à chair ferme, noires, de taille et de couleur uniformes), « extra » (à chair ferme, plus ou moins noires, irrégulières), « 1er choix » (à chair plus ou moins ferme et de couleur parfois claire, irrégulières et

parfois écorchées). On trouve aussi des « morceaux » (de 0,5 cm d'épaisseur au moins, plus ou moins foncés, avec jusqu'à 2 % d'impuretés), des « pelures » (avec 20 % de brisures au maximum, de couleur variable, et jusqu'à 3 % d'impuretés) et des « brisures » (jusqu'à 5 % d'impuretés).

blanc à manger d'œuf, truffe noire ▶ ŒUF MOULÉ
brie aux truffes ▶ BRIE
brouillade de truffes ▶ ŒUF BROUILLÉ
« cappuccino » de châtaignes à la truffe blanche d'Alba, bouillon mousseux de poule faisane ▶ CHÂTAIGNE ET MARRON
crème de langoustine à la truffe ▶ CRÈME (POTAGE)

RECETTE DE CHRISTOPHE LÉGER

cognac aux truffes

« Faire macérer 60 g de pluches de truffes du Gers dans 60 cl de cognac pendant 2 mois à température ambiante. Filtrer avant de servir dans un verre à bordeaux. Utiliser également ce cognac parfumé pour créer un cocktail qui se mariera à merveille avec un cigare. »

---

conserve de truffes à la graisse d'oie

Préparer et cuire les truffes comme pour la stérilisation (voir ci-dessous) en remplaçant l'infusion au madère par de la graisse d'oie fondue, comme pour un confit. Fermer hermétiquement ; conserver au frais. Réserver les pelures comme aromate.

---

conserve de truffes stérilisées

Faire tremper les truffes à l'eau tiède, puis les laver soigneusement en les brossant sous l'eau fraîche, et les peler en réservant les pelures. Retirer ensuite avec la pointe d'un couteau toutes les parties terreuses logées dans les trous et les replis. Les poudrer de sel fin additionné de quatre-épices et de poivre ; les laisser macérer 2 heures. Faire bouillir du madère et y ajouter les pelures de truffe avec 1 pincée de sel ; couvrir hermétiquement le récipient et laisser refroidir la cuisson, puis la passer. Mettre les truffes dans des bocaux et les recouvrir de la cuisson. Fermer les bocaux et stériliser. Laisser refroidir complètement les bocaux avant de les ranger, au sec et à l'abri de la lumière.

escalopes froides de foie gras aux raisins et aux truffes ▶ FOIE GRAS
essence de truffe ▶ ESSENCE
fleurs de courgette aux truffes ▶ COURGETTE
foie gras de canard, truffe et céleri-rave en cocotte luttée ▶ FOIE GRAS
gâteau de topinambour et foie gras à la truffe ▶ TOPINAMBOUR
glace aux truffes ▶ GLACE ET CRÈME GLACÉE

RECETTE DE PHILIPPE ROCHAT

jeunes pousses d'épinard aux truffes noires

POUR 4 PERSONNES – PRÉPARATION : 45 min

« Éplucher 160 g de truffes noires, les couper à la mandoline en lamelles de 2 mm d'épaisseur. Sur une plaque badigeonnée d'huile de noisette salée et poivrée, former 4 rosaces avec ces lamelles. Passer 10 secondes sous la salamandre, appliquer sur le dessus une feuille de film alimentaire, appuyer et réserver. Dans un petit bol en Pyrex, étaler un film alimentaire, huiler, saler et poivrer. Déposer un œuf extra-frais, fermer le film et nouer à l'aide d'une ficelle afin de former une bourse contenant l'œuf. Pocher durant 4 min dans de l'eau. Sur une assiette ronde, poser un cercle de 12 cm de diamètre, répartir les pousses d'épinard assaisonnées de vinaigrette à l'intérieur, disposer au centre l'œuf poché débarrassé de son film alimentaire. Déposer dessus la rosace de truffes noires légèrement tièdes, parsemer de fleur de sel et mignonnettes de poivre. Dresser autour quelques points de vieux vinaigre balsamique et quelques pluches de cerfeuil. »

œufs à la coque Faugeron à la purée de truffe ▶ ŒUF À LA COQUE

TRUFFER UNE VOLAILLE

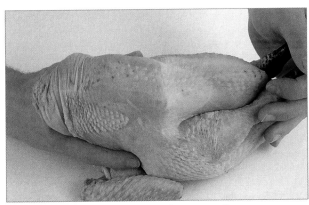

1. Décoller la peau de la chair en partant du cou, pour aller vers les hauts-de-cuisses et les pilons.

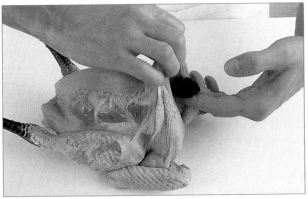

2. Passer les lames de truffe dans du beurre clarifié, les déposer sur la pointe de la lame d'un couteau et les glisser sous la peau.

pâté de foie gras truffé ▶ PÂTÉ
parmentier de panais,
  châtaignes et truffe noire du Périgord ▶ PANAIS
risotto de soja aux truffes ▶ RISOTTO
salade folichonne de céleri-rave
  aux truffes ▶ CÉLERI-RAVE
salade de pommes de terre et pieds
  de porc truffés ▶ SALADE
soupe aux truffes noires ▶ SOUPE
terrine de légumes aux truffes
  « Olympe » ▶ TERRINE

RECETTE DE JEAN-CLAUDE FERRERO

truffe en papillote et son foie gras d'oie

« Poser sur une feuille d'aluminium de 30 x 30 cm, du côté brillant, une noisette de beurre. Déposer par-dessus une truffe. Saupoudrer d'une pincée de gros sel. Fermer la papillote en aumônière, hermétiquement mais lâchement. Cuire 7 min dans le four préchauffé à 200 °C. Ouvrir la papillote par le haut ; verser le jus dans une assiette et y faire rouler la truffe. Servir chaud avec du foie gras d'oie et des toasts beurrés à l'huile d'olive. »

TRUFFE EN CHOCOLAT Friandise à base de chocolat fondu avec du beurre ou de la crème, du sucre et parfois des œufs, puis parfumé (café, cannelle, cognac, rhum, vanille, whisky, etc.), façonné en boules qui sont enrobées de couverture de chocolat ou roulées dans du cacao en poudre. Les truffes en chocolat, de très courte conservation, s'offrent traditionnellement à l'époque de Noël ; elles accompagnent bien le café. Les muscadines sont des truffes en chocolat de forme allongée, trempées dans de la couverture, puis poudrées de sucre glace.

Les truffes – ou truffettes – de Chambéry, spécialité de la ville, sont à base de pralin mélangé avec du chocolat, du fondant et du beurre, puis enrobées de cacao en poudre mélangé de sucre ou roulées dans du chocolat râpé.

truffes au chocolat noir

POUR 50 TRUFFES ENVIRON – PRÉPARATION : 45 min – RÉFRIGÉRATION : 2 h – CUISSON : 3 ou 4 min environ
Faire infuser 10 min à couvert 25 cl de crème fraîche liquide bouillante. La filtrer au-dessus d'une casserole. La reporter à ébullition et la retirer du feu. Incorporer en trois fois 330 g chocolat noir à 70 % de cacao haché au préalable. Dès que le chocolat est fondu, ajouter 50 g de beurre mou. Mélanger et verser sur une feuille de papier sulfurisé posée dans un plat de 28 x 30 cm. Réfrigérer 2 heures. Renverser la ganache sur une autre feuille de papier sulfurisé. Découper les truffes en rectangles de 1,5 x 3 cm environ. Tamiser du cacao dans un plat creux. Enrober chaque truffe dans le cacao en la poussant avec une fourchette. Secouer les truffes dans un tamis. Conserver au réfrigérateur.

truffes au chocolat noir et aux framboises

POUR 50 TRUFFES ENVIRON – PRÉPARATION : 45 min – RÉFRIGÉRATION : 2 h – CUISSON : 3 ou 4 min environ
Mixer 160 g de framboises fraîches (pour obtenir 120 g net de purée). Porter à ébullition la purée mélangée à 15 g de sucre en poudre et 9 cl de crème fraîche liquide. Ôter du feu. Incorporer en trois fois 320 g de chocolat noir haché à 64 % de cacao. Ajouter 30 g de beurre mou et 1,5 cuillerée à soupe d'eau-de-vie de framboise. Mélanger. Réfrigérer 2 heures. Renverser la ganache sur une autre feuille de papier sulfurisé. Découper les truffes en rectangles de 1,5 x 3 cm environ. Tamiser du cacao dans un plat creux. Enrober chaque truffe dans le cacao en la poussant avec une fourchette. Secouer les truffes dans un tamis. Conserver au réfrigérateur.

TRUFFER Communiquer à un apprêt le parfum de la truffe en lui incorporant des morceaux plus ou moins gros de ce champignon. Ce sont surtout le foie gras, les farces, les salpicons et les ragoûts composés qui sont truffés. On truffe également une poularde en glissant des lamelles de truffe entre la chair et la peau.
▶ **Recettes :** BÉCASSE, DINDE, DINDON ET DINDONNEAU, POULET.

TRUITE Poisson des torrents, des lacs et des rivières, de la famille des salmonidés, très recherché par les pêcheurs (**voir** planche des poissons d'eau douce pages 672 et 673). Ce poisson carnivore, à la chair savoureuse, fait aussi l'objet d'un élevage important, la truiticulture.
– La truite fario, dite « truite de rivière » ou « truite sauvage », représente 5 % de l'élevage, mais les alevins sont très rapidement réintroduits dans leur milieu naturel. La fario se caractérise par une grande bouche et une teinte dorée, avec des taches localisées en haut du corps. Plus ou moins colorée selon l'habitat, le sexe et l'âge, elle peut atteindre 60 cm.
– La truite de lac, vivant dans les lacs et quelques cours d'eau rapides, peut atteindre 1 m. Si sa nourriture est riche en crustacés, sa chair se colore en rose ; on la qualifie alors de « saumonée ».
– La truite de mer vit dans les fleuves côtiers de la Manche et descend jusqu'à la mer, puis regagne les fleuves à l'automne.
– La truite arc-en-ciel, qui provient d'une espèce importée des États-Unis (où elle vit en eau libre), fait, en France, l'objet d'un élevage important. C'est un poisson argenté, parfois avec une bande violacée sur les flancs, qui porte des taches sur le corps entier, y compris les nageoires.
  La truite fario, la truite de lac ou la truite de mer sont pêchées avec permis et réservées à la consommation privée.
  Au Canada, la truite arc-en ciel est la plus répandue à l'état sauvage et la plus exploitée en élevage. D'autres espèces couramment consommées incluent l'omble de fontaine, appelé à tort « truite mouchetée » ou « truite saumonée » ; la truite de mer, dont la chair rose est délicieuse ; le touladi, ou truite grise ; l'omble chevalier, que l'on pêche dans l'Arctique, et l'ombre, un très beau poisson à odeur caractéristique de thym, qui vit dans les lacs isolés des Territoires du Nord-Ouest.

■ **Élevage.** La truite est le premier poisson auquel fut appliqué avec succès, dès le XVe siècle, le principe de la fécondation artificielle (il s'agissait à l'époque de la fario). Connue de quelques pêcheurs et gardée secrète, cette méthode fut redécouverte en 1842, mais ce n'est qu'au début du XXe siècle que l'élevage de la truite a pris son extension, avec l'importation de l'espèce arc-en-ciel.

Les truites issues de l'élevage et commercialisées pèsent entre 150 et 300 g et mesurent 28 cm. Leur alimentation (farines de poisson et de soja) est soigneusement dosée, et il est impossible de gaver ce poisson pour le « pousser ». La truite a aussi besoin de place, sinon elle meurt.

On trouve aussi dans le commerce des truites fumées, entières ou en filets dépouillés. La Norvège, notamment, élève dans les fjords des truites saumonées, destinées à être fumées, surgelées ou mises en conserves appertisées.

■ **Emplois.** Dans de nombreuses régions, la truite connaît des recettes, savoureuses et variées, outre les cuissons meunière et au bleu.

En Auvergne, on la fait cuire à la poêle, avec des lardons et de l'ail haché ; on la farcit à la montdorienne (mie de pain, crème, fines herbes, champignons) ; on la prépare au fumet, avant de la napper de sauce à la crème, ou en filets pochés, servis sur une julienne de chou mijotée à la crème ; la truite à la mode d'Ussel est pochée, puis, le lendemain, roulée dans de la chapelure et gratinée.

Dans le Sud-Ouest, la truite (« trouéte » ou « truchet ») est frite ou braisée au vin blanc avec des cèpes ; on la farcit aussi de chair de merlan pilée avec du foie gras de canard, pour la cuire en papillote. Les truites flambées du Périgord sont servies avec du beurre fondu.

En Savoie, elle se cuisine au bleu, meunière (spécialité du lac d'Annecy), au court-bouillon (servie avec une sauce mousseline) ou farcie et braisée à l'apremont.

En Corse, on la cuisine aux aromates, dans un poêlon avec du vin rouge.

En Normandie, la truite est poêlée au lard à la mode de Vire, cuite en matelote au cidre (aux Andelys) ou en papillote, avec des lamelles de pomme, des fines herbes, de la crème et du calvados ; on en fait aussi un pâté chaud.

Dans l'Est, la truite à la beauvaisienne est garnie de grains de poivre et rôtie, et la truite à la montbardoise, dite « caprice de Buffon », farcie d'épinard et d'échalote, cuite au court-bouillon ; le pâté de truite à la lorraine se compose de filets pilés avec noix de muscade et fines herbes, additionnés de morilles hachées, avec des filets entiers en garniture.

La truite d'élevage connaît en restauration nombre d'apprêts plus ou moins élaborés, chauds ou froids, et tous les chefs l'ont traitée avec imagination. On l'apprête classiquement pochée au court-bouillon et servie avec une sauce hollandaise, cuite au vin rouge à la bourguignonne, frite Colbert, ou froide, en gelée, avec des décors variés ; elle admet en outre toutes les recettes du saumon.

truite saumonée Beauharnais

Farcir une truite saumonée de 900 g environ avec 250 g de farce de merlan à la crème, additionnée de 4 cuillerées à soupe de mirepoix de légumes fondue au beurre. La placer dans une saumonière beurrée, la mouiller à mi-hauteur de fumet de poisson au vin blanc, et cuire 20 min au four préchauffé à 230 °C. Égoutter la truite, la dresser dans un plat de service. Garnir de pommes de terre noisettes cuites au beurre et de petits fonds d'artichaut, étuvés au beurre, puis emplis de sauce béarnaise. Servir en même temps le fond de cuisson de la truite après l'avoir passé, réduit et monté au beurre.

truites aux amandes

Nettoyer 4 truites de 250 g environ et les éponger ; les saler, les poivrer et les fariner. Chauffer 50 g de beurre dans une grande poêle ovale et y dorer les truites sur les deux faces, puis baisser le feu et laisser la cuisson se poursuivre de 10 à 12 min, en les retournant une fois. Dorer à sec 75 g d'amandes effilées, dans une poêle ou au four, puis les ajouter aux truites. Quand celles-ci sont cuites, les égoutter et les dresser dans le plat de service ; les arroser de 2 cuillerées à soupe de jus de citron et les parsemer de persil ciselé ; les tenir au chaud. Ajouter 20 g de beurre et 1 cuillerée à soupe de vinaigre dans la poêle, faire chauffer et verser sur les truites, en même temps que les amandes.

truites au bleu

Sortir de l'eau des truites vivantes de 150 g, les assommer, les vider et les nettoyer rapidement sans les essuyer. Les arroser de vinaigre, puis les plonger dans un court-bouillon tout juste frissonnant fortement additionné de vinaigre. Les cuire 6 ou 7 min à petits frémissements. Les égoutter et les dresser sur une serviette ou dans la poissonnière immergées dans le court-bouillon ; les garnir de persil frais et servir à part du beurre fondu ou une sauce hollandaise.

truites à la bourguignonne

POUR 4 PERSONNES – PRÉPARATION : 25 min – CUISSON : 20 min
Préchauffer le four à 200 °C. Habiller 4 truites de 200 g chacune, les éponger, puis les saler et les poivrer. Les disposer dans un plat beurré, garni de rouelles étuvées de 1 oignon et de 150 g de champignons émincés crus. Mouiller avec 50 cl de vin rouge de Bourgogne. Porter à frémissement sur le feu et terminer la cuisson au four pendant 10 min. Débarrasser les truites, enlever la peau et les tenir au chaud sur le plat de service. Réduire le jus de cuisson de deux tiers, le lier avec un peu de beurre manié, l'assaisonner, puis le monter avec 25 g de beurre. En napper les truites et les glacer sous la salamandre.

truites frites

Nettoyer de toutes petites truites, les vider, les éponger ; les saler, les poivrer et les fariner ; les dorer en pleine friture très chaude, puis les égoutter et les dresser sur une serviette. Servir avec une salade verte et des rondelles de citron.

truites inuit séchées « Pissik »

Ébarber, vider et laver 3 truites de 180 g. Couper les têtes. Fendre les poissons par l'intérieur, de façon à pouvoir enlever l'arête centrale, en ayant soin de laisser les 2 filets attachés ensemble par la peau. Enlever les arêtes restantes. Pratiquer dans les chairs des incisions en forme de losange de 1 cm de côté. Couper la chair jusqu'à la peau sans entailler celle-ci. Assaisonner de sel et de poivre. Sécher 15 min au four préchauffé à 150 °C. Conserver à la température ambiante dans un sac de toile bien fermé et servir en amuse-gueule.

TSARINE (À LA) Se dit d'une volaille pochée, garnie de gousses de concombre à la crème, ou de poissons plats pochés (sole ou filets de sole, barbue), garnis de concombre étuvé au beurre et nappés de sauce Mornay relevée de paprika.

L'appellation concerne également divers apprêts plus directement inspirés du répertoire russe classique : crème de gelinotte et de céleri garnie d'une julienne de céleri ; œufs pochés, dressés sur des tartelettes remplies de purée de gelinotte, nappées de sauce à la crème et aux champignons ; laitances pochées au vin blanc, garnies de vésiga haché et de caviar.

TTORO Potage traditionnel basque à base de petits poissons sans grande valeur marchande, de crustacés (langoustines), de coquillages (moules) et de pommes de terre râpées, enrichi d'aromates. Les poissons et les fruits de mer qui le composent sont pochés dans un bouillon pimenté riche en tomates.

TUILE Petit-four sec, mince, fait de sucre, d'amandes effilées ou en poudre, d'œufs et de farine, cintré en forme de tuile romaine, qui acquiert sa forme caractéristique en séchant, encore chaud, sur un rouleau à pâtisserie sec. On prépare aussi des tuiles plates (« mignons »), en forme de petits disques, collés deux par deux avec de la meringue, puis séchés à l'étuve.

tuiles aux amandes effilées

POUR 40 PETITES OU 25 GRANDES TUILES – PRÉPARATION : 10 + 30 min – CUISSON : 15 à 18 min environ
La veille, mettre dans une jatte 125 g d'amandes effilées, 125 g de sucre en poudre, 2 pincées de vanille en poudre, 1 goutte d'extrait d'amande amère et 2 blancs d'œuf. Sans cesser de mélanger, verser dessus 25 g de beurre fondu et chaud. Couvrir. Réfrigérer jusqu'au lendemain. Le jour même, mélanger à la pâte 20 g de farine tamisée. Répartir la pâte avec une petite

cuillère en tas espacés d'au moins 3 cm sur une plaque antiadhésive. Les aplatir avec le dos d'une cuillère trempée dans l'eau. Cuire de 15 à 18 min dans le four préchauffé à 150 °C. Faire refroidir sur une grille.

TULIPE Pâtisserie légère composée de beurre, de sucre glace, de farine et de blancs d'œuf. La pâte est d'abord étalée en forme de disque à l'aide d'une cuillère ou d'une palette, puis cuite à four chaud. La souplesse de la pâte encore tiède permet de lui donner une forme de tulipe en la disposant dans des moules à brioche. Les tulipes se servent froides et croustillantes, garnies de crème Chantilly ou en accompagnement de certains desserts glacés. Elles se conservent dans un endroit sec.

tulipes

POUR 10 TULIPES – PRÉPARATION : 10 + 20 min – CUISSON : 12 min
La veille, assouplir à la spatule 50 g de beurre mou. Y incorporer 100 g de sucre glace tamisé puis 60 g de farine tamisée. Ajouter 2 blancs d'œuf. Mélanger et réfrigérer jusqu'au lendemain. Le jour même, découper dans du papier épais un carré de 14 cm de côté muni d'une tige de 12 cm de long. Découper au centre du carré un cercle de 10 cm de diamètre. Poser le pochoir sur le quart supérieur d'une plaque à pâtisserie antiadhésive. Plonger une corne demi-sphérique dans la pâte et badigeonner le cercle de pâte de façon uniforme. Ôter le pochoir. Procéder de la même façon sur le reste de la plaque avec le restant de pâte. Cuire 12 min dans le four préchauffé à 150 °C. Soulever les disques chauds de pâte et les placer dans un petit moule à brioche. Retirer 3 secondes après les tulipes. Les faire refroidir sur une grille.

TUMBLER Verre à bords droits utilisé pour servir certains cocktails. On distingue le petit tumbler, plus connu sous le nom de « rocks », idéal pour les short drinks servis avec glaçons ou glace pilée (une caïpirinha, par exemple) et le grand tumbler, également appelé « collins » ou « highball », dont la contenance (35 cl environ) permet de préparer ou de servir des long drinks (un gin fizz, par exemple).

TUNISIE La cuisine tunisienne est à l'image de celle des autres pays du Maghreb. Les plats sont toujours abondants, tradition de l'hospitalité oblige, relevés d'épices odorantes (harissa).
■ **Soupes et ragoûts.** Comme au Maroc et en Algérie, les soupes *(brudu)* sont souvent très parfumées et généreuses, avec des légumes, des céréales, de la viande ou du poisson. Les viandes (surtout mouton et bœuf) et les volailles sont cuites en ragoût (tagine de mouton ou de lapin aux pruneaux avec fenouil au citron), en brochettes (kebab), ou hachées et façonnées en boulettes *(kefta)*. Les légumes sont cuits au bouillon, mijotés en ratatouille – accompagnée d'œufs, celle-ci prend le nom de chakchouka –, ou encore marinés et servis en salade pour la *kemia,* un assortiment de hors-d'œuvre, où ils voisinent avec des crêpes fourrées, les *trids.*
    Le plat national est le couscous. La semoule se sert avec des légumes (carottes, courgettes, pois chiches, céleri, tomates, etc.), du mouton, du lapin, du perdreau, du poulet ou du poisson. Légumes et viandes peuvent être remplacés par des fruits secs, des amandes, des pistaches et des noix, servis avec une semoule mouillée de lait et sucrée, composant ainsi un dessert copieux.
    La pâtisserie est riche de gâteaux très sucrés à base de miel, de sirop et de pâte feuilletée *(malsouga),* composante essentielle de la gastronomie, qui sert à fabriquer les bricks, chaussons farcis d'œufs ou de viande. La fin des repas est toujours ponctuée par le thé à la menthe.

TURBAN Dressage de certains mets présentés en couronne. Le terme désigne aussi un apprêt à base de farce, de salpicon, etc., cuit dans un moule à bordure pour former une couronne : turban de poisson, de crustacé, de volaille, de riz, de gibier. On moule aussi en turban les mousses et les crèmes glacées.
▶ Recette : CROÛTE.

TURBIGO Nom d'un apprêt des rognons d'agneau coupés en deux, sautés, garnis de chipolatas grillées et de champignons sautés, saucés du déglaçage au vin blanc et à la demi-glace tomatée.

CONFECTIONNER UNE TULIPE

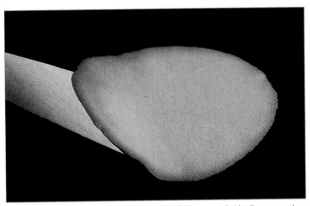

1. Décoller rapidement la pâte de la plaque de cuisson à l'aide d'une spatule.

2. Former les tulipes dans de petits moules à brioche.

TURBINER Faire prendre au froid un appareil à glace ou à sorbet jusqu'à ce qu'il soit solidifié. Le turbinage se fait en freezer ou dans une turbine à glace.

TURBOT Poisson de la famille des scophthalmidés. Le turbot est un poisson osseux, plat, aux nageoires pectorales en arrière des nageoires pelviennes, qui vit sur les fonds sableux et caillouteux de l'Atlantique (**voir** planche des poissons de mer pages 674 à 677). Les gros turbots ont une nage verticale. Les yeux sont sur la face gauche pigmentée, de couleur brunâtre, sans écailles apparentes. Ce poisson se nomme « turbot » en raison de tubercules osseux qu'il porte sur sa peau pigmentée. Apprécié depuis l'Antiquité, surnommé « roi du carême » pendant des siècles, le turbot a bénéficié des apprêts les plus fastueux. Désormais, il est couramment élevé en bassin ; son aspect s'en trouve parfois modifié, la couleur se développant sur ses deux faces et sa tête étant parfois déformée. Il conserve néanmoins ses qualités gustatives. On vend ce turbot d'élevage à une taille plus réduite.
■ **Emplois.** Le turbot est vendu entier et vidé, ou en tronçons. Il mesure généralement de 40 à 50 cm et pèse de 2 à 4 kg, mais certains, qui ne sont pas les moins délicats, atteignent 90 cm et 20 kg. Il a une chair blanche, feuilletée et ferme, particulièrement fine et savoureuse. Qu'il soit poché, braisé, grillé nature ou poêlé, sa cuisson doit être surveillée avec attention : si elle est trop prolongée, la chair perd en saveur et en moelleux. Toutes les recettes de la barbue et du saint-pierre sont applicables au turbot entier, et toutes celles des filets de sole le sont aux filets de turbot.

RECETTE DE SIMONE LEMAIRE

escalopes de turbot
à l'embeurrée de poireau

« Escaloper des filets de turbot. Préparer un fumet avec les parures. Saisir les filets au beurre, des deux côtés, puis les couvrir de fumet. Laisser frémir 5 min. Égoutter le poisson. Réduire la cuisson jusqu'à ce qu'elle ait la consistance d'un velouté et y ajouter une quantité égale de crème double. Dresser les escalopes sur un plat chaud et les napper de la sauce. Servir avec une "embeurrée" de poireau, c'est-à-dire 1 kg de blancs de poireaux émincés, cuits avec 200 g de beurre et 1 verre d'eau, à couvert, au four, 20 min. Saler et poivrer. »

RECETTE D'ANDRÉ JEUNET
filets de turbot braisé à l'Angélus

« Mettre dans un sautoir 1 belle tomate pelée, épépinée et coupée en dés, 1 grosse échalote hachée, 100 g de champignons de Paris émincés, 1 petit bouquet de persil haché et 1/2 cuillerée à café de concentré de tomate. Mélanger le tout. Ajouter 2 filets de turbot de 150 g chacun sur le fond de braisage ; saler, poivrer et verser 25 cl de bière Angélus. Porter à ébullition et cuire doucement à couvert. Préparer une sauce hollandaise ; la réserver au chaud. Égoutter les filets, finir la réduction du fond de braisage et verser 20 cl de crème dans le sautoir. Réduire jusqu'à liaison. Incorporer la sauce hollandaise sans laisser bouillir et napper aussitôt le poisson. Dorer vivement le dessus. »

tronçon de turbot Dugléré

POUR 4 PERSONNES – PRÉPARATION : 40 MIN – CUISSON : 30 min

Détailler 4 tronçons de turbot de 280 g chacun. Les laver et les mettre à dégorger dans de l'eau glacée pendant 10 à 15 min. Éplucher, laver, ciseler 1 oignon moyen et 2 échalotes grises. Monder, épépiner et concasser 4 tomates moyennes. Hacher grossièrement 1 cuillerée à soupe de persil plat. Avec 40 g de beurre, beurrer un sautoir, ajouter les oignons, les échalotes et les faire suer sans coloration pendant quelques minutes. Ajouter les tomates concassées, le persil et assaisonner de sel de mer et de poivre du moulin. Mélanger le tout, puis disposer les tronçons de turbot sur la garniture. Mouiller avec 10 cl de vin blanc sec non acide et 30 cl de fumet de poisson. Porter à frémissements, couvrir et laisser pocher doucement pendant 14 ou 15 min (l'arête centrale doit pouvoir se détacher de la chair). Retirer les tronçons de turbot, éliminer la peau noire et les disposer sur le plat de service. Recouvrir d'une feuille d'aluminium et les maintenir au chaud. Faire réduire de moitié la sauce sur feu vif. Hors du feu, incorporer 80 g de beurre coupé en petits morceaux. Ne pas faire bouillir la sauce. Vérifier l'assaisonnement en sel et poivre, puis ajouter 1 cuillerée à soupe de pluches de cerfeuil. Retirer la feuille d'aluminium et napper les tronçons de turbot avec cette sauce.

RECETTE DE MICHEL ROTH
tronçon de turbot rôti, endives braisées et mousseline de châtaigne

POUR 2 PERSONNES

« Détailler 1 tronçon de turbot de 600 g et le piquer le long de l'arête avec 1 brin de romarin. L'assaisonner avec du sel et du poivre du moulin, puis le faire rôtir 15 min, côté peau, avec 20 g de beurre clarifié et 20 g de beurre demi-sel. Laisser reposer 10 min. Réchauffer, lustrer, puis réserver dans un récipient bimétal chaud. Tailler le zeste d'une orange en fine julienne et le blanchir. Beurrer un sautoir et ajouter 6 mini-endives, le zeste, 5 cl de jus d'orange, 1 cuillerée à soupe de beurre doux, 1 lamelle de gingembre frais, 10 g de sucre, du sel et du poivre. Couvrir, porter à ébullition puis poursuivre la cuisson au four préchauffé à 150 °C pendant 30 min. Débarrasser les endives, filtrer le jus et le faire réduire. Réserver. Mitonner 80 g de châtaignes cuites avec 5 cl de fond blanc de volaille pendant 5 min. Ajouter 1 cl de crème liquide et faire frémir encore 5 min. Mixer au blender avec 1 cuillerée à soupe de beurre doux, rectifier l'assaisonnement et réserver. Pour confectionner la riviera, couper en petite brunoise 2 marrons cuits croquants et 2 cerneaux de noix fraîches, ajouter 1 pincée de ciboulette ciselée et 1 cuillerée à soupe d'airelles. Mélanger à 2 cl d'huile d'amande douce.

Avant de servir, dorer légèrement les endives puis les glacer avec leur jus de cuisson réduit. Lever les filets, enlever la peau noire et les éponger. Les poser harmonieusement sur chaque assiette, saupoudrer de 1 pincée de sel de Guérande, 1 tour de poivre du moulin et décorer avec 1 brin de romarin et 1 cordon de jus de volaille au romarin. Disposer autour 30 g de pousses d'épinard lustrées à l'huile d'olive, les endives caramélisées ainsi que 4 marrons glacés et 4 cerneaux de noix caramélisés. Servir à part la mousseline de châtaigne en coupelle et la riviera en saucière. »

RECETTE DE ECKART WITZIGMANN
turbot au lait

« Réaliser un court-bouillon : amener à ébullition 1 litre de lait, 1 litre d'eau, 1 citron pelé à vif et coupé en tranches, 1 petit oignon blanc épluché, coupé en deux, puis émincé, 1 petite feuille de laurier, 6 grains de poivre écrasés, du sel et 100 g de champignons de Paris coupés en morceaux. À ébullition, déposer dans le court-bouillon 2 à 4 tronçons de turbot de 250 g environ, prélevées sur la partie la plus épaisse du turbot, et laisser pocher à petits frémissements pendant 10 min environ. (Le court-bouillon ne doit pas bouillir.) Éloigner de la source de chaleur et laisser reposer 5 min. Sortir les tranches de turbot du court-bouillon, les déposer sur une serviette en tissu et les recouvrir d'une autre serviette. Pendant la cuisson du turbot, faire mousser 200 g de beurre doux extra-fin, ajouter 1 ou 2 cuillerées de moutarde en grains. Parer le turbot en enlevant la peau de chaque côté, le déposer sur des assiettes chaudes, ajouter la sauce à la moutarde et au beurre blond mousseux, râper un peu de raifort frais. Servir aussitôt, accompagné de pommes vapeur et d'épinards en branche. »

RECETTE DE HISAYUKI TAKEUCHI
turbot à la vapeur et sauce ponzu

POUR 4 PERSONNES – PRÉPARATION : 40 min – CUISSON : 7 min

« Laisser macérer 20 cl de sauce de soja, 20 cl de jus de yuzu, 3 cm² d'algue kombu séchée et une poignée de copeaux de bonite séchée. Laisser reposer quelques jours au réfrigérateur, puis filtrer. Couper un turbot bien frais en 4 pavés de 200 g, avec la peau et les arêtes. Disposer les morceaux de turbot dans une terrine, verser 10 cl de saké dessus, uniformément, et laisser mariner. Découper 500 g de chou chinois en petits morceaux, les placer dans un panier en bambou allant à la vapeur, poser les morceaux de turbot sur les choux, saler et poivrer. Cuire à la vapeur. Poser le panier dans une assiette et disposer la sauce ponzu à côté dans une coupelle. »

RECETTE DE MARC MENEAU
turbotin sur pilotis de moelle

POUR 4 PERSONNES – CUISSON : 35 min

« La veille, mettre à tremper les 10 os à la moelle "canon" de 2 cm de hauteur après les avoir bien nettoyés sur les côtés. Le jour même, les précuire dans de l'eau salée pendant 10 min. Préparer un turbotin de 1,1 kg avec sa peau. Disposer dans un plat à rôtir 5 os à moelle et poser le turbotin dessus. Faire tenir le turbotin sur les os à moelle en les piquant avec 5 piques en bois. Remettre les 4 autres os à moelle dessus et les repiquer avec 4 autres piques en bois afin de maintenir le tout. Déglacer la poêle avec 10 cl de fumet de poisson, 10 cl de jus de veau et 1/2 verre d'eau. Mettre à cuire au four à 180 °C en prenant soin d'arroser fréquemment. Cuire environ 25 min. Lever les filets après avoir présenté le plat à vos invités. Pour chaque assiette, distribuer 1/2 filet du dos et 1/2 filet du ventre, accompagner chaque portion de 2 os à moelle. Napper du jus de cuisson et poser à côté un bouquet de persil simple. Prévoir des cuillères à café pour manger la moelle. »

turbotin aux poireaux

« Lever les filets d'un turbotin de 850 g, les parer, les faire dégorger à l'eau fraîche quelques instants et les tailler en goujonnettes ou en escalopes d'égale grosseur. Préparer 30 cl de fumet avec la tête et les parures. Couper 6 petits poireaux en tronçons de 2 cm, les disposer dans une sauteuse et les recouvrir du fumet. Poivrer. Couvrir et cuire al dente. Égoutter les poireaux et réserver la cuisson. Les répartir dans 4 assiettes tenues au chaud. Verser dans une sauteuse 10 cl de fumet passé, ajouter 3 cuillerées à soupe de crème fraîche, 1 pincée de sucre en poudre, 2 tours de moulin de poivre blanc et 3 cl de vermouth. Faire réduire et mettre les goujonnettes à pocher 5 ou 6 secondes dans cette sauce. Les égoutter et les dresser sur les poireaux. Ajouter le jus de cuisson des poireaux, faire réduire, puis napper le poisson et les légumes. Servir très chaud. »

TURBOTIÈRE Poissonnière en forme de carré ou de losange, munie d'une grille à poignées et d'un couvercle, destinée à la cuisson au court-bouillon des gros poissons plats entiers : turbot, barbue et raie.

TURINOIS Gâteau sans cuisson, fait d'une purée de marron additionnée de sucre, de beurre et de chocolat râpé et aromatisé au kirsch. La purée est versée et bien tassée dans un moule carré beurré, dont on a garni le fond de papier. Mis à refroidir plusieurs heures, le turinois se sert démoulé, coupé en tranches. On appelle aussi « turinois », ou « turin », un petit-four frais carré, en pâte sucrée, garni de purée de marron au kirsch, puis abricoté et décoré de pistaches hachées.

TURQUE (À LA) Se dit de divers apprêts inspirés de la cuisine orientale, notamment du riz pilaf, soit dressé en couronne avec une garniture au centre, soit moulé en dariole en accompagnement d'œufs au plat, d'une omelette ou encore de noisettes d'agneau, avec des aubergines sautées. L'appellation concerne plus spécialement un apprêt de foies de volaille (sautés, additionnés d'oignon ciselé et de demi-glace tomatée), ainsi que des aubergines (ou des poivrons), farcies de mouton haché, de riz et de duxelles, cuites au four avec une fondue d'oignon à la tomate ; les légumes farcis à la turque peuvent garnir un carré ou une selle d'agneau poêlés.
▶ Recettes : AGNEAU, CAFÉ.

TURQUIE La cuisine turque, à mi-chemin entre l'Europe et l'Orient, puise aux traditions musulmanes, juives, orthodoxes et chrétiennes. Elle a, en retour, laissé sa marque dans de nombreux pays (Russie, Grèce, dans le Maghreb et au Moyen-Orient). En France, nombre d'apprêts d'origine turque sont adoptés depuis des siècles, comme le pilaf, les brochettes d'agneau, les aubergines farcies ou les figues séchées, sans parler du café et de la pâtisserie. C'est aux Turcs que l'on doit le kebab et les beurrecks. C'est encore à eux que revient le halva, le baklava, le loukoum et toutes les sucreries aux noms imagés.

Les plats turcs se composent généralement d'un ou deux ingrédients principaux pour mieux faire ressortir leurs saveurs. Les épices et les herbes sont largement utilisées pour rehausser le goût des plats, qu'ils soient salés ou sucrés.

■ **Entrées variées.** La cuisine turque proprement dite privilégie les hors-d'œuvre et les petites entrées. Outre la soupe (chorba de viande ou de légumes), on déguste le *cacik* (concombre au yaourt), les moules farcies (riz, pignons, oignon haché, raisins secs et épices), les pieds de mouton en gelée, la *pasterma* (bœuf séché et épicé) et toute la gamme des *dolmas* (feuilles de vigne ou de chou farcies).

Les poissons les plus recherchés sont l'anguille (souvent cuite au court-bouillon et servie avec une sauce à l'aubergine et au miel), la dorade, le maquereau, la sardine, le thon et le turbot ; on apprécie aussi les filets de morue, dessalés au lait, nappés d'un lait d'amandes non sucré, lié de crème, et semés d'amandes effilées.

■ **Viandes.** Le mouton est omniprésent, à travers divers apprêts : l'*adjem pilaf*, plat composé d'une épaule de mouton rôtie, découpée en dés, additionnée d'oignons émincés, puis de riz et de bouillon, ou encore l'*unkar beyendi*, brochette de morceaux de gigot et de queue

de mouton, intercalés avec de la graisse, grillés et servis avec une purée d'aubergine. La variété des kebabs témoigne du goût des Turcs pour la viande grillée et rôtie. Le *döner kebab* et le *sis kebab* demeurent les deux plus connus dans le monde occidental. Le premier est constitué de couches de viande hachée alternées avec des couches de gigot, retenues sur une grosse broche verticale. Le second se compose de cubes de viande grillés enfilés sur des brochettes.

Les viandes sont servies avec des variétés de pain comme l'*elmek* (pain blanc ordinaire), le *pide* (pain plat) ou le *simit* (anneau aux graines de sésame), ou avec des préparations à base de pâte, comme le *manti* (ravioli) ou le *börek*, sans oublier les légumes généreusement présents.

■ **Légumes du soleil.** Le principal légume est l'aubergine, indispensable pour le célèbre *imam bayildi* et la moussaka, mais les recettes turques font également intervenir les courgettes et les poivrons farcis (souvent dégustés à demi refroidis dans leur cuisson), les gombos, le chou, les épinards et les haricots mange-tout (ces légumes sont la plupart du temps cuits à l'eau ou au beurre, puis servis avec des sauces relevées, comme la sauce aux anchois pilés dans du jus de citron, délayée au bouillon et à l'huile). Le boulghour et le riz sont aussi des ingrédients de base, le premier comme élément de farce ou de soupe, le second pour le fameux pilaf (ou pilau), agrémenté de raisins secs, de pignons ou d'amandes. Il ne faut pas oublier non plus l'un des produits de base de la cuisine turque : l'huile d'olive, qui est utilisée autant pour les plats chauds que froids.

■ **Desserts et boissons.** Il existe plusieurs catégories de desserts. Les plus connus sont les pâtisseries cuites au four, comme le baklava, ou les confiseries (loukoum). Accompagnant aussi les plats salés, les laitages constituent une base à beaucoup de desserts. Les agrumes, comme le citron, l'orange, mais aussi la rose, parfument ces préparations légères. Les fruits sont mangés frais, mais aussi en compote et en confiture. Le yaourt permet aussi de préparer une boisson très populaire : l'*ayran*, yaourt battu avec de l'eau et une pincée de sel.

La boisson nationale est le café – un Turc en consomme en moyenne dix tasses par jour –, mais il faut également citer le raki, alcool anisé proposé pour accompagner les mezze.

TUSSILAGE Plante à fleurs jaunes, de la famille des astéracées, dont les feuilles séchées sont utilisées, en particulier au Canada, en guise d'aromate, surtout avec le poisson ; on les fume, comme l'eucalyptus, pour calmer la toux, et elles servent aussi à préparer des tisanes.

TUTTI FRUTTI Qualificatif s'appliquant à divers desserts qui associent les parfums de plusieurs fruits ou des fruits mélangés, confits, pochés ou frais, généralement détaillés en petits morceaux. Cette locution invariable est formée de deux mots italiens (au pluriel) signifiant « tous fruits ». Les coupes tutti frutti sont composées de boules de glace aux fruits, garnies de fruits confits coupés en dés et macérés au kirsch.

Le tutti frutti est aussi une pièce de pâtisserie faite d'une abaisse de pâte sucrée recouverte d'une couche de fruits en petits dés (confits ou pochés), puis d'une seconde abaisse de pâte ; le dessus est abricoté, puis glacé et, pour terminer, largement semé d'amandes effilées ou de morceaux d'écorce d'orange confite.

TVAROG Préparation russe, associant du fromage blanc égoutté et tamisé, du beurre ramolli (ou de la crème aigre) et des œufs battus, généreusement salée et poivrée, avec laquelle on farcit des petits pâtés, servis froids en hors-d'œuvre.

TYROLIENNE (À LA) Se dit de petites pièces de boucherie, d'un poulet, de rognons grillés, d'œufs mollets ou pochés, d'une barbue au four, garnis de rondelles d'oignon frites et d'une fondue (ou d'une concassée) de tomate ; la sauce tyrolienne est une béarnaise tomatée, montée à l'huile et non au beurre.
▶ Recette : POULET.

UV

UDE (LOUIS-EUSTACHE) Cuisinier français, contemporain d'Antonin Carême (fin XVIIIe siècle - début XIXe siècle), qui fut l'un des premiers à introduire l'art culinaire français en Angleterre. Après avoir été chef des cuisines de Louis XVI, puis maître d'hôtel de la princesse Laetitia Bonaparte, il devint cuisinier de lord Sefton, puis du duc d'York, et enfin directeur du *Saint James' Club* de Londres. Quand Louis-Eustache Ude prit sa retraite, il écrivit *The French Cook or the Art of Cookery developed in all its Various Branches* (1813, plusieurs fois réédité jusqu'en 1833) : c'est une « méthode pratique de bonne cuisine » pour organiser des « dîners élégants et bon marché », avec des anecdotes, des conseils pour le choix des menus et une liste de « plusieurs nouvelles recettes françaises ».

UGLI Agrume de la famille des rutacées, produit à la Jamaïque, signifiant en anglais « laid », « repoussant ». L'Ugli est grossièrement sphérique, vert jaunâtre, de taille intermédiaire entre l'orange et le pamplemousse. Ce serait un tangelo (**voir** ce mot), hybride naturel d'orange de Séville, de pamplemousse et de tangerine. Sa chair est excellente, mais le fruit est onéreux.

On le trouve en France, en hiver, où il arrive mûr. Il se consomme comme une orange ou un pamplemousse, en jus, en long drink avec du rhum, ou sert à la confection de marmelades et confitures.

UKRAINE La cuisine ukrainienne se rapproche beaucoup de la cuisine allemande, avec les *galouchki* (épaisses quenelles moelleuses aux œufs), les feuilles de chou farcies au riz et aux champignons, le *nakypliak* (sorte de soufflé au chou cuit à la vapeur) et les *lekchyna* (nouilles aux œufs, agrémentées d'épinards ou de noix). La richesse céréalière de la région est illustrée par le *kalatch,* un pain blanc très riche, les petits *balabouchki* à pâte aigre, et nombre d'apprêts à base de kacha, préparation faite avec du gruau de sarrasin. Le borchtch (**voir** ce mot), potage à base de betteraves et d'autres légumes, additionné de viande et servi avec de la crème aigre, tient une place importante dans la cuisine ukrainienne. À Noël, le plat traditionnel est la *koutia,* gâteau de semoule aux graines de pavot et aux fruits secs.

■ **Vins.** Ce pays, largement planté en vignes (105 000 ha), a été très touché par le phylloxéra dans les années 1860, et le vignoble a été reconstitué avec des hybrides, qui sont peu à peu remplacés par des cépages nobles. Aujourd'hui, trois grandes régions se partagent la production.

– La Crimée produit, grâce à la méthode champenoise, le krim, qui est vinifié en cinq types différents (du brut au doux), assez grossiers.

Il existe en revanche une petite production de vins de dessert et de vins rouges généreux, issus du cépage grenache et rappelant les vins français du Midi.

– Nokolayev-Kherson, sur le littoral, au nord-est de la Crimée, produit des vins de dessert.

– La région d'Odessa, proche de la frontière moldave, produit elle aussi des vins de dessert et des mousseux plus ou moins doux.

ULLUCO OU **BASELLE TUBÉREUSE** Petit tubercule comestible, rose vif ou jaunâtre, de la famille des basellacées, cultivé en Bolivie et au Pérou. Sa flaveur rappelle celle de la baselle, légèrement acide. L'ulluco contient de l'amidon et des protéines. Au Pérou, il peut être consommé en julienne avec de la viande sèche de lama ou du fromage frais et du lait.

UNILATÉRALE (À L') Se dit d'un poisson cuit d'un seul côté, « sur peau ». Ce mode de cuisson se pratique au gril ou à la poêle et s'applique essentiellement au saumon et au cabillaud ; il nécessite une surveillance particulière pour l'interrompre juste avant que la partie supérieure du filet ne perde son aspect translucide. Protégée par la peau, la chair du poisson reste moelleuse.

VACHE Femelle de l'espèce bovine, ainsi appelée quand elle a mis bas pour la première fois (une génisse n'a pas encore vêlée). La vache est élevée pour la production du lait et des veaux. Les vaches allaitantes et les génisses de races à viande donnent d'excellents morceaux de boucherie. En France, la viande « de bœuf » provient également de vaches laitières réformées, puis engraissées pour la boucherie.

VACHERIN Entremet glacé, fait d'une couronne de meringue, garnie de glace et de chantilly.

_____

vacherin glacé

POUR 6 À 8 PERSONNES – PRÉPARATION : 1 h – CUISSON : 4 h – CONGÉLATION : 2 h 30

Façonner sur 2 plaques à pâtisserie tapissées chacune d'une feuille de papier sulfurisé 2 disques de 20 cm de diamètre et 16 coques de 8 cm de longueur et 3 cm de largeur avec 300 g de meringue française. Les cuire 1 heure au four préchauffé à 120 °C, puis 3 heures à 100 °C. Poser le premier disque de meringue refroidi dans un cercle à pâtisserie de 22 cm de diamètre et de 6 cm de hauteur. Recouvrir avec 1 litre de glace à la vanille. Poser par dessus le second disque de meringue. Congeler 2 heures. Garnir une poche à douille cannelée de 20 cl de crème Chantilly. Ôter le cercle du vacherin. Façonner une couronne de crème chantilly tout autour sur les côtés du vacherin. Coller dessus les 16 coques de meringue. Façonner sur le dessus des rosaces en chantilly. Congeler 30 min. Garnir le dessus de 250 g de fraises lavées et équeutées et de 300 g de framboises. Servir aussitôt.

vacherin au marron

POUR 6 À 8 PERSONNES – PRÉPARATION : 20 min (la veille) – CUISSON : 1 h 30
La veille, incorporer 150 g de pâte de marron et 150 g de purée de marron à 1 litre de glace à la vanille quand elle est au stade de crème anglaise cuite. Refroidir la préparation avant de faire prendre en glace dans une sorbetière. Façonner sur une plaque à pâtisserie 2 disques en spirale de 22 cm de diamètre à la poche à douille de 1,5 cm de diamètre garnie de 700 g de pâte à succès. Cuire 30 min au four préchauffé à 160 °C, puis 1 heure à 140 °C. À la sortie du four, poser la plaque sur un torchon mouillé pour décoller les disques de pâte. Le jour même, sortir 1 heure à l'avance la glace aux marrons du congélateur. L'étaler à la spatule sur le premier disque. Recouvrir du second disque. Poudrer de sucre glace tamisé. Décorer de 4 marrons glacés.

VACHERIN (FROMAGE) Nom de divers fromages de lait de vache (de 45 à 50 % de matières grasses), franc-comtois, savoyards ou suisses à pâte molle et à croûte lavée.
– Le mont-d'or, ou vacherin du haut Doubs AOC, se présente sous la forme d'un cylindre plat de 15 à 30 cm de diamètre et de 3 à 5 cm d'épaisseur, présenté dans une boîte et cerclé d'une lanière en aubier d'épicéa (**voir** tableau des fromages français page 392). Il a une saveur douce, crémeuse, un peu balsamique ; sa pâte molle, parfois presque liquide, se déguste à la cuillère, après avoir été débarrassée de la croûte. On ne trouve le mont-d'or sur le marché que de septembre à mars.
– Le vacherin d'Abondance se présente sous la forme d'une galette épaisse de 25 cm de diamètre et de 4 cm d'épaisseur, cerclée d'une lanière d'écorce d'épicéa et sertie dans une boîte au fond de laquelle elle adhère ; sa pâte tendre ou coulante a une saveur douce.
– Le vacherin fribourgeois, du canton suisse de Fribourg, se présente sous la forme d'une petite meule de 40 cm de diamètre et de 7 à 8 cm d'épaisseur (**voir** tableau des fromages étrangers page 396) ; il ressemble davantage à la tomme d'Abondance ; sa pâte souple a une légère odeur de résine et une saveur un peu acidulée ; il est surtout utilisé pour préparer la fondue fribourgeoise.
– Le vacherin mont-d'or AOP, du canton de Vaud, se différencie d'un mont-d'or français par son procédé de fabrication à partir de lait thermisé (**voir** tableau des fromages étrangers page 396). Sous une croûte rougeâtre, il a une pâte crémeuse à la saveur douce.

VACQUEYRAS Vin AOC rouge, blanc ou rosé des Côtes du Rhône méridionales, charpenté et très puissant. Les rouges et les rosés sont produits par les cépages syrah, grenache, mourvèdre, cinsault et carignan ; les blancs sont issus des cépages clairette, bourboulenc et picpoul (**voir** RHÔNE).

VAISSELLE Ensemble des pièces et des accessoires destinés au service de la table, à l'exclusion de la verrerie et des couverts. La vaisselle dite « plate », en or ou en argent, est composée de pièces faites d'un seul tenant, sans soudure.

VALAZZA (LUISA) Cuisinière italienne (Soriso 1950). Autodidacte complète, elle se met aux fourneaux, en 1980, pour faire plaisir à son mari Angelo, puisque, s'installant tous deux dans son village natal, ils n'avaient pas les moyens de se payer un chef. Lui a travaillé en salle en Suisse, au *Kulm* à Saint-Moritz, en Allemagne, à Francfort, puis à Düsseldorf, au *Breidenbacher Hof*, et, histoire d'apprendre l'anglais, dans le Yorkshire. Elle est diplômée de littérature italienne. Leur petite maison du Piémont, au nord de Milan et de Turin, proche du lac d'Orta, au *Sorriso* comme un sourire (deux « r » pour l'auberge, un seul pour le bourg), attire vite le petit monde des gourmets. Les verts raviolini au fromage de chèvre et beurre de montagne, les gnochetti aux épi-

nards et parmesan, la mousse de tomate au basilic et cèpe cru, le foie gras chaud à la purée de pois sauce grenadine sont quelques-uns de leurs mets vedettes.

VALENÇAY Fromage berrichon AOC de lait de chèvre (45 % de matières grasses), à pâte molle et à croûte naturelle, parfois cendrée (**voir** tableau des fromages français page 392). Le valençay se présente sous la forme d'une pyramide tronquée de 8 cm de base et de 6 à 7 cm d'épaisseur. Il a une saveur de noisette et une légère odeur de moisissure.

VALENCIENNE (À LA) Se dit d'un apprêt de riz « à la mode de Valence », inspiré de la cuisine espagnole, cuit au gras et garni d'un salpicon de poivron et de jambon cru, avec parfois des tomates mondées et épépinées. Ce riz accompagne noisettes d'agneau, tournedos ou volailles, saucés du déglaçage à la demi-glace.

VALENCIENNES (À LA) Se dit d'apprêts typiques du nord de la France, notamment du lapin aux pruneaux et aux raisins secs et de la langue (tranches de langue fumée masquées de purée de foie gras).

VALEUR NUTRITIONNELLE Ensemble des qualités nutritives des aliments, qui s'estiment objectivement en glucides, protides, lipides, vitamines, minéraux, oligoéléments. Ces qualités sont à distinguer des propriétés nutritionnelles qui sont celles des aliments après cuisson ou transformation par l'industrie alimentaire.
Plus subjectivement, les aliments ont aussi une valeur nutritionnelle émotive. Ils sont alors classés selon les sensations qu'ils procurent : nourrissants, réchauffants, tranquillisants, excitants ou « bons pour la santé ».

VALOIS Nom d'une garniture pour volailles ou petites pièces de boucherie poêlées ou sautées, faite de pommes Anna et de fonds d'artichaut émincés, sautés au beurre, parfois complétés d'olives farcies. La sauce est fournie par le déglaçage au vin blanc et au fond de veau puis montée au beurre.
On appelle aussi « Valois » une sauce béarnaise additionnée de glace de viande.

VALPOLICELLA Vin rouge DOC du nord-est de l'Italie, issu des cépages molinara, rondinella, rossignola, negrara, corvina et pelara. Il est velouté, vif et bouqueté et titre de 10 à 13 % Vol. De couleur rubis, odorant, le valpolicella est le meilleur des vins de la Vénétie. Le valpolicella de qualité légère, peu corsé, est bu en carafe dans sa première année ; le supérieur, plus riche, reste 18 mois en fût, puis il est mis en bouteilles et doit être bu dans les 5 ans. Lorsqu'il contient un résidu de sucre, le valpolicella est dit *frizzante* (légèrement pétillant).

VAN HECKE (GEERT) Cuisinier belge (1955). Flamand pur jus, il est le quatrième cuisinier belge (après les Bruxellois Pierre Wynants, Pierre Romeyer et Jean-Pierre Bruneau) à obtenir en propre les trois étoiles au Guide Michelin en 1996. Il apprend son métier à la *Villa lorraine* et à *La Cravache d'or* de Bruxelles. Entre-temps, il aura passé deux ans (1979-1980) chez Alain Chapel à Mionnay, auprès de qui il a la révélation de la grande cuisine à partir de produits parfaits et d'un traitement technique de grande rigueur, respectueux de la nature des choses. En 1983, il ouvre le premier *Karmeliet* de Bruges où il obtient les deux premières étoiles en 1985 et en 1989. Il emménage dans une demeure patricienne ornée de toiles contemporaines en 1992. Le néoclassicisme à la française appliqué à la tradition belge : voilà sa manière, qu'illustrent le cabillaud aux crevettes de Zeebruge ou la farandole des gibiers légendaires (lièvre de sept heures au vin rouge, faisan en feuille de vigne).

VANILLE Fruit du vanillier, plante grimpante de la famille des orchidacées, originaire du Mexique (**voir** planche des épices pages 338 et 339). Cueillie immature, elle subit ensuite une fermentation.

La gousse, mince et allongée, se couvre d'un givre de cristaux de vanilline, substance qui lui donne sa flaveur caractéristique. La gousse contient de très nombreuses graines noires minuscules.

■ **Emplois.** La vanille provient de l'océan Indien, de la Guyane, de la Guadeloupe, de La Réunion (vanille Bourbon), de Tahiti, et du Mexique, etc.

La vanille est vendue sous plusieurs formes.

– Gousses : fraîches et entières, conditionnées en tube de verre, la meilleure et la plus chère.

– Poudre : fruits séchés et broyés, donnant un produit brun foncé, proposé pur ou sucré.

– Extrait : liquide ou sec, obtenu par macération dans de l'alcool, puis percolation ou infusion dans un sirop de sucre, plus ou moins concentré, mis en flacons.

– Sucre vanillé : sucre comportant au moins 10 % de vanille, obtenu par mélange d'extrait sec de vanille et de saccharose.

La vanille est surtout employée en pâtisserie, pour aromatiser crèmes, pâtes à biscuit, glaces, compotes, fruits pochés, entremets, etc., en confiserie et en chocolaterie. Elle intervient aussi en distillerie et aromatise le punch, le chocolat chaud, le vin chaud et la sangria. En cuisine, elle relève une soupe de poissons, la cuisson des moules ou de certaines viandes blanches (lapin), voire une crème de légumes.

▶ Recettes : BÂTON OU BÂTONNET, BAVAROIS, MERINGUE, SOUFFLÉ, SUCRE.

VANILLINE Composé odorant abondant dans les gousses de vanille. La vanilline cristallise sur celles-ci sous la forme d'une efflorescence blanchâtre. Préparée industriellement à partir d'eugénol, essence extraite du giroflier, combiné à de l'acide acétique et du permanganate de potasse ou d'autres oxydants analogues, elle se présente en cristaux incolores. Le toastage (brûlage) de l'intérieur des tonneaux en bois de chêne fait apparaître de la vanilline. La vanilline est utilisée en pâtisserie, en confiserie et en chocolaterie.

VANNEAU (COQUILLAGE) Coquillage marin ressemblant à une petite coquille Saint-Jacques, et qui s'apprête comme elle (**voir** tableau des coquillages page 250). Mesurant de 4 à 7 cm de diamètre, le vanneau a une coquille blanc crème tachetée de brun, marquée de plis rayonnants assez larges, partant du sommet, qui porte deux petites oreilles inégales.

VANNEAU (OISEAU) Oiseau échassier de la famille des charadriidés, au plumage noir, vert brillant et blanc, couronné d'une huppe noire, qui vit en plaine. À la fin du XVIIIe siècle, Anthelme Brillat-Savarin lui fit une grande réputation gastronomique, et l'Église, quant à elle, le considérait comme maigre. Gros comme un pigeon, avec une chair assez fine, le vanneau s'apprête surtout rôti, non vidé (sauf le gésier), éventuellement farci d'olives dénoyautées.

Les œufs de vanneau furent mis à la mode à Paris dans les années 1930 ; ils étaient alors importés des Pays-Bas, où le premier œuf déniché est traditionnellement offert au souverain ; ils connaissent les apprêts de l'œuf dur (aspics et salades composées).

VANNER Remuer une crème, une sauce ou un appareil pendant qu'ils tiédissent, avec une spatule de bois ou un fouet, pour leur conserver leur homogénéité et surtout empêcher la formation d'une peau à la surface. Le vannage accélère en outre le refroidissement.

VANNIER (LUCIEN) Cuisinier français (Thirons-Gardais 1921 - Antony 1994). Né dans un petit village d'Eure-et-Loir, il fait son apprentissage à la *Brasserie Gruber* au Mans, puis à Paris (*La Quetsche*, rue des Capucines, puis *La Régence*). Il acquiert *Le Tourisme*, rue du Helder, dans le quartier de l'Opéra auquel il apporte un certain renom. Il prend sa retraite assez tôt pour des raisons de santé et se consacre à la formation des jeunes cuisiniers comme au concours du Meilleur Ouvrier de France. Sa barbe soufflée obtient le prix Prosper-Montagné en 1961. Un trophée de cuisine porte aujourd'hui son nom.

VAPEUR (CUISSON À LA) Mode de cuisson très ancien, pratiqué notamment en Chine depuis des millénaires, redécouvert par la cuisine moderne (**voir** tableau des modes de cuisson page 295).

L'élément déterminant de la cuisine à la vapeur est la qualité parfaite des produits traités, car le moindre arôme douteux est ainsi accentué.

Le procédé classique consiste à verser dans un récipient de cuisson le quart de son volume d'un bouillon plus ou moins aromatisé, à placer l'aliment à l'intérieur de l'ustensile, dans une grille ou un panier qui affleure le liquide bouillant et laisse passer la vapeur, et à faire cuire doucement, en général à couvert. On peut aussi cuire des aliments dans leur propre vapeur, sans mouillement.

Dans ce mode de cuisson, la chaleur fait fondre la graisse des viandes, qui tombe dans le bouillon ; par ailleurs, les aliments conservent davantage leurs vitamines et les minéraux hydrosolubles. En revanche, le temps de cuisson est assez long.

▶ Recettes : POULET, SOLE.

VARIENIKI Gros raviolis russes garnis d'un mélange poivré et muscadé, composé de fromage frais égoutté, de beurre et d'œufs battus, pochés à l'eau bouillante et servis en entrée, avec de la crème aigre ou du beurre fondu. Les varieniki lituaniens, farcis d'un hachis d'oignon étuvé, de bœuf et de graisse de rognon lié d'une béchamel au persil, sont cuisinés de la même façon.

VATEL (FRITZ KARL WATEL, DIT) Maître d'hôtel d'origine suisse (Paris 1635 - Chantilly 1671). Intendant auprès du surintendant des Finances Fouquet, il passa ensuite au service de la maison de Chantilly. Une légende tenace fit de lui un cuisinier, mais, en réalité, Vatel était chargé de l'organisation, des achats, du ravitaillement et de tout ce qui concernait la « bouche » et les services administratifs du château. En avril 1671, le prince de Condé lui confia la tâche d'organiser une fête en l'honneur de Louis XIV, avec trois mille invités. La réception commença un jeudi soir ; lors du souper, après la chasse, le « rôti » manqua à plusieurs tables « à cause de plusieurs dîneurs où l'on ne s'était point attendu ». Pendant la nuit, le feu d'artifice prévu fut gâché par le ciel nuageux. Ces incidents, que rapporte Mme de Sévigné dans une lettre du 26 avril, persuadèrent Vatel que son honneur était perdu. S'informant à l'aube du vendredi de l'arrivée de la « marée » pour la table du jour, il apprit que deux « charges » seulement étaient là. « Je ne survivrai pas à cet affront-ci », aurait-il déclaré, puis il s'enferma dans sa chambre et se transperça le corps avec son épée, au moment même où les chasse-marée franchissaient les grilles du château. Le potage Vatel est un consommé au fumet de sole, garni de royales au coulis d'écrevisse et de losanges de filets de sole.

VATROUCHKA Gâteau russe au fromage blanc *(tvarog)*, généralement recouvert de croisillons de pâte et poudré de sucre après cuisson. On prépare aussi dans la cuisine russe des *vatrouchki*, petits chaussons en pâte à brioche ordinaire, garnis d'une préparation salée au fromage blanc.

VEAU jeune bovin, essentiellement mâle, impubère, à viande claire, tendre et maigre, pauvre en fer, abattu à un âge et à des poids différents selon le type de production. En juillet 2008, un nouvel étiquetage européen entrera en vigueur qui distinguera le veau, animal âgé de moins de 8 mois, du jeune bovin (JB), animal de plus de 8 mois, encore désigné de nos jours sous les termes de broutard, taurillon ou baby-beef.

■ **Production.** Les différentes qualités du veau sont définies par l'âge et l'alimentation de l'animal.

• LE VEAU « SOUS LA MÈRE ». Il est allaité par sa mère et, si besoin, par le lait d'autres vaches. Âgé de 4 à 6 mois, il donne une carcasse de 100 à 140 kg. Il fournit une viande dite « blanche », tendre, au gras ferme. Ces veaux représentent 10 à 15 % de la production française. Ils bénéficient du label rouge et parfois d'une IGP. Ils proviennent du Limousin (IGP), de l'Aveyron, notamment du Ségala (IGP), d'Aquitaine ou de la région Midi-Pyrénées.

DÉCOUPE DU VEAU

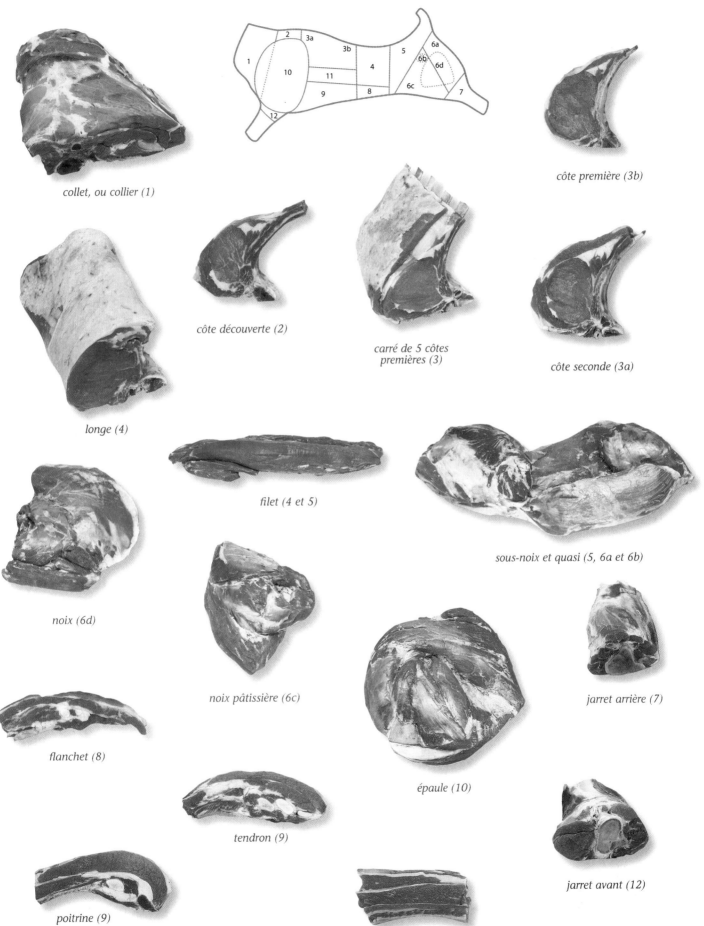

collet, ou collier (1)

côte première (3b)

côte découverte (2)

carré de 5 côtes
premières (3)

côte seconde (3a)

longe (4)

filet (4 et 5)

sous-noix et quasi (5, 6a et 6b)

noix (6d)

noix pâtissière (6c)

jarret arrière (7)

flanchet (8)

épaule (10)

tendron (9)

jarret avant (12)

poitrine (9)

haut de côte (11)

• LE VEAU FERMIER ÉLEVÉ AU LAIT ENTIER. Il boit un mélange de lait des vaches de toute l'exploitation pendant au moins 12 semaines. Il est abattu entre 4 et 6 mois et donne une carcasse de 100 à 140 kg. Certains ont le label rouge : veau fermier de Normandie, veau Bretanin-Tardiveau, veau fermier de Vendée-Val de Loire, veau fermier de Cornouaille, Védélou.

• LE VEAU ISSU DE L'AGRICULTURE BIOLOGIQUE. Il est produit selon une charte stricte. Les herbages ne sont pas traités par des pesticides et ne reçoivent pas d'engrais chimiques.

• LE VEAU « INDUSTRIEL » ET LE « VEAU CERTIFIÉ ». Le premier est élevé en atelier spécialisé ; le second par des groupements de producteurs, au nombre de 20. Ils sont nourris de produits laitiers reconstitués (90 %) et de divers compléments. S'ils ont la certification de conformité de produit, ils sont souvent de très bonne qualité gastronomique. Leur carcasse pèse de 100 à 150 kg à l'âge de 4 à 6 mois.

• LE VEAU DE SAINT-ÉTIENNE. De race limousine, âgé de 8 mois et pesant 350 kg, il est nourri au lait de vache.

• LE VEAU DE LYON. Âgé de 13 à 20 mois, il est sevré. Sa viande est plus colorée et nécessite des apprêts spécifiques. Après 2008, malgré son âge supérieur à 8 mois, ce veau devrait garder sa dénomination actuelle.

• LE BROUTARD OU BABY-BEEF. C'est un jeune bovin, mâle, non castré, de race charolaise ou de races mixtes, sevré, engraissé, à viande rouge clair, abattu à l'âge de 9 à 18 mois, et pesant alors entre 280 et 320 kg. Il est surtout destiné à l'exportation.

■ **Apprêts.** La découpe du veau permet de différencier : les morceaux à rôtir ou à poêler, avec le quasi, la noix, la sous-noix et la noix pâtissière, la longe et le filet, ainsi que les côtes. Les autres morceaux sont l'épaule, la poitrine, le tendron, le flanchet, le haut de côte, le collet, les jarrets et la queue (**voir** planche de la découpe du veau page 879). Les abats du veau sont les plus recherchés en boucherie, en particulier le foie, les ris, les rognons, mais aussi la cervelle, la langue, les pieds et la fraise. Le pied de veau joue un rôle privilégié pour la préparation des fonds de sauce, des daubes et des braisés.

Les apprêts les plus classiques du veau sont l'escalope sautée, le rôti, le grenadin et la côte poêlés ou en casserole, la paupiette farcie (dite « oiseau sans tête »), le fricandeau, les tendrons braisés, la blanquette et le ragoût (dit « sauté »). Les garnitures font souvent appel à une saveur affirmée : champignons, fines herbes, oignon, oseille, purée Soubise. Aubergines, épinards ou tomates se marient également bien avec cette viande blanche, qui, par ailleurs, s'associe souvent à la crème, à un alcool ou au fromage. Dans le passé, des recettes fameuses furent mises au point pour ce « caméléon de la cuisine », comme le nommait Grimod de La Reynière, notamment la poitrine farcie, les côtelettes en surprise, les brésolles, la selle de veau Orloff, le feuilleton et le sauté Marengo.

Le répertoire régional n'est pas moins riche, surtout lorsqu'il s'agit des abats : casse de Rennes, fraise de veau au gratin, mou de veau bourguignon, tête de veau Sainte-Menehould ou tripous. À l'étranger, c'est en Italie que le veau bénéficie des apprêts les plus variés : osso-buco, piccata, saltimbocca, veau au thon, etc., mais il ne faut pas oublier le pörkölt hongrois au paprika, les *Wiener Schnitzel* (escalopes panées) et le *veal and ham pie* (tourte au veau et au jambon).

aspic de jambon et de veau ▶ ASPIC
beignets de ris de veau ▶ BEIGNET
bouillon de veau ou *fond blanc de veau* ▶ BOUILLON
brochettes de ris d'agneau ou *de veau* ▶ BROCHETTE
cervelle de veau frite à l'anglaise ▶ CERVELLE
cervelle de veau en meurette ▶ CERVELLE
cervelle de veau en panier ▶ CERVELLE
cœur de veau en casserole bonne femme ▶ CŒUR
cœur de veau farci ▶ CŒUR
cœur de veau grillé en brochettes ▶ CŒUR
cœur de veau sauté ▶ CŒUR

côte de veau Foyot

Préparer une pâte épaisse avec 20 g de mie de pain rassise, râpée en chapelure, 30 g de gruyère râpé et 20 g de beurre. Saler et poivrer une grosse côte de veau (250 g environ), la fariner, la saisir dans 20 g de beurre et la cuire à four doux avec 20 g de beurre. À mi-cuisson, la retourner et la recouvrir avec la pâte au fromage. Ajouter dans le plat de cuisson une petite tomate ouverte en deux et farcie d'un mélange de mie de pain, de persil et de beurre. Achever la cuisson en arrosant régulièrement de beurre fondu. Égoutter la côte et la tomate, les dresser sur le plat de service. Ajouter à la cuisson 1 échalote ciselée. Déglacer avec 1/2 verre de vin blanc sec et 1/2 verre de fond brun de veau Laisser réduire de moitié. Lier avec 10 g de beurre et en napper la côte de veau.

côte de veau Pojarski

Désosser une côte de veau en conservant l'os ; peser la chair et la hacher finement. Lui ajouter un poids égal de mie de pain rassis, trempée dans du lait et essorée, un peu de persil haché et le quart de son poids de beurre ; saler, poivrer et ajouter une pointe de muscade râpée. Travailler le mélange pour obtenir une farce homogène. Gratter à fond l'os de la côte et le plonger 5 min dans de l'eau bouillante. Le rafraîchir, l'éponger. Étaler la farce en la pressant le long de cet os pour reconstituer la forme de la côte et laisser sécher 30 min. Fariner alors la composition et la cuire 15 min au beurre clarifié. Dresser la côte sur un plat, la garnir d'une rondelle de citron cannelée, arroser d'un peu de beurre noisette et servir avec un légume au beurre.

côtes de veau en casserole à la paysanne

Préparer une fondue de légumes taillés en paysanne avec 4 carottes, 2 oignons, 2 blancs de poireau, 1 navet et 4 branches de céleri ; les cuire dans 30 g de beurre. Ajouter 1 cuillerée à soupe de persil ciselé, du sel et du poivre. Faire sauter 2 pommes de terre à pulpe ferme taillées en petits dés dans un mélange de 20 g de beurre et de 2 cuillerées à soupe d'huile. Tailler 200 g de poitrine fumée en lardons et les dorer au beurre. Rassembler tous ces éléments. Cuire à la casserole 4 côtes de veau au beurre ; ajouter la garniture, saler, poivrer et réchauffer le tout.

côtes de veau à la gelée

Parer les côtes et les piquer légèrement de lard gras et de langue écarlate. Les braiser, puis les égoutter à fond et les faire refroidir sous presse. Passer le fond de braisage et le laisser également refroidir. Masquer les côtes de leur fond de braisage froid avant qu'il ne soit pris en gelée et les dresser dans un plat rond ; laisser refroidir et décorer, pour servir, avec des croûtons de gelée au porto ou au xérès.

côtes de veau grillées en portefeuille

Faire tremper 2 heures une crépine de porc dans de l'eau froide. Fendre la noix de côtes de veau épaisses, taillées dans le carré, et assaisonner la poche ainsi formée de sel et de poivre ; la garnir d'une duxelles de champignons bien réduite ou d'un salpicon de langue écarlate et de champignons étuvés au beurre, lié d'une béchamel bien serrée. Envelopper chaque côte dans un morceau de crépine et faire griller doucement. Servir en même temps des épinards au beurre.

côtes de veau panées à la milanaise

Batter légèrement 4 côtes de veau. Préparer la panure dans 3 plats séparés : 75 g de farine, 2 œufs battus avec 2 cl d'huile et assaisonnés, 100 g de mie de pain fraîche additionnée de 40 g de parmesan râpé. Saler et poivrer les côtes de veau, les enrober des ingrédients dans l'ordre donné ci-dessus. Bien faire adhérer puis les marquer avec le dos d'un gros couteau. Les faire sauter à la poêle sur chaque face dans 40 g de beurre clarifié. Servir avec une garniture milanaise et un cordon de sauce tomate claire.

côtes de veau à la piémontaise

Procéder comme pour les côtes de veau panées milanaise (voir recette ci-dessus). Faire sauter les côtes de veau à la poêle sur chaque face dans 40 g de beurre clarifié. Servir avec un risotto à la piémontaise (préparé avec 200 g de riz) et une fondue de tomate bien réduite.

côtes de veau sautées à la provençale

Préparer 40 cl de sauce tomate à l'ail et 8 petites tomates rondes farcies de 300 à 400 g de duxelles de champignon et gratinées avec 60 g de mie de pain. Saler et poivrer 4 côtes de veau, les saisir vivement à la poêle dans 4 cl d'huile d'olive. Réduire le feu et poursuivre la cuisson de 6 ou 7 min sur chaque face. Égoutter les côtes et les dresser dans le plat de service, entourées des tomates farcies. Tenir au chaud dans le four entrouvert. Dégraisser la poêle, déglacer avec 5 cl de vin blanc sec, réduire, verser la sauce tomate, bien remuer et faire réduire de moitié sur feu vif. Verser la sauce sur les côtes, parsemer de persil haché, de basilic ciselé et servir très chaud.

émincé de veau à la zurichoise

Sauter vivement au beurre 400 g de noix de veau et 200 g de rognon, émincés ; saler, poivrer et réserver au chaud. Suer au beurre 30 g d'échalotes ciselées ; ajouter 150 g de champignons de Paris émincés. Assaisonner et déglacer avec 10 cl de vin blanc sec et cuire quelques minutes. Retirer les champignons ; verser 20 cl de crème fraîche et 5 cl de demi-glace. Réduire la sauce, remettre la viande et les champignons, et réchauffer rapidement. Dresser et parsemer de persil haché.

épaule de veau farcie à l'anglaise

Désosser un morceau d'épaule de 1,5 kg. Préparer une farce composée par tiers de rognon de veau ou de bœuf haché, de tétine ou de graisse de veau hachée et de mie de pain trempée dans du lait, puis pressée. La lier avec des œufs (2 œufs par kilo de farce), la saler, la poivrer et la travailler pour la rendre homogène. Étaler l'épaule sur la table, saler, poivrer, la masquer régulièrement de farce, la rouler et la ficeler. Au choix, la braiser comme une épaule d'agneau ou la rôtir en l'arrosant souvent. Servir avec le fond de braisage réduit ou le jus de cuisson. Garnir avec des tranches de lard bouilli, du chou et des pommes de terre à l'eau.

escalopes à la viennoise

Batter légèrement 4 escalopes de veau. Préparer la panure dans 3 plats séparés : 75 g de farine, 2 œufs battus avec 2 cl d'huile et assaisonnés, 150 g de mie de pain fraîche. Saler et poivrer les escalopes de veau, les enrober successivement des ingrédients dans l'ordre donné ci-dessus. Bien faire adhérer puis les marquer avec le dos d'un gros couteau. Les faire sauter à la poêle sur chaque face dans un mélange de 4 cl d'huile et de 20 g de beurre. Les cuire pendant 5 ou 6 min sur chaque face. Les servir avec des rondelles de citron à vif, des olives dénoyautées entourées de filets d'anchois, de persil, des câpres et de 1 blanc et 1 jaune d'œuf dur hachés.

feuilleton de veau à l'ancienne ▶ FEUILLETON

RECETTE DE ROGER VERGÉ

filets mignons de veau au citron

« Tailler en julienne le zeste de 1/2 citron et le mettre dans une casserole avec 6 cuillerées à soupe d'eau froide ; porter à ébullition, puis égoutter et passer sous l'eau froide. Remettre la julienne dans une casserole avec 1 cuillerée d'eau et 1/2 cuillerée de sucre ; faire cuire jusqu'à évaporation, puis réserver. Faire chauffer 20 g de beurre dans une poêle ; lorsqu'il commence à "chanter", y déposer 4 filets mignons de 75 g chacun, salés et poivrés des deux côtés. Laisser colorer 5 min sur chaque face, puis tenir au chaud sur une assiette. Débarrasser la poêle de son beurre et la déglacer avec 4 cuillerées de vin blanc sec, en laissant réduire à 1 cuillerée à soupe de liquide. Ajouter alors 40 g de beurre et mélanger, puis ajouter 1 cuillerée de persil ciselé. Disposer les filets mignons sur 2 assiettes chaudes. Verser dans la sauce le jus de cuisson de la viande et en napper les filets. Décorer chaque filet d'une rondelle de citron pelé à vif. Ajouter 1 pincée du zeste cuit au sucre et servir. »

foie de veau à l'anglaise ▶ FOIE
foie de veau à la créole ▶ FOIE
foie de veau à la lyonnaise ▶ FOIE
foie de veau rôti ▶ FOIE
foie de veau à la Saulieu ▶ FOIE
foie de veau sauté à la florentine ▶ FOIE
fond blanc de veau ▶ FOND
fond brun de veau ▶ FOND
fond de veau lié ▶ FOND

fraise de veau au blanc ▶ FRAISE DE VEAU
fraise de veau frite ▶ FRAISE DE VEAU
fricandeau de veau à l'oseille ▶ FRICANDEAU
godiveau à la graisse ou *farce de veau à la glace* ▶ GODIVEAU
grillons de ris de veau aux échalotes mauves ▶ RIS

grenadins de veau braisés

Parer et piquer de lard gras des grenadins de 100 g. Beurrer une cocotte, la foncer de couennes dégraissées. Peler et émincer 1 belle carotte et 1 oignon moyen ; les faire revenir au beurre avec les parures des grenadins. Étaler ces éléments sur les couennes, disposer les grenadins par-dessus, couvrir et laisser suer 15 min. Mouiller de 20 cl de vin blanc et réduire à glace. Mouiller alors de fond brun de veau, au tiers de l'épaisseur des grenadins, porter à ébullition sur le feu, puis couvrir et cuire 40 min dans le four préchauffé à 220 °C, en arrosant trois ou quatre fois. Dresser les grenadins sur un plat de service résistant à la chaleur ; les arroser d'un peu du fond de cuisson passé et les faire glacer dans le four. Déglacer au fond brun de veau la cocotte de cuisson, passer dans une passoire fine, dégraisser ; napper les grenadins. Servir avec des salsifis.

RECETTE D'ALAIN DUCASSE

jarret de veau poché et blettes mijotées

POUR 4 PERSONNES – PRÉPARATION : 3 h

« Préchauffer le four à 180 °C. Coucher un jarret de 2 kg dans une cocotte ovale en fonte de 30 cm, le dorer sur toutes ses faces, ajouter 1 carotte coupée en trois en biseau, 1 branche de céleri coupée en trois, 1 oignon coupé en deux, un peu de gros sel et 5 grains de poivre. Verser du jus de veau bouillant à mi-hauteur du jarret, glisser la cocotte couverte au four pour 2 heures. Après 1 heure de cuisson, retourner le jarret et l'arroser. Pour la garniture, séparer le vert des côtes de 1 kg de blettes. Découper le vert en lanières et les côtes en biseau. Réserver les côtes dans de l'eau citronnée. Monder 3 tomates, les couper en dés de taille moyenne et tailler 4 cébettes en biseau. Faire revenir au beurre les côtes de blettes pendant 10 min (sans les colorer), ajouter les dés de tomates et les cébettes en biseau. Déglacer légèrement avec du fond de volaille et cuire à petit feu pour obtenir un ragoût. Après 2 heures de cuisson, retirer le jarret, le mettre à reposer couvert d'une feuille d'aluminium. Filtrer le jus de cuisson du jarret et le faire réduire de moitié. Remettre le jarret dans cette cuisson réduite et placer la cocotte au four en l'arrosant pendant 30 min pour obtenir un glaçage blond et sirupeux et une chair qui se détache de l'os. Ajouter dans le jus un bon vinaigre de vin rouge selon votre goût (ce plat demande à être bien vinaigré). Faire tomber le vert de blettes à l'huile d'olive, l'ajouter au dernier moment à la garniture. Présenter dans un plat la garniture et le jarret qui sera découpé devant les convives. Mettre la sauce dans une saucière. Dans une poêlette, servir du poivre noir moulu et du gros sel, à saupoudrer sur les tranches de jarret. »

jarret de veau à la provençale ▶ JARRET

longe de veau rôtie

Désosser la longe sans détacher le rognon et en laissant la bavette assez longue pour qu'elle puisse envelopper le filet. Débarrasser le rognon de sa graisse, pour n'en garder qu'une épaisseur de 1 cm. Saler et poivrer le côté qui sera à l'intérieur, puis rouler la longe et la ficeler ; saler et poivrer. Chauffer du beurre dans une grande cocotte et y dorer la longe de tous les côtés. Couvrir la cocotte et la mettre dans le four préchauffé à 200 °C. Éplucher des petits oignons frais et les rissoler au beurre. Cinq minutes avant la fin de cuisson de la viande, les ajouter dans la cocotte. Égoutter la longe et la tenir au chaud sur un plat de service. Déglacer le récipient de cuisson avec 1 verre de vin blanc sec et 1 verre de fond brun de veau, faire réduire de moitié ; servir à part, dans une saucière, avec les petits oignons.

RECETTE D'ALEXANDRE DUMAINE

noix de veau Brillat-Savarin

« Aplatir une noix de veau entière, la désosser, puis rapprocher et coudre ensemble les parties disjointes. Hacher 3 échalotes. Faire cuire 100 g de morilles à la crème. Étendre sur la viande une couche de 1 cm d'épaisseur de farce à gratin mélangée aux échalotes hachées. Parsemer avec les morilles, puis mettre au centre 200 g de foie gras de canard. Rouler la noix de veau en forme de rôti et la ficeler solidement. La piquer de lardons gras, puis la colorer au beurre et la placer ensuite dans une braisière sur une mirepoix. Mouiller de vin blanc sec et de bouillon de bœuf. Ajouter des tomates épépinées et concassées et 1 bouquet garni. Saler et poivrer. Couvrir et cuire lentement 2 heures. Retirer la viande, faire réduire la cuisson et la passer au chinois. Servir la noix en tranches nappées d'un peu de sauce. Présenter le reste de la sauce en saucière, avec une garniture d'épinards en branches et de morilles à la crème. »

oreilles de veau braisées à la mirepoix ▶ OREILLE
oreilles de veau grillées à la diable ▶ OREILLE
pâté de ris de veau ▶ PÂTÉ
pâté de veau et de jambon en croûte ▶ PÂTÉ
paupiettes de veau zingara ▶ PAUPIETTE
pieds de veau : cuisson ▶ PIED
pieds de veau à la Custine ▶ PIED
pieds de veau à la tartare ▶ PIED

poitrine de veau farcie braisée

Ouvrir dans son épaisseur une poitrine de veau désossée. Préparer la farce en mélangeant 400 g de mie de pain rassis, trempée dans du lait et pressée, 2 gousses d'ail et 1 bouquet de persil hachés, 250 g de duxelles de champignon, 2 jaunes d'œuf, 100 g d'oignons et 2 échalotes, ciselés puis fondus au beurre, du sel, du poivre et un peu de cayenne. En garnir la poche et coudre l'ouverture. Beurrer une cocotte ; garnir le fond et le bord jusqu'à mi-hauteur de couennes dégraissées. Couper en petits dés 1 carotte, 1 blanc de poireau, 3 branches de céleri et 1 oignon ; faire étuver le tout 10 min dans 25 g de beurre, puis l'étaler sur les couennes. Saler et poivrer la poitrine, la dorer dans 30 g de beurre, puis la placer dans la cocotte tapissée de légumes fondus. Ajouter 1/2 pied de veau désossé et coupé en dés, 2 cuillerées à soupe de concentré de tomate, délayées avec 20 cl de vin blanc sec et autant de fond brun de veau. Couvrir et porter à ébullition sur le feu, puis cuire 1 h 50 dans le four préchauffé à 200 °C. Égoutter la poitrine. Dégraisser le fond de cuisson, le passer, le faire réduire d'un tiers et napper la viande. Servir avec des épinards en branches au beurre ou des cœurs d'artichaut braisés.

quenelles de veau ▶ QUENELLE
ris de veau : préparation ▶ RIS
ris de veau braisés à blanc ▶ RIS
ris de veau braisés à brun ▶ RIS
ris de veau aux écrevisses ▶ RIS
ris de veau financière ▶ RIS
ris de veau moelleux et croustillant ▶ RIS
rognon de veau aux graines de moutarde ▶ ROGNON
rognon de veau en madère ▶ ROGNON
rognon de veau bordelaise ▶ ROGNON
sauté de veau chasseur ▶ SAUTÉ
sauté de veau Marengo ▶ SAUTÉ

selle de veau Orloff

Parer et ficeler la selle, la badigeonner de beurre fondu puis l'assaisonner de sel fin et de poivre. La faire poêler sans coloration sur une garniture aromatique (carottes et oignons émincés, tomate concassée, branche de céleri, ail écrasé et bouquet garni). Laisser cuire 1 heure, à couvert, au four préchauffé à 200 °C. Ajouter le vin blanc, un peu de fond de veau brun clair et cuire encore de 30 à 40 min. Retirer la selle, l'envelopper dans une feuille d'aluminium et la réserver au chaud. Passer le fond de poêlage au chinois sans fouler ; le dégraisser, vérifier l'assaisonnement et réserver au chaud. Préparer une sauce Soubise épaisse. Confectionner une sauce Mornay et lui incorporer la sauce Soubise. Découper la selle en enfonçant la pointe du couteau à 1 cm de ses bords extérieurs et jusqu'aux vertèbres lombaires, de manière à pouvoir détacher les filets ; les détailler en escalopes. Tapisser le fond de la double cavité formée après l'enlèvement des filets avec un peu du mélange des sauces Soubise et Mornay (certains professionnels ajoutent un peu de purée de champignons), puis en napper chaque escalope ; décorer d'une lame de truffe. Placer les escalopes dans la double cavité pour reformer les filets. Napper la surface de la selle avec le restant du mélange Soubise-Mornay. Saupoudrer de gruyère râpé et faire gratiner vivement sous une salamandre ou dans un four très chaud. Servir le fond de poêlage à part.

tendrons de veau chasseur

Dans une sauteuse, faire sauter 10 min sur chaque face 4 tendrons avec 30 g de beurre ; égoutter et tenir au chaud. Mettre à la place 200 g de champignons nettoyés et émincés ; les faire revenir et verser 5 cl de vin blanc, 5 cl de fond brun de veau et 5 cl de sauce tomate ; ajouter 2 échalotes ciselées ; réduire de moitié. Verser les champignons et la sauce sur la viande ; parsemer de fines herbes ciselées et servir brûlant.

tête de veau farcie ▶ TÊTE
tête de veau à l'occitane ▶ TÊTE
tête de veau en tortue ▶ TÊTE

RECETTE DE PHILIPPE BRAUN

vitello tonnato

« Désosser un morceau de longe de veau de 2 kg. Le ficeler à la façon d'un rôti. Concasser les os et les réserver. Saler et poivrer le rôti. Le dorer sur toutes ses faces dans un sautoir avec 3 cl d'huile d'olive, puis débarrasser. Disposer les os concassés dans le fond du sautoir, puis y mettre le rôti parsemé de 50 g de beurre en parcelles. Cuire de 25 à 30 min dans le four préchauffé à 220-230 °C ; 10 min avant la fin de la cuisson, ajouter 1 carotte et 1 oignon, coupés en mirepoix, et 2 gousses d'ail en chemise. Poser le rôti sur une grille, l'assaisonner de nouveau et le laisser refroidir. Dégraisser de moitié les sucs du sautoir, puis déglacer avec 10 cl de vin blanc sec et 20 cl d'eau ; laisser réduire, puis passer le jus au chinois ; réserver. Mixer ensemble 150 g de thon germon cuit au naturel, 3 anchois au sel de Collioure, dessalés et désarêtés, 40 g de câpres égouttées, 2 cuillerées à soupe du jus de cuisson de la viande, 400 g de mayonnaise à l'huile de pépins de raisin, le jus de 1 citron, du sel, du poivre, et éventuellement 5 cl de consommé de volaille, pour la consistance. Déficeler la longe de veau, parer les endroits qui seraient desséchés, et la détailler en tranches de 2 à 3 cm d'épaisseur. Répartir les tranches en rosace en les faisant se chevaucher, poivrer et, à l'aide d'une cuillère, napper la viande de sauce au thon. Parsemer de pluches de persil plat et de 30 g de câpres. Accompagner éventuellement de cœurs de romaine coupés en quartiers et assaisonnés d'huile d'olive et de jus de citron. »

VEAU DE MER Appellation commerciale de la taupe (**voir** ce mot), requin vendu sous forme de steak, en longe ou en tranches, comme le thon.

VEAU-QUI-TETTE (LE) Taverne des abords du Châtelet, datant du XVIᵉ siècle, qui disparut lors de la percée du boulevard de Sébastopol. L'établissement fut surtout célèbre au début du XIXᵉ siècle, sous le premier Empire, notamment pour ses pieds de mouton, « meilleurs que dans les salons dorés », et ses anguilles « piquées aux truffes ». Son propriétaire vit un jour un concurrent s'installer à proximité, dans la même rue de la Joaillerie, avec la même enseigne, mais le second tenancier dut, après procès, changer sa raison sociale en « Veau-qui-mange ».

VÉGÉTALISME Type d'alimentation basé sur les céréales, les légumes secs ou verts, les fruits et les huiles végétales, et excluant, pour des raisons philosophiques, tout aliment d'origine animale, y compris le miel. C'est un régime très déséquilibré, responsable de dénutrition.

Le calcium (fourni essentiellement par les produits laitiers) est ainsi totalement absent. Le fer des légumes, céréales et légumineuses, est mal utilisé par l'organisme lorsque celui de la viande n'est pas fourni. Enfin, l'apport de carotène ne peut suffire aux besoins en vitamine A, apportée par le beurre, le foie et le jaune d'œuf, qui restent exclus.

Il existe, parmi les différentes écoles végétaliennes, des hiérarchies et des associations diverses entre les aliments, mais ces régimes conduisent tous à des carences, et notamment à un déséquilibre protéique.

VÉGÉTARISME Type d'alimentation excluant totalement certains aliments contenant des protéines animales : viande, poisson, œufs pour le lacto-végétarisme ; viande, poisson, laitages pour l'ovo-végétarisme ; viande, laitages et œufs pour le pesco-végétarisme ; viande (sauf volaille), laitages et œufs pour le pollo-végétarisme. Les végétariens privilégient en outre les aliments peu raffinés et donc riches en fibres et en minéraux (céréales entières et pain complet, par exemple). Ils consomment plutôt des protéines végétales (légumineuses) pauvres en cholestérol et riches en vitamines et minéraux.

Le végétarisme, qui n'exclut pas une certaine gastronomie (les restaurants végétariens sont nombreux), est compatible avec l'équilibre alimentaire, car les sous-produits animaux apportent des protéines de bonne valeur biologique, et le calcium est fourni en quantité suffisante par le lait et les fromages. Il a, de plus, l'avantage de ne pas entraîner un excès de lipides saturés. On conseille d'ailleurs aujourd'hui une alimentation semi-végétarienne équilibrée (pour éviter les carences en fer et en vitamine B12) dans laquelle la consommation de viande rouge est limitée à deux ou trois fois par semaine.

VEINE Morceau du collier de bœuf, subdivisé en veine grasse (partie inférieure) et veine maigre (partie supérieure). On y détaille des morceaux à braiser (daube, carbonade, bœuf mode) ou à hacher (steak).

VELAY ▶ voir **AUVERGNE** et **VELAY** (MONTS D')

VELOURS Se dit d'un potage Crécy (à la carotte) auquel on ajoute du tapioca poché au consommé, ce qui lui donne une consistance épaisse et veloutée.

VELOUTÉ (POTAGE) Potage dont l'élément de base (légume, viande, poisson, crustacé) est cuit dans un liquide lié (au gras ou au maigre), l'ensemble étant ensuite passé à l'étamine avant de recevoir une liaison (jaune d'œuf, crème et beurre), ainsi qu'une garniture finale (blanc de volaille en julienne, queues d'écrevisse, pointes d'asperge, etc.). Ce type de potage doit son nom à son aspect lisse et à sa consistance onctueuse.

velouté d'artichaut

Préparer un roux blanc avec 40 g de beurre et 40 g de farine. Le mouiller avec 80 cl de consommé de volaille. Blanchir 8 petits fonds d'artichaut, les escaloper et les faire étuver 20 min dans 40 g de beurre. Les ajouter au consommé, porter à ébullition et cuire jusqu'à ce que les légumes se défassent. Passer alors le tout au mixeur pour que le mélange soit parfaitement lisse ; l'allonger d'un peu de consommé pour lui donner la consistance désirée. Délayer 3 jaunes d'œuf avec 10 cl de crème fraîche et, hors du feu, lier le potage avec ce mélange. Incorporer enfin 60 g de beurre en parcelles, en fouettant.

velouté d'asperge

Préparer 80 cl de velouté de volaille. Couper 400 g d'asperges nettoyées en tronçons ; les blanchir 5 min à l'eau bouillante, puis les égoutter et les faire étuver 10 min avec 40 g de beurre. Mixer puis les passer au tamis pour éliminer les parties fibreuses et ajouter cette purée au velouté. Terminer comme pour le velouté d'artichaut.

velouté de châtaigne au foie gras et céleri au lard fumé

POUR 4 PERSONNES – PRÉPARATION : 30 min – CUISSON : 15 min

« Dans une cocotte, mettre 20 g de beurre à chauffer, ajouter 200 g de châtaignes sous vide prêtes à cuisiner, les faire suer sans coloration. Mouiller avec 50 cl d'eau minérale, saler, poivrer et ajouter les graines de 1 capsule de cardamome. Donner une ébullition. Laisser cuire 10 min à petits frémissements. Dans une casserole d'eau bouillante, saler et blanchir pendant 2 min 12 petits cubes de céleri-rave de 1 cm de côté. Rafraîchir. Égoutter sur une feuille de papier absorbant. Réserver. Au terme de la cuisson des châtaignes, les verser dans le bol du mixeur avec le bouillon de cuisson. Mixer pendant 2 min. Ajouter 1 jaune d'œuf, 5 cl de crème liquide, 35 g de beurre doux. Mixer de nouveau pour obtenir un velouté onctueux. Rectifier l'assaisonnement. Passer au chinois étamine si nécessaire. Réserver au chaud. Dans une poêle anti-adhésive, faire dorer 12 petits cubes de foie gras de 2 cm de côté, ainsi que 12 lardons de poitrine fumée sur toutes les faces. Au dernier moment, ajouter les dés de céleri. Égoutter le tout sur une feuille de papier absorbant. Saler et poivrer. Dresser en bols ou en soupière, répartir équitablement la garniture dans les récipients. Verser le velouté de châtaignes bien chaud et décorer avec quelques feuilles de céleri. »

velouté de crustacé

Préparer 1 litre de velouté de poisson. Faire sauter les crustacés choisis au beurre avec une très fine mirepoix de légumes. Flamber au cognac, puis mouiller de vin blanc. Assaisonner de sel, de poivre et d'épices. Cuire 20 min. Piler au mortier les crustacés avec leur cuisson. Ajouter cette purée au velouté de poisson et laisser mijoter quelques minutes. Passer au chinois étamine, porter de nouveau à légère ébullition, lier avec 3 jaunes d'œuf et 20 cl de crème fraîche, sans laisser bouillir. Vérifiez l'assaisonnement et, hors du feu, ajoutez un beurre rouge obtenu avec les crustacés. Au moment de servir, incorporer un salpicon des crustacés choisis et parsemer de quelques pluches de cerfeuil.

velouté de gibier, de viande ou de volaille

Préparer 100 g de roux blanc et le mouiller avec 1 litre de consommé très corsé de la viande choisie. Faire colorer dans du beurre cette viande, puis la mettre dans le velouté et cuire doucement et longuement. Mixer le tout, puis passer au chinois étamine : la consistance doit être nappante. Porter de nouveau à légère ébullition, puis lier avec 3 jaunes d'œuf et 10 cl de crème fraîche, sans laisser bouillir. Hors du feu, incorporer 80 g de beurre frais. Au moment de servir, ajouter un salpicon ou une julienne de la viande choisie et parsemer de quelques pluches de cerfeuil.

velouté glacé à l'avocat

« À l'aide d'une cuillère parisienne, prélever des boules dans la pulpe d'un petit concombre pelé et épépiné. Les blanchir rapidement à l'eau bouillante. Peler une tomate bien rouge et ferme après l'avoir ébouillantée ; tailler la pulpe en très petits dés. Partager en deux 3 avocats, extraire les noyaux et récupérer toute la pulpe à la cuillère. Passer cette pulpe au mixeur en ajoutant le jus de 1 citron, 4 cuillerées à soupe de crème fraîche et 10 cl de lait. Saler et poudrer de piment de Cayenne. Mettre à rafraîchir dans le réfrigérateur. Répartir le velouté dans quatre tasses. Ajouter les petites boules de concombre et les dés de tomate en garniture sur le dessus. Agrémenter de feuilles de menthe ciselées très finement (6 en tout). Servir glacé. »

RECETTE D'HÉLÈNE DARROZE

velouté de haricots maïs du Béarn

POUR 8 PERSONNES

« Tailler 1 oignon et 2 carottes en grosse brunoise. Tailler des gros lardons dans 100 g de jambon de pays ou de poitrine. Faire revenir le tout dans 50 g de graisse de canard jusqu'à ce qu'ils soient légèrement colorés. Ajouter alors 500 g de haricots maïs frais et écossés (ou 350 g de haricots maïs secs préalablement trempés pendant 24 heures dans de l'eau glacée). Mouiller à hauteur avec 1 litre de bouillon de volaille (ou, à défaut, avec de l'eau). Ajouter 1 bouquet garni. Ne surtout pas assaisonner, sinon la peau des haricots durcirait. Cuire de 15 à 20 min, puis laisser refroidir. Rectifier l'assaisonnement en sel et en piment d'Espelette (ou, à défaut, en poivre). Retirer le bouquet garni et la garniture aromatique, mixer puis passer au chinois. Ajouter 50 cl de crème liquide. Verser 2 cl de vinaigre de xérès, rectifier l'assaisonnement en sel et piment d'Espelette. Ce velouté peut être servi chaud ou glacé. »

velouté de poisson

Préparer 100 g de roux blanc et le mouiller avec 1 litre de fumet de poisson, dépouillé très soigneusement puis passé à l'étamine. Cuire doucement dans le velouté le poisson choisi désarêté. Mixer le tout et passer à l'étamine. Porter de nouveau à légère ébullition, puis lier avec 3 jaunes d'œuf et 10 cl de crème fraîche, sans laisser bouillir. Passer de nouveau à l'étamine. Hors du feu, incorporer 80 g de beurre frais. Au moment de servir, ajouter un salpicon ou une julienne du poisson choisi et parsemer de quelques pluches de cerfeuil.

RECETTE DE MARINA KIENAST-GOBET

velouté de tomate

POUR 4 À 6 PERSONNES

« Verser 50 cl d'eau froide dans une casserole. Ajouter 500 g de tomates bien rouges coupées en quartiers et dont on a retiré le pédoncule, 20 g de céleri branche (le cœur de préférence), 80 g de pommes de terre épluchées et coupées en morceaux et 1 cuillerée à café de bouillon de légumes déshydraté (bouillon cube). Porter à ébullition et cuire à couvert pendant 20 min. Retirer du feu et verser dans le bol d'un blender. Mixer jusqu'à obtenir une texture fine et homogène. Ajouter 2 portions (40 g) de fromage frais Kiri. Mixer de nouveau 1 min, passer au chinois et assaisonner de sel et de poivre du moulin. Servir aussitôt bien chaud, arrosé d'un filet d'huile d'olive. »

VELOUTÉ (SAUCE) Sauce blanche classée parmi les sauces « mères », faite d'un fond blanc (de veau ou de volaille) ou d'un fumet de poisson, lié avec un roux blanc ou blond. Selon les ingrédients complémentaires, le velouté sert de base à de nombreuses sauces dérivées. On donne aussi au velouté de veau le nom de « sauce blanche grasse », et au velouté de poisson celui de « velouté maigre ».

VENACO Fromage corse de lait de chèvre ou de brebis (45 % de matières grasses), à pâte molle et à croûte naturelle grattée, de fabrication uniquement « cabanière », originaire de Venaco et de Corte. Le venaco se présente sous la forme d'un pavé carré de 13 cm de côté et de 6 cm d'épaisseur. Il a une saveur puissante, parfois piquante.

VENAISON Chair comestible du gros gibier à poil (cerf, chevreuil, daim, sanglier, etc.) ; le lièvre et le lapin de garenne forment la « basse venaison ». Le « quartier » – ou « hanche » – de venaison est généralement un cuissot de cerf ou de daim à rôtir, après marinade ou mortification.

Les sauces de « venaison » accompagnent divers gibiers à poil ; la plus classique est une poivrade additionnée de crème fraîche et de gelée de groseille.

▶ Recette : MARINADE.

VENDANGE Récolte sur une parcelle de vigne des raisins arrivés à bonne maturité, quand leurs baies contiennent un maximum de sucres. En France, les dates de début (de fin août à décembre) et de fin de vendange sont fixées par décret préfectoral, et varient donc d'une région à l'autre, d'une commune à l'autre, selon le type de vin qui sera élaboré. Aujourd'hui, les machines à vendanger remplacent de plus en plus les traditionnels « coupeurs », travailleurs saisonniers ; seuls les vins AOC de renom exigent une cueillette à la main, avec tri des raisins.

VENDÉE (BOCAGE ET MARAIS DE) La Vendée, façade littorale du Poitou, associe aux traditions culinaires de l'arrière-pays les ressources de la mer. Le Bocage vendéen est un pays d'élevage, au cheptel bovin important. On y cultive aussi céréales et légumes, dont les célèbres choux verts et les « mogettes », haricots blancs souvent cuisinés à la crème ; la purée de fèves au bouillon est aussi appréciée que la chouée (choux verts cuits à l'eau, égouttés et copieusement beurrés) ou l'embeurrée de choux pommés. Sur les étiers du Marais, de Challans à Beauvoir-sur-Mer, on élève des canards renommés. Rivières et étangs fournissent des anguilles, pour les matelotes, et des grenouilles, que l'on cuisine à la luçonnaise (cuites à l'eau vinaigrée, puis sautées au beurre et garnies de gousses d'ail frites) ; les escargots se font griller ou sont cuits à l'eau bouillante avec du fenouil, puis mijotés dans une sauce blanche avec des pommes de terre. Le lapin et le lièvre sont bien apprêtés, avec, notamment, le pâté de lapin (terrine de couches alternées de filets de garenne et de hachis de lapin à l'oignon et à l'échalote) et le lièvre à la vendéenne, spécialité de La Roche-sur-Yon. Avec le porc, on prépare la potée de hure et la fressure vendéenne (abats de porc et lard hachés, additionnés de sang et longuement mijotés).

Quant aux poissons et aux fruits de mer, ils donnent toute une gamme de recettes variées, dont la cotriade, la chaudrée, la mouclade, la soupe de morue et la soupe aux huîtres ; les langoustes de l'île d'Yeu, les sardines des Sables-d'Olonne et les moules de L'Aiguillon-sur-Mer sont justement réputées.

La Vendée connaît les fromages, les pâtisseries et les douceurs du Poitou, mais il faut y ajouter la brioche vendéenne, l'alize pâquaude, les bottereaux, les fouaces et les caillebottes, ainsi que le « flan maraîchin » (œufs au lait sous une croûte caramélisée).

VENDÔME Fromage orléanais de lait de vache (50 % de matières grasses), à pâte molle et à croûte naturelle bleutée ou cendrée (**voir** tableau des fromages français page 389). Il se présente sous la forme d'un disque de 11 cm de diamètre et de 3,5 cm d'épaisseur. De plus en plus rare, il a une saveur fruitée, qui l'est davantage pour le cendré que pour le bleu.

VENEZUELA La cuisine vénézuélienne est la plus douce de l'Amérique du Sud. Les haricots y tiennent une grande place, mijotés dans le traditionnel ragoût *(sancocho)* avec de la viande de bœuf, des tripes ou du poisson, ou mélangés avec du riz et du maïs. Les grosses bananes plantains vertes font souvent partie des ingrédients de ces potées.

Les *arepas* accompagnent les plats ; elles ressemblent aux tortillas mexicaines, bien qu'elles soient préparées avec un maïs de qualité différente. Le mets typique, l'*hayaca*, de tradition pour Noël, se compose de crêpes de maïs farcies de viande ou de poisson, d'œufs, d'olives, de raisins secs, d'amandes et de condiments, cuites dans des feuilles de bananier.

La confiture de papaye est le dessert favori des Vénézuéliens, mais, comme les bananes, elle accompagne aussi les plats salés.

VÉNITIENNE (À LA) Se dit de filets de sole pochés, de tronçons de congre sautés au beurre, d'une volaille pochée, d'œufs mollets ou pochés, accompagnés d'une sauce dite « vénitienne », qui est une réduction de vinaigre et d'estragon mouillée de sauce allemande (ou de sauce au vin blanc), finie avec un beurre vert, passée et garnie de fines herbes.

Pour un poisson, la sauce peut également être une sauce normande additionnée de fines herbes et de câpres hachées.

VENTADOUR Nom d'un apprêt de tournedos ou de noisettes d'agneau, garnis de lames de moelle et de lames de truffe, servis avec une purée d'artichaut et des pommes cocotte, et accompagnés de sauce Chateaubriand.

VENTRÈCHE Poitrine de porc salée, puis roulée (et parfois séchée et commercialisée à plat), spécialité du sud-ouest de la France. Totalement désossée et découennée, la poitrine est salée pendant environ 10 jours, puis lavée, égouttée et étuvée. Saupoudrée de poivre concassé, elle est roulée, embossée sous boyau cellulosique, puis séchée pendant 1 à 4 semaines. La ventrèche connaît tous les emplois de la poitrine salée.

On appelle aussi ventrèche la partie grasse du saumon et du thon.

VER Animal ou larve d'insecte au corps mou et allongé, dont certaines espèces constituent des mets appréciés dans plusieurs pays tropicaux. Au Cameroun, une vingtaine d'espèces de larves différentes sont vendues grillées sur les marchés ; elles s'accommodent aussi en sauce, avec des graines d'arachide ou de courge, cuites sur des braises, enveloppées dans des feuilles de bananier, ou encore en brochettes. Les Pygmées, qui en sont friands, les écrasent dans de l'huile de palme pour en faire un condiment. Les Japonais font griller les larves de mante, de libellule ou de guêpe.

En Amérique latine, ce sont les vers d'agave et les chenilles de bambou qui sont appréciés. Aux Antilles, les vers palmistes sont une friandise de choix, grillés en brochettes que l'on sert poudrées de chapelure, avec du jus de citron.

VERDIER Nom d'un apprêt d'œufs durs, farcis de foie gras et gratinés sur un lit d'oignons fondus, nappés d'une béchamel au parmesan additionnée de truffe, dont la création est attribuée au premier propriétaire de la *Maison dorée*.

VERDURE Terme générique désignant de la salade ou un mélange d'herbes vertes. On emploie notamment de la verdure hachée pour réaliser des farces ou des purées. On appelle « verdurette » une sauce vinaigrette additionnée de ciboulette et d'œuf dur hachés, de cerfeuil, d'estragon et de persil ciselés.

VERGÉ (ROGER) Cuisinier français (Commentry 1930). Issu d'une famille modeste (son père est forgeron, sa mère femme de ménage), il est formé à *La Tour d'Argent* et au *Plaza Athénée* à Paris. Installé en 1969 au *Moulin de Mougins* (il obtient la première étoile au Guide Michelin en 1970, la deuxième en 1972, la troisième en 1974), après avoir été chef au *Club* à Cavalière, il devient le sage à cheveux blancs de la cuisine de la Côte d'Azur et forme quelques-uns des grands noms de la cuisine moderne, comme Alain Ducasse, Jacques Chibois, Jacques Maximin ou Bruno Cirino. Il obtiendra parallèlement deux étoiles dans son *Amandier de Mougins*. Compagnon de route de Paul Bocuse et de Gaston Lenôtre, avec lesquels il ouvre un restaurant français au sein du groupe Disney à Epcot en Floride, ami des artistes Arman et César, il joue le rôle de conservateur éclairé de la cuisine provençale revue à l'aune de la légèreté. Le poupeton de truffes à la duxelles de courgettes est l'un de ses mets fétiches.

VERGEOISE Sucre de betterave ou de canne, de consistance moelleuse, provenant d'un sirop de raffinerie, coloré et parfumé par les composants naturels de sa matière première (**voir** tableau des présentations du sucre page 823).

On trouve dans le commerce deux vergeoises, la blonde et la brune : la première est obtenue en recuisant le sirop éliminé lors d'un premier essorage du sucre ; la brune, plus foncée et à l'arôme plus soutenu, résulte de la recuisson du sirop éliminé lors du deuxième essorage du sucre.

Dans le nord de la France et en Belgique, on utilise couramment la vergeoise en pâtisserie (tarte au sucre en particulier) et pour sucrer ou fourrer les crêpes et les gaufres.

VERJUS Suc acide de raisin vert ou imparfaitement mûr, largement utilisé jadis comme ingrédient de sauce, condiment ou élément de déglaçage. Au Moyen Âge, le « vertjus » était un fond acide préparé à l'avance avec du jus de raisin vert, parfois du jus de citron ou d'oseille, des fines herbes et des épices, qui intervenait dans la plupart des sauces et des liaisons.

▶ Recettes : GRATIN, LAITANCE.

VERMEIL Matériau utilisé en orfèvrerie, qui se présente soit comme une dorure (or appliqué par électrolyse sur du métal argenté), soit comme de l'argent doré (argent massif recouvert d'une fine couche d'or). Couverts, assiettes et pièces de service de table sont réalisés en vermeil par de grands orfèvres, mais rarement utilisés dans la pratique, sauf pour les petites cuillères à café ou à moka.

VERMICELLES Pâtes à potage très fines obtenues par passage à la filière. Le mot désigne aussi le plat ou le potage préparé avec ces pâtes. Les « cheveux d'ange » sont une variété particulièrement fine, qui ne s'emploie que dans les consommés et les potages clairs. On utilise aussi le vermicelle pour réaliser certains entremets (puddings et soufflés).

Les vermicelles chinois, préparés avec de la farine de soja, se présentent en longs écheveaux nacrés ; bouillis ou frits, ils complètent des potages, des mélanges de légumes, des farces, etc. En Extrême-Orient, il existe aussi des vermicelles de farine de riz, blanchâtres, plats et longs, qui s'apprêtent comme les nouilles.

VERMOUTH Apéritif à base de vin, fabriqué en Italie dès le XVIIe siècle et produit aujourd'hui dans le monde entier sous deux types, le vermouth français et le vermouth italien, moins sec.

Les vermouths sont obtenus à partir de vin blanc, de sirop de sucre ou de mistelle (jus de raisin non fermenté, additionné d'eau-de-vie de vin), d'alcool neutre et de plantes aromatiques (absinthe, hysope, quinquina, genièvre, clou de girofle, camomille, écorce d'orange, parfois pétales de rose) ; mais chaque marque conserve son secret de fabrication. Les plus connues sont Noilly Prat, premier vermouth créé en France (1813) et Martini (1863). On distingue le vermouth dry, de couleur claire, qui contient entre 50 et 60 g de sucre par litre, et le vermouth rosso, coloré au caramel, qui en contient entre 100 et 150 g. Ils titrent entre 14,5 et 22 % Vol.

Le vermouth se sert frappé, souvent sur des glaçons, parfois avec une rondelle de citron ou d'orange, ou encore allongé d'eau gazeuse, ainsi que dans de nombreux cocktails, comme le dry martini ou l'americano.

En cuisine, le vermouth s'emploie pour relever des farces, déglacer une volaille, des crustacés ou des poissons.

▶ Recette : SOLE.

VERNIS Coquillage marin des fonds sableux, de la famille des vénéridés, comme les clams et les praires, qui connaît les mêmes apprêts que ceux-ci (**voir** tableau des coquillages page 250 et planche des coquillages et autres invertébrés pages 252 et 253). Ses grandes coquilles brunes (de 6 à 10 cm) sont lisses et brillantes, d'aspect vernissé, marquées de bandes sombres rayonnantes.

VERNON Nom d'un apprêt de petites pièces de boucherie sautées, garnies de fonds d'artichaut surmontés de pointes d'asperge, de navets farcis de purée de pomme de terre et de pommes fruits, évidées et emplies de petits pois au beurre.

VÉRON (LOUIS DÉSIRÉ) Médecin et journaliste français (Paris 1798 - *id.* 1867). Après avoir exercé la médecine dans les milieux mondains, il devint critique et directeur de revues littéraires, puis directeur de l'Opéra de Paris et enfin journaliste politique à la tête du *Constitutionnel*, qui soutint Louis-Napoléon et la cause de l'Empire. Mais L. D. Véron occupa surtout une place dans l'histoire de la gastronomie par son rôle d'amphitryon fastueux, d'abord dans son appartement de la rue de Rivoli, puis à Auteuil. La réputation de cette table tenait d'ailleurs surtout aux talents de la cuisinière-gouvernante de Véron, Sophie, qui, dit-on, se surpassait avec le canard aux olives et le gigot braisé aux haricots.

En cuisine classique, on a donné le nom de Véron à une sauce normande parfumée aux herbes et additionnée de fumet ou de fond de veau, pour poissons panés ou grillés.

▶ Recettes : BARBUE, SAUCE.

VÉRONIQUE Plante commune des régions tempérées, de la famille des scrophulariacées, dont il existe de nombreuses espèces comestibles. La véronique officinale, surnommée « thé d'Europe », fut proposée dès le début du XVIIIᵉ siècle comme succédané du thé. La véronique beccabonga, ou cresson de cheval, que l'on confond souvent avec le cresson, se sert crue en salade ou se cuisine comme l'épinard. C'est aussi une appellation classique de garniture de poisson : filets de sol véronique, garnis de grains de raisin pelés et épépinés.

VERRE À FEU Matériau résistant aux chocs thermiques et mécaniques, utilisé pour fabriquer divers ustensiles de cuisson et de service. Pour supporter les brusques variations de température, le verre à feu doit être très bon conducteur de la chaleur, avoir un faible coefficient de dilatation et posséder une grande élasticité. Il est généralement assez épais et transparent.

VERRE GRADUÉ Récipient d'une contenance de 0,25 à 1 litre, généralement en plastique dur ou en verre trempé, parfois muni d'une anse et d'un bec verseur ; le verre gradué sert soit à mesurer le volume des liquides, soit à « peser » sans balance certaines denrées fluides (farine, riz, semoule, sucre en poudre, tapioca), dont on a établi la correspondance entre le volume et le poids en grammes.

VERRE ET **VERRERIE** Récipient à boire et matière. Le verre naît d'un mélange de sable siliceux, de carbonate de soude et de carbonate de chaux, chauffé à 1 500 °C. Il peut prendre toutes les formes, être gravé, coloré, doré. Il appartient aux arts de la table et représente un emballage alimentaire de grande qualité. Quand on l'additionne d'oxyde de plomb, il devient cristal, un verre très limpide, à la sonorité claire lorsqu'il est fin.

■ **Histoire.** L'invention du verre serait due aux Phéniciens, mais ce sont les Égyptiens qui développèrent sa fabrication. En coulant de la pâte de verre autour d'un noyau d'argile, ils obtenaient des petits vases, des flacons, des gobelets qui pouvaient contenir des parfums et des onguents. Plus tard, les Romains imaginèrent de souffler dans cette même pâte de verre en fusion à l'aide d'un tube de métal pour créer des récipients plus importants. Cette méthode sera appliquée par les verriers pendant près de 2 000 ans.

À partir du XVIIIᵉ siècle, les progrès techniques vont transformer le destin du vin. Les verriers anglais parviennent alors à produire des verres plus épais et plus résistants pour la fabrication des bouteilles et découvrent le verre au plomb, le *flint glass,* l'ancêtre du cristal. La cristallerie Saint-Louis est créée en Lorraine en 1767, bientôt suivie par celle de Baccarat. Toutefois, c'est au XIXᵉ siècle que le verre entre dans l'ère industrielle avec l'apparition des machines semi-automatiques, qui permettent désormais d'obtenir des verres et des bouteilles en plus grand nombre et moins chers.

■ **Les verres et le vin.** Pendant longtemps, les cristalliers ont dessiné des verres excentriques qui se voulaient beaux, mais ignoraient le vin. Aujourd'hui, ce n'est plus le cas : un verre ne doit pas passer avant le vin, mais au contraire le mettre en valeur.

Il y a encore vingt ans, il était de bon ton de présenter sur la table des services complets avec verre à vin blanc, verre à bordeaux, verre à bourgogne, qui ne tenaient guère compte du plaisir du vin. Avec le développement de la sensibilité de la dégustation, les spécialistes et les œnologues ont étudié des projets de verres plus adaptés.

Ces « nouveaux verres » ont une jambe – ce que l'on appelle couramment le pied – assez haute pour faire rouler facilement le vin et le tenir sans le chauffer. La paraison, le contenant lui-même, est

VERRES

bordeaux rouge

champagne

bourgogne rouge

INAO

alsace

porto

eau-de-vie

martini

rocks

bière

suffisamment élevée, sans être excessivement évasée. L'ouverture est assez grande pour que le nez et la bouche y pénètrent en même temps, mais pas trop large pour que les arômes ne s'échappent pas. Enfin, le bord du verre est fin comme une coquille d'œuf, pour que le contact avec les lèvres (le « buvant », disent les spécialistes) soit le plus délicat possible.

Il existe aussi des verres destinés à la dégustation des vins (verres INAO) ou des eaux-de-vie (en forme de tulipe allongée), des verres à bords droits et sans pied pour le whisky, des chopes pour la bière et des verres à cocktail de toutes les formes : verre shot, de très petite contenance, idéal pour les cocktails à boire d'un seul trait ; verre martini (ou à cocktail), recommandé pour les short drinks servis sans glaçons dans le verre ; verre rocks (ou old-fashioned), utilisé pour servir les short drinks avec glaçons ou glace pilée ; verre highball (ou collins), pour les long drinks ; verre toddy, conçu pour résister aux cocktails chauds. Notons que le verre à vin et la flûte à champagne peuvent aussi être utilisés pour servir certains cocktails.

Quant au verre à mélange, indispensable à la préparation des cocktails servis sans glace, c'est un grand verre à bords droits muni d'un bec verseur et dont la capacité varie de 60 à 70 cl.

VERRINE Verre épais et sans pied, destiné à contenir une préparation culinaire individuelle plutôt qu'une boisson. Le pâtissier Philippe Conticini a été le premier à proposer un dessert en verrine. Il existe des verrines isothermes, à double paroi, qui maintiennent le contenu à température et/ou isolent la main de la chaleur. Ils conviennent en particulier pour la présentation de fruits en gelée, granités, écumes et smoothies.

RECETTE DE PIERRE HERMÉ

émotion velours

POUR 8 PERSONNES – PRÉPARATION : 45 min – CUISSON : 1 h 10

« Pour préparer la crème brûlée, fouetter 7 jaunes d'œuf et 125 g de sucre en poudre. Incorporer la pulpe de 8 fruits de la Passion et 38 cl de crème fraîche liquide. Répartir la préparation dans 8 verres martini posés sur la plaque du four. Faire cuire dans le four préchauffé à 90 °C pendant 1 heure. Laisser refroidir, puis garder au réfrigérateur. Préparer les marrons poêlés. Émietter grossièrement 200 g de marrons entiers. Les faire revenir pendant 3 ou 4 min sur feu vif dans 30 g de beurre chaud, avec 1/2 gousse de vanille et 30 g de cassonade brune. Saler et donner 3 ou 4 tours de moulin à poivre. Répartir les marrons poêlés sur la crème brûlée. Pour la gelée aux fruits de la Passion, mettre une feuille et demie de gélatine à ramollir dans de l'eau froide. Égoutter la gélatine et la faire sécher. Porter à ébullition 6 cl d'eau, 1 cl de jus de citron, 2,5 cl de jus d'orange avec la pulpe et 40 g de sucre en poudre, retirer du feu et y faire fondre la gélatine. Ajouter la pulpe de 7 ou 8 fruits de la Passion et mélanger. Laisser refroidir et épaissir ; garder au réfrigérateur. Pour préparer la gelée au marron, mettre à ramollir 3 feuilles de gélatine dans de l'eau froide. Fouetter 150 g de purée de marron avec 150 g de crème de marron et 15 cl d'eau. Faire fondre la gélatine au bain-marie en y incorporant peu à peu le mélange purée et crème de marron. Répartir la gelée au marron sur la crème brûlée. Garder au réfrigérateur. Pour la crème au thé vert matcha, hacher 50 g de chocolat blanc au couteau-scie et le faire fondre au bain-marie. Porter 5 cl de crème fraîche liquide à ébullition. La laisser refroidir à 60 °C, puis y incorporer 4 g de thé vert matcha en fouettant. Verser un tiers de la crème parfumée au thé vert sur le chocolat fondu et mélanger. Renouveler deux fois cette opération. Répartir le mélange obtenu sur la gelée au marron. Garder au réfrigérateur. Répartir la gelée aux fruits de la Passion avec un peu de pulpe de fruits sur la crème au thé vert. Garder au réfrigérateur. Répartir 16 marrons glacés sur le dessus des verres juste avant de servir. »

RECETTE DE PHILIPPE CONTICINI

fraises confites, écume de citron de Menton

« La veille, réaliser une base de biscuit à la pistache en faisant blanchir 3 petits œufs entiers, 3 jaunes de petits œufs et 200 g de sucre en poudre. Ajouter 85 g d'amandes en poudre, 150 g de farine de type 45, puis 3,5 cl de lait demi-écrémé et 10 cl de crème liquide. Mélanger puis incorporer 240 g de beurre fondu. Réserver au frais pendant une nuit. Le jour même, terminer le biscuit. Mélanger cette base biscuit avec 80 g de pâte de pistache, puis 6 blancs de petits œufs montés avec 20 g de sucre. Dresser en cercles adaptés au diamètre du verre de service. Cuire 15 min dans un four à air pulsé à 170 °C. Débarrasser sur une grille et laisser refroidir. Réaliser une pâte avec des citrons de Menton : mélanger 54 cl de jus de citron, 250 g de sucre en poudre, 25 g de zeste de citron et 9 g de pectine. Cuire dans un poêlon au réfractomètre à 70° Brix, ajouter à nouveau 180 g de sucre en poudre et réserver. Réaliser une base émulsion avec des citrons de Menton : mélanger 35,5 cl de jus de citron, 70 g de sucre, 25 g de zeste de citron et 10 œufs. Cuire l'ensemble à feu moyen, en remuant régulièrement à l'aide d'une spatule, et arrêter la cuisson à la limite de l'ébullition, comme une crème citron. Ajouter 14 g de gélatine préalablement fondue et réserver. Réaliser une meringue italienne avec 9 blancs d'œuf, 555 g de sucre en poudre et 16,5 cl d'eau. Mélanger la base émulsion citron avec la pâte de citron et la meringue refroidie. Placer le tout dans un siphon, mettre en pression avec une cartouche de gaz, rajouter une seconde cartouche après 2 heures de repos. Préparer des noix de cajou caramélisées : cuire 215 g de sucre avec 7 cl d'eau à 115 °C, ajouter 700 g de noix de cajou, sabler et faire refondre sur le feu en brassant jusqu'à caramélisation des noix. Débarrasser et laisser refroidir. Pour finir, mixer des fraises mara des bois pour obtenir 600 g de purée. Réaliser un sirop avec 21 cl d'eau, 135 g de sucre, 50 g de glucose et 2 g de stabilisant. Verser ce sirop sur la pulpe de fraise, mixer et faire prendre en glace en sorbetière. Pour servir, déposer dans un verre haut le rond de biscuit pistache, ajouter des fraises des bois fraîches sur le pourtour. Sur le dessus, disposer une boule de sorbet fraise puis, à l'aide du siphon, verser la crème de citron. Terminer avec les éclats de noix de cajou caramélisées. »

RECETTE D'EMMANUEL RYON

petit verre provençal

POUR 24 PETITS VERRES – PRÉPARATION : 30 min

« Préparer un sorbet à la tomate : mélanger 110 g de sucre en poudre, 70 g de glucose atomisé et 4 g de stabilisateur pour sorbet. Faire bouillir 22,5 cl d'eau et ajouter le mélange précédent. Porter l'ensemble à 100 °C, puis le verser sur 500 g de tomates fraîches coupées en morceaux. Ajouter 3 g de sel, 2 g de basilic et 1 g de Tabasco. Mixer, faire refroidir rapidement à 3 °C, laisser maturer au minimum 4 heures au réfrigérateur, puis mixer de nouveau, chinoiser et turbiner. Préparer des tuiles au parmesan : mélanger ensemble 50 g de parmesan, 50 g de gruyère râpé et ajouter 8 cl de crème liquide. Étaler environ 10 g de la préparation sur une feuille siliconée et mettre au four à 180 °C, pendant environ 8 min. Réserver dans une boîte à l'abri de l'humidité. Préparer une mini-ratatouille : laver et couper en petits cubes 70 g de poivron vert, 70 g de poivron rouge, 70 g de poivron orange et 70 g de courgettes. Dans une casserole, faire fondre 20 g de beurre et 30 g d'huile d'olive, ajouter tous les légumes coupés en petits cubes et les poêler jusqu'à obtenir une consistance croquante. Ajouter 2 g de sel et 1 g de poivre. Dans un petit verre à digestif, dresser la mini-ratatouille, placer en haut du verre la tuile au parmesan et disposer pour finir une quenelle de sorbet à la tomate. »

« Au restaurant HÉLÈNE DARROZE, à l'HÔTEL DE CRILLON ou au FOUR SEASONS GEORGE V, les verres sont choisis
pour permettre le meilleur développement de l'alcool qu'ils vont contenir. L'origine du vin déterminera ainsi la forme
plus ou moins évasée du calice et la longueur de la jambe. Quant aux cocktails, la variété est de mise : flûte
lorsqu'il y a du champagne, verre highball à bords droits pour les long drinks… »

VERSEUSE Récipient haut, possédant une poignée latérale horizontale ou une anse, muni d'un goulot verseur long et fin, et fermé par un couvercle. La verseuse est essentiellement utilisée pour le service du café, après avoir été ébouillantée.

VERT (AU) Apprêt flamand de l'anguille cuisinée avec une grande quantité d'herbes, qui varie selon la saison ; on en compte souvent une quinzaine, dont le cerfeuil, la citronnelle, la cressonnette, l'épinard, l'estragon, la menthe fraîche, l'ortie blanche, l'oseille, le persil, la pimprenelle, la sauge, etc.

La sauce « verte » est une mayonnaise additionnée d'une purée d'herbes ; jadis, c'était plutôt une vinaigrette. La recette moderne fut mise au point par Balvay, ex-cuisinier de Napoléon III, puis chef au restaurant *Ledoyen*, à Paris, dont elle devint une spécialité (notamment avec la truite de mer).

Quant au beurre « vert », c'est un beurre composé préparé avec un hachis de fines herbes.

▶ Recette : ANGUILLE.

VERT-CUIT Se dit du point de cuisson d'un élément à utiliser ou à servir presque cru ou à peine cuit. Le canard au sang et la bécasse, notamment, sont servis vert-cuits.

VERT-PRÉ Se dit de viandes grillées, garnies de pommes paille et de bouquets de cresson, servies avec un beurre maître d'hôtel (posé sur la pièce, en rondelle, ou ramolli et présenté en saucière).

L'appellation concerne aussi une viande blanche, un caneton, des bouchées en feuilletage, etc., garnis d'un mélange de petits pois, de pointes d'asperge et de haricots verts, lié au beurre. On qualifie également de « vert-pré » une volaille ou un poisson nappés de sauce verte.

▶ Recettes : BŒUF, CHOU, CROUSTADE.

VERVEINE Plante de la famille des verbénacées, dont on cultive des formes ornementales et une variété médicinale (**voir** planche des herbes aromatiques pages 451 à 454) ; avec les feuilles et les sommités fleuries de la verveine odorante, ou verveine citronnelle, on prépare une infusion qui est depuis longtemps recommandée pour les maladies du foie et des reins, et les maux de tête. Certains chefs l'emploient aussi pour aromatiser des cuissons.

VERVEINE DU VELAY Liqueur d'Auvergne élaborée en 1853 à partir de trente-trois plantes, macérées 20 jours dans de l'eau-de-vie de vin qui est alors redistillée. L'alcool est ensuite vieilli 8 mois en fût de chêne avant d'être édulcoré avec du sucre et du miel. La verveine verte titre 50 % Vol. et la jaune 40 % Vol. Elles se dégustent pures sur glaçon ou en cocktail.

VÉRY Restaurant parisien créé par un garçon de cuisine originaire de la Meuse, d'abord aux Tuileries, puis, en 1808, sous les arcades du Palais-Royal, galerie de Beaujolais, à côté du *Véfour*. On peut penser que la belle Mᵐᵉ Véry ne fut pas étrangère au succès de cet établissement, l'un des plus réputés de la capitale, jusqu'en 1840, qui proposait cent vingt-sept plats différents, sans compter les hors-d'œuvre et les desserts. C'est chez lui que Balzac se fit offrir par son éditeur un repas fastueux, dont le menu comportait huîtres d'Ostende, côtelettes de pré-salé, canard aux navets, perdreaux rôtis, sole normande, fruits, vins et liqueurs. Dans les années 1840, *Véry* passa de mode et devint un modeste restaurant à prix fixe.

VESSIE DE PORC Poche ayant contenu l'urine du porc, utilisée en cuisine pour cuire au bouillon une volaille. La vessie de porc fraîche, dégorgée à l'eau avec du gros sel et du vinaigre blanc, puis rincée, est essorée avant emploi. La volaille, pochée dans ce sac cousu, est servie à table « en vessie » (on dit également « en chemise »). Le fumet qui se dégage de l'apprêt, à l'ouverture du sac, est particulièrement délectable. Si la volaille est servie froide, on la laisse dans la vessie fermée.

Jadis, les vessies de porc séchées faisaient office de récipients : on y coulait du suif ou du saindoux fondu. Elles sont encore utilisées pour envelopper certains produits de charcuterie comme la mortadelle. Gonflées d'air, elles servaient d'enseigne aux charcutiers.

▶ Recette : POULARDE.

VEYRAT (MARC) Cuisinier français (Annecy 1950). Il a été bûcheron, berger, moniteur de ski, cuisinier autodidacte formé chez maman Veyrat avant d'être plongeur et pâtissier chez le voisin Tiffenat à l'Abbaye de Talloires. Il s'installe à son compte d'abord sur les hauteurs de Manigod, près de La Clusaz, ensuite sur les bords du lac d'Annecy à l'Éridan, du côté d'Annecy-le-Vieux, où il obtient très vite une étoile au Guide Michelin en 1986, puis deux en 1987. Il déménage *La Maison de Marc Veyrat* à Veyrier-du-Lac. La troisième étoile arrive en 1995. Il joue volontiers le provocateur, le Savoyard avec chapeau, qui râle contre la fin de la civilisation montagnarde, le chemineau qui glane l'herbe rare et la gentiane jaune. Il ouvre une seconde maison à Megève (*La Ferme de mon père*) qui obtient, elle aussi, les trois étoiles (jusqu'en 2007). Après l'omble chevalier servi avec ses carottes, le gâteau de tartifle (les pommes râpées) et le saumon fumé avec ses asperges sauvages (dites « houblon d'eau ») et leur jus, il propose la tartiflette liquide de l'an 2000. Chapeau sur la tête, rédigeant une encyclopédie de cuisine ou un ouvrage sur les herbes, ce fou des alpages n'a pas fini d'étonner.

VIANDE Partie des muscles des mammifères et des oiseaux consommable. On distingue la viande rouge (agneau, bœuf, cheval, mouton) et la viande blanche (porc, veau, lapin, volaille), et on différencie la viande « de boucherie » (abats, bœuf, cheval, mouton, veau), de « charcuterie » (porc), la volaille et le gibier.

Le mot « viande », du latin *vivienda* (« qui sert à vivre »), désignait jadis l'ensemble des aliments, sens qu'il possédait encore au XIVᵉ siècle dans *le Viandier* de Taillevent et dans les écrits de Montaigne au XVIᵉ siècle. Ce n'est qu'au XVIIIᵉ siècle qu'il s'appliqua progressivement à la chair des animaux, puis uniquement à celle des mammifères et des oiseaux.

Nombreux sont les rites et les coutumes qui concernent la viande, l'abattage, sa découpe, sa consommation et sa conservation, quant aux repas de fête (Noël, Pâques), ils sont toujours associés à des plats festifs de viande cuisinée.

■ **Diététique.** La viande est composée de fibres protéiques entourées de fines membranes (collagène) et réunies en faisceaux formant les muscles (le rendement en viande du bœuf est de un tiers du poids vif vide). Sur un animal de boucherie, il existe environ 200 muscles consommables ; certains d'entre eux sont entourés d'épaisses gaines de tissu conjonctif, les aponévroses. La nature des fibres et l'état du tissu conjonctif déterminent la destination culinaire des morceaux. Ainsi, dans le bœuf, on distingue les morceaux à cuisson rapide (à sauter, à griller et à rôtir) et les morceaux à cuisson lente (pour les bouillis, les braisés et les ragoûts). Les masses musculaires sont entourées d'une graisse plus ou moins abondante : le « marbré » ; lorsque celle-ci se trouve entre les fibres du muscle, la viande est dite « persillée ».

Dans la composition des viandes, le taux de protéines est constant (20 % environ dans le muscle paré et dégraissé, avec des acides aminés indispensables à l'alimentation), alors que celui des lipides est très variable selon l'animal et le morceau. Les glucides sont absents, car le glycogène musculaire se transforme, après l'abattage, en acide lactique. La viande rouge contient aussi des sels minéraux (fer surtout, et phosphore) et des vitamines.

La teneur en eau de la viande est d'autant plus importante que l'animal est maigre ; elle oscille entre 65 et 75 %. On distingue généralement les viandes maigres (moins de 5 % de lipides pour le filet) ; les viandes moyennement grasses (de 5 à 10 % de lipides pour le rumsteck) ; les viandes grasses (plus de 20 % de lipides pour le plat de côtes).

Les graisses sont saturées et mono-insaturées chez le bœuf, et surtout mono-insaturées et polyinsaturées chez le porc.

La viande est un aliment protidique indispensable car riche en acides aminés, différents de ceux apportés par les végétaux.

La viande grillée, sautée ou rôtie conserve ses sels minéraux et ses vitamines. La flaveur de la viande crue est difficile à préciser : elle est légèrement acide et rappelle le beurre, le goût dépend surtout de la cuisson et des apprêts. Elle se digère aisément et s'assimile bien.

■ **Qualités.** Aussitôt après l'abattage, la viande encore chaude, dite « pantelante », n'est pas consommable : les masses musculaires sont molles, l'eau est fortement liée aux protéines et il y a production d'acide lactique ; au bout de plusieurs heures, les muscles se raidissent : c'est la rigidité cadavérique. La viandes est refroidie et consignée par les services vétérinaires pour la recherche éventuelle des prions (encéphalopathie spongiforme bovine). Ensuite, les morceaux à cuisson rapide sont soumis à maturation (7 jours à 2 °C) ; une fois « rassie », le viande devient agréable à la consommation. Les morceaux à bouillir ou à braiser, à cuisson lente, peuvent être utilisés plus rapidement.

On juge une viande selon cinq facteurs :

● **COULEUR.** C'est le premier critère d'achat ; la couleur dépend du taux de myoglobine (pigment rouge des muscles), du sexe, de la race, de l'âge et de son alimentation : taureau à viande noire ; bœuf rouge vif foncé et brillant et graisse jaune ; veau rosé et graisse blanche ; agneau rose vif et graisse blanche ; mouton plus foncé ; porc rosé.

● **TENDRETÉ.** C'est l'aptitude de la viande à être tranchée au couteau, cisaillée (par les dents) ou broyée (selon les morceaux, elle varie dans un rapport de 1 à 10) ; la tendreté dépend de l'animal lui-même (sexe, âge, race), de la proportion de tissus conjonctifs autour des fibres musculaires, du traitement de la carcasse (stockage ventilé à bonne température), du degré de maturation, du type du muscle et des conditions de cuisson : le bouilli et le braisage améliorent la tendreté par hydrolyse du collagène en gelée.

● **CAPACITÉ DE RÉTENTION DE L'EAU.** Force de liaison de l'eau aux protéines, c'est un facteur qui dépend du pH, tant pour les produits fabriqués que pour la viande fraîche.

● **SUCCULENCE OU JUTOSITÉ.** Elle désigne l'aptitude de la viande à rendre son jus lors de la mastication : la succulence est souvent liée à la présence de gras intramusculaire (viande persillée) ; toutefois, certaines viandes jeunes (veau élevé au pis, notamment), riches en eau, peuvent aussi paraître succulentes si l'eau reste dans les muscles à la cuisson.

● **SAVEUR.** Elle provient essentiellement du gras et surtout de la manière de cuisiner. Il ne faut pas confondre la qualité et la catégorie du morceau (pour cuisson lente ou pour cuisson rapide). Par exemple, une joue de bœuf de bonne qualité fait un pot-au-feu délectable, alors qu'un bifteck dans le rumsteck est décevant s'il provient d'un animal de qualité médiocre.

■ **Gastronomie.** Les modes de cuisson de la viande se divisent de nos jours en deux grandes méthodes et plusieurs techniques : cuisson rapide et cuisson lente.

● **CUISSON RAPIDE.** Elle relève de trois techniques.

– Sauter des tranches tendres dans une matière grasse très chaude.

– Griller des tranches tendres sur braises ou sur gril (ce qui élimine une bonne part des matières grasses).

– Rôtir au four, à la broche ou dans un plat, dans peu ou pas de matières grasses, avec arrosage fréquent de la pièce.

● **CUISSON LENTE.** Elle regroupe trois sortes d'opérations.

– Poêler (rissolage, puis cuisson à couvert dans un mouillement court et aromatique).

– Braiser et cuire en ragoût dans du bouillon, du vin, parfois aussi de la bière, du cidre ou du lait, pour attendrir la viande.

– Pocher dans un liquide plus abondant (eau), avec des légumes et des aromates.

La viande se consomme le plus souvent cuite et chaude, mais aussi froide, et parfois crue (carpaccio, steak tartare) ; elle est alors accompagnée d'herbes, épices et aromates, ce qui relève le goût. La viande saignante est parfaitement digeste et conserve toutes ses qualités ; la viande bouillie subit des transformations beaucoup plus importantes (tandis que le bouillon se charge en principes nutritifs) ; la viande rôtie ou grillée, plus odorante et plus sapide, est, pour certains amateurs, plus appétissante que la viande bouillie.

■ **Viande hachée.** Elle est hachée devant le consommateur, à sa demande, ou, dans certaines conditions, préparée à l'avance. On la trouve aussi surgelée.

La saveur de la viande hachée dépend pour une bonne part du hachage ; si la viande est écrasée, elle perd une partie de son jus. La viande hachée peut contenir une certaine quantité de matières grasses. L'appellation « tartare » est réservée aux viandes hachées constituées uniquement de muscles complètement parés. Outre le steak tartare et le steak haché sauté (bitoke, hamburger), les emplois de la viande hachée (bœuf, mouton ou veau) sont nombreux : boulettes, farces, friands, fricadelles, fritots, hachis, pains de cuisine, etc.

■ **Conservation.**

– La congélation et, à un degré moindre, la réfrigération sont des procédés de conservation efficaces.

– La cuisson dans la graisse et la conservation au frais sont aussi de bons procédés comme pour les confits d'oie, de canard et de porc.

– Le salage, pratiqué depuis l'Antiquité, concerne les viandes crues : le porc (petit salé, salaisons) et le bœuf (langue écarlate, bœuf en saumure).

– Le fumage s'applique à la viande de porc et à la charcuterie, ainsi qu'à la volaille ; certains morceaux de bœuf étaient aussi traditionnellement traités de la sorte, bien que cette viande supporte moins bien les modifications de goût dues à la fumée.

– Le séchage de la viande est un procédé pratiqué dans les régions dont l'air est sec et pur (brési du Jura, viande des Grisons ou *Bündnerfleisch* suisse, *charqui* en Amérique du Sud, pasterma en Orient, *biltong* en Afrique du Sud) ; les Indiens l'utilisaient pour conserver la viande de bison (pemmican).

– La cryodessiccation, ou lyophilisation, est un procédé récent de préparation des viandes séchées : disposées par couches minces, elles sont congelées, puis desséchées par sublimation (passage direct de leur eau de constitution de l'état solide à l'état gazeux).

– L'appertisation (stérilisation à la chaleur) est aujourd'hui couramment employée pour la conservation des viandes cuites ou cuisinées : bœuf en gelée, corned-beef, mais aussi bourguignon, blanquette, daube, etc.

▶ **Recettes :** CANNELLONIS, COUSCOUS, GELÉE DE CUISINE, GLACE DE CUISINE, MARINADE, PAIN DE CUISINE, SALPICON, SAUCE, VELOUTÉ.

VIARD Cuisinier français du XIXᵉ siècle, auteur d'un recueil de recettes intitulé *le Cuisinier impérial, ou l'Art de faire la cuisine et la pâtisserie pour toutes les fortunes, avec la manière de servir une table depuis vingt jusqu'à soixante couverts* (1806). Le « dispensaire » de cet « homme de bouche » connut au moins trente-deux éditions successives, sous des titres qui variaient selon les circonstances politiques : il devint *le Cuisinier royal* en 1817, sous la Restauration (avec un chapitre supplémentaire sur les vins, par Pierhugue), et même, en 1852, pour sa vingt-deuxième édition, *le Cuisinier national de la ville et de la campagne,* dont les auteurs mentionnés étaient Viart *(sic),* Fouret et Délan. En 1853, l'ouvrage redevint *le Cuisinier impérial de la ville et de la campagne,* augmenté de 200 articles nouveaux par Bernardi.

VICAIRE (GABRIEL) Poète français (Belfort 1848 - Paris 1900). Dans un recueil paru en 1884, *les Émaux bressans,* il chanta la province où il vivait, la Bresse, dont la cuisine est des plus réputées. Il signa également des chroniques gastronomiques.

VICAIRE (GEORGES) Érudit français (Paris 1853 - Chantilly 1921). Cousin du poète Gabriel Vicaire, il est l'auteur d'un *Manuel de l'amateur de livres au XIXᵉ siècle* (8 volumes) et d'une étude sur Balzac imprimeur, mais il est surtout connu des collectionneurs de livres de cuisine pour sa précieuse *Bibliographie gastronomique* (1890), qui recense et décrit quelque 2 500 ouvrages sur la gastronomie et la cuisine, depuis le début de l'imprimerie jusqu'en 1890.

VICHY Nom d'un apprêt de carottes en rondelles, cuites à l'eau sur feu doux (avec du sucre et du bicarbonate de soude, ou « sel de Vichy ») jusqu'à absorption du mouillement. Les carottes Vichy (ou « à la Vichy »), servies avec du beurre frais et du persil, accompagnent bien les côtes de veau et le poulet sauté, saucés de leur déglaçage au fond de veau ou de volaille.

▶ **Recette :** CAROTTE.

VICHYSSOISE Potage au poireau et à la pomme de terre, lié de crème fraîche et servi froid, garni de ciboulette ciselée. Par extension, on appelle aussi vichyssoise un potage froid à base d'un légume différent (courgette, par exemple) et de pomme de terre.

vichyssoise

Émincer 250 g de blancs de poireau et couper en quartiers 250 g de pommes de terre épluchées. Faire fondre les poireaux à couvert, sans coloration, dans 50 g de beurre, puis ajouter les pommes de terre et bien remuer. Mouiller de 1,75 litre d'eau, saler, poivrer ; ajouter 1 petit bouquet garni et porter à ébullition ; cuire de 30 à 40 min. Égoutter les pommes de terre et réduire les poireaux en purée au mixeur. Passer rapidement les pommes de terre dans le même appareil. Reverser le tout dans la casserole, ajouter 20 cl au moins de crème fraîche et porter de nouveau à ébullition en fouettant régulièrement. Laisser refroidir le potage et le mettre 1 heure dans le réfrigérateur. Le servir dans des tasses à consommé, parsemé de ciboulette ciselée.

vichyssoise de champignons à l'angélique ▶ CHAMPIGNON DE PARIS

VICTORIA Nom donné à de nombreux apprêts et sauces dédiés à Victoria, reine de Grande-Bretagne et d'Irlande (1819-1901), caractérisés par la richesse des ingrédients ou la recherche des préparations. Barquettes et bouchées, filets de sole, œufs pochés et mollets ou omelette fourrée Victoria ont en commun un salpicon de homard et de truffe diversement lié. Les coquilles de poisson Victoria, aux champignons et à la truffe, sont nappées de sauce Nantua et décorées de lames de truffe. La salade composée Victoria associe concombre en dés, salpicon de langouste, céleri-rave émincé, fonds d'artichaut et pommes de terre émincés, avec une julienne de truffe et un assaisonnement de mayonnaise rose. La garniture Victoria (pour petites pièces de boucherie sautées, nappées du déglaçage au madère ou au porto et au fond de veau lié) est faite de petites tomates, farcies de purée de champignon et gratinées, et de fonds d'artichaut en quartiers, étuvés au beurre. Les sauces Victoria concernent le poisson poché (sauce au vin blanc avec beurre de homard et salpicon de homard et de truffe) ou la venaison (espagnole relevée de porto, de gelée de groseille, de jus d'orange et d'épices).

La bombe Victoria est une glace plombières chemisée de glace à la fraise, et le *Victoria cake,* une sorte de plum-cake riche en épices et en sucre, où des cerises confites remplacent les raisins secs.

VIDELER Façonner un rebord sur le pourtour d'une abaisse en relevant petit à petit la pâte, que l'on replie de l'extérieur vers l'intérieur pour former un bord enroulé, qui maintient la garniture : on vidèle le tour d'une tarte que l'on fait cuire dans un cercle à flan, celui d'une tourte (pour joindre le couvercle au fond) ou l'ourlet d'un chausson aux pommes.

VIDE-POMME Petit instrument fait d'une gouge en métal emmanchée, dont l'extrémité forme une bague de 3 ou 4 cm de long. Le vide-pomme sert à ôter le « cœur » (pépins et péricarpe) des pommes avant de les cuire entières ou de les détailler en rondelles pour les beignets.

VIDER Retirer les viscères d'un poisson, d'une volaille ou d'un gibier ; le vidage fait partie de l'habillage.
– Les poissons de mer, en général vendus partiellement vidés, doivent être ébarbés et écaillés, ou débarrassés de leur peau grise. Pour les gros poissons ronds (colin), le vidage proprement dit s'opère ensuite par une incision sur le ventre ; pour les poissons plus petits ou les poissons-portions (merlan, truite), il se pratique par les opercules, afin d'éviter d'ouvrir la partie ventrale (sauf s'ils doivent être farcis par le dos). Les gros poissons plats (turbot) se vident côté peau noire, et les poissons-portions plats (sole), par une incision sur le côté droit. D'une manière générale, on retire les branchies (ouïes). Après le vidage, les poissons doivent être soigneusement lavés.
– Les volailles sont souvent disponibles déjà effilées (sans intestin). Le vidage, qui se fait après le flambage et le parage, consiste d'abord à décoller de la peau du cou, pour les supprimer, les tubes digestif

et respiratoire, la graisse et les glandes ainsi que le jabot. Ensuite, on glisse l'index à l'intérieur, côté cou, pour décoller les poumons. Enfin, par l'orifice anal que l'on élargit légèrement, on extrait en une fois cœur, poumons, gésier et foie (en veillant à ne pas endommager la poche à fiel) : l'animal est alors prêt à être bridé ou découpé à cru.

VIEILLE Poisson de mer de la famille des labridés, à la bouche épaisse et dentée (**voir** planche des poissons de mer pages 674 à 677). Longue de moins de 30 cm, la vieille porte de superbes couleurs, à dominante verte ou rouge, parcourues de reflets dorés, mais sa chair est molle et assez fade.
– La vieille perlée (Manche et Atlantique), la plus fréquente et la meilleure, se cuisine surtout au four.
– Le labre vert, de forme allongée, et le merle, plus trapu, méditerranéens, sont plus petits et entrent dans la composition de la bouillabaisse.
– La coquette, enfin, pêchée sur tous les fonds rocheux, s'emploie aussi dans les soupes de poissons.

RECETTE DE JACQUES LE DIVELLEC

vieilles aux pommes de terre

« Faire blanchir à l'eau 250 g de lard de poitrine demi-sel et le détailler en lamelles fines. Peler et émincer 150 g d'échalotes. Éplucher 1 kg de pommes de terre, les couper en tranches fines, les laver et les éponger. Graisser de saindoux un plat allant au four ; y disposer en couches alternées des lamelles de lard et de pommes de terre, parsemées d'échalotes. Saler et poivrer. Arroser de 50 cl de vin blanc. Mettre à four moyen (200 °C) pendant 30 min. Écailler, vider et laver 4 vieilles de 400 g environ chacune ; les frotter à l'extérieur et à l'intérieur de sel et de poivre. Les poser sur les pommes de terre ; parsemer de noisettes de saindoux et faire cuire 10 min dans le four. Retourner les poissons et poursuivre la cuisson pendant 5 min encore. Servir brûlant dans le plat de cuisson. »

VIEILLISSEMENT Conservation d'un vin destinée à en améliorer les qualités organoleptiques. Ce mûrissement contrôlé peut se faire en évitant plus ou moins le contact avec l'oxygène de l'air : c'est le cas des vins blancs et rouges classiques de type bourgogne, bordeaux et parfois côtes-du-rhône ; il peut aussi être obtenu par un contact constant avec l'oxygène de l'air : c'est le cas des vins doux naturels et des vins jaunes. Un vieillissement trop poussé conduit à une madérisation du vin et nuit à sa qualité.

VIENNOISE (À LA) Se dit d'escalopes de veau ou de filets de volaille ou de poisson panés à l'anglaise et sautés, servis avec de l'œuf dur haché (blanc et jaune séparés), du persil, des câpres, une rondelle de citron surmontée d'une olive qui est entourée d'un filet d'anchois dessalé ; du beurre noisette est présenté à part. Cet apprêt est une interprétation française de l'authentique *Wiener Schnitzel* (littéralement, « tranche de Vienne », qui peut être de veau ou de bœuf), panée et cuite au saindoux, garnie d'une rondelle de citron et accompagnée d'une salade de pommes de terre, ou bien d'une salade verte et de pommes de terre rissolées ou en purée.

On a également baptisé « à la viennoise » des poussins ou des morceaux de poulet panés à l'anglaise et sautés, ou frits.

La garniture viennoise pour grosses pièces de boucherie comprend des croustades de nouilles frites garnies d'épinard en branches, accompagnées de céleris braisés et de pommes de terre à l'anglaise.
▶ Recettes : BEIGNET, CAFÉ (BOISSON), CROQUETTE, KLÖSSE, NOQUE, VEAU.

VIENNOISERIE Ensemble des produits de boulangerie résultant de la cuisson d'une pâte levée, sucrée et enrichie d'œuf et de beurre : brioches, croissants, pains au lait, pains aux raisins, pains au chocolat. Ces petites pièces, consommées le plus souvent au petit déjeuner ou au goûter, sont, en général, préparées par le tourier, ouvrier travaillant sur un tour, réfrigéré ou non, utilisant un laminoir.

VIÊT NAM La cuisine vietnamienne, bien qu'elle ait subi les influences de la Chine, de l'Inde et de la France, possède sa propre originalité, liée à la civilisation du pays, à sa géographie et à ses traditions paysannes.

■ **Au royaume du riz.** Le riz, largement cultivé dans les plaines, fait partie des cinq offrandes aux dieux et aux ancêtres du fait de sa grande importance (il nourrit les hommes). Riz gluant, utilisé surtout avec d'autres ingrédients, ou riz long et parfumé (*gao tam thom*, spécialité du Nord), il joue le même rôle que le pain sur les tables européennes. Il accompagne les plats, mais sert aussi à fabriquer le pain de riz, les pâtes (nouilles ou vermicelles) et les fameuses galettes. Celles-ci, humidifiées, enrobent les rouleaux de printemps, qui se consomment crus, ou les nems, qui sont frits. Les Vietnamiens, qui ont toujours à cœur de préparer – et présenter – joliment leurs plats, les aromatisent d'épices, d'herbes et de condiments très divers (ail, aneth, basilic, ciboule, citronnelle, coriandre, échalote, gingembre, menthe, oignon, persicaire, piment, poivre, etc.) et les accompagnent de sauces caractéristiques comme le *mam tôm*, à base de crevettes, le *tuong*, le *nuoc tuong* et, surtout, le nuoc-mâm, omniprésent : fabriqué à partir de poissons fermentés et de sel, ce dernier comporte plusieurs qualités, selon le degré d'azote qu'il renferme.

■ **Des repas de plusieurs plats.** L'habitude de proposer plusieurs plats au cours du même repas est commune à tout le Sud-Est asiatique. La soupe fait partie des traditions. Celle de Hanoi, le *pho*, la plus connue, se prépare avec des légumes et des morceaux de bœuf ou de poule. Mais la plus populaire se nomme *chao* : faite de riz et d'eau, elle est plutôt servie au dîner, ou pour les malades, car elle est légère. Les soupes, notamment celles de poulet, s'accompagnent souvent de salades composées de laitue, de soja, de menthe, de coriandre et de ciboulette. Légèrement sautés (*sao*) ou cuits en ratatouille (*ca bung*), les légumes (aubergine, champignon, courgette, liseron d'eau, tomate) se servent seuls ou en accompagnement.

■ **Poissons et viandes.** Poissons, coquillages et crustacés se rencontrent plus souvent que la viande. Ils sont généralement cuits à la vapeur ou selon la technique du *kho* : une cuisson lente, avec du sel, du nuoc-mâm et du sucre caramélisé. Le porc tient cependant une place importante, le bœuf restant avant tout un outil de travail. L'épaule et le jambon sont à la base d'une préparation typique : le *gio lua*. Il s'agit d'une pâte de viande enveloppée dans des feuilles de bananier fraîches, puis cuite à l'eau. Découpée en morceaux, elle est servie à l'apéritif ou lors d'un buffet. Le porc peut également être haché, coupé en lamelles très minces ou en petits dés avant d'être sauté ; il peut être grillé au barbecue après avoir macéré dans une marinade d'épices et d'herbes aromatiques. Ces différents modes de cuisson sont appliqués au bœuf, mais aussi aux volailles. Les viandes les plus dures – certains morceaux de bœuf ou de poule –, souvent parfumées au gingembre, mijotent pendant des heures (*hâm*).

Viandes, poissons, crustacés et légumes sont réunis dans un plat très convivial, le *nhung dâm*, une fondue dans laquelle un bouillon de vinaigre remplace l'huile ; les viandes y sont servies saignantes.

■ **Fruits et desserts.** Les fruits sont aussi variés que le climat : abricot, ananas, banane, durian, goyave, kaki, litchi, mandarine, mangoustan, mangue, pamplemousse, papaye, pêche, ramboutan, sapote, etc. Ils constituent l'élément de base des desserts et servent aussi à agrémenter les préparations salées. De nombreux gâteaux sont à base de farine de riz gluant (*banh deo, banh côm*, fourré à la crème de lotus). Le *che*, une préparation sucrée, au maïs ou au lotus, et le flan de soja sont très appréciés.

■ **Boissons.** Le thé est la boisson la plus répandue. Mais les Vietnamiens consomment aussi couramment le *canh*, qui est en fait l'eau de cuisson des aliments. Le seul alcool fabriqué sur place est le *ruou dê*, un alcool de riz titrant 50 à 60 % Vol.

VIGNERONNE (À LA) Se dit d'apprêts ayant un rapport avec le raisin, la vigne ou les mets d'automne. La salade à la vigneronne à l'huile de noix associe pissenlit (parfois aussi mâche) et lardons rissolés ; elle est relevée d'un filet de vinaigre qui déglace la poêle chaude.

Les petits oiseaux à la vigneronne sont généralement cuits en cocotte avec des grains de raisin.

Quant aux escargots à la vigneronne, ils sont décoquillés, sautés à l'ail et à l'échalote, enrobés de pâte à frire additionnée de ciboulette, puis frits.

▶ **Recettes** : COMPOTE, JÉSUS, PERDREAU ET PERDRIX.

VILLAGEOISE (À LA) Se dit de viandes blanches ou de volailles pochées, accompagnées d'une sauce villageoise : soit une béchamel additionnée d'oignons étuvés, de fond blanc de veau (ou de volaille) et de cuisson de champignon, passée, liée au jaune d'œuf et beurrée ; soit un velouté clair soubisé, lié au jaune d'œuf et à la crème, puis fini au beurre.

On qualifie par ailleurs de « villageois » un consommé de poireau, souvent garni de pâtes.

VILLEROI Nom d'une sauce servant à enrober divers éléments, dits « à la Villeroi », qui sont ensuite panés à l'œuf et à la mie de pain et frits à grande friture : attereaux d'abats, brochettes de fruits de mer, tronçons de poisson, ris de veau, morceaux de poulet ou côtelettes de mouton ainsi traités sont servis avec une sauce tomate, diable, chasseur, aux champignons, etc.

La sauce Villeroi est une allemande (grasse pour les viandes, maigre pour les poissons), additionnée soit de fond blanc et de cuisson de champignon, réduite, puis éventuellement complétée avec de l'essence de truffe, de la purée de tomate ou d'oignon, soit de truffe, de champignons hachés ou d'une mirepoix.

▶ **Recettes** : ATTEREAU (BROCHETTE), BROCHETTE, MOULE, SAUCE.

VIN Boisson née du jus de raisin, dont le sucre s'est transformé en alcool par fermentation. Rouge, rosé ou blanc, le vin appartient intimement à la civilisation occidentale ; il participe depuis sa naissance aussi bien à la religion qu'à la fête.

■ **Histoire.** Les légendes et l'histoire entourent les origines du vin. La vigne (*Vitis vinifera*) est une liane indocile dont on a retrouvé des traces au Moyen-Orient dans des fossiles datant du début de l'ère tertiaire. Mais, pour avoir du vin, il fallut attendre que le premier vigneron ait l'idée de tailler cette vigne pour obtenir des raisins plus gros. Bacchus n'a pas inventé le vin ; celui-ci est plus probablement né au Proche-Orient, de l'expérience et de techniques transmises de génération en génération, 5 000 ou 6 000 ans av. J.-C.

Le vin gagna peu à peu l'Ouest et la Méditerranée. Les grandes civilisations contribuèrent au développement de la culture de la vigne et de la vinification. On a retrouvé à Our, en Mésopotamie, un panneau représentant une scène de libations. Les Égyptiens utilisaient le vin dans leurs rites funéraires quelque 3 000 ans av. J.-C. Quant à la Bible, elle y fait de très nombreuses allusions.

Au temps d'Homère, le vin était déjà de consommation courante ; il apparaît d'ailleurs dans l'*Iliade* et dans l'*Odyssée*. Avec l'expansion des Grecs, la vigne poursuivit son chemin vers la Sicile et la Campanie. Plus tard, les Romains la plantèrent dans tous les pays de leur immense empire. Ils se révélèrent des vignerons remarquables et donnèrent un formidable essor à la viticulture et aux méthodes de vinification.

Le vignoble des régions qui deviendront la France connut une période heureuse avec les Gaulois. Ceux-ci inventèrent le tonneau, qui finit par remplacer les amphores de l'Antiquité. Longtemps romain, le vin devint chrétien dès le début du Moyen Âge ; les ordres monastiques en furent les plus grands propagandistes. Le vin de messe est à l'origine des grands vignobles français, notamment celui de Bourgogne, qui doit tout aux cisterciens.

Au sud, le vignoble bordelais dut son succès aux Anglais et aux Hollandais, friands des vins de la Gironde. Au XVIIᵉ siècle, son extension permit la découverte des fabuleuses terres du Médoc, donnant des vins promis au succès mondial. Avec la maîtrise de la fabrication du verre, permettant d'obtenir des bouteilles plus solides, les exportations connurent un formidable développement.

Cependant, à partir de 1864, le phylloxéra marqua un sérieux coup d'arrêt. Cet insecte venu d'Amérique laissa le vignoble français exsangue. Aucun traitement n'en venant à bout, on trouva la solution miracle en greffant la vigne française sur des porte-greffes d'origine américaine résistant à l'épidémie. Lentement, le vignoble s'est reconstitué. Il couvre aujourd'hui 884 000 ha et produit par an en moyenne 55 millions d'hectolitres de vin qui se répartissent en quatre catégories selon leur origine et leur qualité.

• APPELLATIONS D'ORIGINE CONTRÔLÉES (AOC). Créées au début du XXe siècle, les AOC dépendent depuis 1935 de l'Institut national des appellations d'origine. Chacune d'elles est définie par une délimitation parcellaire, par un encépagement, par des méthodes de culture et de vinification et par des caractéristiques analytiques des vins. Les AOC, qui sont soumises à une épreuve de dégustation, regroupent tous les meilleurs vins de France. L'AOC peut concerner toute une région (Bourgogne), une commune (Meursault) ou un cru (romanée-conti) [voir classification et appellations des vins pages 921 à 926].

• APPELLATIONS D'ORIGINE VINS DÉLIMITÉS DE QUALITÉ SUPÉRIEURE (AOVDQS). Ces vins d'appellation d'origine sont produits dans des régions de moindre potentiel que les AOC.

• VINS DE PAYS. Ces vins obéissent à une réglementation spécifique concernant les rendements, l'utilisation de certains cépages, la teneur en alcool ou l'acidité volatile. Ils sont sous le contrôle de l'Office national interprofessionnel des vins.

• VINS DE TABLE. Ces vins destinés à la consommation courante doivent seulement répondre à quelques normes précises concernant le degré alcoolique (8,5 ou 9 % Vol. au minimum), l'acidité et l'encépagement. Ils peuvent être « vin de table français » ou « vin de la Communauté européenne » s'ils proviennent d'un coupage de vins venus de pays différents.

■ Élaboration. Blanc, rosé ou rouge, c'est la couleur du vin qui commande la technique de vinification.

Dans la majorité des cas, quand on veut obtenir du vin rouge, le raisin est très souvent égrappé. Les baies sont ensuite foulées pour libérer une partie de leur jus avant d'être mises en cuve, où se déroule la fermentation. La transformation du sucre en alcool sous l'action des levures dure de 6 jours à plusieurs semaines selon les vignobles et le style que l'on veut donner au vin. Dans le même temps, la macération des peaux de raisin et du jus donne au vin rouge sa couleur et ses tanins.

Le vin blanc peut être élaboré à partir de raisins blancs ou rouges à jus blanc. Il existe de nombreux types de vinification en blanc. Dans la plus courante, les raisins sont égrappés, puis pressés, et le jus envoyé immédiatement en cuve où il fermente grâce à l'ajout de levures.

Depuis quelques années se sont développées d'autres techniques comme la macération préfermentaire des peaux pour extraire le maximum d'arômes ou la fermentation en barriques, une méthode réservée aux grands vins.

Quant aux vins rosés, ils sont obtenus par des procédés intermédiaires entre les vinifications « rouge » et « blanc ». Ainsi, le rosé peut être élaboré soit par le pressurage direct d'un cépage rouge, soit par macération durant quelques heures avant pressurage.

Selon les régions, les vins peuvent naître d'un cépage unique (le chardonnay ou le pinot noir en Bourgogne) ou par assemblage de plusieurs cépages, comme à Bordeaux. Seuls les plus grands vins subissent un élevage en barrique de chêne, qui leur donne finesse et élégance.

■ Choix d'une cave. La cave apparaît comme l'habitat naturel du vin. En effet, si certains vins peuvent être bus rapidement, d'autres demandent quelques années de vieillissement pour révéler leurs qualités.

Or les immeubles modernes ne réunissent pas toujours les conditions d'une cave idéale. En revanche, les vins ne sont pas si fragiles qu'on le dit généralement, même s'ils ne supportent pas les conditions extrêmes, une chaleur, une humidité ou une sécheresse excessives, les vibrations et les odeurs.

Une bonne cave doit toutefois répondre à certaines conditions qui assurent un bon vieillissement des vins. Elle doit se trouver en sous-sol, dans l'obscurité, car le vin craint la lumière qui le fait vieillir prématurément. Elle doit être suffisamment humide (70 %) pour préserver la qualité des bouchons, qui pourraient se dessécher. Une

température comprise entre 12 et 15 °C doit être assurée tout au long de l'année. Pour ménager la santé des vins, il faut aussi éviter de stocker dans la cave des produits qui dégagent des odeurs fortes comme la peinture, les cartons ou les légumes, susceptibles de s'infiltrer à travers le bouchon. Quant aux secousses, même légères, elles sont le plus grand ennemi du vin.

Pour résoudre les problèmes insolubles, il existe des caves d'appartement, montées sur amortisseurs pour éviter les vibrations, qui offrent aux vins une température et une humidité parfaites.

La durée de vie d'un vin dépend de son terroir, du ou des cépages qui le composent, des méthodes de vinification, de l'élevage et de la qualité du millésime. Ainsi, un vin élaboré avec des cépages tanniques, élevé dans des barriques de chêne neuf, aura besoin de davantage de temps pour atteindre son apogée qu'un vin fruité qui n'a connu que la cuve. Aussi, le moment où un vin donnera le meilleur de lui-même ne peut être défini que par des moyennes : de 8 à 20 ans pour un grand bordeaux, de 6 à 15 ans pour un bourgogne rouge, de 5 à 10 ans pour un bourgogne blanc, de 2 à 5 ans pour un cru du beaujolais. Quant aux champagnes, sauf exception, ils ne gagnent rien à séjourner en cave.

■ Service et dégustation. Le service des vins, sans être nécessairement cérémonieux, réclame cependant un peu d'attention et le respect de quelques règles simples. Si les vins jeunes n'exigent pas d'égard particulier, en revanche, les vieilles bouteilles doivent être traitées avec respect. Avant l'invention du chauffage central, les vins rouges devaient être « chambrés » : sortant de la cave entre 12 et 13 °C, ils gagnaient ainsi quelques degrés avant d'être servis. Aujourd'hui, la température des appartements atteint souvent 20 °C, et il est inutile de les « chambrer ». Ce qui n'empêche pas que chaque type de vin se déguste à une juste température qui le met en valeur.

Les vins blancs secs sont servis entre 8 et 12 °C, les liquoreux entre 6 et 9 °C. Les vins rouges aromatiques et jeunes demandent une température de 12 à 14 °C, les bourgognes, de 14 à 17 °C, les bordeaux de 16 à 18 °C. Le champagne enfin doit être ouvert entre 8 et 9 °C.

La décantation demeure toujours une opération délicate. Mettre le vin en carafe permet d'en éliminer le dépôt et de l'oxygéner pour développer ses arômes. Si une décantation de quelques heures est conseillée pour les vins tanniques jeunes, elle peut se révéler désastreuse pour des vins vieux et fragiles. Dans ce domaine, l'expérience et le bon sens sont les meilleurs conseillers.

■ Mariage des mets et des vins. Marier un vin et un plat est une aventure toujours exaltante mais souvent aléatoire. L'accord parfait demande de la modestie, de l'intuition et de l'expérience pour que naisse le « troisième goût » qui fera la fusion entre les arômes et les saveurs des mets et du vin.

Les propositions qui suivent n'ont qu'un but : ouvrir des pistes sur le chemin de la gourmandise. Elles représentent à la fois la grande tradition et des idées plus modernes (voir aussi familles de vins et accords mets/vins pages 927 à 929).

• VINS BLANCS.

– alsace : escargots, tarte à l'oignon, faisan au chou ;

– bourgogne blanc : jambon persillé, sole au plat, coquillages ;

– grands bourgognes blancs : asperges sauce mousseline, poularde en vessie, lotte aux légumes, crustacés en sauce ;

– bordeaux blanc : huîtres, poisson à la basquaise, maquereau au vin blanc ;

– grands bordeaux blancs : homard à l'américaine, bar grillé, ris de veau à la crème ;

– val-de-loire blanc : plateau de fruits de mer, brochet au beurre blanc, andouillette grillée ;

– vins liquoreux : foie gras, feuilleté au roquefort, poulet au curry.

– champagne sec : saumon fumé, saint-pierre rôti, poularde à la crème.

• VINS ROUGES.

– beaujolais : saucisson chaud, veau marengo, potée au chou ;

– bourgognes rouges : canard aux olives, coq au vin, aiguillette de bœuf à l'ancienne ;

« Les plus fins gourmets prêtent une attention particulière à l'accord entre les mets dégustés et les vins qui les accompagnent. Les sommeliers, comme ici au FOUR SEASONS GEORGE V, conseillent et assurent que les bouteilles choisies répondent aux attentes des clients et que les vins sont servis dans les conditions qui leur conviennent. »

– grands crus de Bourgogne : rognon de veau aux échalotes, bécasse rôtie, filet de bœuf aux morilles ;

– bordeaux rouges : canard aux navets, navarin printanier, entrecôte grillée ;

– grands crus de Bordeaux : foie de veau à l'anglaise, carré d'agneau grillé, perdreau rôti ;

– côtes-du-rhône du Nord : lièvre à la royale, filet de chevreuil, filet de bœuf aux truffes ;

– côtes-du-rhône du Sud : cassoulet, confit, pommes de terre à la sarladaise, daube provençale ;

– val-de-loire : pot-au-feu, côte de veau grand-mère, carré de porc pommes boulangère ;

– vins doux naturels rouges : bleu d'Auvergne, gâteau au chocolat.

■ **Vocabulaire des vins.** Les dégustateurs professionnels et les amateurs éclairés emploient parfois, pour parler du vin, un vocabulaire technique dont voici les termes les plus usités.

– Acerbe : à la fois âpre et acide.

– Ambré : vin blanc vieux qui a acquis une couleur dorée comme celle de l'ambre, due à l'oxydation de sa matière colorante ; pour un vin jeune, cette couleur est un défaut.

– Arôme : odeur spécifique que chaque cépage communique au vin qui en est issu ; surtout sensible chez les vins jeunes, car il tend à s'estomper avec l'âge.

– Astringent : trop chargé en tanin, ce qui donne une sensation d'âpreté ; ce caractère s'atténue avec l'âge.

– Bouchonné : qui a un goût de bouchon (moisi) ; ce défaut, qui rend le vin imbuvable, provient d'une maladie du liège.

– Bouquet : ensemble des qualités olfactives acquises par le vin au cours de son vieillissement.

– Brillant : parfaitement limpide.

– Brut : très sec, en parlant d'un champagne.

– Caractère : qualités bien marquées et facilement reconnaissables d'un vin.

– Charnu : qui a du corps, c'est-à-dire qui donne l'impression de remplir la bouche.

– Charpenté : à la fois corsé et charnu.

– Corsé : riche en alcool, bien coloré et de caractère marqué.

– Coulant : frais, agréable à boire, mais peu alcoolisé.

– Court : qui ne laisse pas d'impression durable sur le palais.

– Croûté : vin rouge vieux dont le dépôt est collé à l'intérieur de la bouteille et qui a intérêt à être décanté.

– Délicat : plutôt léger, fin et élégant, sans être un grand vin.

– Distingué : de très grande classe.

– Doux : qui renferme une certaine proportion de sucre non transformé en alcool.

– Dur : manquant de charme, par excès de tanin ou d'acidité ; ce défaut disparaît parfois avec l'âge.

– Élégant : fin et racé.

– Enveloppé : moelleux et velouté car il contient de la glycérine (sous-produit de la fermentation alcoolique).

– Épanoui : vin à l'apogée de ses qualités.

– Équilibré : dont les caractéristiques ne sont ni trop faibles ni trop marquées, harmonieux.

– Éventé : généralement par une aération au cours de la mise en bouteilles ; le « goût d'event » disparaît après un long repos à l'abri de l'air.

– Faible : pauvre en alcool et en bouquet.

– Fin : qui a un bouquet délicat ; on appelle communément « vin fin » tout vin AOC.

– Frais-fraîcheur : vin dont la bonne proportion d'acidité provoque la salivation.

– Franc : sain, sans goût anormal.

– Fruité : dont la saveur rappelle celle du raisin ; qualité d'un bon vin jeune.

– Généreux : corsé, riche en alcool.

– Gouleyant : qui se boit facilement ; qualifie un vin léger, servi frais.

– Gras : charnu, moelleux et souple.

– Jeune : qui n'a pas atteint sa plénitude, en parlant d'un vin qui doit vieillir ; au mieux de sa forme, pour un vin qui se boit dans les 3 ans.

– Léger : qui a une faible teneur en alcool.

– Liquoreux : très sucré, en parlant d'un blanc.

– Louche : trouble, voilé.

– Lourd : très alcoolisé et sans distinction.

– Madérisé : oxydé, en parlant d'un blanc, ce qui lui donne une couleur et une odeur évoquant le madère.

– Maigre : insuffisamment alcoolisé, sans caractère.

– Moelleux : doux et fruité, en parlant d'un blanc.

– Nerveux : auquel une certaine acidité donne du mordant.

– Nouveau : qui a moins de un an d'âge, en parlant d'un rouge.

– Onctueux : corsé, doux et gras.

– Perlant : qui présente un dégagement gazeux très léger, avec une sensation de picotement.

– Pétillant : légèrement mousseux.

– Piqué : qui a pris une saveur piquante, annonciatrice de la transformation en vinaigre.

– Plat : qui ne pétille plus, en parlant d'un effervescent ; manquant de fraîcheur, en parlant d'un vin tranquille.

– Plein : qui a du corps.

– Racé : qui a de la classe.

– Robe : couleur du vin.

– Robuste : corsé et puissant, grâce à une teneur élevée en alcool.

– Rond : souple, fruité, peu tannique.

– Sain : franc de goût, dépourvu de défauts.

– Sec : non sucré, la quasi-totalité du sucre ayant été transformée en alcool par la fermentation ; s'emploie surtout pour les blancs.

– Séché : qui a perdu sa fraîcheur.

– Souple : peu chargé en tanin et peu acide, en parlant d'un rouge.

– Suave : d'une douceur exquise.

– Taché : blanc dont la robe est très légèrement rosée.

– Tendre : jeune, frais et léger, se buvant facilement.

– Terne : manquant de caractère.

– Tranquille : non mousseux.

– Tuilé : qui a pris une teinte brique (orangée), en parlant d'un rouge guetté par la limite d'âge.

– Usé : qui a perdu ses qualités, en parlant d'un rouge trop vieux.

– Velouté : moelleux, doux comme du velours.

– Vert : provenant de raisins insuffisamment mûrs, ce qui provoque une acidité anormale.

– Vif : jeune, frais, agréablement acide.

– Vineux : fortement alcoolisé et sans finesse.

■ **Cuisine au vin.** L'usage des vins en cuisine est sans doute aussi ancien que la vigne. La pratique est née dans les régions de vignobles, puis bien des recettes comme le coq au vin ou le bœuf bourguignon ont été adoptées par la France entière. Pour réussir une union heureuse, la cuisine au vin obéit à certaines règles.

Rouge ou blanc, le vin doit être de qualité ; sans être nécessairement un grand cru, il sera franc et bien fait.

Matelote d'anguille, bœuf bourguignon, daube, civet, coq au vin, marinades : le vin rouge qui entrera dans ces plats devra présenter de la couleur, du corps, de la charpente, pour prendre toute sa place dans la recette. Ce pourrait être un bourgogne, un bordeaux, un vin des Côtes du Rhône, un cahors ou un chinon. Il est important de le flamber pour en éliminer l'alcool (celui-ci n'étant pas indispensable à la saveur du plat), mais aussi de le faire réduire lentement pour que sa saveur se concentre.

Pour les desserts comme les fraises ou les poires au vin, il faut, en revanche, des vins légers et fruités comme les beaujolais ou le chinon.

Avec les vins blancs, il faut savoir jouer sur les nuances. Les vins acides comme le muscadet, le sancerre ou l'entre-deux-mers peuvent servir à aromatiser des courts-bouillons pour les crustacés, les coquillages et les poissons.

Pour réaliser une sauce plus ronde qui accompagnera un poisson ou une volaille, il conviendra de choisir un vin plus tendre, tel qu'un côtes-du-rhône ou un bourgogne comme le meursault.

Certains vins liquoreux permettent de préparer des sauces remarquables pour accompagner un homard ou du gibier à poil.

▶ Recettes : BARBUE, BEURRE, BICHOF, BŒUF, CANARD SAUVAGE, CHEVREUIL, COQ, COURT-BOUILLON, ESCARGOT, FOIE GRAS, GELÉE DE CUISINE, MERLAN, POIRE.

VINAIGRE Liquide condimentaire (« vin aigre ») qui résulte de l'oxydation du vin ou d'une solution alcoolisée ; par la fermentation, l'alcool se transforme en acide acétique sous l'action de l'oxydation.

En 1865, Louis Pasteur découvrit que cette fermentation était due à un micro-organisme. Mais on savait fabriquer et utiliser du vinaigre depuis l'Antiquité : à Rome, le vinaigre allongé d'eau était une boisson courante. À la fin du XVIIIe siècle, Orléans, grand centre du transport des vins par la Loire, était la capitale du vinaigre. Depuis, la production industrielle de vinaigre s'est largement répandue.

■ **Fabrication.** L'acétification, qui se produit au contact de l'air, donne un bon vinaigre si le vin, rouge ou blanc, titre entre 8 et 9 % Vol., s'il est léger, acide et bien dépouillé. L'opération se fait à une température de 20 à 30 °C. La fermentation s'accompagne de l'apparition d'un voile régulier, gris velouté, qui s'enfonce progressivement dans le liquide en une masse gélatineuse ; c'est la « mère de vinaigre ». La qualité d'un vinaigre dépend toujours de celle du vin ; il doit renfermer au moins 6 ° d'acide acétique (le degré d'acidité est mentionné sur l'étiquette), être clair, transparent et incolore s'il provient de vin blanc, plus ou moins rosé s'il vient d'un rouge.

En France, on consomme surtout du vinaigre de vin, mais on trouve aussi du vinaigre de cidre, de malt (à partir du jus d'orge germée), des vinaigres aromatisés aux fruits (framboise, agrumes, figue, etc.), au miel, aux coquelicots sauvages de Nemours, etc., ainsi que du vinaigre au jus de sucre de canne (Antilles, La Réunion) et du vinaigre de riz. Il existe aussi du vinaigre d'érable (Canada), et même de lait (en Suisse). Quant au vinaigre cristal, il est à base d'alcool de betterave (6-8 °) ; il peut être incolore ou coloré au caramel.

■ **Variétés.** On fabrique encore des vinaigres de tradition artisanale : « vinaigre de vin à l'ancienne » et « vinaigre d'Orléans », par exemple. On les obtient en versant du vin rouge ou blanc dans des fûts de chêne où se trouve déjà la « souche », proportion de vinaigre qui reste dans le fût pendant une ou deux générations. La transformation se fait par une fermentation naturelle de surface sans aucun brassage du liquide, ni ajout de ferments ou autres accélérateurs d'oxydation. Le vinaigre est conservé à l'abri de la lumière dans des fûts pendant 3 semaines. Le vinaigre vieillit pendant au moins 1 an dans des « foudres » de chêne ; il est frais et bouqueté, bien acide mais sans aucune âcreté.

Le vinaigre de banyuls, élaboré à partir de vin doux naturel, vieillit dans des tonneaux en plein air, puis en fûts de chêne entreposés en intérieur ; il possède un goût fruité. Le vinaigre de banyuls blanc est plus rare.

Le vinaigre de xérès, fabriqué à partir de vins doux naturels issus de trois cépages d'Andalousie (palomino à 95 %), bénéficie d'une « denominación de origen » (DO). Il vieillit en fûts de chêne pendant 6 mois, 2 ans au minimum pour le « Reserva », et 10 ans pour le « Gran Reserva » ; sa saveur est corsée et son arôme intense.

Le vinaigre balsamique de Modène, en Émilie-Romagne, est fabriqué à partir de moût de raisin issu d'un cépage blanc à vendange tardive (trebbiano). Cuit et réduit pour en concentrer le goût, il vieillit successivement en fûts de bois différents. On obtient un liquide ambré et sirupeux. L'étiquette doit comporter la mention « tradizionale », gage d'authenticité. On trouve aussi du vinaigre balsamique ordinaire, plus jeune, moins onéreux, pour lequel le passage dans un seul fût et l'adjonction de caramel sont autorisés. Quant au « condiment balsamique blanc », il est fabriqué avec le même moût de raisin et filtré pour le rendre cristallin, mais non maturé. Il ne peut s'appeler « vinaigre » car son degré d'acidité est inférieur à 6 °.

Le vinaigre de cidre, obtenu par fermentation acétique du cidre, possède une saveur douce et son degré d'acidité (5 °) est inférieur à celui du vinaigre de vin.

Le vinaigre de vin industriel est fabriqué en 24 heures avec du vin rouge ou blanc, que l'on brasse avec des copeaux de hêtre trempés de vinaigre ; il est plus acide et moins aromatique qu'un vinaigre artisanal. Il en va de même pour la fabrication industrielle du vinaigre de cidre.

■ **Emplois.** Essentiel dans la préparation des moutardes, des sauces froides et des vinaigrettes (où il est parfois remplacé par du jus de citron ou mélangé avec lui), le vinaigre joue également un rôle majeur dans les sauces cuites à base de réduction et les déglaçages ; il est indispensable pour les apprêts à l'aigre-doux, les macérations, les marinades et les conserves. Selon sa nature et son parfum, ses emplois sont néanmoins diversifiés.

– Le vinaigre d'alcool s'emploie pour préparer petits oignons et cornichons.

– Le vinaigre de vin blanc convient pour assaisonner les salades croquantes, pour les marinades de viande et de gibier, pour confectionner le beurre blanc, la hollandaise et la béarnaise, pour finir le beurre noisette, ainsi que pour déglacer le récipient de cuisson des viandes blanches et préparer les poissons marinés. Il convient parfaitement pour préparer soi-même des vinaigres aromatisés.

– Le vinaigre de vin rouge, de goût plus affirmé, assaisonne plutôt les salades délicates ou un peu fades ; il permet d'apprêter le chou rouge, d'agrémenter le foie de veau poêlé, la sanguette, les viandes rouges, la sauce poivrade ou même les œufs sur le plat.

– Le vinaigre de cidre s'emploie, comme celui de vin blanc, dans les courts-bouillons de poissons, de crustacés et de coquillages, mais aussi pour le poulet au vinaigre, voire dans une compote de pomme ; on peut l'utiliser, ainsi que le vinaigre de malt, pour les maquereaux ou les harengs marinés, les chutneys et les salades où se mêlent fruits et légumes.

– Le vinaigre balsamique rehausse crudités, poissons délicats, marinades. Il se marie très bien avec l'huile d'olive et peut être ajouté en touche infime à une salade de fraises.

– Le vinaigre de riz japonais est indispensable pour l'assaisonnement du riz à sushi. D'autres variétés sont employés dans la cuisine chinoise, en particulier dans les sauces aigres-douces.

■ **Vinaigre maison.** La méthode consiste à verser dans un vinaigrier du vin blanc ou rouge de bonne qualité et à poser délicatement à la surface une parcelle de « mère de vinaigre » ; le récipient est alors bouché avec un tampon de papier (qui permet à l'air de passer) et laissé à la température ambiante pendant 1 mois au moins et 2 mois au plus.

aiguillettes de canard au vinaigre de miel ▶ CANARD
cerises au vinaigre à l'allemande ▶ CERISE
cornichons au vinaigre, à chaud ▶ CORNICHON
cornichons au vinaigre, à froid ▶ CORNICHON
foies de raie au vinaigre de cidre ▶ RAIE
noix au vinaigre ▶ NOIX
poulet sauté au vinaigre ▶ POULET

vinaigre à l'estragon

Blanchir 1 min 2 branches d'estragon dans de l'eau bouillante, les rafraîchir, les éponger, puis les introduire dans une bouteille contenant 1 litre de vinaigre de vin blanc. Laisser macérer 1 mois avant l'emploi.

vinaigre aux herbes

Peler 2 petits oignons et 2 échalotes, les émincer et les blanchir 30 secondes à l'eau bouillante, en même temps que 5 brins de ciboulette ; les rafraîchir, les éponger et les mettre dans un litre de vinaigre de vin vieux. Laisser macérer 1 mois avant l'emploi.

zestes de citron confits au vinaigre ▶ ZESTE

VINAIGRETTE Sauce froide émulsionnée, faite du mélange instable d'un produit acide (vinaigre ou citron) et d'un produit gras (huile ou crème fraîche), de poivre et de sel, auquel on peut ajouter divers éléments, tels que : ail, anchois, câpres, cornichons, échalote, fines herbes, moutarde, œuf dur, oignon, etc. La vinaigrette, qui se sert parfois tiède, assaisonne les salades vertes et divers mets froids : légumes, viandes froides et poissons au court-bouillon. Elle passe pour être une sauce typiquement française (on l'appelle *french dressing* dans les pays anglo-saxons).

filet d'omble chevalier du lac,
  vinaigrette de fenouil ▶ OMBLE CHEVALIER
poireaux à la vinaigrette ▶ POIREAU
poireaux à la vinaigrette (version moderne) ▶ POIREAU

RECETTE DE RAYMOND OLIVER

sauce vinaigrette

« Mettre dans un bol un peu de sel à dissoudre dans 1 cuillerée à soupe de vinaigre (le sel ne se dissout pas dans l'huile) ; ajouter 3 cuillerées à soupe d'huile et du poivre. Mélanger bien. On peut remplacer le vinaigre par un autre acide, comme le jus de citron, d'orange, de pamplemousse. On mélange alors moitié jus de citron, moitié huile. On peut aussi remplacer l'huile par de la crème fraîche. »

VINAIGRIER Burette, le plus souvent en verre, utilisée pour le service du vinaigre à table, conjointement avec le flacon à huile.

Le vinaigrier est également un grand récipient en faïence, en grès ou en terre, en forme de bouteille ou de cruche, d'une contenance de cinq litres en général, muni, à la base, d'une cannelle permettant de soutirer le vinaigre au fur et à mesure des besoins : c'est l'ustensile traditionnel employé pour préparer soi-même son vinaigre.

VIN AROMATISÉ Boisson appelée aussi « apéritif à base de vin ». Le terme regroupe les vermouths, les vins aromatisés amers, les vins aromatisés à l'œuf, etc. Le vin doit représenter au moins 75 % du volume, et le titre alcoolométrique se situer entre 14,5 % et 22 % Vol.

VIN CHAUD Boisson à base de vin rouge, mélangé à du sucre, des épices ou des aromates, traditionnellement servie en hiver comme le punch ou le grog. Les recettes de vin chaud sont innombrables. Il peut être relevé de cannelle, de clou de girofle, de vanille ou de zeste d'orange, être mélangé à du thé, ou encore être renforcé de cognac ou de marc. Le vin chaud est très apprécié notamment dans les pays de montagne, en Allemagne et en Scandinavie.

---

vin chaud à la cannelle et au girofle

Laver une petite orange non traitée, la piquer de 2 clous de girofle et la laisser macérer 24 heures dans 1 litre de vin rouge. Retirer l'orange, verser le vin dans une casserole, sucrer à volonté, ajouter 1 bâton de cannelle. Porter à ébullition, puis retirer du feu et laisser infuser la cannelle suivant le goût. La retirer et réchauffer le vin.

VIN CUIT Boisson alcoolisée préparée en faisant bouillir un moût très sucré, auquel on ajoute, après réduction de moitié et filtrage, de l'eau-de-vie, des épices et des aromates.

En Provence, on prépare aussi une « liqueur des villageois », faite de raisins noirs cuits au four, pressés, puis additionnés d'eau-de-vie où ont macéré des pétales d'œillet, des clous de girofle et de la cannelle.

VIN DOUX NATUREL Vin préparé avec des raisins dont la richesse initiale en sucre est supérieure à 252 g par litre de moût. Pendant sa fermentation, il est muté par addition d'alcool, ce qui interrompt cette dernière et conserve une partie des sucres. Cette méthode est appliquée pour élaborer les vins AOC de Banyuls, Maury et Rivesaltes, les muscats de Beaume-de-Venise et de Frontignan, et le porto.

VIN DE GLACE Ce vin très rare est produit en Allemagne, en Autriche, au Luxembourg, en Slovénie, au Canada et, quand le climat le permet, en Alsace également.

Après avoir obtenu une extrême maturation sur pied du raisin blanc (riesling surtout), la vendange se fait en hiver, de nuit, quand la température externe ne dépasse pas − 7 °C. Le pressurage a lieu aussitôt et, les cristaux d'eau gelée étant retenus, seul un jus particulièrement concentré et sucré s'écoule lentement. Après une longue

fermentation, le vin obtenu présente d'exceptionnels arômes, une grande richesse liquoreuse et une étonnante acidité qui lui confère une harmonie de rêve.

VIN GRIS Vin rosé très clair, obtenu en appliquant à des raisins noirs le procédé de fabrication du vin blanc, c'est-à-dire le pressurage immédiat sans cuvaison. Le « gris de gris » provient de cépages classés parmi les « noirs », mais dont la peau est peu colorée, comme le grenache, le cinsault et le carignan. Traditionnel en Lorraine (côtes-de-toul) et en Alsace (Schillerwein), le vin gris est également une spécialité préparée dans l'Hérault (golfe du Lion), en Provence (Var) et au Maroc (Boulaouane).

VIN D'HONNEUR Pratique encore courante de nos jours, surtout en province et dans les campagnes, consistant à réunir, en l'honneur d'une personne ou d'un événement, la municipalité, les notables et les citoyens pour porter quelques toasts, généralement avec un vin du cru. Pour les vins d'honneur de la mairie de Dijon, le chanoine Kir (alors maire) avait inventé un apéritif qui garda son nom, un mélange de liqueur de cassis et d'aligoté.

VIN JAUNE Vin AOC du Jura et en particulier de Château-Chalon. Le vignoble, planté exclusivement en cépage savagnin, n'est vendangé que dans la première quinzaine de novembre, pour que soient obtenues une maturation complète du raisin (au moins 12 % Vol. en puissance) et une concentration sur pied des jus.

Au printemps de la deuxième année, le vin est mis dans des tonneaux de chêne épais, qui ne sont jamais ouillés. Il se forme alors à sa surface une pellicule composée de levure, similaire à la *flor* du xérès : le voile, d'où une continuelle oxydation ménagée du vin. Il va y rester durant 6 ans au moins, durée fixée par la législation.

Ce traitement spécifique donne un vin de prix d'un jaune superbe, sec, titrant 16 % Vol., à la saveur de noix et de prunes légèrement miellées ; les meilleurs crus font « la queue de paon » dans la bouche. Le vin jaune se conserve très bien pendant un à deux siècles ; c'est le seul vin blanc qui se boive chambré (15 °C). Il est utilisé en cuisine, surtout pour le coq au vin jaune, fleuron de la gastronomie franc-comtoise (**voir** FRANCHE-COMTÉ).

▶ Recettes : FOIE GRAS, POULARDE.

VIN DE LIQUEUR Vin dû à l'assemblage de moût en fermentation avec une eau-de-vie d'origine vinique. L'appellation « vin de liqueur » s'applique au pineau des Charentes (vin et cognac), au floc de Gascogne (vin et armagnac) et au macvin du Jura (vin et marc de Franche-Comté).

VIN MUTÉ Vin qui, au cours de sa fermentation, a reçu une certaine quantité d'alcool ou d'anhydride sulfureux. Le but du mutage est d'obtenir des vins doux conservant une quantité de sucre. Ils doivent posséder au moins 14 ° d'alcool en puissance et reçoivent de 5 à 10 % d'alcool de titre supérieur à 90 % Vol. (vins doux naturels, porto).

VIN DE PAILLE Vin moelleux produit surtout dans le Jura et dans le nord des Côtes du Rhône. Il est obtenu par la vinification de raisins séchés, autrefois sur un lit de paille (d'où son nom). Aujourd'hui, les grappes sont suspendues dans un endroit sec et aéré pendant 2 ou 3 mois, le temps que les baies perdent une partie de leur eau et que le sucre se concentre. D'une couleur cuivrée à topaze, les vins de paille présentent des arômes de fruits confits, de l'harmonie et de la rondeur (**voir** FRANCHE-COMTÉ).

VIN DE PALME Boisson obtenue à partir de la sève du palmier, qui, en fermentant naturellement, peut atteindre 15 à 18 % Vol. Sous l'action de la chaleur, la fermentation commence dès la récolte de la sève ; après quelques heures, on a un liquide très légèrement pétillant, dont le goût rappelle celui du raisin.

VINCENT Nom d'une mayonnaise additionnée d'herbes ciselées ou en purée et d'œuf dur haché, accompagnant les crudités, les viandes et les poissons froids.

VINHO VERDE Vin blanc ou rouge du Portugal, produit par un vignoble localisé entre les deux fleuves Minho et Douro. Pour que le vinho verde soit peu alcoolisé (9 % Vol.) et très acide, on cueille les raisins avant maturité. Les blancs, issus des cépages azal branco, avesso, loureiro, trajadura et alvarinho, sont secs et légers. Les rouges, issus des cépages bastardo, alvarelhao et verdelho tinto, riches en tanins et très vineux.

VIOLET Animal marin très primitif des eaux méditerranéennes, dont les organes jaune vif sont entourés d'une « tunique » en forme de sac ; le violet ressemble à une grosse figue brun violacé, d'où son surnom de « figue de mer » (**voir** planche des coquillages et autres invertébrés pages 252 et 253). Il possède deux orifices et se fixe sur les algues. Riche en iode et en manganèse, il se mange cru, comme l'oursin.

VIOLETTE Petite plante vivace de la famille des violacées, dont les fleurs violettes peuvent, lorsqu'elles sont juste écloses, décorer des salades et intervenir dans des farces de volaille ou de poisson (**voir** planche des fleurs comestibles pages 369 et 370). La violette odorante servait jadis à préparer des pâtes pectorales ; aujourd'hui, elle est surtout utilisée en confiserie.

Les violettes candies sont une spécialité de Toulouse : les fleurs entières sont versées dans un sirop de sucre, parfois coloré, auquel on laisse prendre un bouillon ; après cristallisation, elles sont égouttées et séchées ; on les emploie comme décor ou comme arôme d'entremets.

On fabrique également des bonbons de sucre cuit aromatisés à l'essence de violette, colorés et moulés en forme de violette.

VIROFLAY Nom d'un apprêt des épinards. Il s'agit de subrics faits de purée d'épinard, enveloppés de feuilles blanchies, puis nappés de sauce Mornay et gratinés au four. Les subrics d'épinard figurent en outre dans la garniture Viroflay pour grosses pièces de boucherie rôties, saucées de jus lié, avec des quartiers de fonds d'artichaut sautés et des pommes château.

VISITANDINE Petit gâteau rond ou en forme de barquette pleine, à base de pâte aux amandes biscuitée. Il est parfois abricoté après cuisson et glacé de fondant au kirsch.

visitandines

Mélanger 500 g de sucre en poudre et 500 g de poudre d'amande ; ajouter 150 g de farine tamisée, puis incorporer peu à peu 12 blancs d'œuf, en travaillant bien le mélange, et enfin 750 g de beurre fondu, à peine tiède. Ajouter pour terminer 4 blancs d'œuf très froids battus très fermes. Beurrer des moules à barquette et y déposer la préparation en petites masses, à l'aide d'une poche munie d'une grosse douille lisse. Cuire au four préchauffé à 220 °C jusqu'à ce que les gâteaux soient dorés à l'extérieur et moelleux à l'intérieur.

VITAMINE Substance organique, contenue dans les aliments et indispensable à la bonne utilisation de leurs principes nutritifs (lipides, protides et glucides) et à certaines fonctions (vitamine A pour la vision, par exemple) [**voir** tableau des rôles et des principales sources alimentaires des vitamines page 900]. Les quantités de vitamines nécessaires sont très faibles (du microgramme au milligramme), mais elles doivent être fournies impérativement, et si possible chaque jour (elles ne sont, pour la plupart, pas stockées par l'organisme). Les carences vitaminiques peuvent être graves, mais elles sont rares lorsque l'alimentation est diversifiée et équilibrée.

La notion de vitamine ne date que de la fin du XIXe siècle. Dans un pénitencier de Java, un médecin hollandais, Eijckmann, constata que le béribéri apparaissait chez des sujets nourris exclusivement de riz blanc, ce qui l'amena à la déduction que le riz complet contenait un facteur préventif. Ce facteur, isolé en 1911, fut baptisé « vitamine » (« amine nécessaire à la vie »), mais on découvrit par la suite que les vitamines n'ont pas toutes la formule biochimique des amines. La maîtrise de cette science a permis de savoir que nombre de maladies considérées comme des épidémies (scorbut, béribéri, pellagre) étaient, en réalité, des maladies de carence vitaminique, ou avitaminoses.

Selon leurs propriétés et leurs conditions de conservation, les vitamines, désignées par une lettre, sont classées en deux groupes :
– les vitamines hydrosolubles (solubles dans l'eau : C et les vitamines du groupe B) se trouvent dans les fruits, les légumes et les viandes, mais elles passent dans l'eau quand l'aliment trempe ou cuit, d'où l'intérêt de remployer, quand cela est possible, la cuisson de celui-ci ;
– les liposolubles (solubles dans les graisses : A, D, E et K) se trouvent surtout dans les viandes, le lait, les produits laitiers et les matières grasses.

Certaines vitamines, appelées souvent « provitamines », ont besoin de subir une transformation pour être actives. La vitamine D alimentaire, par exemple, se transforme en vitamine D active sous l'effet de l'exposition de la peau aux ultraviolets. En ce qui concerne la vitamine A, on distingue celle d'origine animale, appelée rétinol, des caroténoïdes provitaminiques A. Ces derniers, comme le bêtacarotène apporté par les végétaux colorés (abricots, carottes, épinards, etc.), sont transformés en rétinol dans l'organisme.

VITROCÉRAMIQUE Sorte de verre, très résistant aux chocs thermiques, utilisé pour recouvrir les tables de cuisson électrique. Une table en vitrocéramique classique est chauffée par des foyers radiants ou halogènes, mais une table (ou plaque) à induction, où la chaleur est créée par un champ magnétique, est également revêtue de ce matériau. La vitrocéramique, parfaitement lisse, est facile à nettoyer, mais le matériel de cuisson utilisé doit avoir également un fond bien plan pour ne pas le rayer. Dans le cas de l'induction, les récipients doivent être métalliques et magnétiques, ce qui exclut le verre, l'aluminium et le cuivre.

VIVANEAU Poisson tropical des Antilles et d'Afrique, proche des dorades. Le vivaneau, robuste, qui pèse jusqu'à 2 kg, a une tête triangulaire terminée par un museau pointu, et de vives couleurs (**voir** planche des poissons de mer pages 674 à 677). Sa chair, fine et ferme, se prête très bien aux marinades de citron vert et d'épices, mais ce poisson se prépare aussi au lait de coco ou se fait simplement griller.

VIVARAIS ▶ VOIR DAUPHINÉ, SAVOIE ET VIVARAIS

VIVE Poisson de mer de la famille des trachinidés, qui vit souvent enfoncé dans le sable, apprécié pour la qualité de sa chair, mais redouté pour ses épines venimeuses (**voir** planche des poissons de mer pages 674 à 677) ; il faut couper nageoires et piquants avant tout apprêt.
– La grande vive (25 cm en moyenne), au corps allongé à dos brun rayé de bleu et à flancs jaunes, possède une tête courte, avec une large bouche et de gros yeux rapprochés. Elle a une chair ferme et parfumée ; ses filets se cuisinent comme ceux de la sole ; entière et vidée, elle se prépare comme le rouget ou grillée ; en tronçons, elle entre dans une matelote au vin blanc.
– La petite vive (grosse comme une sardine) n'a guère de saveur.
– L'uranoscope, de la même famille, ne se rencontre qu'en Méditerranée et intervient dans la bouillabaisse.

VIVEUR Synonyme de fêtard ou de noceur, surtout employé au XIXe siècle. Le mot a servi à désigner divers apprêts de cuisine assez riches ou épicés : le potage viveurs (ou des viveurs) est un consommé de volaille relevé au poivre de Cayenne, garni d'une julienne de céleri et servi avec des diablotins au paprika à part ; il peut aussi être coloré de jus de betterave et garni de petites quenelles de volaille. Quant à l'omelette viveur, elle est agrémentée d'une garniture de céleri-rave, de fonds d'artichaut et de bœuf coupé en petits dés.

VOANDZEIA Haricot de la famille des fabacées, également appelé « voandzou bambara » ou « pois arachide », dont le fruit est une gousse jaune, contenant des grains comestibles sphériques, très

Rôles et principales sources alimentaires des vitamines

RÔLES	PRINCIPALES SOURCES
vitamine A, ou rétinol	
Elle intervient dans la vision des formes et des couleurs et l'adaptation à l'obscurité.	en vitamine A : huile de foie de poisson, foie, beurre, jaune d'œuf, fromages gras, lait entier ; en provitamine A ou bêtacarotène (transformée en vitamine A par le foie) : carotte, épinard, abricots frais et sec, pissenlit, persil, brocoli, chou vert et rouge, brugnon, salade verte, mangue, pêche, tomate
vitamine B1, ou thiamine	
Elle intervient dans le métabolisme énergétique, sur le fonctionnement des cellules musculaires et des cellules nerveuses en améliorant la transmission de l'influx nerveux.	germe de blé, graines de tournesol et de sésame, céréales à petit déjeuner, soja, viande de porc, fruits oléagineux, jambon cuit et cru
vitamine B2, ou riboflavine	
Constitutive d'enzymes indispensables, elle est essentielle pour l'ensemble des réactions liées à la production d'énergie.	abats, germe de blé, fromages, pâtés de foie et de campagne, amande, muesli, canard, jaune d'œuf, champignons
vitamine B3 ou PP, ou acide nicotinique	
Elle participe à la fabrication de l'énergie par son implication dans la synthèse et la dégradation des glucides, des protides et des lipides. Elle joue un rôle dans le fonctionnement du système nerveux.	abats, céréales à petit déjeuner, fruits oléagineux, poissons gras, lapin, volailles, jambon cru, boulghour, champignons, pain complet
vitamine B5, ou acide pantothénique	
Elle intervient pour la production d'énergie à partir des lipides et des glucides. Elle favorise l'activité tissulaire au niveau de la peau, des muqueuses et des cheveux, et aide à la cicatrisation.	abats, champignons, viandes, œuf, céréales soufflées, légumes secs, poissons, pain complet, laitages
vitamine B6, ou pyridoxine	
Elle a un lien étroit avec le métabolisme des glucides et des protides. Elle permet la synthèse des neurotransmetteurs, l'intégrité des cellules nerveuses et des gaines des nerfs. Elle a un rôle dans la fabrication des globules rouges et l'assimilation du magnésium.	germe de blé, foie, céréales à petit déjeuner, saumon, avocat, pissenlit, flocons d'avoine, soja, fruits oléagineux, lapin, poissons gras, céréales complètes, farine de soja, lentille, fromages
vitamine B8, ou biotine, ou vitamine H	
Elle est nécessaire à la production d'énergie et à de multiples réactions cellulaires, dont la synthèse du glucose et des acides gras.	foie, rognon, jaune d'œuf, champignons, haricots en grains, lentille, viandes, poissons, pain complet, laitages, fromages
vitamine B9, ou acide folique	
Elle est nécessaire au métabolisme de certains acides aminés et à la formation des composants du noyau cellulaire. Elle intervient dans la formation des globules rouges.	germe de blé, jaune d'œuf, céréales à petit déjeuner, endive, fruits oléagineux, foie, mâche, cresson, épinard, chicorée, persil, asperge, avocat, haricots rouges, laitue, poireau, légumes secs, viandes, carotte, chou
vitamine B12, ou cyanocobalamine, ou cobalamine	
Antianémique, elle participe à la synthèse des protéines et est indispensable à la croissance.	abats, poissons maigres ou gras, huîtres, cœur de bœuf, pâté de foie, langue de bœuf, jaune d'œuf, saumon fumé, lait et produits laitiers
vitamine C, ou acide ascorbique	
Elle a une action antioxydante et antitoxique, et renforce les défenses de l'organisme, aide à l'acclimatation au froid, stimule le fonctionnement cérébral et augmente le tonus.	persil, chou, kiwi, fruits rouges, fruits exotiques, navet, poivron, fenouil, cresson, raifort, agrumes, épinard, haricot vert, pissenlit, ris de veau, blette, pomme de terre nouvelle
vitamine D, ou calciférol	
Son rôle est essentiellement osseux. Elle intervient dans le métabolisme du calcium et du phosphore et règle en partie l'excitabilité du muscle.	jaune d'œuf, huile de foie de poisson, poissons gras, avocat, foie, beurre, fromages gras, lait entier
vitamine E, ou tocophérol	
Elle a une action antioxydante contre les radicaux libres. Elle maintient l'intégrité des cellules. Elle protège les acides gras essentiels de l'oxydation.	huile de germe de blé, de tournesol, de pépins de raisin et de maïs, graine de tournesol, fruits oléagineux, foie de morue, margarines enrichies en acides gras polyinsaturés, jaune d'œuf
vitamine K	
C'est la vitamine indispensable à la coagulation du sang grâce à son action antihémorragique.	choux, épinard, brocoli, cresson, salade, viandes de bœuf, de mouton et de porc, foie de bœuf et de porc, pomme de terre, lait, jaune d'œuf, haricot vert, petit pois, haricots blancs

riches en matières azotées. Cette variété joue un rôle alimentaire et économique important en Afrique tropicale, car c'est l'un des produits végétaux les plus nutritifs (367 Kcal ou 1 534 kJ pour 100 g). Elle a été aussi introduite en Amérique tropicale.

VODKA Alcool blanc résultant de la distillation d'un jus fermenté à base de pomme de terre, de seigle ou d'un mélange de céréales (blé, maïs, orge maltée, etc.). Pologne et Russie s'en disputent l'invention, qui remonte à plusieurs siècles, mais la vodka est désormais produite dans une trentaine de pays, dont la Pologne, la Russie, les États-Unis, la Grande-Bretagne, le Danemark, la Finlande, la Suède.

La distillation de la vodka est très poussée ; elle est suivie d'une filtration puis, éventuellement, d'une aromatisation. La vodka nature n'a que peu de goût et de parfum ; on l'apprécie surtout pour le coup de fouet que donne l'alcool, qui titre entre 32,5 et 49 % Vol. Diverses vodkas de marque, russes et polonaises, sont aromatisées avec des plantes, des feuilles ou des baies. En Pologne, on prépare notamment la *zubrowka*, où macère une graminée appelée « herbe de bison ».

La vodka, naguère breuvage traditionnel des Polonais, qui la buvaient nature avant, pendant et après les repas, est devenue l'alcool national russe, mais aussi un alcool international, consommé surtout avec le caviar, le poisson fumé, etc.

On l'emploie aussi pour flamber des écrevisses, aromatiser par déglaçage un sauté de veau ou la cuisson d'une volaille grasse, flamber une omelette d'entremets ou préparer un sorbet. La mode de la vodka en Occident débuta après la Première Guerre mondiale, aux États-Unis, où elle devint un élément privilégié des cocktails. Elle se boit également en digestif, ou encore additionnée d'eau gazeuse ; on peut l'associer au jus de tomate (bloody mary), à l'orange (clockwork orange), à la liqueur de café (black russian), etc.

VOILER Recouvrir d'un voile de sucre cuit au grand cassé et filé certaines pièces de pâtisserie comme les croquembouches ou des entremets glacés.

VOISIN Restaurant installé rue Saint-Honoré, à Paris, considéré comme l'un des meilleurs de la capitale entre 1850 et 1930. Son directeur fut d'abord Bellanger, qui monta une cave de bourgognes réputés. Le menu du réveillon de Noël 1870, dans Paris assiégé par les Prussiens, composé avec les meilleurs morceaux des animaux du Jardin d'Acclimatation, est resté célèbre : consommé d'éléphant, civet de loup sauce chevreuil, cuissot de kangourou, terrine d'antilope aux truffes, etc. Reprise par un Bordelais nommé Braquessac, la maison conserva sa réputation, avec, aux cuisines, le chef Choron, créateur entre autres d'une béarnaise tomatée. Les écrivains Alphonse Daudet, les frères Goncourt et Émile Zola étaient des habitués, ainsi que le prince de Galles. Le nom de Voisin reste attaché à une timbale de filets de caneton aux truffes en gelée.
▶ Recette : CANARD.

VOLAILLE Terme générique désignant l'ensemble des oiseaux élevés pour leur chair ou leurs œufs, ou les deux (canard, coquelet, dinde, oie, pigeon, pintade, poule, poulet), auxquels on ajoute le lapin domestique. La viande de ces animaux a une bonne teneur en protéines, de 20 à 23 g pour 100 g, elle contient aussi des lipides (de 3 à 6 g pour 100 g) et du fer (de 1 à 2 mg pour 100 g). Elle est à l'origine de plats simples et économiques, de grands classiques régionaux et des préparations plus raffinées. De plus en plus de « charcuteries » industrielles sont confectionnées à partir de volailles. Les volailles sont souvent découpées en morceaux pour la restauration collective. En cuisine, on réserve le terme « volaille » pour la chair de poulet ou de poule, lorsqu'elle est utilisée dans des apprêts de base.
■ **Production moyenne en France.** On produit 900 milliers de tonnes (en équivalent carcasse) de poulets, 620 de dindes, 300 de canards, 120 de lapins, 60 de poules, 38 de pintades et 3 d'oies. La France est le premier producteur de pintades du monde. L'élevage du canard s'y est développé, notamment dans le Sud-Ouest, pour la production du foie gras et des magrets. La France est aussi le deuxième producteur mondial de lapins, après la Chine.

Les volailles sont vendues éviscérées (ou prêtes à cuire), effilées (seuls les viscères abdominaux sont enlevés par le cloaque) ou non vidées (sujet saigné et plumé). Une volaille conditionnée pour la vente doit porter un chiffre de 1 à 4, indiquant le « calibre » de l'animal (poids, compte tenu de sa présentation : éviscéré, vidé, etc.) ; le 1 correspond à un volatile jeune, pesant au maximum 850 g, prêt à cuire. En outre, une lettre, A, B ou C, indique la « classe » de la volaille (degré d'engraissement, développement des muscles, plumes, défauts). Enfin, l'animal peut porter une étiquette ou un label (environ 250 actuellement), qui précise son origine.
■ **Histoire.** Au Moyen Âge, la volaille (avec le petit gibier) était vendue par les « rôtisseurs-oyers » et les « poulaillers » ; l'élevage du pigeon était privilège féodal. La poularde fit son apparition au XVe siècle. Sous la Renaissance, on commença à engraisser les volailles « à la mue ». Au XVIe siècle, le dindon arriva d'Amérique et la pintade, oubliée depuis les Romains, réapparut grâce aux Portugais, qui la rapportèrent de Guinée. À partir du XVIIe siècle, on établit une distinction entre les poulets de ferme, nourris en liberté, et ceux qui étaient engraissés. Canards de Barbarie et oies étaient alors plus recherchés que les lapins. Au XVIIIe siècle, l'oie était devenue un plat bourgeois, mais on faisait grand cas des canards de Rouen.
■ **Gastronomie.** Autrefois, on commençait souvent par faire pocher ou bouillir ce qui devait être rôti, et inversement, procédés encore utilisés par de grands chefs.

Les techniques classiques de cuisson de la volaille sont le rôti (le plus courant), le poché, le braisé et le poêlé (surtout pour les animaux âgés ou de grande taille, ainsi que pour les abattis), le sauté, et parfois la cuisson à la vapeur ou la grillade. La volaille farcie est une préparation qui se raréfie. Foies de volaille, gésiers et, plus rarement, crêtes et rognons de coq connaissent divers emplois en cuisine.

La volaille donne lieu à des apprêts chauds ou froids, jamais crus. En cuisine ménagère ou régionale, les plus usuels sont les plats dits « en cocotte » ou « à la casserole », les fricassées, le salmis, la poule au pot et le coq au vin ; les plus élaborés regroupent l'aspic, la ballottine, les chauds-froids, les médaillons, les suprêmes, les turbans, les soufflés, les bouchées, les vol-au-vent et les apprêts « à la reine ».

aspic de volaille ▶ ASPIC
attereaux de foies de volaille
    à la mirepoix ▶ ATTEREAU (BROCHETTE)
consommé simple de volaille ▶ CONSOMMÉ
crème de volaille ▶ CRÈME (POTAGE)
croustades de foies de volaille ▶ CROUSTADE
farce de volaille ▶ FARCE
feuilletés de foies de volaille ▶ FEUILLETÉ
flan de volaille Chavette ▶ FLAN
fond blanc de volaille ▶ FOND
fritots de foies de volaille ▶ FRITOT
galantine de volaille ▶ GALANTINE
glace de volaille ▶ GLACE DE CUISINE
jambonnettes de volaille ▶ JAMBONNETTE DE VOLAILLE

médaillons de volaille Beauharnais
Faire étuver au beurre autant de fonds d'artichaut que de médaillons de volaille. Préparer une sauce Beauharnais et la réserver au chaud. Détacher les filets d'un gros poulet et les détailler en 2 ou 3 escalopes de même épaisseur. Les aplatir légèrement à l'aide d'une batte à côtelette et les parer pour leur donner une forme ronde ou ovale ; saler, poivrer et dorer au beurre. Frire dans du beurre des croûtons de même taille que les médaillons. Dresser chaque médaillon sur un crouton frit et le garnir d'un fond d'artichaut empli de sauce Beauharnais. Servir en saucière le reste de la sauce.

oreiller de la belle basse-cour ▶ PÂTÉ
pain de volaille ▶ PAIN DE CUISINE
pâté de foie de volaille ▶ PÂTÉ
pâté pantin de volaille ▶ PÂTÉ PANTIN
royale de purée de volaille ▶ ROYALE
salade de volaille à la chinoise ▶ SALADE

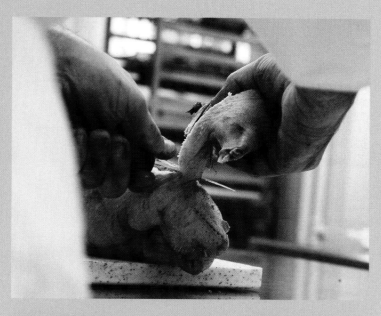

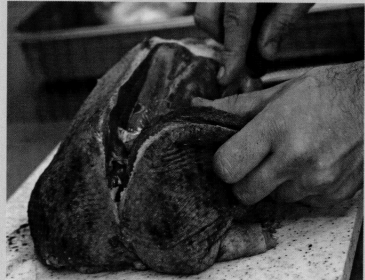

« Canard, poulet, pintade, dinde…, les chefs de POTEL ET CHABOT, de l'HÔTEL DE CRILLON et de l'école FERRANDI PARIS apprêtent à merveille toutes ces volailles, rôties, poêlées, flambées, en croûte de sel, truffées sous la peau… »

Volailles et lapin

poulet à tarses noirs

poule

petit poulet (coquelet)

pigeon

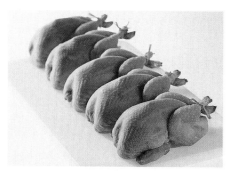
caille d'élevage

chapon

oie

pintade

canard nantais

dinde

lapin

canard de Barbarie et mulard

Caractéristiques des principaux volailles et lapins

NOM	PROVENANCE	ÉPOQUE	ASPECT	PARTICULARITÉS
caille d'élevage	toute la France	toute l'année	150-200 g, ronde	chair fine
canard				
de Barbarie	toute la France	toute l'année	corpulent (3-5 kg), muscles abondants	chair plutôt ferme, fine
blanc de l'Allier	Bourbonnais	toute l'année	assez corpulent (3,5-4 kg)	chair fine
de Challans (ou nantais)	Vendée	toute l'année	assez corpulent (2,5-3 kg)	chair blanche, goûteuse
colvert	hémisphère Nord	automne-hiver	petit	chair ferme, gibier
mulard (croisement)	toute la France	toute l'année	moyen à gros selon le gavage	chair un peu grasse, goûteuse ; pour foie gras
de Pékin	toute la France	toute l'année	assez corpulent (3-3,5 kg)	chair fine
de Rouen (clair)	Normandie	toute l'année	assez corpulent (3,5 kg)	chair très fine
chapon, poularde	Landes, Bresse	déc.	jusqu'à 6 kg	chair très fine, délicate
coq	toute la France	toute l'année	volumineux (4-5 kg)	chair ferme, goûteuse
dinde, dindon				
bronzé d'Amérique	toute la France	fin de l'année	9-15 kg (mâle), 6-8 kg (femelle), noir à reflets bronzés	chair succulente
noir du Bourbonnais	Bourbonnais	fin de l'année	10-12 kg (mâle), 7-9 kg (femelle), noir à reflets métalliques	chair succulente
noir du Gers	Sud-Ouest	fin de l'année	8 kg min. (mâle), 5 kg (femelle)	chair très fine
noir de Sologne	Sologne	fin de l'année	10-12,5 kg (mâle), 6-7,5 kg (femelle), noir profond	chair excellente
rouge des Ardennes	Ardennes franco-belges	fin de l'année	10 kg max. (mâle), 7 kg (femelle)	chair très fine
oie				
d'Alsace	Alsace	fin de l'année	4-4,5 kg, grise (principale variété)	pour foie gras
blanche du Bourbonnais	Allier	fin de l'année	7-10 kg, blanc pur	oie à rôtir
blanche du Poitou	Poitou	fin de l'année	5-9 kg, blanc pur	pour duvet
grise des Landes	Sud-Ouest	fin de l'année	6-7 kg	pour foie gras
de Guinée	Asie	fin de l'année	4-5 kg	chair fine, moins grasse
normande	Normandie	fin de l'année	4-5,5 kg, jars blanc, oie grise et blanche	chair excellente
de Toulouse sans bavette	Sud-Ouest	fin de l'année	6-10 kg, grise	chair fine, pour foie gras
pigeon				
Carneau	toute la France	toute l'année	600-675 g, rouge (principale variété)	chair fine
cauchois	toute la France	toute l'année	650-800 g, à manteau maillé (principale variété)	chair fine
King	toute la France	toute l'année	850-1 050 g, blanc (principale variété)	pigeon productif
Texan	toute la France	toute l'année	750-930 g, mâle et femelle de coloris différents	pigeon de chair très productif
pintade	toute la France	toute l'année	1,2-1,5 kg, ovoïde	chair typée, teintée

NOM	PROVENANCE	ÉPOQUE	ASPECT	PARTICULARITÉS
poule, poulet				
bourbonnaise	toute la France, principalement dans l'Allier	toute l'année	2,5 kg (poule) à 3,5 kg (coq), blanc herminé de noir	chair fine
Bresse	Bresse	toute l'année	2-2,5 kg (poule) à 2,5-3 kg (coq), pattes bleues	excellente chair, chapon
Faverolles	toute la France	surtout en fin d'année	2,8-3,4 kg (poule) à 3,5-4 kg (coq), barbe et 5 doigts	excellente chair
La Flèche	toute la France	surtout en fin d'année	3 kg min. (poule) à 3,5 kg (coq), crête en forme de cornes	chair excellente, chapon
gâtinaise	toute la France	surtout en fin d'année	2,5 kg (poule) à 3,5-4 kg (coq), blanc pur	chair fine
géline de Touraine	toute la France, principalement en Touraine	toute l'année	2,5-3 kg (poule) à 3-3,5 kg (coq), noire	chair excellente, la poule est commercialisée sous le nom de « Dame noire »
Gournay	toute la France, principalement en Normandie	toute l'année	2 kg min. (poule), 2,5 kg (coq)	chair fine
Houdan	toute la France	surtout en fin d'année	2,5 kg (poule) à 3 kg (coq), huppe, barbe et 5 doigts	chair excellente
Marans	toute la France	toute l'année	2,6-3,2 kg (poule), 3,5-4 kg (coq)	gros œufs extraroux
meusienne	toute la France	surtout en fin d'année	2,4-3,4 kg (poule), 3,4-4,8 kg (coq), 5 doigts	chair excellente
Sussex	toute la France	toute l'année	3,2 kg min. (poule) à 4,1 kg (coq)	chair très bonne, peau blanche
poussin	toute la France	toute l'année	250-300 g	chair délicate
lapin				
argenté de Champagne	toute la France	toute l'année	4,5-5,25 kg, fourrure argentée	chair fine
californien	toute la France	toute l'année	4-4,5 kg, blanc aux extrémités noires	chair fine
fauve de Bourgogne	toute la France	toute l'année	4-4,5 kg, fauve	chair fine
géant blanc du Bouscat	toute la France	toute l'année	6 kg et plus, blanc	bonne chair
géant des Flandres	toute la France	toute l'année	7 kg et plus, gris (principale variété)	gros rendement de chair
géant papillon français	toute la France	toute l'année	6 kg et plus, blanc à marques noires	bonne chair
néo-zélandais	toute la France	toute l'année	4,5-5,25 kg	chair fine
rex du Poitou	Poitou	toute l'année	3,5-4,75 kg, fourrure courte	chair fine
russe	toute la France	toute l'année	2,4-2,7 kg, blanc aux extrémités noires	chair excellente

RECETTE DE JEAN-CLAUDE FERRERO

sot-l'y-laisse aux morilles

« Laver soigneusement 4 ou 5 morilles et les fendre en deux dans le sens de la longueur. Hacher 1 échalote grise épluchée. Fariner de 6 à 8 sot-l'y-laisse. Faire fondre 25 g de beurre dans une sauteuse à fond épais ; y faire revenir à feu très vif les sot-l'y-laisse et l'échalote hachée. Laisser prendre couleur, saler, poivrer et ajouter les morilles. Laisser cuire ensemble de 7 à 8 min, puis déglacer avec 10 cl de sauvignon et finir la cuisson à découvert. Une pointe de muscade râpée améliorera encore le goût. Ajouter 1 cuillerée à dessert de crème épaisse et laisser cuire de 10 à 12 min. Dresser dans un plat chaud. »

soufflé aux foies de volaille ▶ SOUFFLÉ

soufflés à la volaille ▶ SOUFFLÉ

suprêmes de volaille à blanc ▶ SUPRÊME

suprêmes de volaille au sauternes

  et au citron confit ▶ SUPRÊME

velouté de volaille ▶ VELOUTÉ

Recette de Paul Bocuse

volaille de Bresse Halloween

« Ouvrir une courge de 4 à 5 kg comme une soupière. Enlever les pépins, mettre au fond 200 g de riz et 50 g de riz sauvage, préalablement trempés dans l'eau tiède, 100 g de maïs, 200 g de champignons de Paris, 100 g de bacon coupé en dés et sautés à la poêle, 10 cl de crème fraîche, 200 g de beurre, 50 g de raisins de Corinthe et 50 g de pignons de pin. Saler intérieurement au gros sel 1 volaille de Bresse de 1,8 kg et la mettre dans la courge. Recouvrir avec le chapeau et cuire 2 h 30 au four préchauffé à 200 °C. (On peut aussi la placer entre 4 grosses pierres, la recouvrir de mousse des bois, puis de terre glaise, allumer un feu de bois dessus et la laisser ainsi 3 heures.) À la fin de la cuisson, retirer la volaille, bien mélanger le riz, le maïs, le beurre, la crème et la chair de la courge, qui doivent se retrouver en purée. La courge sert de plat de service. »

VOL-AU-VENT Croûte ronde en pâte feuilletée de 15 à 20 cm de diamètre, munie d'un couvercle également en pâte, dont on garnit l'intérieur après cuisson. Le vol-au-vent, lorsqu'il est cuit, reçoit une garniture liée d'une sauce, dont la nature est très variable : à la bénédictine, aux champignons à la béchamel, aux escalopes de homard, aux filets de sole, aux filets de volaille émincés, à la financière, aux fruits de mer, à la Nantua, aux quenelles de volaille ou de veau, à la reine, aux ris de veau, au saumon, à la toulousaine, etc. Il peut encore s'agir d'une purée de crustacé ou de volaille, voire de gibier, que l'on complète d'un salpicon de l'ingrédient de base, et même de spaghettis liés de sauce tomate, additionnés de petits dés de jambon.

croûte à vol-au-vent : préparation ▶ CROÛTE

vol-au-vent financière

Blanchir 50 g de ris de veau (ou de crêtes de coq), les rafraîchir, les éponger, enlever la peau et les couper en dés. Détailler en dés moyens 200 g de quenelles de volaille. Blanchir 12 rognons de coq, puis les cuire au beurre 2 min ; les assaisonner de sel et de poivre. Dorer à la poêle 300 g de champignons escalopés et les égoutter. Dans la même poêle, faire sauter 2 min les ris de veau salés et poivrés. Les réserver avec les champignons. Déglacer la poêle avec 10 cl de madère. Réduire légèrement et remettre les ris et les champignons ; couvrir et laisser mijoter 3 ou 4 min. Préparer un roux blond avec 40 g de beurre, 40 g de farine et 50 cl de fond brun de volaille. Ajouter sel, poivre, muscade, 1 petite boîte de pelures de truffe hachées et leur jus, et 10 cl de madère. Cuire doucement 10 min. Réunir dans une cocotte les ris, les champignons et leur jus, les dés de quenelle, les rognons de coq, 12 écrevisses décortiquées. Verser la sauce et laisser mijoter 4 ou 5 min. Hors du feu, au moment de servir, ajouter en remuant 1 jaune d'œuf délayé dans 10 cl de crème épaisse. Garnir les croûtes et poser les chapeaux dessus.

VOLIÈRE (EN) Se dit d'un mode de dressage très décoratif du gibier à plume (faisan et bécasse surtout) employé jusqu'au XIXᵉ siècle. Sur l'oiseau cuit, on remettait en place la tête, la queue et les ailes déployées, ces éléments étant fixés par des chevilles de bois.

VOLNAY Vin AOC rouge de la Côte de Beaune, issu du cépage pinot noir, aux arômes de framboise et de violette, renommé pour la qualité de son terroir. Cette appellation, dotée d'admirables premiers crus (clos-des-chênes, champans, clos-des-ducs, caillerets, santenots, taille-pieds), produit des vins qui allient la race, la finesse et le bouquet et qui se bonifient jusqu'à 10 ans (**voir** BOURGOGNE).

VOLVAIRE SOYEUSE Champignon à chapeau soyeux, blanchâtre, et à lamelles roses à maturité, dont le pied, sans anneau, est enveloppé dans une ample volve. Sa chair blanche, au goût délicat et

agréable, se prépare comme celle de l'orange. Elle est particulièrement savoureuse quand la volvaire est très jeune.

VONGERICHTEN (JEAN-GEORGES) Cuisinier français (Strasbourg 1957). Il se forme chez Marc Haeberlin, Paul Bocuse, Eckart Witzigmann, à Munich, et, enfin, Louis Outhier, de La Napoule, l'envoie tenir les fourneaux de *L'Oriental* à Bangkok et du *Mandarin* à Hongkong. Il ouvre, à New York, un premier bistrot français classique, *Jojo*. S'y ajoute un restaurant franco-thaï, nommé *Vong*, mêlant épices d'Asie et produits d'Europe et d'Amérique. Enfin, un bistrot branché dans Soho, *Mercer Kitchen*, où l'on sert pizzas fines et plats méditerranéens. Il connaît le sommet de son succès dans un cadre minimaliste, qui porte son prénom comme enseigne, au rez-de-chaussée de l'hôtel *Trump International*, prolongé d'un coin brasserie *(Nougatine)*. S'y sont ajoutés *66* (chinois nouvelle mode), *Perry Street* (franco-américain), *Spicy Market* (voué à la cuisine de rue asiatique), plus des succursales à Chicago, Las Vegas, Hongkong ou Paris *(Market)*. Bûcheur forcené, ambitieux, mais discret, il s'est constitué un petit empire de bouche planétaire, plaidant (à travers la « black plate » ou le multicolore de thon) pour la réconciliation des cultures par le biais de la cuisine. Son *Jean-Georges* a obtenu trois étoiles dans le premier Guide Michelin New York.

VOSNE-ROMANÉE Vin AOC rouge de la Côte de Nuits, issu du cépage pinot noir, parmi les plus grands du monde, puissant mais délicat et velouté, d'une souplesse et d'une finesse exceptionnelles (**voir** BOURGOGNE).

VOUVRAY Vin AOC blanc du Val de Loire, issu du cépage chenin, tranquille, pétillant ou mousseux, frais et fruité (**voir** LOIRE).

VRINAT (JEAN-CAUDE) Restaurateur français (Villeneuve-l'Archevêque 1936). Son père André ouvre en 1946, dans le 9ᵉ arrondissement de Paris, le restaurant *Taillevent*, ainsi nommé en hommage à Guillaume Tirel, l'auteur du *Viandier*, où il obtient rapidement une étoile au Guide Michelin. En 1950, *Taillevent* s'installe rue Lamennais dans un hôtel particulier du XIXᵉ siècle ayant appartenu au duc de Morny. Il reçoit la deuxième étoile en 1956. Jean-Claude, son diplôme d'HEC en poche, lui succède et reçoit la troisième étoile en 1973 (jusqu'en 2007). Parallèlement, il préside « Tradition et Qualité », association rassemblant les grandes tables du monde, dirige *Les Caves Taillevent*, magasin proche du restaurant, et ouvre un bistrot contemporain, *L'Angle du Faubourg*, en 2001, vite couronné d'une étoile. Il supervise également un restaurant à Tokyo, *Taillevent-Robuchon*, avec Joël Robuchon. Sa carte des vins légendaire, son service de grande classe et sa cuisine classique et intemporelle (son cervelas de fruits de mer a fait école), sachant coller à l'actualité, avec ses chefs successifs – Claude Deligne, Philippe Legendre, Michel Del Burgo, Alain Solivères –, font de *Taillevent* une maison à part.

VUILLEMOT (DENIS-JOSEPH) Cuisinier français (Crépy-en-Valois 1811 - Saint-Cloud 1876). Fils et petit-fils de maître d'hôtel, il commença son apprentissage chez *Véry*, devint l'élève d'Antonin Carême, puis s'établit à son compte à Crépy, ensuite à Compiègne, avant de prendre la direction du *Restaurant de France*, place de la Madeleine, à Paris, et de terminer sa carrière à *l'Hôtel de la Tête-Noire*, à Saint-Cloud. Ami d'Alexandre Dumas, il fut son collaborateur technique pour les recettes du *Grand Dictionnaire de la cuisine* (1873). Il organisa également en son honneur, à son retour de Russie, un banquet resté célèbre pour ses créations, toutes baptisées d'un nom évoquant le romancier et ses ouvrages : potages à la Buckingham et aux Mohicans, truite à la Henri III, homard à la Porthos, filet de bœuf à la Monte-Cristo, bouchées à la reine Margot, bombe à la dame de Monsoreau, salade à la Dumas, gâteau à la Gorenflot, crème à la reine Christine, etc.

WALDORF Nom d'une salade composée, associant pommes reinettes et céleri-rave en dés, semés de cerneaux de noix pelés, assaisonnés d'une mayonnaise fluide. On lui ajoute parfois des rondelles de banane.

WALEWSKA (À LA) Nom d'un apprêt de poisson poché au fumet, garni de queues de langoustine coupées en deux en longueur ou en escalopes et de lames de truffe, nappé d'une sauce Mornay finie au beurre de crustacé et glacé au four.

WAPITI Grand cervidé d'Amérique, proche du cerf européen, que l'on chasse notamment dans l'Ouest canadien. Il s'apprête comme tous les gibiers à poil.

WASABI Condiment de la cuisine japonaise obtenu en râpant la racine de la plante herbacée du même nom, de la famille des brassicacées (**voir** planche des légumes exotiques pages 496 et 497). Le wasabi se présente sous la forme d'une pâte verte, ou d'une poudre à diluer dans un peu d'eau. Dilué dans de la sauce soja, il apporte une saveur piquante qui relève agréablement les boulettes de riz et le poisson cru (sashimi). On le retrouve parfois entre le poisson et le riz dans les sushis. Le wasabi est souvent appelé « raifort japonais » ou « moutarde japonaise ».
▶ Recette : THON.

WASHINGTON Nom d'une garniture pour volailles pochées ou braisées, faite de grains de maïs cuits à l'eau, liés de crème très réduite.

L'appellation concerne aussi un consommé dit « de petite marmite », garni de julienne de céleri-branche cuite au consommé, de julienne de truffe étuvée au madère, et une garniture de peau de joue de veau coupée en carrés et étuvée au madère et au jus de veau.

WATERFISH Nom d'une sauce anglaise ou hollandaise pour poisson, servie froide ou chaude.

La sauce waterfish chaude (pour brochet et perche, notamment) est une réduction de vin blanc avec une julienne de légumes, mouillée de court-bouillon, réduite à nouveau, additionnée de hollandaise, puis garnie de persil.

La sauce waterfish froide est une gelée préparée avec le court-bouillon du poisson qu'elle accompagne, additionnée d'une julienne de légumes, de poivron rouge, de cornichons et de câpres ;

le poisson en est nappé puis décoré de lanières d'anchois et servi avec une sauce rémoulade.
▶ Recette : SAUCE.

WATERS (ALICE) Cuisinière américaine (Chatham, New Jersey, 1944). Diplômée de l'université de Berkeley en « études culturelles françaises », elle poursuit sa formation à l'école Montessori à Londres, puis accomplit une année de séminaire en voyageant en France. Elle se marie en 1972 avec un négociant en vins, également restaurateur, et crée à Berkeley un restaurant de cuisine méditerranéenne, *Chez Panisse*, en hommage à Marcel Pagnol. Sa seule règle est la recherche systématique de produits d'exception, et, pour cela, elle s'entoure d'éleveurs et de maraîchers respectueux des principes de la culture biologique. Selon les arrivages et la qualité des produits, elle compose l'unique menu quotidien. Elle est considérée ainsi comme la mère fondatrice de la « cuisine californienne » et est l'auteur de nombreux ouvrages, comme *Chez Panisse Vegetables*, qui dit sa passion des légumes naturels.

WATERZOÏ Plat de la cuisine flamande, préparé avec des poissons de la mer du Nord et de l'anguille, cuits au court-bouillon avec des aromates, des racines de persil et des légumes. Le waterzoï (ou waterzooï) se prépare également à Gand, avec une volaille découpée en morceaux.

---

waterzoï de poulet

Faire pocher 40 min environ un poulet entier dans un fond blanc aromatisé avec 1 oignon piqué de 2 clous de girofle, 1 bouquet garni, 1 poireau et 1 pied de céleri effilé. Émincer 1 poireau et 1 céleri en julienne et les cuire dans une cocotte, avec un peu de jus de cuisson du poulet. Découper le poulet en 8 morceaux et les disposer sur la julienne. Mouiller à hauteur avec le bouillon et cuire encore 30 min. Égoutter les morceaux de poulet, ajouter dans la cocotte 20 cl de crème épaisse et faire réduire pour rendre la sauce onctueuse ; rectifier l'assaisonnement. Remettre le poulet dans la cuisson et servir dans la cocotte avec, à part, des tartines grillées beurrées.

---

waterzoï de saumon et de brochet

Tailler en julienne 200 g de céleri-branche ; beurrer une cocotte et en masquer le fond ; saler, poivrer et ajouter 1 bouquet garni enrichi de 4 feuilles de sauge. Y mettre 1 kg de saumon et 1 kg de brochet coupés en gros dés ; mouiller juste à hauteur de fumet de poisson (ou court-bouillon) et ajouter 100 g de beurre en parcelles. Couvrir, cuire douce-ment 30 min et laisser refroidir. Émincer les poissons ; jeter le bouquet garni et incorporer à la cuisson un peu de biscotte écrasée. Faire réduire cette sauce, puis y réchauffer les poissons. Servir dans la cocotte, avec, à part, des tartines grillées beurrées.

WEBER Café-restaurant ouvert à Paris, rue Royale, en 1865, et agrandi d'un « bar américain » en 1898. On y servait du welsh rarebit, du jam-bon d'York, du bœuf mode froid, l'assiette anglaise, qui, dit-on, y fut créée, et du *whisky and soda*. Considéré jusque vers 1935 comme un restaurant « chic », l'établissement disposait d'une terrasse fréquentée tant par le petit monde de la haute couture que par les habitués de *Maxim's*. Il ferma ses portes en 1961.

WEISSLACKER Fromage de lait de vache (de 30 à 40 % de matières grasses), à pâte molle et à croûte lavée (**voir** tableau des fromages étrangers page 396). Le Weisslacker est produit dans la région de l'Allgäu, en Bavière, depuis le milieu du XIXe siècle. Il se présente sous la forme d'un cube ou d'une petite meule pouvant peser jusqu'à 2 kg, sous papier métallisé. Il a une saveur accentuée et se sert traditionnelle-ment avec du pain de seigle et de la bière Doppelbock.

WELSH RAREBIT Spécialité britannique composée d'une tranche de pain de mie grillée, nappée de cheshire (ou de cheddar) fondu dans de la bière blonde anglaise, avec de la moutarde anglaise et du poivre. Le toast garni est passé sous le gril et servi brûlant. En Grande-Bretagne (où le pain est doré à la graisse fine de rognon de veau), le welsh rarebit constitue un en-cas du matin ou du soir ; il s'accompagne exclusivement de bière.

welsh rarebit

Détailler en fines lamelles 250 g de cheshire et les mettre dans une casserole. Ajouter 20 cl de bière pale ale, 1 cuillerée à dessert de mou-tarde anglaise et du poivre. Chauffer le mélange en remuant jusqu'à ce qu'il soit fluide et homogène. Griller 4 tranches de pain de mie et les beurrer. Placer chacune d'elles dans un plat à feu individuel également beurré et les napper de la préparation au fromage. Passer 3 ou 4 min au four préchauffé à 260 °C. Servir très chaud.

WESTERMANN (**ANTOINE**) Cuisinier français (Wissembourg 1946). Il apprend le métier au *Buffet de la Gare* de Strasbourg, travaille le foie gras chez *Feyel*, complète sa formation à *L'Hermitage* à Vittel, à *L'Écrevisse* à Brumath, à l'hôtel *Erprinz* d'Ettlingen dans le pays de Bade et chez *Nicolas* à Paris, près de la Gare de l'Est. Puis, il revient à Strasbourg, chez *Artzner*, autre grand spécialiste du foie gras. Il s'ins-talle en 1970 au *Buerehiesel*, dans une ancienne ferme du XVIIe siècle, remontée depuis Molsheim dans le parc de l'Orangerie, à deux pas des institutions européennes. Il obtient sa première étoile au Guide Michelin en 1975, la deuxième en 1984, la troisième en 1994 (jusqu'en 2007, lorsqu'il laisse la maison à son fils). Il devient conseiller pour le restaurant *Da Guincho* au Portugal, crée un bistrot dans l'île Saint-Louis à Paris, puis rachète *Drouant* en 2005. Il a été président de la chambre syndicale de la Haute Cuisine française de 1998 à 2001. Faisant le pont entre tradition et création, il allège les recettes du terroir d'Alsace, pro-meut le persillé de chevreuil au foie gras, les *schniederspaetle* (pâtes de tailleur) aux grenouilles et cerfeuil, le *baeckoffe* de volaille au citron ou la brioche caramélisée à la bière.

WHISKY ET **WHISKEY** Eau-de-vie de grain, originaire d'Écosse, plus ou moins malté (les Irlandais écrivent « whiskey »). On distingue le whiskey irlandais du whiskey américain, lequel est du rye ou du bour-bon (**voir** tableau ci-dessous).

Caractéristiques des différents types de whiskies et whiskeys

TYPE	PROVENANCE	FABRICATION	VIEILLISSEMENT	ARÔME
canadian whisky	Canada	maïs, seigle, blé ou orge ; 2 distillations	≥ 3 ans	plus ou moins léger
whisky de grain, ou patent still whisky	Nouvelle-Écosse	seigle, maïs, malt (10-20 %) ; 2 distillations	≥ 3 ans	corsé
irish whiskey	Irlande	orge maltée non tourbée (avec parfois blé, seigle ou maïs) ; 3 distillations	≥ 3 ans, jusqu'à 8-15 ans	fruité, malté
scotch whisky (whisky de malt)				
Highlands malts	Écosse du Nord	orge maltée, parfois tourbée ; 2 distillations	≥ 3 ans	léger, de fruité à salé et tourbé
Lowlands malts	Écosse du Sud	orge maltée, parfois tourbée ; 2 distillations	≥ 3 ans	léger, fruité
Islay malts	île d'Islay	orge maltée, tourbée ; 2 distillations	≥ 3 ans	tourbé, très parfumé
Campbeltown malts	presqu'île de Kintyre	orge maltée, parfois tourbée	≥ 3 ans	très parfumé
whiskey américain				
bourbon whiskey	Kentucky	≥ 51 % grains de maïs, orge maltée ; 2 distillations	≥ 2 ans (fûts charbonnés)	rond, mais puissant
corn whiskey	États-Unis	mélange de céréales (≥ 80 % maïs) ; 2 distillations	sans restriction (fûts non charbonnés)	très corsé
rye whiskey	Pennsylvanie, Maryland	mélange de céréales (≥ 51 % seigle) ; 1 à plusieurs distillations	≥ 2 ans	corsé
Tennessee whiskey	Tennessee	mélange de céréales ; 2 distillations	≥ 2 ans	très parfumé, marqué, bois brûlé

• SCOTCH WHISKY. Après fermentation, l'orge est séchée sur un foyer dans lequel brûle de la tourbe d'Écosse, dont le fumet donnera à l'alcool son arôme si particulier. L'orge est ensuite broyée, délayée dans de l'eau et distillée en deux opérations, selon des méthodes artisanales. On obtient de cette façon le *malt whisky*, appelé *single malt* quand il est issu d'une seule distillerie et *vatted malt* quand il s'agit d'un mélange de différents *malt whiskies*. La demande sans cesse croissante a conduit les producteurs à développer le marché des *blended whiskies*, mélanges de whisky de malt et de whisky de grain. Extrêmement répandus, ceux-ci se sont imposés dans le monde entier avec une dizaine de grandes marques. Mais, en France, la consommation des *pure malt* augmente nettement.

• IRISH WHISKEY. Le whiskey irlandais était depuis longtemps produit et consommé à l'échelle familiale. Confectionné à partir d'orge, mais aussi de blé et de seigle, il n'est pas séché à la tourbe. Distillé trois fois, il subit, comme le whisky écossais, divers assemblages avant d'être commercialisé.

• CANADIAN WHISKY. Cet alcool de céréales canadien se retrouve sous de nombreuses appellations, au goût plus ou moins léger. Le seigle entre dans des proportions importantes dans les bouillies, mises à fermenter sous l'action d'orge maltée comme pour les autres whiskies.

• CORN WHISKEY. Alcool de grain américain, produit à partir d'un mélange de céréales contenant au moins 80 % de maïs.

• BOURBON WHISKEY. Ce whisky américain, le plus répandu, originaire du Kentucky, provient d'un mélange de maïs (51 % au moins), de seigle et d'orge maltée, vieilli 2 ans au moins en fût de chêne brûlé.

• RYE WHISKEY. Alcool de grain américain, produit à partir du seigle (51 % au moins).

Le whisky se boit généralement en apéritif ou en digestif, sur des glaçons, sec ou avec de l'eau plate ou gazeuse ; les Écossais le boivent avec un verre d'eau plate à part. Il entre aussi dans la composition de nombreux cocktails, dont le whisky collins, le whisky sour et le bourbon sour (**voir** IRISH COFFEE). En cuisine, il intervient dans diverses recettes (à base de viande ou de fruits de mer, notamment), et certains amateurs le préfèrent de loin au cognac ou à l'armagnac pour le flambage.

▶ **Recettes :** CREVETTE, PÉTONCLE.

WINKLER (HEINZ) Cuisinier italo-allemand (Brixen 1949). Né en Italie dans le Haut-Adige (Brixen se dit aussi Bessanone), de culture germanique, il est formé en Italie (au *Laurin* à Bolzano), en Allemagne, en Suisse (au *Schlosshotel Pontresina*, puis au *Kulm* à Saint-Moritz) et en France (chez Paul Bocuse). Il est le chef renommé du *Tantris* de Munich où il succède à Eckart Witzigmann. Il y conserve les trois étoiles du Guide Michelin qu'il transportera dans sa *Residenz Heinz Winkler* en Bavière, superbe Relais & Châteaux avec son aile baroque de 1402, où il pratique sa « cuisine vitale », créative, fraîche et légère, avec l'usage mesuré des herbes et des légumes, plus une constante inspiration méditerranéenne. Sa crème de citron au fumet de poisson, sa gelée d'écrevisses à la mousse de fenouil, ses lasagnes à la truffe blanche, son croquant de volaille farci de ratatouille, comme sa selle d'agneau en croûte d'olive sont d'une précision technique sans faille.

WINTERTHUR Nom d'un apprêt de la langouste, préparée comme le homard Victoria, mais garnie intérieurement d'un salpicon de langouste et de queues de crevette décortiquées, puis nappée d'une sauce crevette et glacée.

WISSLER (JOACHIM) Cuisinier allemand (Nürtingen 1963). Il apprend le métier en Forêt-Noire, de 1980 à 1983, au fameux *Traube Tonbach*, sous la houlette de Harald Wohlfahrt, notamment la rigueur dans le choix du produit et les exigences de la haute cuisine. Il poursuit sa formation à Hinterzarten *(Weissen Rössle)* et à Baden-Baden (notamment au *Brenner's Park*). Il devient chef, de 1991 à 1999, au restaurant *Marcobrunn* du *Schloss Reinhartshausen* à Erbach, dans le Rheingau, où il obtient deux étoiles au Guide Michelin en 1996. La consécration lui vient au *Vendôme*, dont il dirige les fourneaux à partir de 2000, au *Schloss Benberg*, à Bergisch Gladbach, près de Cologne. Il obtient trois étoiles en 2004 (la première est arrivée dès 2001, la deuxième en 2003). Fine, ouvragée, sa cuisine impressionne

par sa précision technique. Il mêle écrevisses et museau de porc, marie foie gras et veau de lait aux truffes, imagine une raviole au mascarpone et jus de jambon d'une séduction parfaite.

WITZIGMANN (ECKART) Cuisinier autrichien (Badgastein 1941). Né en Autriche, formé à l'hôtel Straubiger dans sa ville natale, puis en France, chez Paul Bocuse, Jean et Pierre Troisgros, Marc Haeberlin, il est le précurseur de la grande cuisine légère allemande dont il fut le propagateur au *Tantris* (à partir de 1971), puis à *L'Aubergine* de Munich (de 1978 à 1993). Il sera le premier chef en Allemagne titulaire de trois étoiles au Guide Michelin (en 1979). Il habite, désormais, Majorque, se fait conseiller culinaire itinérant, collabore chaque mois au magazine allemand *Feinschmecker* et codirige le restaurant *Icarus* où il accueille les meilleurs cuisiniers d'Europe dans un hangar modernisé de l'aéroport de Salzbourg. Il a formé toute une génération de jeunes chefs allemands et autrichiens. Il demeure l'indiscutable référence de la cuisine germanique nouvelle vague. Son borchtch de pigeonneau ou ses variations raffinées sur la tête de veau, immortalisées jadis à *L'Aubergine*, sont des plats inoubliables. On lui doit *la Nouvelle Cuisine allemande et autrichienne* (1984).

WLADIMIR Nom de divers apprêts datant de la Belle Époque. Le turbot ou la sole Wladimir sont pochés, nappés d'une sauce au vin blanc additionnée de tomate concassée et de clovisses pochées, puis glacés au four. Les petites pièces de boucherie Wladimir sont sautées, garnies de gousses de concombre étuvées et de dés de courgette sautés, puis saucées du fond de cuisson déglacé à la crème aigre, avec un assaisonnement de paprika et de raifort râpé. Les œufs sur le plat Wladimir sont cuits au miroir, puis poudrés de parmesan et garnis de dés de truffe et de pointes d'asperge.

WOHLFAHRT (HARALD) Cuisinier allemand (né à Loffenau, près de Baden-Baden, 1955). Formé à Bad Herrenhald, au *Mönchs Posthotel*, revenu au *Stahlbad* à Baden, il n'a quasiment pas quitté sa chère Forêt-Noire, à deux exceptions notables : le perfectionnement chez Alain Chapel à Mionnay et celui chez Eckart Witzigmann, à *L'Aubergine* de Munich. Ce grand silencieux, qui ne parle qu'allemand, fuit les médias et se préoccupe surtout de ses deux services quotidiens. Il est présent à Traube Tonbach, dans le restaurant français dit *Schwarzwald Stube* de ce vaste et bel hôtel de cure sis à 70 km de Strasbourg et près de Freudenstadt, perdu en forêt. Il a la chance d'y faire équipe avec un patron gourmet qui lui laisse carte blanche, Heiner Finkbeiner. Sa première étoile date de 1980, sa seconde de 1982, et sa troisième de 1993. Ce virtuose technique de la cuisine légère et moderne aime et pratique les saveurs du Sud, sans méconnaître le régionalisme, mais toujours en finesse.

WOK Grande poêle en acier, en fonte, voire en Inox, à fond bombé, légèrement conique, munie d'un grand manche en bois. Certains woks très profonds exigent l'emploi d'un support métallique en anneau qui se pose au-dessus du feu. Le wok est très utilisé dans la cuisine chinoise, surtout pour préparer les sautés, mais aussi rôtis, fritures et même potages. L'avantage essentiel du wok est de permettre d'y remuer rapidement les ingrédients à saisir à feu vif sans qu'ils absorbent trop de matière grasse, selon le procédé de cuisson le plus courant en Chine pour cuisiner les aliments coupés en petits morceaux.

RECETTE DE KEN HOM

haricots verts sautés à l'ail

POUR 2 À 4 PERSONNES – PRÉPARATION : 5 min – CUISSON : de 8 à 10 min

« Choisir 500 g de haricots verts bien frais. Si leur longueur dépasse 7 cm, les tailler en morceaux. Sinon, les garder entiers. Sur feu vif, faire bien chauffer un wok. Ajouter 1,5 cuillerée à soupe d'huile d'arachide. Quand elle est bien chaude et commence à fumer, ajouter 3 cuillerées à soupe d'ail grossièrement haché et faire sauter pendant 30 secondes. Mettre les haricots verts, du sel, du poivre noir du moulin, 1 cuillerée à café de sucre et 3 cuillerées à soupe de vin de riz de Shaoxing (ou de xérès sec) et faire sauter encore 1 min. Couvrir le wok et faire cuire 5 min sur feux doux, ou jusqu'à ce que les haricots soient cuits à cœur, en ajoutant une autre cuillerée à soupe de vin de riz ou d'eau de temps à autre si nécessaire. Retirer le couvercle du wok et faire sauter jusqu'à évaporation du liquide. Dresser sur un plat chauffé et servir immédiatement. »

RECETTE DE KEN HOM

porc sauté au concombre

POUR 4 PERSONNES – PRÉPARATION : 25 min – CUISSON : 12 min

« Peler 700 g de concombre. Le trancher en deux dans le sens de la longueur et retirer les graines à l'aide d'une petite cuillère. Couper la chair en dés de 2,5 cm de côté. Saupoudrer de 2 cuillerées à café de sel fin et mélanger bien. Placer les dés de concombre dans une passoire et les laisser dégorger 20 min. Les rincer et les sécher avec du papier absorbant. Sur feu vif, faire chauffer un wok. Ajouter 1,5 cuillerée à soupe d'huile d'arachide. Quand elle est bien chaude et commence à fumer, ajouter 3 cuillerées à soupe d'ail grossièrement haché et le faire sauter pendant 30 secondes. Mettre 500 g de porc haché et faire sauter 3 min. Ensuite, ajouter 2 cuillerées à soupe de coriandre fraîche finement hachée, 2 cuillerées à soupe de sauce d'huître, 2 cuillerées à café de sucre et 50 cl de bouillon de volaille. Faire sauter encore 3 min. Ajouter enfin le concombre et faire sauter 5 min. Dresser sur un plat chauffé, garnir avec 1 poignée de brins de coriandre fraîche et servir. »

RECETTE DE KEN HOM

poulet sauté au basilic

POUR 4 PERSONNES – PRÉPARATION : 5 min – CUISSON : 8 min

« Découper 500 g de blancs de poulet sans la peau en longues lanières de 1 x 4 cm. Sur feu vif, faire chauffer un wok. Ajouter 1,5 cuillerée à soupe d'huile d'arachide. Quand elle est chaude et commence à fumer, ajouter 3 cuillerées à soupe d'ail grossièrement haché et 1 cuillerée à soupe de gingembre frais finement haché. Les faire sauter pendant 20 secondes. Mettre le poulet et le faire sauter 2 min en remuant. Ajouter 5 cl de bouillon de volaille, 1 cuillerée à soupe de sauce soja légère, 2 cuillerées à café de sucre et 2 cuillerées à café de sauce chili au haricot. Enfin, incorporer 2 cuillerées à café d'huile de sésame et 1 poignée de feuilles de basilic frais. Mélanger soigneusement. Dresser le tout sur un plat chauffé et servir immédiatement. »

WORCESTERSHIRE SAUCE Sauce anglaise, dont la recette fut, semble-t-il, découverte au XIXe siècle en Inde par sir Marcus Sandys, originaire du comté de Worcester. De retour au pays, il demanda à des épiciers anglais, Lea et Perrins, de mettre au point une sauce proche des condiments indiens qu'il avait appris à aimer.

La Worcestershire sauce est composée de vinaigre de malt, de mélasse, de sucre, d'échalote, d'ail, de tamarin, de girofle, d'essence d'anchois et d'épices. De saveur piquante, elle est employée pour relever les ragoûts, les potages, les farces, les vinaigrettes, la sauce diable ou tomate, le steak tartare et les mets exotiques ; elle aromatise également divers cocktails, notamment le bloody mary, et le jus de tomate. Certaines variantes de la Worcestershire sauce comportent de la sauce soja, telle la *Lord Sandys' sauce,* que la célèbre épicerie londonienne Fortnum and Mason présente comme l'authentique « sauce de Worcester ».

WYNANTS (PIERRE) Cuisinier belge (Bruxelles 1939). Fils et petit-fils des propriétaires du *Comme chez soi,* modeste bistrot bruxellois créé dans l'entre-deux-guerres, Pierre Wynants commence sa carrière à seize ans au *Savoy* de Bruxelles, puis à Paris, au *Grand Véfour* et à *La Tour d'Argent.* En 1973, il reprend la direction de *Comme chez soi,* place Rouppe, où son talent lui vaut une troisième étoile au Guide Michelin six ans plus tard. Le vieux bistrot d'antan a été élégamment revu à la manière Horta, dans le style Art nouveau. Quant à sa cuisine, elle est française, mais possède l'accent belge, des Flandres comme de Wallonie, avec la mousse de jambon d'Ardenne ou de canard au genièvre, les filets de sole à la mousseline de riesling aux crevettes grises ou encore le lièvre juteux « façon » bécasse. Reconnu par ses pairs comme le numéro un de son pays, Pierre Wynants est aujourd'hui secondé par son gendre et disciple, Lionel Rigolet.

XAVIER Nom d'une crème (potage) ou d'un consommé lié à l'arrow-root ou à la farine de riz, garni de dés de royale simple ou de volaille. On peut l'aromatiser au madère, le garnir de rondelles de petites crêpes salées ou le servir avec des œufs filés.

XÉRÈS Vin espagnol célèbre, appelé *jerez* dans son pays d'origine et *sherry* en anglais, élaboré en Andalousie, dans un triangle limité par Jerez de la Frontera, el Puerto de Santa María et Sanlúcar de Barrameda.

■ **Élaboration.** Le xérès est un vin muté dont le degré d'alcool est augmenté par l'addition d'eau-de-vie. La fermentation a lieu dans des chais bien aérés, les *bodegas.* D'abord tumultueuse, puis calme, elle dure trois mois. Les fûts sont alors classés en deux catégories : ceux dans lesquels a commencé à se développer en surface une couche de fleur *(flor),* destinés à donner du *fino,* sec et léger, sont mutés à l'eau-de-vie jusqu'à 15,5 % ; ceux où nulle *flor* ne s'est développée sont vinés à 18 % et donneront de l'*amontillado* ou de l'*oloroso,* plus coloré et plus puissant. On ajoutera peut-être dans cet *amontillado* un peu de *pedro jimenez* (un cépage donnant un vin très noir et sucré car ses raisins sont séchés au soleil avant d'être pressés) pour le rendre plus doux.

Le xérès est ensuite vieilli suivant la méthode très originale de la *solera* et *criadera* : il est entreposé dans des fûts disposés en plusieurs rangées, souvent superposées, remplis aux cinq sixièmes de leur capacité et contenant des vins d'âge différent ; la rangée inférieure *(solera)* abrite le vin le plus vieux ; chaque fois qu'on en prélève pour le mettre en bouteilles, on le remplace par la même quantité de vin provenant de la rangée *(criadera)* immédiatement supérieure, qui est, à son tour, complétée par du vin de la *criadera* supérieure, etc. Les vins vieux font ainsi l'« éducation » des vins nouveaux. Ils ne sont donc jamais millésimés, puisqu'ils proviennent toujours d'un coupage fractionné.

Le *fino* doit se boire très jeune et ne vieillit pas en bouteille, tandis que les autres xérès peuvent se conserver plusieurs années, tels que l'*amontillado,* à l'arôme de noisette, et l'*oloroso,* idéal aussi pour l'apéritif.

La *manzanilla* est un *fino* élaboré à Sanlúcar de Barrameda, à l'embouchure du Guadalquivir : on dit que les embruns de l'océan lui donnent des arômes iodés tout en finesse et en vivacité.

► **Recette : LANGOUSTE.**

XIMÉNIA Petit arbuste tropical de la famille des olacacées, dont le fruit, assez acide, est comestible.

XYLOPIA Arbre africain de la famille des annonacées, dont toutes les variétés donnent des baies sèches très aromatiques, utilisées comme condiment sous le nom de « poivre de Guinée », moins fin de goût que le poivre authentique, et dont l'odeur rappelle à la fois le gingembre et le curcuma.

YZ

YACK Ruminant à longs poils et au corps massif, vivant sur les hauts plateaux de l'Asie centrale (Tibet), où il est domestiqué ; utilisé comme animal de bât, il fournit aussi de la viande et du lait. La chair de yack se cuisine notamment en fines tranches passées dans du beurre bouillant, ou grillée sur des bambous ; les morceaux plus gros sont bouillis, après marinade si l'animal est vieux. Séchée avec les os, la viande est parfois réduite en une grosse poudre qui sert de base à des potages et des bouillies. Avec le lait, les Tibétains confectionnent des petits fromages cubiques très durs, ainsi que du beurre, qu'ils consomment rance.

YAKITORI Brochettes japonaises de volaille cuites sur des braises de charbon de bois. Il s'agit souvent de morceaux de foie, de chair de poulet, de boulettes de poulet haché avec de la ciboule, de champignons, parfois d'œufs de caille, de poivrons ou de noix de ginkgo, que l'on enfile par quatre ou cinq sur de fines brochettes de bambou ; celles-ci, une fois garnies, sont trempées dans une sauce dite *teriyaki* (saké, sauce soja, sucre et gingembre), puis grillées 4 ou 5 minutes.

YA-LANE Arbre originaire de Chine dont les boutons sont cueillis avant leur éclosion et confits dans du vinaigre pour donner un excellent condiment. Les fleurs, séchées, sont utilisées comme épice dans le riz.

YAOURT Lait fermenté, obtenu par l'action associée de deux ferments lactiques (*Streptococcus thermophilus* et *Lactobacillus delbrueckii* sp. *bulgaricum*, découverts par le biologiste russe Metchnikoff, assistant de Louis Pasteur) ; il se présente comme une sorte de lait caillé plus ou moins liquide, légèrement acide et peu stable. Fabriqué et consommé depuis des siècles dans les Balkans, en Turquie et en Asie, le yaourt (ou yoghourt, ou yogourt) fit une apparition fugace en France sous François Ier : un médecin juif de Constantinople soigna les troubles intestinaux du roi avec ce produit, mais remporta ensuite en Orient le secret de sa préparation.

Le mot et le produit qu'il désigne ne devinrent vraiment courants en France que dans les années 1920, lorsque de nombreux émigrés grecs et géorgiens, chassés par la guerre, en propagèrent le goût en le servant dans les restaurants qu'ils ouvrirent ou en le préparant artisanalement pour une clientèle restreinte avant d'en fabriquer pour les crémiers de quartier, en petits pots de grès. Marcel Aymé, dans *Maison basse* (1935), le considère encore comme un terme à expliquer :

« Un matin, il rangeait des pots de yaourt, sorte de lait caillé d'une assez grande réputation, quoique sans orthographe bien sûre. »

■ **Préparation.** Malgré l'argument publicitaire du « goût bulgare » du yaourt, celui-ci est bien une invention turque, dont la recette authentique est assez éloignée de celle qui est connue en Occident : le lait de vache, de brebis ou de bufflonne (qui, de l'avis des connaisseurs, donne un produit plus dense et plus savoureux) est longuement bouilli (jusqu'à ce qu'il perde 30 % de son eau), versé dans une outre ou une jarre de terre cuite, puis abandonné à sa fermentation naturelle. Produit aujourd'hui industriellement et en grandes quantités (plusieurs millions de pots par jour), le yaourt peut aussi être préparé avec une yaourtière électrique, ou un récipient calorifugé et un thermomètre.

■ **Diététique.** Le yaourt est légèrement laxatif et de digestion facile ; il reconstitue la flore intestinale. Peu énergétique (de 44 à 70 Kcal ou de 184 à 296 kJ pour 100 g), il contient des lipides (de 0,2 à 3,5 g pour 100 g selon le lait employé), des glucides en quantité variable selon qu'il est nature ou aromatisé, des protides, des sels minéraux (calcium, phosphore) et des vitamines B1, B2 et PP.

On trouve aujourd'hui dans le commerce : le yaourt nature (de consistance plus ou moins ferme), parfois sucré ; le yaourt maigre (0,2 g de matières grasses) ; le yaourt « goût bulgare » (lait ensemencé incubé en cuve, puis brassé, de consistance crémeuse) ; le yaourt aromatisé (parfois coloré) et le yaourt aux fruits (brassé, puis additionné de morceaux de fruits, de confiture, etc.). Le yaourt se voit concurrencé dans son utilisation par les laits fermentés au bifidus qui lui ont emprunté sa présentation en pots.

■ **Emploi.** En Europe, les yaourts sont surtout consommés avec du sucre, du miel, de la confiture, des fruits frais ou secs, en dessert ou au petit déjeuner ; ils servent aussi à préparer des entremets froids ou glacés, ainsi que des boissons rafraîchissantes.

Les cuisiniers ont également découvert les qualités du yaourt comme base de sauces froides, en remplacement de la crème fraîche ; dans ce cas, on le stabilise avec un peu de fécule s'il doit cuire, notamment pour les potages, ragoûts, gratins, farces, etc.

En Asie et en Orient, en revanche, le yaourt connaît traditionnellement de très nombreux emplois : d'abord comme boisson glacée, battu avec un peu d'eau ; les Syriens, les Turcs et les Afghans l'emploient pour cuire viandes et légumes, pour assaisonner des salades de crudités (raita indienne ou *cacik* turc au concombre, relevés de fines herbes), pour préparer des potages ainsi que des sauces pour les brochettes grillées.

YAOURTIÈRE Appareil destiné à la fabrication ménagère du yaourt. Une résistance électrique, commandée par un thermostat, porte à la température voulue le lait additionné de ferments, placé sous une cloche isolante, dans des pots de verre ou de céramique. Dans certains cas, le chauffage est lent et continu ; dans d'autres, la mise en température s'effectue assez rapidement (1 heure environ) ; une minuterie coupe alors le chauffage, et l'incubation (5 ou 6 heures) se fait pendant que la température redescend doucement. Sur certains appareils, température et temps de chauffage sont variables, ce qui permet de modifier la consistance, et donc le goût, du yaourt.

YASSA Plat sénégalais, à base de mouton, de poulet ou de poisson découpés en morceaux qui sont marinés dans du jus de citron vert et des condiments relevés, puis grillés et saucés avec la marinade. On sert le yassa avec du riz ou du mil.

yassa de poulet

La veille (ou au minimum 2 heures à l'avance), découper un poulet en 4 ou 6 morceaux ; les faire mariner dans le jus de 3 citrons verts, avec 1/2 piment rouge fragmenté, 1 cuillerée à soupe d'huile d'arachide, 3 gros oignons émincés, du sel et du poivre. Égoutter les morceaux de poulet et les faire griller, de préférence sur des braises, en les faisant bien dorer sur toutes les faces. Égoutter ensuite les oignons de la marinade et les dorer dans une sauteuse avec un peu d'huile, puis les mouiller avec la marinade et 2 cuillerées à soupe d'eau. Ajouter les morceaux de volaille, couvrir le plat de cuisson et laisser mijoter 25 min. Servir le poulet très chaud, nappé de sauce, au centre d'une couronne de riz créole.

YORKAISE (À LA) Se dit d'apprêts d'œufs où intervient du jambon d'York. Les œufs froids à la yorkaise sont pochés, dressés sur des petites tranches rondes et épaisses de jambon avec un décor de cerfeuil et d'estragon, puis nappés de gelée au madère. Les œufs frits à la yorkaise sont préparés avec des œufs durs : ceux-ci sont coupés en deux et les jaunes sont tamisés, puis additionnés d'un salpicon de jambon lié de béchamel ; les œufs sont ensuite reconstitués, panés, frits et servis avec une sauce tomate.

YORKSHIRE PUDDING Spécialité britannique composée d'œufs, de farine et de lait, cuite au four, dans la graisse du rôti de bœuf qu'elle accompagne. Le four doit être très chaud pour cuire cette grosse pâte à frire : une fois la viande cuite et tenue au chaud, on récupère une partie de sa graisse, on augmente un peu le feu, puis on enfourne le Yorkshire pudding versé dans un plat graissé, pour 30 minutes. Le service complet de ce plat du dimanche comprend, outre le rôti, son jus et le pudding, des pommes de terre rôties, de la moutarde et de la sauce au raifort.

Yorkshire pudding

Battre 2 œufs et 1/2 cuillerée à café de sel ; incorporer 150 g de farine en fouettant. Ajouter 1/4 de litre de lait versé en mince filet et battre jusqu'à ce que le mélange soit mousseux. Mettre 1 heure dans le réfrigérateur. Chauffer dans un plat à rôtir 2 cuillerées à soupe de graisse de rôti de bœuf (ou de saindoux) jusqu'à ce qu'elle grésille ; battre la pâte encore une fois et la verser dans le plat. Cuire 15 min dans le four préchauffé à 210 °C, puis abaisser la température à 200 °C et poursuivre la cuisson 15 min. Servir brûlant.

YORKSHIRE SAUCE Sauce classique de la cuisine anglaise pour jambon braisé et canetons rôtis ou braisés, à base de porto, de zeste d'orange, d'épices et de gelée de groseille.
▶ Recette : SAUCE.

YUZU Agrume de la famille des rutacées, cultivé au Japon et originaire de Chine. L'arbuste résiste assez bien au froid. Le yuzu ressemble à un petit pamplemousse vert à l'écorce boursouflée devenant jaunâtre à maturité. Sa chair, amère, contient beaucoup de pépins. Sa saveur est assez voisine de celle du pamplemousse avec des notes de mandarine. Il est employé dans les desserts, consommé en marmelade et

remplace le citron dans des plats traditionnels. On le trouve en France en poudre ou en pâte, il a une saveur piquante très spécifique.

ZAKOUSKI Petits mets russes variés, chauds et froids, servis en assortiment avant le repas, avec de la vodka. L'origine de cette tradition toujours bien vivante est liée à l'hospitalité russe : les invités impromptus patientent autour d'une « table de zakouski », tandis que la maîtresse de maison prépare le repas proprement dit.

Les éléments d'une table de zakouski complète sont : le caviar et les œufs de poisson fumés, sur canapés de pain noir beurré ; des croûtons de pain de seigle évidés, garnis de choucroute et de tranches d'oie fumée ; des pirojki diversement fourrés, du poisson mariné ou fumé (saumon, anguille, esturgeon), des boulettes de viande, du pâté de hareng, des œufs farcis, des salades à base de poisson ou de volaille, de betteraves et de pommes de terre agrémentées de fines herbes, ainsi que des gros cornichons à l'aigre-doux, des betteraves, des quetsches et des champignons marinés, le tout accompagné de pains divers, le plus souvent au seigle, parfumés au cumin, à l'oignon, au pavot. Les zakouski sont disposés sur un buffet ou sur des plateaux, où chacun fait son choix.

ZAMPONE Spécialité italienne originaire de Modène : il s'agit d'un pied de porc désossé, farci et étuvé, vendu prêt à cuire ou déjà cuit, et servi chaud.

zampone

Faire tremper un zampone 3 heures à l'eau froide ; bien gratter la couenne et le piquer de part en part avec une aiguille à brider. L'envelopper dans un linge fin, le ficeler aux deux bouts et au centre, puis le mettre dans une marmite et le couvrir d'eau froide. Porter à ébullition et laisser pocher 3 heures. Servir chaud, avec une purée de pomme de terre ou de lentilles, des épinards ou du chou braisé.

ZARZUELA Ragoût espagnol de poissons et de fruits de mer *(mariscos)*. Cette spécialité en associe toutes sortes, telles que calmars, cigales de mer, gambas, langoustines, moules, palourdes, etc., ainsi que des poissons de roche variés, coupés en tronçons ; on peut aussi y ajouter un homard ou une langouste et des coquilles Saint-Jacques. Le fond de cuisson est fourni par des oignons et des poivrons revenus à l'huile d'olive avec de l'ail, auxquels on ajoute du jambon fumé émincé, des tomates hachées, des amandes en poudre, du laurier, du safran, du persil et du poivre ; le mouillement est complété par du vin blanc et du jus de citron.

La zarzuela est servie dans sa cocotte de cuisson, avec des petits croûtons frits à l'huile. C'est un plat emblématique de la cuisine catalane.

ZÉBU Bovidé domestique originaire de l'Inde, répandu également en Malaisie, en Afrique et surtout à Madagascar. Le zébu se caractérise par une barre graisseuse sur le garrot. Il est exploité pour le trait et la production de viande.

ZÉPHYR Nom donné à divers apprêts salés ou sucrés, chauds ou froids, caractérisés par leur légèreté et leur consistance mousseuse et délicate ; il s'agit le plus souvent d'un soufflé. Quenelles, mousses ou petits pains de cuisine moulés en darioles, préparés en pilant du maigre de veau, de la chair de volaille, des filets de poisson ou des fruits de mer avec du beurre et des jaunes d'œuf, puis de la crème fraîche ou des blancs d'œuf en neige, prennent aussi le nom de « zéphyr ».

Les zéphyrs antillais sont des entremets faits de boules de glace parfumée à la vanille et au rhum, entourées de coques de meringue et accompagnées d'un sabayon au chocolat.

On appelle également « zéphyrs » des petits gâteaux faits de fonds à succès ou à progrès masqués de crème au beurre pralinée ou au café, superposés et glacés au fondant.

ZESTE Écorce extérieure, colorée et parfumée, de tous les agrumes. On prélève le zeste à l'aide d'un couteau spécial, le zesteur, ou d'un couteau économe, qui permet de séparer l'écorce de la partie blanchâtre et amère de la peau (le zist).

« Même à petites doses, le zeste d'agrume apporte toujours une touche facilement identifiable dans un plat, un gâteau, un entremets ou une crème. Les chefs de l'école FERRANDI PARIS et du FOUR SEASONS GEORGE V savent jouer de son piquant et de son amertume pour parfumer leurs préparations. »

Taillé en fine julienne ou en petits morceaux, le zeste s'emploie pour parfumer des crèmes, des pâtes à gâteau et des entremets. On peut aussi le confire, soit au sucre, soit au vinaigre (pour parfumer des terrines). Le zeste s'utilise encore râpé ou frotté sur des morceaux de sucre. Les zestes d'orange confits au sucre, parfois enrobés de chocolat, sont appelés « écorces d'orange » ou « orangettes ».

salade d'oranges maltaises
aux zestes confits ▶ SALADE DE FRUITS

zestes de citron confits au vinaigre

Lever finement les zestes de 3 citrons et les détailler en julienne, puis jeter celle-ci dans une petite casserole contenant de l'eau bouillante et laisser bouillir doucement de 10 à 15 min. Égoutter la julienne, nettoyer la casserole et remettre les zestes dedans avec 1 grosse cuillerée à soupe de sucre et 1 verre de vinaigre ; laisser réduire à petit feu jusqu'à ce qu'il ne reste plus de liquide. Rouler alors la julienne dans le caramel qui s'est formé.

ZINC Oligoélément jouant un rôle important dans de multiples processus physiologiques tels que le renouvellement des cellules, la synthèse des protéines, la production d'énergie à partir des glucides et la protection contre les radicaux libres. Nécessaire également à plusieurs hormones, dont l'insuline, le zinc intervient dans la croissance, le métabolisme des os, l'état de la peau, la défense contre les infections, la biologie de la sexualité, l'appréciation des saveurs, la vision des couleurs et la croissance des cellules nerveuses. Les aliments les plus riches en zinc sont les viandes (rouges surtout), les poissons, les fruits de mer, les céréales, les œufs et les légumes secs.

ZINFANDEL Cépage noir à jus blanc, très répandu aux États-Unis, surtout en Californie. Le zinfandel donne des vins blancs légers et élégants qui vont du sec au doux, des rosés aromatiques et des rouges (dans ce cas, souvent associé à la syrah) riches et très aromatiques.

ZINGARA Nom d'une sauce et d'une garniture faisant appel au paprika et à la tomate. La sauce zingara est un mélange de demiglace et de sauce tomate, additionné de jambon, de langue écarlate et de champignons, et parfois relevé de paprika. La garniture, utilisant les mêmes éléments, concerne notamment les escalopes de veau et le poulet sauté, parfois poudrés de paprika, saucés du déglaçage à la sauce tomate et au madère.

▶ Recettes : PAUPIETTE, SAUCE.

ZIST Petite peau blanchâtre qui se trouve entre la peau et la pulpe des agrumes. Le zist est amer et doit toujours être enlevé avec précaution.

ZOLA (ÉMILE) Romancier français (Paris 1840 - *id.* 1902). De son ascendance italienne paternelle et de son enfance aixoise, Zola garda le goût des apprêts méditerranéens, provençaux ou piémontais.

Auguste Escoffier (1846-1935), qu'il rencontra à Londres, rapporte qu'il avait « un véritable culte pour le chou farci à la mode de Grasse » ; il aimait aussi les sardines grillées arrosées d'huile d'olive, ainsi que la blanquette d'agneau de lait à la provençale. Zola lui-même avouait : « Ce qui me perdra, ce sont les bouillabaisses, la cuisine au piment, les coquillages et un tas de saletés exquises dont je mange sans mesure. »

Attribuant aux mets de luxe la valeur symbolique de la réussite sociale, Zola passa parfois pour un parvenu, et les dîners qu'il offrait étaient souvent ostentatoires. Était-ce, comme dans ses romans, pour stigmatiser le « goût jouisseur de la bourgeoisie » ? Toujours est-il que son œuvre, des soupers fins de *Nana* aux modestes repas de *Germinal*, offre un panorama gourmand du Paris de son époque, à travers les restaurants parisiens en vogue des grands boulevards ou les guinguettes de banlieue.

ZUPPA INGLESE Entremets dû aux pâtissiers-glaciers napolitains venus s'installer dans les grandes villes d'Europe au XIXᵉ siècle, inspiré des puddings anglais très en vogue à l'époque. La zuppa inglese est souvent un biscuit à l'italienne imbibé de kirsch, fourré de crème pâtissière et de fruits confits macérés dans du kirsch ou du marasquin, puis masqué de meringue italienne et doré au four. Une autre variante de cette « soupe anglaise » consiste à superposer dans un plat à gratin des tranches de pain brioché dorées au four et des lits de fruits confits macérés dans du rhum, que l'on imbibe de lait bouillant additionné d'œufs battus et de sucre ; après cuisson, l'entremets est recouvert de meringue italienne et doré rapidement au four.

RECETTE DE PIERRE HERMÉ

zuppa inglese

**POUR 8 À 10 PERSONNES – PRÉPARATION : 50 min –
CUISSON : 45 min – RÉFRIGÉRATION : 1 h**

« Préchauffer le four à 150 °C. Préparer 500 g de biscuit à l'italienne (voir page 100). Beurrer un moule de 22 cm de diamètre et y verser la pâte. Faire cuire 45 min. Démouler aussitôt et laisser refroidir sur une plaque. Préparer 50 cl de crème pâtissière (voir page 274), additionnée éventuellement de 40 g de cubes d'écorces d'orange confites. Préparer un sirop : faire bouillir 6 cl d'eau et 60 g de sucre en poudre. Laisser refroidir et ajouter 6 cl de liqueur Alkermes (ou 4 cl de Campari et 2 cl d'eau). Couper le biscuit à l'italienne en 3 disques égaux. Imbiber le premier avec le tiers du sirop puis, avec une spatule, le recouvrir avec la moitié de la crème et bien lisser. Imbiber le second disque de sirop, le poser par-dessus et le recouvrir avec la crème restante. Recouvrir avec le troisième disque imbibé de sirop. Placer le gâteau 1 h au réfrigérateur. Préparer 250 g de meringue italienne (voir page 539). Mettre le four en position gril à 250 °C. Recouvrir le gâteau de meringue italienne, le saupoudrer d'amandes effilées et le passer rapidement au four. »

Annexes

GASTRONOMIE PRATIQUE

CAPACITÉS ET CONTENANCES

Ce tableau vous permettra, si vous n'avez pas à portée de main d'instruments de mesure précis, d'estimer approximativement la capacité et le poids des ingrédients dont vous avez besoin pour réaliser telle ou telle recette.
Vous trouverez en dessous un rappel de leurs équivalences au Canada.

	CAPACITÉS	CAPACITÉS	POIDS
1 cuill. à café	0,5 cl	5 cm³	3 g de fécule / 5 g de sel, de sucre en poudre ou de tapioca
1 cuill. à dessert	1 cl	10 cm³	
1 cuill. à soupe	1,5 cl	15 cm³	5 g de fromage râpé / 8 g de cacao, de café ou de chapelure / 12 g de farine, de riz, de semoule, de crème fraîche ou d'huile / 15 g de sucre en poudre, de sel fin ou de beurre
1 tasse à moka	de 8 à 9 cl	de 80 à 90 cm³	
1 tasse à café	10 cl	100 cm³	
1 tasse à thé	de 12 à 15 cl	de 120 à 150 cm³	
1 tasse à déjeuner	de 20 à 25 cl	de 200 à 250 cm³	
1 bol	35 cl	350 cm³	225 g de farine / 260 g de cacao ou de raisins secs / 300 g de riz / 320 g de sucre en poudre
1 assiette à soupe	de 25 à 30 cl	de 250 à 300 cm³	
1 verre à liqueur	de 2,5 à 3 cl	de 25 à 30 cm³	
1 verre à madère	de 5 à 6 cl	de 50 à 60 cm³	
1 verre à bordeaux	de 10 à 12 cl	de 100 à 120 cm³	
1 grand verre à eau	25 cl	250 cm³	150 g de farine / 170 g de cacao / 190 g de semoule / 200 g de riz / 220 g de sucre en poudre
1 bouteille de vin	75 cl	750 cm³	

POIDS :
ÉQUIVALENCE DES MESURES IMPÉRIALES ET MÉTRIQUES (CANADA)

2 onces	55 g
3 onces	100 g
5 onces	150 g
7 onces	200 g
9 onces	250 g
10 onces	300 g
17 onces	500 g
26 onces	750 g
35 onces	1 kg

Ces équivalences permettent de calculer le poids à quelques grammes près (en réalité, 1 once = 28 g).

CAPACITÉS :
ÉQUIVALENCE DES MESURES IMPÉRIALES ET MÉTRIQUES (CANADA)

5 ml	0,5 cl
15 ml	1,5 cl
1/4 tasse	5 cl
1/3 tasse	7,5 cl
1/2 tasse	12,5 cl
2/3 tasse	15 cl
3/4 tasse	17,5 cl
4/5 tasse	20 cl
1 tasse	25 cl

Pour faciliter les mesures, une tasse équivaut dans ce tableau à 25 cl (en réalité, 1 tasse = 8 onces = 23 cl).

FOURS ET CUISSONS

FOUR ÉLECTRIQUE TRADITIONNEL

THERM.	°C	CHALEUR	EMPLOI
1	30-40	à peine tiède	meringues
2	60-70	tiède	-
3	90-100	très douce	crèmes, flans
4	120-130	douce	sablés, biscuits, plats à réchauffer, ragoûts
5	150-160	modérée	pâtés, flans, soufflés
6	180-190	moyenne	clafoutis, choux
7	200-210	assez chaude	crumbles et Streuzels, pâtes sablées, pâtes sucrées, pâtes brisées, pâtes feuilletées, biscuits secs, petits-fours, macarons, brioches, viandes blanches, poissons, volailles
8	240	chaude	grosses pièces de viandes rouges
9	260-280	très chaude	petites pièces de viandes rouges, grillades (four ménager), gratins, pommes rissolées
10	290-300	vive	gratins (en surface), glaçages

FOUR À MICRO-ONDES

Micro-ondes domestique : puissance de 300 W à 1 000 W.

PRODUITS	DÉCONGÉLATION	REMISE EN TEMPÉRATURE (PRODUIT DÉJÀ CUIT)	CUISSON (PRODUIT CRU)
	fonctionnement en faible puissance et de manière séquentielle	plus la proportion d'eau contenue dans l'aliment est importante, plus celui-ci s'échauffera sous l'effet des micro-ondes. Si le chauffage en micro-ondes est trop poussé, l'aliment peut se dessécher et durcir, ou devenir caoutchouteux	
légumes (pour 250 g)		puissance restituée de 900 W : de 3 à 5 min	puissance restituée de 900 W : de 4 à 5 min puissance restituée de 750 W : de 5 à 6 min
viandes pièçées		puissance restituée de 900 W : de 5 à 7 min	puissance restituée de 600 W : de 5 à 6 min
poissons pièçés (pour 300 g)	de 8 à 10 min	puissance restituée de 750 W : de 7 à 8 min	puissance restituée de 600 W : de 5 à 6 min
plats cuisinés surgelés (pour 250 g)		puissance restituée de 900 W : de 5 à 7 min puissance restituée de 750 W : de 7 à 8 min	
desserts congelés		puissance restituée de 900 W : de 1 à 2 min puissance restituée de 650 W : de 2 à 6 min	

TEMPÉRATURES DE CUISSON DES ALIMENTS

PRODUITS	DEGRÉS DE CUISSON	TEMPÉRATURE À CŒUR
agneau	rosé	de 60 à 62 °C
	à point	62 - 63 °C
	bien cuit	> 63 °C
bœuf	bleu	de 56 à 58 °C
	saignant	de 58 à 60 °C
	rosé	de 60 à 62 °C
	à point	de 62 à 68 °C
	bien cuit	> 68 °C
porc	à point	de 62 à 68 °C
	bien cuit	> 68 °C
veau	rosé	de 60 à 62 °C
	à point	de 62 à 68 °C
	bien cuit	> 68 °C
volailles (filets)	à point	de 62 à 68 °C
	bien cuit	> 68 °C
volailles (cuisses)	à point	71 - 72 °C
	bien cuit	> 72 °C
gibiers rôtis	rosé	de 60 à 62 °C
	à point	de 62 à 68 °C
gibiers sautés, braisés	à point	de 62 à 68 °C
	bien cuit	> 68 °C
poissons	nacré	55 - 56 °C
	rosé à l'arête	de 56 à 62 °C
	à point	de 62 à 68 °C
	bien cuit	> 68 °C
légumes en général	-	à partir de 80 °C

MATÉRIELS DE CONSERVATION ET DE CONGÉLATION

MATÉRIELS FRIGORIFIQUES DOMESTIQUES : TYPES

TYPE	TEMPÉRATURES	CAPACITÉS MOYENNES	USAGES
réfrigérateur-armoire 1 porte	de + 2 °C à + 5 °C	de 90 à 325 litres	
réfrigérateur-congélateur 2 portes (1 moteur)	de + 2 °C à + 5 °C, la température du congélateur dépend de sa classe (voir tableau ci-dessous)	de 220 à 370 litres	réfrigération tous usages, congélation selon la classe de l'appareil (voir tableau ci-dessous)
combiné (2 portes, 2 moteurs)		de 290 à 395 litres	
congélateur domestique	jusqu'à – 30 °C	de 60 à 600 litres et plus	

MATÉRIELS FRIGORIFIQUES DOMESTIQUES : CLASSE

CLASSE	TEMPÉRATURES	DURÉE DE STOCKAGE
pas d'étoile	-	pas de congélation (car il n'y a qu'un compartiment entre 0 et 4 °C)
*	– 6 °C	conservation des surgelés (à l'exception des glaces) de 1 à 2 jours
**	– 12 °C	conservation des surgelés de 2 semaines à 1 mois (seulement quelques heures pour les glaces)
***	– 18 °C	conservation des surgelés plus de 1 an, jusqu'à la date limite
****	– 24 °C	congélation et conservation des produits frais jusqu'à 1 an

PROPORTIONS DES INGRÉDIENTS PAR PERSONNE

Cette liste indicative permet de calculer la quantité d'ingrédients à prévoir selon le nombre de couverts. Toutefois, elle reste approximative. En effet, les quantités pour être exactes doivent aussi tenir compte de l'importance du mets dans le menu, de la complémentarité avec les autres composants du plat, de la présentation du produit (entier, vidé, paré ou non, découpé) ou encore des modes de préparation, de cuisson et de service.

INGRÉDIENTS	POIDS NET (EN GRAMMES)
poissons et crustacés	
poisson	de 150 à180
homard (poids brut)	400
langouste (poids brut)	400
viandes avec os	
agneau	de 250 à 300
bœuf	de 250 à 300
mouton	de 250 à 300
porc	de 250 à 300
veau	de 250 à 300
viandes sans os	
agneau	de 150 à 175
bœuf	de 150 à 170
mouton	de 150 à 175
porc	de 150 à 170
veau	de 150 à 170
filet de bœuf	de 150 à 200
pavé de bœuf	de 180 à 200
foie de veau	150
langue de bœuf et de veau	200
ris (pour 2 personnes)	300
rognon de veau (pour 2 personnes)	300
tête de veau désossée	250

INGRÉDIENTS	POIDS NET (EN GRAMMES)
volailles et gibiers	
canard (brut)	400
oie (brut)	400
poulet (brut)	300
foie gras	de 80 à 100
lapin (brut)	de 300 à 350
lièvre (brut)	de 250 à 300
légume frais brut (cuisiné seul)	
asperges	400
carottes	200
épinards	350
haricots verts	de 200 à 250
petits pois	de 200 à 250
pommes de terre	200
salade	200
légumes secs	
haricots	50
lentilles	60
pois	60
pâtes et riz	
pâtes alimentaires	50
riz	40

INGRÉDIENTS	QUANTITÉS PAR PERSONNE
potage	250 cl
sauce	5 cl
œufs brouillés et omelettes	3
pâtisserie	La diversité de la composition des recettes rend impossible la donnée de poids exacts. On peut se baser sur une quantité de 80 à 100 g par personne, la perte à la cuisson étant relativement faible.

CLASSIFICATIONS DES VINS DU BORDELAIS

LE CLASSEMENT DE 1855

Aussi célèbre que respecté, le classement de 1855 précisait à l'origine qu'il s'agissait des « vins du département de la Gironde ». Pour les rouges uniquement, la région du Médoc est massivement représentée avec la présence d'un seul graves : le château Haut-Brion. Pour les blancs, seuls les vins liquoreux de Sauternes et de Barsac sont listés. Tous les vins sont classés par échelle de crus, du premier au cinquième, et par ordre de mérite.

Si le terme « grand cru » n'apparaît jamais, un seul vin a été classé « premier cru supérieur », le château d'Yquem. L'unique changement dans cette classification intervint en 1973 pour promouvoir le château Mouton-Rothschild de deuxième cru classé à premier cru classé.

A – LES CRUS CLASSÉS DU MÉDOC

Premiers crus
Château Haut-Brion (pessac-léognan)
Château Lafite-Rothschild (pauillac)
Château Latour (pauillac)
Château Margaux (margaux)
Château Mouton-Rothschild (pauillac)

Deuxièmes crus
Château Brane-Cantenac (margaux)
Château Cos-d'Estournel (saint-estèphe)
Château Ducru-Beaucaillou (saint-julien)
Château Durfort-Vivens (margaux)
Château Gruaud-Larose (saint-julien)
Château Lascombes (margaux)
Château Léoville-Barton (saint-julien)
Château Léoville-Las-Cases (saint-julien)
Château Léoville-Poyferré (saint-julien)
Château Montrose (saint-estèphe)
Château Pichon-Longueville-Baron (pauillac)
Château Pichon-Longueville Comtesse-de-Lalande (pauillac)
Château Rauzan-Gassies (margaux)
Château Rauzan-Ségla (margaux)

Troisièmes crus
Château Boyd-Cantenac (margaux)
Château Calon-Ségur (saint-estèphe)
Château Cantenac-Brown (margaux)
Château Desmirail (margaux)
Château Ferrière (margaux)
Château Giscours (margaux)
Château d'Issan (margaux)
Château Kirwan (margaux)
Château Lagrange (saint-julien)
Château La Lagune (haut-médoc)
Château Langoa (saint-julien)

Château Malescot-Saint-Exupéry (margaux)
Château Marquis-d'Alesme-Becker (margaux)
Château Palmer (margaux)

Quatrièmes crus
Château Beychevelle (saint-julien)
Château Branaire-Ducru (saint-julien)
Château Duhart-Milon-Rothschild (pauillac)
Château Lafont-Rocher (saint-estèphe)
Château La Tour-Carnet (haut-médoc)
Château Marquis-de-Terme (margaux)
Château Pouget (margaux)
Château Prieuré-Lichine (margaux)
Château Saint-Pierre (saint-julien)
Château Talbot (saint-julien)

Cinquièmes crus
Château d'Armailhac (pauillac)
Château Batailley (pauillac)
Château Belgrave (haut-médoc)
Château Camensac (haut-médoc)
Château Cantemerle (haut-médoc)
Château Clerc-Milon (pauillac)
Château Cos-Labory (saint-estèphe)
Château Croizet-Bages (pauillac)
Château Dauzac (margaux)
Château Grand-Puy-Ducasse (pauillac)
Château Grand-Puy-Lacoste (pauillac)
Château Haut-Bages-Libéral (pauillac)
Château Haut-Batailley (pauillac)
Château Lynch-Bages (pauillac)
Château Lynch-Moussas (pauillac)
Château Pédesclaux (pauillac)
Château Pontet-Canet (pauillac)
Château du Tertre (margaux)

B - LES CRUS CLASSÉS DE SAUTERNES ET BARSAC

Premier cru supérieur
Château d'Yquem

Premiers crus
Château Climens
Château Coutet
Château Guiraud
Château Lafaurie-Peyraguey
Château La Tour-Blanche
Château Rabaud-Promis
Château Rayne-Vigneau
Château Rieussec
Château Sigalas-Rabaud
Château Suduiraut
Clos Haut-Peyraguey

Seconds crus
Château d'Arche
Château Broustet
Château Caillou
Château Doisy-Daëne
Château Doisy-Dubroca
Château Doisy-Védrines
Château Filhot
Château Lamothe (Despujols)
Château Lamothe (Guignard)
Château de Malle
Château Myrat
Château Nairac
Château Romer
Château Romer-du-Hayot
Château Suau

LE CLASSEMENT DES CRUS DE GRAVES

Excepté le château Haut-Brion classé premier cru en 1855, les vins de Graves avaient été ignorés. En 1953, l'Institut national des appellations d'origine (INAO) donna un classement officiel des crus de Graves, confirmé par un arrêté du 16 février 1959. Il y est expressément précisé s'il s'agit de vin blanc, de vin rouge ou des deux.

Légendes ● vin rouge   ● vin blanc

	rouge	blanc		rouge	blanc		rouge	blanc
Château Bouscaut	●	●	Château Haut-Brion	●		Château Olivier	●	●
Château Carbonnieux	●	●	Château La Mission-Haut-Brion	●		Château Pape-Clément	●	
Château Couhins		●	Château Latour-Haut-Brion	●		Château Smith-Haut-Lafitte	●	
Château Couhins-Lurton		●	Château La Tour-Martillac	●	●	Domaine de Chevalier	●	●
Château Fieuzal	●		Château Laville-Haut-Brion		●			
Château Haut-Bailly	●		Château Malartic-Lagravière	●	●			

LE CLASSEMENT DES CRUS DE SAINT-ÉMILION

Ne concernant que les vins rouges, le classement de saint-émilion remonte à 1959. Prévus à l'origine pour être revus tous les dix ans, les classements successifs ont connu quelques vicissitudes. Est retenu ici le classement de 1996, qui se détaille ainsi :
- 2 saint-émilion premiers grands crus classés A ;
- 11 saint-émilion premiers grands crus classés B ;
- 55 saint-émilion grands crus classés.

Premiers grands crus classés A
Château Ausone
Château Cheval-Blanc

Premiers grands crus classés B
Château Angélus
Château Beau-Séjour (Bécot)
Château Beauséjour (Duffau-Lagarrosse)
Château Belair
Château Canon
Château Figeac
Château La Gaffelière
Château Magdelaine
Château Pavie
Château Trottevieille
Clos Fourtet

Grands crus classés
Château Balestard La Tonnelle
Château Bellevue
Château Bergat
Château Berliquet
Château Cadet-Bon
Château Cadet-Piola
Château Canon-La Gaffelière

Château Cap de Mourlin
Château Chauvin
Château Corbin
Château Corbin-Michotte
Château Couvent des Jacobins
Château Curé Bon La Madeleine
Château Dassault
Château Faurie de Souchard
Château Fonplégade
Château Fonroque
Château Franc-Mayne
Château Grandes Murailles
Château Grand Mayne
Château Grand Pontet
Château Guadet Saint-Julien
Château Haut-Corbin
Château Haut-Sapre
Château La Clotte
Château La Clusière
Château La Couspaude
Château La Dominique
Château La Marzelle
Château Laniote
Château Larcis-Ducasse
Château Larmande

Château Laroque
Château Laroze
Château L'Arrosée
Château La Serre
Château La Tour du Pin-Figeac
  (Giraud-Belivier)
Château La Tour du Pin-Figeac (Moueix)
Château La Tour-Figeac
Château Le Prieuré
Château Matras
Château Moulin du Cadet
Château Pavie-Decesse
Château Pavie-Macquin
Château Petit-Faurie-de-Soutard
Château Ripeau
Château Saint-Georges Côte Pavie
Château Soutard
Château Tertre Daugay
Château Troplong-Mondot
Château Villemaurine
Château Yon-Figeac
Clos des Jacobins
Clos de l'Oratoire
Clos Saint-Martin

LES CRUS DE POMEROL

Il n'existe pas de classement officiel des vins de Pomerol. La liste de châteaux répertoriés ci-dessous tient compte de la cotation, de la notoriété et des appréciations communément admises.

Pétrus
Château L'Église-Clinet
Château Lafleur
Château La Conseillante
Clos L'Église
Château Hosanna
Château L'Évangile
Château Le Pin
Château Trotanoy
Vieux Château Certan
Château Clinet
Château Beauregard

Château Le Bon Pasteur
Château Bourgneuf-Vayron
Château Certan de May de Certan
Château Feytit-Clinet
Château La Fleur de Boüard
Château La Fleur-Pétrus
Château Petit-Village
Château Le Gay
Château Gazin
Château Montviel
Château La Grave à Pomerol
Château Latour à Pomerol

Château Nénin
Château Pommeaux
Château Rouget
Château Bonalgue
Château Cantelauze
Château La Clémence
Clos du Clocher
Château La Croix de Gay
Château Les Cruzelles
Château Garraud
Château Gombaude Guillot
Château Grand Ormeau

APPELLATIONS DES VINS DU BORDELAIS

Avec ses 118 000 hectares, le vignoble du Bordelais couvre, à lui seul, plus du tiers de la production nationale (300 000 hectares). De l'appellation la plus modeste (« bordeaux ») aux châteaux les plus mythiques, tous les styles et toutes les catégories de vins sont largement représentés avec 57 appellations AOC.

Légendes ● vin rouge ○ vin blanc ○ vin rosé ○ vin liquoreux ● vin effervescent

BLAYAIS ET BOURGEAIS

COULEUR DES VINS	APPELLATION	TEMPS DE GARDE MOYEN
● ○	blaye ou blayais	de 4 à 6 ans (rouges)
○	côtes-de-blaye	de 4 à 6 ans (rouges)
● ○	premières-côtes-de-blaye	de 4 à 6 ans (rouges)
● ○	côtes-de-bourg	de 4 à 6 ans (rouges)

LIBOURNAIS

COULEUR DES VINS	APPELLATION	TEMPS DE GARDE MOYEN
● ○	bordeaux	jusqu'à 3 ans
○	bordeaux clairet	jusqu'à 2 ans
●	bordeaux supérieur	jusqu'à 4 ans
●	côtes-de-castillon	de 4 à 6 ans
● ○	bordeaux-côtes-de-francs	de 4 à 6 ans
●	lussac-saint-émilion	de 5 à 10 ans
●	montagne-saint-émilion	de 5 à 10 ans
●	puisseguin-saint-émilion	de 5 à 10 ans
●	saint-georges-saint-émilion	de 5 à 10 ans
●	saint-émilion	de 7 à 20 ans
●	saint-émilion grand cru	de 8 à 25 ans
●	lalande-de-pomerol	de 4 à 13 ans
●	pomerol	de 5 à 20 ans
●	canon-fronsac	de 4 à 10 ans
●	fronsac	de 4 à 10 ans

ENTRE-DEUX-MERS

COULEUR DES VINS	APPELLATION	TEMPS DE GARDE MOYEN
● ○ ○	bordeaux	jusqu'à 2 ans
○	bordeaux clairet	jusqu'à 2 ans
●	bordeaux supérieur	jusqu'à 4 ans
●	crémant-de-bordeaux	jusqu'à 2 ans
○	bordeaux-haut-benauge	de 4 à 6 ans
○	entre-deux-mers	jusqu'à 3 ans
● ○	graves-de-vayres	de 5 à 8 ans (rouges)
● ○	premières-côtes-de-bordeaux	de 5 à 8 ans (rouges)
● ○	côtes-de-bordeaux-saint-macaire	de 5 à 8 ans (rouges)
● ○	sainte-foy-bordeaux	de 5 à 8 ans (rouges)
○	cadillac	de 5 à 8 ans (rouges)
○	loupiac	de 5 à 8 ans (rouges)
○	sainte-croix-du-mont	de 5 à 8 ans (rouges)

GRAVES ET PESSAC-LÉOGNAN

COULEUR DES VINS	APPELLATION	TEMPS DE GARDE MOYEN
● ○	bordeaux	jusqu'à 3 ans
○	bordeaux clairet	jusqu'à 2 ans
●	bordeaux supérieur	jusqu'à 4 ans
● ○	graves	de 4 à 12 ans (blancs secs), de 10 à 25 ans (rouges)
○	graves supérieur	de 5 à 8 ans
● ○	pessac-léognan	de 4 à 12 ans (blancs secs), de 10 à 30 ans (rouges)

SAUTERNAIS

COULEUR DES VINS	APPELLATION	TEMPS DE GARDE MOYEN
○	barsac	de 10 à 50 ans
○	cérons	de 8 à 20 ans
○	sauternes	de 10 à 50 ans

MÉDOC ET HAUT-MÉDOC

COULEUR DES VINS	APPELLATION	TEMPS DE GARDE MOYEN
●	médoc	de 8 à 15 ans
●	haut-médoc	de 8 à 20 ans
●	listrac-médoc	de 10 à 30 ans
●	margaux	de 10 à 30 ans
●	moulis	de 10 à 30 ans
●	pauillac	de 10 à 30 ans
●	saint-estèphe	de 10 à 30 ans
●	saint-julien	de 10 à 30 ans

APPELLATIONS DES VINS DE BOURGOGNE

De Chablis à Mâcon, la Bourgogne compte 99 appellations contrôlées se répartissant comme suit :
- 21 appellations régionales ;
- 45 appellations communales ou villages comprenant pas moins de 600 « climats » classés en premier cru ;
- 33 grands crus.

À cet ensemble s'ajoute le Beaujolais avec :
- 2 appellations régionales ;
- 10 crus.

Devant une telle complexité, précisons, dans l'intérêt du consommateur, qu'en Bourgogne les distinctions « grand cru » ou « premier cru » sont inscrites sur l'étiquette.

Légendes   ● vin rouge   ● vin blanc   ● vin rosé

CHABLIS ET AUXERROIS

COULEUR DES VINS	APPELLATION	NIVEAU DE L'AOC	NOMBRE DE PREMIERS CRUS PAR VILLAGE	TEMPS DE GARDE MOYEN
●	blanchot (chablis)	grand cru	-	jusqu'à 12 ans
●	bougros (chablis)	grand cru	-	jusqu'à 12 ans
●	grenouille (chablis)	grand cru	-	jusqu'à 12 ans
●	les clos (chablis)	grand cru	-	jusqu'à 12 ans
●	les preuses (chablis)	grand cru	-	jusqu'à 12 ans
●	valmur (chablis)	grand cru	-	jusqu'à 12 ans
●	vaudésir (chablis)	grand cru	-	jusqu'à 12 ans
●	chablis	communale	17	jusqu'à 5 ans et 8 ans pour les premiers crus
● ●	petit-chablis	communale	-	jusqu'à 3 ans
● ● ●	bourgogne chitry	régionale	-	jusqu'à 2 ans
● ● ●	bourgogne-côte-saint-jacques	régionale	-	jusqu'à 2 ans
● ● ●	bourgogne-côtes-d'auxerre	régionale	-	jusqu'à 2 ans
● ● ●	bourgogne-coulanges-la-vineuse	régionale	-	jusqu'à 2 ans
● ● ●	bourgogne-épineuil	régionale	-	jusqu'à 2 ans
●	bourgogne-vézelay	régionale	-	jusqu'à 3 ans
● ●	irancy	communale	-	jusqu'à 2 ans
●	sauvignon-de-saint-bris	communale	-	jusqu'à 3 ans

CÔTE DE NUITS

COULEUR DES VINS	APPELLATION	NIVEAU DE L'AOC	NOMBRE DE PREMIERS CRUS PAR VILLAGE	TEMPS DE GARDE MOYEN
●	bonnes-mares	grand cru	-	jusqu'à 15 ans
●	chambertin	grand cru	-	jusqu'à 20 ans
●	chambertin-clos-de-bèze	grand cru	-	jusqu'à 20 ans
●	chapelle-chambertin	grand cru	-	jusqu'à 15 ans
●	charmes-chambertin	grand cru	-	jusqu'à 15 ans
●	clos-de-la-roche	grand cru	-	jusqu'à 15 ans
●	clos-de-tart	grand cru	-	jusqu'à 15 ans
●	clos-de-vougeot	grand cru	-	jusqu'à 15 ans
●	clos-des-lambrays	grand cru	-	jusqu'à 15 ans
●	clos-saint-denis	grand cru	-	jusqu'à 15 ans
●	échezeaux	grand cru	-	jusqu'à 15 ans
●	grands-échezeaux	grand cru	-	jusqu'à 15 ans
●	griotte-chambertin	grand cru	-	jusqu'à 15 ans
●	la-grande-rue	grand cru	-	jusqu'à 15 ans
●	la-romanée	grand cru	-	jusqu'à 20 ans
●	la-tâche	grand cru	-	jusqu'à 20 ans
●	latricières-chambertin	grand cru	-	jusqu'à 15 ans
●	mazis-chambertin	grand cru	-	jusqu'à 15 ans

COULEUR DES VINS	APPELLATION	NIVEAU DE L'AOC	NOMBRE DE PREMIERS CRUS PAR VILLAGE	TEMPS DE GARDE MOYEN
●●	mazoyères-chambertin = charmes	grand cru	-	jusqu'à 15 ans
●●	musigny	grand cru	-	jusqu'à 15 ans
●	richebourg	grand cru	-	jusqu'à 20 ans
●	romanée-conti	grand cru	-	jusqu'à 30 ans
●	romanée-saint-vivant	grand cru	-	jusqu'à 20 ans
●	ruchottes-chambertin	grand cru	-	jusqu'à 15 ans
●	bourgogne-hautes-côtes-de-nuits	régionale	-	de 3 à 5 ans
●	chambolle-musigny	communale	25	de 6 à 9 ans
●●	côte-de-nuits-villages	communale	-	de 6 à 9 ans
●●	fixin	communale	-	de 6 à 9 ans
●	gevrey-chambertin	communale	28	jusqu'à 12 ans
●●	marsannay	communale	-	de 6 à 9 ans
●	marsannay rosé	communale	-	jusqu'à 2 ans
●●	morey-saint-denis	communale	20	jusqu'à 12 ans
●	nuits-saint-georges ou nuits	communale	44	de 6 à 9 ans
●	vosne-romanée	communale	17	jusqu'à 12 ans
●●	vougeot	communale	5	jusqu'à 12 ans

CÔTE DE BEAUNE

COULEUR DES VINS	APPELLATION	NIVEAU DE L'AOC	NOMBRE DE PREMIERS CRUS PAR VILLAGE	TEMPS DE GARDE MOYEN
●	bâtard-montrachet	grand cru	-	jusqu'à 15 ans
●	bienvenues-bâtard-montrachet	grand cru	-	jusqu'à 15 ans
●●	charlemagne	grand cru	-	cette appellation n'est plus revendiquée
●	chevalier-montrachet	grand cru	-	jusqu'à 20 ans
●●	corton	grand cru	-	jusqu'à 15 ans
●	corton-charlemagne	grand cru	-	jusqu'à 15 ans
●	criots-bâtard-montrachet	grand cru	-	jusqu'à 15 ans
●	montrachet	grand cru	-	jusqu'à 20 ans
●●	bourgogne-hautes-côtes-de-beaune	régionale	-	de 3 à 5 ans
●●	aloxe-corton	communale	13	de 6 à 9 ans
●●	auxey-duresses	communale	9	de 3 à 5 ans
●●	beaune	communale	44	de 6 à 9 ans
●	blagny	communale	8	de 3 à 5 ans
●●	chassagne-montrachet	communale	16	jusqu'à 12 ans (rouges et blancs)
●●	chorey-lès-beaune ou chorey	communale	-	de 3 à 5 ans
●●	côte-de-beaune	communale	-	de 3 à 5 ans
●	côte-de-beaune-villages	communale	-	de 3 à 5 ans
●●	ladoix	communale	8	de 3 à 5 ans
●●	maranges	communale	14	de 3 à 5 ans
●●	meursault	communale	17	jusqu'à 12 ans
●●	monthélie	communale	11	jusqu'à 9 ans
●●	pernand-vergelesses	communale	7	de 3 à 5 ans
●	pommard	communale	28	de 6 à 9, voire jusqu'à 15 ans
●●	puligny-montrachet	communale	27	jusqu'à 12 ans
●●	saint-aubin	communale	25	de 3 à 5 ans
●●	saint-romain	communale	-	de 3 à 5 ans
●●	santenay	communale	16	de 6 à 9 ans
●●	savigny-lès-beaune ou savigny	communale	25	de 6 à 9 ans
●	volnay (dont le volnay-santenots produit sur la commune de Meursault)	communale	41	jusqu'à 12 ans

CÔTE CHALONNAISE

COULEUR DES VINS	APPELLATION	NIVEAU DE L'AOC	NOMBRE DE PREMIERS CRUS PAR VILLAGE	TEMPS DE GARDE MOYEN
● ● ●	bourgogne-côte-chalonnaise	régionale	-	jusqu'à 2 ans
●	bouzeron	communale	-	jusqu'à 2 ans
● ●	givry	communale	16	de 3 à 5 ans
● ●	mercurey	communale	32	de 3 à 5 ans
● ●	montagny	communale	53	de 3 à 5 ans
● ● ●	rully	communale	16	de 3 à 5 ans

MÂCONNAIS

COULEUR DES VINS	APPELLATION	NIVEAU DE L'AOC	NOMBRE DE PREMIERS CRUS PAR VILLAGE	TEMPS DE GARDE MOYEN
● ● ●	mâcon	régionale	-	jusqu'à 2 ans
● ● ●	mâcon (+ village)	régionale	-	jusqu'à 3 ans
● ● ●	mâcon supérieur	régionale	-	jusqu'à 3 ans
● ● ●	mâcon-villages	régionale	-	jusqu'à 4 ans
● ● ●	pinot-chardonnay-mâcon	régionale	-	jusqu'à 2 ans
●	pouilly-fuissé	communale	-	de 4 à 6 ans
●	pouilly-loché	communale	-	de 3 à 5 ans
●	pouilly-vinzelles	communale	-	de 3 à 5 ans
●	saint-véran	communale	-	de 3 à 5 ans
●	viré-clessé	communale	-	de 3 à 5 ans

AOC COMMUNES AUX 4 RÉGIONS CITÉES CI-DESSUS

COULEUR DES VINS	APPELLATION	NIVEAU DE L'AOC	NOMBRE DE PREMIERS CRUS PAR VILLAGE	TEMPS DE GARDE MOYEN
● ● ●	bourgogne	régionale	-	jusqu'à 2 ans
●	bourgogne aligoté	régionale	-	jusqu'à 2 ans
●	bourgogne clairet ou rosé	régionale	-	jusqu'à 2 ans
● ● ●	bourgogne grand ordinaire	régionale	-	jusqu'à 2 ans
●	bourgogne mousseux	régionale	-	jusqu'à 2 ans
● ●	bourgogne passetoutgrain	régionale	-	jusqu'à 2 ans
● ●	crémant-de-bourgogne	régionale	-	de 3 à 5 ans

BEAUJOLAIS

COULEUR DES VINS	APPELLATION	NIVEAU DE L'AOC	NOMBRE DE PREMIERS CRUS PAR VILLAGE	TEMPS DE GARDE MOYEN
● ● ●	beaujolais	régionale	-	jusqu'à 2 ans
● ● ●	beaujolais-villages	régionale	-	jusqu'à 3 ans
●	brouilly	cru	-	de 3 à 5 ans
●	chenas	cru	-	de 3 à 5 ans
●	chiroubles	cru	-	de 3 à 5 ans
●	côte-de-brouilly	cru	-	de 3 à 5 ans
●	fleurie	cru	-	de 3 à 5 ans
●	juliénas	cru	-	de 6 à 9 ans
●	morgon	cru	-	de 4 à 6 ans
●	moulin-à-vent	cru	-	de 6 à 9 ans
●	regnié	cru	-	de 3 à 5 ans
●	saint-amour	cru	-	de 3 à 5 ans

FAMILLES DE VINS ET ACCORDS METS/VINS

Les vins selon leur couleur et leur personnalité gustative peuvent être classés en 14 grandes familles. Pour chacune d'entre elles sont spécifiés les principaux cépages, les appellations les plus typiques et le principe d'accord culinaire. Un même cépage peut figurer dans plusieurs familles à la fois puisque, selon son terroir d'origine, il donnera des expressions différentes.

1 - VIN BLANC SEC LÉGER ET NERVEUX

CARACTÉRISTIQUES	bouche facile, légère, rafraîchissante grâce à un bon support acide ; arômes simples et peu complexes ; finale fraîche et désaltérante.
CÉPAGES	aligoté, chardonnay, chasselas, gros-plant, jacquère, melon de Bourgogne, pinot blanc, romorantin, sauvignon, sylvaner, tressallier.
APPELLATIONS	bergerac, bourgogne aligoté, cheverny, cour-cheverny, crépy, entre-deux-mers, mâcon-villages, muscadet, petit-chablis, pinot blanc d'Alsace, pouilly-sur-loire, saint-pourçain, sylvaner d'Alsace, vin de Savoie.
TYPE D'ACCORD	cuisine simple et franche aux saveurs pas trop complexes ; fruits de mer dont les huîtres, légumes crus ou cuits, escargots, cuisses de grenouille, poisson grillé, terrine de poisson, friture de poisson, charcuterie, fromage de chèvre.
SERVICE	à boire très jeune ; servir très frais, environ 8 °C.

2 - VIN BLANC SEC SOUPLE ET FRUITÉ

CARACTÉRISTIQUES	bouche construite sur le fruit, la rondeur et la fraîcheur ; arômes expressifs fruités et/ou floraux ; finale désaltérante et parfumée.
CÉPAGES	altesse, chardonnay, chenin, clairette, gros-manseng, mauzac, rolle, sauvignon, sémillon, ugni blanc, vermentino.
APPELLATIONS	bandol, bellet, cassis, chablis, coteaux-d'aix, côtes-de-blaye, côtes-de-provence, gaillac, graves, jurançon sec, montlouis, picpoul-de-pinet, pouilly fumé, pouilly-fuissé, roussette de Savoie, roussette du Bugey, saint-véran, sancerre, saumur, vin de Corse.
TYPE D'ACCORD	cuisine variée allant du simple à plus élaboré mais sans recherche aromatique trop complexe ; coquillages crus ou cuisinés, pâtes aux fruits de mer, poisson grillé ou cuisiné simplement, mousseline de poisson, charcuterie, fromages de chèvre demi-sec et sec.
SERVICE	à boire dans les 3 premières années de bouteille ; servir frais, entre 8 et 10 °C.

3 - VIN BLANC SEC AMPLE ET RACÉ

CARACTÉRISTIQUES	bouche charnue construite sur une matière riche et racée, parfaitement équilibrée ; arômes complexes et élégants ; finale longue et persistante.
CÉPAGES	chardonnay, chenin, marsanne, riesling, roussanne, sauvignon, sémillon.
APPELLATIONS	chablis premier et grand cru, chassagne-montrachet, châteauneuf-du-pape, corton-charlemagne, hermitage, meursault, montrachet, pessac-léognan, puligny-montrachet, savennières, vouvray.
TYPE D'ACCORD	cuisine assez sophistiquée et assez aromatique ; champignons, coquilles Saint-Jacques, foie gras poêlé, homard cuisiné, poisson à la crème, viandes blanches à la crème, fromage crémeux type saint-félicien, saint-marcellin, fromage de chèvre affiné type picodon.
SERVICE	à boire après 3 à 5 ans de vieillissement en bouteille ; servir pas trop frais, entre 10 et 12 °C.

4 - VIN BLANC SEC TRÈS AROMATIQUE

CARACTÉRISTIQUES	bouche riche et séveuse avec une personnalité gustative originale ; arômes fruités exubérants, souvent épicés, parfois de noix fraîche et de froment ; finale persistante et de caractère.
CÉPAGES	gewurztraminer, muscat, palomino, riesling, savagnin, tokay-pinot gris, viognier.
APPELLATIONS	château-chalon, condrieu, gewurztraminer d'Alsace, manzanilla, muscat d'Alsace, riesling d'Alsace, pinot gris d'Alsace, vin jaune du Jura, xérès.
TYPE D'ACCORD	cuisine très aromatique, utilisant des épices, des herbes ; curry de viande, poulet à la crème et aux morilles, homard à l'américaine, saumon à l'aneth, fromages à pâte pressée cuite type beaufort, comté ou au goût prononcé type munster.
SERVICE	à boire jeune pour le muscat et le viognier, servis frais entre 8 et 10 °C ; après 3 à 5 ans de vieillissement en bouteille pour les autres cépages, servis pas trop frais, entre 10 et 12 °C.

5 - VIN BLANC DEMI-SEC, MOELLEUX, LIQUOREUX

CARACTÉRISTIQUES	bouche riche due à la présence plus ou moins importante de sucres résiduels avec une chair grasse, moelleuse, équilibrée par une bonne acidité ; arômes miellés et fruités importants ; finale aromatique persistante.
CÉPAGES	chenin, gros- et petit-manseng, muscadelle, riesling, sauvignon, sémillon, tokay-pinot gris.
APPELLATIONS	bonnezeaux, cérons, coteaux-de-l'aubance, coteaux-du-layon, gewurztraminer vendanges tardives ou sélection grains nobles, monbazillac, montlouis, quarts-de-chaume, riesling vendanges tardives ou sélection grains nobles, sainte-croix-du-mont, tokay-pinot gris vendanges tardives ou sélection grains nobles, vouvray.
TYPE D'ACCORD	cuisine riche à la texture grasse, classique ou plus exotique avec des épices et une alliance sucré/salé ; foie gras, poulet à la crème et aux épices, canard à l'orange, fromage à pâte persillée type roquefort, tarte aux fruits, dessert à base de crème type sabayon et crème brûlée.
SERVICE	à boire après 3 à 5 ans de vieillissement au minimum en bouteille ; servir frais, entre 8 et 10 °C.

6 - VIN ROSÉ VIF ET FRUITÉ

CARACTÉRISTIQUES	bouche croquante, fraîche, légèrement acidulée, avec une expression aromatique très fruitée ; finale désaltérante.
CÉPAGES	cabernet franc, carignan, cinsault, gamay, grenache, poulsard, tibouren.
APPELLATIONS	bellet, baux-de-provence, coteaux-d'aix, coteaux varois, côtes-de-provence, côtes- du-jura, côtes-du-luberon, irouléguy, palette, rosé de Loire.
TYPE D'ACCORD	cuisine légère à base de légumes crus ou cuits ; salades composées, pâtes aux légumes, tartes salées aux légumes, tapenade, anchoïade, pizzas, fromages de chèvre frais ou un peu sec.
SERVICE	à boire jeune sur leur fruit pendant leur première année de bouteille ; servir frais, entre 8 et 10 °C.

7 - VIN ROSÉ VINEUX ET CORSÉ

CARACTÉRISTIQUES	bouche ronde, souple, avec une bonne vinosité ; arômes fruités ; bon équilibre entre l'acidité et une légère structure tannique ; finale rafraîchissante.
CÉPAGES	carignan, grenache, merlot, mourvèdre, négrette, pinot noir, syrah.
APPELLATIONS	bandol, bordeaux clairet, corbières, coteaux-du-languedoc, côtes-du-rhône, lirac, marsannay, rosé-des-riceys, tavel.
TYPE D'ACCORD	cuisine du soleil à base d'huile d'olive, de légumes et de poisson ; aïoli, bouillabaisse, tian d'aubergine, ratatouille, rouget, grillades, fromage de chèvre affiné.
SERVICE	à boire jeune pendant les deux premières années de bouteille ; servir frais, entre 8 et 10 °C.

8 - VIN ROUGE LÉGER ET FRUITÉ

CARACTÉRISTIQUES	bouche gouleyante, toute en fruits et en fraîcheur ; structure tannique légère compensée par une agréable acidité ; arômes expressifs de fruits rouges et/ou de fleurs ; finale simple et désaltérante.
CÉPAGES	cabernet franc, gamay, pinot noir, poulsard, trousseau.
APPELLATIONS	anjou, arbois, beaujolais, bourgogne, bourgueil, coteaux-du-lyonnais, côtes-du-forez, côtes-du-jura, hautes-côtes-de-beaune, hautes-côtes-de-nuits, pinot noir d'Alsace, saint-nicolas-de-bourgueil, sancerre, saumur-champigny, vin de Savoie.
TYPE D'ACCORD	cuisine simple ou pas trop complexe ; cochonnailles, quiches, pâté à la viande, terrine de foie de volaille, terrine de lapin, fromage de chèvre ou de vache assez crémeux type saint-marcellin.
SERVICE	à boire jeune pendant les deux premières années de bouteille ; servir entre 12 et 14 °C.

9 - VIN ROUGE CHARNU ET FRUITÉ

CARACTÉRISTIQUES	bouche charnue, construite sur un fruité important, la rondeur de l'alcool et des tanins présents mais peu complexes ; arômes de fruits rouges et souvent d'épices ; finale moyennement persistante.
CÉPAGES	cabernet franc, cabernet-sauvignon, carignan, grenache, merlot, mondeuse, pinot noir, syrah.
APPELLATIONS	bergerac, bordeaux, bordeaux supérieur, buzet, chinon, côte chalonnaise, coteaux-d'aix, coteaux champenois, côtes-de-blaye, côtes-de-bourg, côtes-de-castillon, côtes-de-provence, côtes-du-rhône-villages, crozes-hermitage, fronton, saint-joseph.
TYPE D'ACCORD	cuisine de terroir savoureuse ; petit gibier à plume ou à poil, pâté de campagne, viande en sauce, viande rouge rôtie, grillades, fromage à pâte pressée non cuite type tomme, saint-nectaire.
SERVICE	à boire après 2 à 3 années de vieillissement en bouteille ; servir entre 15 et 17 °C.

10 - VIN ROUGE COMPLEXE, PUISSANT ET GÉNÉREUX

CARACTÉRISTIQUES	bouche à la chair puissante et suave, construite sur une matière riche en alcool et en tanins qui demande un peu de temps pour se fondre ; bouquet riche et complexe de fruits, d'épices, et souvent des notes boisées ; finale persistante et complexe.
CÉPAGES	auxerrois, cabernet franc, carignan, grenache, malbec, merlot, mourvèdre, syrah, tannat.
APPELLATIONS	cahors, châteauneuf-du-pape, corbières, coteaux-du-languedoc, côtes-du-roussillon-villages, gigondas, madiran, minervois, pécharmant, pomerol, saint-chinian, saint-émilion, vacqueyras.
TYPE D'ACCORD	cuisine riche en saveurs et en gras ; cassoulet, confit de canard, champignons dont les truffes, escalope de foie gras, plats en sauce, viande rouge grillée ou rôtie, gibier à poil ou à plume, fromage à pâte pressée non cuite type tomme, cantal.
SERVICE	à boire après un minimum de 3 ans de bouteille ; servir entre 15 et 17 °C.

11 - VIN ROUGE COMPLEXE, TANNIQUE ET RACÉ

CARACTÉRISTIQUES	bouche de caractère à la chair dense et serrée tenue par une importante mais élégante charpente tannique nécessitant quelques années pour se fondre ; arômes complexes fruités, épicés et souvent boisés ; finale longue et racée.
CÉPAGES	cabernet-sauvignon, mourvèdre, syrah.
APPELLATIONS	bandol, cornas, côte-rôtie, graves, haut-médoc, hermitage, margaux, médoc, pauillac, pessac-léognan, saint-estèphe, saint-julien.
TYPE D'ACCORD	cuisine riche en saveurs et pas trop grasse ; champignons dont les truffes, gibier à plume ou à poil, viande rouge grillée ou rôtie, fromage à pâte pressée non cuite type cantal, saint-nectaire.
SERVICE	à boire après un minimum de 3 ans de bouteille ; servir entre 16 et 17 °C.

12 - VIN ROUGE COMPLEXE, ÉLÉGANT ET RACÉ

CARACTÉRISTIQUES	bouche soyeuse, élégante, construite sur des tanins fins et encore fermes dans leur jeunesse ; arômes expressifs de fruits rouges avec des notes de sous-bois ; finale persistante et racée.
CÉPAGES	pinot noir.
APPELLATIONS	grands vins de Bourgogne, de la Côte de Nuits comme chambolle-musigny, gevrey-chambertin, vosne-romanée, de la Côte de Beaune comme corton, pommard, volnay, et de la côte Chalonnaise comme mercurey.
TYPE D'ACCORD	cuisine savoureuse et mitonnée avec sauce au vin : coq au vin, œuf en meurette, viande blanche et rouge rôtie, petit gibier à poil et à plume, fromage à pâte molle et croûte fleurie pas trop fort (brie, coulommiers, etc.).
SERVICE	à boire après un minimum de 3 ans de bouteille ; servir entre 16 et 17 °C.

13 - VIN EFFERVESCENT

CARACTÉRISTIQUES	bouche fraîche, vive et légère grâce à ses bulles (CO_2) ; arômes délicats de fruits, de fleurs ; finale désaltérante et plus ou moins persistante.
CÉPAGES	auxerrois, cabernet franc, chardonnay, chenin, clairette, mauzac, merlot, pinot blanc, pinot meunier, pinot noir, sauvignon, savagnin, sémillon.
APPELLATIONS	blanquette de limoux, champagne, clairette de Die, crémant-d'alsace, crémant-de-bordeaux, crémant-de-bourgogne, crémant-du-jura, gaillac, montlouis, saumur, vouvray.
TYPE D'ACCORD	les non dosés : fruits de mer, terrine de poisson, poisson grillé, fumé ou servi avec une crème légère, fromage à pâte molle et croûte fleurie ; les dosés : fromage à pâte molle et croûte fleurie, dessert aux fruits, meringue, crème anglaise.
SERVICE	à boire jeune ; servir frais, entre 8 et 10 °C.

14 - VIN DOUX NATUREL ET VIN DE LIQUEUR

CARACTÉRISTIQUES	bouche riche en sucres résiduels et en alcool donnant une chair grasse et très gourmande en fruits ; arômes fruités exubérants ; finale savoureuse.
CÉPAGES	cabernet franc, cabernet-sauvignon, folle-blanche, colombard, grenache, maccabeu, malvoisie, merlot, muscat, ugni blanc.
APPELLATIONS	banyuls, macvin du Jura, muscat-de-beaumes-de-venise, muscat-de-mireval, muscat-de-rivesaltes, pineau des Charentes, porto, rasteau, rivesaltes.
TYPE D'ACCORD	cuisine riche, savoureuse, mariant le salé et le sucré, et plus particulièrement les desserts ; foie gras frais cuit, canard aux figues, fromage à pâte persillée type roquefort, dessert à base de fruits, dessert au chocolat et au café.
SERVICE	pour les blancs, à boire très jeunes, servis frais entre 8 et 12 °C ; pour les rouges, à boire après 3 à 5 ans de vieillissement au minimum, servis entre 12 et 15 °C.

929

BIBLIOGRAPHIE

Les ouvrages sont classés par ordre alphabétique d'auteur, sauf mention spéciale en début de paragraphe.

ART CULINAIRE

OUVRAGES DE RÉFÉRENCE
par ordre chronologique de parution

Viard (André), *le Cuisinier impérial* (Paris, 1806).

Beauvilliers (Antoine), *l'Art du cuisinier* (Paris, 1814).

Audot (Louis Eustache), *la Cuisinière de la campagne et de la ville* (Audot, Paris, 1818).

Carême (Antonin), *le Cuisinier parisien* (Paris, 1828) ; *l'Art de la cuisine française au XIXᵉ siècle* (3 vol., Paris, 1833-1835 ; t. 4 et 5, 1843-1844, par Plumerey ; fac-similé par Kerangué et Pollès, Paris, 1981).

Dubois (Urbain) et **Bernard** (Émile), *la Cuisine classique [...] appliquée au service à la russe* (Paris, 1856).

Grandi (Ferdinando), *les Nouveautés de la gastronomie princière* (Paris, 1866).

Gouffé (Jules), *le Livre de cuisine* (Paris, 1867).

Dubois (Urbain), *la Cuisine artistique* (Paris, 1870) ; *École des cuisinières* (Paris, 1887) ; *Nouvelle Cuisine bourgeoise pour la ville et pour la campagne* (Paris, 1888).

Dumas (Alexandre), *Grand Dictionnaire de cuisine* (Paris, 1873 ; Veyrier, Paris, 1978).

Garlin (Gustave), *le Cuisinier moderne ou les Secrets de l'art culinaire* (Paris, 1887).

Colombié (Auguste), *Traité pratique de cuisine bourgeoise...* (Paris, 1893).

Dagouret (Pierre), *Abrégé de cuisine (1 200 recettes) avec vocabulaire en quatre langues* (Paris, 1900 ; Flammarion, 1975).

Montagné (Prosper) et **Salles** (Prosper), *la Grande Cuisine illustrée* (Monaco, 1900).

Richardin (Edmond), *la Cuisine française du XIXᵉ au XXᵉ siècle [...]* (Paris, 1910).

Ali-Bab (Henri Babinsky, dit), *Gastronomie pratique, études culinaires, suivies du traitement de l'obésité des gourmands* (2ᵉ éd., Flammarion, Paris, 1912 ; éd. définitive, 1975).

Montagné (Prosper), *la Cuisine bonne et pas chère* (Paris, 1919) ; *le Grand Livre de cuisine* (Paris, 1928) ; *Cuisine avec et sans ticket* (Paris, 1941).

Nignon (Édouard), *l'Heptaméron des gourmets* (Paris, 1919) ; *les Plaisirs de la table* (Paris, 1926).

Escoffier (Auguste), *le Guide culinaire, aide-mémoire de cuisine pratique avec la collaboration de MM. Philéas Gilbert et Émile Fetu* (Paris, 1921) ; *Ma cuisine, 2500 recettes* (Paris, 1934).

Pomiane (Édouard de), *le Code de la bonne chère* (Paris, 1925 ; « Le Livre de Poche pratique », nº 4842) ; *la Cuisine en six leçons* (Paris, 1927) ; *la Cuisine pour la femme du monde* (Paris, 1934) ; *le Carnet d'Anna* (1938) ; *Cuisine et restrictions* (Paris, 1940) ; *Radio Cuisine : première et deuxième séries* (Albin Michel, Paris, 1949) ; *la Cuisine en 10 minutes* (Calmann-Lévy, 1969).

Reboux (Paul), *Plats nouveaux ! 300 recettes inédites ou singulières ; essai de gastronomie moderne* (Paris, 1927) ; *Plats du jour* (Paris, 1930).

Saint-Ange (Mme Ébrard), *le Livre de cuisine* (Paris, 1927) ; *la Cuisine de Madame Saint-Ange* (Larousse, Paris, 1958), constamment réédité.

Joyant (Maurice), *la Cuisine de Monsieur Momo* (Paris, 1930).

Pellaprat (Henri-Paul), *l'Art culinaire moderne* (1935) ; *la Cuisine familiale et pratique* (Flammarion, Paris, 1955) ; *le Pellaprat du XXᵉ siècle* (René Kramer, Lausanne, 1969).

Curnonsky et **Croze** (Austin de), *le Trésor gastronomique de la France* (Delagrave, Paris, 1953).

Oliver (Raymond), *Ma cuisine* (Bordas, Paris, 1965 ; éd. revue et corrigée, 1981) ; *Cuisine pour mes amis* (Albin Michel, Paris, nouv. éd., 1976).

Point (Fernand), *Ma gastronomie* (Flammarion, Paris, 1969).

Dumaine (Alexandre), *Ma cuisine* (éd. de la Pensée moderne, Paris, 1972).

Denis, *la Cuisine de Denis* (Robert Laffont, Paris, 1975).

Bocuse (Paul), *la Cuisine du marché* (Flammarion, Paris, 1976) ; *Bocuse dans votre cuisine* (Flammarion, Paris, 1982).

Guillot (André), *la Grande Cuisine bourgeoise* (Flammarion, Paris, 1976).

Brazier (Eugénie), *les Secrets de la mère Brazier* (Solar, Paris, 1977 ; 2ᵉ éd., Solar 1992).

Guérard (Michel), *la Cuisine gourmande* (Robert Laffont, Paris, 1977).

Sylvestre (Jacques) et **Planche** (Jean), *les Bases de la cuisine* (Lanore, Paris, 1977).

Troisgros (Jean et Pierre), *Cuisiniers à Roanne* (Robert Laffont, Paris, 1977) ; *les Petits Plats des Troisgros* [Pierre et Michel] (Robert Laffont, Paris, 1977).

Chapel (Alain), *la Cuisine, c'est beaucoup plus que des recettes* (Robert Laffont, Paris, 1980).

Olympe (Dominique Nahmias, dite), *la Cuisine d'Ève et d'Olympe* (Mengès, Paris, 1980) ; *la Cuisine d'Olympe* (Mengès, Paris, 1982) ; *Ma cuisine de A à Z : mes 200 recettes secrètes* (Albin Michel, Paris, 1991).

Daguin (André), *le Nouveau Cuisinier gascon* (Stock, Paris, 1981).

Senderens (Alain et Éventhia), *la Cuisine réussie* (J.-C. Lattès, Paris, 1981) ; *la Grande Cuisine à petits prix* (Robert Laffont, Paris, 1984).

Haeberlin (Paul et Jean-Pierre), *les Recettes de l'Auberge de l'Ill* (Flammarion, Paris, 1982).

Oliver (Michel), *Mes premières recettes* (éd. du Rocher, Monaco, 1982) ; *Mes nouvelles recettes à la télé* (Plon, Paris, 1982).

Blanc (Georges), *Ma cuisine des saisons* (Robert Laffont, 1984).

Meurville (Élisabeth de), *la Cuisine française : vos 200 plats préférés* (Montalba, Paris, 1985) ; *la Cuisine des chefs chez eux* (Carré, Paris, 1993) ; *la France gourmande à domicile* [avec Michel Creignou] (Hachette, Paris, 1995).

Vergé (Roger), *les Fêtes de mon moulin* (Flammarion, Paris, 1986).

Bras (Michel), **Boudier** (Alain) et **Millau** (Christian), *le Livre de Michel Bras* (éd. du Rouergue, Rodez, 1991).

Scotto (les sœurs) et **Hubert-Baré** (Annie), *l'Héritage de la cuisine française* (Hachette, Paris, 1992).

Loiseau (Bernard) et **Gilbert** (Gérard), *Trucs, astuces et tours de main* (Hachette, Paris, 1993).

This (Hervé), *les Secrets de la casserole* (Belin, Paris, 1993) ; *Révélations gastronomiques* (1995).

Robuchon (Joël), *le Carnet de route d'un compagnon cuisinier* [avec É. de Meurville] (Payot, Paris, 1995) ; *le Meilleur et le plus simple de la France* (Robert Laffont, Paris, 1996) ; *l'Atelier de Joël Robuchon* (Hachette, Paris, 1996).

Derenne (Jean-Philippe), *l'Amateur de cuisine* (Stock, Paris, 1996).

Ducasse (Alain) **et alii**, *Grand livre de cuisine* (éd. Alain Ducasse, Issy-les-Moulineaux, 2001).

Comme un chef (Larousse, Paris, 2006).

CUISINES ÉTRANGÈRES

Dubois (Urbain), *Cuisine de tous les pays : études cosmopolites* (Paris, 1868).

Fielding (Michael), *la Cuisine des provinces de France* (1968-1974) ; *la Cuisine viennoise* (1969) ; *la Cuisine italienne* (1969) ; *la Cuisine russe* (1969-1971) ; *la Cuisine d'Espagne et du Portugal* (1969-1973) ; *la Cuisine de l'Inde* (1969-1973) ; *la Cuisine américaine* (1969-1974) ; *la Cuisine scandinave* (1969-1974) ; *la Cuisine à travers le monde* (Time-Life, Amsterdam, 1969-1979) ; *la Cuisine allemande* (1970) ; *la Cuisine du Moyen-Orient* (1970) ; *la Cuisine japonaise* (1970-1973) ; *la Cuisine des îles Britanniques* (1970-1974) ; *la Cuisine latino-américaine* (1970-1974).

Larousse des cuisines du monde (Larousse, Paris, 1993, rééd. 2001).

Vence (Céline) et **Vié** (Blandine), *les Cuisines du monde* (1980).

AFRIQUE

Bennani-Smires (Latifa), *la Cuisine marocaine* (Al Madariss, 1980).

Bouksani (Mme), *Gastronomie algérienne* (éd. Jeffal, Rouiba, 1982).

Hal (Fatéma), *les Saveurs et les gestes : cuisines et traditions du Maroc*. Préface de Tahar Ben Jelloun (Stock, Paris, 1995).

Isnard (Léon), *la Gastronomie africaine* (Paris, 1930) ; *Afrique gourmande, ou « l'Encyclopédie culinaire de l'Algérie, de la Tunisie et du Maroc »* (Oran, v. 1930).

Karsenty (Irène et Lucienne), *Cuisine pied-noir* (Denoël, Paris, 1974).

Obeida (Kadidja), *253 Recettes de cuisine algérienne* (Jacques Grancher, Paris, 1983 ; nouv. éd., 1991).

Toussaint-Samat (Maguelonne), *la Cuisine rustique d'Afrique noire ; Madagascar* (Robert Morel, Forcalquier, 1971).

AMÉRIQUE

Beaulieu (Mireille), *les Meilleures Recettes du Québec* (éd. La Presse, Montréal, 1974).

Da Mathilde, *325 Recettes de cuisine créole* (Jacques Grancher, Paris, 1975).

Del Paso (Socorro et Fernando), *Douceur et Passion de la cuisine mexicaine : 151 recettes, 46 menus* (éd. de l'Aube, Paris, 1991).

Simmons (Amelia), *American Cookery* (New York, 1822).

ASIE

Ghanooparvar (M. R.), *Persian Cuisine* (Mazda Publishers, Lexington, Kentucky, 1982).

Khawam (René), *la Cuisine arabe* (Albin Michel, Paris, 1970).

Lecourt (H.), *la Cuisine chinoise* (Pékin, 1925).

Mordelet (Alain), *Cuisine des palais d'Orient* (éd. de l'Aube, Paris, 1994).

Mukherjee (Danielle), *la Cuisine indienne facile et bon marché* (Guy Authier, Paris, 1978).

Rabiha, *la Bonne Cuisine turque* (Istanbul, 1925 ; fac-similé, Morcrette, Luzarches, s.d.).

Rao (Nguyen Ngoc), *la Cuisine chinoise à l'usage des Français* (Denoël, Paris, 1980).

EUROPE

Artusi (Pellegrino), *la Scienza in cucina e l'arte di mangiar bene* (Firenze, 1910 ; Garzanti, Milan, 1970 et 1975 ; Einaudi, Turin, 1974) ; la bible de la cuisine italienne.

Carnacina (Luigi) et **Veronelli** (Luigi), *Manger à l'italienne* (Flammarion, Paris, 1965).

Cougnet (Alberto), *l'Arte cucinaria in Italia* (Milan, 1910).

Domingo (Xavier), *le Goût de l'Espagne* (Flammarion, Paris, 1992).

Gundel (Károly), *la Cuisine hongroise de Károly Gundel* (Corvina Kiadó, Budapest, 1956 ; 6e éd., 1981).

Ianco (Ana), *175 Recettes de cuisine roumaine* (Jacques Grancher, Paris, 1990).

Jaroszová (Petra), *les Délices de Bohême* (éd. de l'Aube, Paris, 1990).

Kohl (Hannelore), *Un voyage gourmand à travers l'Allemagne* (éd. de Fallois, 1996).

Koranyi et **Szinder** (Lad.), *Livre de la bonne chère, contenant toutes les spécialités gastronomiques de la cuisine hongroise* (Hungaria, Budapest, v. 1938).

Monod (Louis), *la Cuisine florentine* (Lucerne, 1914 ; réimp., Morcrette, Luzarches).

Muro (Angel), *Diccionario general de cocina* (Madrid, 1892).

Petit (A.), *la Gastronomie en Russie, par A. Petit, chef de cuisine de Son Excellence le comte Panine* (Paris, 1860).

Pomiane (Édouard de), *Cuisine juive, ghettos modernes* (Paris, 1929).

Roukhomovsky (Suzanne), *Gastronomie juive : cuisine et pâtisserie de Russie, d'Alsace, de Roumanie et d'Orient* (Paris, 1929; éd. revue, 1968).

Tchekoff (M. V.), *la Cuisine russe* (Jean-Pierre Taillandier, Paris, 1987).

Vigliardi-Paravia (Leda), *Je mange et j'aime ça. Les 100 meilleures recettes du terroir italien* (éd. Assouline, 1994).

Wirkowski (Eugeniusz), *la Cuisine des Juifs polonais* (Interpress, Varsovie, 1988).

Witwitcka (H.) et **Soskine** (S.), *la Cuisine russe classique* (Albin Michel, Paris, 1968 ; nouv. éd., 1978).

CUISINES DES RÉGIONS DE FRANCE

Amicale des cuisiniers et pâtissiers auvergnats de Paris, *Cuisine d'Auvergne* (Denoël, Paris, 1979).

Auricoste de Lazarque (Ernest), *la Cuisine messine* (Metz, 1927).

Barberousse (Michel), *la Normandie : inventaire culinaire régional* (Hachette, Paris, 1974).

Baumgartner (Marguerite), *la Cuisinière du Haut-Rhin...*, trad. de l'allemand (Mulhouse, 1829 ; seconde partie, 1833 ; fac-similé des deux, Morcrette, Luzarches).

Benoît (Félix) et **Clos-Jouve** (Henri), *la Cuisine lyonnaise* (Solar, Paris, 1972).

Besson (Joséphine), *la Mère Besson : ma cuisine provençale* (Albin Michel, Paris, 1977).

Blanc (Honoré), *les Rayoles, le mortier et la sauce de noix...* (Paris, 1824).

Ceccaldi (Marie), *Cuisine de Corse* (Denoël, Paris, 1980).

Clément (Marie-Christine et Didier) et **Martin** (André), *Sologne gourmande : le Cahier secret de Silvine* (Albin Michel, Paris, 1992).

CNAC, *l'Inventaire du patrimoine culinaire de la France* (Albin Michel, Paris) : *Nord, Pas-de-Calais* (1992) ; *Île-de-France* (1993) ; *Bourgogne* (1993) ; *Franche-Comté* (1993) ; *Pays de Loire* (1993) ; *Poitou-Charentes* (1994) ; *Bretagne* (1994) ; *Rhône-Alpes* (1995) ; *Provence-Alpes-Côte d'Azur* (1995) ; *Midi-Pyrénées* (1996).

Contour (Alfred), *le Cuisinier bourguignon* (Beaune, 1901 ; Jeanne Laffitte, Marseille, 1978).

Croze (Austin de), *les Plats régionaux de France* (Paris, 1926 ; Morcrette, Paris, 1977).

Curnonsky et **Rouff** (Marcel), *la France gastronomique, guide des merveilles culinaires et des bonnes auberges françaises*, 18 vol. (éd. Rouff, Paris, 1921-1925) : vol. 1 : *le Périgord* (1921) ; vol. 2 : *l'Anjou* (1921) ; vol. 3 : *la Normandie* (1921) ; vol. 4 : *la Bresse, le Bugey, le pays de Gex* (1921) ; vol. 5 : *l'Alsace* (1921) ; vol. 6 : *Paris* (1921) ; vol. 7 : *la Touraine* (1922) ; vol. 8 : *le Béarn* (1922) ; vol. 9 : *la Provence* (1922) ; vol. 10 : *la Bourgogne* (1923) ; vol. 11 : *la Bretagne* (1923) ; vol. 12 : *la Savoie* (1923) ; vol. 13 : *Bordeaux* (1924) ; vol. 14 : *Environs de Paris* (1924) ; vol. 15 : *Aunis-Saintonge* (1924) ; vol. 16 : *Poitou-Vendée* (1924) ; vol. 17 : *Lyon* (1925) ; vol. 18 : *le Maine et le Perche* (1925).

Durand (Charles), *le Cuisinier Durand* (Nîmes, 1830 ; 8e éd. revue, Nîmes, 1863) ; souvent réimprimé depuis.

Escudier (Jean-Noël), *la Véritable Cuisine provençale et niçoise ; nouvelle édition revue et augmentée d'un choix de recettes de cuisine languedocienne et de cuisine corse...* (éd. Provencia, Toulon, 1964 ; 1972).

Gaertner (Robert) et **Frederick** (Pierre), *la Cuisine alsacienne* (Flammarion, Paris, 1979).

Karsenty (Irène), *Cuisine de Savoie* (Denoël, Paris, 1981)

Lallemand (Roger), *la Vraie Cuisine du Bourbonnais* (1967) ; *la Vraie Cuisine du Nivernais et du Morvan* (Lanore-Laurens, Paris, 1967) ; *la Vraie Cuisine du Berry et de l'Orléanais* (Quartier latin, La Rochelle, 1968) ; *la Vraie Cuisine de l'Anjou et de la Touraine* (1969) ; *la Vraie Cuisine de l'Auvergne et du Limousin* (1970) ; *la Vraie Cuisine de la Bretagne* (1971) ; *la Vraie Cuisine de Normandie* (1972) ; *la Vraie Cuisine de l'Artois, de la Flandre et de la Picardie* (1973) ; *la Vraie Cuisine de la Champagne* (1974) ; *la Vraie Cuisine de Paris et de l'Île-de-France* (1975) ; *la Vraie Cuisine de l'Alsace* (1976) ; *la Vraie Cuisine de la Lorraine* (1977) ; *la Vraie Cuisine de la Bourgogne* ; *la Vraie Cuisine du Lyonnais et de la Bresse*.

La Mazille, *la Bonne Cuisine du Périgord* (Flammarion, Paris, 1929) ; sans cesse réédité.

Montagné (Prosper), *le Festin occitan* (1929).

Morand (Simone), *Gastronomie bretonne d'hier et d'aujourd'hui* (Flammarion, Paris, 1965) ; *Gastronomie normande d'hier et d'aujourd'hui* (Flammarion, Paris, 1970).

Palay (Simin), *la Cuisine du pays : Armagnac, Béarn, Bigorre, Landes, Pays basque ; 500 recettes* (Pau, 1936).

Philippe-Levatois (Jeanne), *Cuisine du Poitou et de Vendée* (éd. du Marais, Nenet, 1968) ; *Cuisine traditionnelle de Poitou et de Vendée* (Le Bouquiniste, Poitiers, 1976).

Reboul (J.-B.), *la Cuisine provençale* (Marseille, 1895).

Rivoyre (Éliane et Jacquotte de), *Cuisine landaise* (Denoël, Paris, 1980).

Robaglia (Suzanne), *Margaridou, journal et recettes d'une cuisinière au pays d'Auvergne* (CREER, Nonette, 1935 ; nouv. éd., « avec des recettes relevées par les Troisgros », 1977).

Robuchon (Joël), *Recettes du terroir d'hier* (Lattès, Paris, 1994).

Schneider (Tony et Jean-Louis) et **Brison** (Danièle), *la Cuisine alsacienne : 60 recettes de l'Arsenal ;* illustré par Toni Ungerer (Bueb et Reumaux, Strasbourg, 1985).

Six grands cuisiniers de Bourgogne (les), *Recettes d'hier et d'aujourd'hui* (J.-C. Lattès, Paris, 1982).

Sloimovici (A.), *Ethnocuisine de la Bourgogne* (Cormarin, 1973).

Tendret (Lucien), *la Table au pays de Brillat-Savarin* (Belley, 1892).

Varille (Mathieu), *la Cuisine lyonnaise* (Lyon, 1928).

Vidal (Dr Charles), *Nostra cozina* (Toulouse, 1930) ; en occitan.

Vincenot (famille), *Cuisine de Bourgogne* (Denoël, Paris, 1977).

RECETTES SPÉCIALISÉES
par ordre chronologique de parution

CUISINE LITTÉRAIRE

Joyant (Maurice), *la Cuisine de Toulouse-Lautrec et Maurice Joyant* (Edita, Lausanne, 1966).

Courtine (Robert J.), *le Cahier de recettes de Madame Maigret* (Robert Laffont, Paris, 1974) ; *Balzac à table* (Robert Laffont, Paris, 1976) ; *Zola à table* (Robert Laffont, Paris, 1978).

Sand (Christiane), **Lubin** (Georges), **Clément** (Marie-Christine et Didier) et **Martin** (André), *À la table de George Sand* (Flammarion, Paris, 1987).

Clément (Marie-Christine et Didier) et **Martin** (André), *Colette gourmande* (Albin Michel, Paris, 1990).

Vázquez Montalbán (Manuel), *les Recettes de Carvalho* (Christian Bourgois, Paris, 1996).

CUISINE AU VIN

Brunet (Raymond) et **Pellaprat** (Henri-Paul), *la Cuisine au vin* (Paris, 1936).

Derys (Gaston), *les Plats au vin* (Paris, 1937).

Desmur (Jean) et **Clos-Jouve** (Henri), *la Cuisine de Bacchus* (Solar, Paris, 1974).

Blanc (Georges), *De la vigne à l'assiette* (Hachette, Paris, 1995).

PRODUITS DE LA MER

Caillat (A.), *150 Manières d'accommoder les sardines* (Marseille, 1898 ; fac-similé, Morcrette, Luzarches).

Escoffier (A.), *la Morue ; 82 recettes pour l'accommoder* (Paris, 1929).

Pellaprat (Henri-Paul), *le Poisson dans la cuisine française* (Flammarion, Paris, 1972).

Le Duc, *Crustacés, poissons et coquillages* (J.-C. Lattès, Paris, 1977).

Le Divellec (Jacques) et **Vence** (Céline), *la Cuisine de la mer* (Robert Laffont, Paris, 1982).

PRODUITS DE LA TERRE

Cuisinière républicaine (la), qui enseigne la manière simple d'accommoder les pommes de terre... (Paris, 1794 ; réimp., Morcrette, 1976).

Petit Cuisinier économe (le), avec [...] le traitement et l'apprêt des pommes de terre... (2 vol., Paris, 1796).

Cuisine de nos pères (la), l'Art d'accommoder le gibier suivant les principes de Vatel et des grands officiers de bouche : 200 recettes... (Paris, 1885).

Dubois (Urbain), *la Cuisine d'aujourd'hui. École des jeunes cuisiniers ; service des déjeuners, service des dîners, 250 manières de préparer les œufs* (Paris, 1889).

Ramain (Paul), *Mycogastronomie* (Les Bibliophiles gastronomes, Paris, 1953).

Bocuse (Paul) et **Perrier** (Louis), *le Gibier* (Flammarion, Paris, 1973).

Androuet (Pierre), *la Cuisine au fromage : 800 recettes du monde entier* (Stock, Paris, 1978).

TYPES DE METS

Gouffé (Jules), *le Livre des soupes et des potages contenant plus de 400 recettes de potages français et étrangers* (Paris, 1875).

Wernert (J.), *Hors-d'œuvre et savouries* (1926).

Recette de la fondue vaudoise (Imp. Kohler, Lausanne, 1945).

Jolly (Martine), *À nous les bonnes soupes* (Albin Michel, Paris, 1994).

DESSERTS, GLACES ET CONFITURES

Bastiment de receptes... (Lyon, 1541).

Manière de faire toutes confitures [la] (Paris, 1550).

Nostre-Dame (Michel de, dit Nostradamus), *Excellent et moult utile opuscule [...] de plusieurs exquises recettes, [...] la manière et façon de faire confitures de plusieurs sortes, tant en miel que sucre et vin cuit* (Lyon, 1555 ; P. Hazan, Paris, 1962).

Pratique de faire toutes confitures, condiments, distillations d'eaux odoriférantes et plusieurs autres recettes très utiles (la), avec la vertu et propriété du vinaigre... (Lyon, 1558 ; fac-similé, Klincksieck, Paris, 1992).

Bonnefons (Nicolas de), *le Jardinier français, [...] avec la manière de conserver les fruits et faire toutes sortes de confitures, conserves et massepains...* (Paris, 1651).

Confiturier françois [le] (Paris, 1660).

Massialot, *Nouvelle Instruction pour les confitures, les liqueurs et les fruits ; avec la manière de bien ordonner un dessert* (Paris, 1692).

Menon, *la Science du maître d'hôtel confiseur* (Paris, 1749).

Gilliers (Joseph), *le Cannaméliste français* (Nancy, 1751).

Emy, *l'Art de bien faire les glaces d'office* (Paris, 1768).

Utrecht-Freidel (Mme), *l'Art du confiseur* (Paris, 1801).

Carême (Antonin), *le Pâtissier royal parisien [...] suivi [...] d'une revue critique des grands bals de 1810 et 1811* (Paris, 1815) ; *le Pâtissier pittoresque...* (Paris, 1815 ; 3ᵉ éd. très augmentée, 1842).

Gouffé (Jules), *le Livre de pâtisserie* (Paris, 1873).

Lacam (P.), *le Nouveau Pâtissier-glacier français et étranger* (Paris, 1856) ; *le Glacier classique et artistique en France et en Italie* (Paris, 1893) ; *le Mémorial des glaces [...] renfermant 3 000 recettes...* (Paris, 1902).

Dubois (Urbain), *le Grand Livre des pâtissiers et des confiseurs* (Paris, 1883) ; *la Pâtisserie d'aujourd'hui* (Paris, 1894).

Darenne (E.) et **Duval** (E.), *Traité de pâtisserie moderne. Guide du pâtissier-traiteur ;* mis à jour en 1957 par P. Paillon, entièrement révisé par M. Leduby et H. Raimbault en 1965 (Flammarion, Paris, 1974).

Pasquet (Ernest), *la Pâtisserie familiale* (Flammarion, Paris, 1974).

Lenôtre (Gaston), *Faites votre pâtisserie comme Lenôtre* (Flammarion, Paris, 1975) ; *Faites vos glaces et votre confiserie comme Lenôtre* (Flammarion, Paris, 1978) ; *Desserts traditionnnels de France* (Paris, 1992).

100 Meilleurs desserts [les] (Larousse, Paris, 1977).

Vitalis (Marc), *les Bases de la pâtisserie, confiserie, glacerie* (J. Lanore, Paris, 1977).

Vielfaure (Nicole) et **Beauviala** (Anne-Christine), *Fêtes, coutumes et gâteaux* (Christine Bonneton, Le Puy, 1981).

Perrier-Robert (Anne-Marie), *les Friandises et leurs secrets* (Larousse, Paris, 1986).

Hermé (Pierre), *la Maison du chocolat [avec Sylvie Girard]* (Robert Laffont, Paris, 1992) ; *Secrets gourmands* (Larousse, Paris, 1994) ; *Larousse des desserts* (Larousse, Paris, 1997, rééd. 2006) ; *Larousse du chocolat* (Larousse, Paris, 2005).

Clément (Marie-Christine et Didier), *les Délices des petites filles modèles* (Albin Michel, Paris, 1995).

GASTRONOMIE

ALMANACHS ET PÉRIODIQUES
par ordre chronologique de parution

Gazetin du comestible *[la]* (Paris, 12 numéros de janvier à décembre 1767, et février 1778) ; tarifs de produits de luxe.

Grimod de La Reynière (Alexandre Balthasar Laurent), *Almanach des gourmands...* (8 vol., Maradan, Paris, 1803 à 1808 ; Chaumerot, Paris, 1810 et 1812).

Journal des gourmands et des belles ou *l'Épicurien français* (Paris, 1806).

Périgord (A. B. de) [l'un des pseudonymes d'Horace Raisson], *Nouvel Almanach des gourmands...* (Paris, 1825-1826 et 1827).

Gastronome français *(le), ou l'Art de bien vivre, par les anciens auteurs du Journal des gourmands* (Paris,1828).

Journal des gourmands, *moniteur de la table, à l'usage des gens du monde...* (Paris, 1847-1848).

Monselet (Charles), *Almanach des gourmands* (Paris, 1862 et 1863) ; *le Double Almanach gourmand... pour 1866* (Paris, 1865) ; *le Triple Almanach gourmand... pour 1867* (Paris, 1866) ; *l'Almanach gourmand pour 1868, 1869, 1870* (Paris, 1867, 1868, 1869).

Art culinaire *[l']* (Paris, 1883-1939).

Pot-au-feu *(le), journal de cuisine pratique et d'économie domestique* (Paris, 1893-1940).

Revue culinaire *[la]* (Paris, 1920-...) ; *almanach de cocagne pour l'an 1920, dédié aux Vrais Gourmands et aux Francs-Buveurs* (Paris, 1920) ; existe aussi pour 1921 et 1922, par Bertrand Guégan.

Petits Propos culinaires (Prospect Books, Londres, 1978-...) ; en anglais.

GASTRONOMIE RÉGIONALE ET GUIDES
par ordre chronologique de parution

Blanc du Fugeret (Honoré), *le Guide des dîneurs ou Statistique des principaux restaurants de Paris...* (Paris, 1814).

Briffault (Eugène), *Paris à table* (Paris, 1846).

Luchet (Auguste), *Paris-Guide* (Paris, 1867).

Garlin (Gustave), *Cuisine ancienne ; promenade autour des quais* (Paris, 1893).

Fulbert-Dumonteil, *la France gourmande* (Paris, 1906).

Cousin (Jules Alexis Paul), *Voyages gastronomiques au pays de France : le Lyonnais et le Sud-Est* (Lyon, 1924).

Grancher (Marcel) et **Curnonsky**, *Lyon, capitale de la gastronomie* (Lyon, 1935).

Clos-Jouve (Henri), *le Promeneur lettré et gastronome en Bourgogne, de Dijon à Lyon* (Amiot-Dumont, Paris, 1951) ; *Carnet de croûte* (Magnard, Paris, 1963).

Arbellot (Simon), *Guide gastronomique de la France* (R.C.P. éd., Paris, 1953).

Curnonsky, *Cuisine et vins de France* (Larousse, Paris, 1953).

Gault (Henri) et **Millau** (Christian), *Guide gourmand de la France* (Hachette, Paris, 1970) ; *le Guide de Paris* (Paris, 1979).

DICTIONNAIRES ET ENCYCLOPÉDIES
par ordre chronologique de parution

Aulagnier (A. F.), *Dictionnaire des substances alimentaires indigènes et exotiques et de leurs propriétés* (Paris, 1830).

Favre (Joseph), *Dictionnaire universel de la cuisine* (Paris, 1883-1890).

Montagné (Prosper), *Larousse gastronomique* (1ʳᵉ éd., Paris, 1938).

Dictionnaire de l'académie des gastronomes (éd. Prisma, Paris, 1962).

Woutaz (Fernand), *le Grand Livre des sociétés et confréries gastronomiques de France* (Dominique Halévy, Paris, 1973).

Clément (Jean-Michel), *Dictionnaire des industries alimentaires* (Masson, Paris, 1978).

LITTÉRATURE GOURMANDE
par ordre chronologique de parution

Saint-Amant, *les Œuvres du sieur de Saint-Amant* (Paris, 1629).

Villiers (Claude Deschamps, sieur de), *les Costeaux ou les Marquis frians, comédie* (Paris, 1665).

Desalleurs (Roland P., comte), *Lettres d'un pâtissier anglais au nouveau cuisinier français* (Paris, 1739 ; rééd. par Stephen Mennell, University of Exeter, 1981).

Meusnier de Querlon (Anne-Gabriel), *les Soupers de Daphné* (Paris, 1740).

Manuel de la friandise *(le), ou les Talents de ma cuisinière Isabeau mis en lumière... ;* par l'auteur du *Petit Cuisinier économe* (Paris, 1796).

Berchoux (Joseph), *la Gastronomie ou l'Homme des champs à table* (Paris, 1801 ; rééd. par Jean-Robert Pitte, Glénat, Grenoble, 1989).

Monselet (Charles), *la Cuisine poétique* (Paris, 1859) ; *Lettres gourmandes* (Paris, 1877) ; *les Mois gastronomiques* (Paris, 1880) ; *Gastronomie, récits de table* (Paris, 1880) ; *Poésies complètes* (Paris, 1880).

Rouff (Marcel), *la Vie et la passion de Dodin-Bouffant, gourmet* (Paris, 1920 ; rééd. récentes).

Daudet (Léon), *Paris vécu : rive droite, rive gauche* (Paris, 1930).

Colette (Sidonie Gabrielle), *Prisons et Paradis* (Paris, 1933).

Grancher (Marcel), *le Charcutier de Mâchonville* (1942) ; *Cinquante Ans à table : souvenirs gastronomiques* (Cannes, 1953).

Arbellot (Simon), *Un gastronome se penche sur son passé* (éd. du Vieux Colombier, Paris, 1955).

Curnonsky, *Souvenirs littéraires et gastronomiques* (Albin Michel, Paris, 1958).

Coquet (James de), *Propos de table* (Hachette, Paris, 1964).

Desmur (Jean) et **Courtine** (Robert J.), *Anthologie de la littérature gastronomique* (éd. de Trévise, Paris, 1970) ; *Anthologie de la poésie gourmande* (éd. de Trévise, Paris, 1970).

Amunategui (Francis), *Gastronomiquement vôtre* (Solar, Paris, 1971).

Maillard (J.) et **Hinous** (P.), *Histoires de tables* (Flammarion, Paris, 1989).

ESSAIS GASTRONOMIQUES
par ordre chronologique de parution

Cadet de Gassicourt (Charles Louis), *Cours gastronomique ou les Dîners de Manant-ville...* (Paris, 1806).

Brillat-Savarin (Jean Anthelme), *Physiologie du goût ou Méditations de gastronomie transcendante...* (Paris, 1826).

Raisson (Horace), *Code gourmand : manuel complet de gastronomie...* (Paris, 1827).

Balzac (Honoré de), *le Gastronome français ou l'Art de bien vivre* (1828) ; *la Physiologie gastronomique* (1830) ; *Traité des excitants modernes* (1836).

Cousin (Maurice), *Néophysiologie du goût* (Paris, 1839).

Taihade (Laurent), *Petit Bréviaire de la gourmandise* (Paris, 1919).

Pomiane (Édouard de), *Bien manger pour bien vivre : essai de gastronomie théorique* (Paris, 1922) ; *Réflexes et réflexions devant la nappe* (Paris, 1940).

Croze (Austin de), *la Psychologie de la table* (Paris, 1928).

Nignon (Édouard), *Éloge de la cuisine française* (Paris, 1933).

Ombiaux (Maurice des), *l'Amphitryon d'aujourd'hui* (Paris, 1936) ; *Traité de la table* (Sfelt, Paris, 1947).

Reboux (Paul), *le Nouveau Savoir-manger* (Paris, 1941).

Amunategui (Francis), *l'Art des mets ou Traité des plaisirs de la table* (Fayard, Paris, 1959) ; *le Plaisir des mets* (Au fil d'Ariane, Paris, 1964).

Delteil (Joseph), *la Cuisine paléolithique* (Robert Morel, Forcalquier, 1964).

Courtine (Robert J.), *L'assassin est à votre table* (La Table Ronde, Paris, 1969) ; *le Grand Jeu de la cuisine* (Larousse, Paris, 1980).

Dumay (Raymond), *De la gastronomie* (Stock, Paris, 1969) ; *Du silex au barbecue* (Julliard, Paris, 1971).

Blake (Anthony) et **Crewe** (Quentin), *les Grands Chefs* (le Fanal, Paris, 1979).

Coffe (Jean-Pierre), *le Vrai Vivre* (Le Pré-aux-Clercs, 1989).

ESSAIS DE GASTRONOMIE HISTORIQUE
par ordre chronologique de parution

Gilbert (Philéas), *l'Alimentation et la technique culinaire à travers les siècles* (Paris, 1928).

Revel (Jean-François), *Un festin en paroles : histoire littéraire de la sensibilité gastronomique de l'Antiquité à nos jours* (Jean-Jacques Pauvert, Paris, 1979 ; Plon, Paris, 1995).

Capatti (Alberto), *le Goût du nouveau* (Albin Michel, Paris, 1989).

Pitte (Jean-Robert), *Gastronomie française : histoire et géographie d'une passion* (Fayard, Paris, 1991).

Flandrin (Jean-Louis), *Chronique de Platine : pour une gastronomie historique* (Odile Jacob, Paris, 1992).

HISTOIRE

BIBLIOGRAPHIES

par ordre chronologique de parution

Vicaire (Georges), *Bibliographie gastronomique, depuis le commencement de l'imprimerie jusqu'en 1890* (Paris, 1890 ; fac-similé, The Holland Press, Londres, 1978).

Oxford (Arnold Whitaker), *Notes from a Collector's Catalogue ; with a Bibliography of English Cookery Books* (Londres, 1909).

Bitting (Katherine Golden), *Gastronomic Bibliography* (San Francisco, 1939 ; Ann Arbor, 1971 ; Londres, 1981).

Lambert (Carole, éd.), *Du manuscrit à la table : essais sur la cuisine au Moyen Âge et répertoire des manuscrits médiévaux contenant des recettes culinaires* (Champion-Slatkine, Paris, 1992).

Teuteberg (Hans J., éd.), *European Food History : a Research Review* (Leicester University Press, Leicester, 1992).

Et coquatur ponando..., *Cultura della cucina e della tavola in Europa tra medioevo ed età moderna* (Prato,1996).

OUVRAGES GÉNÉRAUX

Barrau (Jacques), *les Hommes et leurs aliments* (Temps actuels, 1983).

Cuisine et la table (la) : 5 000 ans de gastronomie (l'Histoire, numéro spécial, n° 85, 1986).

Flandrin (Jean-Louis) et Montanari (Massimo), *Histoire de l'alimentation* (Fayard, Paris, 1996).

Food and foodways. Explorations in the History and Culture of Human Nourishment (Harwood Academic Publishers, 1985-...).

Hémardinquer (Jean-Jacques, éd.), *Pour une histoire de l'alimentation* (A. Colin, Paris, 1970).

PAR ÉPOQUES

Amouretti (Marie-Claire), *le Pain et l'huile dans la Grèce antique, de l'araire au moulin* (Paris, 1986).

André (Jacques), *l'Alimentation et la cuisine à Rome* (Les Belles Lettres, Paris, 1981).

Blanc (Nicole) et Nercessian (Anne), *la Cuisine romaine antique* (Glénat, Grenoble, 1992).

Détienne (Marcel) et Vernant (Jean-Pierre), *la Cuisine du sacrifice en pays grec* (Gallimard, Paris, 1979).

Margolin (Jean-Claude) et Sauzet (Robert) [éd.], *Pratiques et discours alimentaires à la Renaissance* (Maisonneuve et Larose, Paris, 1982).

Nourritures (Médiévales, n° 5 , novembre 1983, PUV, Saint-Denis).

Qualité de la vie au XVIIᵉ siècle [la] (Revue, n° 109, Marseille, 1977).

PAR PAYS

Benporat (Claudio), *Storia della gastronomia italiana* (Mursia, Milan, 1990).

Drummond (sir Jack Cecil) and Wilbraham (Anne), *The Englishman's Food : a History of Five Centuries of English Diet* (Jonathan Cape, Londres, 1939 ; 1955 ; 1973).

Faccioli (Emilio), *l'Arte de la cucina in Italia* (Einaudi, Turin, 1987).

Franklin (Alfred), *la Vie privée d'autrefois* (5 vol. : *la Cuisine*, 1888 ; *les Repas*, 1889 ; *Variétés gastronomiques*, 1891 ; *le Café, le thé et le chocolat*, 1893 ; *la Vie à Paris sous Louis XIV*, 1898 (Paris, 1888-1898).

Gillet (Philippe), *Par mets et par vins : voyages et gastronomies en Europe, XVIᵉ et XVIIIᵉ siècles* (Payot, Paris, 1985).

Legrand d'Aussy (Pierre Jean Baptiste), *Histoire de la vie privée des Français depuis l'origine de la nation jusqu'à nos jours* (Paris, 1782 ; 2ᵉ éd. augmentée, Paris, 1815).

Mennell (Stephen), *Français et Anglais à table, du Moyen Âge à nos jours* (Flammarion, Paris, 1987).

Mitchell (B. R.), *European Historical Statistics, 1750-1975* (Macmillan, Londres, 2ᵉ éd., 1981).

Montanari (Massimo), *la Faim et l'abondance : histoire de l'alimentation en Europe* (Le Seuil, Paris, 1995).

Smith (R. E. F.) et Christian (David), *Bread and Salt : a Social Economic History of Food and Drink in Russia* (Cambridge University Press, Cambridge, 1984).

Stouff (Louis), *la Table provençale : boire et manger à la fin du Moyen Âge* (Aix-en-Provence, 1996).

Wheaton (Barbara K.), *l'Office et la bouche*, trad. par B. Vierne (Calmann-Lévy, Paris, 1984).

Wyczanski (Andrzej), *la Consommation alimentaire en Pologne aux XVIᵉ et XVIIᵉ siècles* (Publications de la Sorbonne, Paris, 1985).

PAR SUJETS

(Voir aussi Aliments et boissons, Économie ménagère et Arts de la table.)

Aron (Jean-Paul), *le Mangeur du XIXᵉ siècle* (Robert Laffont, Paris, 1973).

Art culinaire au XIXᵉ siècle (l'), Antonin Carême, Délégation à l'action artistique de la ville de Paris (Paris, 1984).

Gilbert (Philéas), *l'Alimentation et la technique culinaire à travers les siècles* (Paris, 1928).

Girard (Sylvie), *Histoire des objets de cuisine et de gourmandise* (Jacques Grancher, Paris, 1991).

Huetz de Lemps (Alain) et Pitte (Robert) [éd.], *les Restaurants dans le monde et à travers les âges* (Glénat, Grenoble, 1990).

Lespinasse (R. de), *Histoire générale de Paris : les métiers et corporations de la Ville... ; t. 1 : Métiers de l'alimentation* (Paris, 1886).

Papin (Denys), *la Manière d'amollir les os, et de faire cuire toutes sortes de viandes en fort peu de temps et à peu de frais ; avec une description de la machine dont il se faut servir pour cet effet...* (Paris, 1682 ; 2ᵉ éd. augmentée, 1688).

Rival (Ned), *Grimod de La Reynière, le gourmand gentilhomme* (Le Pré-aux-Clercs, Paris, 1983).

Tellier (Charles), *Histoire d'une invention moderne, le frigorifique* (Paris, 1910).

PETITE HISTOIRE GASTRONOMIQUE

Bourgeat (Jacques), *les Plaisirs de la table en France, des Gaulois à nos jours* (Hachette, Paris, 1963).

Castelot (André), *l'Histoire à table* (Perrin, Paris, 1972).

Gottschalk (Alfred), *Histoire de l'alimentation et de la gastronomie depuis la préhistoire jusqu'à nos jours* (Hippocrate, Paris, 1948).

Guy (C.), *Histoire de la cuisine française* (Les Productions de Paris, 1962).

Moulin (Léo), *l'Europe à table* (Elsevier-Séquoia, Paris, 1975).

Ombiaux (Maurice des), *l'Art de manger et son histoire* (Paris, 1928).

Reboux (Paul), *Petite Histoire de la gastronomie à travers les âges* (Corbeil, 1930).

RECETTES ANCIENNES

par ordre chronologique de parution

CUISINE ANTIQUE

Athénée, *Banquet des sages* (Déipnosophistai), trad. de Lefebvre de Villebrune (Paris, 1789-1791).

Apicius, *l'Art culinaire* ; texte établi, trad. et commenté par Jacques André (Les Belles Lettres, Paris, 1974).

CUISINE MÉDIÉVALE ET MODERNE

Allemagne

Bock (Hieronymus), *Deutsche Speiszkammer* (Strasbourg, 1550).

Hayer (Gerold), *Das Buch von Ütter Spise : Abbildungen zur Überlieferung des ältesten deutschen Kochbuches* (Göppingen, 1976).

Rumpolt (M.), *Ein new Kochbuch in Druckgegeben* (1581 ; rééd., Leipzig, 1977).

Kuchenmaisterey (s.l.n.d. J. Zeninger, v. 1480 ; Zentralantiquariat der Deutschen Demokratischen Republik, Leipzig, 1978).

Angleterre

A. W., *A Book of Cookerye* (Londres, 1591 ; fac-similé, Theatrum Orbis Terrarum, Amsterdam, 1976).

Murrell (J.), *A New Booke of Cookerye* (Londres, 1615 ; fac-similé par Theatrum Orbis Terrarum, Amsterdam, 1972).

W. M., *The Complete Cook and A Queens Delight* (Prospect Books, London, 1984) ; textes publiés pour la première fois en 1655 comme parties d'une trilogie intitulée *The Queens Closet Opened*.

Lamb (Patrick), *Royal Cookery, or the Complete Court Cook* (Londres, 1710).

Glasse (Hannah), *The Art of Cookery Made Plain and Easy* (Londres, 1747; fac-similé, Prospect Books, Londres, 1983).

Briggs (E.), *The English Art of Cookery* (Londres, 1788).

Warner (Richard), *Antiquitates Culinariae, or Curious Tracts relating to the Culinary Affairs of the Old English* (Londres, 1791 ; fac-similé, Prospect Books, Londres, 1981).

Austin (Thomas), *Two Fifteenth-Century Cookery Books* (Early English Text Society, O. S. 91, Londres, 1888 ; 1964).

Hieatt (Constance B.) et **Butler** (Sharon), *Curye on Inglysch : English Culinary Manuscripts of the Fourteenth Century* [including the *Forme of Cury*] (Early English Text Society, SS. 8, Londres, 1985).

Hieatt (Constance B.), *An Ordinance of Pottage* (Londres, 1988).

Danemark

Grewe (Rudolf), *An Early 13th Century Northern-European Cookbook*, pp. 27-45 de *Current Research in Culinary History : Sources, Topics, and Methods* (Boston, 1986).

Flandre et Pays-Bas

Lancelot de Casteau, *Ouverture de cuisine* (Liège, 1604 ; fac-similé par De Schutter, Anvers/Bruxelles, 1983).

Nuyttens (Francine), *Bloemlezing uit een vijftiende eeuws Kookboek* (Anvers, 1985).

Jansen-Sieben (Ria) et **Winter** (Johanna Maria von), *De Keuken van de Late Middeleeuwen : een kookboek uit de 16ᵈᵉ eeuw...* (Uitgeverij Bert Bakker, Amsterdam, 1989).

France et Savoie

Sacchi (Bartolomeo), *Platine en françoys [...] augmenté copieusement de plusieurs docteurs, principalement par messire Desdier Christol, prieur de saint Maurice près Montpellier* (Lyon, 1505) ; nombreuses autres éditions au XVIᵉ siècle.

Livre fort excellent de cuisine (Paris, 1542).

La Varenne (François Pierre, dit), *le Cuisinier françois* (Paris, 1651).

Bonnefons (Nicolas de), *les Délices de la campagne* (Paris, 1654).

Lune (Pierre de), *le Cuisinier* (Paris, 1656).

École des ragousts (l'), *ou le Chef-d'œuvre du cuisinier, du patissier, et du confiturier...* (Lyon, 1668).

L. S. R., *l'Art de bien traiter...* (Paris, 1674).

Massialot, *le Cuisinier royal et bourgeois...* (Paris, 1691 ; fac-similé, René Dessagne, Limoges, 1980) ; *le Nouveau Cuisinier royal et bourgeois* (Paris, 1712).

La Chapelle (Vincent), *le Cuisinier moderne* (4 vol., La Haye, 1735).

Marin (François), *les Dons de Comus ou les Délices de la table...* (Paris, 1739) ; *Suite des Dons de Comus ou l'Art de la cuisine réduit en pratique* (3 vol., Paris, 1742).

Cuisinier gascon [le] (Amsterdam, 1740 ; fac-similé, Morcrette, Luzarches, 1976).

Menon, *Nouveau Traité de la cuisine* (Paris, 1742) ; *la Cuisinière bourgeoise, suivie de l'Office à l'usage de tous ceux qui se mêlent de dépenses de maison* (Paris, 1746 ; nombreuses rééditions ; fac-similé avec postface d'Alice Peeters, Messidor/Temps actuels, Paris, 1981) ; *la Science du maître d'hôtel cuisinier...* (Paris, 1749 ; 5 réed. ; fac-similé, Gutenberg Reprint, Paris, 1982) ; *la Nouvelle Cuisine avec de nouveaux dessins de tables et 24 menus...* (Paris, 1742 ; 1751) ; *les Soupers de la Cour...* (Paris, 1755).

Ménagier de Paris, *Traité de morale et d'économie domestique, composé v. 1393 par un bourgeois parisien [le]* (éd. par le baron Jérôme Pichon, Paris, 1846 ; réimp. s.d., pour Daniel Morcrette à Luzarches ; éd. de Georgina E. Brereton et Janet Ferrier, Oxford, 1981).

Aebischer (Paul), *Un manuscrit valaisan du viandier attribué à Taillevent* (pp. 73-100 de *Vallesia*, n° 8, 1953).

Pichon (baron Jérôme) et **Vicaire** (Georges) [éd.], *le Viandier de Guillaume Tirel* ; nouv. éd. augmentée et refondue par Sylvie Martinet (Slatkine Reprint, Genève, 1967).

Scully (Terence), *The Viandier of Taillevent : an Edition of all Extant Manuscripts* (Ottawa, 1988) ; *Du fait de cuisine par Maistre Chiquart, 1420* (pp. 101-231 de *Vallesia*, n° 15, 1985).

Lambert (Carole), *le Recueil de Riom...* (le *Moyen Français*, n° 20, Montréal, 1987).

Italie

Platina (Bartolomeo Sacchi), *De honesta voluptate ac valetudine* (Venise, 1475).

Messisbugo (Christofaro di), *Libro novo nel qual s'insegna a far d'ogni sorte di vivande secondo la diversità de i tempi...* (Venise, 1552 ; fac-similé, Forni, Bologne, 1980).

Scappi (Bartolomeo), *Opera di B. Scappi, cuoco secreto di Papa Pio Quinto* (Venise, 1570 ; fac-similé, Forni, Bologne, 1981).

Faccioli (Emilio), *l'Arte della cucina in Italia* (Einaudi, Torino, 1987 ; Einaudi Tascabili, 1992).

Péninsule Ibérique

Robert (Mestre), *Llibre de doctrina fera ben servir : de tallar y del art de coch* (Barcelona, 1520 ; 4 réed. jusqu'en 1578 ; réed. récente par Veronika Leimgruber, *Libre del Coch. Tractat de cuina medieval* (Curial Edicions Catalanes, Barcelona, 1982).

Nola (Ruperto de), *Libro de cozina* [édition de Carmen Iranzo, sur la version castillane de 1525] (Taurus, Madrid, 1969 ; réed., 1982).

Martínez Montiño (Francisco), *Arte de cozina, pasteleria, vizcocheria y conserveria...* (Madrid, 1611 ; fac-similé, Tusquets editores, Barcelona, 1982).

Altamiras (Juan), *Nuevo Arte de Cocina* (Barcelone, 1758 ; fac-similé, Ediciones Histórico-artística, La Borriana, 1986).

Manuppella (Giacinto) et **Dias Arnaut** (Salvador), *O « livro de cozinha » da Infanta D. Maria de Portugal* (Coimbra, 1967).

Grewe (Rudolf), *Libre de Sent Sovi. Receptari de cuina ; a cura de Rudolf Grewe* (Editorial Barcino, Barcelona, 1979).

Suisse

Cuisinière genevoise ...[la] (Genève, 1817 ; fac-similé par Slatkine, Genève, 1987).

Bolens (Lucie), *Élixirs et merveilles. Manuscrit inédit sur la cuisine bourgeoise en Suisse romande à la fin du XVIIIᵉ siècle* (éd. Zoé, Genève, 1984).

MORCEAUX CHOISIS ET RECETTES ADAPTÉES

Hieatt (Constance) et **Butler** (Sharon), *Pleyn Delit, Medieval Cookery for Modern Cooks* (University of Toronto Press, 1976 ; 2e éd. 1996) ; trad. française par Brenda Thaon sous le titre *Pain, vin et venaison* (éd. de l'Aurore, Montréal, 1977).

Académie Platine, *le Banquet du bourgeois* (Livraison, Paris, 1981).

Bolens (Lucie), *la Cuisine andalouse, un art de vivre, XIᵉ-XIIIᵉ siècles* (Albin Michel, Paris, 1990).

Cent Recettes pour manger à l'ancienne (Association contre le cancer, Bruxelles, 1991).

Redon (Odile), **Sabban** (Françoise) et **Serventi** (Silvano), *la Gastronomie au Moyen Âge : 150 recettes de France et d'Italie* (Stock, Paris, 1991).

ALIMENTS ET BOISSONS

CÉRÉALES, PAIN, PÂTES, POMMES DE TERRE

Contre Marco Polo : une histoire comparée des pâtes alimentaires (*Médiévales*, n° 16-17, Presses universitaires de Vincennes, Saint-Denis, 1989).

Desportes (Françoise), *le Pain au Moyen Âge* (Olivier Orban, Paris, 1987).

Devroey (Jean-Pierre) et **Van Mol** (Jean-Jacques), [éd.], *l'Épeautre* (Triticum spelta) : *histoire et ethnologie* (Éd. Dire, Treignes, 1989).

Kaplan (Steven L.), *le Meilleur Pain du monde : les boulangers de Paris au XVIIIe siècle* (Fayard, Paris, 1996).

Légumes, pâtes et riz (Larousse, Paris, 1992).

Parmentier (Antoine Augustin), *le Parfait Boulanger...* (Paris, 1773) ; *Traité sur la culture et les usages des pommes de terre* (Paris, 1789).

Poilâne (Lionel), *Guide de l'amateur de pain* (Robert Laffont, Paris, 1981).

Robuchon (Joël), *le Meilleur et le plus simple de la pomme de terre : 100 recettes* [avec Dr Pierre Sabatier] (Robert Laffont, Paris, 1994).

AUTRES ALIMENTS VÉGÉTAUX

Bois (D.), *les Plantes alimentaires chez tous les peuples et à travers les âges : histoire, utilisation, culture. Phanérogames légumières* (P. Lechevalier, Paris, 1927).

Boisvert (Clotilde), *les Jardins de la mer : du bon usage des algues* (Terre vivante, Paris, 1988).

Candolle (A. de), *Origine des plantes cultivées* (Paris, 1883 ; réimp., Jeanne Laffitte, Marseille, 1984).

Holt (Géraldine), *les Fines Herbes* (Hatier, Paris, 1992).

Leclerc (Henri), *les Légumes de France* (Masson, Paris, 1977).

Maurizio (Dr A.), *Histoire de l'alimentation végétale depuis la préhistoire jusqu'à nos jours* (Payot, Paris, 1932).

Meiller (Daniel) et **Vannier** (Paul), [éd.], *le Grand Livre des fruits et légumes : histoire, culture et usage* (La Manufacture, Besançon, 1991).

Moynier (M.), *De la truffe...* (Paris, 1835).

Paulet, *Traité des champignons...* ; 2 vol. in-4° (Paris, 1793).

Pons (Jacques), *le Traité des melons* (Lyon, 1583).

Roques (Joseph), *Histoire des champignons comestibles et vénéneux* (Paris, 1832 ; 2e éd. augmentée, Paris, 1841).

ÉPICES, SEL, SUCRE, MIEL

Danrigal (Françoise) et **Huyghens** (Claude), *le Miel* (Nathan, Paris, 1989).

Landry (Robert), *Guide culinaire des épices, aromates et condiments* (Nouvelles Éd. Marabout, Verviers, 1978).

Sucre et le sel [le] (JATBA, Travaux d'ethnobiologie, vol. 35, numéro spécial, 1988).

LAITAGES, POISSONS, VIANDES, VOLAILLE

Androuet (Pierre), *Guide du fromage* (Stock, Paris, 1971).

Animal dans l'alimentation humaine : les critères de choix [l'] (Anthropozoologica, numéro spécial, 1988).

Davidson (Alan), *Poissons de la Méditerranée* (Solar, 1981).

Découpe et le partage du corps à travers le temps et l'espace [la] (Anthropozoologica, 1987).

Delort (Robert), *Les animaux ont une histoire* (Le Seuil, Paris, 1984).

Lindon (Raymond), *le Livre de l'amateur de fromage* (Robert Laffont, Paris, 1961).

Méchin (Colette), *Bêtes à manger : usages alimentaires des Français* (Presses universitaires, Nancy, 1992).

Poissons, coquillages et crustacés (Larousse, Paris, 1992).

Poplin (François, éd.), *le Dindon* (Ethnozootechnie, n° 49, Société d'ethnozootechnie, Paris, 1992).

Serventi (Silvano), *la Grande Histoire du foie gras* (Flammarion, Paris, 1993).

Valeri (Renée), *le Confit et son rôle dans l'alimentation traditionnelle du sud-ouest de la France* (Liber Läromedel, Lund, 1977).

Viandes et volailles (Larousse, Paris, 1991).

VIN
par ordre chronologique de parution

Arnoux, *Dissertation sur la situation de Bourgogne* (1723).

Chaptal (Jean Antoine), *l'Art de faire le vin* (Paris, 1802).

Jullien (André), *Topographie de tous les vignobles connus...* (Paris, 1816 ; 5e éd. 1866 ; réimp., Champion-Slatkine, Paris-Genève, 1985).

Franck (William), *Traité sur les vins du Médoc et les autres vins rouges du département de la Gironde* (Bordeaux, 1824).

Guyot (Jules), *Étude des vignobles de France* (Masson, Paris, 1863).

Pasteur (Louis), *Études sur le vin, ses maladies, causes qui les provoquent, procédés nouveaux pour le conserver et le vieillir* (Paris, 1873).

Arbellot (Simon), *Tel plat, tel vin* (Amphora, Paris, 1963).

Woutaz (Fernand), *le Grand Livre des confréries des vins de France* (Dominique Halévy, Paris, 1971).

Dion (Roger), *Histoire de la vigne et du vin en France* (Flammarion, 1977).

Johnson (Hugh), *Guide de poche du vin* (Robert Laffont, Paris, chaque année depuis 1977).

Faith (Nicholas), *Château Margaux* ; préface d'Émile Peynaud (Fernand Nathan, Paris, 1980).

Amateur de bordeaux (l'), revue trimestrielle, nouvelle série (Paris, 1983-...).

Peynaud (Émile), *le Goût du vin* (Dunod, 1983) ; *Œnologue dans le siècle : entretiens avec Michel Guillard* (La Table Ronde, Paris, 1995).

Rouge et le blanc (le), revue trimestrielle (Paris, 1983-...).

Vins et vignobles de France (Larousse/Savour Club, Paris, 1987).

Lachiver (Marcel), *Vins, vigne, vignerons : histoire du vignoble français* (Fayard, Paris, 1988).

Vigne et le vin [la] (La Manufacture, Lyon, 1988).

Fournier (Dominique) et **D'Onofrio** (Salvatore) [éd.], *le Ferment divin* (Maison des sciences de l'homme, Paris, 1991).

Parker (Robert), *Guide Parker des vins de France* (3e éd., Solar, Paris, 1994).

Larousse du vin (Larousse, Paris, 1994 ; rééd., 2004).

Creignou (Michel), *Vigneron du Médoc* [avec Philippe Courrian] (Payot, Paris, 1996).

AUTRES BOISSONS
par ordre chronologique de parution

Paulmier (Julien de), *Traité du vin et du sidre* (Caen, 1589).

Dufour (Philippe Sylvestre), *Traités nouveaux et curieux du café, du thé et du chocolat* (Lyon, 1685).

Blégny (Nicolas), *le Bon Usage du thé, du café et du chocolat...* (Lyon, 1687).

Dejean (Antoine), *Traité raisonné de la distillation...* (Paris, 1753).

Cadet de Vaux (Antoine Alexis), *Dissertation sur le café...* (Paris, 1807).

Iatca (Michel), *Guide international de la bière* (André Balland, Paris, 1970).

Corran (Harry Stanley), A *History of Brewing* (Newton Abbot, 1975).

Sallé (Jacques et Bernard), *le Larousse des alcools* (Paris, 1982).

Perrier-Robert (Anne-Marie) et **Mbaye** (Aline), *la Bière* (Larousse, Paris, 1988).

Weill (Alain), *les Cocktails* [avec Hervé Chayette] (Nathan, Paris, 1988).

Grand Livre de l'eau [le] (La Manufacture, Paris, 1990).

Bailleux (Nathalie), **Bizeul** (Hervé), **Feltwell** (John) et **Kopp** (Régine), *le Livre du chocolat* (Flammarion, Paris, 1995).

Castellon (Fernando), *Larousse des cocktails* (Larousse, Paris, 2004).

ÉCONOMIE DOMESTIQUE ET ARTS DE LA TABLE
par ordre chronologique de parution

AGRONOMIE ET ÉCONOMIE DOMESTIQUE

Estienne (Charles) et **Liébaut** (Jean), *l'Agriculture et la Maison rustique* (Lyon, 1578) ; nombreuses rééditions.

Dawson (Thomas), *The Good Huswifes Jewell...* (2 parties, Londres, 1596 et 1597 ; réimp. en 1 vol. par Theatrum Orbis Terrarum, Amsterdam, 1977).

Serres (Olivier de), *le Théâtre d'agriculture et ménage des champs* (Paris, 1600) ; nombreuses rééditions.

Liger (Louis), *Économie générale de la campagne ou Nouvelle Maison rustique* (Paris, 1700).

La Quintinie (Jean de), *Instructions pour les jardins fruitiers et potagers* (Paris, 1730 ; éd., 1690).

Bradley (R.), *The Country Housewife and Lady's Director...* (6e éd., Londres, 1736).

Alletz (Pons Augustin), *l'Agronome ou Dictionnaire portatif du cultivateur* (Paris, 1760).

Albert (B.), *Manuel complet d'économie domestique, contenant la cuisine, la charcuterie, la grosse pâtisserie et la pâtisserie fine...* (Paris, 1812).

Michaux (Marceline), *la Cuisine de la ferme* (Librairie agricole de la Maison rustique, 1867).

Davidson (Caroline), *A Woman's Work is Never Done : a History of Housework in the British Isles, 1650-1950* (Chatto et Windus, Londres, 1982).

CHARCUTERIE ET CONSERVES

Appert (Nicolas), *l'Art de conserver, pendant plusieurs années, toutes les substances animales et végétales* (Paris, 1810 ; rééd. en 1811 et 1813 : *le Livre de tous les ménages*).

Parfait Charcutier... [le] (Paris, 1815).

Dronne (Louis François), *Charcuterie ancienne et moderne...* (Paris, 1869).

Gouffé (Jules), *le Livre des conserves...* (Paris, 1869).

Michel (F.), *la Conserve de ménage* (Flammarion, Paris, 1932).

Cameron Smith (Marye), *le Livre complet de la conserve* (Dessain et Tolra, Paris, 1977).

USAGES DE TABLE

Érasme (Désiré), *De civilitate morum puerilium* (1530) [trad. française d'Alcide Bonneau, Paris, 1877 : *la Civilité*, rééd. avec une préface de Philippe Ariès, Paris, 1977].

Traité de la civilité nouvellement dressée d'un manière méthodique et suivant les règles de l'usage vivant (Lyon, 1685).

Elias (Norbert), *la Civilisation des mœurs* (trad. française : Nathan, Paris, 1969).

Marchese (P.), *l'Invenzione della forchetta* (1989).

Moulin (Léo), *les Liturgies de la table* (1989).

Aurell (Martin), **Dumoulin** (Olivier) et **Thelamon** (Françoise) [éd.], *la Sociabilité à table : commensalité et convivialité à travers les âges* (Publications de l'Université de Rouen, 1992).

Marenco (Claudine), *Manières de table, modèles de mœurs, XVIIᵉ-XXᵉ siècles* (Éd. de l'E.N.S.-Cachan, Cachan, 1992).

Aymard (Maurice), **Grignon** (Claude), **Sabban** (Françoise) [éd.], *le Temps de manger : alimentation, emploi du temps et rythmes sociaux* (Maison des sciences de l'homme, Paris, 1993).

ARTS DE LA TABLE

École parfaite des officiers de bouche, contenant Le Vray Maistre-d'Hostel, Le Grand Escuyer-Tranchant, Le Sommelier Royal, Le Confiturier Royal, Le Cuisinier Royal, Et Le Pâtissier Royal (Paris, 1662 ; 15 rééd.).

Lune (Pierre de), *le Nouveau et Parfait Maistre d'hôtel [...]. Un nouveau cuisinier à l'espagnole...* (Paris, 1662).

Audiger, *la Maison réglée et l'art de diriger la maison d'un grand seigneur...* (Paris, 1692).

Menon, *le Manuel des officiers de bouche...* (Paris, 1759).

Grimod de La Reynière (Alexandre, Balthasar Laurent), *Manuel des amphitryons...* (Paris, 1808).

Carême (Antonin), *le Maître d'hôtel français. Traité des menus à servir à Paris, à Saint-Pétersbourg, à Londres et à Vienne* (Paris, 1822).

Bernardi (T.), *le Glacier royal...* (Paris, 1844) ; *l'Écuyer tranchant ou l'Art de découper et servir à table...* (Paris, 1845).

Escoffier (Auguste), *le Livre des menus...* (Flammarion, Paris, 1912).

Carnevali (Oreste) et **Read** (Jean B.), *Comment découper et désosser viandes, volailles, poissons* (Stanké, Montréal-Paris, 1981).

Denéchaud (Karly), *le Nouvel Art de recevoir chez soi...* (éd. Alta/J.-C. Lattès, Paris, 1981).

Ost (H.), *l'Art et la table* (Neuchâtel, 1982).

DIÉTÉTIQUE ET SCIENCES HUMAINES

DIÉTÉTIQUE ANCIENNE
par ordre chronologique de parution

Galien (Claude), *Des choses nutritives contenant trois vol., traduites par Maître Jehan Massé* (Paris, 1552).

École de Salerne (l'), trad. en vers français.

Pisanelli (Baldassare), *Traicté de la nature des viandes et du boire...* (Arras, 1596).

Duchesne (Joseph, sieur de la Violette), *le Pourtraict de la santé...* (Paris, 1605).

Thresor de santé ou mesnage de la vie humaine... [le] (Lyon, 1607).

Lemery (Louis), *le Traité des aliments...* (Paris, 1702 ; 2ᵉ éd. augmentée, 1705 ; 3ᵉ éd. corrigée et augmentée par Jacques-Jean Bruhier, 2 vol., 1755).

Andry (Nicolas), *le Régime du Caresme considéré par rapport à la nature du corps et des alimens* (Paris, 1710).

Briand, *Dictionnaire des aliments, vins et liqueurs, leurs qualités, leurs effets, relativement aux différents âges et aux différents tempéraments...* (Paris, 1750).

Lombard (L.-M.), *le Cuisinier et le Médecin et le Médecin et le Cuisinier...* (Paris, 1855).

DIÉTÉTIQUE ACTUELLE ET NUTRITION

Apfeldorfer (Gérard), *Traité de l'alimentation et du corps* (Flammarion, Paris, 1994).

Bérard (Léone) et **Creff** (Albert-François), *Gastronomie de la diététique* (Robert Laffont, Paris, 1979).

Dupin (Henri), *l'Alimentation des Français : évolution et problèmes nutritionnels* (éd. E. S. F., Paris, 1978).

Fricker (Dr Jacques), *la Cuisine du bien maigrir* (éd. Odile Jacob, Paris, 1994) ; *le Nouveau Guide du bien maigrir* (éd. Odile Jacob, Paris, 1996).

Gayelord Hauser, *Cuisine de santé* (Denoël, Paris, 1953).

Guérard (Michel), *la Grande Cuisine minceur* (Robert Laffont, Paris, 1976 ; *Le Livre de Poche pratique*, n° 7735) ; *Minceur exquise : 150 recettes pour maigrir en se régalant* (Robert Laffont, Paris, 1989).

Guillot (André), *la Vraie Cuisine légère* (Flammarion, Paris, 1981).

Hubert (Annie), *Pourquoi les Eskimos n'ont pas de cholestérol...* (éd. générales First, Paris, 1995).

PSYCHOLOGIE ET PSYCHANALYSE

Apfeldorfer (Gérard), *Je mange donc je suis : surpoids et troubles du comportement alimentaire* (Payot, Paris, 1991).

Cappon (Daniel), *Eating, Loving and Dying : a Psychology of Appetites* (University of Toronto Press, Toronto, 1973).

Chiva (Matty), *le Doux et l'Amer : sensation gustative, émotion et communication chez le jeune enfant* (PUF, Paris, 1985).

Logue (Alexandra Woods), *Psychology of Eating and Drinking* (New York, 1986).

ETHNOLOGIE ET SOCIOLOGIE

Bourdieu (Pierre), *la Distinction* (éd. de Minuit, Paris, 1979).

Driver (Christopher), *The British at Table 1940-1980* (Chatto et Windus, Londres, 1983).

Fischler (Claude, éd.), *la Nourriture : pour une anthropologie bioculturelle de l'alimentation* (Communications, n° 31, Le Seuil, Paris, 1979) ; *l'Homnivore* (éd. Odile Jacob, Paris, 1990) ; *Manger magique : aliments sorciers, croyances comestibles* (Autrement, n° 149, Paris, 1994).

Goody (Jack), *Cuisines, Cuisine et Classes*, trad. française (Centre Georges-Pompidou, Paris, 1984).

Identité alimentaire et altérité culturelle (Actes du Colloque de Neuchâtel, 12-13 novembre 1984, Université de Neuchâtel, 1985).

Moulin (Léo), *l'Europe à table : introduction à une psychosociologie des pratiques alimentaires en Occident* (Elsevier-Sequoia, Paris-Bruxelles, 1975).

Piault (Fabrice, éd.), *Nourritures : plaisirs et angoisses de la fourchette* (Autrement, n° 108, Paris, 1989) ; *le Mangeur : menus, mots et maux* (Autrement, n° 138, Paris, 1993).

Simoons (Frederick J.), *Eat Not This Flesh : Food Avoidance in the Old World* (University of Wisconsin Press, Madison, 1961).

Verdier (Yvonne), *Façons de dire, façons de faire : la laveuse, la couturière, la cuisinière* (Gallimard, Paris, 1979).

Wilson (C. A.), *Food and Drink in Britain* (London, 1973).

RECETTES DES CHEFS ET DES RESTAURANTS

RECETTES SIGNÉES DE CHEFS

Ferran Adrià
air glacé de parmesan avec muesli ▸ VOIR parmigiano reggiano
œufs de caille caramélisés ▸ VOIR caille
omelette surprise 2003 ▸ VOIR omelette
soupe de jambon aux billes de melon ▸ VOIR melon

Massimiliano Alajmo
risotto au safran et poudre de réglisse ▸ VOIR risotto

Frédéric Anton
carottes nouvelles confites en cocotte,
    caramel au pain d'épice ▸ VOIR carotte
fines lamelles de betterave parfumées à la muscade,
    vieux comté préparé en fins copeaux, jus gras ▸ VOIR betterave
l'os à moelle ▸ VOIR moelle osseuse

Ghislaine Arabian
lapereau aux pruneaux ▸ VOIR lapin
potjevlesch ▸ VOIR potjevlesch

Juan-Mari Arzak
merlu aux palourdes à la sauce verte ▸ VOIR merlu
ventrèche de thon à la sarriette et arêtes mentholées ▸ VOIR thon

Pascal Barbot
ceviche de daurade, rhubarbe et huile de piment ▸ VOIR ceviche
consommé de poule faisane et panais ▸ VOIR panais
endives braisées au beurre de spéculos,
    banane-citron vert ▸ VOIR endive
fines lamelles d'avocat et chair de crabe ▸ VOIR avocat

Jean Bardet
beuchelle à la tourangelle ▸ VOIR beuchelle
minéralité de homard bleu de l'Atlantique ▸ VOIR homard

Roland Barthélémy
brie aux truffes ▸ VOIR brie

Pierre Baumann
choucroute aux poissons ▸ VOIR choucroute

Jean-Michel Bédier
suprêmes de volaille au sauternes
    et au citron confit ▸ VOIR suprême

Bernard Berilley
gelée de fruits rouges ▸ VOIR gelée

Charles Bérot
soufflé glacé aux framboises ▸ VOIR soufflé

Philippe Berzane
biscuits au gingembre ▸ VOIR biscuit

Léa Bidaut
gigot rôti de Léa ▸ VOIR agneau

Jean-Pierre Biffi
fingers au foie gras ▸ VOIR foie gras
sauce chaud-froid de volaille ▸ VOIR sauce
saumon KKO ▸ VOIR saumon

Georges Blanc
crêpes vonnassiennes de la Mère Blanc ▸ VOIR pomme de terre
fricassée de volaille de Bresse de la Mère Blanc ▸ VOIR fricassée
grenouilles persillées ▸ VOIR grenouille

Paul Bocuse
artichauts à la lyonnaise ▸ VOIR artichaut
loup en croûte sauce Choron ▸ VOIR loup
oreiller de la belle basse-cour ▸ VOIR pâté
rougets en écailles de pomme de terre ▸ VOIR rouget-barbet
soupe de potiron ▸ VOIR soupe
soupe aux truffes noires ▸ VOIR soupe
volaille de Bresse Halloween ▸ VOIR volaille

Daniel Bouché
côtelettes de marcassin aux coings ▸ VOIR marcassin

Éric Bouchenoire
crème de langoustine à la truffe ▸ VOIR crème (potage)
velouté de châtaignes au foie gras et
    céleri au lard fumé ▸ VOIR velouté

Gérard Boyer
huîtres plates au champagne ▸ VOIR huître

Angèle Bras
aligot ▸ VOIR aligot
estofinado ▸ VOIR estofinado

Michel Bras
biscuit de chocolat « coulant », aux arômes de cacao,
    sirop chocolaté au thé d'Aubrac ▸ VOIR chocolat
bœuf de l'Aubrac ▸ VOIR bœuf
gargouillou de légumes ▸ VOIR légume
gaufrette de pomme de terre, crème au beurre noisette,
    caramel au beurre salé ▸ VOIR pomme de terre

Philippe Braun
crème de laitue, fondue aux oignons
    de printemps ▸ VOIR crème (potage)
foie gras de canard, truffe et céleri-rave
    en cocotte lutée ▸ VOIR foie gras
salade folichonne de céleri-rave aux truffes ▸ VOIR céleri-rave
salade de pommes de terre et pieds de porc truffés ▸ VOIR salade
vitello tonnato ▸ VOIR veau

Éric Briffard
tourte de poule faisane, perdreau gris
    et grouse au genièvre ▸ VOIR tourte

Michel Bruneau
crevettes au cidre ▸ VOIR crevette

Marye Cameron Smith
pickles de chou-fleur et de tomate ▸ VOIR pickles

Antonin Carême
sauce à la bigarade ▸ VOIR sauce
sauce aux écrevisses ▸ VOIR sauce
sauce financière ▸ VOIR sauce

Stéphane Carrade
garbure béarnaise ▸ VOIR garbure

Paul Castaing
matelote Charles-Vanel ▸ VOIR matelote

Miguel Castro e Silva
morues aux pousses de navet (cuisson sous vide) ▸ VOIR morue
porc aux pois chiches et aux cèpes (cuisson sous vide) ▸ VOIR porc
terrine de poulpe pressée ▸ VOIR terrine

Franck Cerutti
estoficada (stockfisch à la niçoise) ▸ VOIR stockfisch
fines feuilles de pâtes vertes aux asperges ▸ VOIR pâtes alimentaires

Alain Chapel
charlotte de légumes ▸ VOIR charlotte
gâteau de foies blonds de poularde de Bresse,
    sauce aux queues d'écrevisse à la Lucien Tendret ▸ VOIR foie
gigot braisé aux petits oignons nouveaux ▸ VOIR gigot
mousse de citron ▸ VOIR mousse
soles de ligne à la fondue de poireau ▸ VOIR sole

Jean-André Charial
pigeon au lait d'amandes fraîches ▸ VOIR pigeon et pigeonneau
rougets au basilic ▸ VOIR rouget-barbet

Jean Chauvel
café champignon ▸ VOIR champignon
sandwich jambon-beurre à boire ▸ VOIR amuse-gueule

Sœur Monique Chevrier
croustade de pommes à la québécoise ▸ VOIR pomme

Jacques Chibois
papillon de langoustines à la chiffonnade
    de mesclun ▸ VOIR langoustine

Bruno Cirino
calmars farcis ▸ VOIR calmar

Christian Constant (chocolatier)
sorbet au cacao et aux raisins ▸ VOIR sorbet
tarte au chocolat ▸ VOIR tarte
tarte Sonia Rykiel ▸ VOIR tarte

Christian Constant (cuisinier)
confit de foie gras, quenelles de figues et noix ▶ VOIR foie gras
moelleux de homard à la civette, pommes rattes ▶ VOIR homard

Philippe Conticini
crème de radis, chèvre et beurre salé ▶ VOIR radis
croque-monsieur à la banane ▶ VOIR banane
fraises confites, écume de citron de Menton ▶ VOIR verrine
mille-feuille à la vanille (version classique) ▶ VOIR mille-feuille
nage de melon, verveine et passion ▶ VOIR melon
tarte tacoing ▶ VOIR tarte

Robert Courtine
blaff de poissons ▶ VOIR poisson

Jean Cousseau
bécasses à la ficelle ▶ VOIR bécasse
magret de palombes aux cèpes ▶ VOIR palombe

Richard Coutanceau
cagouilles à la charentaise ▶ VOIR escargot
tartare de langoustines en fine gelée
    aux huîtres spéciales ▶ VOIR langoustine

Christophe Cussac
andouillettes à la chablisienne ▶ VOIR andouillette
jambon à la chablisienne ▶ VOIR jambon
sardine aux asperges vertes
    et au citron de Menton confit ▶ VOIR sardine

André Daguin
glace aux truffes ▶ VOIR glace

Hélène Darroze
escaoutoun ▶ VOIR farine
foie gras de canard des Landes grillé au feu de bois,
    artichauts épineux et jus de barigoule ▶ VOIR foie gras
la tourtière feuilletée de Louise Darroze ▶ VOIR tourtière
légumes de printemps à la grecque ▶ VOIR grecque
pastis landais ▶ VOIR pastis (gâteau)
velouté aux haricots maïs du Béarn ▶ VOIR velouté

Jacques Decoret
croque-escargot en coque de pain sur lit de jeunes pousses
    de salade et ricotta ▶ VOIR escargot
une nouvelle présentation de la brioche lyonnaise
    aux pralines de Saint-Genix ▶ VOIR praline

Bruno Deligne
tarte Tatin ▶ VOIR tarte

Jacques Dereux
trifle aux fruits rouges ▶ VOIR trifle

Anne Desjardins
longe de caribou, bleuets sauvages, poivre vert
    et baies de genièvre ▶ VOIR caribou
soupe mousseuse au blé d'Inde (maïs)
    et champignons ▶ VOIR blé d'Inde

Alain Ducasse
fraises des bois dans leur jus tiède,
    sorbet au mascarpone ▶ VOIR fraise
jarret de veau poché et blettes mijotées ▶ VOIR veau
panisses ▶ VOIR panisse
risotto aux artichauts ▶ VOIR risotto
soupe passée de petits pois et leurs cosses
    aux févettes et fanes de radis ▶ VOIR petit pois

Jean Ducloux
pâté de foie de volaille ▶ VOIR pâté
poulet sauté aux gousses d'ail en chemise ▶ VOIR poulet

Guy Ducrest
gâteau de pommes de terre des vendangeurs ▶ VOIR pomme de terre
soles tante Marie ▶ VOIR sole

Alexandre Dumaine
foie de veau à la Saulieu ▶ VOIR foie
gâteau « le prélat » ▶ VOIR gâteau
noix de veau Brillat-Savarin ▶ VOIR veau

Jean-Paul Duquesnoy
pigeon et foie gras en chartreuse au jus de truffe
    ▶ VOIR pigeon et pigeonneau

Roland Durand
velouté de cèpes aux huîtres ▶ VOIR cèpe
vichyssoise de champignons à l'angélique ▶ VOIR champignon

Alain Dutournier
abignades ▶ VOIR abignades
« cappuccino » de châtaignes à la truffe blanche d'Alba,
    bouillon mousseux de poule faisane ▶ VOIR châtaigne et marron
gâteau de topinambour et foie gras à la truffe ▶ VOIR topinambour
lièvre au chocolat ▶ VOIR lièvre
russe pistaché ▶ VOIR pistache
soupe glacée aux moules ▶ VOIR soupe

Didier Elena
tendron de veau aux oignons caramélisés ▶ VOIR tendron

Guy Épaillard
mouclade des boucholeurs ▶ VOIR mouclade
salade de fruits de mer ▶ VOIR salade

Éric Escobar
nougat ▶ VOIR nougat

Henri Faugeron
crottins de Chavignol rôtis sur salade
    aux noix de la Corrèze ▶ VOIR crottin de Chavignol
œufs à la coque Faugeron
    à la purée de truffe ▶ VOIR œuf à la coque

Christophe Felder
gratin de pommes granny smith à l'amande,
    granité de cidre et raisins secs ▶ VOIR gratin

Christine Ferber
pain d'épice à découper ▶ VOIR pain d'épice
tarte aux mirabelles de Lorraine ▶ VOIR mirabelle
tarte aux quetsches à la cannelle ▶ VOIR quetsche

Jean-Claude Ferrero
sot-l'y-laisse aux morilles ▶ VOIR volaille
têtes de cèpe grillées au four ▶ VOIR cèpe
truffe en papillote et son foie gras d'oie ▶ VOIR truffe

Jean Fleury
petit salé aux lentilles ▶ VOIR porc
salade d'oranges maltaises aux zestes confits ▶ VOIR salade de fruits
salmis de faisan ▶ VOIR faisan

Éric Fréchon
lisette de petit bateau ▶ VOIR maquereau

Pierre Gagnaire
noir « insolite » ▶ VOIR riz
une orientale ▶ VOIR pigeon et pigeonneau

Frédy Girardet
cassolettes de saint-jacques aux endives ▶ VOIR cassolette
filets de rouget Girardet ▶ VOIR rouget-barbet
fondant de pommes amandine ▶ VOIR pomme
marinière de petits coquillages au cerfeuil ▶ VOIR marinière
soufflé au fruit de la Passion ▶ VOIR soufflé

Pierre et Jany Gleize
caneton au miel de lavande et au citron ▶ VOIR caneton
raviolis aux herbes ▶ VOIR raviolis
soupe rustique d'épeautre du Cantadour ▶ VOIR épeautre

Philippe Gobet
friand façon Lenôtre ▶ VOIR friand
granité au melon ▶ VOIR melon
pêches rôties au romarin ▶ VOIR pêche
rognons de veau au madère ▶ VOIR rognon
tartare de courgettes crues aux amandes fraîches
    et parmesan ▶ VOIR courgette

Frédérick E. Grasser
cannelés ▶ VOIR cannelé

Yves Gravelier
brasero de rouget aux sarments de vigne,
    coulis d'échalote ▶ VOIR rouget-barbet

Michel Guérard
aiguillettes de caneton au poivre vert ▶ VOIR poivre vert
gâteau de chocolat de maman Guérard ▶ VOIR chocolat
poulet truffé au persil ▶ VOIR poulet
salade gourmande ▶ VOIR salade

Christian Guillerand
escabèche de sardines ▶ VOIR escabèche

André Guillot
brochet du meunier ▶ VOIR brochet

Marc Haeberlin
charlotte au pain d'épice et aux fruits secs d'hiver ▶ VOIR charlotte
civet de lièvre ▶ VOIR civet
faisan au porto ▶ VOIR faisan
mousseline de grenouilles ▶ VOIR grenouille
potage aux grenouilles ▶ VOIR potage

Paul et Jean-Pierre Haeberlin
salsifis au gratin ▶ VOIR salsifis
saumon soufflé « Auberge de l'Ill » ▶ VOIR saumon
soufflé au fromage et aux œufs pochés ▶ VOIR soufflé

Fatéma Hal
tagine d'agneau aux coings ▶ VOIR tagine
tagine d'agneau aux fèves ▶ VOIR tagine
tagine de poulet aux olives et aux citrons confits ▶ VOIR tagine

Pierre Hermé
ananas rôti ▶ VOIR ananas
bûche au chocolat et à la framboise ▶ VOIR bûche de Noël
charlotte riviéra ▶ VOIR charlotte
cheesecake ▶ VOIR cheesecake
cookies au chocolat noir ▶ VOIR cookie
coupes glacées au chocolat noir et à la menthe ▶ VOIR coupe
coupes glacées aux marrons glacés ▶ VOIR coupe
dacquoise au café ▶ VOIR dacquoise
éclairs au chocolat ▶ VOIR éclair
émotion velours ▶ VOIR verrine
fraises gariguettes aux agrumes
    et au jus de betterave rouge ▶ VOIR betterave
fraisier ▶ VOIR fraise
gâteau Ispahan ▶ VOIR rose
kouign-amann ▶ VOIR kouign-amann
macarons au chocolat au lait passion ▶ VOIR macaron
mille-feuille à la vanille (version au mascarpone)
    ▶ VOIR mille-feuille
mont-blanc ▶ VOIR mont-blanc
paris-brest ▶ VOIR paris-brest
sorbet ananas ▶ VOIR ananas
tarte caraïbe « crème coco » ▶ VOIR tarte
tarte au chocolat au lait et à l'ananas rôti ▶ VOIR tarte
tarte aux figues noires et aux framboises ▶ VOIR figue
tarte aux marrons et aux poires ▶ VOIR tarte
tarte tropézienne ▶ VOIR tropézienne
tiramisu ▶ VOIR tiramisu

Ken Hom
haricots verts sautés à l'ail ▶ VOIR wok
porc sauté au concombre ▶ VOIR wok
poulet sauté au basilic ▶ VOIR wok

Alex Humbert
selle d'agneau Callas ▶ VOIR agneau

Maurice Isabal
darnes de merlu à la koskera ▶ VOIR merlu

Patrick Jeffroy
lapereau de campagne au cidre fermier ▶ VOIR lapin

André Jeunet
filets de turbot braisé à l'Angélus ▶ VOIR turbot

Jean-Paul Jeunet
gigot de poularde de Bresse au vin jaune
    et morilles ▶ VOIR poularde

Lionel Jounault
velouté glacé à l'avocat ▶ VOIR velouté

Marina Kienast-Gobet
velouté de tomates ▶ VOIR velouté

Jean-Georges Klein
cappuccino de pommes de terre et munster ▶ VOIR munster

Jean-Paul Lacombe
cervelle de canut ▶ VOIR cervelle de canut
terrine de poireaux et fromage de chèvre frais ▶ VOIR terrine

Roger Lallemand
steak au poivre ▶ VOIR bœuf

Alain Lamaison
pigeons aux figues violettes et
    raisins blancs ▶ VOIR pigeon et pigeonneau

Roger Lamazère
confit d'oie ▶ VOIR confit
foie gras cru : préparation ▶ VOIR foie gras
perdreaux en croustade ▶ VOIR perdreau

Jacques Lameloise
pommes de terre rattes grillées aux escargots de Bourgogne,
    suc de vin rouge et crème persillée ▶ VOIR escargot

Frères Lampréia
tomates à la provençale du Petit Plat ▶ VOIR tomate

Pierre Laporte
purée de maïs au foie gras ▶ VOIR maïs

Éric Le Cerf
pâté en croûte ▶ VOIR pâté
rillettes de sardines ▶ VOIR rillettes

Jacques Le Divellec
foies de raie au vinaigre de cidre ▶ VOIR raie
tartare de thon ▶ VOIR tartare
vieilles aux pommes de terre ▶ VOIR vieille

Philippe Legendre
crème de cresson de fontaine au caviar sevruga ▶ VOIR cresson

Christophe Léger
cognac aux truffes ▶ VOIR truffe

Claude Legras
coussinet d'omble chevalier du lac Léman
    à la crème de parmesan ▶ VOIR omble chevalier
nage de poissons du lac à l'aligoté
    et aux herbes fraîches ▶ VOIR nage

Simone Lemaire
escalopes de turbot à l'embeurrée de poireau ▶ VOIR turbot
gratin de fraises au sabayon de citron ▶ VOIR gratin

Gaston Lenôtre
colombier ▶ VOIR colombier

Henri Le Roux
caramels mous au chocolat noir et
    au beurre salé ▶ VOIR caramel (bonbon)

Jean-Paul Lespinasse
terrine de bécasse ▶ VOIR bécasse
terrine d'écrevisses aux herbes ▶ VOIR écrevisse

Bernard Loiseau
grenouilles à la purée d'ail et au jus de persil ▶ VOIR grenouille
noisettes de chevreuil au vin rouge et poires rôties ▶ VOIR chevreuil
œufs sur le plat en cassolette ▶ VOIR œuf sur le plat
tarte aux pommes légère et chaude ▶ VOIR tarte

Gérard Louis
bar en croûte de sel ▶ VOIR bar (poisson)

Hervé Lussault
foie gras de canard des Landes confit au vin jaune ▶ VOIR foie gras
saumon fumé de Norvège ▶ VOIR saumon

Jacques Manière
filets de sole à la vapeur au coulis de tomate ▶ VOIR sole
gratin de bettes au verjus ▶ VOIR gratin

Gualtiero Marchesi
risotto à la milanaise ▶ VOIR risotto

Régis Marcon
crème renversée au caramel de morilles ▶ VOIR morille
lentilles vertes confites façon confiture ▶ VOIR lentille
poêlée de champignons sauvages ▶ VOIR champignon
tarte soufflée aux lentilles ▶ VOIR lentille
terrine de ris de veau aux morilles ▶ VOIR ris

Marinette
filets de sole Marco Polo ▶ VOIR sole

Guy Martin
langoustines juste saisies, d'autres assaisonnées
    aux fruits de la Passion ▶ VOIR langoustine
terrine de beaufort aux artichauts,
    œuf poché à la moutarde ▶ VOIR artichaut

Thierry Marx
risotto de soja aux truffes ▶ VOIR risotto

Christiane Massia
aiguillettes de canard au vinaigre de miel ▶ VOIR canard
pommes reinettes au miel et au beurre salé ▶ VOIR pomme
sauce à l'oseille ▶ VOIR sauce

Da Mathilde
poulet sauté aux plantains ▶ VOIR poulet

Jacques Maximin
loup « demi-deuil » ▶ VOIR bar (poisson)

Sergio Mei
crème de mozzarella de bufflonne
    avec tartare de bœuf, raifort et câpres ▶ VOIR mozzarella
raviolis à la ricotta de brebis et herbes spontanées
    avec hachis de tomates et thym ▶ VOIR raviolis

Marc Meneau
beignets de foie gras (cromesquis) ▶ VOIR beignet
turbotin sur pilotis de moelle ▶ VOIR turbot

Jean-Marie Meulien et Louis Outhier
langoustes aux herbes thaïes ▶ VOIR langouste

Patrick Mikanowski
poivron, ananas Victoria, comme une soupe
    de fruits ▶ VOIR poivron
salade pomme-pomme ▶ VOIR pomme

Jean et Paul Minchelli
coquilles Saint-Jacques crues ▶ VOIR coquille Saint-Jacques
daurade royale braisée aux quartiers
    de pomme ▶ VOIR daurade royale
escalopes de saumon cru aux deux poivres ▶ VOIR saumon
homard sauté à l'orange ▶ VOIR homard
terrine de sardines crues ▶ VOIR terrine
turbotin aux poireaux ▶ VOIR turbot

Paul Minchelli
ceviche de mérou ▶ VOIR mérou

Michel Mioche
homard breton aux angéliques ▶ VOIR homard

Prosper Montagné
cassoulet ▶ VOIR cassoulet

Mont-Bry
cari de poulet ▶ VOIR cari

Léopold Mourier
bécasse froide à la Diane ▶ VOIR bécasse

Barbara Navarro
gâteau au potiron d'Halloween ▶ VOIR gâteau

Louis Oliver
œufs sur le plat Louis Oliver ▶ VOIR œuf sur le plat

Raymond Oliver
canard farci à la rouennaise ▶ VOIR canard
canard aux mangues ▶ VOIR canard
merlan hermitage ▶ VOIR merlan
pintadeau farci Jean-Cocteau ▶ VOIR pintade
sauce vinaigrette ▶ VOIR vinaigrette
tartelettes aux noix et au miel ▶ VOIR tartelette

Pascal Orain
apple crumble ▶ VOIR crumble

Jean-Pierre Orsi
gratin de macaronis ▶ VOIR gratin

Pierre Orsi
ris et pieds d'agneau à la dijonnaise ▶ VOIR pied

Louis Outhier
filets de sole au vermouth ▶ VOIR sole
saint-pierre à la rhubarbe ▶ VOIR saint-pierre

Louis Outhier et Jean-Marie Meulien
langoustes aux herbes thaïes ▶ VOIR langouste

Bernard Pacaud
bavarois de poivrons doux sur coulis
    de tomates acidulées ▶ VOIR poivron
charlotte aux rougets ▶ VOIR charlotte
navarin de homard et de pommes de terre nouvelles
    au romarin ▶ VOIR homard
queue de bœuf braisée en crépine ▶ VOIR queue
salade de perdrix au chou ▶ VOIR salade

Christian Parra
boudin noir béarnais ▶ VOIR boudin noir
cocochas en sauce verte ▶ VOIR cocochas
pâté de foie de porc et de canard gras ▶ VOIR pâté
piments rouges de Lodosa (dits « piquillos »)
    farcis à la morue ▶ VOIR piment
piperade ▶ VOIR piperade
ventrêche de thon des pêcheurs du Pays basque ▶ VOIR thon

Alain Passard
avocat soufflé au chocolat ▶ VOIR avocat
betterave rouge en croûte de sel ▶ VOIR betterave
fricassée de petits pois et gingembre
    au pamplemousse ▶ VOIR petit pois
mille-feuille au chocolat ▶ VOIR mille-feuille
parmentier de panais, châtaignes et truffe noire
    du Périgord ▶ VOIR panais
potiron sauté à cru aux épices ▶ VOIR potiron

Gérald Passédat
beignets d'anémone de mer ▶ VOIR beignet
rougets de roche panure de pistache
    et consommé d'anis étoilé ▶ VOIR rouget-barbet
selle d'agneau de lait en carpaccio au pistou ▶ VOIR agneau
tronçon de loup comme l'aimait Lucie Passédat ▶ VOIR loup

Jean-Paul Passédat
tarte aux pignons ▶ VOIR pignon

Alain Pégouret
homard entier en salade ▶ VOIR homard

Suzy Peltriaux
gâteau au chocolat de Suzy ▶ VOIR gâteau

Paolo Petrini
gnocchis aux herbes et aux tomates ▶ VOIR gnocchi

Claude Peyrot
crème de betterave ou crème Violetta ▶ VOIR crème (potage)

André Pic
chaussons aux truffes ▶ VOIR chausson
gratin d'écrevisses ▶ VOIR écrevisse

Anne-Sophie Pic
fleurs de courgette farcies aux coquillages ▶ VOIR courgette
gratin dauphinois ▶ VOIR gratin
pigeons de la Drôme en croûte de noix ▶ VOIR pigeon et pigeonneau
soupe glacée de courgette à la menthe ▶ VOIR courgette

Jacques Pic
filet de loup au caviar ▶ VOIR loup
salade des pêcheurs au xérès ▶ VOIR langouste
tresse de loup et saumon au caviar ▶ VOIR loup

Jean-François Piège
blanc à manger d'œuf, truffe noire ▶ VOIR œuf moulé
moules à la Villeroi ▶ VOIR moule
pigeons désossés au foie gras ▶ VOIR pigeon et pigeonneau
poireaux à la vinaigrette, version moderne ▶ VOIR poireau
ris de veau moelleux/croustillant ▶ VOIR ris
variation de petits pois à la paysanne ▶ VOIR paysanne

François Pierre de la Varenne
arbolade ▶ VOIR arbolade

Fernand Point
poularde en vessie Marius Vettard ▶ VOIR poularde

Jean et Pierre Troisgros
escalopes de saumon à l'oseille Troisgros ▶ VOIR saumon
mousse de grive aux baies de genièvre ▶ VOIR mousse
rillettes de lapin ▶ VOIR rillettes
terrine de légumes aux truffes « Olympe » ▶ VOIR terrine

Michel Troisgros
crème de topinambour aux copeaux
    de châtaigne ▶ VOIR topinambour
cuisses de grenouille poêlées à la pâte de tamarin ▶ VOIR grenouille
gourmandes d'Arman ▶ VOIR pomme
pressé de tête de veau aux tomates acidulées ▶ VOIR tête
saumon à l'oseille (version moderne) ▶ VOIR saumon

Pierre et Michel Troisgros
grillon de ris de veau aux échalotes mauves ▶ VOIR ris

Daniel Valluet
soufflé au citron vert ▶ VOIR soufflé

Geert Van Hecke
huîtres creuses d'Ostende aux aromates ▶ VOIR huître
salade de chicon, pomme verte aux langoustines
    et lanières de poulet ▶ VOIR endive

Francis Vandenhende
charlotte aux marrons ▶ VOIR charlotte

Pierre Vedel
sardines gratinées ▶ VOIR sardine

Roger Vergé
blanquette d'agneau aux haricots
    et pieds d'agneau ▶ VOIR blanquette
civet de homard ▶ VOIR civet
filets mignons de veau au citron ▶ VOIR veau
fleurs de courgette aux truffes ▶ VOIR courgette
langouste grillée au beurre de basilic ▶ VOIR langouste
poulet en croûte de sel ▶ VOIR poulet

Olympe Versini
brochette de moules ▶ VOIR brochette
langoustines frites aux légumes ▶ VOIR langoustine
sole au thym ▶ VOIR sole

Marc Veyrat
carrés d'agneau au pimpiolet ▶ VOIR agneau

Gérard Vié
foie gras de canard au vin de Banyuls ▶ VOIR foie gras
fondants de bœuf au chambertin ▶ VOIR bœuf
macarons à la tomate et olive ▶ VOIR olive
mousse de pomme de terre éclatée au caviar ▶ VOIR pomme de terre
raviolis de navet, gelée de yuzu au thé ▶ VOIR navet
tartines de fèves ▶ VOIR fève

Jean-Pierre Vigato
blanc-manger ▶ VOIR blanc-manger
cabillaud fraîcheur ▶ VOIR cabillaud
glace au miel ▶ VOIR glace
salade d'oreilles de cochon confites ▶ VOIR salade

Joseph Wechsberg
Sachertorte ▶ VOIR Sachertorte

Mme Witwicka et S. Soskine
borchtch ukrainien ▶ VOIR borchtch

Eckart Witzigmann
moelleux aux pommes et noix fraîches ▶ VOIR pomme
turbot au lait ▶ VOIR turbot

Pierre Wynants
choesels au lambic et à la bruxelloise ▶ VOIR choesels
mousse de crevettes ▶ VOIR mousse

Marie-Carmen Zamudio
mole poblano du couvent de Santa Rosa ▶ VOIR mole poblano

RECETTES EMBLÉMATIQUES DE RESTAURANTS ET ENSEIGNES

Al Diwan, à Paris
baklavas aux pistaches ▶ VOIR baklava
hoummos ▶ VOIR hoummos

Ambassade d'Auvergne (l'), à Paris
falettes ▶ VOIR falette

Anahi, à Paris
empanada ▶ VOIR empanada
gratin de maïs ▶ VOIR gratin

Atelier de Joël Robuchon, à Paris
tartines de pieds de porc ▶ VOIR pied

Chocolaterie royale (la), à Orléans
pâte de coing ▶ VOIR pâte de fruits
pâte de pomme ▶ VOIR pâte de fruits

Crémaillère (la), à Brive-la-Gaillarde
pommes de terre à la sarladaise ▶ VOIR pomme de terre

Fellini, à Paris
biscuits à l'anis ▶ VOIR biscuit

Gill, à Rouen
canard aux navets confits et au cidre ▶ VOIR canard

Harry's Bar, à Venise
carpaccio ▶ VOIR carpaccio

Jacques Cagna, à Paris
escargots en coque de pomme de terre ▶ VOIR escargot

Jardin de Perlefleurs (le), à Bormes-les-Mimosas
anchoïade ▶ VOIR sauce
rouille au safran ▶ VOIR sauce
socca ▶ VOIR socca

Jean-Paul Jeunet, à Arbois
jésus à la vigneronne ▶ VOIR jésus

Lapérouse, à Paris
caneton de Colette ▶ VOIR caneton
civet de râble de lièvre aux pâtes fraîches ▶ VOIR civet
colvert au poivre vert ▶ VOIR canard sauvage
soufflé Lapérouse ▶ VOIR soufflé

Lasserre, à Paris
canard à l'orange Lasserre ▶ VOIR canard
crêpes flambées Mylène ▶ VOIR crêpe

Lucas-Carton, à Paris
bécasses rôties ▶ VOIR bécasse

Maison Androuet, à Paris
rocamadour aux poireaux ▶ VOIR rocamadour
tartines de chèvre et canard fumé sur ratatouille ▶ VOIR ratatouille

Maison du chocolat, à Paris
bacchus ▶ VOIR chocolat
gâteau aux marrons et au chocolat ▶ VOIR marron

Maison Riguidel, à Quiberon
galettes bretonnes ▶ VOIR biscuit

Marais-Cage (le), à Paris
féroce martiniquais ▶ VOIR avocat

Mauduit (Pierre) traiteur, à Paris
charlotte au chocolat ▶ VOIR charlotte
charlotte aux fraises ▶ VOIR charlotte
charlotte aux poires ▶ VOIR charlotte

Michel Rubod, à Commentry
gigot de mouton de sept heures ▶ VOIR mouton

Pré Catelan (le), au bois de Boulogne
crème glacée coco-safran ▶ VOIR safran
risotto noir de langoustines au basilic thaï ▶ VOIR risotto

Tour d'Argent (la), à Paris
caneton Tour d'Argent ▶ VOIR caneton

Wally le Saharien, à Paris
pastilla au pigeon ▶ VOIR pastilla

INDEX DES RECETTES

VIANDES

VOLAILLES ET LAPIN

PLATS COMPLETS

EN-CAS

ACCOMPAGNEMENTS

Céréales

Champignons

Farinages

Légumes

PÂTES

FROMAGES

DESSERTS

Beignets, crêpes et gaufres

Crèmes de pâtisserie

Desserts au chocolat

RECETTES DU MONDE ENTIER

INDEX GÉNÉRAL

Les numéros de page en gras renvoient à une entrée du dictionnaire ; en normal, ils correspondent à un mot cité dans le texte. Les illustrations sont repérées par des numéros de page en italique. Les numéros de pages en chiffres romains renvoient à la partie centrale Gestes et savoir-faire située entre les pages 512 et 513.

H

REMERCIEMENTS

L'Éditeur remercie les fédérations professionnelles, sociétés et organismes de recherche suivants pour leur aimable collaboration à la mise à jour des contenus :

Association nationale des producteurs de noisettes, BP 14, 47290 Cancon
CEAFL CORSE, Les Néréides, Moriani-Plage, 20230 San Nicolao
CEAFL ESTIFEL, Parc d'activité de Brabois, 7, allée de la Forêt-de-la-Reine, 54500 Vandœuvre
CEAFL GRAND SUD-OUEST, Agropole, Bât. Alphagro, BP 206, 47931 Agen Cedex 09
CEAFL NORMANDIE, Maison de l'agriculture, Avenue de Paris, 50009 Saint-Lô Cedex
CEAFL RHÔNE-MÉDITERRANÉE, MIN, Bât. U, 84000 Avignon
CEAFL VAL DE LOIRE, MIN, 12, avenue Joxé, BP 30301, 49103 Angers Cedex 02
CEDUS, 30, rue de Lübeck, 75016 Paris
Centre d'étude et de valorisation des algues, 45, rue Saint-Lazare, 75314 Paris Cedex 09
Centre de recherche et d'information nutritionnelle, Pen Lau, BP 3, 22610 Pleubian
Centre technique de salaison et de la charcuterie, École nationale vétérinaire, 94700 Maisons-Alfort
CERAFEL BRETAGNE, Rue Marcellin-Berthelot, ZI de Kérinvin, 29600 Saint-Martin-des-Champs
CIDIL, 42, rue de Châteaudun, 75009 Paris
CIRAD-FLHOR, 9, rue d'Athènes, 75009 Paris
CNDA (Centre national de développement apicole), 149, rue de Bercy, 75012 Paris
CNIPT (Comité national interprofessionnel de la pomme de terre), TP 50/PS4, 34398 Montpellier Cedex 5
Comité national de la conchyliculture, 122, rue de Javel, 75015 Paris
Confédération nationale de la boulangerie et boulangerie-pâtisserie française, 27, avenue d'Eylau, 75782 Paris Cedex 16
CTCS (Centre technique de la canne et du sucre), Petit Morne, 97232 Lamentin
CTIFL, 22, rue Bergère, 75009 Paris
CTIFL (siège), Centre de Carquefou, ZI « Belle Étoile » Antarès, 35, allée des Sapins, 44470 Carquefou
CTIFL-AIREL, Domaine de Lalande, 47110 Sainte-Livrade-sur-Lot
CTIFL Balandran, BP 32, 30127 Bellegarde
CTIFL Lanxade, BP 21, 24130 La Force
CTIFL SELT, Le Riout, 41250 Tou-en-Sologne
Darégal, 6, boulevard Joffre, 91490 Milly-la-Forêt
DGCCRF, Ministère de l'Économie, 3-5, boulevard Diderot, 75572 Paris Cedex 12
FDGETAL, 13, avenue des Droits-de-l'Homme, 45921 Orléans Cedex
Fédération des industries charcutières, 3, rue Anatole-de-la-Forge, 75015 Paris
Fédération française des producteurs d'oléagineux et de protéagineux, 12, avenue George-V, 75008 Paris
Fédération française des volailles, 2 et 3, Hameau de Pierreville, 55400 Gincrey
Fédération interprofessionnelle des labels rouges bœuf, veau, agneau, Tour Gamma A, 193-197, rue de Bercy, 75582 Paris Cedex 12
Fédération nationale des détaillants en produits laitiers, 5, rue des Reculettes, 75013 Paris
Fédération nationale du légume sec, Bureau 273, Bourse du Commerce, 2, rue de Viarmes, 75040 Paris Cedex 01
Fédération nationale ovine, 149, rue de Bercy, 75595 Paris Cedex 12
Fédération nationale porcine, 149, rue de Bercy, 75595 Paris Cedex 12
IFREMER Centre de Brest, BP 70, 29280 Plouzan
INRA, 42, rue Georges-Morel, BP 57, 49071 Beaucouzé Cedex
INRA Dijon, BV86510, 21065 Dijon Cedex
INRA Domaine de la Grande Ferrade, BP 81, 33883 Villenave-d'Ornon Cedex
INRA Domaine Keraiber, 29260 Ploudaniel
INRA Domaine Saint-Maurice, BP 94, 84143 Monvafet Cedex
INRA-CIRAD, 20230 San Giuliano
Institut national de la boulangerie-pâtisserie, 150, boulevard de l'Europe, 76100 Rouen
Institut technique d'aviculture, 28, rue du Rocher, 75008 Paris
Petrossian, 18, boulevard La Tour-Maubourg, 75007 Paris
Syndicat national des fruits secs, Bureau 273, Bourse du Commerce, 2, rue de Viarmes, 75040 Paris Cedex 01

L'Éditeur remercie aussi les ambassades et organismes suivants :

Ambassade d'Algérie, M. Sadani, 50, rue de Lisbonne, 75008 Paris
Ambassade d'Argentine, M. Faes, 6, rue Cimarosa, 75116 Paris
Ambassade de Bolivie, M. José de Hacha, 12, avenue du Président-Kennedy, 75016 Paris
Ambassade de Bulgarie, Mme Maria Donevska, 28, rue de la Boétie, 75008 Paris
Ambassade de Colombie, Mme Anna Jaranillo, 22, rue de l'Élysée, 75008 Paris
Ambassade des États-Unis, Mlle Kelly Mc Clure, 2, avenue Gabriel, 75008 Paris
Ambassade de l'Inde, Mme Bhagirath, 15, rue Alfred-Dehodencq, 75016 Paris
Ambassade du Japon, Service culturel et d'information, M. Yamada Fumihikao, 7, rue de Tilsit, 75017 Paris
Ambassade du Liban, M. Abdellah Naaman, 3, villa Copernic, 75116 Paris
Ambassade du Pérou, M. Alonso Ruis Rosas, 50, avenue Kléber, 75116 Paris
Ambassade de la République malgache, M. Jean-Pierre Razafy Andriamihaingo, 4, avenue Raphaël, 75016 Paris
Ambassade de la République socialiste du Viêt Nam, M. Do Duc Thanh, 62, rue Boileau, 75116 Paris
Ambassade de Roumanie, M. Radu Portocala, 5, rue de l'Exposition, 75343 Paris Cedex 07
Ambassade royale du Cambodge, Chancellerie, Mme Lovy Pahnn, 4, rue Adolphe-Yvon, 75116 Paris
Ambassade d'Ukraine, M. Svystkov, 22, avenue de Messine, 75008 Paris
Ambassade de l'Uruguay, Mme Marta Dizzanelli, 15, rue de la Sueur, 75116 Paris
Centre culturel algérien, 171, rue de la Croix-Nivert, 75015 Paris
Europa Korea, Baron Simon-Pierre Nothomb, c/o Fondation universitaire, 11, rue d'Egmont, B-1000 Bruxelles, Belgique
Office national du tourisme coréen, Tour Maine-Montparnasse, BP 169, 4e étage, 75755 Paris Cedex 15
Office de tourisme de Turquie, Mme Serpil Varol, 102, avenue des Champs-Élysées, 75008 Paris

La rédaction remercie pour leur aide :

Ali Tavassoli, Mazeh, 65, rue des Entrepreneurs, 75015 Paris
Éric Dehillerin, Dehillerin, 18-20, rue Coquillère, 75001 Paris
Kenwood, www.kenwood.fr
Michel Liquidato, Riso Gallo, 31, rue des Peupliers, 92000 Nanterre
Le Palais des thés, 3, rue de Nice, 75011 Paris
Terre Exotique, 61, quai de la Loire, 37210 Rochecordon

CRÉDITS PHOTOGRAPHIQUES

Reportages en cuisine
David Japy
ainsi que les pages : p. 25 ; 52 ,95 ;132 ; 251 ; 269 ; 354 ; 355 ; 455 ; 456 ; 539 ; 551 ; 584 ; 632 ; 669 ; 671 ; 707.

Les retouches des images et les virages ont été réalisés par
Claire Mieyeville et Olivier Ploton.

Photographies de produits
Teubner Foodfoto, Füssen

sauf les photographies de :

G+S photographie © Coll. Larousse : p. 12 (rouge du Roussillon) ; 51 (poivrade, violet de Provence, macau, blanc d'Espagne, romanesco) ; 54 (vraie verte) ; 108/109 ; 128 ; 181 (burlat, duroni 3, géant d'Hedelfingen, griotte, guillaume, marmotte, napoléon, reverchon, stark hardy giant, summit, sunburst, van) ; 188/189 (cèpe tête-de-nègre, chanterelle en tube, girolle, lépiote, marasme d'Oréade, shiitake, tricholome terreux, laccaire améthyste) ; 206 (sauvage améliorée, frisée très fine maraîchère, scarole, pain-de-sucre) ; 215 (vert frisé de Milan, vert pointu, pak-choï, pé-tsaï, romanesco, brocoli à jets verts, rouge - type cabus -, blanc à choucroute) ; 222 (citron jaune d'Espagne, citron jaune de Menton, citron jaune de Nice, lime) ; 238 (concombre type hollandais, cornichon type semi-épineux, cornichon fin de Meaux, cornichon vert petit de Paris) ; 252 (bernique, bulot, clam, coquille Saint-Jacques, encornet, ormeau, palourde, pétoncle, poulpe, praire, violet) ; 262 (courgette-fleur, diamant, greyzini, grisette de Provence, longue de Saumur, mini-courgette, reine des noires, ronde de Nice, sardane, verte maraîchère) ; 286/287 (langouste verte, langouste rose, étrille, écrevisse) ; 326 (type Jersey ou de Bretagne demi-longue, type Jersey ou de Bretagne longue, type Jersey ou de Bretagne ronde) ; 380 ; 445 (flageolet vert) ; 486 (batavia blonde, feuille de chêne rouge, feuille de chêne verte, iceberg, sucrine) ; 496/497 (fruit à pain, pois d'Angol, gombo) ; 498/499 (carotte parisienne type grelot, carotte nouvelle, radis noir, radis demi-long à bout blanc) ; 536 (vert olive, jaune canari, charentais cavaillon – jaune –, charentais cavaillon – blanc –, charentais lisse, ogen) ; 568 (bel top, Flavour Giant, Silver Gem) ; 589 (oignons blancs frais en botte, oignon jaune d'Auxonne) ; 639 (daisy, Elegant lady, royal moon, summer rich, white lady) ; 666 (conférence, doyenné du Comice, Jules Guyot, louise-bonne d'Avranches, passe-crassane, williams jaune) ; 672/673 (alose, saumon de l'Atlantique) ; 674/677 (bogue, céteau, équille, lieu jaune, lingue, sabre, vive) ; 683 (demi-long, long des Landes, long) ; 692 (belle de Fontenay, BF 15, bintje, charlotte, nicola, ostara, resy, roseval) ; 715 ; 727.

Coll. Hemera © Thinkstock : P 406 (arbouse)

Photographies de gestes techniques pas à pas
G+S photographie © Coll. Larousse
p. 74 ; 158.
Studio Vézelay © Coll. Larousse
p. 60 ; 69 ; 80 ; 113 ; 118 ; 158 ; 160 ; 161 ; 208 ; 209 ; 221 ; 225 ; 257 ; 260 ; 318 ; 360 ; 375 ; 422 ; 426 ; 450 ; 492 ; 585 ; 614 ; 617 ; 620 ; 626 ; 721 ; 760 ; 797 ; 812 ; 822 ; 824 ; 833 ; 862 ; 871 ; 873.

Photographies cahier central gestes et savoir-faire
© DK Images
sauf les photographies de :
Studio Vézelay © Coll. Larousse : p. VIII, XXII (Préparer une pâte sablée), XXIII
G+S photographie © Coll. Larousse : p. X, XI, XII (Habiller un turbot en portions), XIII, XIV, XVI, XVI (Ouvrir une huître, Ouvrir un oursin), XXXI (Réaliser un coulis à la framboise)
Studiaphot © Coll. Larousse : p. XXV, XXVI, XXVII (Pâte à génoise), XXVIII (Glaçage au fondant), XXIX
Nicolas Bertherat © Coll. Larousse : p. XXVIII (Ganache au chocolat), XXX (Confire des zestes d'agrumes).

L'Éditeur remercie pour leur disponibilité et leur accueil chaleureux lors des prises de vue :
Alléosse Traiteur Fromages, 17, rue Poncelet, 75017 Paris
École supérieure de cuisine française Ferrandi, 28, rue de l'Abbé-Grégoire, 75006 Paris
Four Seasons - Hôtel George V, 31, avenue George-V, 75008 Paris
Garnier, 11, rue Saint-Lazare, 75008 Paris
Hélène Darroze, 4, rue d'Assas, 75006 Paris
Hôtel de Crillon, restaurant Les Ambassadeurs, 10, place de la Concorde, 75008 Paris
Hôtel Ritz, 15, place Vendôme, 75001 Paris
Kaiseki, 7 bis, rue André-Lefebvre, 75015 Paris
Potel & Chabot, 3, rue de Chaillot, 75116 Paris

Photogravure Nord Compo, Villeneuve-d'Ascq - Imprimé en Espagne par Dedalo, Madrid.
Dépôt légal : octobre 2012
309996/01-11020041 août 2012